X-Knowledge

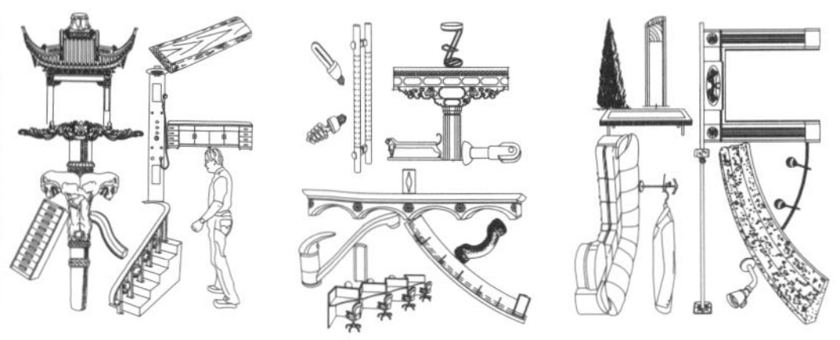

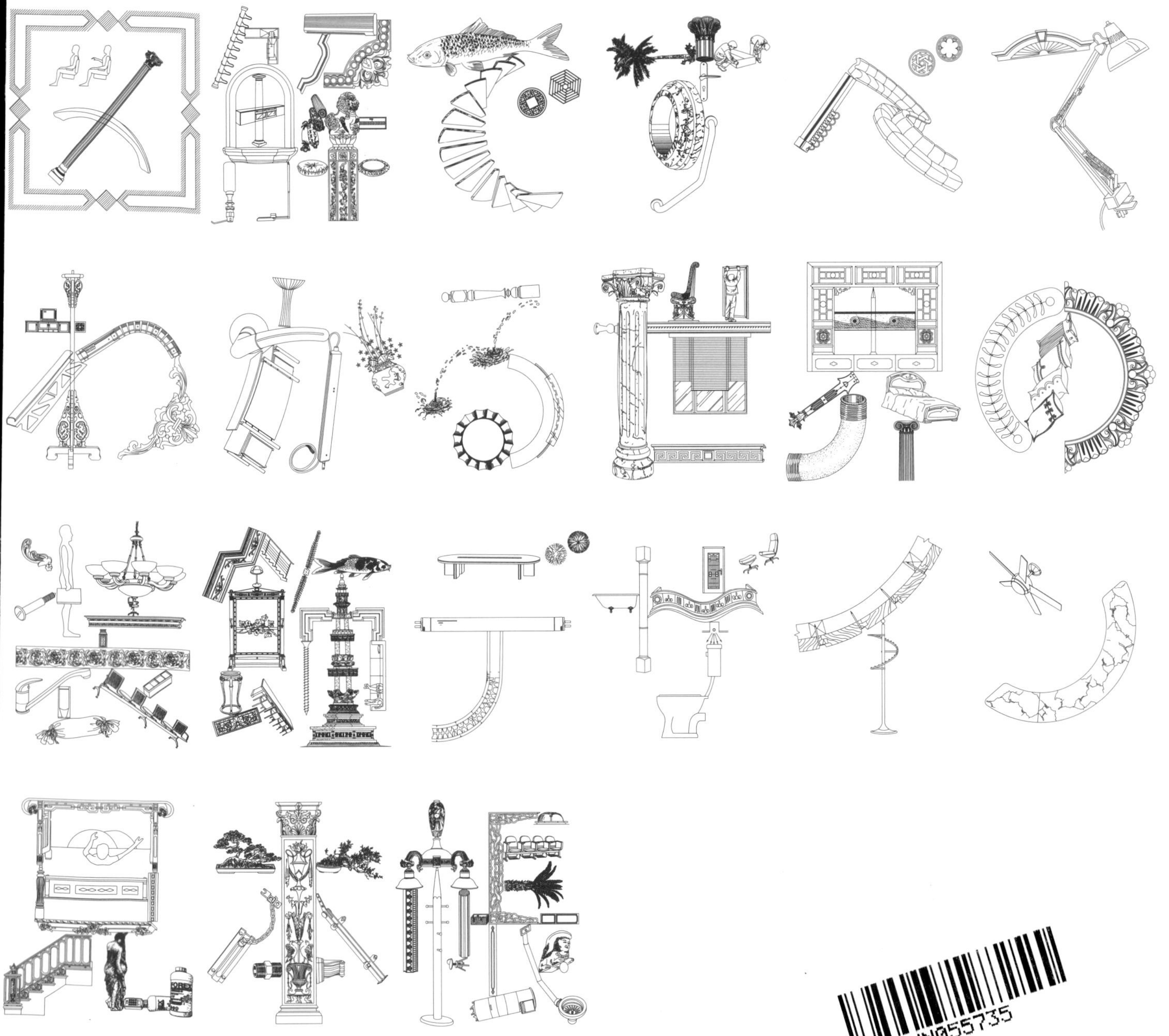

JN055735

編集委員会

Advisor
アドバイザー

Introduction
はじめに

装飾デザインとは、その建築物のもつ機能や特性を考慮しつつ、利用する人々の多様な要求を満たすことを目的に、技術と芸術性を融合して空間を演出する行為である。その最終目標は、科学技術と芸術を結び合わせ、建築形式と機能が齟齬(そご)をきたさないかたちで、人間が生活や仕事をするうえで理想的な環境をつくることである。

装飾デザインを行う場合には、その建築物の室内空間の形状や広さから、最適な技術を選択し装飾を施すことが求められる。そのため、その建築物を利用することになる人間の五感にどのように作用するかを考慮し、人間にとって生理的、心理的に無理のない室内環境をつくり出さなければならない。その場合には、新しい素材、技術、設備などの技術の進歩を常に念頭に置き、かつ積極的に活用する必要がある。そして、室内環境にとって不可欠な要素を満たしたうえで、性能、費用、素材、形状、色味、質感、採光、照明、家具、その他の設備、さらに安全性、自然環境への影響などについても考慮しなければならない。

装飾デザインにおいて最も重要なのは、素材をどう活用し表現するかという点である。新しい素材や技術が次々に登場することにより、装飾デザインには無限ともいえる選択肢が生まれたが、これらの技術をどのように芸術的な表現と結び合わせるかによって、表現力と影響力を持つ室内空間をつくり出すことができるか否かが決まる。

21世紀を生きる我々は、経済、情報通信技術、科学技術、文化等、あらゆる側面において急速な発展に直面している。人類の物質的・精神的生活水準も非常に高いレベルに達している。科学技術と芸術性を両立させながら、十分な機能を備えた高品質な室内環境をつくることが、建築を生業とする者に求められている。

本書は豊富な資料とともに、室内装飾の歴史から具体的な家具のデザイン、室内の緑化、装飾のための素材、各種設備などについてわかりやすく解説した。中でも、素材の歴史的な変遷とその実用性については特に重点的に取り上げた。本書が、装飾デザインに関する理論から実践まで、学生も含む建築に携わる多くの方々の理解を深める一助になれば、著者としては望外の喜びである。

From Editors
編者より

装飾デザインに関する参考書や教材はすでに数多く存在するが、本書は資料性のある図説であり、内容も多岐にわたっている。国内外の装飾デザインの歴史から照明、室内の緑化法や中庭の設計、家具の設計、装飾品、素材、建築物の構造、部品や設備まで、知識と技術の両面から学ぶことのできる、極めて実用的な資料であり参考書である。

この15年間、私たちは16の大学で200人以上の実習生やデザイナーを育ててきた。そこで気づいたのは、彼らに実践的な知識が不足していることだった。そこで、彼らに欠けている「実践面」に多くの紙面を割くことにし、同様な悩みを持つ読者の一助になることを目指した。

装飾デザインは、施工技術と芸術的な創造性が融合したものである。さまざまな芸術と技術を用いて、最良の空間的効果をつくり出すことを目指すものであり、人々を楽しませる環境を創造する役割を持つ仕事である。広く、深みのある実践的な設計知識の習得は、装飾デザインを学ぶ上で最も大切なことである。装飾デザインは創造的な仕事であり、決してデザイン書やCGパースの画像を切り貼りして済ますことがあってはならない。本書を通じて私たちは、若いデザイナーや学生たちに対し、創造性を高めるための素材や、デザイン上のインスピレーションをより多く届けたいと考えている。

本書の編集過程で、各方面の専門家からアドバイスをいただいた。上海建築学会会長の呉之光教授からは、現場視察の機会を与えていただいた。建築界の大家である蔡鎮鈺と梁友松の両教授からは、内容面と図版に関して多くのご指導をいただいた。40年余りの教育経験と実務経験を持つ、同済大学室内設計工程公司の理事長で総設計師の陳忠華教授からは、さまざまな修正と指導、さらには具体的なアドバイスをいただいた。かつて国内外でインテリア・デザインの仕事に従事されてきたエンジニアの周錫宏氏には、すべての原稿に目を通していただいた上で修正点を指摘していただいた。同じく長い間設計の仕事に従事されてきたエンジニアの劉国慶氏には、校正時に貴重なご意見をいただいた。お二人には編集時に大変お世話になった。こうして、編集委員会全員の努力により、4年の歳月を経て原稿を完成させることができた。

本書の図版はすべてコンピューターで製作されている。スケッチ図とはやや異なるものになったが、これは1つのチャレンジであり、不足部分は今後の課題としたい。本書の内容は多岐にわたるが、私たちの力には限りがあるため、間違いや不足も少なくないと思われる。読者、特に装飾デザインに携わる方々からの貴重なご意見を頂戴できれば幸いである。

Index
もくじ

01 室内装飾史

02 室内空間の設計

03
室内空間と寸法

04
室内の光環境の設計

05 室内緑化と中庭

06 家具・備品・設備

07 室内装飾

08 室内装飾材料

09 装飾用完成部品

10 木製家具

11 床面の装飾

12 壁面の装飾

最初に建築や室内装飾を芸術にまで高めたのは、古代エジプト人である。新王国（紀元前1570年頃〜同1070年頃）は古代エジプトの最盛期で、国家は宗教によって統治され、王（ファラオ）は神の化身と見なされた。そのため、この時代の特色を最もよく表している建築物は神殿である。神殿の柱頭の多くには四面に女神ハトホルが彫刻され、柱や壁にも女神への崇拝を示す彫刻があしらわれている。そのほか、パピルスやロータス（蓮）、ナツメヤシなど植物のレリーフが施された柱頭や、記念すべき事件を文字や図柄で表した柱も多い。さらに天井や床、梁にも動植物など、さまざまな美しい装飾がなされている。

また、古代エジプトの家具の多くには塗装が施されている。収納家具のほとんどは明るい色の幾何学模様によって装飾され、象牙や宝石がはめ込まれた椅子や金箔があしらわれた彫刻もある。装飾のモチーフはライオンや獣の脚、鷹の頭、植物などである。歴史上最古の文明を象徴する存在がピラミッドである。美しく精密に装飾された建物や家具からは、当時の社会の繁栄ぶりと豊かな生活がしのばれる。

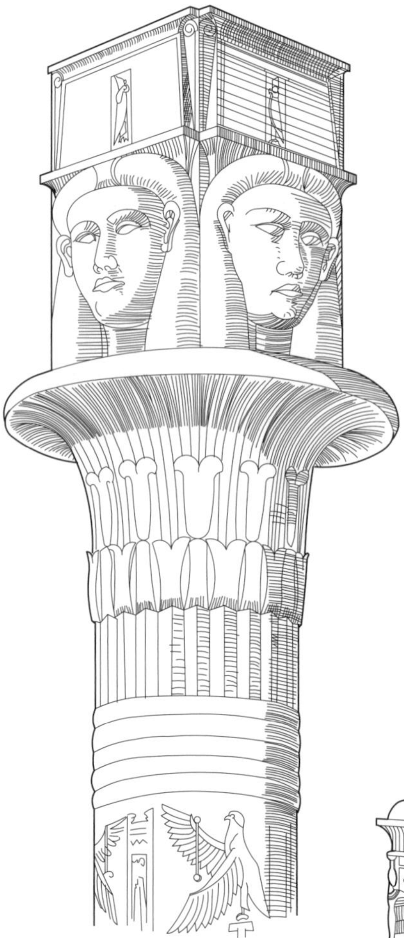
ハトホル神と動植物を象った柱頭

ロータス柱

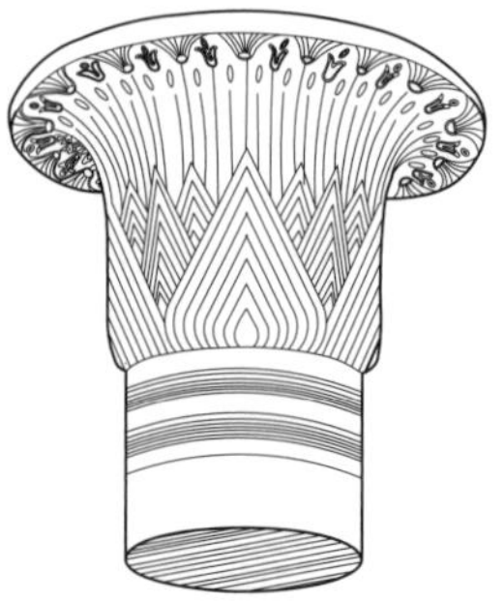
パピルス柱

イチジクが描かれた墓の壁画

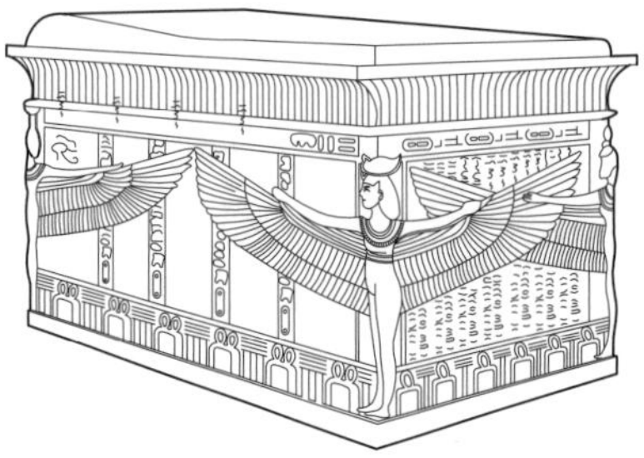
宝石がはめ込まれ、翼を広げた鷲の姿の女神が四隅に描かれた国王の棺桶

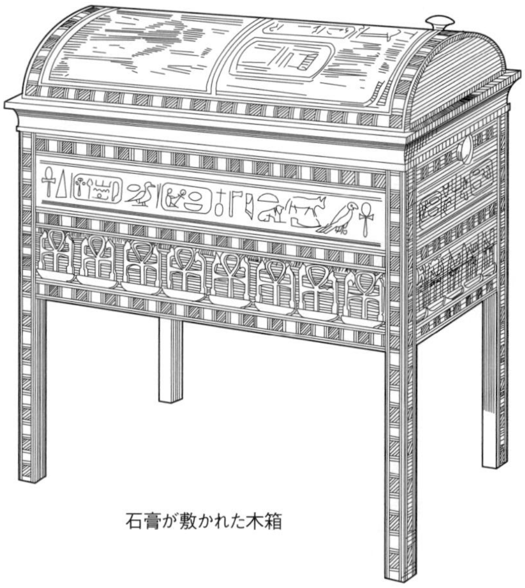
石膏が敷かれた木箱

獅子の体に羊頭の像

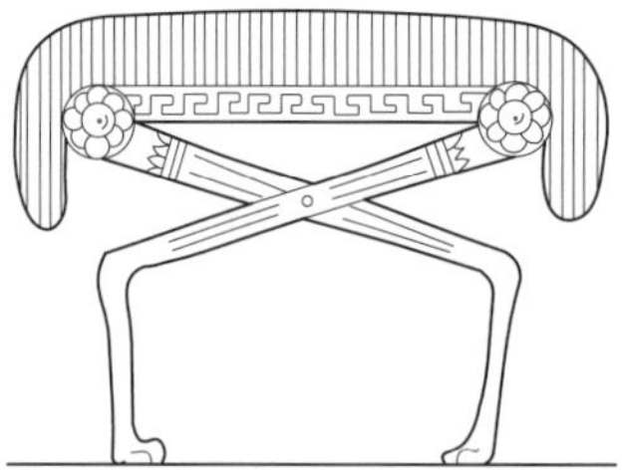
獣の脚を模した折りたたみ椅子

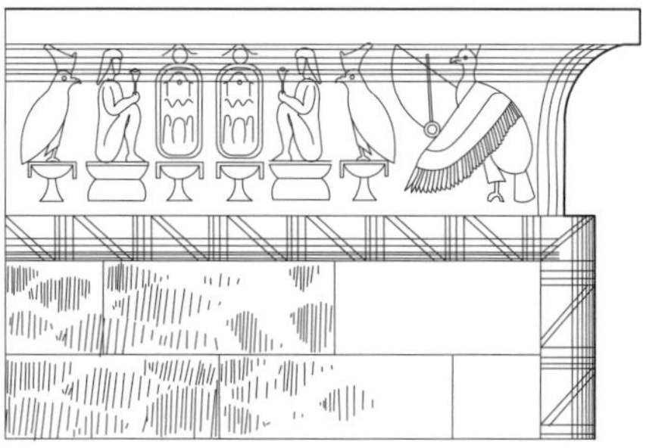
外壁の軒口の装飾

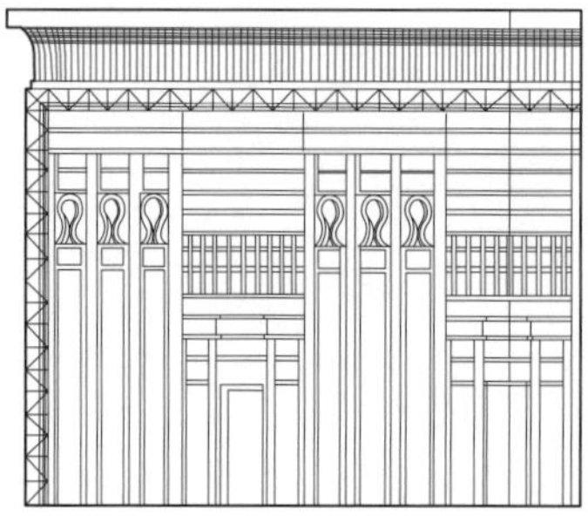
棺桶の装飾の細部

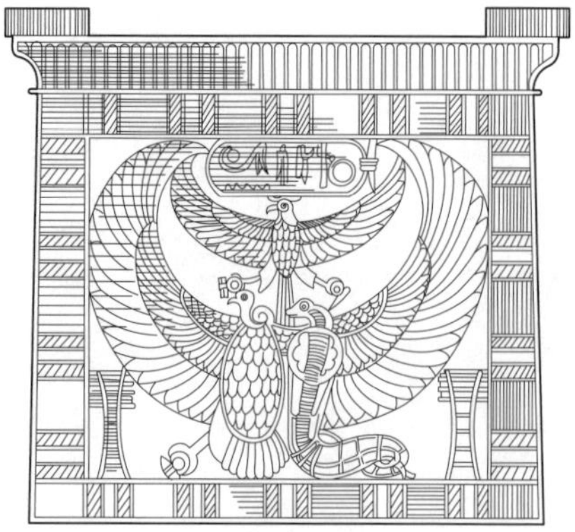
鷹の紋章の胸あて

「万物の母」と呼ばれる女神ムト

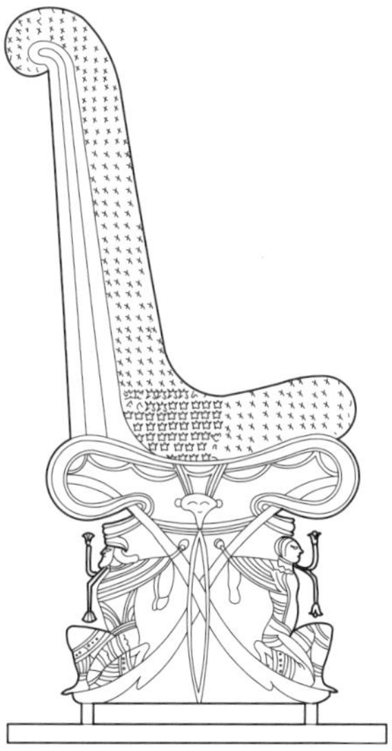

墓の壁画に描かれた椅子

ツタンカーメン王の玉座

神殿に施された装飾

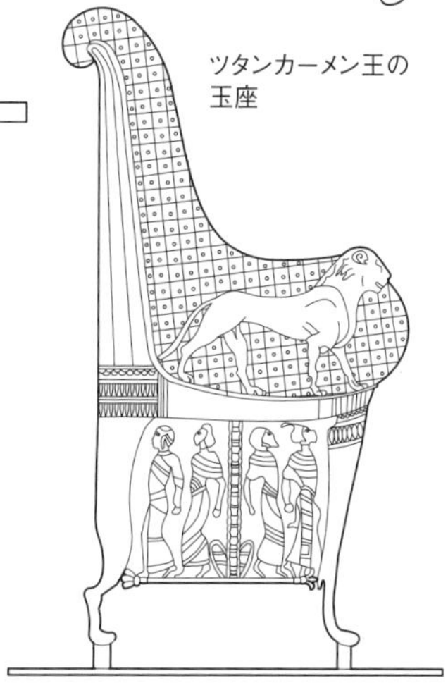

座面が柔らかく背もたれが高い椅子

獅子像

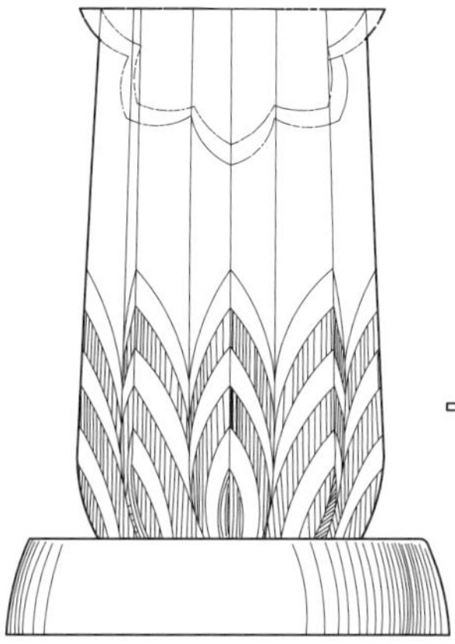

神殿の柱

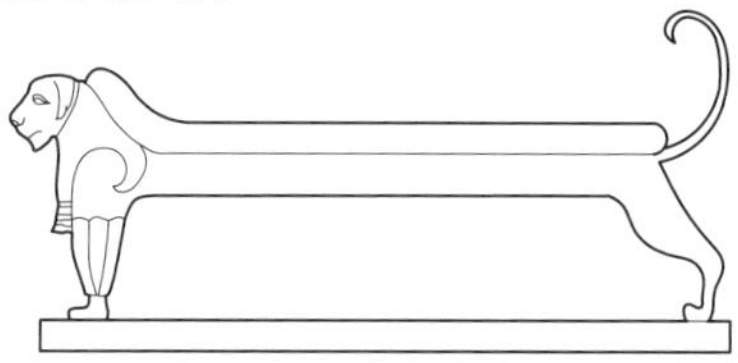

獣の形をした木製の腰掛け

左が「法」と「正義」を司る女神マアト

中央が太陽神アモン、左が月の神コンス

メソポタミア文明の歴史は、シュメール、アッシリア、新バビロニア、アケメネス朝ペルシアなど、いくつかの時代に分けられる。シュメール人のつくった建造物で最も優れているのはジッグラト（聖塔）で、日干レンガを用いて階層上に建てられ、表面は彩釉レンガによって彩色された。彫刻とレリーフも、この時期の流行になった。アッシリアを代表する建造物はサルゴン2世の宮殿で、そのアーチ門は1対の人面有翼牡牛像によって守られている。宮殿の装飾はゴージャスで、中でも彩釉レンガと壁画が特徴的で、壁にはたくさんの浅いレリーフが彫られている。新バビロニア王国には、世界の7不思議の1つとして知られる「空中庭園」があったとされる。ピラミッド型のこの巨大な庭園には色とりどりの樹木が植えられ、内部に設けられた部屋は豪華絢爛に装飾され、内壁には主に動物や植物のレリーフがあしらわれていたという。アケメネス朝ペルシアの代表作はペルセポリスの宮殿群で、宮殿の中には高さ11mの柱が100本立っていたとされる百柱の間などがあり、宮殿全体は「ハザール・ストゥーン（千の柱）」と称されていた。柱は精緻かつ生き生きした左右対称の牡牛の彫刻で飾られ、その基部には花弁が彫られていた。天井の梁と庇は金箔に覆われ、壁全面に壁画が描かれていたという。

メソポタミア時代の家具の多くには塗装が施され、人や動物、植物の実や葉が彫られている。特に宮殿用の家具は、貝殻、象牙、金箔などできらびやかに装飾されている。

剣の柄の模様

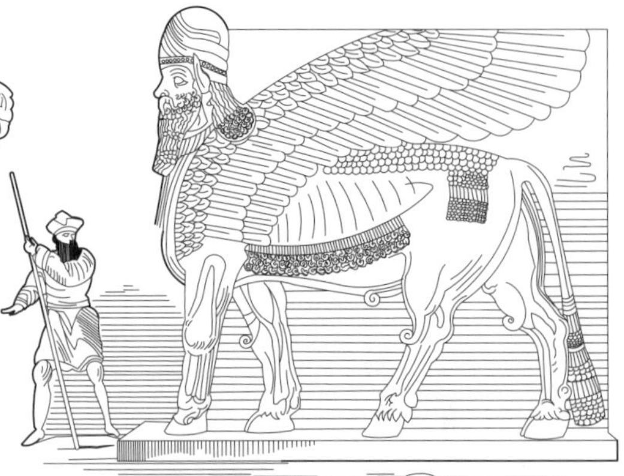
宮殿のアーチ門の人面有翼牡牛像

サルゴン宮殿入口

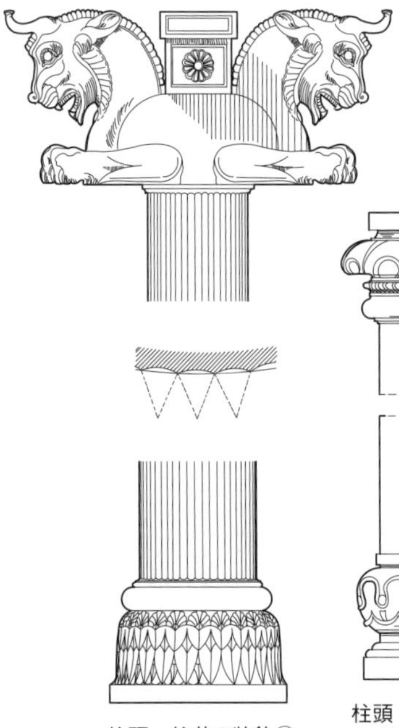
柱頭・柱基の装飾①

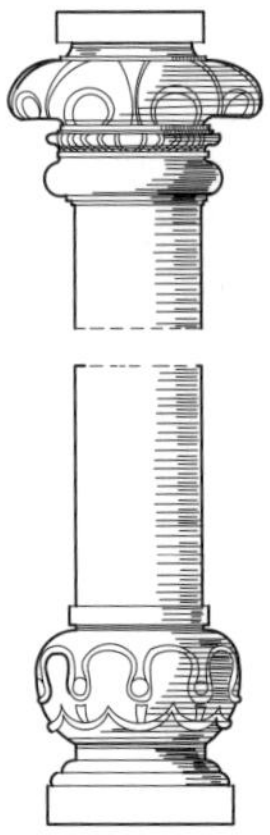
柱頭・柱基の装飾②

柱頭・柱基の装飾③

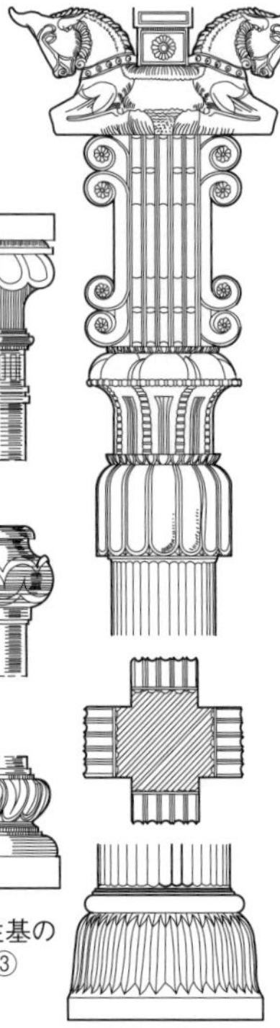
柱頭・柱基の装飾④

建物に彫られた浅いレリーフ

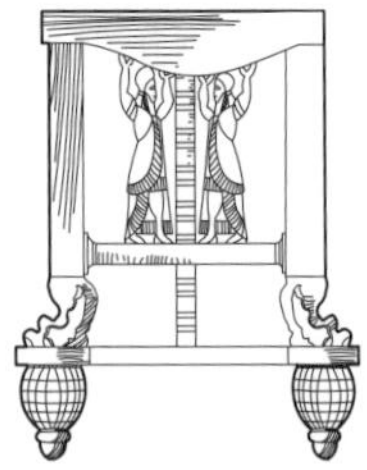
人間と獣の脚の装飾が施された椅子

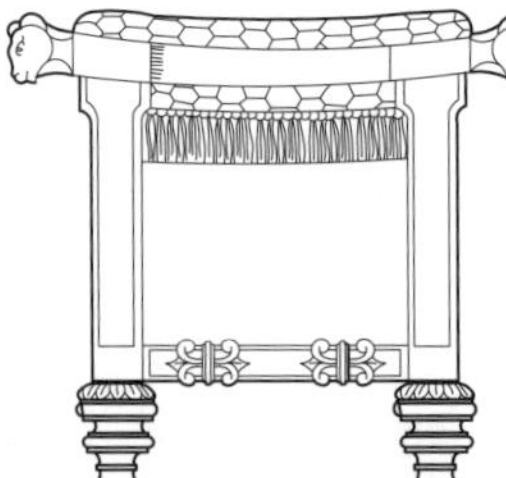
亀の甲羅のデザインの椅子

馬の装飾が施された玉座

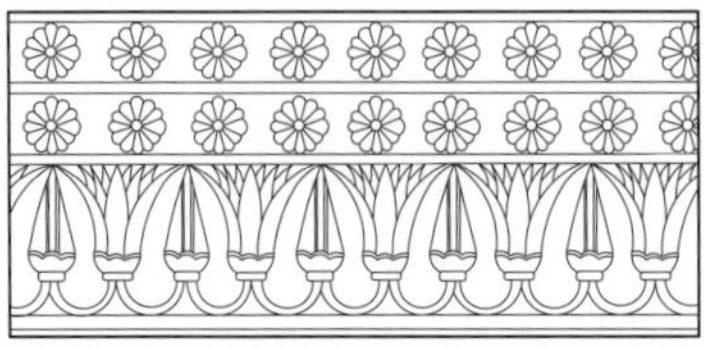
壁に彫られた浅いレリーフ

古代ギリシアはヨーロッパ文化のゆりかごであり、ギリシア人はあらゆる分野で輝かしい成果を残したが、建築の装飾においてもその影響力は絶大であった。

特に柱には古代ギリシアの建築物の中で最も芸術性の高い装飾が施されており、オーダー（柱式）ドリス式、イオニア式、コリント式に分類される。また、室内に陳列された主な芸術品としては彫塑も重要である。中でも女像柱は見事に彫塑と柱を一体化させ、建物を支えるだけでなく、女性の美しい肉体美も表現している。

古代ギリシアの家具の多くには塗装が施され、その多くは青い塗料の下地の上にシュロの花が描かれている。彫刻のモチーフは獅子、想像上の動物、シュロをはじめとする花や植物などで、椅子の脚部には動物の羽根や脚が彫られていることもある。ギリシアの家具は、機能性とシンプルかつなめらかな美しい形状のバランスを見事に実現している。

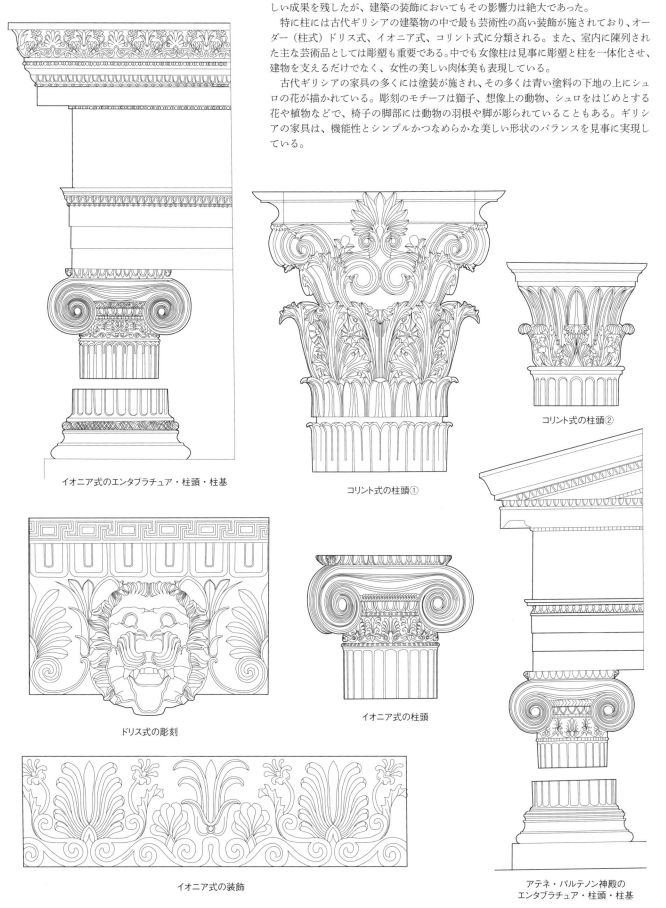

イオニア式のエンタブラチュア・柱頭・柱基

コリント式の柱頭①

コリント式の柱頭②

ドリス式の彫刻

イオニア式の柱頭

イオニア式の装飾

アテネ・パルテノン神殿の
エンタブラチュア・柱頭・柱基

ミケーネの王室

床に据えられた炉を中心に、四方に王の椅子や祭祀に用いる設備が置かれている。炉の上は吹き抜けになっており、換気と採光に優れている。炉を囲む空間は閉鎖され、4本の柱で屋根を支え、四面の壁全面に絵が描かれている

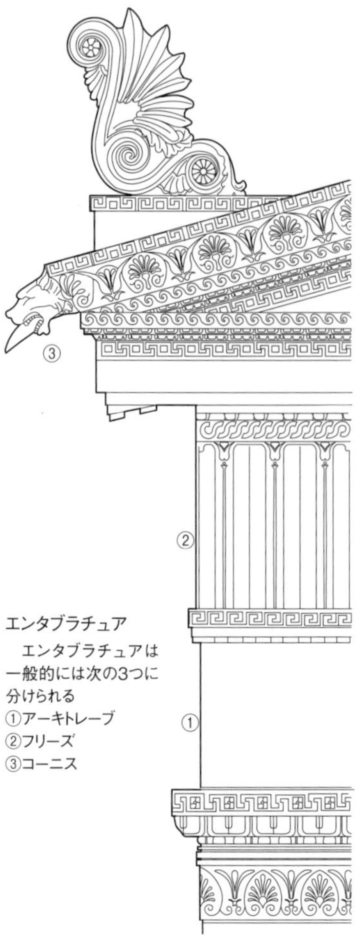
③
②
①

エンタブラチュア

エンタブラチュアは一般的には次の3つに分けられる
①アーキトレーブ
②フリーズ
③コーニス

イチジク模様の柱頭

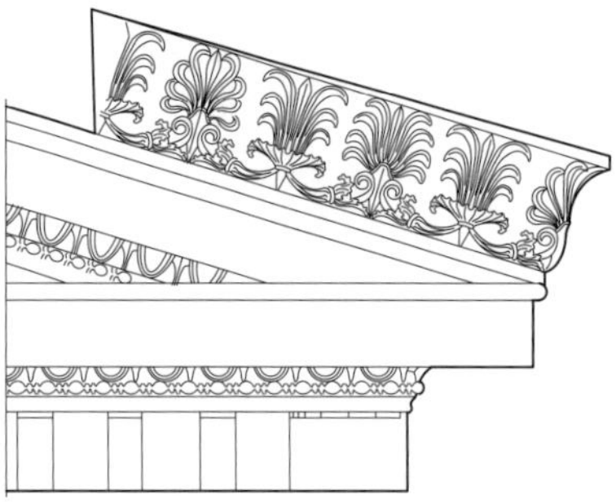

神殿のエンタブラチュアの曲面上に施された、シュロの葉と3種類の花が組み合わされたレリーフ

都市の守護女神アテナを祭ったアテナイ・ニーケー神殿

この小神殿は前後に4本ずつのイオニア式の柱があり、エンタブラチュアと壁面には精美なレリーフが彫られている。丘のふもとから上ってくる人の視覚効果を高めるため、一般的なイオニア式より太い柱を採用しており、イオニア式オーダーの中では非常にまれな存在である

リュシクラテス合唱隊記念碑上のトロフィー

記念碑の屋根の上に置かれたトロフィーは、記念碑をより壮大に見せる効果を発揮している。これは、祭祀用の青銅製器具を収納する容器でもある。頂部は都合に応じて動かせるように細工され、植物のモチーフや螺旋形の装飾も施されている

古代ローマの建築物における装飾は、さまざまな芸術を基礎として発展したものである。トスカナ式オーダーとコンポジット式オーダーは、ローマ人がつくり出した傑作といえる。渦巻き模様を作る技術は、古代ローマ建築の最大の特色であり、成果である。ローマ人はコリント式とイオニア式を組み合わせて改良したコンポジット式オーダーは、その後も西洋の建築物に多用され、大きな特色となった。パンテオンは古代ローマを代表する建物の1つで、その最大の特徴は、精密に構築された荘重な空間である。ドーム下の床面は、正方形や円などに切り出した大理石をはめ込むことで装飾されている。門廊のような長方形の入口には16本のコリント式の大理石柱が立ち並び、内部の壁面にはメリハリがつけられ、現実と幻想が一体となっている。細部の装飾は精緻かつ調和がとれており、集中式プランの手本のような存在である。

古代ローマ建築におけるもう1つの成果は、豪華絢爛な公衆浴場である。特にカラカラ浴場の壁と床は色鮮やかな大理石でできており、壁面には精美な図案の絵画や彫像が飾られていた。

古代ローマの家具は、彫刻、象嵌、描画、金メッキ、薄い木片、塗装などにより装飾されている。モチーフには、翼の生えた人間やライオン、勝利の女神、馬や羊の頭、花輪、白鳥の頭、動物の脚、植物、勲章などが多く用いられた。ほかにはアカンサスの葉もよく用いられたが、これは心を落ち着かせる効果があり、上品な雰囲気を演出することができるからである。

古代ギリシアと古代ローマの祭壇

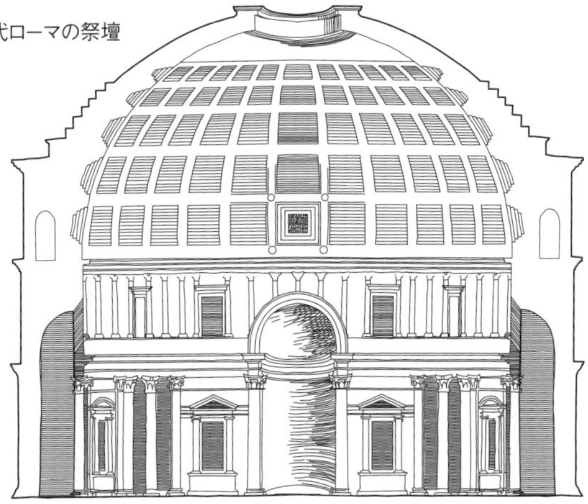

パンテオン

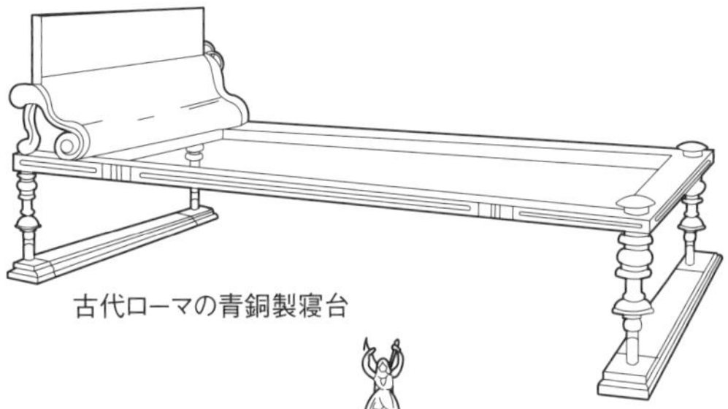

古代ローマの青銅製寝台

DIVO·ANTONINO·ET
DIVAE·FAVSTINAE·EX·S·C

アントニヌス・ピウスとファウスティナ神殿

この小神殿には古代ローマ建築の特色をよく表しており、四方すべてに柱を立てず、正面入口にのみ数本の柱が立てられている。古代ローマ時代、特に帝国期は国家の力が強く、かつ社会が豊かだったため、この時代の建築物の多くに複雑かつ精美な装飾が施されている

古代ローマの墓の天井の装飾

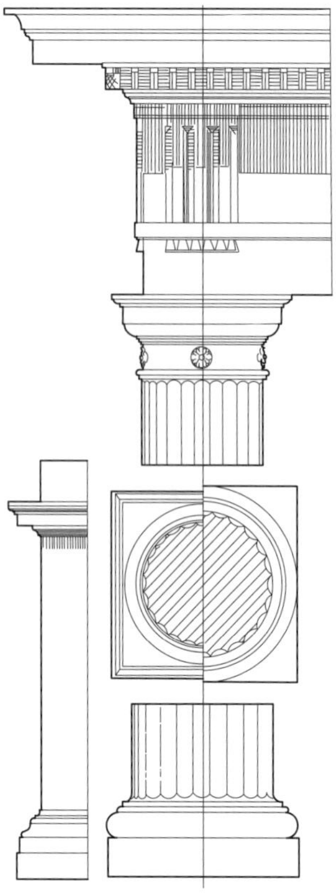

ドリス式オーダー

イオニア式オーダー

コリント式オーダー

古代ローマの壁柱

ポンペイのコルネリウス邸の
テーブルの脚

青銅製の腰掛け

ポンペイの豪華な住宅

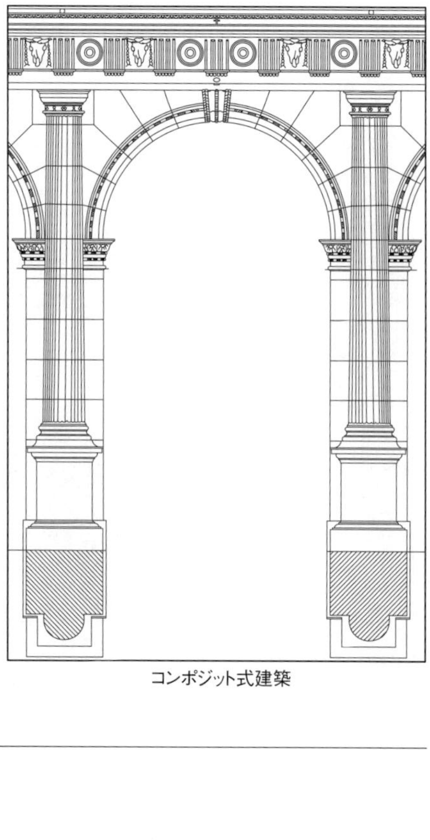

コンポジット式建築

インドの文化は宗教と非常に密接な関係を持ち、宗教色の強い構成と室内装飾は古代インドの建築物における最大の特色である。古代インド仏教建築の中心は、ストゥーパ（卒塔婆）と石窟寺院のチャイティヤ窟（祠堂窟）とヴィハーラ窟（僧院窟）、支提窟、精舎などである。

ストゥーパの最大の特徴は半球形のドームである。美しい装飾とレリーフも施され、レリーフには花、鳥、動物、そして仏陀の生活の光景があしらわれている。岩を削り出してつくられたストゥーパは特に美しく装飾されている。

チャイティヤ窟の建築上の特徴として､以下の点が挙げられる。ロビーにあたる場所には、華やかで美しい柱が立ち並ぶ。ストゥーパを本尊とするものが多く、内部は2層分の高さがあり、その入口は馬蹄形をしている。この入口には色彩豊かな装飾が施されている。

ヴィハーラ窟は主に僧侶の生活と祈りの場として使われ、仏像が安置されていた。中央ホールの周囲は回廊がつくられ、重点的に装飾が行われている。ロビーにあたるところには4～20本の柱が立てられ後期のヴィハーラ窟の柱と壁にはすべて彩色が施されている。

寺院には必ず目を引く高いストゥーパがあるが、その頂にあるドームはドラヴィダ式の特徴である。マハーバリプラムの寺院の柱はドラヴィダ式の代表的な作品で、柱基部には獅子が座り、柱頭部はロマネスク式のような曲線を描いており、その最上部はハスの花びらのレリーフが彫られている。

インドの寺院でよく目にするのはヴィシュヌ神の彫刻である。ヴィシュヌ神はヒンドゥー教で最も敬われている神の1人で、5つまたは7つの頭を持つ蛇アナンタに乗っている。

ヒンドゥー教寺院の室内彫刻にはいろいろな種類がある。水滴のような形状の飾りは、ドラヴィダ式でよく用いられる装飾の一種である。寺院の小部屋も典型的なドラヴィダ式となっており、柱が立ち並んで獣の彫像が置かれ、色鮮やかに装飾された壁が特徴的である。柱基部に彫られた神や女神、天使のレリーフは、寺院に一層の荘厳さを加えている。柱頭にはペルシア式の装飾が施され、馬や人間、象などが彫られている。

古代インドの家具としては、石の机、椅子、寝台などが挙げられ、石の彫刻は古代インド建築における装飾の最大の特徴といえる。

ストゥーパに施されたレリーフ

石窟寺院の神をモチーフにした彫刻

初期の石窟寺院

柱頭部の花をモチーフにした装飾（初期）

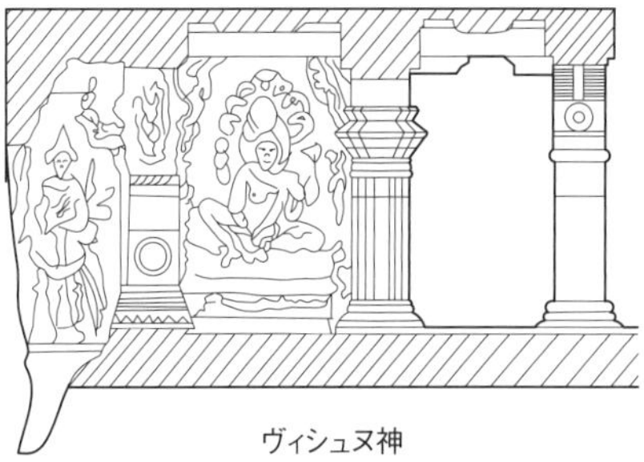

ヴィシュヌ神

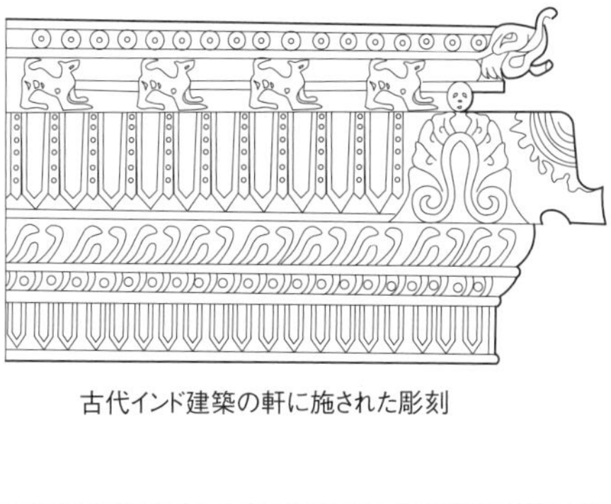

古代インド建築の軒に施された彫刻

石窟寺院の室内装飾(9世紀)

ドラヴィダ式の柱頭(17世紀)

ドラヴィダ式のストゥーパ

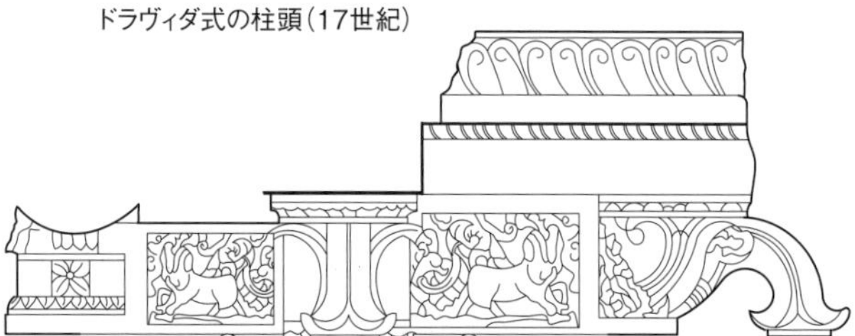

ドラヴィダ式の柱(17世紀)

古代インドの壁柱

5世紀のヴィハーラ窟

ハギア・ソフィア大聖堂は、ビザンティン建築における最高傑作である。聖堂の天井はドーム型で、ガラスのモザイクでキリストと使徒が描かれており、宝石のように輝いている。柱と壁は大理石でつくられ、柱身には深い赤と緑色が、柱頭には金箔があしらわれて華やかな3色の対比を見せている。床はモザイクによって装飾されている。聖堂内は高い天井高と広い空間が相まって実に壮麗である。

サン・ヴィターレ聖堂も複雑かつ壮大な内部設計で有名である。円形のドームをもつ八角形の集中式平面で、8本の柱によって支えられている。柱頭は"かご"のような形状で、その上の通気孔には精密な図柄が彫られている。

ビザンティン様式の聖堂および宮殿内の家具は、明らかに東方的な色彩で彩られている。主な材料は木材で、金属、象牙、金、銀、宝石による装飾だけでなく、表面に彫刻もあしらわれている。この時期の椅子やテーブルは、ギリシアやローマの様式に基づいており、主な特徴として、レリーフあるいは透かし彫りの文様の中に菱形、半円形、円形の模様を取り入れたものがよく見られる。木材と象牙の彫刻技術は、ビザンティン様式における非常に重要な部分となっている。

6世紀の玉座

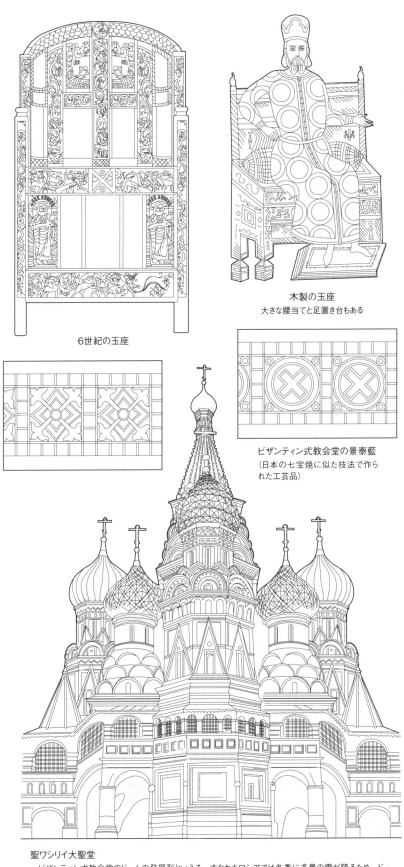

木製の玉座
大きな腰当てと足置き台もある

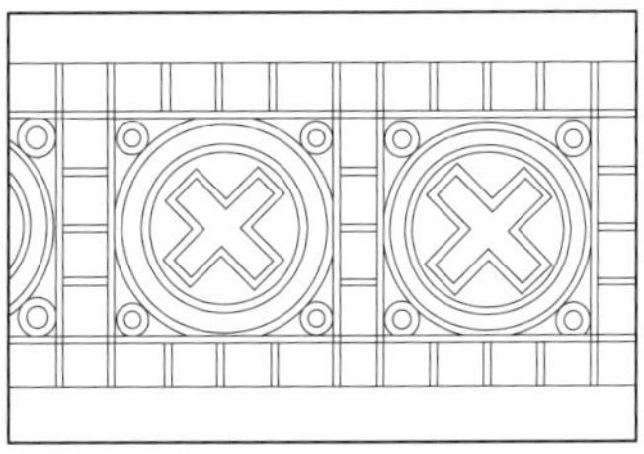

ビザンティン式教会堂の景泰藍
(日本の七宝焼に似た技法で作られた工芸品)

聖ワシリイ大聖堂

ビザンティン式教会堂のドームの発展形といえる。すなわちロシアでは冬季に多量の雪が降るため、ドームが半円型からタマネギ型に変わった。17世紀になるとカラータイルが用いられ、外観の色彩が鮮やかになった。ロシアの木造教会建築にはもう1つの様式があるが、こちらは1つの聖堂に多数のタマネギ型ドームの塔を建て、より独特な外観を今に伝えている

墓に描かれたモザイク画

イオニア式の立方形柱頭

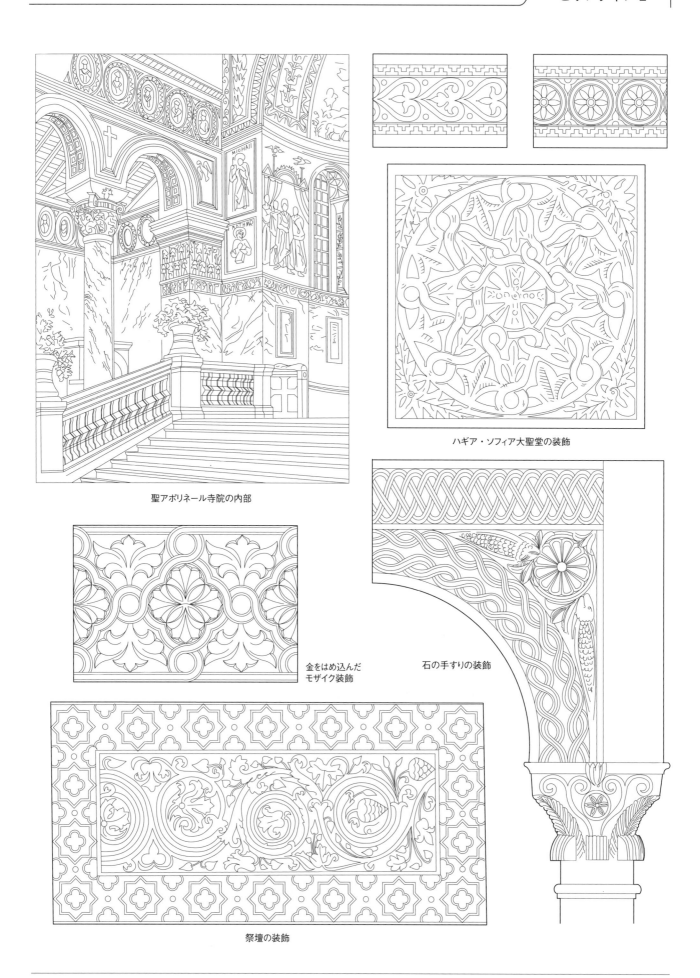

聖アポリネール寺院の内部

ハギア・ソフィア大聖堂の装飾

金をはめ込んだ
モザイク装飾

石の手すりの装飾

祭壇の装飾

ロマネスクとは「ローマ風の」という意味で、11世紀末から発展し12世紀に完成した芸術様式を指す。この様式の最も大きな特徴は、典型的な古代ローマ時代のアーチ構造を採用している点である。

ロマネスクは確立された1つの芸術様式ではなく、多かれ少なかれ古代ローマの影響を何らかのかたちで受けた、この時期のあらゆる芸術作品に対する総称であるが、その中心は建築物である。ドアや窓は半円型で、窓枠には彫刻が施され、内部の装飾は壁画、彫刻、ガラスアートが中心となっている。建物そのものには装飾が少なく、簡素さ、荘厳さが重視されている。

ロマネスク様式の家具は重厚な趣で、重量のあるものが多い。古代ローマの影響と考えられる技術でよく見られるものは、アーチと塗装の手法、木の削り出し方法である。装飾に用いられた図柄の多くは、獣の頭や脚、ユリなどで、ここでも古代ローマの影響が見られる。

典型的な古代ローマ風のアーチに施された装飾

獅子の頭（中央）と植物を模した渦巻き型のレリーフ

植物を模した渦巻き型の装飾が施されたレリーフ

イングランドのロマネスク建築にあしらわれた彫刻
（柱の間に人物像と渦巻き型の装飾を交互に配置したもの）

ローマのサン・クレメンテ聖堂（11世紀に改修）

獅子と羊をモチーフとした柱基

ロマネスク式オーダー①

ロマネスク式オーダー②

高度な技術により施された渦巻き型の装飾は、
ロマネスクの代表的な様式の1つ

カロリング朝の王が使用した、
青銅製の折りたたみ椅子(9世紀初期)

植物の葉をモチーフにしたレリーフ

ロマネスク様式の宝石箱

サン・ミニアート・アル・モンテ教会

フィレンツェのロマネスク建築の重要なポイントは色大理石を使うことで、幾何学的に並べることにより、きらびやかで豪華な印象を醸し出した

シュパイヤー大聖堂の柱頭

ドイツの建築には多くの種類のオーダーがある。簡素な柱頭から徐々に装飾性に富んだものへと変化していった。この12世紀初期の柱頭は、硬葉樹の葉のモチーフにからみ合った白鳥の首が加わり、芸術的な装飾の普及を象徴する作品となっている

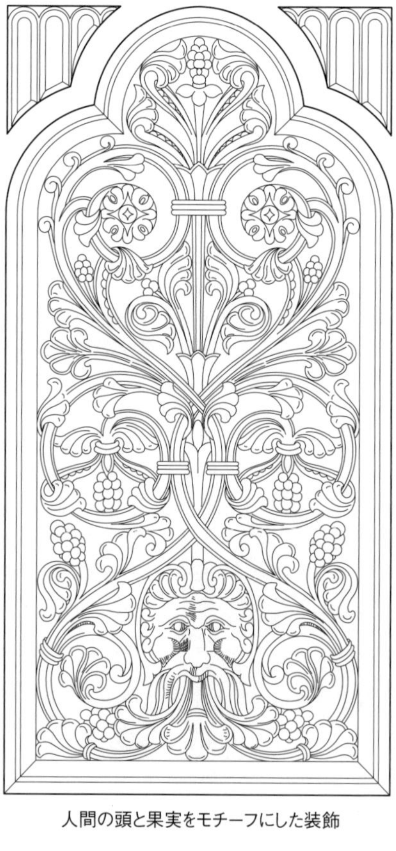

人間の頭と果実をモチーフにした装飾

ゴシック様式とは、12世紀ヨーロッパで生まれた新たな芸術様式で、16世紀初頭までの時期に栄えた。建築のほかに、彫塑や絵画、工芸などの美術も含まれる。ゴシック建築は教会が中心であり、ロマネスク式半円アーチを尖頭アーチに発展させ、内部空間と骨組みを一体化させて内部空間を広げ、壁の高い位置に大きな窓をつけた。また、天井を高くするために外壁にはフライング・バットレス（飛梁）を採り入れ、リブ・ヴォールトなどの技術的要素を用いた。窓にはステンドグラスを採用し、色彩豊かなを図柄と陰影で建物内部に神秘的な雰囲気をつくり出している。尖頭アーチ、フライング・バットレス、リブ・ヴォールトとステンドグラスといった要素が、ゴシック建築を最も特徴づける要素である。

ゴシック様式の家具は、形状から装飾まで教会建築の影響を強く受け、造形は線対称を強調することに重点を置いた。さらに尖頭アーチ、ヴォールトなどの要素も採り入れた。彫刻のモチーフは花や植物が中心で、渦巻きやS状の花柄、植物の葉、炎などの図柄が一般的である。

ゴシック様式の寝台

ゴシック式教会の内部

ローマ教皇の玉座

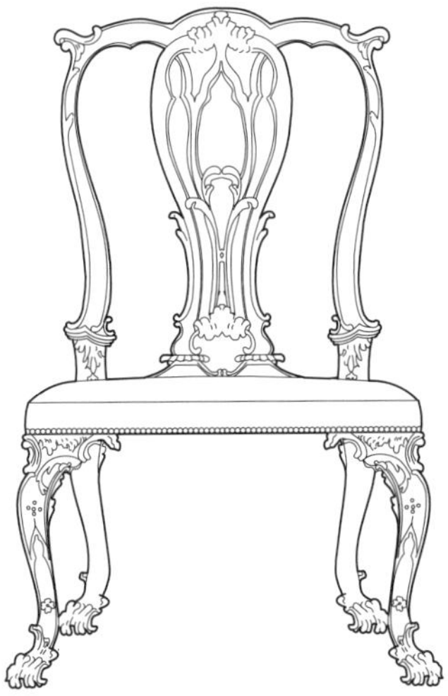

ゴシック式の椅子

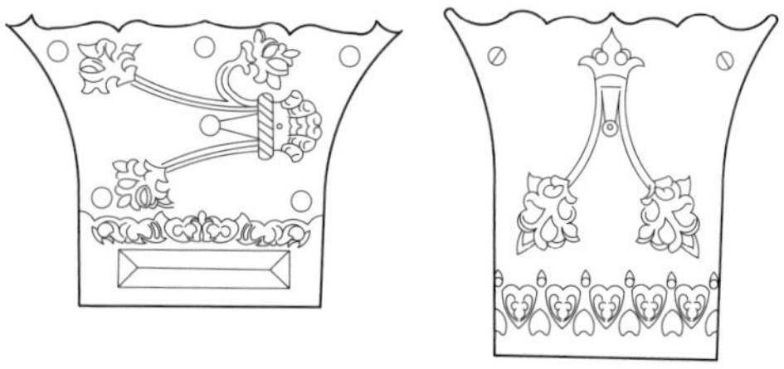

ゴシック様式の収納家具

ゴシック様式の収納家具の部品

フランス、オーシュ大聖堂のバラ窓

ケルン大聖堂の四ツ葉の装飾

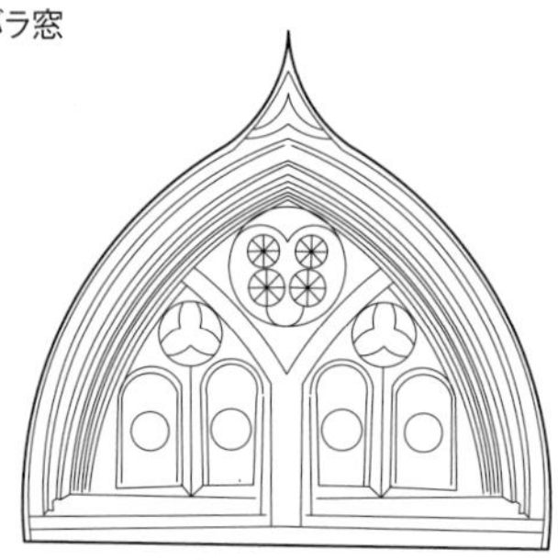

ゴシック建築の屋根の装飾

ゴシック建築の窓にあしらわれた花のモチーフ

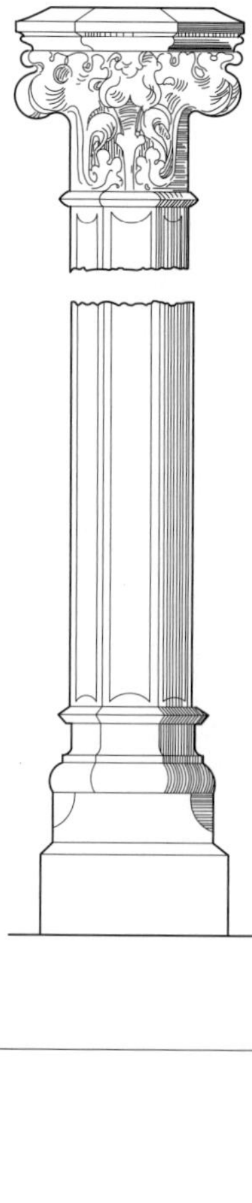

上部が丸くなった尖頭アーチ

ルネサンスとは、古代ギリシアやローマの文化を復活させようとする文芸復興運動で、14世紀イタリアで興り、16世紀までにヨーロッパ全土に展開した。建築においては調和と理性を重視する古代ギリシア・ローマ時代のオーダーの要素を、室内装飾においては人間の彫像や大型の壁画、鉄製の装飾品などを再び採り入れた。さらに幾何学的な図形を室内装飾に用いるという原則も、古典主義の特色の1つである。

ルネサンス期の建築物は調和や明るさ、力強さを表現することを特徴とし、古風な建築の基礎やオーダーを採用した。色彩や素材の華やかさは、フランスのフォンテーヌブロー宮殿の設計において最も重要な要素となっており、装飾を施した天井板、木のはめ板、フレームワークと鏡を用いて、より明るく力強い効果を演出している。

このような設計方法は、多くのヨーロッパ諸国に広がった。スペインにおける建築の重要な要素は、庭園と天井にある。庭園の中心にある噴水の装飾は、神話に登場する生き物や植物の葉をモチーフとした。スペインによく見られる装飾は彫刻で、貝殻や葉、壺といった古典的な図柄が用いられている。イギリスではエリザベス1世時代に、多くの重要建築物に大量のガラスや暖炉、門などが用いられた。

ルネサンス式の家具はイタリアが発祥で、芸術や建築物とともにフランスからドイツ、そしてヨーロッパ全体に広まった。実用性と調和を重視し、使いやすさ、美しさ、荘厳さ、頑丈さ、豪壮さを特徴としている。

ヴェネツィアのサン・マルコ図書館
シンプルな直方体の建築物である。コンポジット（複合）式オーダーを採用することにより、実際より高く大きく見える。内部には大量の彫刻作品が置かれている。軒に花柄の装飾板と数種類の彫塑が設けられ、芸術性の高い外観となっている

ルネサンス建築のメディチ邸の内部

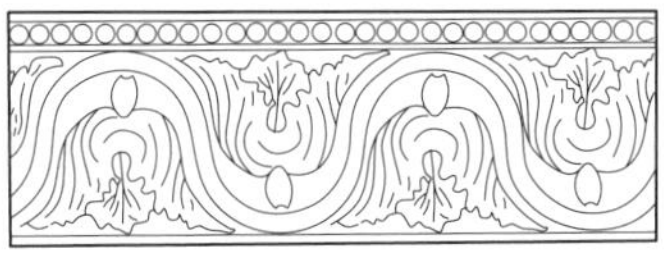

ルネサンス建築の室内の装飾①

ルネサンス建築の室内の装飾②

コリント式オーダーの応用形

木製ドアの装飾

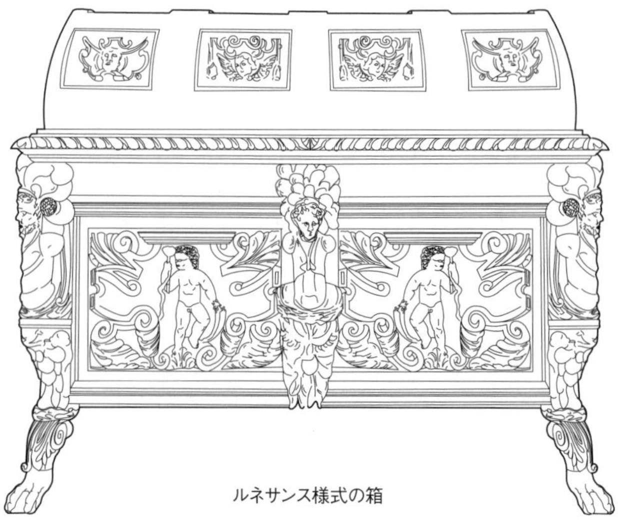

ルネサンス様式の箱

壁柱の断面図

翼の生えた人間の柱頭

コンポジット式柱頭

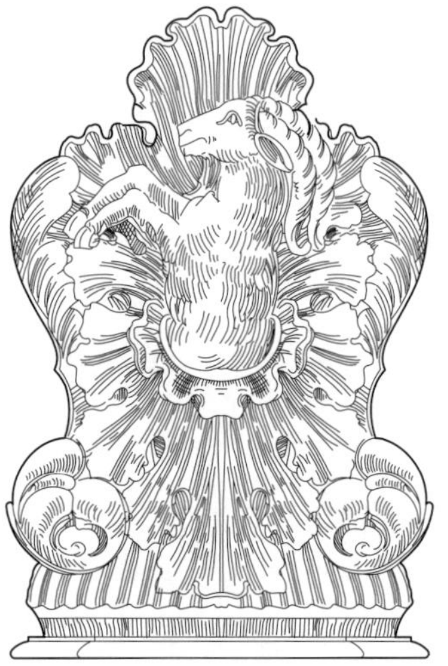

羊をモチーフにした装飾品

スペイン王立エル・エスコリアル修道院の彫刻装飾

ルネサンス様式のフランスの暖炉

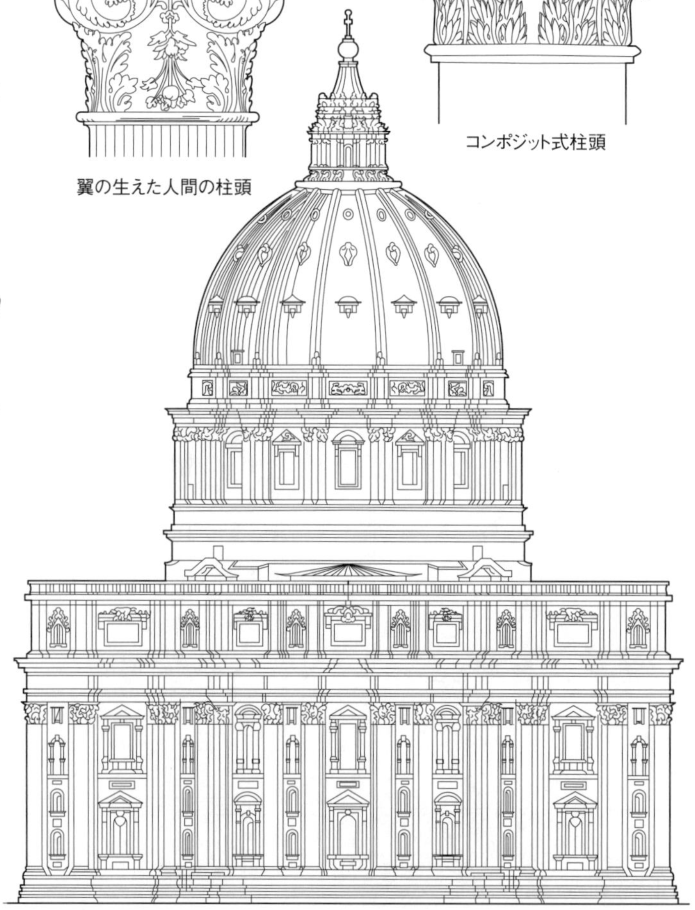

サン・ピエトロ大聖堂

古典主義建築には5種類の定形化されたオーダーがある。オーダーにより各部分の大きさや比率が異なっており、それぞれの特徴は柱頭・柱身・柱基部の長さと柱の底部の直径との比率で表される。

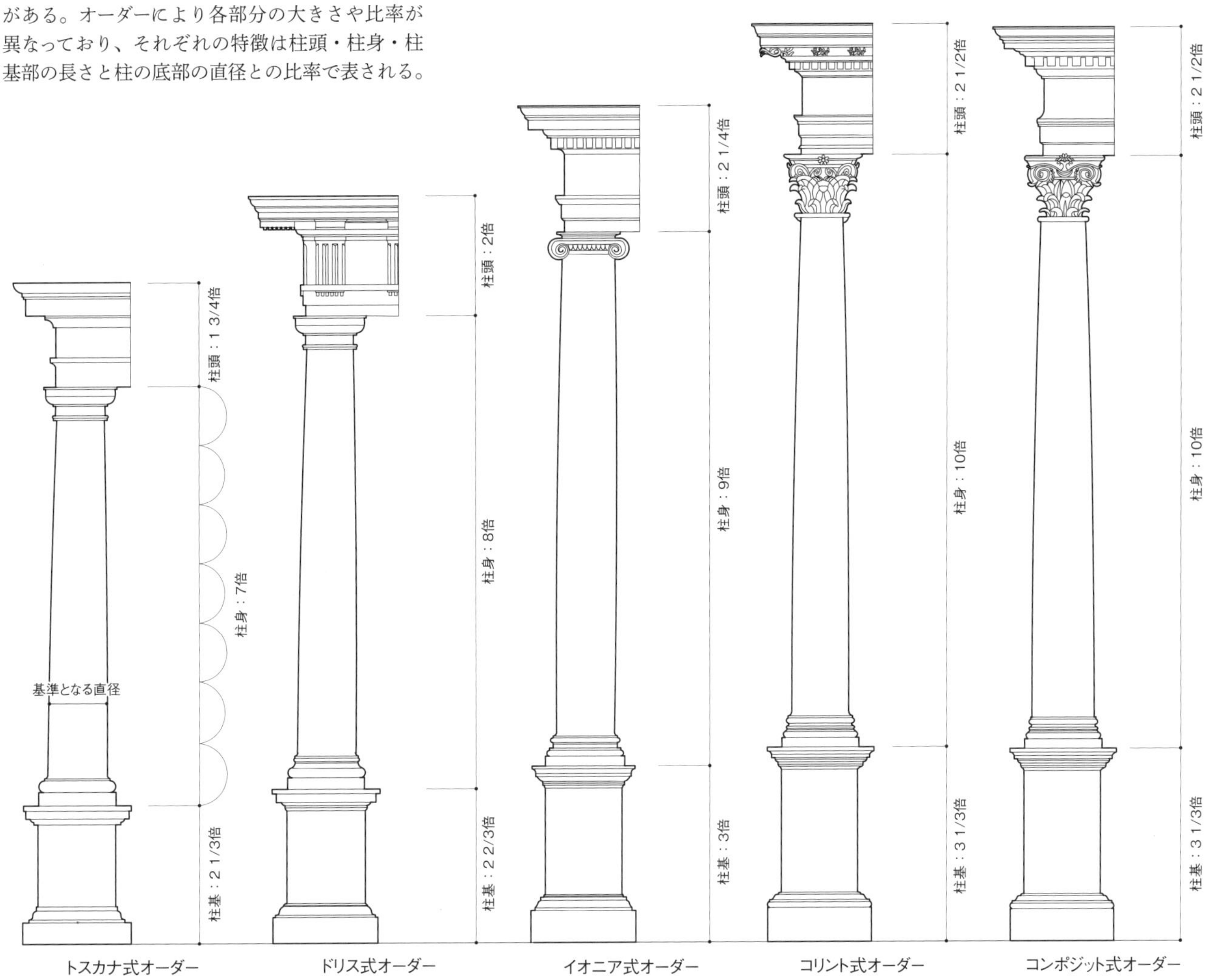
柱頭：１ 3/4倍
柱身：7倍
基準となる直径
柱基：２ 1/3倍
柱頭：2倍
柱身：8倍
柱基：２ 2/3倍
柱頭：２ 1/4倍
柱身：9倍
柱基：3倍
柱頭：２ 1/2倍
柱身：10倍
柱基：３ 1/3倍
柱頭：２ 1/2倍
柱身：10倍
柱基：３ 1/3倍
トスカナ式オーダー
ドリス式オーダー
イオニア式オーダー
コリント式オーダー
コンポジット式オーダー

古代ローマの各種柱頭

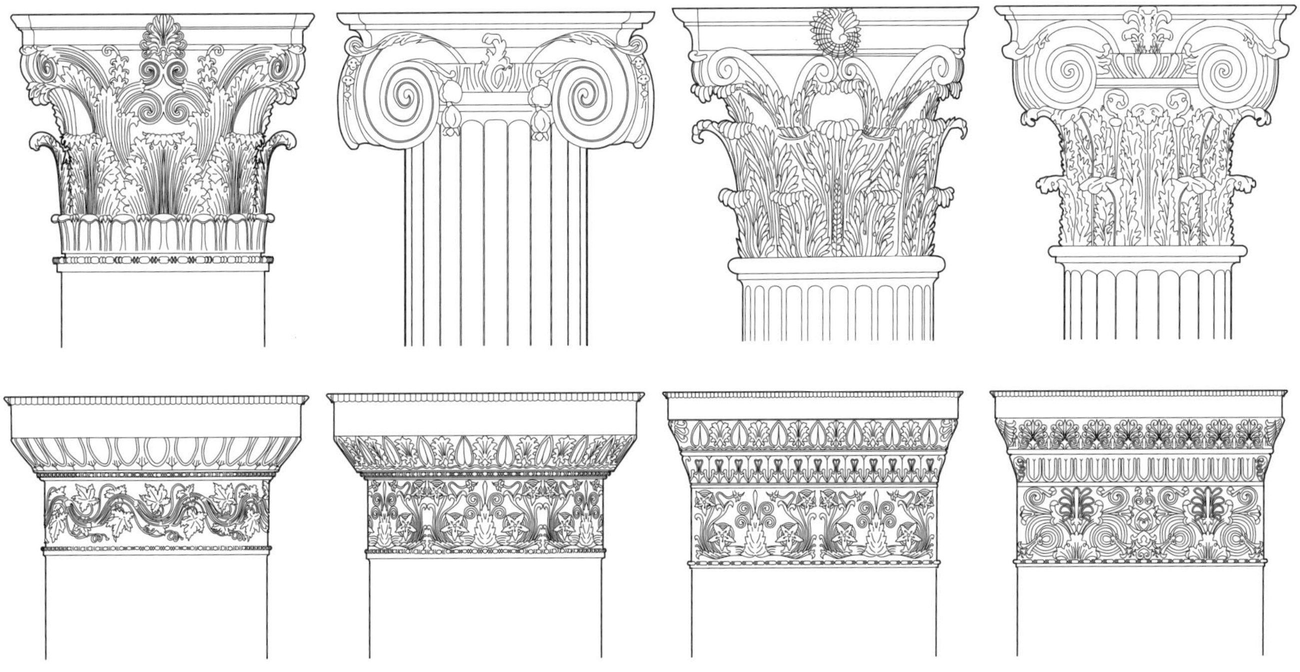

バロックとは、16世紀末から18世紀中盤にかけて西ヨーロッパで栄えた芸術様式の1つである。イタリアで生まれてヨーロッパ諸国に広まり、建築、室内装飾、さらに家具にも採り入れられた。ロマン主義的精神はバロック様式の出発点で、写実性、情熱、自由を重視した。

バロック様式の室内装飾に共通する特徴は楕円形で、曲線と曲面で写実性に変化と躍動感を加えている。また、室内空間と彫塑や絵画といった芸術作品との境界を取り払い、多方面にわたって芸術様式の融合を進めた。たとえば天井、柱、壁、壁がん、窓を総合して1つの彫塑作品として仕上げたり、建築の装飾を絵画で行ったりといった具合である。色彩豊かなうえに、金銀の箔や宝石、純金などの高価な素材をぜいたくに使用するのが、バロック建築の方法論である。

バロック式の家具はイタリアで誕生し、フランスで成熟した。特にルイ14世の時代はバロック式家具の最盛期である。ヨーロッパにおけるバロック式家具は、古典主義の荘厳かつ均整のとれた静的な装飾を打破し、耽美的で生き生きとしたものを生み出すことを目標とした。同時に、木工、彫刻、モザイク画などの多様な技術を融合し、豪華で自由奔放、かつ荘厳さと美しさを両立させた。

1728

ヴェルサイユ宮殿の
装飾豊かな柱頭

カルロ・マデルノが設計したローマのサンタ・スザンナ教会堂

バロック式の聖堂である。バロックとは、厳格な規則に則った古典主義に正面から対立するものであり、複雑な構成と意外性のある手法によって古い規則の呪縛から逃れようとする動きである。この聖堂のファサードは比較的簡素な柱の組み合わせとなっているが、柱が1階から2階まで貫いているように見せることで、建物全体の一体感を高めている

アメリカ・サウスカロライナ州の図書館に設置された
バロック様式の石膏製天井板(1775年)

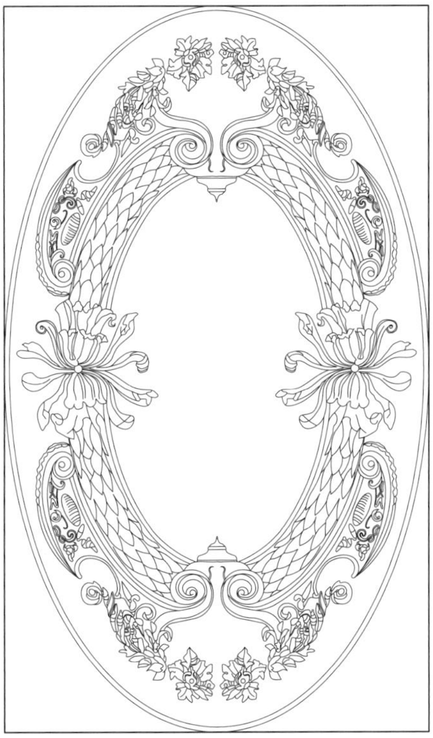

バロック様式の天井中央の装飾板（1655年）

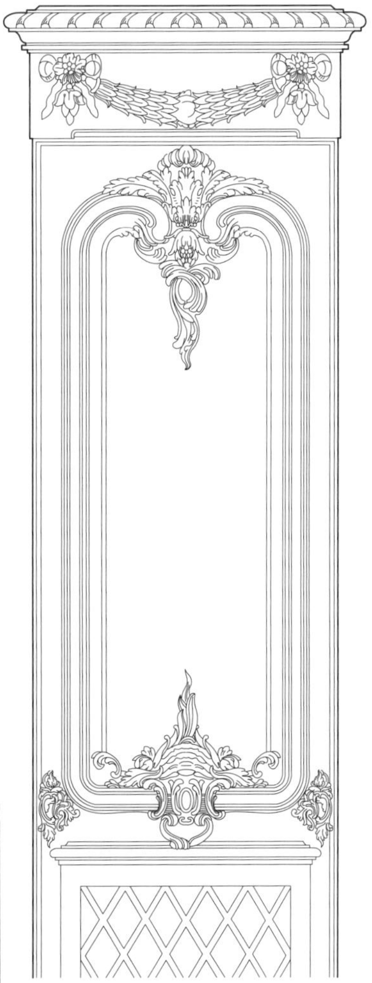

アメリカ・サウスカロライナ州にある
パーティ会場の石膏製天井板

ヴェルサイユ宮殿の客間の装飾

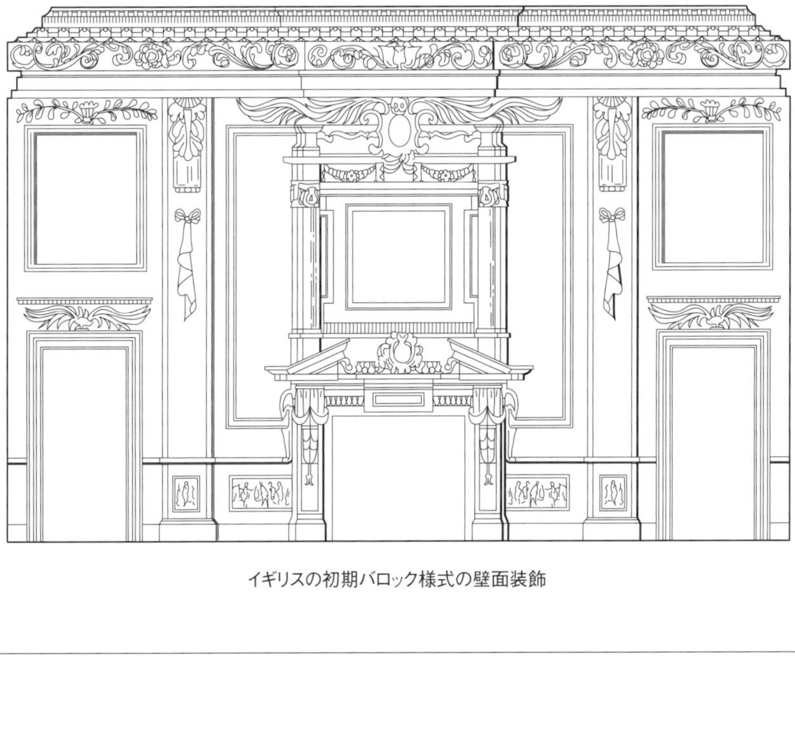

イギリスの初期バロック様式の壁面装飾

ルイ14世が使用していた収納機能付きデスク

ロココとは18世紀のフランスを中心に流行した芸術様式で、高い装飾性に特徴がある。バロックの流れを汲んでいるため、ロココも反古典主義が鮮明で、華麗さ、繊細さを追求することを最大の目的としている。かつて壁や柱などを用いていたところに板や鏡を使い、その周囲に自由な曲線を複雑に配し、天井も曲面によって構成されている。特に好まれたのは、鏡台の前に燭台を設置することである。室内空間は白色を主体とし、そこに金色あるいは黄色の装飾が加えられている。

ロココ式の家具は、貝殻を模した曲線の装飾と精密な彫刻が特徴である。テーブルと椅子の形状も曲線からなり、曲がった脚はロココを象徴する様式である。装飾のモチーフには貝殻のほかにも花や果物、渦巻きなどが使われてる。ロココ式家具の最大の成果は、美しい形状と使い心地のよさが絶妙に融合している点である。

イギリス・ハノーヴァー朝時代のメッキが施された大理石のテーブル(1727年)

フランス、ルイ15世時代の寝室

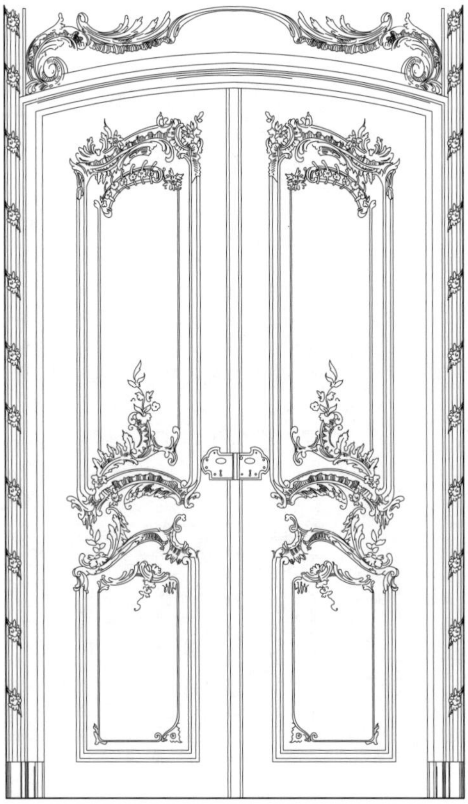

ロココ式の歯のような形状の壁の装飾(17世紀)

ロココ式の祭壇

ロココ建築は室内装飾のみならず、祭壇にも大きな影響を与えた。祭壇は、古くから人々が総力を傾けて装飾する対象であり、聖堂内で最も華やかな場所である。いろいろな種類のツタが生えているように装飾するのが一般的で、自由奔放に枝を伸ばし、祭壇に華やかさと躍動感を与える。通常このような祭壇は金属で作られるが、表面に金箔を貼ったものや、純金で作られたものもある

貝殻をモチーフにしたロココ式の装飾

イギリスのジョージ2世時代に作られた赤木のデスク

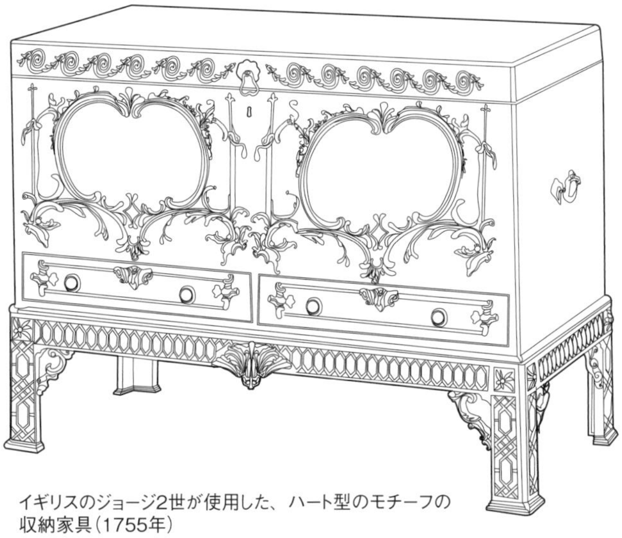

イギリスのジョージ2世が使用した、ハート型のモチーフの収納家具（1755年）

イギリス・ハノーヴァー朝時代のロココ式の収納家具（1740年）

新古典主義は18世紀後半から19世紀中頃にかけて興った建築様式で、古典的な美を模範としながら実用性を重視し、シンプルで簡素な形状を理想とする。まず高い実用性と合理的な室内配置を追求したうえで、その次に形状とデザインが決められた。デザインはシンプルさと全体のバランスに重点が置かれている。また、古典主義のオーダー（様式）に再度光を当て、ドリス式オーダー、イオニア式オーダー、コリント式オーダーが主に用いられた。軒の凸部は緑色の大理石柱で支えられ、柱頭は金色に装飾されている。床には天井のデザインに合わせ、華やかな象嵌があしらわれている。レリーフ、壁画、彫塑がすべて合理的に配置された空間は、調和がとれて静謐な印象を与える。床の大理石と天井は同じ灰色で、部屋全体の構造は精密かつ優雅で、壮麗な空間が演出されている。

新古典主義時代の家具は、19世紀初頭のナポレオンの第一帝政期の様式（帝政様式）の影響が色濃く見られる。古典主義のモチーフが装飾に用いられ、銅の象嵌や装飾物が落ち着きを与えている。同時に、18世紀後期のルイ16世時代の様式も多用されている。その特徴は直線を中心にデザインされている点にあり、曲線を使うのは円や楕円や孤を描くときのみである。装飾は徐々に簡素になっていったが、古典主義の美しさ、荘厳さ、優雅さを保つことが何より重視された。

ベルリンの古い博物館の円形ホール

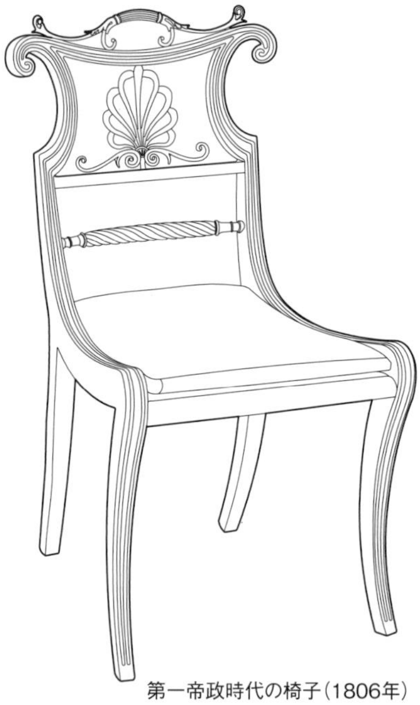

第一帝政時代の椅子（1806年）

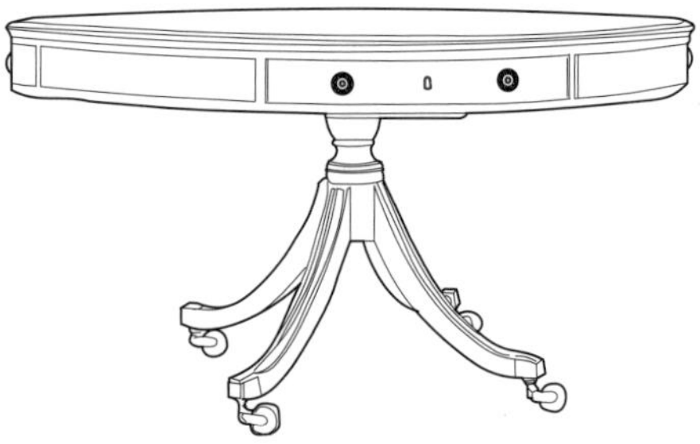

アダム様式（イギリスの新古典主義様式の1つ）のクルミ材のテーブル

ルイ15世時代に作られた青銅製の収納家具

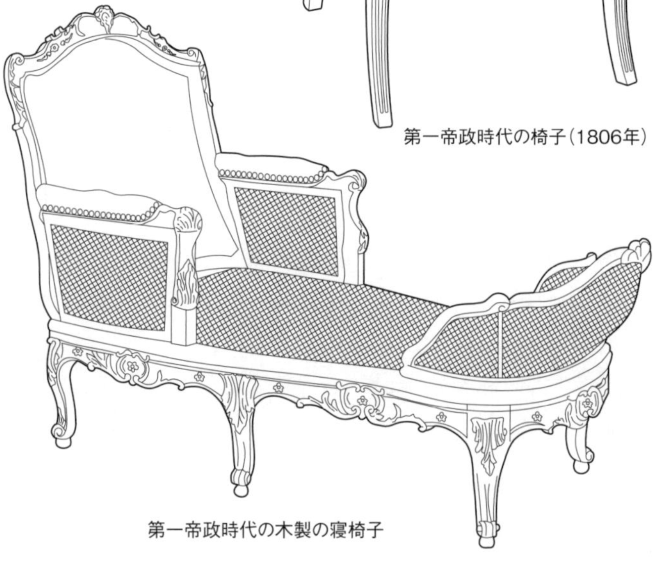

第一帝政時代の木製の寝椅子

イギリス新古典主義時代の邸宅

ルイ15世時代の低い収納家具

ルイ15世時代のスツール

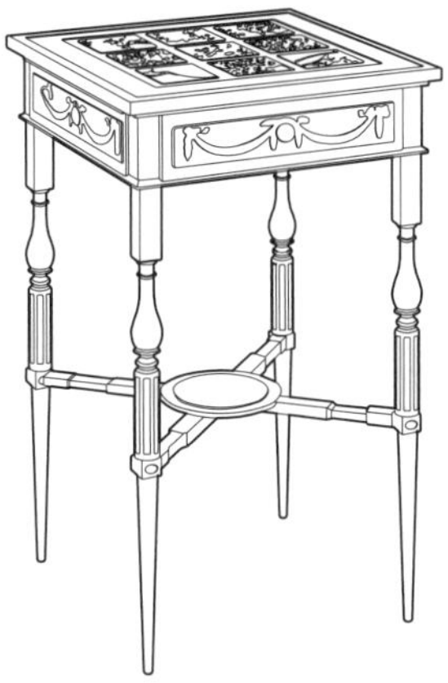

イギリス新古典主義時代の大理石製テーブル

第一帝政時代に作られた聖堂の燭台

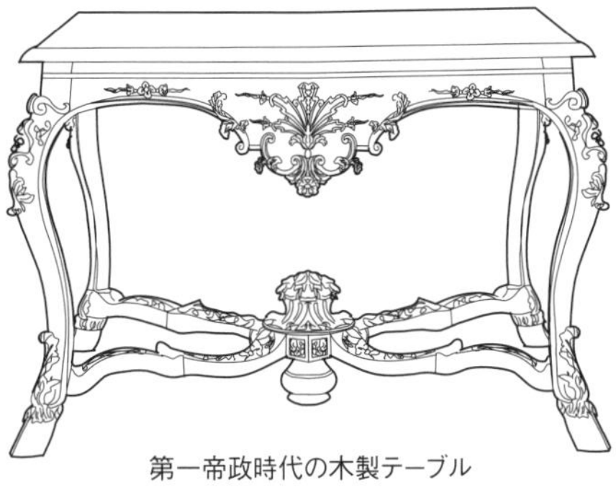

第一帝政時代の木製テーブル

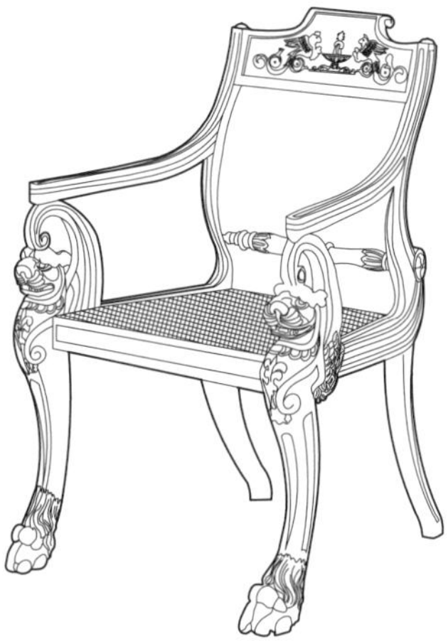

第一帝政時代に作られた肘掛け椅子

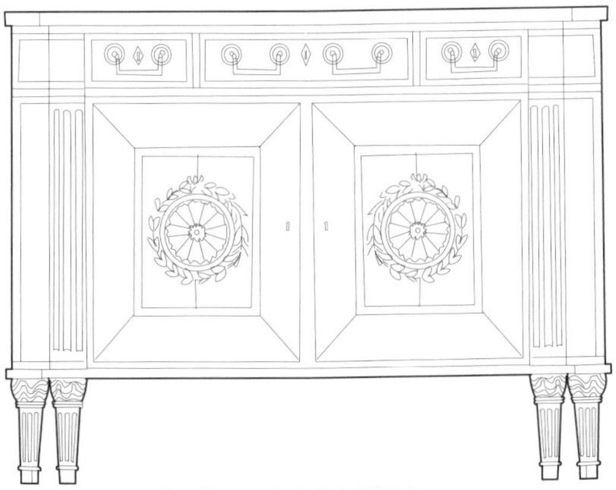

赤木で作られた新古典主義様式のタンス

18世紀後半、イギリスではまずロマン主義建築の潮流が生まれた。それは個性を主張するもので、自然主義を提唱し、硬直化した古典主義に反対するものであった。具体的には中世の芸術様式や、趣のある異国情緒が求められた。また、ゴシック建築が数多く出現したことから、ゴシック・リヴァイバル建築とも呼ばれている。

ロマン主義とゴシック主義への回帰は密接な関係にあり、ヨーロッパ全域で百花繚乱の様相を呈した。イギリスでゴシック建築の復興運動が起きたことで、フランスでも中世ゴシック建築の研究と保護が盛んになった。

ロクタイヤード城はフランス・ロマン主義を代表する作品である。外観から室内装飾まで中世の伝統を継承しており、建物の内部は簡素かつ優雅で宗教的な雰囲気が漂っている。一部のロマン主義建築では新しい素材や技術が採り入れられ、このような技術的な進歩がそれ以後のモダン建築に大きな影響を与えることになった。その代表例が、アンリ・ラブルーストが設計したビブリオテーク・ナショナル（フランス国立図書館）である。当時としては最先端の鉄筋コンクリート構造で、ホールの天井は鉄筋で骨組みを作り、鉄柱で支えられている。鉄柱の下にはコンクリートが使用され、アーチ型の門には金属製の花輪の装飾が施されている。

アメリカでは、独立直後の連邦政府が古代ローマやギリシアの建築を奨励し、特にギリシア復古様式が流行した。代表例はタウン＆デイヴィスによってニューヨークに建てられたフェデラル・ホール国立記念館（旧税関）である。石造建築で、建物の前後に数多くのドリス式オーダー柱が立てられ、四方の窓は壁柱によって隔てられている。館内は、円形ホールの周囲に多数のコリント式オーダーと壁柱を配し、それらによって天井を支えている。また、多くのギリシア式の家具が使用され、クリスマスチェアとバラの花で装飾された軒口にギリシア式ソファが設置された。家具には美しい曲線があしらわれ、簡素な構造ながら完璧な比率が保たれている。さらに優雅な雰囲気を演出するために、葉、麦の穂、バラ、獅子の頭と脚、犬の脚などの古典的なモチーフが採用された。軽量かつ頑丈な木材にこだわり、桜の木が主に用いられている。

植物の意匠が施された客室のドア

アンリ・ラブルーストによって設計されたロマン主義の建築物

ゴシック・リヴァイバル期の家具の装飾

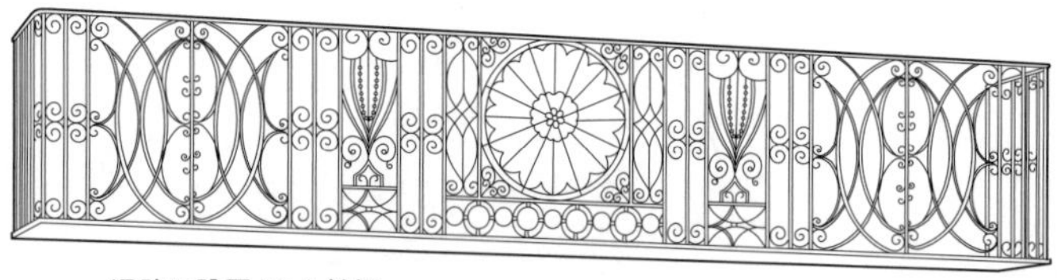

通路に設置された鉄柵

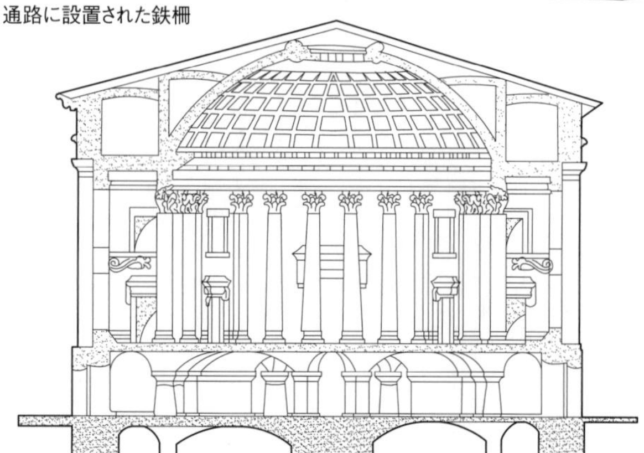

フェデラル・ホール国立記念館（旧税関）の設計図

ベランダの鉄製支柱

階段に施された花の意匠の装飾

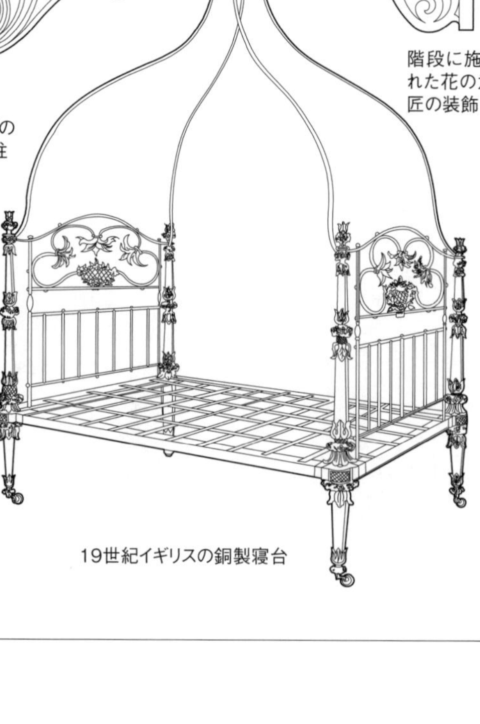

19世紀イギリスの銅製寝台

ロマン主義様式の音楽ホール

18世紀後期イギリスのサマセット・ハウスの室内

芸術的なベランダの鉄柵

ロマン主義様式の女性用デスク

19世紀イギリスのロマン主義様式の室内

折衷主義は19世紀前半から20世紀初頭にかけて欧米で流行した建築様式で、各種の建築様式の模倣を基本としている。美を追求することが最重要視されるが、厳格なルールはなく、数種類の建築様式を組み合わせて作られる。新たなものを創り出すことが折衷主義の最大の目的で、新しい観念や様式の誕生を促すものである。

折衷主義はフランスで盛んに採用され、パリの国立美術学校エコール・デ・ボザールは折衷主義の発祥の地であり、情報発信の源でもあった。当時を代表する最重要作品は、オペラ座ガルニエ宮とオルセー駅である。

オルセー駅はヴィクトール・ラルーによって設計されたもので、1900年に完成した。ラルーは古典主義の細密な手法を活用してこの大規模な駅舎の巨大な天窓を装飾した。この駅舎は現在オルセー美術館として使用されている。

パリ・オルセー駅（現オルセー美術館）の待合室

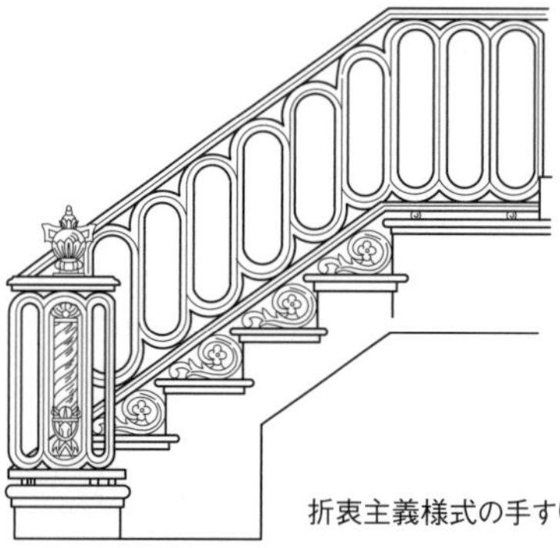
折衷主義様式の手すり

マントルピースの炉棚の装飾

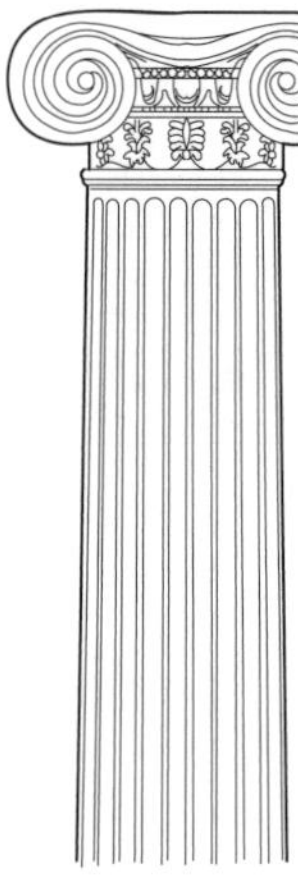
古代ギリシアの
イオニア式オーダー

色彩ガラスの紋様

門の装飾

フィラデルフィアの建築士サミュエル・スローンによって設計されたニュージャージー州会議事堂。折衷主義様式の代表作の1つである

コリント式オーダーを
模倣した柱

マントルピースの装飾

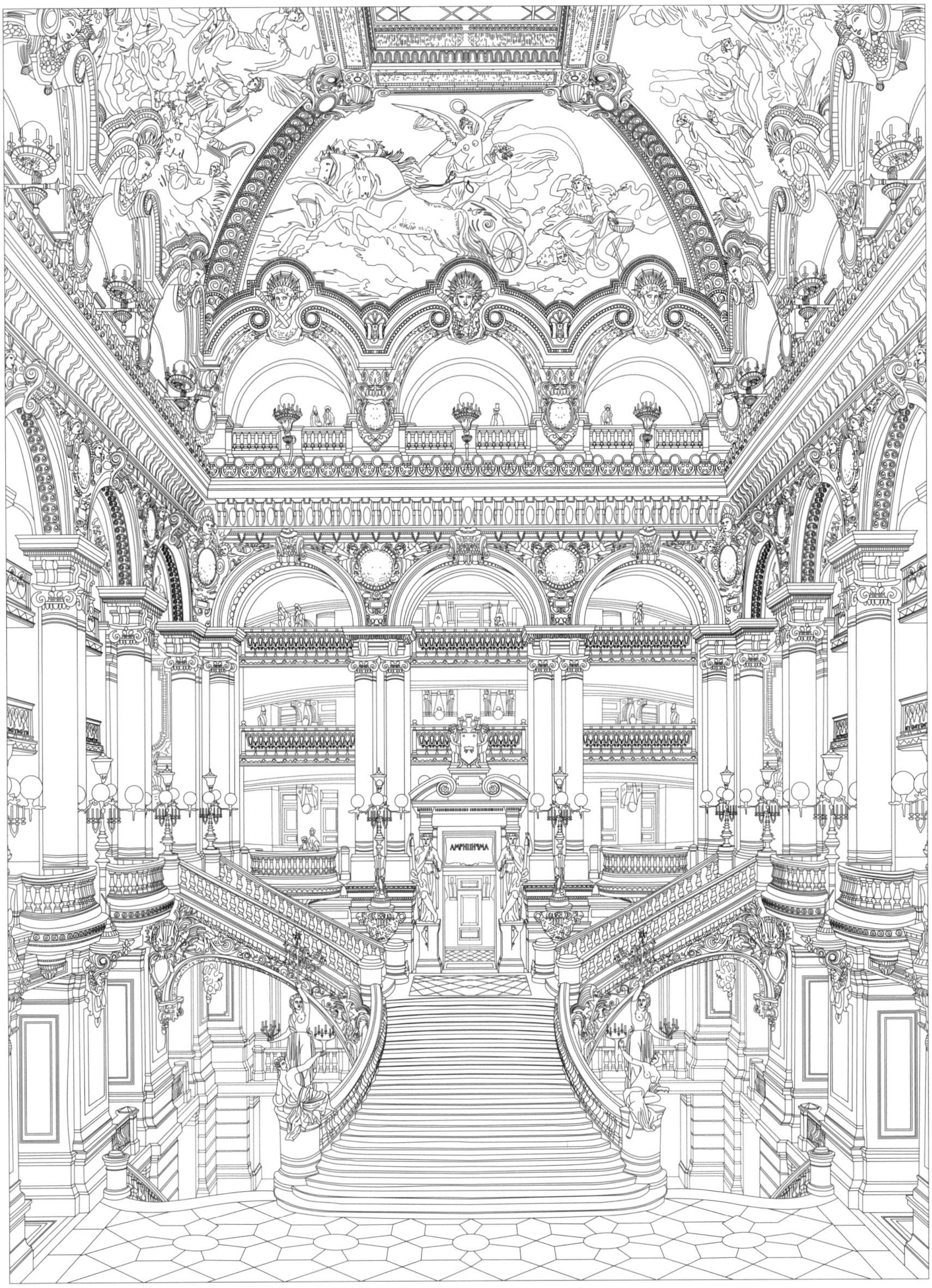

パリ・オペラ座ガルニエ宮

シャルル・ガルニエによる設計。ネオ・バロック様式の傑作であり、オペラ劇場の手本となる形式を後世に残した。全体のバランスは合理的で、かつ機能的な要求も満たしている。細部は複雑だが、俗っぽくはない。入り口をくぐり豪華絢爛な階段を上りきると、高揚感が醸し出される。また、巨大な大理石の台に立つ彫像と、金をはめ込んだ細部の装飾が、観客の非日常的な興奮を喚起する。このような感覚は、オペラ観賞時の気持ちの高揚とシンクロする

　原始時代の建築にはすでに簡単な装飾が施されており、室内には泥で作られた立体彫像や、平行線や円などがあしらわれた彫刻、刻印が見られる。原始時代後期の室内装飾には、白灰が塗られた壁や、赤い塗料が塗られた腰羽目なども見られる。
　商（殷）、周（西周）時代最古の寺院遺跡は遼寧省西部の建平県で発見されているが、室内の壁にはすでに色彩画と点線による装飾が施されている。河南省の二里頭で発見された遺跡は、土を固めた土台の上に建てられ、南に向いた大型木造建築である。この宮殿は「前朝後寝」（前部が政務の場で後部が居住区）の構造をとっており、宮殿は庇で囲まれている。西周時代初期の宮殿（あるいは寺院）は、東西両側に門番小屋、厨房を配置し、厳格に左右対称である。壁と床面に三合土（石灰・砂・粘土などを練り合わせた加工土）を塗り、屋根には茅をかぶせ、少量の瓦が使われている。木材の部分には彩色や彫刻が施されたところもある。西周の時代にはすでに多くの色が使われており、斗組（ますぐみ）は中国古代木造建築の特徴の1つである。斗組によって梁の脆弱性を見事に解決し、さらに外観をより優美に見せることを可能にしている。
　当時、青銅器は人々の生活に必要不可欠な器具であるとともに、重要な室内装飾品でもあった。商時代は青銅器文化の高度成長期で、形状が特徴的で、華麗な装飾が施され、神秘的な雰囲気が漂っている。これらの青銅器は世界の芸術史において重要な位置を占め、当時の室内装飾にも大きな影響を与えた。

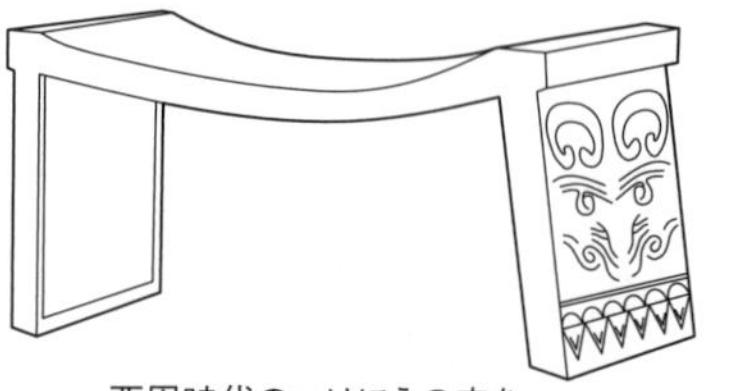
西周時代のいけにえの肉を
載せる木製の台

西周時代の獣が縁取られた
タンス型青銅器

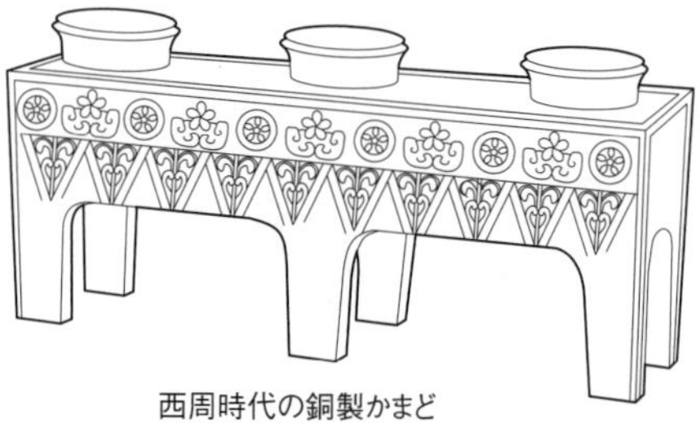
西周時代の銅製かまど

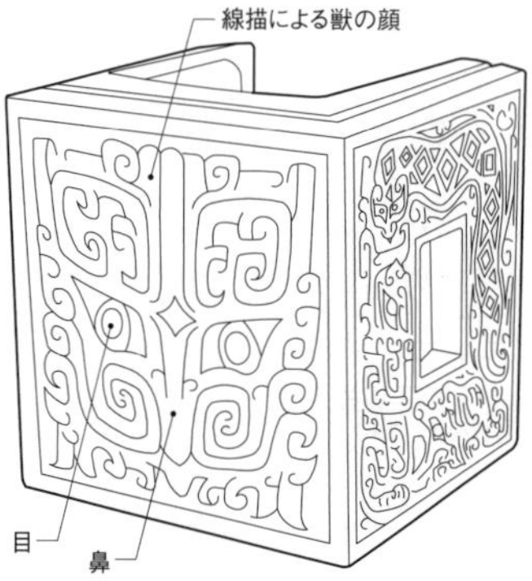
線描による獣の顔
目
鼻
　小双橋遺跡から出土した商時代初期の建築部材で、宮殿の木製の梁の装飾と梁の固定に用いられた。鮮明な獣の顔のデザインが、商王室建築の特色を表している

陝西西周井叔墓から出土したテーブル

商時代の茅葺きの家の想像図
　商時代のほとんどの建物は、屋根は茅葺き、壁は土で作られており、レンガや瓦は使われていない

西周時代初期のいけにえの
肉を載せる青銅製の台

商時代の石製のまないた
（河南省安陽出土）

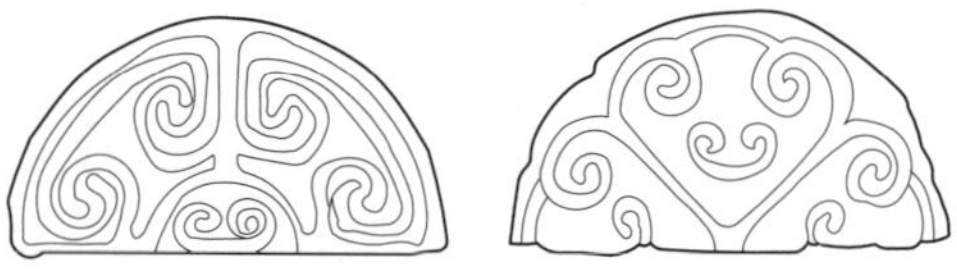
半瓦当
（東周）

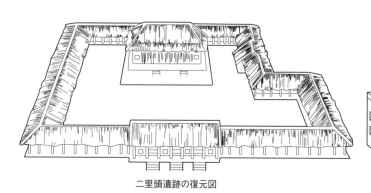

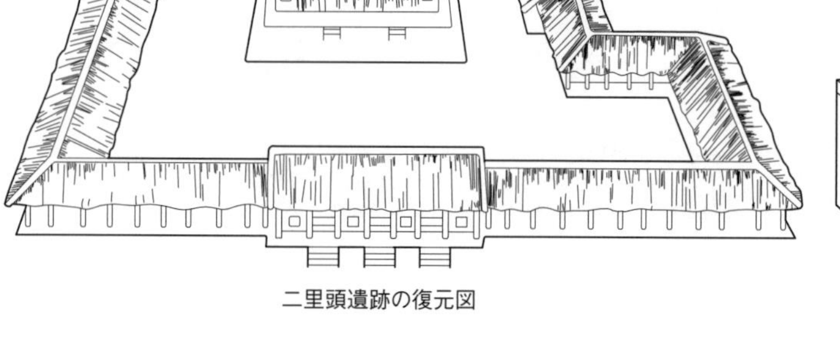
二里頭遺跡の復元図

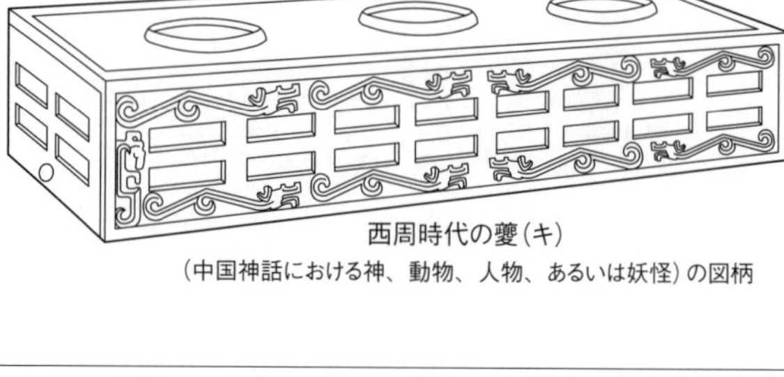
西周時代の夔（キ）
（中国神話における神、動物、人物、あるいは妖怪）の図柄

レンガと瓦は西周時代にはすでにあったが、棒レンガや空洞レンガは春秋戦国時代に生まれた。レンガや瓦を作る技術の進歩にともない、床面をレンガで装飾するようにもなった。

木造建築の装飾も徐々に種類が豊かになり、貴族や士大夫は室内を色彩豊かに装飾することに力を入れた。戦国時代の宮殿の門の上に渡した横木には美しい文様が彫られたり、漆で絵柄が塗られたりと、非常に華麗なものも見られた。

春秋戦国時代の家具も種類が豊富になり、燕尾形のほぞや凹凸ほぞなども家具の製作に採用され、木製家具の表面に施された漆塗りの技術も発展した。とはいえ、この時代は小型家具の形成期であり、全体的に古風で、漆の塗り方もまだ荒々しいものが多かった。

戦国時代の寝台も、河北省長台関の楚墓の中から出土している。この寝台は欄干で囲まれ、銅製の脚によって固定され、装飾も施されている。また、衝立も風や視線を遮るものとして使われていたが、のちに室内空間を分割する大事な道具になった。

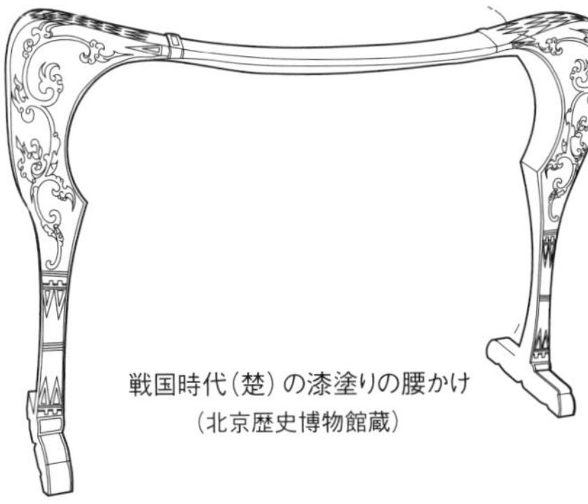

戦国時代（楚）の漆塗りの腰かけ
（北京歴史博物館蔵）

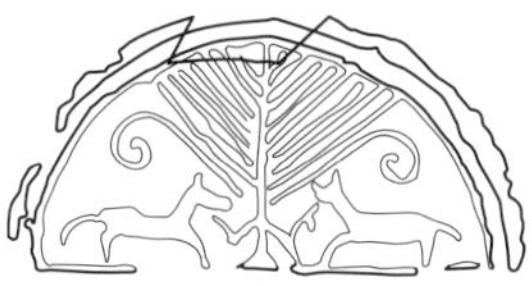

半瓦当
（戦国時代）

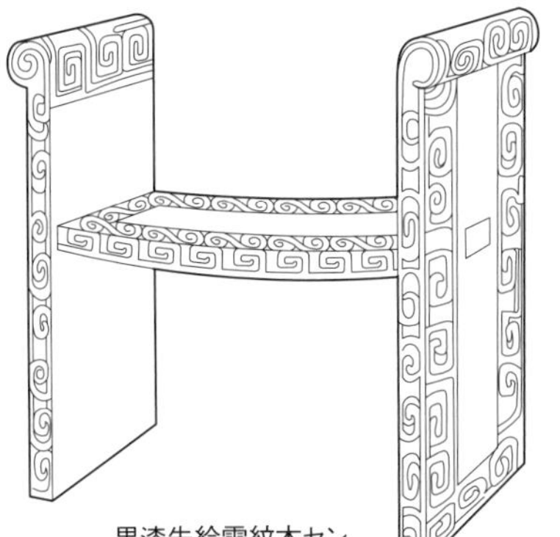

黒漆朱絵雲紋木セン
（戦国時代）

彫刻が施された木製の花台
（戦国時代）

戦国時代（楚）の漆塗りの耳杯

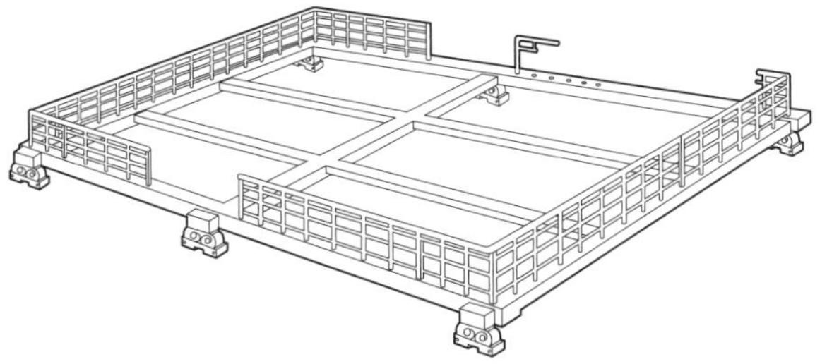

長台関の楚墓から出土した黒漆塗りの寝台
（縦2,180×横1,390×高さ190mm）

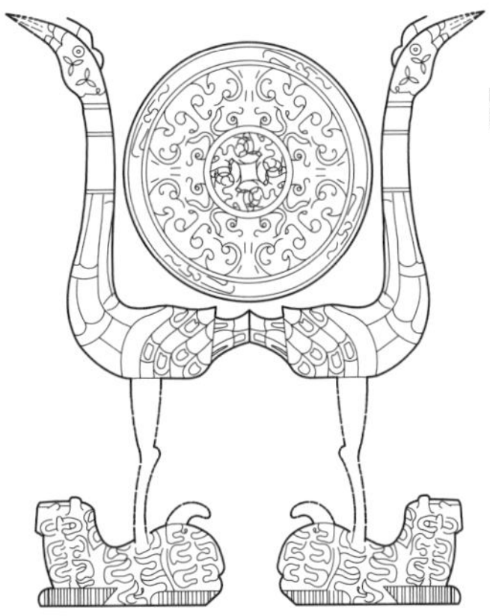

戦国時代（楚）の
虎座凰鳥懸鼓模様

春秋戦国時代の伎楽銅屋

浙江省紹興にある春秋戦国時代の墓から出土した青銅器。前面に4本の柱があり、背面には小窓が1つある。左右両側は壁で、古代の越人が楽器を演奏している。屋根の上の柱頭には鳩の彫刻。銅屋の四隅は勾連回紋、勾連雲紋で装飾されている

左の側面

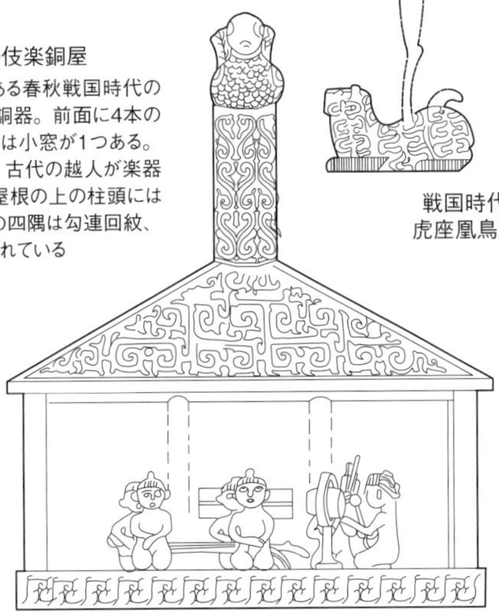

正面

背面

伎楽銅屋の装飾

秦、漢時代の建築装飾には壁画、レンガ絵、瓦絵などが見られる。装飾の模様、テーマも豊富で、模様には大きく分けて人物、図形、動物、植物の4つがある。

秦や漢の宮殿の壁の多くは白土と石を混ぜたものを積み上げて作られ、そこに花柄の装飾と、黒と赤の2色の漆を塗る方法が多用されている。絨毯も使われていたが、主に宮殿の中のみであった。

木造部分を色彩で装飾する技法は商、周時代に出現していたが、天井に描く色彩画は秦、漢の時代から始まった。その図柄の多くは蓮の花のような水生植物で、主に祠堂や寺院、陵墓、宮殿で見られる。

秦、漢の時代には、壁画は宮殿や寺院のみならず、貴族の寝室、官僚の宿舎、陵墓にまで普及した。歴史上の物語や、功臣の肖像画、民衆の生活が題材となっており、線刻もあればレリーフもあり、絵画と彫刻の中間のような装飾となっている。漢時代のレンガ絵は陵墓、祠堂、寺院などで見られ、題材の多くは神話や人物、生活の情景、風景、歴史上の物語などを扱っている。

秦、漢の時代には寝台、机、収納家具、衝立などが広く使われるようになり、それらの細工も高度なものになっていった。

漢の時代は古代における灯具の最盛期で、多様な灯具が誕生した。形は優美で、前漢の長信宮灯、西漢中期の朱雀灯などが出土している。

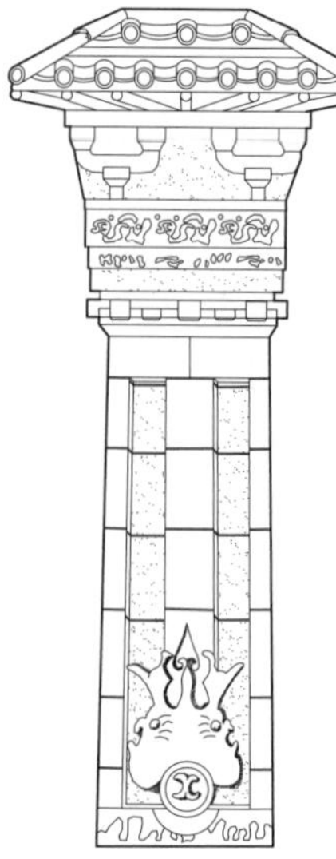

秦、漢の軒丸瓦

馮煥闕（ふうかんけつ）は四川省渠県の豫州刺史（現在の県知事に当たる役職）馮煥の墓前に位置する望楼で、もとは左右に1対建てられていたが、今は東側のものしか残っていない。この図は正面から見たもの。高さは4メートルあまり、最も広い部分の幅は約2メートルで、柱身は1本の石をそのまま使って作られている

絵が描かれた木の衝立
（湖南省長沙の馬王堆漢墓より出土）

山東省沂南県の沂南漢墓の柱式。当時の2種類の柱式が外観に表れている。精密に美しい花の模様が彫られており、これもまた当時の手工業の発展を体現している

漢の沂南柱式

寝台（東晋の顧愷之『女史箴図』）

四川の高頤闕

大小左右一対の石造闕で、頂部は木造建造物を模した彫刻であるため、はっきりと斗組と支柱の各構成部分が見える。これは漢の木製骨組みの発展状況を研究するうえで重要なものである

西漢初期の馬王堆3号墓より出土した漆塗りの龍の模様

漢の須彌座式台座

須彌座式の台座の最大の特徴は、台座の立体面にすぼまった部分があることである。そこには大きな蓮の花と花弁、さらには生き生きとした花や草が彫られている。台座の上部の縁には柵が設置され、重要な装飾品となっている。全体的に華やかで、彫刻も精緻である

三国時代（魏、蜀、呉）、晋、南北朝、隋、唐の時代は仏教建築の最盛期であり、特に石窟が盛んに建設された。仏教建築の様式には、そのほか寺院と仏塔がある。仏塔はインドから伝わったのち、中国の楼閣建築と融合して高層化していった。嵩岳寺塔は現存する最古のレンガ造りの仏塔である。

南北朝時代の建物の屋根は傾斜が緩やかで、軒が深く、荘重かつ柔らかな印象を与える。このころ少数ながらガラス瓦も使われており、主に宮殿の屋根に用いられ、緑色のものが多い。建物は柱と梁と斗組（ますぐみ）で支えられ、重要建築物にはしばしば壁画が見られる。

壁画は漢の絵画技術を発展させてより豊かに表現するようになり、宮殿や寺院、墓石、石窟などに描かれている。

この時代、インドやギリシア、ペルシアの文化が伝わり、それらの様式は家具をはじめさまざまな芸術に大きな影響を与えた。

家具の高さは徐々に増していき、床に座る風習は残ったものの、ペルシア人により椅子が持ち込まれた。寝台の高さも徐々に高くなり、衝立も発達して折りたたみ式になった。

この時代は瓮（へ：酒などを入れる容器）も高いレベルに達し、北斉時代の白瓮は現存する最も古いものである。

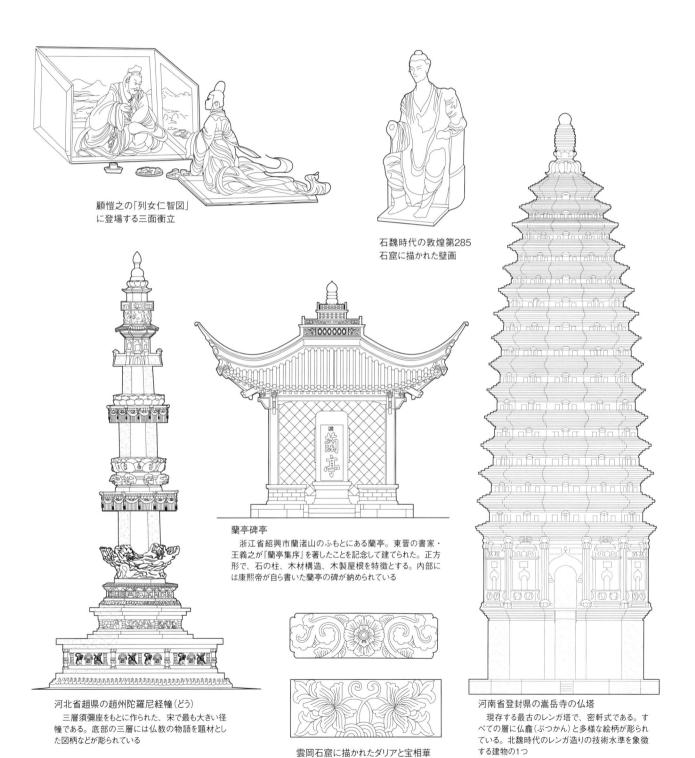

顧愷之の「列女仁智図」に登場する三面衝立

石魏時代の敦煌第285石窟に描かれた壁画

蘭亭

蘭亭碑亭

浙江省紹興市蘭渚山のふもとにある蘭亭。東晋の書家・王義之が『蘭亭集序』を著したことを記念して建てられた。正方形で、石の柱、木材構造、木製屋根を特徴とする。内部には康熙帝が自ら書いた蘭亭の碑が納められている

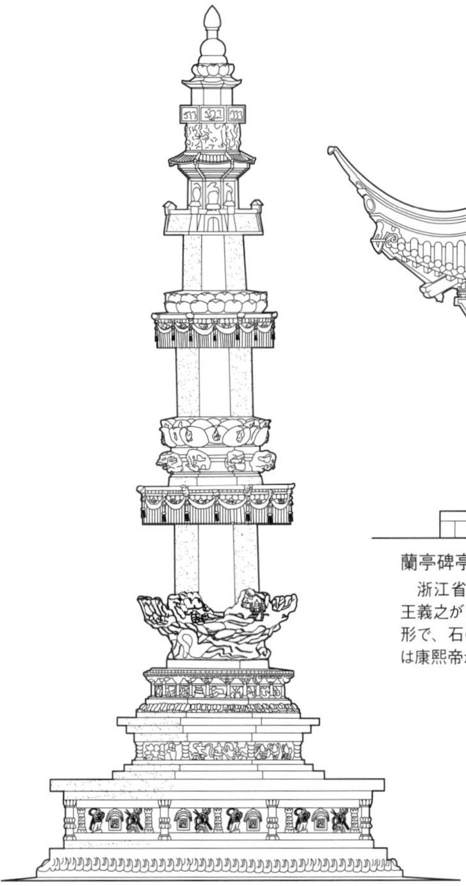

河北省趙県の趙州陀羅尼経幢（どう）

三層須弥座をもとに作られた、宋で最も大きい径幢である。底部の三層には仏教の物語を題材とした図柄などが彫られている

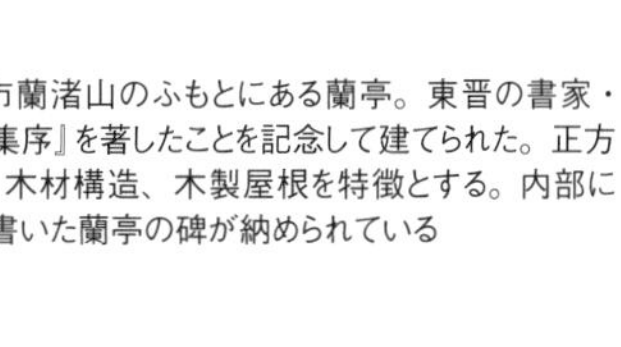

雲岡石窟に描かれたダリアと宝相華

河南省登封県の嵩岳寺の仏塔

現存する最古のレンガ塔で、密軒式である。すべての層に仏龕（ぶつかん）と多様な絵柄が彫られている。北魏時代のレンガ造りの技術水準を象徴する建物の1つ

隋、唐の時代は経済が発展し、社会全体が豊かになり、宮殿も雄大で壮麗なものになった。また、仏教、道教といった宗教建築に加え、大規模な石窟も数多く建設された。代表的なものには敦煌の莫高窟、洛陽の竜門石窟、太原の天龍山石窟と四川大足北山石窟などがあり、建築性も高まった。こうした荘重かつ雄大な建築物は、この時代の精神をよく表している。

唐代中期に建てられた仏光寺大殿は、柱頭が華やかで、近くで見ると斗組（ますぐみ）が交錯している。落ち着きと壮麗さを漂わせ、中国古代建築の伝統を表現している実例である。

この時代の仏塔はさまざまな形式が建てられたが、とりわけ河南省登封県の嵩山会善寺の浄蔵禅師塔、山西省平順県の明恵大師塔が典型的なものである。

仏教は唐の時代に最盛期を迎え、672年に龍門石窟の象徴的存在である奉先寺が造られた。隋、唐時代の石窟には2種類あり、1つは覆斗刑天井窟、もう1つが大仏窟で、前者が主流であった。

この時代の建築物の壁はレンガ造りが多く、宮殿や陵墓は特にそうであった。なかには蓮の花を題材としたレンガ絵が施されているものもあった。天井装飾には露明、天花、藻井の3種類があり、藻井は主に天井の最も重要な部分に用いられた。

隋、唐、五代十国時代の壁画は中国芸術史上最も重要なものであり、石窟壁画、寺院壁画、宮廷壁画、墓室壁画がある。

この時代は変革の時代で、家具も低いものから高いものに切り替わる時期であり、色彩も豊かになって高い芸術性を示している。

また、漢の時代に徐々に衰退した陶器が隋代に復興し、灰釉陶器と采絵陶が作られた。唐の時代を代表する陶器は唐三彩で、主に黄、緑、褐色が使われたことからこの名前が付いた。一方で、隋、唐の時代には銅器は衰退した。陶器には食器、茶器、酒器、文具や玩具のみならず、灯具もあった。

顧閎中の「韓熙載夜宴図」
屏風つきの寝台、細長い机、座椅子などが描かれている（北京故宮博物館所蔵）

隋時代の衝立と椅子

仏光寺大殿の骨組み

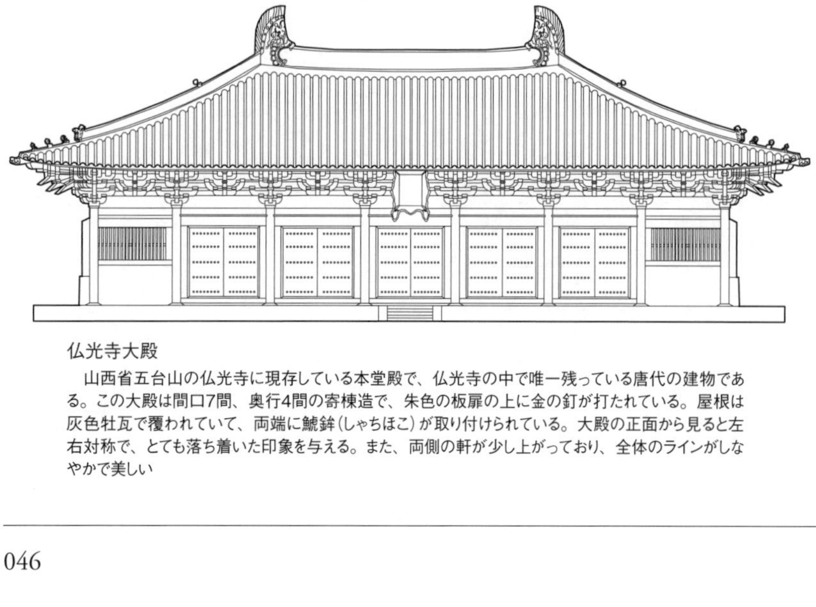

仏光寺大殿
山西省五台山の仏光寺に現存している本堂殿で、仏光寺の中で唯一残っている唐代の建物である。この大殿は間口7間、奥行4間の寄棟造で、朱色の板扉の上に金の釘が打たれている。屋根は灰色牡瓦で覆われていて、両端に鯱鉾（しゃちほこ）が取り付けられている。大殿の正面から見ると左右対称で、とても落ち着いた印象を与える。また、両側の軒が少し上がっており、全体のラインがしなやかで美しい

山西省の明慧大師塔
これは単一の石塔で、唐代に建てられた。長方形の基座の上に飾りを施した須弥座が置かれ、その上には扉や窓、天神の像が彫刻された仏塔の本体部がある。最上部は4層からなる。この大師塔は建築と彫刻の完璧な融合と言える

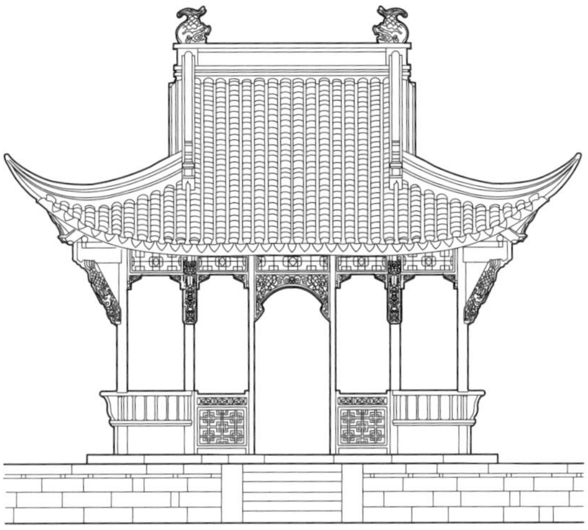

酔翁亭

安徽省滁州市の山麓にある。宋代に創建され、清代に建て直された。正面は正方形で、柱は細い。酔翁亭という名前は「酔翁亭記」に由来している

宋代には都市が繁栄し、手工業の発達が建築に大きな影響を与えた。山西省太原にある晋祠は宋代を代表する寺院であり、特に現存する聖母殿は当時の文化を伝える数少ない建築物で、前廊には8本の柱があり、斗組(ますぐみ)の作り方にもこだわりが見られる。殿内には宋代の聖母および侍女の像が43体安置され、殿の前の噴水には十字型の石橋があり、宋代の優美な雰囲気を体現している。

宋代の建物の柱には円形、正方形、八角形のものがあり、多くは石で作られ、表面にはさまざまな図柄が刻まれている。また開閉式の窓が数多く設けられ、多様な様式の窓格子が使われ、高い装飾効果をもたらしている。ドアにしつらえた窓も、三角形、古銭形、円形などさまざまなデザインが施されている。

この時代には色彩画も最盛期を迎えた。宋代以降、色彩画は欄干によく見られるようになり、花弁をモチーフとした図柄が多く使われている。花弁は非常に具象的で、青緑色のものが基本である。

宋代には彫刻技術が室外でも用いられるようになった。室内の石像彫刻は、柱基と須弥座などに見られる。木像彫刻には線刻、平彫、高浮き彫、円彫などの手法が用いられている。

家具では椅子、テーブル、寝台、タンスなどが民間でも普及するようになり、円形や四角形のテーブルのほか、琴台や子供用の机や椅子なども普及した。

宋の陵墓にあしらわれた龍の模様

江西省楽平の宋墓に描かれた椅子と衝立の壁画

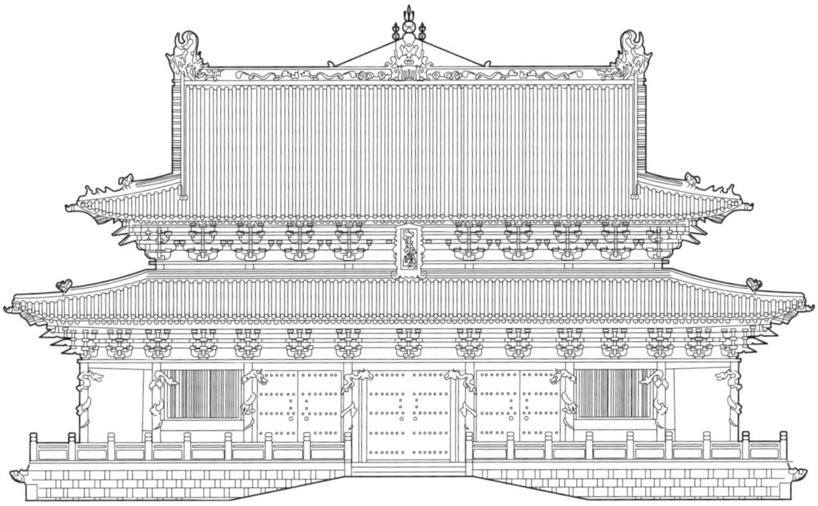

山西省太原の晋祠の聖母殿

入母屋造の正殿型の建築で、中国で唯一現存している回廊式の建物である。斗組が比較的大きく、正面前の木柱に彫られた竜には躍動感がある

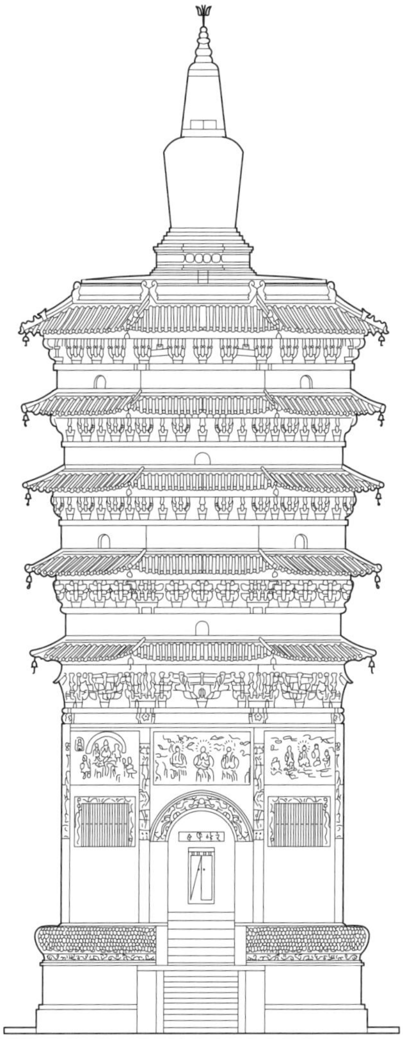

河南省安陽市の天寧寺塔

遼の時代の有名な建築物には、山西省大同市の華厳寺薄伽教蔵殿、天津薊県の独楽寺観音之閣、山西省応県の仏宮寺釈迦塔などがある。

華厳寺薄伽教蔵殿は仏教の経典が祭られている主殿である。正面には「薄伽教蔵」と書かれた額が掛けられ、その下に朱色の窓がある。また、門の前に置かれた線香立てはとても優美である。

独楽寺観音之閣は3層の楼閣で、最上層と最下層には軒があるが、真ん中の層だけ付いていない。外周には柵が付いており、見学者は階段を上って最上層まで行くことができる。また、楼閣の中心には高さ16mの観音像が置かれている。

仏宮寺釈迦塔は現存する最古の楼閣式の木塔で、荘厳かつ優美な党が天高く聳え立っている。外観は5層に見えるが内部は9層からなり、外部の各層には軒が付いている。

金の時代の建築物の構造、形式、技術などは、宋と遼の時代の影響を大きく受けている。山西省大同市の善化寺は遼、金時代の最も有名な寺院の1つである。特に三聖殿の斗組（ますぐみ）は金の時代の特色をよく表している。

三聖殿よりもさらに有名なのは山西省の五台山仏光寺内の文殊殿で、本堂の右側に配置されている。もともとは普賢殿と向かい合わせに建っていたが、現在は文殊殿のみが残っている。文殊殿は間口7間、奥行き4間の細長い建物である。屋根には灰瓦が使用され、門と窓は赤く塗られている。軒の下の斗組が大きく、宋、遼、金時代の特色が非常によく表れている建築物である。

また、遼、金の時代には新たな家具が作られた。壷門（雲状の文様が施された椅子の脚部）と托泥（家具の安定を増すために脚部に1周渡された横木）が使用されなくなり、机やテーブルには螺子が使われるようになった。それらの脚部には牙のようなデザインが施されている。

河北省宣化下八里村遼墓群の壁画「侍史図」

金時代の椅子
（山西省大同市閻徳源墓より出土）

遼時代の仏頂尊勝陀羅尼塔の図案

山西省大同市の閻徳源墓より出土した金時代の小型の寝台

盧溝橋の柵の柱頭に彫られた石獅子

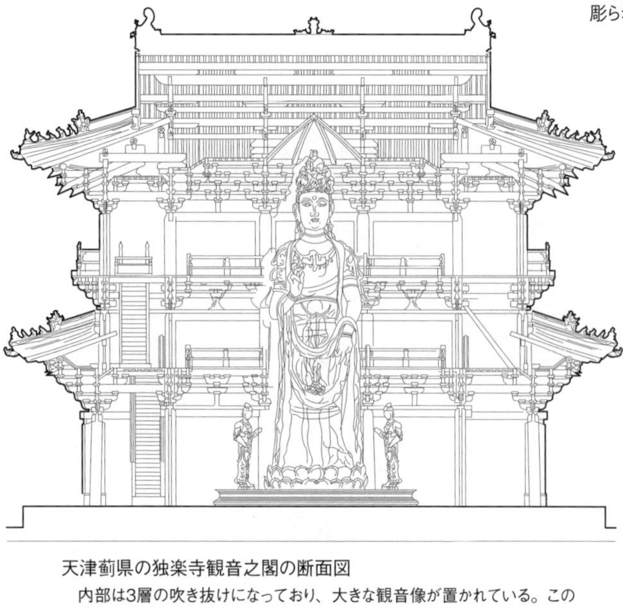

天津薊県の独楽寺観音之閣の断面図

内部は3層の吹き抜けになっており、大きな観音像が置かれている。この独特な木造建築は、美しい内装と巨大な観音像と相まって遼時代の最も重要な建築物の1つとされている

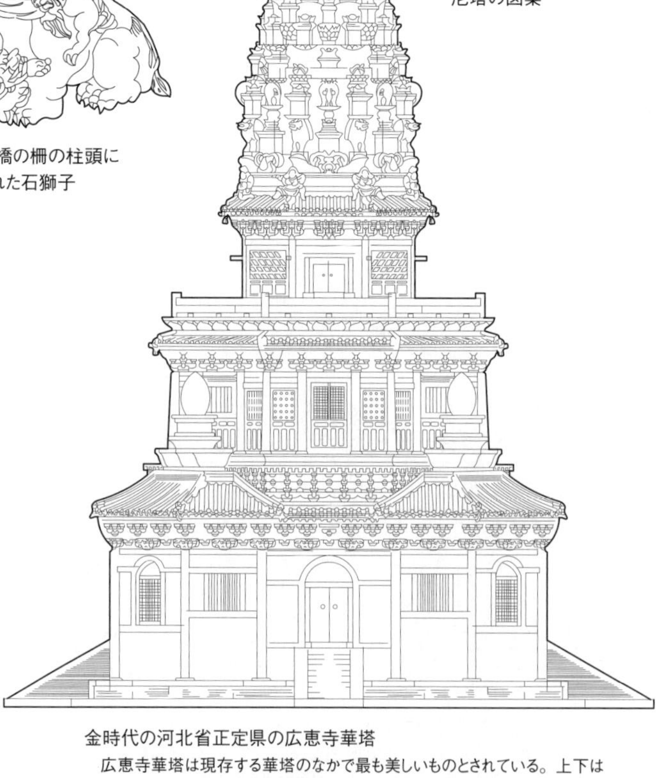

金時代の河北省正定県の広恵寺華塔

広恵寺華塔は現存する華塔のなかで最も美しいものとされている。上下は違う様式で、上部は巨大な花束のように作られ、下部の3層はレンガ造りの楼閣式になっていて、外には4本の小さい塔が建てられている。塔全体は荘重な雰囲気が漂い、歴史的な価値も高い建造物である

元の建築物と室内装飾は中原（中国文化の発祥地とされる黄河中流域の地域）と遊牧民の文化が融合したものである。建物の床面にはレンガや大理石が使われ、絨毯も広く使われるようになった。壁や柱の装飾にはガラスが多く用いられたが、なかには織物や金、銀を使ったものもあり、金箔も大量に使用された。また、室内装飾には刺繍や聖母像などの彫刻もよく使われた。特に宮廷は豪華絢爛な装飾が施され、さらに外国製の工芸品も採り入れられたが、これはそれまではほとんど見られないことであった。

元の時代の家具は宋、遼時代のものを基礎に徐々に発展したが、大きな変化はなく、ただ形や構造が変わっただけであった。当時の家具の中でひときわ高級なものは交椅という椅子で、地位の高い家にしかなく、その多くは応接室に置かれ、家の主人と貴賓だけが使うことができた。また、引き出し付きの机が登場したことが、山西省の北谷口元墓の壁画からわかっている。

元の時代に生産された磁器の多くは民間で作られたものである。特に景徳鎮一帯で盛んで、青花、釉里紅、紅釉、藍釉など数種類がある。最も有名なのは青花で、白地の素地にコバルトブルーの染付で人間や動物、花弁などを描き、高貴で美しい。そのほか、織物も天幕、絨毯、天井、衝立など、さまざまな用途で広く使われた。

普陀山多宝塔
現存する元時代最古の建築物

永楽宮純陽殿の壁画「道観斎供図」

将棋を指している情景を描いた図

広東省徳慶県の悦城竜母祖廟の碑亭

八角形の兜型の屋根と竜骨は中国でも数少ない。碑亭の構造は特徴的で、金色の柱の間に梁が交差し、中央に大柱を設置している。全体は大柱を軸に1つにまとまっており、大柱から竜骨が放射状に出て、天井板を支えている。そうして、兜型の屋根の曲線が作り上げられた。碑亭の斗栱（柱の上に置かれ、軒などの上部構造を支える部材）も特徴的で大きく、南宋と元の時代の文化を今に伝えている

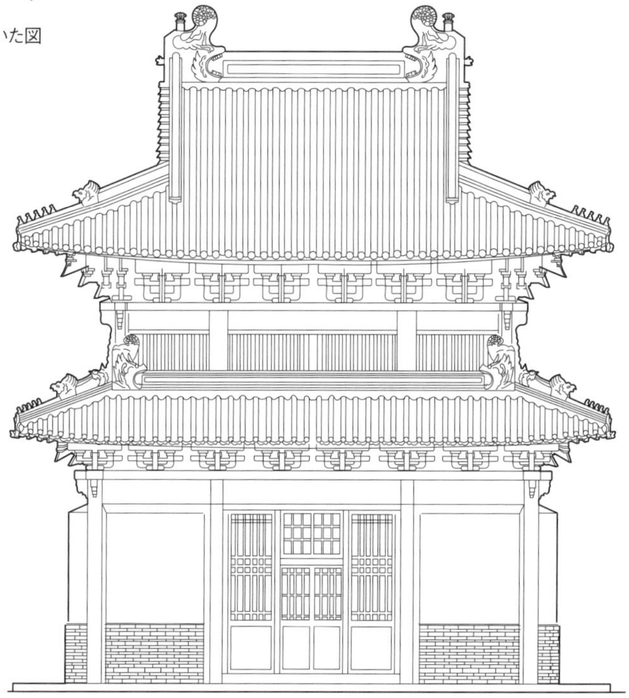

河北省定興県の慈雲閣

慈雲閣は1306年に建てられた2層の入母屋造の楼閣である。この図は慈雲閣の正立面図で、中央の柱間に扉を設置して、両側の柱間に壁を設けている。この設計は、9m四方以下の内部空間の楼閣においては高い安定性を発揮する

故宮（紫禁城）最大の宮殿であり、現存する中国最大の木造建築である太和殿は明代に建てられたものの消失し、現在の建物は清代に再建された。太和殿の装飾はきわめて豪華で、外梁は金の双龍と色彩画で装飾され、玉座の上には金を塗った真珠が吊るされている。玉座近くの6本の柱も金色に塗られ、柱頭には龍が彫られている。玉座には龍の形状をした金色の椅子が置かれており、これが皇帝の御座であった。その後ろには龍が描かれた金の衝立があり、左右に線香立てが設置されている。玉座の前にも線香立てが4つ設置され、それぞれに3つの香炉が置かれている。玉座の後ろの2本の柱にも、生き生きとした龍の姿が彫られている。

故宮・太和殿の内部

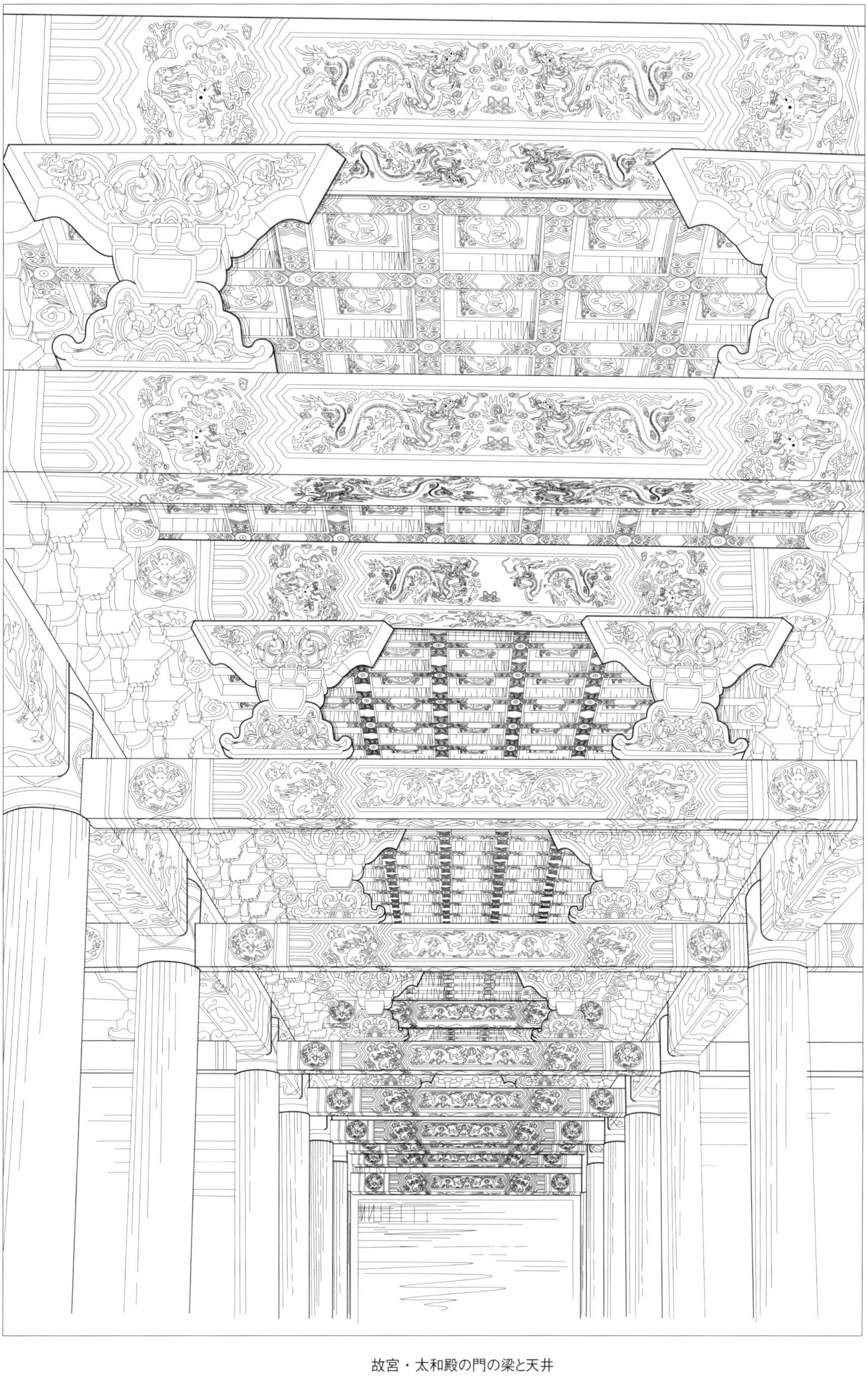

故宮・太和殿の門の梁と天井

中国における木造建築の歴史は長く、すでに古代に特徴的な形状と、木造建築の構造にふさわしい装飾技法が生み出された。中でも宮殿建築は代表例と言える。春秋戦国時代のころから、宮殿の柱に色を塗り、天井に絵画を描くことを始めている。これらの技法は建築構造と装飾を高い水準で組み合わせ、その後の中国の建築と室内装飾の手法の方向性を決定づけた。

明、清の時代になると建築構造はさらに成熟した。その好例が北京の故宮（紫禁城）である。各建物で見ても建築群全体で見ても、総体的に中国建築史上、最高峰のものと言える。

また、漢の時代には中国の伝統的家屋建築である四合院の様式がすでに完成しており、北京にその代表例が集まっている。四合院内部の窓、梁、支柱などには彫刻が装飾として施されている。なお、漢の時代の建築物の内外には花の紋章のほか、人や動物、龍、鳳凰などの装飾が施されている。

獣の形をしたノッカー

門扉のノッカー

故宮・養心門の白鷺と蓮をモチーフにしたガラス製の屏風壁（目隠しの塀）

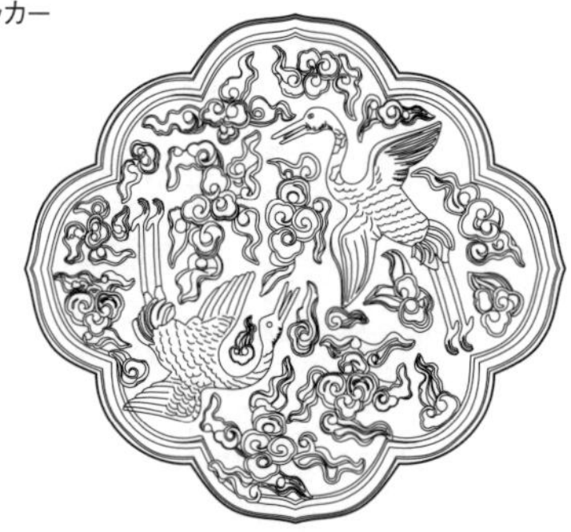
故宮・天一門の雲と2羽の鶴をモチーフにした屏風壁（目隠しの塀）

故宮・崇敬殿の天井

故宮・太和殿の玉座

六角形の屋根を持つあずまや（内部に背もたれつきの席を設けている）

明清時代の庭園

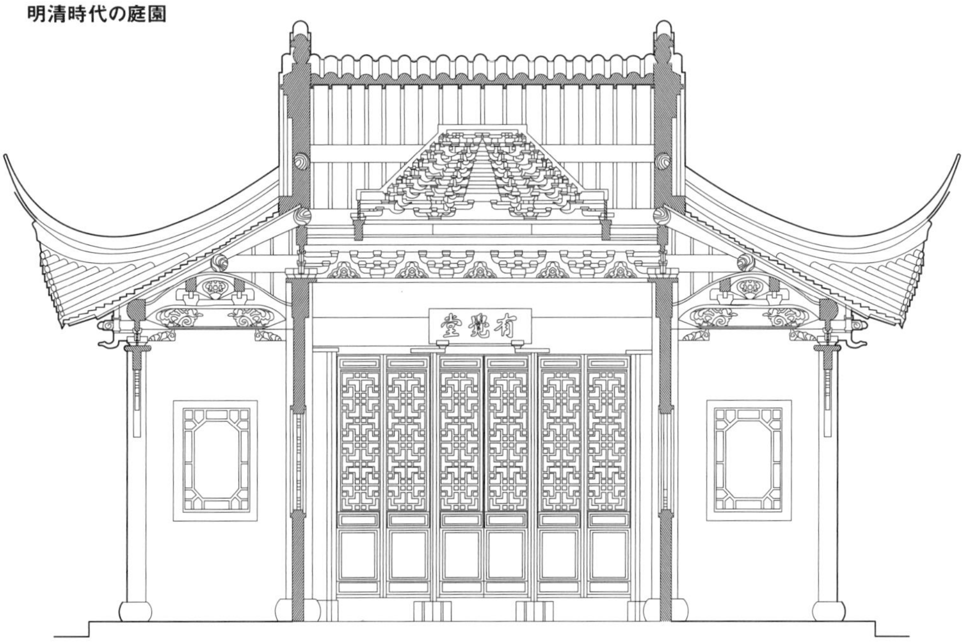

上海・青浦の曲水園有覚堂の正面図

洛陽の潞沢会館

上海・嘉定の城隍寺正殿の梁と柱頭

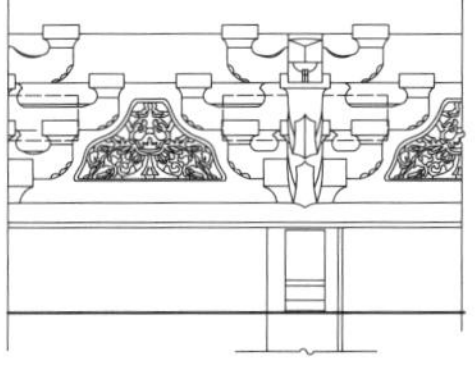

柱頭の立体図

黄岩市街の旧王宅の孔雀をモチーフにした装飾

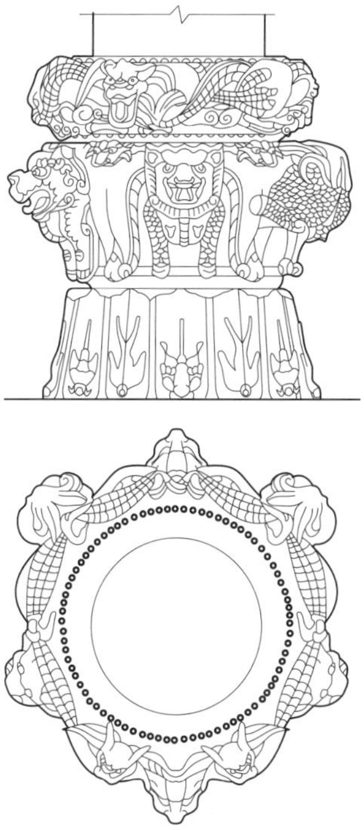

洛陽の潞沢会館の柱基

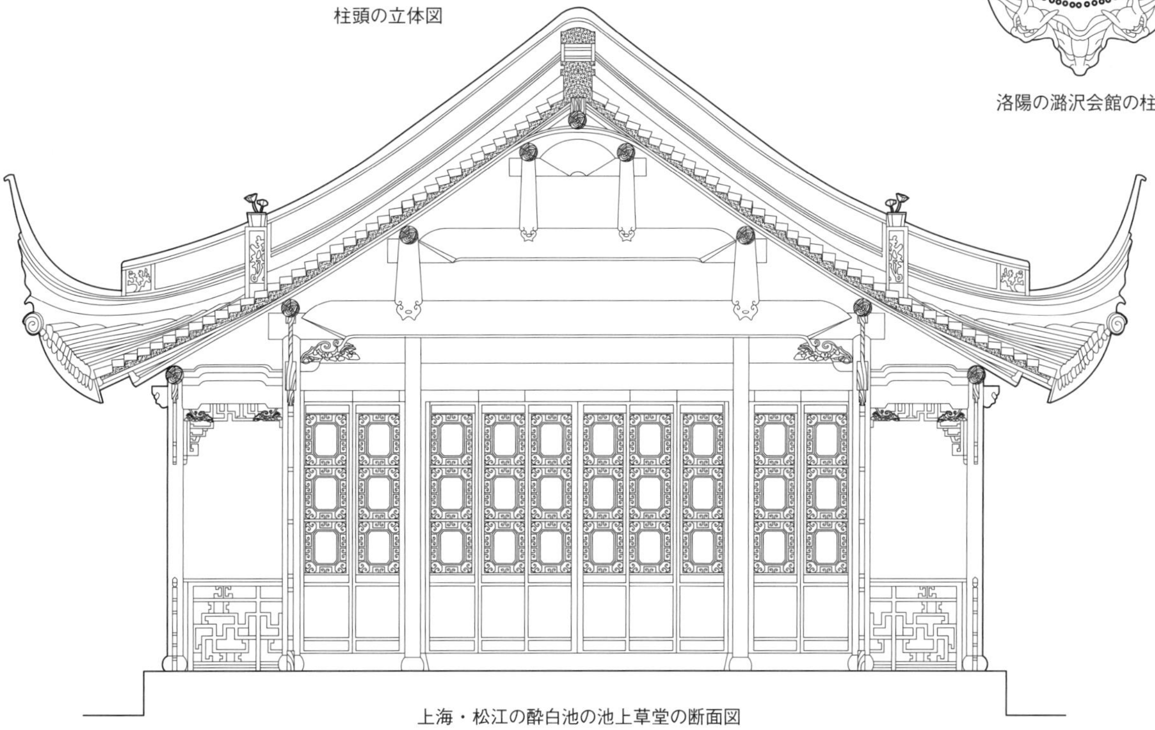

上海・松江の酔白池の池上草堂の断面図

色彩画は、建築物の外部の木製部分を漆で塗ることから始まった。14世紀以来、北方の建築物は一般的に柱身、窓、扉は暖色で塗るが、軒の影の部分や梁には寒色が使われる。

欄間の装飾画

清式海棠箍頭・璽金軲轆藻頭二龍劇珠模様

宋式団花宝照模様

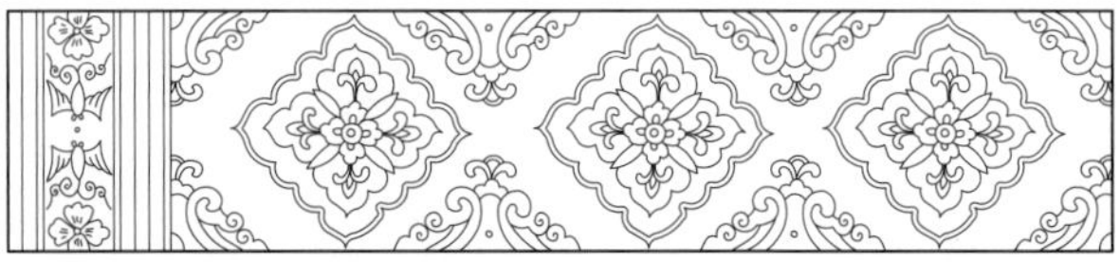

宋式柿蒂盒模様

元式藻頭蓮の花びら如意頭模様

清式雲頭梁枋板模様

清式瀝粉金琢墨石碾玉模様

清式子母草拐模様

元式藻頭蓮花弁如意頭紋様

清式連珠箍頭軟枝花蘇式園林模様

清式柿蒂頭一整二破旋子如意紋様

清式海石榴梁枋板紋様

清式雲頭梁枋板紋様

垂木鼻

四弁花方形

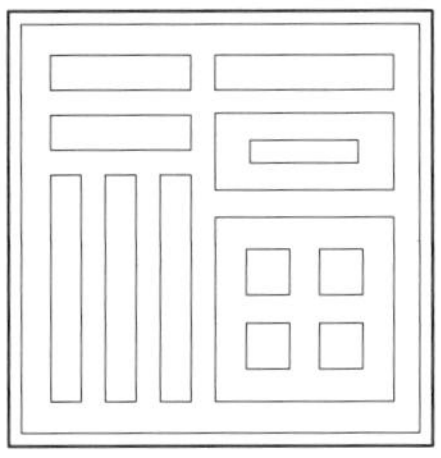

方福

如意四合

四弁花方形

四弁花方形

八弁花円

四弁花円

四合雲円

団福円

牡丹円

八宝藻井色彩画：宝蓋、宝傘、宝瓶、百結

天井画

宋式団龍

清式団凰

明式牡丹

明式柿蔕蓋

誕生彩花寿如意

明式海棠

如意花草

雲龍

清山陝会館　草龍柄石彫刻

清山陝会館

獅子石像

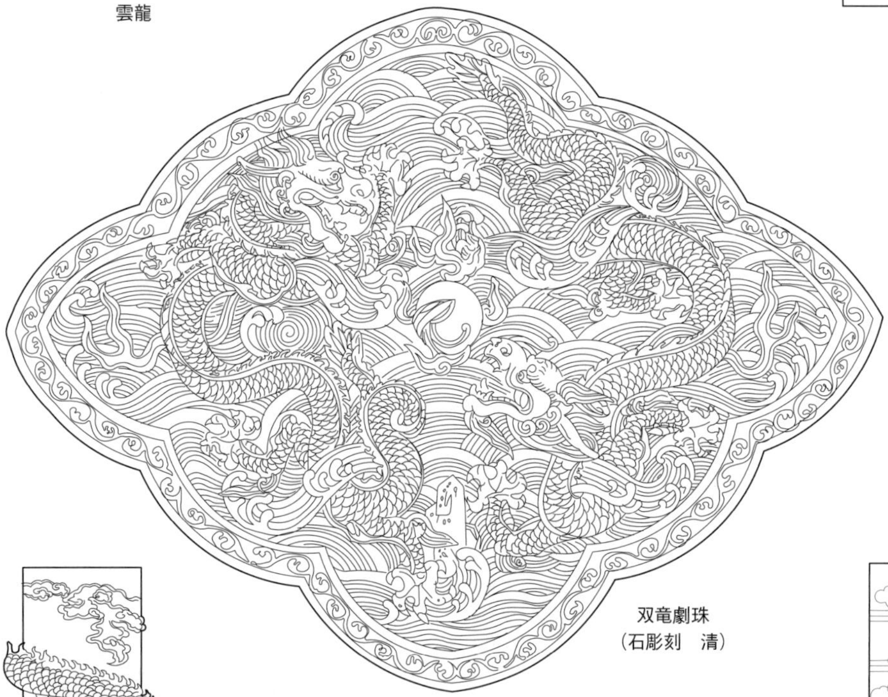

双竜劇珠
（石彫刻　清）

抱鼓石

とぐろを巻く龍の柱

清山陝会館　蝙蝠柄石彫

北京故宮石彫巻枝

双竜劇珠

木鼻

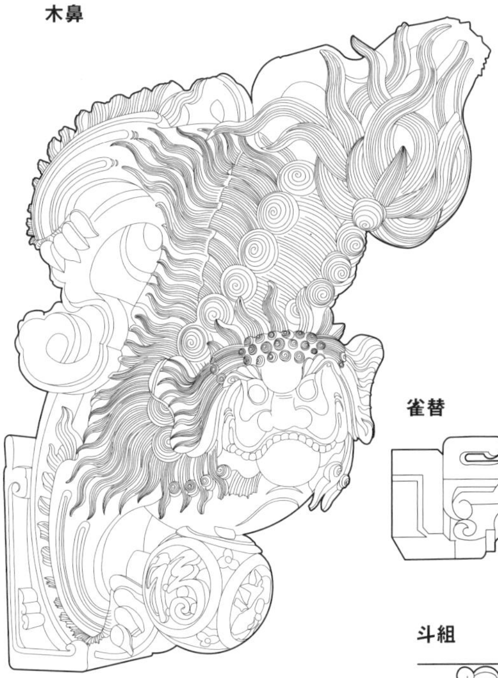

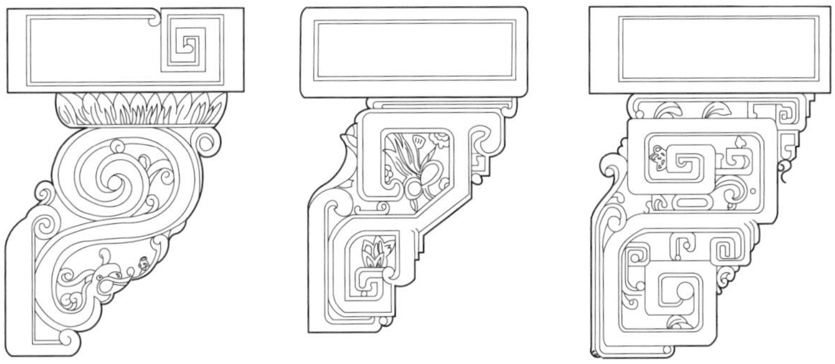

雀替

斗組

南山寺大雄宝殿花衝立

清代草龍劇珠透彫

中国四大名楼の1つ
岳陽楼隔扇門の裾板

福建省漳州南山寺法堂隔扇門

清代雲龍模様

清代胡氏宗祠隔扇門の裾板

古代中国の石柱の基部は御影石のものが多い。柱基には、1層型、2層型、3層型があり、まれに4層型も見られる。装飾の模様は主に蓮の花や葉、回字紋、万字紋、花草紋、博古紋、動物紋などで、多くは宮殿、寺院、古典庭園などの建築物に使われている。

望柱（欄干の上の柱）

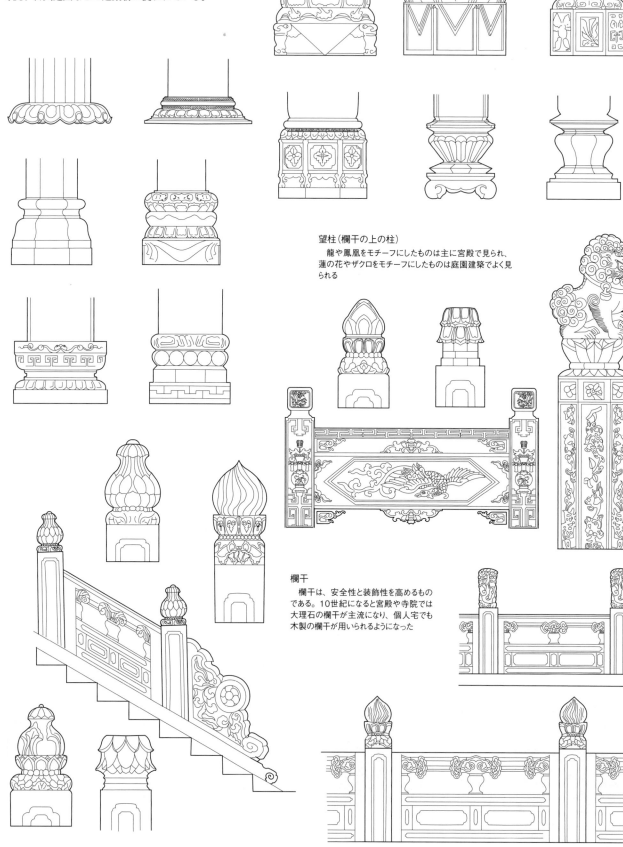

龍や鳳凰をモチーフにしたものは主に宮殿で見られ、蓮の花やザクロをモチーフにしたものは庭園建築でよく見られる

欄干

欄干は、安全性と装飾性を高めるものである。10世紀になると宮殿や寺院では大理石の欄干が主流になり、個人宅でも木製の欄干が用いられるようになった

向日葵三格紋

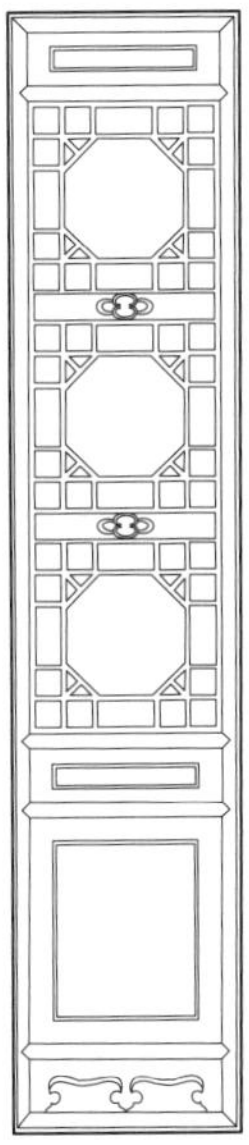
八方托格紋

菱花如意紋

口字宮式紋

海棠菱角紋

田字菱形紋

十文字海棠紋

海棠宮式紋

嵌瑠璃氷紋

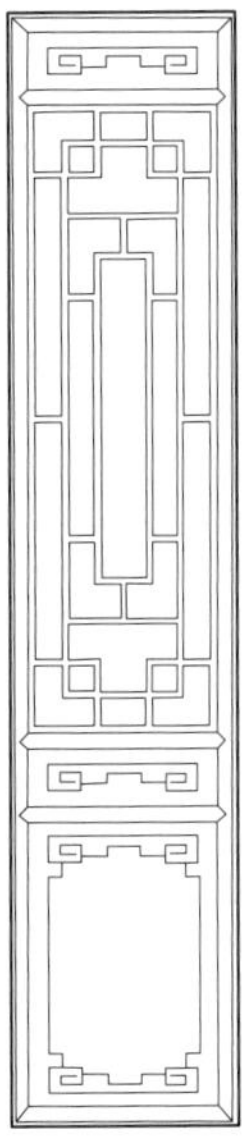
套方式紋

毛管海棠紋

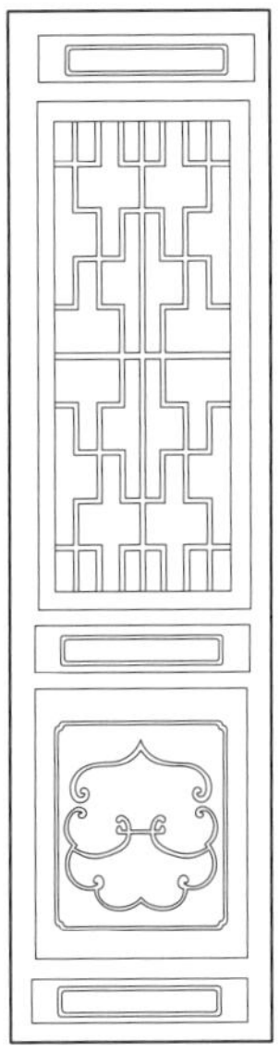
十字宮式紋

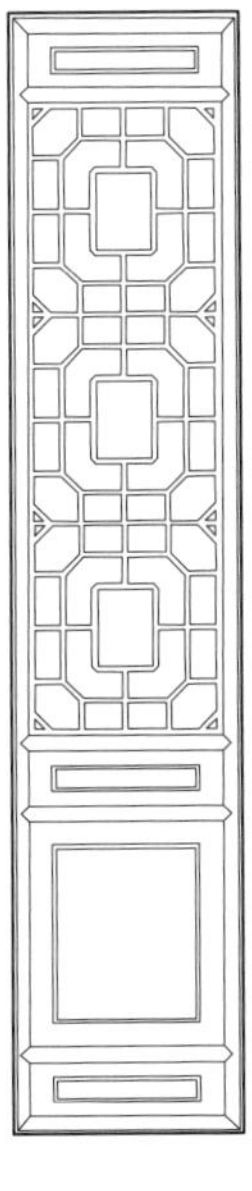
八角景套方紋

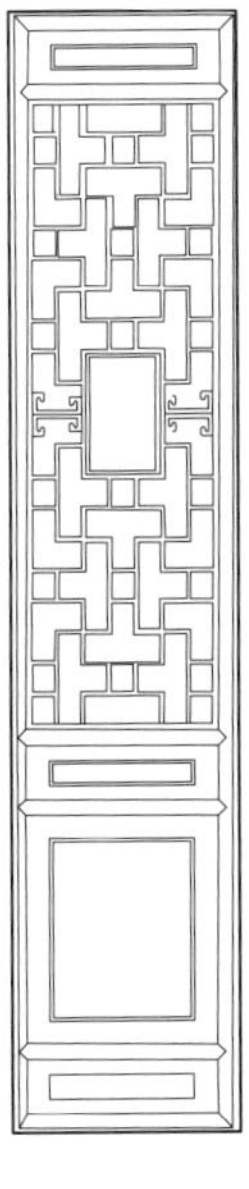
四方宮式紋

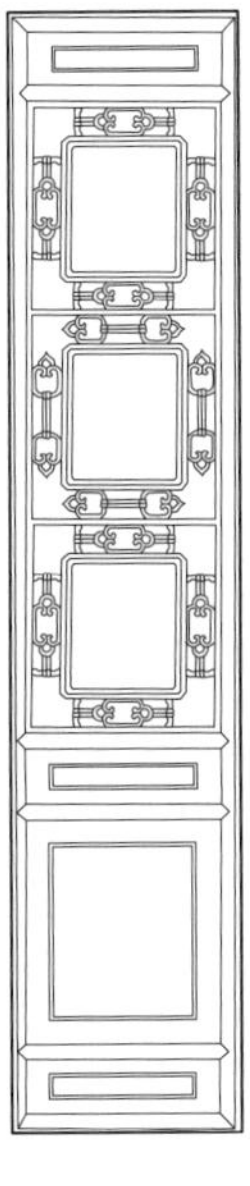
嵌瑠璃花結紋

田字宮式紋

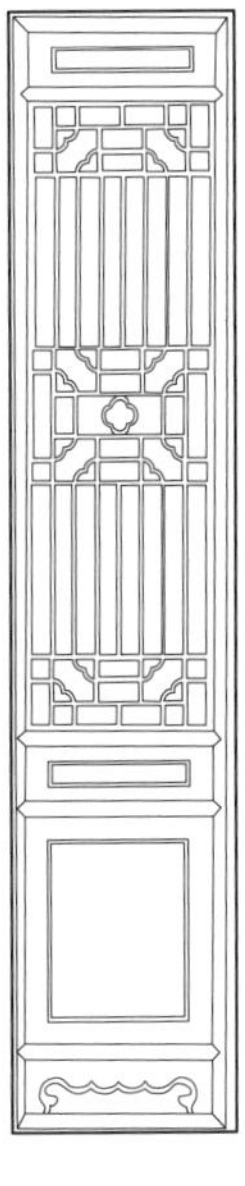
書条嵌菱式紋

井字嵌菱形紋

拐子宮式紋
如意菱花紋
八角菱花紋
套方式紋
万字連接紋
海棠菱角紋
横枠(上)
仕切板(上)
挟み板(上)
中枠
外枠
芯地
横枠(中)
挟み板(中)
横枠(中)
裾板
仕切板(下)
挟み板(下)
横枠(下)
換気口

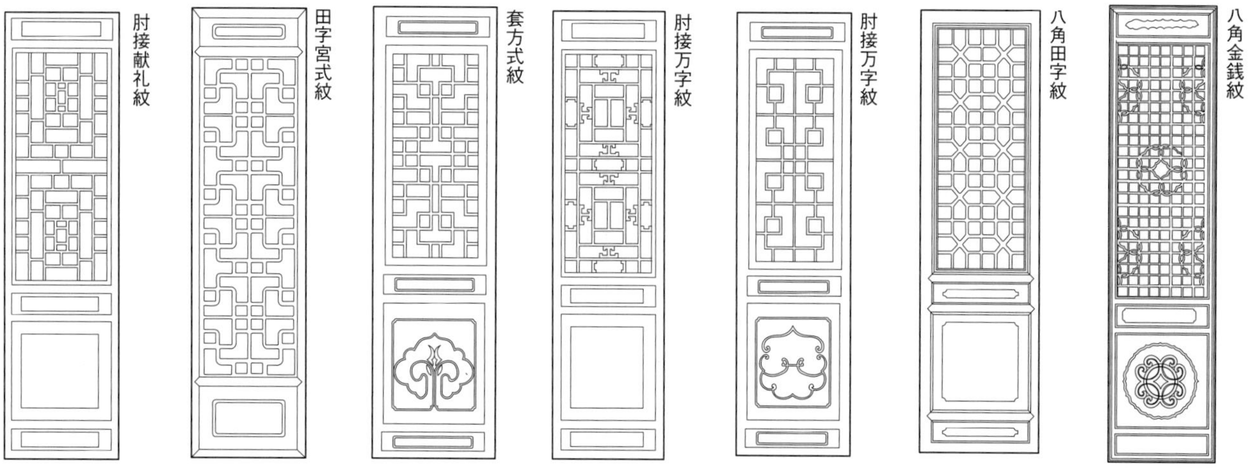
肘接献礼紋
田字宮式紋
套方式紋
肘接万字紋
肘接万字紋
八角田字紋
八角金銭紋

障子

拐子宮式紋

套方錦紋

窓の格子は建築物の造形上の必要に応じて設計される。遠くから見ると全体の輪郭が見え、明暗がはっきりして装飾性を高めるため、建築物における重要な存在である。

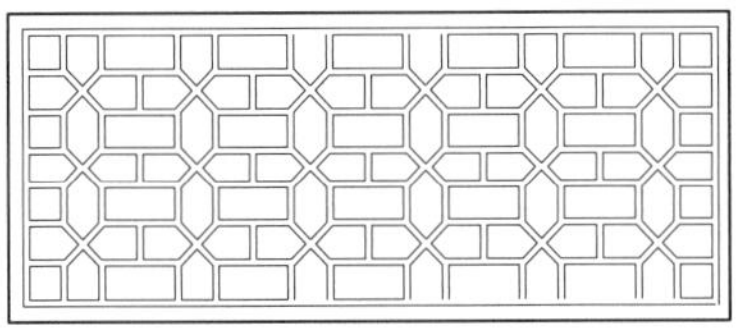

満飾式（六角形と八角形）

肘続式（万字紋）

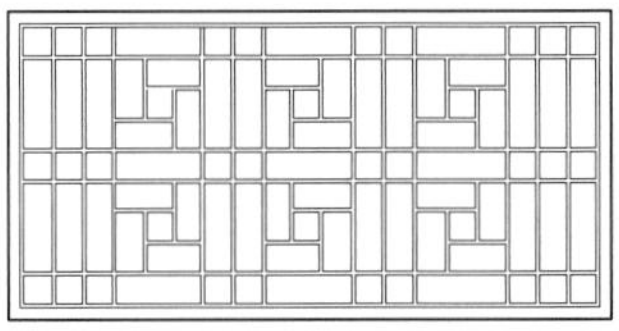

肘続式（風車）

満接式（万字紋）

肘接式（献礼紋）

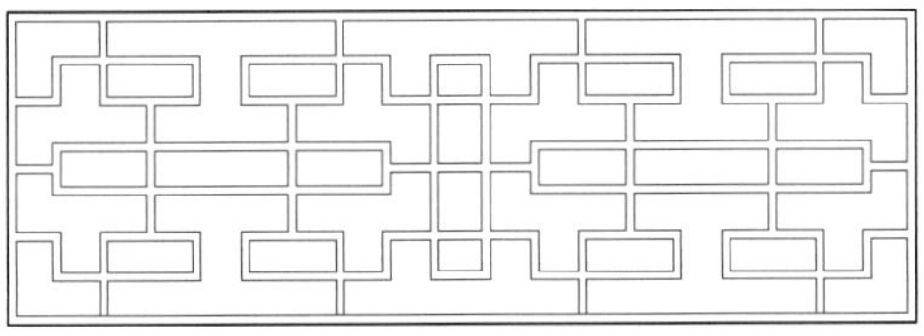

肘接式（献礼紋）

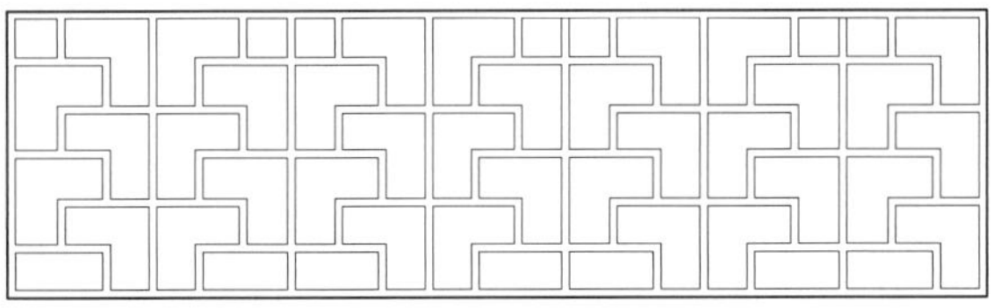

平行波紋

八角花形

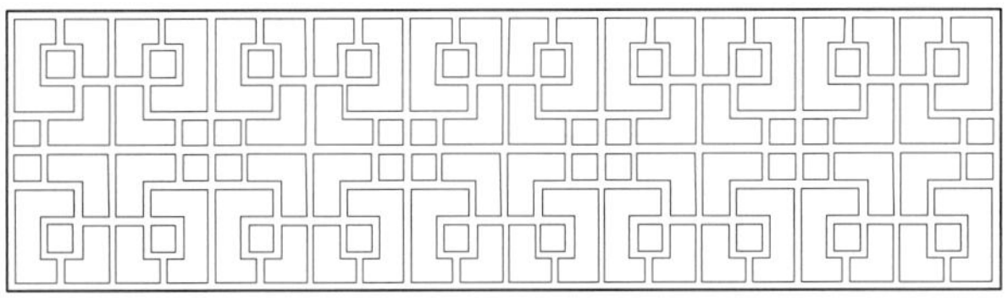

内外連鎖（不断）

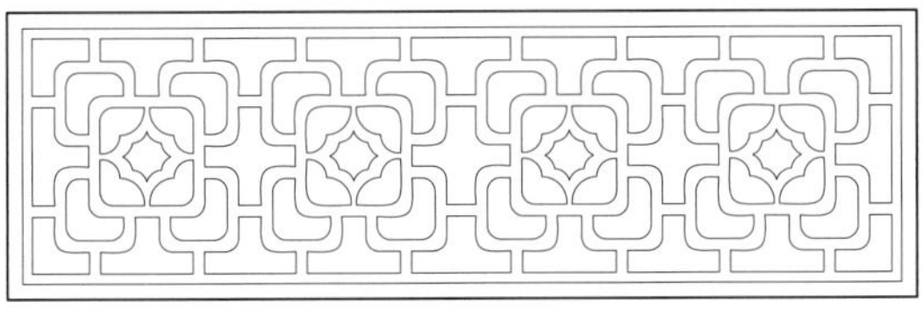

肘接式（献礼紋）

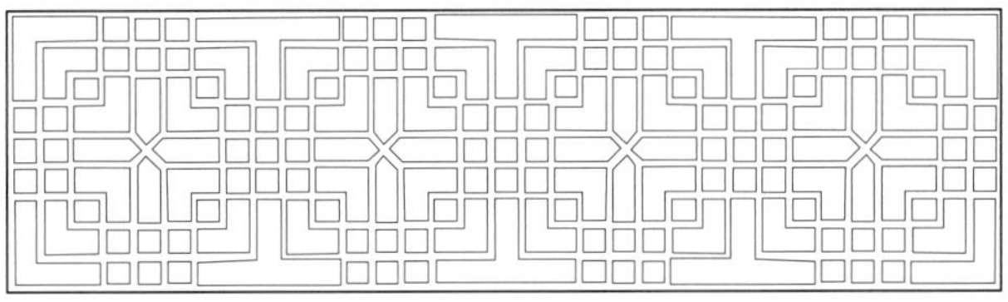

内外連鎖（套方錦）

如意紋小窓

五套八角小窓

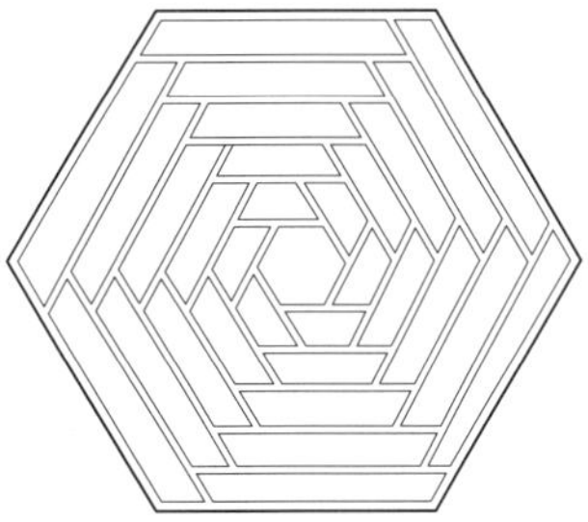

六套六角小窓

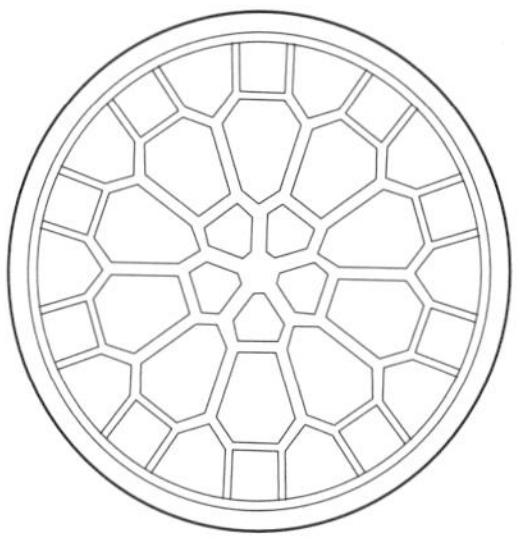

宝石花紋小窓

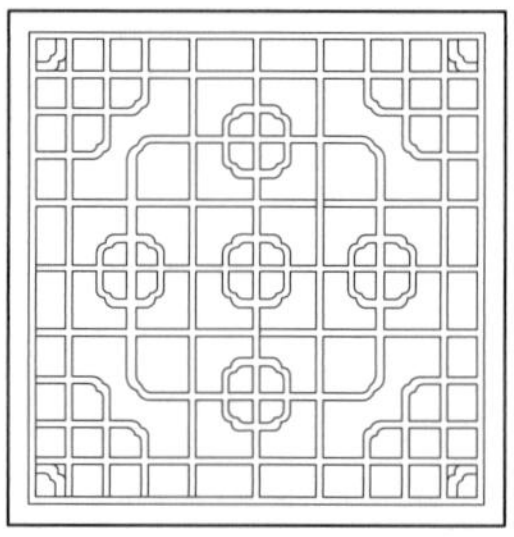

回紋

如意紋

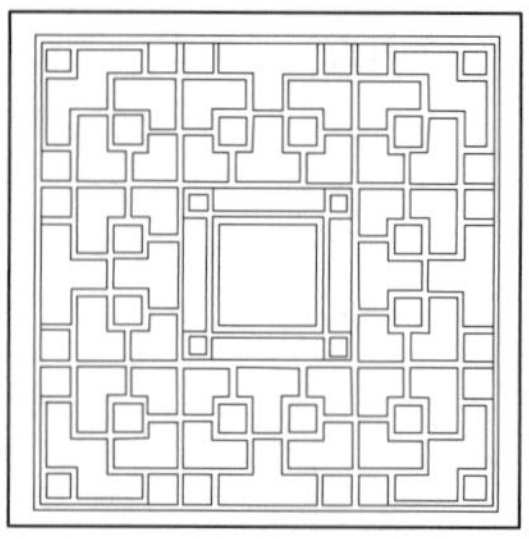

内外連鎖（不断）

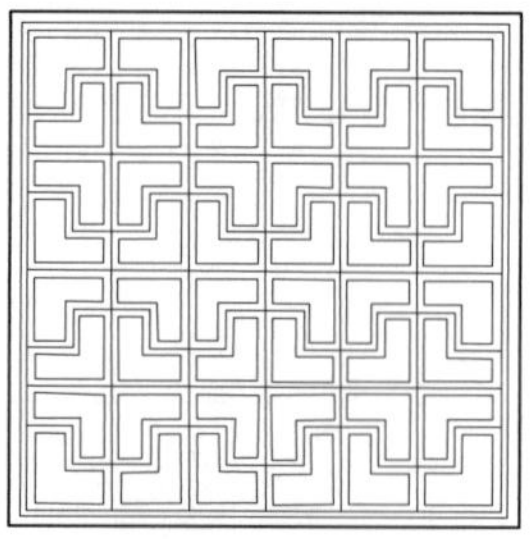

相対波紋

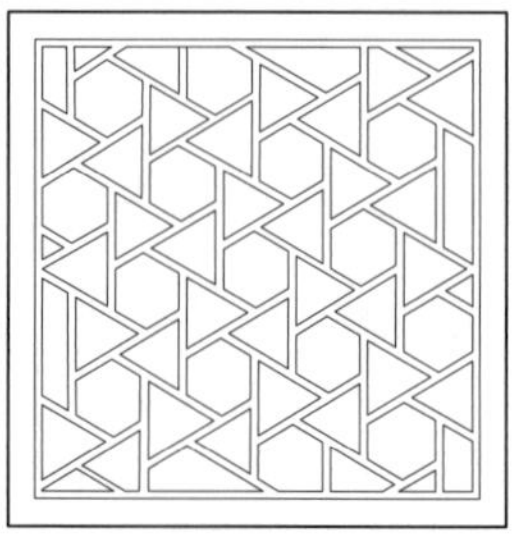

氷裂紋

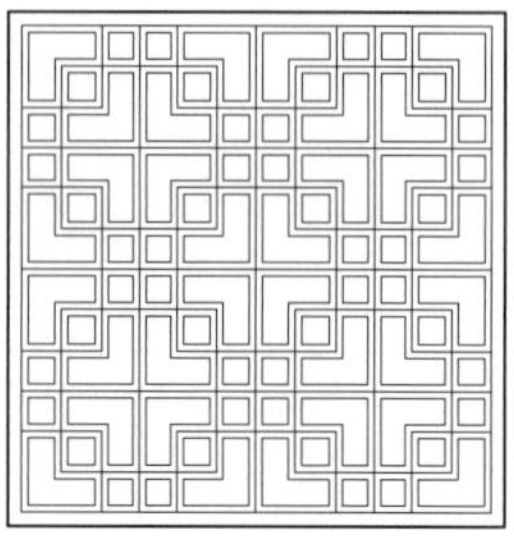

内外連鎖（套方綿）

万字紋

内外連鎖（外接紋）

万字紋

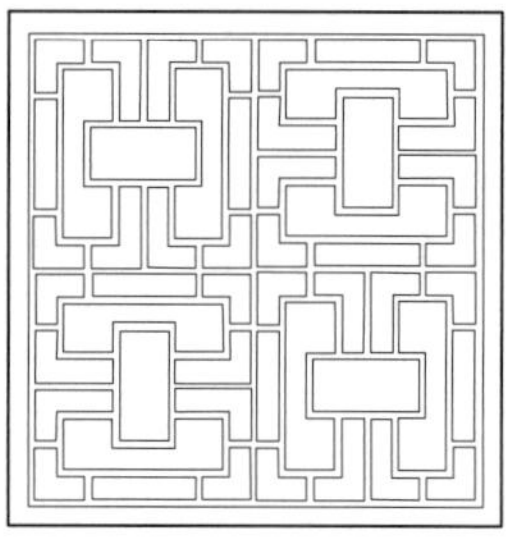

時接式（献礼紋）

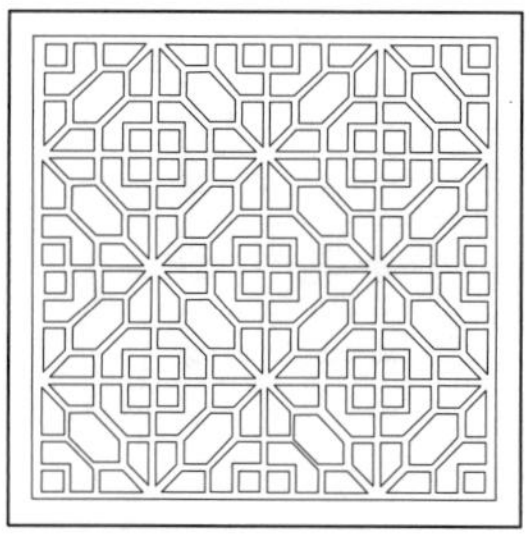

満飾式（六角形と八角形）

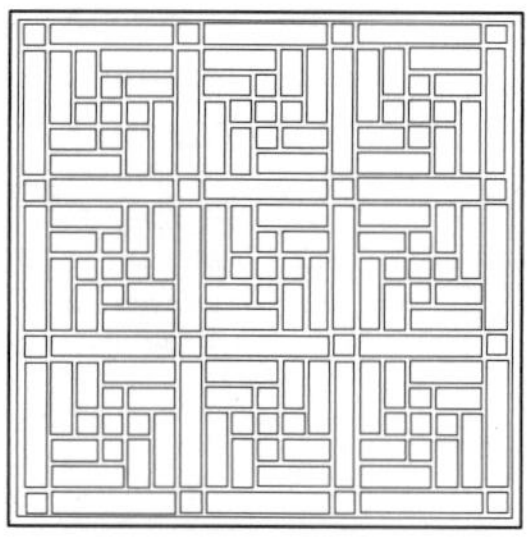

肘接式（風車）

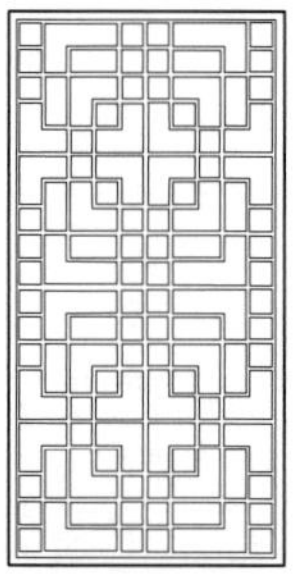

連鎖（套方錦）

如意紋

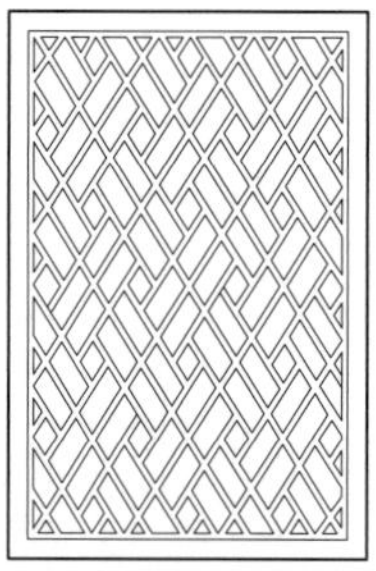

肘接式（車輪）

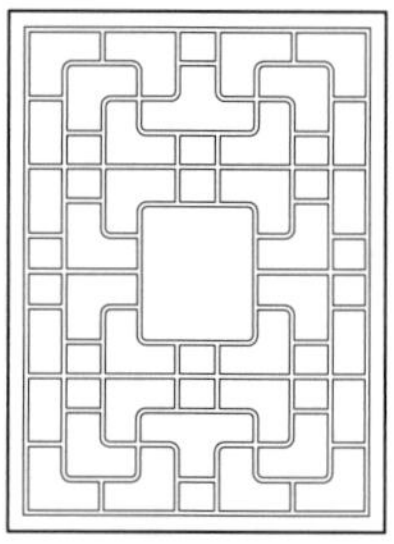

提灯錦

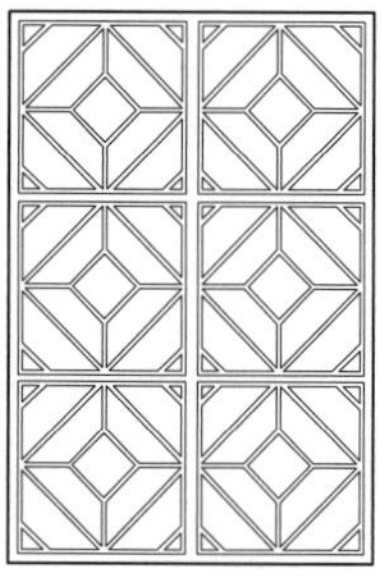

肘接式（合併錦）

肘接式（万字花）

肘接式（合併錦）

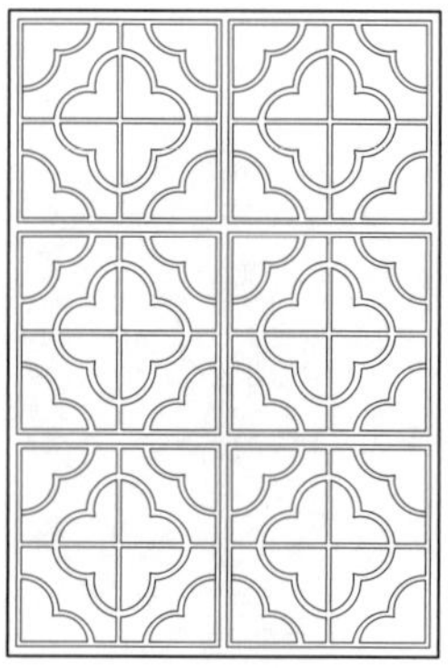

肘接式（合併錦）

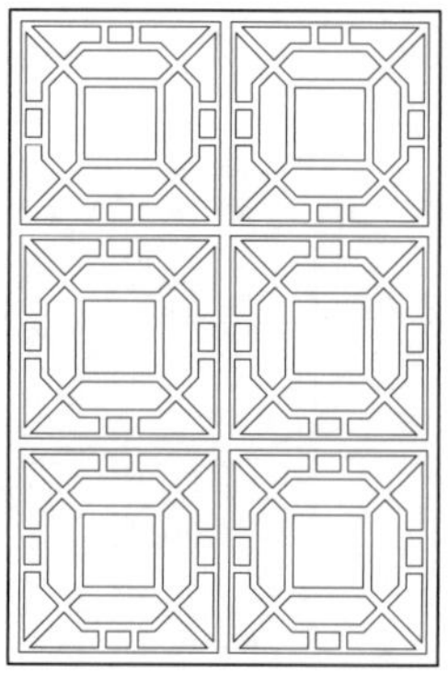

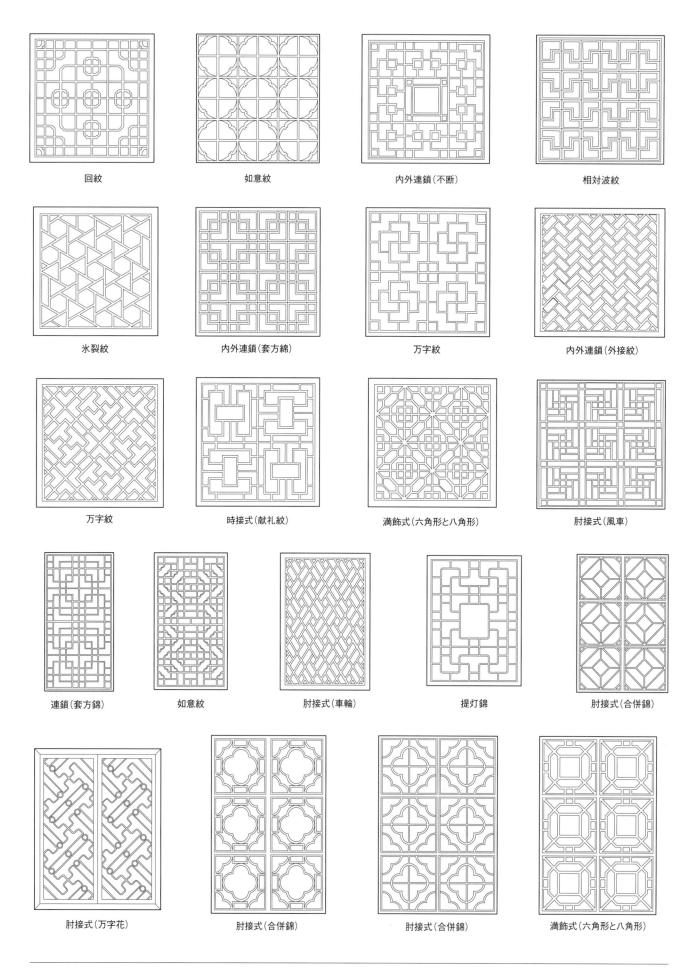

満飾式（六角形と八角形）

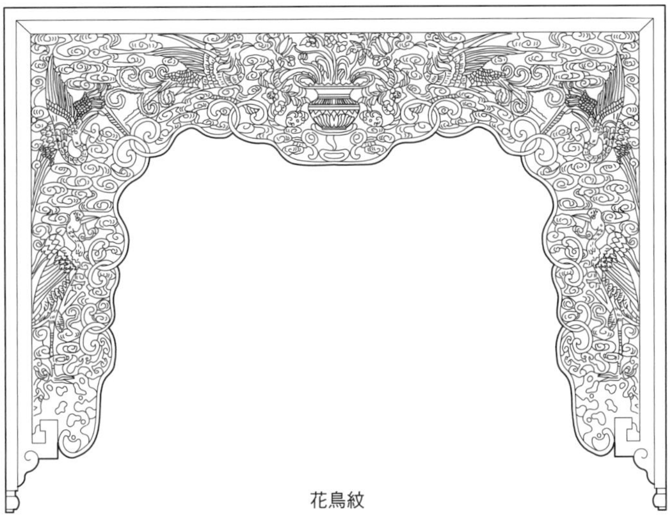

花鳥紋

藤紋

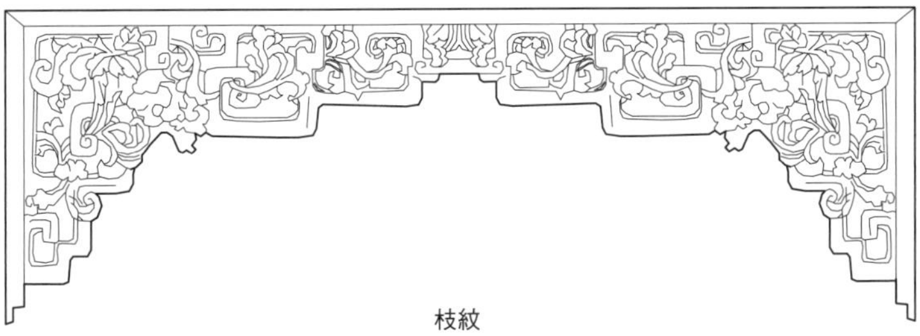

枝紋

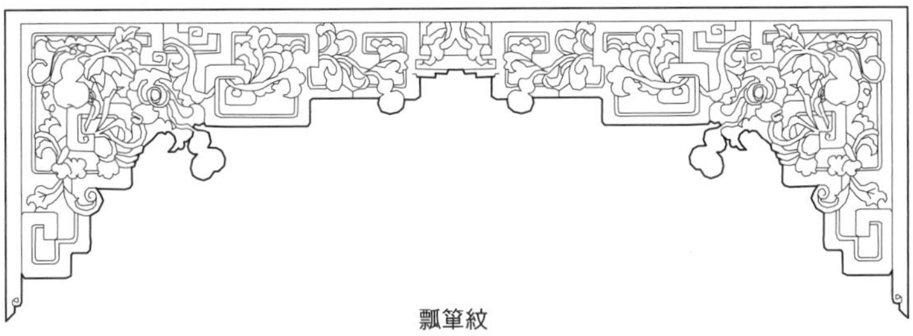

瓢箪紋

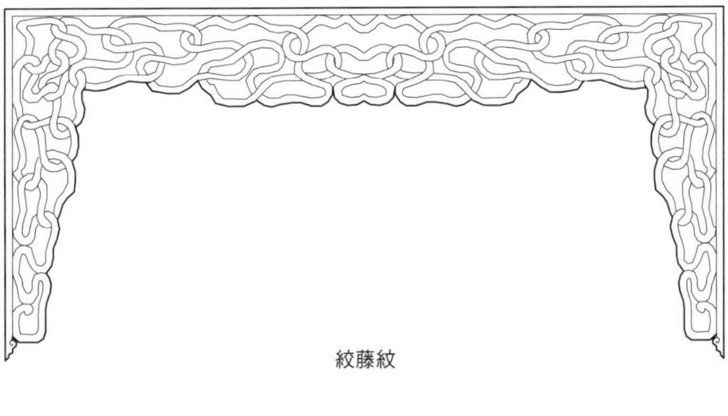

絞藤紋

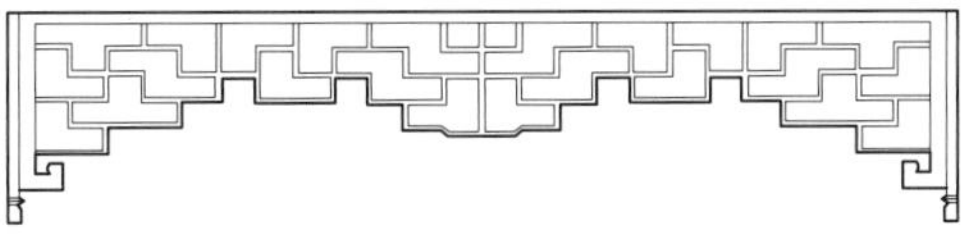

万字紋

満不断紋

単回紋

棒紋

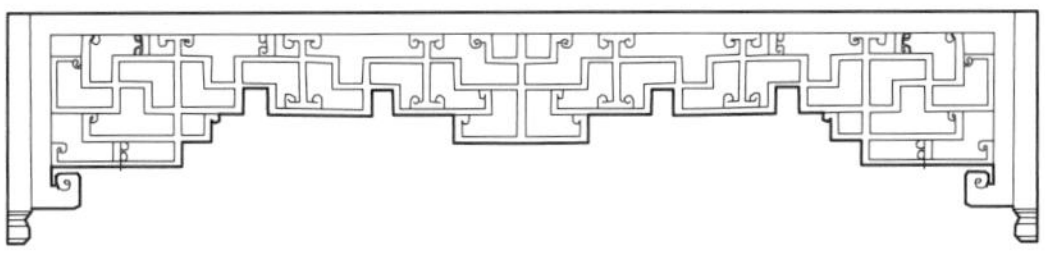

万字巻紋

双回紋

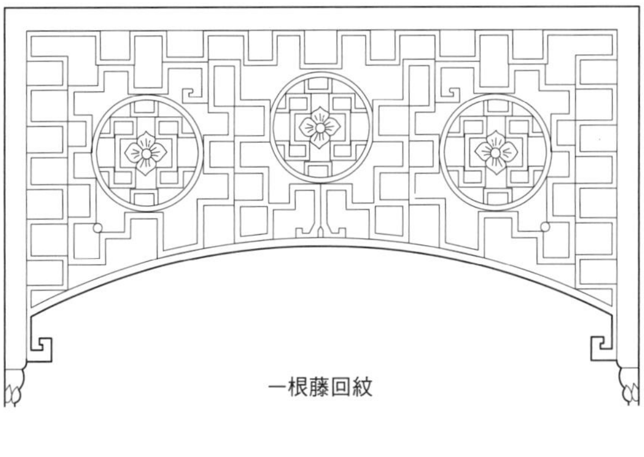

一根藤回紋

天曲田字紋欄干

万字紋

花草紋

鳳凰紋

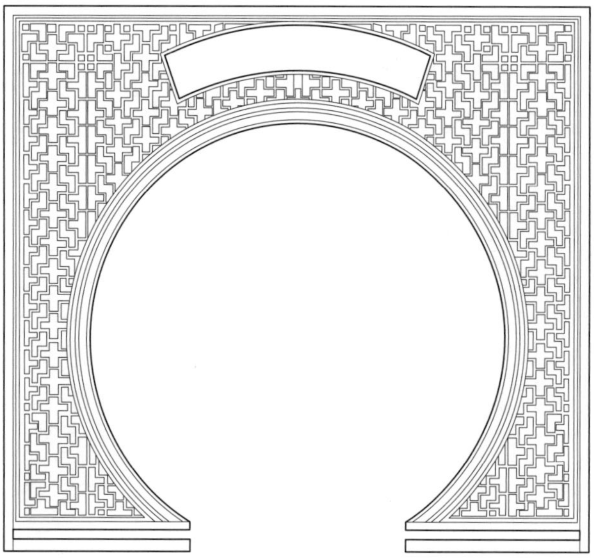

万字紋

氷裂紋

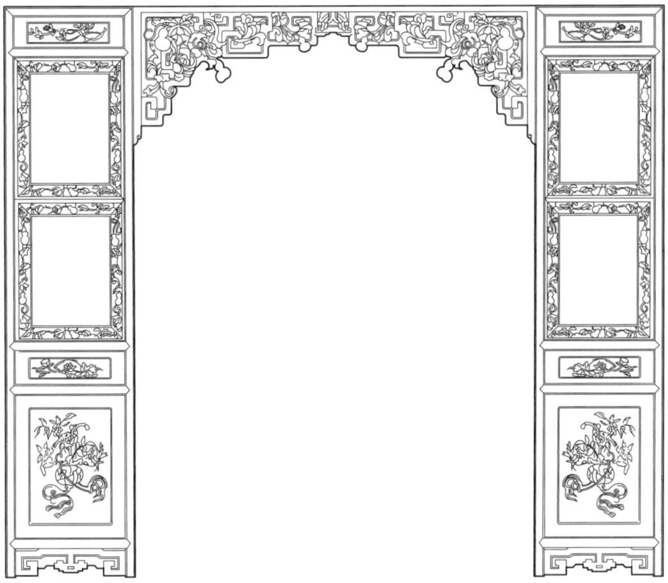

藤蔓瓢箪紋

藤蔓瓢箪紋

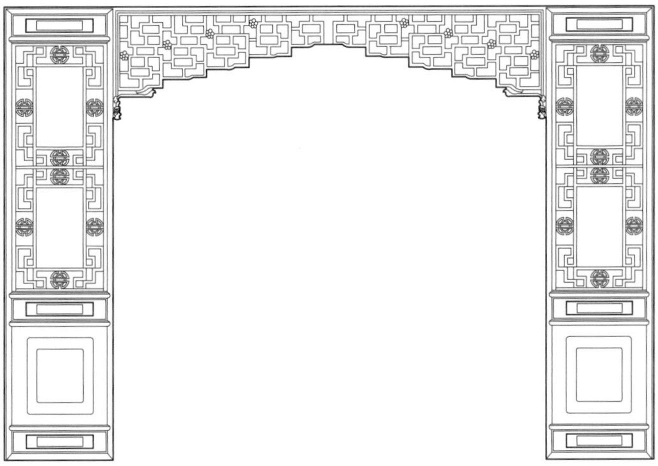

寿字紋

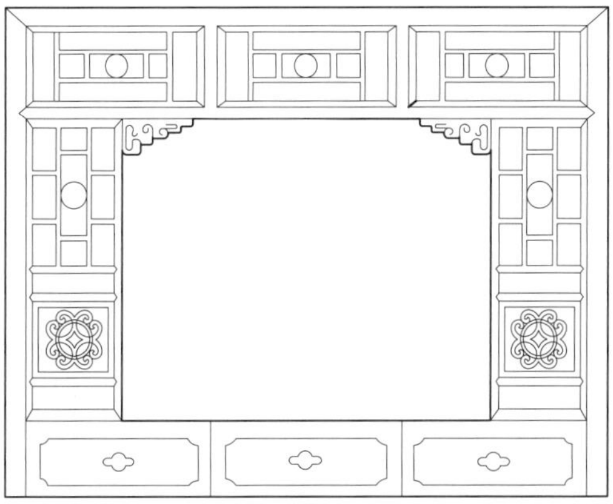

套錦紋

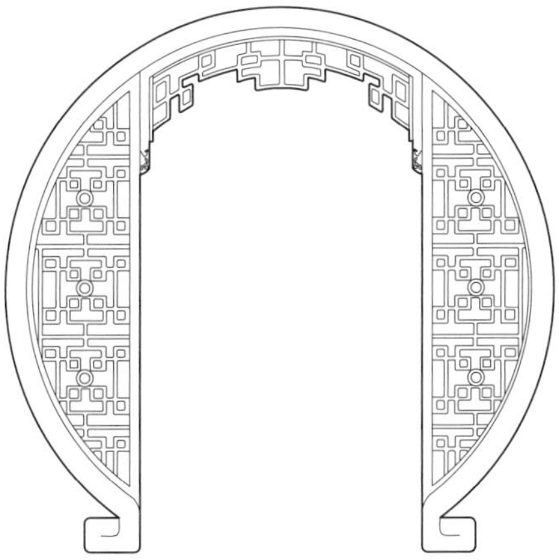

套方錦紋

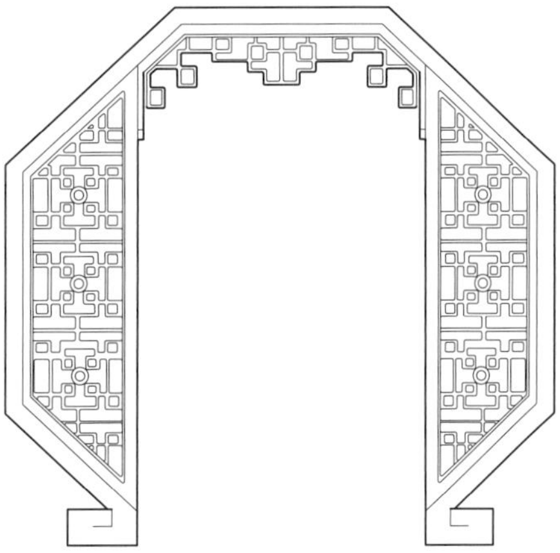

套方錦紋

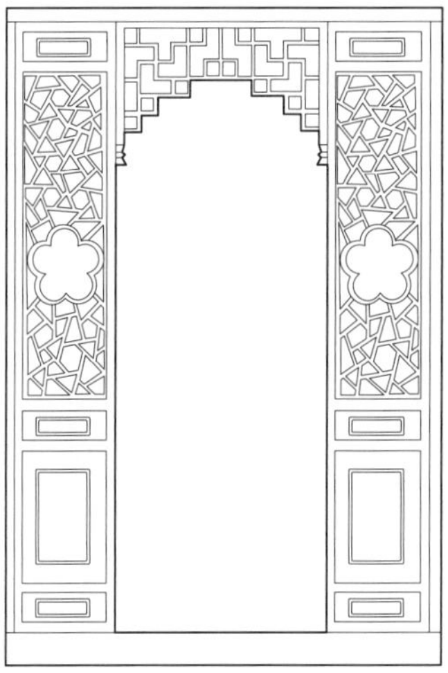

乱氷紋

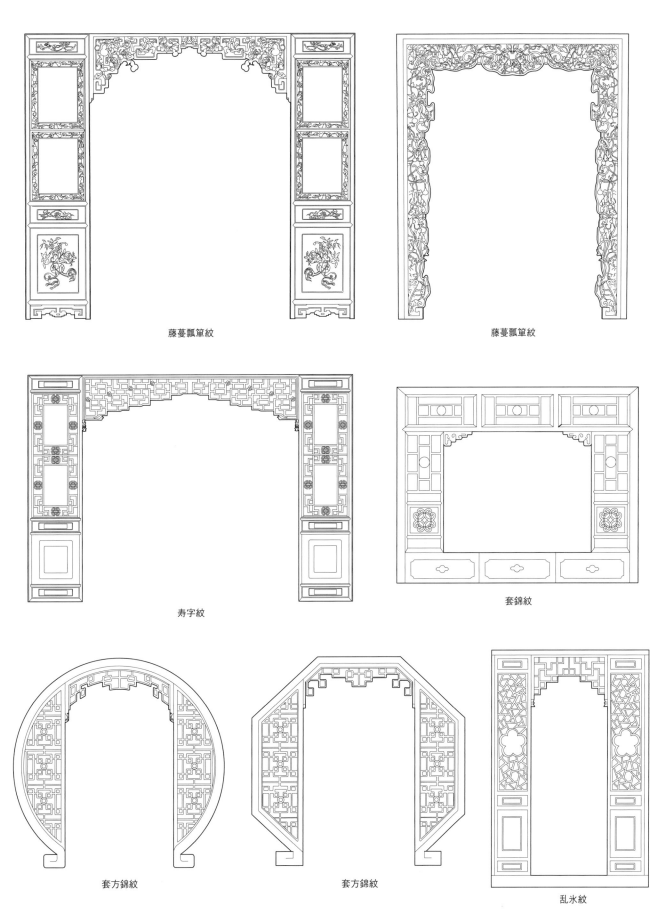

レンガ窓は、中国の伝統的な装飾の中で最も装飾性が高いものである。この窓は中国の伝統的な家屋のほか、庭園建築にもよく使用され、特に江南省では多く見られる。

庭園建築では碑亭に主に用いられ、幾何学模様や花をモチーフにした模様が多い。この装飾によって壁に巧妙な変化がもたらされ、景観がより豊かになる。また、このような窓は光線に変化をもたらすため、美しく幻想的な陰影を作り出し、庭園建築の趣を増す大きな役割を果たしている。

レンガ彫刻窓

宝葫芦紋

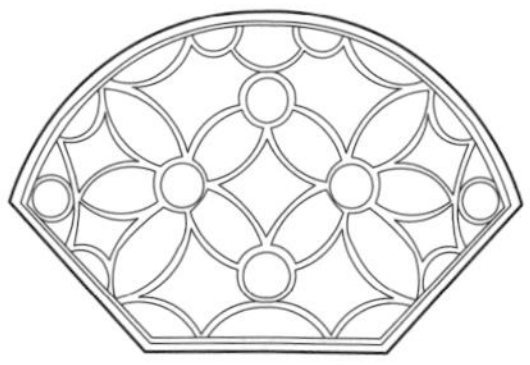
宝相花紋

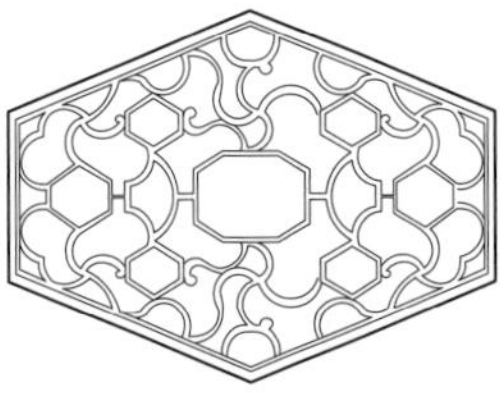
海草花紋

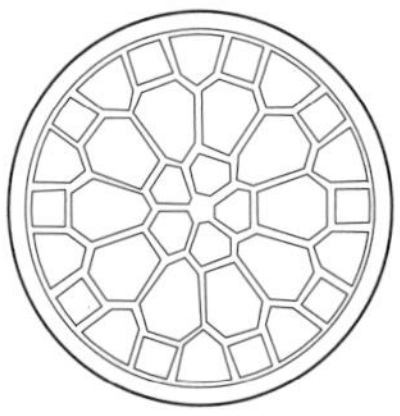
宝石花紋

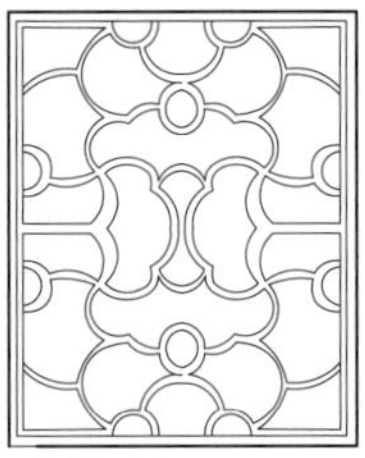
宝相花紋

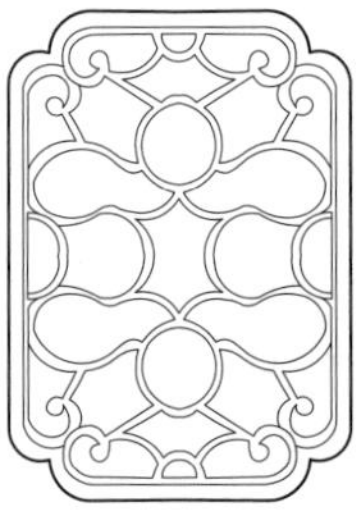
宝葫芦紋

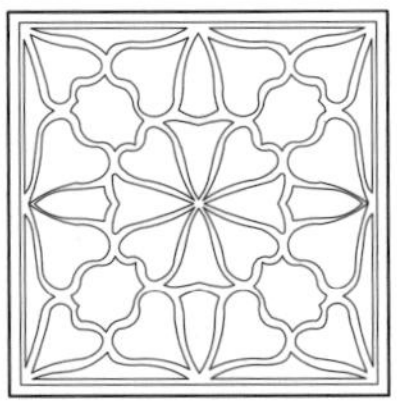
牽牛花紋

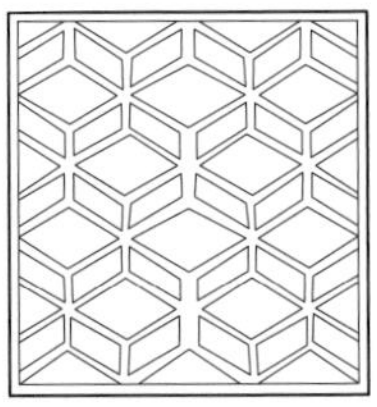
畳紋

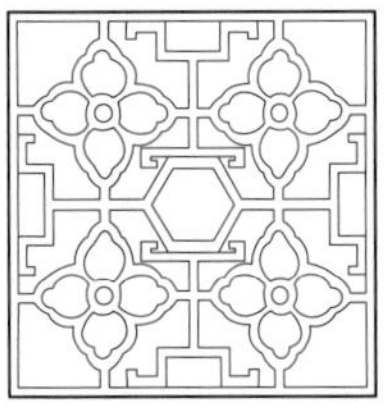
四面如意紋

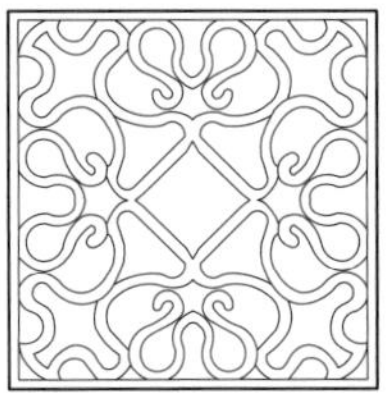
四方如意紋

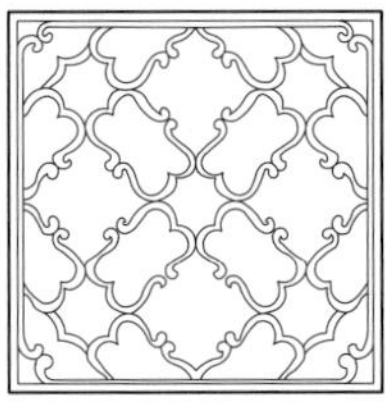
麦子花紋

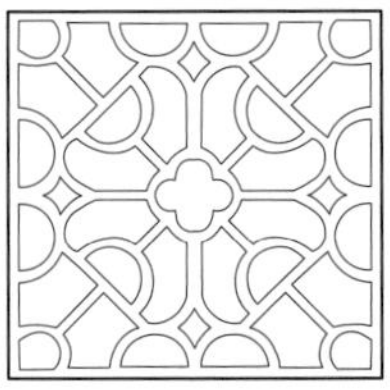
海草紋

風葉花紋

拐子花紋

海草八角紋

団錦花紋

宝相花紋

交叉波紋

海草花紋

灵芝紋

万字紋

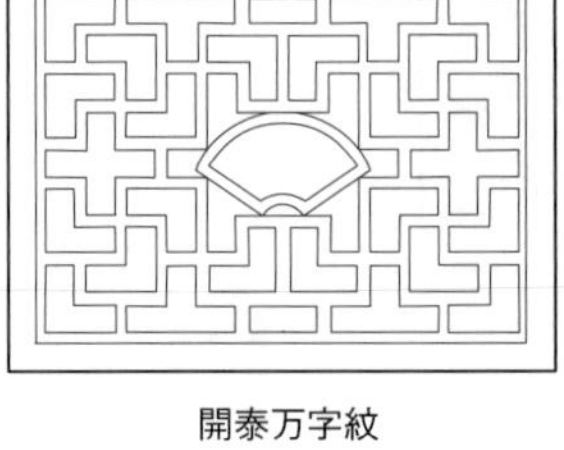
開泰万字紋

石窓は主に江南地方で多く見られ、現存の石窓の多くは約400年前、清代のものである。

石窓は、採光、風通し、外観の装飾性を高める機能を持っている。さらに硬い石材という素材の性質から、防火と防犯の効果もある。このように実用性に富んだ石窓は通常1枚の石で作られ、彫刻した石を壁にはめ込むことによって完成する。

壁の上部に石窓を設置する場合は、長方形、正方形、円形など形状の選択肢が広がるが、壁の下部に設置する場合は、防犯上の観点から長方形か正方形が選択される。彫刻の主なデザインは紋や龍、鳳凰や文字などである。

蓮紋

草花紋

花草変体寿字紋

双龍捧寿紋

福禄寿紋

禄在眼前紋

双銭紋

蔓草紋

暗八仙鹿紋

福之天来紋

回紋宝相花紋

如意十字紋

宝相花紋

宝相花紋

貝葉龍紋

団寿字紋

忍冬草紋

忍冬草紋

紅沙石門

草花金銭紋

海藻全景紋

万福流水紋

如意紋

蓮流紋

鶴鳥変体福字紋

蔓草紋

獅子秀弾紋

万字博古紋

蔓草紋

一根藤団寿紋

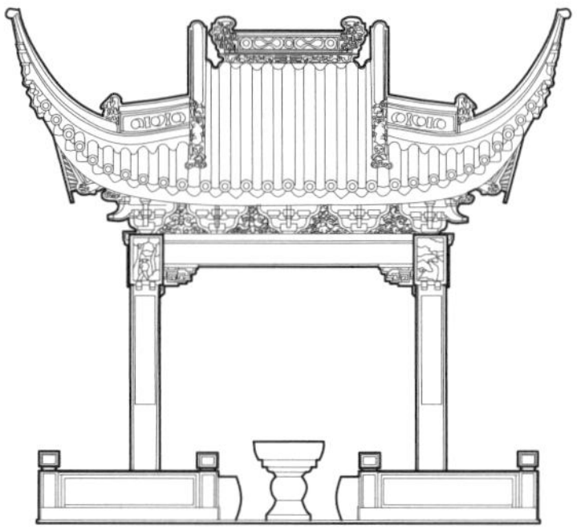

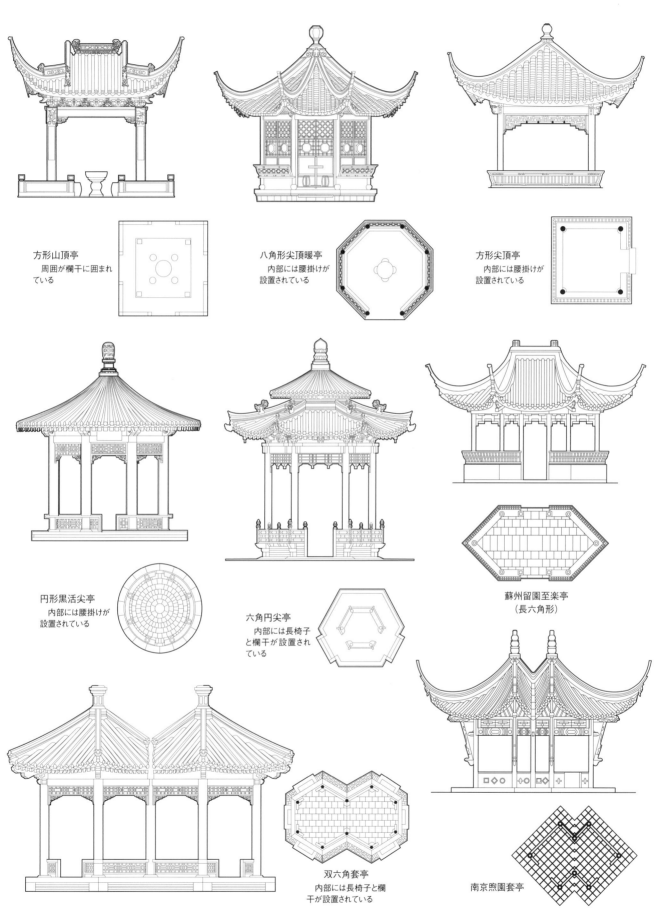

方形山頂亭
周囲が欄干に囲まれている

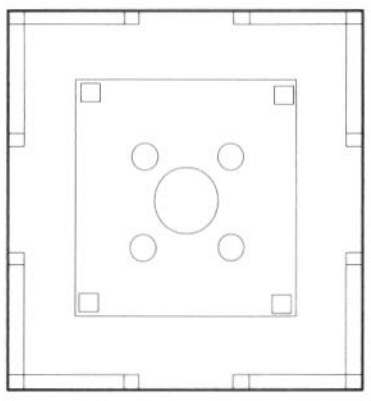

八角形尖頂暖亭
内部には腰掛けが設置されている

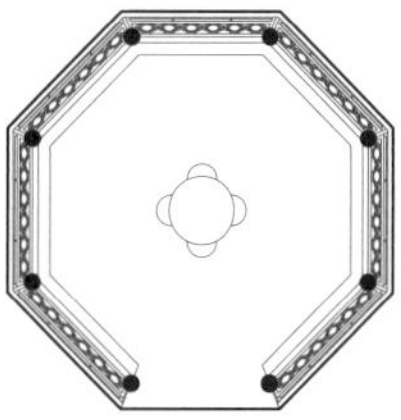

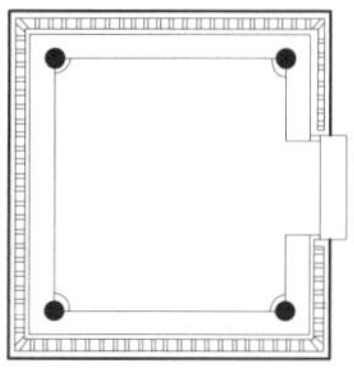

方形尖頂亭
内部には腰掛けが設置されている

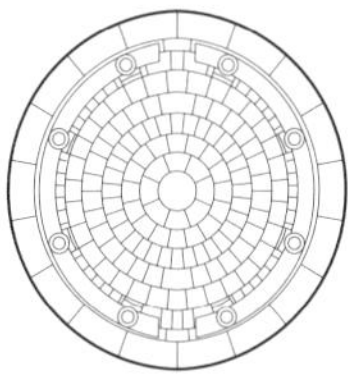

円形黒活尖亭
内部には腰掛けが設置されている

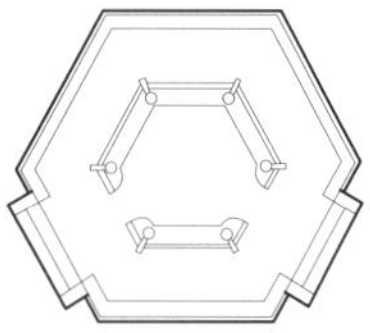

六角円尖亭
内部には長椅子と欄干が設置されている

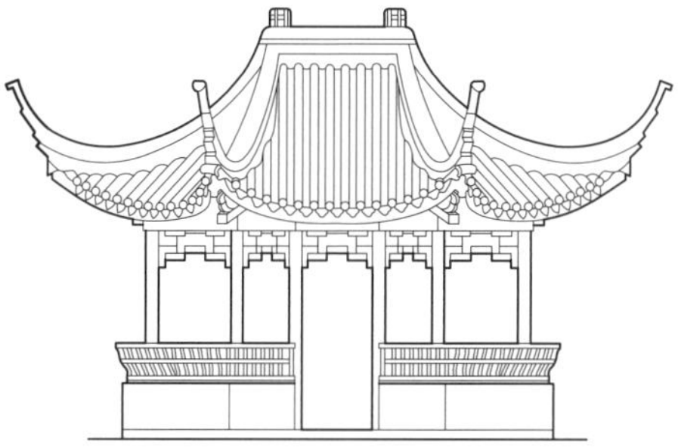

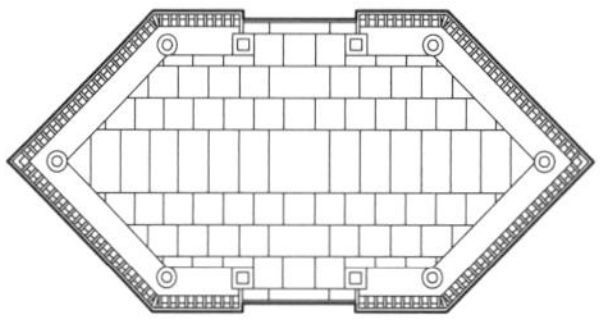

蘇州留園至楽亭
（長六角形）

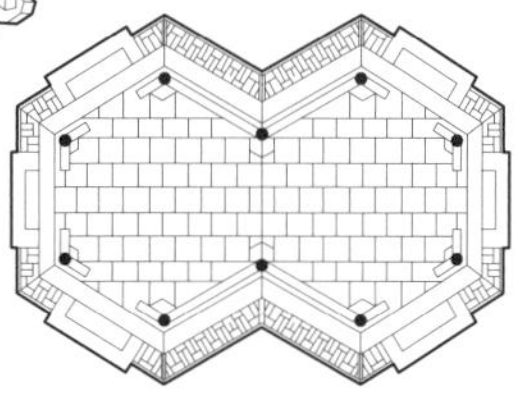

双六角套亭
内部には長椅子と欄干が設置されている

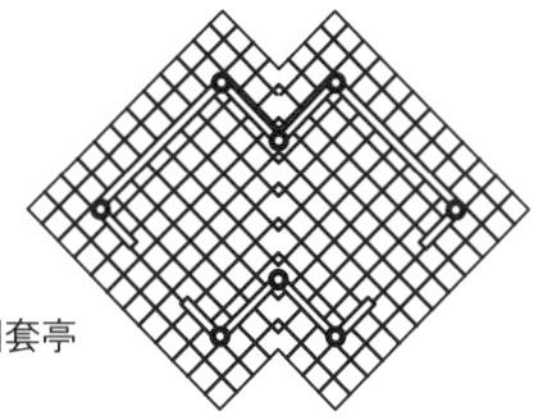

南京煦園套亭

チベットにおける建築と室内装飾の歴史は古く、構造、様式と密接にかかわっている。有名な建築物にポタラ宮、大昭寺（ジョカン）、小昭寺（ラモチェ）などがあり、チベット民族の装飾の特徴が表れている。門廊の軒下と室内の梁は鮮やかな色で装飾され、赤、黄、緑、青がよく使わる。また、家具の色使いも華やかで、これらはチベット人の純朴で情熱的な性格の表れである。

ポタラ宮は寺院と宮殿両方の性質を持つ建築物である。外観には紅白の2色が使われており、紅宮（仏殿とダライ・ラマの霊塔殿）の上部には白壁が1本横に走り、白宮（ダライ・ラマの住居）の上部には赤壁が1本横に走る。ポタラ宮は芸術性が高く、壮麗かつ神聖で雄大なチベット建築の傑作である。

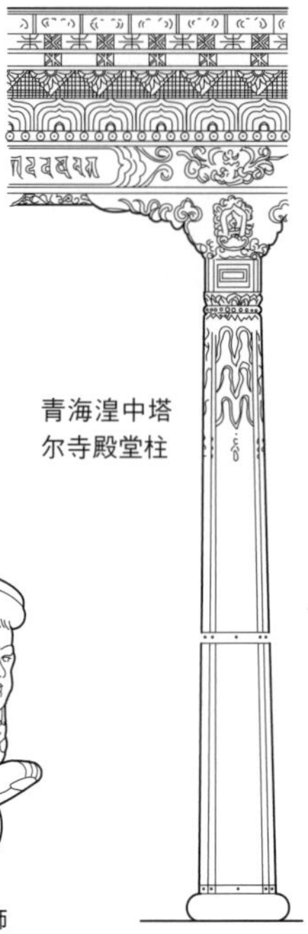

青海湟中塔
尔寺殿堂柱

大昭寺の装飾

古代チベット遺跡、紅廟の壁画に描かれた八塔

大昭寺の装飾

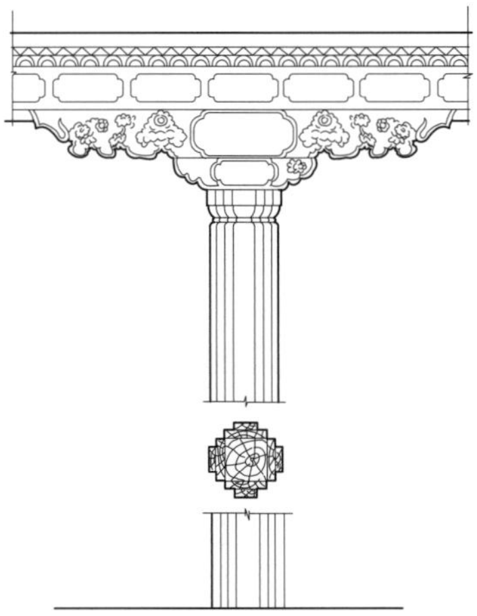

ポタラ宮白宮門の柱

ポタラ宮の装飾

大昭寺の装飾

西チベット・グゲ王国の遺跡、壁画上部の装飾

ポタラ宮

ポタラ宮は世界的に有名な建築群の1つであり、チベット・ラサの西端にそびえ立つ、威厳に満ちた壮観な建築物である。清朝の乾隆帝が承徳に建てた外八廟のうちのいくつかは、ポタラ宮に似せて作ったものである。特に普陀宗乗之廟はポタラ宮そのものといった趣で、「小ポタラ宮」とも呼ばれている

構造空間型

構造空間型

沈下空間型

開放空間型

密閉空間型

流動空間型（応接室）

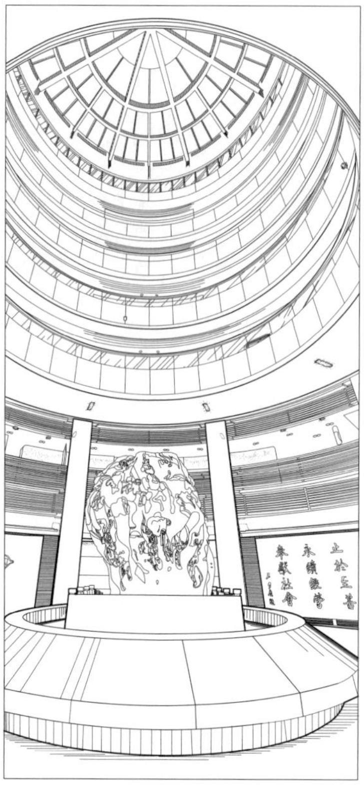

凸型空間型

流動空間型

開放空間型

複層空間型

複層空間型

独立空間型

擬似空間型(オフィスビルの待合ロビー)

擬似空間型

交錯空間型

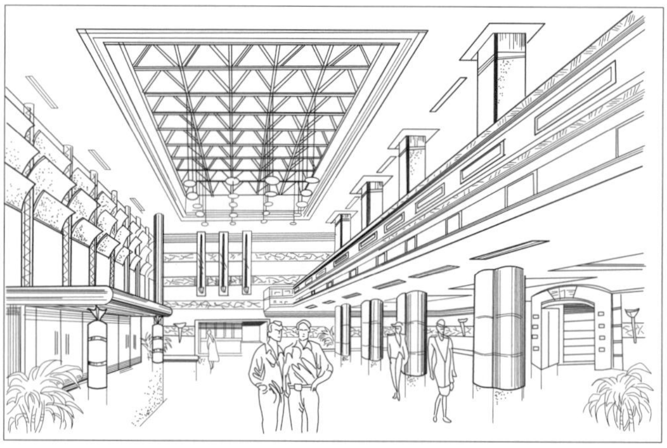

公共空間型

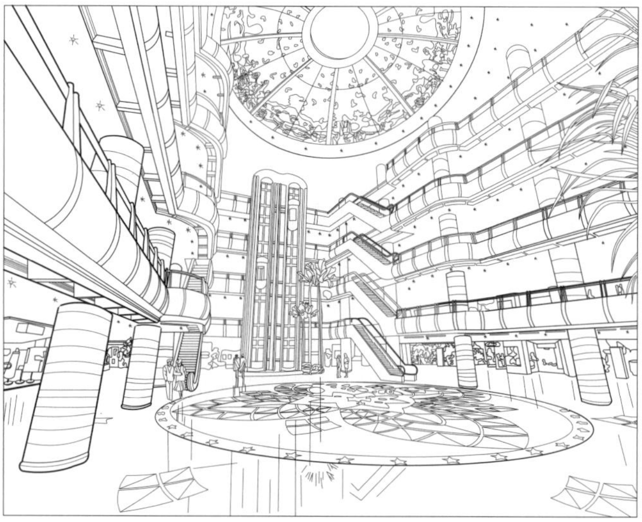

公共空間型（ショッピングモール）

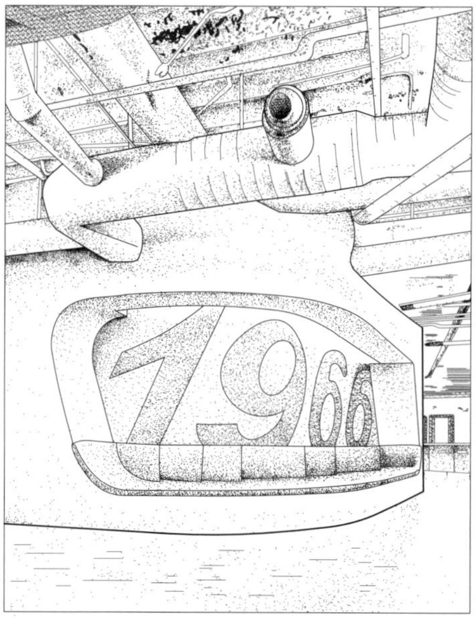
1966

凹型空間型

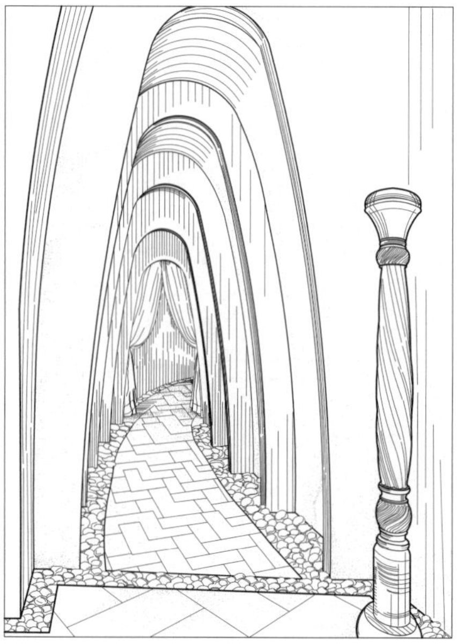

凹型空間型

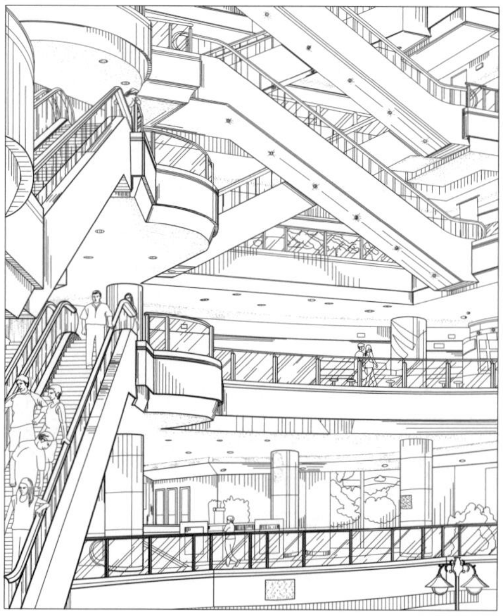

交錯空間型（ショッピングモール）

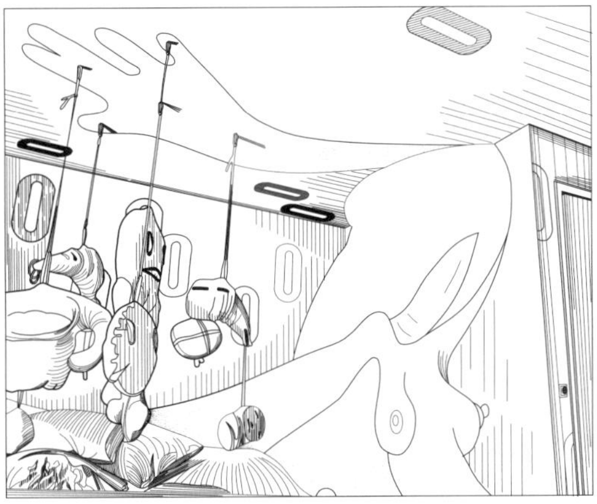

幻想空間型

動態空間型

土台空間型

土台空間型

親子空間型（大浴場センター）

親子空間型

素材で創出

壁穴で創出

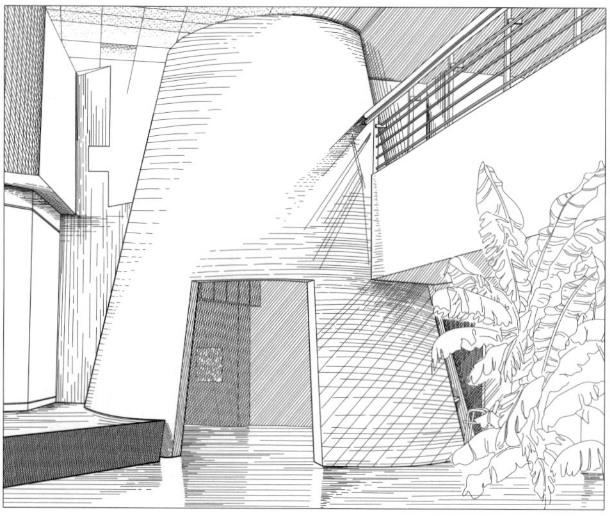

採光で創出

線および形状で創出

採光で創出

位置をずらす

位置をずらす

水平面の高低差で仕切る

水平面の高低差で仕切る

通路で仕切る

装飾の構造で仕切る（レストラン）

陳列棚で仕切る

水および植物で仕切る

水および植物で仕切る

装飾の構造で仕切る（レストラン）

一部分を仕切る

色彩および材質で仕切る

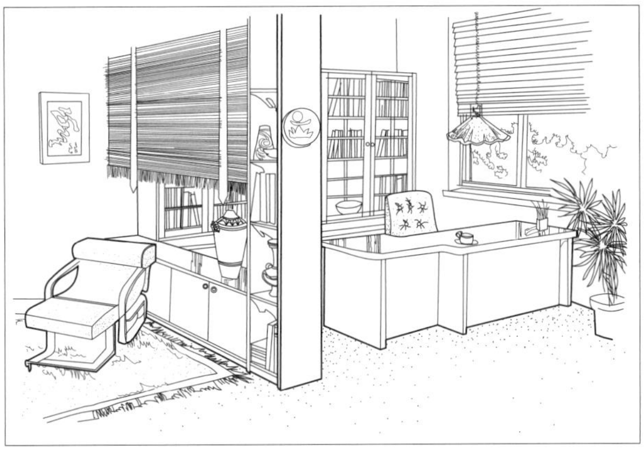
用途で仕切る

建築構造で仕切る

壁で仕切る

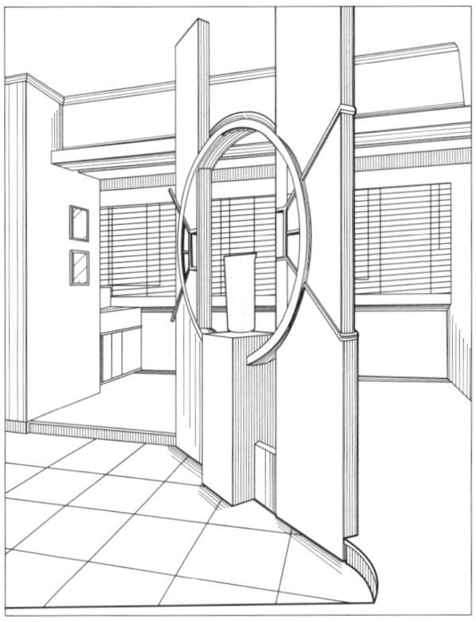
パーテーションで仕切る

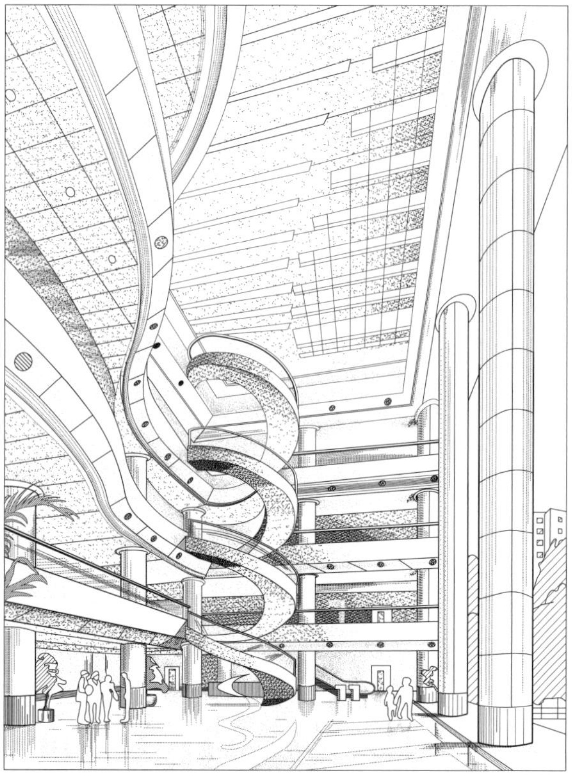

幾何曲線を応用

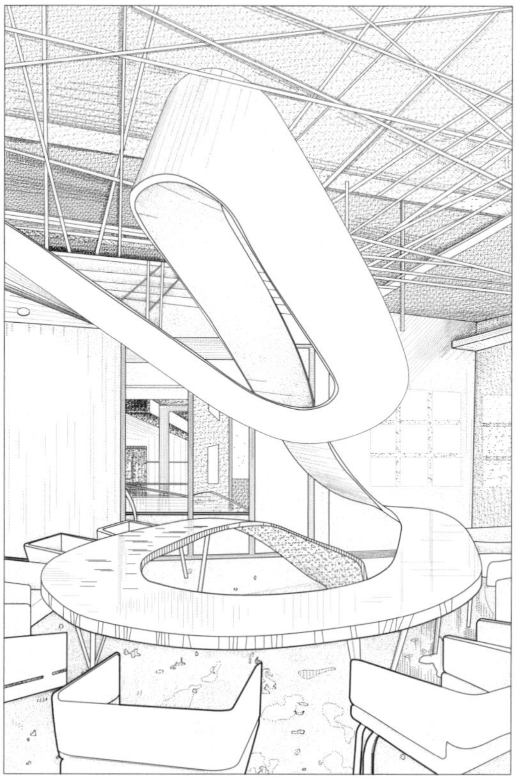

自由曲線を応用

円形を応用

水平線を応用

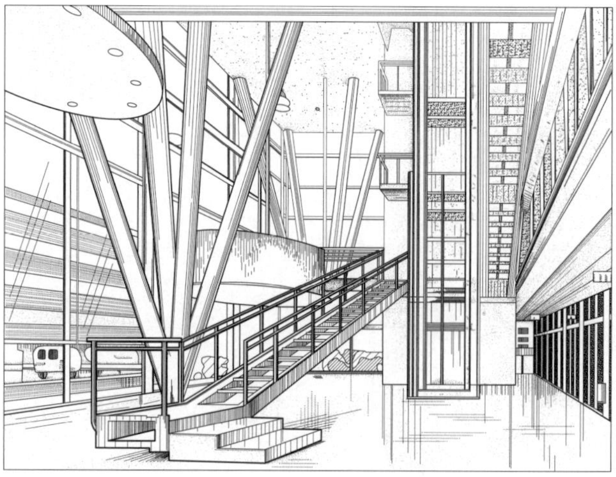

斜線を応用

構造を利用した表現
立体的な階段が「鳥の巣」全体に設置されている

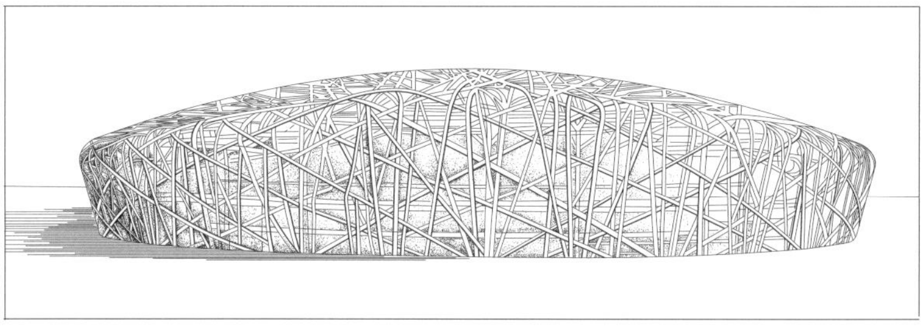

北京国家体育場
独特な外観から「鳥の巣」の愛称で呼ばれている

光の陰影を活かした表現

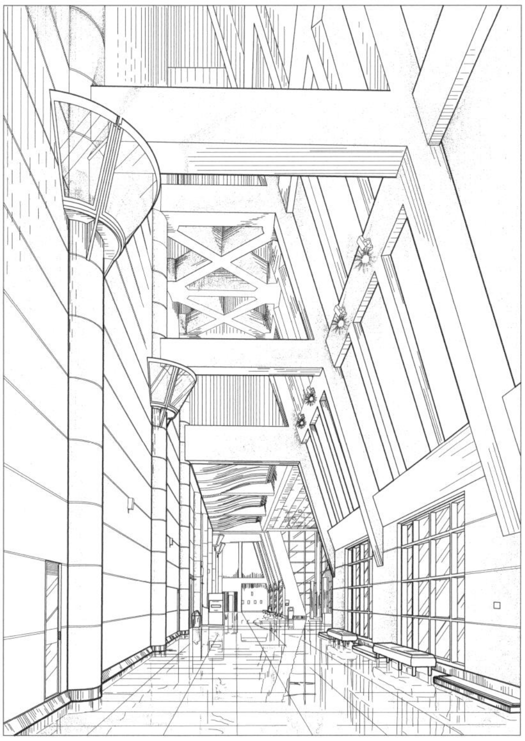

構造を利用した表現

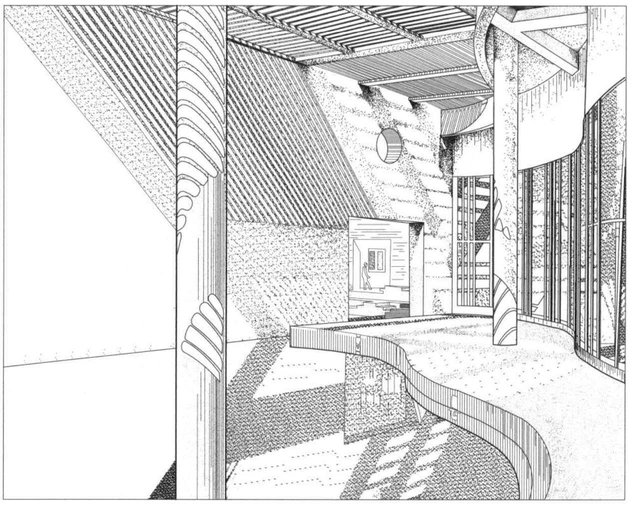

光の陰影を活かした表現

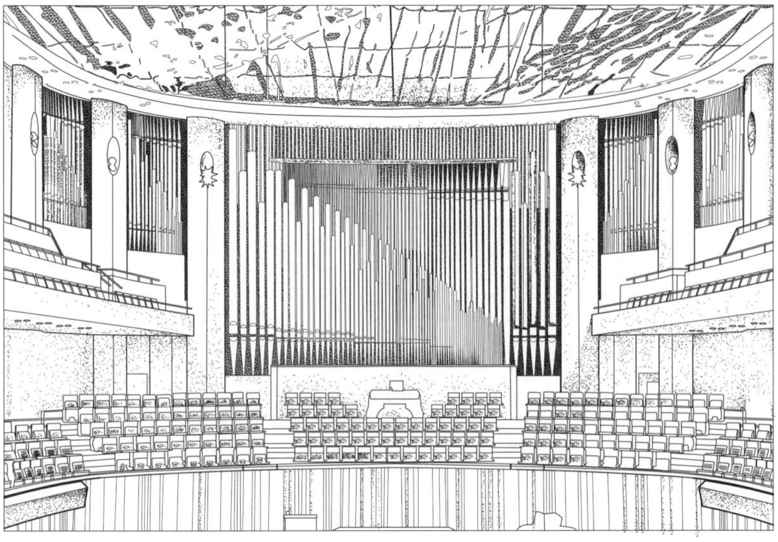

材質を活かした表現

国家大劇院のミュージック・ホールには、優れた音響効果を生み出すためにパイプオルガンが設置されているほか、さまざまな構造設計が取り入れられている。例えば観客席側の壁面は少しうねっていて、天井には凹凸の装飾が施されている。これらは音声の拡散と反射に効果的であり、美しい音声を観客席の隅々まで届ける機能を果たしている。また、ステージの天井には巨大な楕円形のガラスが吊るされ、音声の到達の遅れを調節している

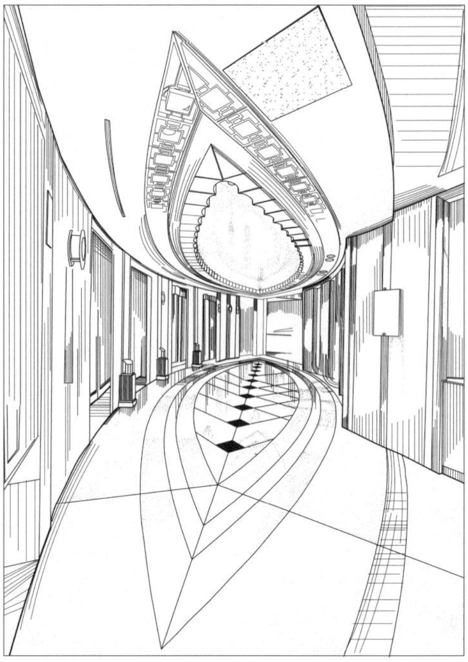

上下の呼応を表現

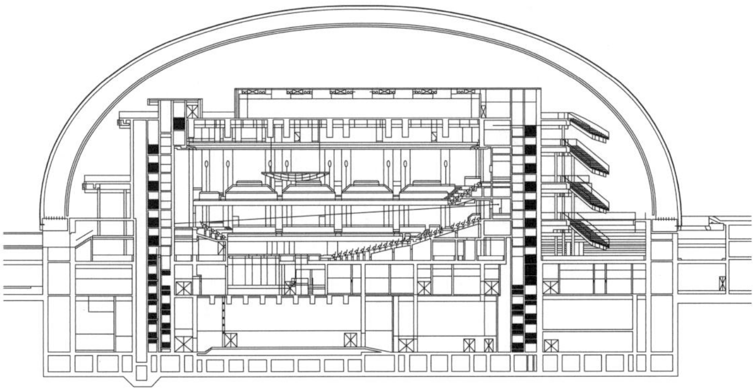

国家大劇院の断面図

材質を活かした表現（金属板で作られたプールの天井）

上下の呼応を表現

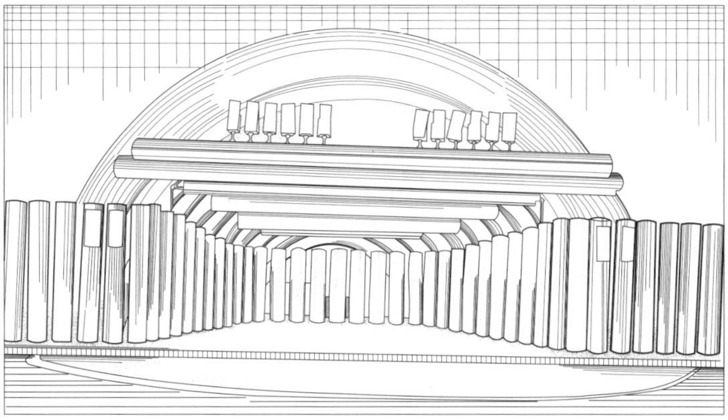

幾何図形を用いた表現

植物を利用した表現

傾斜を利用した表現

材質を活かした表現（レストラン）

傾斜を利用した表現

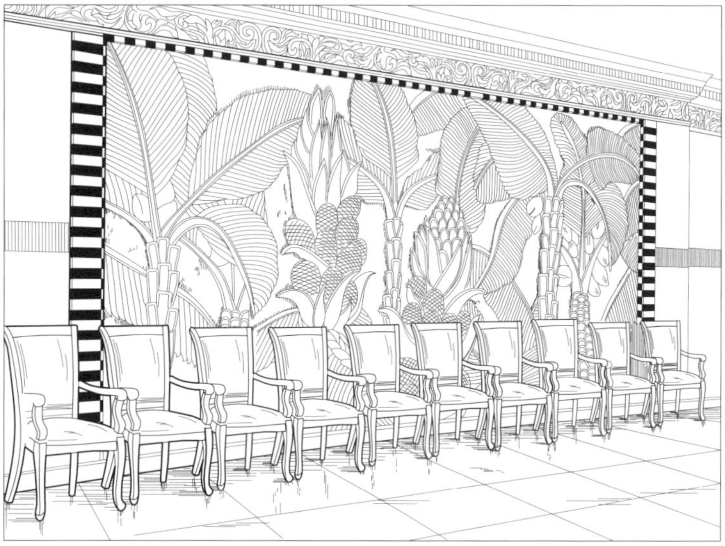

色彩と図柄を利用した表現

innovative

リズムと旋律を表現した例

NTT

奥へと導かれる表現

凹凸の変化を利用した表現

多層的な表面を用いた表現

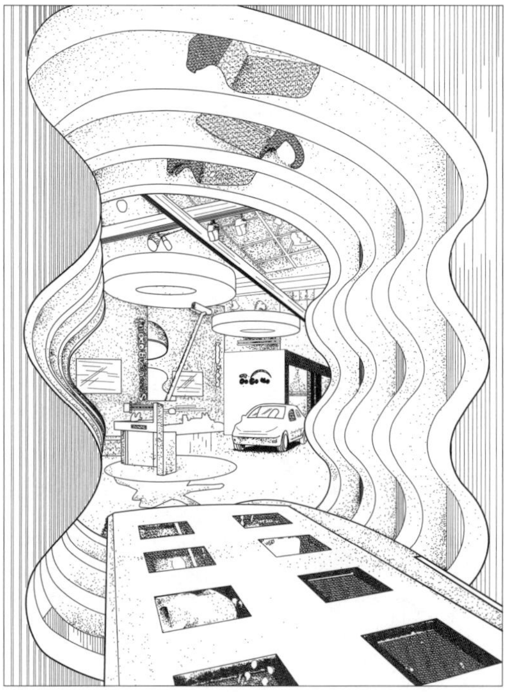

多層的な表面を用いた表現

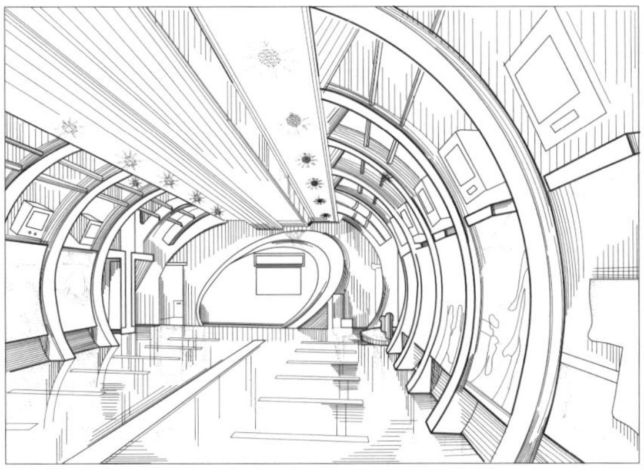

擬似的な空間を表現した例

テーマを設けた表現

動きを表現した例

対比を表現した例

動きを表現した例

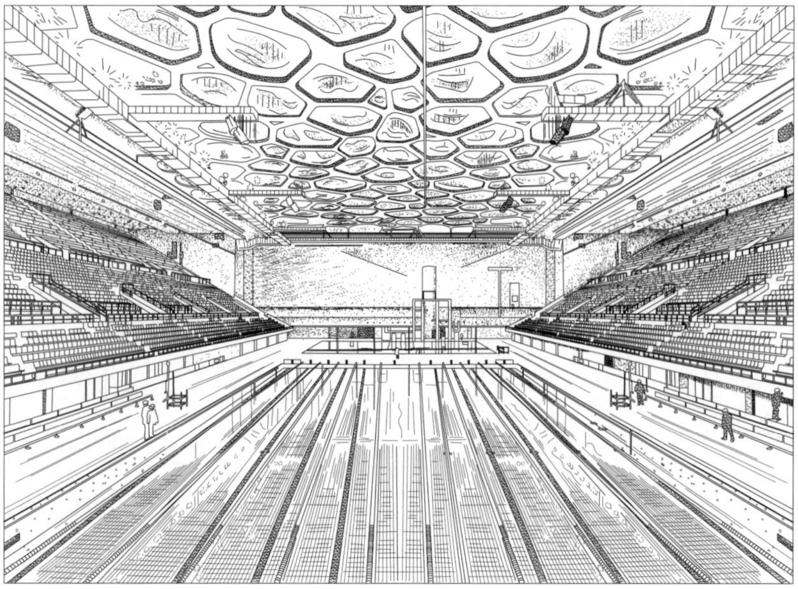

自然を模倣した表現

北京国家水泳センターの内部。北京オリンピックの際に水泳会場として建てられたこの建物は、外装と天井にETFE膜が使われており、その氷状の独特な形状と質感から「ウォーターキューブ」と呼ばれている

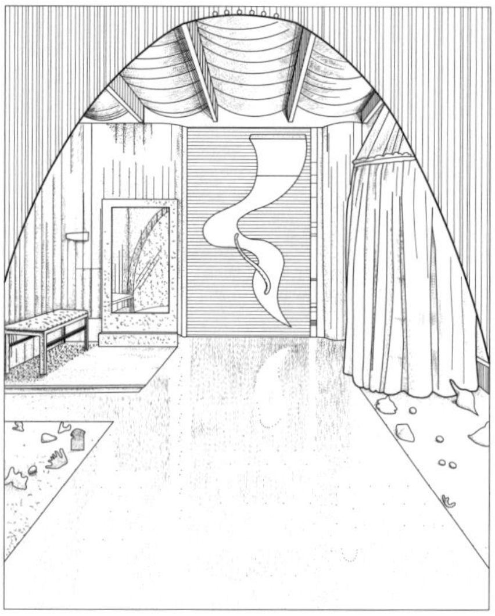

重点的な意匠を凝らした表現

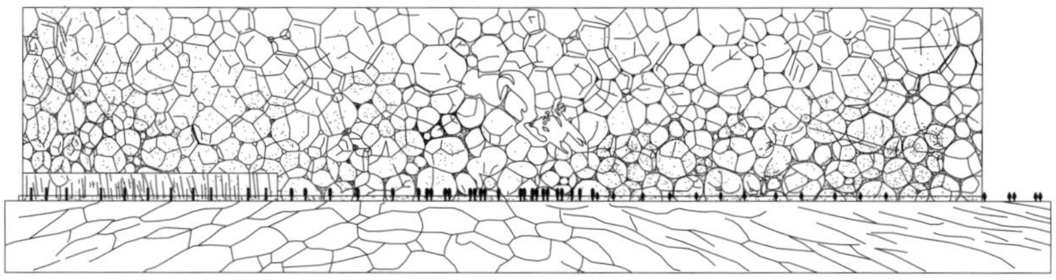

北京国家水泳センターの西側立面

特殊なデザインによる表現

生物の形態を模倣した表現

自然を模倣した表現

設計のポイント

1. 居間は家族が集まってくつろぐ場所であり、客人を接待する場所でもある。
2. テレビを見る場所を設定する。正面にソファを置き、テレビ台、音響設備を設置する。テレビの背景は居間の視線のポイントとなるところなので、材質選びは慎重に行うこと。
3. 設計にあたっては室内の配置に十分に気を配ること。
4. 天井が低い場合、吊り下げ式の照明はそぐわない。それでも吊り下げ式の照明を用いたいなら、部屋の四隅に設置することで間接照明にするとよい。壁には主にラテックスを塗り、さらに壁紙や装飾板で装飾する。

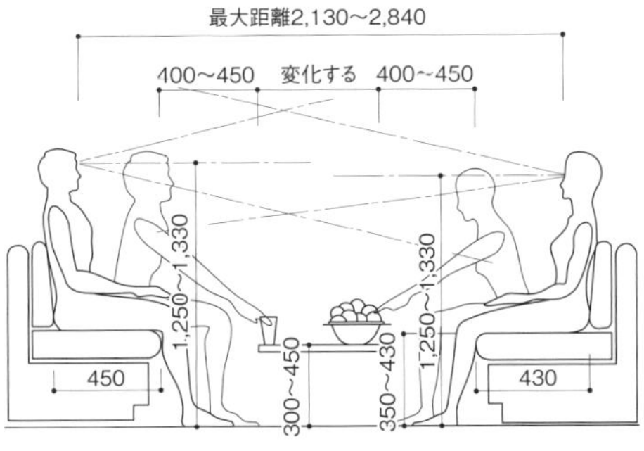

最大距離2,130～2,840
400～450
変化する
400～450
1,250～1,330
1,250～1,330
450
430
300～450
350～430

ソファ間の距離

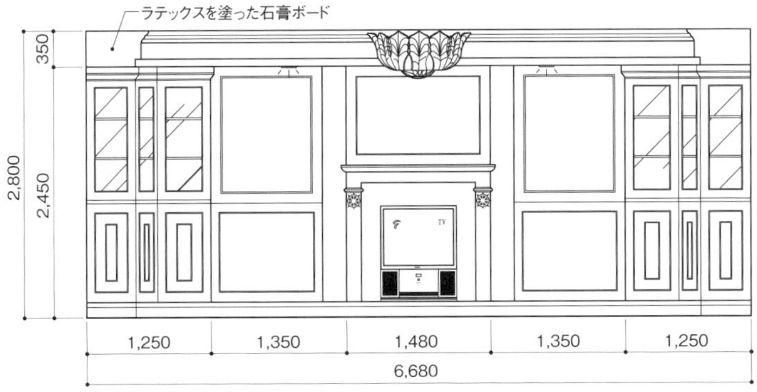

ラテックスを塗った石膏ボード
350
2,800
2,450
TV
1,250
1,350
1,480
1,350
1,250
6,680

立面図

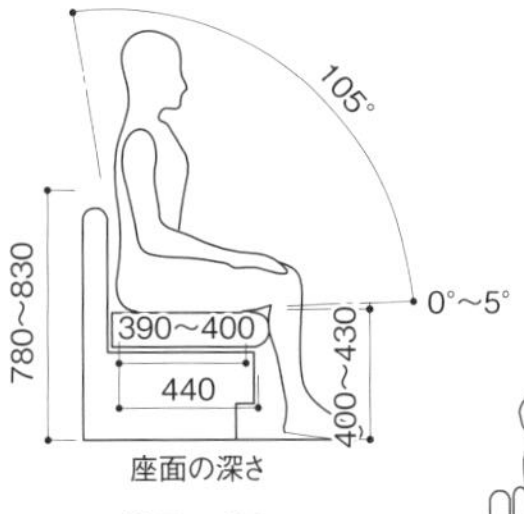

105°
780～830
390～400
440
400～430
0°～5°
座面の深さ

椅子の幅

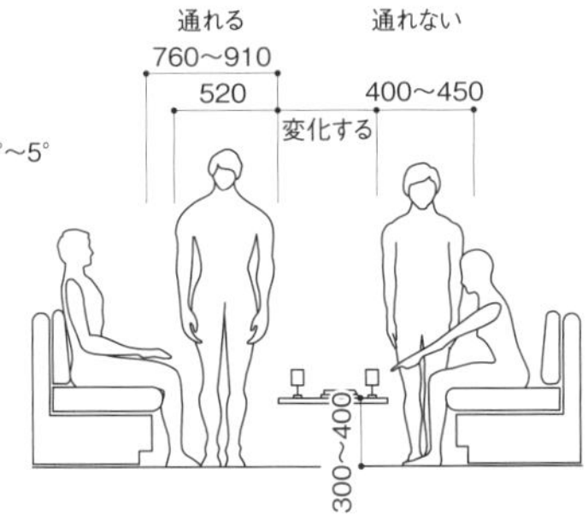

通れる
通れない
760～910
520
400～450
変化する
300～400

ソファ間の距離

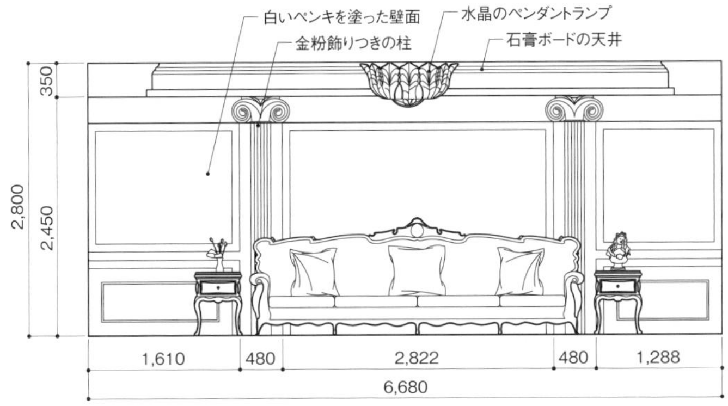

白いペンキを塗った壁面
水晶のペンダントランプ
金粉飾りつきの柱
石膏ボードの天井
350
2,800
2,450
1,610
480
2,822
480
1,288
6,680

立面図

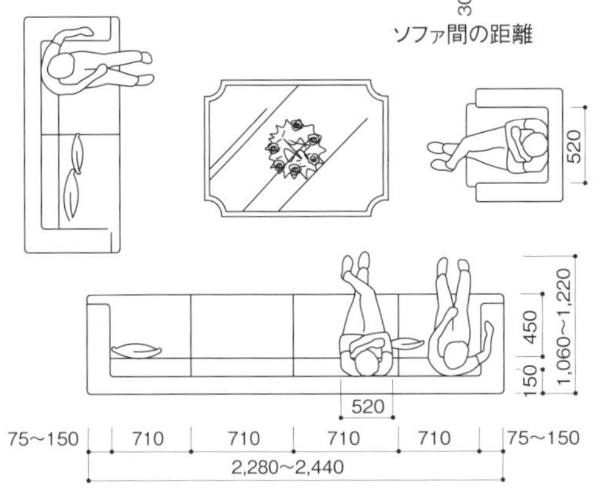

520
450
150
1,060～1,220
520
75～150
710
710
710
710
75～150
2,280～2,440

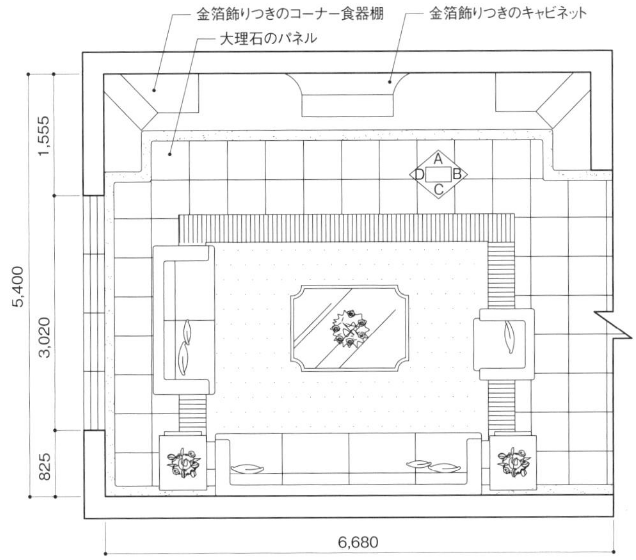

金箔飾りつきのコーナー食器棚
金箔飾りつきのキャビネット
大理石のパネル
A
B
C
D
1,555
5,400
3,020
825
6,680

平面図

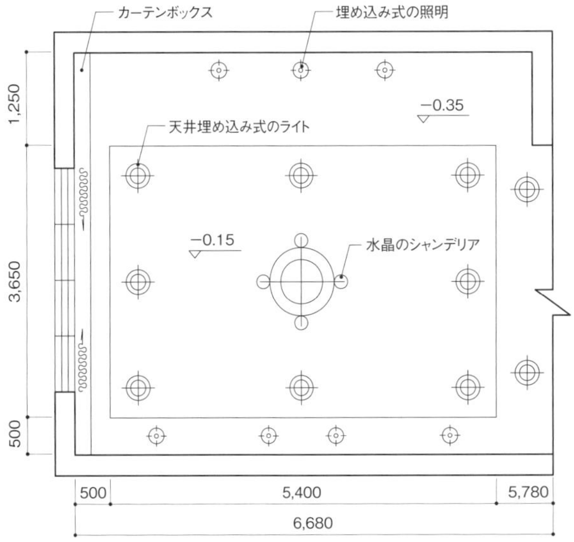

カーテンボックス
埋め込み式の照明
−0.35
天井埋め込み式のライト
−0.15
水晶のシャンデリア
1,250
3,650
500
500
5,400
5,780
6,680

天井伏図

居間の平面見取り図

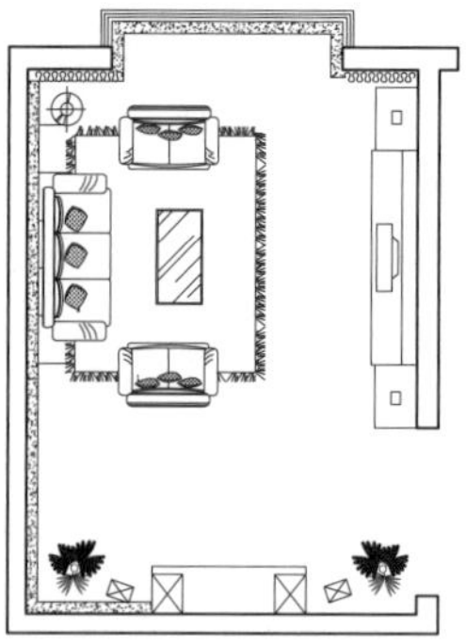

5,400×4,800

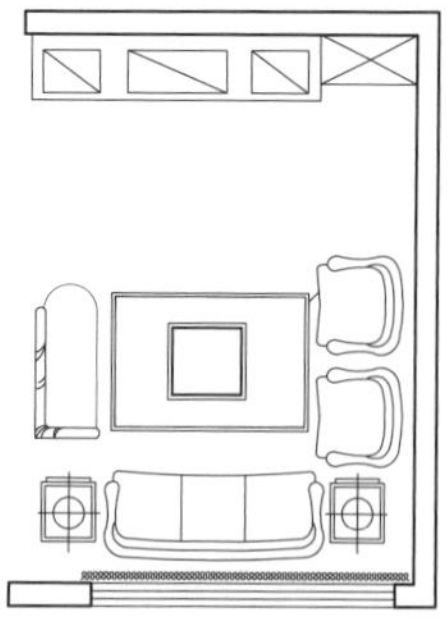

4,300×5,780

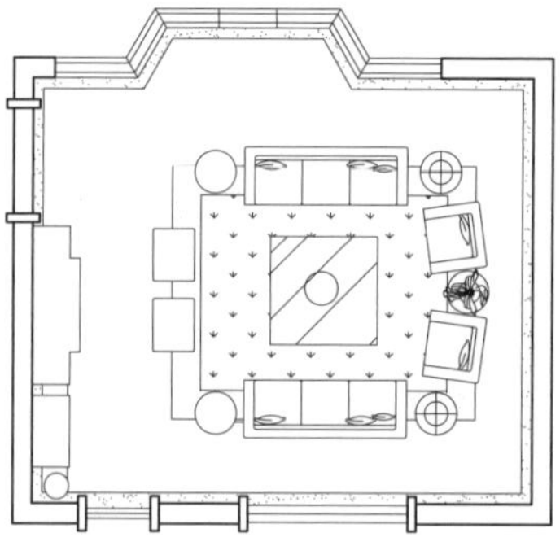

7,100×5,900

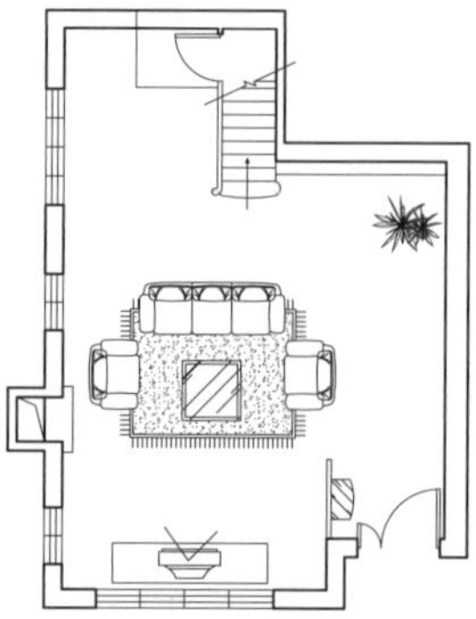

8,480×6,490

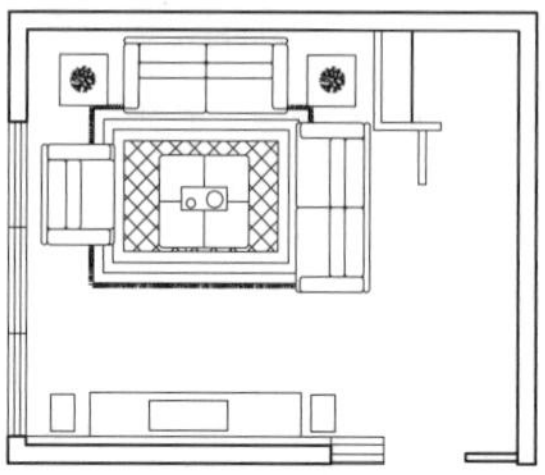

6,600×5,400

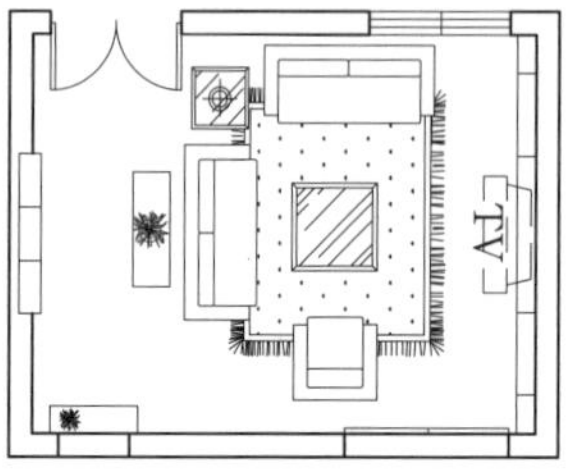

5,400×4,100

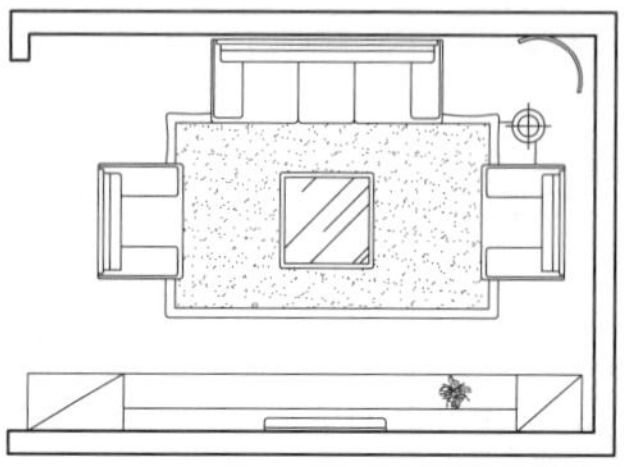

6,500×4,162

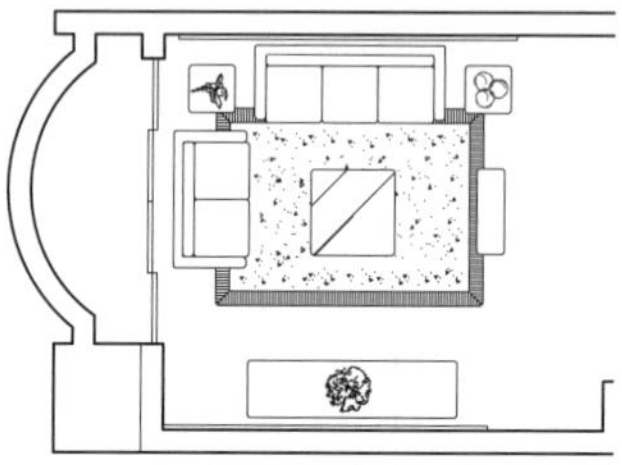

6,440×4,160

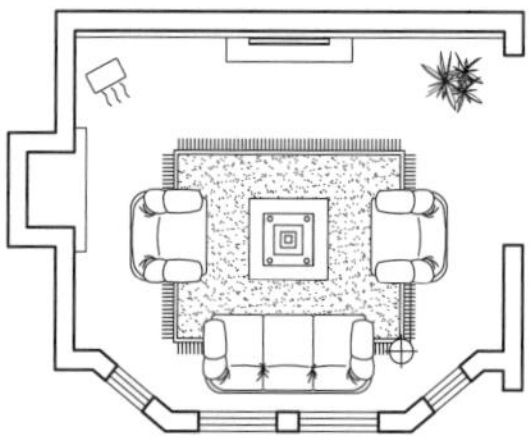

5,450×4,680

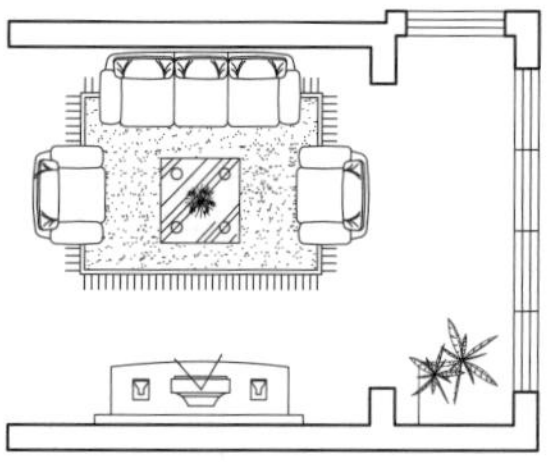

5,000×2,650

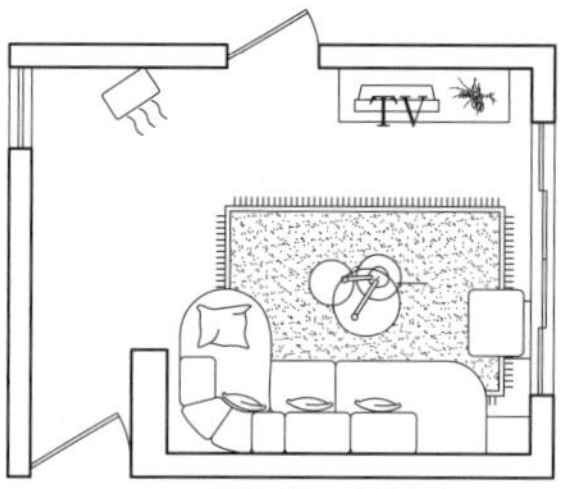
TV

5,300×4,640

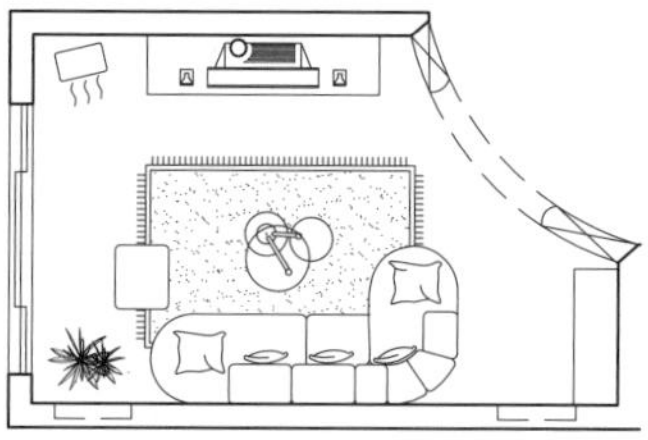

6,050×3,710

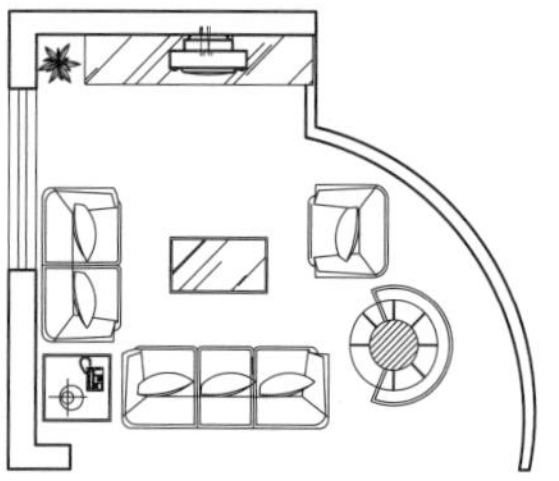

4,800×4,000

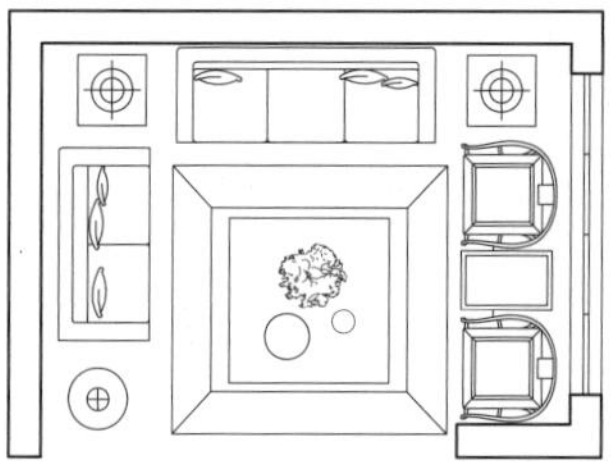

4,700×3,220

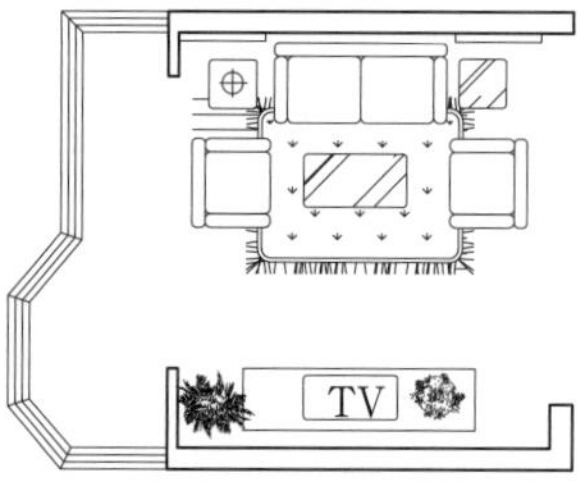
TV

6,300×4,700

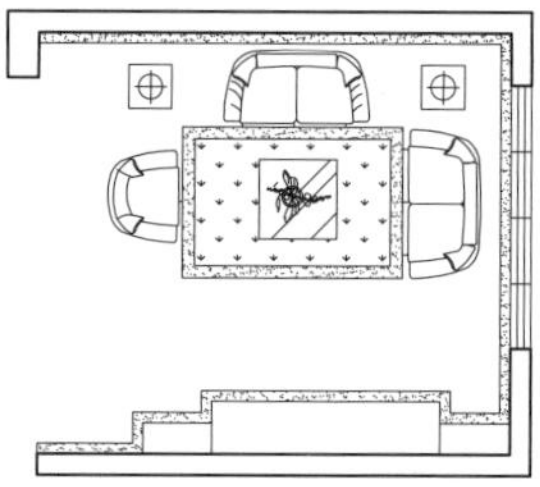

5,500×4,789

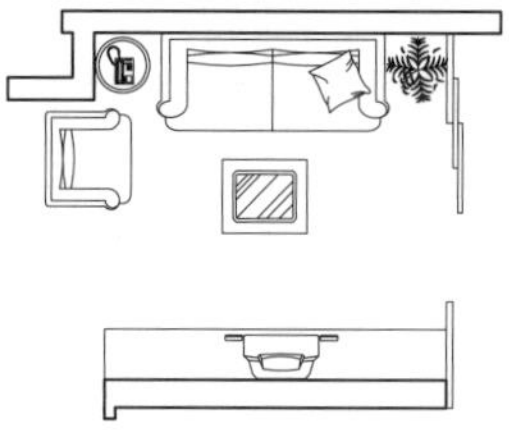

2,850×2,950

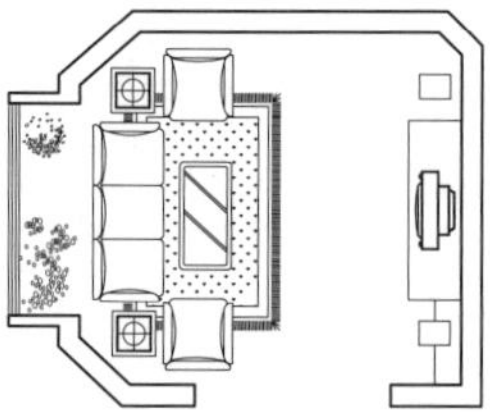

4,100×5,500

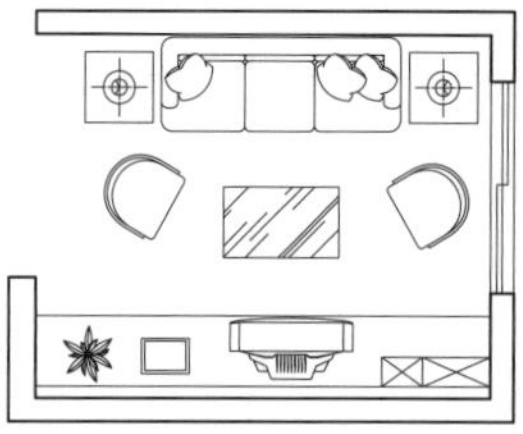

4,050×3,350

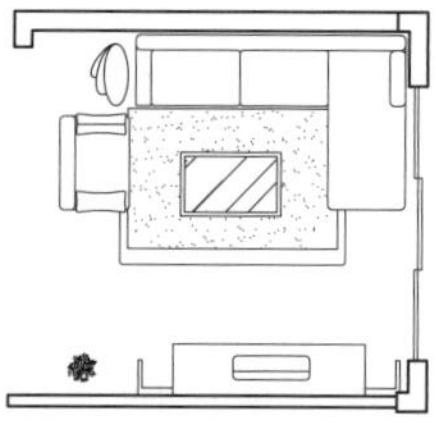

5,200×4,550

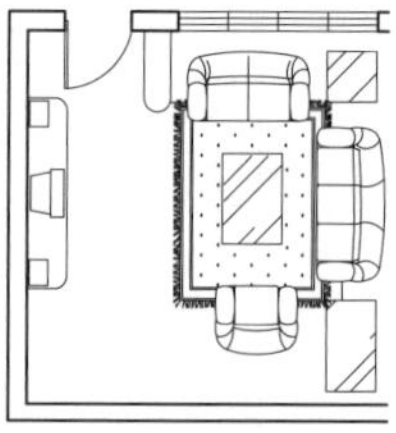

5,500×5,500

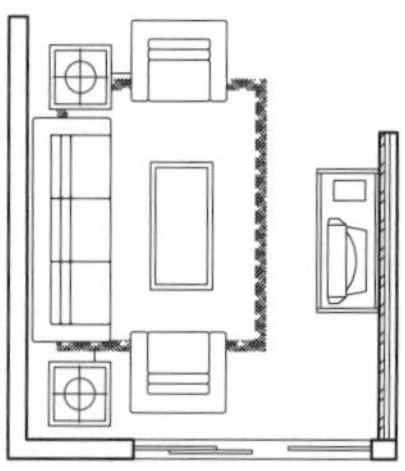

4,200×3,550

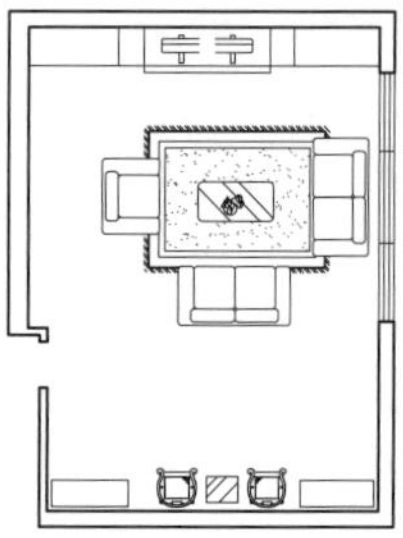

6,100×7,400

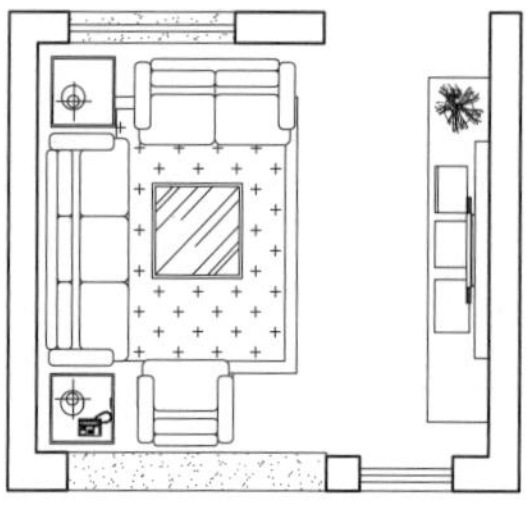

4,220×3,720

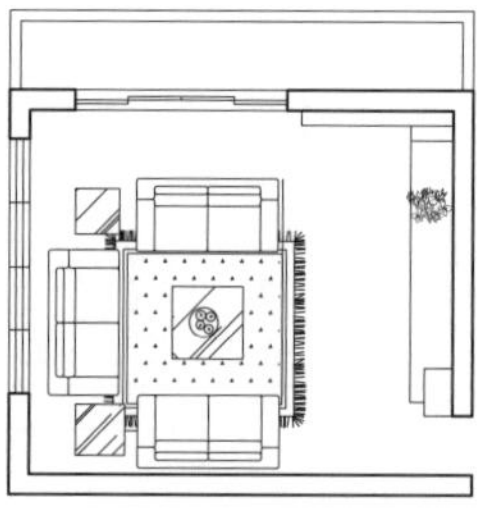

5,000×5,000

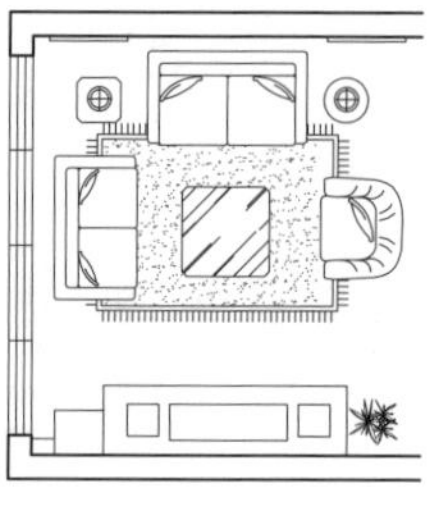

4,150×4,220

設計のポイント

1. ダイニングは家族や客人と食事をする場所であり、家族が交流する場所でもある。居間とダイニングが一体となっている造りも多い。設計で気をつけなければならないのは、空間を区分けする際である。例えば衝立などを立てることで、実用性と美しさを両立できる。また、フローリングの材質や照明を変えたりするのもよい。
2. 台所とダイニングは一体になっている。開放式にすることによって空間に広がりができ、より効率的に食事の準備をすることができる。
3. 家具はテーブルと椅子が中心となる。テーブルには正方形、長方形、円形のものなどがある。
4. 天井には吊り下げ式、あるいは埋め込み式の照明を設置する。照明には部屋全体を美しく見せる効果もあり、調光式のライトを使うと便利である。床は汚れが落としやすく、滑りにくい材質のものを選ぶ。

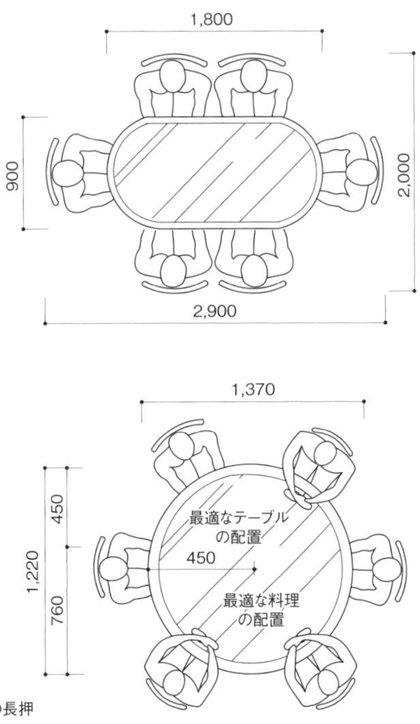
1,800
900
2,000
2,900
1,370
最適なテーブルの配置
450
最適な料理の配置
1,220
450
760
最適なテーブルの広さ

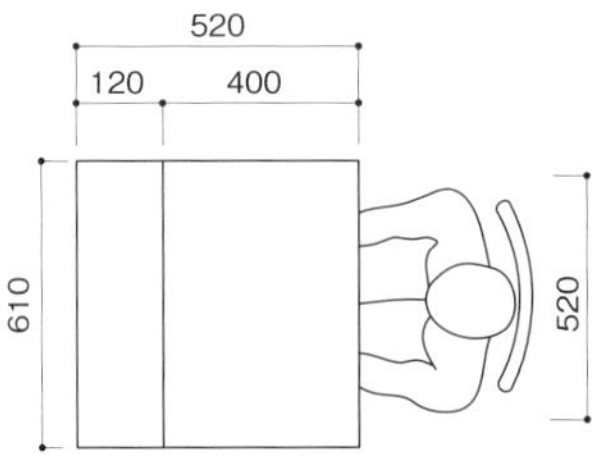
520
120
400
610
520
簡単な食事をする空間

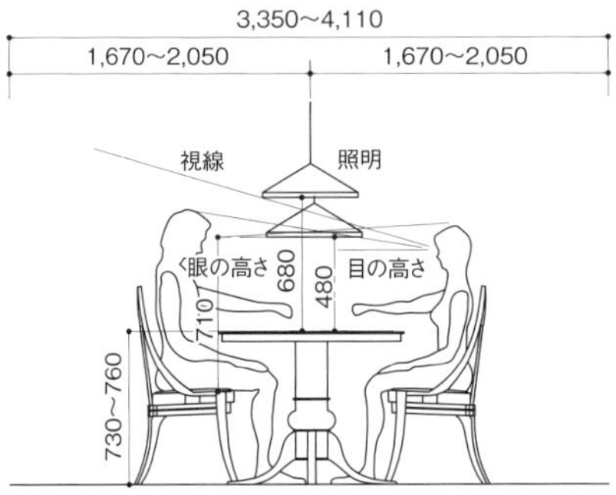
3,350〜4,110
1,670〜2,050
1,670〜2,050
視線
照明
眼の高さ
目の高さ
680
480
710
730〜760
最低限の食事空間の広さ

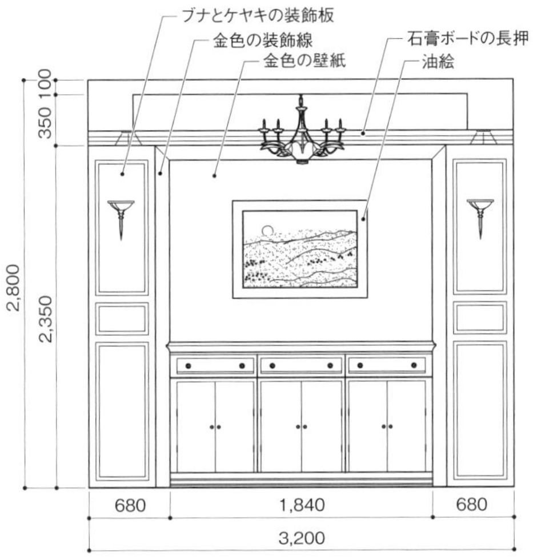
ブナとケヤキの装飾板
金色の装飾線
金色の壁紙
石膏ボードの長押
油絵
100
350
2,800
2,350
680
1,840
680
3,200
立面図

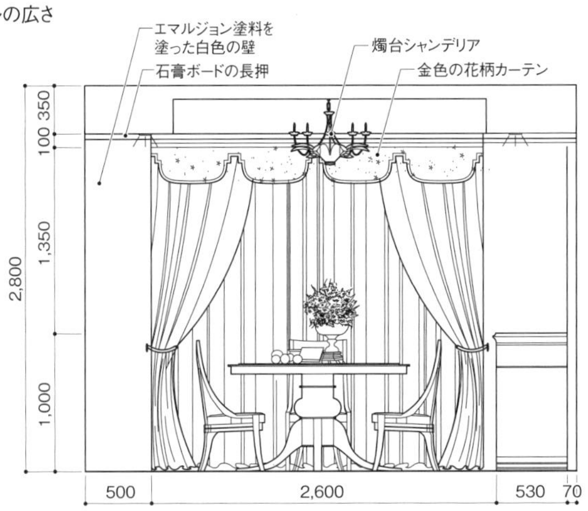
エマルジョン塗料を塗った白色の壁
石膏ボードの長押
燭台シャンデリア
金色の花柄カーテン
350
100
1,350
2,800
1,000
500
2,600
530
70
立面図

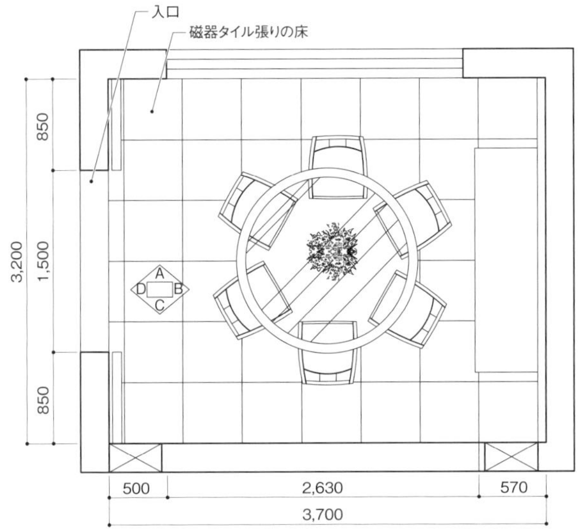
入口
磁器タイル張りの床
850
1,500
3,200
850
A
B
C
D
500
2,630
570
3,700
平面図

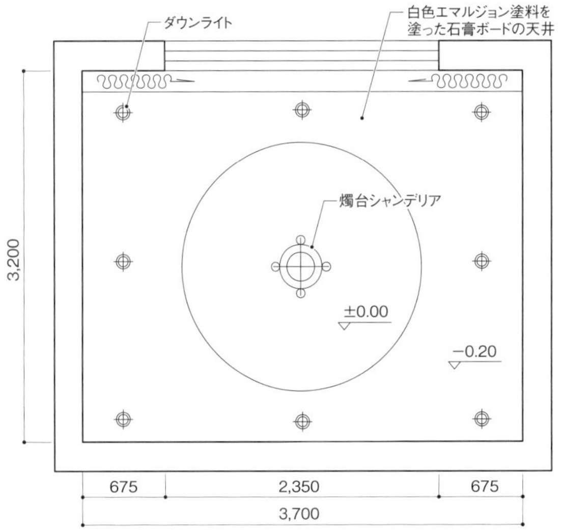
ダウンライト
白色エマルジョン塗料を塗った石膏ボードの天井
燭台シャンデリア
±0.00
−0.20
3,200
675
2,350
675
3,700
天井伏図

設計のポイント

寝室は住人のプライベートな生活空間であるため、個々人の嗜好や心理的要求を満たす設計を重視すべきである。設計に際しては、2つの原則に基づくこと。1つは十分に睡眠と休息を取ることができるよう、穏やかな雰囲気づくりに努めること、もう1つは合理的な空間構成とすることである。

1. 大きく睡眠を取る場所、化粧をする場所、衣類を収納する場所の3つに分ける。睡眠を取るベッドの頭の上の壁には絵を飾る。絵は寝室の視界の中心に位置するように設計するのが原則で、その周りは壁紙や装飾板で装飾する。化粧をする場所は主に化粧台や鏡で構成する。衣類を収納する場所にはタンスなどを設置する。
2. 天井の装飾には石膏ボードあるいは木材を用い、床には絨毯を敷く。照明は間接照明が好ましい。

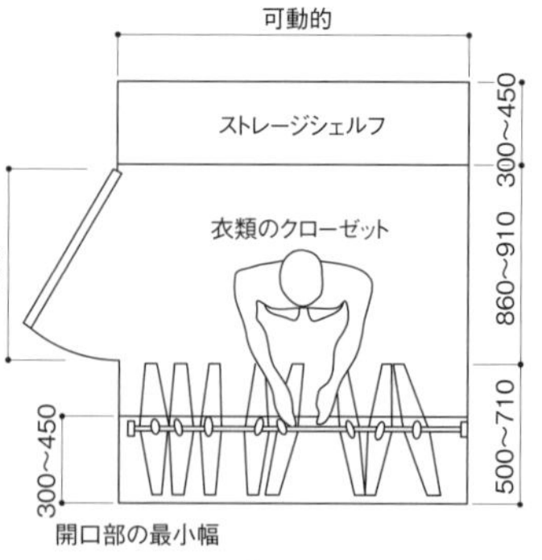
可動的
ストレージシェルフ
衣類のクローゼット
300~450
860~910
500~710
760
300~450
開口部の最小幅
タンス

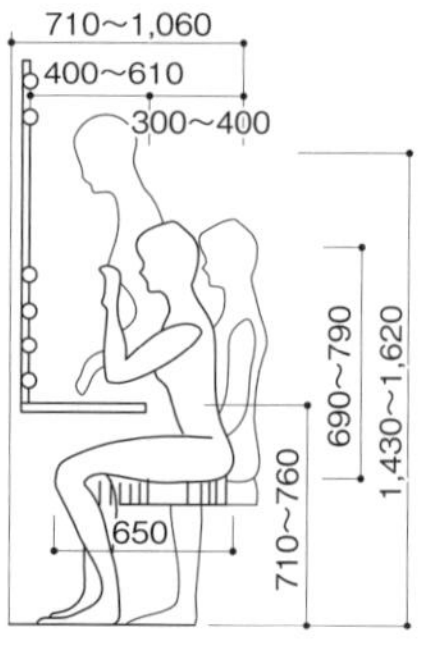
710~1,060
400~610
300~400
690~790
1,430~1,620
650
710~760
化粧台

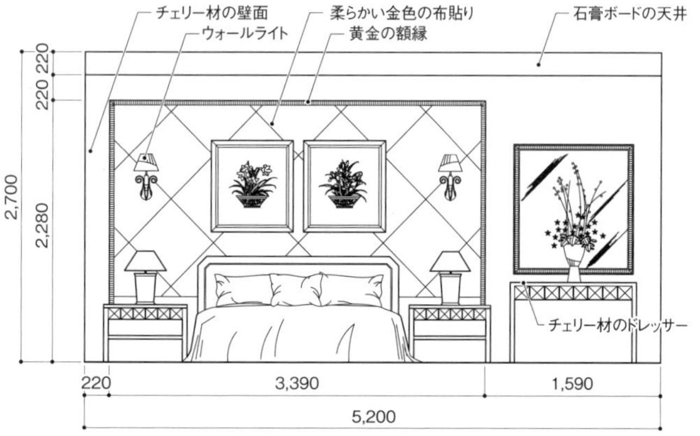
チェリー材の壁面
ウォールライト
柔らかい金色の布貼り
黄金の額縁
石膏ボードの天井
チェリー材のドレッサー
220
220
2,280
2,700
220
3,390
1,590
5,200
立面図

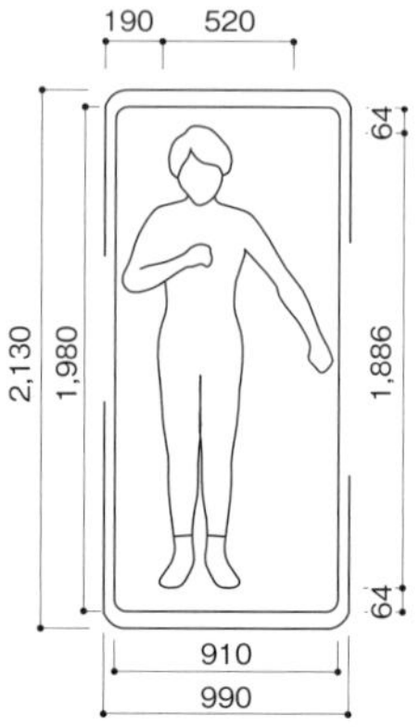
190
520
64
1,886
64
2,130
1,980
910
990
シングルベッドの標準的な広さ

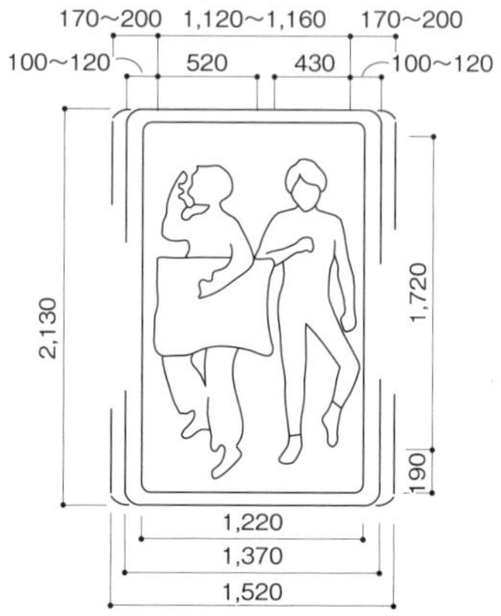
170~200
1,120~1,160
170~200
100~120
520
430
100~120
2,130
1,720
190
1,220
1,370
1,520
ダブルベッドの標準的な広さ

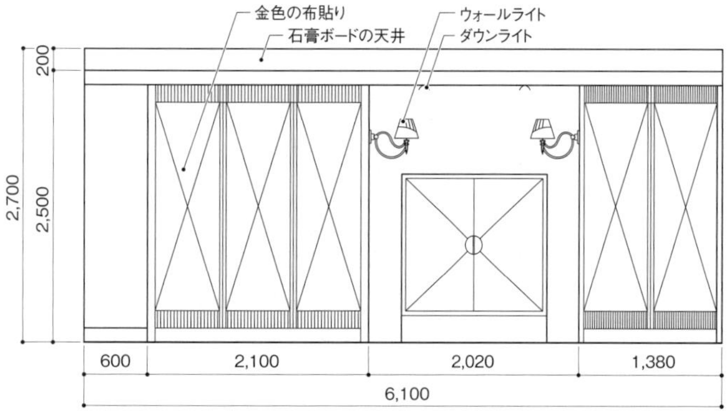
金色の布貼り
石膏ボードの天井
ウォールライト
ダウンライト
200
2,500
2,700
600
2,100
2,020
1,380
6,100
立面図

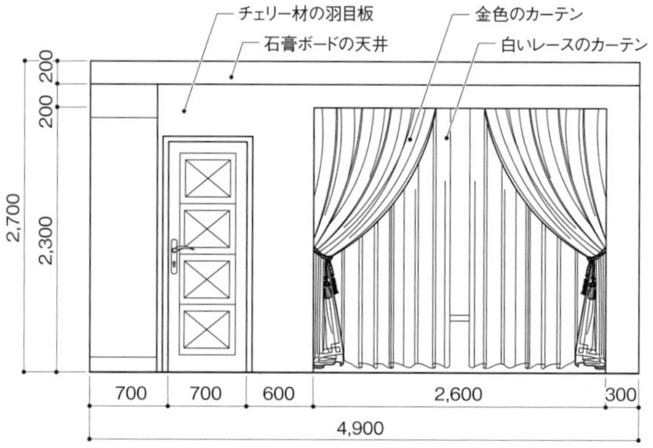
チェリー材の羽目板
石膏ボードの天井
金色のカーテン
白いレースのカーテン
200
200
2,300
2,700
700
700
600
2,600
300
4,900
立面図

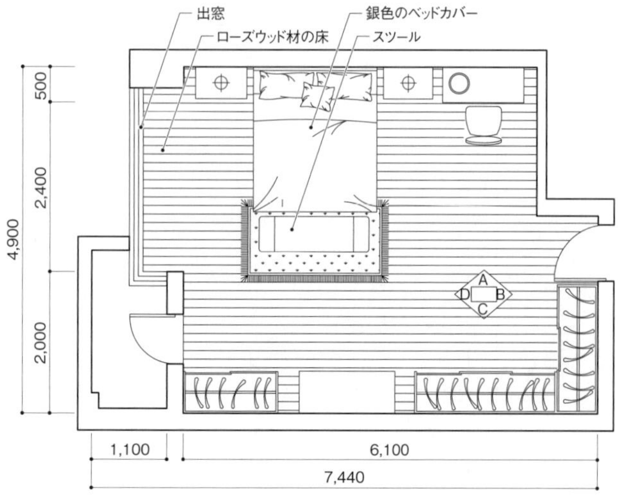
出窓
ローズウッド材の床
銀色のベッドカバー
スツール
500
2,400
2,000
4,900
A
B
C
D
1,100
6,100
7,440
平面図

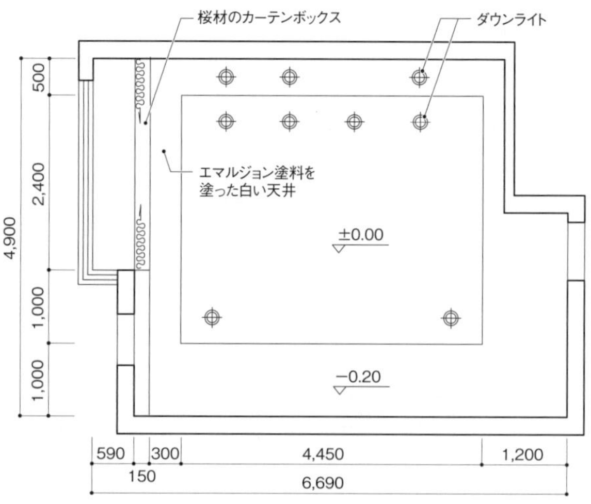
桜材のカーテンボックス
ダウンライト
エマルジョン塗料を
塗った白い天井
±0.00
−0.20
500
2,400
1,000
1,000
4,900
590
300
4,450
1,200
150
6,690
天井伏図

寝室平面配置図

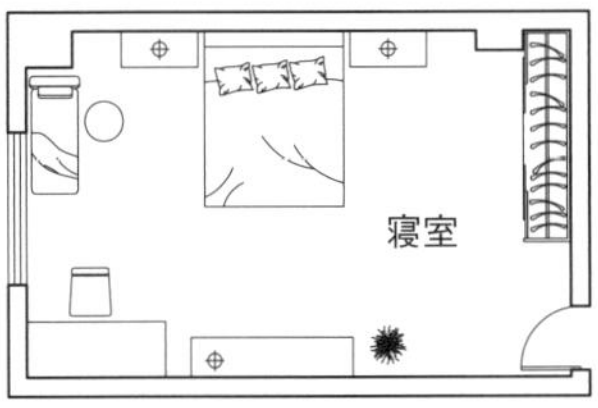
寝室
7,040×4,350

子供部屋
3,370×3,420

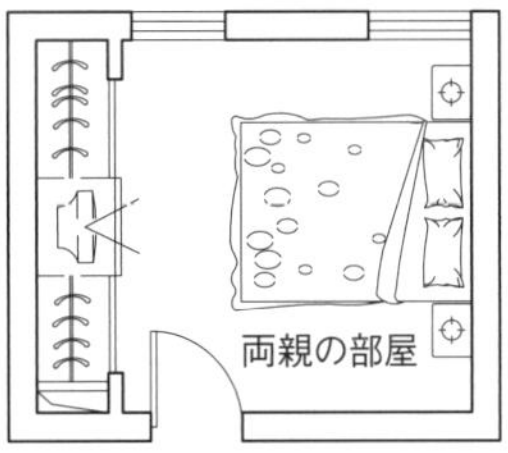
両親の部屋
3,760×3,660

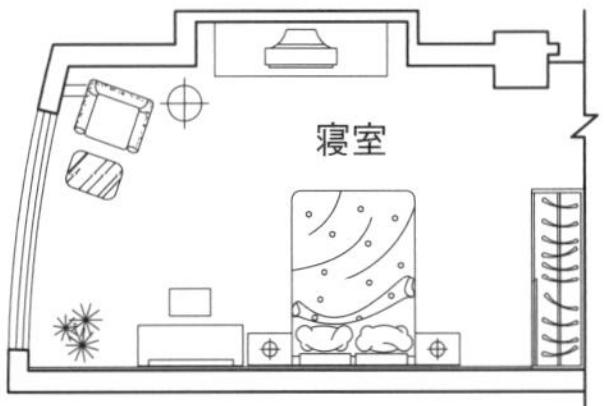
寝室
6,300×3,360

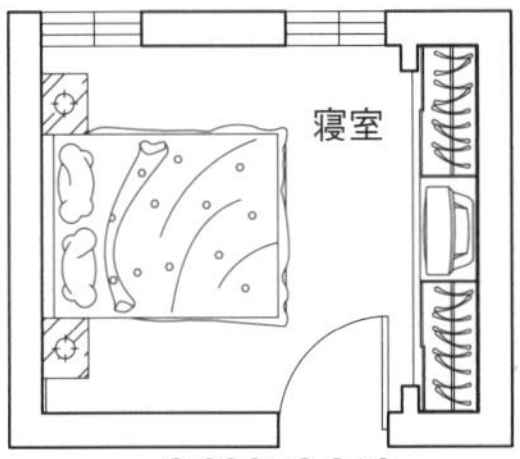
寝室
3,690×3,010

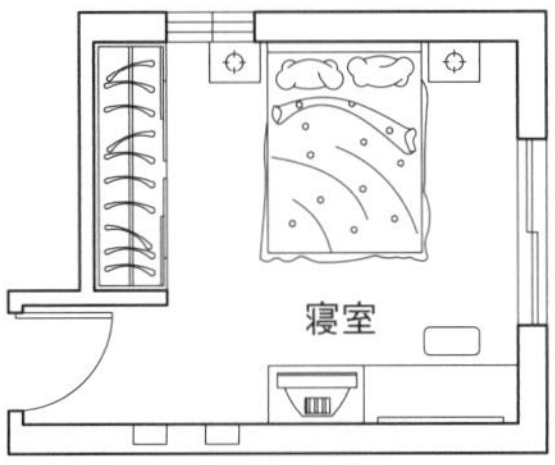
寝室
3,810×3,620

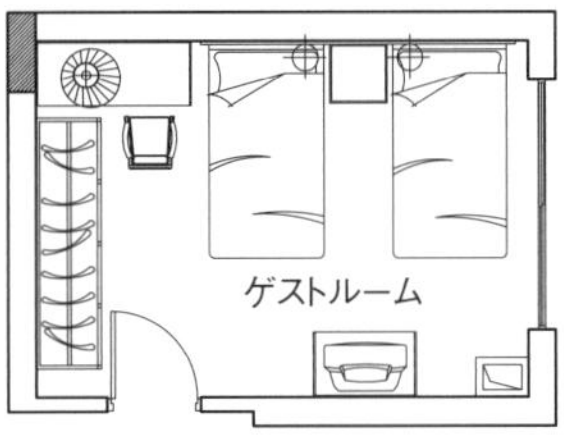
ゲストルーム
4,500×3,500

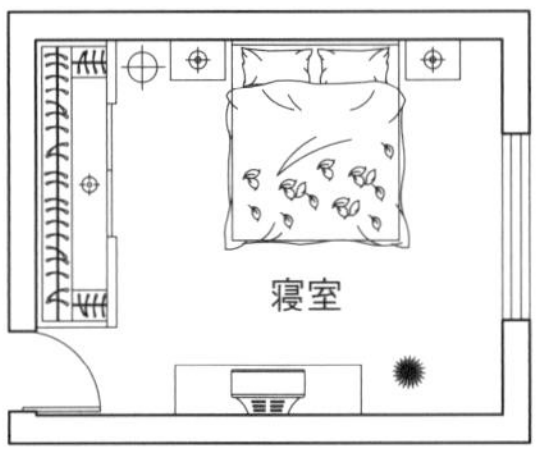
寝室
3,740×4,407

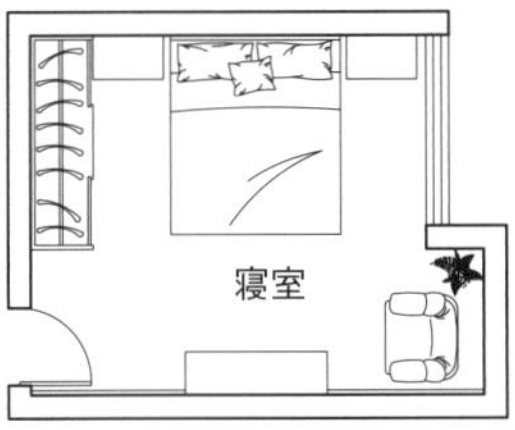
寝室
4,800×3,700

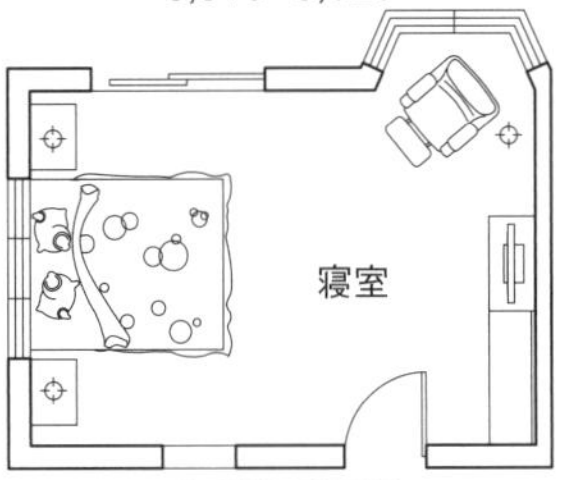
寝室
5,490×3,760

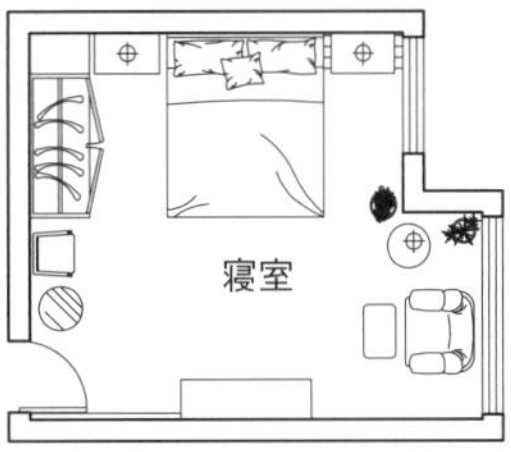
寝室
5,200×4,300

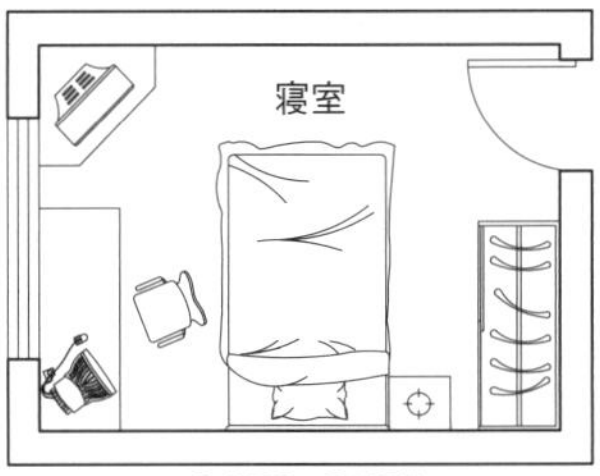
寝室
3,850×2,770

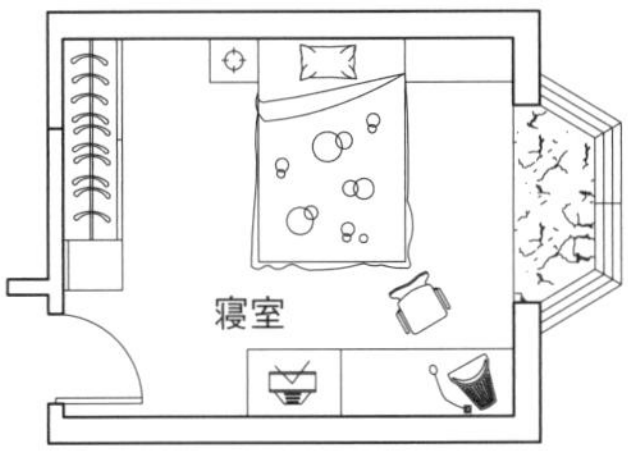
寝室
4,160×3,380

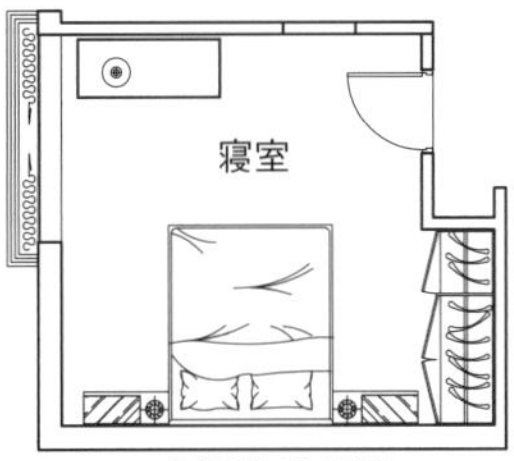
寝室
4,500×3,960

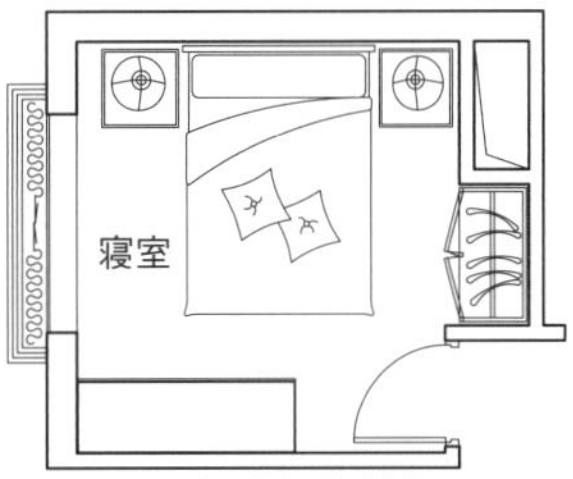
寝室
3,180×3,300

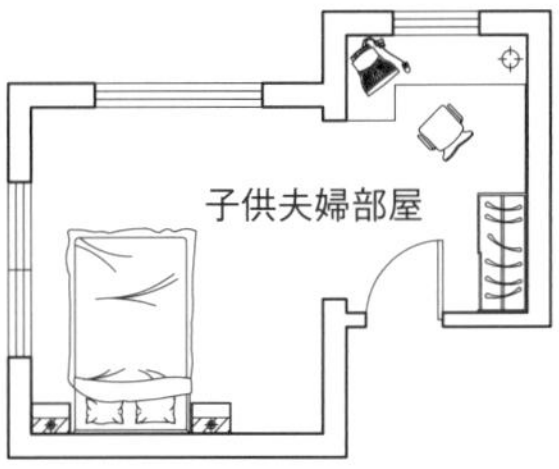
子供夫婦部屋
5,160×4,220

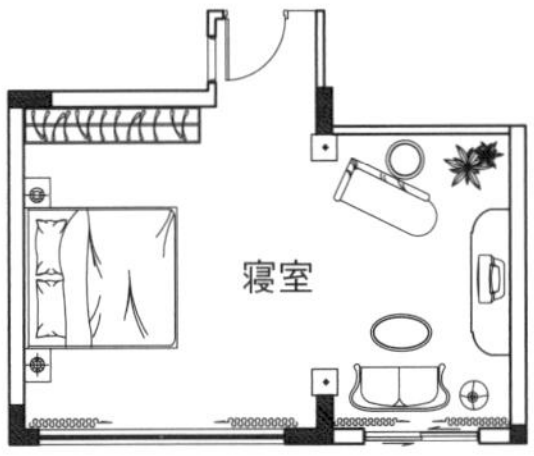
寝室
7,800×5,100

寝室
4,100×3,900

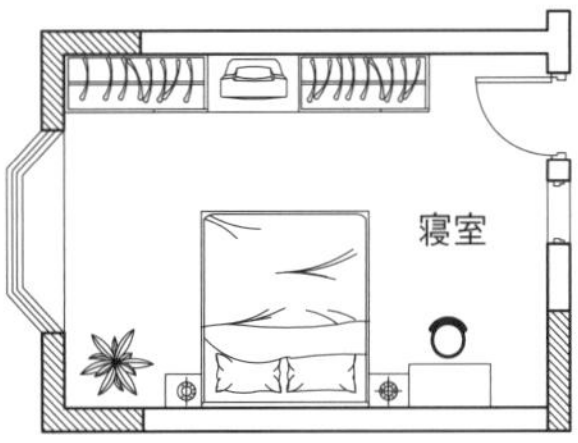
寝室
5,400×3,900

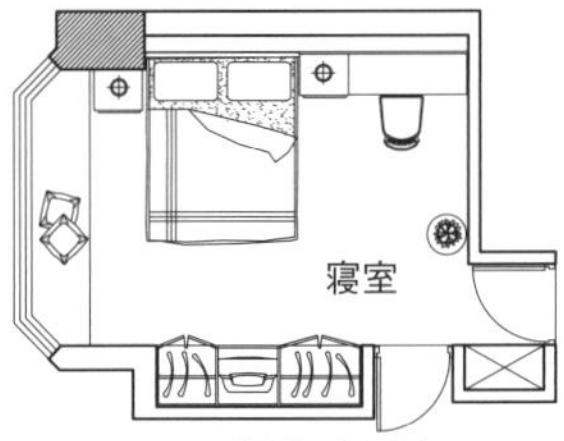
寝室
4,830×3,180

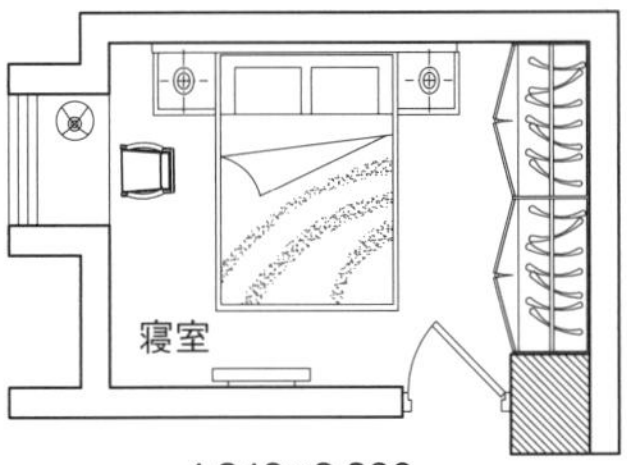
寝室
4,240×3,300

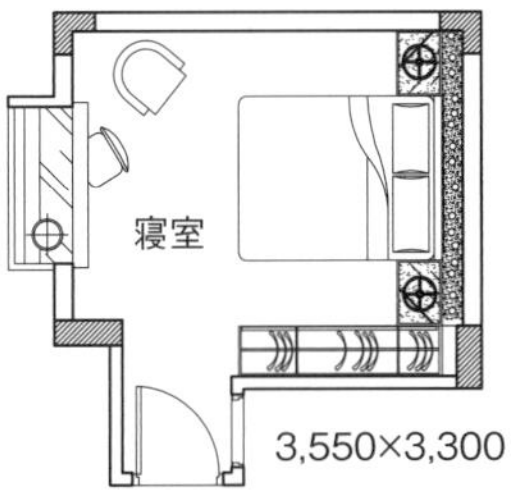
寝室
3,550×3,300

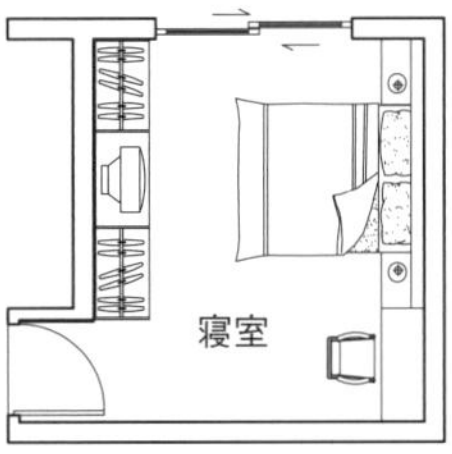
寝室
3,550×3,250

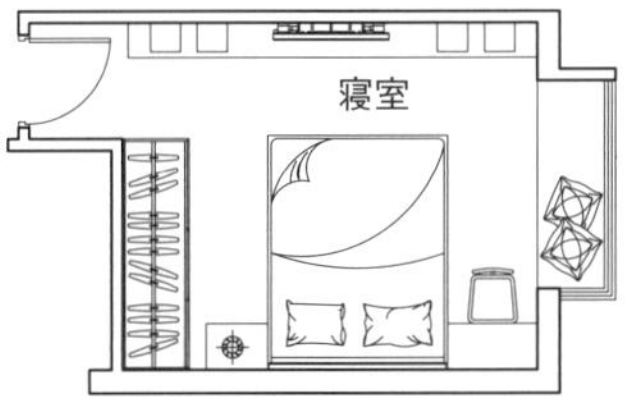
寝室
5,050×2,850

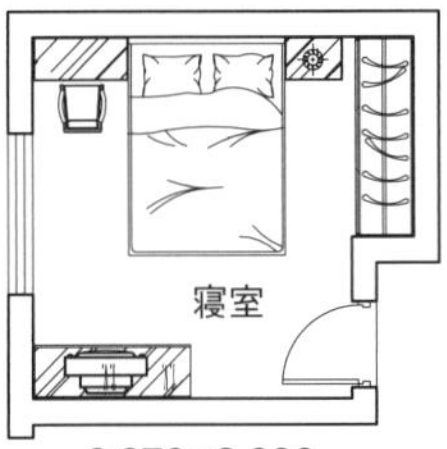
寝室
3,370×3,600

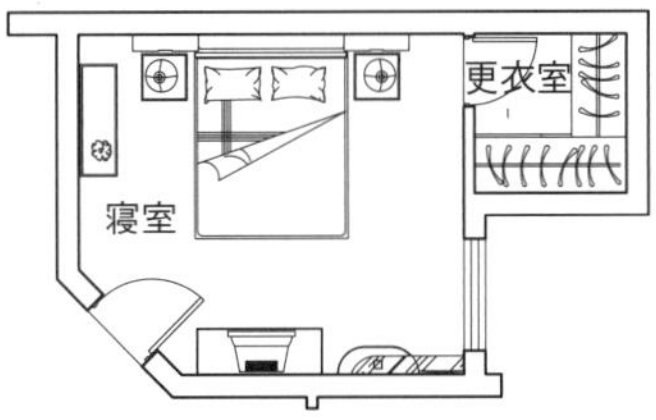
更衣室
寝室
6,060×3,660

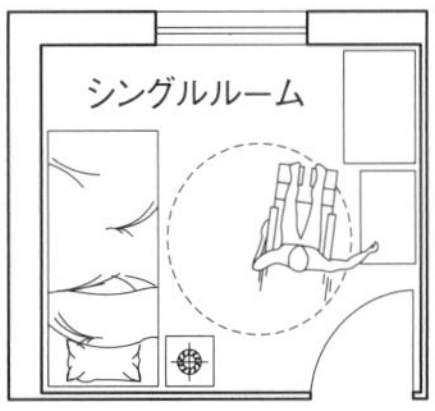
シングルルーム
2,700×3,000

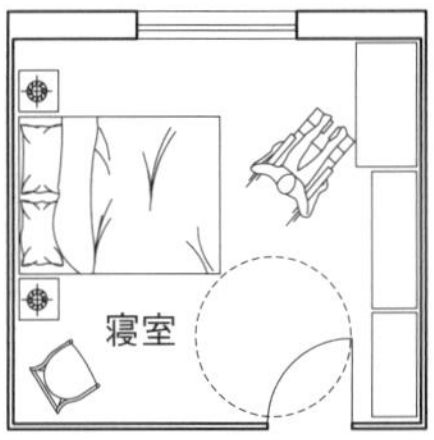
寝室
3,600×3,900

設計のポイント

1. 書斎は読書や書き物、勉強をする場所である。そのため書斎は、独立した空間にする必要がある。書斎には机やデスクチェア、本棚などを置く。本を取り出す際の利便性を考慮して、本棚は机の後ろ側に置くとよい。
2. 書斎を設計する際は採光と照明に留意しなければならない。机は窓際に、本棚は光の当たらない場所に配置、目に優しい照明器具を取り付けること。
3. 書斎には防音･吸音効果のある建材を使用するのが望ましい。例えば､石膏ボード、RVCパネル、カーペットや厚手のカーテンなどである。

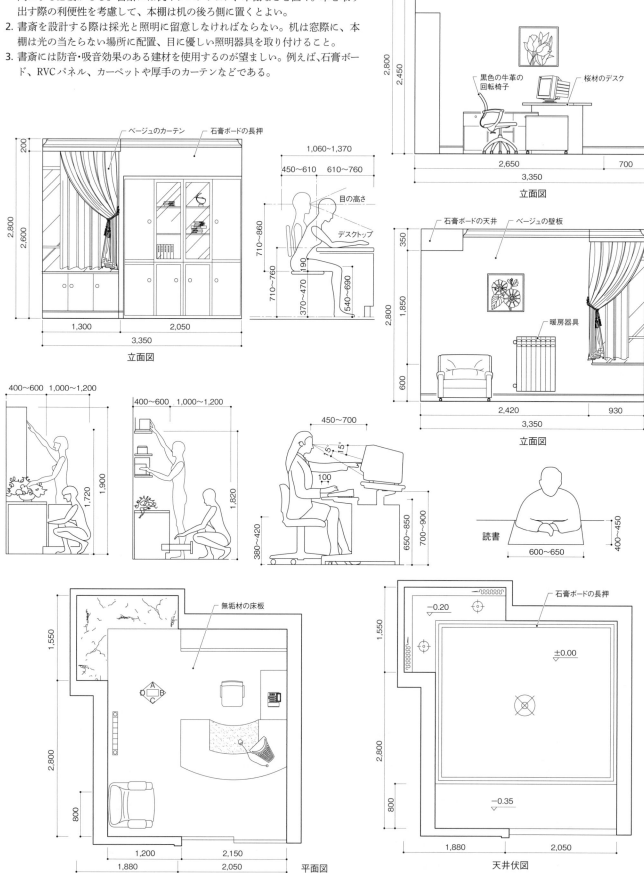

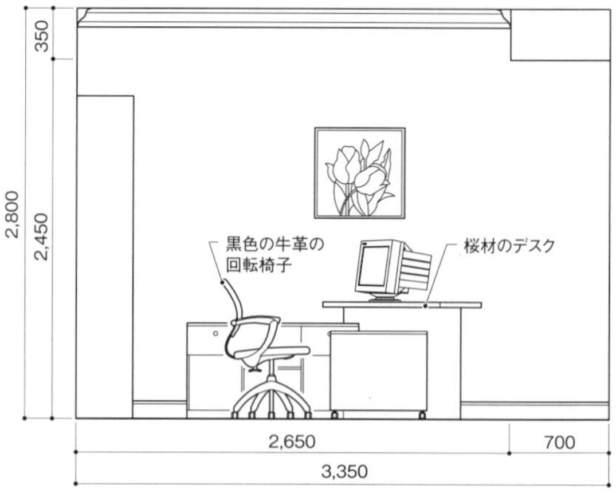
350
2,800
2,450
黒色の牛革の
回転椅子
桜材のデスク
2,650
700
3,350
立面図

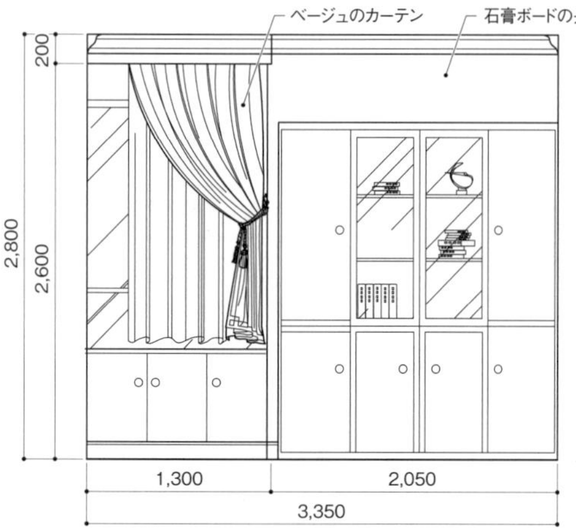
ベージュのカーテン
石膏ボードの長押
200
2,800
2,600
1,300
2,050
3,350
立面図

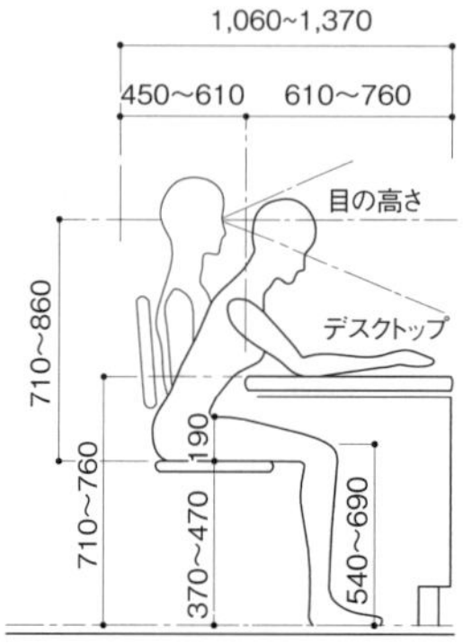
1,060~1,370
450~610
610~760
目の高さ
デスクトップ
710~860
190
710~760
370~470
540~690

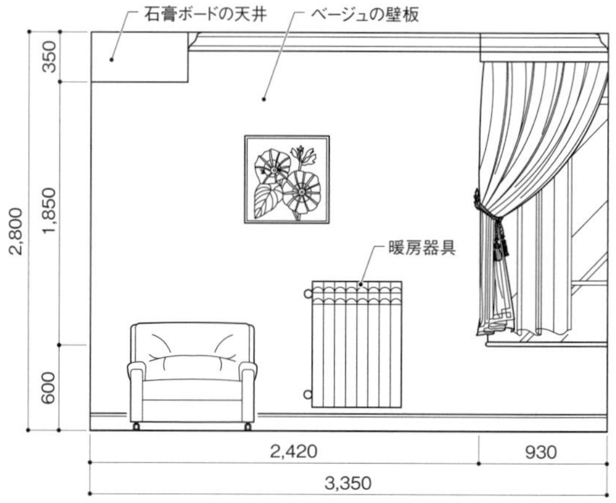
石膏ボードの天井
ベージュの壁板
350
2,800
1,850
600
暖房器具
2,420
930
3,350
立面図

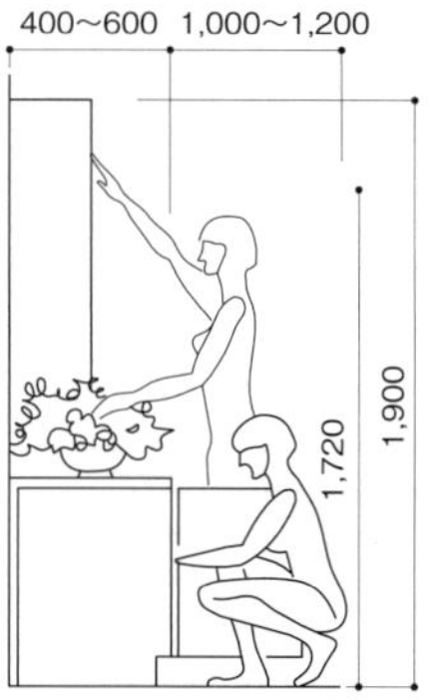
400~600
1,000~1,200
1,900
1,720

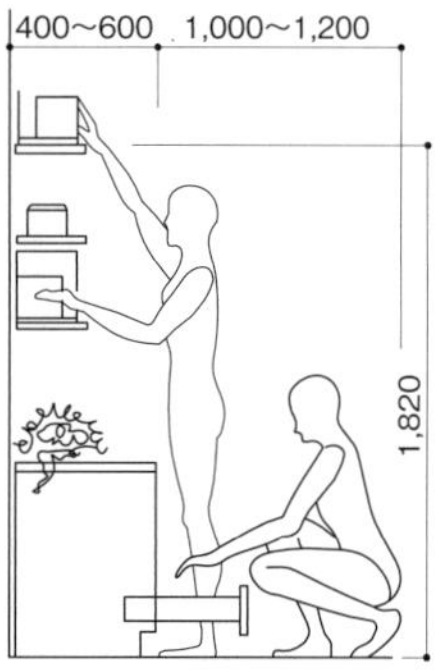
400~600
1,000~1,200
1,820

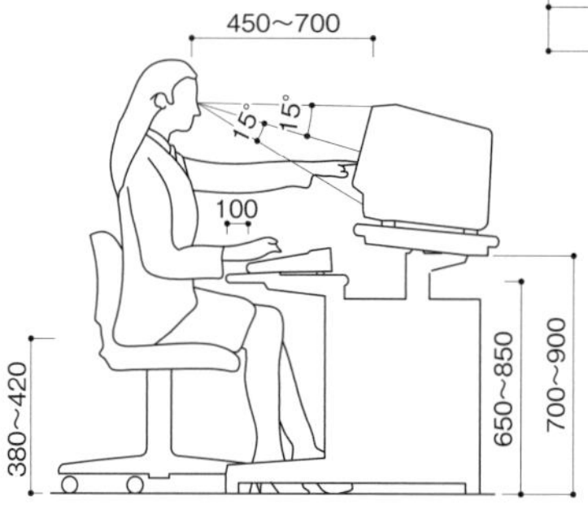
450~700
15°
15°
100
380~420
650~850
700~900

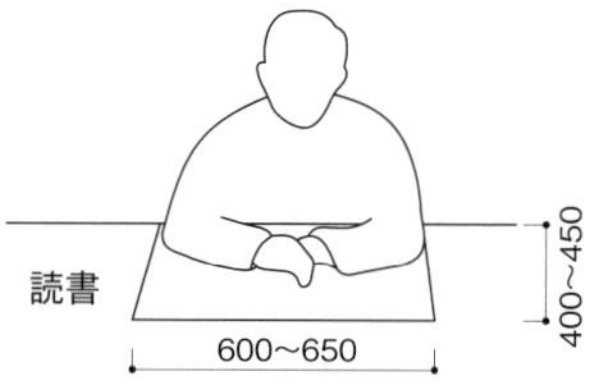
読書
600~650
400~450

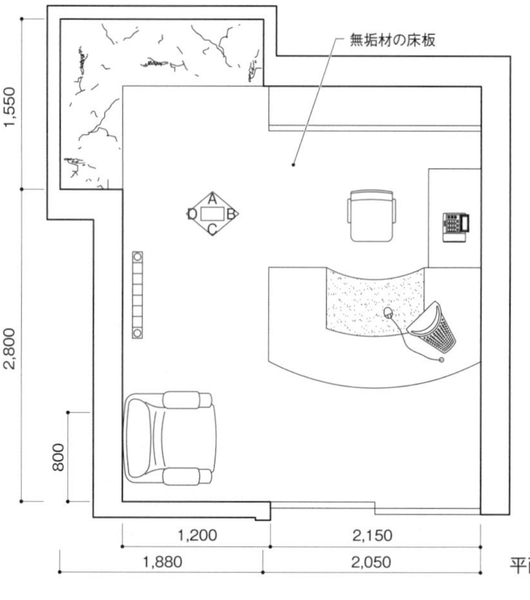
無垢材の床板
1,550
2,800
800
1,200
2,150
1,880
2,050
平面図

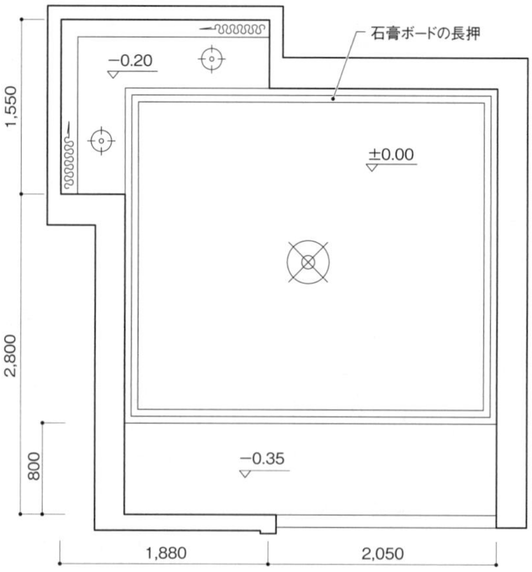
石膏ボードの長押
−0.20
±0.00
−0.35
1,550
2,800
800
1,880
2,050
天井伏図

設計のポイント

1. 幼児の寝室は安全を最優先し、角の丸いものや柔らかい材質のものを用いる。同時に、明るい色をベースに色彩豊かなデザインにする。これにより子供の感受性と創造力が育まれる。幼児を遊ばせるスペースの床はフローリングにし、壁にはカラフルな壁紙を貼る。
2. 子供が学校に通い始めたら、子供部屋には勉強用のスペースを作る。そのスペースは勉強机やパソコン机、本棚、学習椅子、スタンドなどで構成する。

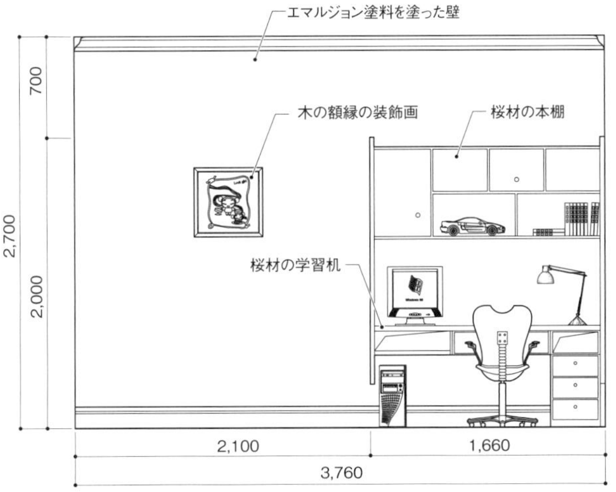
エマルジョン塗料を塗った壁
木の額縁の装飾画
桜材の本棚
桜材の学習机
700
2,700
2,000
2,100
1,660
3,760
立面図

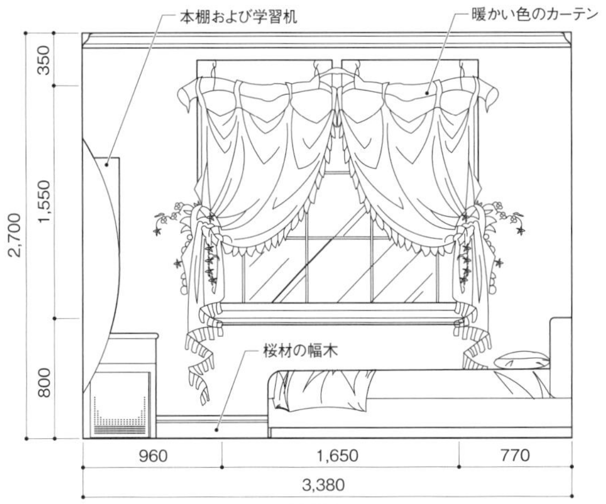
本棚および学習机
暖かい色のカーテン
桜材の幅木
350
1,550
2,700
800
960
1,650
770
3,380
立面図

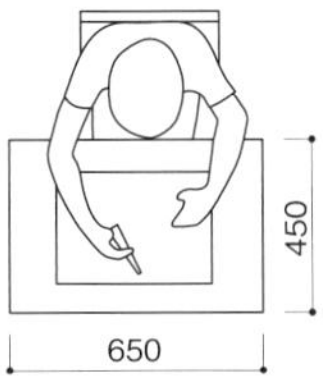
450
650
就学前の児童

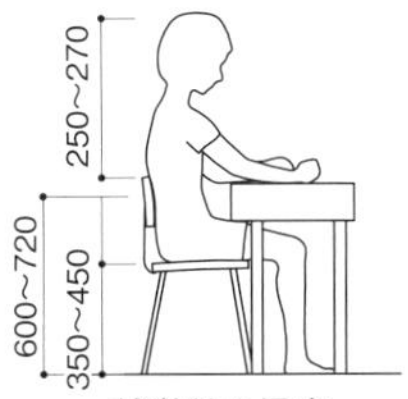
250~270
600~720
350~450
就学前の児童

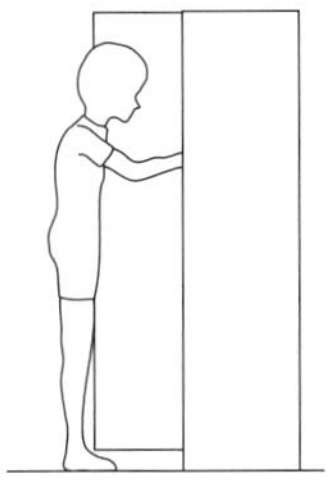
就学前の児童

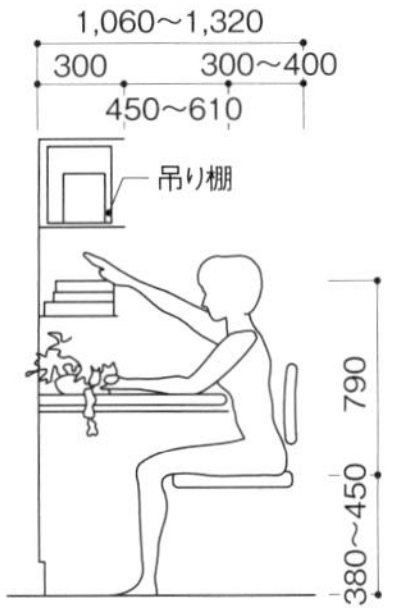
1,060~1,320
300
300~400
450~610
吊り棚
790
380~450
座ったまま本を取る

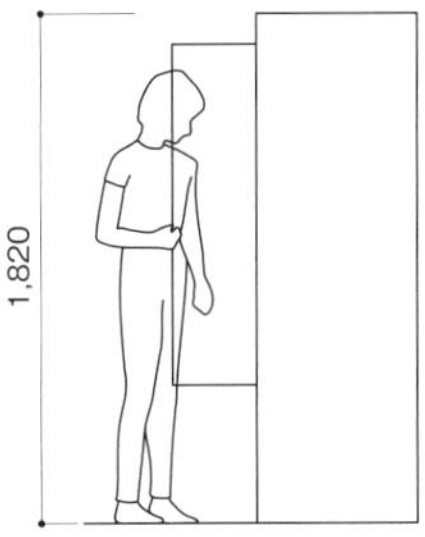
1,820
タンスの扉を開ける

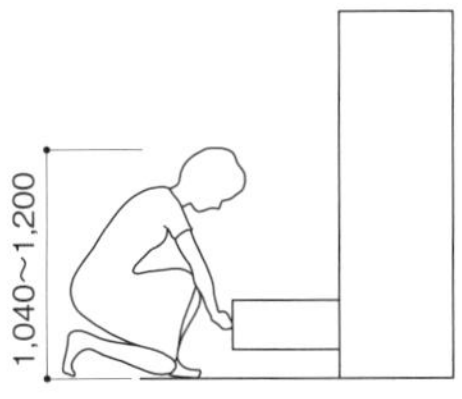
1,040~1,200
タンスの引き出しを開ける

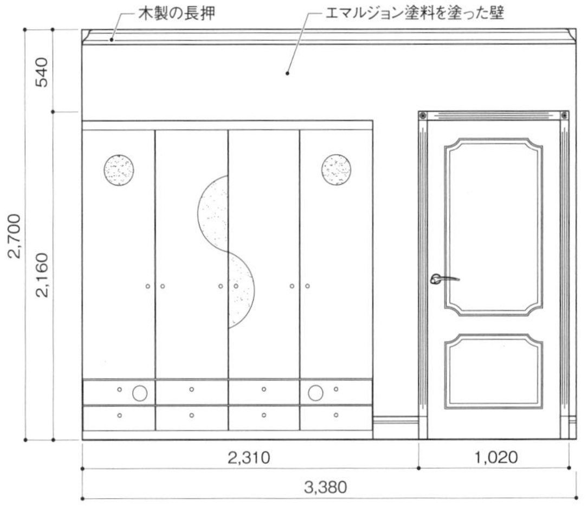
木製の長押
エマルジョン塗料を塗った壁
540
2,700
2,160
2,310
1,020
3,380
立面図

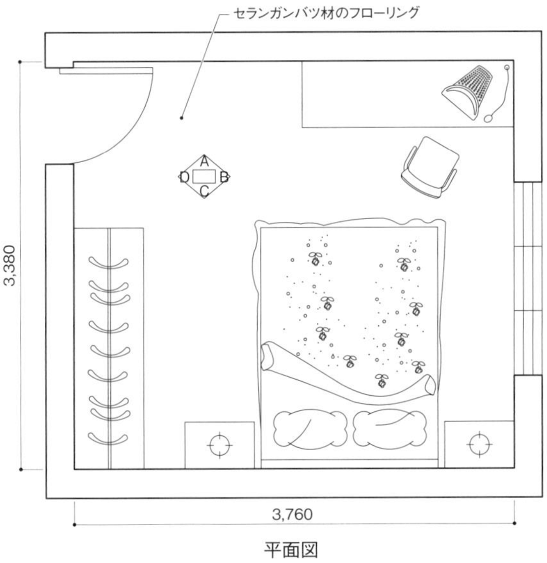
セランガンバツ材のフローリング
A
B
C
D
3,380
3,760
平面図

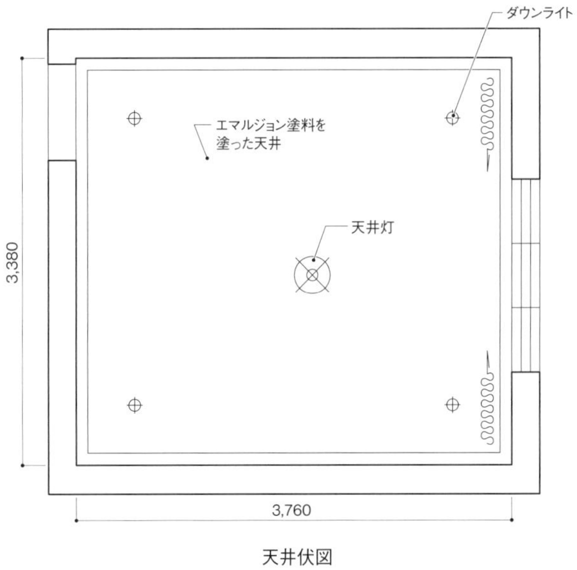
ダウンライト
エマルジョン塗料を
塗った天井
天井灯
3,380
3,760
天井伏図

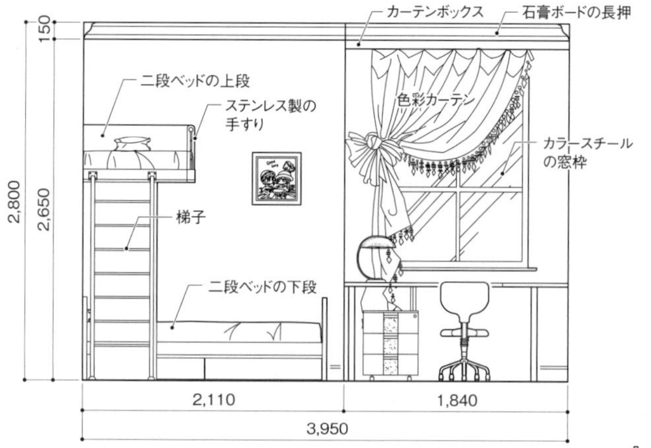
カーテンボックス
石膏ボードの長押
二段ベッドの上段
ステンレス製の手すり
色彩カーテン
カラースチールの窓枠
梯子
二段ベッドの下段
150
2,800
2,650
2,110
1,840
3,950

立面図

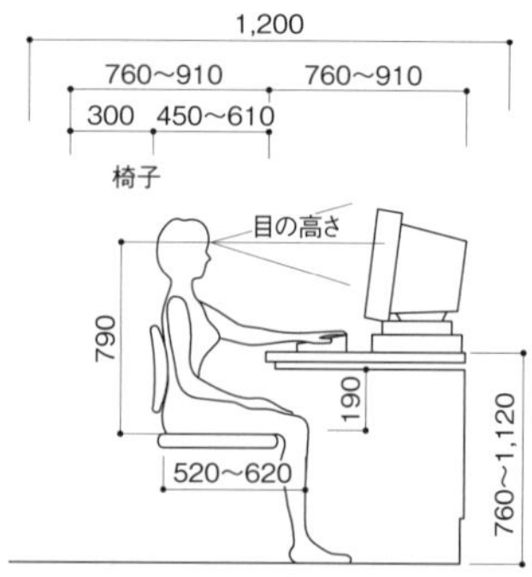
1,200
760〜910
760〜910
300
450〜610
椅子
目の高さ
790
190
520〜620
760〜1,120

パソコン机の前に座る

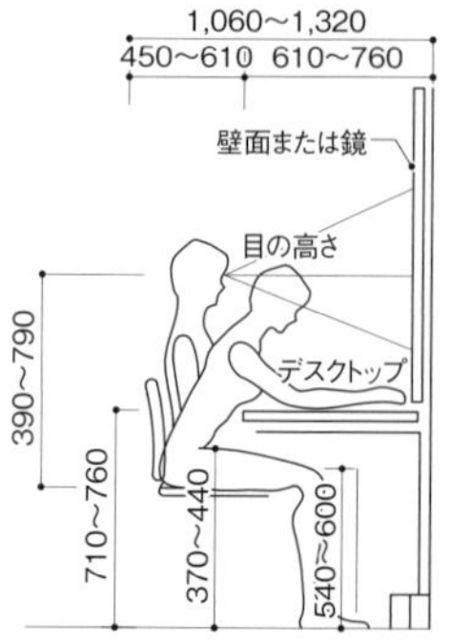
1,060〜1,320
450〜610
610〜760
壁面または鏡
目の高さ
デスクトップ
390〜790
710〜760
370〜440
540〜600

机または化粧台

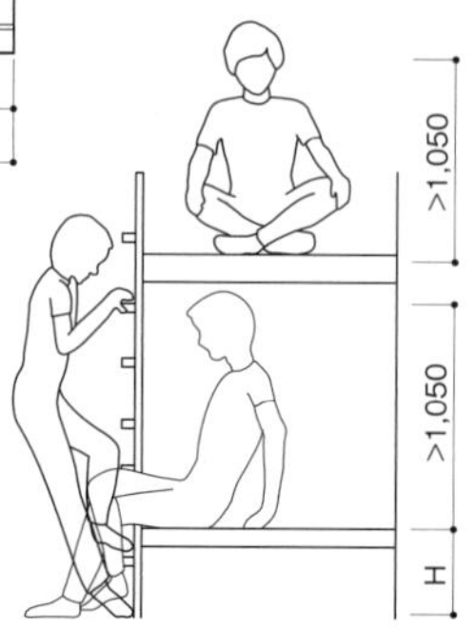
>1,050
>1,050
H

就寝（二段ベッド）

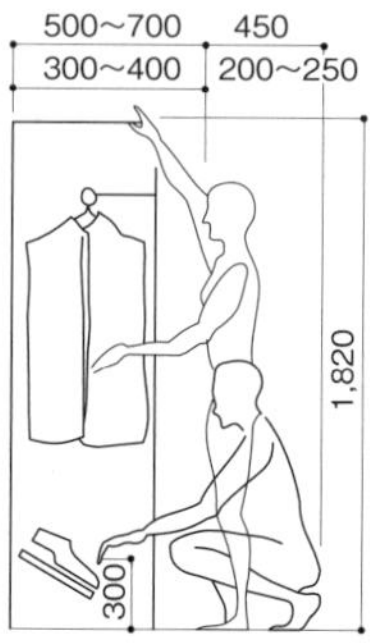
500〜700
450
300〜400
200〜250
1,820
300

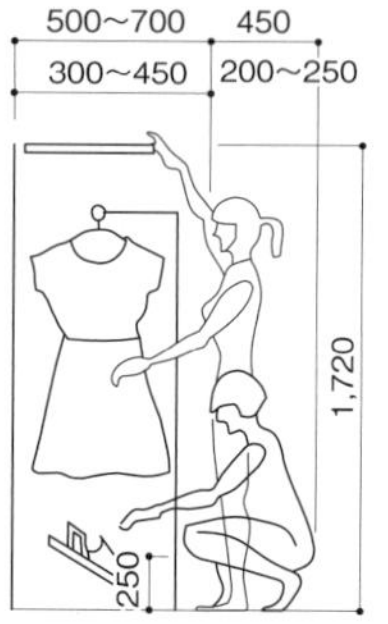
500〜700
450
300〜450
200〜250
1,720
250

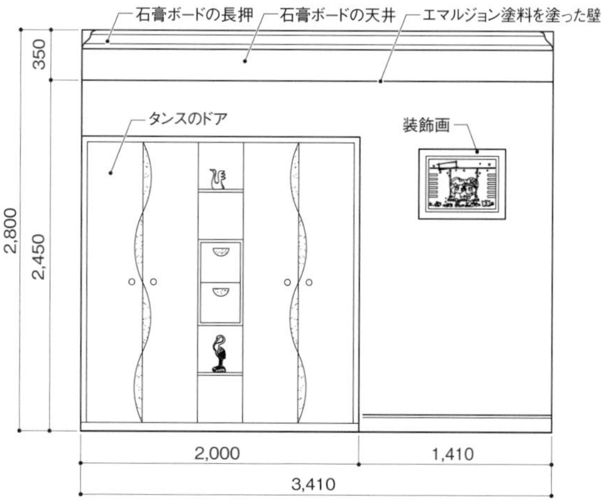
石膏ボードの長押
石膏ボードの天井
エマルジョン塗料を塗った壁
タンスのドア
装飾画
350
2,800
2,450
2,000
1,410
3,410

立面図

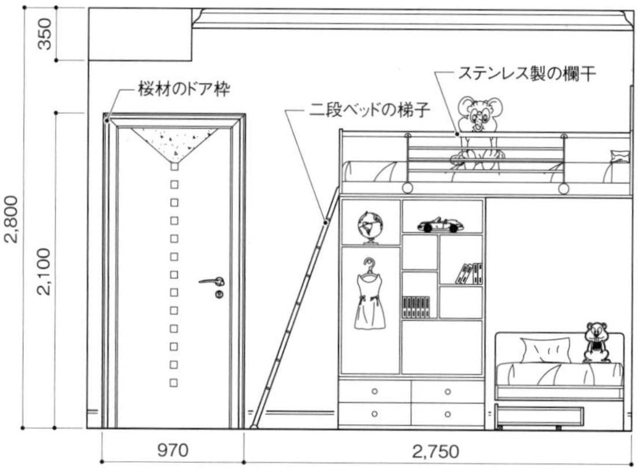
桜材のドア枠
二段ベッドの梯子
ステンレス製の欄干
350
2,800
2,100
970
2,750

立面図

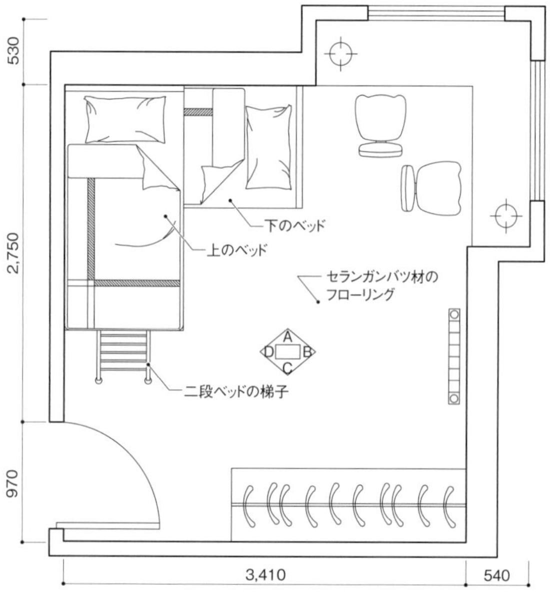
下のベッド
上のベッド
セランガンバツ材のフローリング
A
B
C
D
二段ベッドの梯子
530
2,750
970
3,410
540

平面図

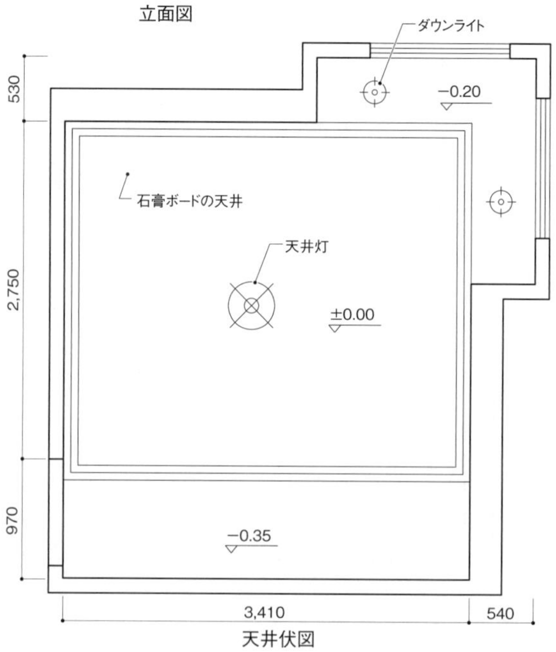
ダウンライト
−0.20
石膏ボードの天井
天井灯
±0.00
−0.35
530
2,750
970
3,410
540

天井伏図

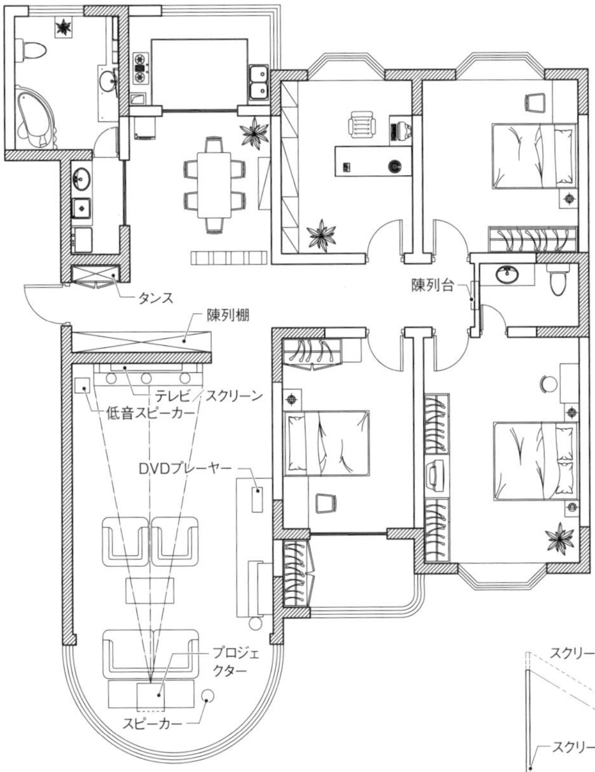
タンス
陳列棚
陳列台
テレビ
スクリーン
低音スピーカー
DVDプレーヤー
プロジェクター
スピーカー

客間およびオーディオルームの平面図

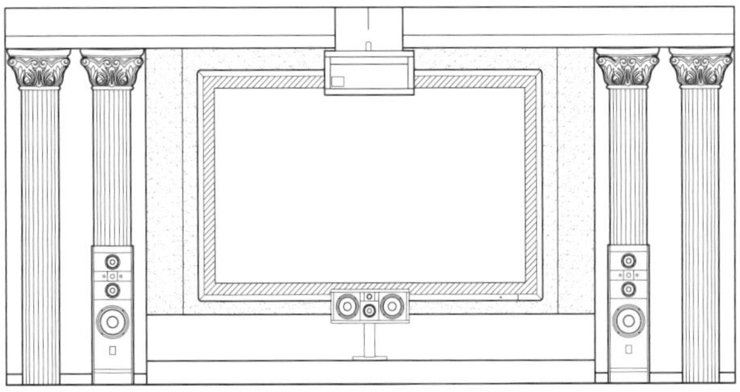

立面図

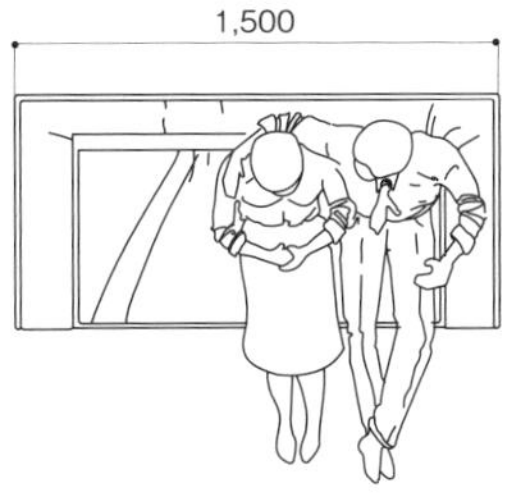
1,500

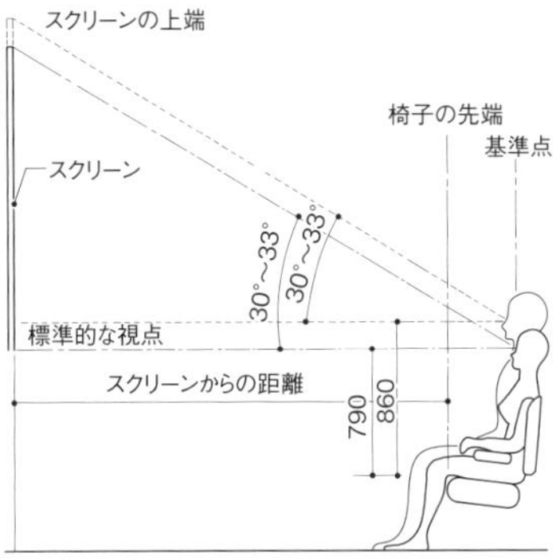
スクリーンの上端
スクリーン
椅子の先端
基準点
30°〜33°
30°〜33°
標準的な視点
スクリーンからの距離
790
860

スクリーンからの距離

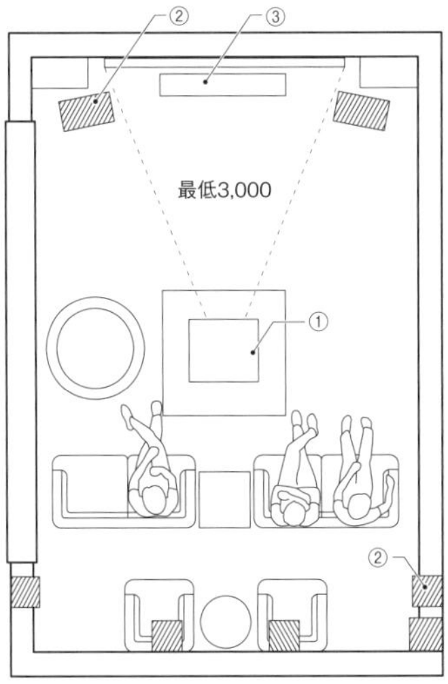
②
③
最低3,000
①
②

①プロジェクター　②スピーカー　③スクリーン

平面図

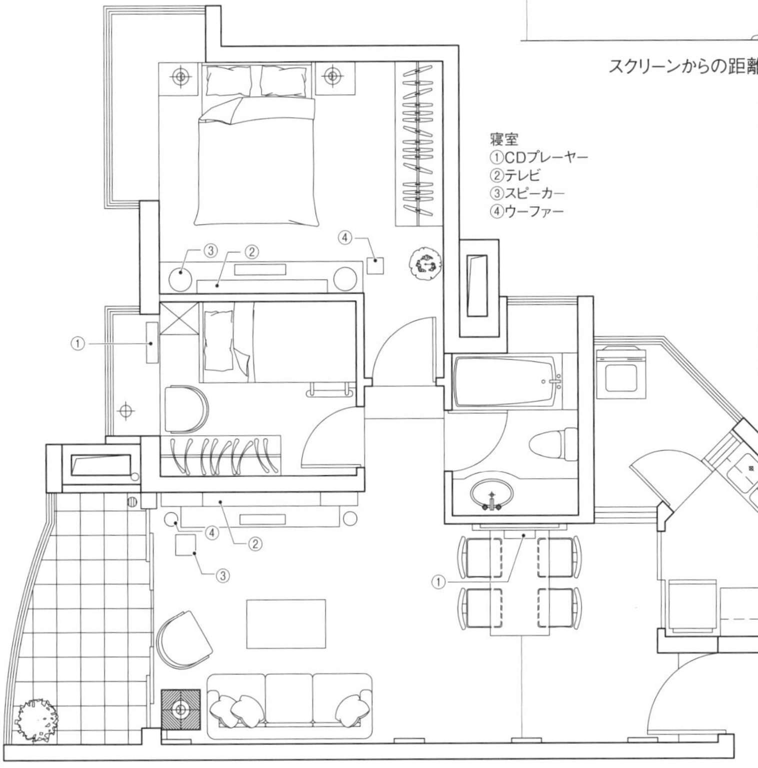
①
②
③
④
①
②
③
④
①

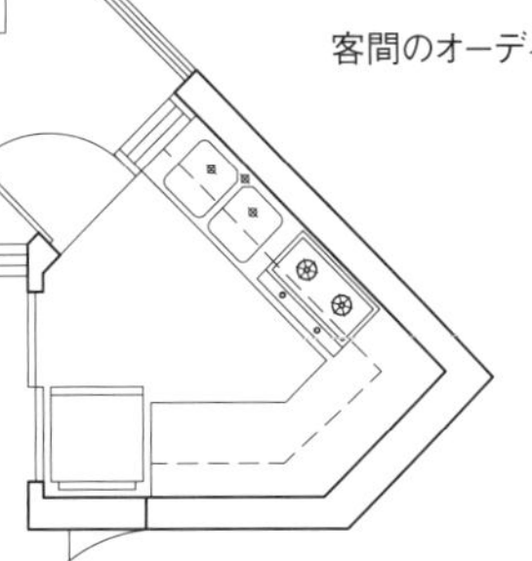

寝室
①CDプレーヤー
②テレビ
③スピーカー
④ウーファー

リビングダイニングルーム　①小型テレビ
②テレビ
③ウーファー
④スピーカー

ダイニングおよび寝室、オーディオルームの平面図

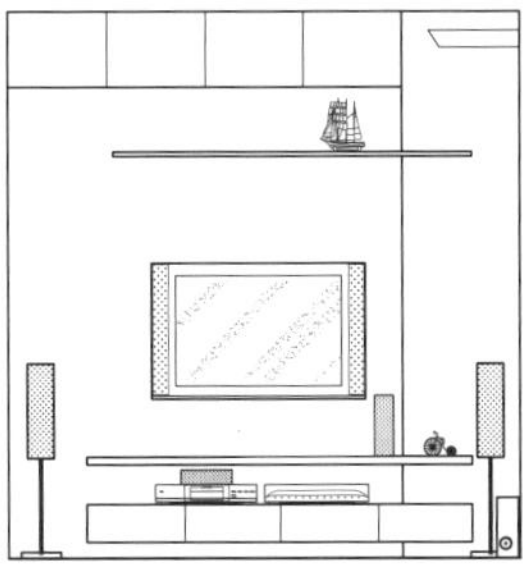

客間のオーディオ設備

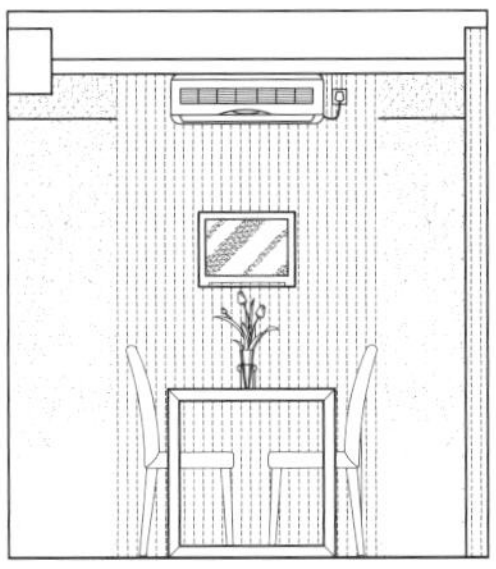

ダイニングテーブル横の小型テレビ

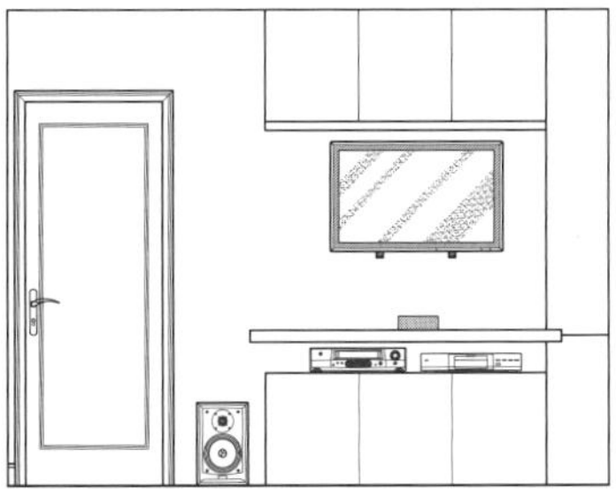

寝室のオーディオ設備

キッチンの作業台の高さは一般的に800㎜〜900㎜、幅は850㎜程度である。食卓の高さは通常750㎜、コンロの高さは800㎜、シンクの高さは920㎜である。

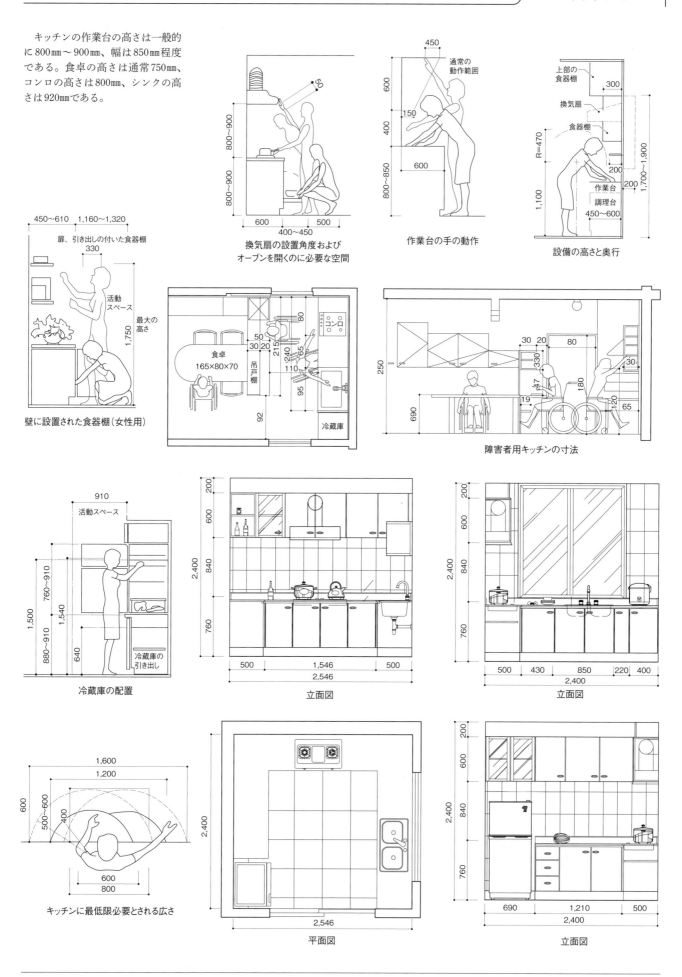

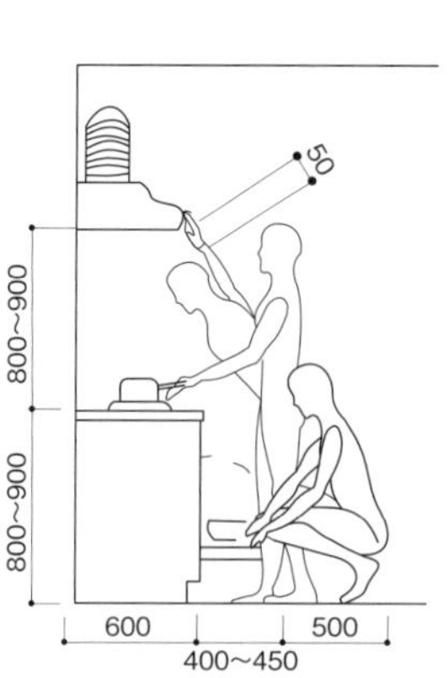
50
800~900
800~900
600
500
400~450
換気扇の設置角度および
オーブンを開くのに必要な空間

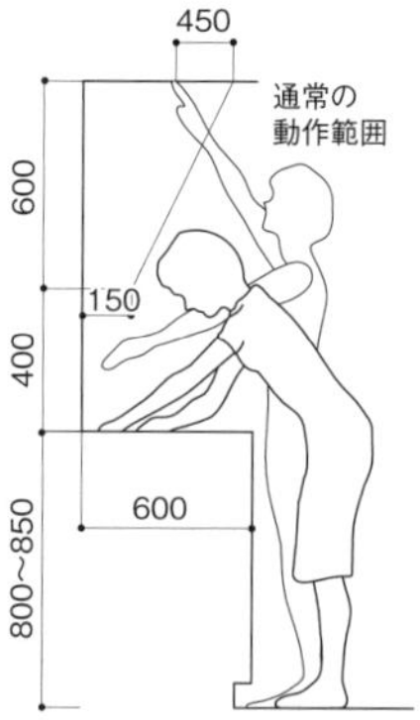
450
通常の
動作範囲
600
150
400
600
800~850
作業台の手の動作

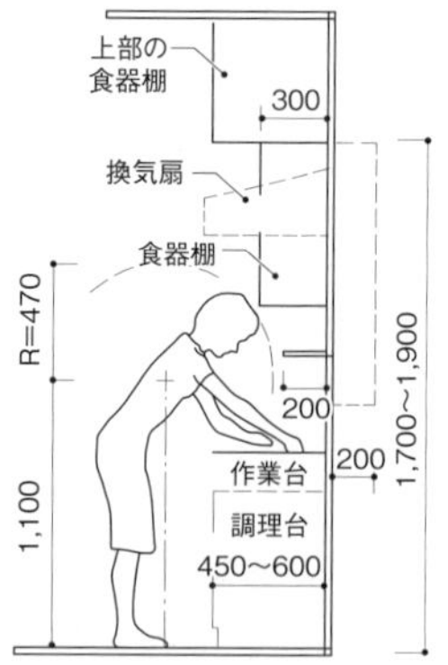
上部の
食器棚
300
換気扇
食器棚
R=470
200
作業台
200
調理台
1,100
1,700~1,900
450~600
設備の高さと奥行

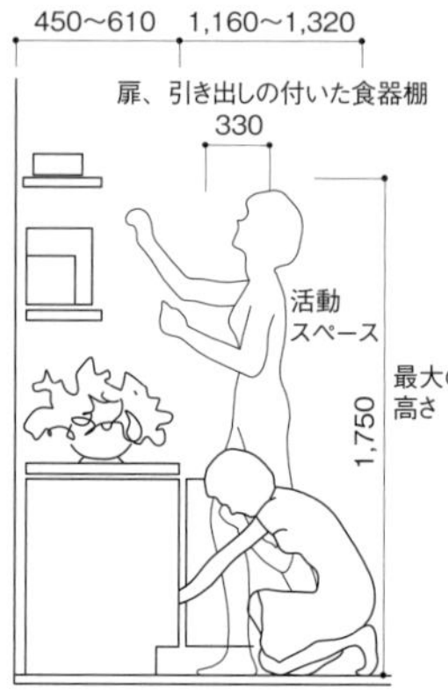
450~610
1,160~1,320
扉、引き出しの付いた食器棚
330
活動
スペース
最大の
高さ
1,750
壁に設置された食器棚（女性用）

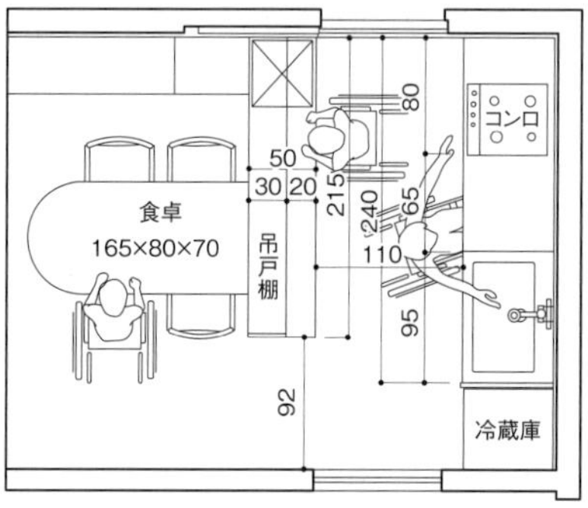
食卓
165×80×70
吊戸棚
コンロ
80
50
30
20
215
240
65
110
95
92
冷蔵庫

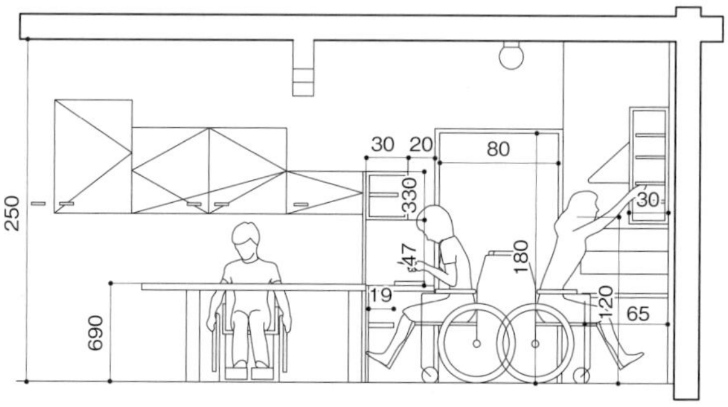
250
690
30
20
80
330
30
47
180
19
120
65
障害者用キッチンの寸法

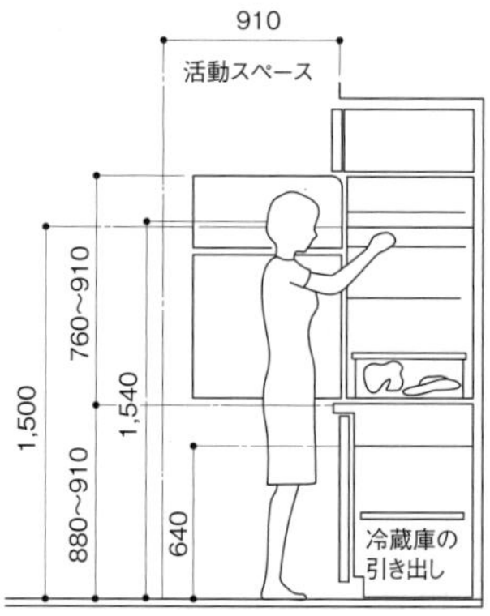
910
活動スペース
760~910
1,540
1,500
880~910
640
冷蔵庫の
引き出し
冷蔵庫の配置

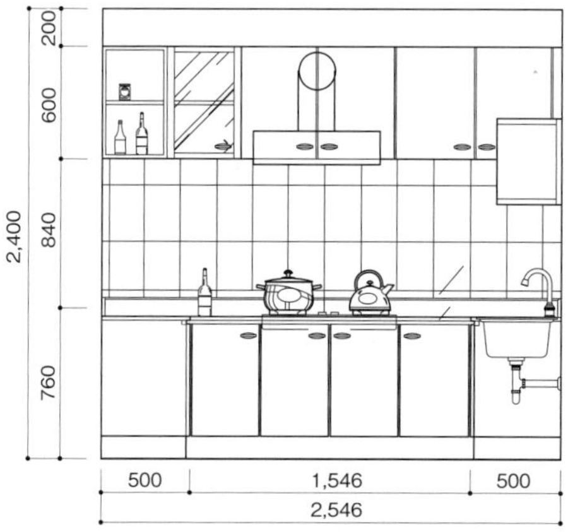
200
600
2,400
840
760
500
1,546
500
2,546
立面図

200
600
2,400
840
760
500
430
850
220
400
2,400
立面図

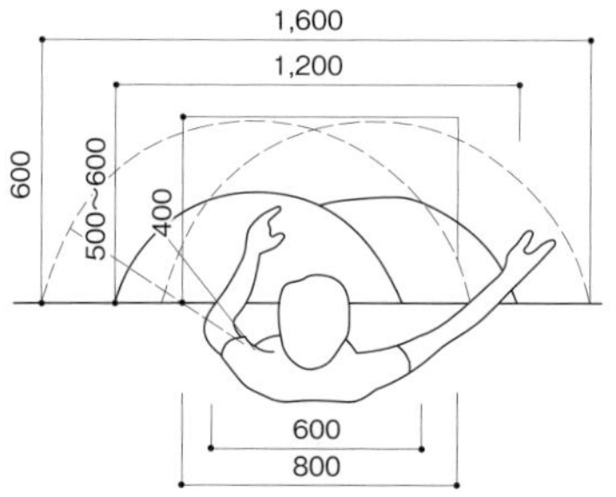
1,600
1,200
600
500~600
400
600
800
キッチンに最低限必要とされる広さ

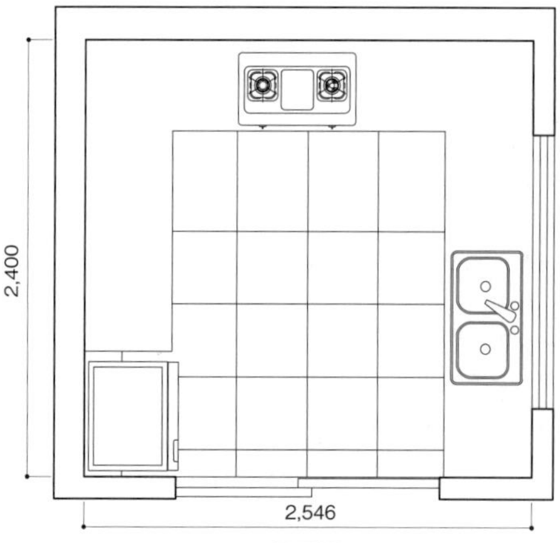
2,400
2,546
平面図

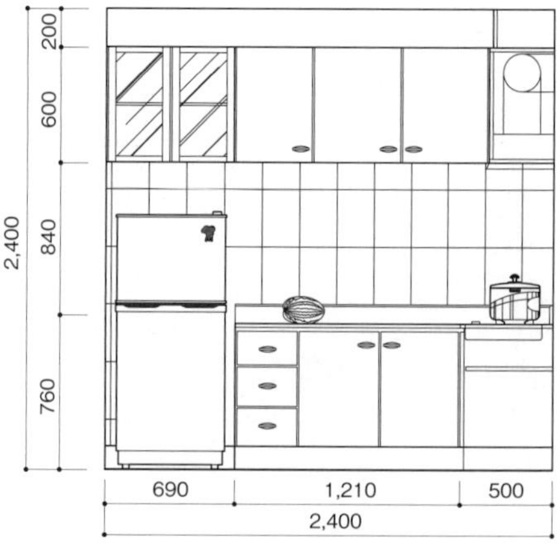
200
600
2,400
840
760
690
1,210
500
2,400
立面図

設計のポイント

1. キッチンの空間は一般的に、閉鎖式と開放式の2種類がある。閉鎖式の長所は清潔を保てることで、調理で煙が出てもほかの部屋には入らない。開放式の長所は空間に広がりができ、よりスペースを確保できることである。キッチンには、食材の貯蔵、洗浄、調理という3つの役割があり、一連の作業がしやすいように、人体工学に基づいて設計しなければならない。まずはI字型、L字型、U字型、合体型、あるいはアイランド型のどの配置方法を採用するのかを決め、続いて具台的な作業スペースを決める。
2. 主な設備は調理台と食器棚である。材質と色を入念に検討したうえで選択すべきである。
3. 床面にはシリコンコーティングを施すとよい。滑り止めの効果があるうえに、酸に強く、かつ汚れを除去しやすい。壁にも同様のコーティングを施すことが好ましい。

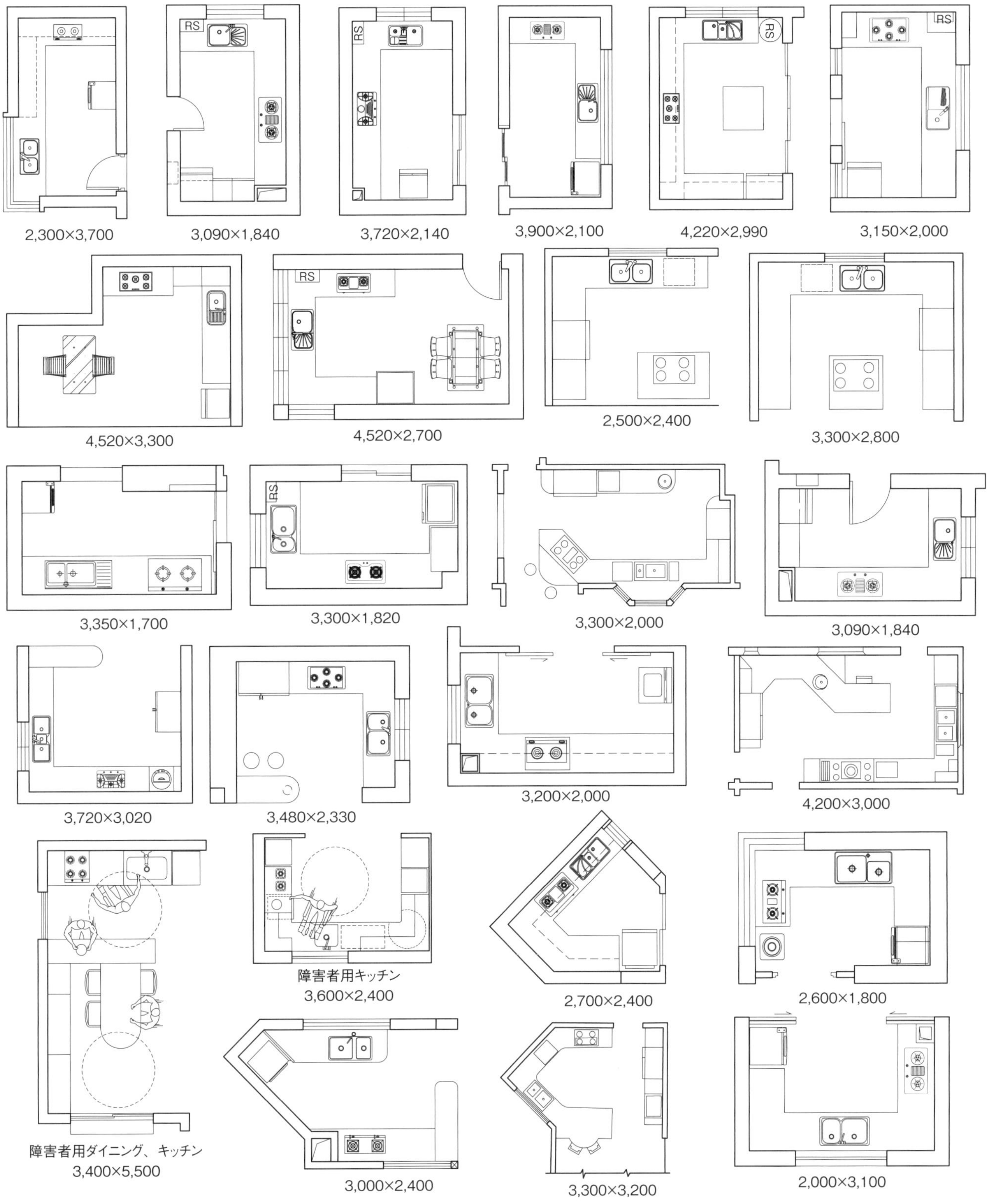
RS

2,300×3,700

3,090×1,840

3,720×2,140

3,900×2,100

4,220×2,990

3,150×2,000

4,520×3,300

4,520×2,700

2,500×2,400

3,300×2,800

3,350×1,700

3,300×1,820

3,300×2,000

3,090×1,840

3,720×3,020

3,480×2,330

3,200×2,000

4,200×3,000

障害者用ダイニング、キッチン
3,400×5,500

障害者用キッチン
3,600×2,400

2,700×2,400

2,600×1,800

3,000×2,400

3,300×3,200

2,000×3,100

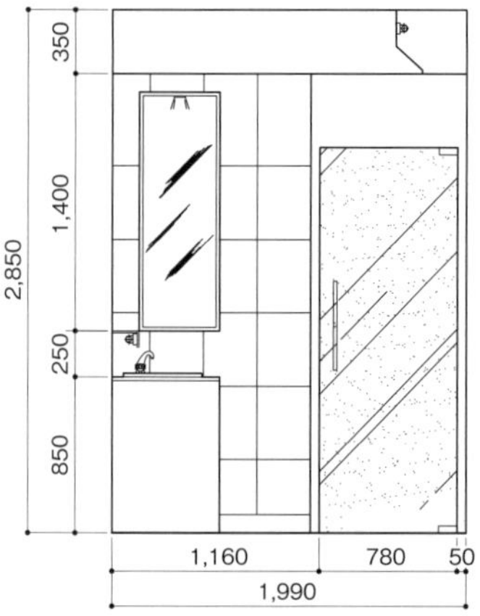
350
1,400
2,850
250
850
1,160
780
50
1,990

立面図

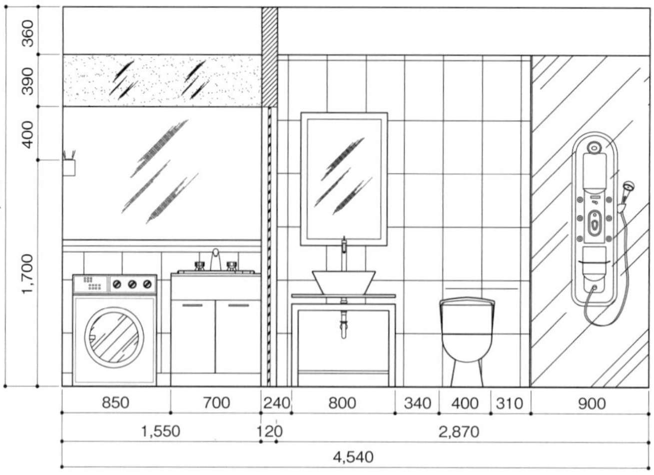
360
390
400
2,850
1,700
850
700
240
800
340
400
310
900
1,550
120
2,870
4,540

立面図

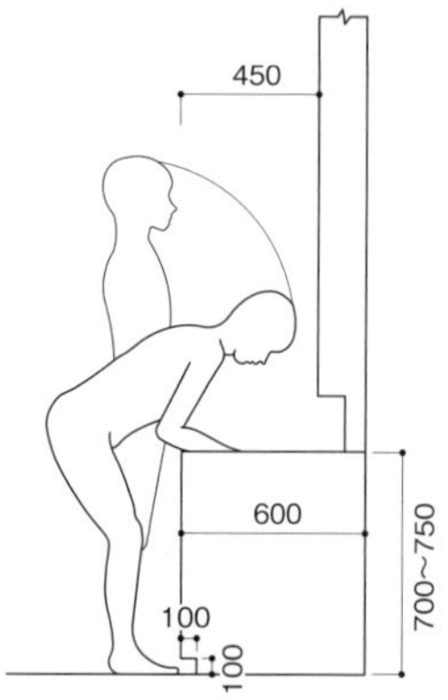
450
600
700~750
100
100

洗面台の高さ

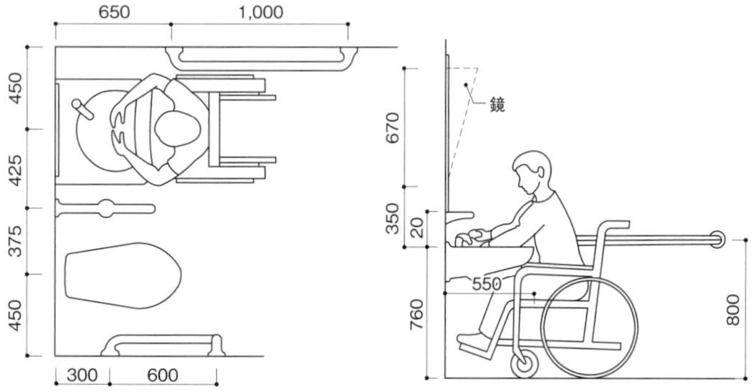
650
1,000
450
425
375
450
300
600
鏡
670
350
20
550
760
800

障害者用の洗面台

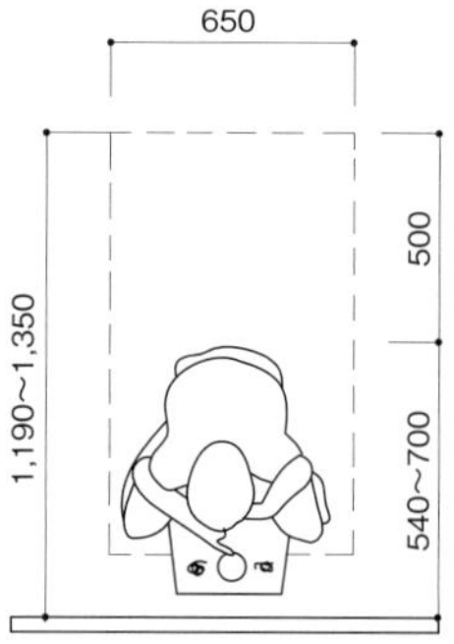
650
500
1,190~1,350
540~700

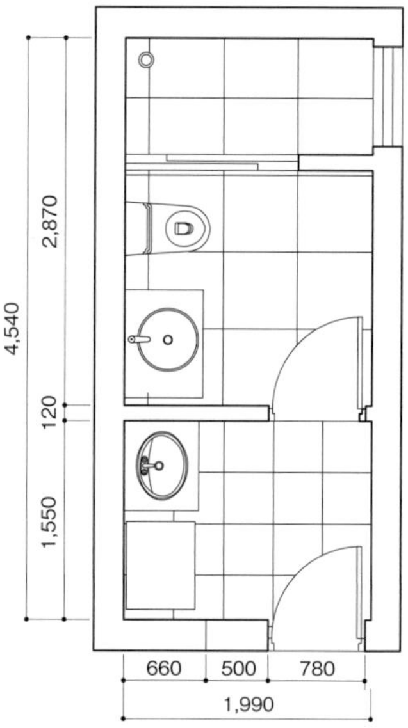
2,870
4,540
120
1,550
660
500
780
1,990

平面図

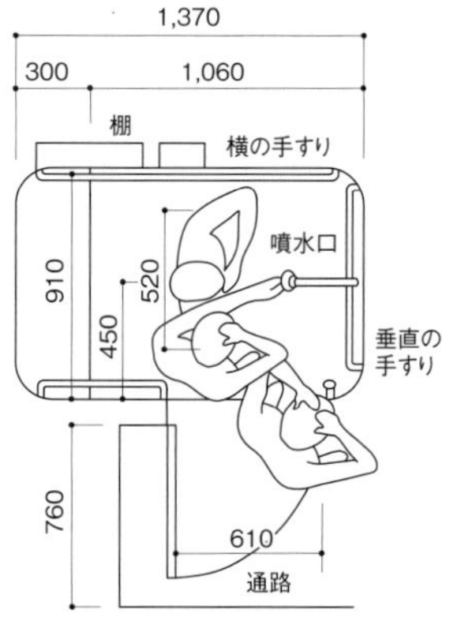
1,370
300
1,060
棚
横の手すり
噴水口
910
520
450
垂直の
手すり
760
610
通路

シャワー室の平面図

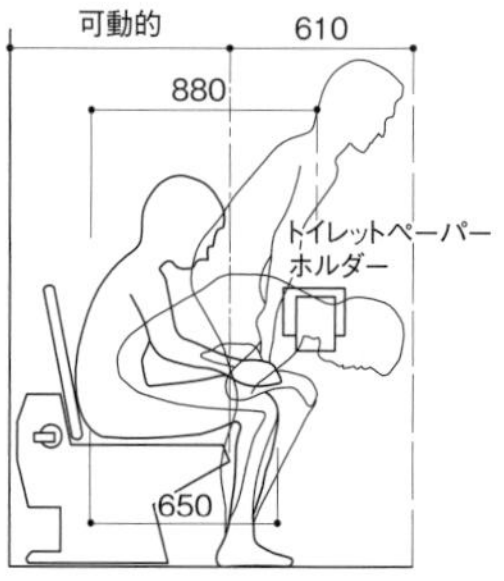
可動的
610
880
トイレットペーパー
ホルダー
650

洋式トイレの立面図

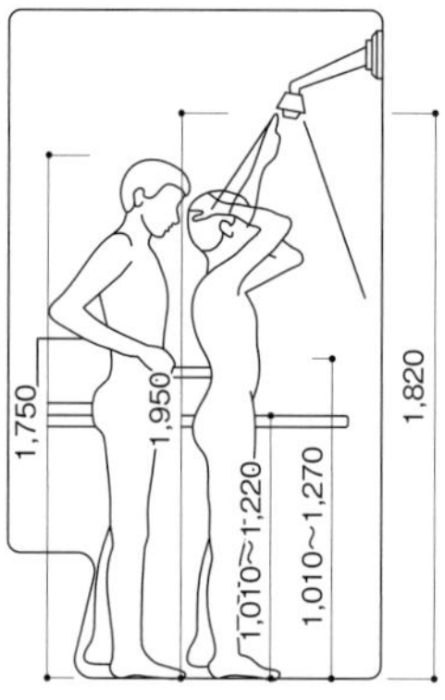
1,750
1,950
1,010~1,220
1,010~1,270
1,820

シャワー室の立面図

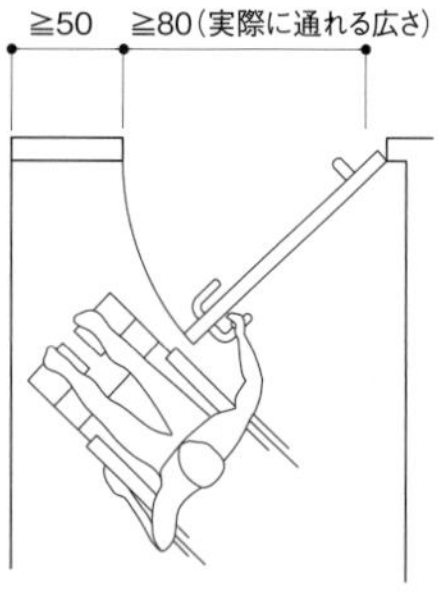
≧50
≧80（実際に通れる広さ）

障害者用扉の寸法

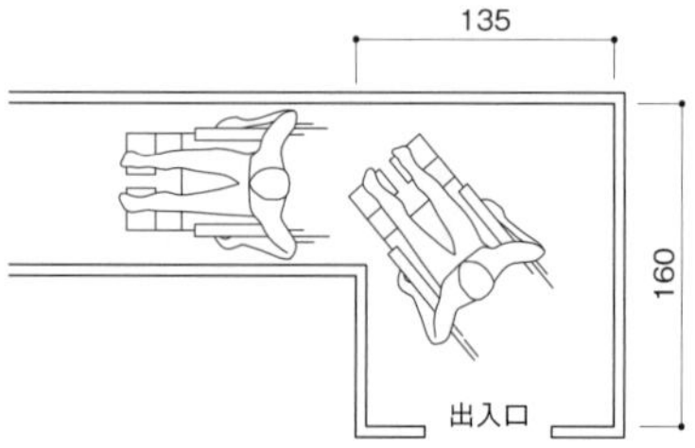
135
160
出入口

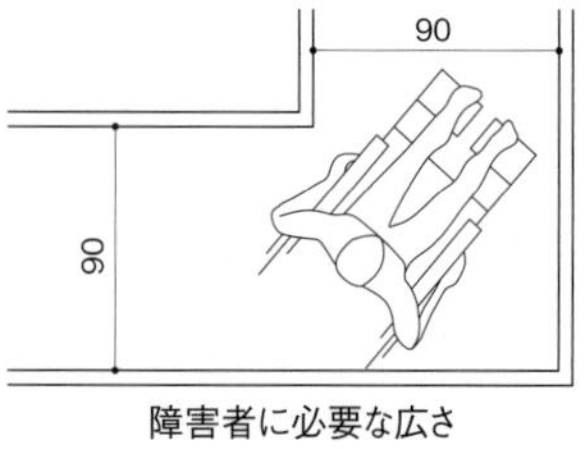
90
90

障害者に必要な広さ

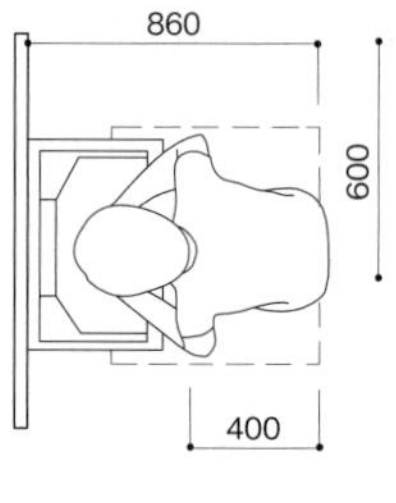
860
600
400

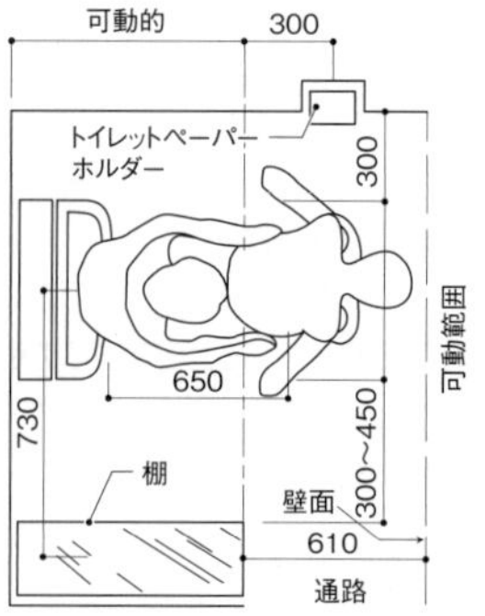
可動的
300
トイレットペーパー
ホルダー
300
可動範囲
650
730
棚
壁面
300~450
610
通路

洋式トイレの平面図

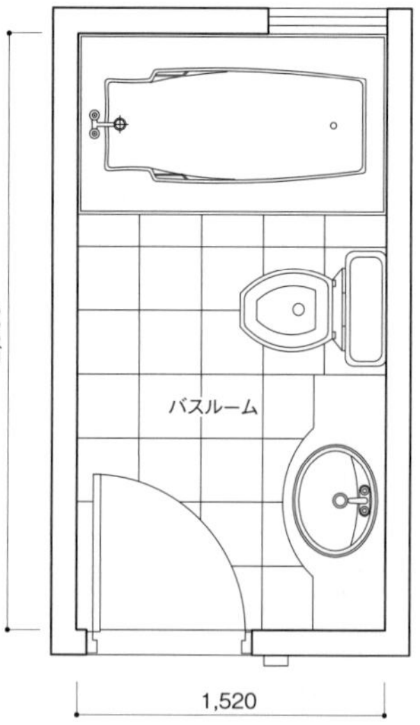
バスルーム
2,900
1,520

ユニットバスの平面図

設計のポイント

1. トイレ・バスルームは一般的にトイレと浴室のスペースに分けられる。必要になる主な器具は洗面台、便器、浴槽、シャワーである。
2. ウォシュレットは昔は洗浄機能しかなかったが、いまでは暖房、脱臭乾燥などさまざまな機能が付いたものも多い。また、デザイン性に優れ、エコ機能が付いたものも登場している。
3. 床面や壁には滑りにくく清掃しやすい材質を用いる。天井には換気・暖房設備を設置する。

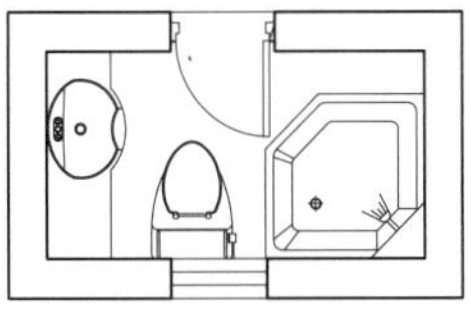

1,740×2,500

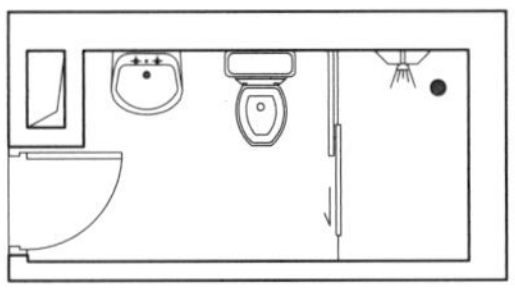

1,680×3,180

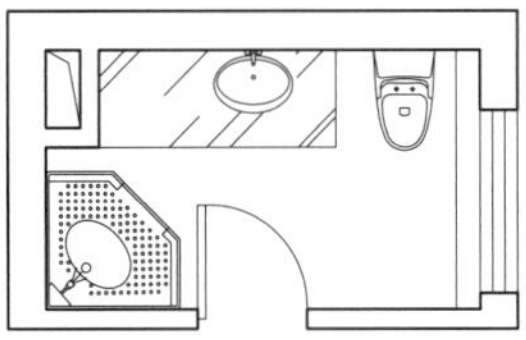

1,600×2,760

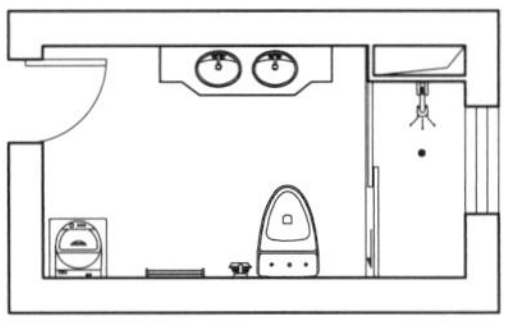

1,860×3,540

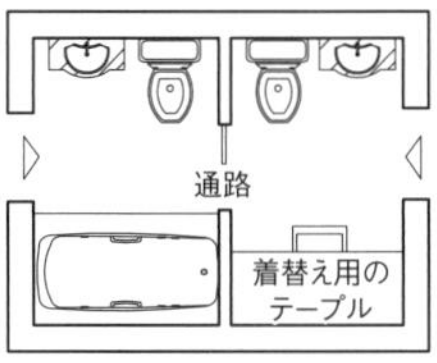
通路
着替え用のテーブル

3,050×2,290

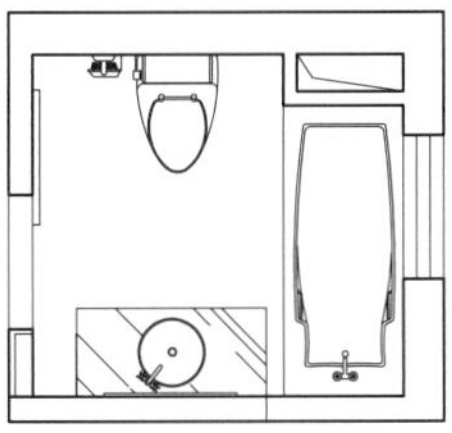

1,930×2,150

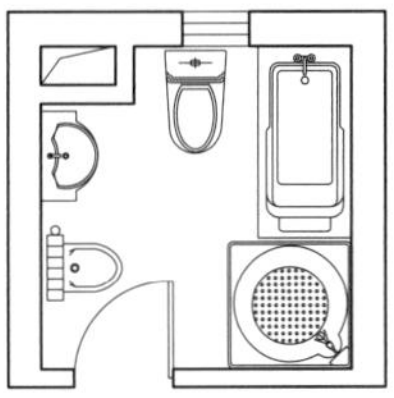

2,500×2,500

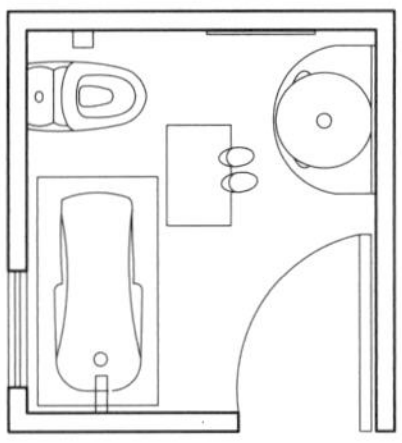

2,000×2,100

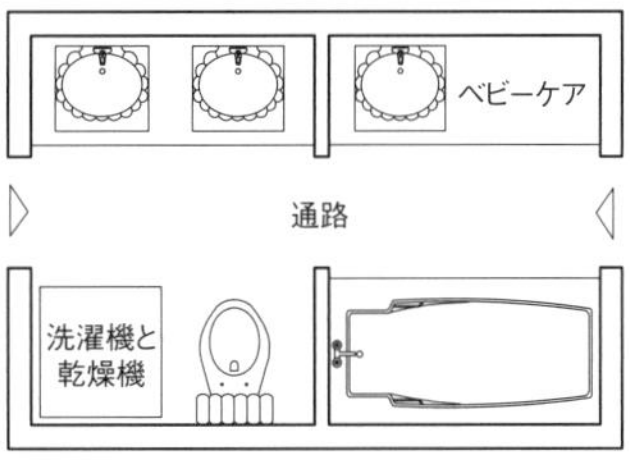
ベビーケア
通路
洗濯機と乾燥機

2,440×3,050

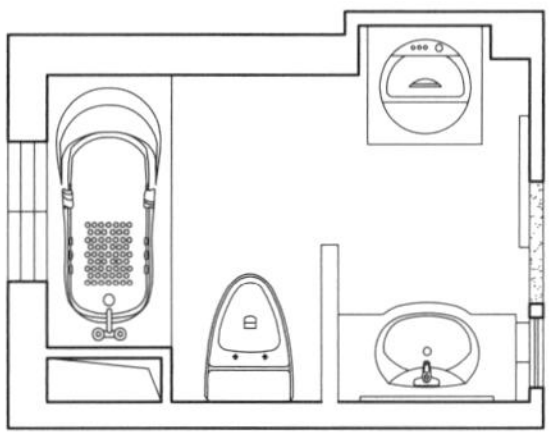

1,870×2,860

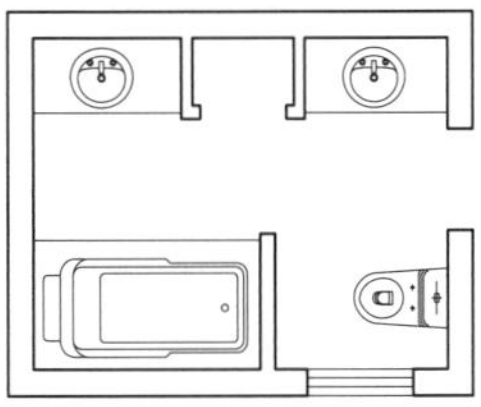

2,740×2,130

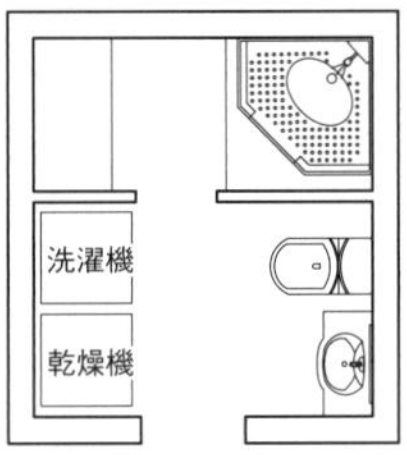
洗濯機
乾燥機

2,440×2,440

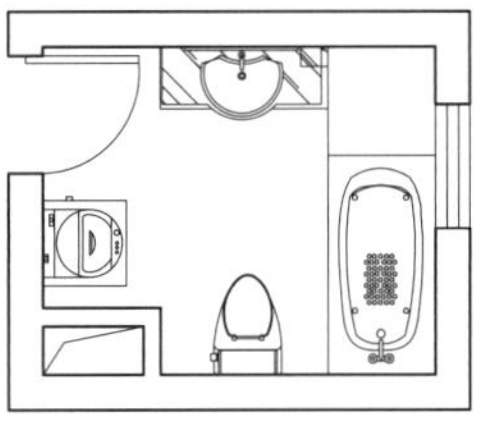

2,240×2,760

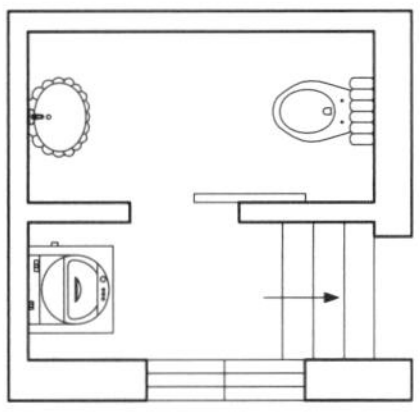

2,270×2,330

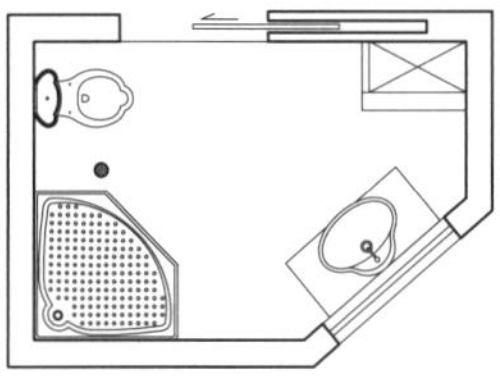

2,270×3,360

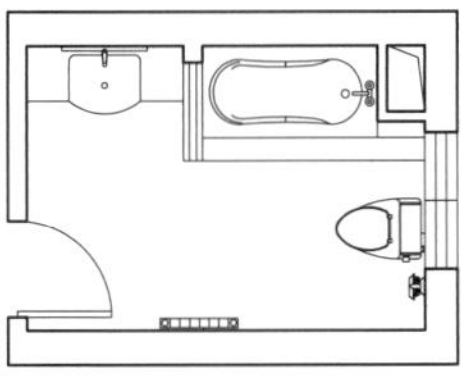

2,330×3,350

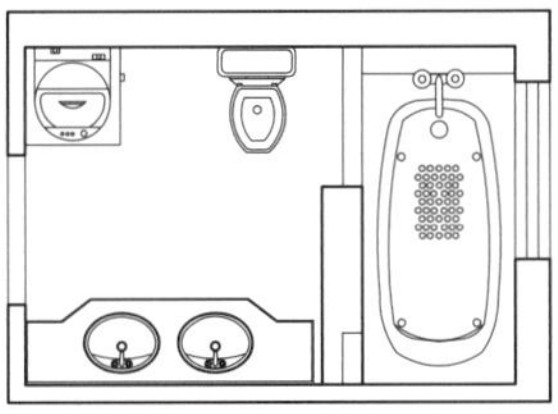

2,400×3,390

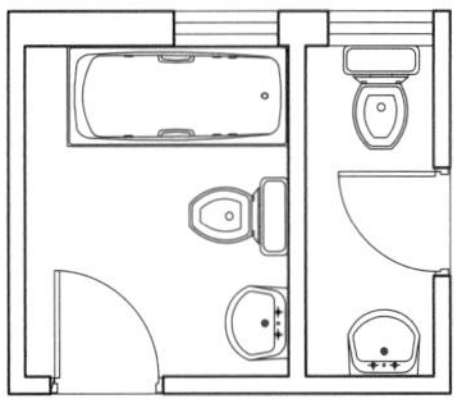

2,570×3,030

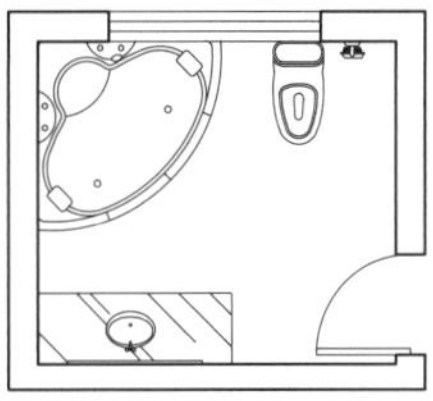

2,580×2,990

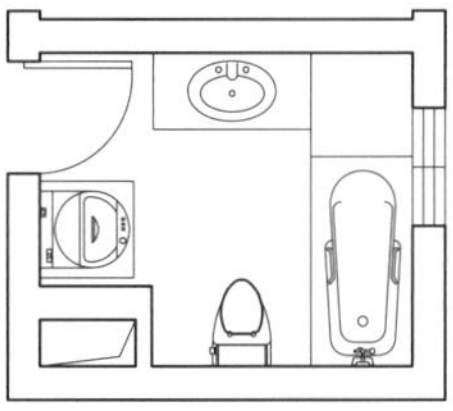

2,240×2,760

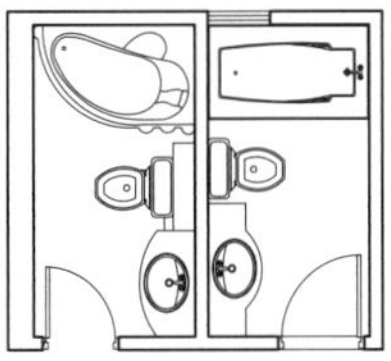

3,020×3,460

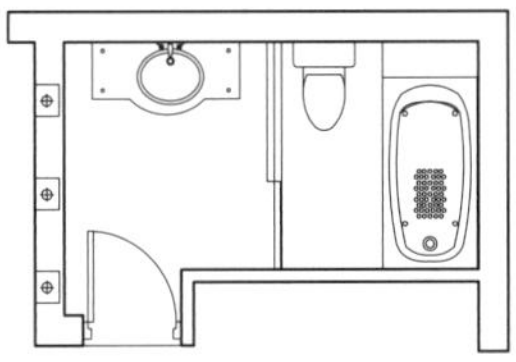

3,020×3,720

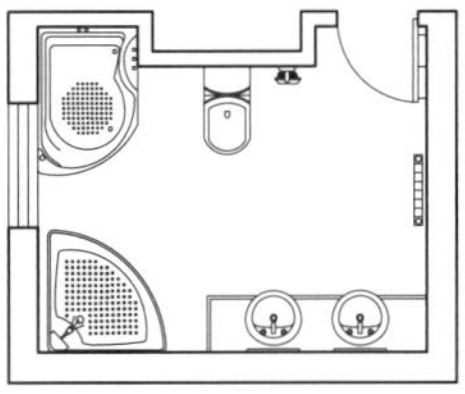

3,020×3,720

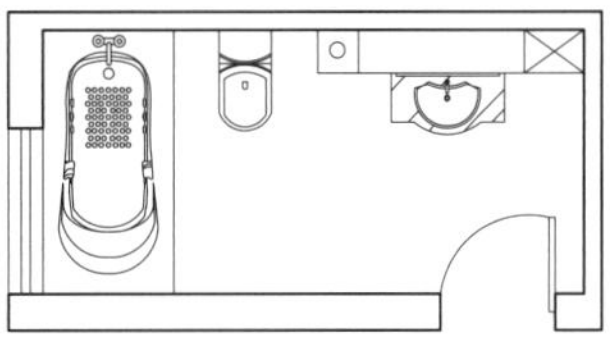

3,760×1,760

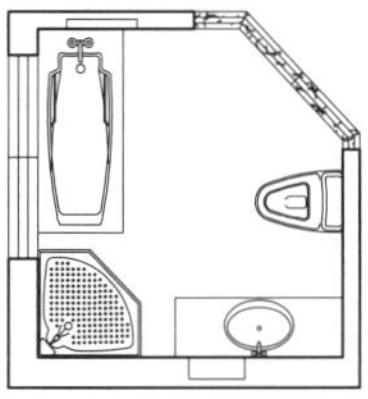

2,920×3,030

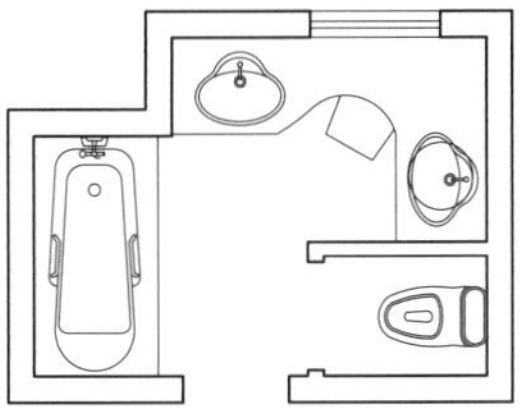

2,130×3,050

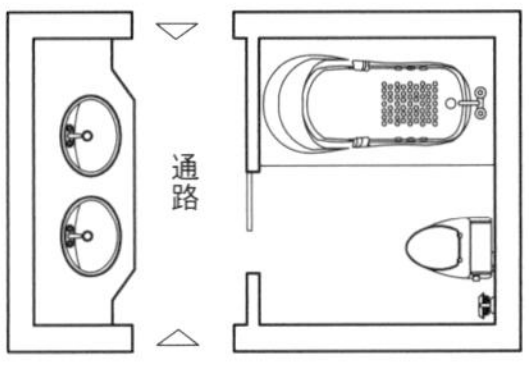
通路

1,830×3,050

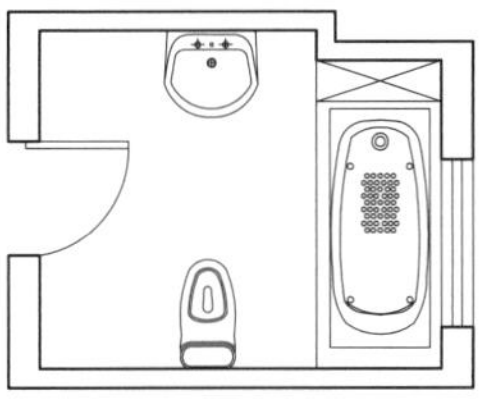

2,900×2,200

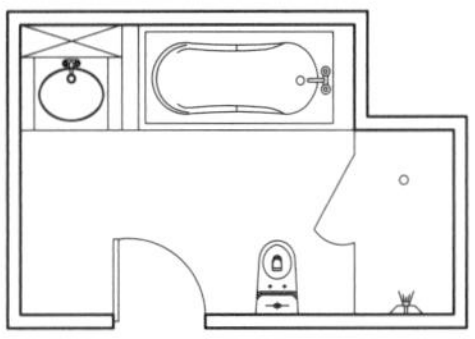

3,900×2,500

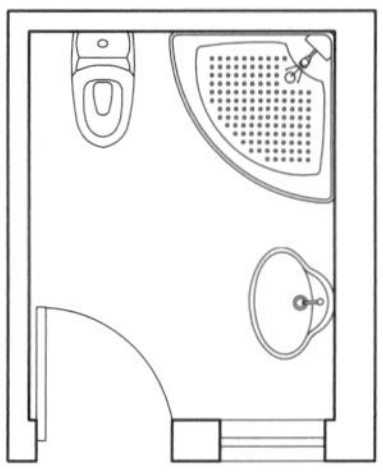

1,800×2,200

設計のポイント

1. オフィスには多くの種類があり、用途から公共施設と民間施設に、間仕切りの仕方から閉鎖式と開放式に、空間の使い方から個室型と共有型に大きく分けられる。
2. 個室型の広さは主に20～40㎡で、デスク・スペースに加えて打合せスペース、本棚を置くスペースを設ける。個室型は空間設計上、シンプルかつ精密さが要求される。
3. 共有スペース型は４人から６人で使用されるオフィスを指す。広さは40～60㎡で、備品の配置は仕事の手順を考慮し、互いの邪魔にならないようにしなければならない。
4. 開放式はコンピューター通信設備などを数多く置く必要があるオフィスに適している。家具は寒色のものを中心に設置し、仕事の効率化が図れる空間をつくり上げる。臨機応変に配置を変えられることが特徴で、その際、通路が重要なポイントとなる。

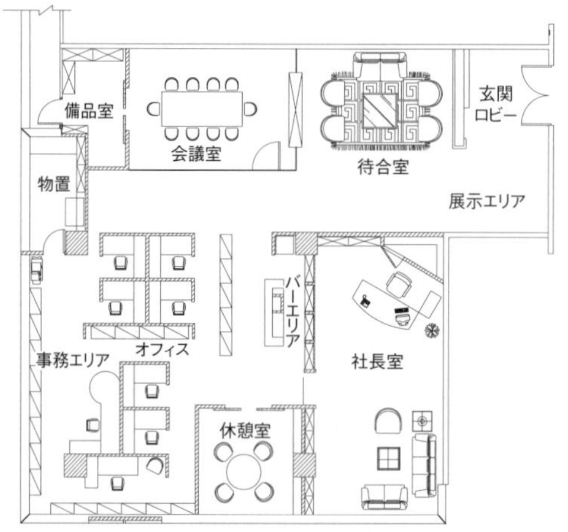
備品室
会議室
待合室
玄関
ロビー
物置
展示エリア
オフィス
バーエリア
事務エリア
社長室
休憩室
技術系企業の平面図

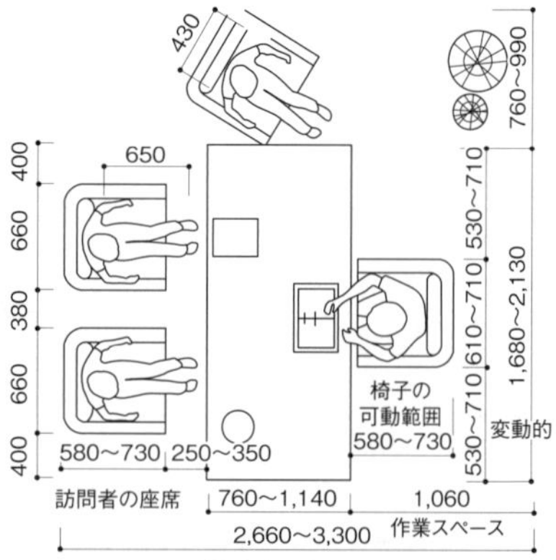
430
760～990
650
400
660
380
660
400
530～710
610～710
530～710
1,680～2,130
椅子の
可動範囲
580～730
変動的
580～730
250～350
訪問者の座席
760～1,140
1,060
作業スペース
2,660～3,300
社長室の配置図

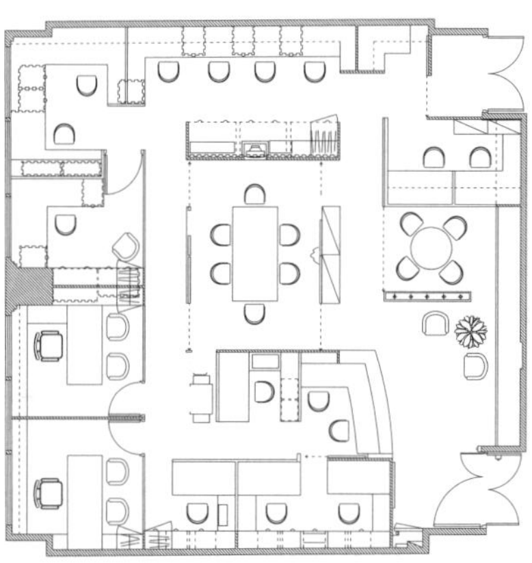
コンサルティング会社の平面図

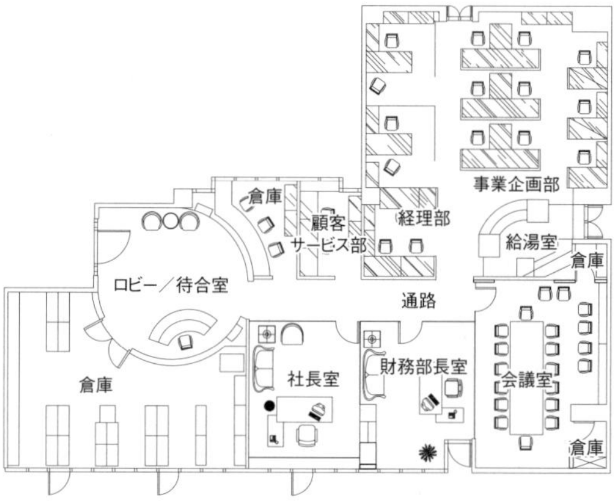
事業企画部
倉庫
顧客
サービス部
経理部
給湯室
倉庫
ロビー／待合室
通路
倉庫
社長室
財務部長室
会議室
倉庫
建設会社の平面図

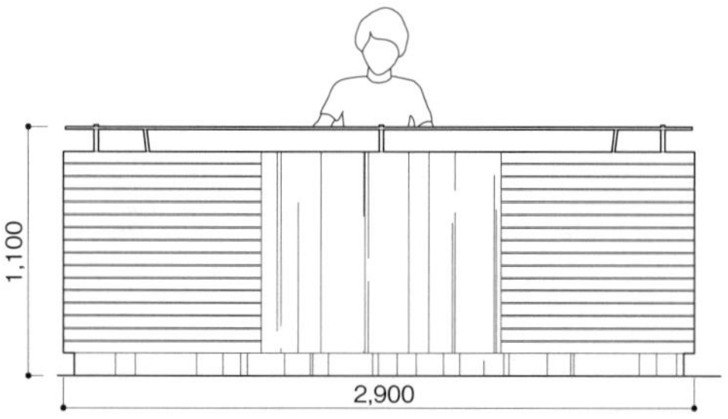
1,100
2,900
受付デスクの立面図

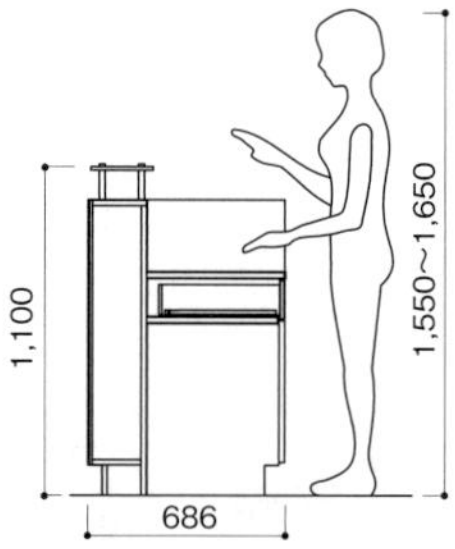
1,100
1,550～1,650
686
受付デスクの側面図

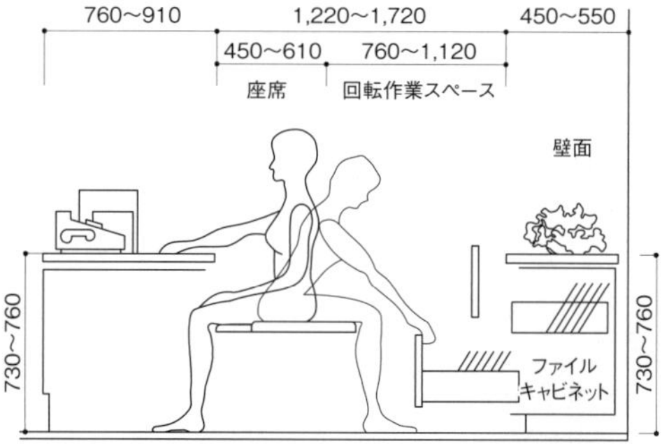
760～910
1,220～1,720
450～550
450～610
760～1,120
座席
回転作業スペース
壁面
730～760
ファイル
キャビネット
730～760
後ろ側にキャビネットを設置する場合

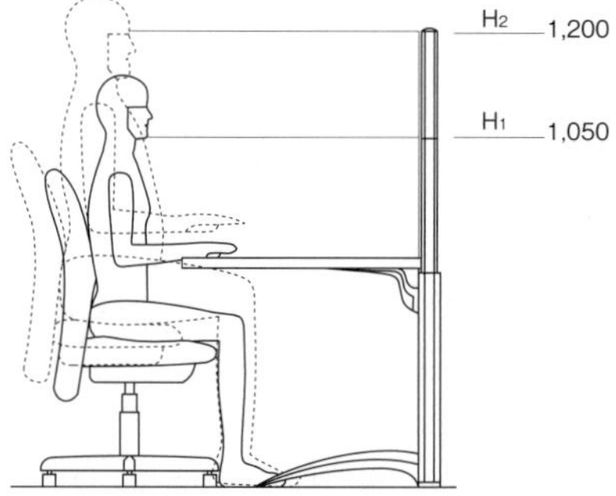
H2
1,200
H1
1,050
H1　高さ：座っているときに衝立の向こうが見える
H2　高さ：座っているときに衝立の向こうが見えない

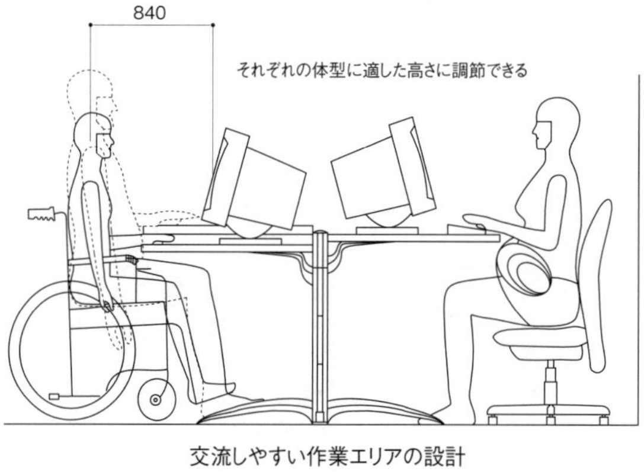
840
それぞれの体型に適した高さに調節できる
交流しやすい作業エリアの設計

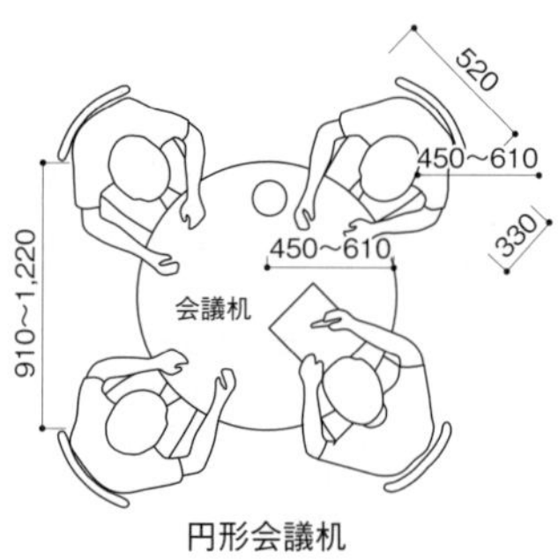
520
450～610
330
450～610
910～1,220
会議机
円形会議机

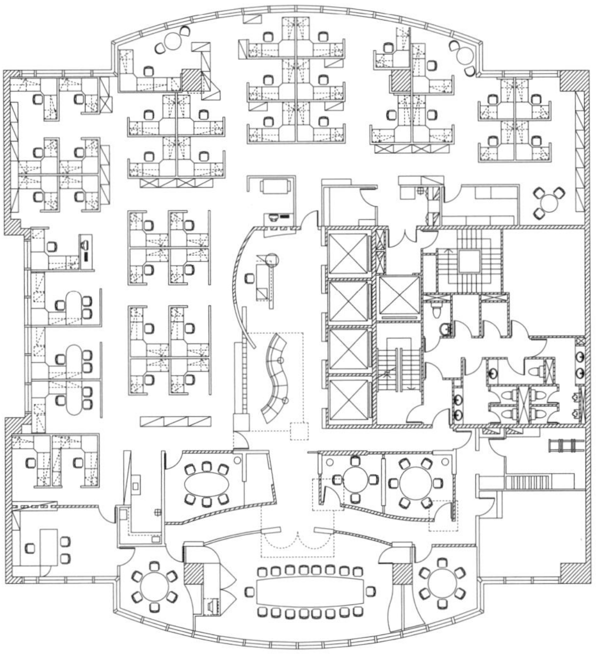

インターネット通信会社の平面図

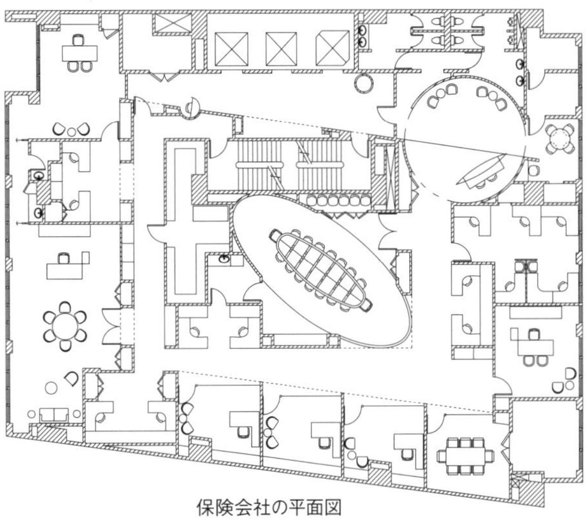

保険会社の平面図

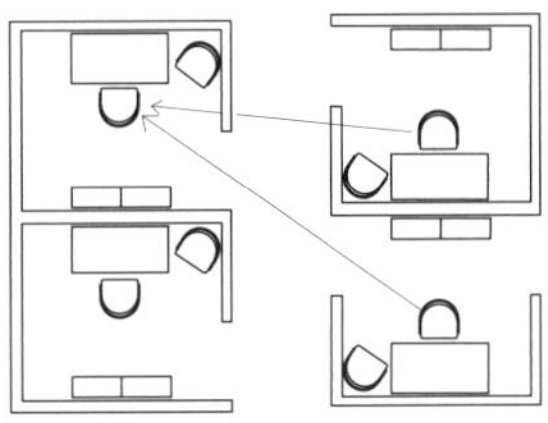

望ましい配置

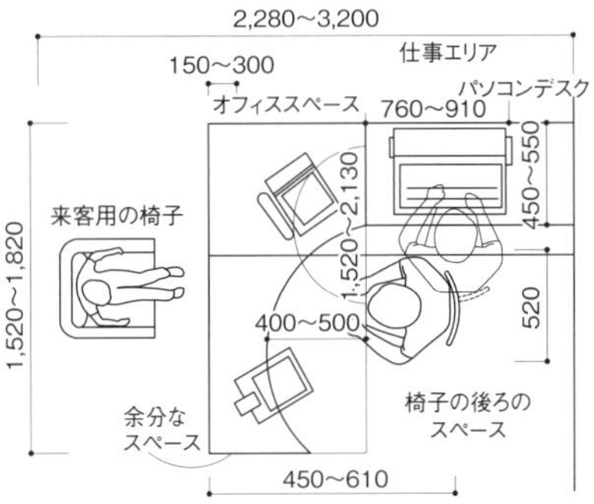
2,280～3,200
150～300
仕事エリア
パソコンデスク
オフィススペース
760～910
450～550
来客用の椅子
1,520～2,130
1,520～1,820
520
400～500
余分なスペース
椅子の後ろのスペース
450～610

基本的な仕事スペースの配置

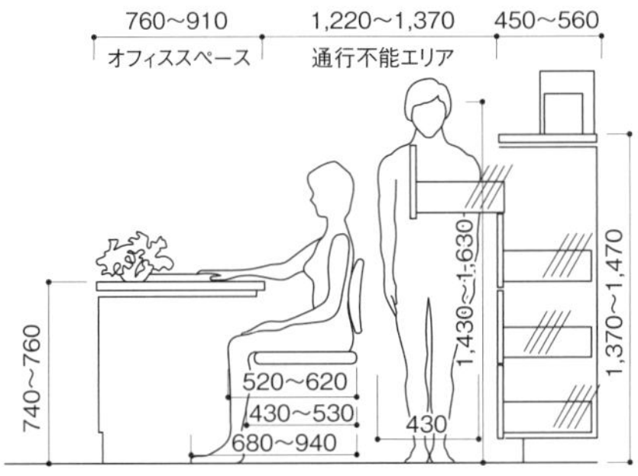
760～910
1,220～1,370
450～560
オフィススペース
通行不能エリア
1,430～1,630
1,370～1,470
740～760
520～620
430～530
680～940
430

デスクと収納器具の距離

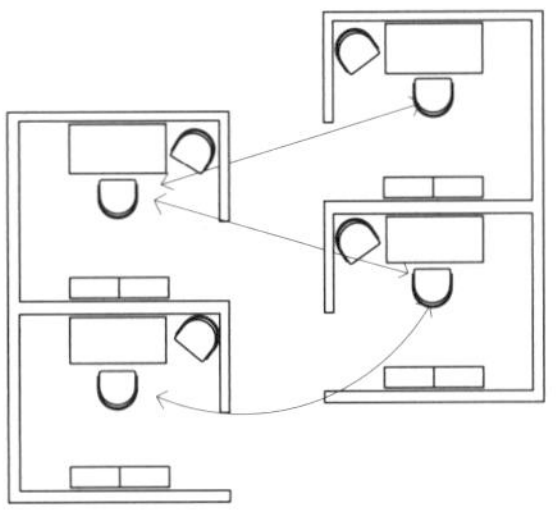

望ましい配置

開放式オフィスの構造

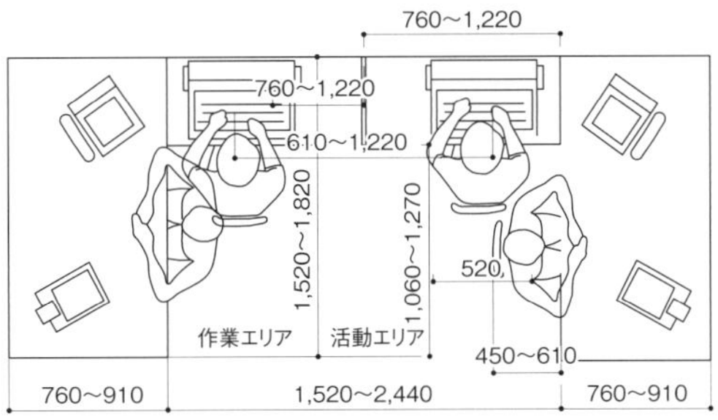
760～1,220
760～1,220
610～1,220
1,520～1,820
1,060～1,270
520
作業エリア
活動エリア
450～610
760～910
1,520～2,440
760～910

隣り合わせの配置

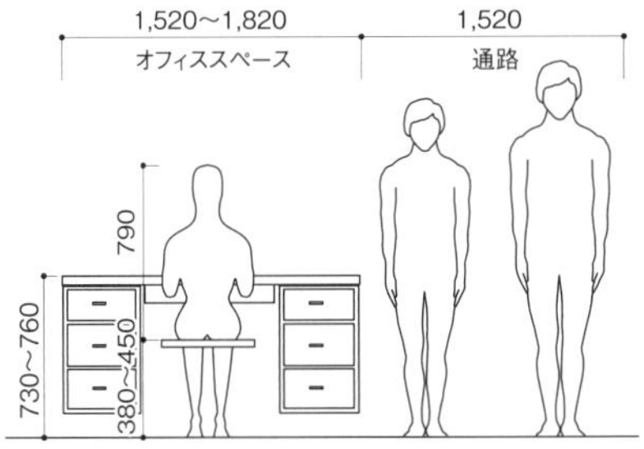
1,520～1,820
1,520
オフィススペース
通路
790
730～760
380～450

デスク横の通路スペース

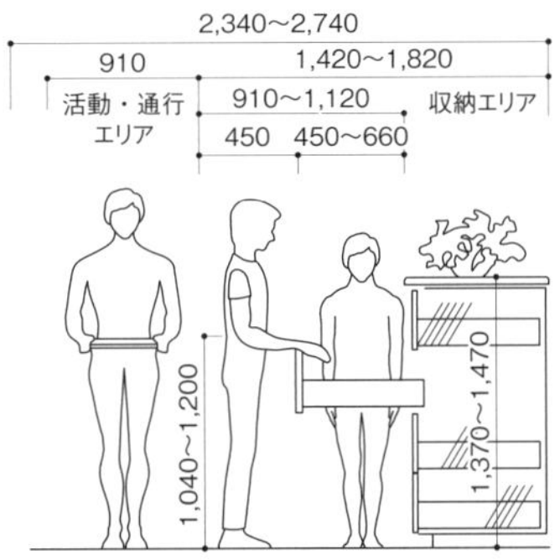
2,340～2,740
910
1,420～1,820
活動・通行エリア
910～1,120
収納エリア
450
450～660
1,040～1,200
1,370～1,470

収納器具および活動・通行空間

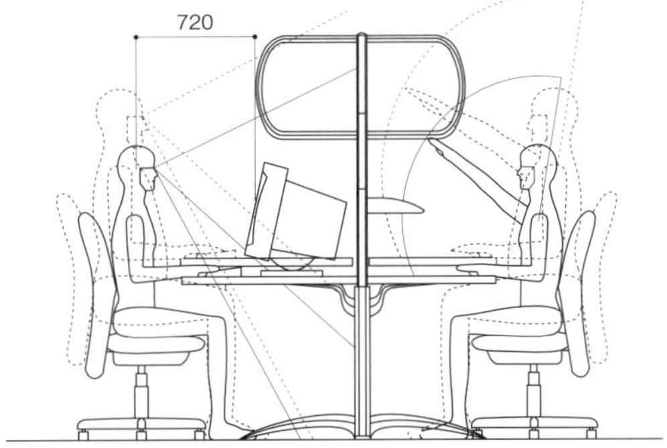
720

人間の活動および視界に適した範囲

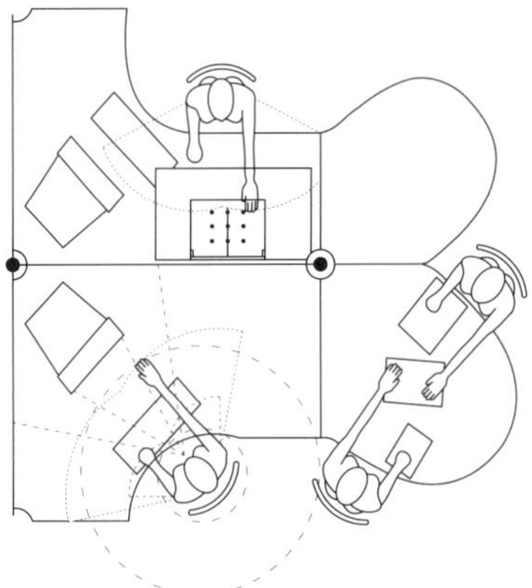

設計のポイント

60～100㎡ほどの広さの部屋なら、20～40人の使用に適しているが、場合によってはもっと座席を増やすこともできる。

大型の会議室には通常、スクリーンやプロジェクター、LANケーブルなど、さまざまな設備が設置される。

応接型会議室には会議机はなく、応接テーブルとソファのみ設置され、応接テーブルを囲むように座る。

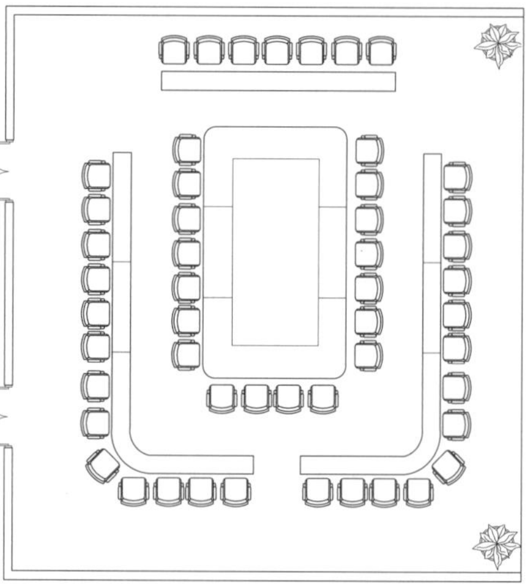

U字型の配置

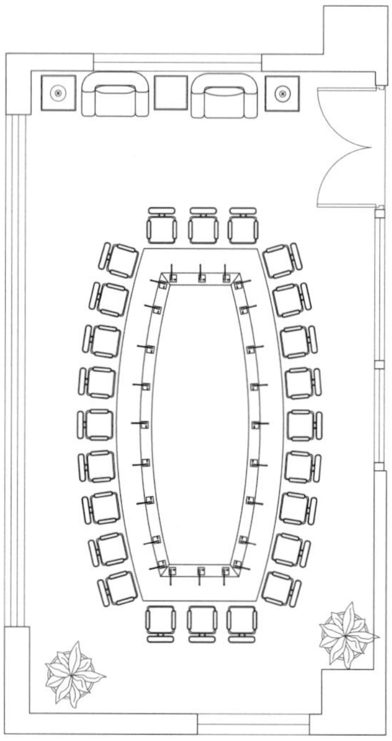

鼓型の配置

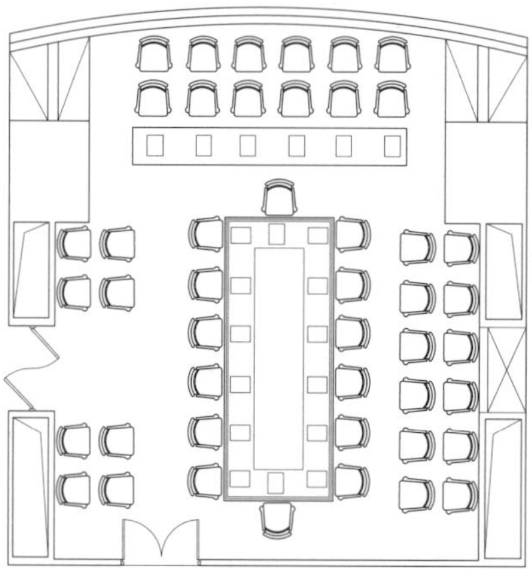

ループ型の配置

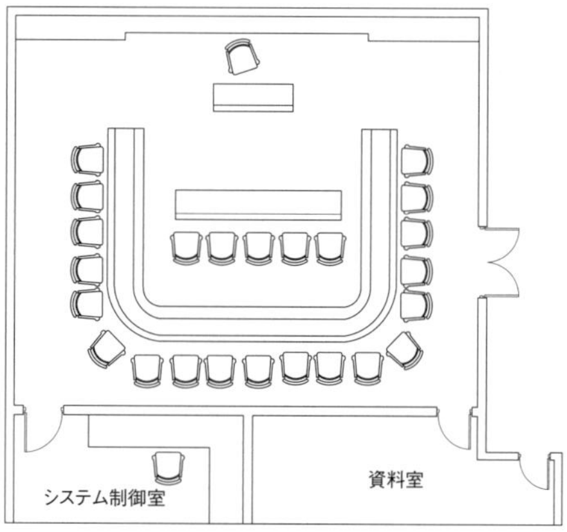
システム制御室
資料室

テレビ会議室の配置

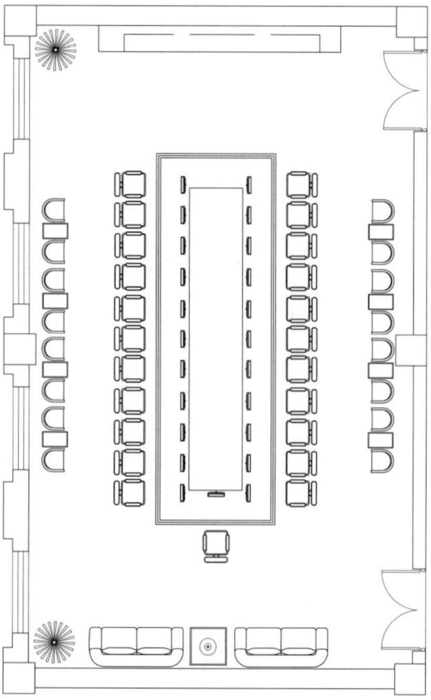

長方形型の配置

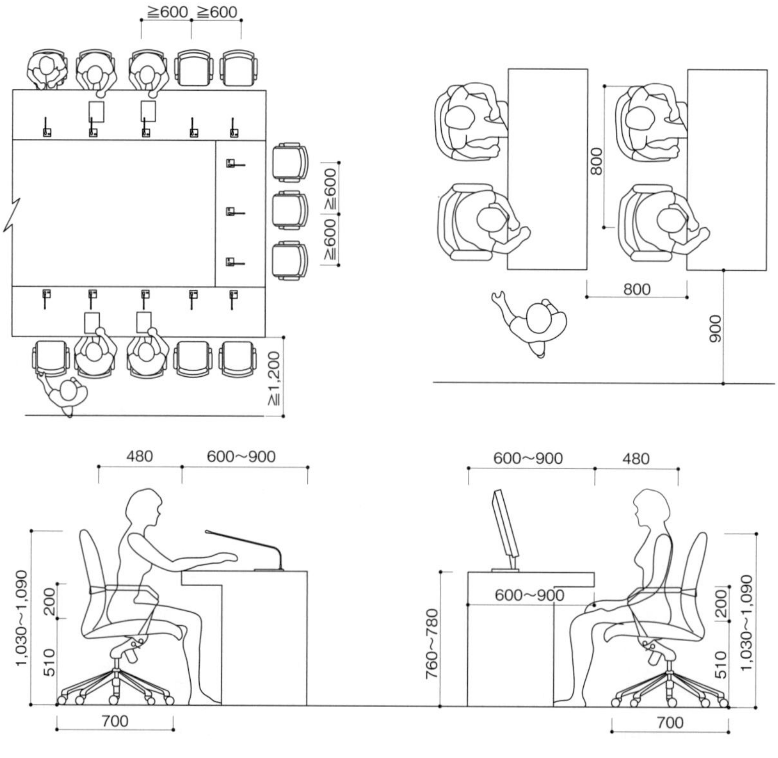
≧600 ≧600
≧600 ≧600
≧1,200
800
800
900
480
600～900
1,030～1,090
200
510
700
600～900
480
600～900
760～780
200
1,030～1,090
510
700

設計のポイント

1. 人が集まったり、来客を迎える場所なので、談話しやすいように向かいの相手との距離を1.5mほど取るのが望ましい。
2. 密閉式あるいは半密閉式の応接室は数人一組になるように座席を設置し、各組の間のスペースは十分に取る。
3. 一般的に、天井に優しい光の照明を設置し、床には柔らかい色合いの絨毯を敷く。家具は大型のソファと応接テーブルなどを用意する。

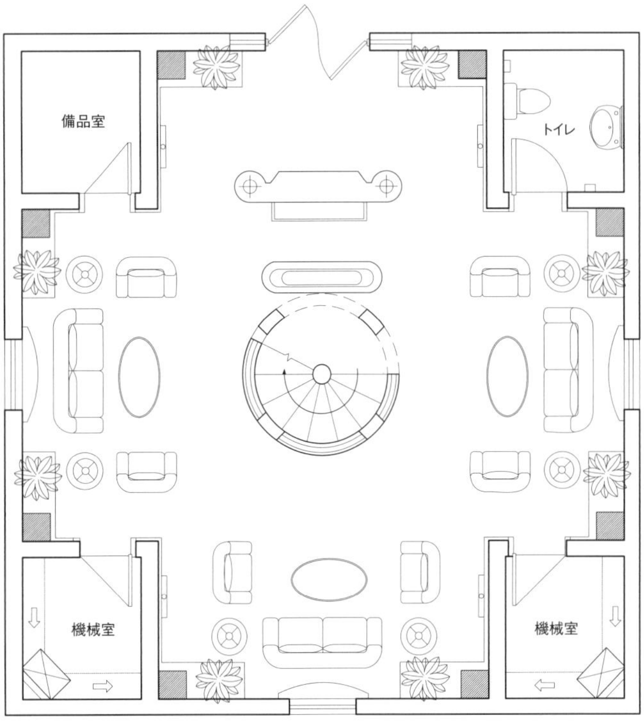

備品室
トイレ
機械室
機械室

応接室

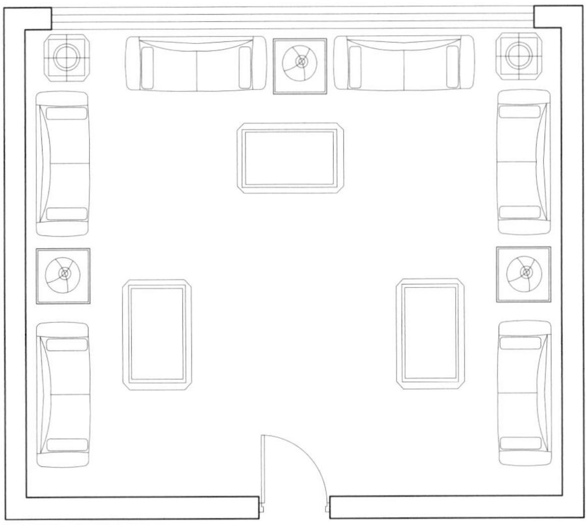

応接室

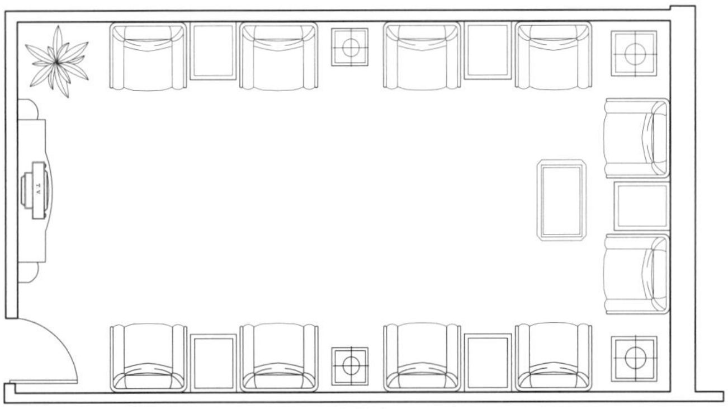

応接室

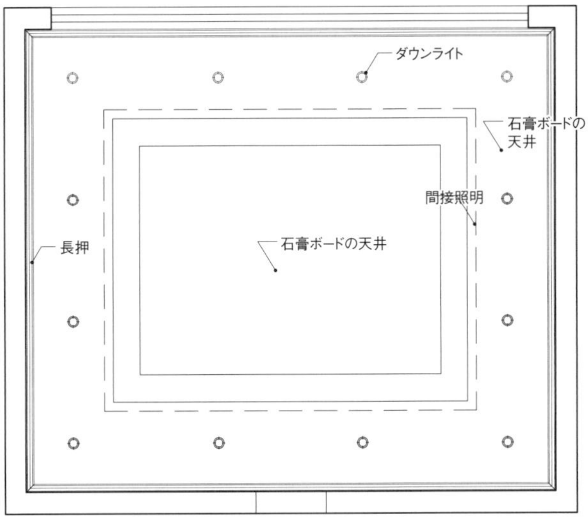

ダウンライト
石膏ボードの天井
間接照明
長押
石膏ボードの天井

応接室の天井伏図

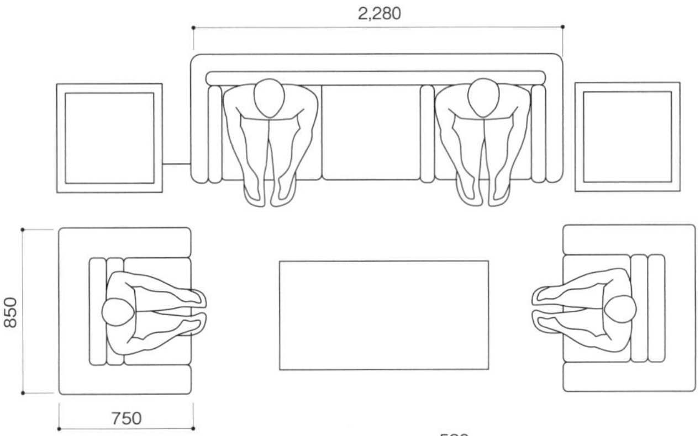

2,280
850
750

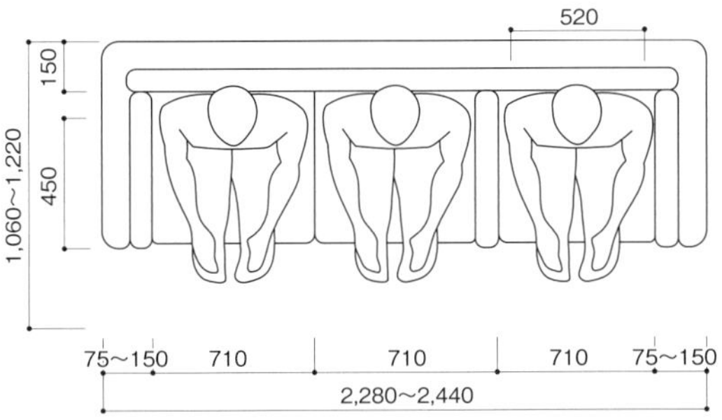

520
150
450
1,060〜1,220
75〜150
710
710
710
75〜150
2,280〜2,440

3人用ソファ

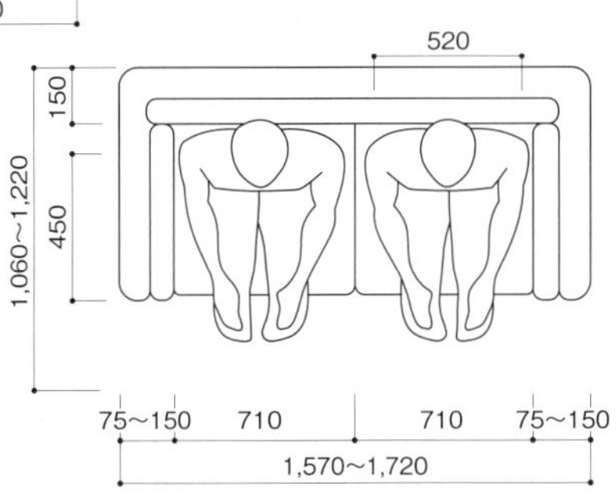

520
150
450
1,060〜1,220
75〜150
710
710
75〜150
1,570〜1,720

2人用ソファ

設計のポイント

1. 出入口は、利用客の利便性の高い場所であると同時に、安全を確保できる場所に配置する。
2. サービスカウンターは業務の手順に合うよう配置し、預入れ・引出しカウンターと両替カウンターは別に設置する。
3. 各銀行の性質に見合った面積、配置、装飾とする。一般的にはロビーは全体の面積の3分の1を占め、カウンター、通路、待ち合い室の3つの部分に分けられる。大きな銀行ならインフォメーションカウンターと顧客用トイレおよび公衆電話も設置する。
4. 床は耐久性を考慮し、埃が立ちにくく滑りづらい材質を使用する。
5. 天井は照明、消防設備、空調、室内音響などのバランスを総合的に考えて設計する。室内の正味の高さが4,000㎜を超えるときは、設備の修理および点検のことも考慮して設計する。

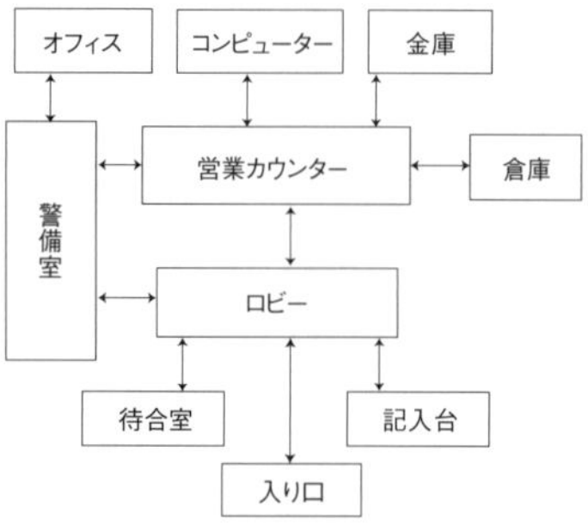
オフィス
コンピューター
金庫
警備室
営業カウンター
倉庫
ロビー
待合室
記入台
入り口
銀行のシステム

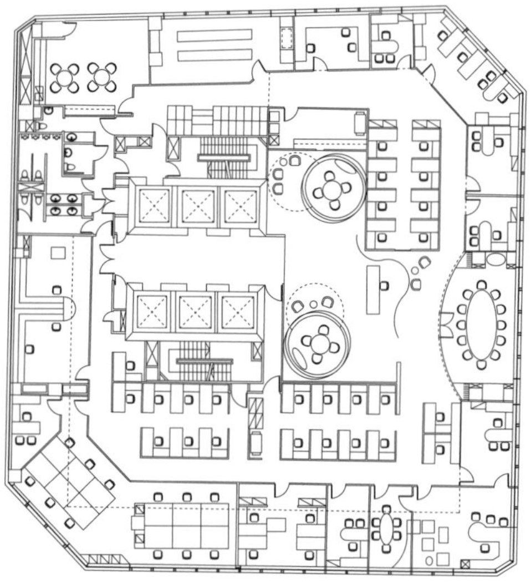
某銀行平面図

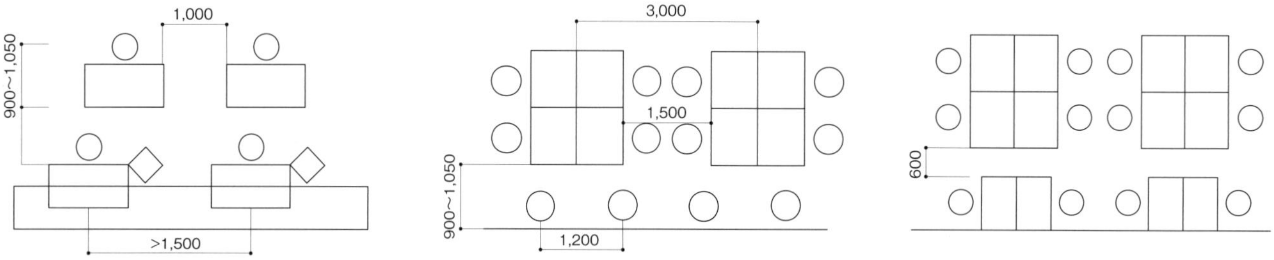
1,000
900~1,050
>1,500
3,000
1,500
900~1,050
1,200
600
オフィスデスクの配置図

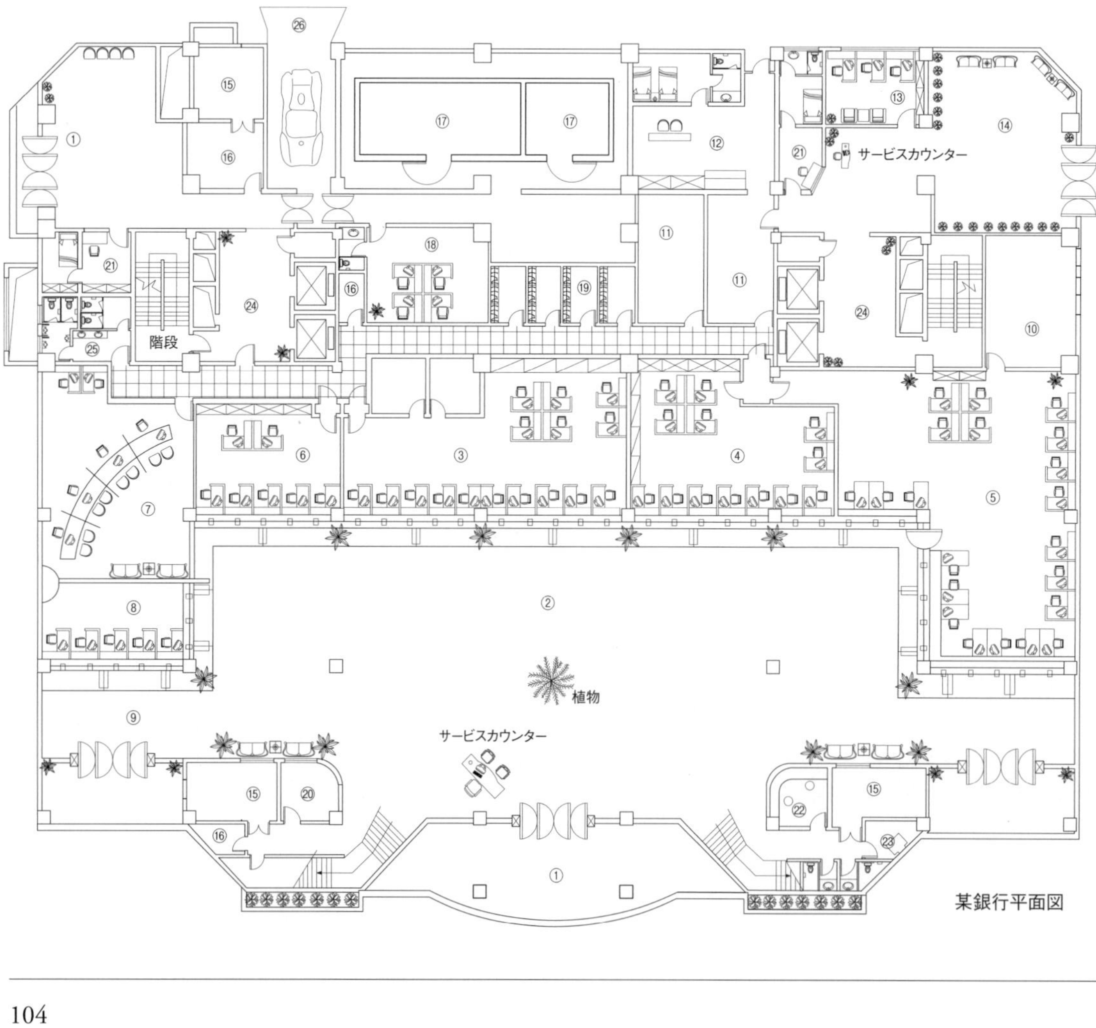
サービスカウンター
階段
植物
サービスカウンター

①入り口
②営業ロビー
③国際業務
④出納業務
⑤会計業務
⑥クレジットカード業務
⑦個人向けサービスカウンター
⑧預金出し入れカウンター
⑨待合室
⑩会計監督
⑪照合室
⑫消防コントロールセンター
⑬業務管理部
⑭貸出業務
⑮空調器室
⑯保管庫
⑰金庫
⑱警備室
⑲更衣室
⑳当番オフィス
㉑警備員スペース
㉒警備室
㉓ATM
㉔エレベーターホール
㉕トイレ
㉖現金輸送車駐車スペース

某銀行平面図

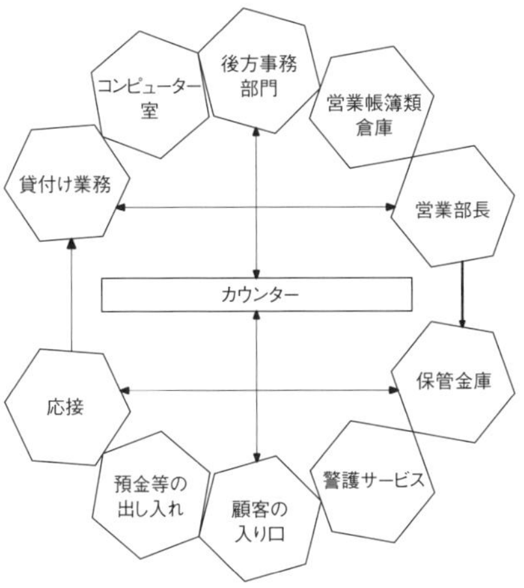
コンピューター室
後方事務部門
営業帳簿類倉庫
貸付け業務
営業部長
カウンター
保管金庫
応接
預金等の出し入れ
顧客の入り口
警護サービス

エリア分けと動線

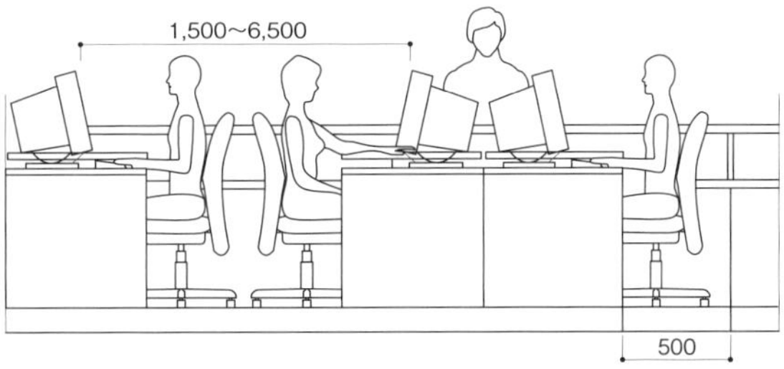
1,500〜6,500
500

銀行の営業ホールの空間

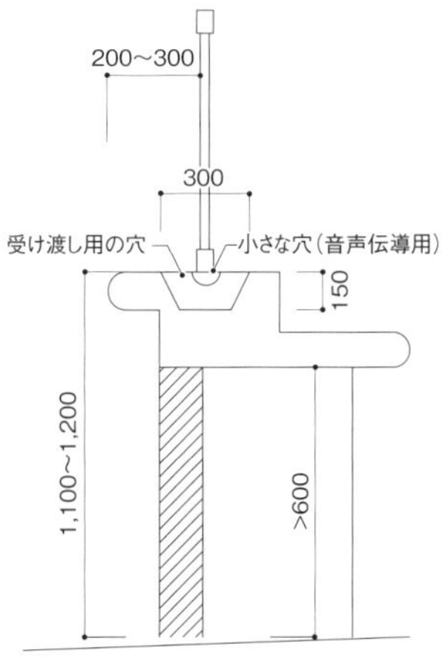
200〜300
300
受け渡し用の穴
小さな穴（音声伝導用）
150
1,100〜1,200
>600

お金や書類の受け渡し用テーブル
（座って勤務）

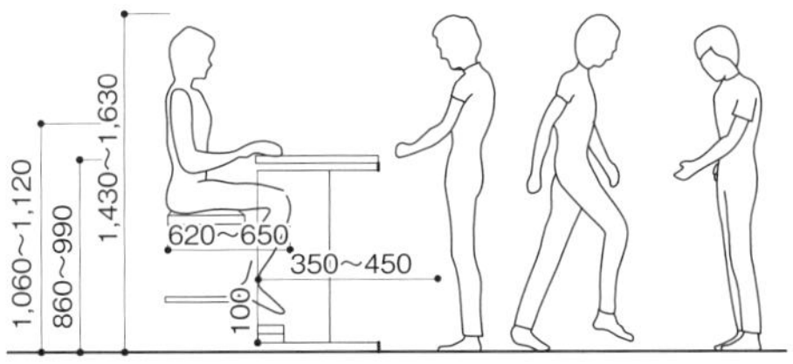
1,060〜1,120
860〜990
1,430〜1,630
620〜650
350〜450
100

受付デスクと顧客との距離

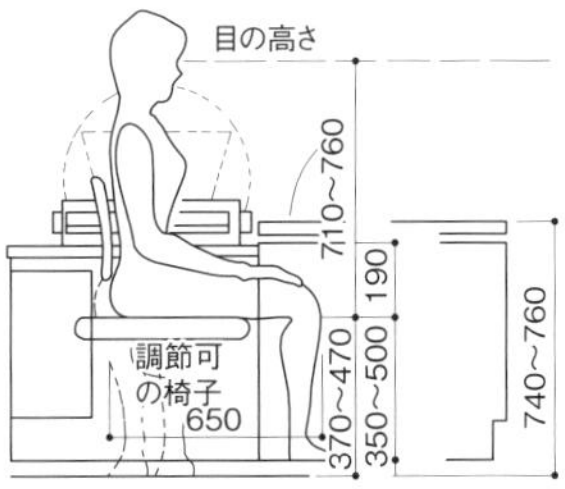
目の高さ
710〜760
190
370〜470
350〜500
740〜760
調節可の椅子
650

事務机の高さ

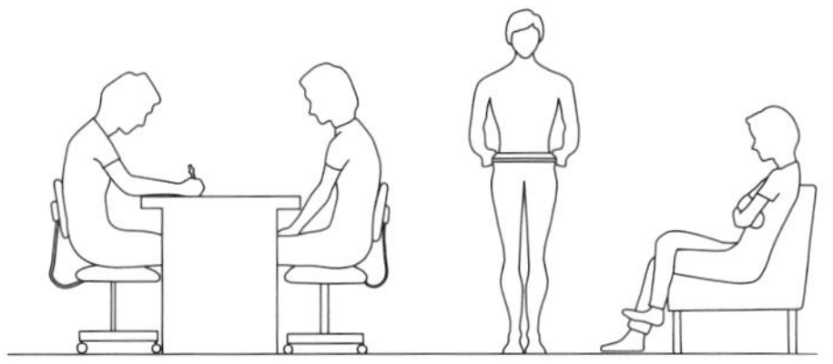

応接（可動式椅子ー可動式椅子）

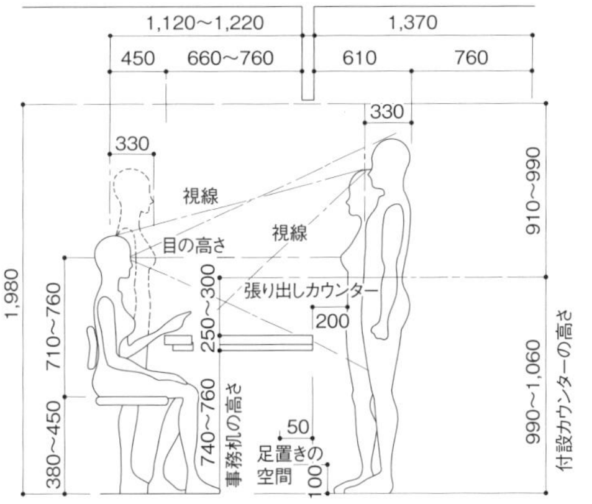
1,120〜1,220
1,370
450
660〜760
610
760
330
330
視線
視線
目の高さ
張り出しカウンター
200
250〜300
910〜990
1,980
710〜760
380〜450
740〜760
事務机の高さ
50
足置きの空間
100
990〜1,060
付設カウンターの高さ

営業カウンターの高さ

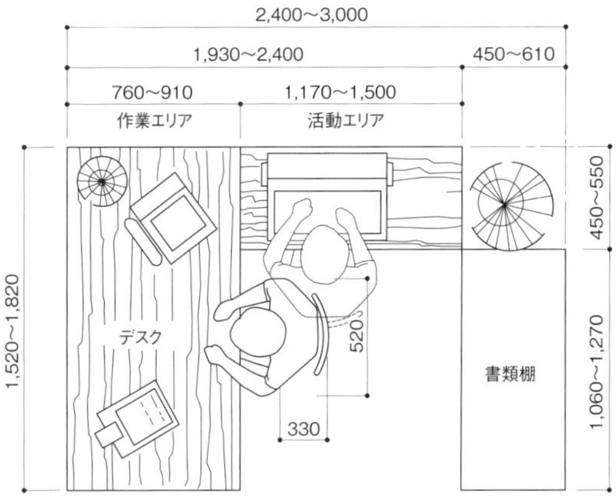
2,400〜3,000
1,930〜2,400
450〜610
760〜910
1,170〜1,500
作業エリア
活動エリア
450〜550
1,520〜1,820
デスク
520
330
書類棚
1,060〜1,270

基本的な仕事スペース

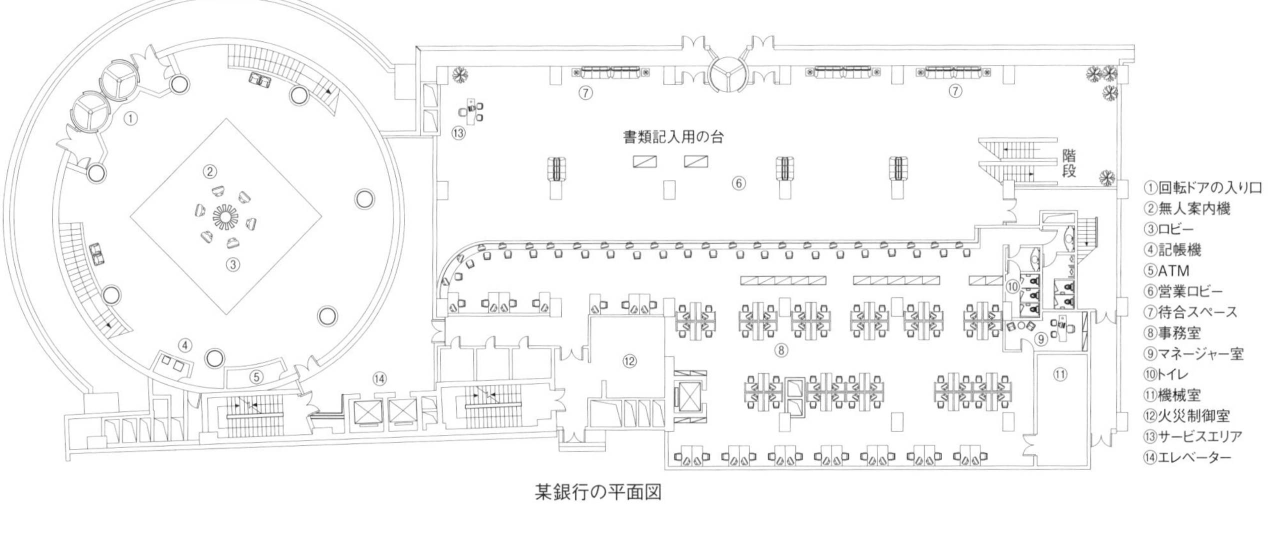
書類記入用の台
階段
①回転ドアの入り口
②無人案内機
③ロビー
④記帳機
⑤ATM
⑥営業ロビー
⑦待合スペース
⑧事務室
⑨マネージャー室
⑩トイレ
⑪機械室
⑫火災制御室
⑬サービスエリア
⑭エレベーター

某銀行の平面図

設計のポイント

お客が快適に過ごせ、中国らしさを味わえる設計とする。

入り口は広く、明るく、混雑しないような造りにする。大型レストランなら待合スペースを作り、入口付近にサービスカウンターを設置する。

テーブルは４～６人が座れる小型の円卓を多く並べ、中・大型の円卓もいくつか配置する。大型レストランなら団体客用に別室も用意する。

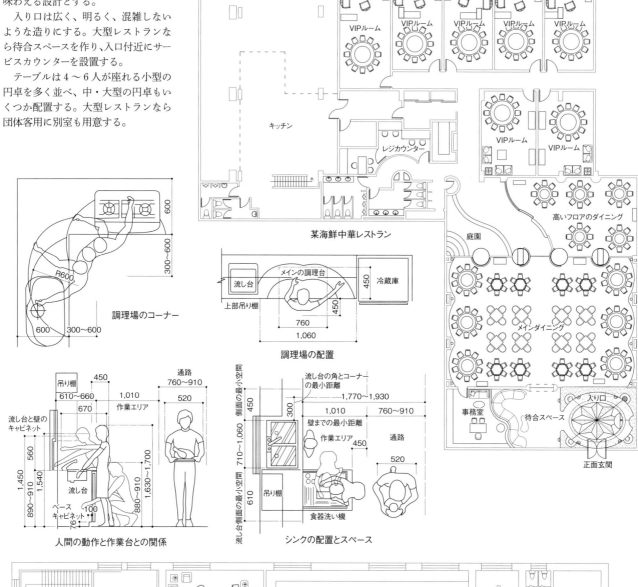

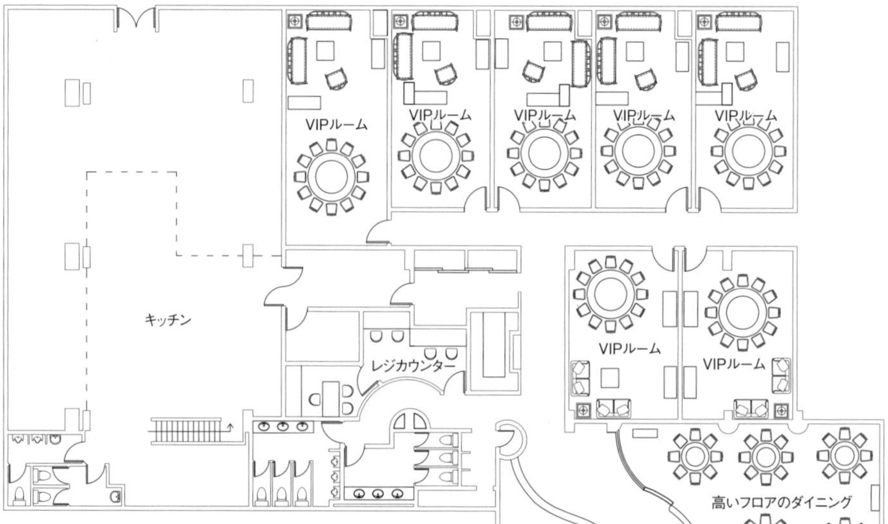
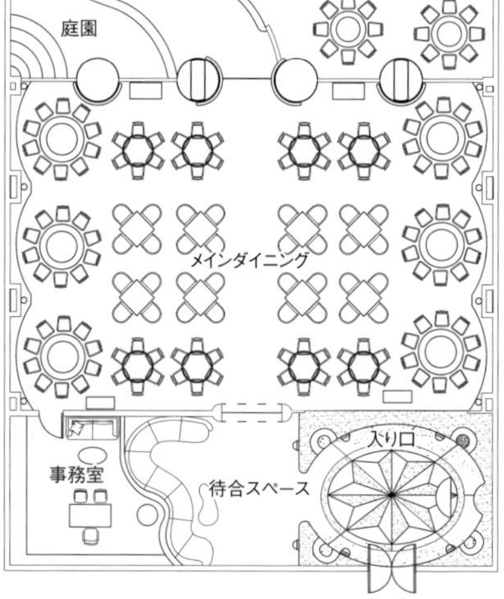

VIPルーム
キッチン
レジカウンター
高いフロアのダイニング
庭園
メインダイニング
事務室
待合スペース
入り口
正面玄関

某海鮮中華レストラン

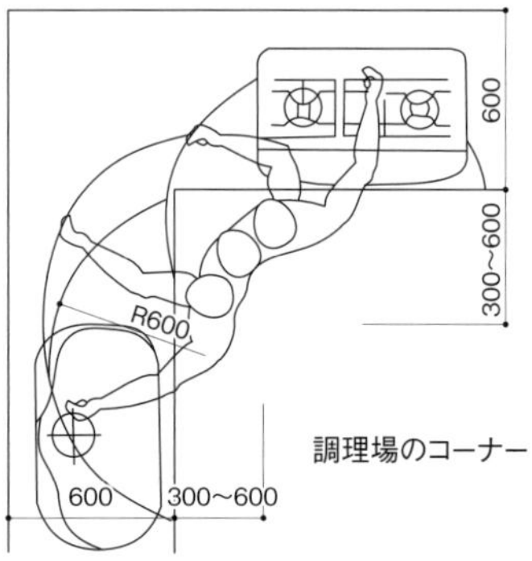

600
300~600
R600
600
300~600

調理場のコーナー

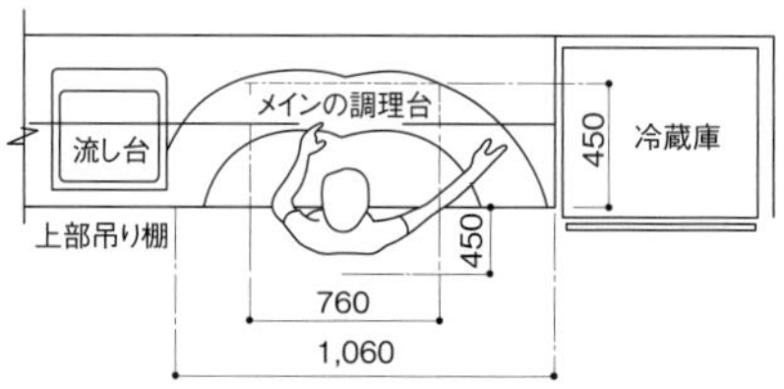

メインの調理台
流し台
冷蔵庫
450
上部吊り棚
450
760
1,060

調理場の配置

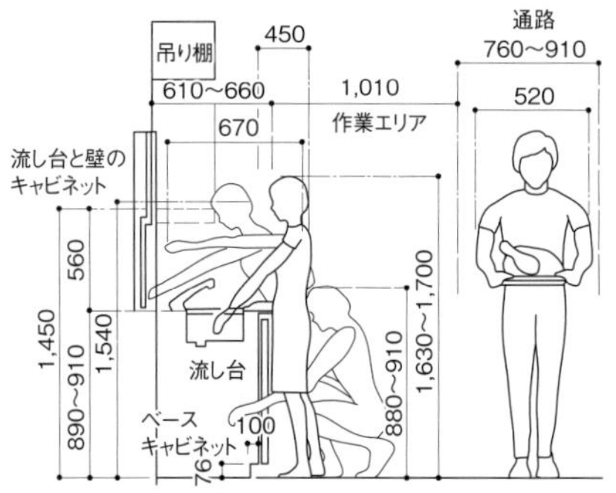

吊り棚
450
通路
760~910
610~660
1,010
520
670
作業エリア
流し台と壁のキャビネット
560
1,450
1,540
890~910
流し台
ベースキャビネット
100
76
880~910
1,630~1,700

人間の動作と作業台との関係

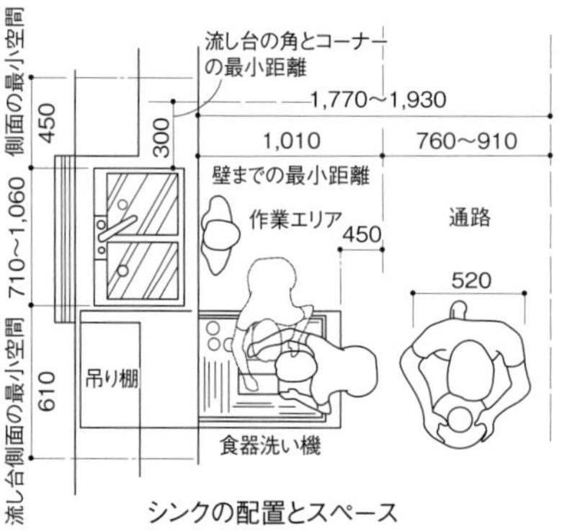

側面の最小空間
450
流し台の角とコーナーの最小距離
300
1,770~1,930
1,010
760~910
壁までの最小距離
作業エリア
450
通路
710~1,060
520
吊り棚
610
流し台側面の最小空間
食器洗い機

シンクの配置とスペース

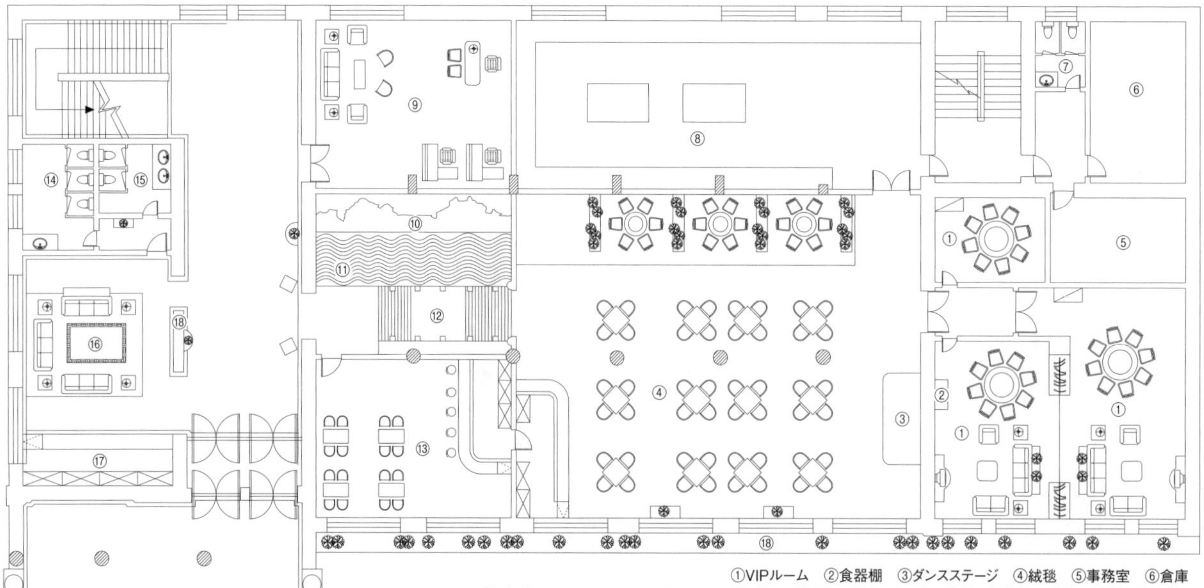

①
②
③
④
⑤
⑥
⑦
⑧
⑨
⑩
⑪
⑫
⑬
⑭
⑮
⑯
⑰
⑱

某中華レストランの平面図

①VIPルーム　②食器棚　③ダンスステージ　④絨毯　⑤事務室　⑥倉庫
⑦トイレ　⑧厨房　⑨オーナー室　⑩山の装飾品　⑪池　⑫橋　⑬洋食フロア
⑭男性用トイレ　⑮女性用トイレ　⑯休憩エリア　⑰衣類保管室　⑱花台

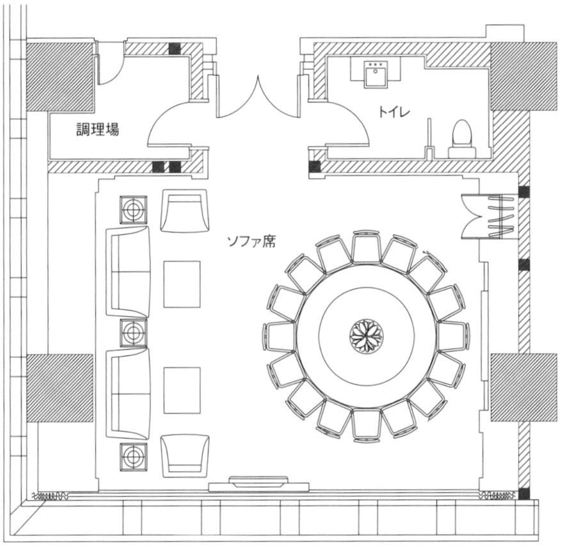
調理場
トイレ
ソファ席

VIPルーム平面図1

VIPルール平面図2

VIPルーム
平面図3

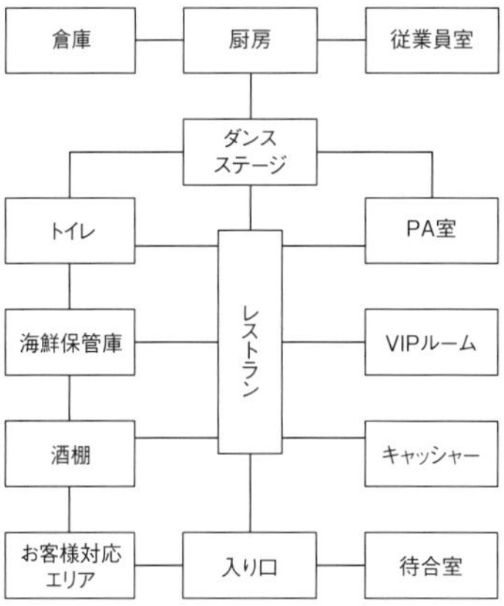
倉庫
厨房
従業員室
ダンス
ステージ
トイレ
PA室
海鮮保管庫
レストラン
VIPルーム
酒棚
キャッシャー
お客様対応
エリア
入り口
待合室

中華レストランのシステム

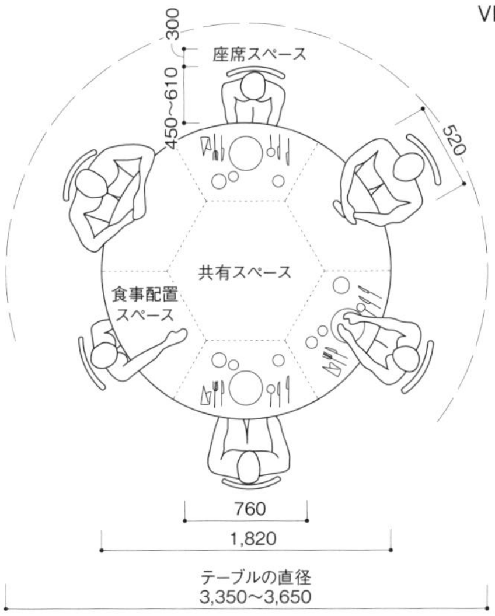
300
座席スペース
450~610
520
共有スペース
食事配置
スペース
760
1,820
テーブルの直径
3,350~3,650

6人用円卓

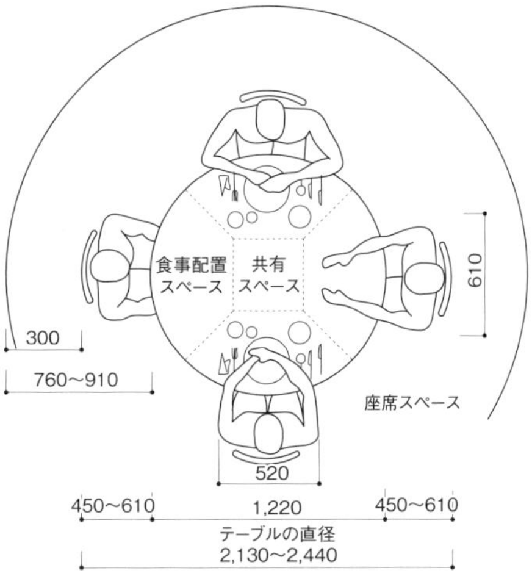
食事配置
スペース
共有
スペース
610
300
760~910
座席スペース
520
450~610
1,220
450~610
テーブルの直径
2,130~2,440

4人用円卓

VIPルーム平面図4

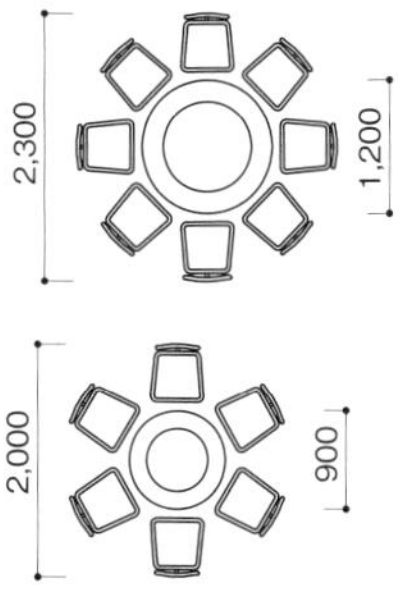
2,300
1,200
2,000
900

テーブルと椅子の寸法

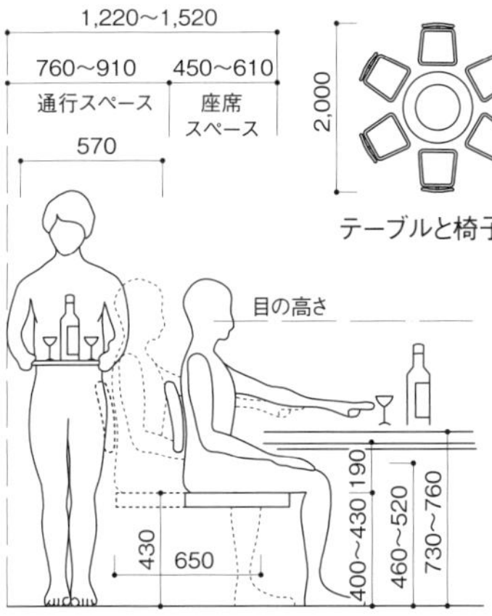
1,220~1,520
760~910
450~610
通行スペース
座席
スペース
570
目の高さ
430
650
400~430
190
460~520
730~760

椅子と壁との間の最小距離

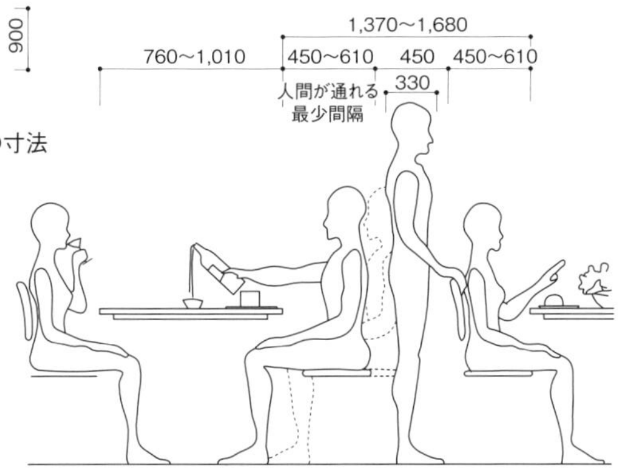
1,370~1,680
760~1,010
450~610
450
450~610
人間が通れる
最少間隔
330

テーブル間の最小距離

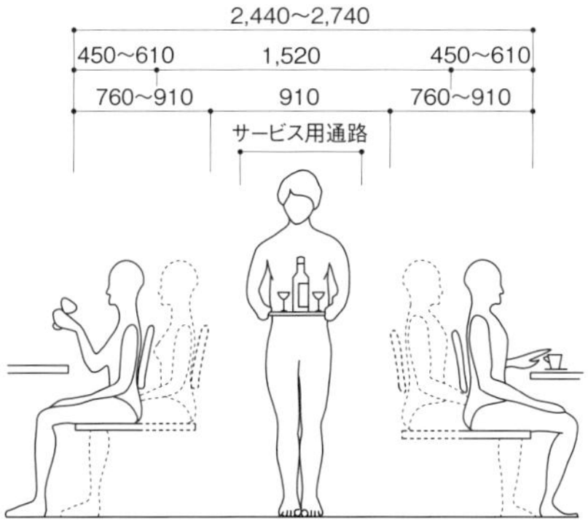
2,440~2,740
450~610
1,520
450~610
760~910
910
760~910
サービス用通路

サービス用通路と椅子の距離

設計のポイント

洋食には、フランス、アメリカ、イギリス、ロシア、イタリアなど、さまざまなジャンルがあるが、食材や調理方法だけでなく、サービスにもそれぞれ違いがある。したがって設計する際には、各ジャンルの様式に合った空間づくりに努めなければならない。

アメリカン・レストランは各種の様式を融合させたもので、空間装飾も非常に自由で現代的である。この形式のレストランは低コストでできるうえ、調理は出来上がっているものを温めるだけでよい場合も多いため、厨房のスペースを小さくすることができる。そのため世界に数多く見られる。

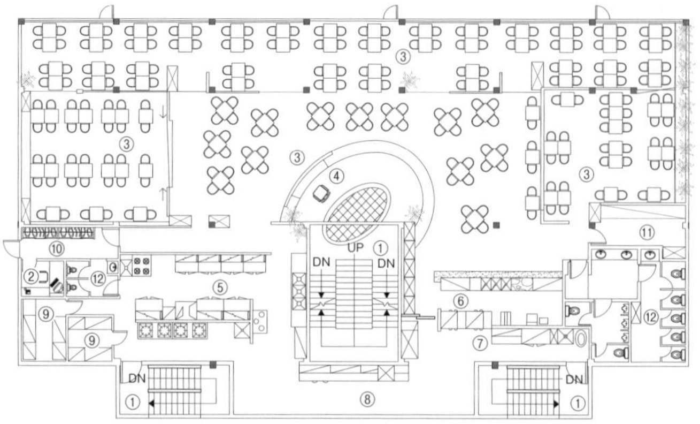
UP
DN
①
②
③
④
⑤
⑥
⑦
⑧
⑨
⑩
⑪
⑫

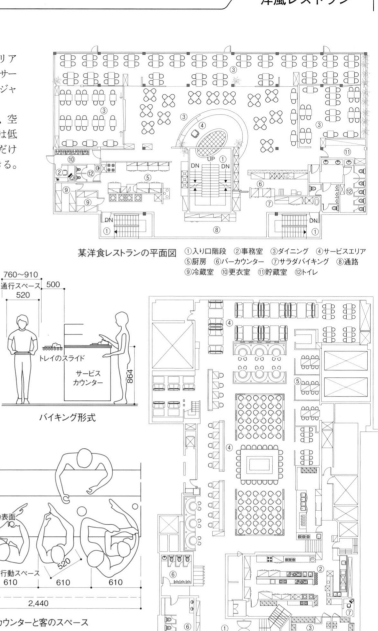

某洋食レストランの平面図　①入り口階段　②事務室　③ダイニング　④サービスエリア　⑤厨房　⑥バーカウンター　⑦サラダバイキング　⑧通路　⑨冷蔵室　⑩更衣室　⑪貯蔵室　⑫トイレ

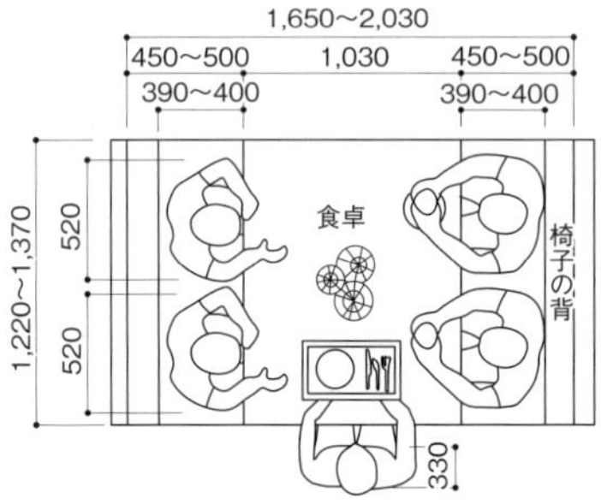
1,650~2,030
450~500
1,030
450~500
390~400
390~400
食卓
椅子の背
1,220~1,370
520
520
330

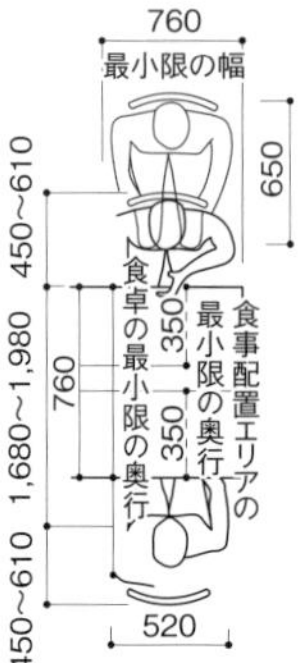
760
最小限の幅
650
450~610
1,680~1,980
450~610
760
350
350
食卓の最小限の奥行
食事配置エリアの最小限の奥行
520

2人用テーブル

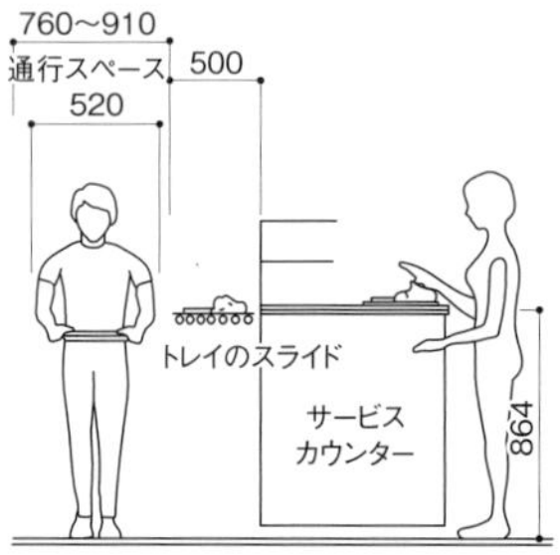
760~910
通行スペース
500
520
トレイのスライド
サービスカウンター
864

バイキング形式

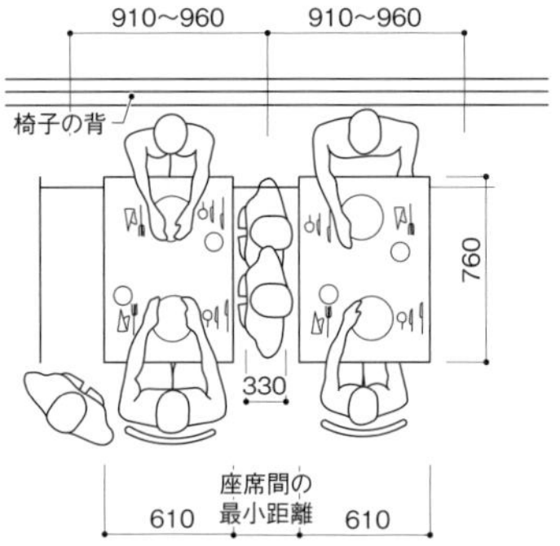
910~960
910~960
椅子の背
760
330
座席間の最小距離
610
610

高い背もたれの椅子

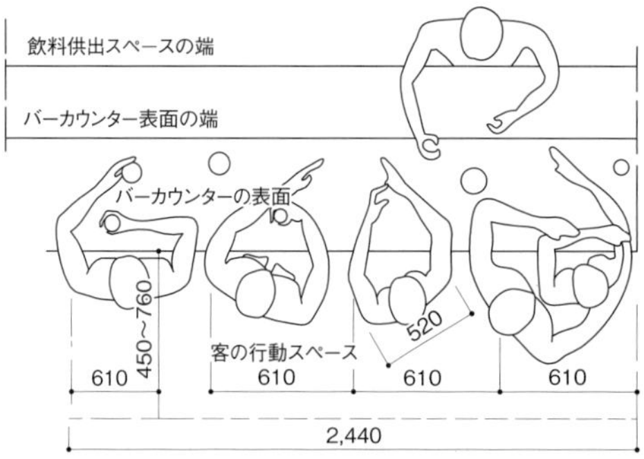
飲料供出スペースの端
バーカウンター表面の端
バーカウンターの表面
450~760
520
客の行動スペース
610
610
610
610
2,440

バーカウンターと客のスペース

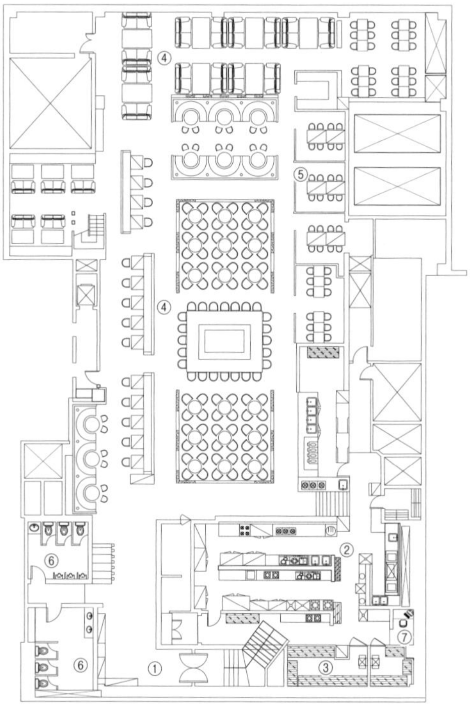
①
②
③
④
⑤
⑥
⑦

某洋食レストランの平面図　①入り口　②厨房　③倉庫　④ロビー　⑤個室　⑥トイレ　⑦事務室

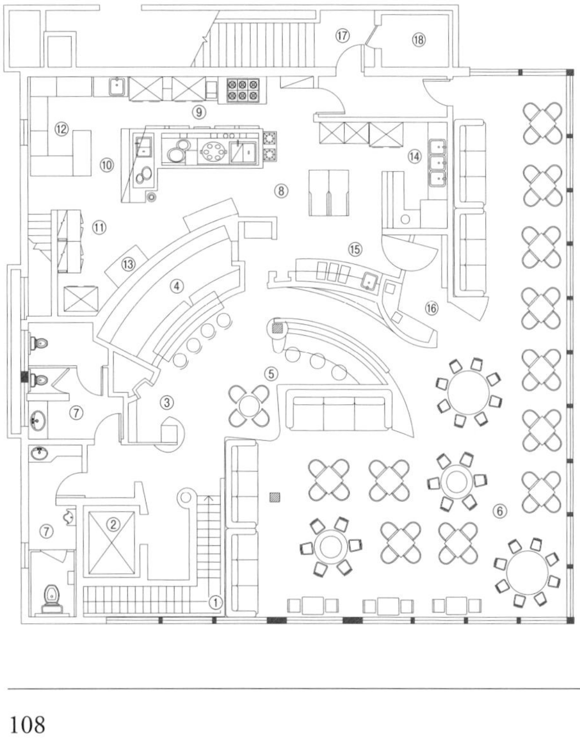
①
②
③
④
⑤
⑥
⑦
⑧
⑨
⑩
⑪
⑫
⑬
⑭
⑮
⑯
⑰
⑱

①階段
②エレベーター
③キャッシャー
④バーカウンター
⑤休憩スペース
⑥ダイニング
⑦トイレ
⑧厨房
⑨通路
⑩食器保存室
⑪料理準備室
⑫冷蔵庫
⑬デザート供出スペース
⑭食器洗浄室
⑮飲料供出スペース
⑯サービスカウンター
⑰階段
⑱倉庫

某洋食レストランの平面図

①入り口
②バーカウンター
③ダイニング
④厨房
⑤事務室
⑥更衣室
⑦厨房
⑧トイレ
⑨テラス

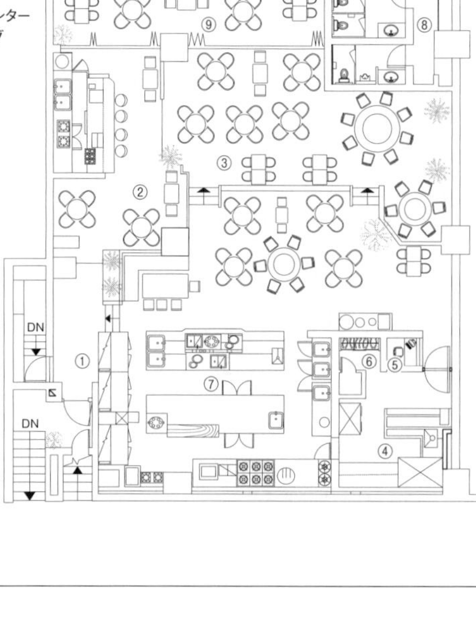
DN
DN
①
②
③
④
⑤
⑥
⑦
⑧
⑨

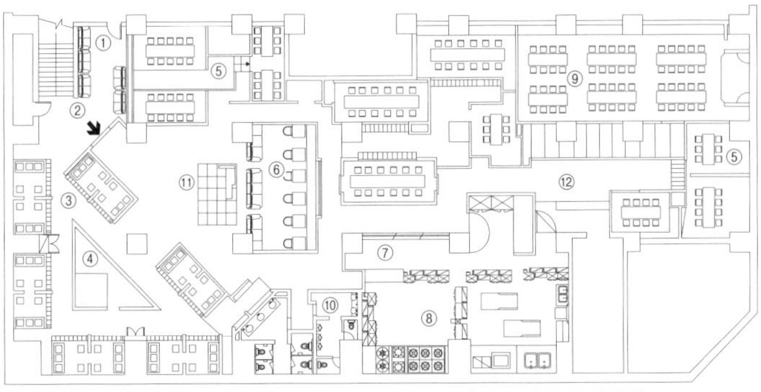
①
②
③
④
⑤
⑥
⑦
⑧
⑨
⑩
⑪
⑫

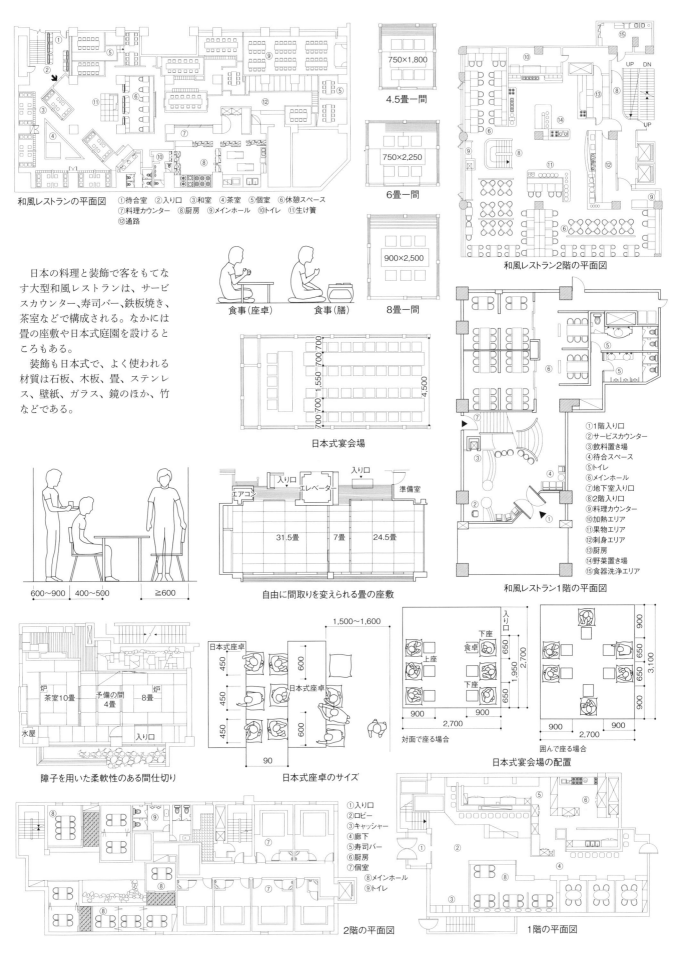

和風レストランの平面図 ①待合室 ②入り口 ③和室 ④茶室 ⑤個室 ⑥休憩スペース ⑦料理カウンター ⑧厨房 ⑨メインホール ⑩トイレ ⑪生け簀 ⑫通路

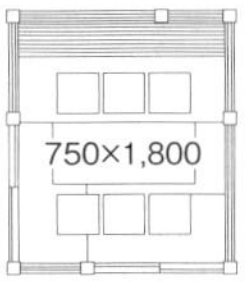
750×1,800

4.5畳一間

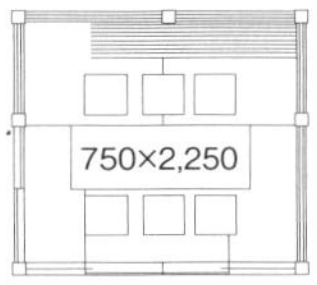
750×2,250

6畳一間

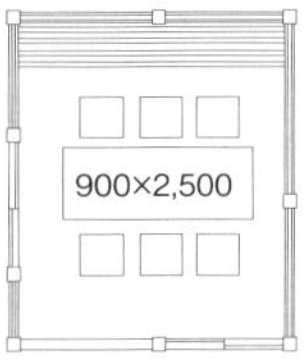
900×2,500

8畳一間

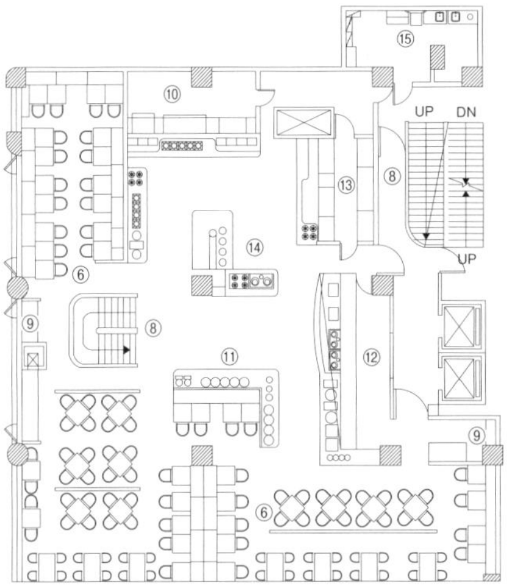
UP
DN
UP

和風レストラン2階の平面図

日本の料理と装飾で客をもてなす大型和風レストランは、サービスカウンター、寿司バー、鉄板焼き、茶室などで構成される。なかには畳の座敷や日本式庭園を設けるところもある。

装飾も日本式で、よく使われる材質は石板、木板、畳、ステンレス、壁紙、ガラス、鏡のほか、竹などである。

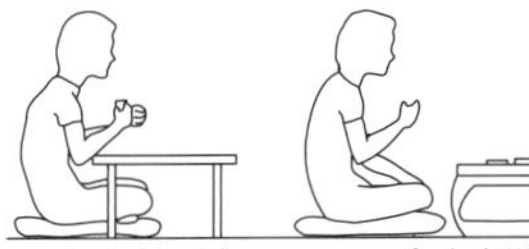

食事(座卓)　食事(膳)

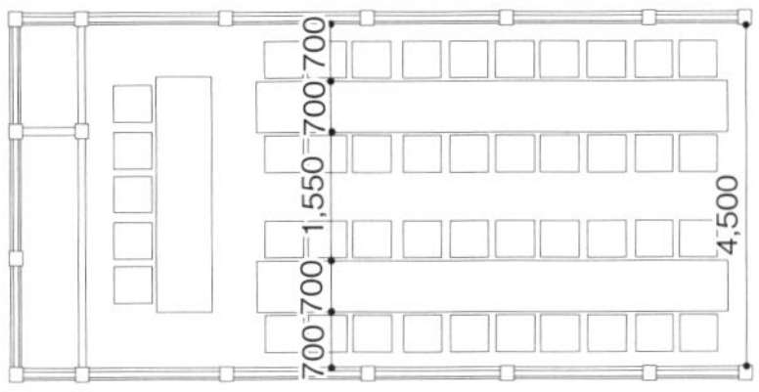
700
700
1,550
700
700
4,500

日本式宴会場

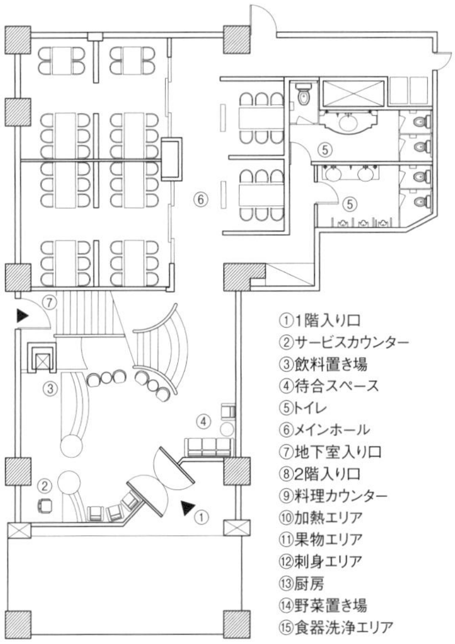
①
②
③
④
⑤
⑥
⑦

①1階入り口
②サービスカウンター
③飲料置き場
④待合スペース
⑤トイレ
⑥メインホール
⑦地下室入り口
⑧2階入り口
⑨料理カウンター
⑩加熱エリア
⑪果物エリア
⑫刺身エリア
⑬厨房
⑭野菜置き場
⑮食器洗浄エリア

和風レストラン1階の平面図

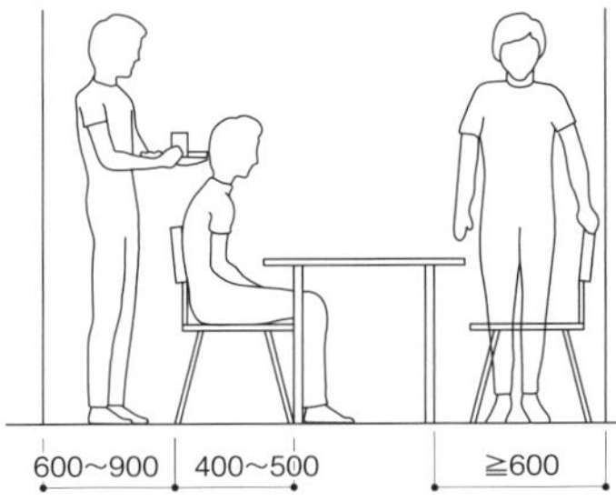
600~900
400~500
≧600

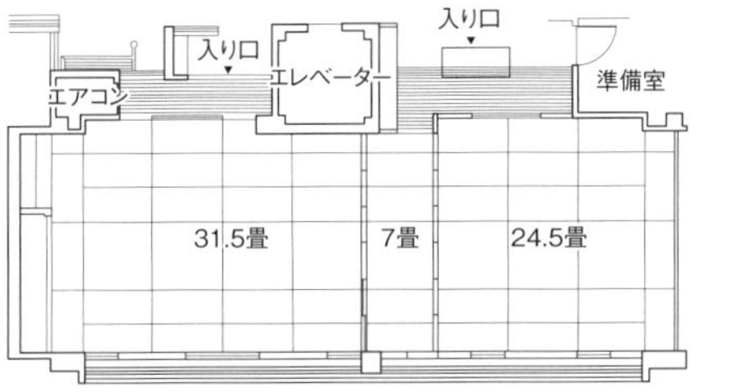
入り口
入り口
エアコン
エレベーター
準備室
31.5畳
7畳
24.5畳

自由に間取りを変えられる畳の座敷

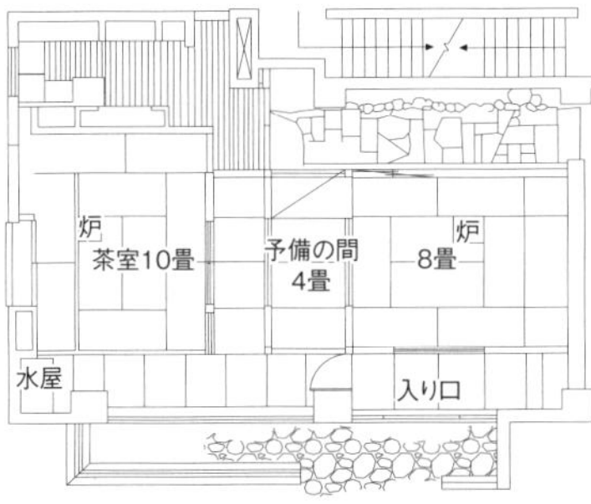
炉
茶室10畳
予備の間
4畳
炉
8畳
水屋
入り口

障子を用いた柔軟性のある間仕切り

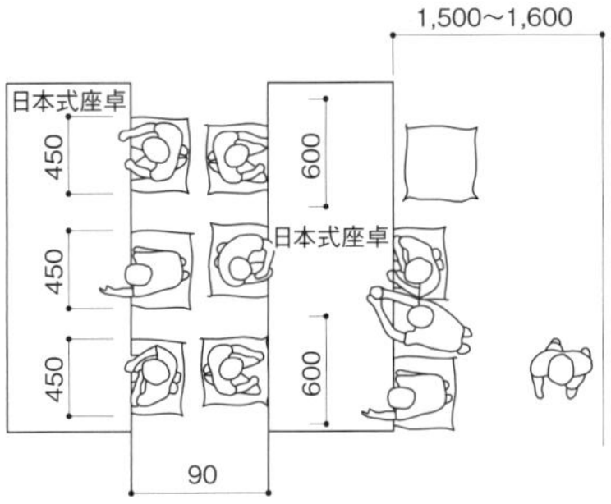
1,500~1,600
日本式座卓
450
450
450
600
日本式座卓
600
90

日本式座卓のサイズ

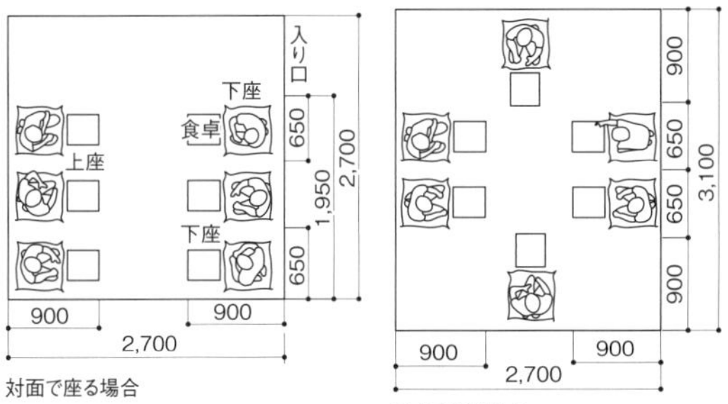
入り口
下座
上座
食卓
下座
650
1,950
650
2,700
900
900
2,700
900
650
650
900
3,100
900
900
2,700

対面で座る場合　囲んで座る場合

日本式宴会場の配置

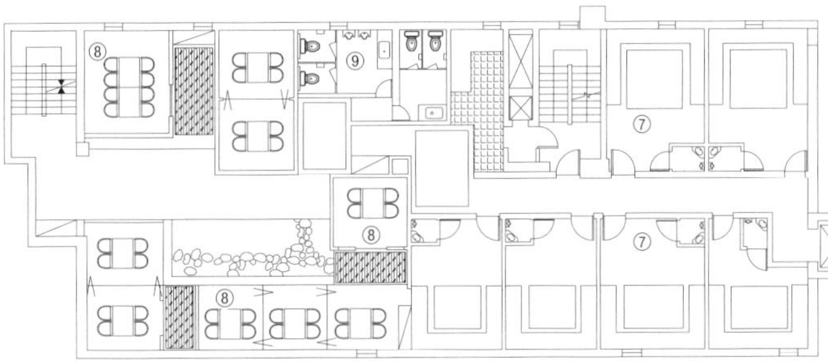
⑧
⑨
⑦
⑧
⑦
⑧

①入り口
②ロビー
③キャッシャー
④廊下
⑤寿司バー
⑥厨房
⑦個室
⑧メインホール
⑨トイレ

2階の平面図

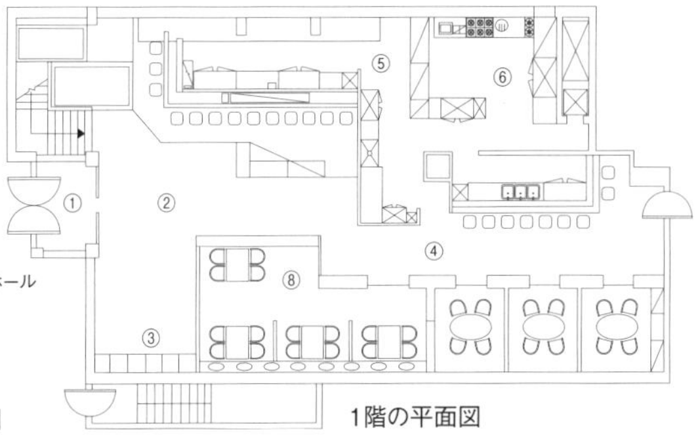
⑤
⑥
①
②
④
⑧
③

1階の平面図

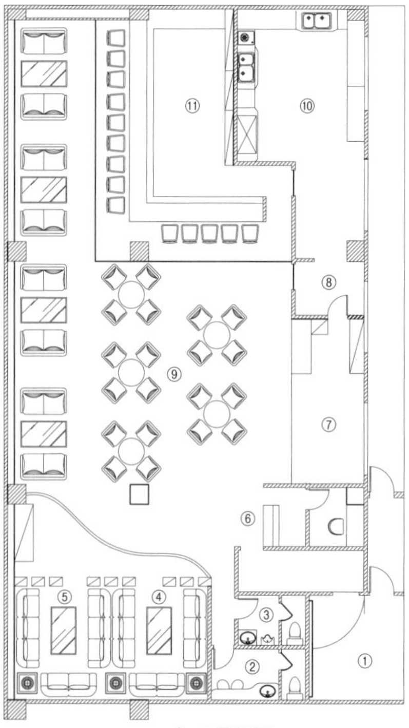
⑪
⑩
⑨
⑧
⑦
⑥
⑤
④
③
②
①

バーの平面図

①入り口　②③トイレ　④⑤個室　⑥キャッシャー　⑦ステージ
⑧控え室　⑨ホール　⑩厨房　⑪カウンター

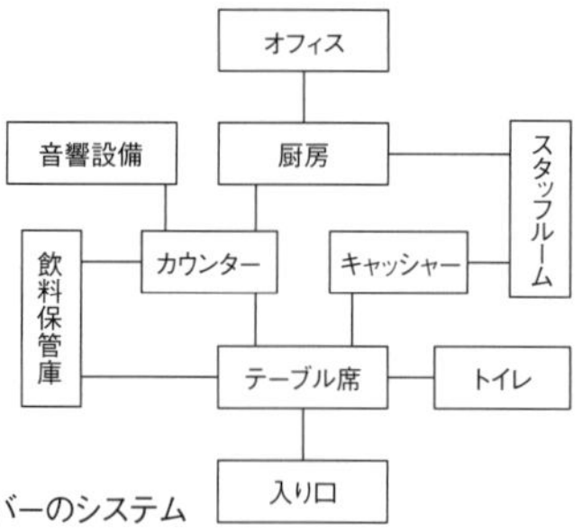
オフィス
音響設備
厨房
スタッフルーム
飲料保管庫
カウンター
キャッシャー
テーブル席
トイレ
入り口

バーのシステム

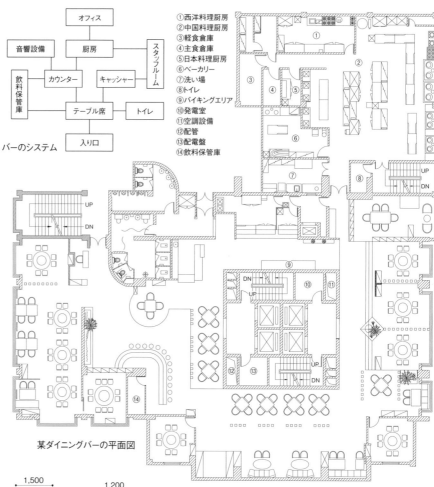

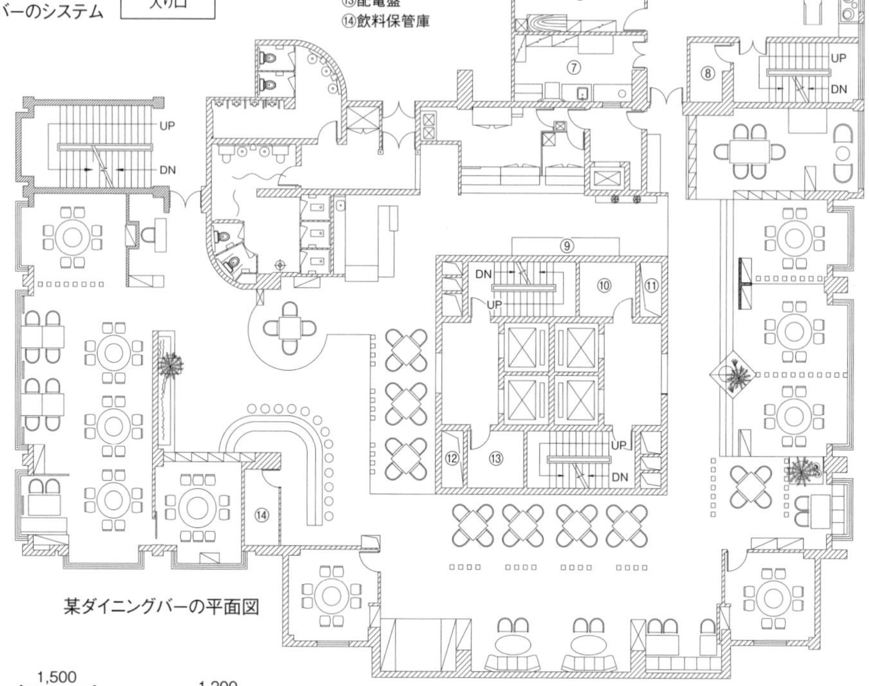
①西洋料理厨房
②中国料理厨房
③軽食倉庫
④主食倉庫
⑤日本料理厨房
⑥ベーカリー
⑦洗い場
⑧トイレ
⑨バイキングエリア
⑩発電室
⑪空調設備
⑫配管
⑬配電盤
⑭飲料保管庫
UP
DN

某ダイニングバーの平面図

設計のポイント

カウンターを中心に構成される酒場で、人々が休息、交流する場所であるため、くつろげる空間づくりが大切である。

一般的にカウンター席とテーブル席の2つに大きく分けられる。カウンター席には7〜8個の椅子を置く。テーブル席は、客同士が親密感を感じられるように、空間を数個の小さな空間に分ける。

閉鎖的な空間、弱い光、間接照明が重要な要素となる。ただし通路、特に段差のある部分には視界を照らす照明を設置すること。カウンターはバー全体の中心であるため、客席より明るい照明を用いる。

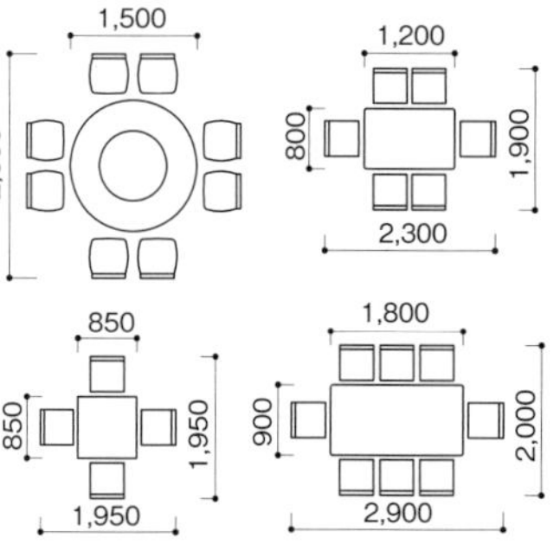
1,500
2,600
1,200
800
1,900
2,300
850
850
1,950
1,950
1,800
900
2,000
2,900

テーブルと椅子の寸法

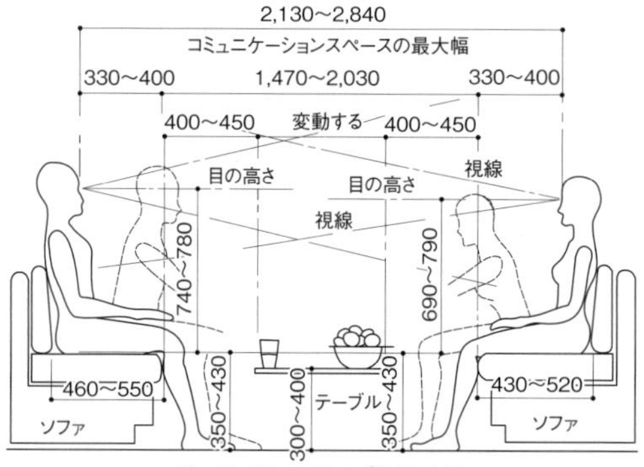
2,130〜2,840
コミュニケーションスペースの最大幅
330〜400
1,470〜2,030
330〜400
400〜450
変動する
400〜450
目の高さ
目の高さ
視線
視線
740〜780
690〜790
460〜550
350〜430
300〜400
テーブル
350〜430
430〜520
ソファ
ソファ

バーのソファとテーブルの寸法

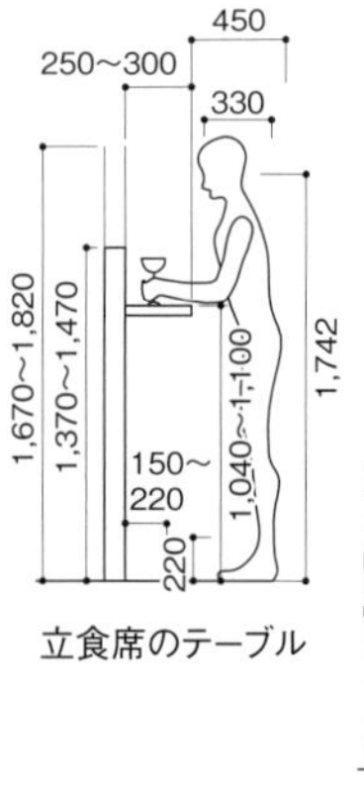
450
250〜300
330
1,670〜1,820
1,370〜1,470
1,040〜1,100
1,742
150〜220
220

立食席のテーブル

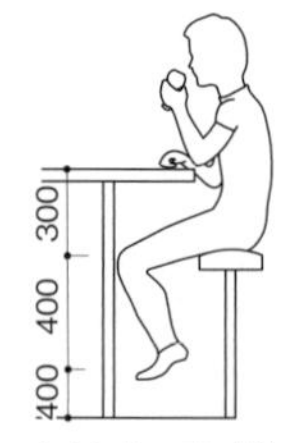
300
400
400

カウンターの寸法

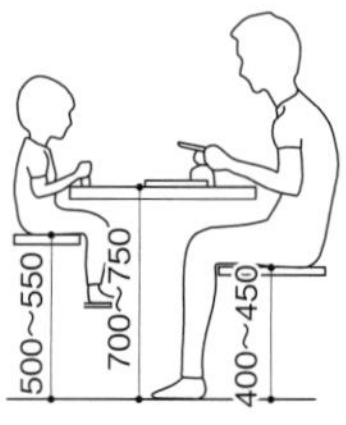
500〜550
700〜750
400〜450

テーブルと椅子の寸法

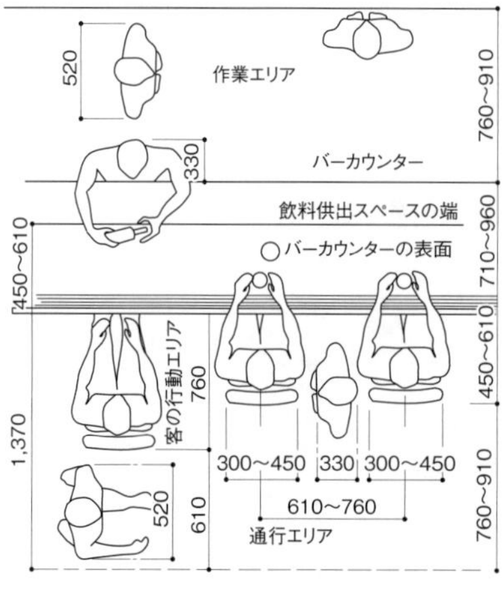
520
作業エリア
760〜910
330
バーカウンター
飲料供出スペースの端
710〜960
バーカウンターの表面
450〜610
450〜610
客の行動エリア
760
1,370
300〜450
330
300〜450
520
610
610〜760
通行エリア
760〜910

バーカウンターの平面図

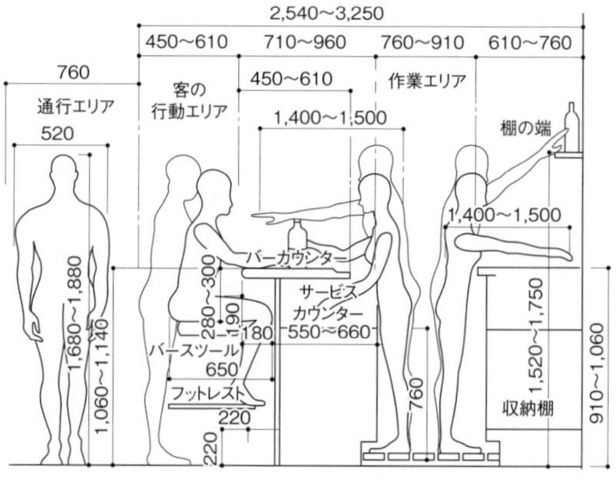
2,540〜3,250
450〜610
710〜960
760〜910
610〜760
760
通行エリア
520
客の行動エリア
450〜610
作業エリア
1,400〜1,500
棚の端
1,400〜1,500
バーカウンター
サービスカウンター
550〜660
280〜300
190
180
バースツール
650
フットレスト
220
220
1,680〜1,880
1,060〜1,140
760
1,520〜1,750
910〜1,060
収納棚

バーカウンターの側面図

設計のポイント

1. 喫茶店は人々のくつろぎの場所であり、談話する場所である。その設計は大きく２つの空間に分かれる。1つはホールの部分である。ここは人々がコーヒーや紅茶などを飲みながら談話する場所であるため、開放感のある造りにする。そして、1人あるいは少人数のグループ客が多いことを想定し、テーブルと椅子を用意する。2つ目はプライベートな空間で、個室あるいは衝立で分け、小さいスペースには２～４人、大きいスペースには６～８人が入るようにする。
2. 店の特徴を表すために、内装に統一感を出すことが重要なポイントとなる。

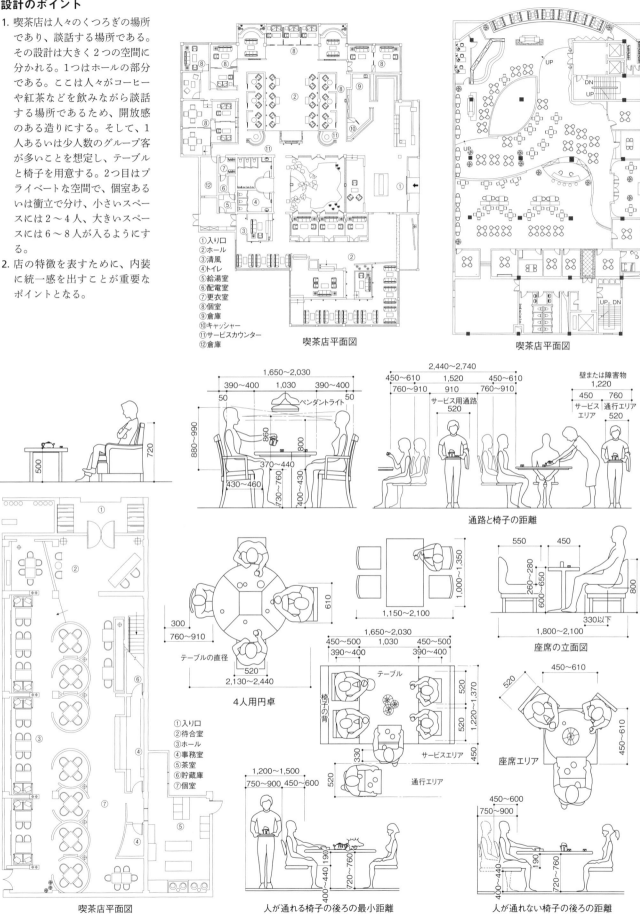

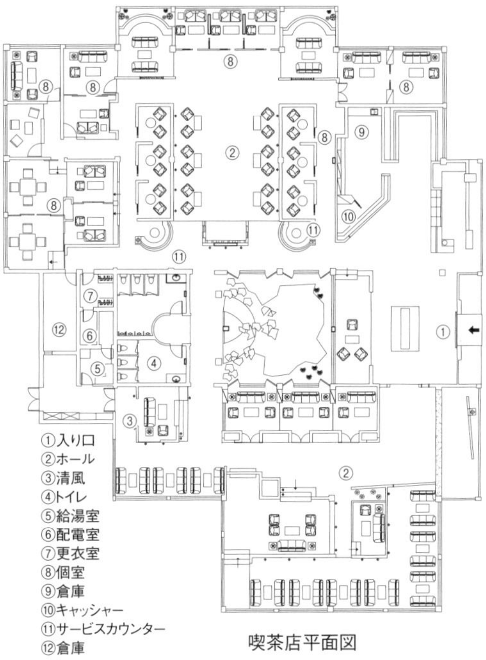
①入り口
②ホール
③清風
④トイレ
⑤給湯室
⑥配電室
⑦更衣室
⑧個室
⑨倉庫
⑩キャッシャー
⑪サービスカウンター
⑫倉庫

喫茶店平面図

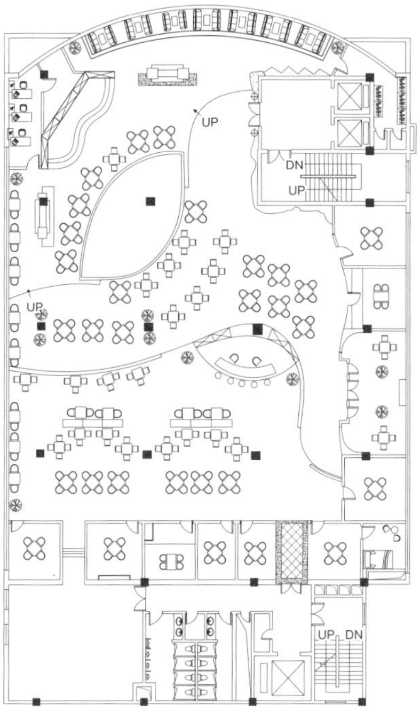
UP
DN
UP
UP
UP DN

喫茶店平面図

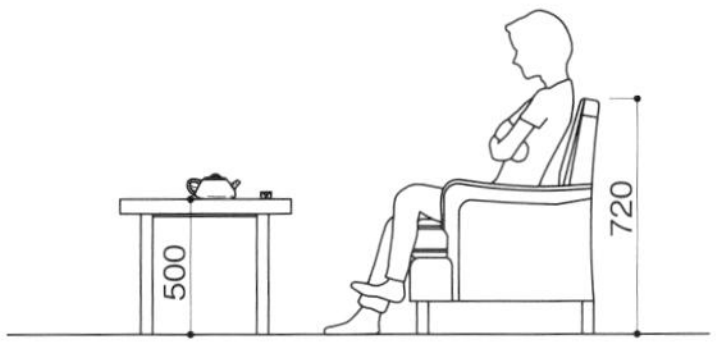
500
720

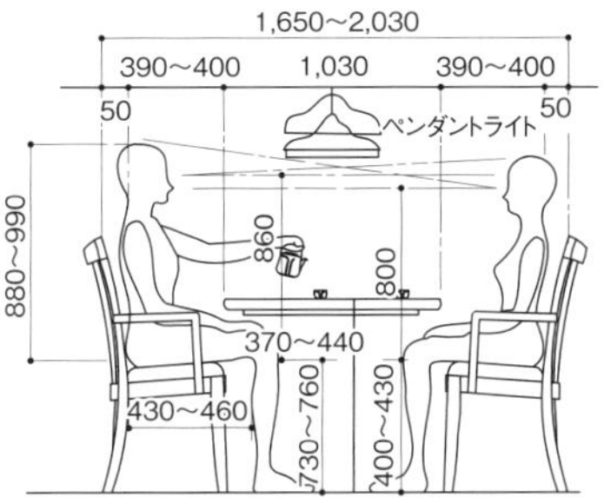
1,650～2,030
390～400
1,030
390～400
50
50
ペンダントライト
880～990
860
800
370～440
430～460
730～760
400～430

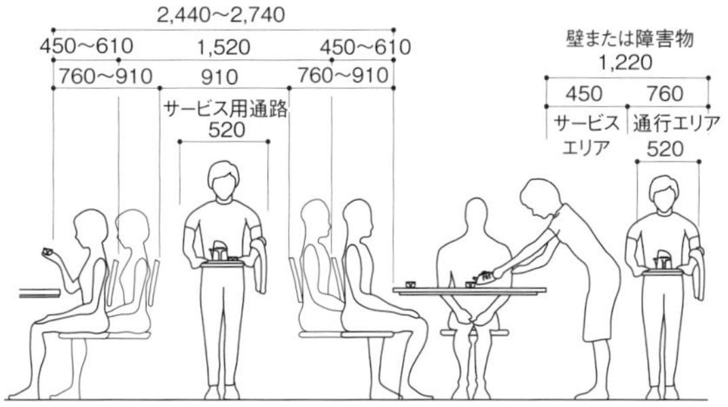
2,440～2,740
450～610
1,520
450～610
760～910
910
760～910
サービス用通路
520
壁または障害物
1,220
450
760
サービス
エリア
通行エリア
520

通路と椅子の距離

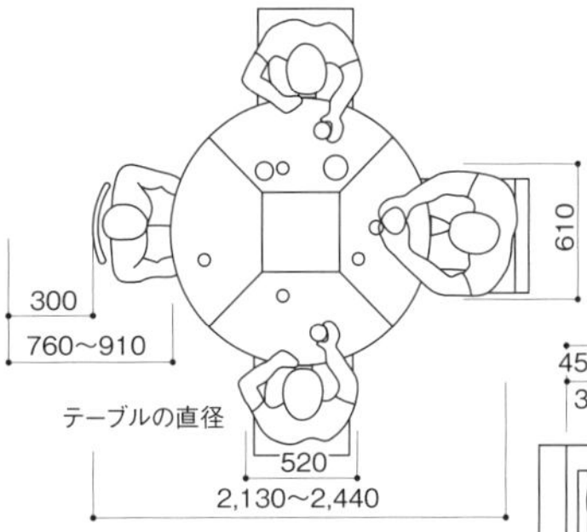
610
300
760～910
テーブルの直径
520
2,130～2,440

4人用円卓

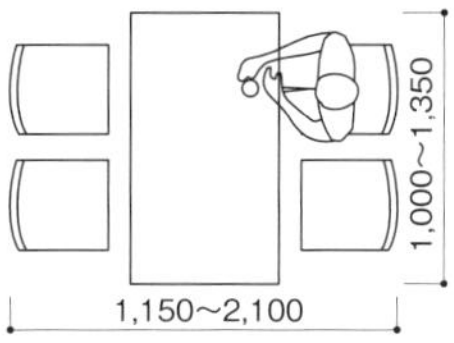
1,000～1,350
1,150～2,100

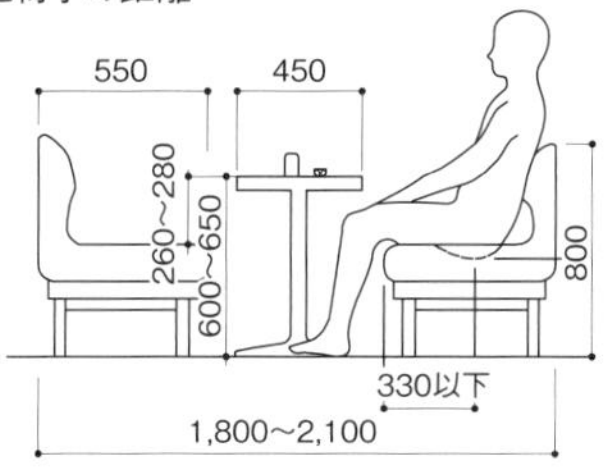
550
450
260～280
600～650
800
330以下
1,800～2,100

座席の立面図

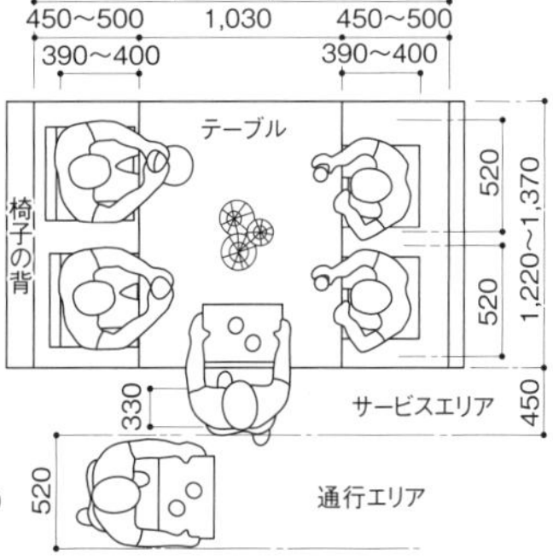
1,650～2,030
450～500
1,030
450～500
390～400
390～400
テーブル
椅子の背
520
520
1,220～1,370
330
サービスエリア
450
520
通行エリア

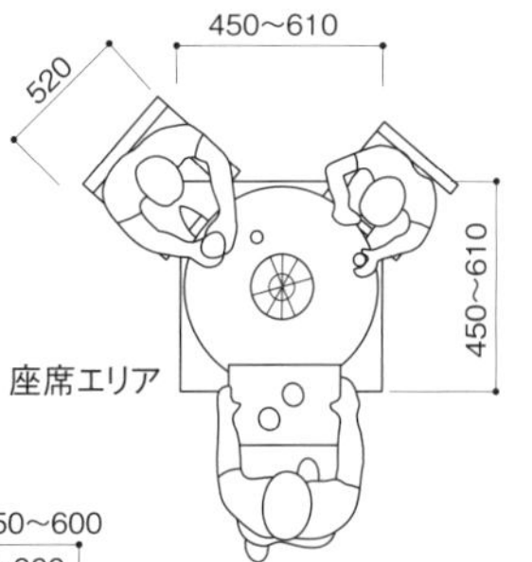
450～610
520
450～610
座席エリア

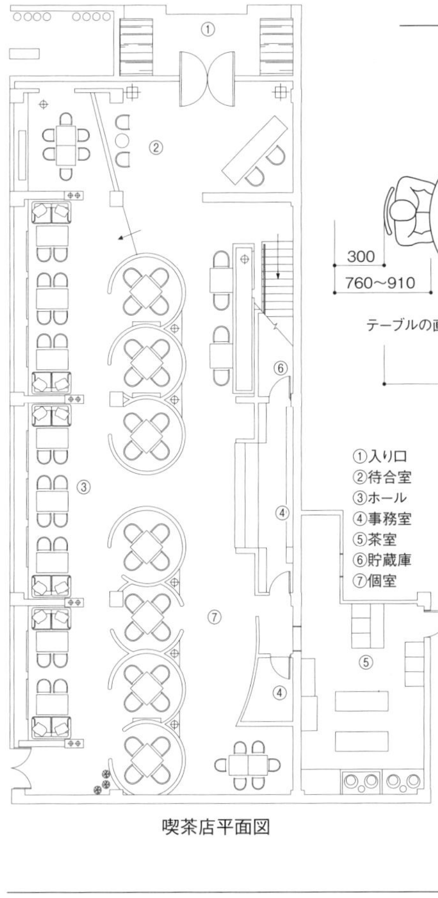
①入り口
②待合室
③ホール
④事務室
⑤茶室
⑥貯蔵庫
⑦個室

喫茶店平面図

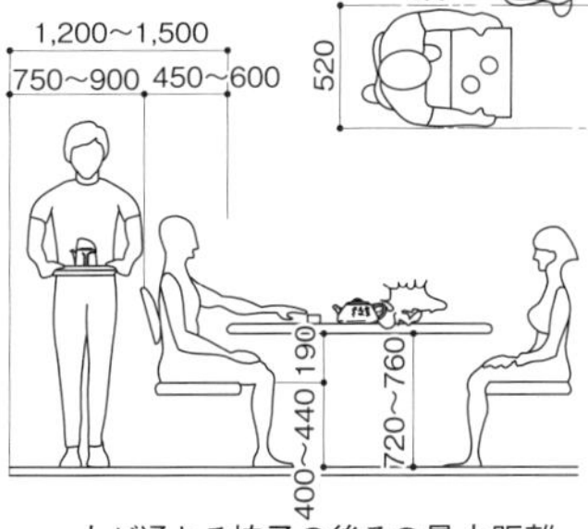
1,200～1,500
750～900
450～600
190
400～440
720～760

人が通れる椅子の後ろの最小距離

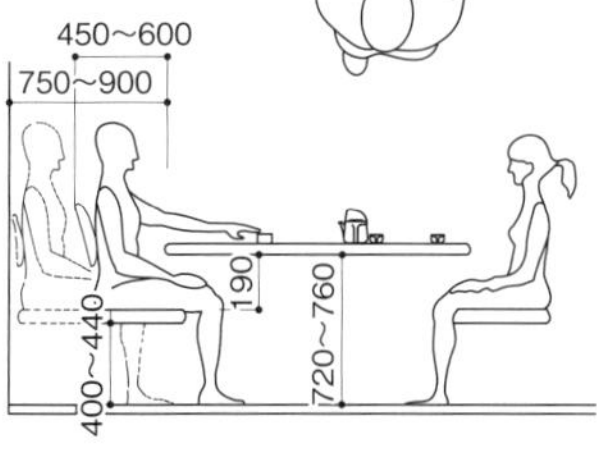
450～600
750～900
190
400～440
720～760

人が通れない椅子の後ろの距離

設計のポイント

カフェは、レストランのすべての要素を取り入れ、明るい照明を使用し、モダンで快適な雰囲気を感じさせる場である。

そうした雰囲気をつくり出すために、主にガラスと金属で装飾される場合が多い。一方で、棚などには桜材などの木材の家具が、床には大きめの石材などが使われる。

アルコール類は必要不可欠で、壁際には美しい酒棚が設置する。カウンターも店内装飾の重要なポイントである。また、厨房も開放的な造りにすることで、ファッショナブルな雰囲気をより演出することができる。

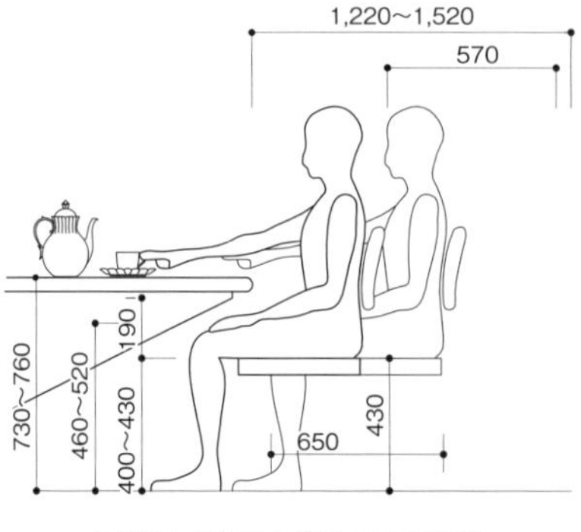
1,220~1,520
570
190
730~760
460~520
400~430
430
650
人が通れる椅子の後ろの最小距離

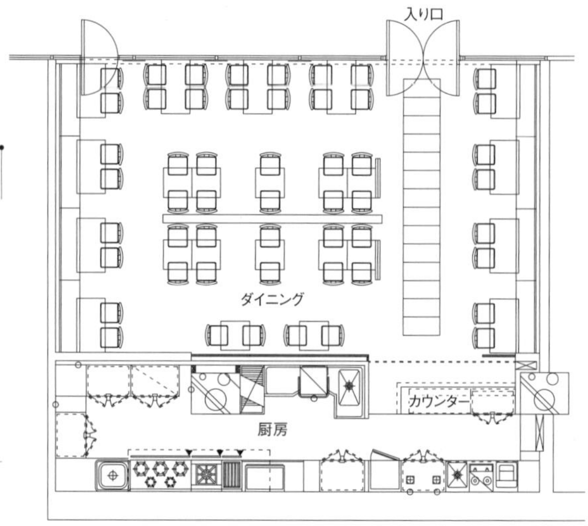
入り口
ダイニング
カウンター
厨房
カフェの平面図

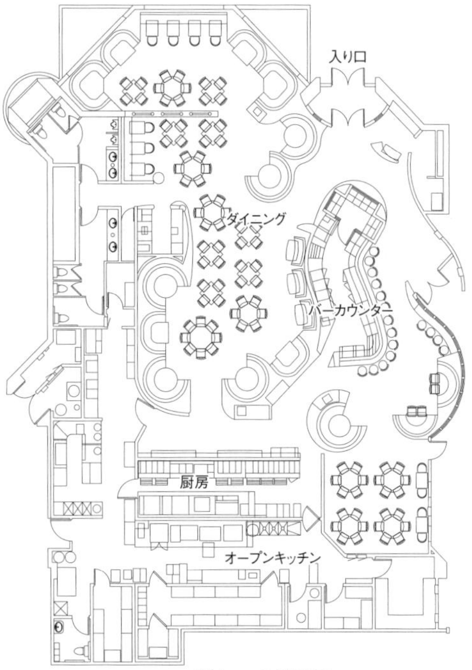
入り口
ダイニング
バーカウンター
厨房
オープンキッチン
某カフェの平面図

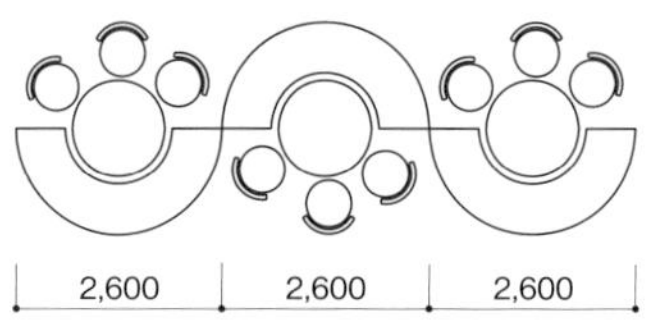
2,600
2,600
2,600
テーブルとカウンターの距離

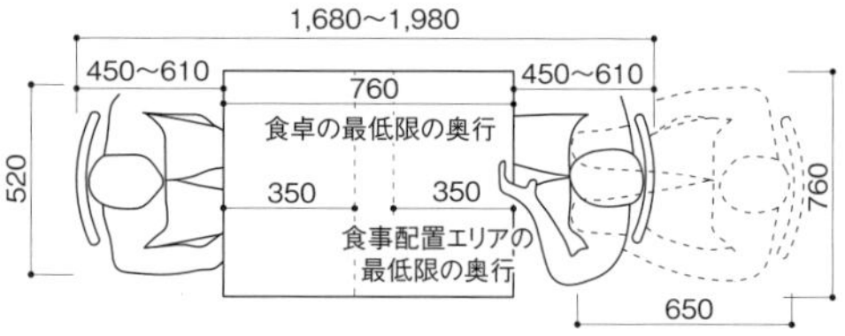
1,680~1,980
450~610
760
450~610
食卓の最低限の奥行
520
350
350
760
食事配置エリアの
最低限の奥行
650
2人用テーブル

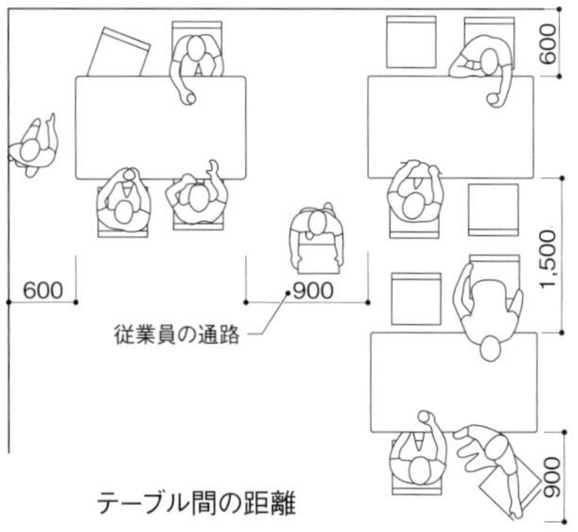
600
1,500
900
600
900
従業員の通路
テーブル間の距離

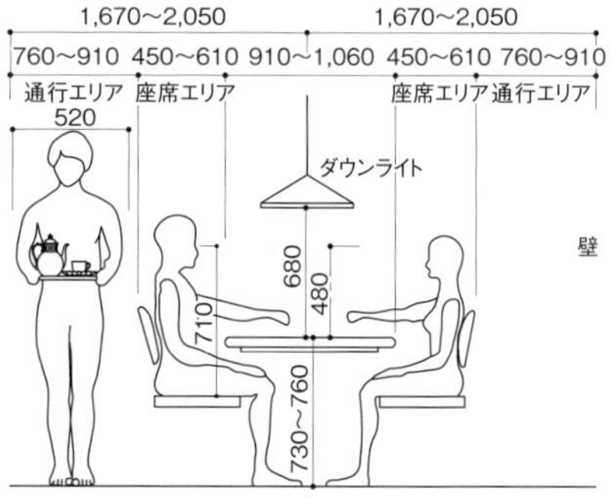
1,670~2,050
1,670~2,050
760~910
450~610
910~1,060
450~610
760~910
通行エリア
座席エリア
座席エリア
通行エリア
520
ダウンライト
壁
680
480
710
730~760
食事をするための最小限のスペース

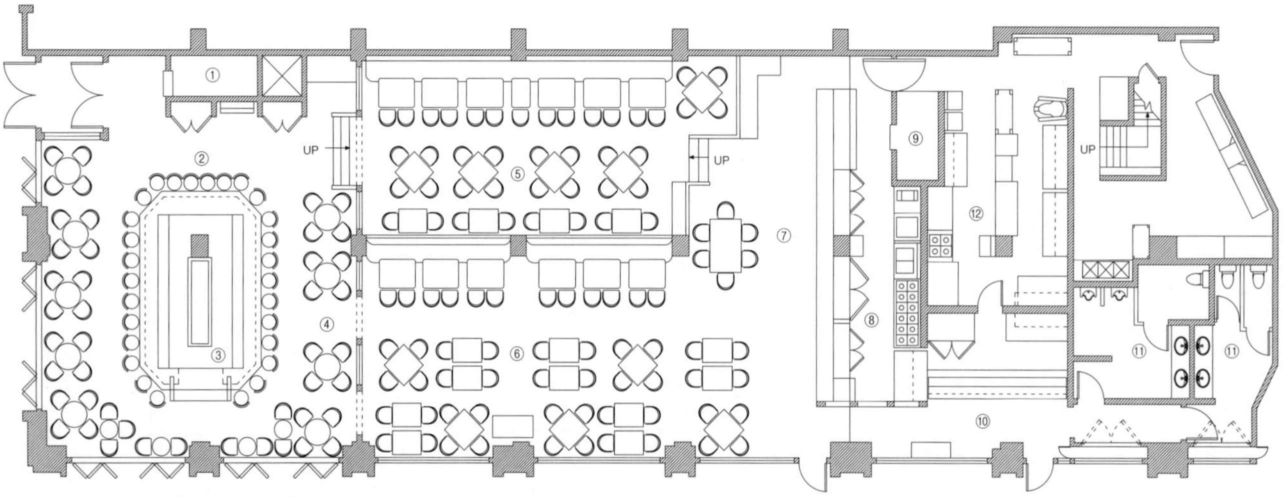
UP
UP
UP

①クローク　②通路　③バーカウンター　④カフェ席　⑤テラス席
⑥食事席　⑦カウンター　⑧厨房　⑨ピザ窯　⑩通路　⑪トイレ　⑫厨房

某カフェの平面図

設計のポイント

ホテルのロビーは、接客スペースと通路の2つに大きく分けられる。大規模な高級ホテルになると中庭も作られる。店舗などのサービス施設は、ロビー空間の快適さに留意して設計することが大切である。ロビーは人々の心理的な要求を満たすと同時に、ホテルの格式を反映するものでもあるため、設計に際しては統一性を重視し、高級感と親近感のある空間づくりに努めることが重要である。

サービスカウンターは、最も目立つ場所に設置すること。その大きさはホテルの客室の数に比例する。

天井の設計も重厚感に重きを置き、荘重な雰囲気をつくり出すようにする。床の材質は一般的に御影石が多い。

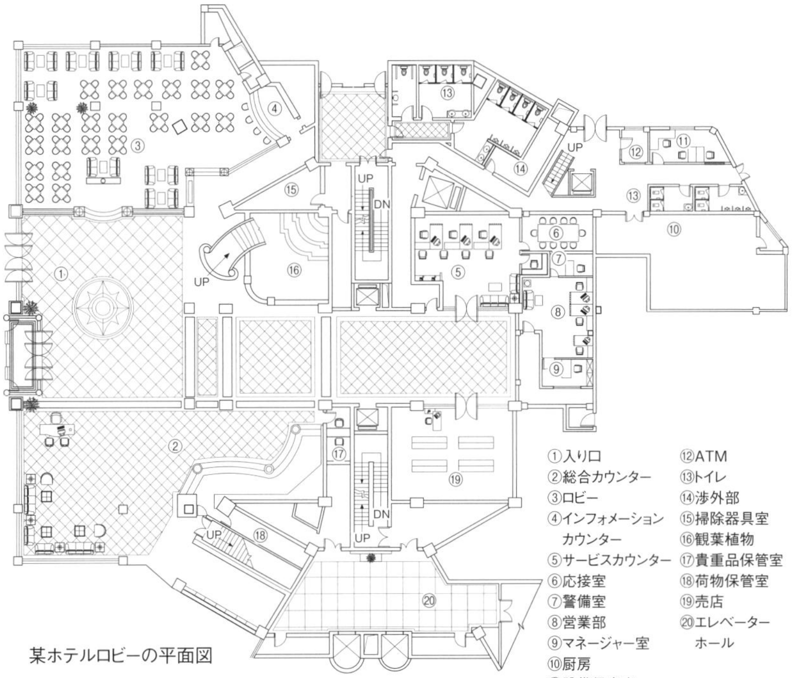
UP
DN
UP
DN
UP
UP

①入り口 ②総合カウンター ③ロビー ④インフォメーションカウンター ⑤サービスカウンター ⑥応接室 ⑦警備室 ⑧営業部 ⑨マネージャー室 ⑩厨房 ⑪設備保安室 ⑫ATM ⑬トイレ ⑭渉外部 ⑮掃除器具室 ⑯観葉植物 ⑰貴重品保管室 ⑱荷物保管室 ⑲売店 ⑳エレベーターホール

某ホテルロビーの平面図

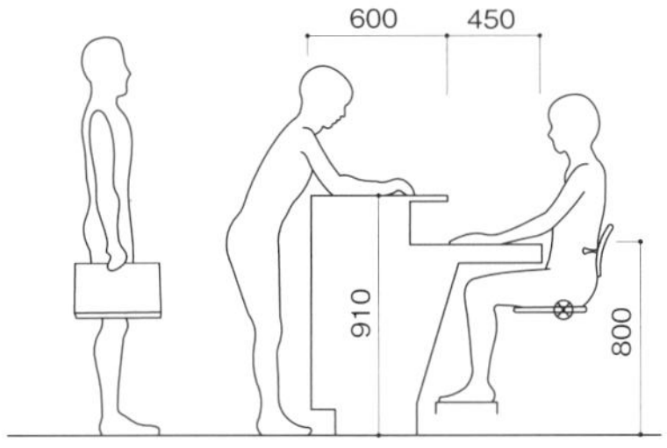
600
450
910
800

インフォメーションカウンター

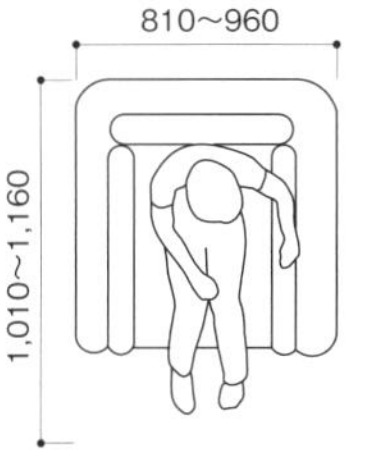
810~960
1,010~1,160

ソファの平面図

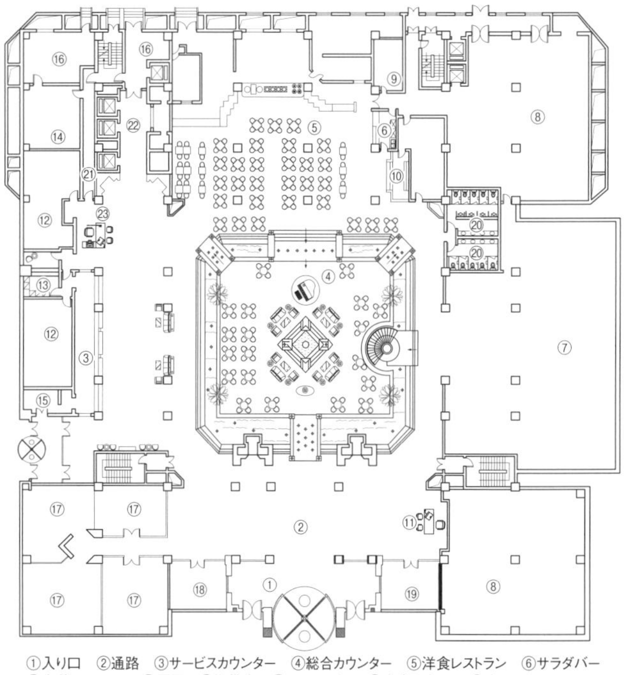

①入り口 ②通路 ③サービスカウンター ④総合カウンター ⑤洋食レストラン ⑥サラダバー ⑦中華レストラン ⑧厨房 ⑨準備室 ⑩ドリンクバー ⑪宴会予約場 ⑫オフィス ⑬貴重品保管室 ⑭機械室 ⑮荷物保管室 ⑯消防制御センター ⑰売店 ⑱工芸品売場 ⑲生活用品売場 ⑳トイレ ㉑従業員通路 ㉒エレベーターホール ㉓インフォメーションカウンター

某ホテルロビーの平面図

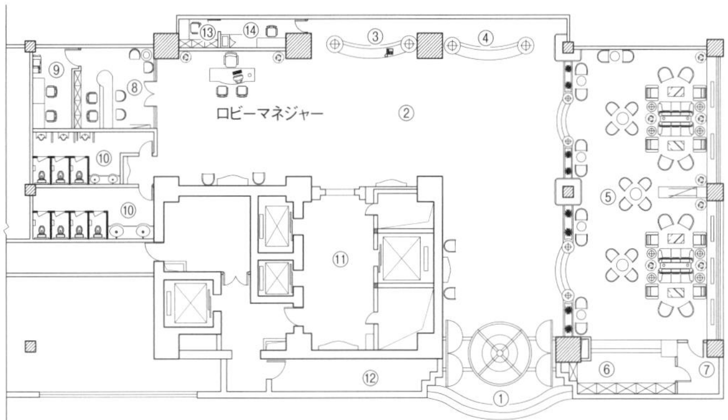
ロビーマネジャー

①入り口 ②ホール ③受付 ④キャッシャー ⑤ロビー ⑥インフォメーションカウンター ⑦作業室 ⑧営業部 ⑨オペレーション室 ⑩トイレ ⑪エレベーター ⑫機械室 ⑬財務室 ⑭休憩室

某ホテルロビー平面図

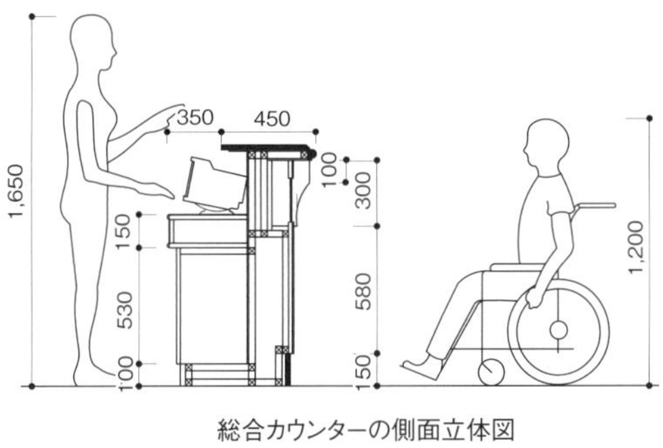
350
450
1,650
150
530
100
100
300
580
150
1,200

総合カウンターの側面立体図

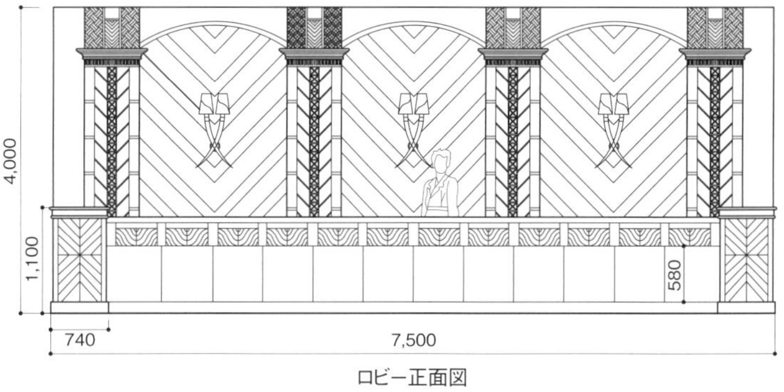
4,000
1,100
580
740
7,500

ロビー正面図

設計のポイント

一般的な客室には、ベッド、ベッドサイドキャビネット、ソファ、椅子、テーブル、化粧台、クローゼット、荷物置台などの家具や、テレビ、電話、冷蔵庫、スタンドのほか、時にはパソコンなどが置かれている。

客室はシングルルーム、ツイン・ダブルルーム、スイートルームに分類できる。スタンダードな部屋は通常、2つのシングルベッドと単独のバスルームからなる。スイートルームはスタンダードルームより広いうえに、1部屋あるいは複数の部屋が追加される。高級スイートルームの場合、夫人用、秘書用、警護員用、運転手用の部屋まであり、リビング、ダイニング、キッチン、複数のトイレなどが付いており、非常に豪華である。

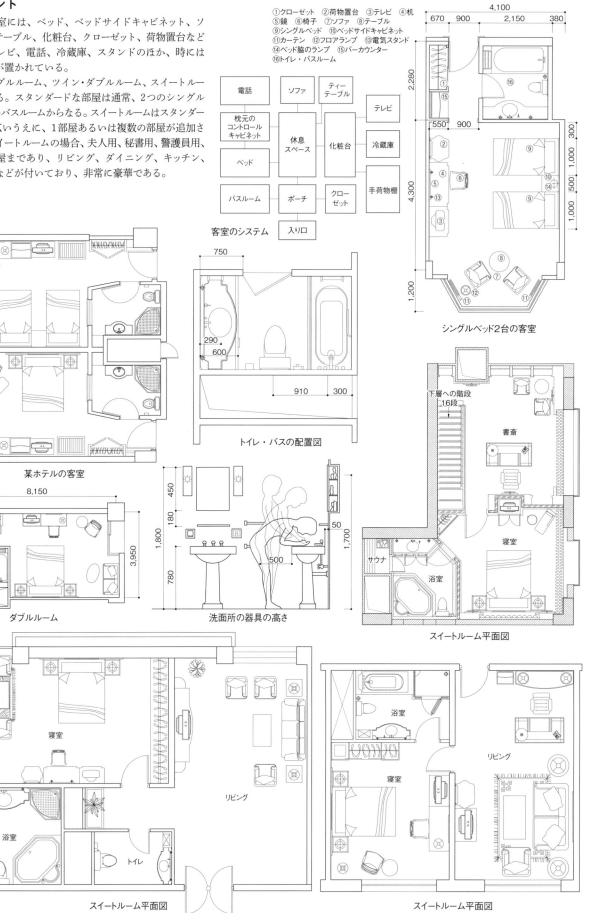

①クローゼット ②荷物置台 ③テレビ ④机
⑤鏡 ⑥椅子 ⑦ソファ ⑧テーブル
⑨シングルベッド ⑩ベッドサイドキャビネット
⑪カーテン ⑫フロアランプ ⑬電気スタンド
⑭ベッド脇のランプ ⑮バーカウンター
⑯トイレ・バスルーム

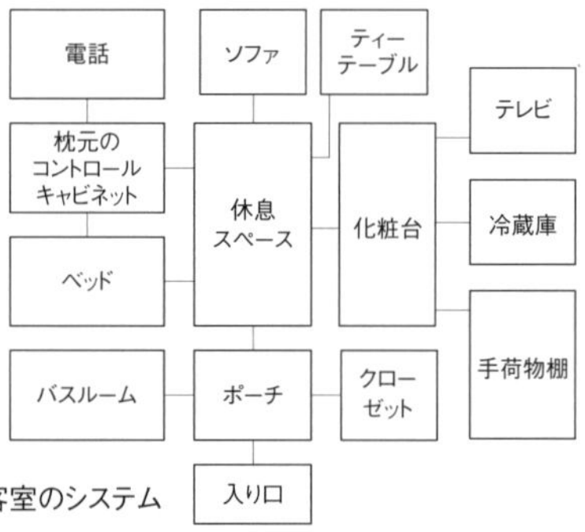
電話
ソファ
ティー
テーブル
テレビ
枕元の
コントロール
キャビネット
休息
スペース
化粧台
冷蔵庫
ベッド
手荷物棚
バスルーム
ポーチ
クロー
ゼット
入り口
客室のシステム

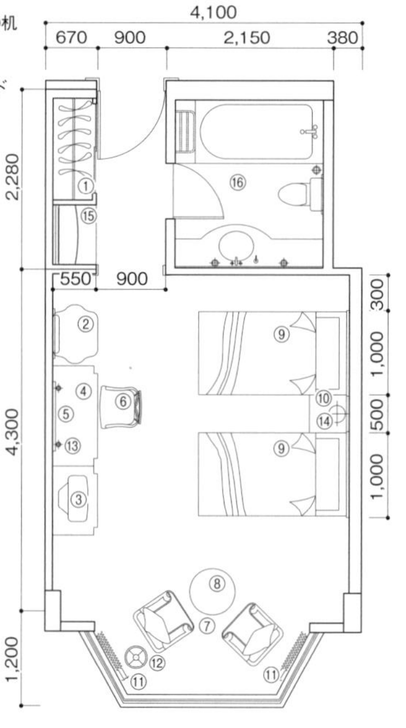
4,100
670
900
2,150
380
2,280
550
900
4,300
1,200
300
1,000
500
1,000
シングルベッド2台の客室

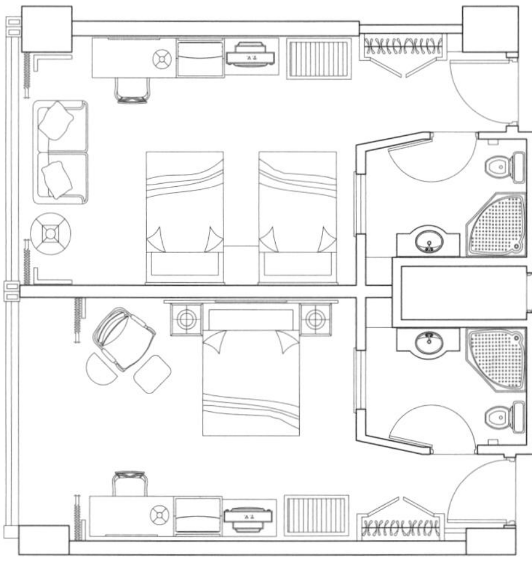
某ホテルの客室

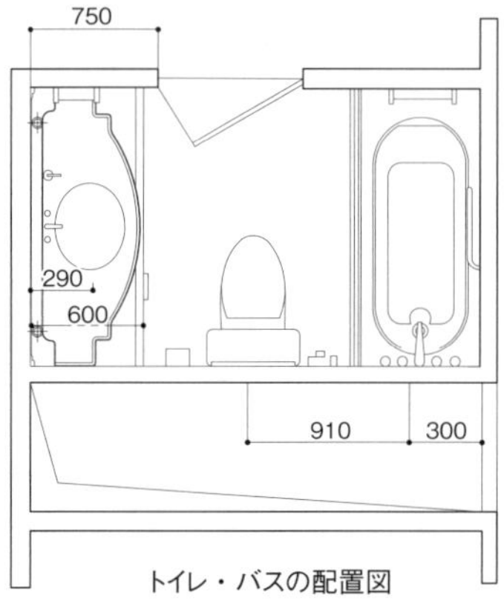
750
290
600
910
300
トイレ・バスの配置図

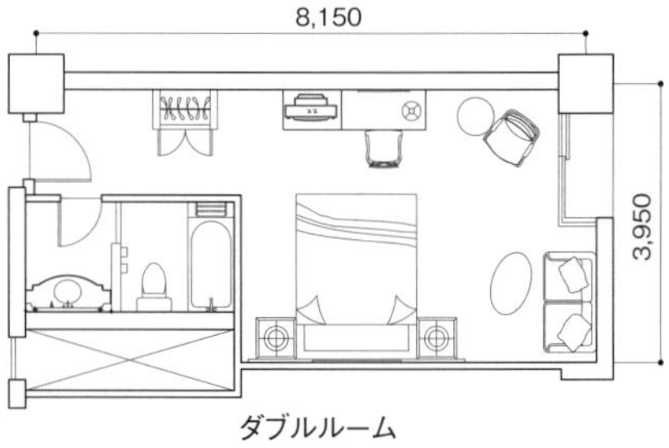
8,150
3,950
ダブルルーム

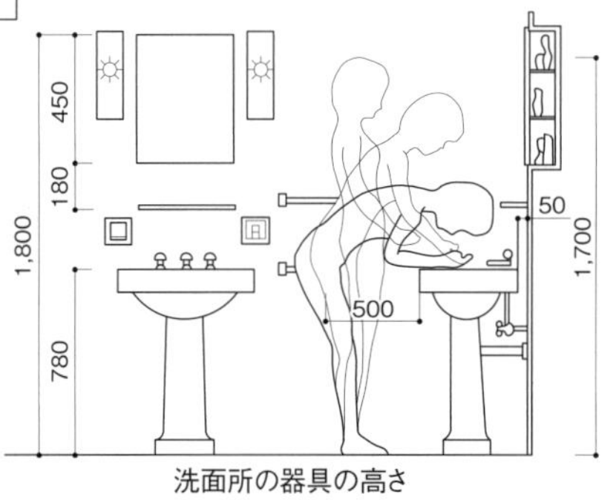
450
180
1,800
780
50
1,700
500
洗面所の器具の高さ

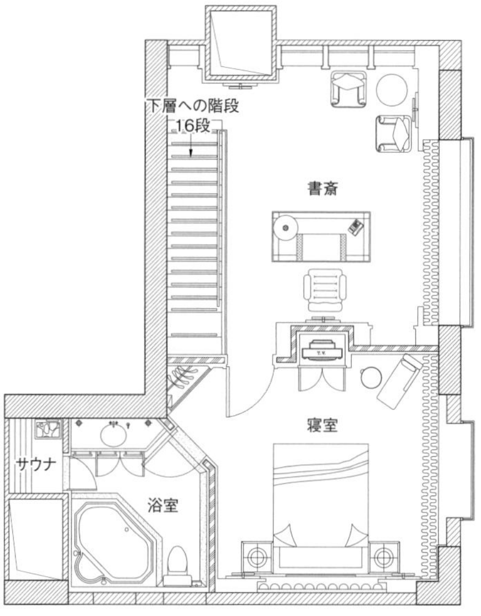
下層への階段
16段
書斎
寝室
サウナ
浴室
スイートルーム平面図

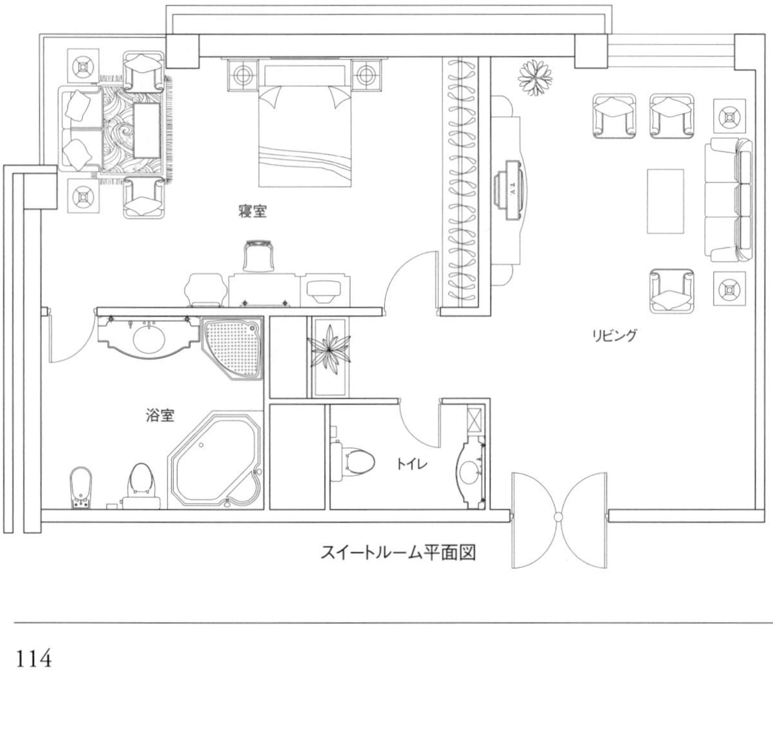
寝室
リビング
浴室
トイレ
スイートルーム平面図

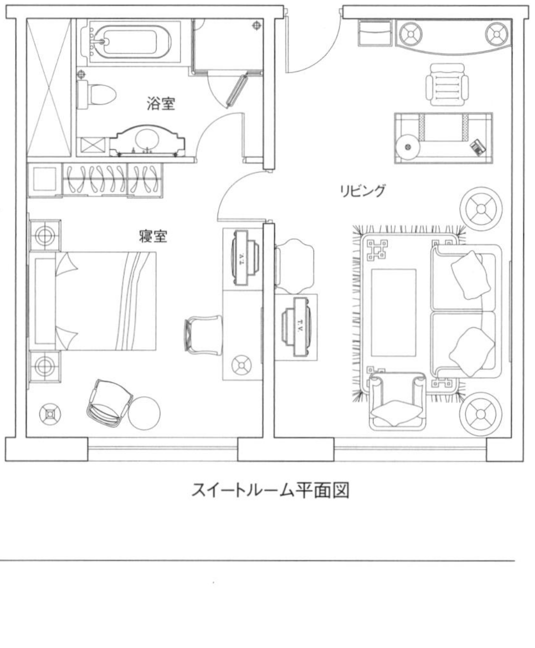
浴室
リビング
寝室
スイートルーム平面図

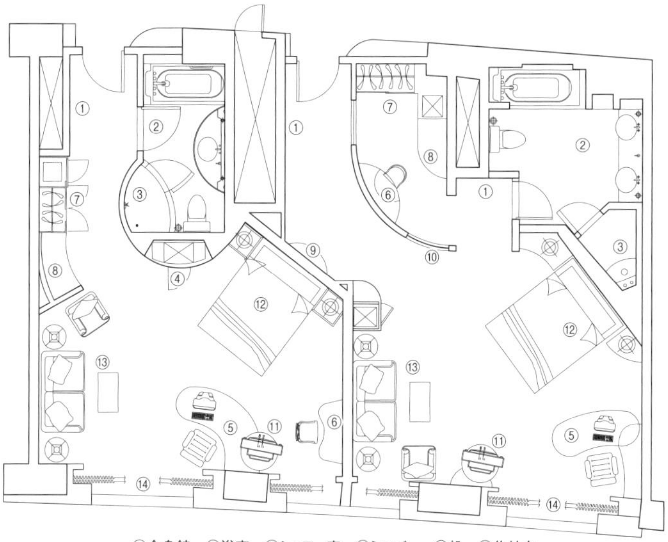
①
②
③
④
⑤
⑥
⑦
⑧
⑨
⑩
⑪
⑫
⑬
⑭

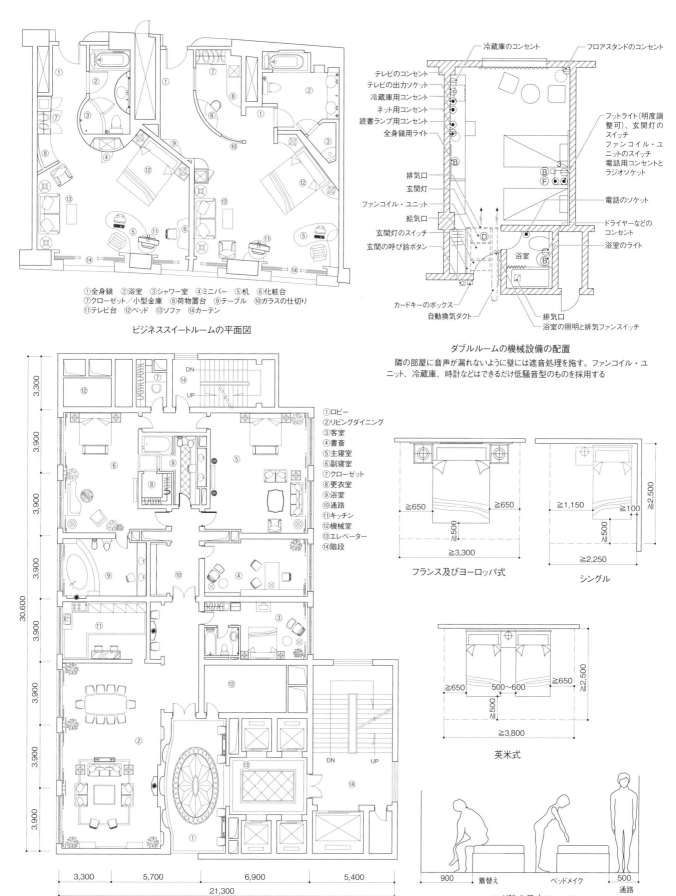

①全身鏡　②浴室　③シャワー室　④ミニバー　⑤机　⑥化粧台
⑦クローゼット／小型金庫　⑧荷物置台　⑨テーブル　⑩ガラスの仕切り
⑪テレビ台　⑫ベッド　⑬ソファ　⑭カーテン

ビジネススイートルームの平面図

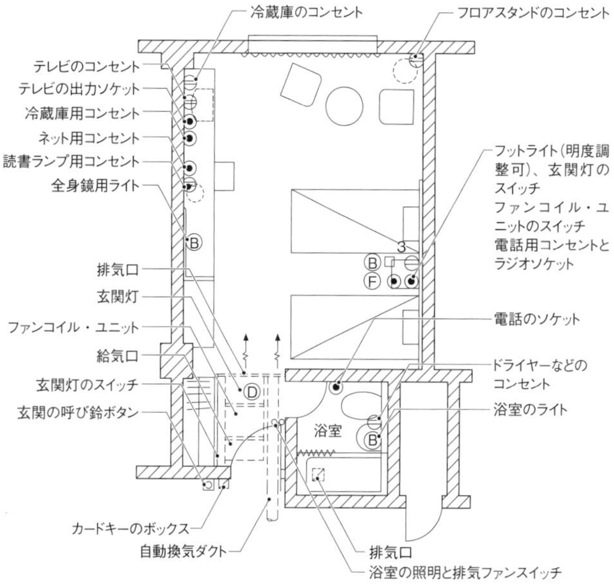
冷蔵庫のコンセント
フロアスタンドのコンセント
テレビのコンセント
テレビの出力ソケット
冷蔵庫用コンセント
ネット用コンセント
読書ランプ用コンセント
全身鏡用ライト
フットライト（明度調整可）、玄関灯のスイッチ
ファンコイル・ユニットのスイッチ
電話用コンセントとラジオソケット
排気口
玄関灯
ファンコイル・ユニット
給気口
玄関灯のスイッチ
玄関の呼び鈴ボタン
電話のソケット
ドライヤーなどのコンセント
浴室のライト
浴室
カードキーのボックス
自動換気ダクト
排気口
浴室の照明と排気ファンスイッチ

ダブルルームの機械設備の配置

隣の部屋に音声が漏れないように壁には遮音処理を施す。ファンコイル・ユニット、冷蔵庫、時計などはできるだけ低騒音型のものを採用する

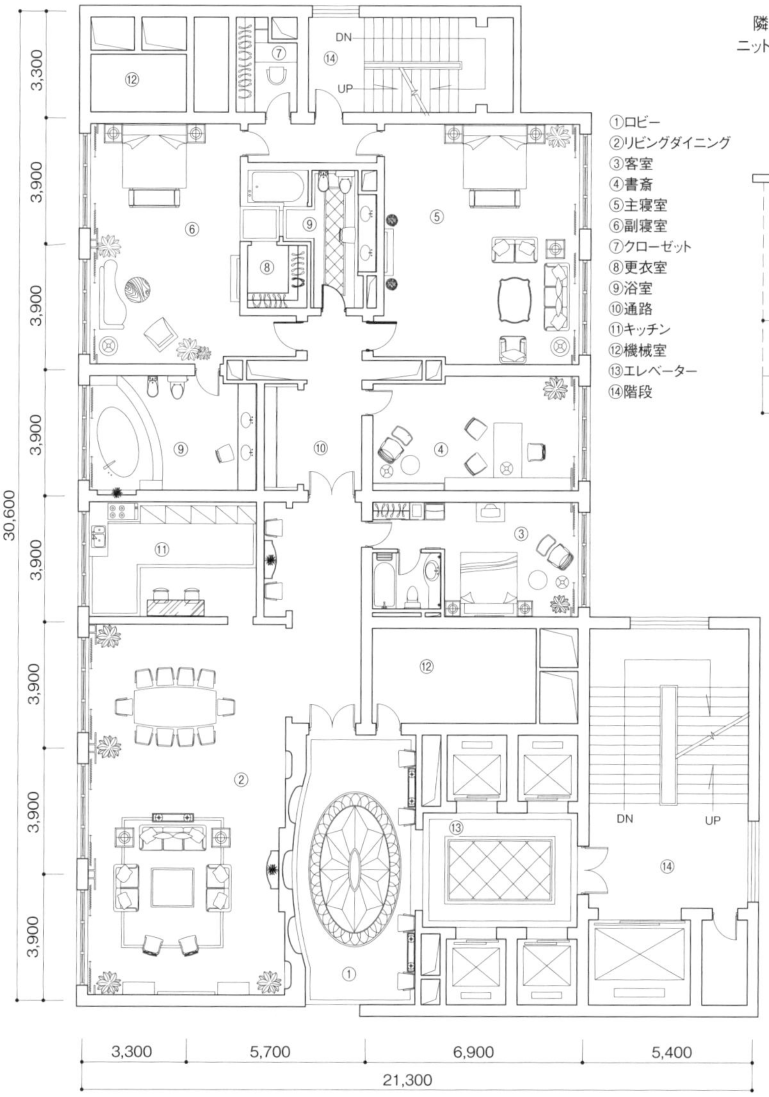
DN
UP
3,300
3,900
3,900
3,900
3,900
3,900
3,900
3,900
30,600
3,300
5,700
6,900
5,400
21,300

①ロビー
②リビングダイニング
③客室
④書斎
⑤主寝室
⑥副寝室
⑦クローゼット
⑧更衣室
⑨浴室
⑩通路
⑪キッチン
⑫機械室
⑬エレベーター
⑭階段

プレジデンシャルスイートルームの平面図

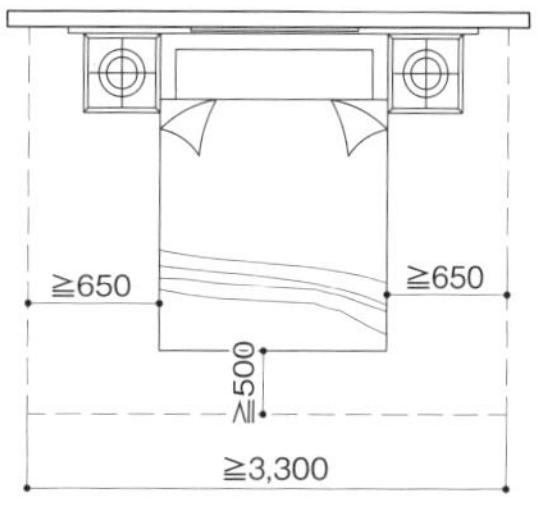
≧650
≧650
≧500
≧3,300

フランス及びヨーロッパ式

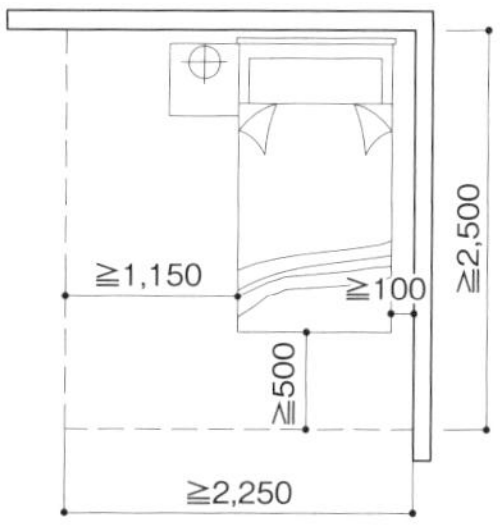
≧1,150
≧100
≧500
≧2,500
≧2,250

シングル

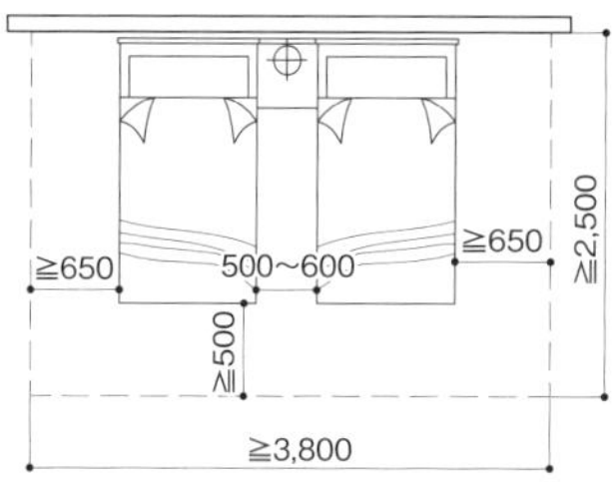
≧650
500～600
≧650
≧500
≧2,500
≧3,800

英米式

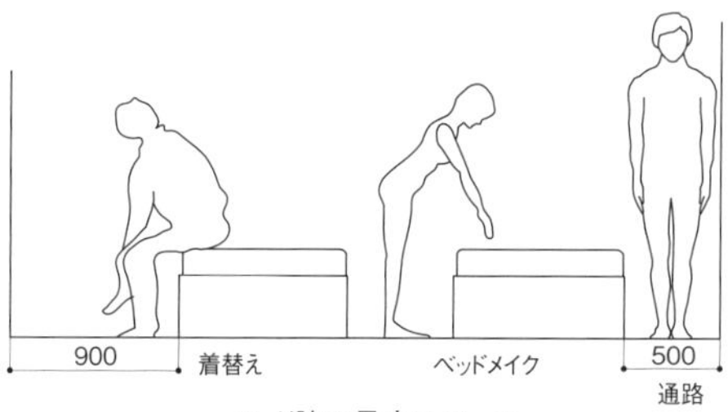
900
着替え
ベッドメイク
500
通路

ベッド脇の最小スペース

設計のポイント

ホテルの宴会場は、パーティや会議、展示会などに使われる場所である。

設計する際は客室から離れたところに設け、スムーズにサービスを提供できるよう、スタッフや配膳カートの動線、機材を置くスペースなども十分に考慮しなければならない。また、結婚式場としても使用する場合は、控え室や更衣室、写真室も用意する。

そのほか、利用者のさまざまなニーズに応じて臨機応変にスペースを区切れるよう、衝立も準備しておくこと。

なお、大型の宴会場では専用のサービスカウンターとクロークなども設置する。中小の宴会場では一般的に入口付近にサービスカウンターを設置する。

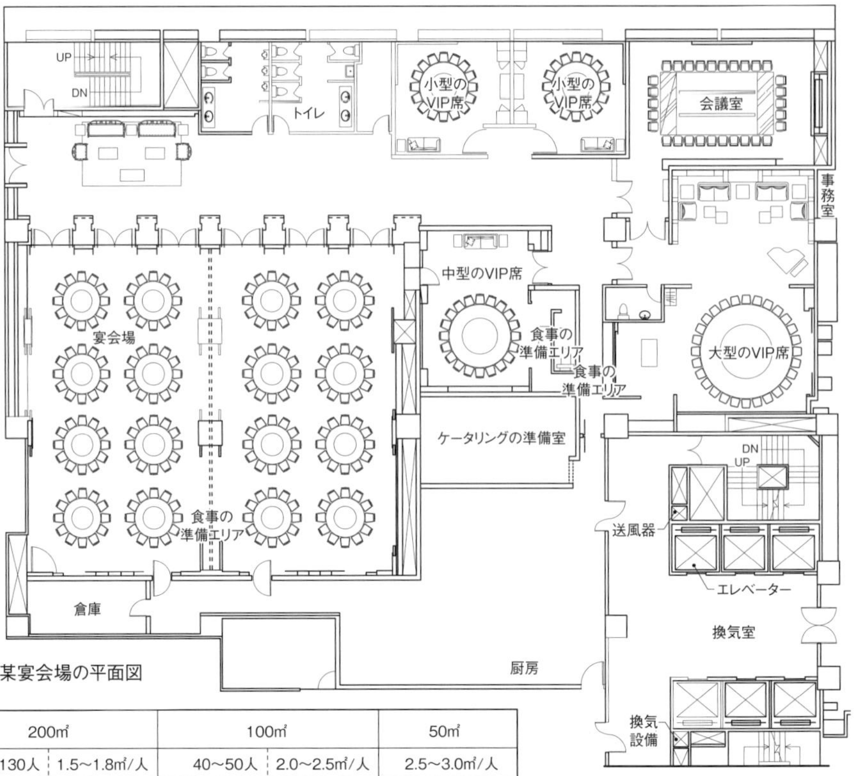
UP
DN
トイレ
小型のVIP席
小型のVIP席
会議室
事務室
宴会場
中型のVIP席
食事の準備エリア
食事の準備エリア
大型のVIP席
ケータリングの準備室
DN
UP
送風器
エレベーター
食事の準備エリア
倉庫
換気室
厨房
換気設備

某宴会場の平面図

使用目的＼面積	500㎡		200㎡		100㎡		50㎡
結婚式場	300〜350人	1.5㎡/人	100〜130人	1.5〜1.8㎡/人	40〜50人	2.0〜2.5㎡/人	2.5〜3.0㎡/人
会議室	700〜750人	0.7㎡/人	200〜250人	0.8㎡/人	100人	1.0㎡/人	1.5㎡/人
バイキング	500人	1.0㎡/人	170〜200人	1.0〜1.2㎡/人	60〜80人	1.2〜1.5㎡/人	1.5〜2.0㎡/人

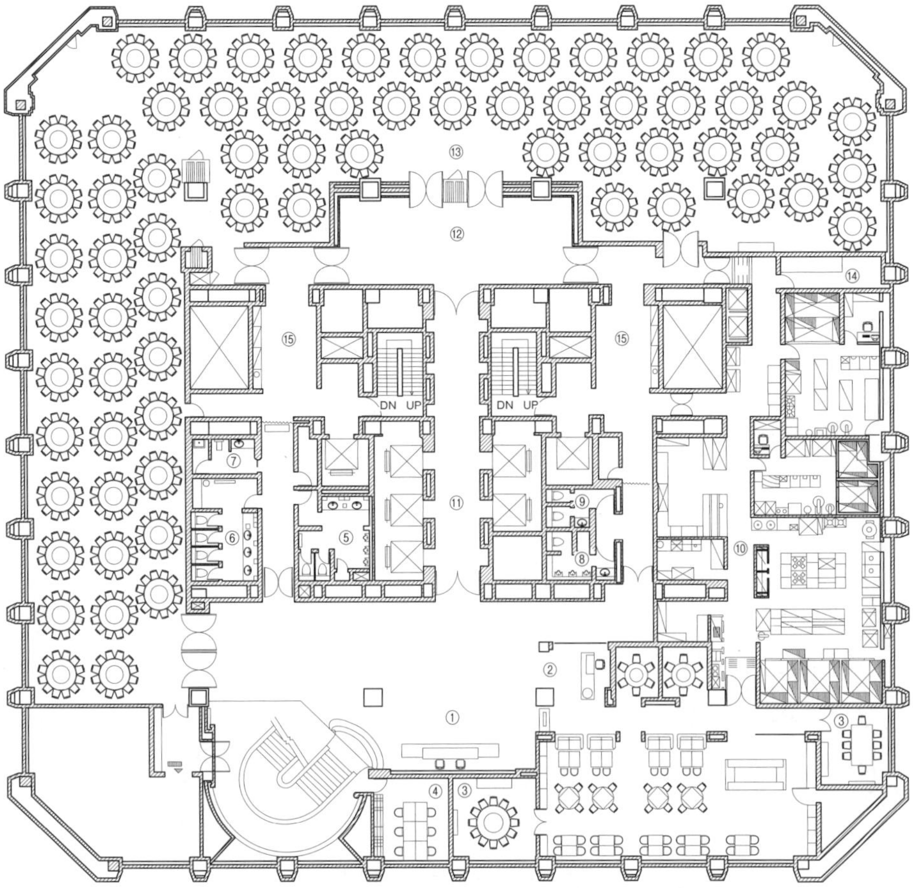
⑬
⑫
⑭
⑮
⑮
DN UP
DN UP
⑦
⑥
⑤
⑪
⑨
⑧
⑩
②
①
③
④
③

某宴会場の平面図

①サービスカウンター ②通路 ③会議室 ④オフィス ⑤男性用トイレ ⑥女性用トイレ
⑦障害者用トイレ ⑧男性用トイレ ⑨女性用トイレ ⑩厨房 ⑪エレベーターホール
⑫宴会場入り口 ⑬宴会場 ⑭音響設備室 ⑮料理準備室

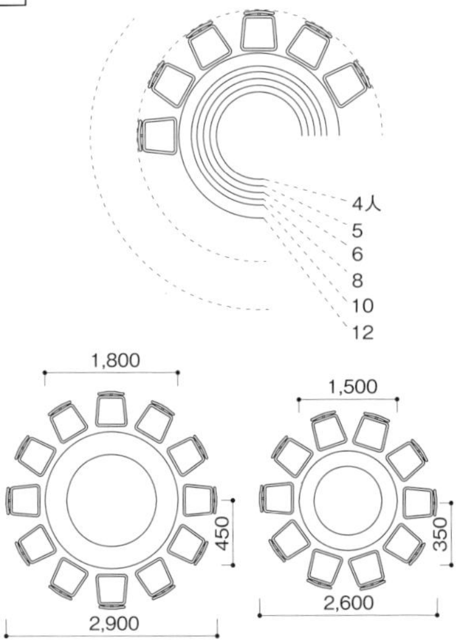
4人
5
6
8
10
12
1,800
1,500
450
350
2,900
2,600

円卓

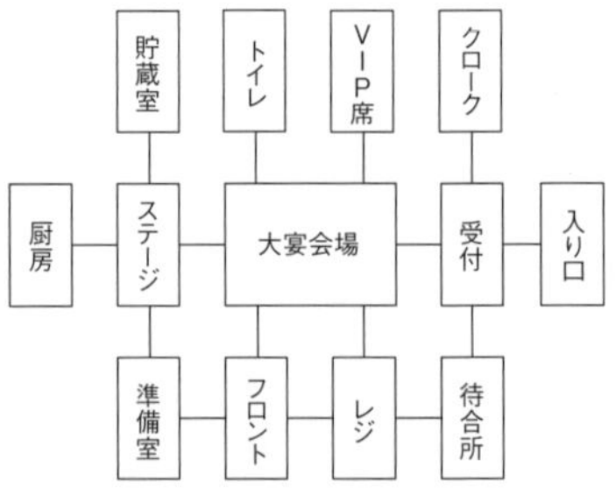
貯蔵室
トイレ
VIP席
クローク
厨房
ステージ
大宴会場
受付
入り口
準備室
フロント
レジ
待合所

宴会場のシステム

設計のポイント

1. 一般的に現代の劇場は、フロアには段差があり、高い方から低い方へとデザインされている。同様に天井にも何層もの段差が設けられている。
2. ロビーの主要出入口と避難通路を明確に位置付け、観客動線を考慮して設計すること。ドアは両開きとするのが一般的である。
3. チケット売場、事務所、売店、演者控え室、化粧室、トイレ、道具部屋などを適切な位置に配置する。
4. 遮光・防音対策を行い、さまざまな照明の役割を明確にする。
5. 消防法に基づいた設計と施工を行う。資材は防火・防音効果の高いものを使う。
6. 劇場設計は前のエリアと後ろのエリアに分けられる。前方はフロント、ラウンジで、後ろは観客席である。通常、客席はやや大きめで、クッションは柔らかい。機能性が高く、快適で、調節もできる。一般的に1列に8～10席が並ぶ。列と列の間隔は500㎜とし、人の出入りに配慮する。

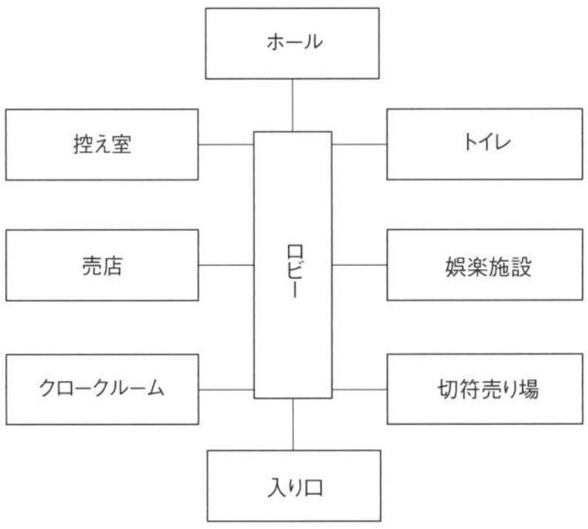
ホール
控え室
トイレ
売店
ロビー
娯楽施設
クロークルーム
切符売り場
入り口

劇場のシステム

①ホール ②休憩ホール ③ステージ ④作業室 ⑤ボックス席
⑥VIPボックス席 ⑦クロークルーム ⑧事務室 ⑨監督室
⑩観衆ホールの入り口 ⑪喫煙ルーム ⑫女性用トイレ ⑬倉庫 ⑭機械室
⑮ファストフード ⑯階段 ⑰ホールの上部 ⑱男性用トイレ

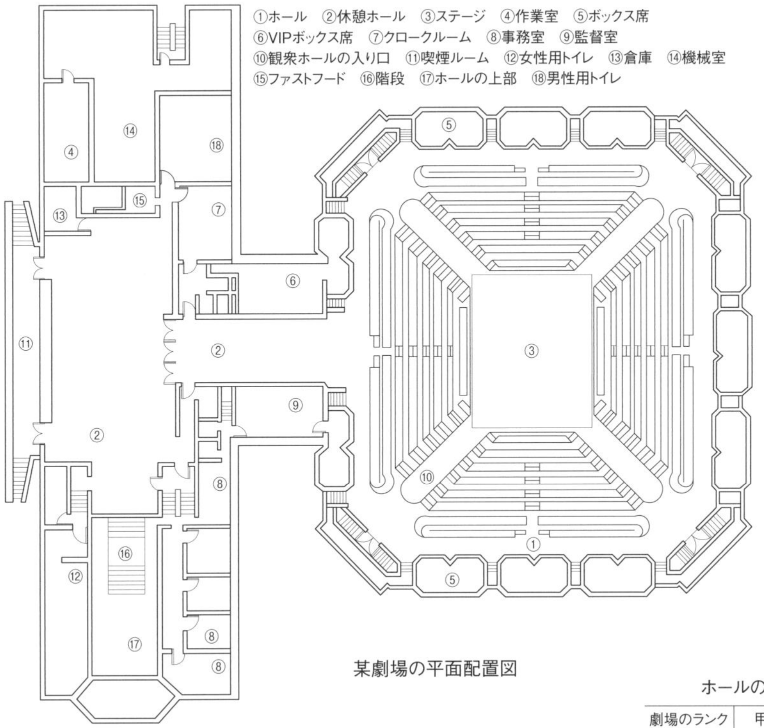

某劇場の平面配置図

天井の構造形式

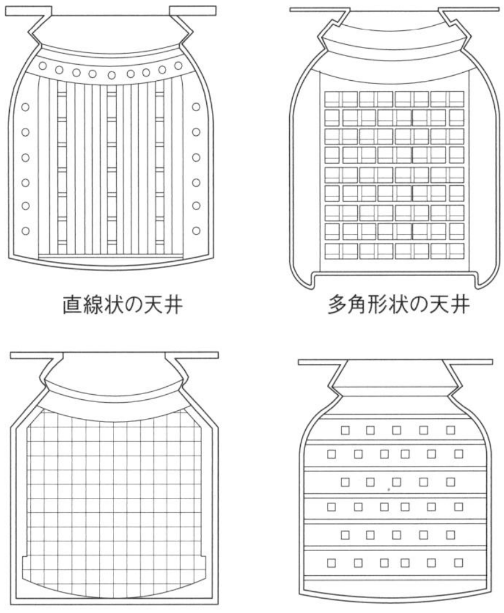

直線状の天井　多角形状の天井

曲線状の天井　破線状の天井

ホールの座席面積

劇場のランク	甲	乙	丙
各座席の面積	0.7㎡	0.6㎡	0.55㎡

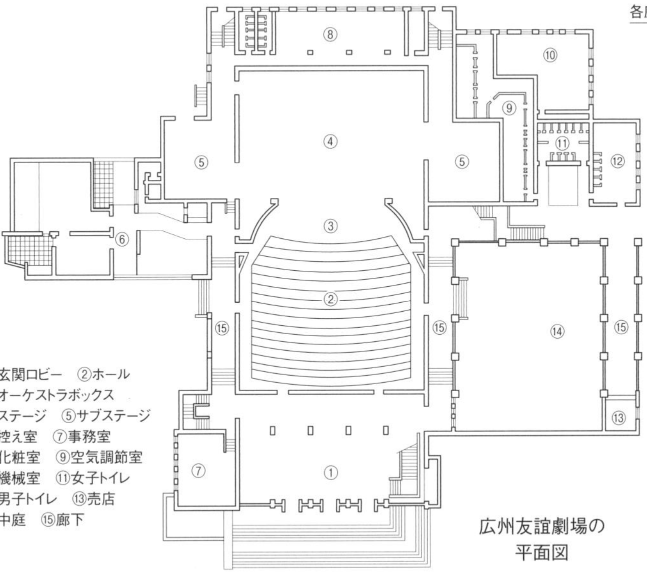

①玄関ロビー ②ホール
③オーケストラボックス
④ステージ ⑤サブステージ
⑥控え室 ⑦事務室
⑧化粧室 ⑨空気調節室
⑩機械室 ⑪女子トイレ
⑫男子トイレ ⑬売店
⑭中庭 ⑮廊下

広州友誼劇場の平面図

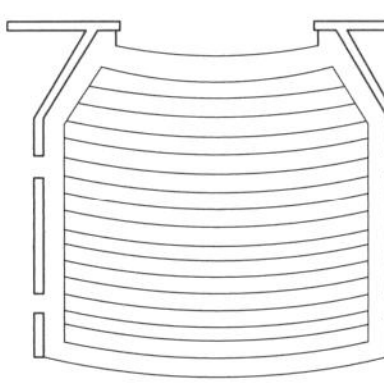

長い座席配列法

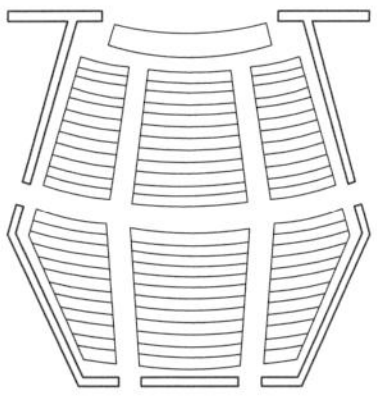

短い座席配列法

1. **座席**　肘掛けの中心を基点にした座席の間隔は、硬い椅子の場合で470～500㎜、柔らかい椅子の場合で500～700㎜。「短い配列法」を採用し、両側に通路がある場合、一列あたりの座席数は22以下にする。片側しか通路がない場合は11以下にする。「長い配列法」を採用し、両側に通路がある場合は座席数を55以下に、片側しか通路がない場合はその半分とする
2. **一列あたりの寸法**　「短い配列法」を採用した場合、硬い椅子ならば0.78～0.82m、柔らかい椅子ならば0.82～0.9mとする。「長い配列法」を採用した場合、硬い椅子ならば0.9～0.95m、柔らかい椅子ならば1.0～1.15mとする
3. **通路**　オーケストラボックスがある場合を除いて、最前列の前は1.5m以上の空間を設ける。オーケストラボックスがある場合は、オーケストラボックスとその手すりまでの距離は1mとする。突出式舞台では2m以上の空間を作る。その他の通路は、100脚あたり0.6mを目安に、空間の大きさに応じて決める。ただし側道は1.0m以上にする。縦方向の中間通路も1.0m以上にする。長い配列法を採用した場合、側道は1.2m以上にする。通路の斜面は1：10～1：6までとし、1：6より急斜面の際は、0.2mのステップを作る。座席の床が前の通路より0.5m以上高いとき、あるいは座席の床が横の通路と高低差があるときは、手すりを設ける

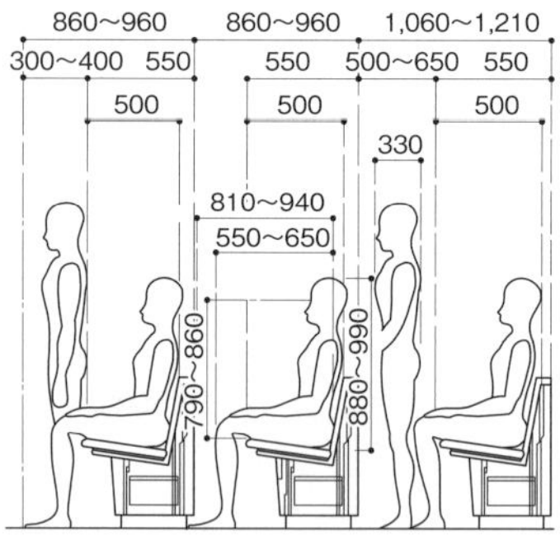
860~960
860~960
1,060~1,210
300~400
550
550
500~650
550
500
500
500
330
810~940
550~650
790~860
880~990

座席の基本配列の側面図

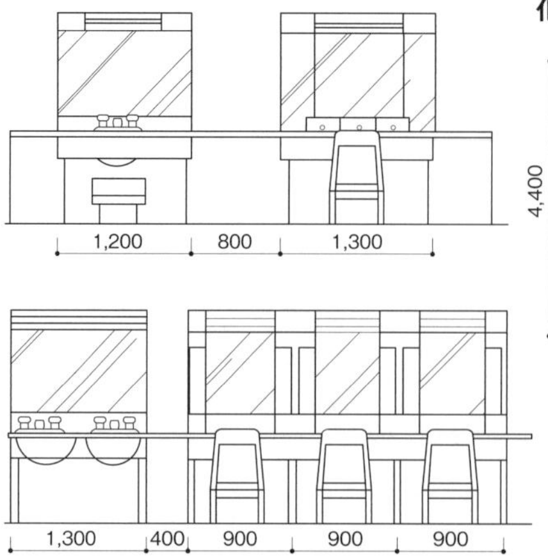
1,200
800
1,300
1,300
400
900
900
900

化粧室の平面図

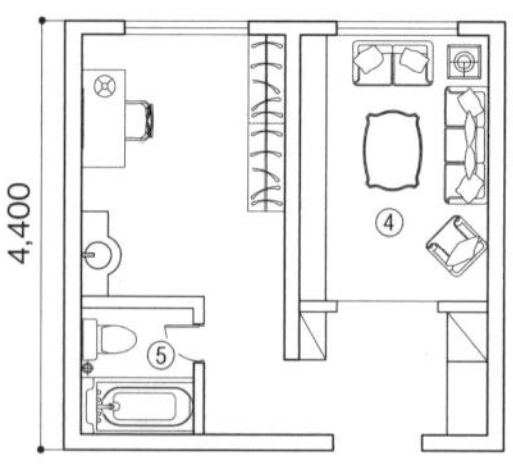
4,400
④
⑤

小型化粧室

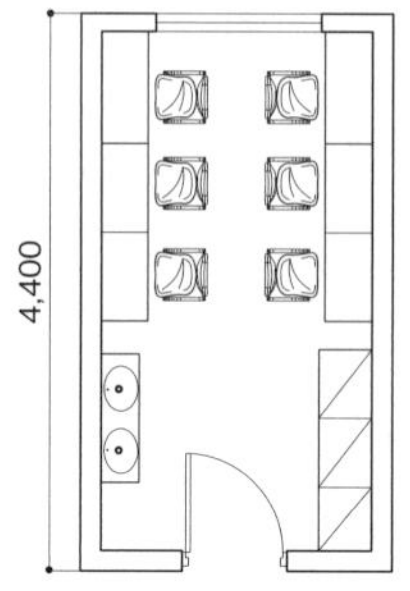
4,400

中型化粧室

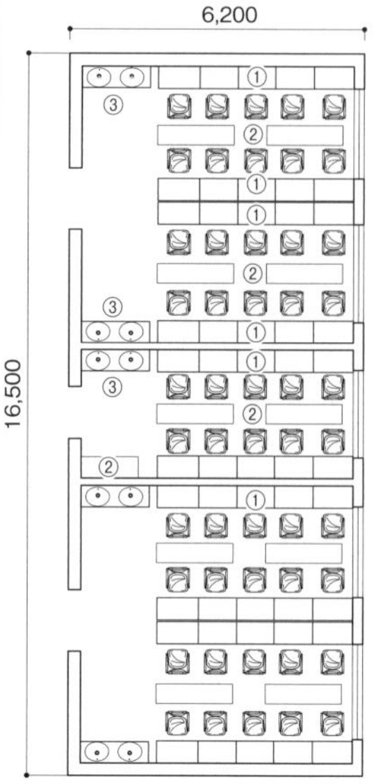
6,200
16,500
①
②
③

大型化粧室

①化粧台　②衣類・靴ラック　③洗面台　④休憩室　⑤バスルーム

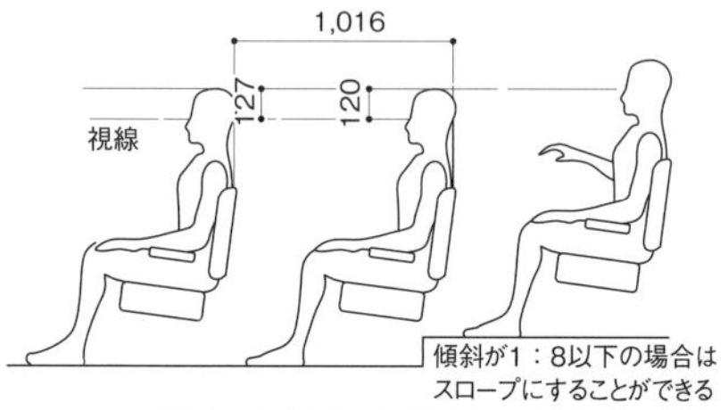
1,016
127
120
視線
傾斜が1：8以下の場合は
スロープにすることができる

2列ずつ段差をつける場合の視線

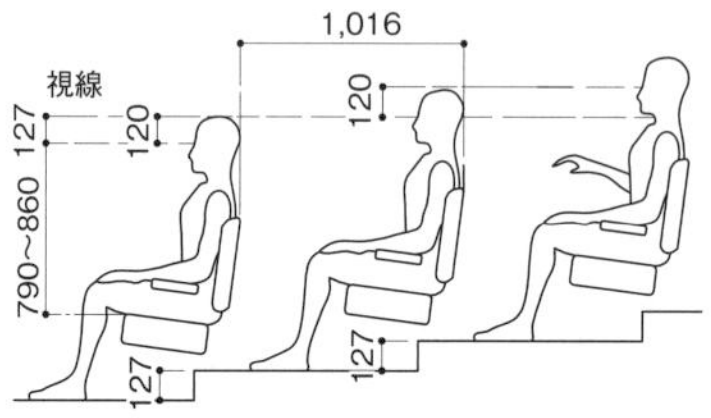
1,016
視線
127
120
120
790~860
127
127

1列ずつ段差をつける場合の視線

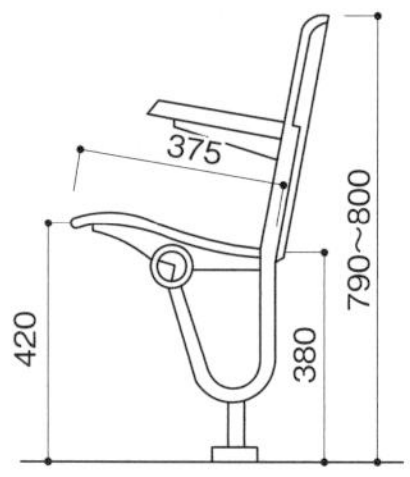
375
420
380
790~800

硬質の椅子

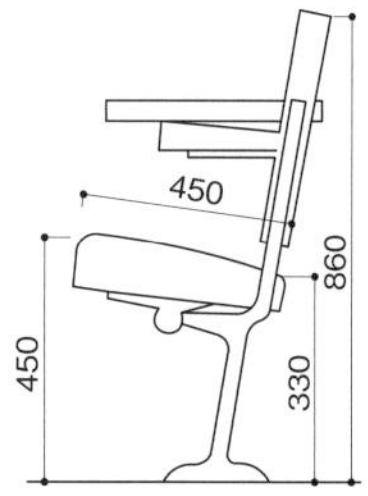
450
450
330
860

可動式の机付き椅子

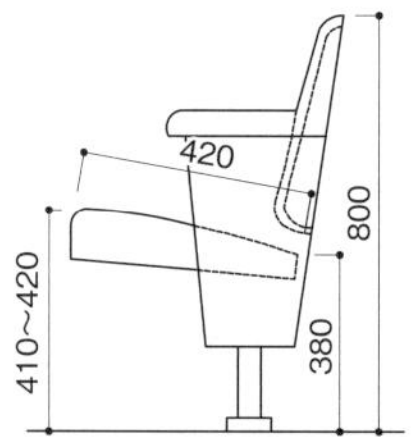
420
410~420
380
800

半軟質の折りたたみ椅子

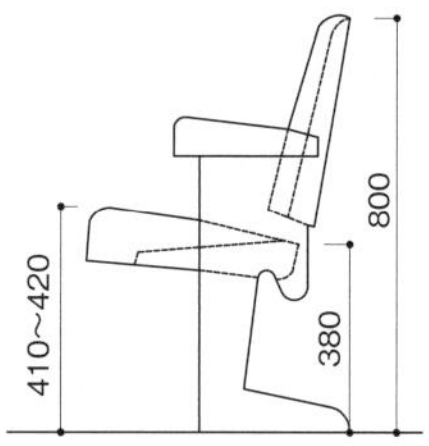
410~420
380
800

軟質の折りたたみ椅子

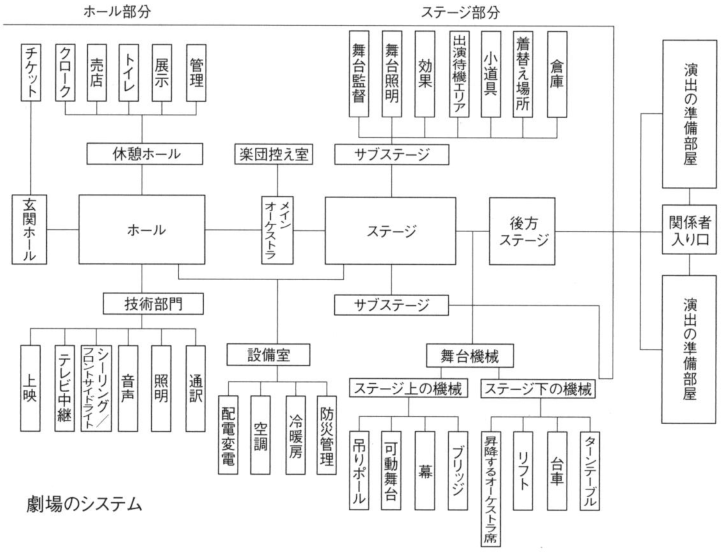
ホール部分
ステージ部分
チケット
クローク
売店
トイレ
展示
管理
舞台監督
舞台照明
効果
出演待機エリア
小道具
着替え場所
倉庫
休憩ホール
楽団控え室
サブステージ
演出の準備部屋
玄関ホール
ホール
メインオーケストラ
ステージ
後方ステージ
関係者入り口
技術部門
サブステージ
演出の準備部屋
設備室
舞台機械
上映
テレビ中継
シーリング／フロントサイドライト
音声
照明
通訳
配電変電
空調
冷暖房
防災管理
ステージ上の機械
ステージ下の機械
吊りポール
可動舞台
幕
ブリッジ
昇降するオーケストラ席
リフト
台車
ターンテーブル

劇場のシステム

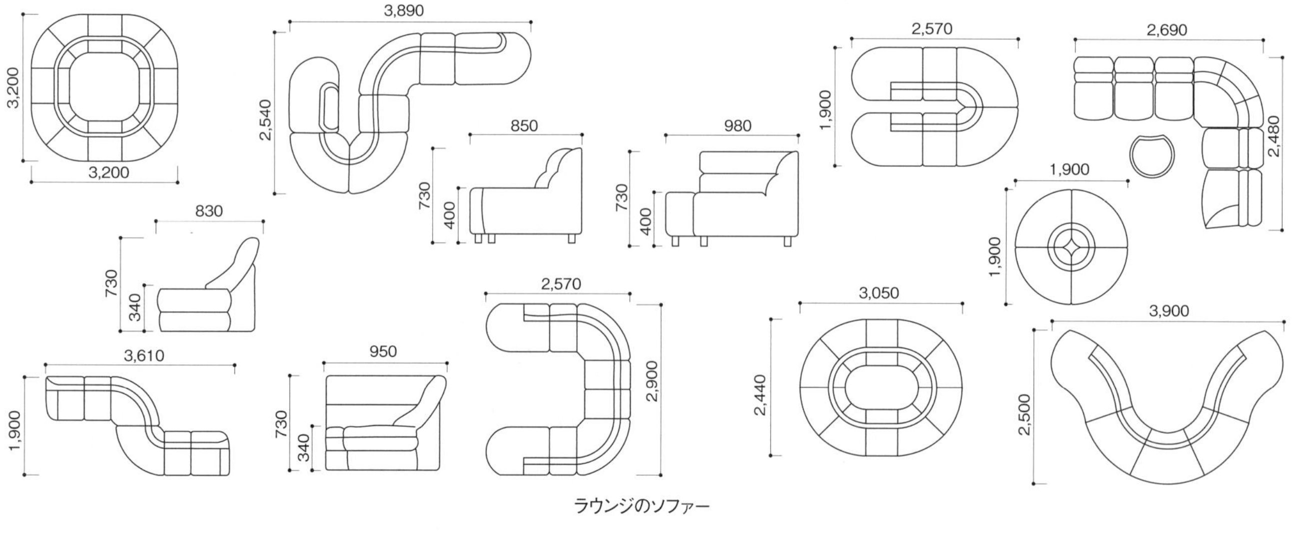
3,200
3,200
3,890
2,540
850
730
400
980
730
400
2,570
1,900
2,690
2,480
1,900
1,900
830
730
340
2,570
2,900
3,050
2,440
3,900
2,500
3,610
1,900
950
730
340

ラウンジのソファアー

設計のポイント

1. 病室の色調は落ち着きのあるものにする。柔和な色彩を主体とし、過度に原色を使わないようにすること。
2. 壁には防火パネルを採用し、床には滑り止めのビニール素材を使う。また、壁や家具にセーフティクッションを取り付けるなど、安全面を最大限考慮する。
3. ドアの幅と家具の配置は、患者用ベッドが通れるように配慮する。扉の角は丸みを持たせ、ぶつかっても衝撃を柔らげるようにする。
4. 病室のトイレと浴室の床は、滑り止め加工のタイルを採用する。そして、それぞれにナースコールのボタンを付けること。

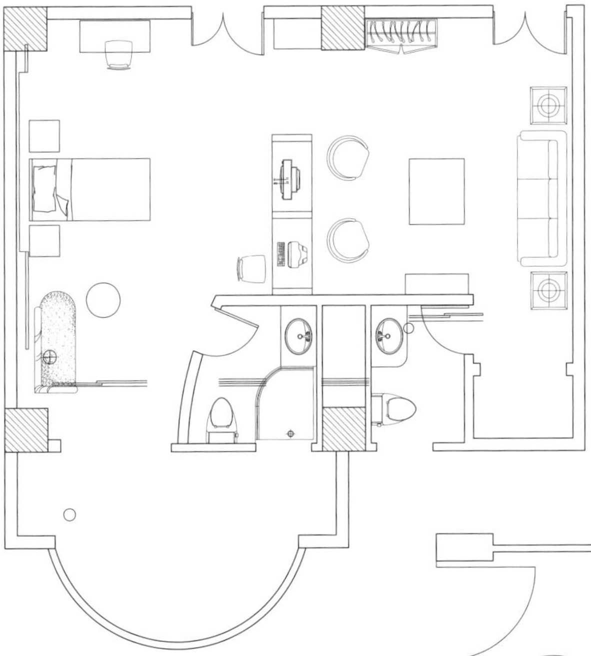

高級病室の平面図

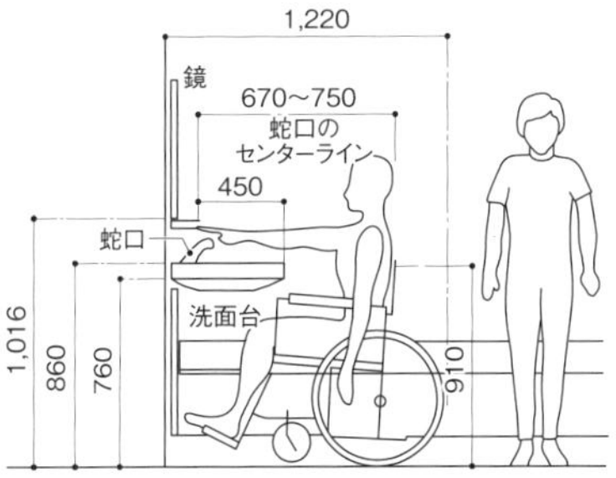
1,220
鏡
670~750
蛇口の
センターライン
450
蛇口
洗面台
1,016
860
760
910

病室の洗面所

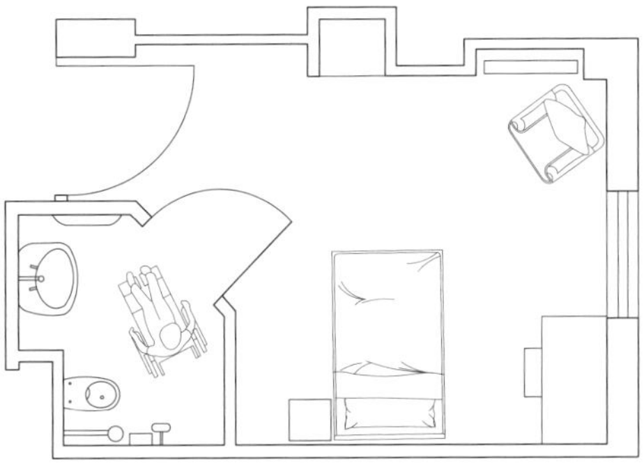

車椅子患者のケア病室

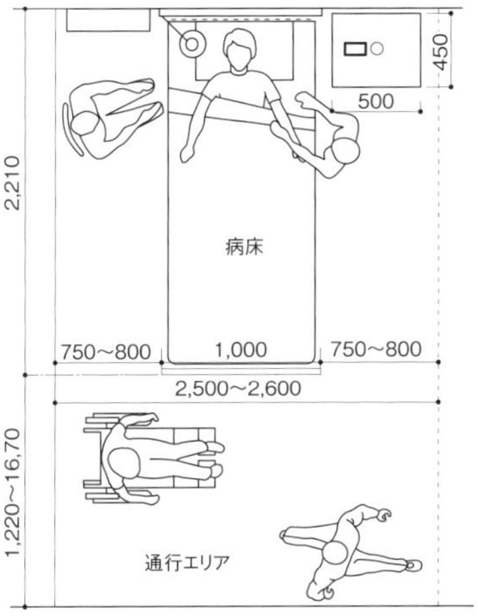
450
500
2,210
病床
750~800
1,000
750~800
2,500~2,600
1,220~16,70
通行エリア

2人部屋または4人部屋の個人スペース

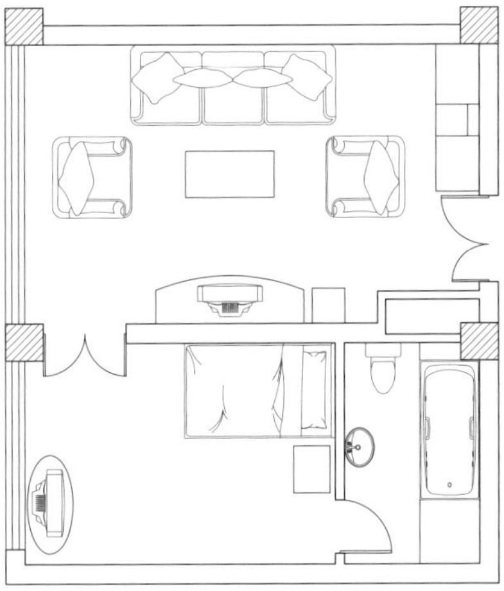

個室部屋の平面図

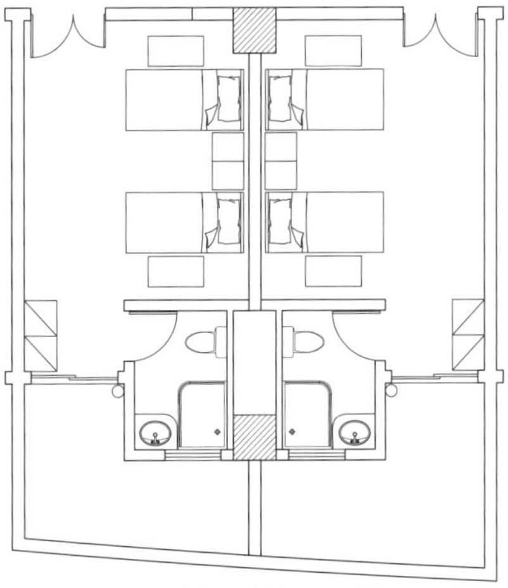

2人部屋病棟の平面図

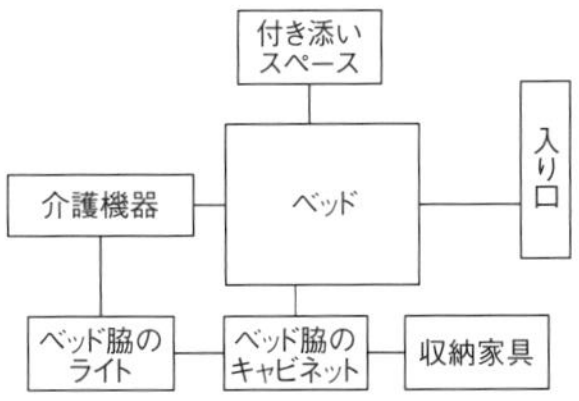
付き添い
スペース
ベッド
入り口
介護機器
ベッド脇の
ライト
ベッド脇の
キャビネット
収納家具

病室のシステム

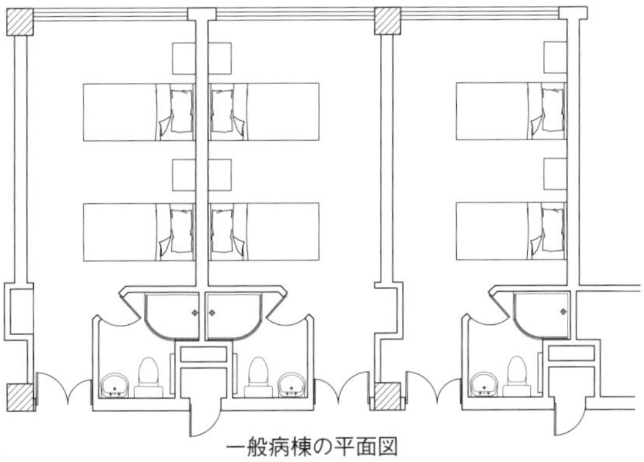

一般病棟の平面図

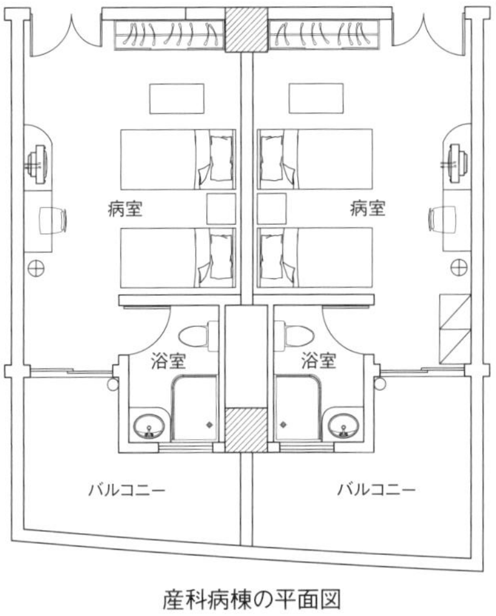
病室
病室
浴室
浴室
バルコニー
バルコニー

産科病棟の平面図

設計のポイント

図書館の基本機能は、蔵書、本の貸し出し、閲覧の3つである。この3者間の関係が、図書館における利用者の基本動線を決める。なかでも図書の運搬ルートが最も大切な要素である。ゾーニングの際は、書籍・利用者・サービスの各動線が交錯しないようにしなければならない。

ゾーニングは「3つの区分」に則ったものにする。つまり、対外空間と対内空間という区分、静粛ゾーンと歓談ゾーンという区分、異なるテーマの蔵書を集めた閲覧室という区分である。

図書館は多層階のものが多数を占める。そのためフロアごとの配置を考慮しなければならない。メインフロアは図書館全体のサービスセンターとし、図書目録コーナー、貸出カウンター、一般閲覧室、案内所などを配置する。中小規模の図書館のメインフロアは通常1階に、大規模な図書館のメインフロアは通常2階、時には3階に置かれる。

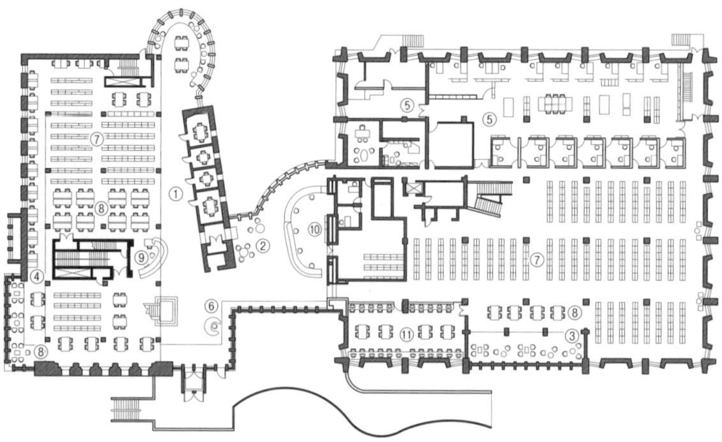

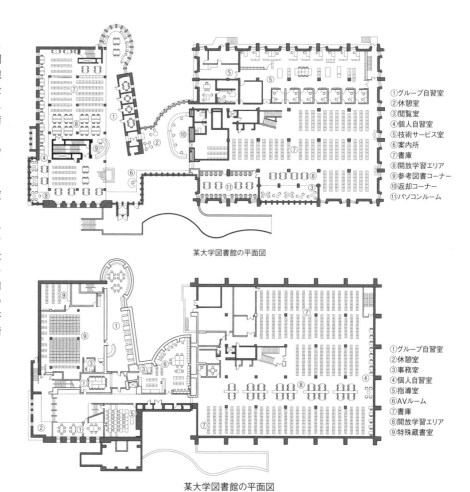

①グループ自習室
②休憩室
③閲覧室
④個人自習室
⑤技術サービス室
⑥案内所
⑦書庫
⑧開放学習エリア
⑨参考図書コーナー
⑩返却コーナー
⑪パソコンルーム

某大学図書館の平面図

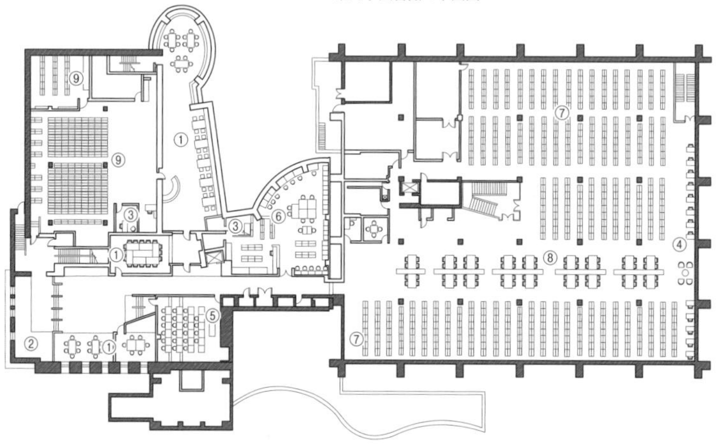

①グループ自習室
②休憩室
③事務室
④個人自習室
⑤指導室
⑥AVルーム
⑦書庫
⑧開放学習エリア
⑨特殊蔵書室

某大学図書館の平面図

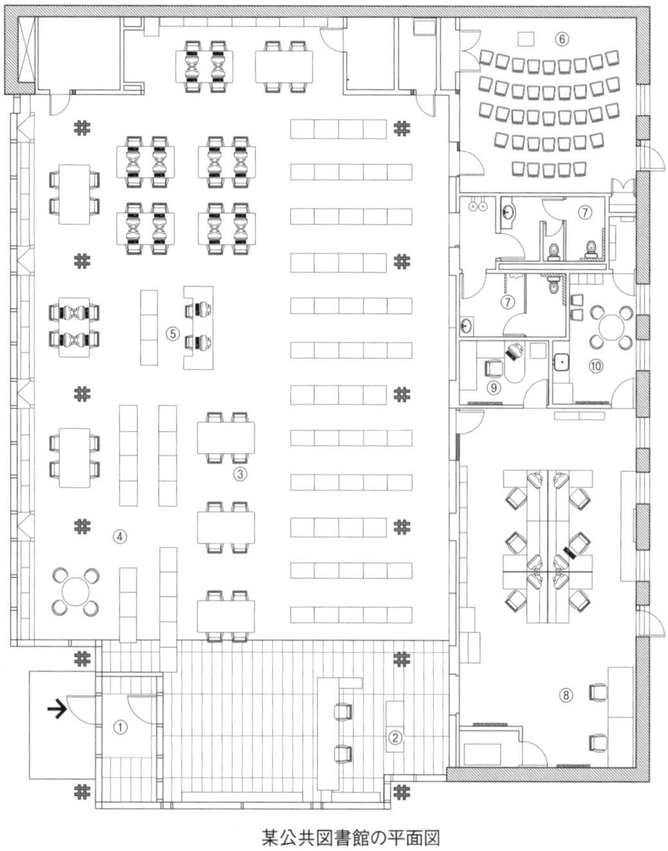

①入り口
②貸出カウンター
③閲覧室
④通路
⑤レファレンスコーナー
⑥会議室
⑦トイレ
⑧作業室
⑨事務室
⑩スタッフ休憩室

某公共図書館の平面図

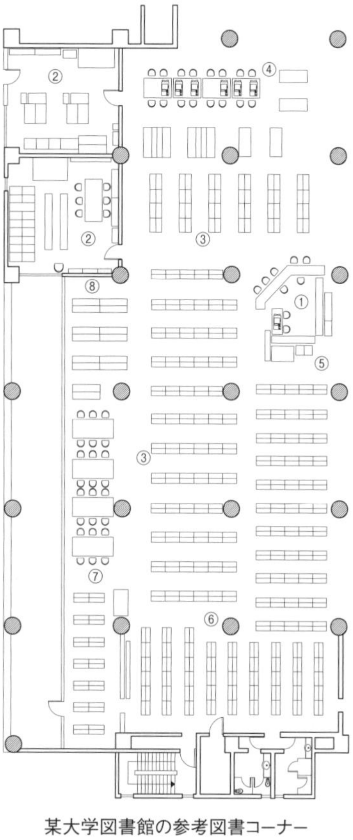

①参考資料編集室
②大学関連資料室
③書籍、目録
④印刷機
⑤最新雑誌
⑥辞典、辞書
⑦海外資料
⑧カード目録

某大学図書館の参考図書コーナー

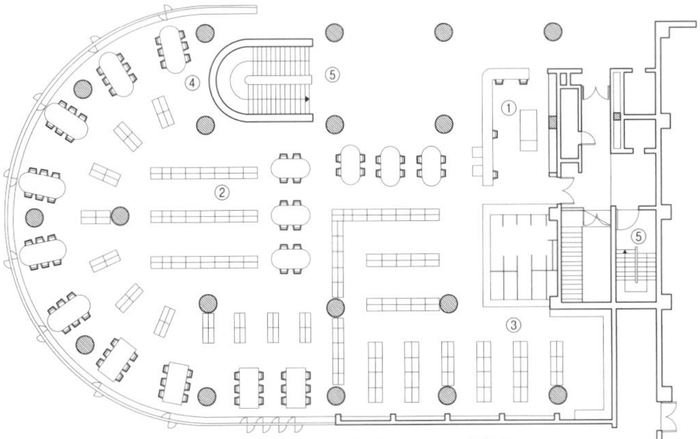
①
②
③
④
⑤

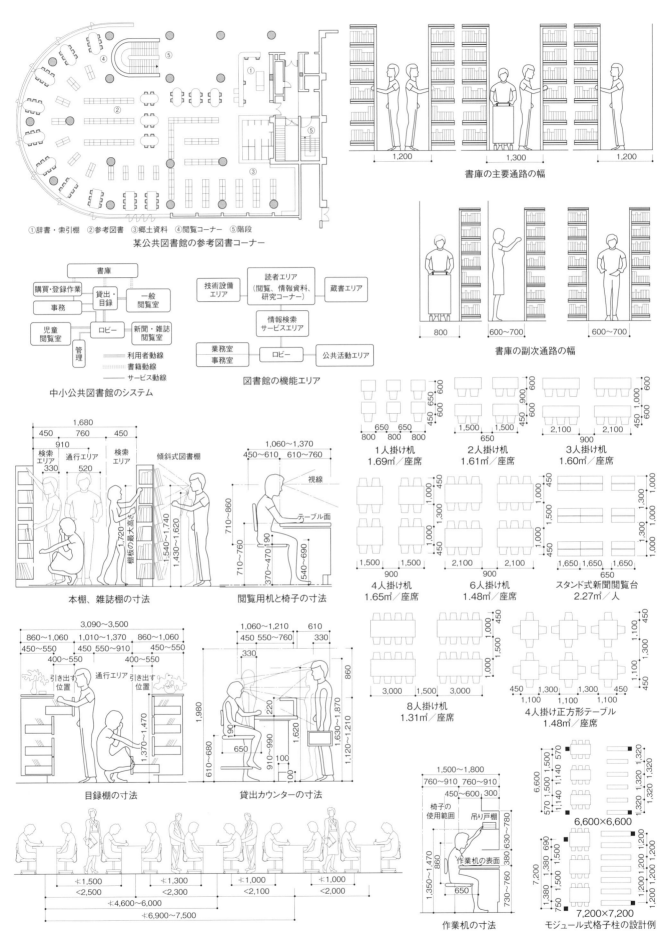

①辞書・索引棚 ②参考図書 ③郷土資料 ④閲覧コーナー ⑤階段

某公共図書館の参考図書コーナー

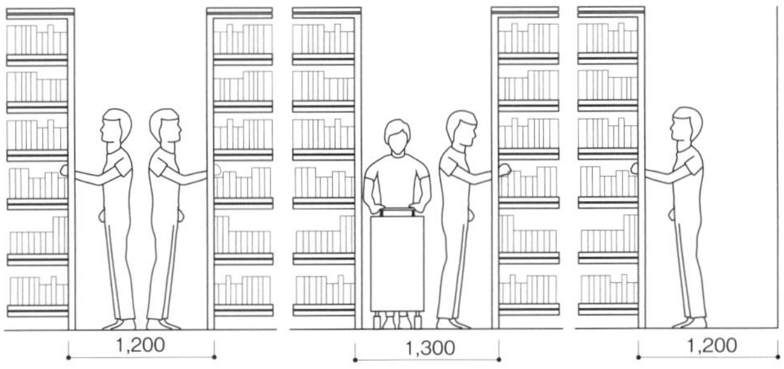
1,200
1,300
1,200

書庫の主要通路の幅

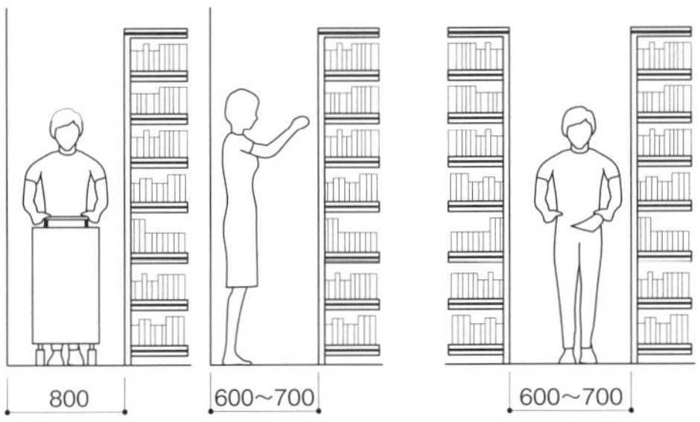
800
600~700
600~700

書庫の副次通路の幅

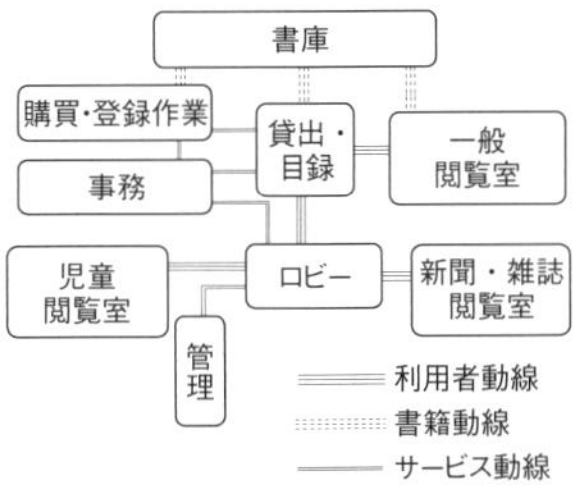
書庫
購買・登録作業
貸出・目録
一般閲覧室
事務
児童閲覧室
ロビー
新聞・雑誌閲覧室
管理
利用者動線
書籍動線
サービス動線

中小公共図書館のシステム

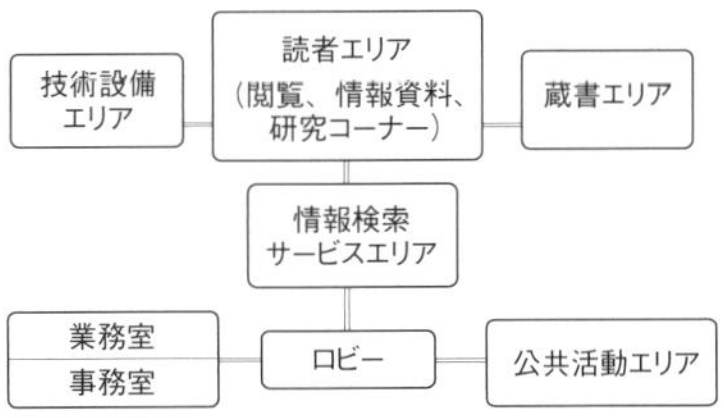
技術設備エリア
読者エリア（閲覧、情報資料、研究コーナー）
蔵書エリア
情報検索サービスエリア
業務室
事務室
ロビー
公共活動エリア

図書館の機能エリア

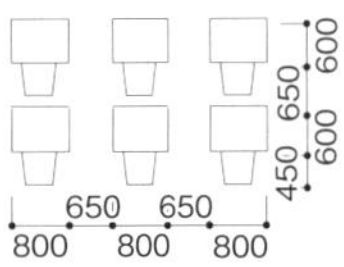
600
650
600
450
650 650
800 800 800

1人掛け机
1.69㎡／座席

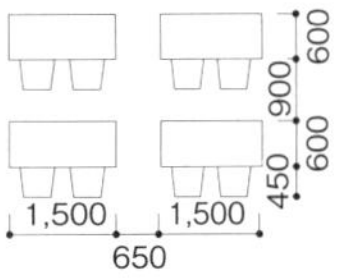
600
900
600
450
1,500 1,500
650

2人掛け机
1.61㎡／座席

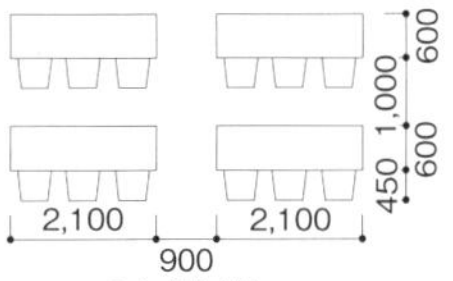
600
1,000
600
450
2,100 2,100
900

3人掛け机
1.60㎡／座席

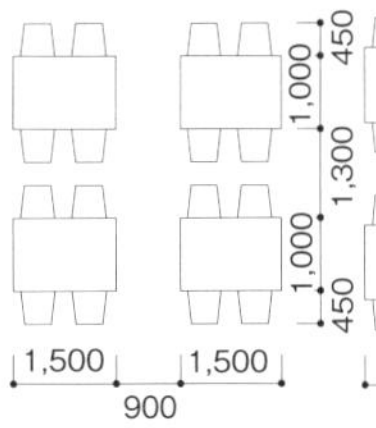
450
1,000
1,300
1,000
450
1,500 1,500
900

4人掛け机
1.65㎡／座席

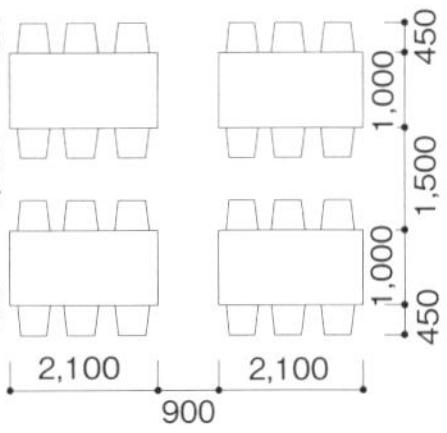
450
1,000
1,500
1,000
450
2,100 2,100
900

6人掛け机
1.48㎡／座席

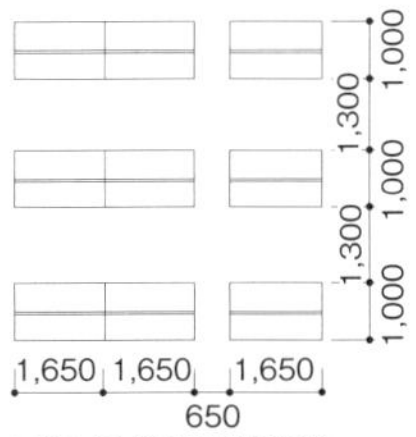
1,000
1,300
1,000
1,300
1,000
1,650 1,650 1,650
650

スタンド式新聞閲覧台
2.27㎡／人

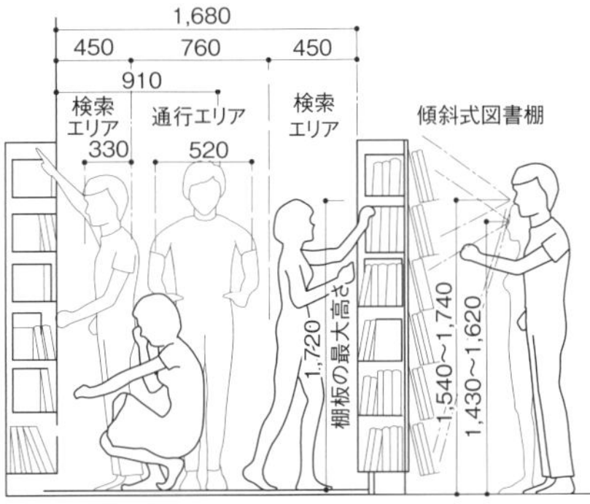
1,680
450 760 450
910
検索エリア
通行エリア
検索エリア
330
520
傾斜式図書棚
1,720
棚板の最大高さ
1,540~1,740
1,430~1,620

本棚、雑誌棚の寸法

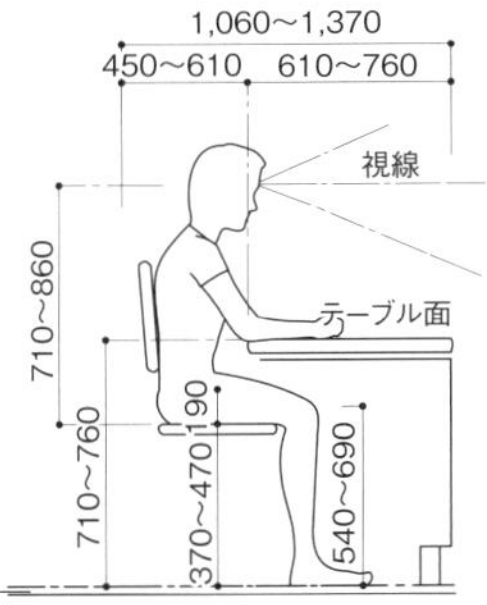
1,060~1,370
450~610 610~760
視線
テーブル面
710~860
710~760
190
370~470
540~690

閲覧用机と椅子の寸法

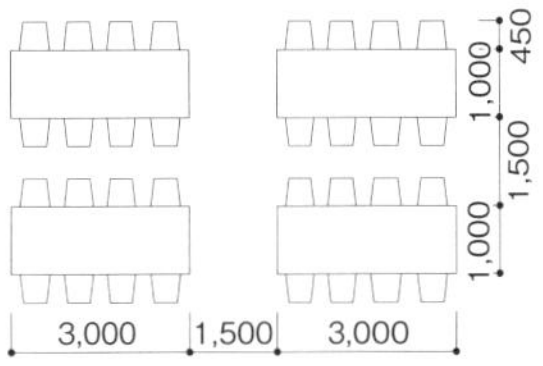
450
1,000
1,500
1,000
3,000 1,500 3,000

8人掛け机
1.31㎡／座席

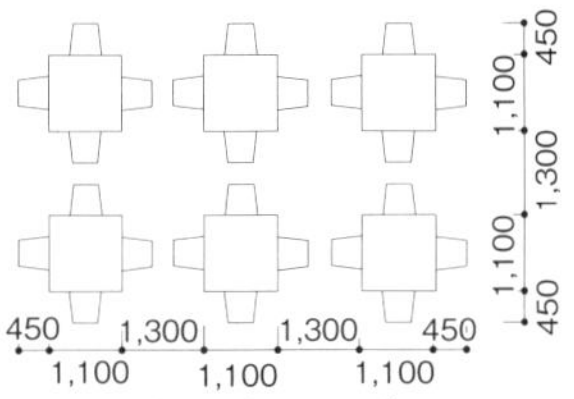
450
1,100
1,300
1,100
450
450 1,300 1,300 450
1,100 1,100 1,100

4人掛け正方形テーブル
1.48㎡／座席

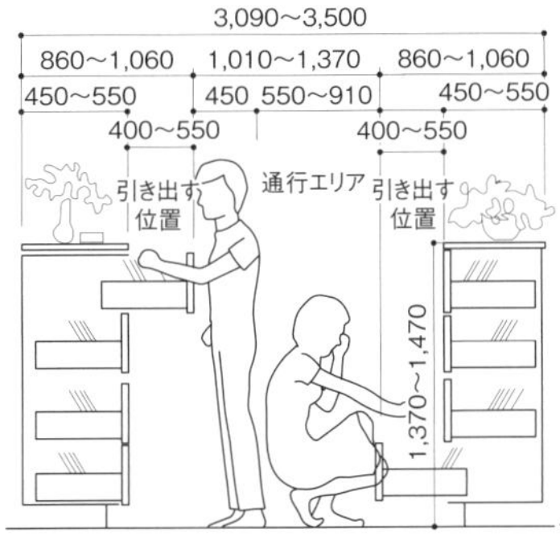
3,090~3,500
860~1,060 1,010~1,370 860~1,060
450~550 450 550~910 450~550
400~550 400~550
引き出す位置
通行エリア
引き出す位置
1,370~1,470

目録棚の寸法

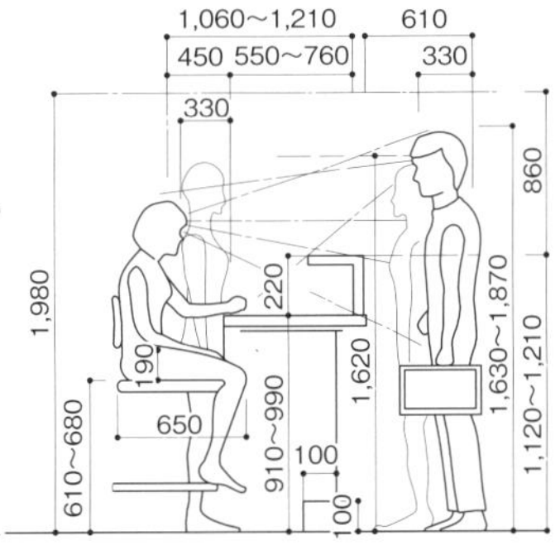
1,060~1,210 610
450 550~760 330
330
860
1,980
220
190
650
1,620
1,630~1,870
1,120~1,210
910~990
610~680
100
100

貸出カウンターの寸法

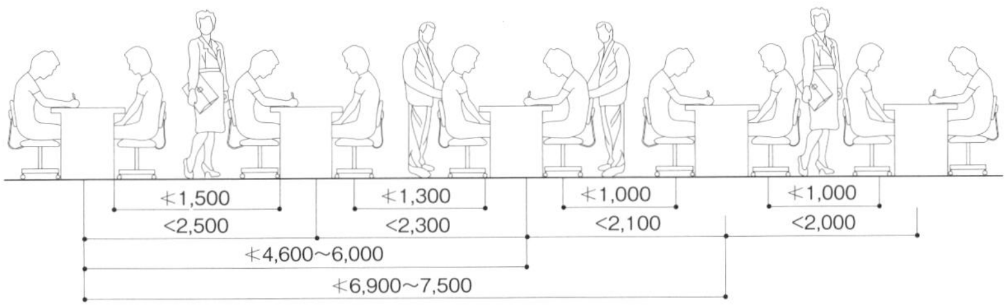
≮1,500
<2,500
≮1,300
<2,300
≮1,000
<2,100
≮1,000
<2,000
≮4,600~6,000
≮6,900~7,500

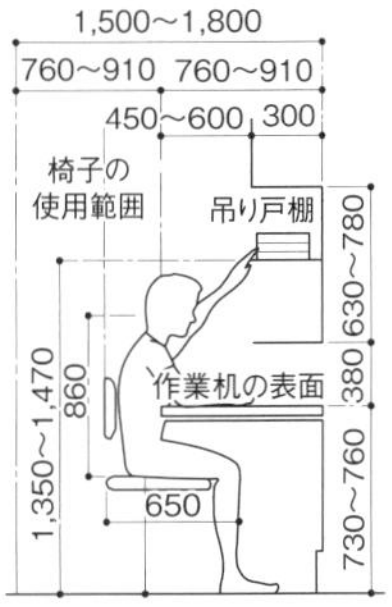
1,500~1,800
760~910 760~910
450~600 300
椅子の使用範囲
吊り戸棚
630~780
380
作業机の表面
860
1,350~1,470
650
730~760

作業机の寸法

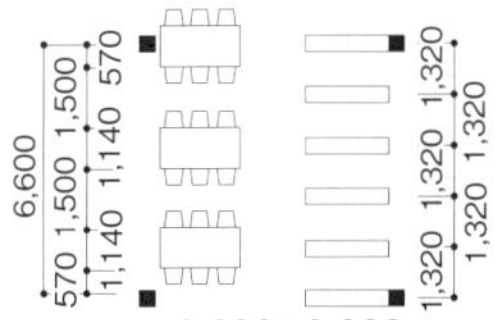
6,600
570
1,500
1,140
1,500
1,140
570
1,320
1,320
1,320
1,320
1,320

6,600×6,600

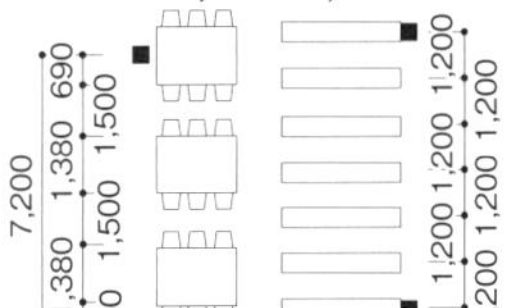
7,200
690
1,380
1,500
1,500
1,380
750
1,200
1,200
1,200
1,200
1,200
1,200

7,200×7,200

モジュール式格子柱の設計例

設計のポイント

会議場の形状はさまざまで、長方形や円形のものから階段状や変則的なものまである。通常は300～1,000㎡で、100～500人を収容する。設計時には演台や客席以外に、音響設備室や控え室、トイレ、防災通路などを考慮する。

1. 中小規模の会議場をゾーニングする際は、空間の無駄を省くこと。
2. 投影機能を持たせる際は、観客の視界と音響を考慮すること。

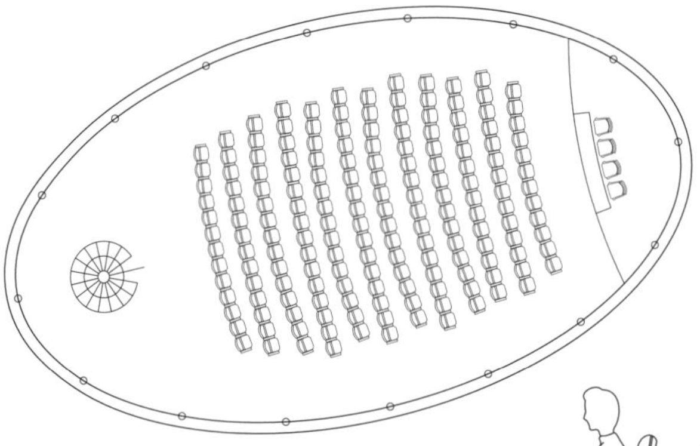

会議場の平面図

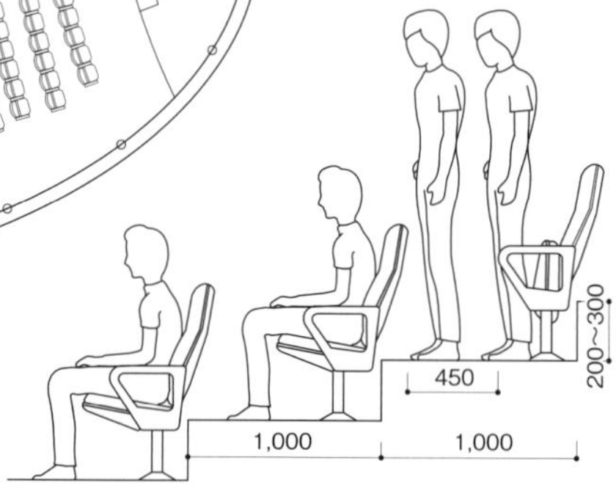
450
200～300
1,000
1,000

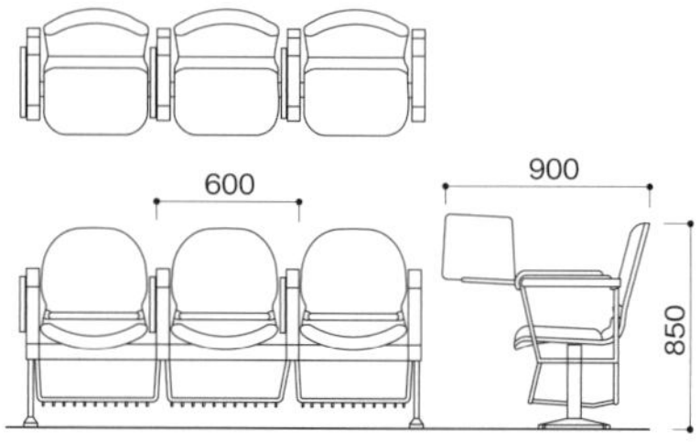
600
900
850

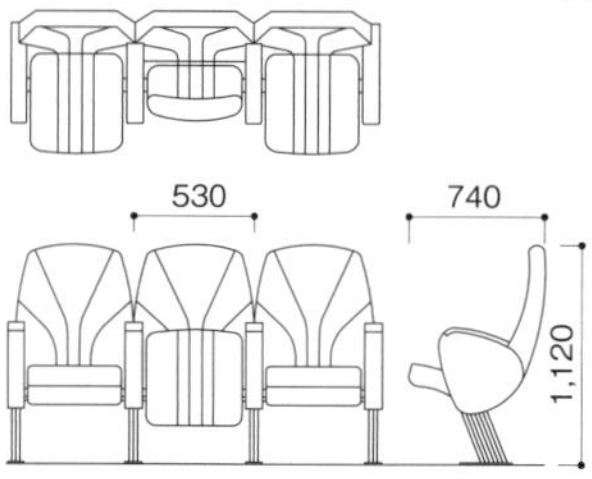
530
740
1,120

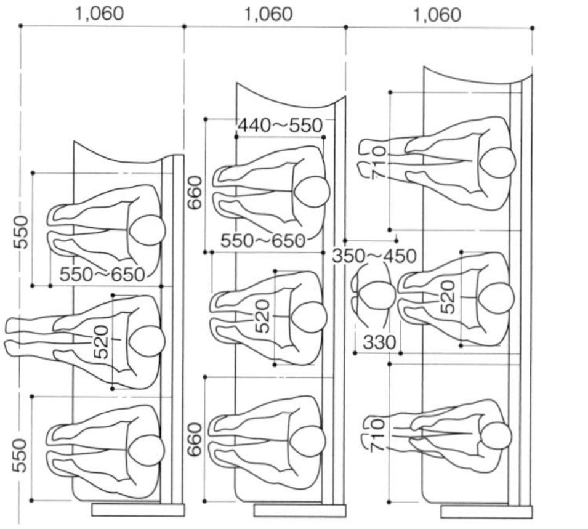
1,060
1,060
1,060
550
550
660
660
440～550
550～650
550～650
520
520
520
710
710
350～450
330

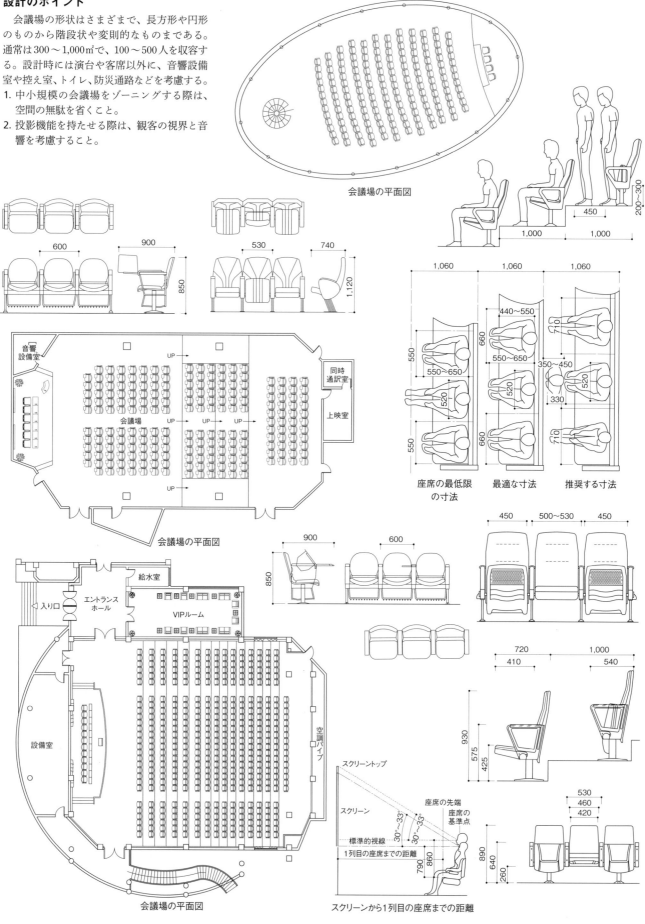

座席の最低限の寸法　最適な寸法　推奨する寸法

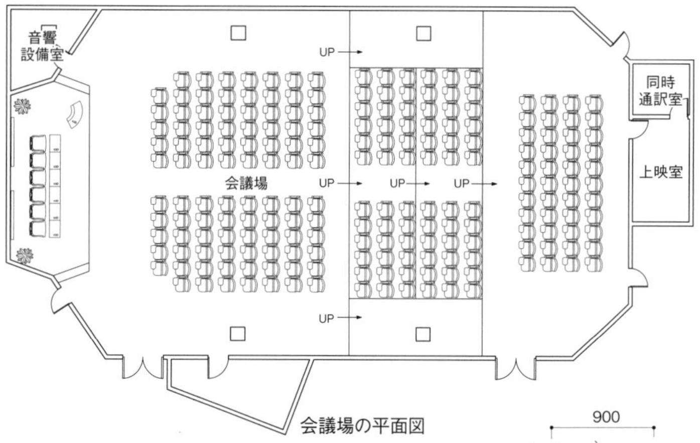
音響
設備室
UP
同時
通訳室
会議場
上映室

会議場の平面図

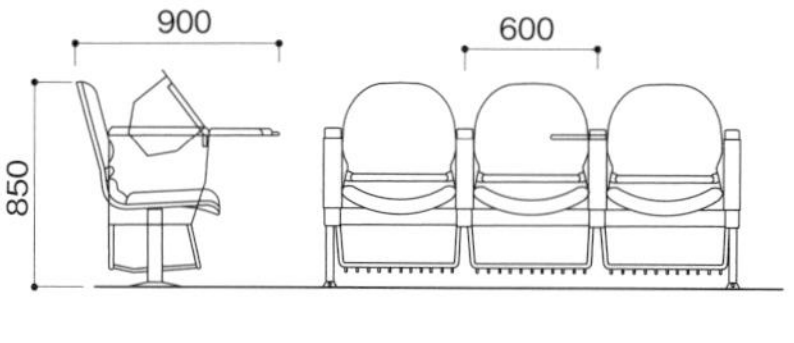
900
600
850

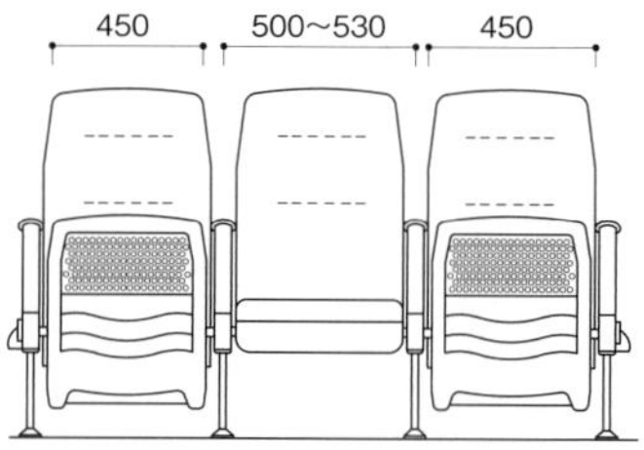
450
500～530
450

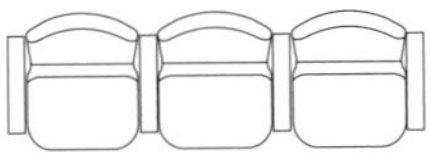

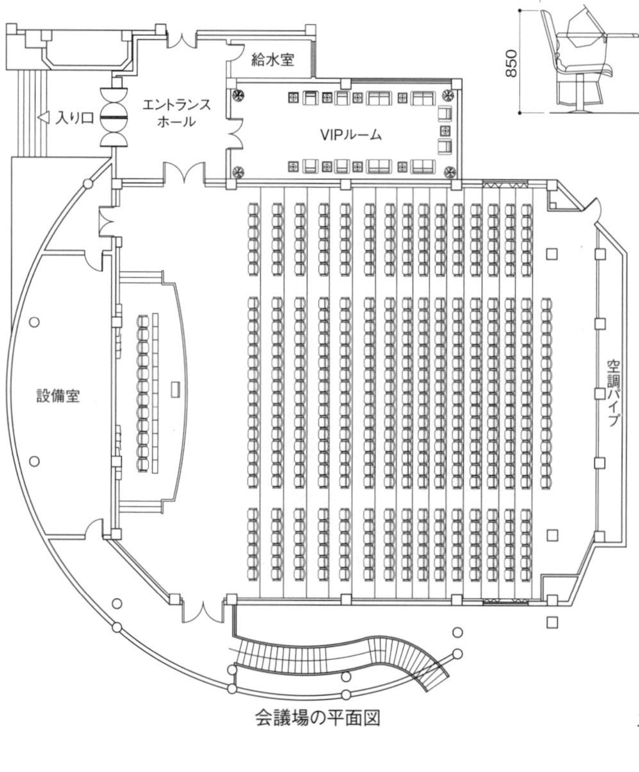
給水室
入り口
エントランス
ホール
VIPルーム
設備室
空調パイプ

会議場の平面図

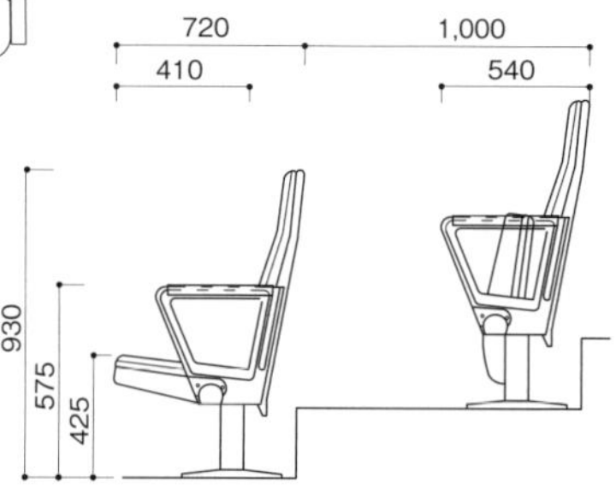
720
1,000
410
540
930
575
425

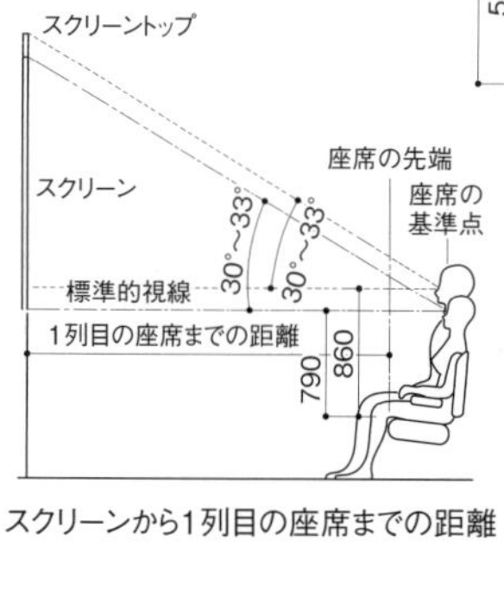
スクリーントップ
スクリーン
座席の先端
座席の基準点
30°～33°
30°～33°
標準的視線
1列目の座席までの距離
860
790

スクリーンから1列目の座席までの距離

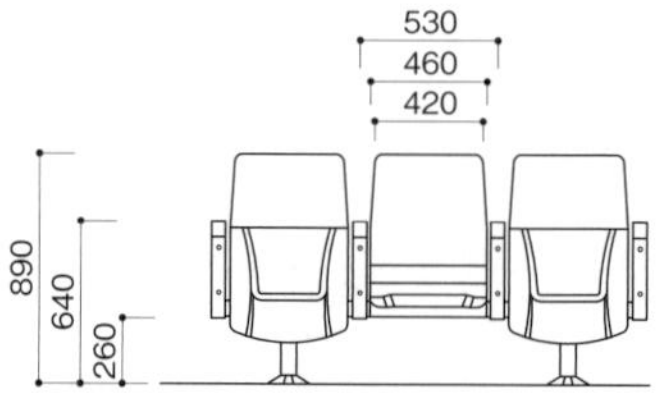
530
460
420
890
640
260

設計のポイント

人々の好みが常に変化するなか、服飾店は最も流行が色濃く表れる場所となっている。服飾店の空間設計は、販売する商品やその対象顧客を踏まえて行うのが原則である。特にモダンさと個性を重視し、ファッションの多様性や流行を表現することが重要である。

また、服飾店は高級志向、低価格志向、ブランド志向など、営業戦略もさまざまである。そのため、各イメージに沿った設計をすることも必須となる。

なお、照明などで商品をアピールすることも大事だが、逆に商品の質感を損なわないよう注意すること。

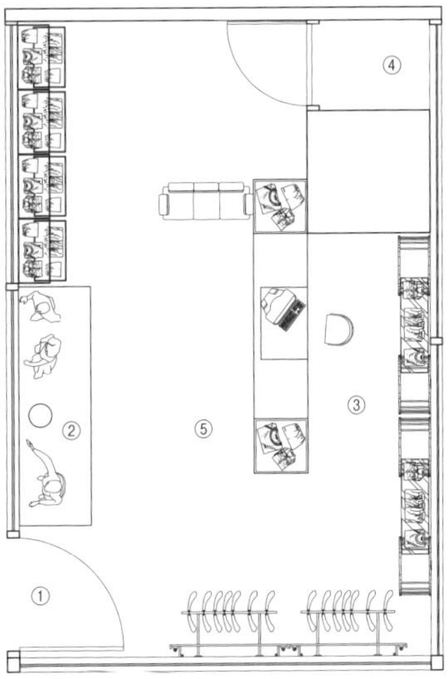

①入り口　②陳列棚　③レジカウンター　④試着室　⑤営業エリア

服飾店の平面図

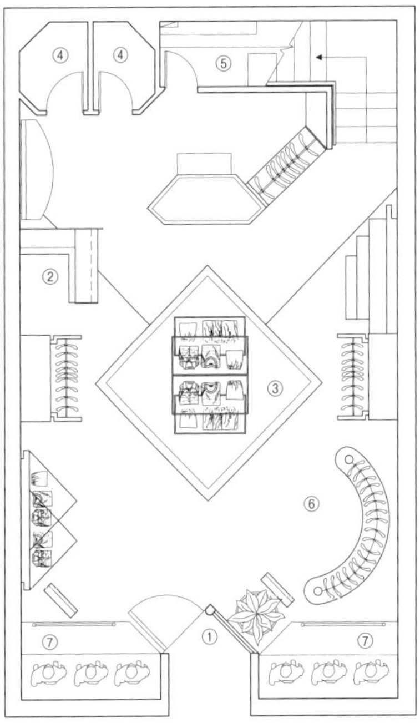

①入り口　②カウンター　③陳列棚　④試着室　⑤倉庫　⑥営業エリア　⑦マネキン

服飾店の平面図

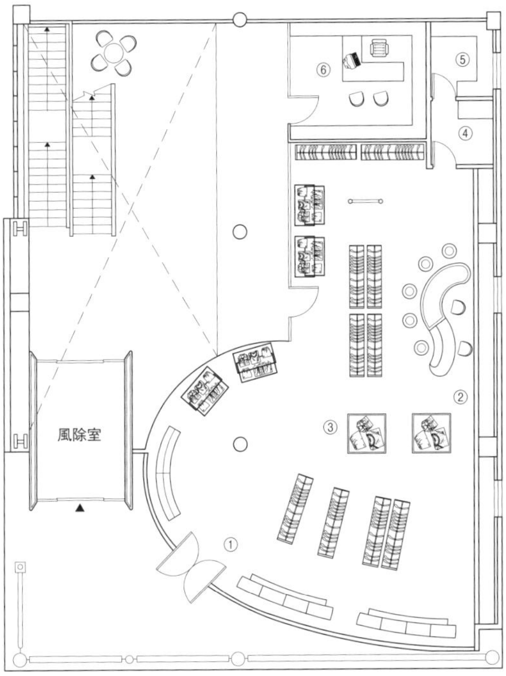
風除室

①入り口　②カウンター　③営業エリア　④試着ルーム　⑤倉庫　⑥事務所

服飾店の平面図

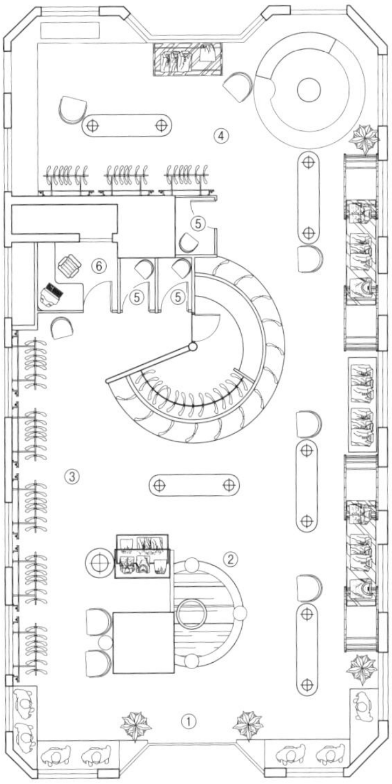

①入り口　②噴水　③女性向け商品　④男性向け商品　⑤試着室　⑥事務所

服飾店の平面図

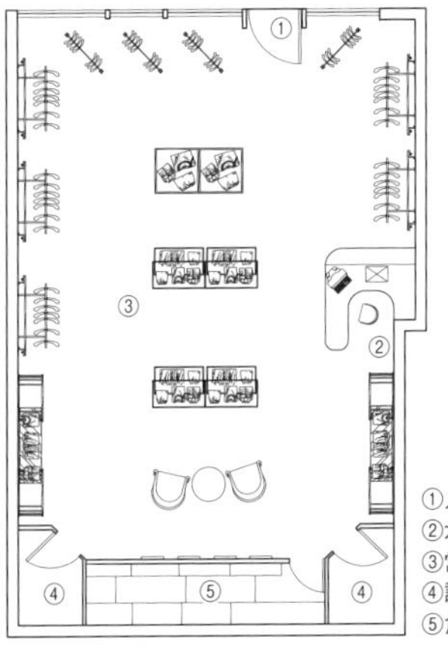

①入り口
②カウンター
③営業エリア
④試着室
⑤倉庫

服飾店の平面図

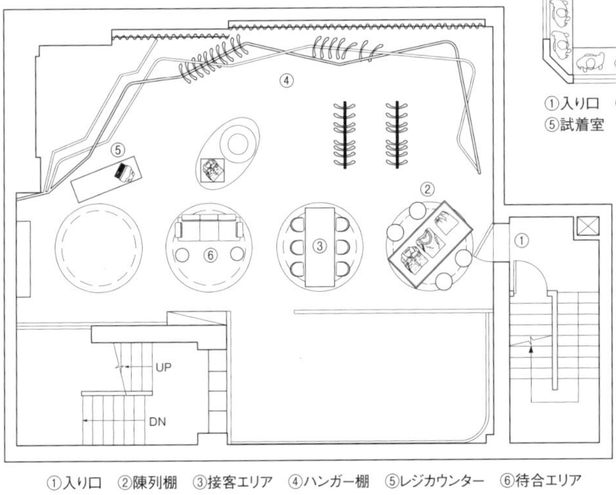
UP
DN

①入り口　②陳列棚　③接客エリア　④ハンガー棚　⑤レジカウンター　⑥待合エリア

服飾店の平面図

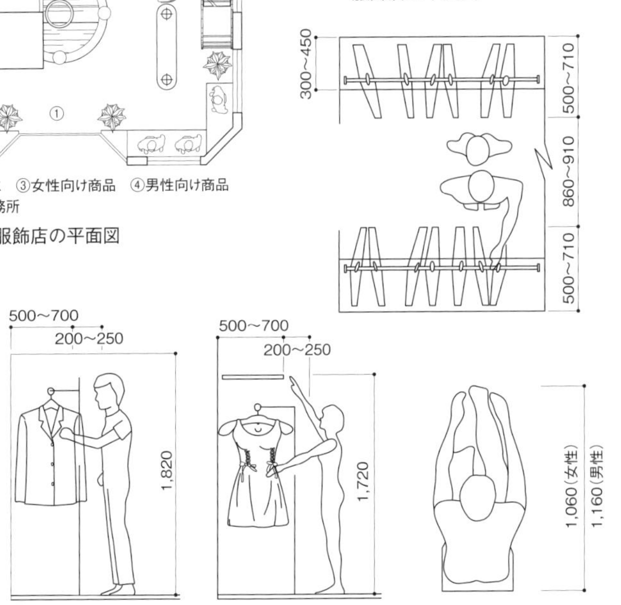
300~450
500~710
860~910
500~710
500~700
200~250
1,820
500~700
200~250
1,720
1,060(女性)
1,160(男性)

天井からの採光

自然光源による環境設計

三面採光
光が三面から入り、人間が最も気持ちよく過ごせる形式である

側面からの採光

両面採光
面積の広いガラス天井で、昼間に必要とする照明を満たす

設計のポイント

1. 頂光方式

屋根または天井面にガラス素材を用いたり、ガラスや格子の天窓をもうけて光を取り入れる。下記の側光に比べて採光量が多く、一般的にデパートやレストラン、アミューズメント施設、プールなどの公共施設で用いられる。

2. 側光方式

外壁面に大小のガラス窓をもうけて採光する方式で、片側あるいは両側から室内に向け、十分な光を取り入れる。住宅建築で最も一般的に用いられるほか、公共建築でも広く用いられている。

3. 頂光方式と側光方式の併用

大型のホテルやアミューズメント施設、中庭などがある施設では頂光と側光の両方の方式を併用することがある。

天井採光の設計方式

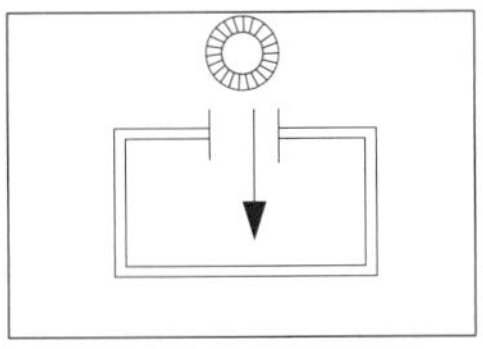

天井窓からの採光

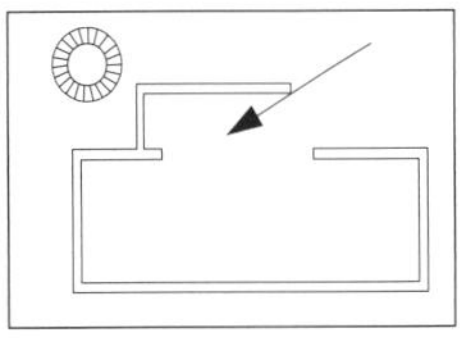

高い場所にある窓からの採光

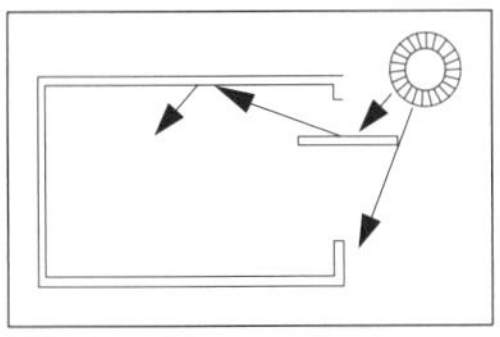

屈折による採光

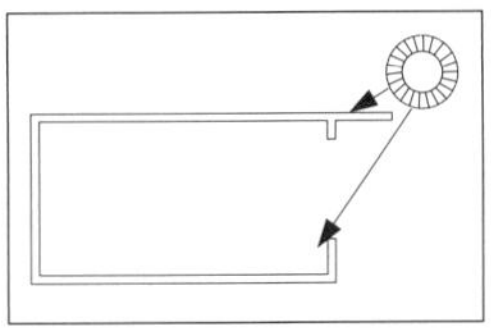

シェードで光をさえぎる

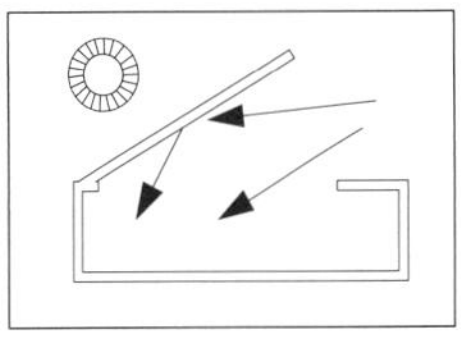

天井の傾斜を用いて採光

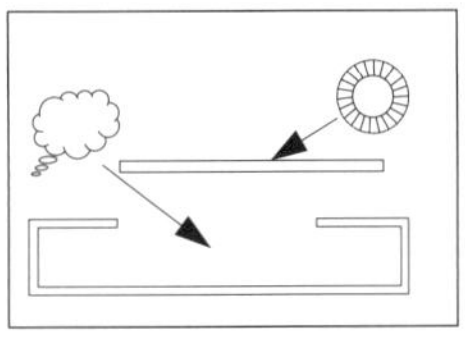

屋根と高窓による採光

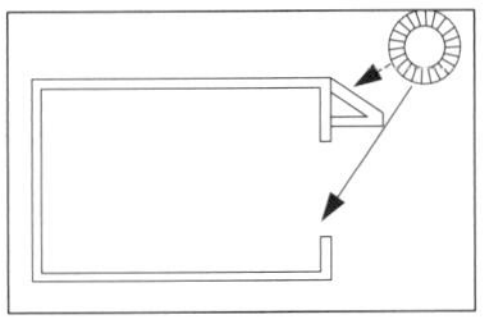

庇で光をさえぎる

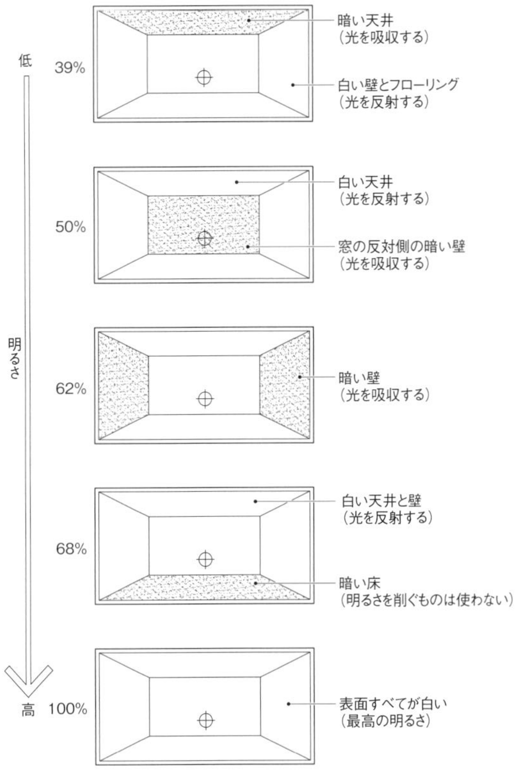

低
39%
暗い天井
（光を吸収する）
白い壁とフローリング
（光を反射する）
50%
白い天井
（光を反射する）
窓の反対側の暗い壁
（光を吸収する）
明るさ
62%
暗い壁
（光を吸収する）
68%
白い天井と壁
（光を反射する）
暗い床
（明るさを削ぐものは使わない）
高
100%
表面すべてが白い
（最高の明るさ）

暗い表面と白い表面の組み合わせ。手前が窓。パーセンテージは照明度を表す

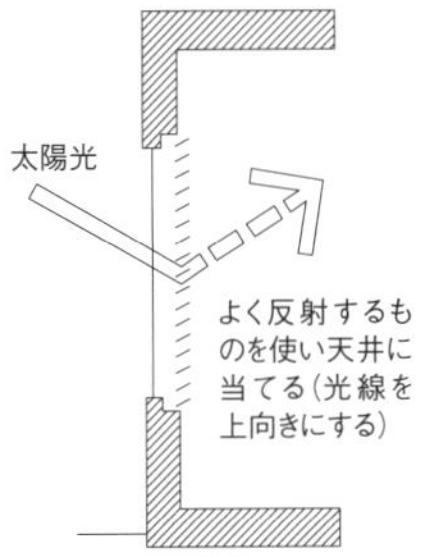

太陽光
よく反射するものを使い天井に当てる（光線を上向きにする）

ブラインド

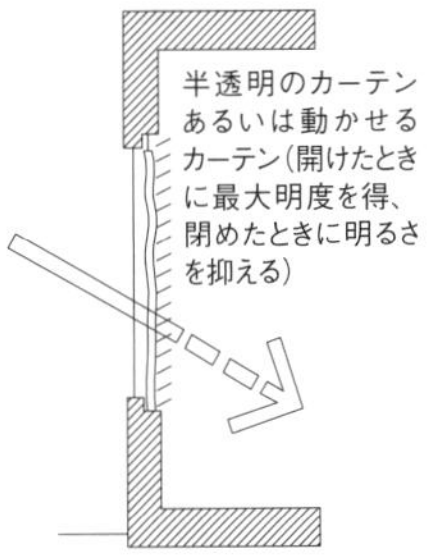

半透明のカーテンあるいは動かせるカーテン（開けたときに最大明度を得、閉めたときに明るさを抑える）

カーテン

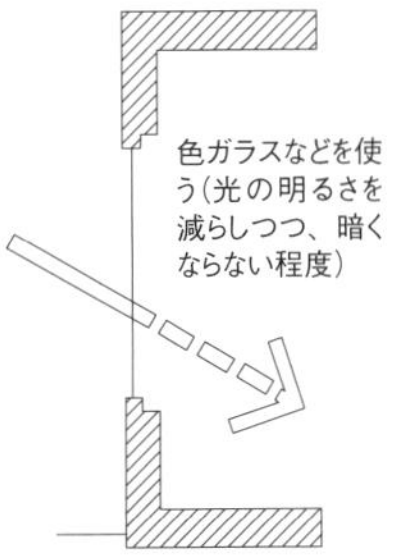

色ガラスなどを使う（光の明るさを減らしつつ、暗くならない程度）

フィルム膜またはコーティング

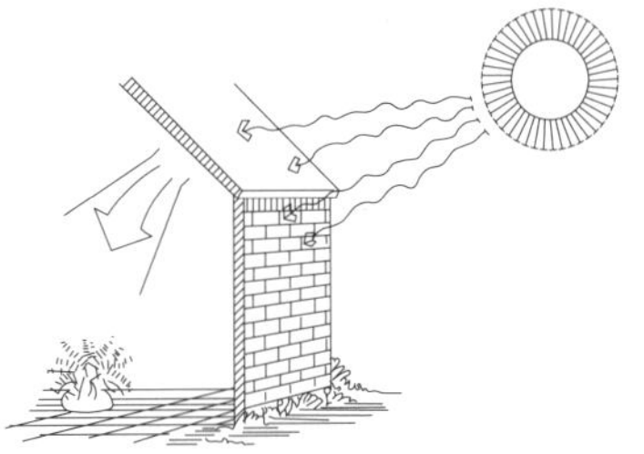

自然光がガラスの天井から室内に入る場合

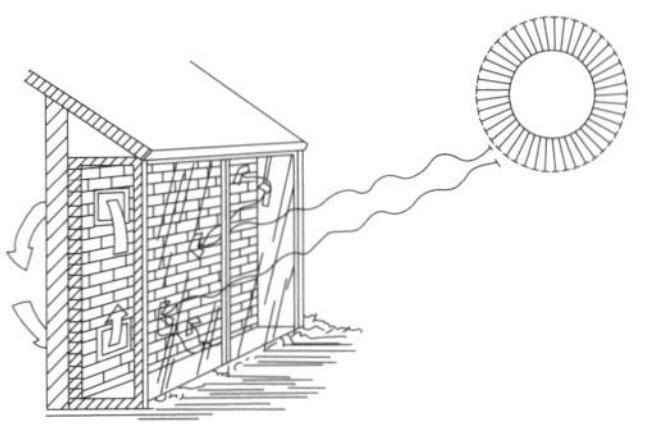

自然光が壁から室内に入る場合

自然光がガラスから室内に入る場合

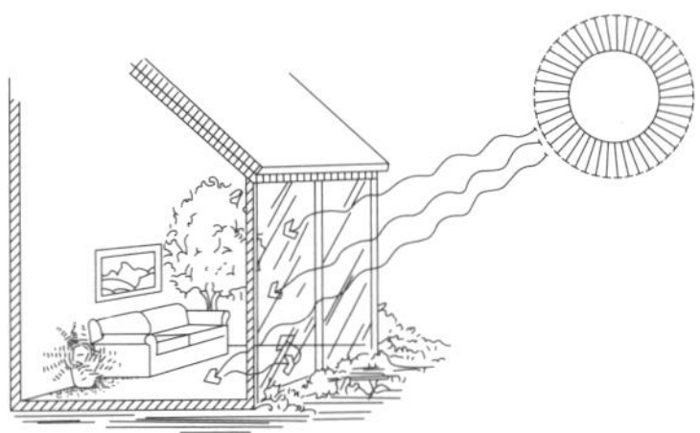

自然光がガラスから室内に入る場合

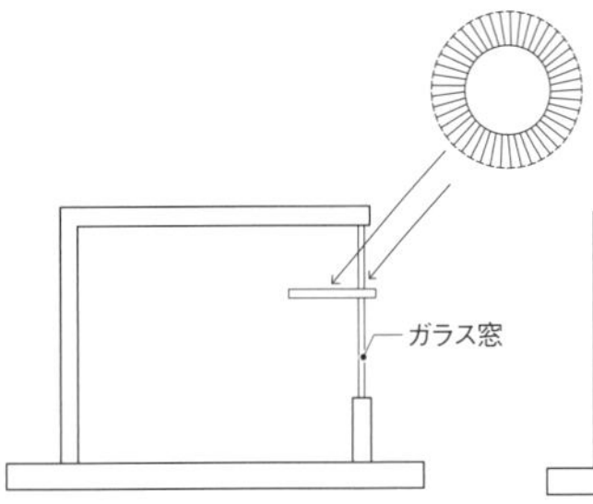

ガラス窓

室外ガラス窓

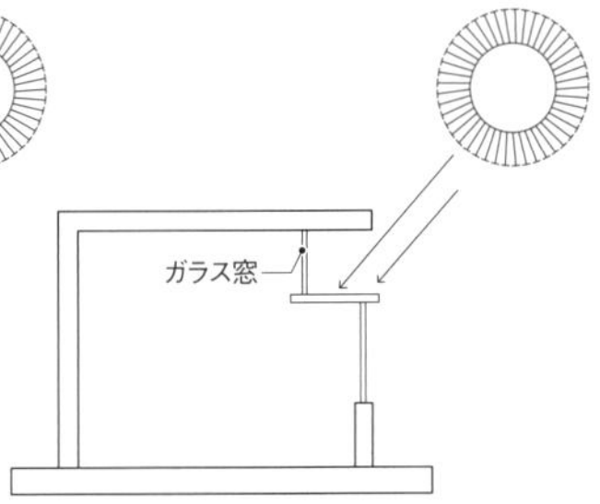

ガラス窓

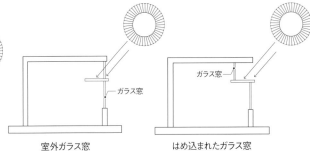

はめ込まれたガラス窓

照明装置の選択

照明機材は建物に固定する照明装置である。照明装置は光線の散り方によって数種類に分けられる。一般的には、直接照明装置のほうが光をあてたいところに直接あてられるため効果的である。しかし、このような照明装置は壁や天井に光が当たらないために明暗の差がはっきりし、居心地を悪くさせる場合もある。

電球の上部と下部における光量の割合

種類		直接型	半直接型	拡散型	半間接型	間接型
光の拡散の特性	上半球	0%～10%	10%～40%	40%～60%	60%～90%	90%～100%
	下半球	100%～90%	90%～60%	60%～40%	40%～10%	10%～0%
特　徴		光線を集中させ、机上を十分に照らすことができる	下向きの光線量を増すことで、机上を十分に照らすことができるが、直接照明より明るくない	各方向にバランスよく光を出すことができ、空間を均一に照らす	上向きの光線量を増し、反射光を強めることで、光をやわらかく分散させる	反射光のみでやわらかな光をバランスよく拡散するが、光の利用率が低い
配光曲線模式図			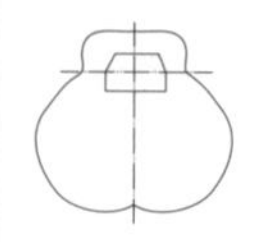	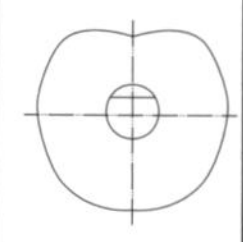	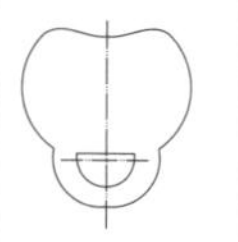	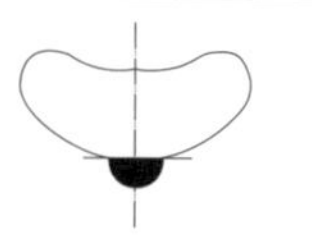

照明装置の種類

型	光線の配布
直射式 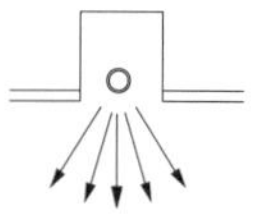	下方に発光する。直射式は少なくとも90%の光を下向きに出す。多くの照明装置はこのようなタイプである
反射式 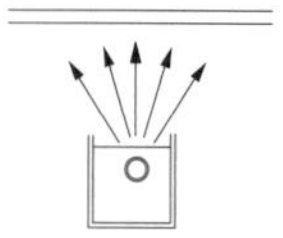	上に向けて発光する。反射式は少なくとも90%の光を上向きに出し、天井から反射させる
拡散式 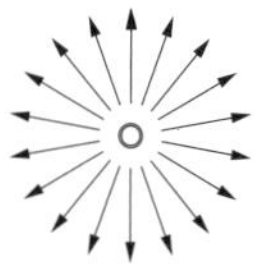	各方向にバランスよく光を出す。たとえば、裸電球、球状灯など
直射・反射混合式 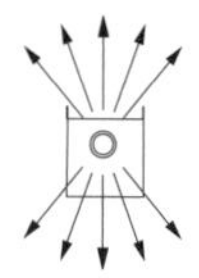	この方式には半直接照明と半間接照明の2つのタイプがある。半直接照明は10～40%の光を上に、90～60%の光を下に向ける。半間接照明は60～90%の光を上に、40～10%の光を下に向ける
調節可能式 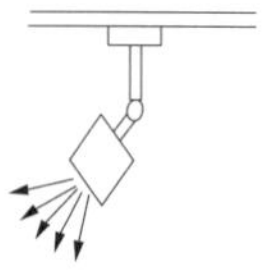	方向を調節できる照明装置で、光線をあらゆる方向に送ることができる
非均衡式 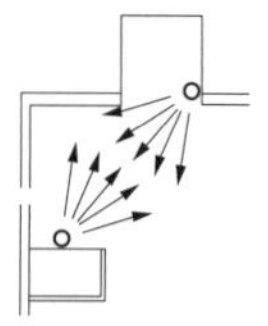	一種の反射式照明装置で、光線を一カ所に集める

照明方式

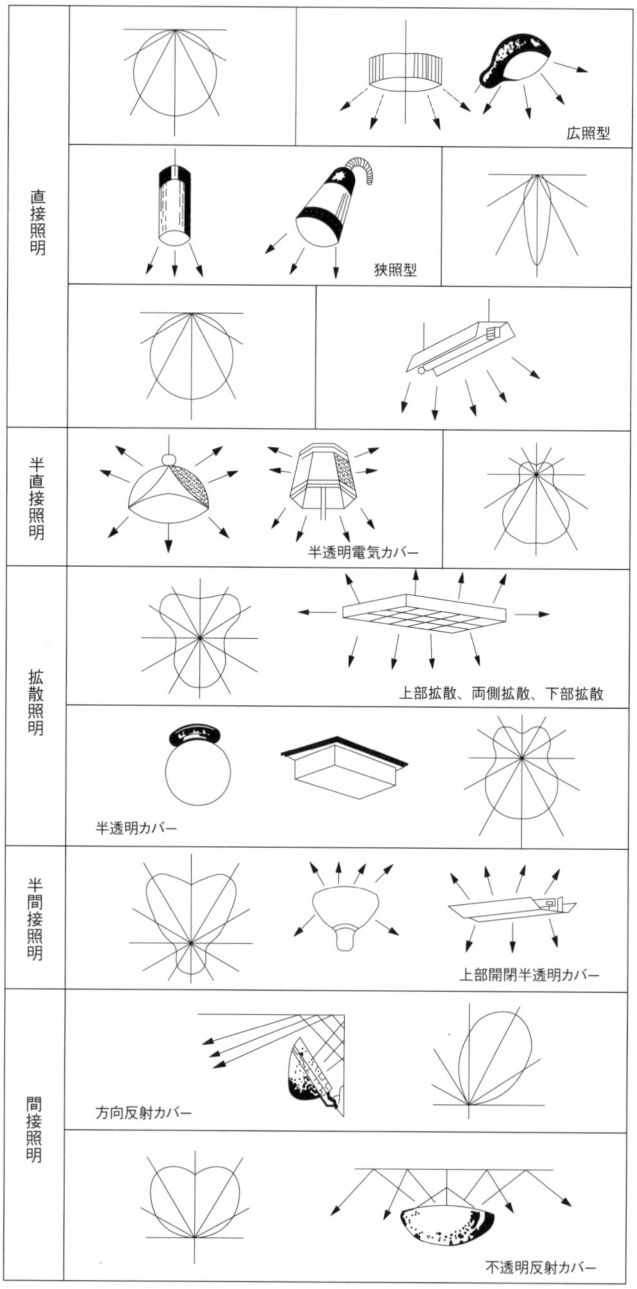
直接照明
広照型
狭照型
半直接照明
半透明電気カバー
拡散照明
上部拡散、両側拡散、下部拡散
半透明カバー
半間接照明
上部開閉半透明カバー
間接照明
方向反射カバー
不透明反射カバー

連続した壁などの表面には、均一な照明をあてるのが一般的である。左下の図のように光をあてると、光が作る扇形の形状が壁の図案を台無しにしてしまう。しかし右下の図のように光をあてれば、光と壁の図案を調和させることができる。このような配光によって、入り口を強調させたり、絵画や彫刻、植物などを際立たせたりすることができる。

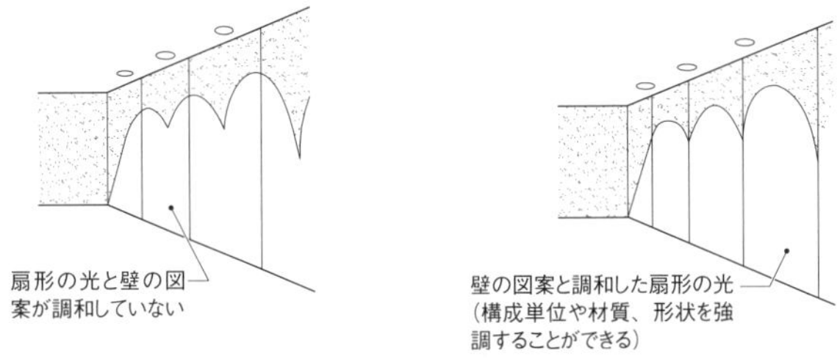
扇形の光と壁の図案が調和していない
壁の図案と調和した扇形の光
（構成単位や材質、形状を強調することができる）

光拡散型ライトと集光型ライト

均一に壁に照明をあてたい場合は、光源を壁から離す必要がある。光拡散型ライトは光の模様を薄める効果がある。一方、壁に近いところに取り付ける集光型ライトは光の模様を突出させることができる。

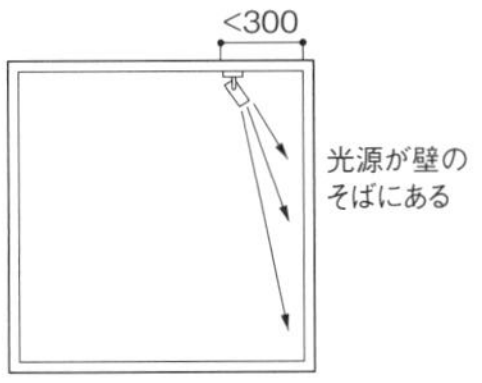
<300
光源が壁のそばにある

集光型ライト

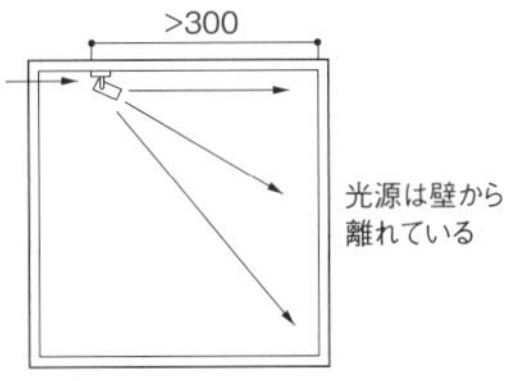
>300
光源は壁から離れている

光拡散型ライト

光拡散型ライト：均一に壁に照明をあてるには、光線を均一に壁に分布させる必要がある。1つの大きな光が壁全体にあたれば、壁面と光は一体化したものとなる。そのような効果を生み出すには、壁からの照明器具の距離を300mm以上にする必要がある。距離が離れるほど、照明光は均質なものになる。光源を選択する際は、空間の大きさや必要とする光量、強調したい模様などに基づいて行う。また、照明器具によっては扇形や波状の光の模様を作ることができる。

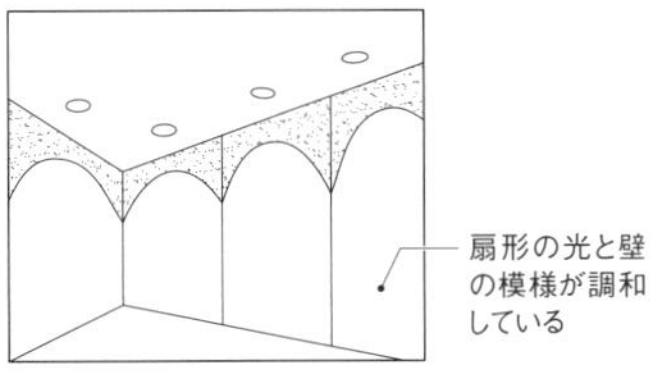
扇形の光と壁の模様が調和している

埋め込み式の光拡散型ライト

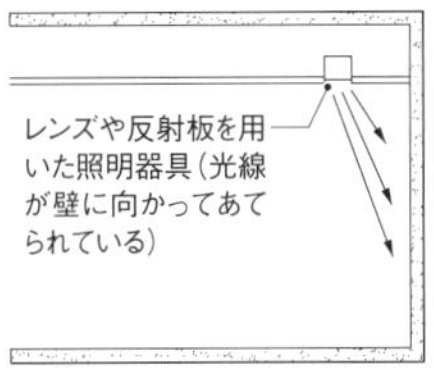
レンズや反射板を用いた照明器具（光線が壁に向かってあてられている）

埋め込み式の光拡散型ライト

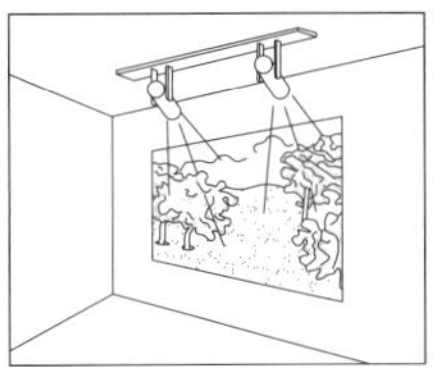

スポットライト

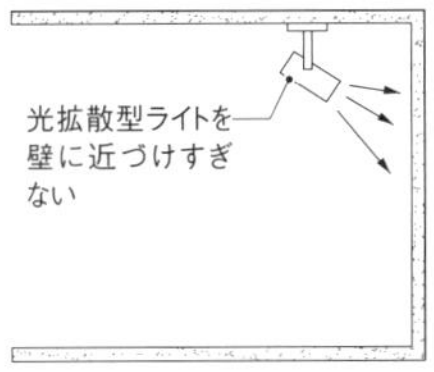
光拡散型ライトを壁に近づけすぎない

スポットライト

扇形の光：円錐形の光が部屋の表面にあたるとき、下図が示すように、円錐が切断されて扇形の光模様ができる。

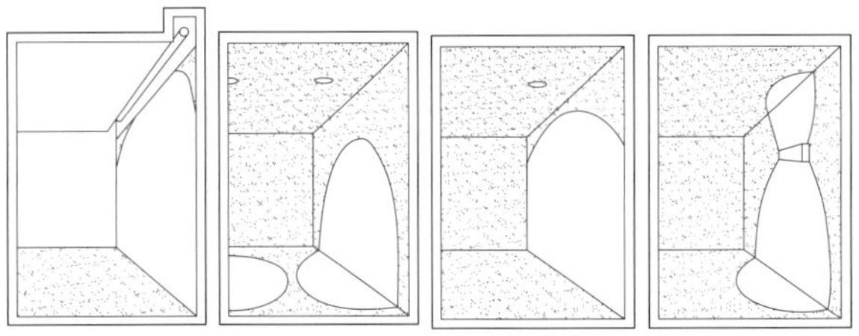

ウォールウォッシャダウンライト　ダウンライト　光拡散型ライト　ブラケットライト

廊下における壁の照明効果は、床照明と関連している。視覚的な焦点となる芸術品や入り口に照明を使用することで、動線を暗示することができる。

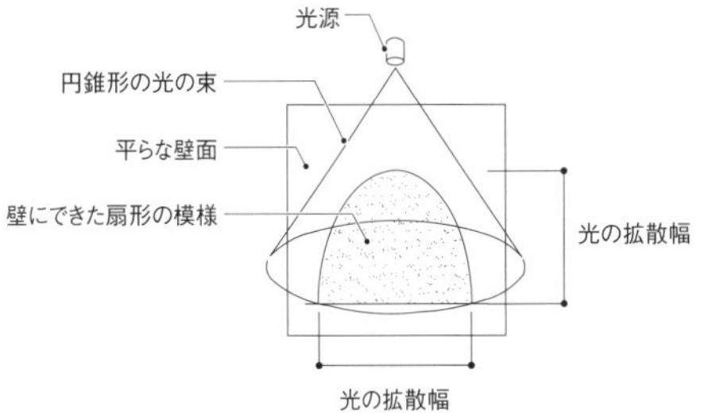
光源
円錐形の光の束
平らな壁面
壁にできた扇形の模様
光の拡散幅
光の拡散幅

光源は、水平面だけにあてるように導くこともできるし、壁全体にあてることもできる。光源には光拡散型ライト、集光型ライト、アクセントライトがあり、いずれも扇形の光を作ることができる。また、ダウンライトで壁に光をあてるとき、均質性のない反射板を使えば光を拡散させることができる。

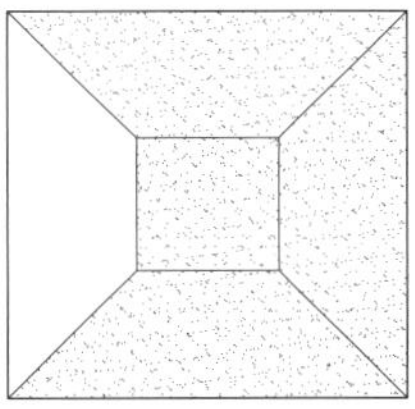

1.壁に光をあてることで空間に方向性を与える

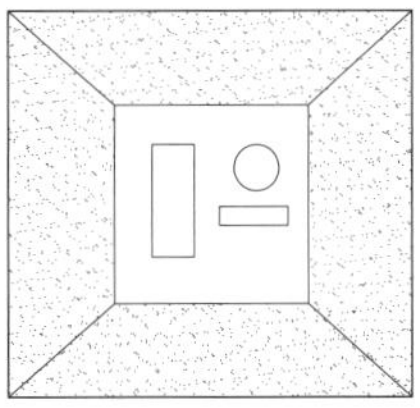

2.壁に設置した複数の芸術品にまとめて光をあてる

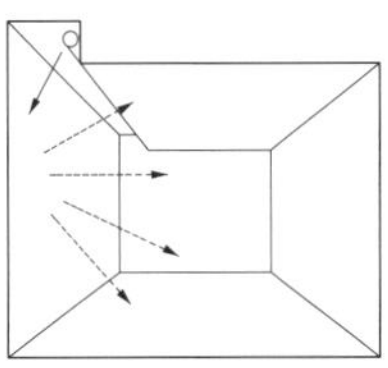

3.柔和な間接光を空間全体に反射させる

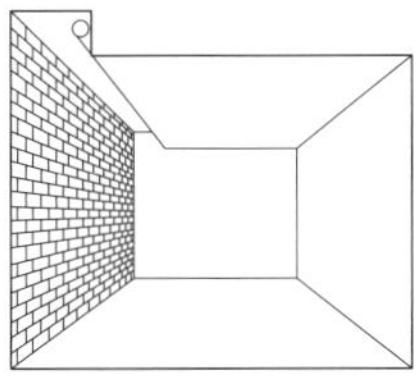

4.壁紙の材質や模様を際立たせたり、目立たなくしたりする

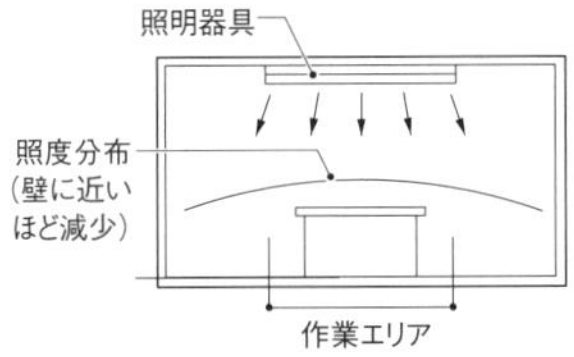
照明器具
照度分布（壁に近いほど減少）
作業エリア

一般照明または環境照明

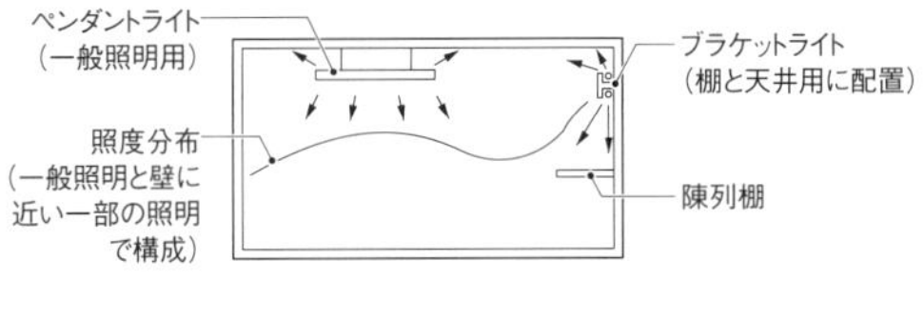
ペンダントライト（一般照明用）
ブラケットライト（棚と天井用に配置）
照度分布（一般照明と壁に近い一部の照明で構成）
陳列棚

部分照明

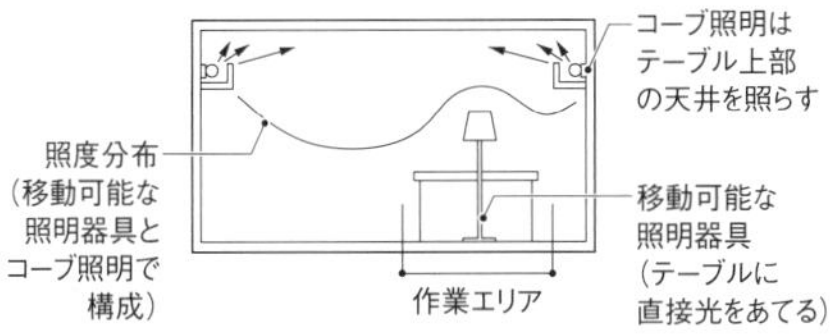
コーブ照明はテーブル上部の天井を照らす
照度分布（移動可能な照明器具とコーブ照明で構成）
移動可能な照明器具（テーブルに直接光をあてる）
作業エリア

作業エリアと環境照明

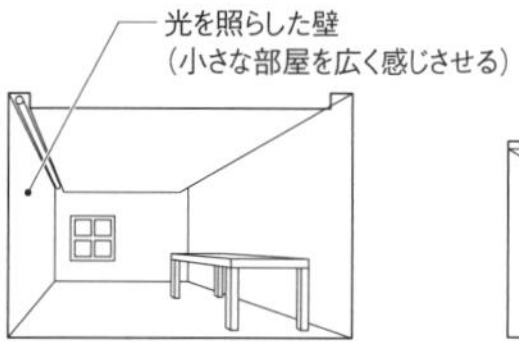
光を照らした壁
（小さな部屋を広く感じさせる）

小さい部屋
垂直方向を強調し、光を使って小さな部屋を広く見せる。天井より壁が重要な役割を果たす

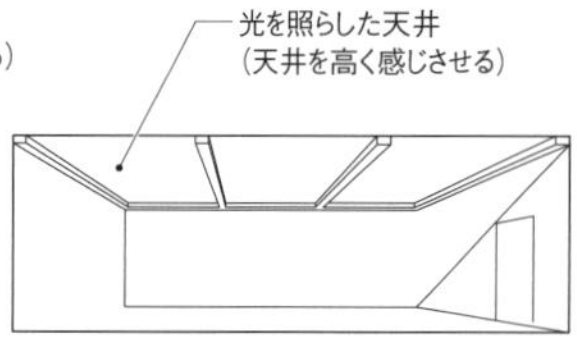
光を照らした天井
（天井を高く感じさせる）

広い部屋
広い部屋は通常、水平面のほうが垂直面より面積が大きい。そのため照明演出はまず水平面の効果を考える。つまり天井を考慮すること

カーテン照明のポイント

1. カーテンボックスの大きさは、光源が完全に隠れるかどうかで決める。
2. 天井の照度が低くならないように、カーテンボックスは天井から少なくとも300㎜下げて設置する。
3. カーテンボックスは、壁と同様の幅にする。
4. 照明器具と壁の距離は300㎜以上とし、光がまばらになるのを防ぐ。

幕板を使った照明と壁の溝を使った照明

幕板を使った照明は、幕板を用いて壁を照らす方式のことである。壁面が天井より明るいときは、過度な照度差が生じているといえる。壁面や天井を明るい色にしておけば、幕板裏側の陰を減らすことができる。幕板を使った照明にせよ、壁の溝を使った照明にせよ、照明の下300㎜は光沢のない材料を使用するべきである。

壁の溝は天井の縁をへこませたもので、建築時の設計が重要である。天井が壁から浮いているかのような、心地よい空間が演出できる。

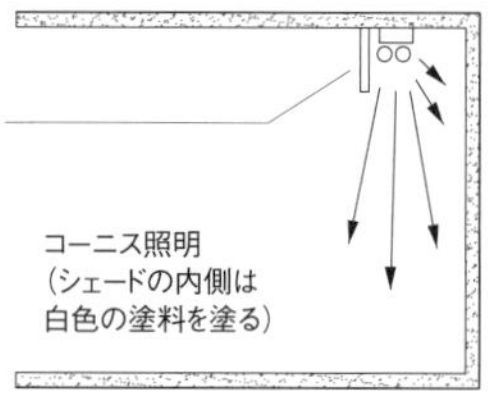
コーニス照明
（シェードの内側は
白色の塗料を塗る）

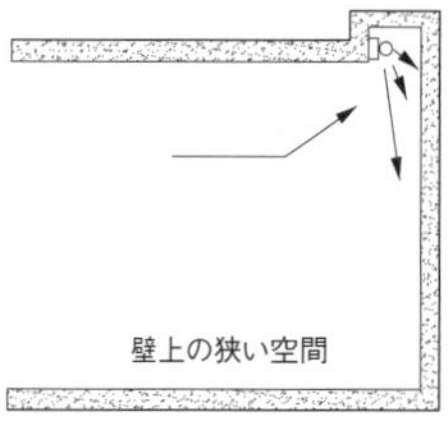
壁上の狭い空間

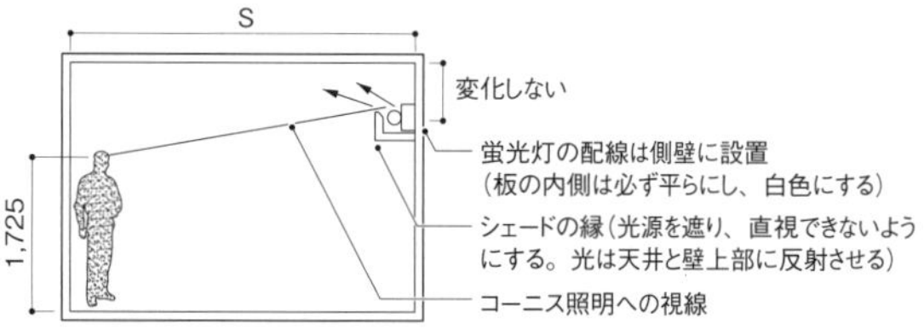
S
1,725
変化しない
蛍光灯の配線は側壁に設置
（板の内側は必ず平らにし、白色にする）
シェードの縁（光源を遮り、直視できないようにする。光は天井と壁上部に反射させる）
コーニス照明への視線

天井照明のポイント

天井には、間接照明と直接照明のいずれも使用できる。間接照明を使用する際は、天井は白色の塗料を使用し、光を反射しやすくさせる。さらに、天井にあてる照度は高めに設定する。反射した光が下方の空間へと広がることで、直接照明と同様の効果が得られる。

光に照らされた天井の表面は、開放感のある空間を演出する。しかし、この光にバラつきがあるとその効果は消えてしまう。天井の表面を水平にし、均一に光を照らすことで、反射光の問題はクリアになる。なお、天井の間接照明は直接照明ほど効率的ではない上、天井に欠陥があった場合は凸凹が目立つことになる。

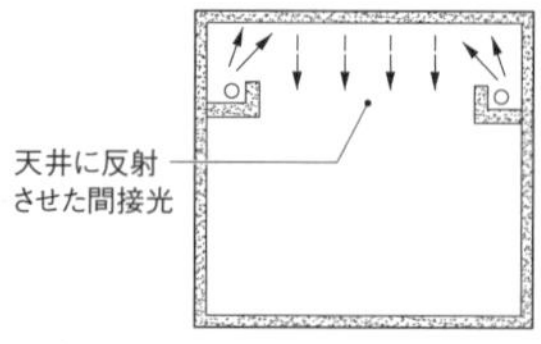
天井に反射
させた間接光

間接的に照らした天井

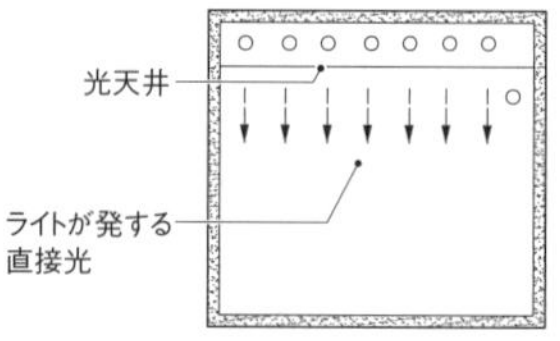
光天井
ライトが発する
直接光

光天井が発する直接光

直接照明を天井に使うときは、照明器具を天井表面全体に設置し、それを乳色ガラス等の半透明の材料で覆うことで、均一でやわらかな光が得られる。このような直接照明方式を光天井という。光天井は、天井の表面を水平にすることで均一な明かりを作り出すことができ、高い照度が得られる。

ブラケットライトのポイント

ブラケットライトは装飾として使用されることが多い。その理由は、直接視野に入るからである。そのため、まぶしさを抑えることが重要で、照度の低いライトや光を遮るものを使用したり、併用したりするとよい。

ブラケットライトは拡散光源も一定方向の光源も使用でき、壁面のみならず天井や床に対する照明にも使える。また、入り口や通路、階段などの目立った位置に設置することも可能である。

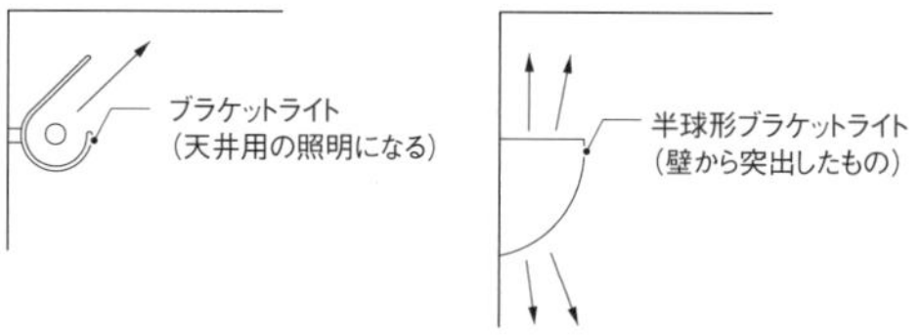
ブラケットライト
（天井用の照明になる）
半球形ブラケットライト
（壁から突出したもの）

遮光版を使った照明のポイント

遮光版は光線を天井に向ける際に使用し、光をくまなく拡散させる効果がある。天井の表面が明るいと天井が高く感じられ、その空間を広く見せることができる。それ以外にも、天井からの反射光は室内の直接照明が作る光量のバラつきを薄める役割を果たす。

1.光源を天井から離すことで、天井を照らす光線を均一に分布させることができる

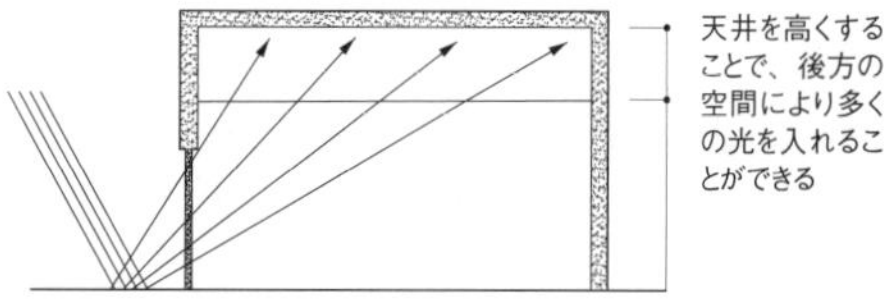
天井を高くすることで、後方の空間により多くの光を入れることができる

2.低位置にある窓と地面の反射光を利用する。水平面の視線がまぶしくならないように注意する

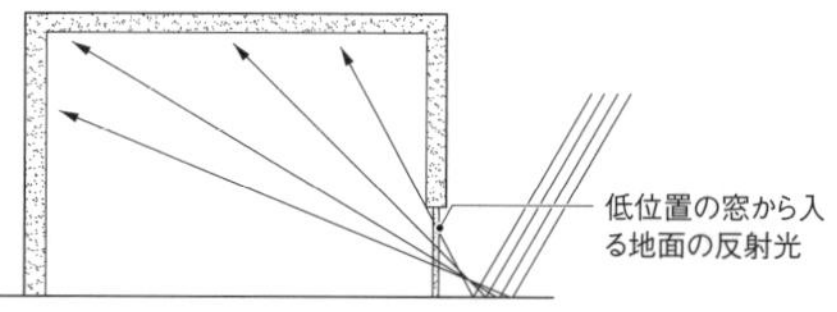
低位置の窓から入る地面の反射光

3.反射率の高い表面にする

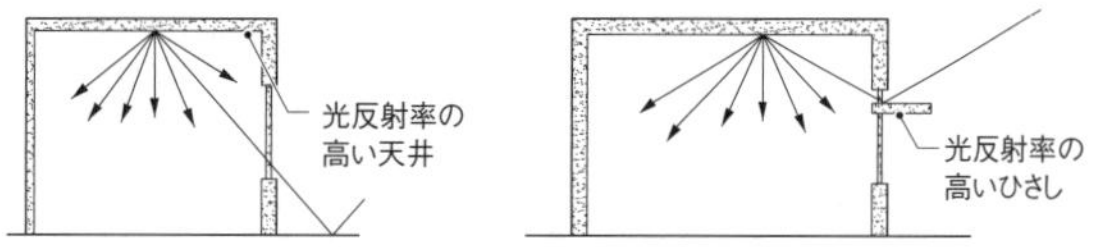
光反射率の
高い天井
光反射率の
高いひさし

4.天井の形状は、窓から上方に傾斜させたデザインを考える。これにより最小の表面面積（最大の有効反射率）と最良の光分布にすることができる

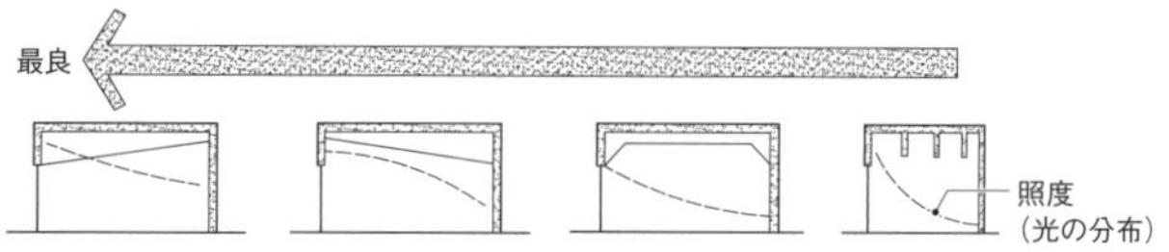
最良
照度
（光の分布）

舞台照明の効果(1)

舞台照明は演出の際に大きな役割を果たす。季節や時間、場所、人物、環境等の雰囲気を表現するほか、各種の効果を高める。そのため舞台照明は「舞台の生命」と呼ばれている

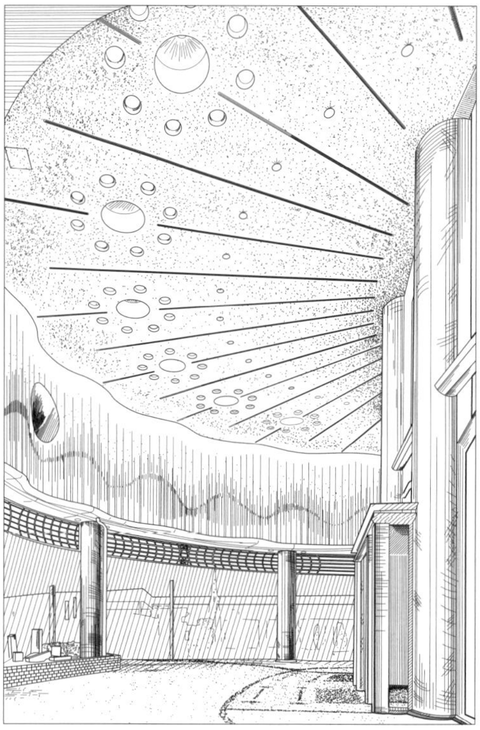

エントランスのデザインは、南洋の島々をイメージしたもの。天井の粒のような照明は、まるで満天の星空のようである

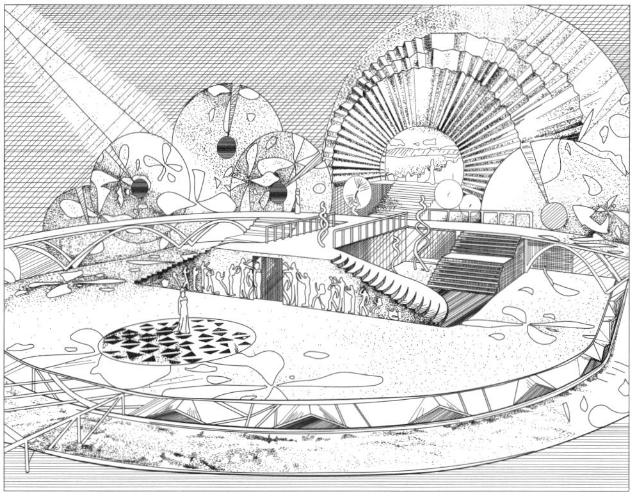

舞台照明の効果(2)

舞台照明は機能性、装飾性、安全性などさまざまな機能がある。明るくする、ぼやかす、いろいろな色彩を照らすなど、その目的もさまざまである。物語性のある景観、自然を模した環境、時代性のある建築様式など、形式も多様である

光の抑揚

光の抑揚とは、ライトの強弱を制御することである。強めの光が必要な際は、直射光あるいはピンライトの照射を利用することで、スポットライトのような効果を生み出す。強烈な光は、人々の視覚を強く刺激する。弱めの光が必要な際は拡散光を使い、照度もやや下げて温みのある雰囲気を醸し出すようにする

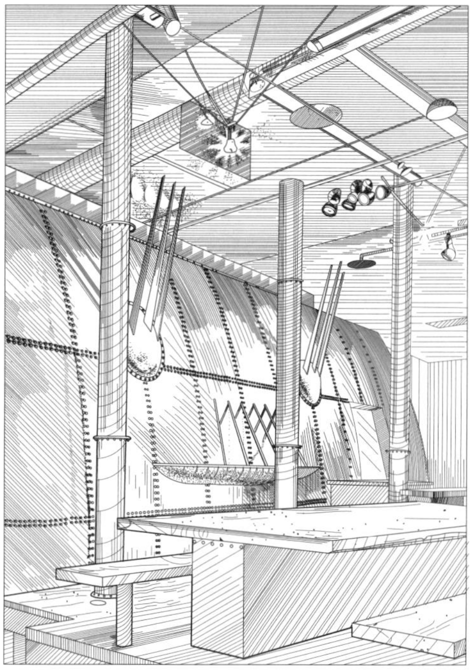

室内光の環境

ライトを鏡にあてると、その反射光により空間が広がる効果がある

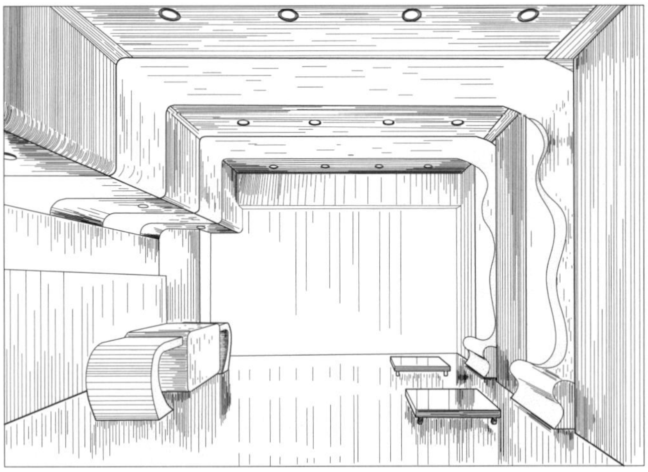

エントランスホールの照明設計

階段の柱に設置したむき出しの蛍光灯

照明器具は、空間の必要性に応じて配置されるべきである。室内空間では、可能な限り天井が高く感じられるような工夫をする

エスカレーター裏側の照明

1970年代、ニューヨークの某銀行のオフィスにおける天井照明

天井照明の種類と特徴

天井照明の種類はさまざまあり、それぞれ特徴が異なる。以下に、その代表的な例を紹介する。

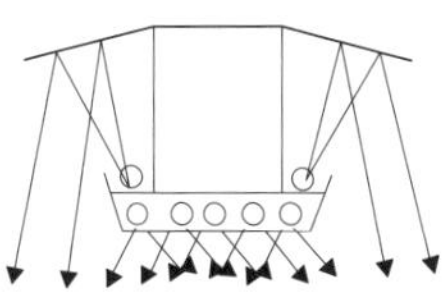

1. いくつかの照明器具を組み合わせた装飾性重視のもの。経済的で汎用性が高い

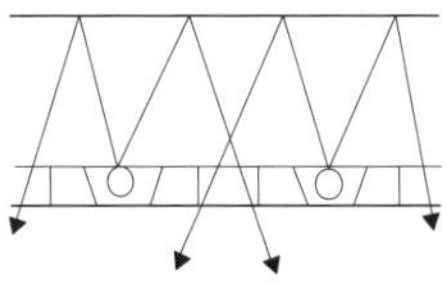

2. 間接照明を複数使用したもの。空間を高く見せる効果がある

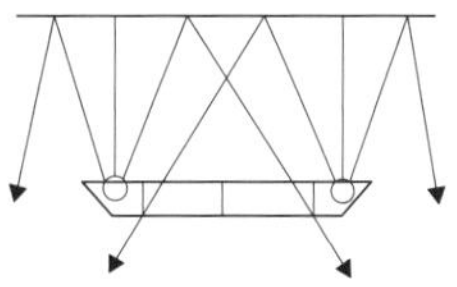

3. 吊り下げ式の間接照明を使って天井を明るくしたもの。天井自体が光源になる

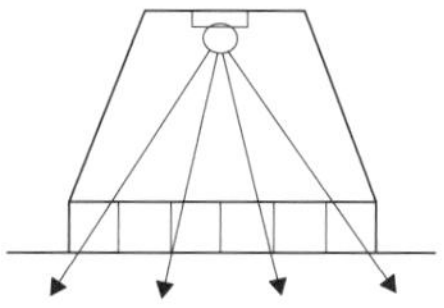

4. 多数の光源を天井の中に埋め込んだもの。均一に配列することで面的な光源になる

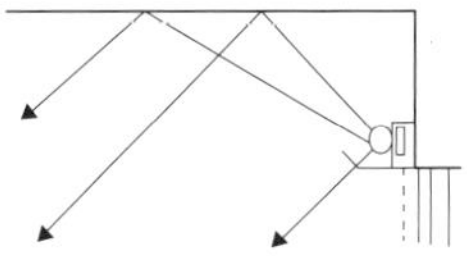

5. 半透明の材料を用いて半間接照明にしたもの。照明と天井の距離を縮小できる

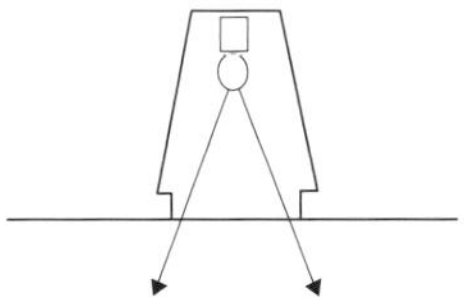

6. 埋め込み式の直接照明。まぶしくなる部分を少なくするとともに、照らす部分の照度を高める

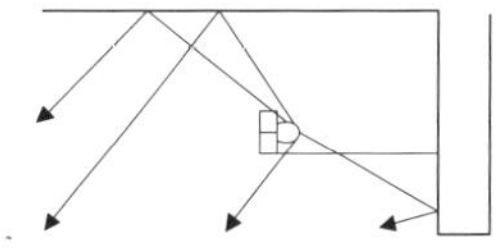

7. レンズ拡散板を用いたもの。間接照明用の板より発光効率が高く、ボード付近の壁面の照度が高まる

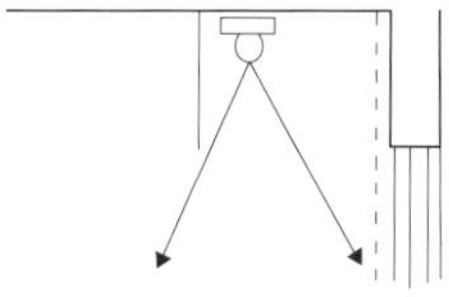

8. カーテンボックス内部に直接照明器具を設置したもの。天然光に近い効果をもたらす

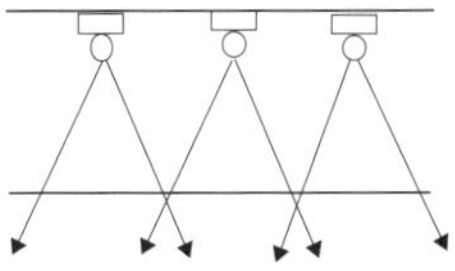

9. スポットライトを重視したもの。必要とする場所の照度を高める効果がある

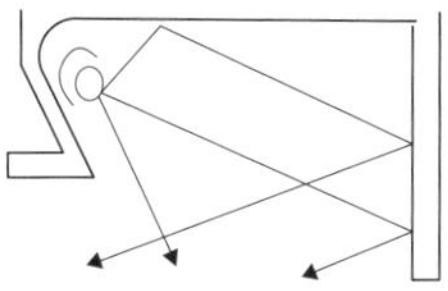

10. 壁面の反射を利用して側面からの光源を作り出したもの。発光効率が高まる

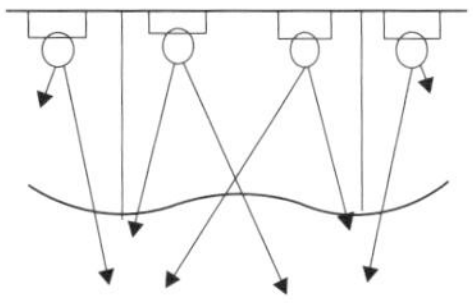

11. 光天井。全てを区分けする場合と、一部を区分けする場合がある

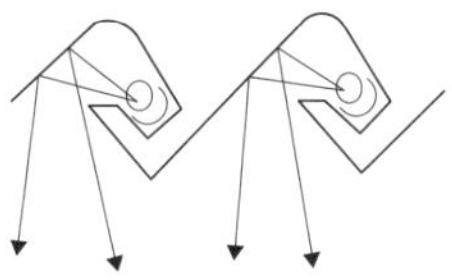

12. 劇場照明。光線が客の視線と同じになる際は、まぶしくならないような工夫をする

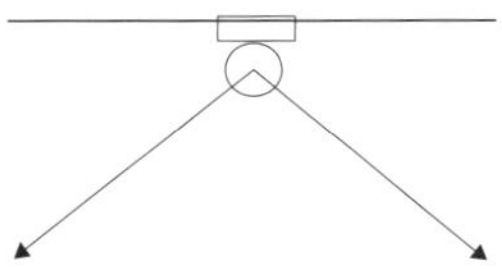

13. 複数の照明器具を組み合わせて星空のように見せる際は、照度が均一になるようにする

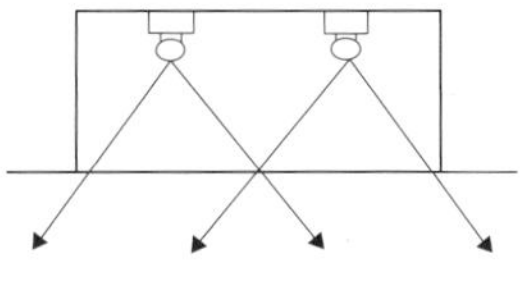

14. 梁と梁の間の空間を利用して照明器具を組み込んだもの。設置する際は、照度が均一になるようにする

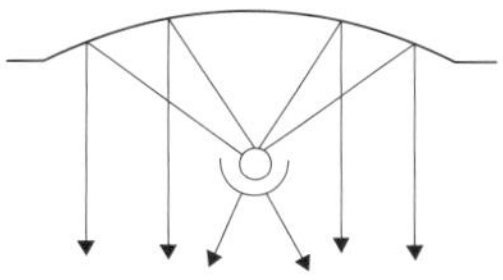

15. 扇形の天井を利用した間接照明。一定の範囲で局所的な照明効果が得られる

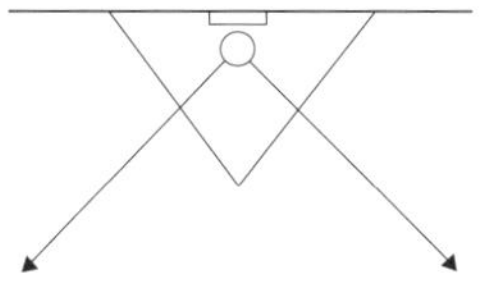

16. 半透明材料で照明器具を覆ったもの。天井の照度が高まると同時に均一になる

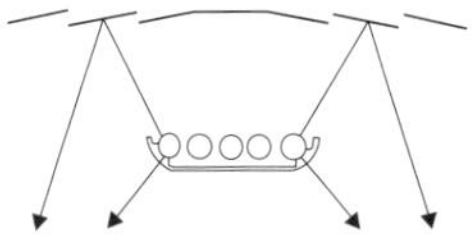

17. 天井の湾曲を利用して光を交差させたもの。多方面からの反射光が得られるとともに、装飾的効果をもたらす

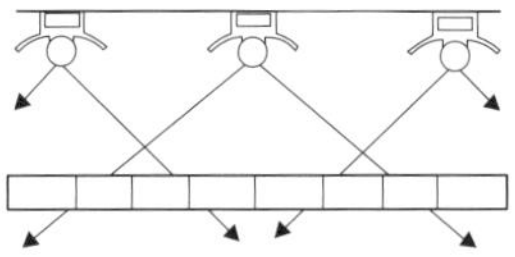

18. 天井上部に拡散照明を設置したもの。均一な照度が得られる効果がある

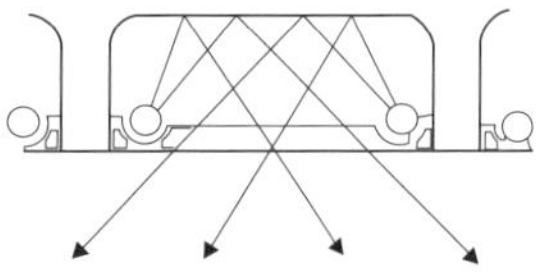

19. 天井内部の梁に間接照明を設置したもの。室内光線を均一かつ柔和にすることができる

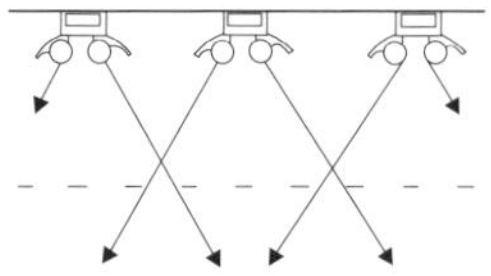

20. 天井の表面の一部、あるいは全てに拡散照明を設置したもの。均一な照度が得られる効果がある

天井の形式

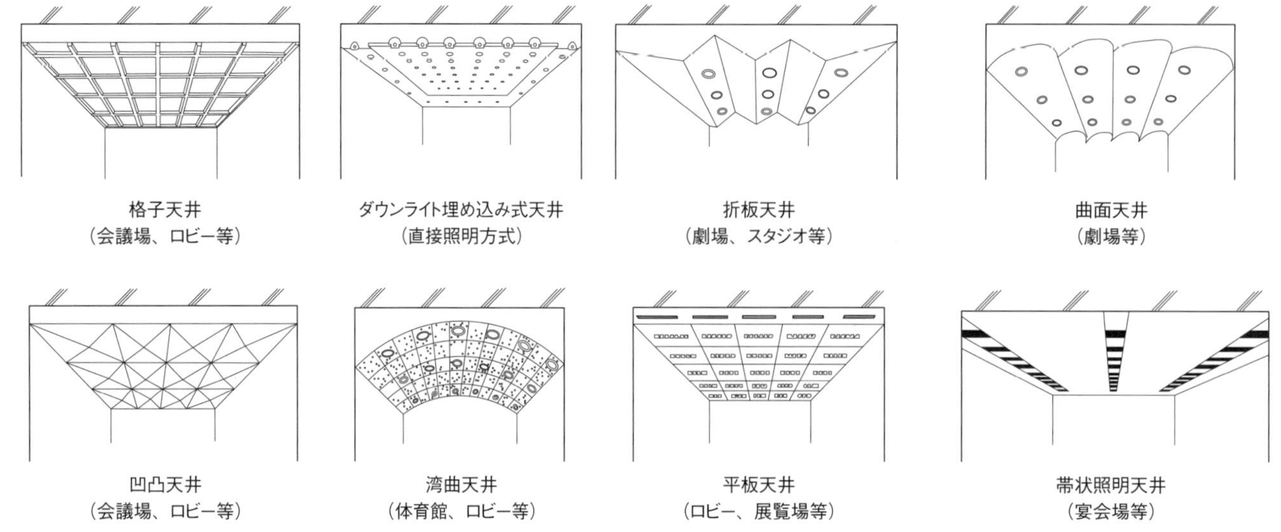
格子天井
（会議場、ロビー等）
ダウンライト埋め込み式天井
（直接照明方式）
折板天井
（劇場、スタジオ等）
曲面天井
（劇場等）
凹凸天井
（会議場、ロビー等）
湾曲天井
（体育館、ロビー等）
平板天井
（ロビー、展覧場等）
帯状照明天井
（宴会場等）

光天井

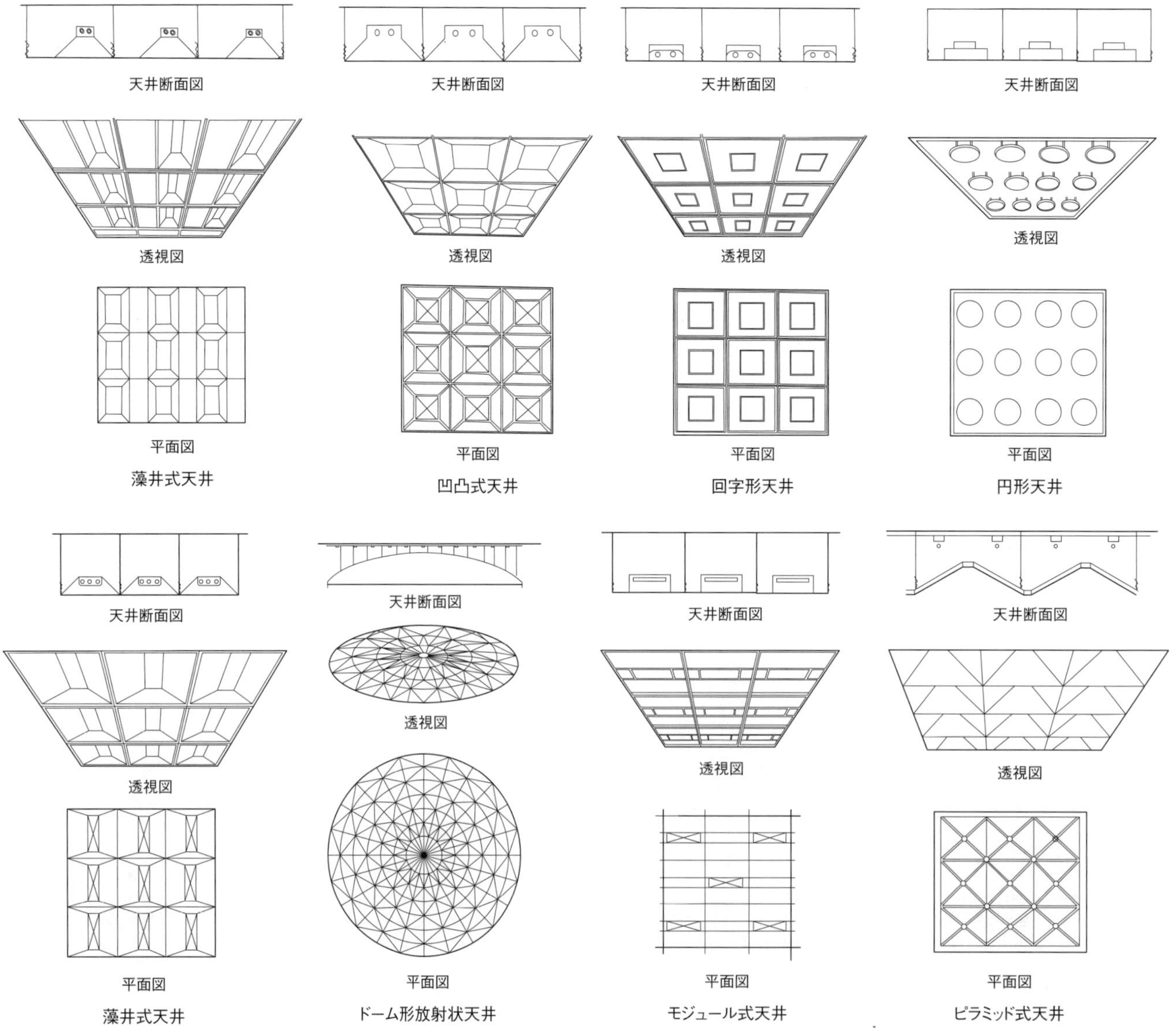
天井断面図
透視図
平面図
藻井式天井
天井断面図
透視図
平面図
凹凸式天井
天井断面図
透視図
平面図
回字形天井
天井断面図
透視図
平面図
円形天井
天井断面図
透視図
平面図
藻井式天井
天井断面図
透視図
平面図
ドーム形放射状天井
天井断面図
透視図
平面図
モジュール式天井
天井断面図
透視図
平面図
ピラミッド式天井

間接照明は天井、壁、床に光をあて、その反射光によって空間を照らす手法である。光源が目に入らないため、視覚的な快適性が得られるとともに、やわらかい光によってぬくもりのある空間を作り出すことができる。

また、間接照明の目的は室内全体に明かりを提供することにある。つまり、特定の目標に対してというより、空間全体を照らすことで、人が活動するにあたって最低限必要とする明かりを届けなければならない。たとえば、天井を照らすことで空間を明るくすると同時に、床の照度も確保するようにする。優れた間接照明を設計すれば、人々に居心地の良い快適な環境を提供することができる。

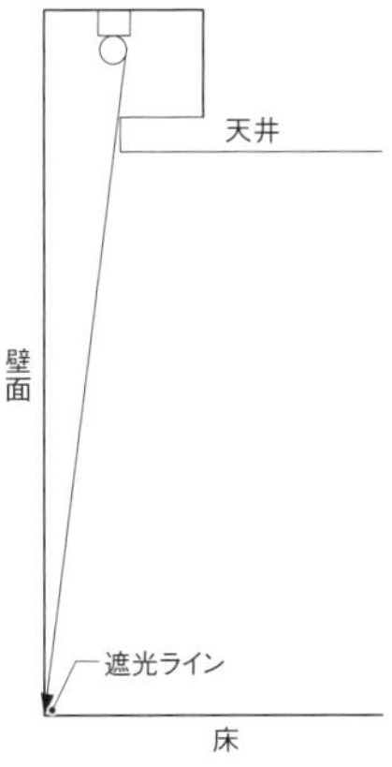
天井
壁面
遮光ライン
床

壁面を表現する
遮光ラインを壁面と床の交わるコーナーに設置するのが望ましい

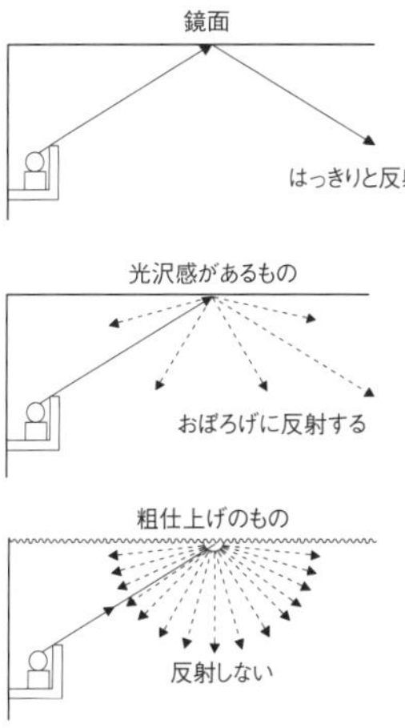
鏡面
はっきりと反射する
光沢感があるもの
おぼろげに反射する
粗仕上げのもの
反射しない

粗仕上げのもの以外は光が反射し、光沢度が低くなればなるほど反射率も低くなる

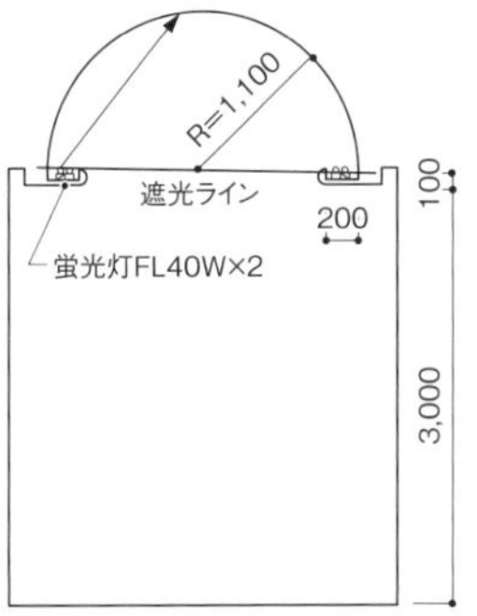
R=1,100
遮光ライン
200
100
蛍光灯FL40W×2
3,000

アーチ型天井の照明
インパクトのある球形の天井は、白色の塗料を塗った表面と間接照明から成る。使用する光源は3,000Kの低色温度の蛍光灯で、シンプルかつ効果的な間接照明を使って天井の存在感を消すことで、開放的な雰囲気を醸し出す

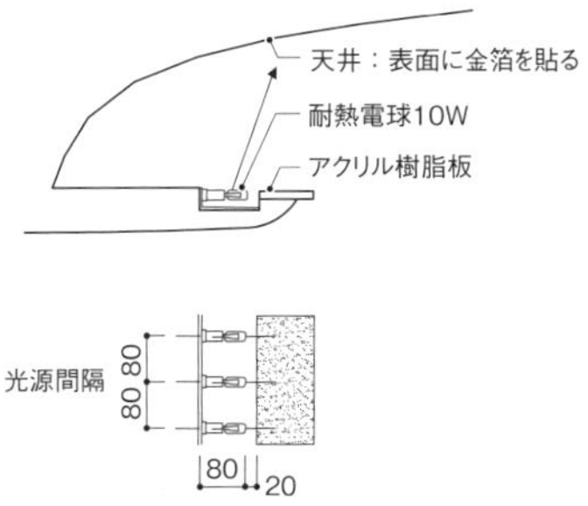
天井：表面に金箔を貼る
耐熱電球10W
アクリル樹脂板
光源間隔
80
80
80
80
20

アーチ型天井の照明
光源に96個の白熱灯を使用し、天井の表面に金箔を貼ったもの。光源の色温度と相まって、品位のあるくつろいだ照明環境が作れる。照明の枠にはアクリル樹脂版を設置し、照明上部の光のコントラストを和らげ、光のまだらを消し、光線を均一にする

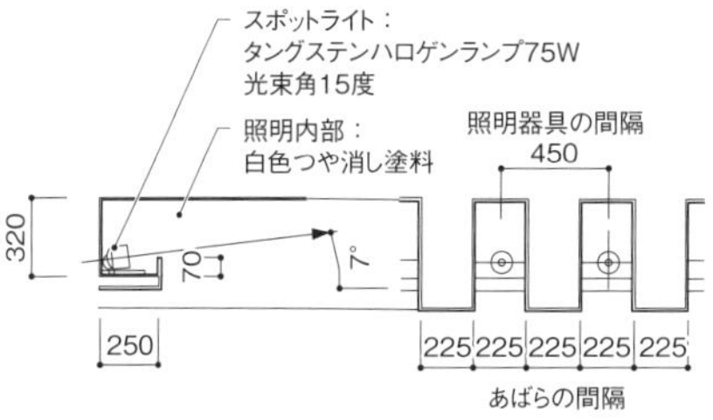
スポットライト：
タングステンハロゲンランプ75W
光束角15度
照明内部：
白色つや消し塗料
照明器具の間隔
450
320
70
7°
250
225 225 225 225 225
あばらの間隔

あばら型天井の照明
75Wのスポットライトを、あばらとあばらの間の溝の両端に設置し、光の方向を調整して溝上部を照らす。同時に遮光処理を施すことで、均一性の高い照明空間を作り出す

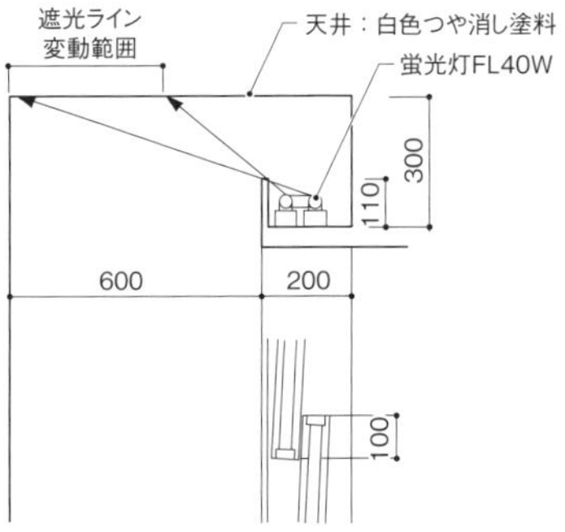
遮光ライン
変動範囲
天井：白色つや消し塗料
蛍光灯FL40W
300
110
600
200
100

四角い柱周りの照明
天井から300㎜下に光源を設置し、光源が発する光を天井面に照らした後に柱の表面に反射させる

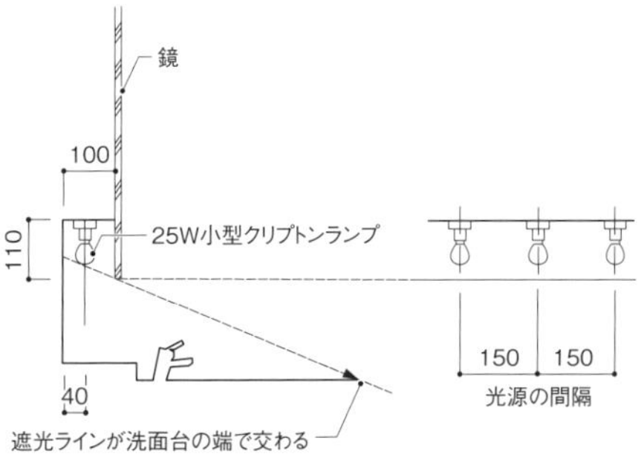
鏡
100
110
25W小型クリプトンランプ
40
遮光ラインが洗面台の端で交わる
150
150
光源の間隔

洗面台の照明
鏡面から100㎜奥に25Wの小型クリプトンランプを設置し、間接照明とする

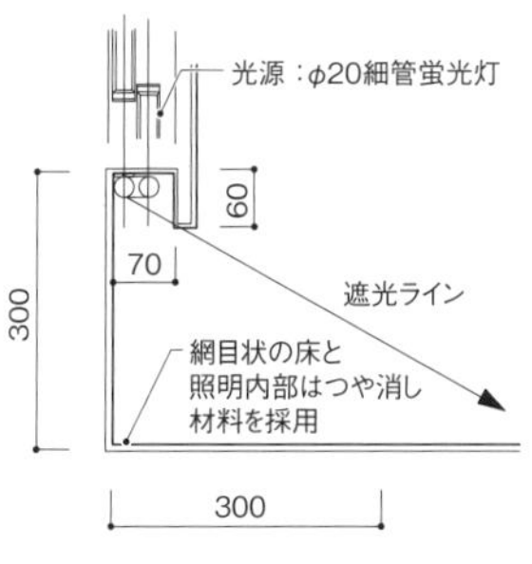
光源：φ20細管蛍光灯
60
70
遮光ライン
300
網目状の床と
照明内部はつや消し
材料を採用
300

足元の照明
床面から300㎜の場所に照明器具を設置し、光源にはφ20の細管蛍光灯を使用する。視覚的に連続性のある間接照明が作れる

照明は室内設計において不可欠な要素で、室内空間の雰囲気や特徴を強化する上で重要な役割を果たす。そのためにはまず、床や壁、天井の適切な位置に光源を配置しなければならない。そして、床や壁、天井の構造や空間を照明の配線や器具で邪魔しないよう有効に演出するだけでなく、照明を内装に有機的に組み合わせることで、統一感のある室内空間を作る必要がある。以下に、代表的な照明システムを紹介する。

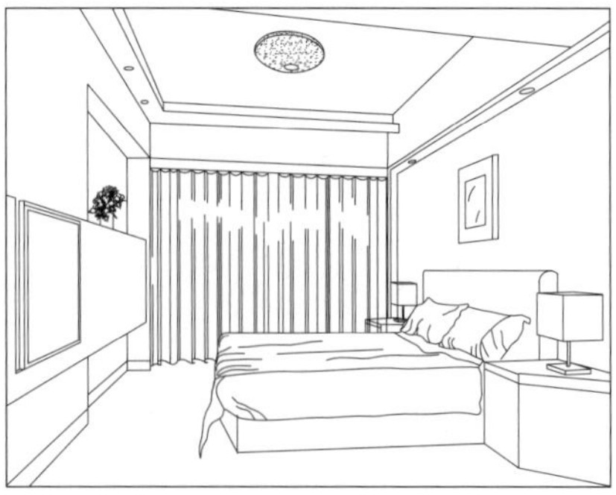

カーテン照明
蛍光灯をカーテンボックス内に設置する。光が反射しやすいように内側は白色塗料を塗る。光源の一部は天井に、残りは下に向け、カーテンや壁を照らす

コーニス照明
壁と天井の接点に遮光板を設置し、蛍光灯をその裏に設置する。発熱が少ない蛍光灯を採用することで、壁の変色が防げる

コーブ照明
天井の隅や壁にくぼみや庇を設置し、その内部に光源を隠して天井面に光を拡散させる。最も一般的な間接照明といえる

ウォールフレーム照明
壁上からフレームを出し、カーテン照明より低い場所に光源を設置する。窓との関連性はない

足元照明
生活の邪魔にならない場所にフットライトを設置する。床面に明かりを照射することで、足下の安全が図れる

コファー照明
光源をくぼんだ場所に埋め込む。この方式により照明箇所を固定することができる

ダウンライト照明
光源を天井内に埋め込み、下に光をあてる。柔和で陰影を持たせる効果がある。ダウンライト照明にはほかにもさまざまな用途がある

TV

光天井照明
天井を半透明のパネルで覆い、その中に光源を設置する。拡散性が高く、やわらかな光で快適な空間を作ることができる

トラックライト照明
天井内部に配線を埋め込むか表面に配線レールを取り付け、光源を設置する。レールは連結させたり分断させたりすることが可能で、さまざまな形状にできる

オフィス空間は5つに区分できる。大規模オフィスエリア、ユニット型オフィスエリア、会議エリア、総合オフィスエリア、公共エリアである。

大規模オフィスエリアは均一な照度を確保し、直接照明のほか間接照明も使われる。照明器具は目立つものは使わず、照明用リモコンを採用する。そして、反射光に厳しく配慮し、自然光と融合させるように配慮すること。

ユニット型オフィスエリアも均一な照度が要求される。照明器具は通常、天井に設置し、スイッチで操作する。高級なユニット型オフィスエリアならば直接照明と間接照明を併用することが多く、照明用リモコンが採用されることもある。職場の要求に応じたシステム制御方法を選択するが、ビルの管理システムとの連係が必要である。

会議エリアも照度を均一にし、ホワイトボードにスポットライトがあてられるようにする。スイッチと調光装置も設置すること。落ち着いた空間づくりに注力し、さまざまなシーンに応じられるように多様な光源を設置しておくこと。

総合オフィスエリアも照度を均一にし、快適な職場環境になるよう配慮する。照明器具は目立つものを使わず、業務内容に合った照明を採用する。また、反射光に厳しく配慮すること。

公共エリアでは、一般的な廊下やエレベータホール同様の照度が求められる。大型の公共エリアの場合は、ロビーや中庭などがもうけられ、要求される照明方法も多様であるため、それに応じた光源を利用すること。

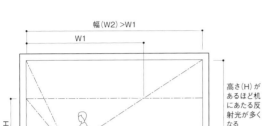

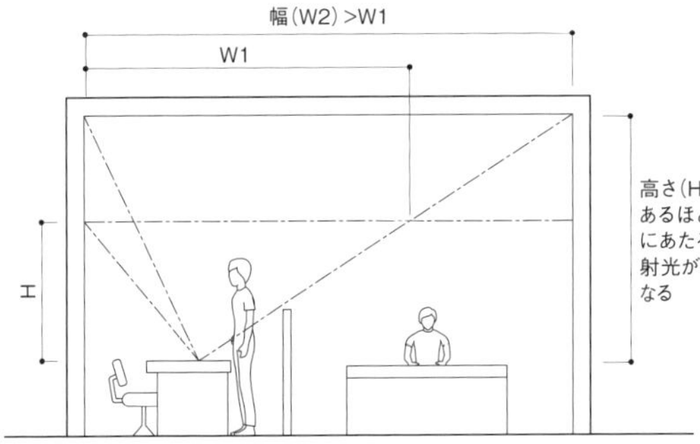
幅(W2)>W1
W1
H
高さ(H)があるほど机にあたる反射光が多くなる

机と天井の距離を離すことにより、天井がより広く見える

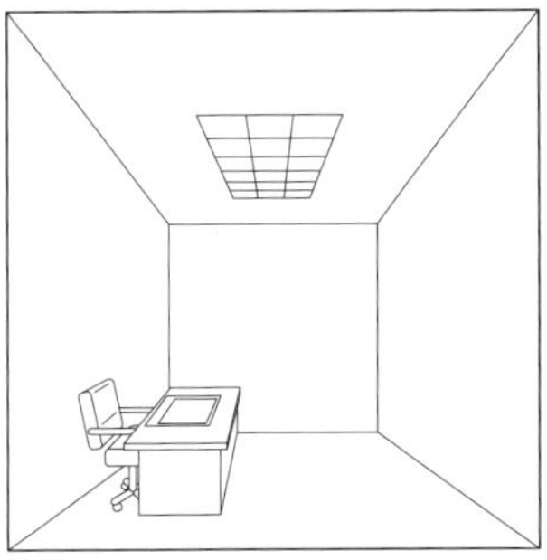

一般的なオフィス照明

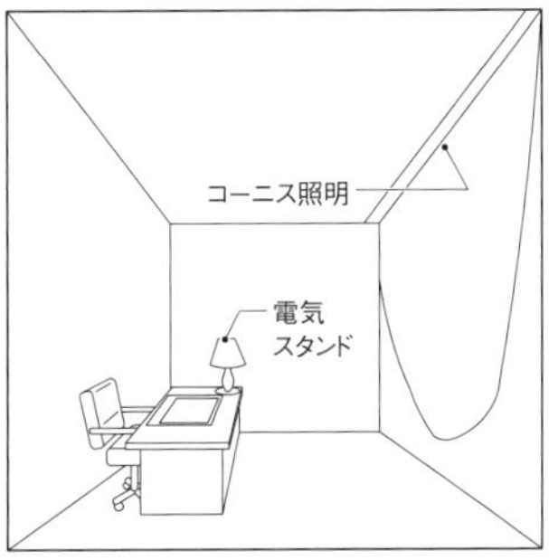
コーニス照明
電気スタンド

机周りの補助照明

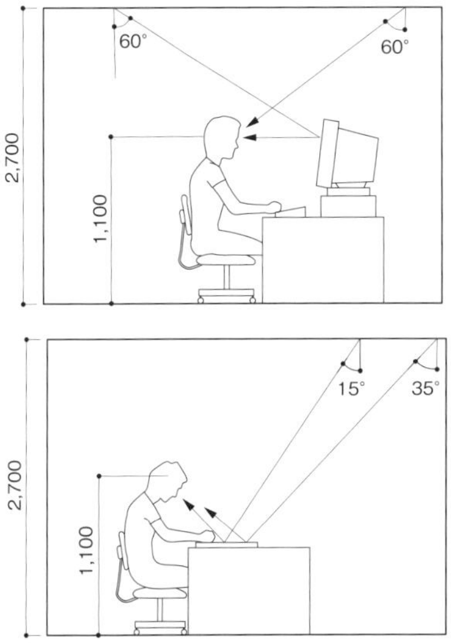
60°
60°
2,700
1,100
15°
35°
2,700
1,100

まぶしい光が発生する原因

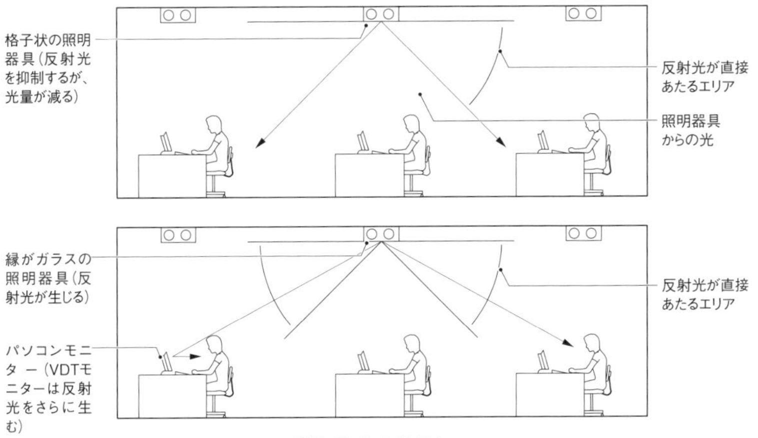
格子状の照明器具(反射光を抑制するが、光量が減る)
反射光が直接あたるエリア
照明器具からの光
縁がガラスの照明器具(反射光が生じる)
パソコンモニター(VDTモニターは反射光をさらに生む)
反射光が直接あたるエリア

ダウンライトのポイント

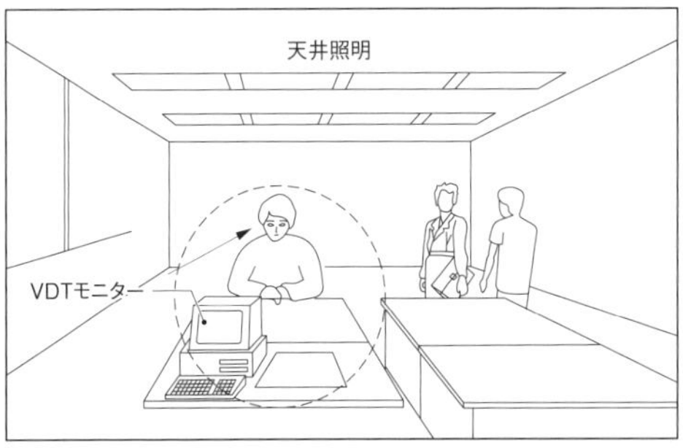
天井照明
VDTモニター

オフィス職員の視覚環境

オフィス照明の比較

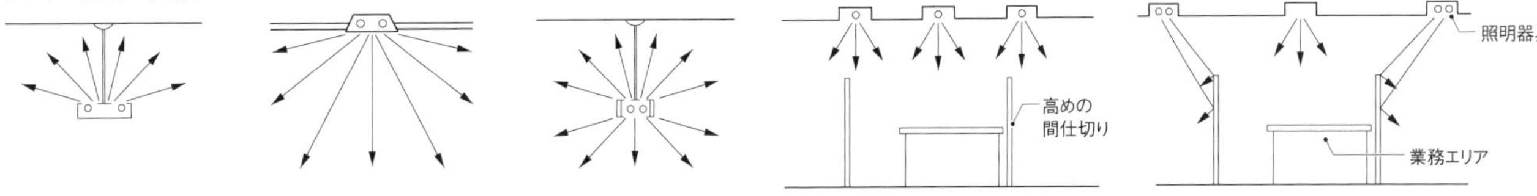
高めの間仕切り
照明器具
業務エリア

天井に向けた間接照明

テーブルや床に向けた直接照明

直接・間接照明を均衡に使用した双方向照明

最初に照明器具の間隔を決める

照明器具の間隔が広すぎるケース

学校の照明は、学生が文字を読みやすいものとする。近視になるのを防いだり、学習効率を上げたりするため非常に重要な要素となる。一般の教室は、昼間なら窓から入る光線で十分足りる。点灯時には照明器具の反射光が視野に入らないように注意すること。過度の光が視野に入ると、気分が悪くなったり目が疲れたり、視力の低下につながる。反射光の問題を解決するための具体的な方法としては、照明器具と黒板を平行にすることが挙げられる。

黒板の照明は、①黒板に反射した光が学生の視線に入らないようにする、②黒板照明の光源が直接学生の視線に入らないようにする、③教師にまぶしい光が目に入らないようにする、の3つが必要となる。

スクリーン
自然採光
1 2 3 4 5
1 2 3 4 5
1 2 3 4 5
1 2 3 4 5

片側彩光の教室における照明の制御方式

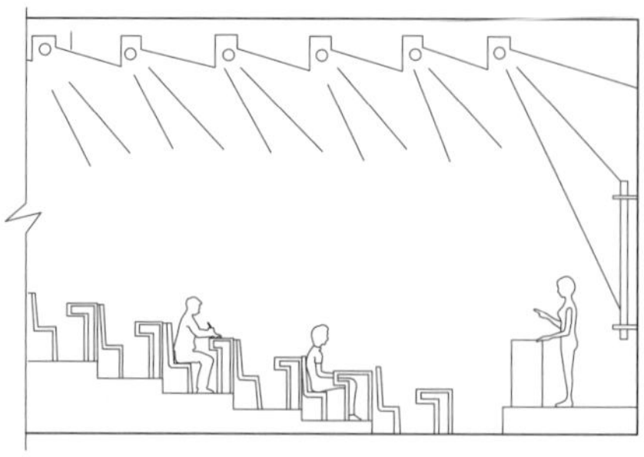

階段教室の照明

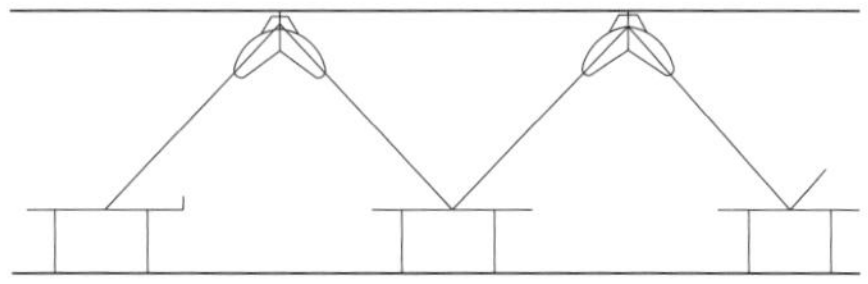

教室の照明配置の仕方

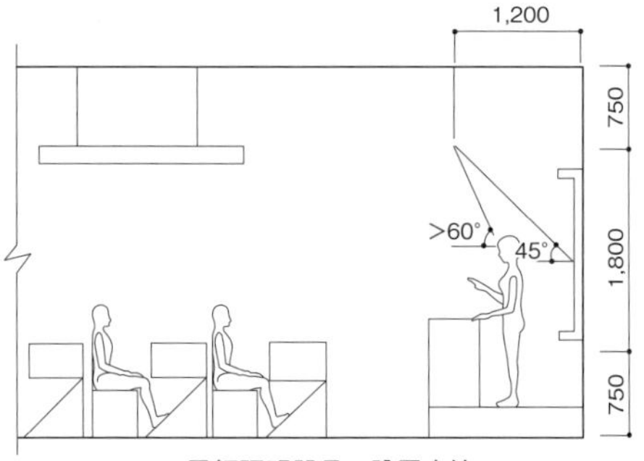
1,200
750
1,800
750
>60°
45°

黒板照明器具の設置方法

黒板照明器具の種類

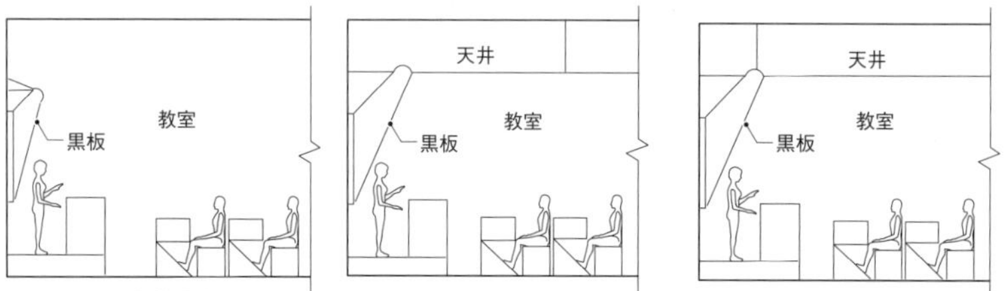
教室
黒板
天井
黒板
教室
天井
黒板
教室

壁設置式　埋め込み式　吊り下げ式

黒板照明の設置例

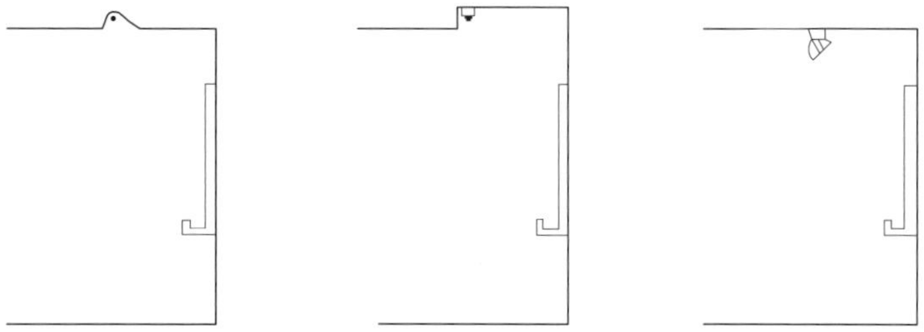

埋め込み式　天井反射式　吊り下げ式

教室照明の推奨配置方法

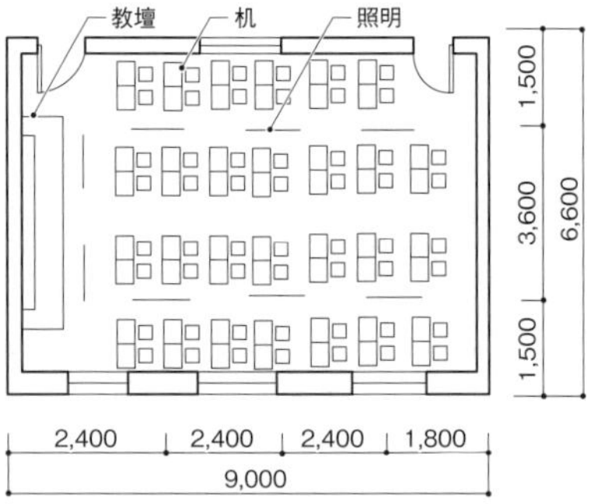
教壇
机
照明
1,500
3,600
1,500
6,600
2,400
2,400
2,400
1,800
9,000

2列。各列3つのライト

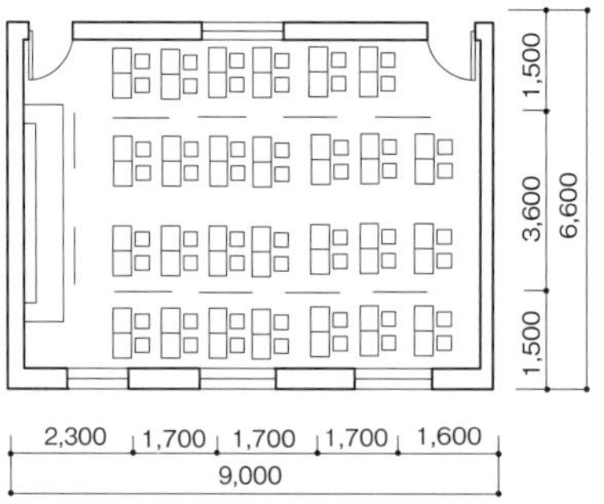
1,500
3,600
1,500
6,600
2,300
1,700
1,700
1,700
1,600
9,000

2列。各列4つのライト

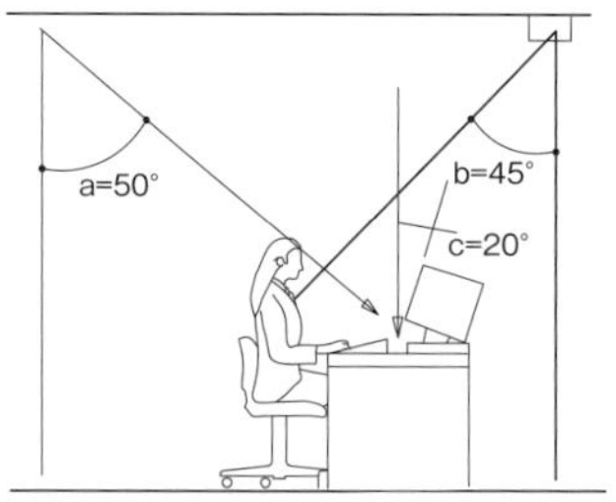
a=50°
b=45°
c=20°

パソコン教室の照明

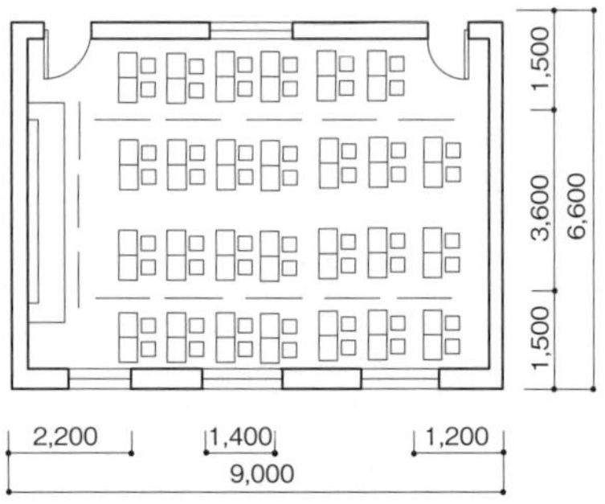
1,500
3,600
1,500
6,600
2,200
1,400
1,200
9,000

2列。各列5つのライト

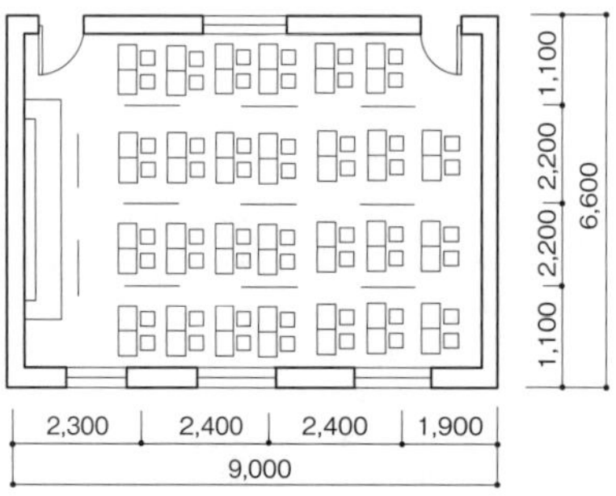
1,100
2,200
2,200
1,100
6,600
2,300
2,400
2,400
1,900
9,000

3列。各列3つのライト

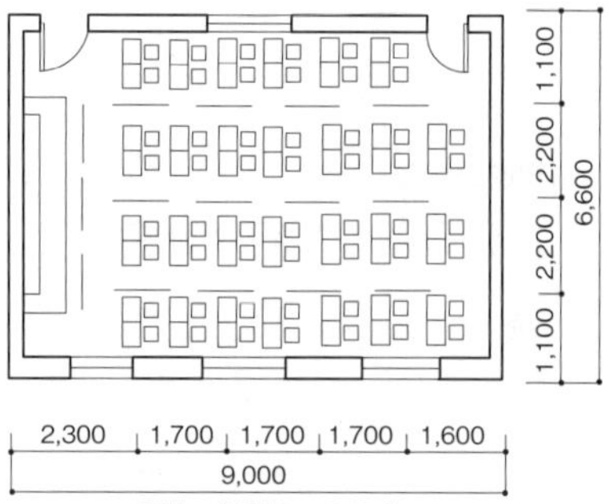
1,100
2,200
2,200
1,100
6,600
2,300
1,700
1,700
1,700
1,600
9,000

3列。各列4つのライト

博物館や美術館の照明は、来場者に展示品を鑑賞してもらうため、展示品の色や形状の特徴を忠実に反映できるものとする。同時に展示品が損傷することのない照明器具を使用すること。さらに、このような施設は公益性や公共性があることから、一般の来場者の使用を踏まえた照明装置としなければならない。

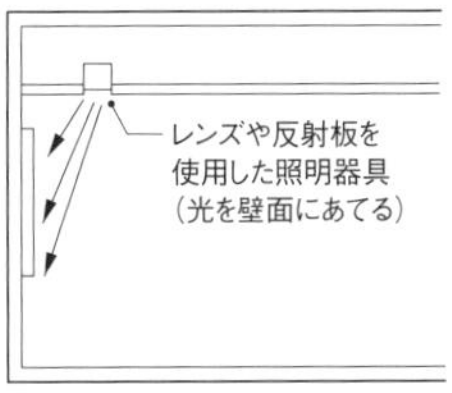
レンズや反射板を
使用した照明器具
（光を壁面にあてる）

埋め込み式照明器具

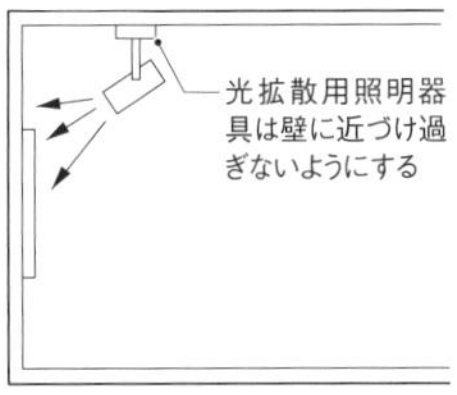
光拡散用照明器
具は壁に近づけ過
ぎないようにする

レールを設置した照明器具
（光を拡散させるため）

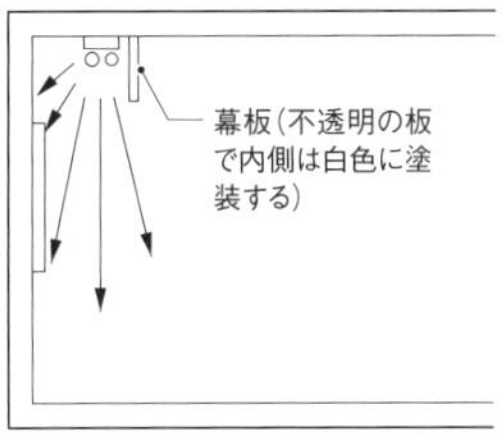
幕板（不透明の板
で内側は白色に塗
装する）

幕板とコーニス照明

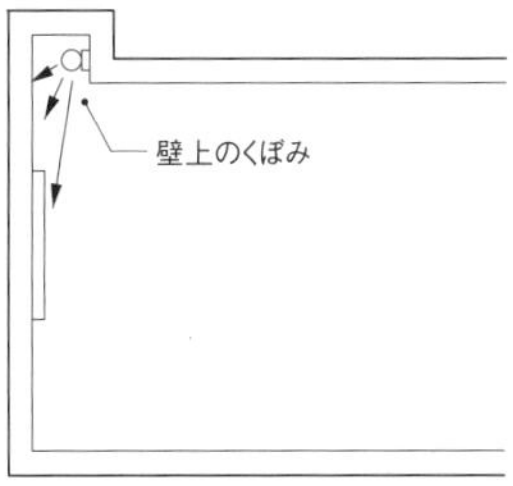
壁上のくぼみ

くぼみを利用したコーニス照明

ライトの投射角度

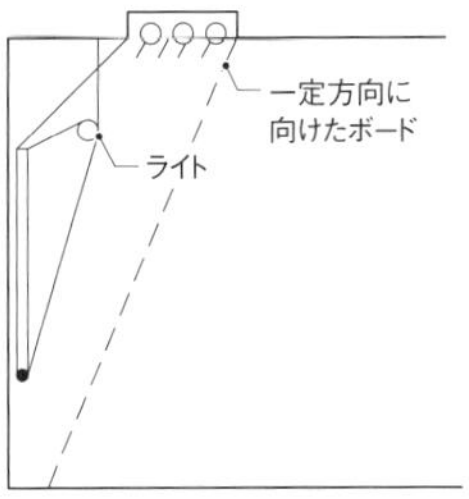
一定方向に
向けたボード
ライト

垂直面の照明

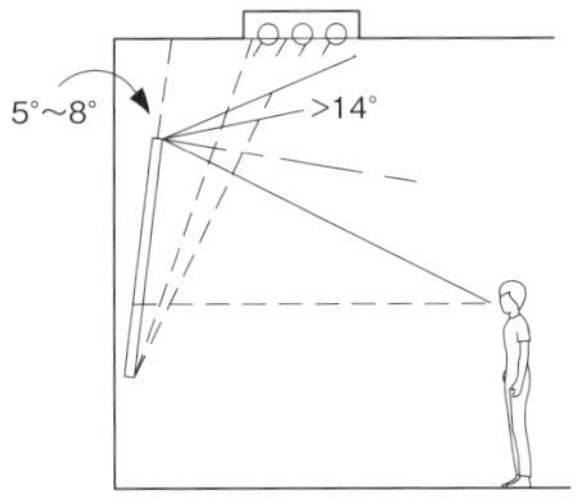
5°〜8°
>14°

展示ボードの反射を防ぐ

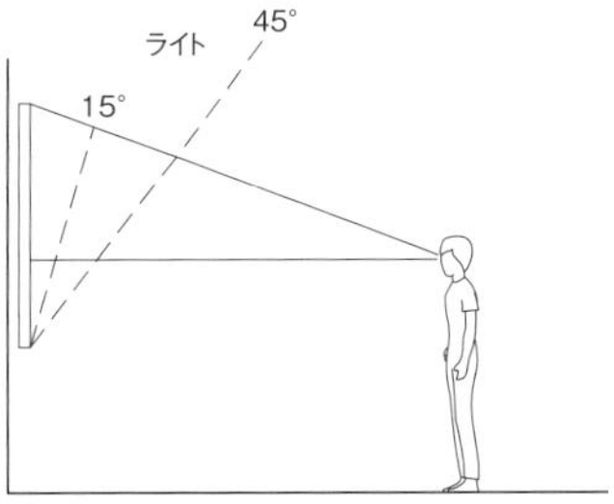
ライト
45°
15°

一般的な照明

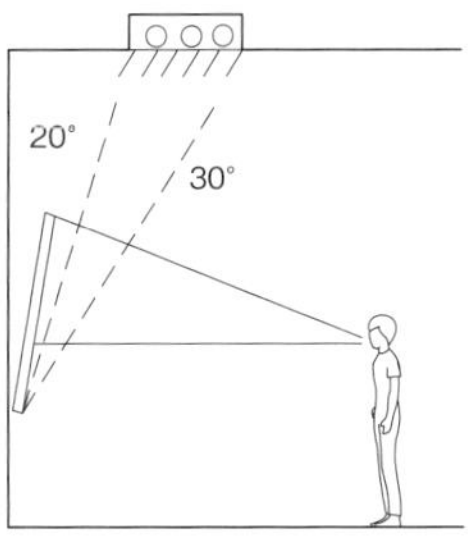
20°
30°

最も良い投射角度

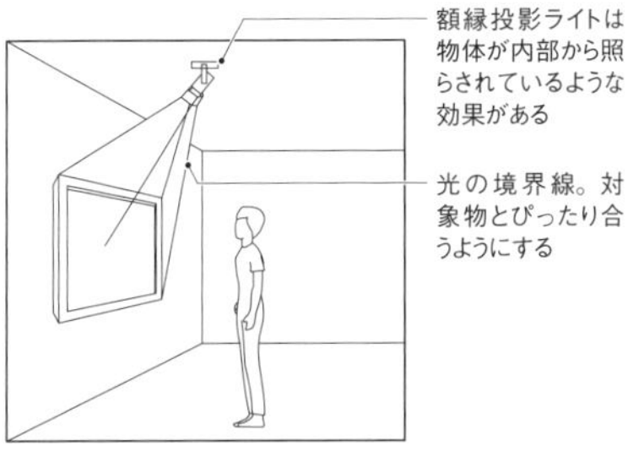
額縁投影ライトは
物体が内部から照
らされているような
効果がある
光の境界線。対
象物とぴったり合
うようにする

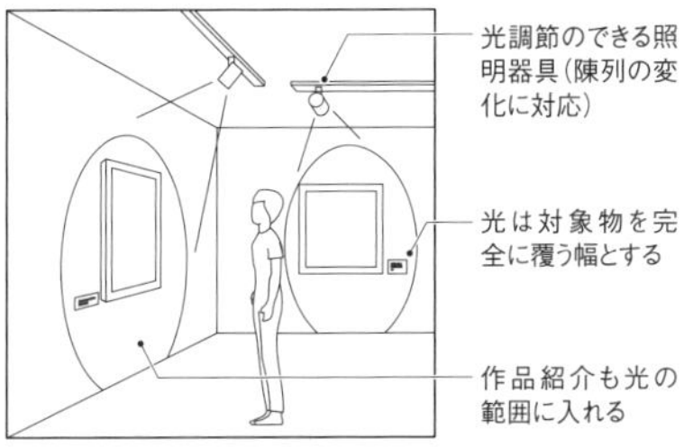
光調節のできる照
明器具（陳列の変
化に対応）
光は対象物を完
全に覆う幅とする
作品紹介も光の
範囲に入れる

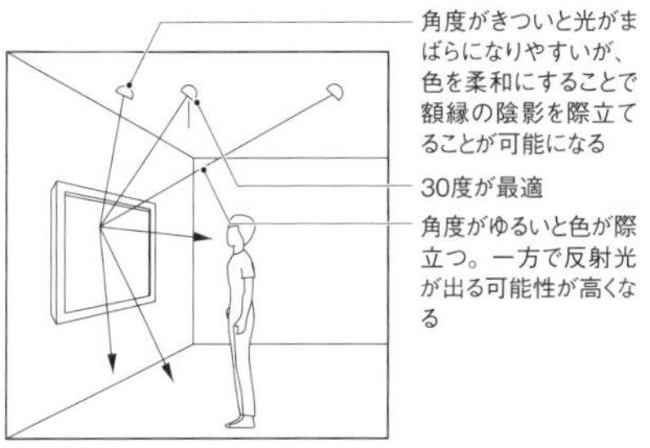
角度がきついと光がま
ばらになりやすいが、
色を柔和にすることで
額縁の陰影を際立て
ることが可能になる
30度が最適
角度がゆるいと色が際
立つ。一方で反射光
が出る可能性が高くな
る

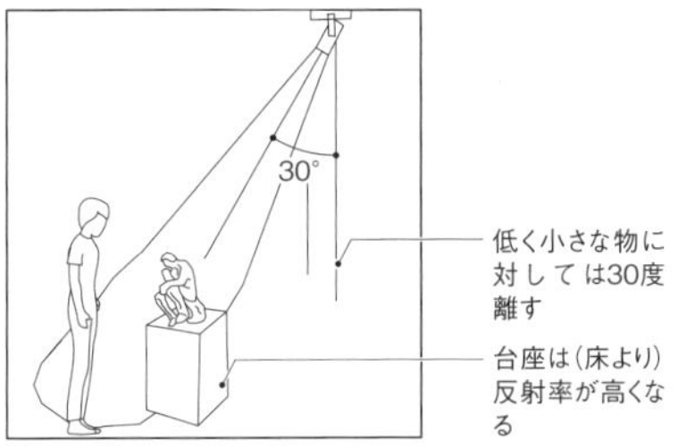
30°
低く小さな物に
対しては30度
離す
台座は（床より）
反射率が高くな
る

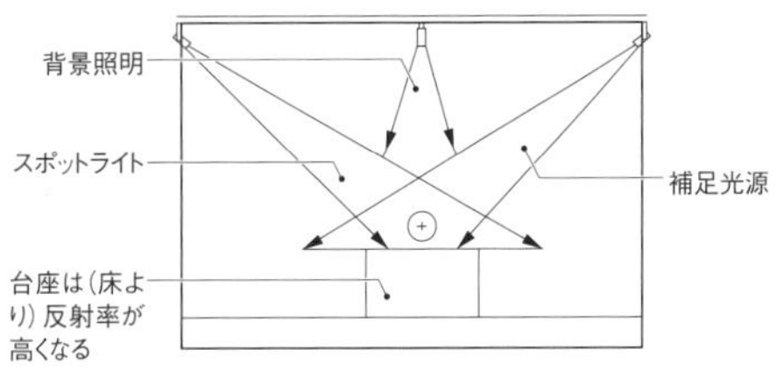
背景照明
スポットライト
補足光源
台座は（床よ
り）反射率が
高くなる

断面図

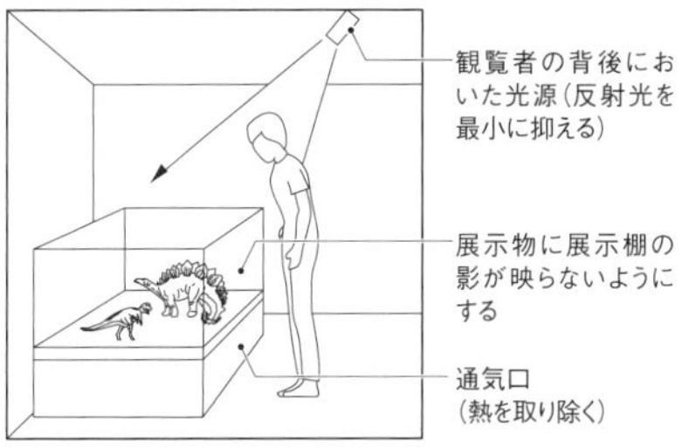
観覧者の背後にお
いた光源（反射光を
最小に抑える）
展示物に展示棚の
影が映らないように
する
通気口
（熱を取り除く）

外部照明

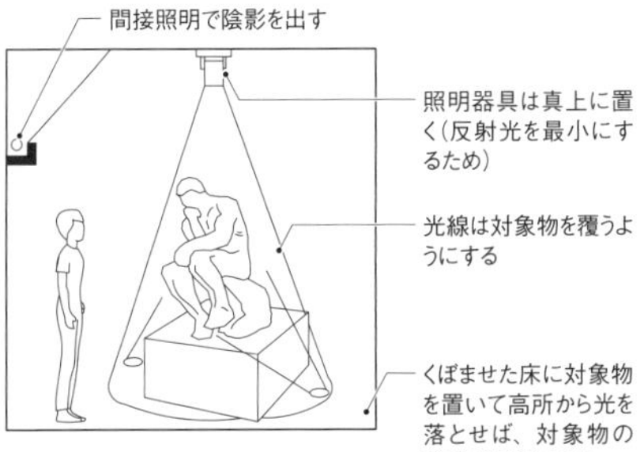
間接照明で陰影を出す
照明器具は真上に置
く（反射光を最小にす
るため）
光線は対象物を覆うよ
うにする
くぼませた床に対象物
を置いて高所から光を
落とせば、対象物の
陰影が軽減できる

立体の展示物

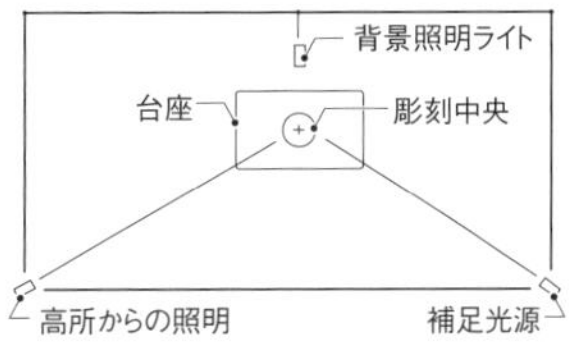
背景照明ライト
台座
彫刻中央
高所からの照明
補足光源

平面図

スポットライトのポイント

スポットライトはレストランのテーブルや美術館の芸術品など、焦点となる場所を強調するものである。

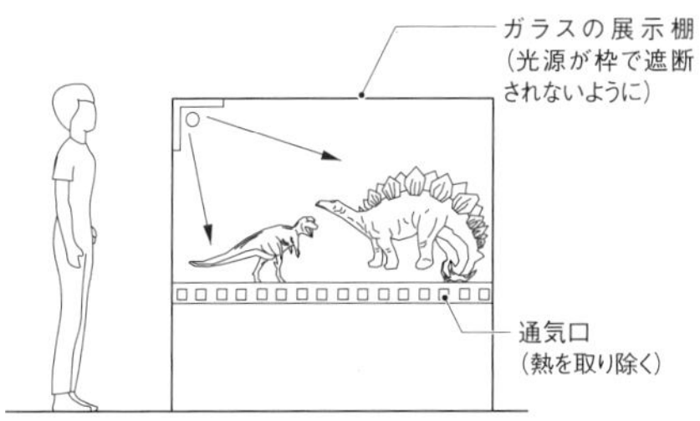
ガラスの展示棚
（光源が枠で遮断
されないように）
通気口
（熱を取り除く）

内部照明

商業施設の照明は、一般照明、パーティション照明、局部照明、混合照明等の方式に分かれている。

1. 一般照明というのは、少数の照明器具を用いて売り場全体にまんべんなく光を提供するものである。この方式では、商品に応じて臨機応変に空間を利用することができる。
2. パーティション照明というのは、全ての商業空間に使われている方式である。1つの売り場の中でも、その内部機能は異なり、異なる照明の需要があることから、空間をいくつかに区分し、それぞれの需要を満たす方式を言う。
3. 局部照明はスポットライトともいう。商業施設の照明においては、商品の展示が目立つことと美しく見えることが重要となる。そのためスポットライトは、商業施設の照明の中でもひときわ注意を払うことが必要である。スポットライトはいろいろな方向からの光線を使って、さまざまな雰囲気を演出できる。その際、スポットライトは強い視覚効果をもたらすため、一般のショップでは均一かつ明るいものにするべきである。そうすることでショップの装飾を臨機応変に変えやすくなる。高級品を扱うショップの場合は、照明の明るさに差をつけることで高級感を出すことができる。
4. 複数の照明方式の混合もある。実際に求められるデザイン上の照度、均一度、色温度といった照明基準に応じたものにするのに加えて、シアトリカルな雰囲気、重厚感のある雰囲気などショップのイメージも踏まえたものとする。

カウンター内の照明方式

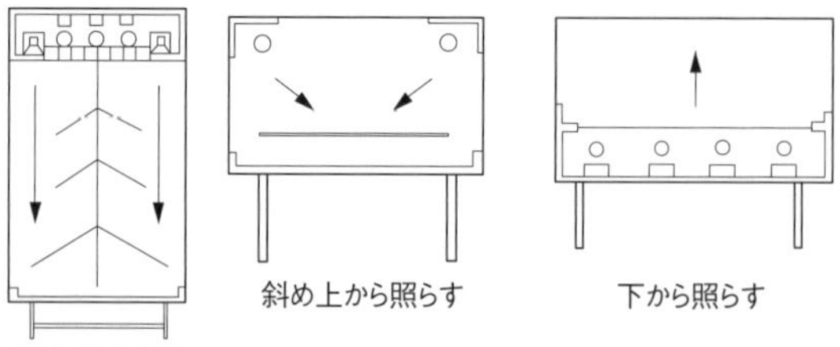

混合照明方式　斜め上から照らす　下から照らす

透光板を使った照明方式

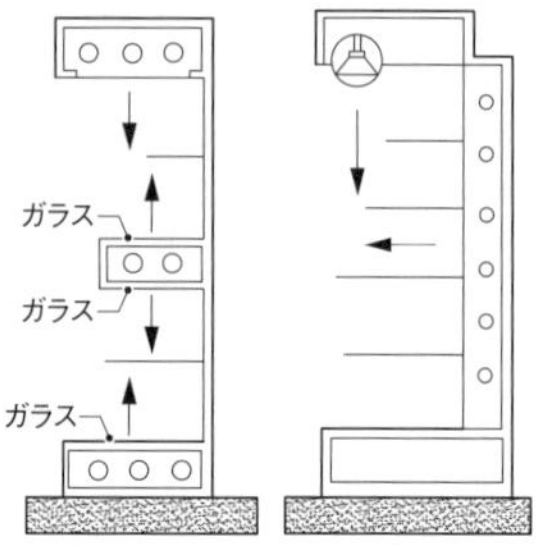
ガラス
ガラス
ガラス

透光板照明　逆光照明

陳列棚の一般的な照明方式

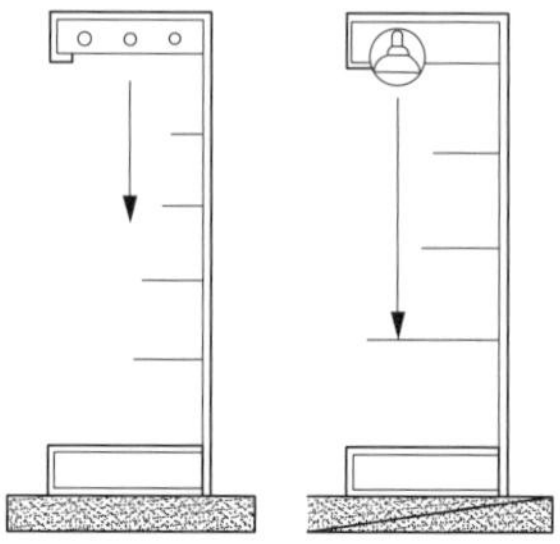

蛍光灯照明　集光型ライト照明

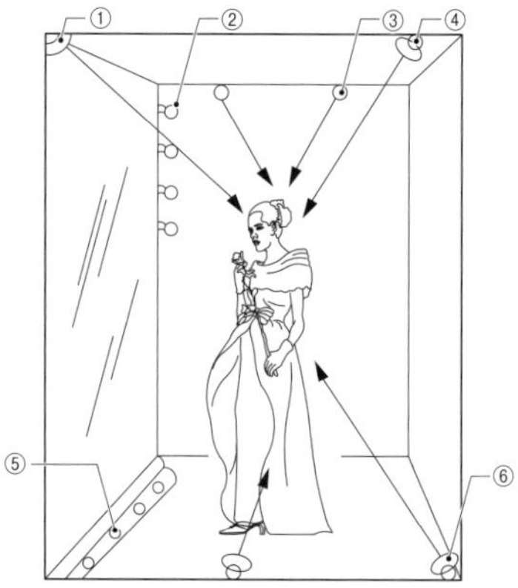
①
②
③
④
⑤
⑥

①補足照明　②側面照明　③後方照明
④メイン照明　⑤フットライト　⑥背景照明

ショーウインドーの照明

ライトが衣服の
前面にあたっている

局部照明

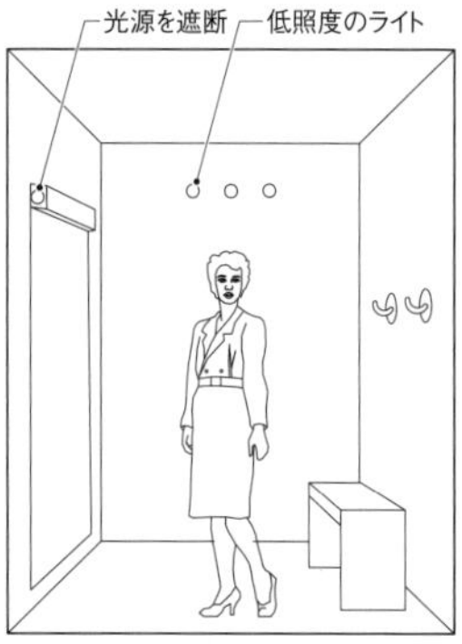
光源を遮断
低照度のライト

試着室

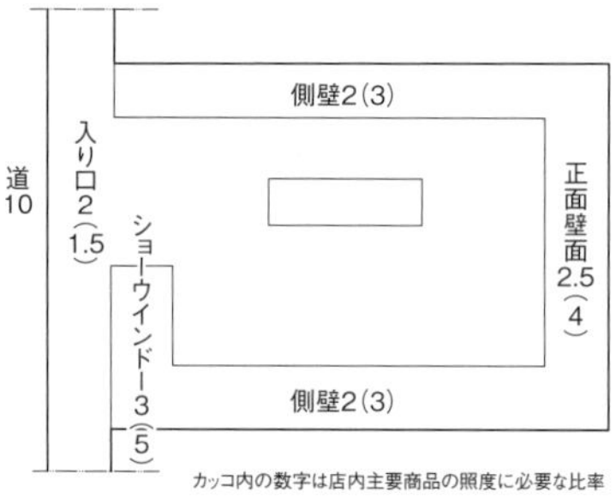
側壁2(3)
入り口2(1.5)
道10
ショーウインドー3(5)
正面壁面2.5(4)
側壁2(3)
カッコ内の数字は店内主要商品の照度に必要な比率

店内の照度の分配比率

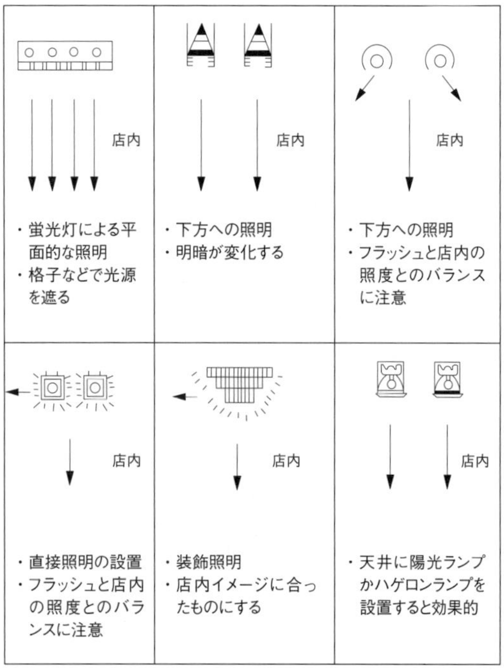
店内
・蛍光灯による平面的な照明
・格子などで光源を遮る
店内
・下方への照明
・明暗が変化する
店内
・下方への照明
・フラッシュと店内の照度とのバランスに注意
店内
・直接照明の設置
・フラッシュと店内の照度とのバランスに注意
店内
・装飾照明
・店内イメージに合ったものにする
店内
・天井に陽光ランプかハゲロンランプを設置すると効果的

店先の照明

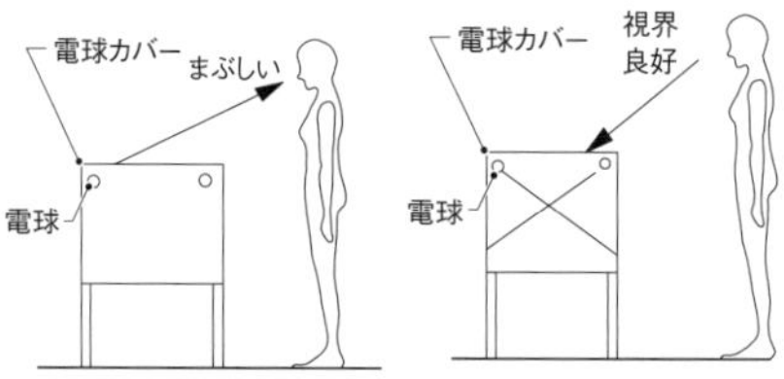
電球カバー
まぶしい
電球
電球カバー
視界良好
電球

悪い例　良い例

カウンター内部の反射光の防止

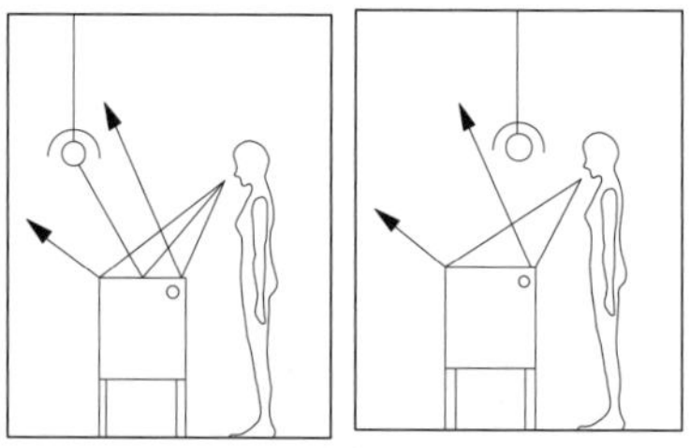

悪い例　良い例

低位での反射光の防止

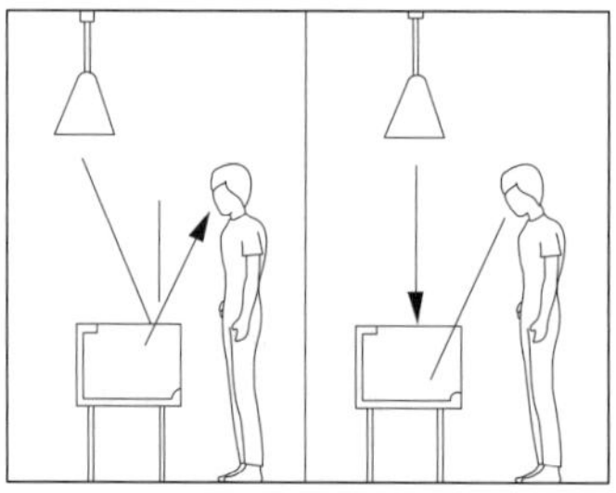

ガラス面が反射　ガラス面が反射しない

ダウンライト

スポットライトの方法

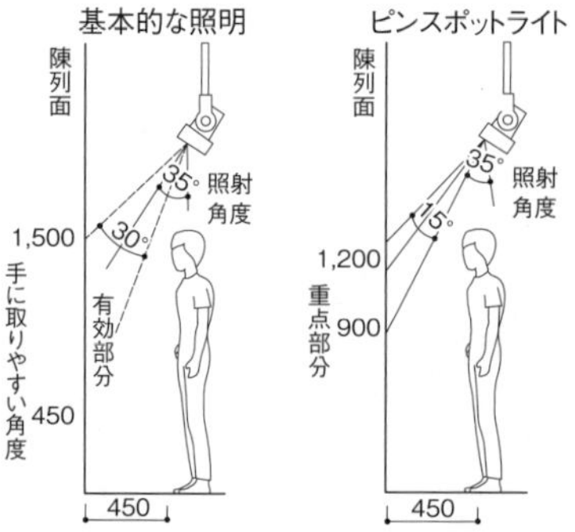
基本的な照明
陳列面
35°
照射角度
30°
1,500
手に取りやすい角度
有効部分
450
450
ピンスポットライト
陳列面
35°
照射角度
15°
1,200
900
重点部分
450

均一な配光　光が集中

レストランの照明は、コンセプトに合った照度と装飾性が求められる。装飾照明器具は、視覚効果と照明効果を高めるものとし、通常は天井との一体化を考慮することになる。レストランやバー、喫茶店の装飾照明器具は、空間全体のイメージを際立たせるものにすると同時に、補助照明の機能も持たせる。モダンな雰囲気が強いレストランならば、金属製のかさのペンダントライトを、クラシックなレストランならば、木製の照明器具を使用するとよい。

中華料理店では、料理の特徴に応じて、古代の宮廷風の照明を選んだり、現代的なペンダントライトを選んだりするとよいだろう。西洋料理店では、ヨーロッパ風のペンダントライトを使うことで店内の雰囲気がより一層際立つ。

また、中華料理店は西洋料理店より照度を高くする。具体的には、中華料理店の照度は60～200ルクス、西洋料理店の照度は50～100ルクス程度が望ましい。いずれのレストランにしても、光源の色温度がレストランの雰囲気づくりの主要な手段となるが、最低80k以上になるよう設計すること。シーリングライトや埋め込み式ダウンライトを規則的に配置したり、星のようにちりばめたりしてもよいし、装飾用のペンダントライトを設置してもよい。なお、照明の配置は全体的な施工設計を踏まえて行うこと。

ダウンライト

ペンダントライト

ブラケットライト

ろうそくの照明

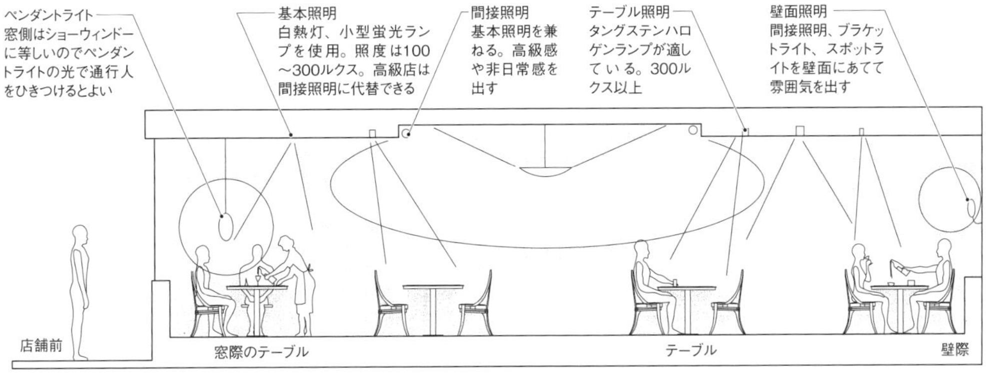

ペンダントライト
窓側はショーウィンドーに等しいのでペンダントライトの光で通行人をひきつけるとよい
基本照明
白熱灯、小型蛍光ランプを使用。照度は100～300ルクス。高級店は間接照明に代替できる
間接照明
基本照明を兼ねる。高級感や非日常感を出す
テーブル照明
タングステンハロゲンランプが適している。300ルクス以上
壁面照明
間接照明、ブラケットライト、スポットライトを壁面にあてて雰囲気を出す
店舗前
窓際のテーブル
テーブル
壁際

レストラン照明

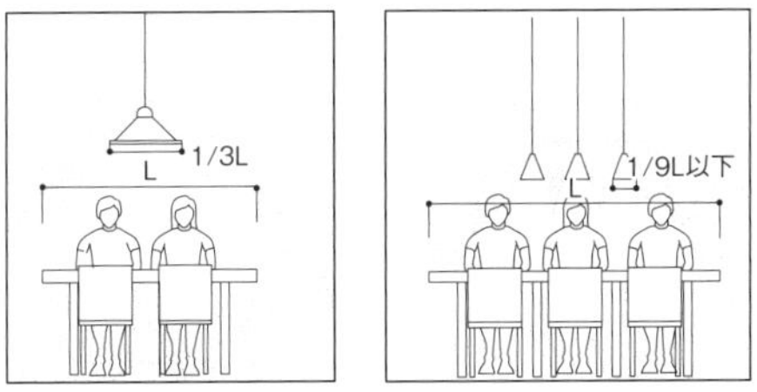

1/3L
L
1/9L以下

テーブルの大きさに応じてペンダントライトを調整

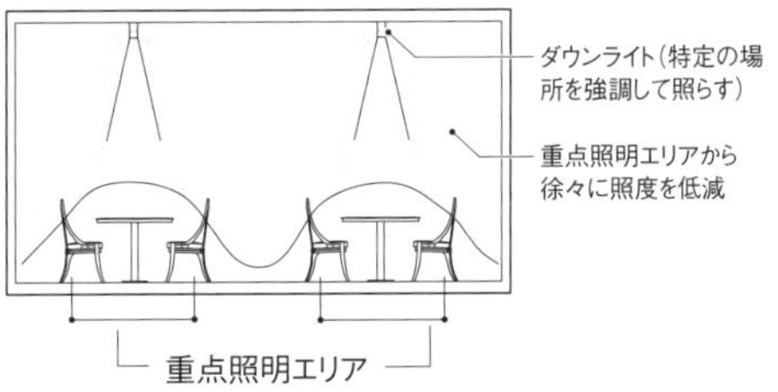

ダウンライト（特定の場所を強調して照らす）
重点照明エリアから徐々に照度を低減
重点照明エリア

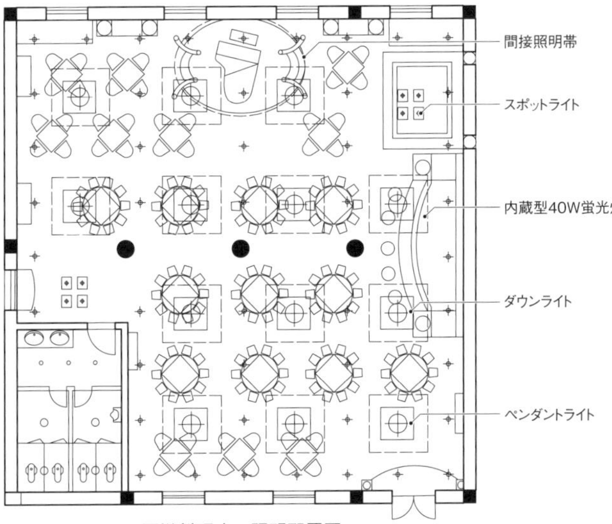

間接照明帯
スポットライト
内蔵型40W蛍光灯
ダウンライト
ペンダントライト

西洋料理店の照明配置図

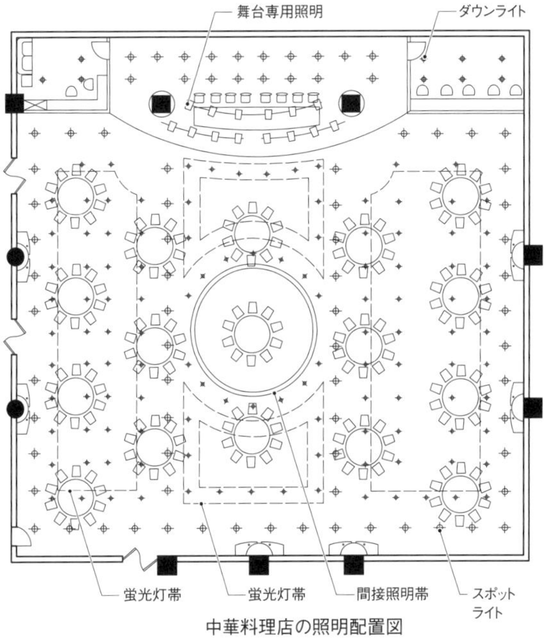

舞台専用照明
ダウンライト
蛍光灯帯
蛍光灯帯
間接照明帯
スポットライト

中華料理店の照明配置図

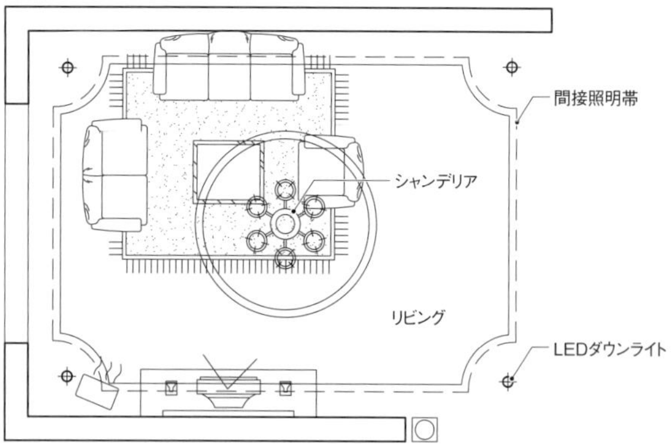
間接照明帯
シャンデリア
リビング
LEDダウンライト

リビングの照明配置図

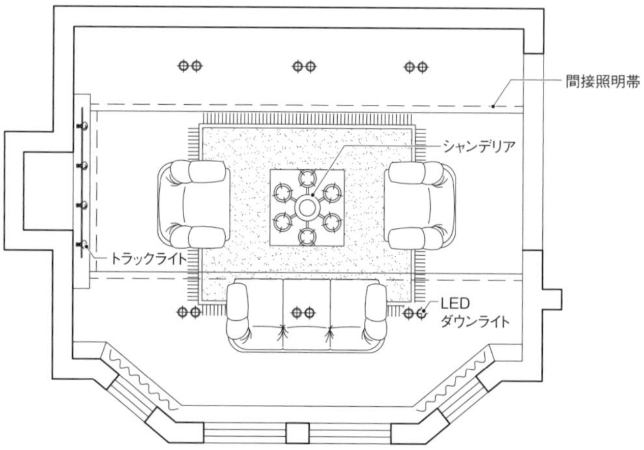
間接照明帯
シャンデリア
トラックライト
LED
ダウンライト

リビングの照明配置図

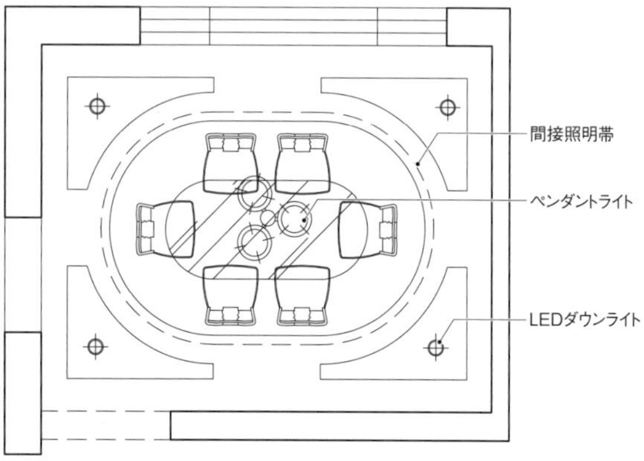
間接照明帯
ペンダントライト
LEDダウンライト

ダイニングの照明配置図

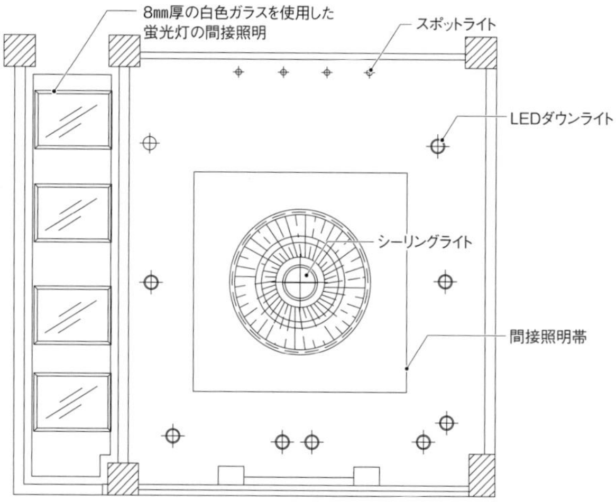
8㎜厚の白色ガラスを使用した
蛍光灯の間接照明
スポットライト
LEDダウンライト
シーリングライト
間接照明帯

2階吹き抜けの照明配置図

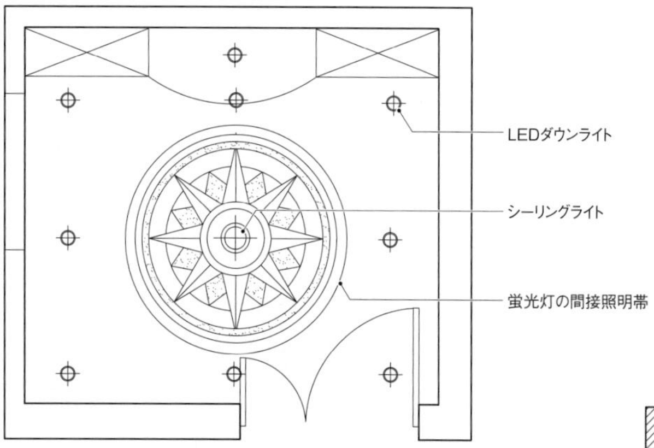
LEDダウンライト
シーリングライト
蛍光灯の間接照明帯

玄関の照明配置図

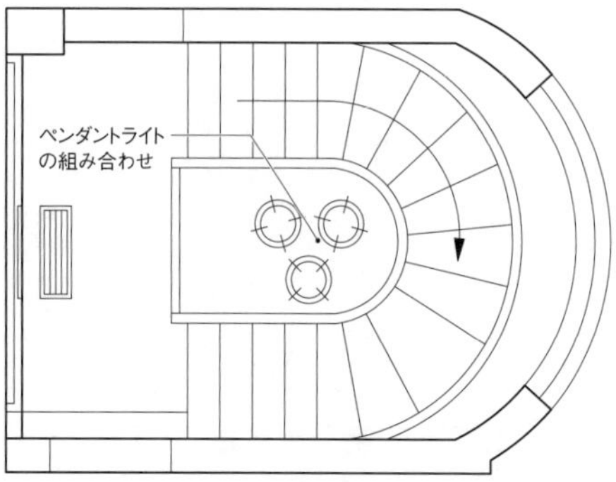
ペンダントライト
の組み合わせ

階段の照明配置図

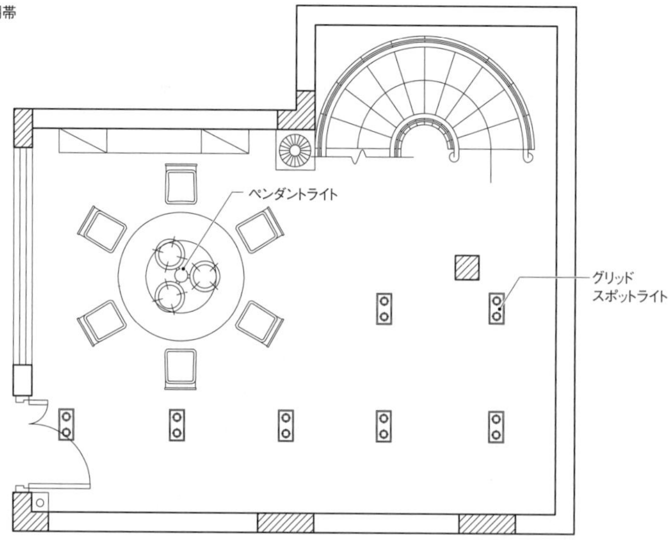
ペンダントライト
グリッド
スポットライト

ダイニングの照明配置図

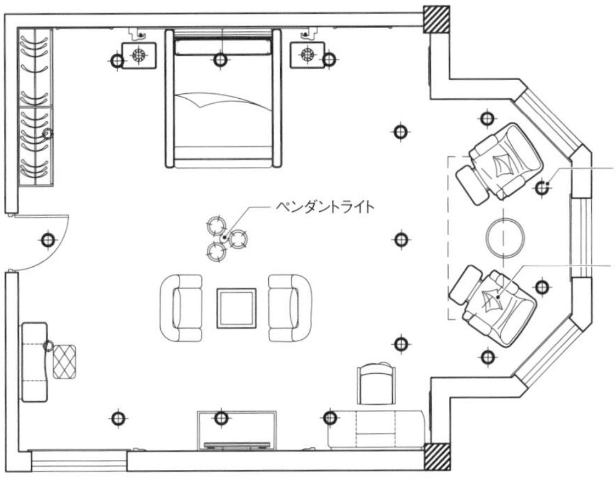
ペンダントライト
省電力ダウンライト
間接照明帯

主寝室の照明配置図

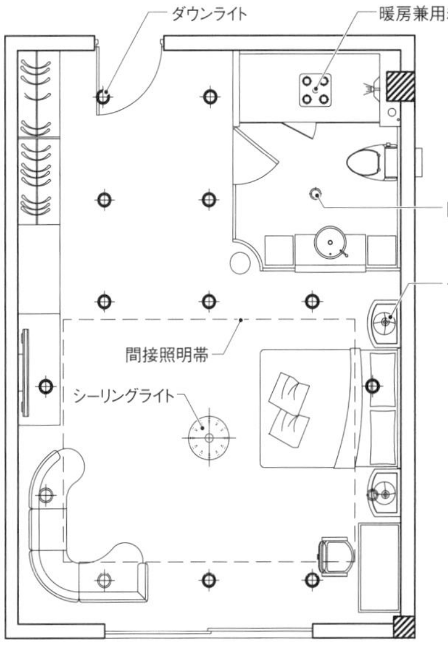
ダウンライト
暖房兼用赤外線照明
防水照明
デスクライト
間接照明帯
シーリングライト

寝室の照明配置図

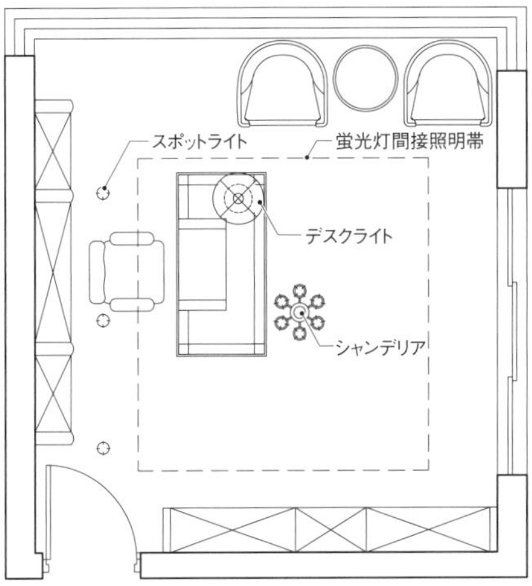
スポットライト
蛍光灯間接照明帯
デスクライト
シャンデリア

書斎の照明配置図

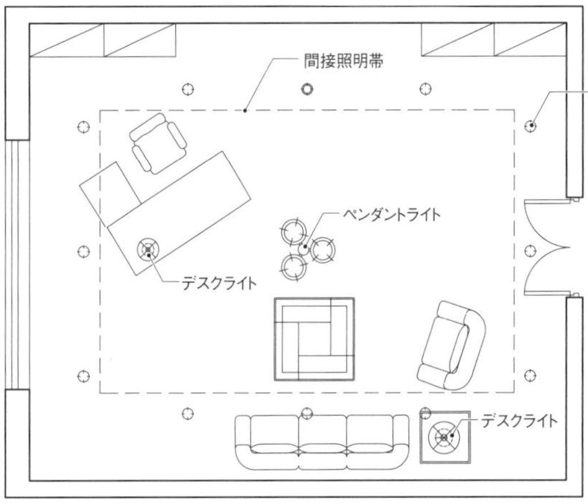
間接照明帯
スポットライト
ペンダントライト
デスクライト
デスクライト

書斎の照明配置図

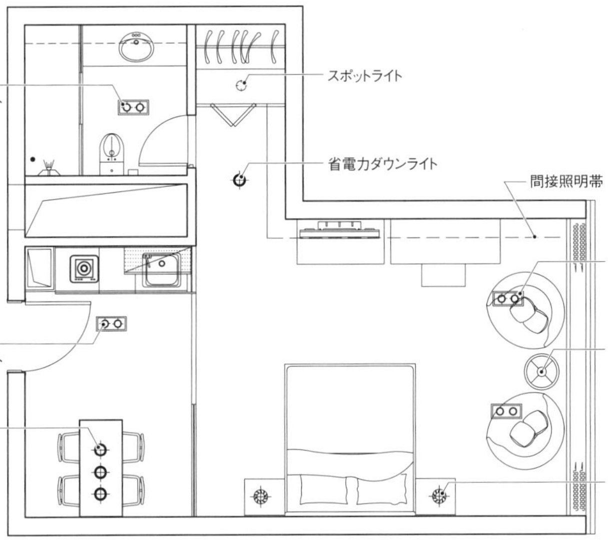
グリッド
スポットライト
スポットライト
省電力ダウンライト
間接照明帯
グリッド
スポットライト
グリッド
スポットライト
スタンド
ペンダント
ライト
ベッドサイドライト

小型住宅の照明配置図

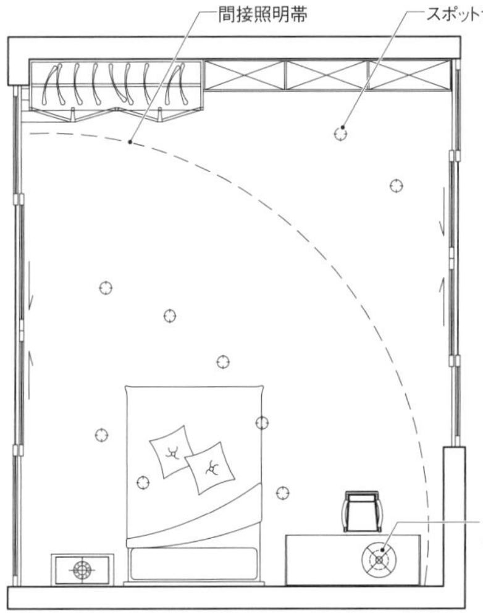
間接照明帯
スポットライト
デスク
ライト

子供部屋の照明配置図

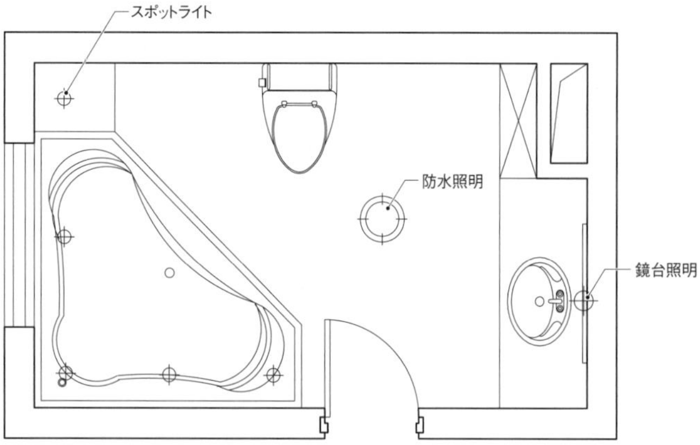
スポットライト
防水照明
鏡台照明

トイレの照明配置図

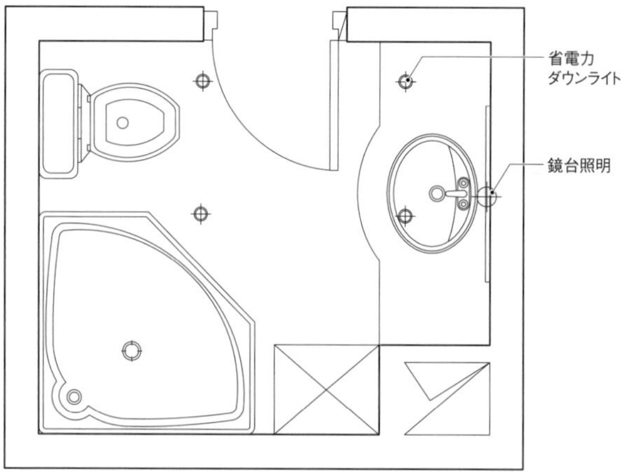
省電力
ダウンライト
鏡台照明

トイレの照明配置図

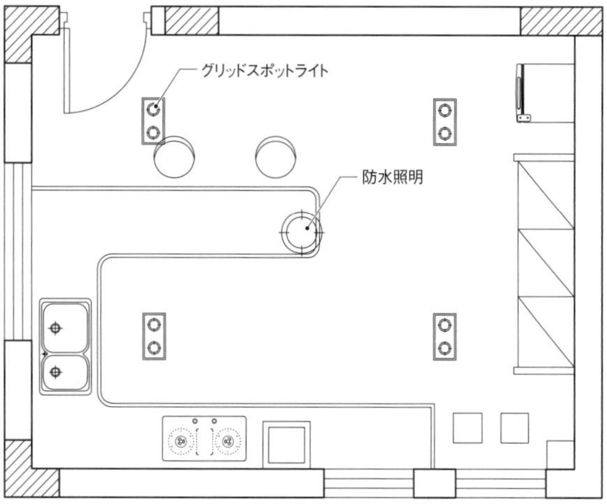
グリッドスポットライト
防水照明

キッチンの照明配置図

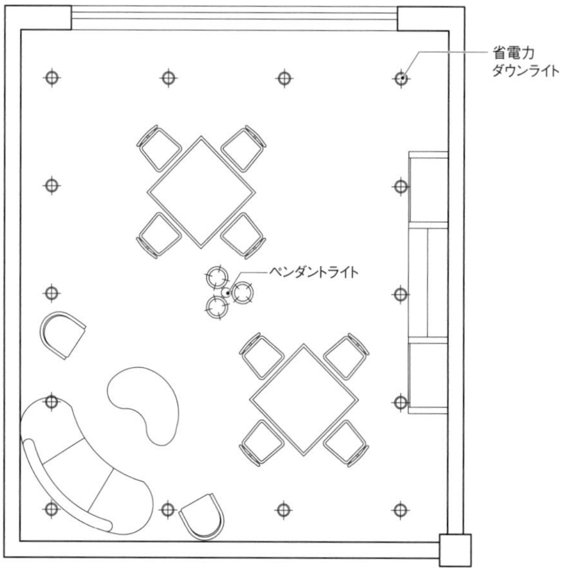
省電力
ダウンライト
ペンダントライト

娯楽室の照明配置図

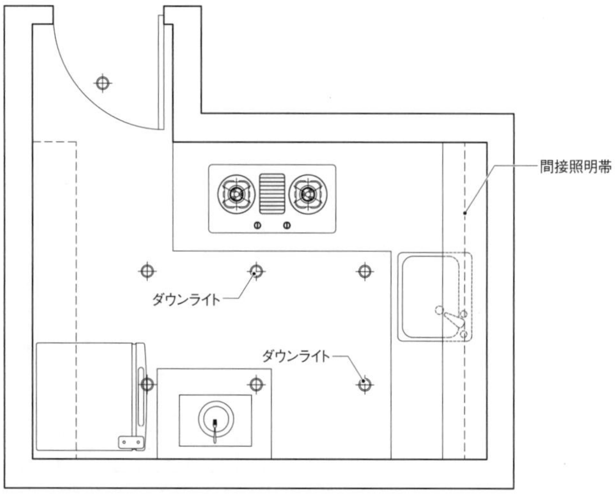
間接照明帯
ダウンライト
ダウンライト

キッチンの照明配置図

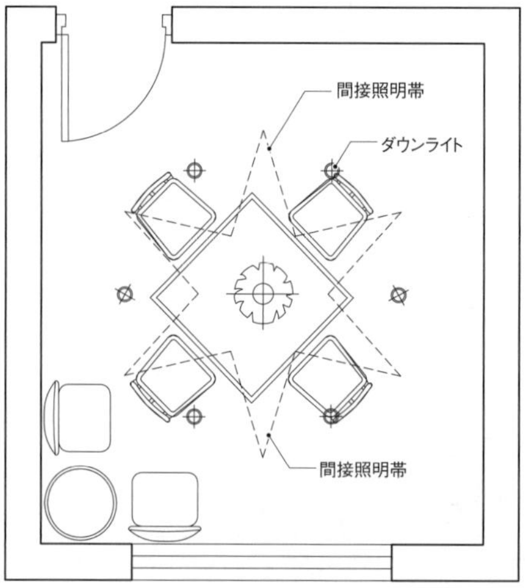
間接照明帯
ダウンライト
間接照明帯

娯楽室の照明配置図

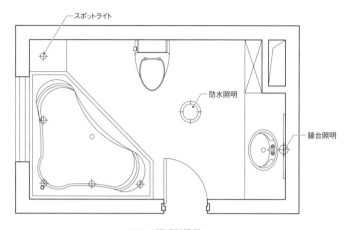

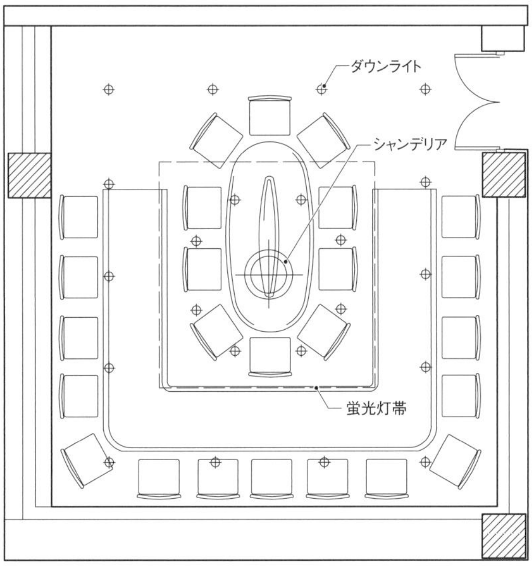
ダウンライト
シャンデリア
蛍光灯帯

会議室の照明配置図

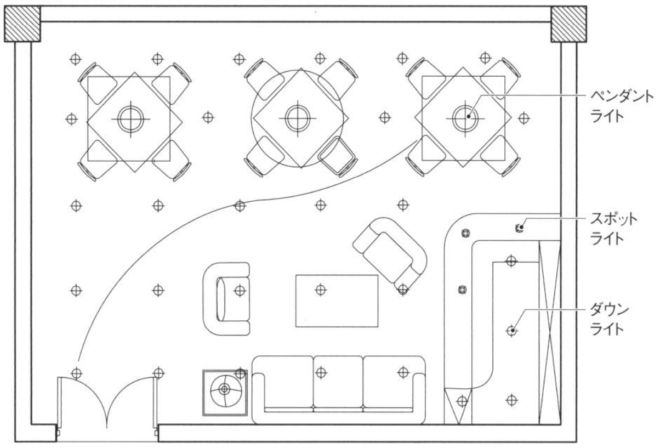
ペンダント
ライト
スポット
ライト
ダウン
ライト

娯楽室の照明配置図

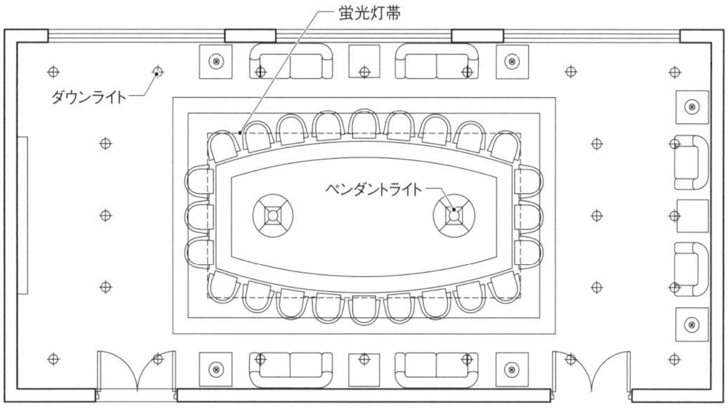
蛍光灯帯
ダウンライト
ペンダントライト

会議室の照明配置図

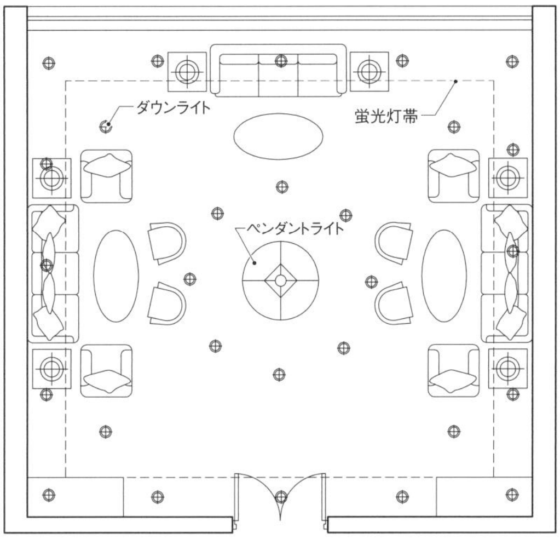
ダウンライト
蛍光灯帯
ペンダントライト

応接室の照明配置図

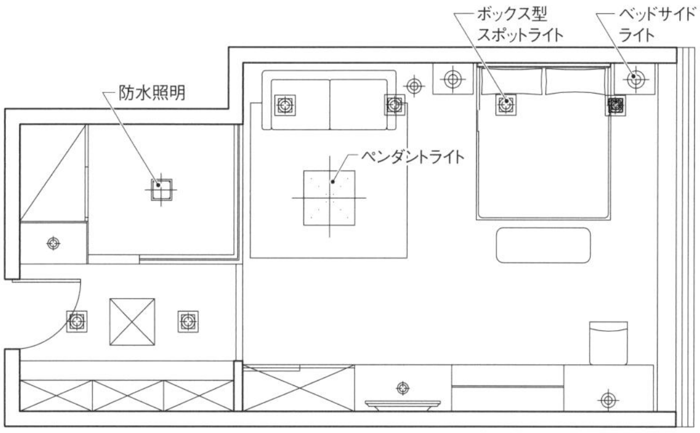
ボックス型
スポットライト
ベッドサイド
ライト
防水照明
ペンダントライト

ホテル客室の照明配置図

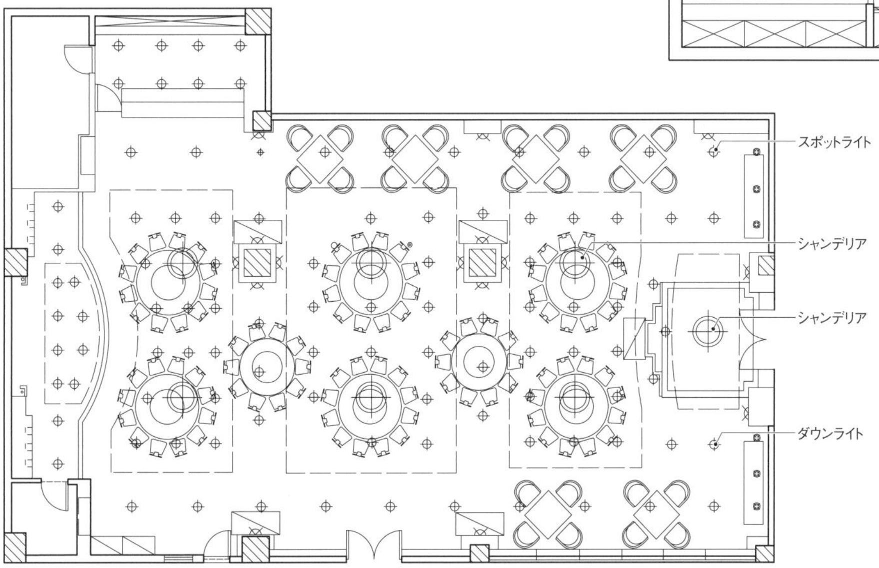
スポットライト
シャンデリア
シャンデリア
ダウンライト

大型レストランの照明配置図

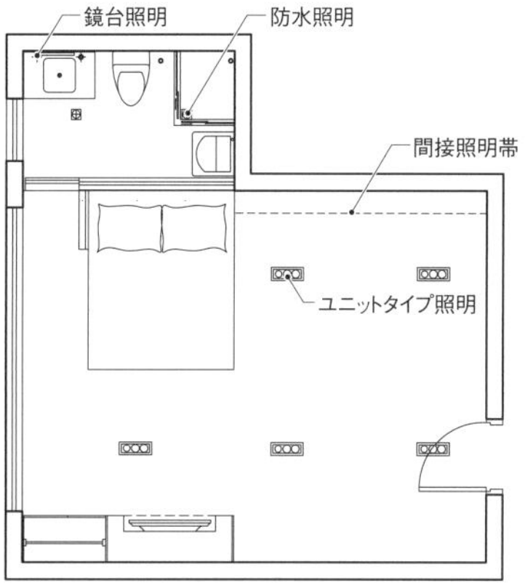
鏡台照明
防水照明
間接照明帯
ユニットタイプ照明

ホテル客室の照明配置図

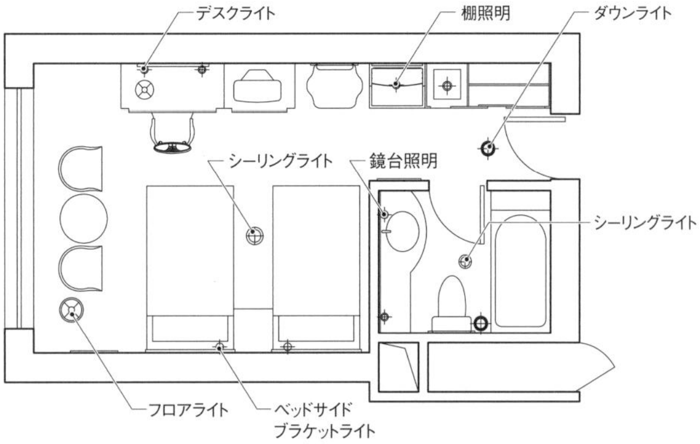
デスクライト
棚照明
ダウンライト
シーリングライト
鏡台照明
シーリングライト
フロアライト
ベッドサイド
ブラケットライト

ホテル客室の照明配置図

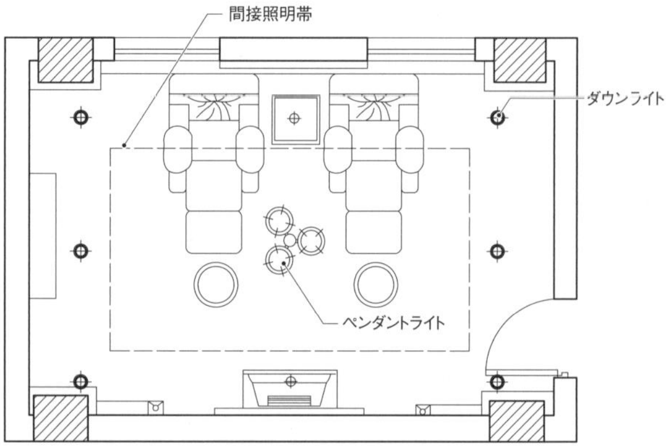
間接照明帯
ダウンライト
ペンダントライト

ホテル足マッサージ室の照明配置図

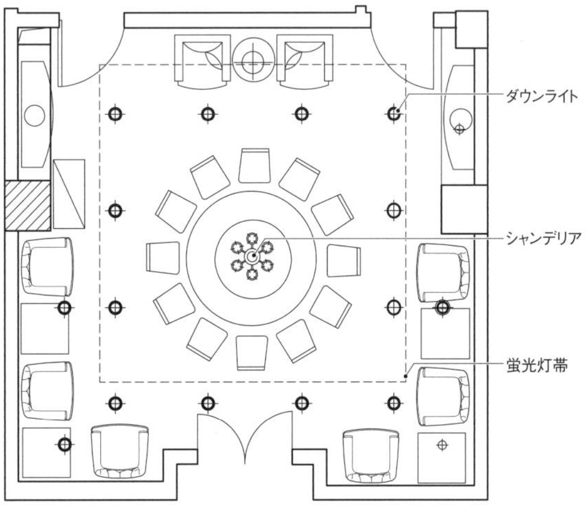
ダウンライト
シャンデリア
蛍光灯帯

ホテル貸切ルームの照明配置図

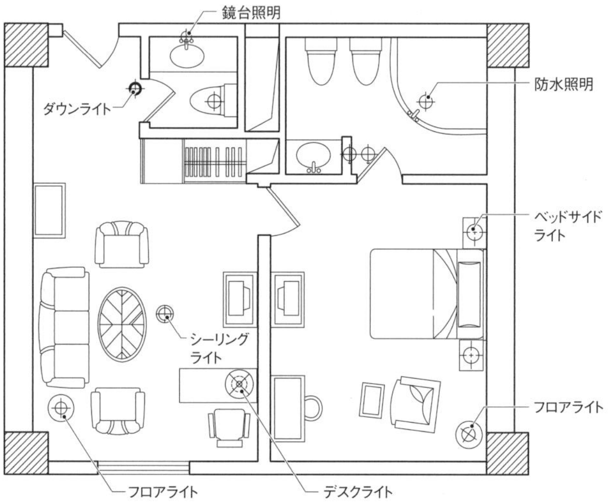
鏡台照明
防水照明
ダウンライト
ベッドサイド
ライト
シーリング
ライト
フロアライト
フロアライト
デスクライト

スイートルームの照明配置図

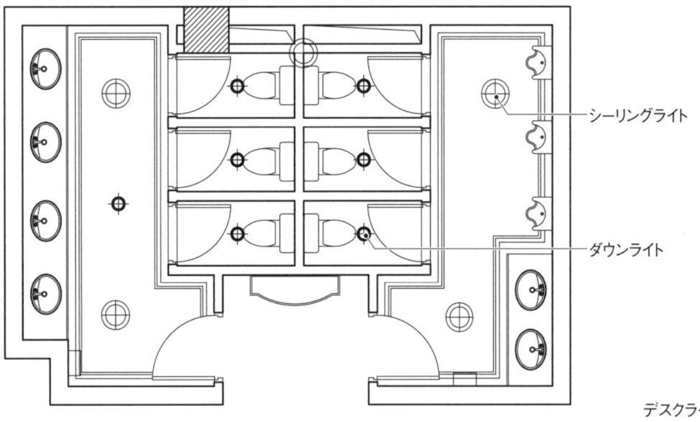
シーリングライト
ダウンライト

公共トイレの照明配置図

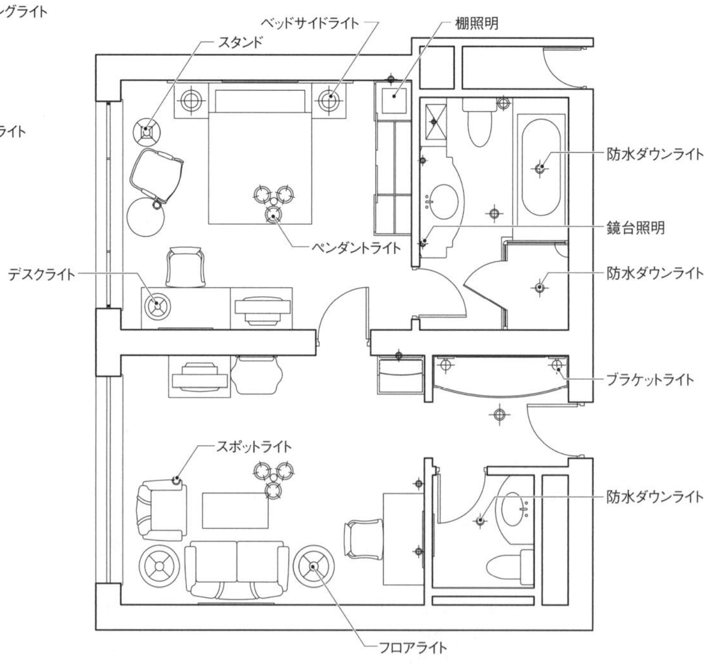
ベッドサイドライト
棚照明
スタンド
防水ダウンライト
鏡台照明
ペンダントライト
デスクライト
防水ダウンライト
ブラケットライト
スポットライト
防水ダウンライト
フロアライト

ビジネススイートルーム照明配置図

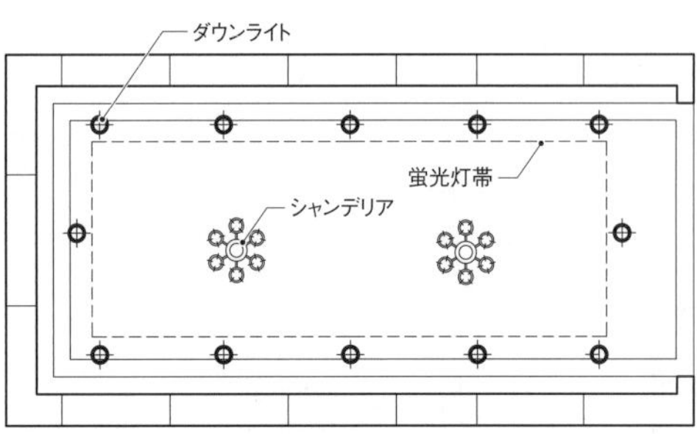
ダウンライト
蛍光灯帯
シャンデリア

エレベータホールの照明配置図

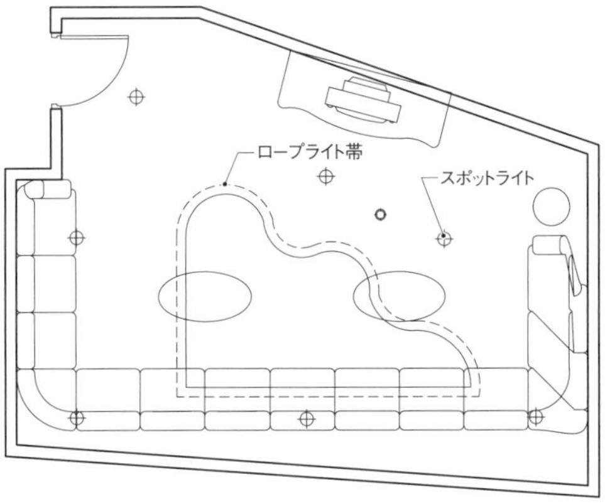
ロープライト帯
スポットライト

カラオケルームの照明配置図

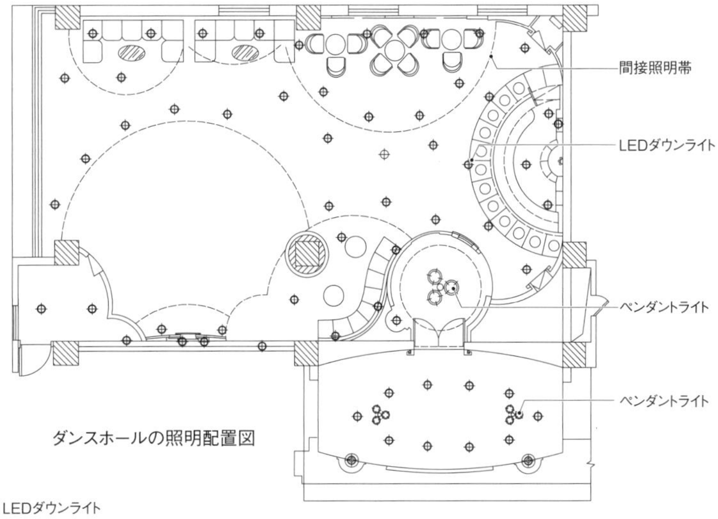
間接照明帯
LEDダウンライト
ペンダントライト
ペンダントライト

ダンスホールの照明配置図

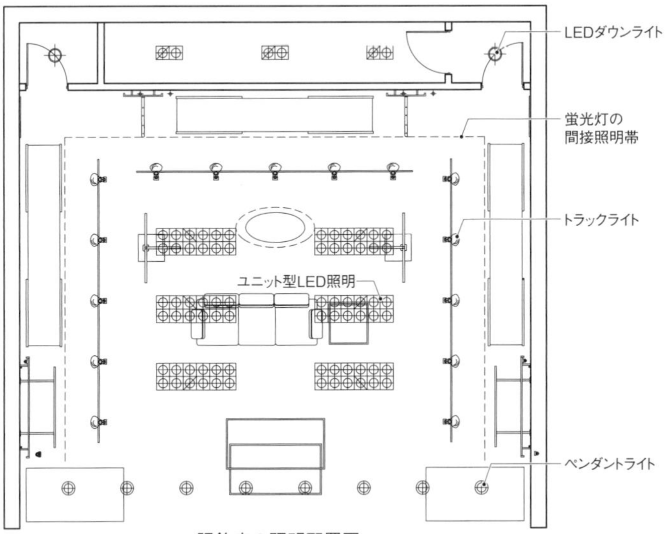
LEDダウンライト
蛍光灯の
間接照明帯
トラックライト
ユニット型LED照明
ペンダントライト

服飾店の照明配置図

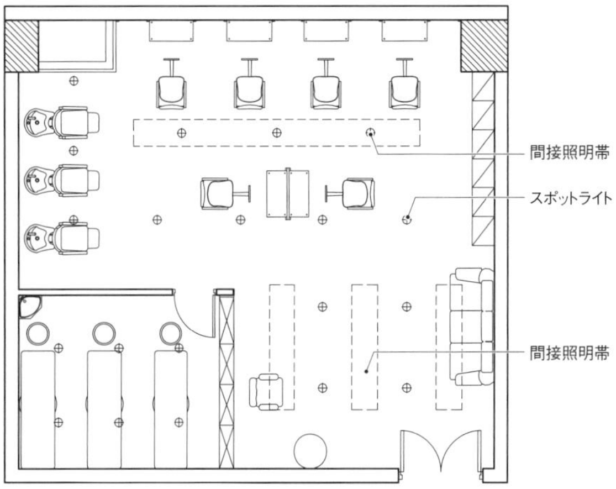
間接照明帯
スポットライト
間接照明帯

美容室の照明配置図

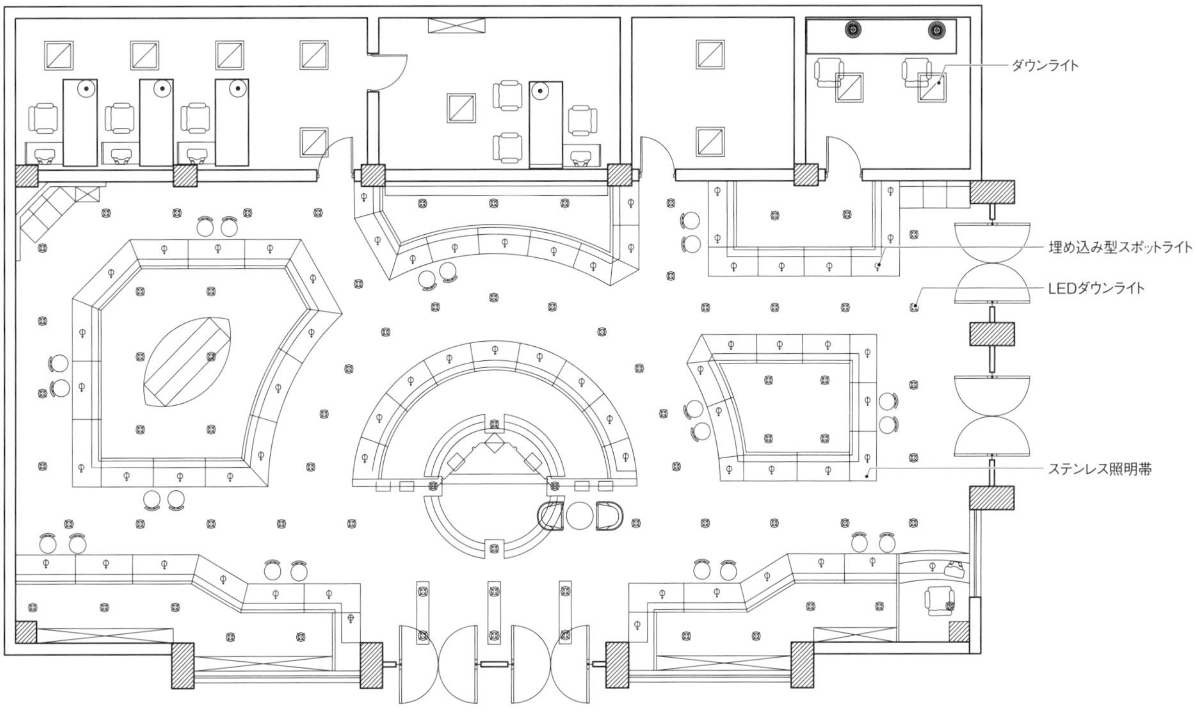
ダウンライト
埋め込み型スポットライト
LEDダウンライト
ステンレス照明帯

宝石店の照明配置図

シャンデリアはポピュラーな装飾照明であり、華やかな雰囲気を醸し出す。そのため、ホテルや宴会場、VIPルーム、劇場などの施設で使われる。光源には白熱電球か電球型蛍光灯が用いられる。

白熱電球は主に2つのタイプに用いられる。1つはシェードで覆われたタイプで電球が1つのものもあれば、多数用いられているものもある。前者は小さく、主に寝室などに使われる。後者は大きいので広い空間に使われる。もう1つは枝状のタイプで、単層のものと多層のものがある。また、このタイプにはクリスタル式仕様のものもある。クリスタルは光をいろいろな角度に反射させ、とてもきらびやかな印象を与えるため、こうしたシャンデリアはホテルやVIPルームによく見られる。

電球型蛍光灯は寿命が長いため、多くはショッピングモール、図書館、学校、オフィスビル、銀行などで使われる。この光源を用いたシャンデリアは、見た目がシンプルで、円形のものが多い。

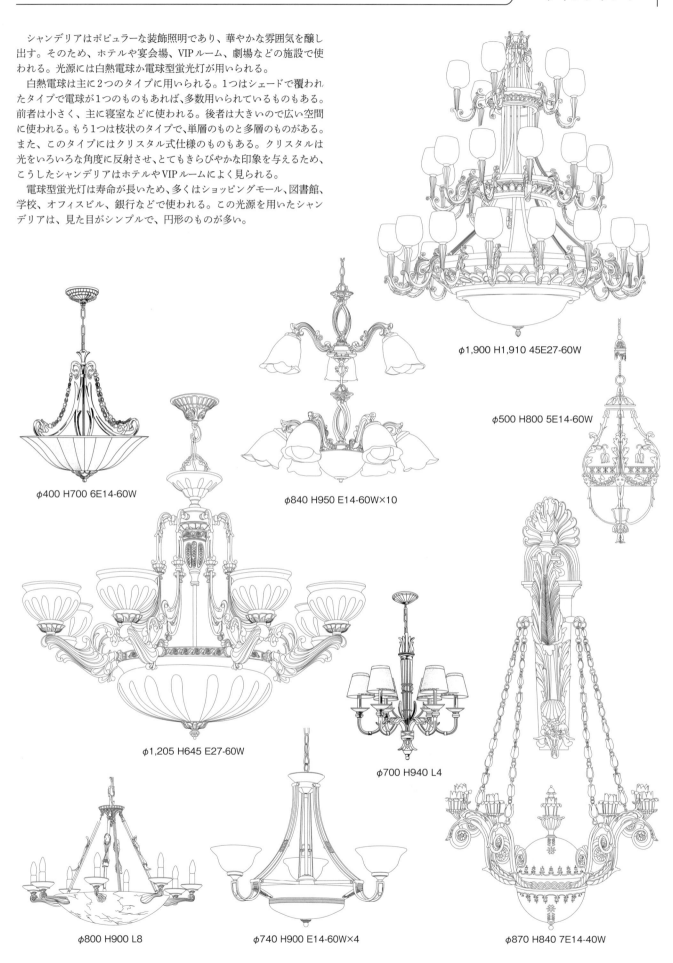

φ1,900 H1,910 45E27-60W

φ500 H800 5E14-60W

φ400 H700 6E14-60W

φ840 H950 E14-60W×10

φ1,205 H645 E27-60W

φ700 H940 L4

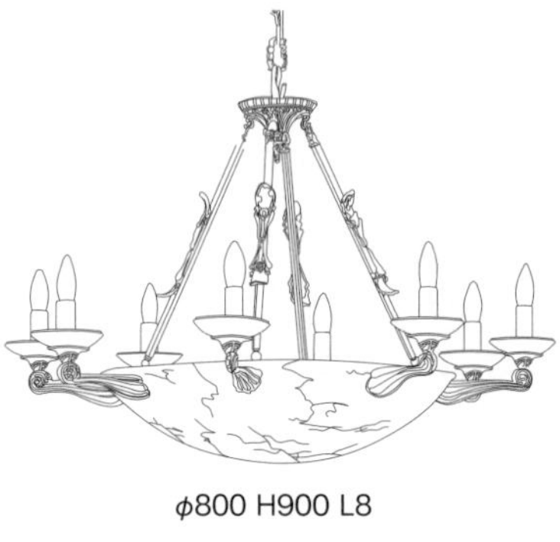

φ800 H900 L8

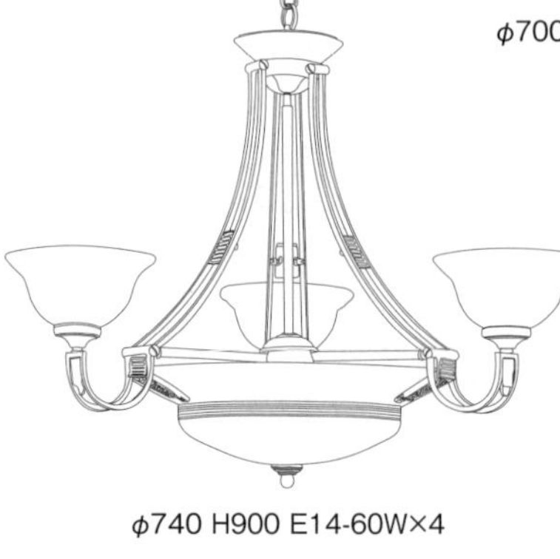

φ740 H900 E14-60W×4

φ870 H840 7E14-40W

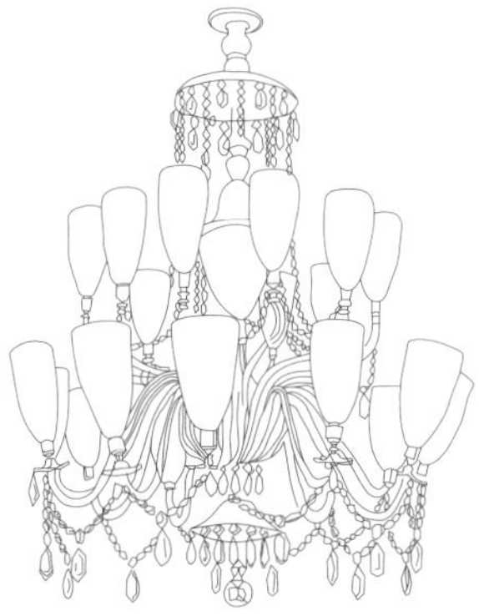

ϕ950 H890 E14-60W×20

ϕ930 H670 E27-60W×12

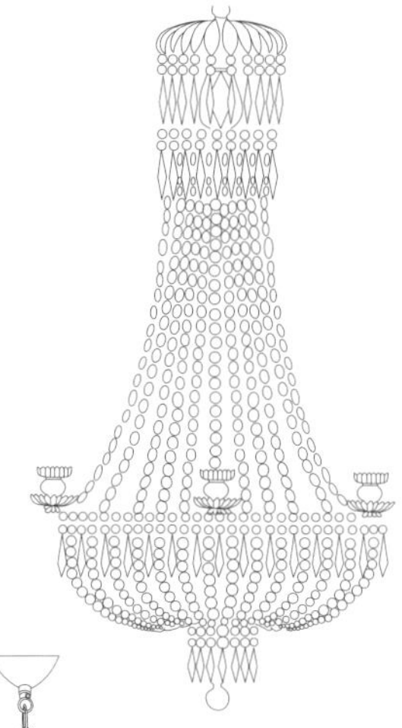

ϕ980 H1500 40W

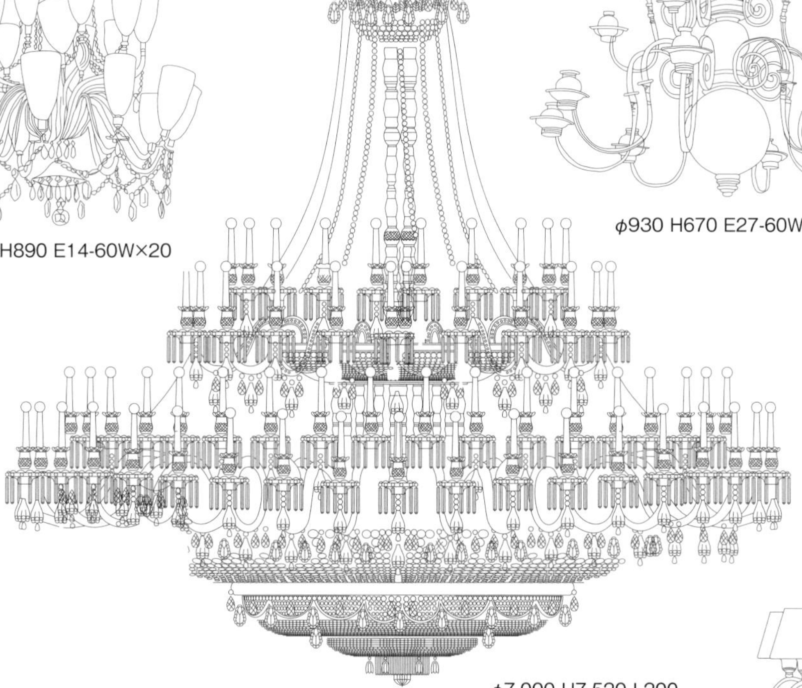

ϕ7,000 H7,520 L200

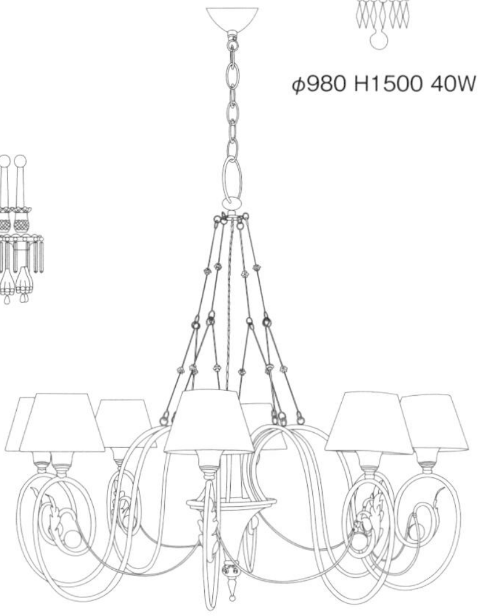

ϕ800 H720 6E27-60W

ϕ940 H850 8E14-40W

ϕ800 H720 6E27-60W

ϕ600 H840 3E27-60W

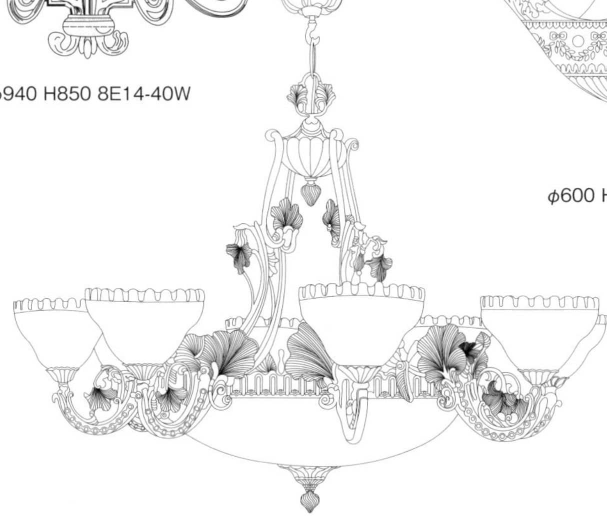

ϕ880 H820 8+4E27-40W

ϕ850 H1,080 6+3E27-60W

φ650 H1,050 L14

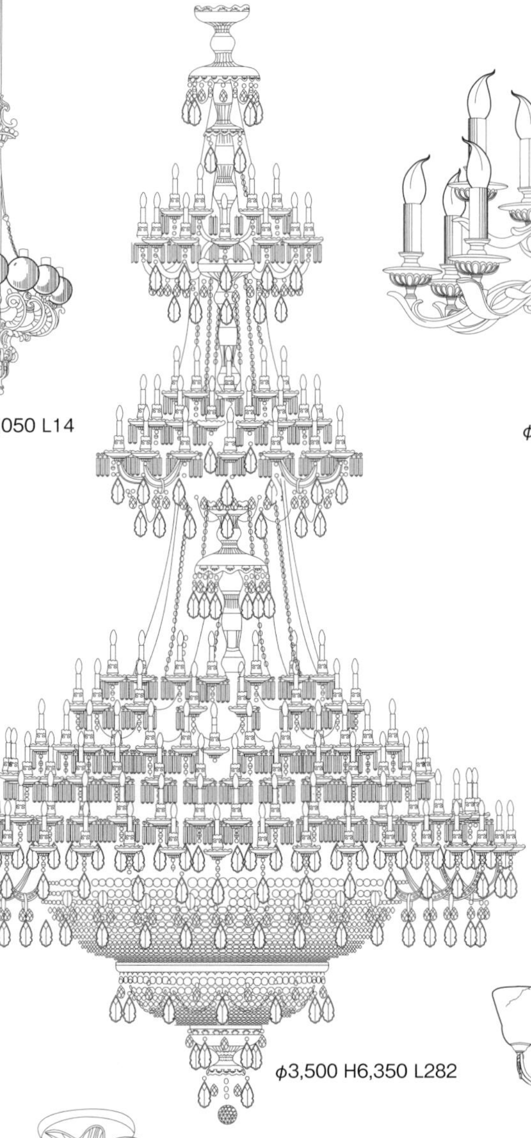

φ3,500 H6,350 L282

φ650 H900 L12

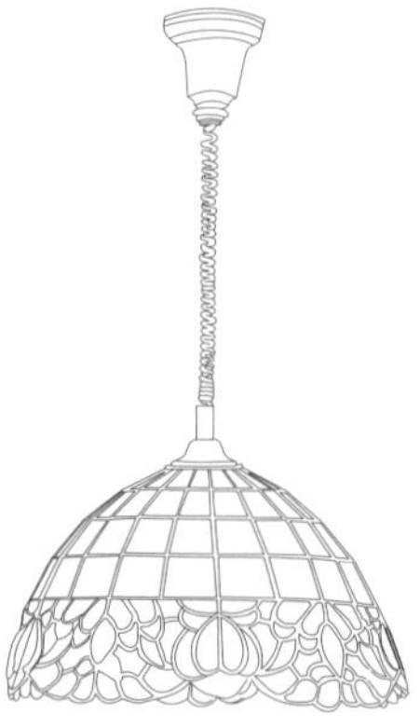

φ600 H690 5E14-40W

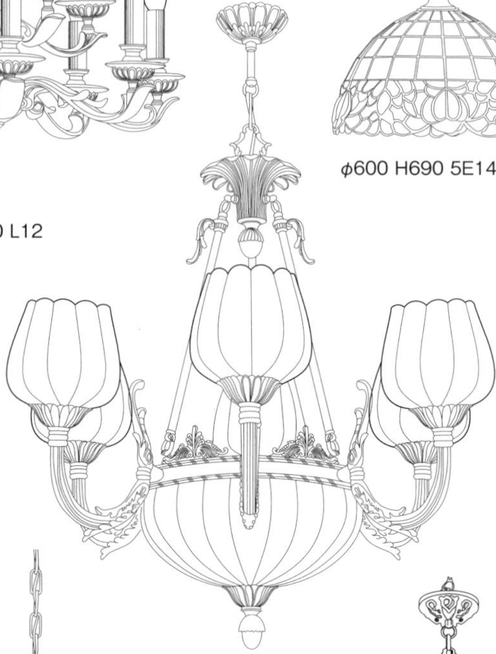

φ740 H780 8E27-40W

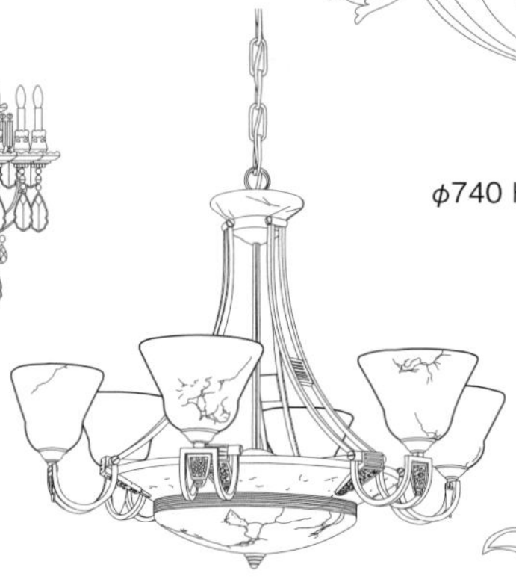

φ1,000 H950 6+3E27-60W

φ600 H690 5E14-40W

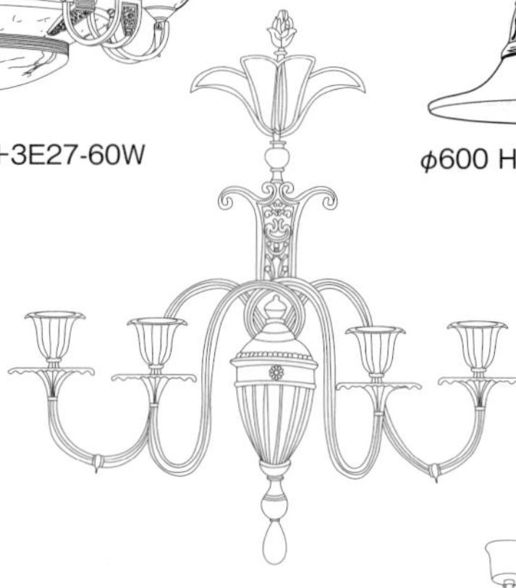

φ700 H800 L5

φ400 H600 5E27-40W

φ650 H900 L4

φ1,050 H1720 L16

φ1,000 H950 6+3E27-60W

HB 101

E27

IP20

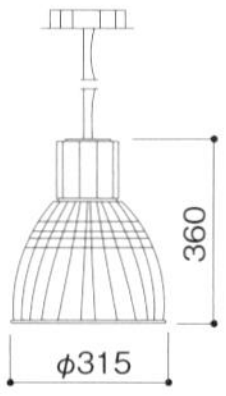
360
ϕ315

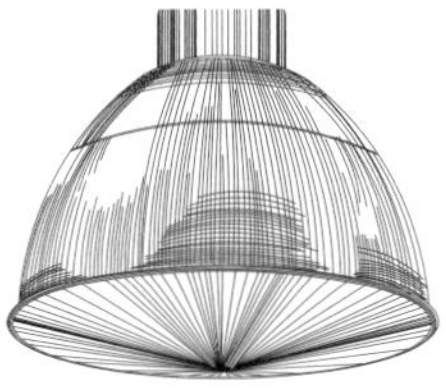

HB 111

E27

IP20

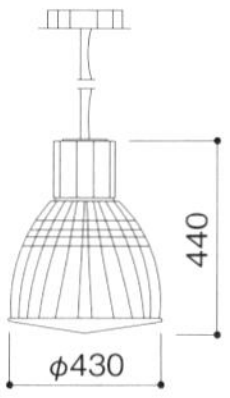
440
ϕ430

HB 121

E27

IP20

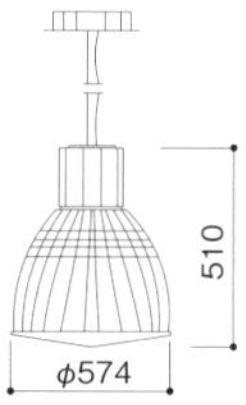
510
ϕ574

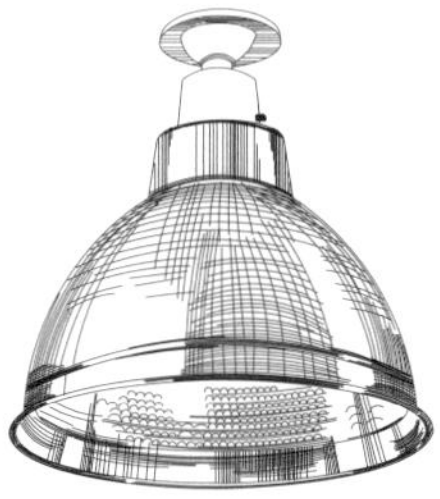

HB 201

E27

IP20

320
ϕ305

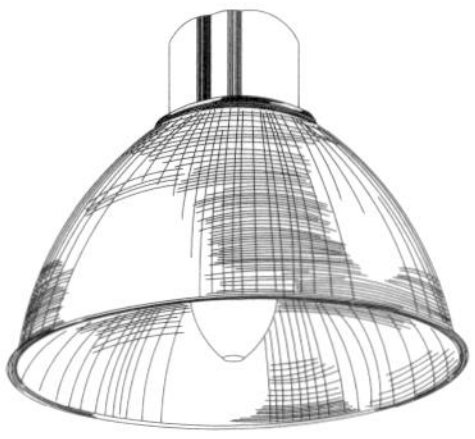

HB 211

E27

IP20

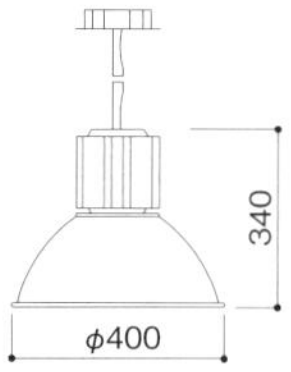
340
ϕ400

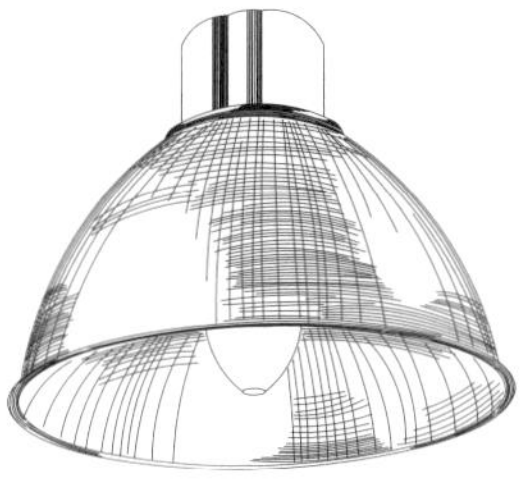

HB 231

E40

IP20

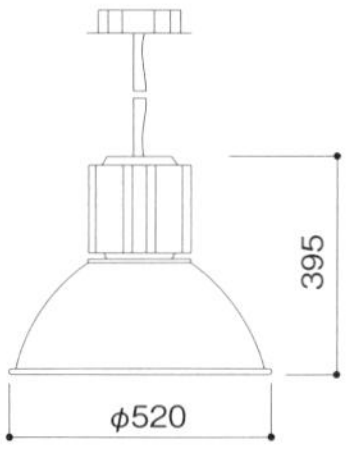
395
ϕ520

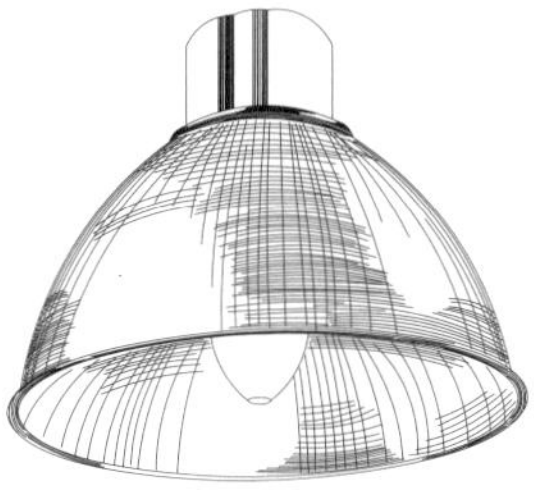

HB 221

E40

IP20

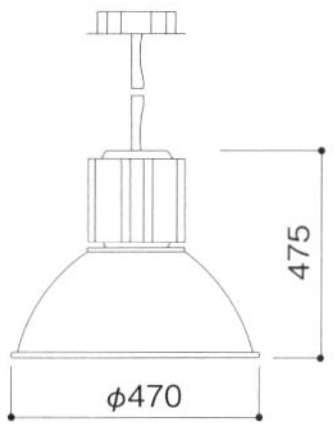
475
ϕ470

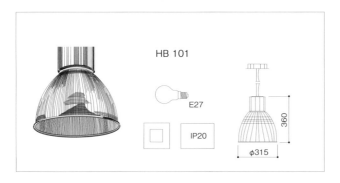

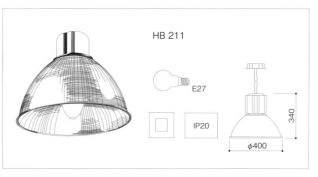

シーリングライトは直接天井に固定する照明器具であり、主に寝室、書斎、廊下、キッチン、会議室、オフィス、ホテル、宴会場、劇場、博物館などで使われる。光源は白熱灯と蛍光灯の2つに分かれる。

シーリングライトには単体のタイプと複数台を連結したタイプ、および大型のタイプがある。単体のタイプは白乳色のガラスで光源を覆い、円形や長方形のものが多い。連結タイプは同じ種類のものをいくつか組み合わせたもので、そのぶん大きくなるが、装飾性が高まる。大型タイプはガラス、プラスチック、水晶などで装飾され、とても華やかである。

なお、天井の低い空間では薄いタイプのものを使うとよい。逆に、天井が高い空間には円形のものがふさわしい。

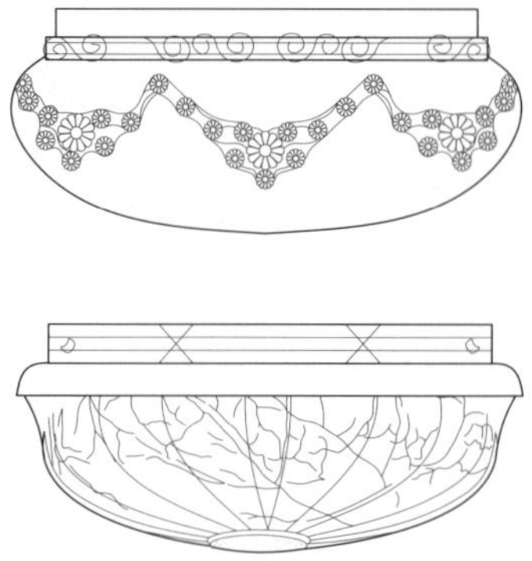

単体のシーリングライト

連結式シーリングライト

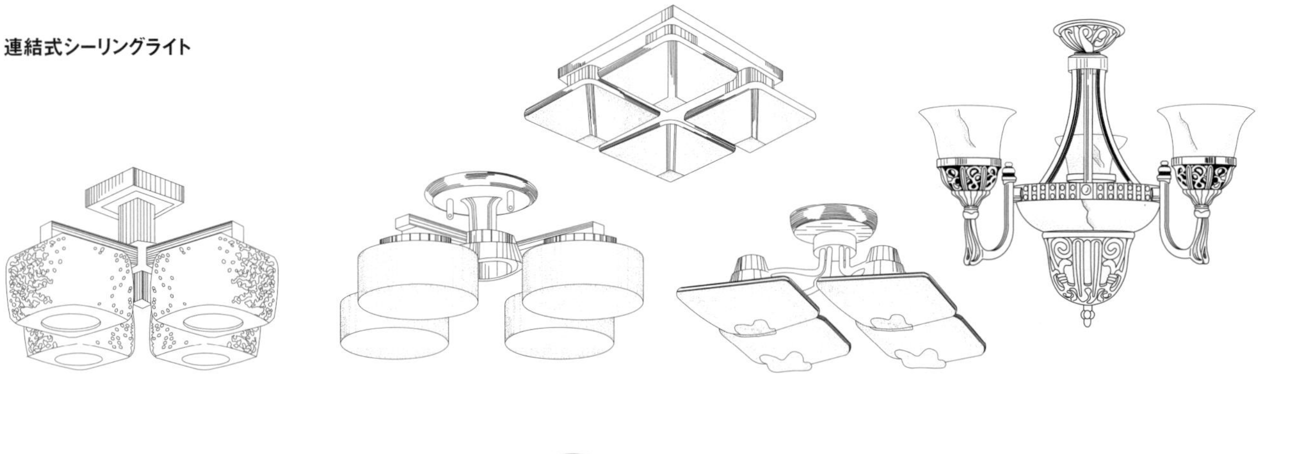

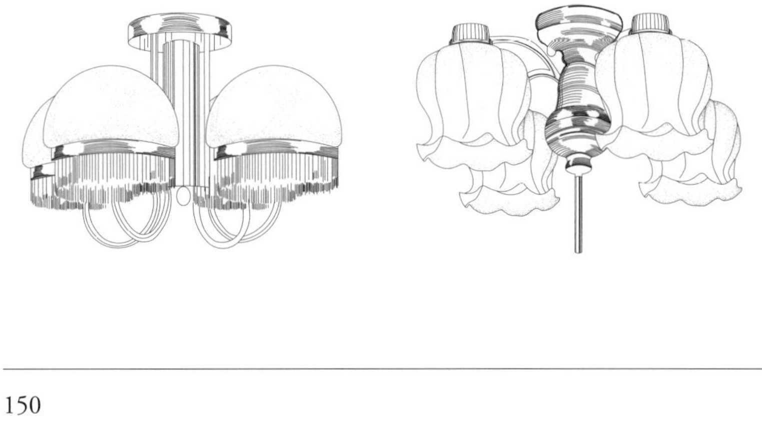

大型シーリングライト

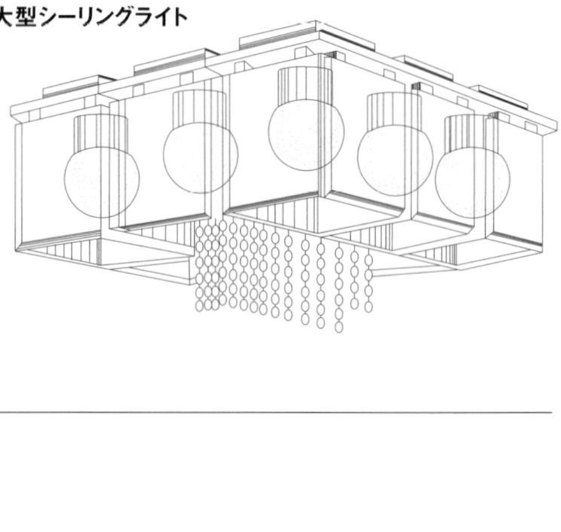

ウォールライトは小型の照明器具で、室内の照明を補助するだけでなく、装飾性を高める効果を持つ。このライトは壁のみならず、柱などに取り付けるのもよい。光源には電球と蛍光灯の2種類が用いられる。

1. 電球を使うタイプは小さく、取り外しがしやすいため、広く使われている。また、いろいろな色や形のものがあるため、コンセプトに応じて使い分けることができる。
2. 蛍光灯を使うタイプはブラケットライトとも呼ぶ。このタイプは蛍光灯の形に制約を受けるため、装飾性の高いものは作りにくい。また、カバーには発熱しにくい薄いプラスチックを使うのが一般的である。

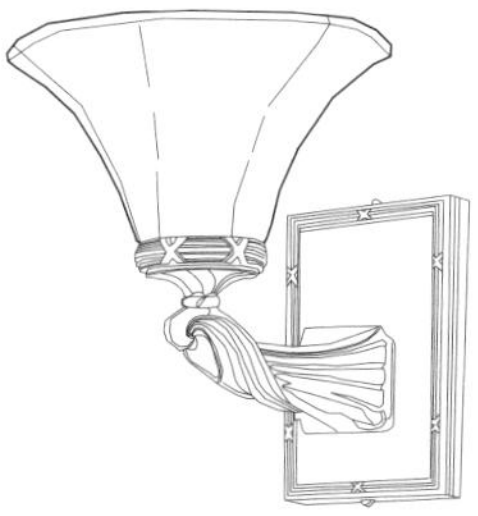

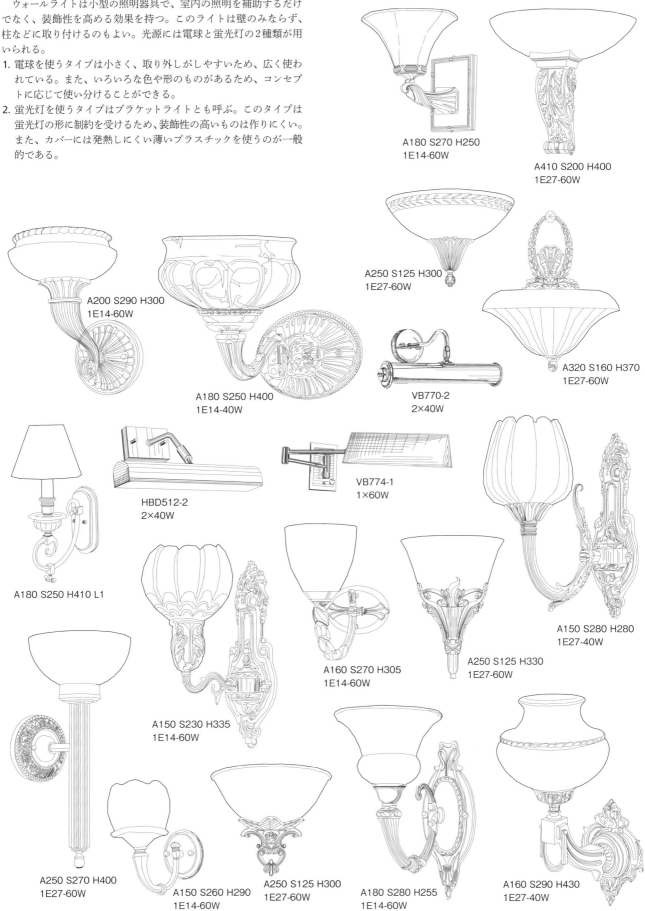

A180 S270 H250
1E14-60W

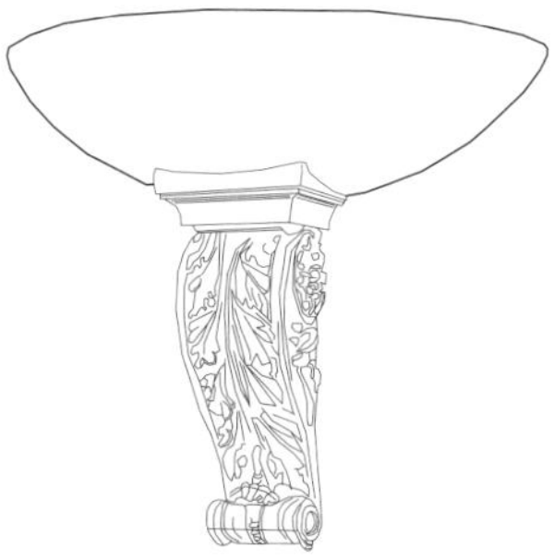

A410 S200 H400
1E27-60W

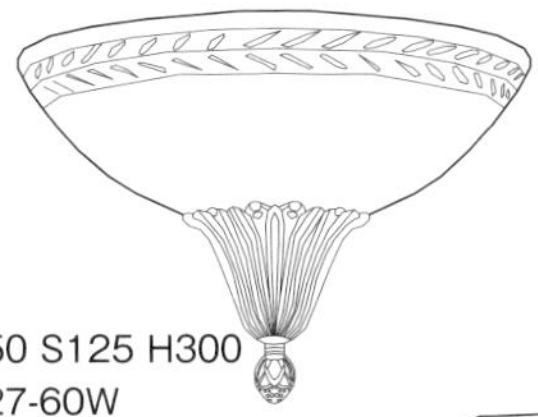

A250 S125 H300
1E27-60W

A320 S160 H370
1E27-60W

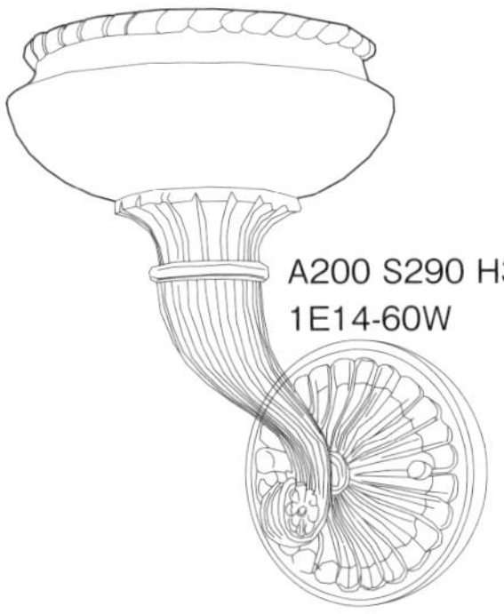

A200 S290 H300
1E14-60W

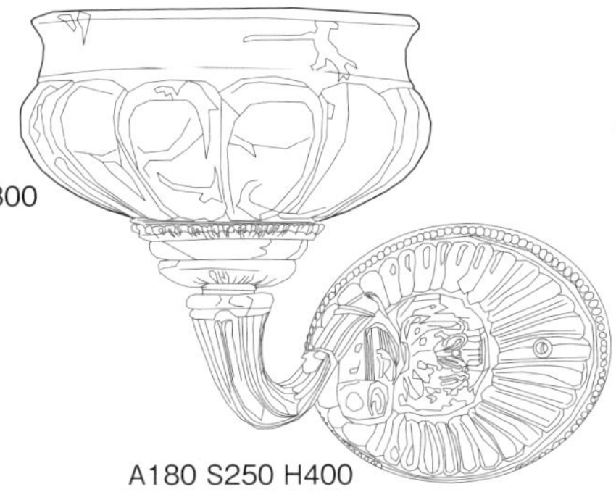

A180 S250 H400
1E14-40W

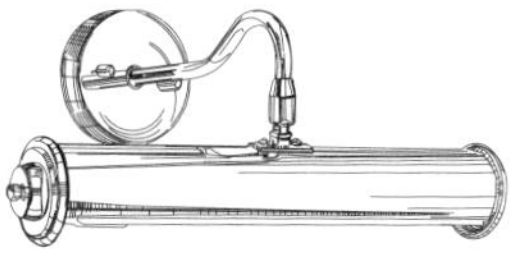

VB770-2
2×40W

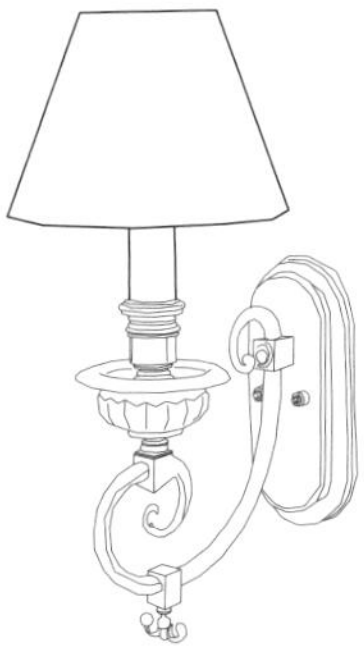

A180 S250 H410 L1

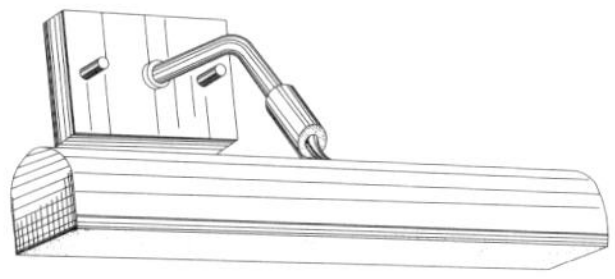

HBD512-2
2×40W

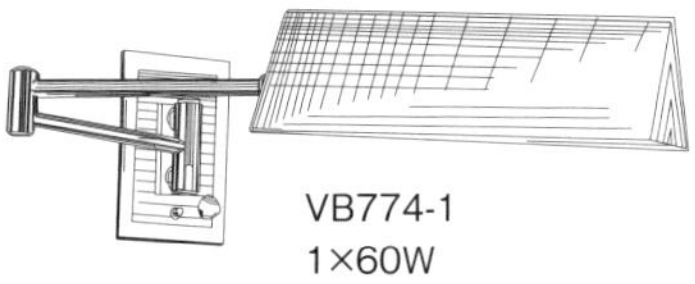

VB774-1
1×60W

A150 S280 H280
1E27-40W

A150 S230 H335
1E14-60W

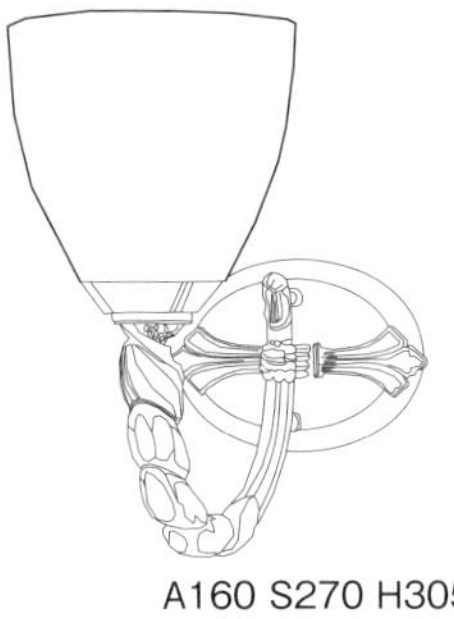

A160 S270 H305
1E14-60W

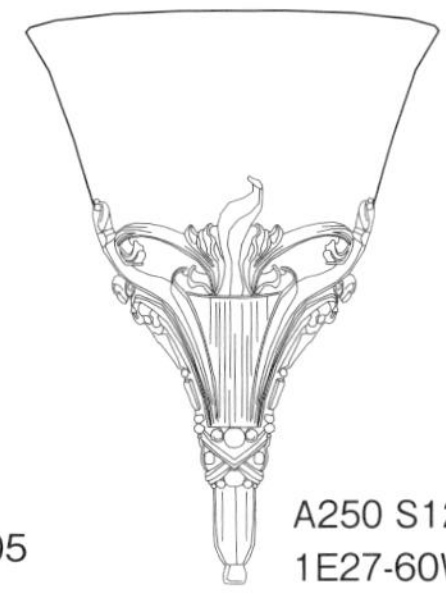

A250 S125 H330
1E27-60W

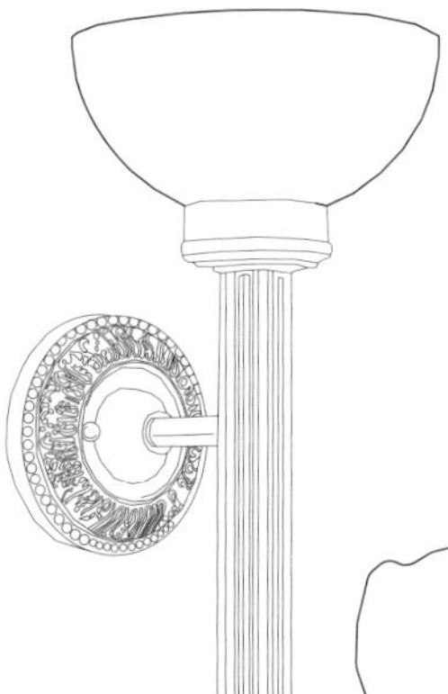

A250 S270 H400
1E27-60W

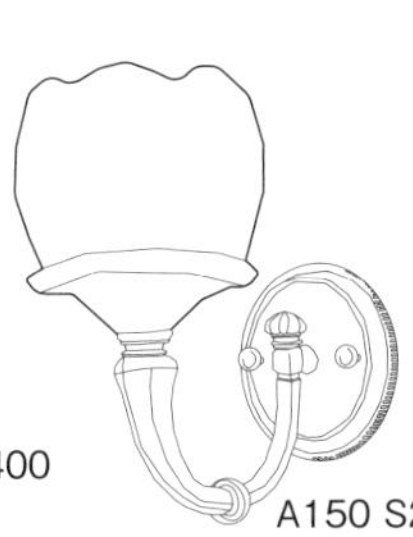

A150 S260 H290
1E14-60W

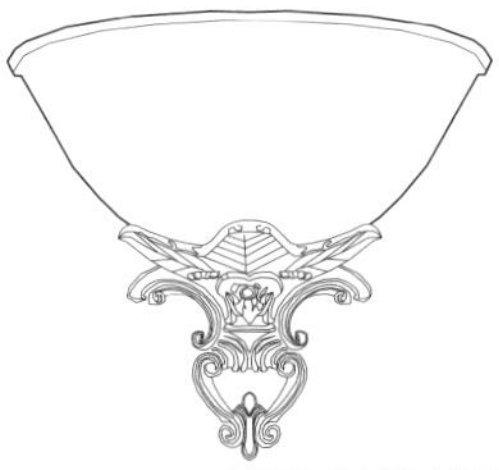

A250 S125 H300
1E27-60W

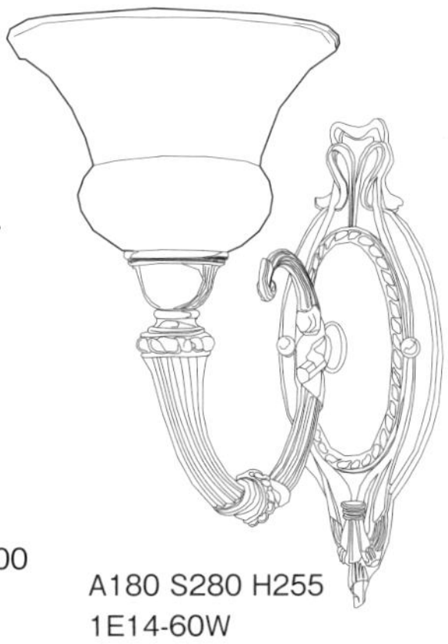

A180 S280 H255
1E14-60W

A160 S290 H430
1E27-40W

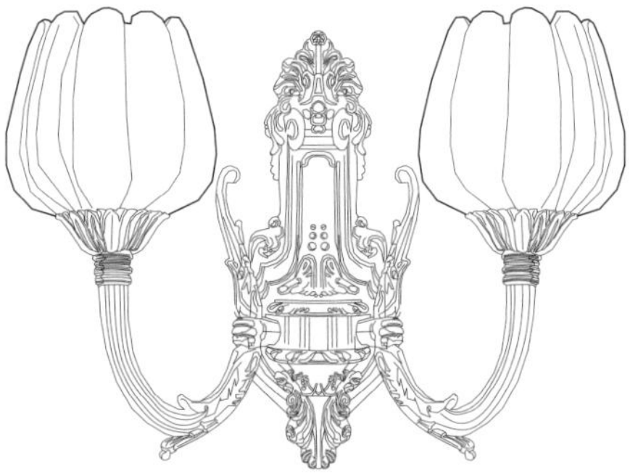

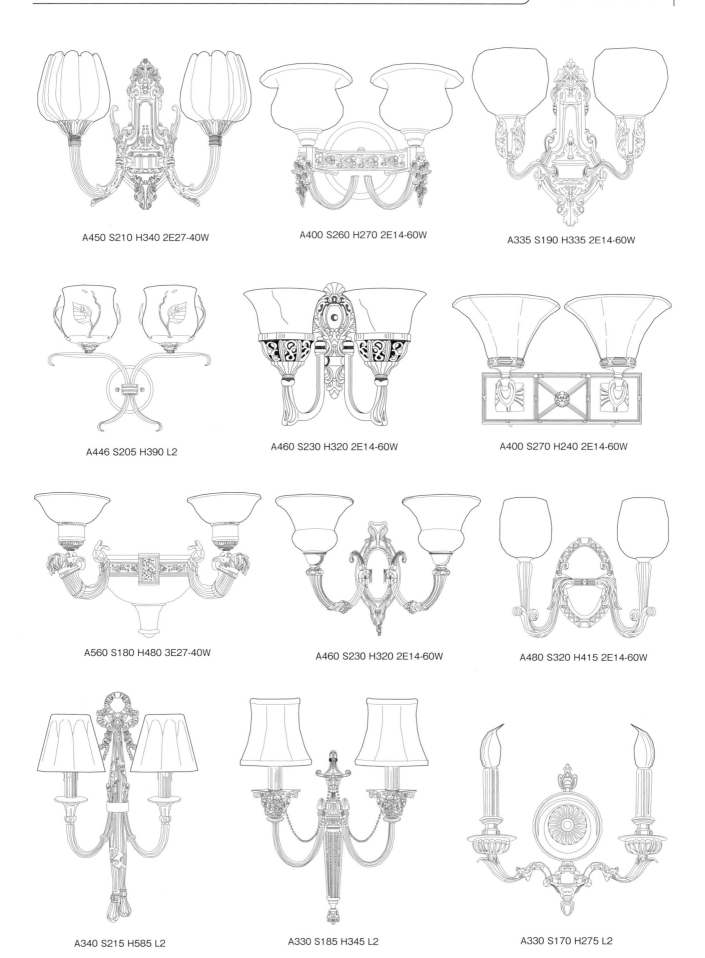

A450 S210 H340 2E27-40W

A400 S260 H270 2E14-60W

A335 S190 H335 2E14-60W

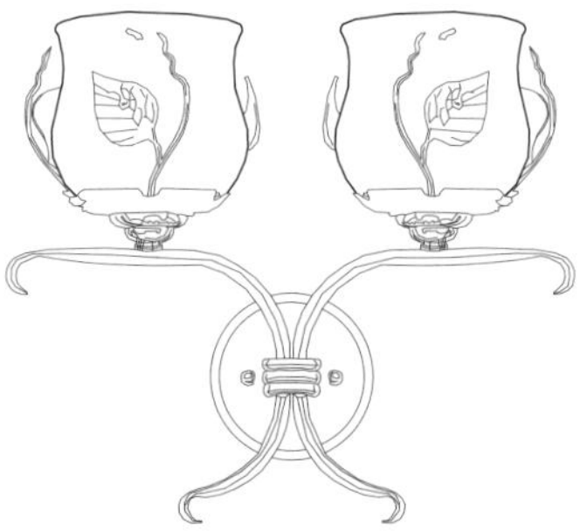

A446 S205 H390 L2

A460 S230 H320 2E14-60W

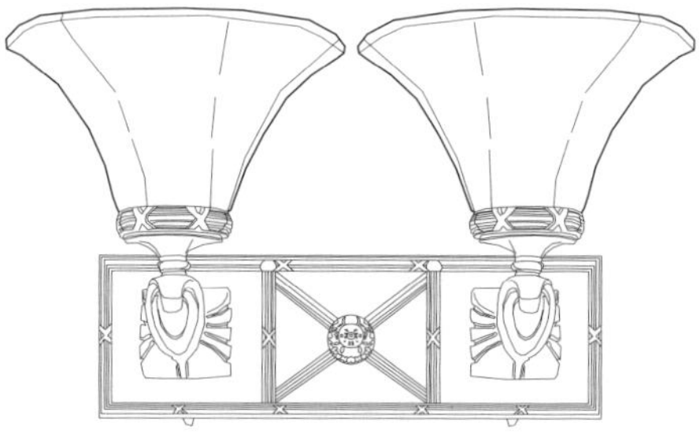

A400 S270 H240 2E14-60W

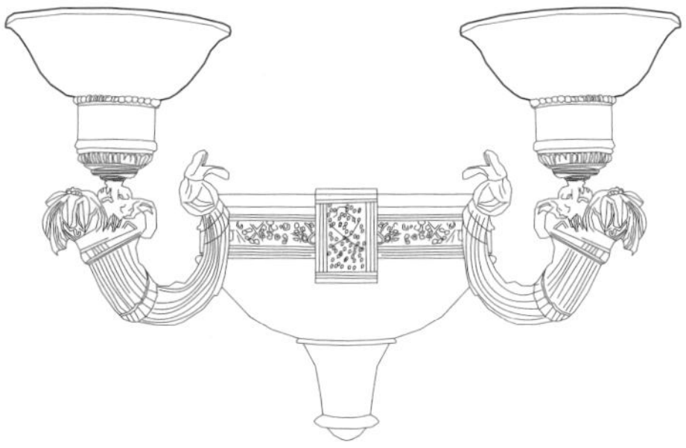

A560 S180 H480 3E27-40W

A460 S230 H320 2E14-60W

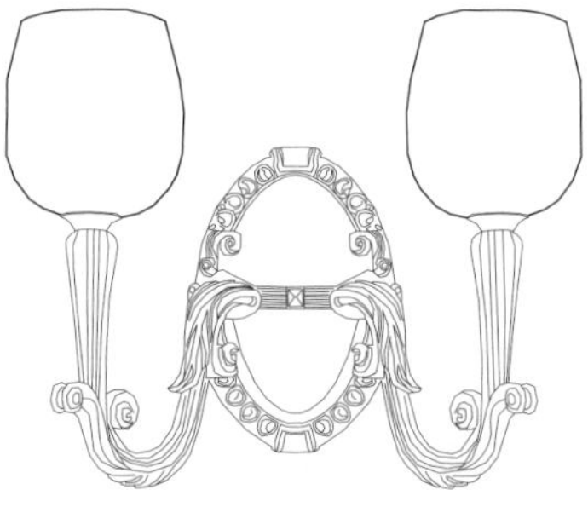

A480 S320 H415 2E14-60W

A340 S215 H585 L2

A330 S185 H345 L2

A330 S170 H275 L2

夏場の冷房の効いた部屋、冬場の暖房の効いた部屋など密閉された空間では、空気の流れが弱まり停滞する。それを解消するのがシーリングファンライトで、室内の空気の流れを作り出すとともに、照明とファンが1つになっているため空間を節約する効果もある。

優雅でクラシックな造形のシーリングファンライトは、ペンダントライトがインテリアに彩りを添え、ファンが部屋の空気を循環させるという、装飾性と機能性に富んだ組み合わせといえる。また、シーリングファンライトは古典的なものから現代的なものまで、ルネサンス調からモダニズム調まで、さまざまなスタイルを表現する一助となるものである。

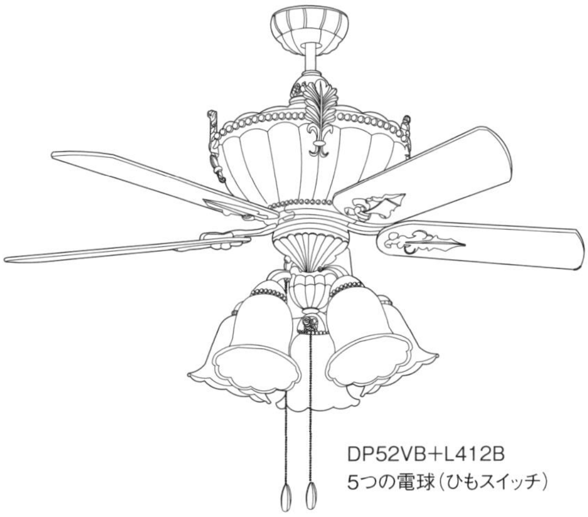

DP52VB+L412B
5つの電球(ひもスイッチ)

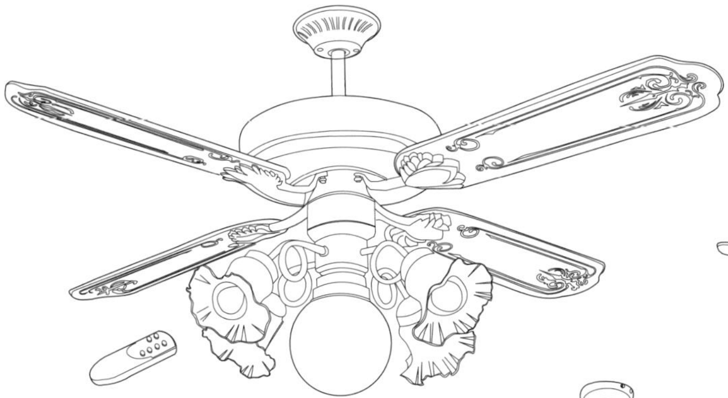

A52M102B+L501B
5つの電球(リモコンスイッチ)

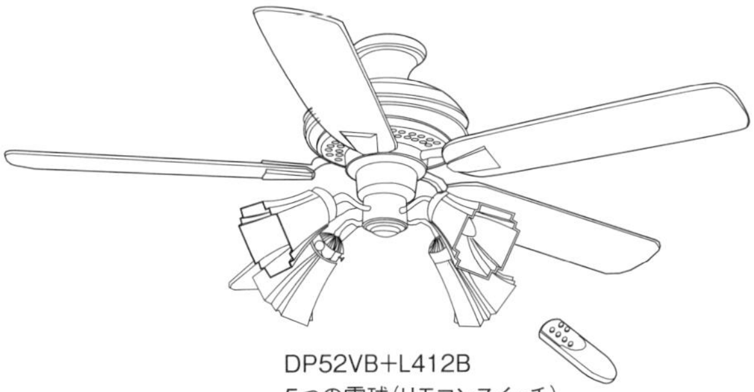

DP52VB+L412B
5つの電球(リモコンスイッチ)

HCM52VP
1つの電球(ひもスイッチ)

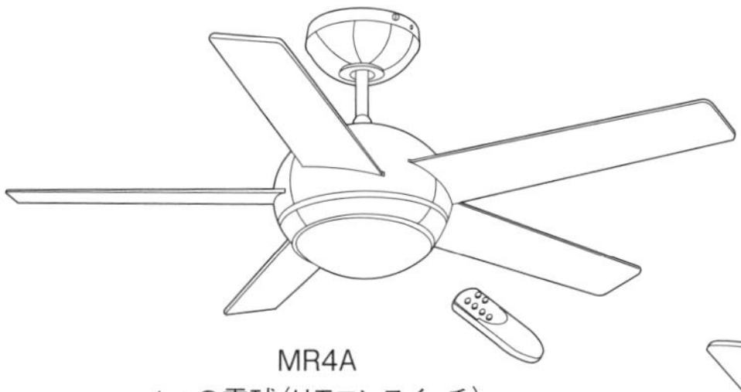

MR4A
1つの電球(リモコンスイッチ)

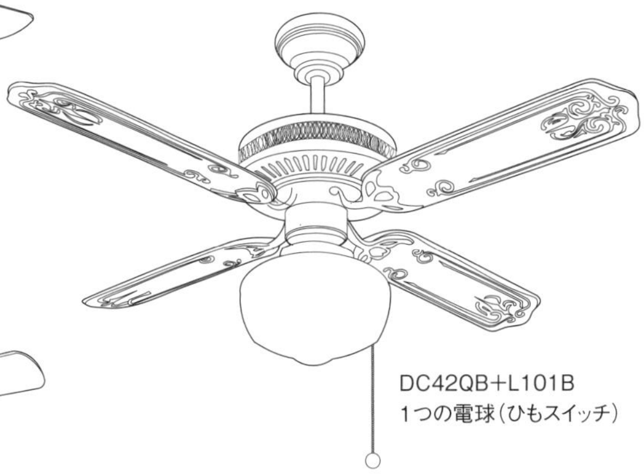

DC42QB+L101B
1つの電球(ひもスイッチ)

MV52VC
1つの電球(ひもスイッチ)

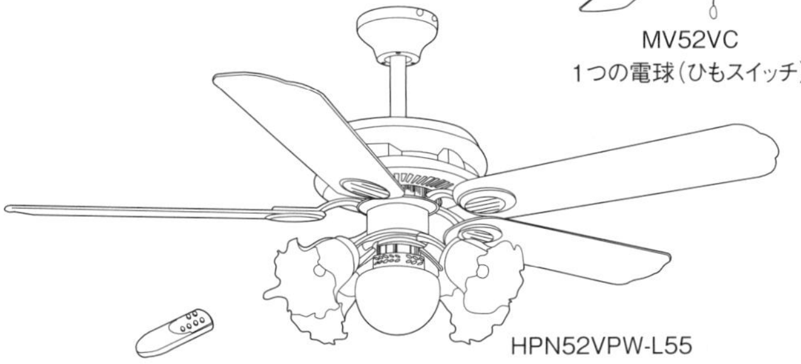

HPN52VPW-L55
5つの電球(リモコンスイッチ)

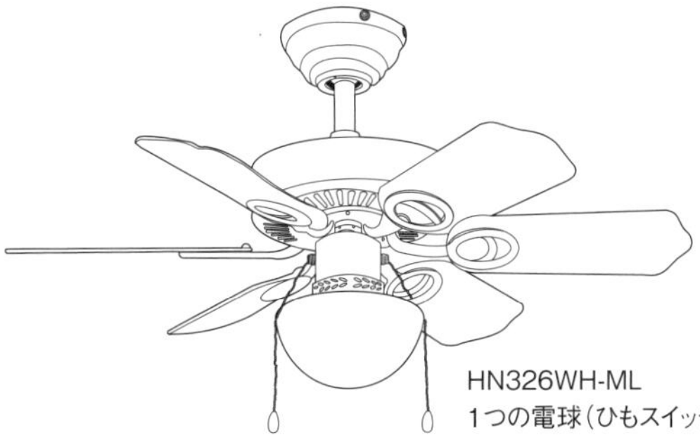

HN326WH-ML
1つの電球(ひもスイッチ)

シーリングファン付き照明の規格と部屋の面積

ファン直径	インチ	32"	42"	52"
	ミリ	800	1,050	1,300
部屋の面積	平米	50	80	120以上

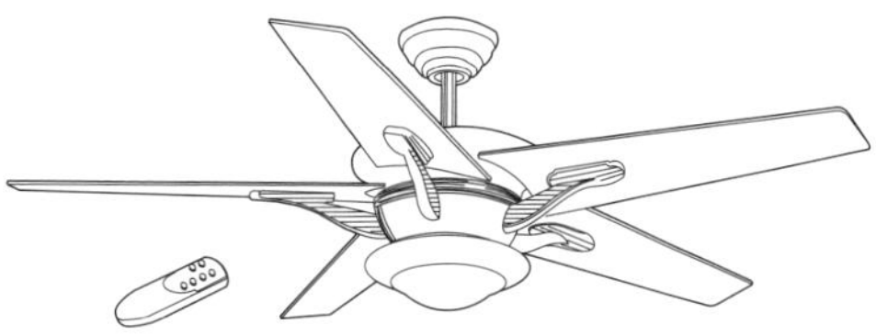

CRT54VFE-L
1つの電球(リモコンスイッチ)

スポットライトの特徴は、ライト自体の向きを変えることで、光のあたる場所を調節できることである。そのため、光線を狙った場所に集中させることができる。

スポットライトはショップや博物館、美術館などでよく使用され、商品や展示物を目立たせるのに一役買っている。また現在では、住宅でも取り入れられるようになっている。

光源には、乳白色の電球、すりガラス電球、アルミ反射形電球が使われることが多く、透明な白熱電球はほとんど使われない。また、演色性と経済性に優れた反射型水銀ランプを光源に使うことも増えている。

スポットライトは独特の雰囲気を作り出すことができるため、特に若者には人気が高く、注目のインテリアツールとなっている。

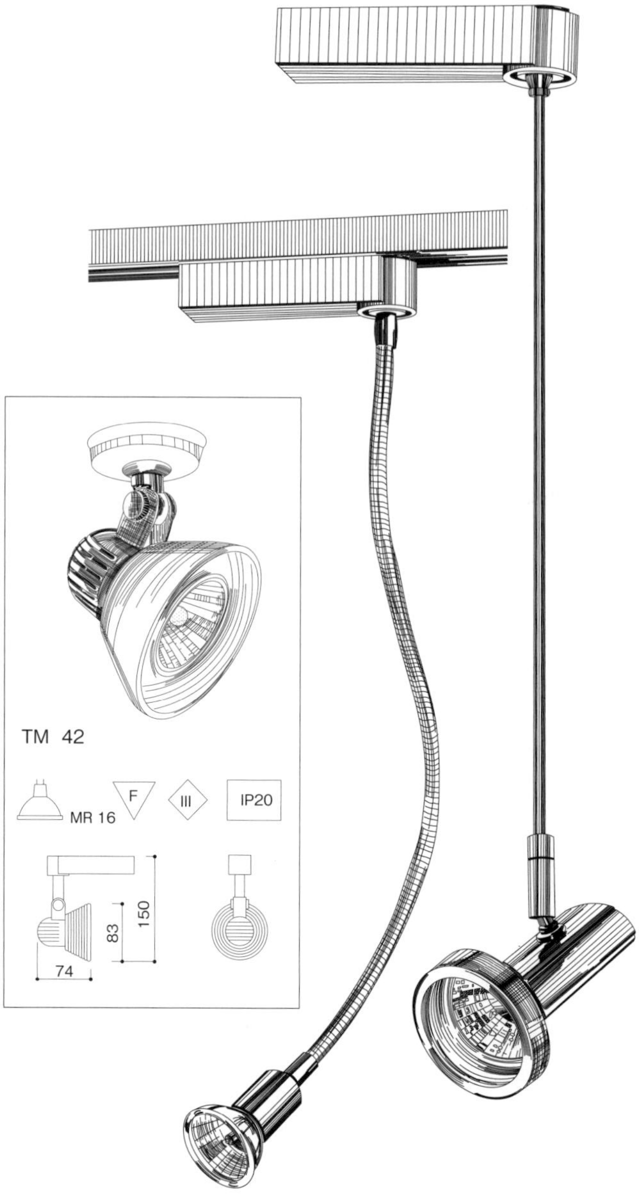
TM 42
MR 16
F
III
IP20
150
83
74

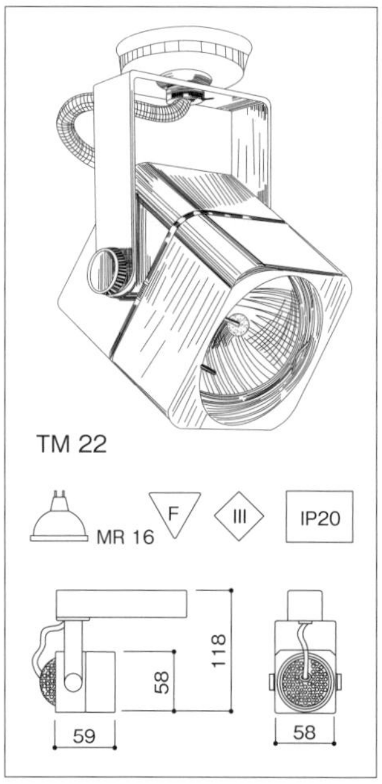
TM 22
MR 16
F
III
IP20
118
58
59
58

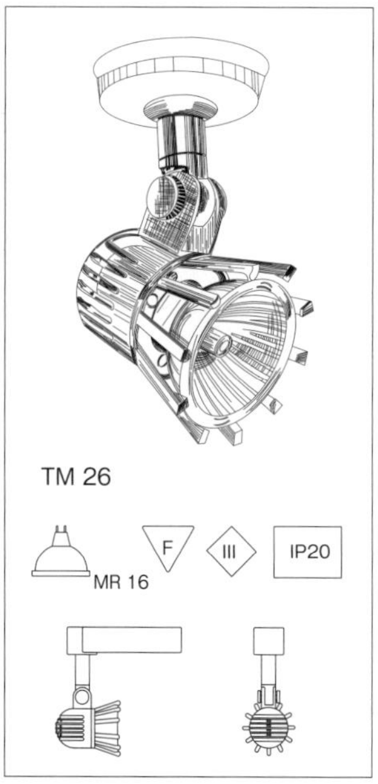
TM 26
MR 16
F
III
IP20

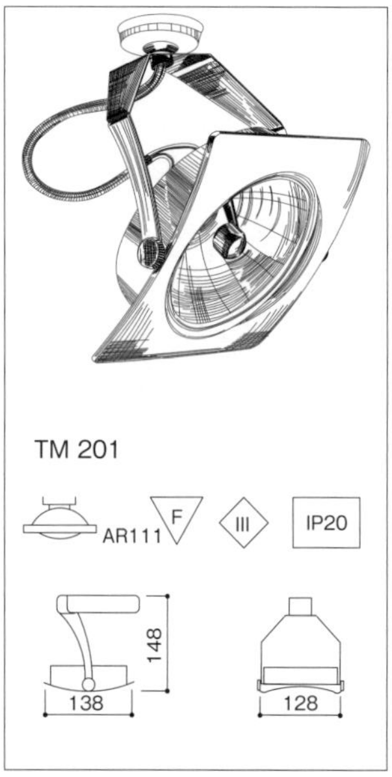
TM 201
AR111
F
III
IP20
148
138
128

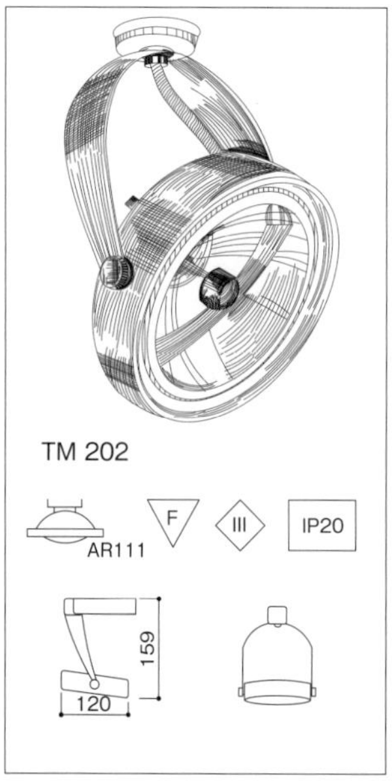
TM 202
AR111
F
III
IP20
159
120

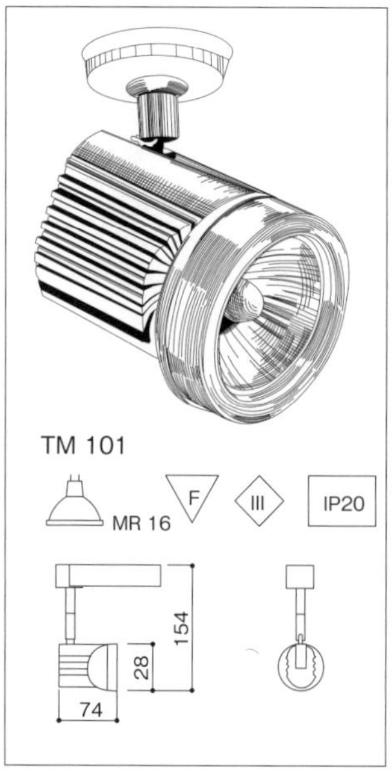
TM 101
MR 16
F
III
IP20
154
28
74

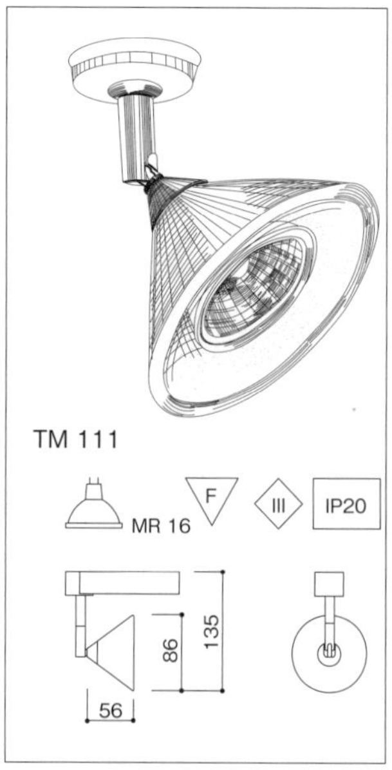
TM 111
MR 16
F
III
IP20
135
86
56

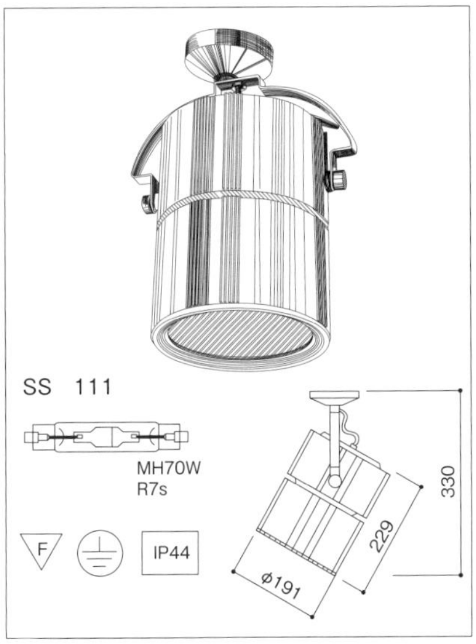
SS 111
MH70W
R7s
F
IP44
330
229
φ191

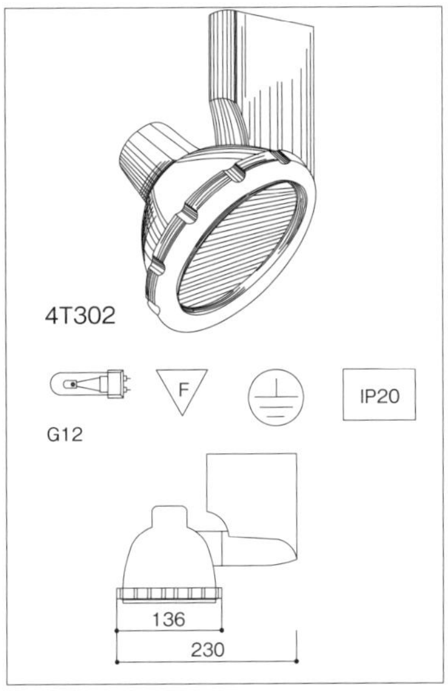
4T302
G12
F
IP20
136
230

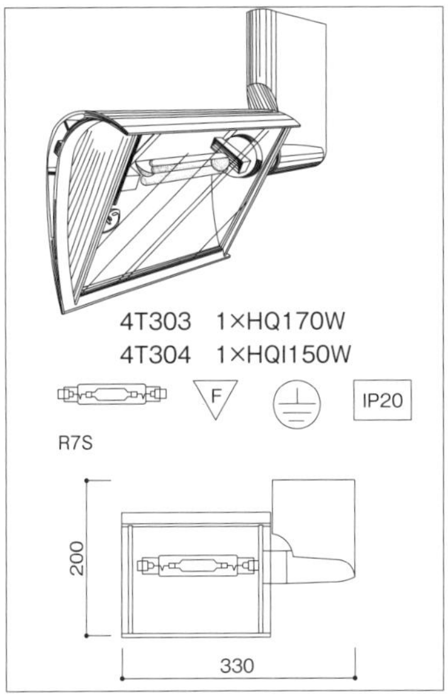
4T303 1×HQ170W
4T304 1×HQI150W
R7S
F
IP20
200
330

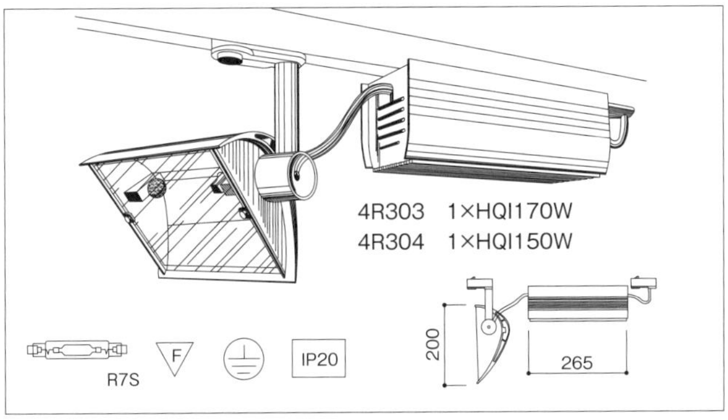
4R303 1×HQI170W
4R304 1×HQI150W
R7S
F
IP20
200
265

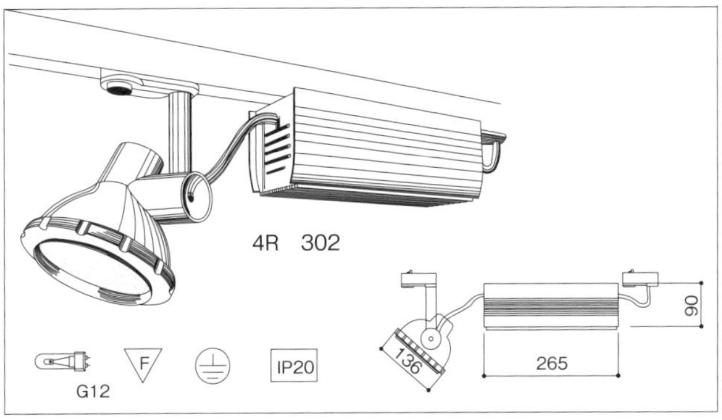
4R 302
G12
F
IP20
136
265
90

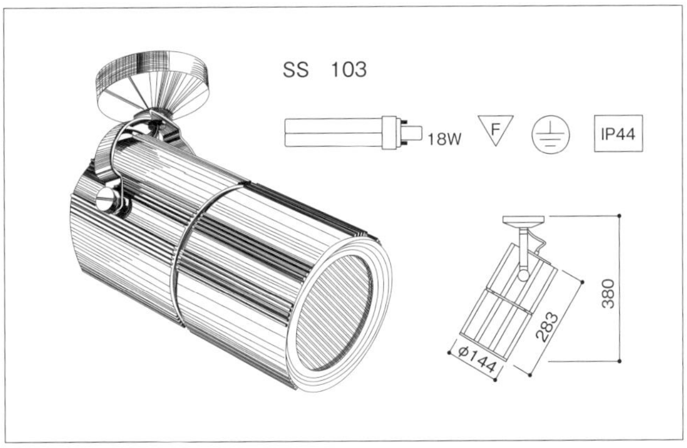
SS 103
18W
F
IP44
380
283
φ144

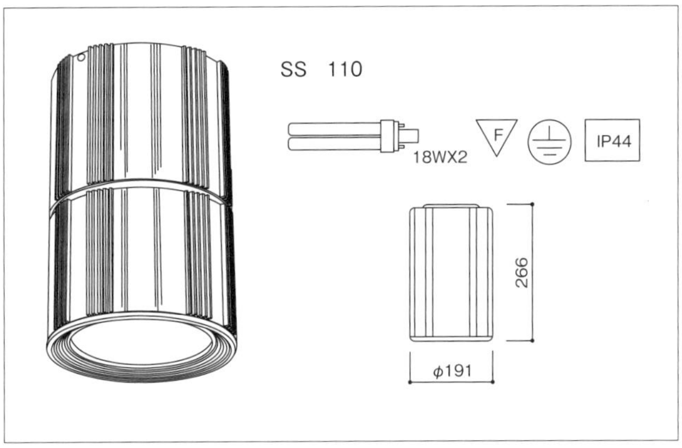
SS 110
18WX2
F
IP44
266
φ191

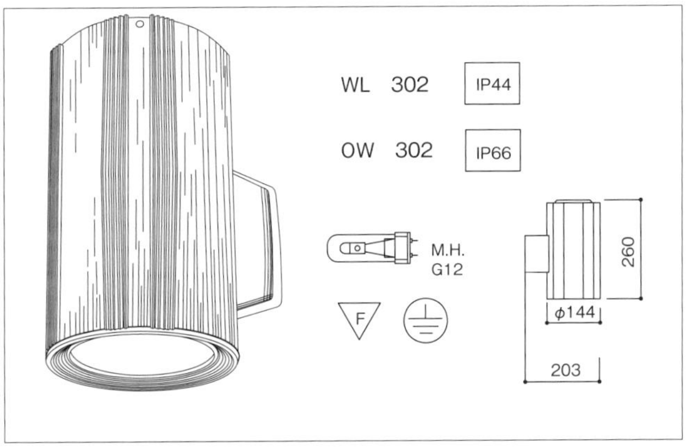
WL 302
IP44
OW 302
IP66
M.H.
G12
F
260
φ144
203

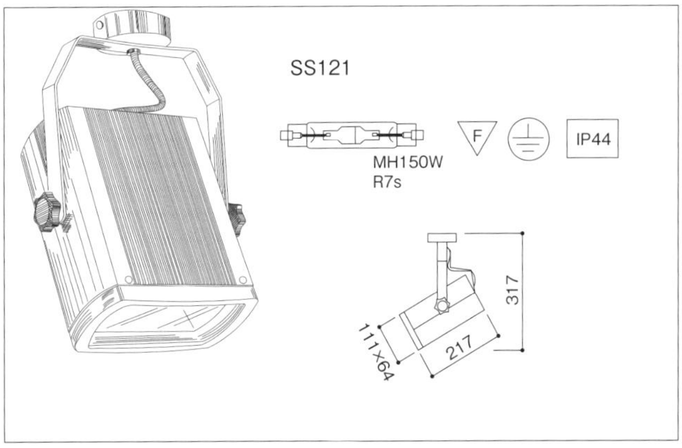
SS121
MH150W
R7s
F
IP44
317
217
111×64

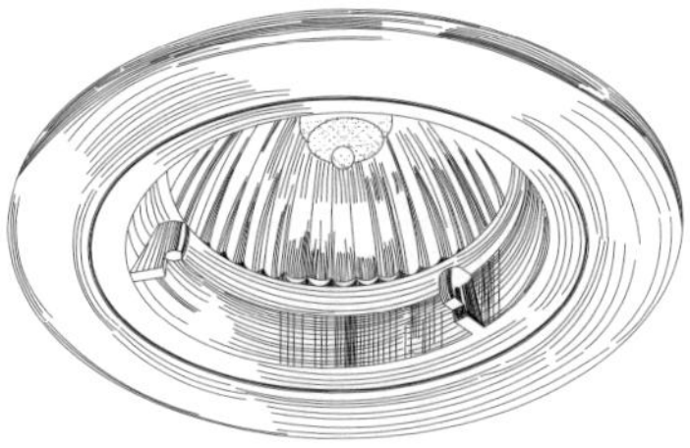

DL51

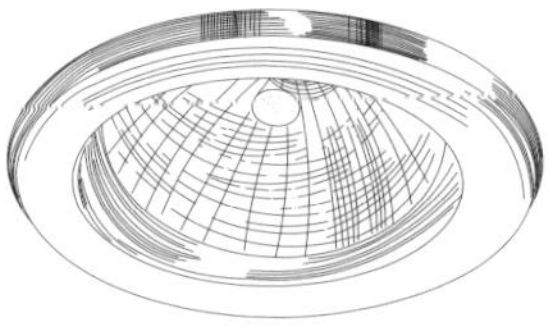

MR16 F III

IP20

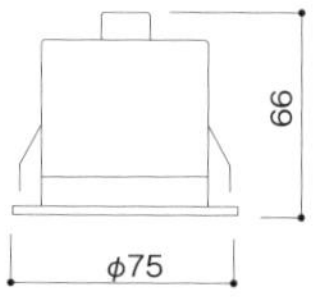
66
φ75

φ65

DL56

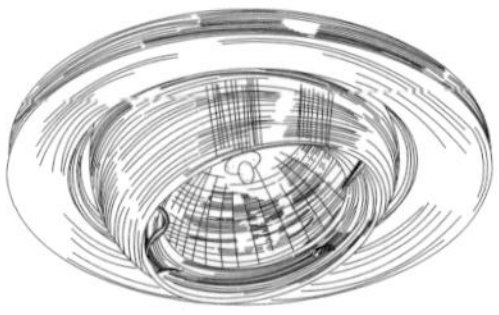

MR16 F III

IP20 30° 350°

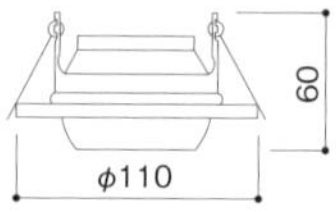
60
φ110

φ85

DL52

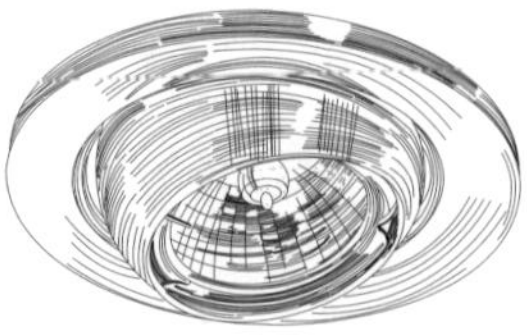

MR16 F III

IP20 30° 360°

φ85

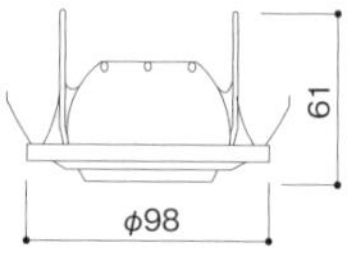
61
φ98

DL 121

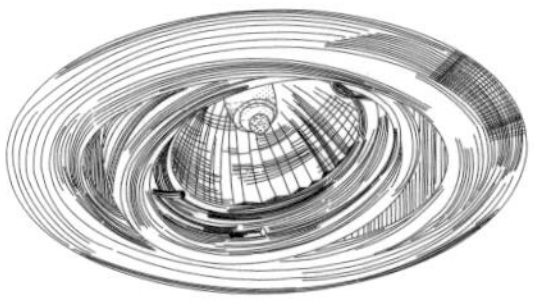

MR16 F III

IP20 30°

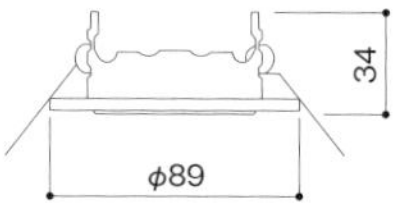
34
φ89

φ75

DL62

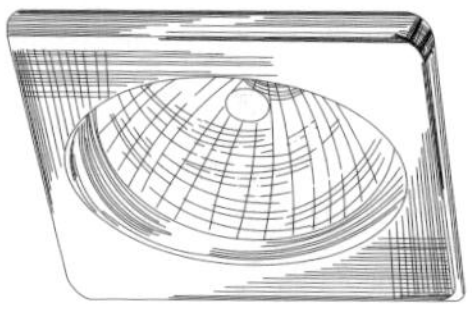

MR16 F III

IP20 30°

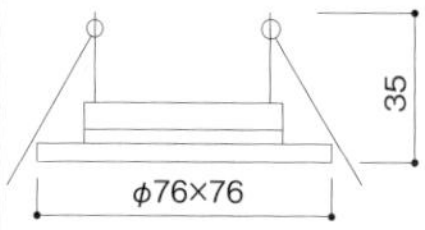
35
φ76×76

φ60

DL64

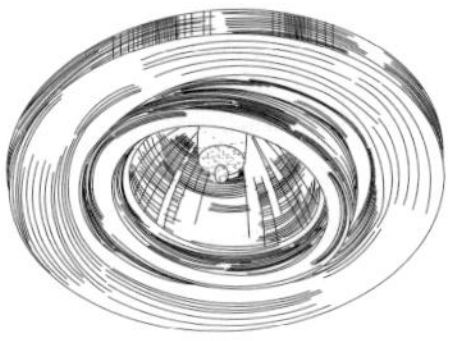

MR11 F III

IP20 30°

φ55

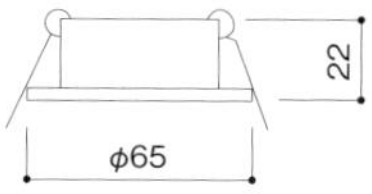
22
φ65

DL60

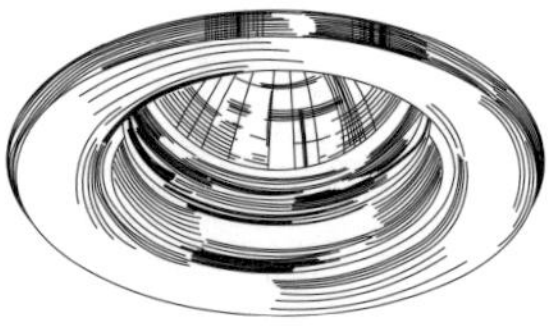

MR16 F III

IP20 30°

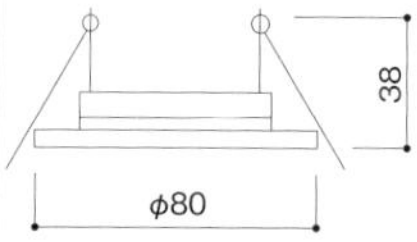
38
φ80

φ60

DL67

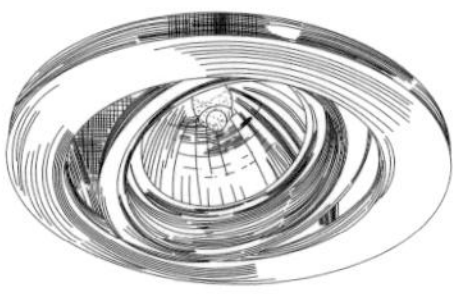

MR16 F III

IP20 30°

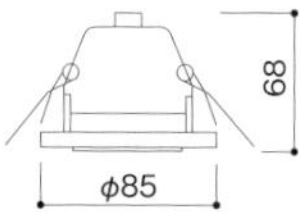
68
φ85

φ66

DL68

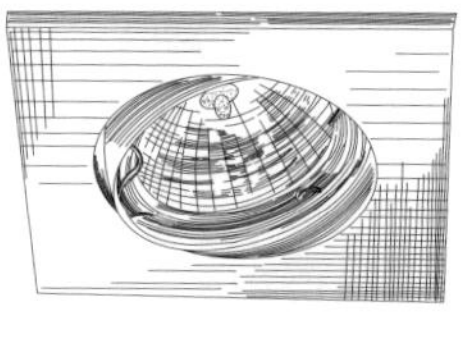

MR16 F III

IP20 30°

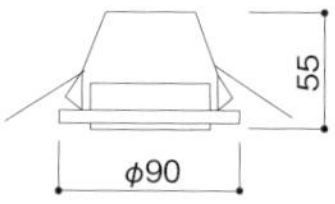
55
φ90

φ70

DL81

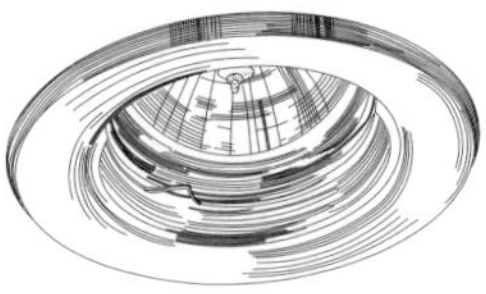

MR11 F III

IP20 30°

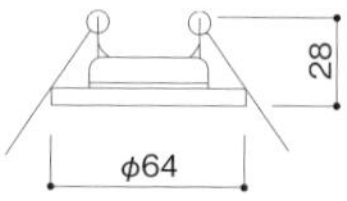
28
φ64

φ45

DL61

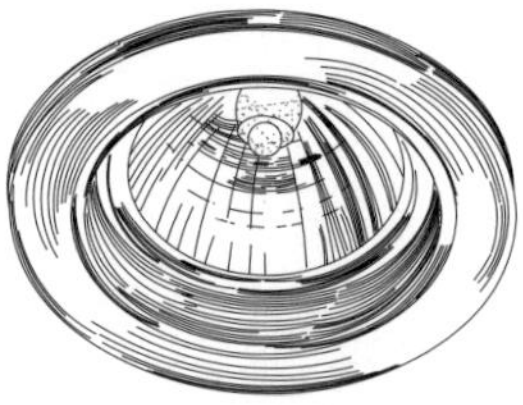

MR11 F III

IP20 30°

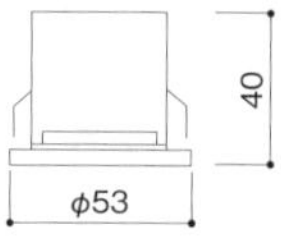
40
φ53

φ45

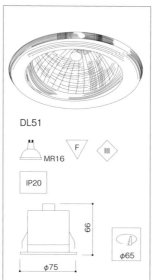

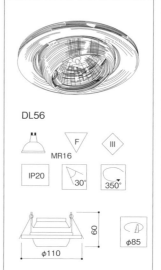

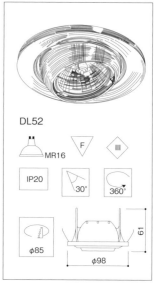

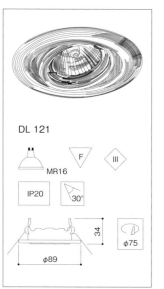

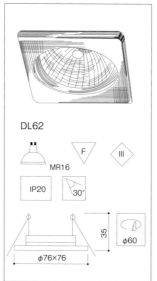

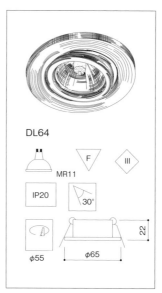

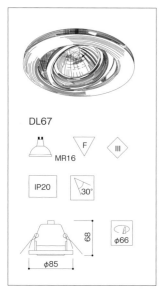

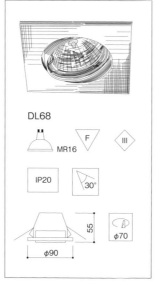

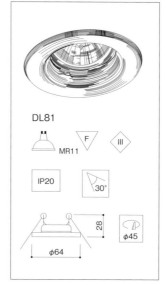

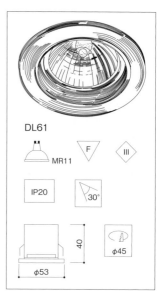

ダウンライトには埋め込み式、半埋め込み式、差し込み式の3つがある。ダウンライトの最も大きな特徴は天井の存在感を薄れさせ、雰囲気を柔らかくすることである。

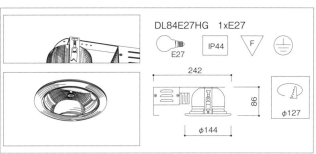

RIO

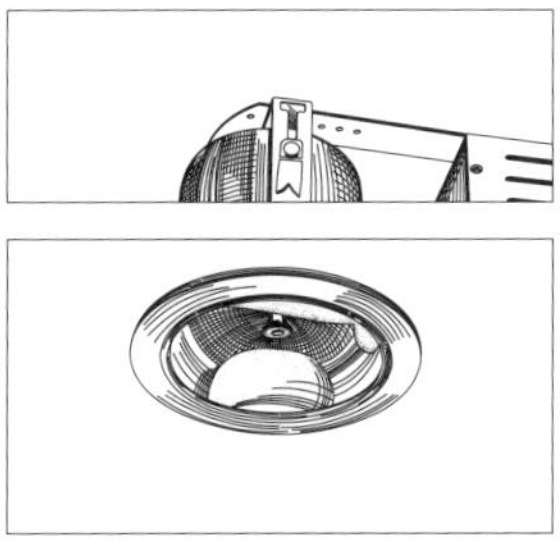

DL84E27HG 1xE27

E27 IP44 F

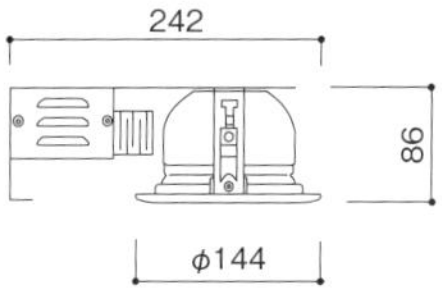
242
86
φ144

φ127

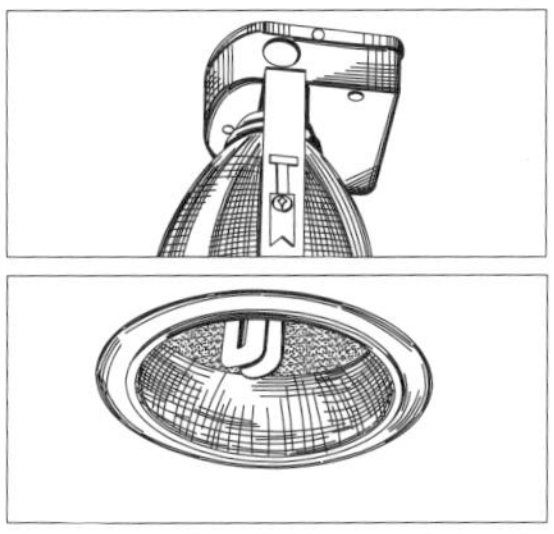

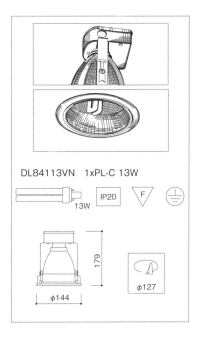

DL84113VN 1xPL-C 13W

13W IP20 F

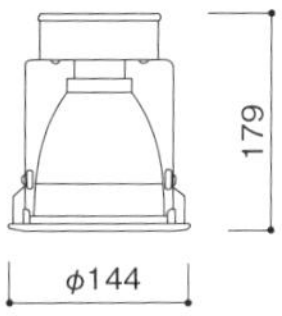
179
φ144

φ127

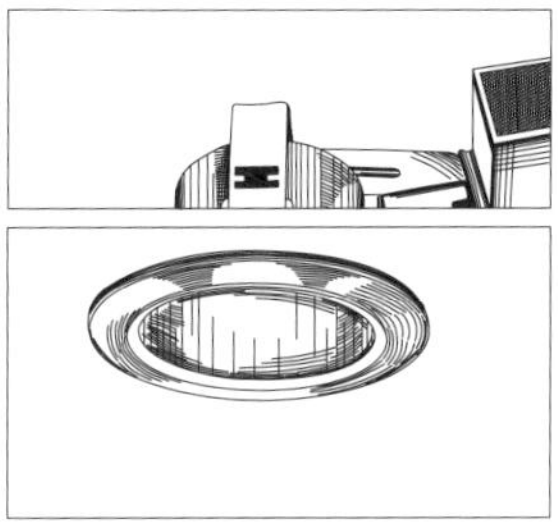

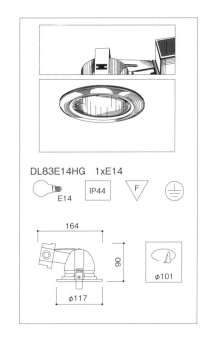

DL83E14HG 1xE14

E14 IP44 F

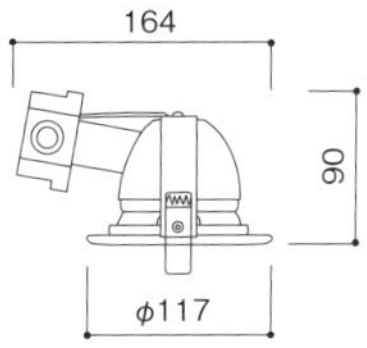
164
90
φ117

φ101

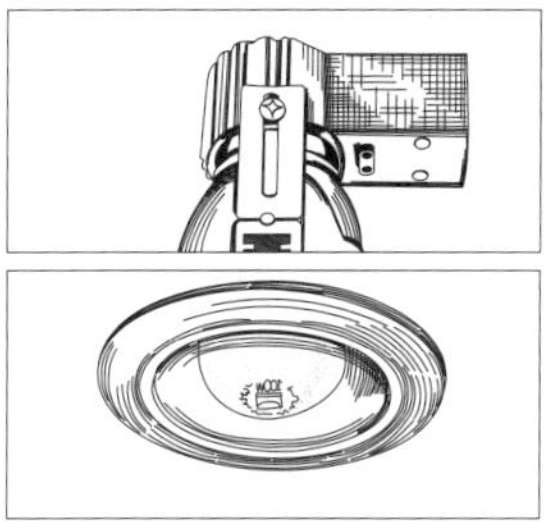

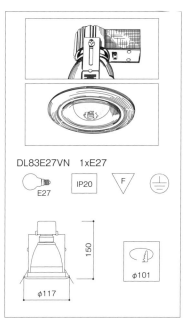

DL83E27VN 1xE27

E27 IP20 F

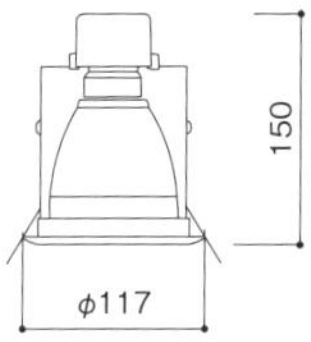
150
φ117

φ101

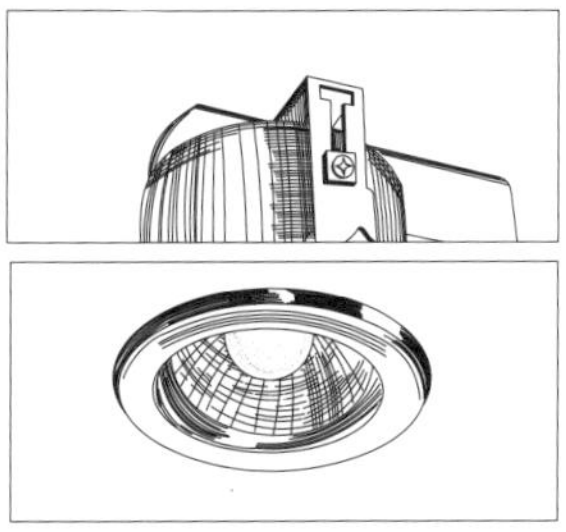

DL84E27HG 1xE27

E27 IP20 F

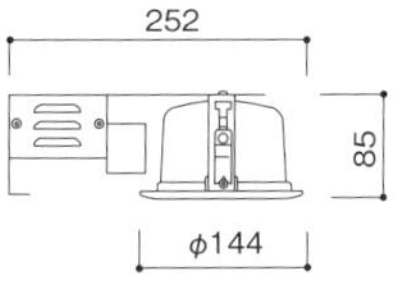
252
85
φ144

φ127

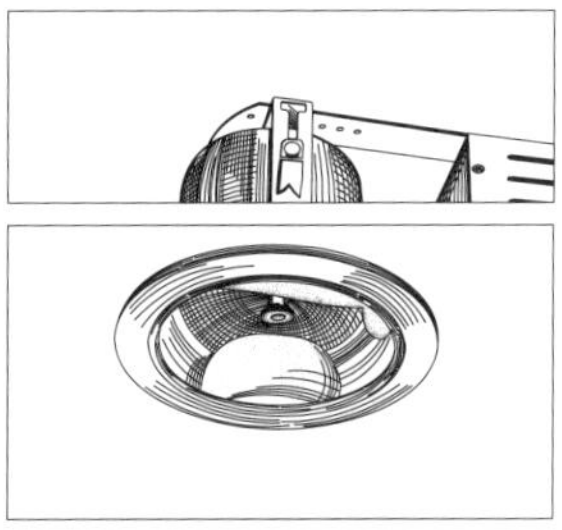

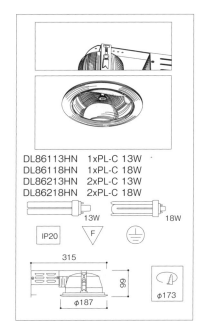

DL86113HN 1xPL-C 13W
DL86118HN 1xPL-C 18W
DL86213HN 2xPL-C 13W
DL86218HN 2xPL-C 18W

13W 18W

IP20 F

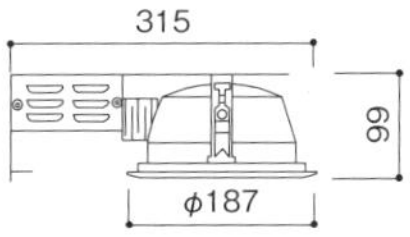
315
99
φ187

φ173

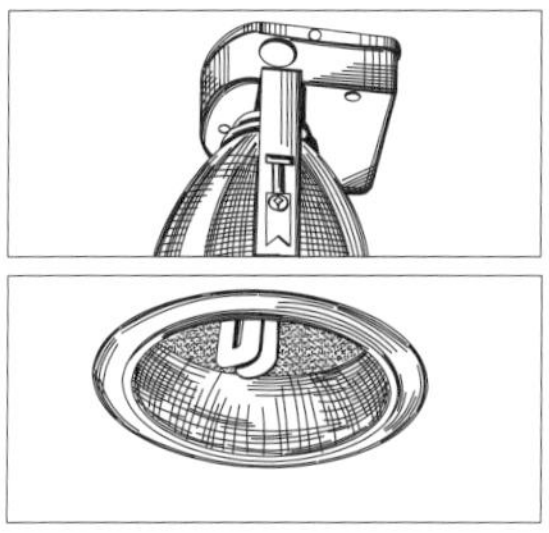

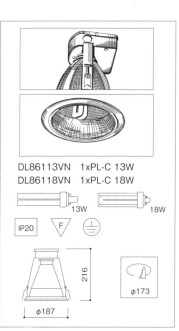

DL86113VN 1xPL-C 13W
DL86118VN 1xPL-C 18W

13W 18W

IP20 F

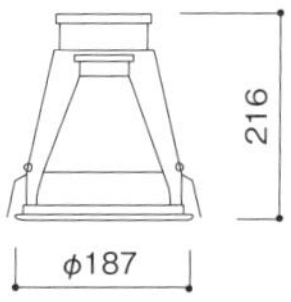
216
φ187

φ173

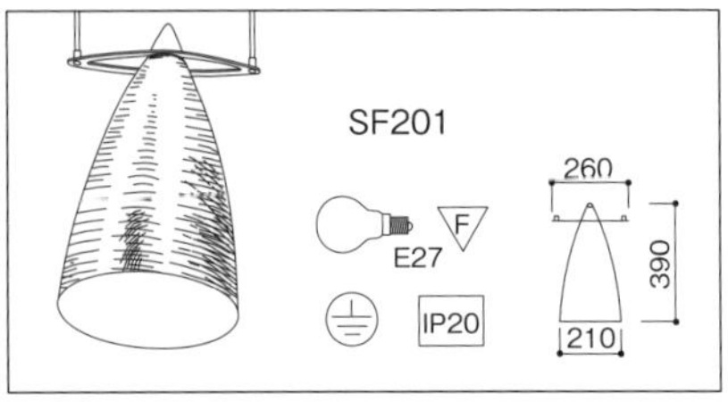
SF201
E27
F
IP20
260
390
210

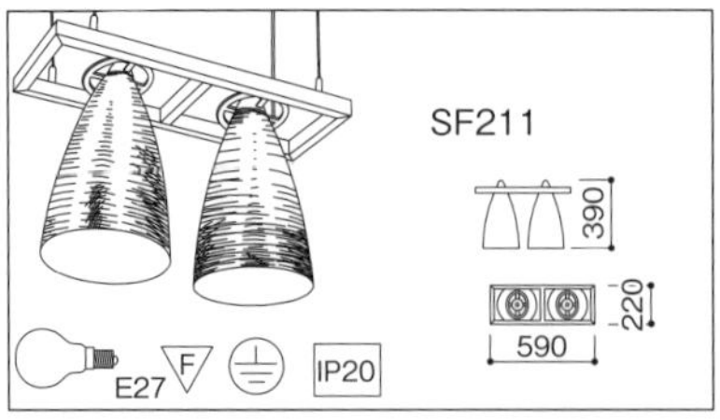
SF211
390
220
590
E27
F
IP20

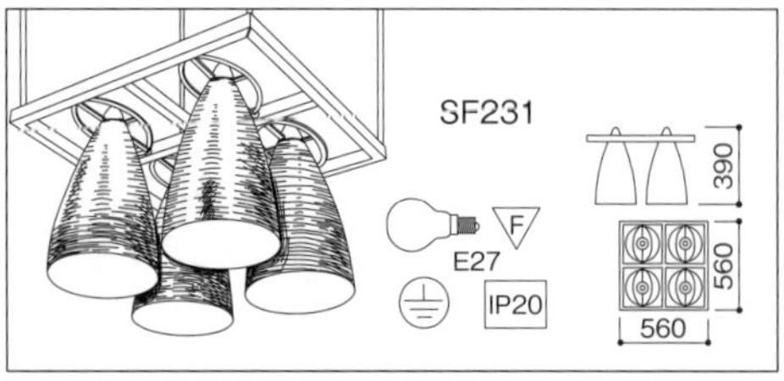
SF231
E27
F
IP20
390
560
560

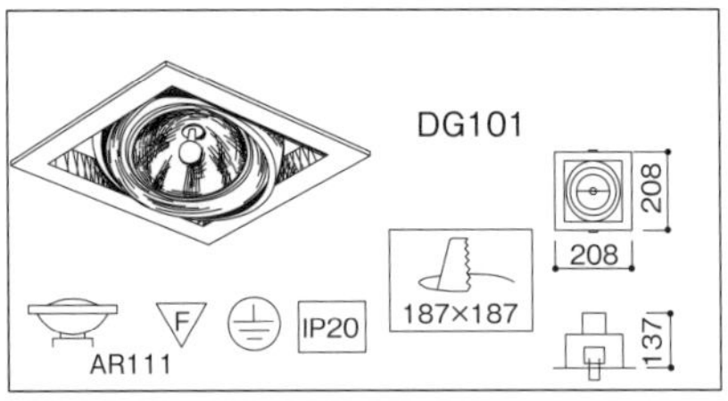
DG101
208
208
187×187
AR111
F
IP20
137

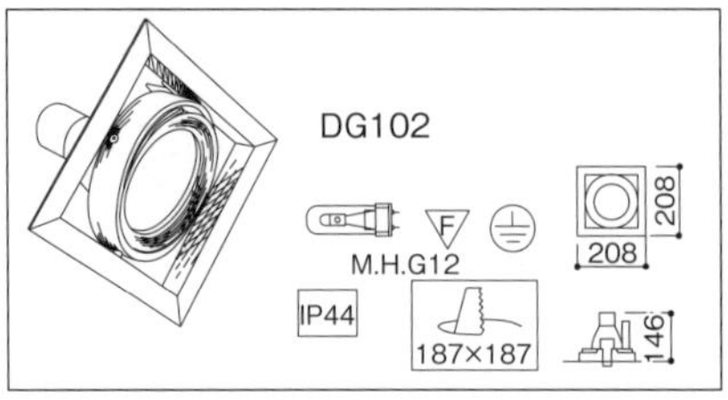
DG102
M.H.G12
F
208
208
IP44
187×187
146

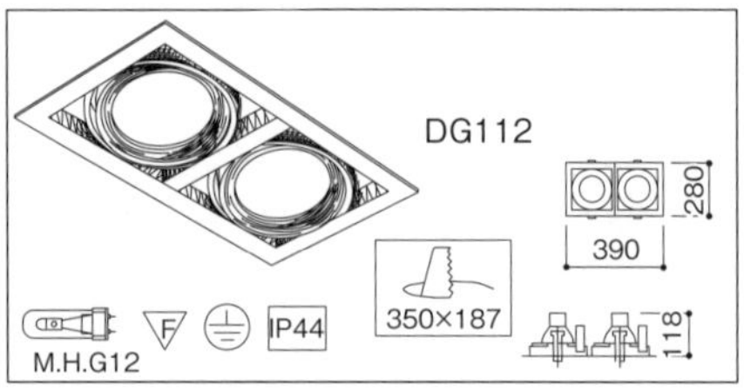
DG112
280
390
350×187
M.H.G12
F
IP44
118

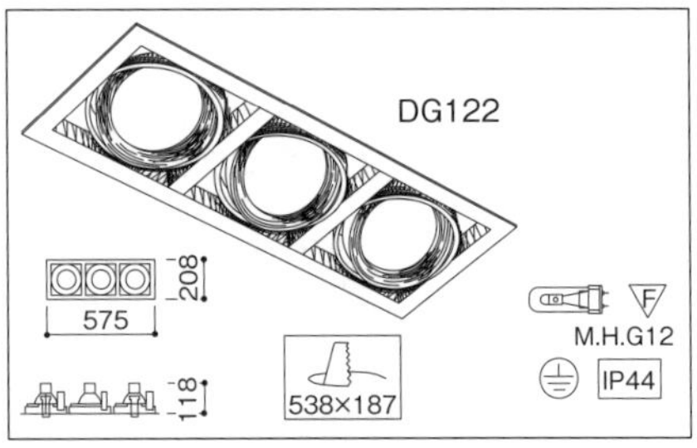
DG122
208
575
M.H.G12
F
118
538×187
IP44

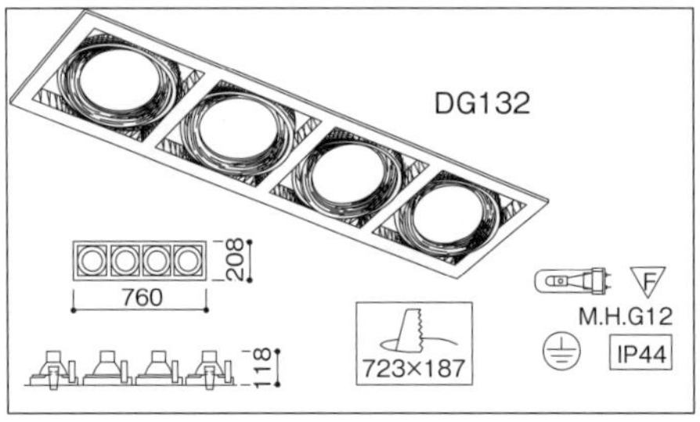
DG132
208
760
M.H.G12
F
118
723×187
IP44

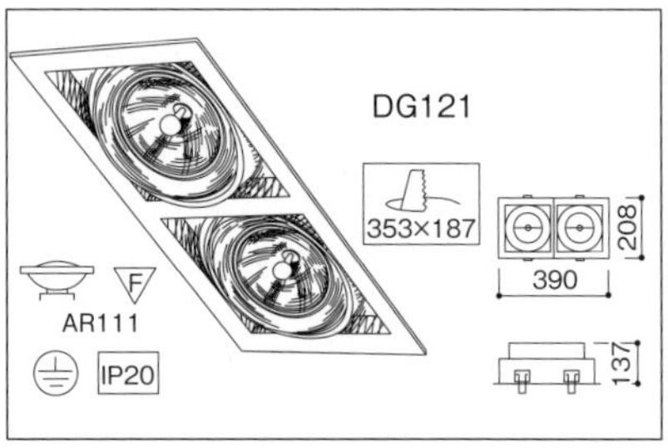
DG121
353×187
208
390
AR111
F
IP20
137

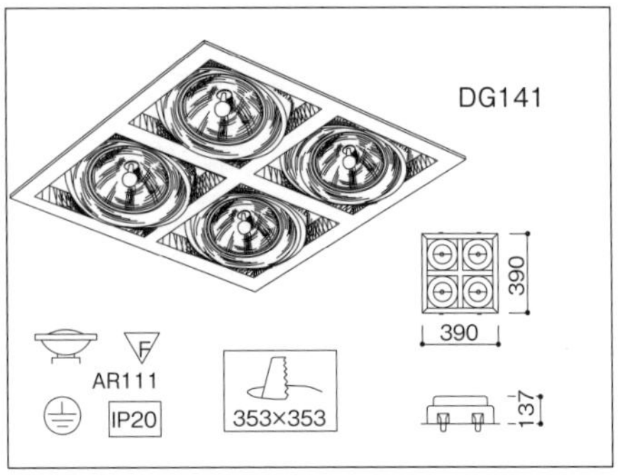
DG141
390
390
AR111
F
IP20
353×353
137

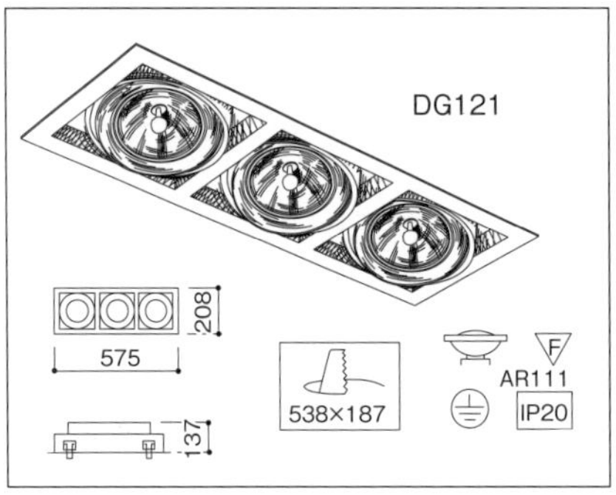
DG121
208
575
538×187
AR111
F
IP20
137

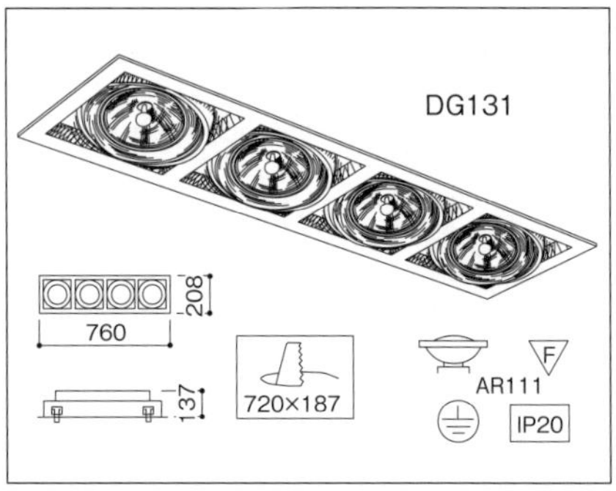
DG131
208
760
137
720×187
AR111
F
IP20

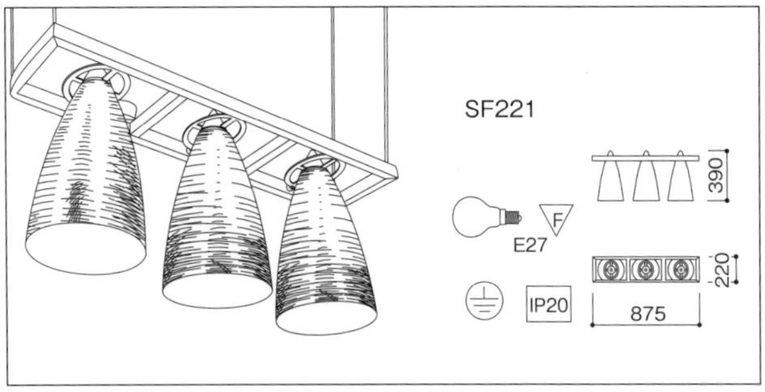
SF221
390
E27
F
220
IP20
875

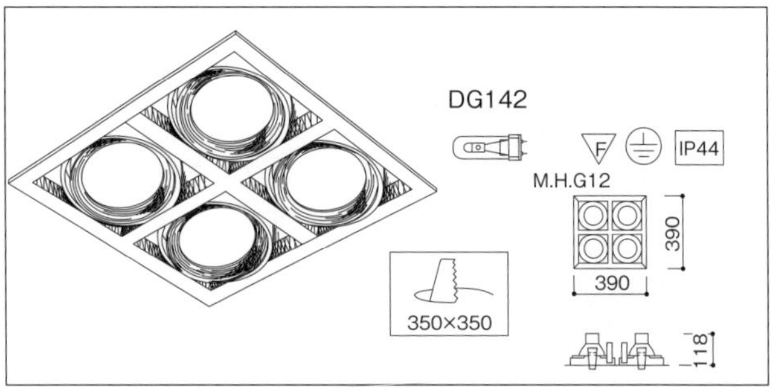
DG142
M.H.G12
F
IP44
390
390
350×350
118

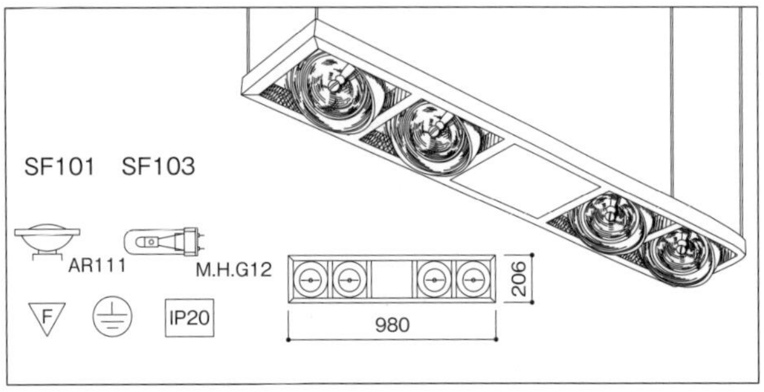
SF101 SF103
AR111
M.H.G12
206
F
IP20
980

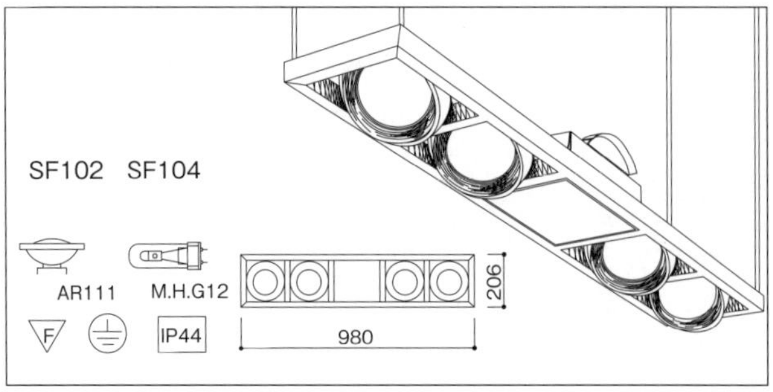
SF102 SF104
AR111
M.H.G12
206
F
IP44
980

トラックライトは自由に動かせ、必要に応じて角度を変えることができる。トラックライトを当てることにより、対象物に立体感が出て、その存在感を際立たせることができる。このような手法は美術館や博物館でよく使われる。

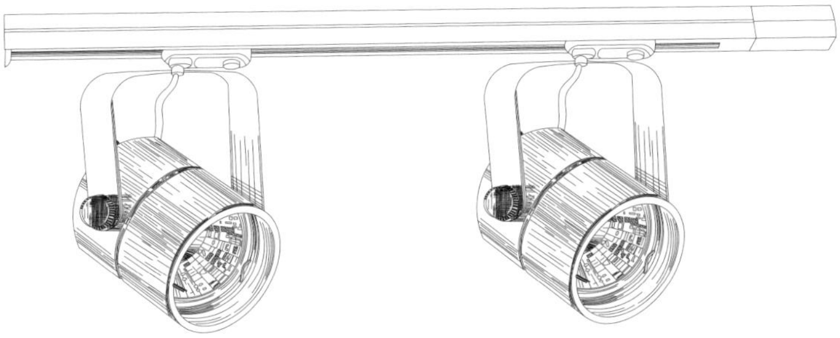

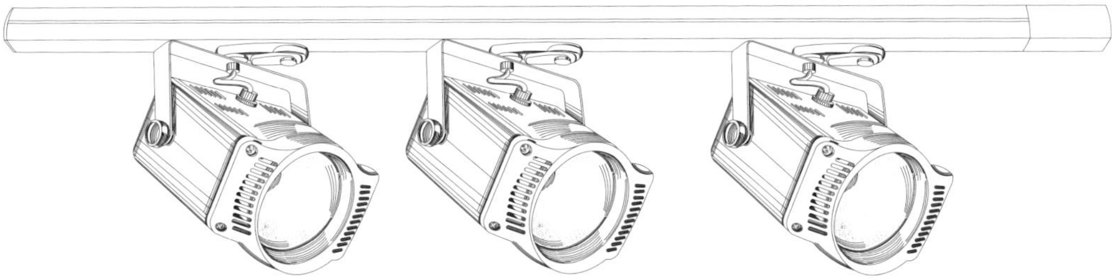

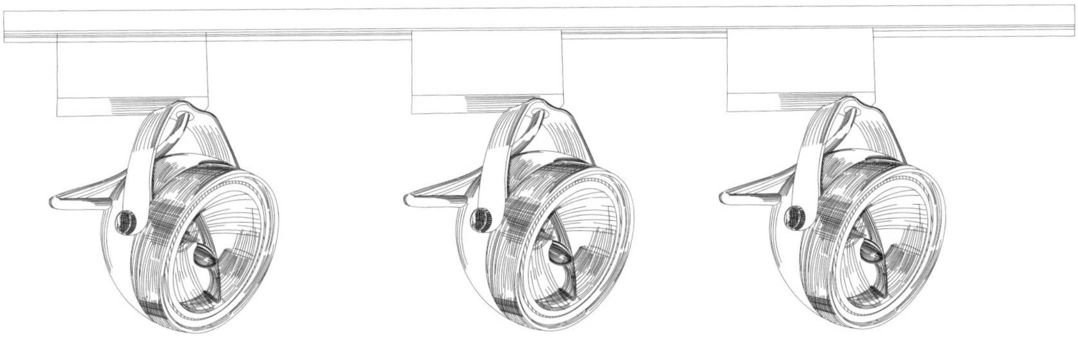

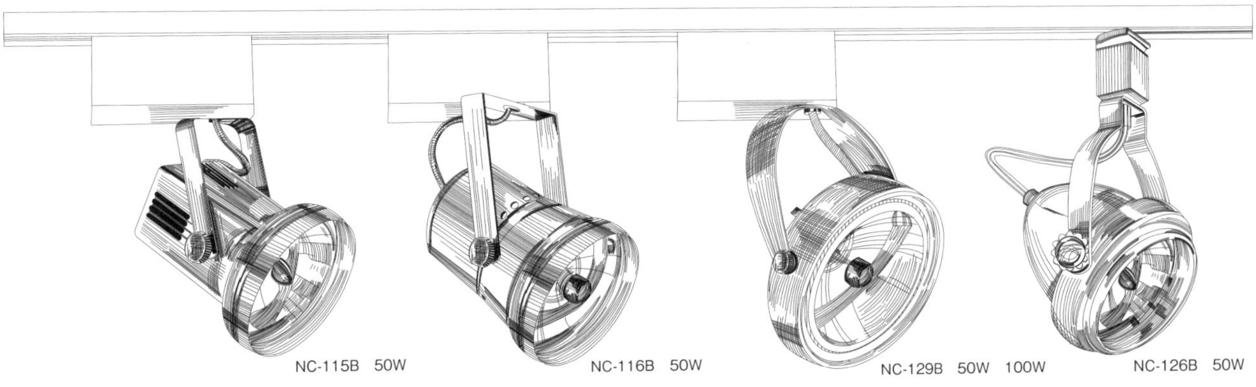
NC-115B 50W
NC-116B 50W
NC-129B 50W 100W
NC-126B 50W

白熱灯は高い集光性があり、光の分配に最適である。スイッチのオン・オフが頻繁でも電球の寿命に対する影響はそれほどない上、光線のムラも少ないことから使いやすい。しかし演出効果は少ないことから、家庭や宿泊施設などでの使用に適している。

メタルハライドランプは高輝度で発光効率が高く、寿命も比較的長いため、大規模な施設に適している。一方で起動電流がやや低く、点灯するまで一定の時間を必要とする。消灯した際は、10分程度待ってからでないと再点灯させることができない。

ハロゲンランプの基本的な仕組みは白熱灯と同じだが、ガラス球の中にハロゲンガスを充填することで黒化現象を改善している。演色性が高く、色温度は特にテレビの照明に適している。またランプが非常に小さく、輝度も高いことから、スポットライトやダウンライトに用いられる。ただし発熱量が高いため、可燃性の高い場所には適さない。

ナトリウムランプには低圧ナトリウムランプと高圧ナトリウムランプの2種類がある。低圧ナトリウムランプは橙色に発色し、省エネルギーで発光効率がきわめて高い。霧の中でも光が通りやすいことから、鉄道や広場の照明に使われる。高圧ナトリウムランプは黄白色に発色し、起動に補助電極は不要で、点灯後は比較的低電圧下でも稼働する。温度に影響されにくいため、道路や飛行場、バス停、広場、工場、体育館などに用いられる。

蛍光灯は住宅やオフィスで一般的に使用される光源で、最もよく見られるのは棒状のタイプで、両端に電極がある。ガラス管は蛍光粉末で覆われ蛍光物質の種類によって、さまざまな色の蛍光灯を作ることができる。

高圧水銀灯は水銀蒸気の放電により発光する。長所は、発光効率が高いこと、寿命が長いこと、省エネルギーであること、耐振性があることなどである。ただし演色性は高くない。そのため、照度の高さのみが要求される場所に適しており、街灯や広場、駅、工事現場などで主に使われる。

キセノンランプは、キセノンガスの放電によって発光する。消費電力が低い上に、発光効率が高く、点灯に要する時間もわずかなため、大面積を均一に照らす際の照明として有効である。

LEDライトは、電流値を変化させることで明るさが変わる。また、材料の化合物を調整することで、赤色や黄色、緑色、青色などさまざまな色にすることができる。安全かつ省エネルギーで、有害金属もないことから、21世紀のクリーン照明として期待されており、多方面で使用される機会が増えている。

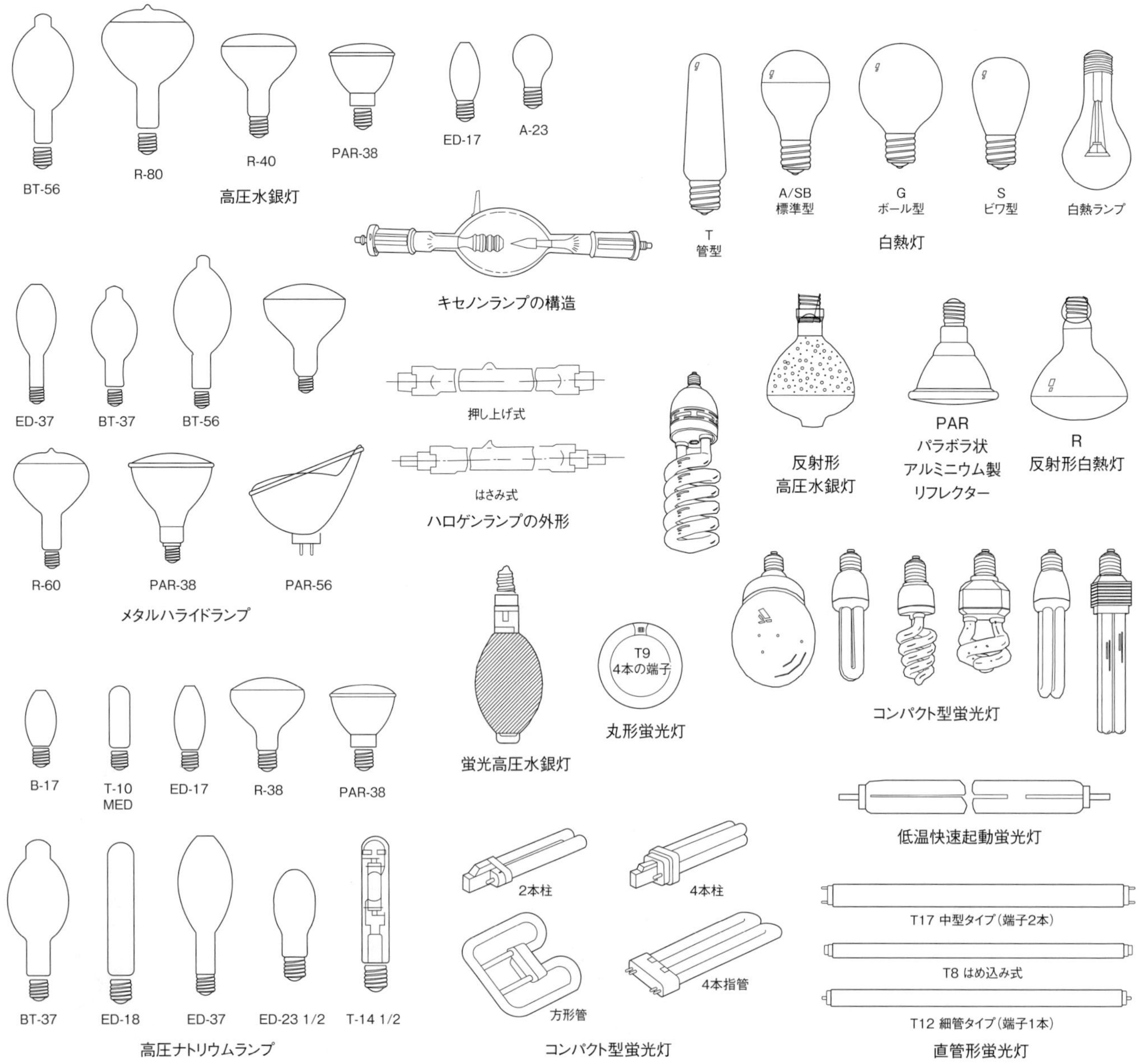
BT-56
R-80
R-40
PAR-38
ED-17
A-23
高圧水銀灯
T
管型
A/SB
標準型
G
ボール型
S
ビワ型
白熱ランプ
白熱灯
キセノンランプの構造
ED-37
BT-37
BT-56
押し上げ式
はさみ式
ハロゲンランプの外形
反射形
高圧水銀灯
PAR
パラボラ状
アルミニウム製
リフレクター
R
反射形白熱灯
R-60
PAR-38
PAR-56
メタルハライドランプ
T9
4本の端子
丸形蛍光灯
コンパクト型蛍光灯
蛍光高圧水銀灯
B-17
T-10
MED
ED-17
R-38
PAR-38
低温快速起動蛍光灯
2本柱
4本柱
T17 中型タイプ（端子2本）
T8 はめ込み式
4本指管
方形管
T12 細管タイプ（端子1本）
BT-37
ED-18
ED-37
ED-23 1/2
T-14 1/2
高圧ナトリウムランプ
コンパクト型蛍光灯
直管形蛍光灯

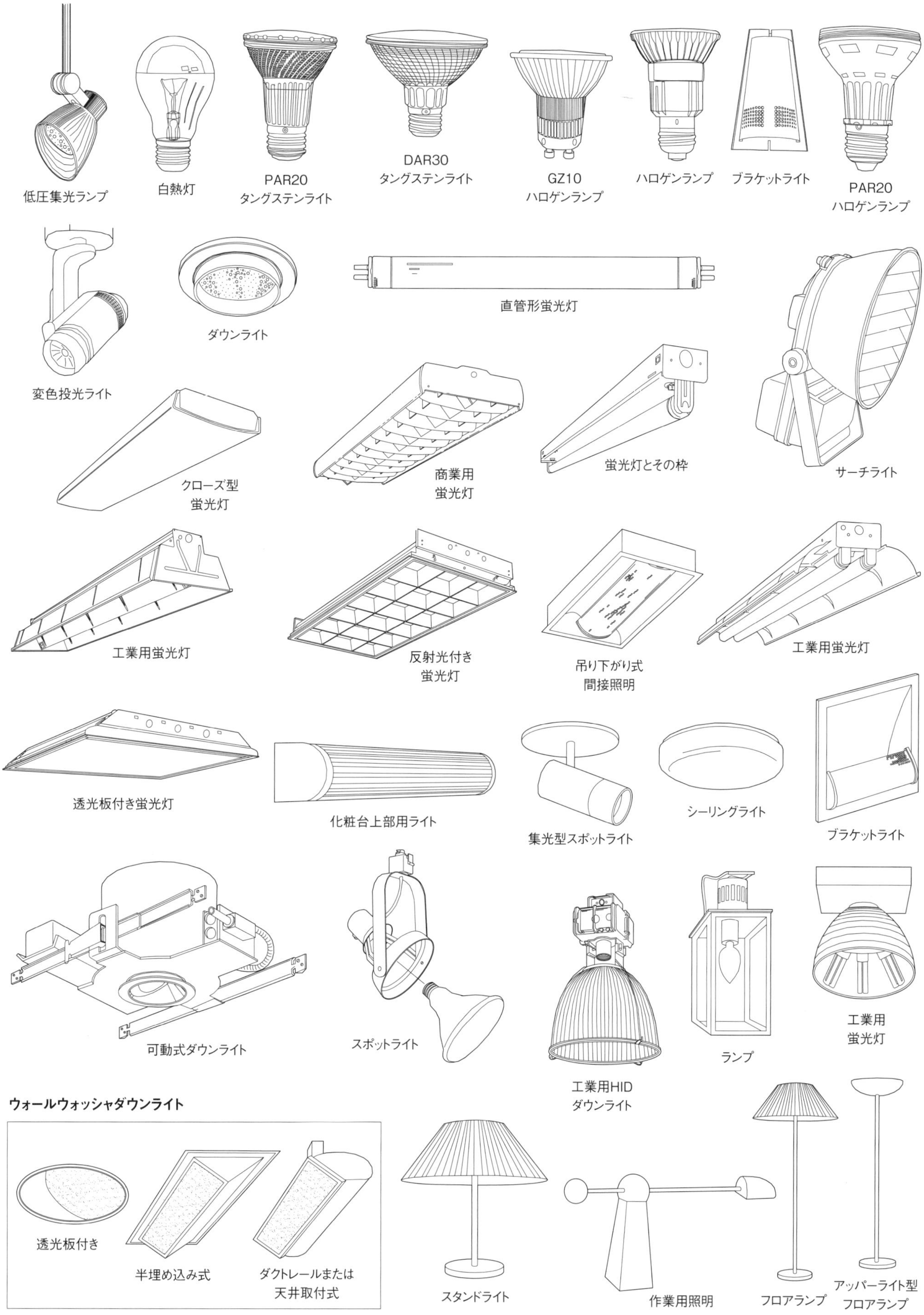
低圧集光ランプ
白熱灯
PAR20
タングステンライト
DAR30
タングステンライト
GZ10
ハロゲンランプ
ハロゲンランプ
ブラケットライト
PAR20
ハロゲンランプ
変色投光ライト
ダウンライト
直管形蛍光灯
サーチライト
クローズ型
蛍光灯
商業用
蛍光灯
蛍光灯とその枠
工業用蛍光灯
反射光付き
蛍光灯
吊り下がり式
間接照明
工業用蛍光灯
透光板付き蛍光灯
化粧台上部用ライト
集光型スポットライト
シーリングライト
ブラケットライト
可動式ダウンライト
スポットライト
工業用HID
ダウンライト
ランプ
工業用
蛍光灯
ウォールウォッシャダウンライト
透光板付き
半埋め込み式
ダクトレールまたは
天井取付式
スタンドライト
作業用照明
フロアランプ
アッパーライト型
フロアランプ

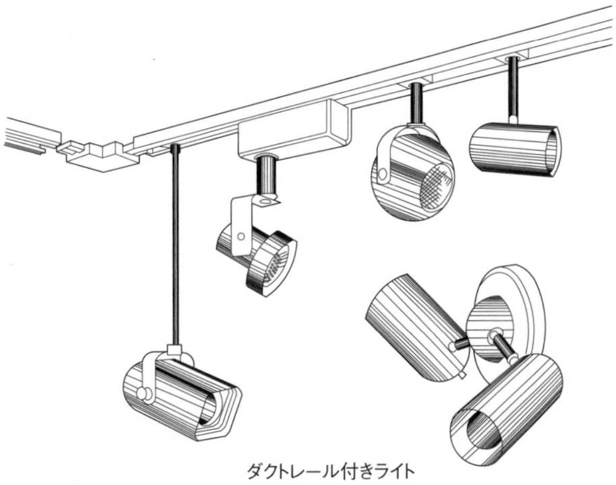

ダクトレール付きライト

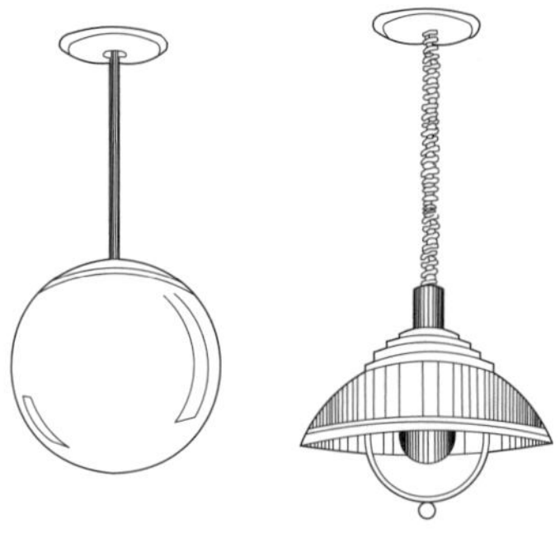

上下照射式ペンダントライト

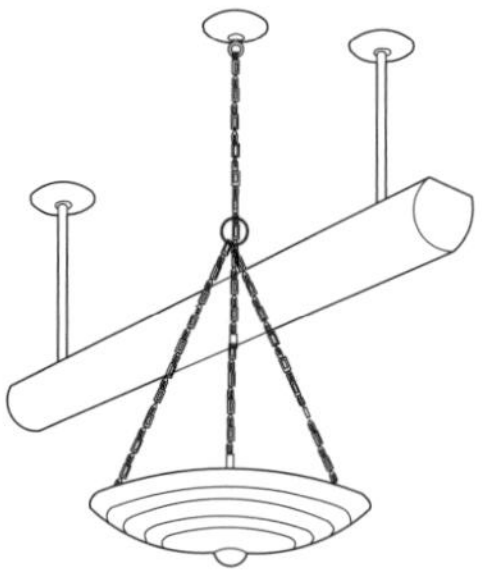

アッパーライト型
ペンダントライト

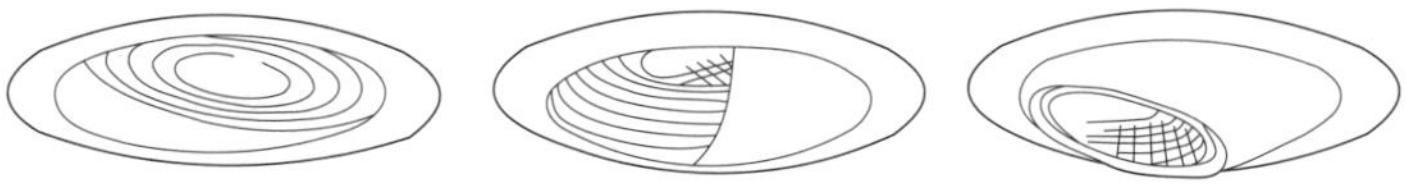

埋め込み式ウォールウォッシャライト

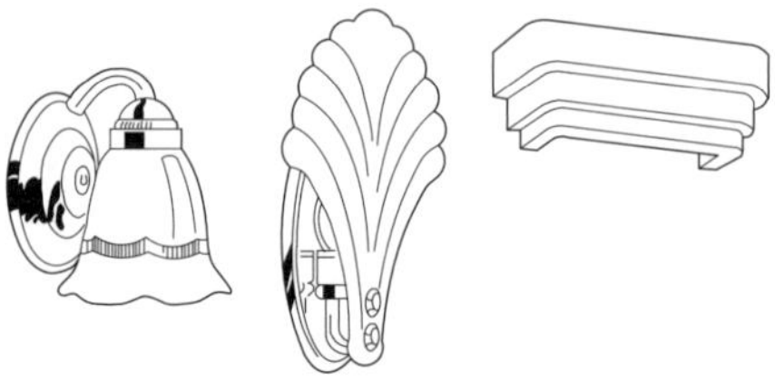

壁掛け式ブラケットライト

異なる光源のスタンド

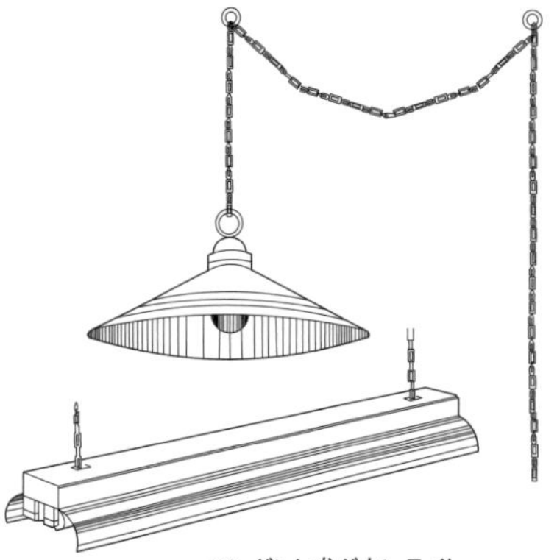

ペンダント式ダウンライト

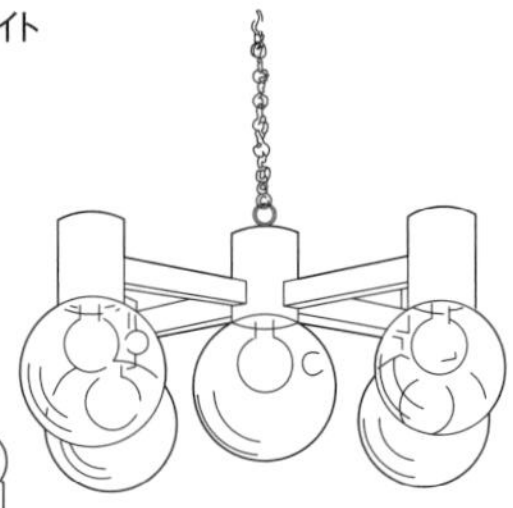

シャンデリア

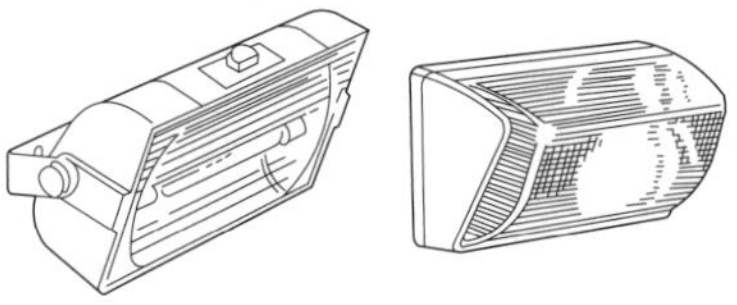

大面積スポットライト

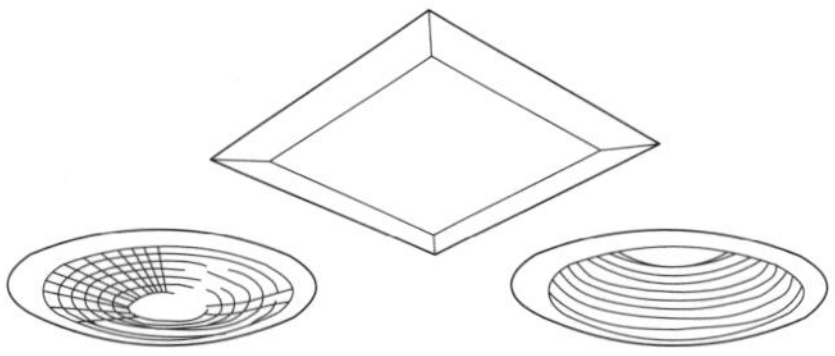

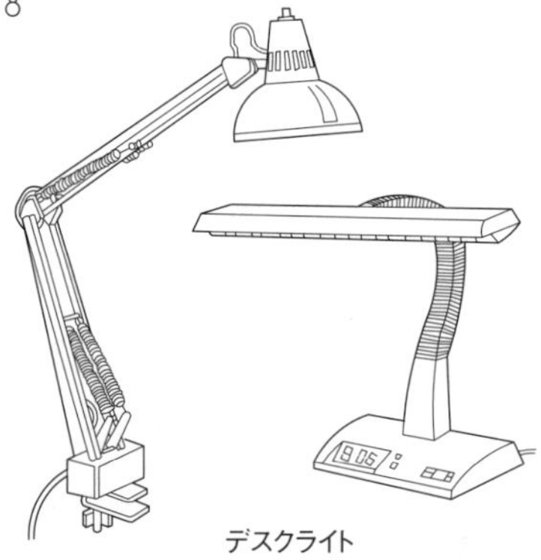

デスクライト

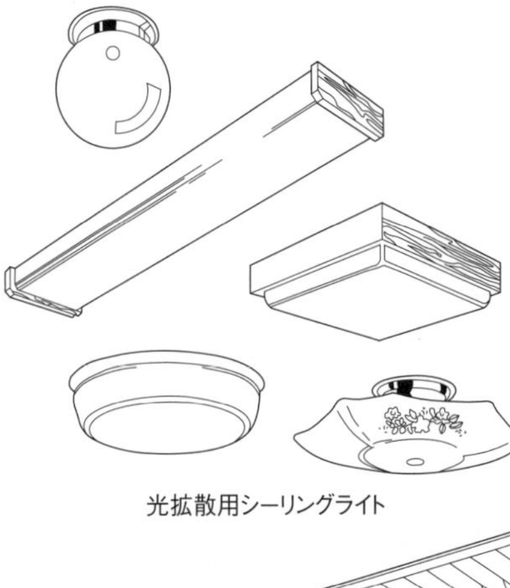

光拡散用シーリングライト

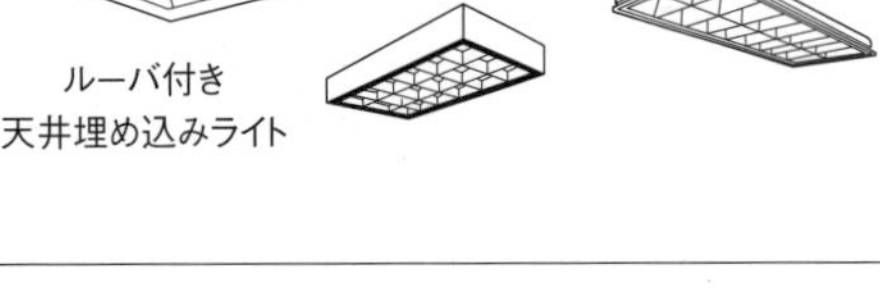

ルーバ付き
天井埋め込みライト

様々な形状のフロアランプ

住宅用景観照明灯

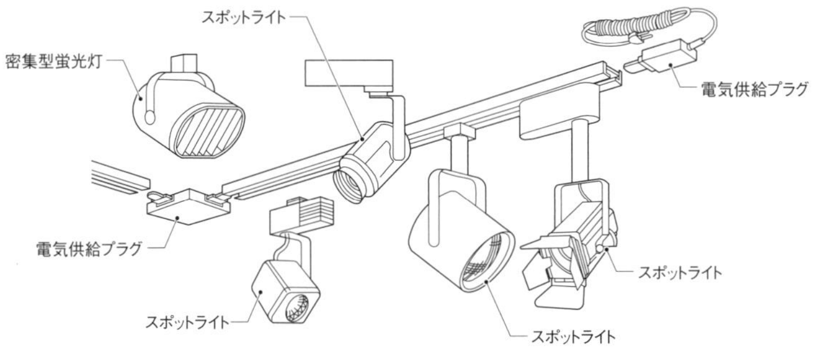
スポットライト
密集型蛍光灯
電気供給プラグ
電気供給プラグ
スポットライト
スポットライト
スポットライト

ダクトレールに装着した照明器具と電気供給プラグ

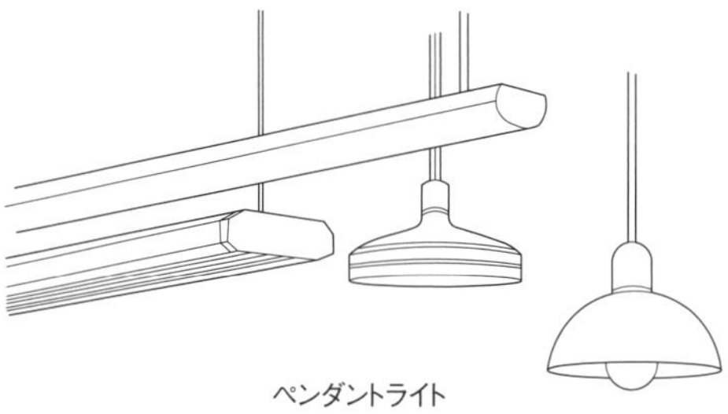

ペンダントライト

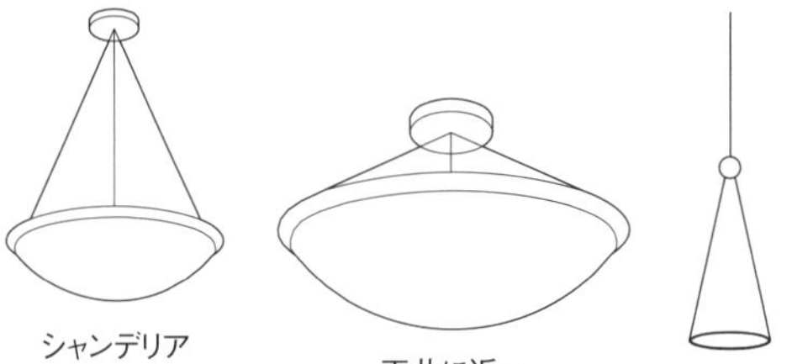

シャンデリア　天井に近いシャンデリア　ペンダントライト

天井装着型ライト

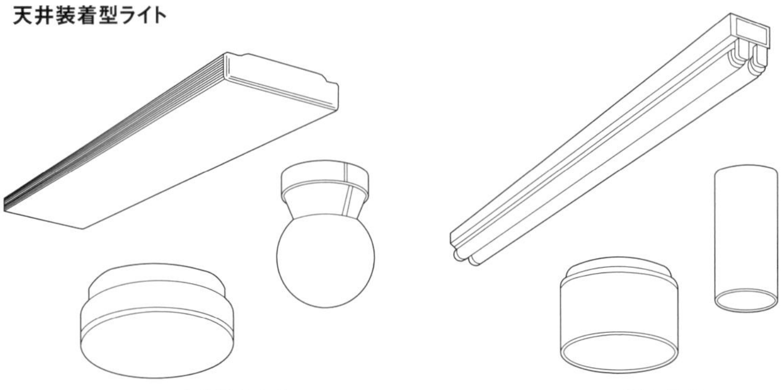

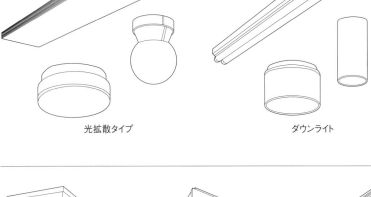

光拡散タイプ　ダウンライト

壁に装着するタイプ

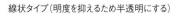

線状タイプ（明度を抑えるため半透明にする）

壁燭台タイプ　4分の1球面タイプ

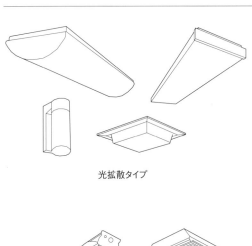

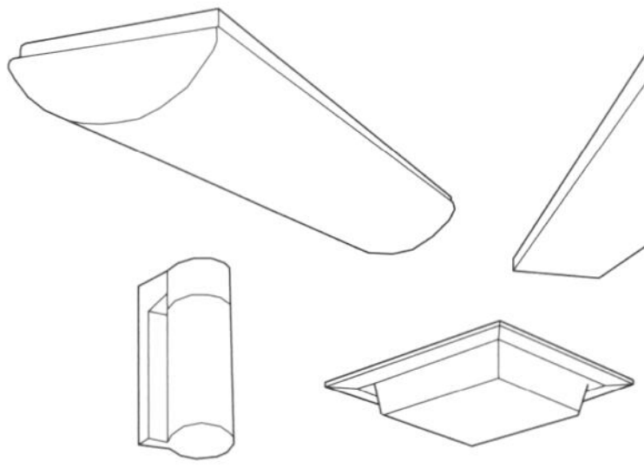

光拡散タイプ

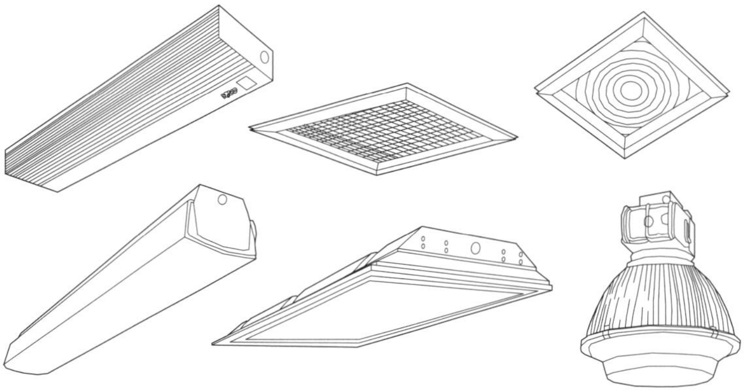

光屈折タイプ

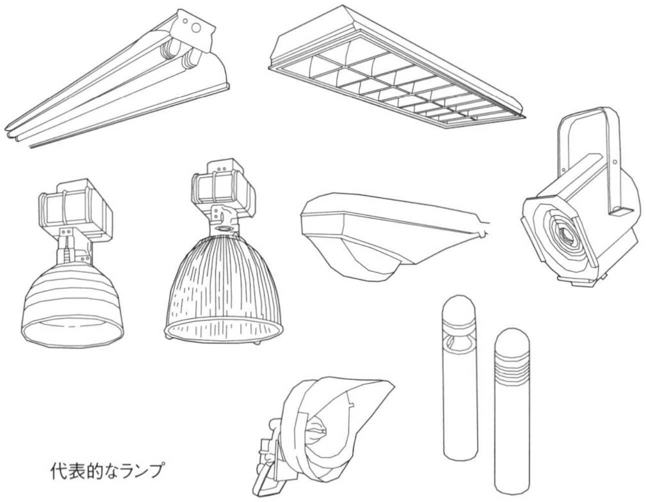

代表的なランプ

反射器

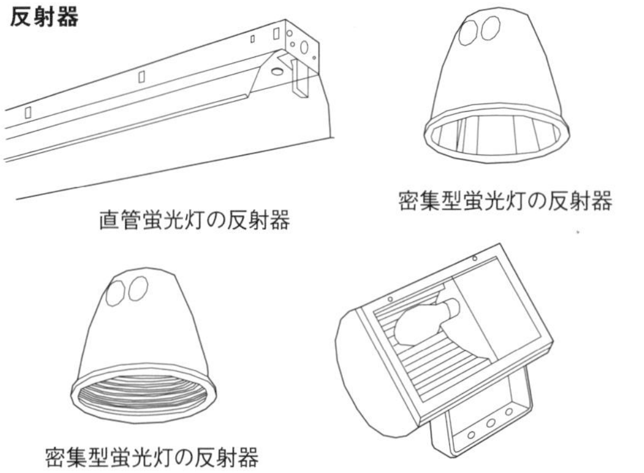

直管蛍光灯の反射器　密集型蛍光灯の反射器　密集型蛍光灯の反射器　投光灯の反射器

植物を室内に飾ることで、みずみずしい環境を作りだすことができる。鉢植え植物は、樹木と草花が中心となる。植物の特徴や鑑賞の対象から、鉢植え用の植物は7つに分類することができる。常緑樹類、針葉樹類、花類、果実類、つる植物類、草花類、竹類である。植物を選ぶにあたっては、室内環境とコンセプトに合ったものを選ぶとよい。

キク

センネンボク

キンカン

カラスオウギ

コシダ

サフラン

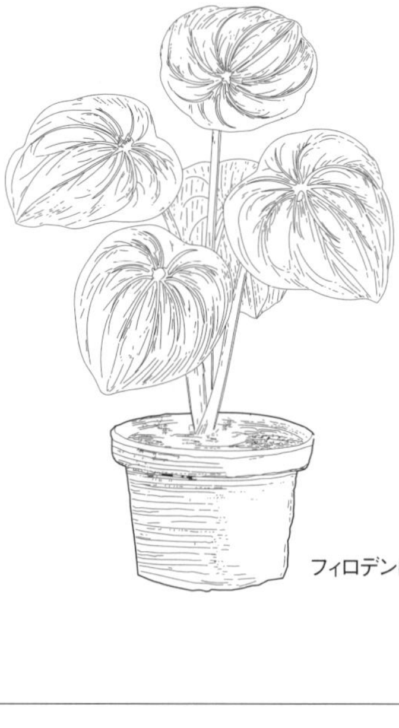
フィロデンドロン

オモト

コリウス

ゴクラクチョウカ

ゴムノキ

エクメア・ファスキアタ

シンゴニウム

サンセベリア

オランダカイウ

カンノンチク

マッサンゲアナ

ドラセナ

盆栽は大自然の風景を凝縮したもので、自然の中にある奇山や奇岩を鉢の中におさめた、生命感あふれる芸術品である。

盆栽は大自然の孤木を模倣することが多い。なかでもよく見られる樹形を以下に紹介する。

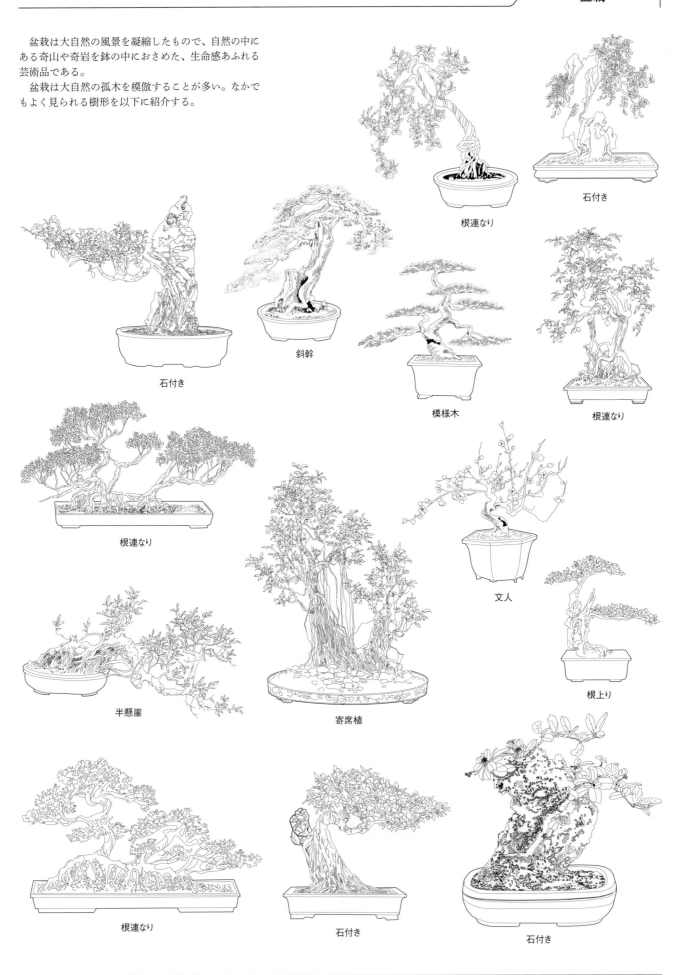

根連なり

石付き

石付き

斜幹

模様木

根連なり

根連なり

文人

寄席植

根上り

半懸崖

根連なり

石付き

石付き

高木とは、樹の幹と樹冠(葉が生い茂っている部分)が明確に区分できる、5m以上の樹高の植物のことを指す。高木は環境緑化の主導的な役割を果たすものである。高木には常緑高木、落葉高木、紅葉高木などがある。一般的に植えられる観葉高木には赤色系と黄色系がある。赤色系にはカエデ、トウカエデ、フウ、トウナナカマド、ナンキンハゼ、タイワンツゲ、ヤマザクラ、カキノキ、モミジ、マルバハゼ、ナンテンチク、ニシキギ、フクシャなどがある。黄色系にはイチョウ、シュウレイモミジ、ハコヤナギ、カツラなどがある。

高木の形状は非常に多彩で、美しいランドスケープを作り出すことができる。また、高木は風景の主体となることもできるし、空間を分けるものとして用いることもできる。さらには、視界遮断用に用いることもできる。なお、植樹の場所は比較的豊かな土壌を持つ大きな空間を必要とする。

カンレンボク

シナユリノキ

シュウレイモミジ

モクゲンジ

タイワンツゲ

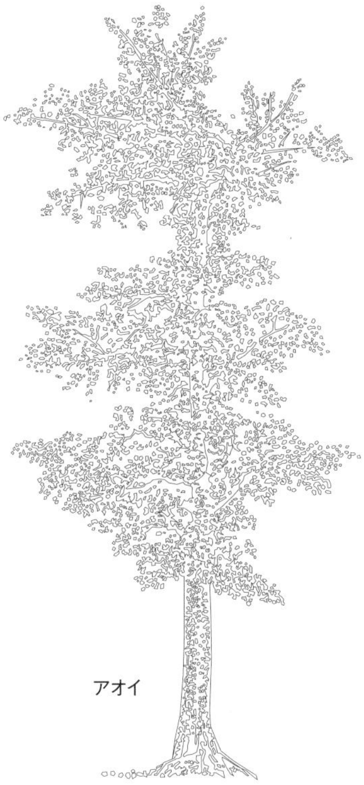

アオイ

カイズカイブキ

フウ

アカシア

イブキ

イチョウ

クスノキ

ヤナギ

タイサンボク

ハクモクレン

コノテガシワ

ヒマラヤスギ

ネムノキ

シュロ

ナツメヤシ

ソテツ

ホウライチク

ココヤシ

アブラヤシ

バショウ

タケ

ハンチク

一般的に人間の背丈より低い木本を灌木という。灌木の多くは叢生し、樹冠の占める空間があまり大きくない。灌木にはさまざまな形状があることから、高木と組み合わせてリズム感を作るなど、環境緑化に用いる際は他の植物とのバランスを考慮して選ぶとよい。灌木は常緑灌木、有色灌木、落葉灌木に分けることができ、さらに花鑑賞用、果実観賞用、葉観賞用にも分けられる。高さ300～1,000㎜の小灌木には、ユリノキ、セイシボク、モンステラなどがある。単独で置くのもよいし、大きな植物と組み合わせて装飾の主体とするのもよい。大多数の灌木は高さが1,000～2,000㎜で、カンノンチク、クロトン、ツツジ、ツバキ、ヤシなどがある。これらの植物は室内の重要な装飾となったり、空間を分ける役目を担ったりする。また、樹冠が小さく、根の広がりが比較的少ないため、広い場所に設置する必要も土壌を厚くする必要もない。

ジンチョウゲ

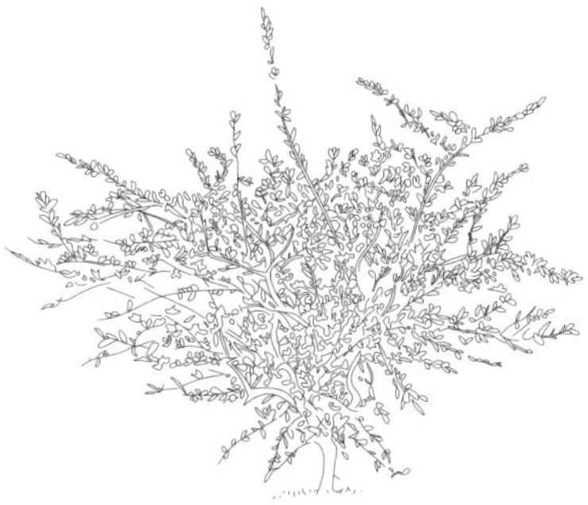
ピラカンサ

セイヨウオトギリソウ

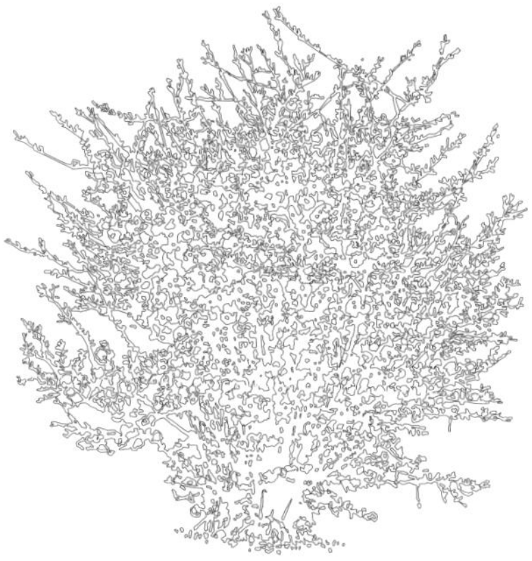
ボケ

ツバキ

アジサイ

クチナシ

ガマズミ

ロウバイ

レンギョウ

ゲッキツ

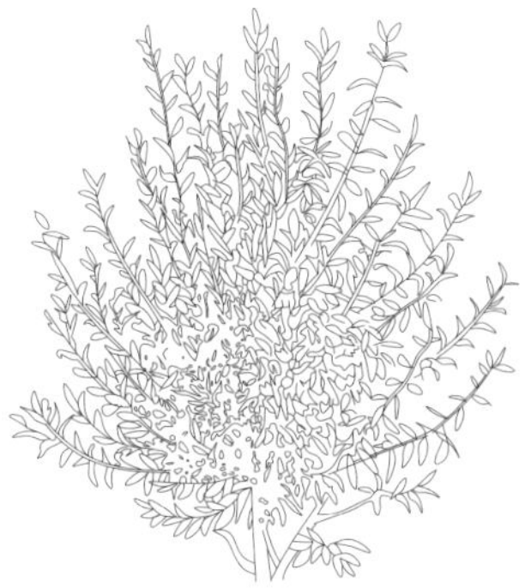
カラタネオガタマ

ヤマブキ

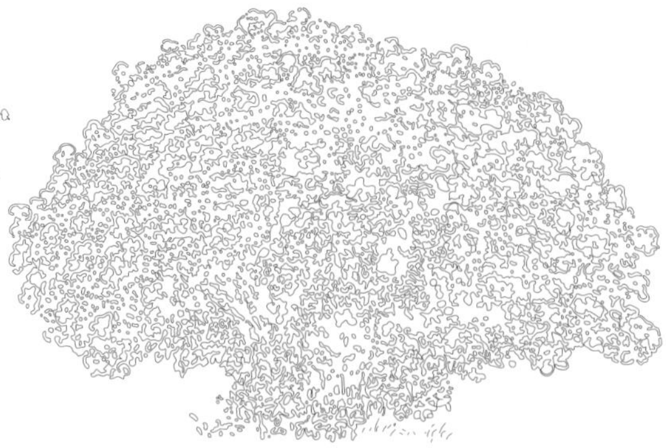

バラ

トベラ

マルバハゼ

ハナヒョウタンボク

シロヤマブキ

ツクシウツギ

ホザキナナカマド

ニシキギ

バイカウツギ

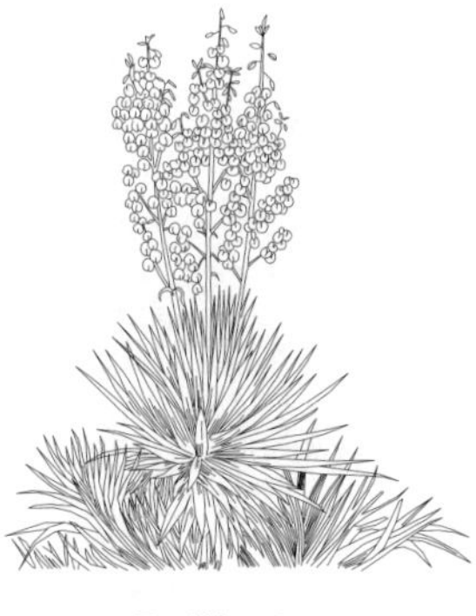

テッポウユリ

エノキグサ

草花は花を咲かせる草のことで、環境緑化の際に最も一般的に用いられる。草花の種類によって、花や葉、実など観賞の対象は異なる。したがって、草花の個性や性質を考慮して選択することが大切である。

大型の草花は単独で配置するのもよいが、大小の植物と組み合わせて主要な鑑賞ポイントにしたり、空間を分けたりしてもよい。また、花壇やフラワーボックスに植えるのに適しているので、移動させることも容易である。

セントポーリア

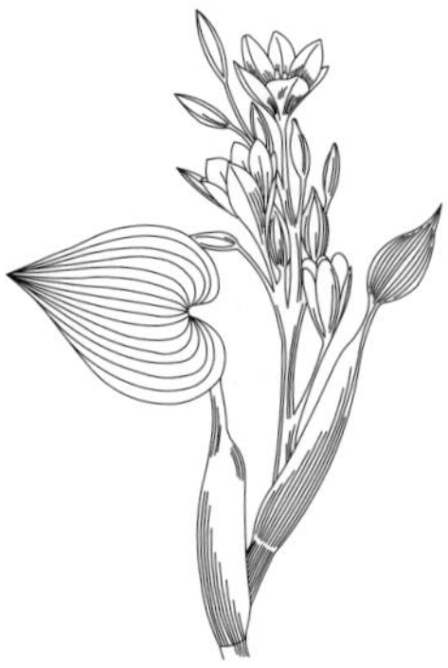
ミズアオイ

キリタ

カワミドリ

ヒャクニチソウ

ツツジ

リビングストンデージー

ラベンダー

フウリンソウ

ダリア

リュウキンカ

シュウメイギク

チューリップ

ヒメコスモス

アジサイ

ヒナギク

アラセイトウ

セッコク

アグラオネマ

クンシラン

サジオモダカ

カラジウム

グロキシニア

マツバボタン

オキザリス

カラー

マーガレット

ユリ

オオキンケイギク

ヤグルマギク

イッキュウ

オオハンゴンソウ

フクジュソウ

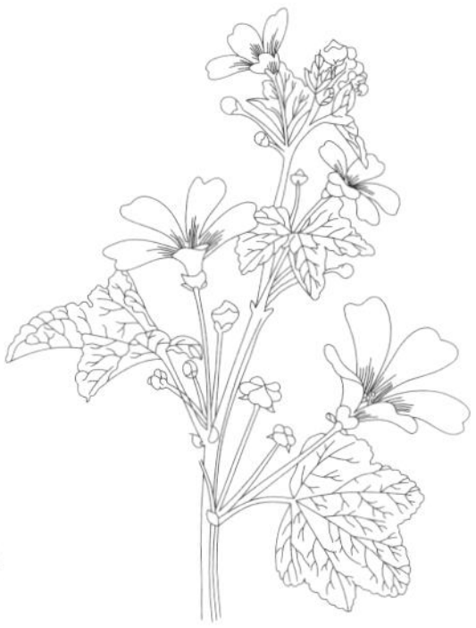

ゼニアオイ

イワタバコ

キバナアマ

セイロンベンケイ

オモト

メランポジウム

白穂花（スズラン科）

シュロ

草花

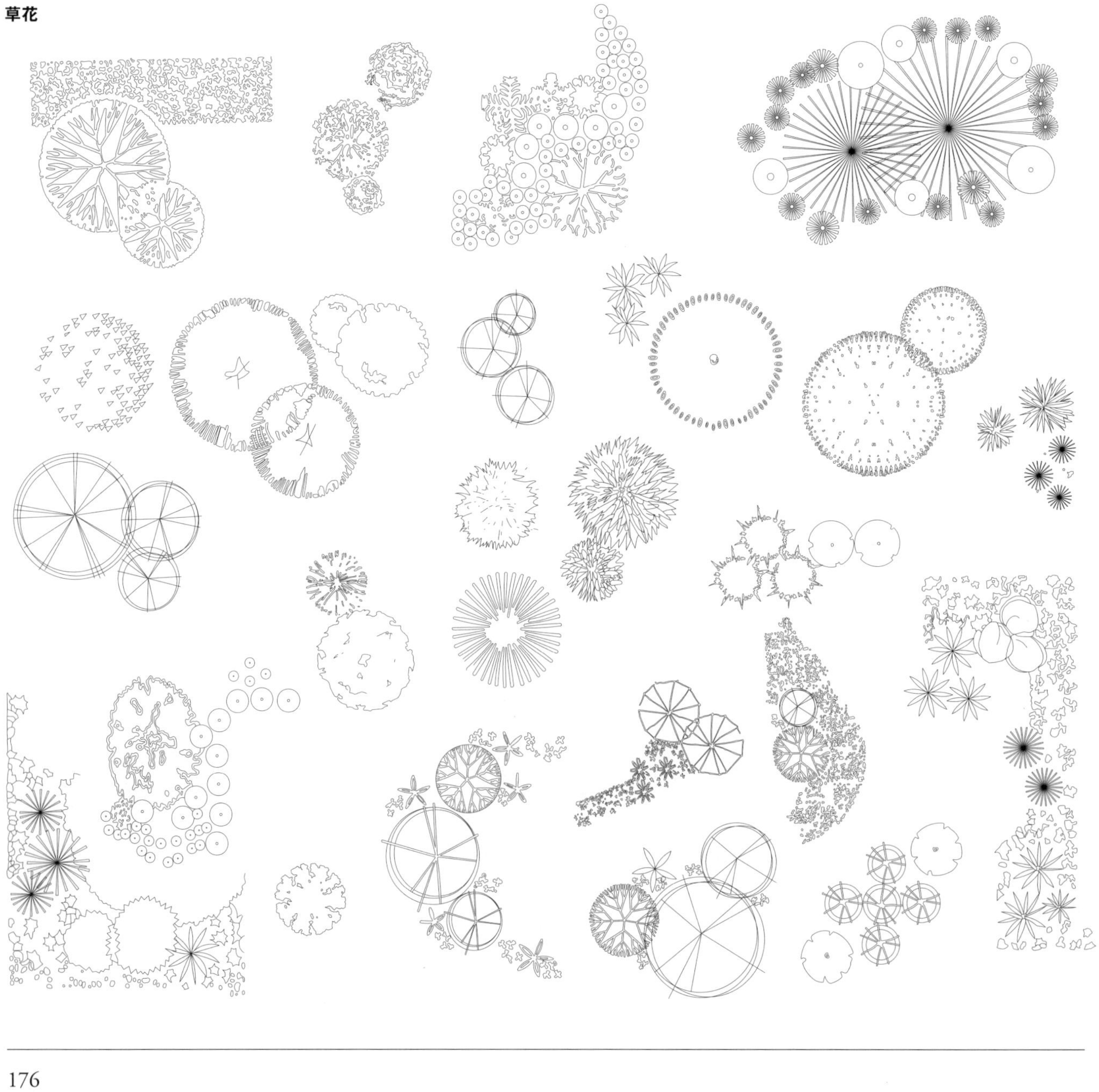

つる植物

つる植物は、自らの力では直立できず、他のものを支えにして茎を伸ばす植物のことである。草本のものも木本のものもあり、また登攀型、巻きつき型、這性型の３種類に分けられる。登攀型は他のものに付着して登るもの、巻きつき型は他のものに巻きついて登るもの、這性型は地上を這って伸びたり垂れ下がったりするものを言う。室内では特に、吊りかごから這性型のものを垂れ下がらせて観賞する場合が多いが、いずれのつる植物も、室内装飾においては多様な意匠と独特な趣を作り出すことができる。

ブドウ

ヒルガオ

パンドレア

コウモリカズラ

巻きつき型

アサガオ

這性型

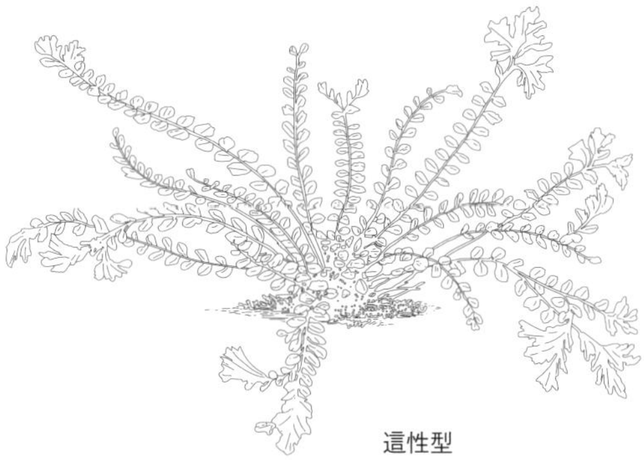

這性型

巻きつき型

登攀型

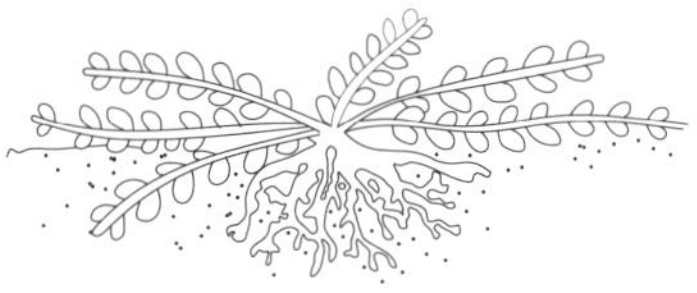

巻きつき型

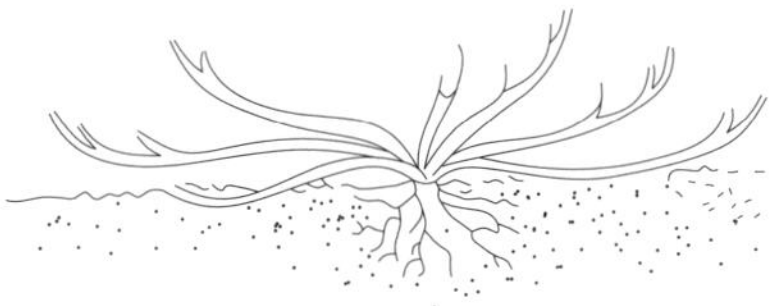

這性型

サンシキスミレ

ウメバチソウ

グロリオサ

スベリヒユ

ハートカズラ

キヅタ

テッセン

キヅタとグロリオサ

オリヅルラン

コガマ

フトイ

ヒルムシロ

ヒシ

クワイ

マツモ

ハス

ミズオオバコ

オオオニバス

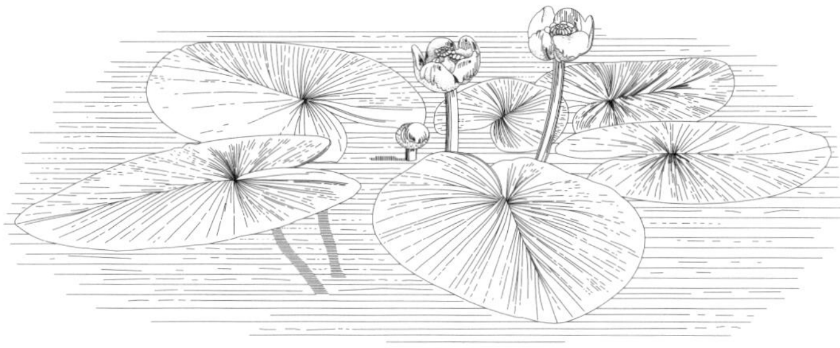

スイレン

生け花は、自らの構想に基づいて枝花を切ったり、曲げたりなどの技術を駆使して作られる。一定の美学と規則を踏まえつつ、新しい組み合わせと造型を考案することにより、高い観賞価値を生み出すことのできる装飾芸術である。生け花には立花（りっか）、生花（せいか）、盛花（もりばな）、投入（なげいれ）、自由花（じゆうか）など、さまざまな形式があり、人々の幸福を象徴するものとして晴れの席では欠かせないものとなっている。

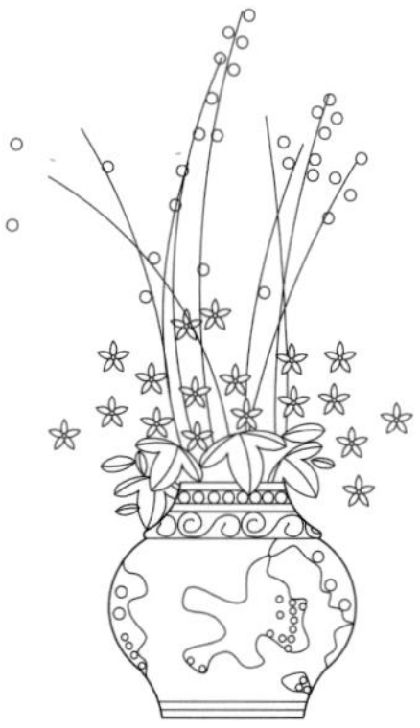

噴水は、水の動的な美しさを演出するものである。水の動きは各種のノズルを通じて作られ、水流や水圧の強さ、ノズルの形状の組み合わせにより、さまざまな演出が可能となる。ノズルには、シャープノズル、樹氷ノズル、キャンドルノズル、フラワーノズル、ピーコックノズル、ミストノズル、ジェットノズル、平面ノズル、扇形ノズル、回転系ノズルなどがある。噴水の形式は、ラッパ型、拡散型、球状型、直上型、放射型、柱型に分けられる。

噴水の形式

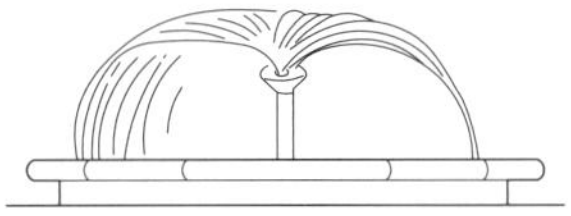
ラッパ型

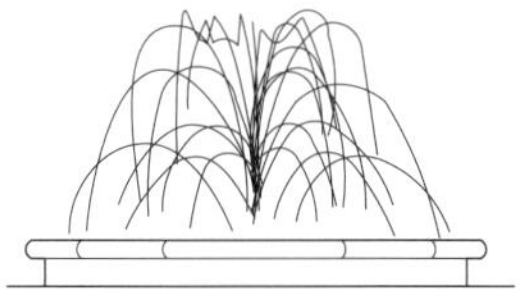
拡散型

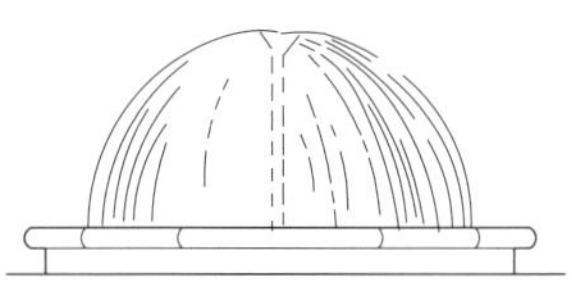
球状型

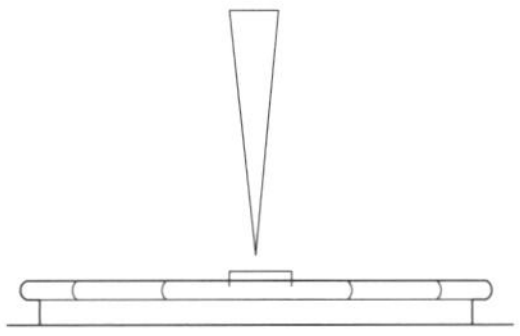
直上型

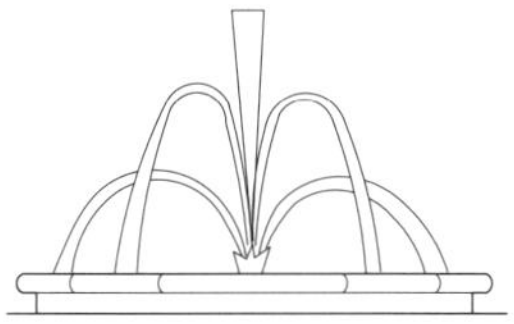
放射型

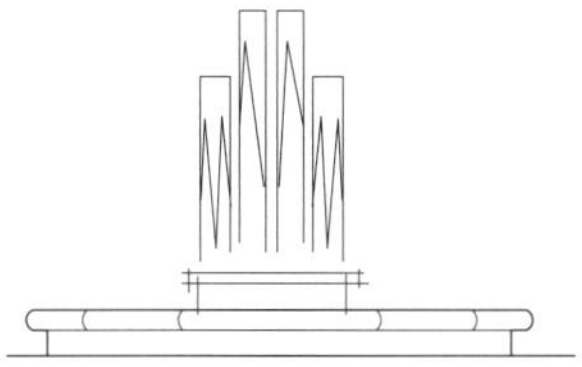
柱型

複数のジェットノズル

単一のジェットノズル

水の塊を演出

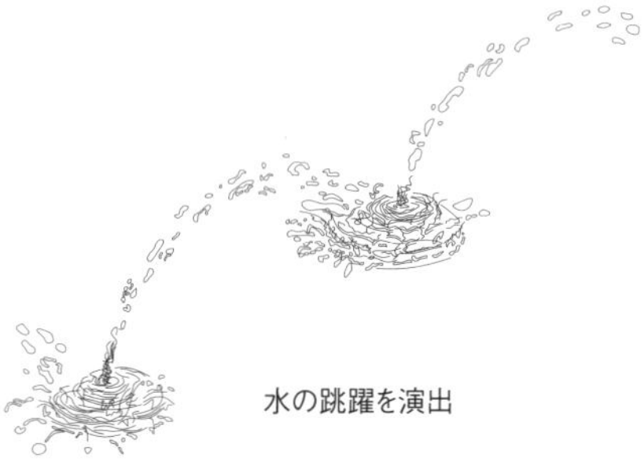
水の跳躍を演出

丸い形を演出

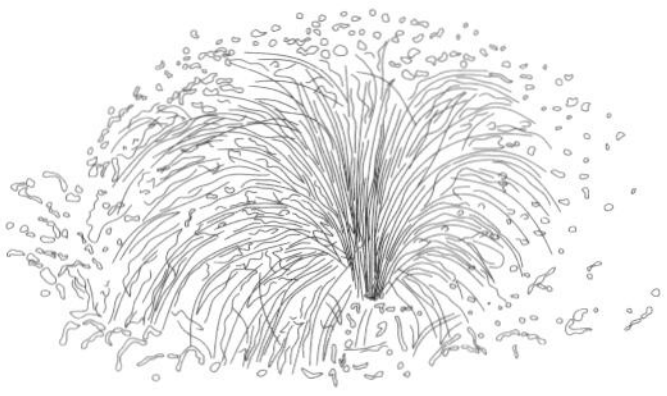
扇の形状を演出

形が拡大していくさまを演出

キャンドル形

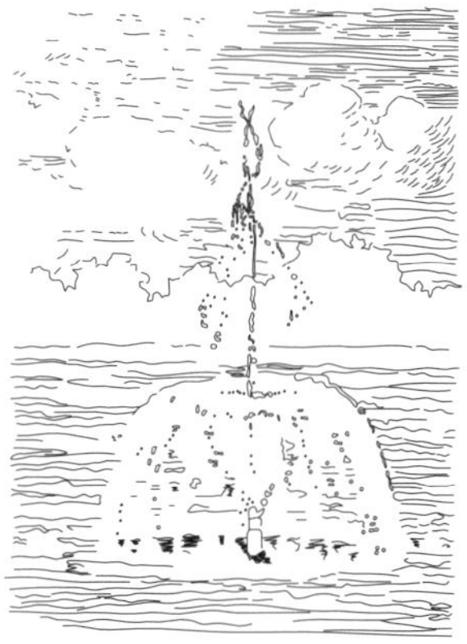
ハイビスカス形

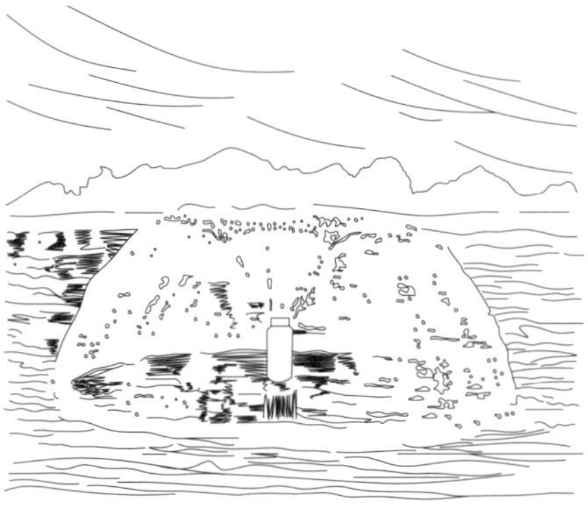
アサガオ形

ピーコック形

王冠形

樹氷形

樹氷集合形

回転形

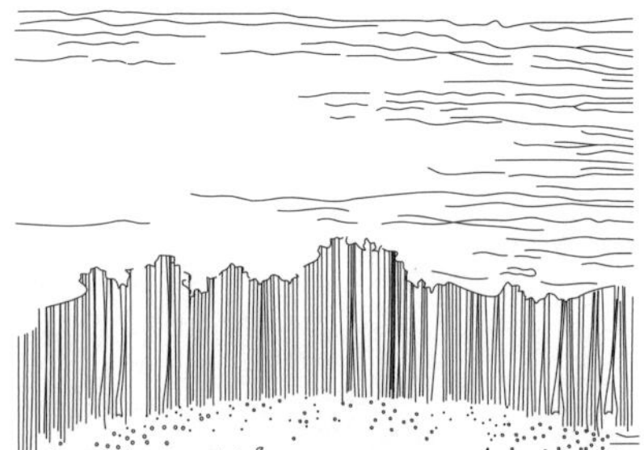

ミスト形

扇形

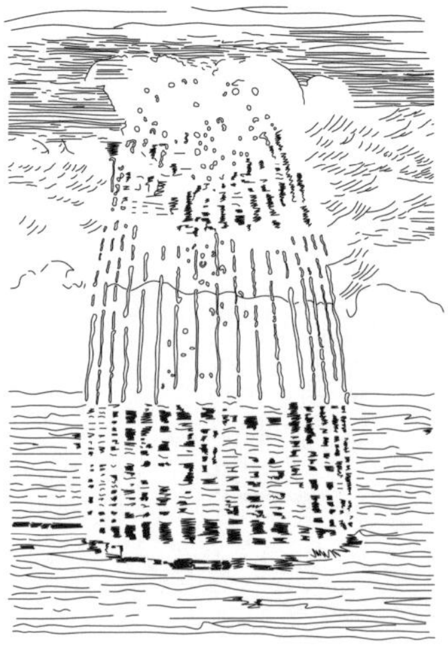

シャープ形

水景は、水の流れを人工的に作ることによって形成され、形状や色彩、光、流れ、音などの取り入れ方によって多種多様な景観を生み出すことができる。また、水景を取り込むことで、水の持つ修景効果と心理的効果により、人々に安らぎと潤いを与えることもできる。水景を計画する際は、建築構造に十分に配慮するとともに、空間全体の装飾性と芸術性を高めるよう留意しなければならない。

水景は主に、池や川、泉、滝などの形状を模して作られる。色彩は、水量や流れの速さ、光の射し込み方、使用する資材などによって変化する。特に自然光があたる場所に配置すると、光が水面に反射してきらきらと輝いて見え、華やかな雰囲気を醸し出すことができる。また、水量や高低差、形状に変化をつけることにより、さまざまな音を演出することもできる。

水景の基本様式は、静止、流動、落下、噴出という4つの水流に基づき、池、川、滝・水幕、泉・噴水に分けられる。その基本様式の特徴を以下に挙げる。

1. **池**：清らかな池を設置することにより、空間を区切ったり、空間に変化をつけたりすることができる。そのため、建築物の雰囲気をより際立せることができるだけでなく、癒しの効果も期待できる。
2. **川**：水の流れの速さを変えることにより、さまざまな趣を作り出すことができる。ゆるやかな流れは落ち着きを、速い流れは躍動感をもたらす効果がある。
3. **滝・水幕**：高い位置から水を落下させることにより、雄大な景色を作り出すことができる。滝のように勢いよく水を落とせば、そこから発せられる大きな音と空中にほとばしる水滴が壮観な雰囲気を生み出す。また水幕を作るように、ゆるやかな流れの水をある程度の幅で落とせば、あたかも水のカーテンのようになり、幻想的な雰囲気を生み出すことができる。
4. **泉・噴水**：水量や水圧を変えることにより、多様な景観を作ることができる。水が穏やかに湧き出る泉を作れば心地よさを、水を噴出させて噴水を作れば芸術性を高めることができる。また、これらを組み合わせれば相乗効果が得られる。

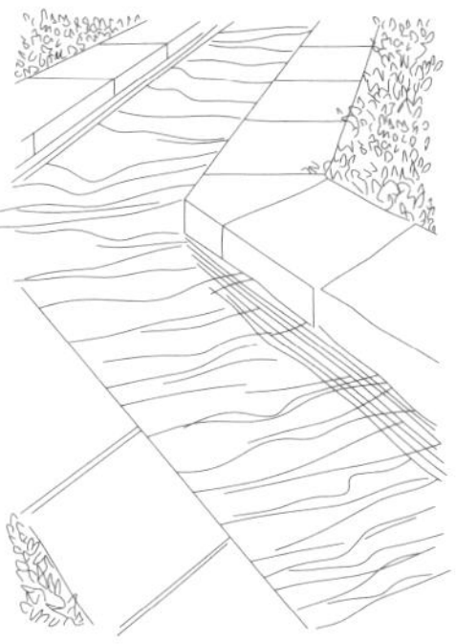
静かな水流

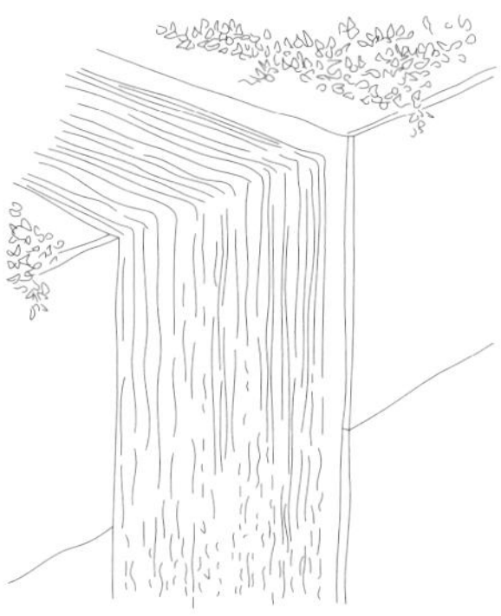
少ない水量

たっぷりの水量

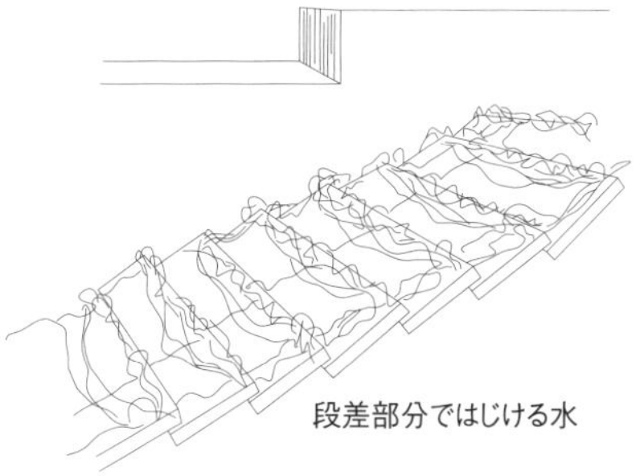
段差部分ではじける水

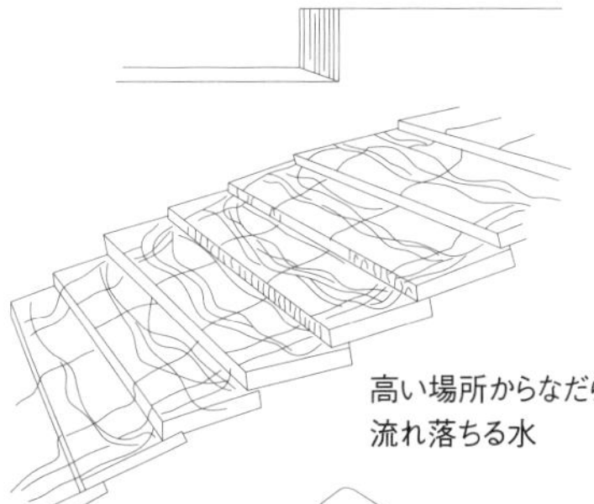
高い場所からなだらかに流れ落ちる水

激しい水流

木材と錫で作った堰

滑り落ちる水

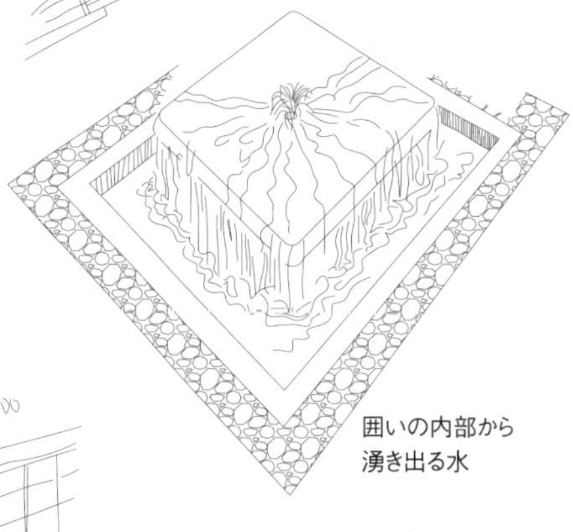
囲いの内部から湧き出る水

壁から滝のように流れ落ちる水

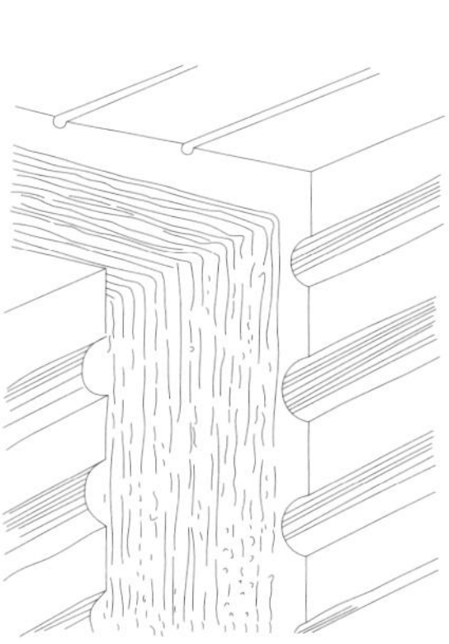
水量の少ない滝

顔の模型から滝のように流れ落ちる水

天然岩石で作った滝

銀行ロビーの植物

ショッピングモールの植物

レストラン店内の植物

ホテルロビーの植物

マジェスティ・プラザ上海内のレストラン

東森会館の水景

金湯城の水景

東森会館の水景

中庭の水景

中庭の水景

ジンマオタワーの吹き抜け

某ホテルのロビー

インターコンチネンタル・バリ・リゾートのロビー

ザ・プレジデンシャルホテル北京のロビーのカフェ

ティーテーブル／センターテーブル

675
575
625
650
650
1,000
500
420
638
638
725
525
1,325
625
600
420
450
450
650
600
650
638
488
950
750
300
540

テレビ台

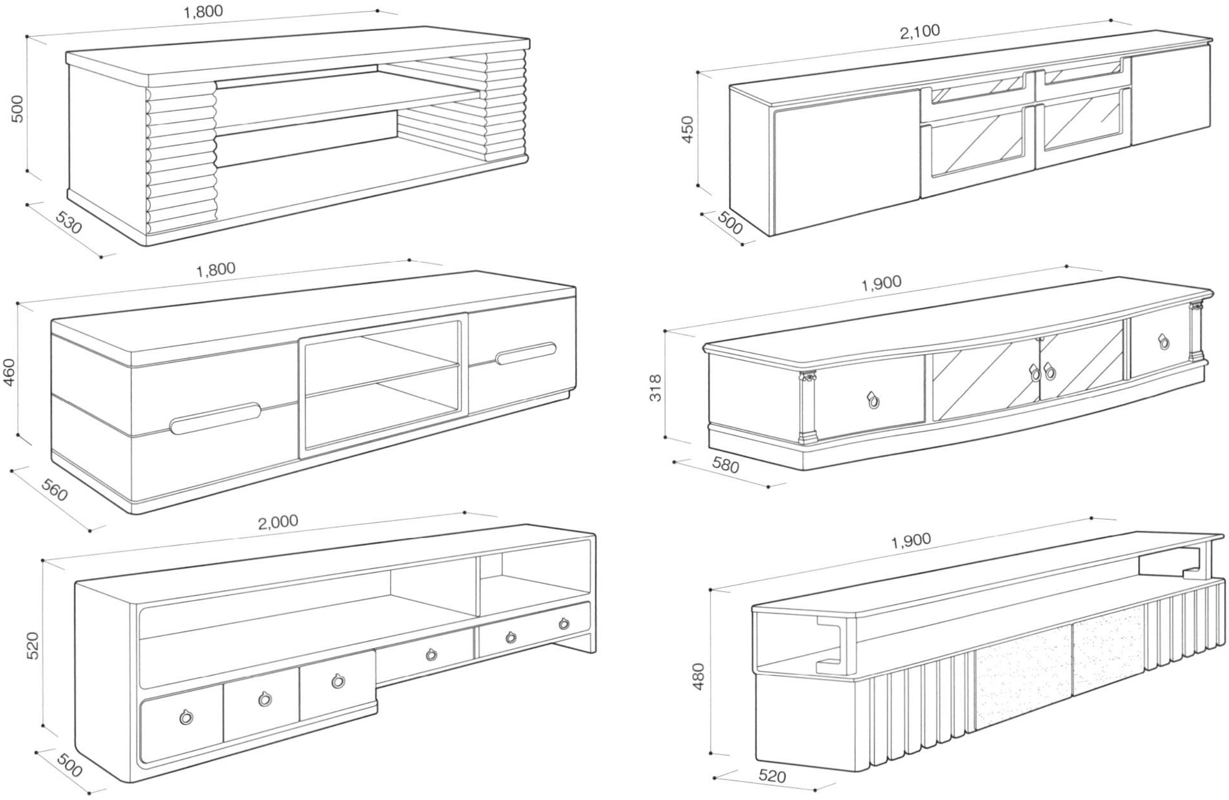
1,800
500
530
2,100
450
500
1,800
460
560
1,900
318
580
2,000
520
500
1,900
480
520

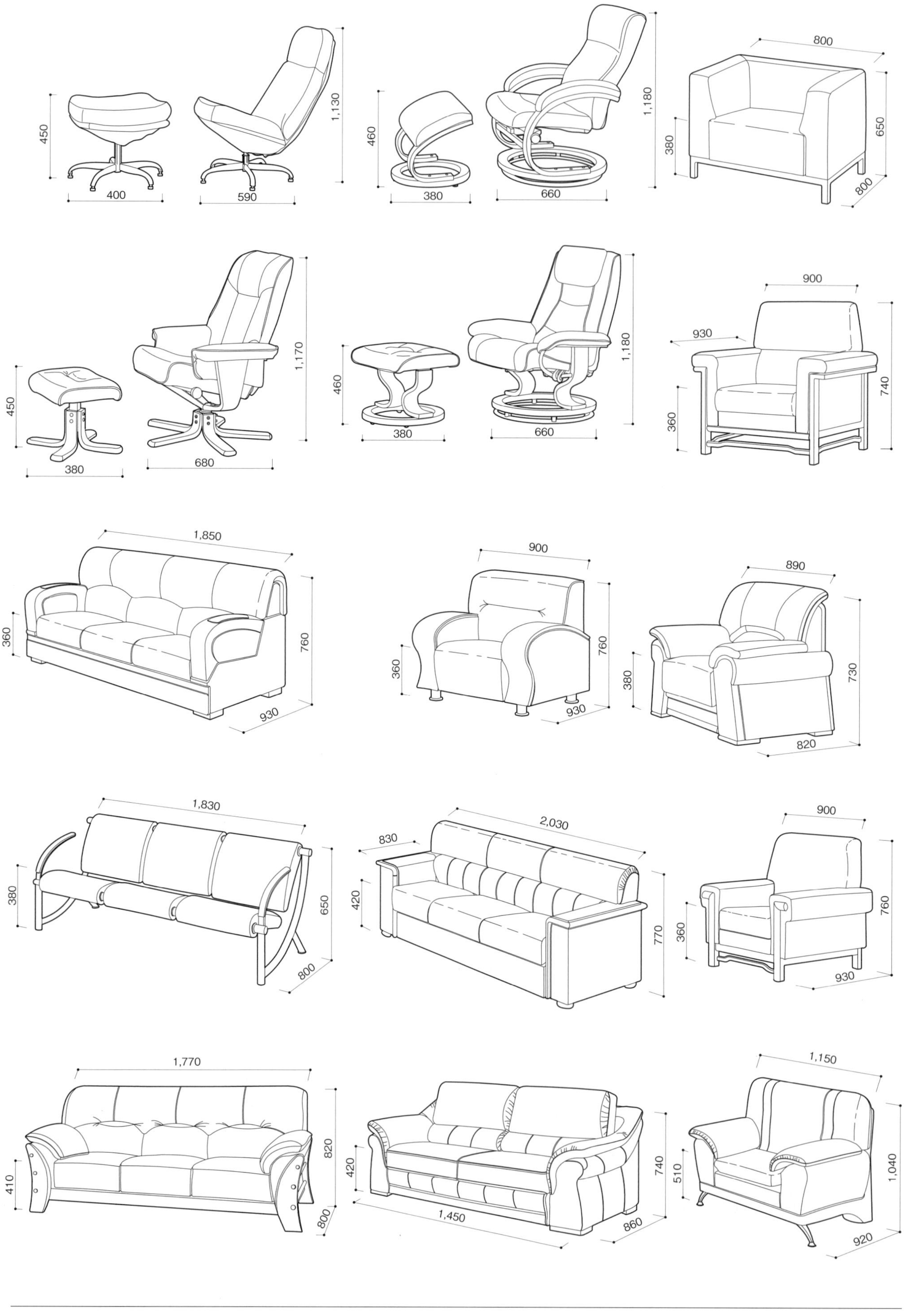
450
400
590
1,130
460
380
660
1,180
800
380
650
800
450
380
680
1,170
460
380
660
1,180
900
930
360
740
1,850
360
760
930
900
360
760
930
890
380
730
820
1,830
380
650
800
830
2,030
420
770
900
360
760
930
1,770
410
820
800
420
1,450
740
860
1,150
510
1,040
920

コンソールテーブル

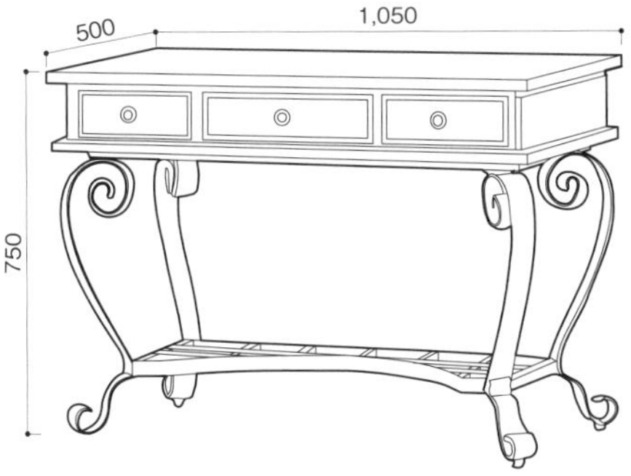
500
1,050
750

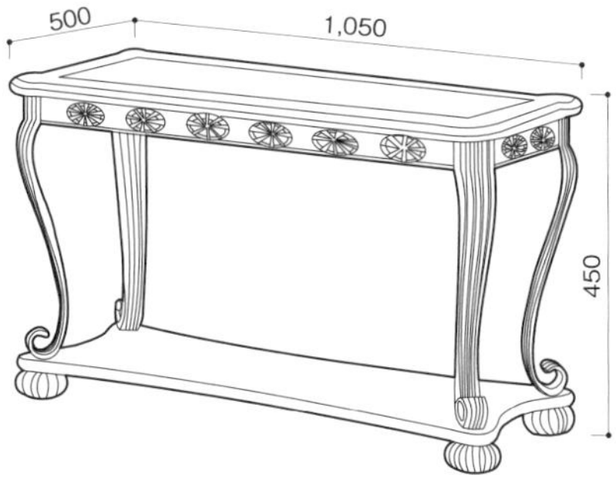
500
1,050
450

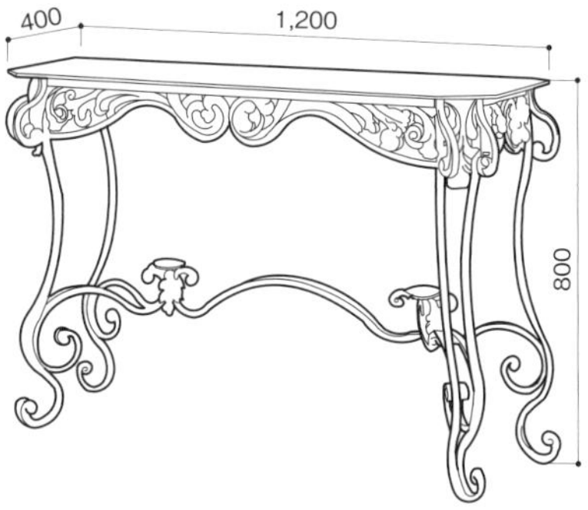
400
1,200
800

シューズボックス

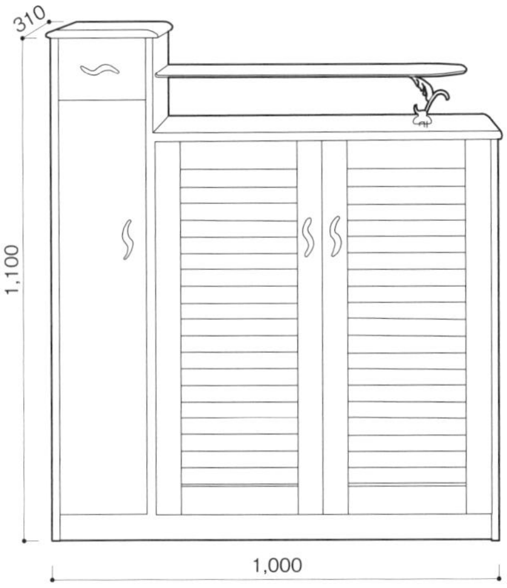
310
1,100
1,000

傘立て付きシューズボックス

1,600
220
800

傘立て付きシューズボックス

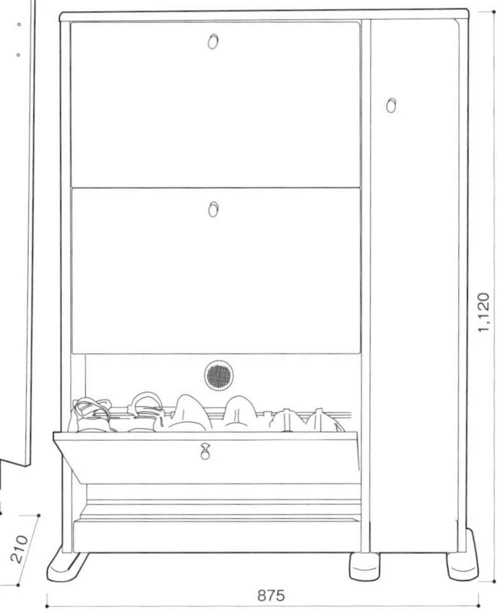
1,120
210
875

傘立て付きシューズボックス

1,030
1,000

フラップシューズボックス

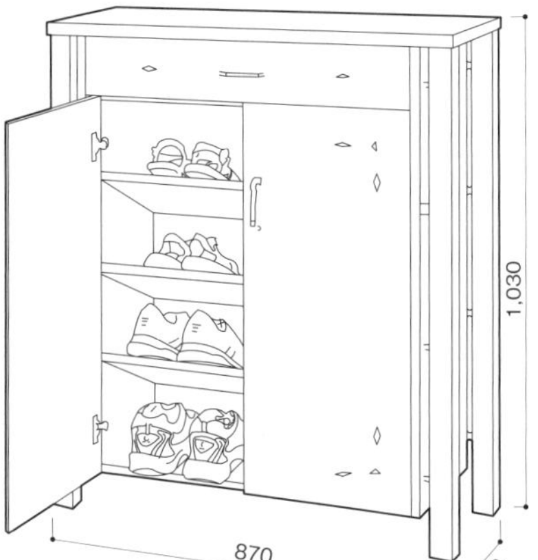
1,030
870
300

木製シューズボックス

1,010
330
800

木製引き出し付きシューズボックス

850
1,350
740
440
420
500
920
500
980
470
470
760
1,400
740
850
1,350
740
410
470
520
910
500
950
470
850
1,350
740
ϕ1,040
770
500
570
510
940
500
960
500
530
900
1,600
740
ϕ1,200
780
850
1,350
740
990
450
450
ϕ1,350
750
870
430
1,200
500
420
510
980
960
570
550
ϕ1,125
750
860
420
1,480
1,400
420
870
1,400
2,000
460

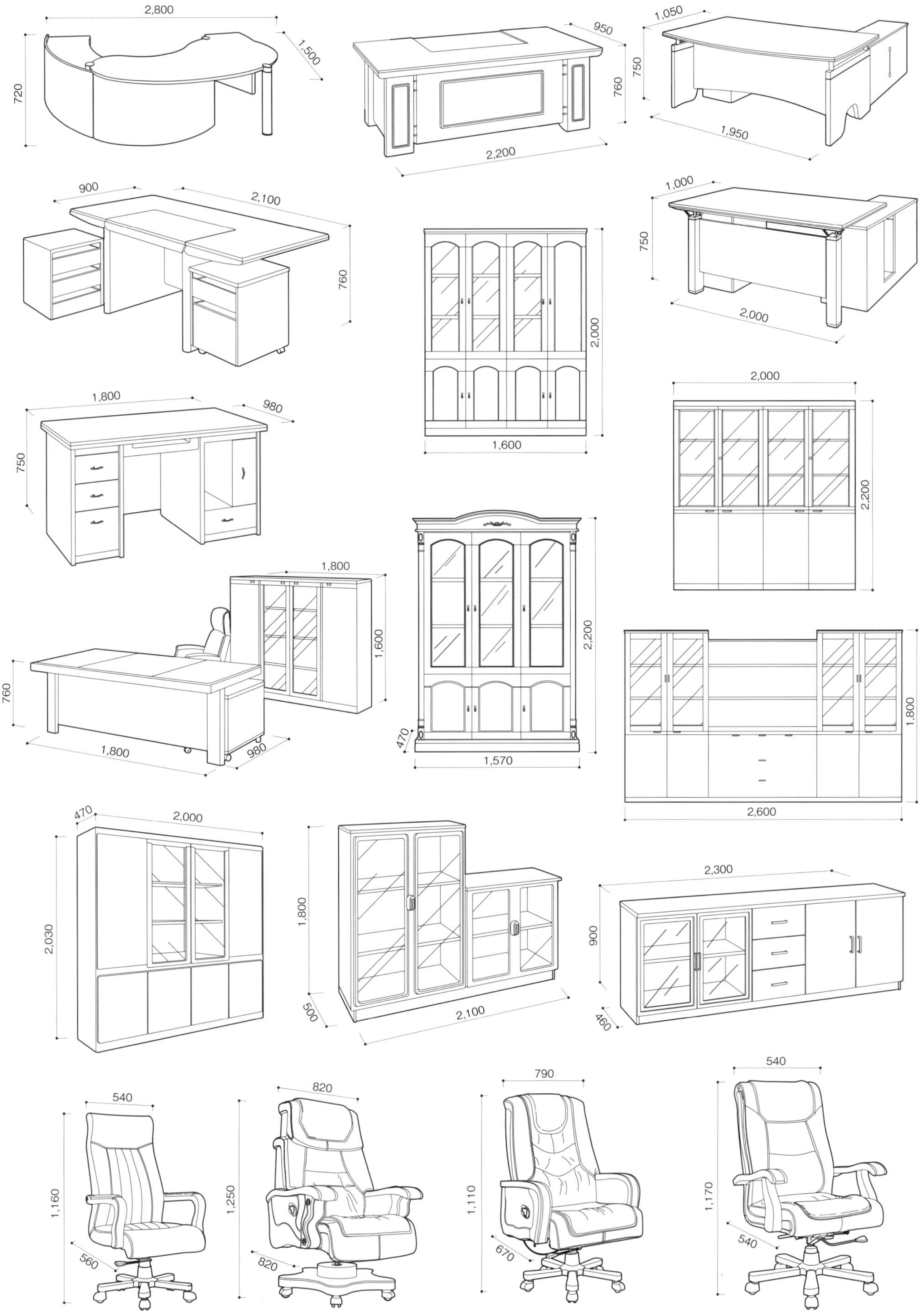
2,800
1,500
720
950
760
2,200
1,050
750
1,950
900
2,100
760
1,000
750
2,000
2,000
1,600
1,800
980
750
2,000
2,200
1,800
1,600
760
1,800
980
2,200
470
1,570
1,800
2,600
470
2,000
2,030
1,800
500
2,100
2,300
900
460
540
1,160
560
820
1,250
820
790
1,110
670
540
1,170
540

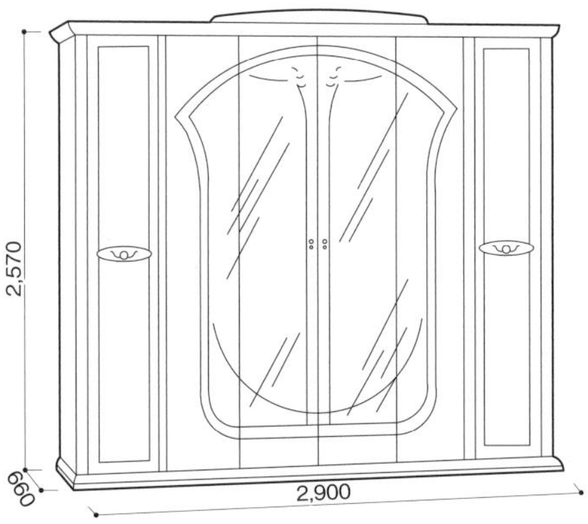
2,570
660
2,900

クローゼット

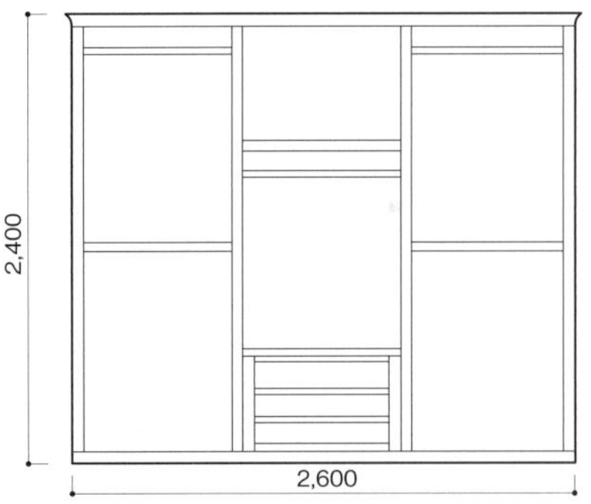
2,400
2,600

クローゼット内部

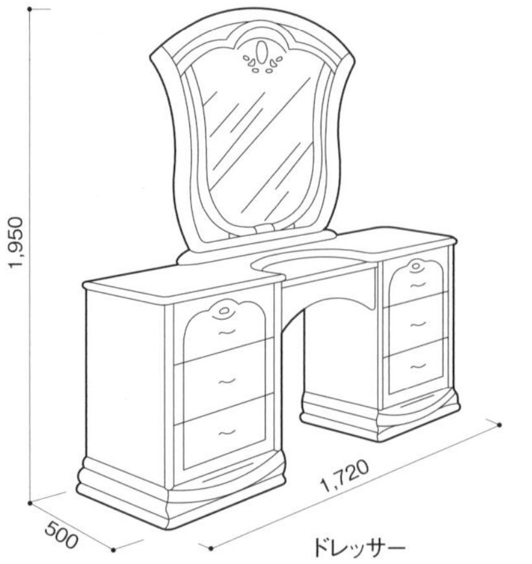
1,950
500
1,720

ドレッサー

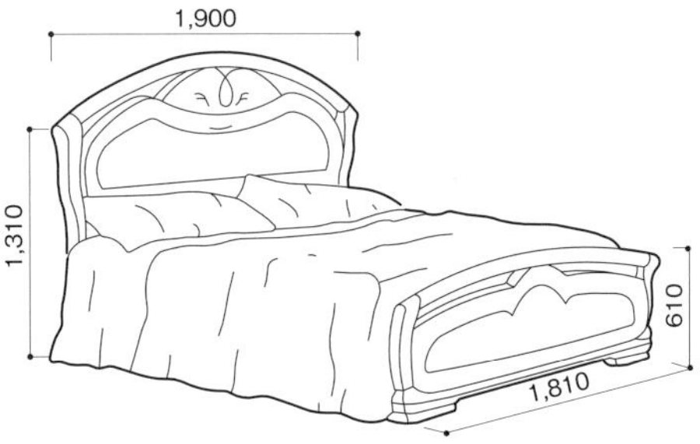
1,900
1,310
610
1,810

ベッド

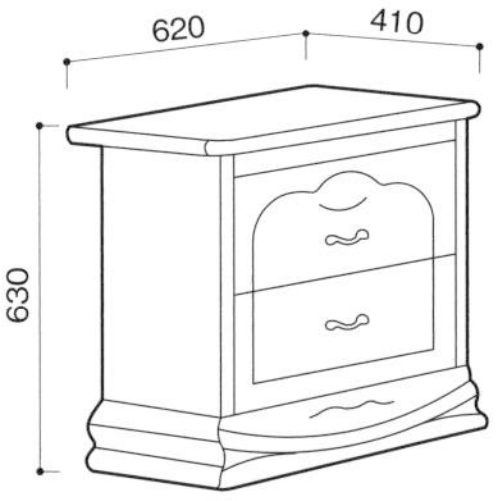
620
410
630

ナイトテーブル

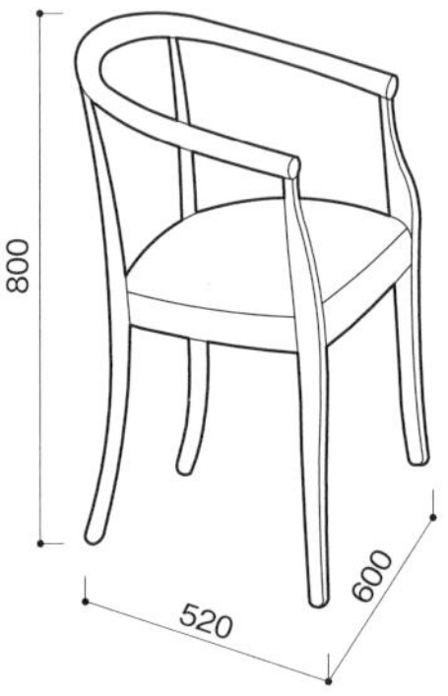
800
520
600

肘掛け椅子

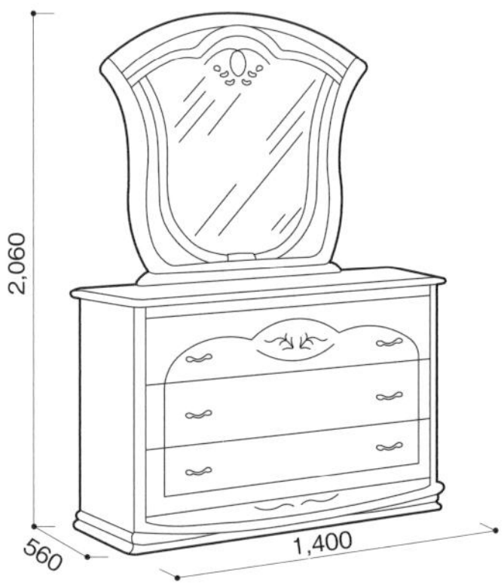
2,060
560
1,400

ドレッサー

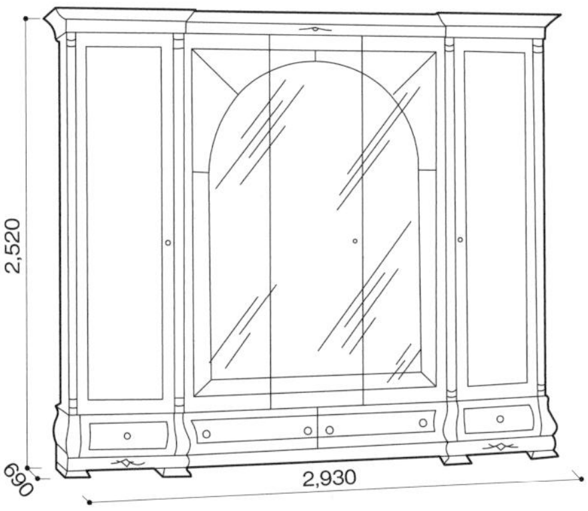
2,520
690
2,930

クローゼット

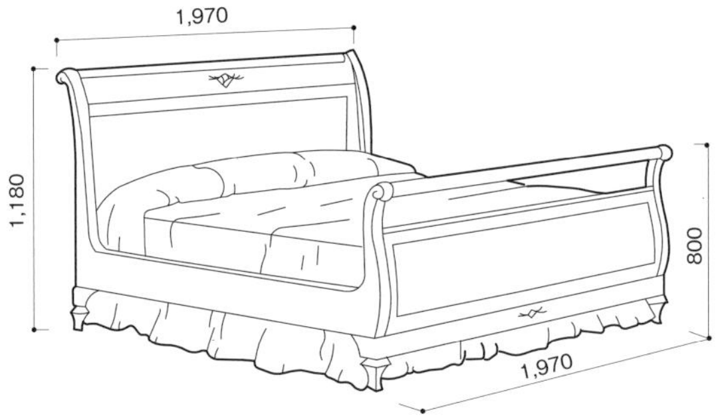
1,970
1,180
800
1,970

ベッド

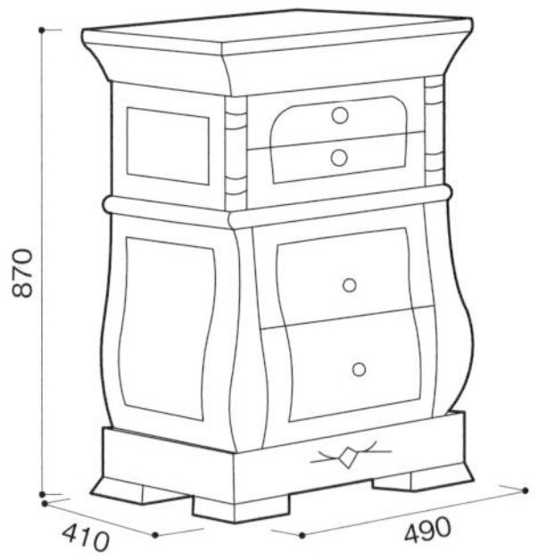
870
410
490

ナイトテーブル

2,110
550
1,230

ドレッサー

2,520
950
580

キャビネット

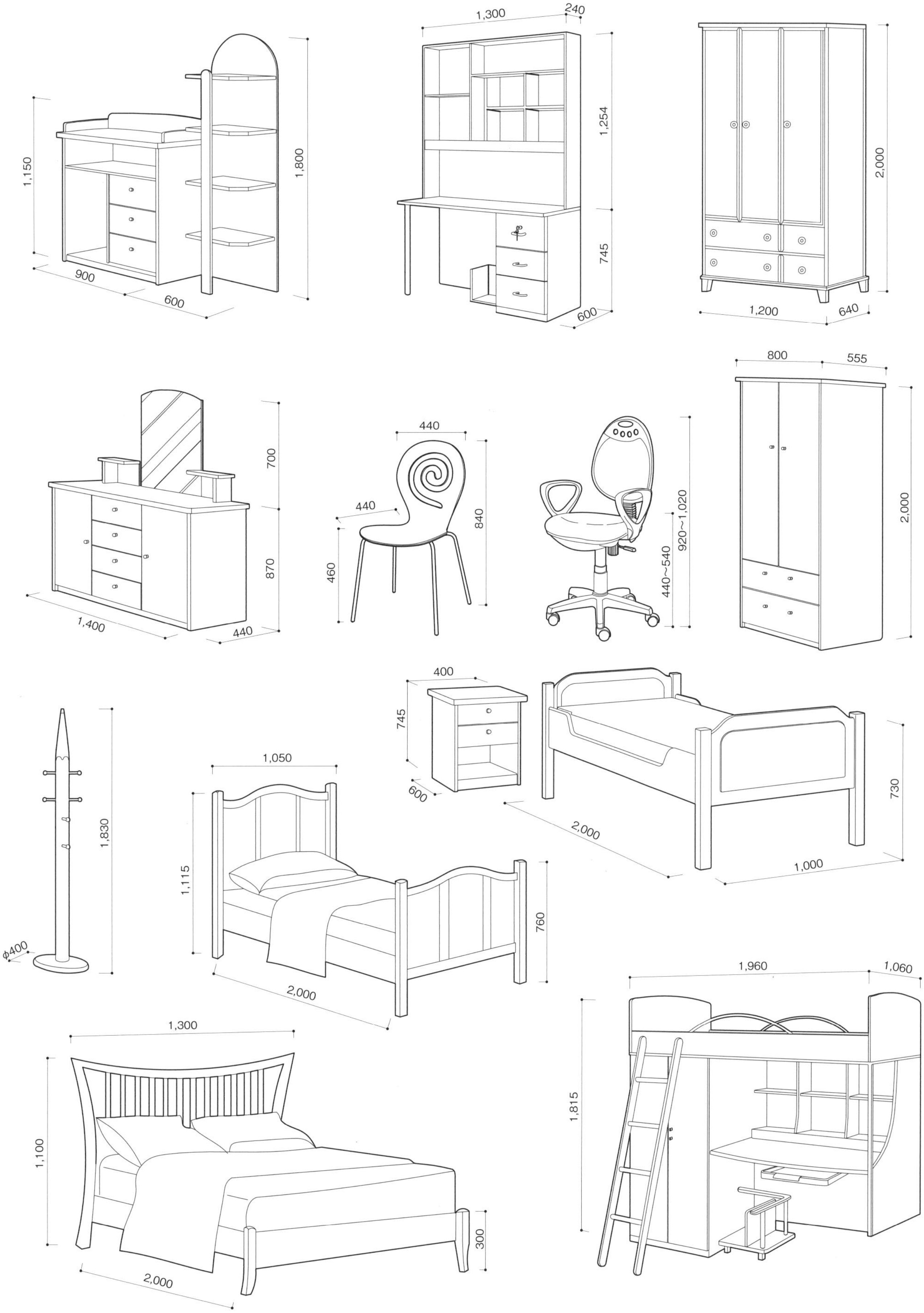
1,150
1,800
900
600
1,300
240
1,254
745
600
2,000
1,200
640
800
555
700
870
1,400
440
440
440
840
460
920~1,020
440~540
2,000
400
745
600
730
2,000
1,000
1,830
φ400
1,050
1,115
760
2,000
1,960
1,060
1,815
1,300
1,100
300
2,000

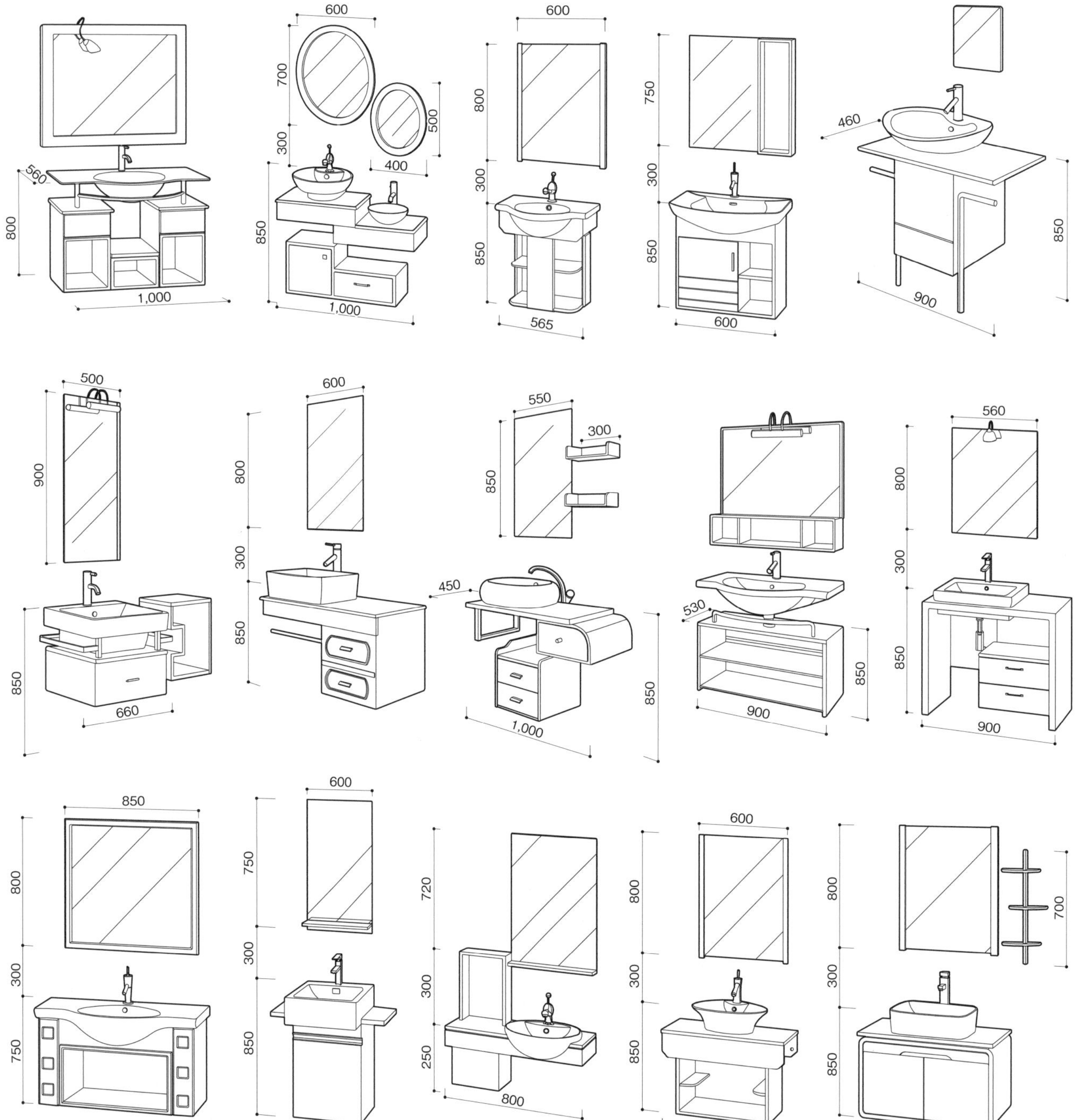
560
800
1,000
600
700
300
500
400
850
1,000
600
800
300
850
565
750
300
850
600
460
850
900
500
900
850
660
600
800
300
850
550
300
850
450
1,000
530
850
900
850
560
800
300
850
900
850
800
300
750
600
750
300
850
720
300
250
800
600
800
300
850
650
800
300
850
700
800
1,200
800
300
850
700
800
500
850
1,000
1,300
900
850
1,460
600
845
600
1,160
850
500

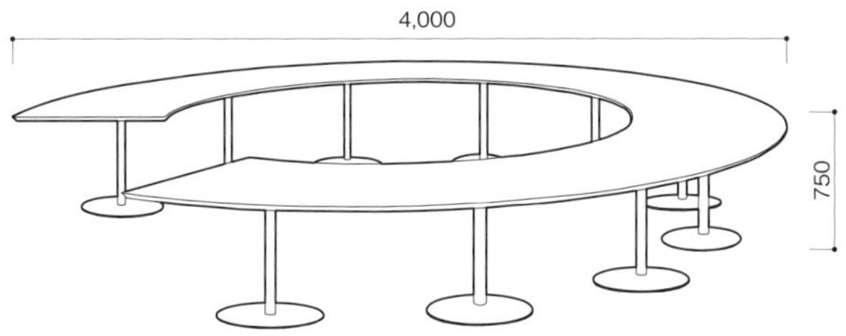
4,000
750

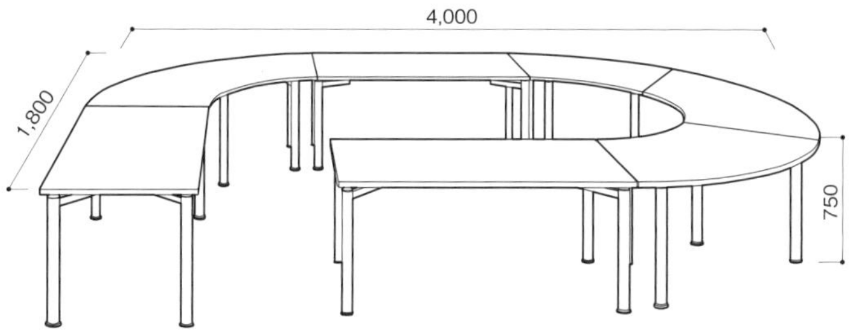
4,000
1,800
750

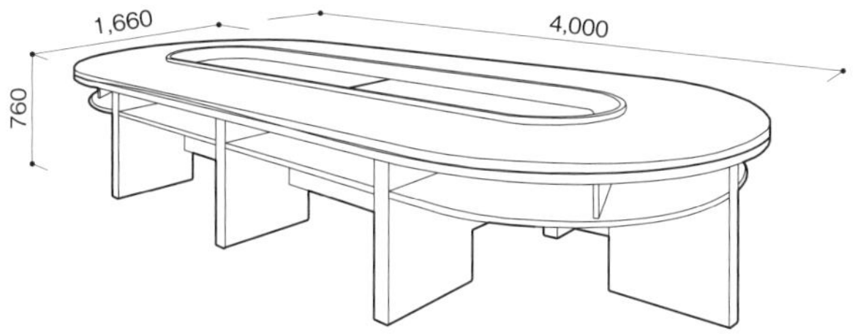
1,660
4,000
760

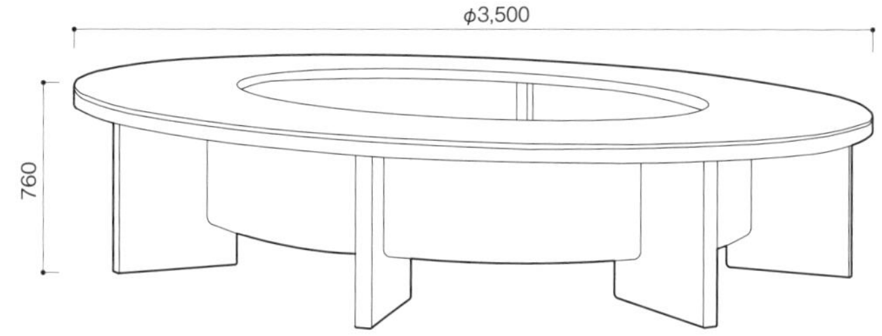
φ3,500
760

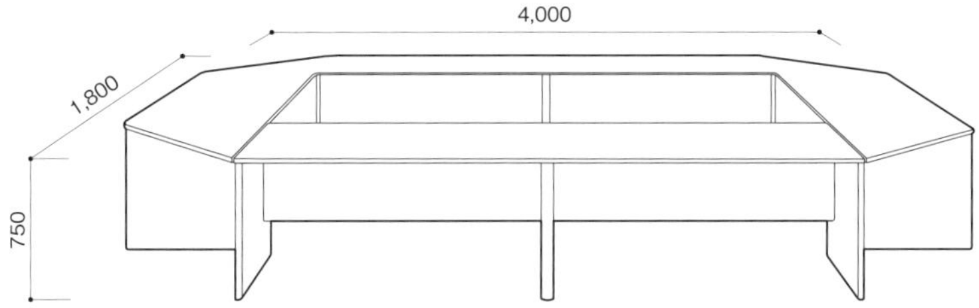
4,000
1,800
750

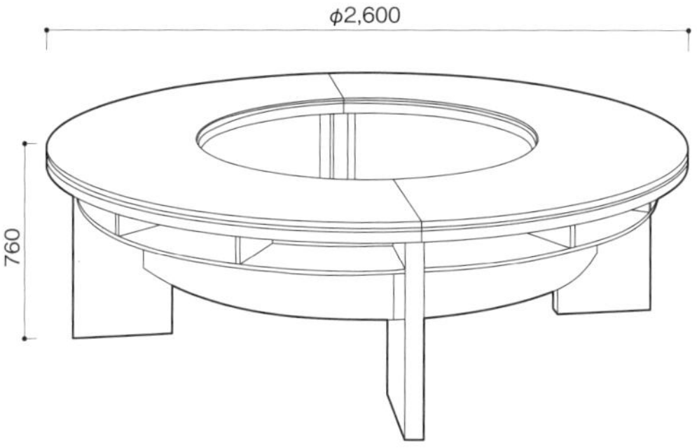
φ2,600
760

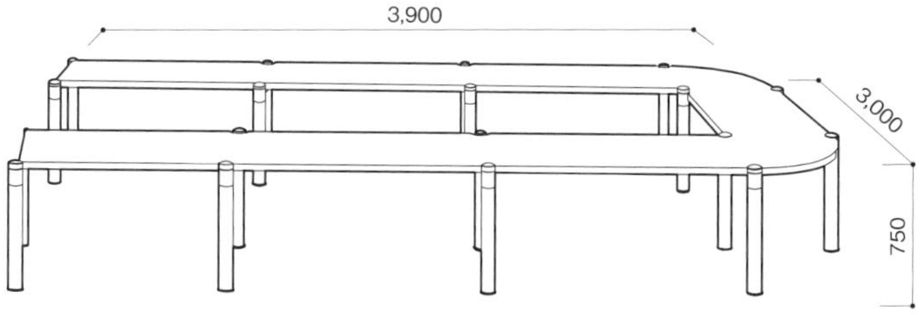
3,900
3,000
750

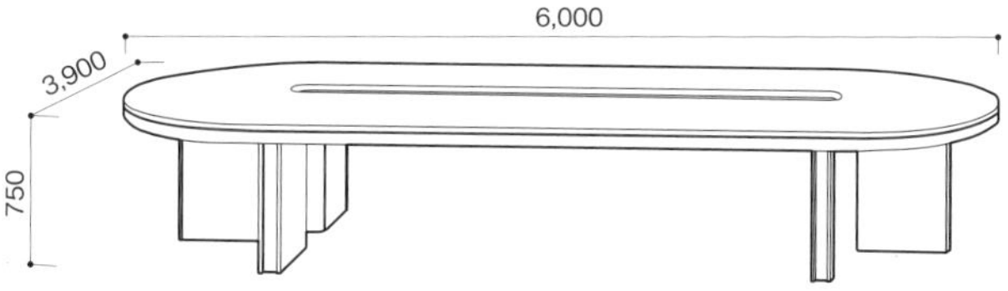
6,000
3,900
750

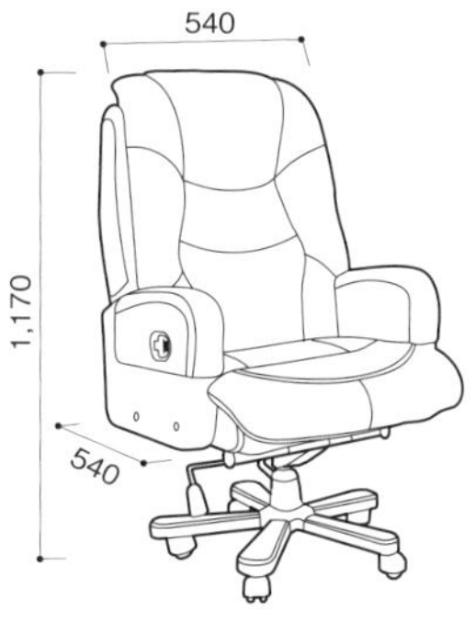
540
1,170
540

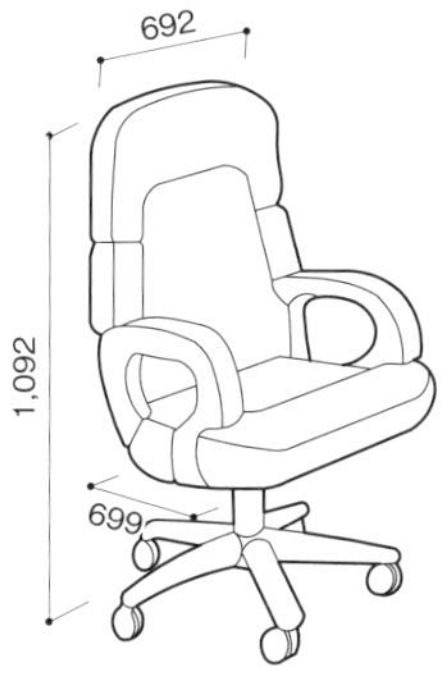
692
1,092
699

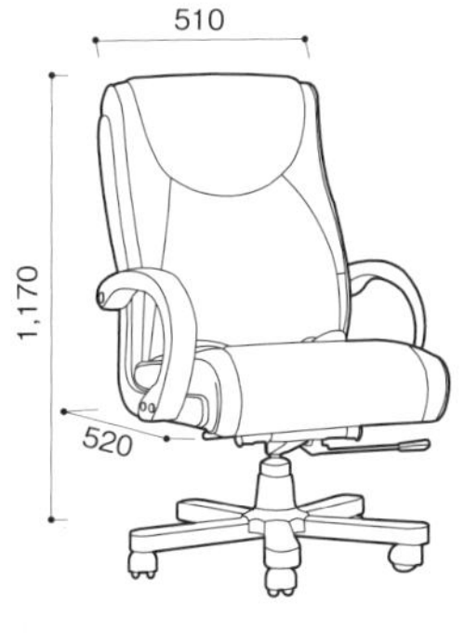
510
1,170
520

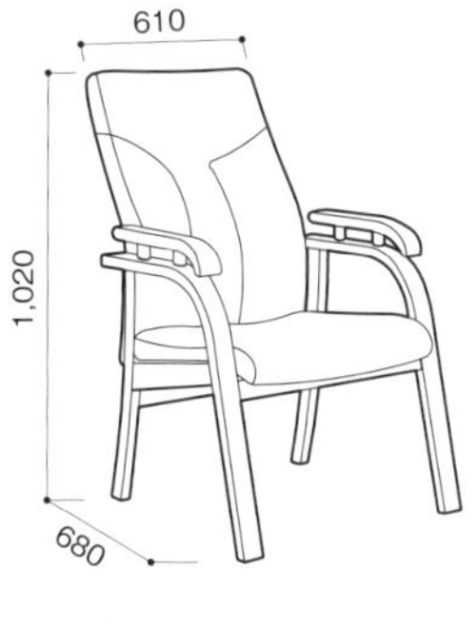
610
1,020
680

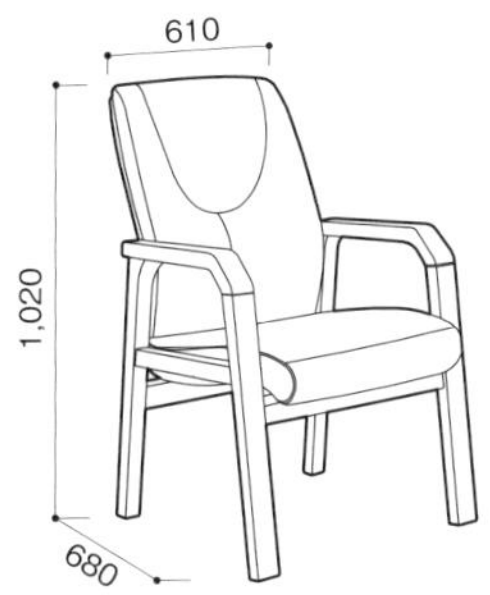
610
1,020
680

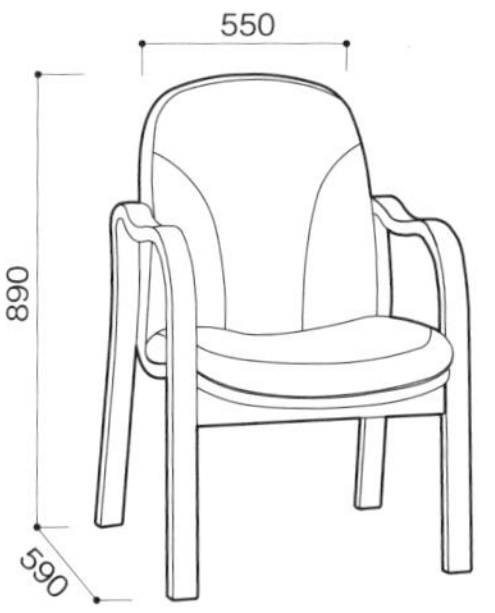
550
890
590

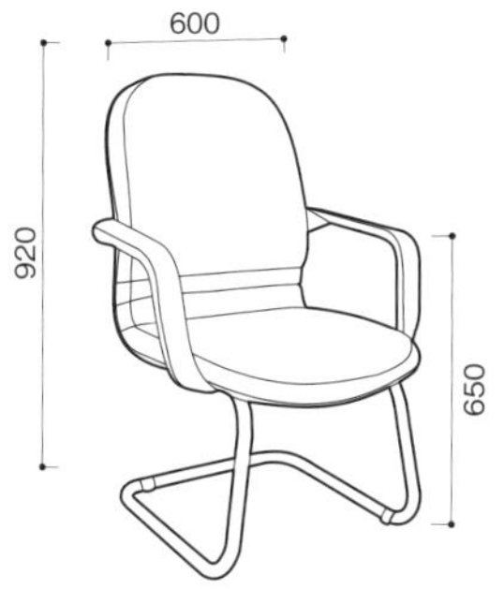
600
920
650

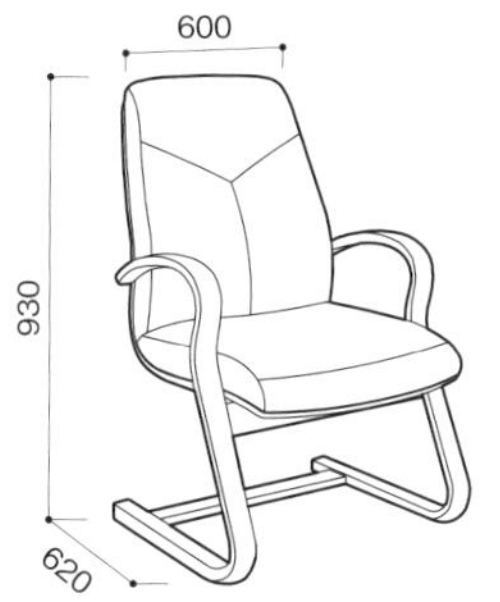
600
930
620

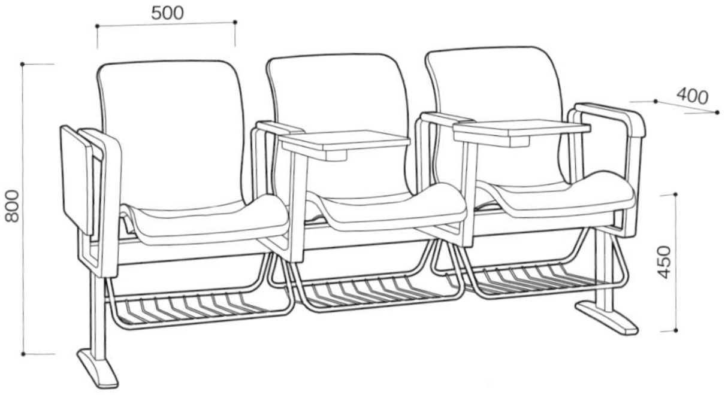
500
800
400
450

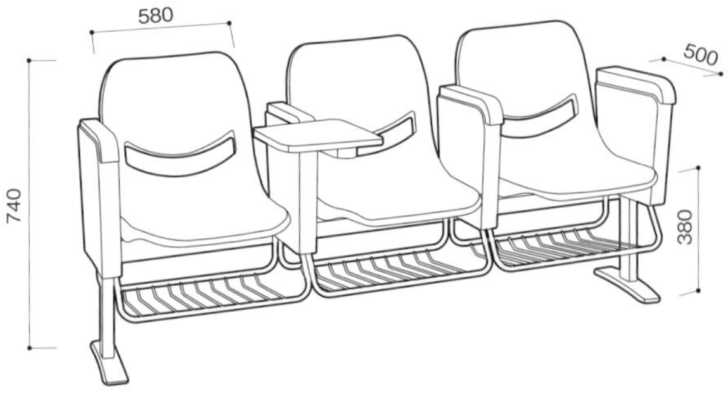
580
740
500
380

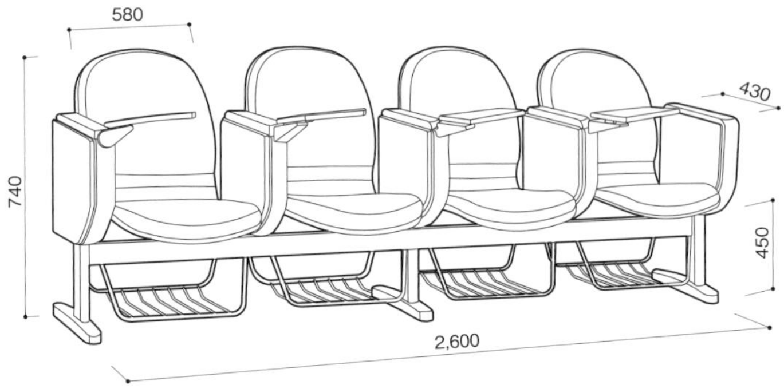
580
740
430
450
2,600

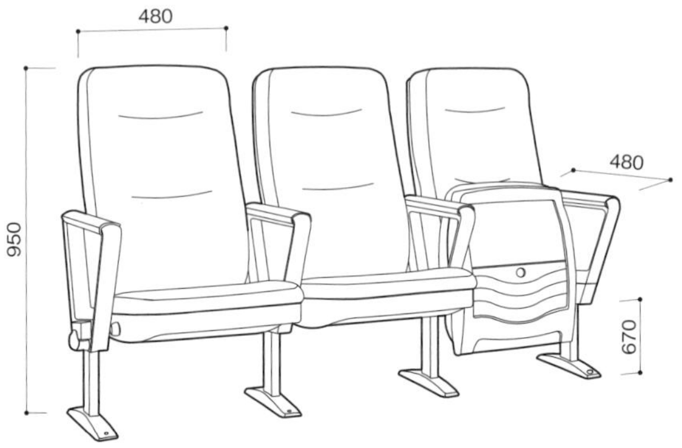
480
950
480
670

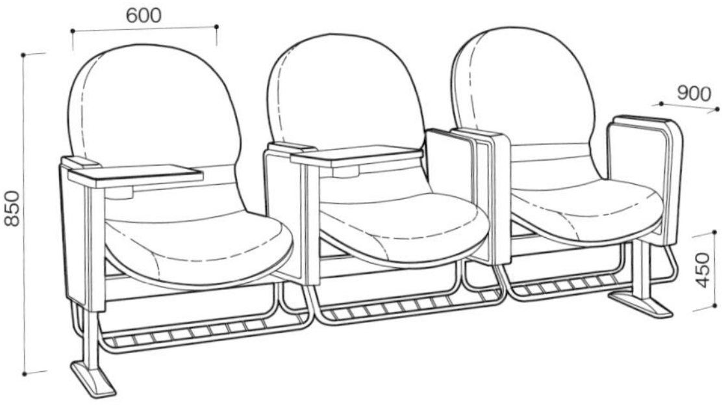
600
850
900
450

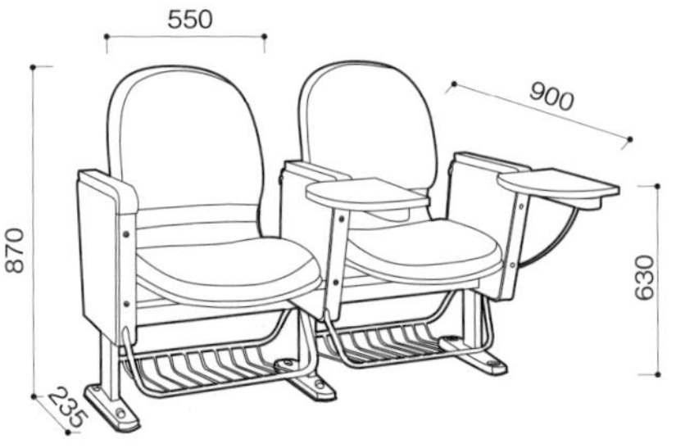
550
870
900
630
235

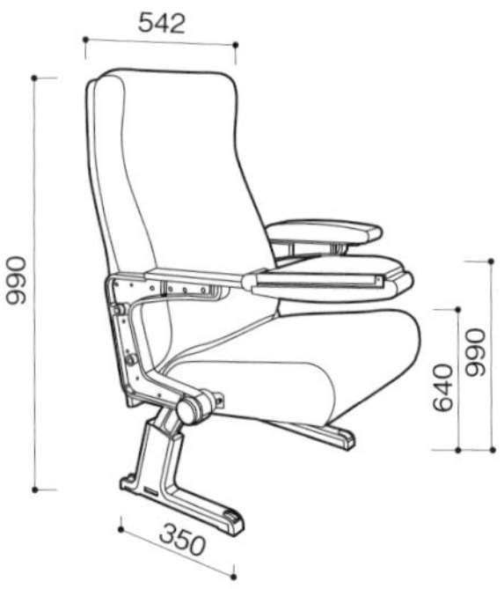
542
990
990
640
350

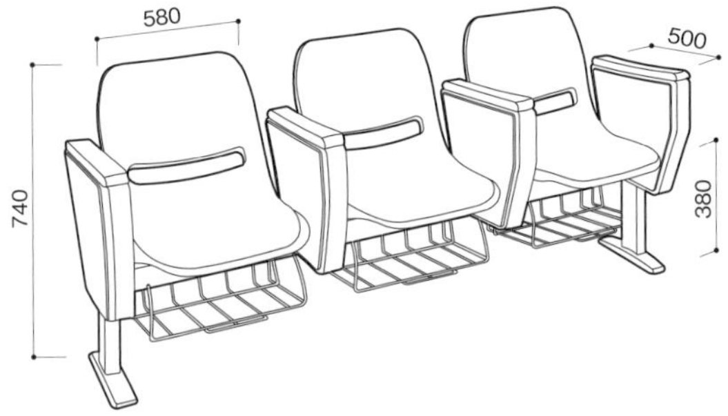
580
740
500
380

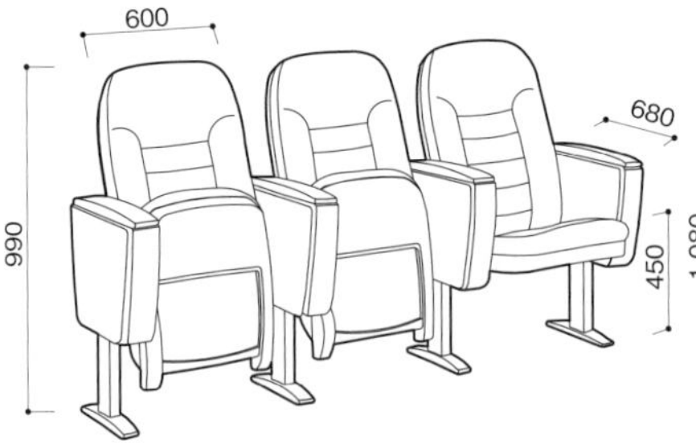
600
990
680
450

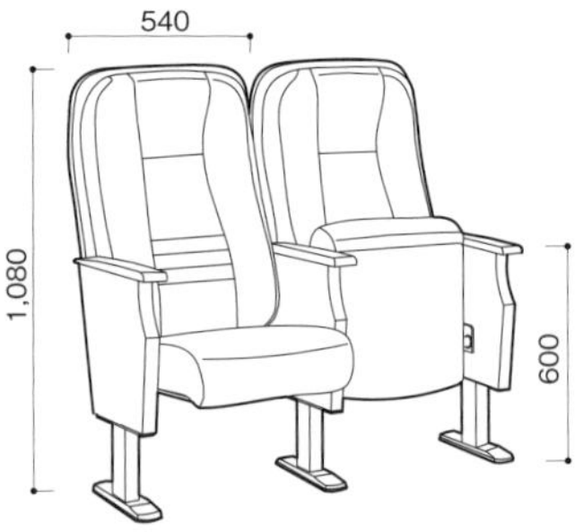
540
1,080
600

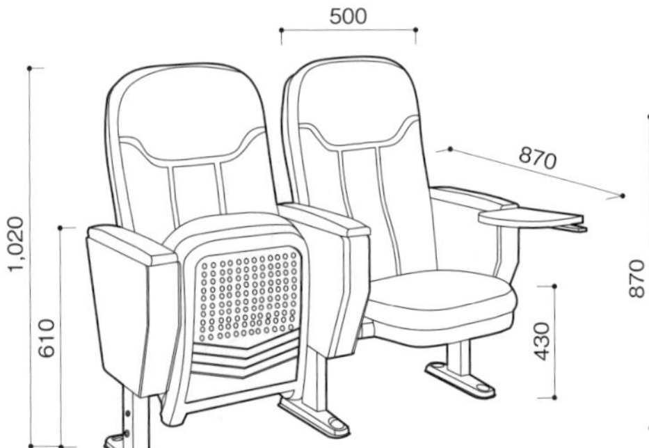
500
1,020
610
870
430

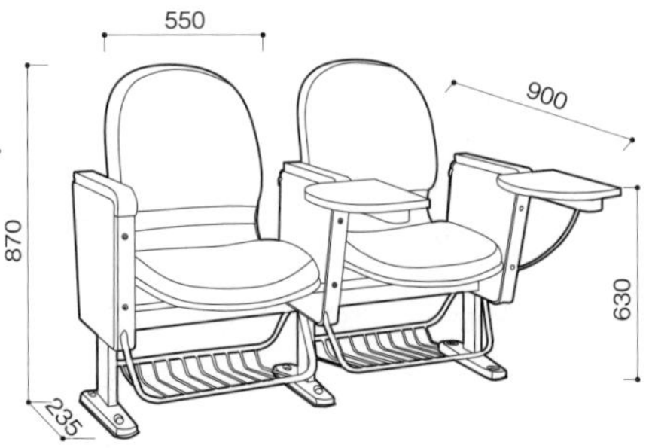
550
870
900
630
235

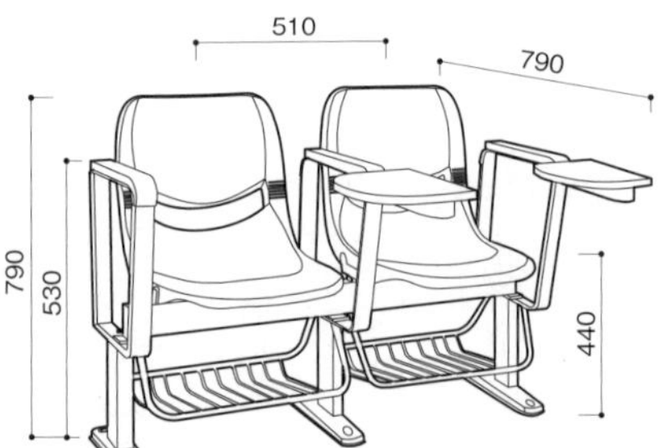
510
790
790
530
440

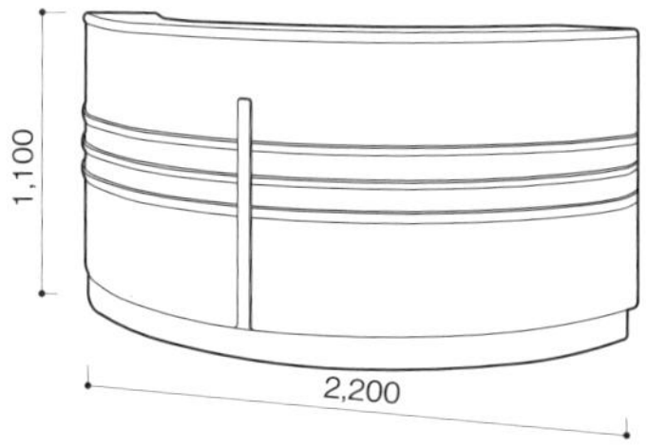
1,100
2,200

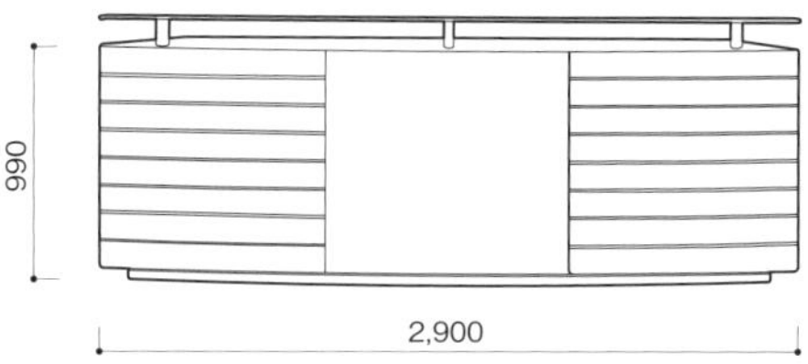
990
2,900

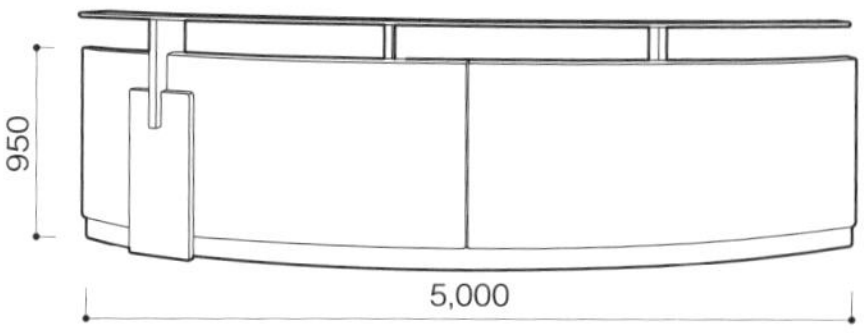
950
5,000

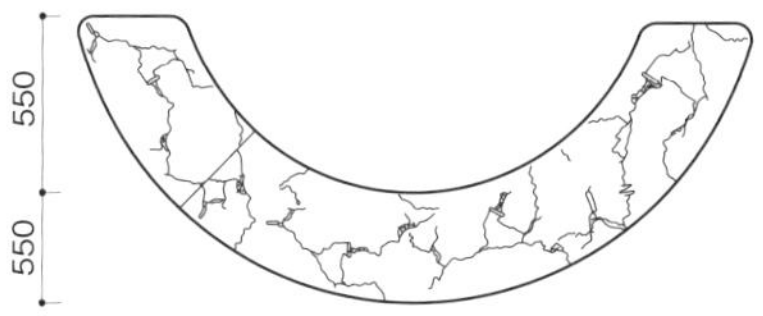
550
550

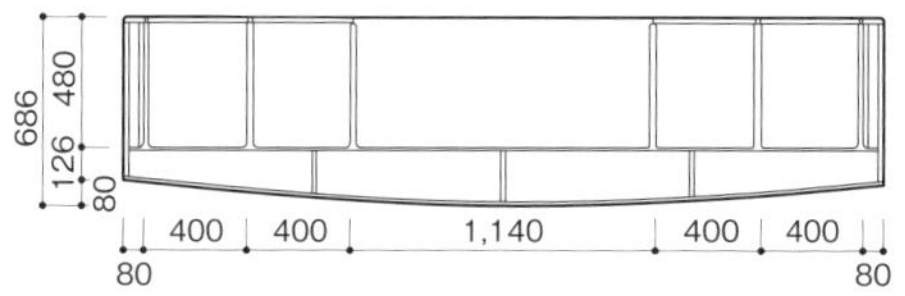
686
480
126
80
400
400
1,140
400
400
80
80

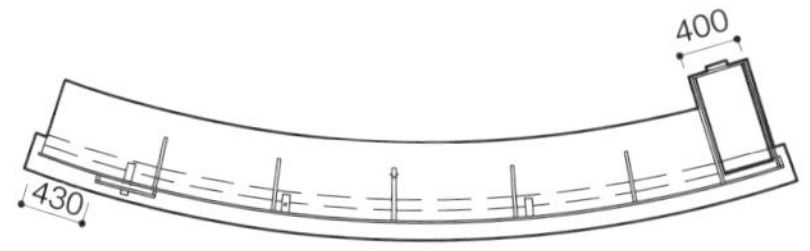
400
430

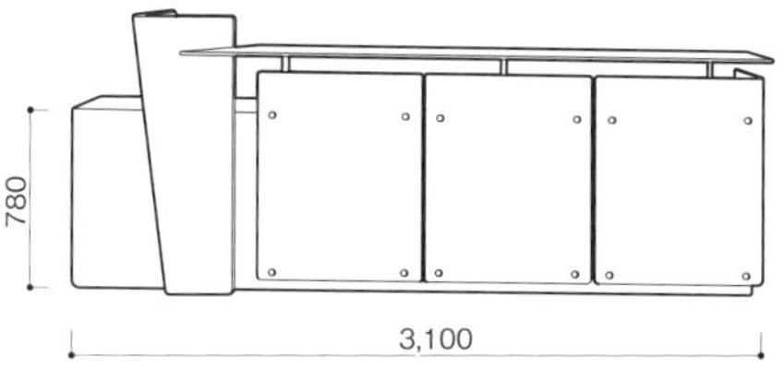
780
3,100

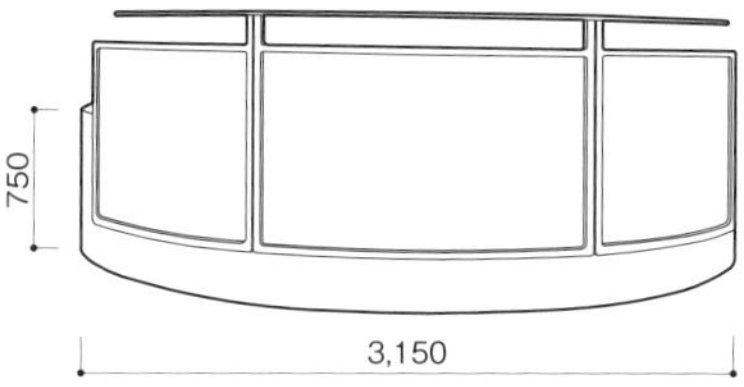
750
3,150

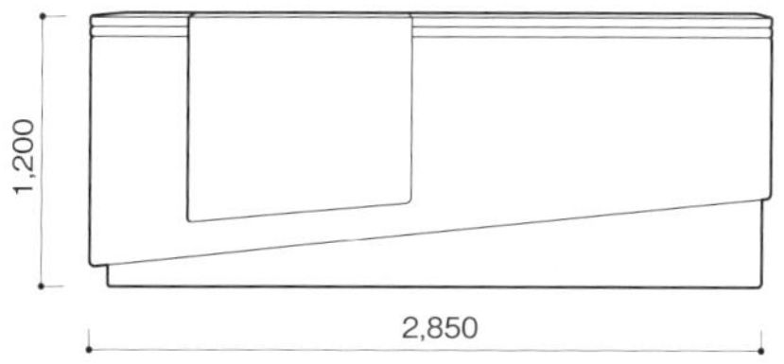
1,200
2,850

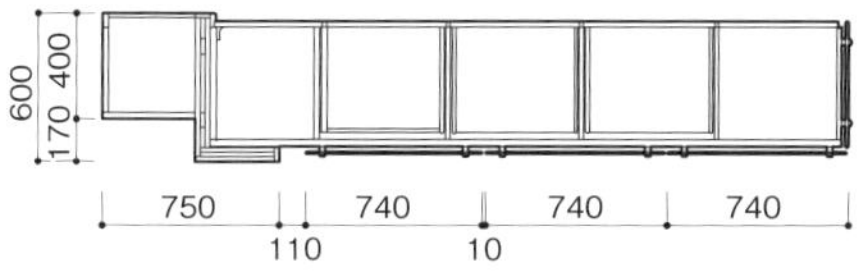
600
400
170
750
740
740
740
110
10

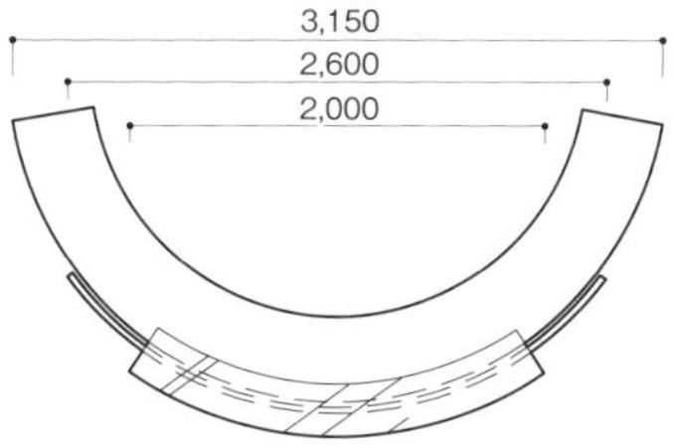
3,150
2,600
2,000

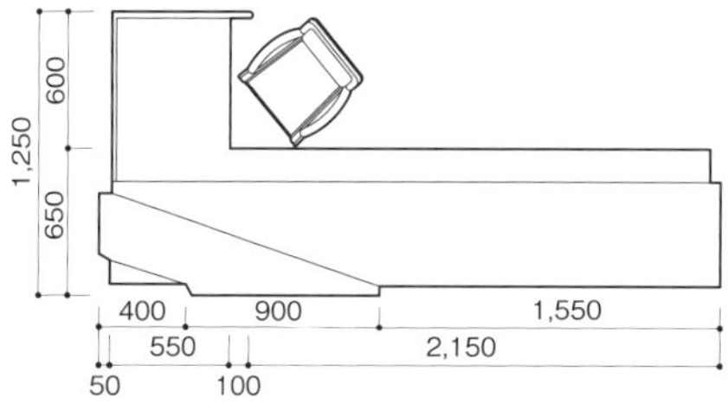
1,250
600
650
400
900
1,550
550
2,150
50
100

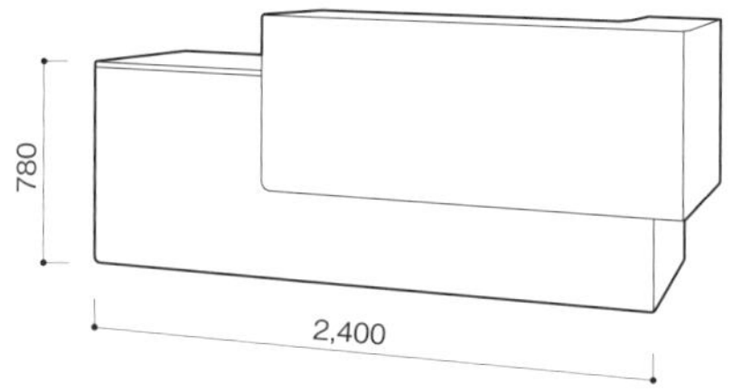
780
2,400

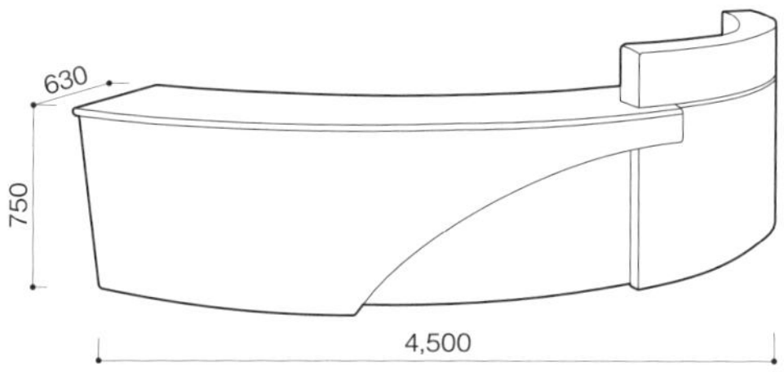
630
750
4,500

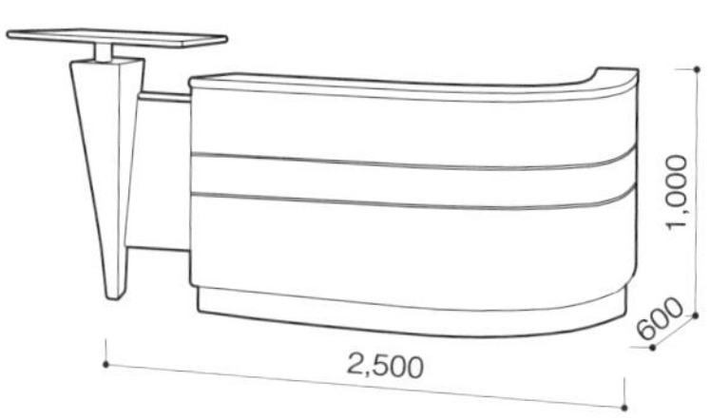
1,000
600
2,500

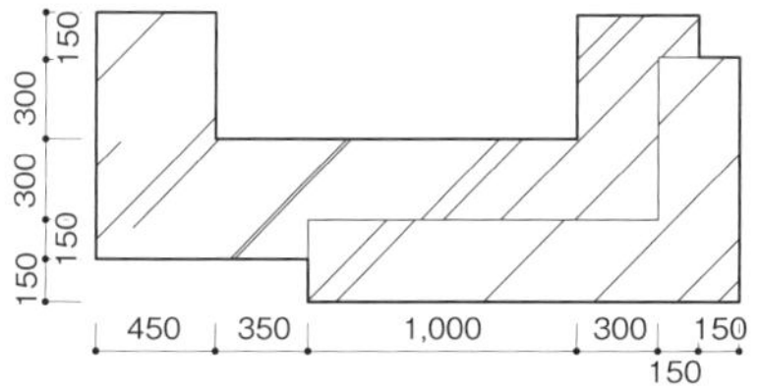
150
300
300
150
150
450
350
1,000
300
150
150

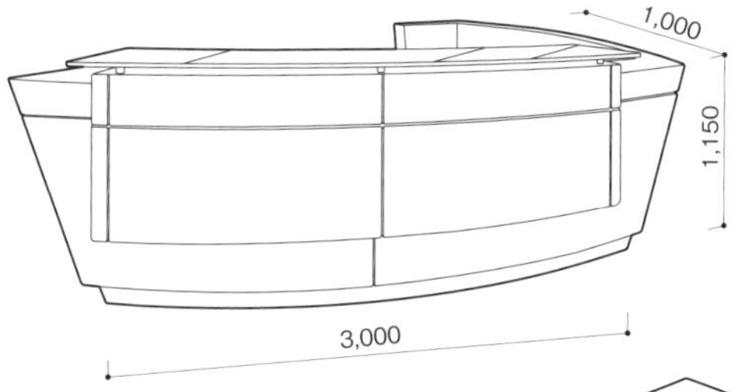
1,000
1,150
3,000

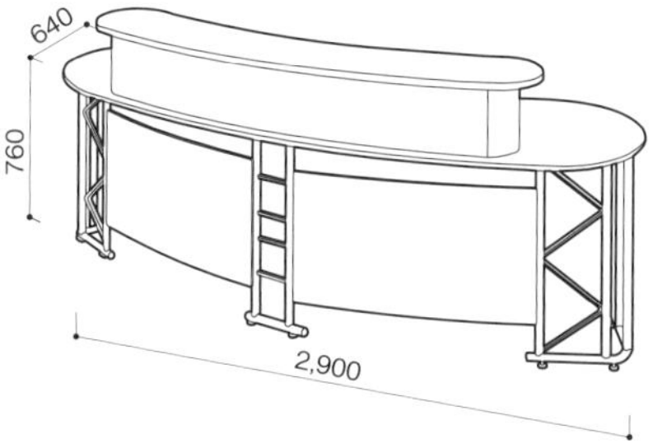
640
760
2,900

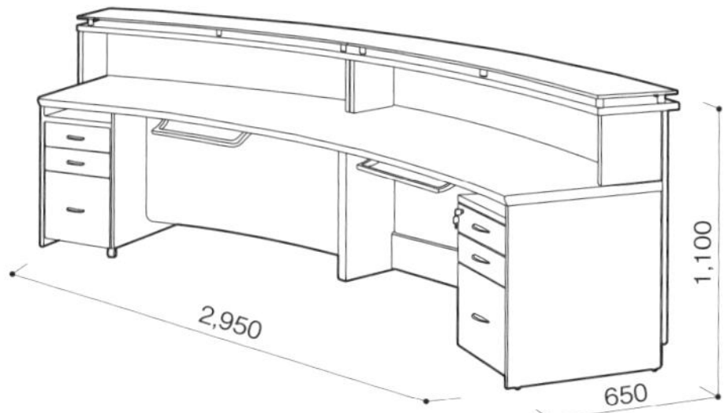
1,100
2,950
650

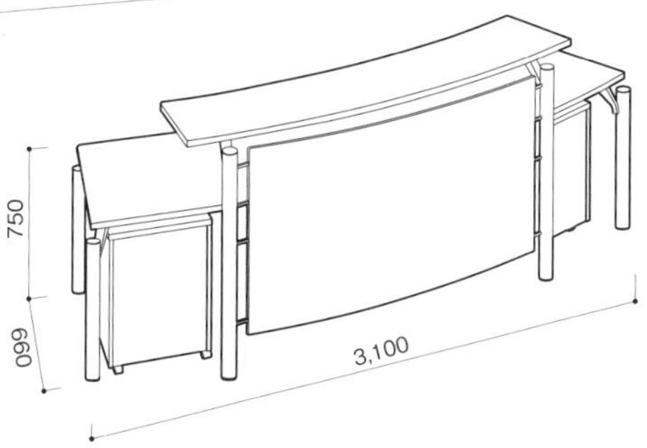
750
660
3,100

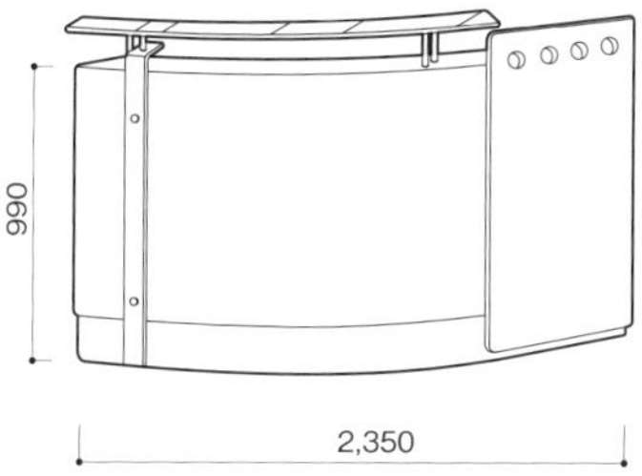
990
2,350

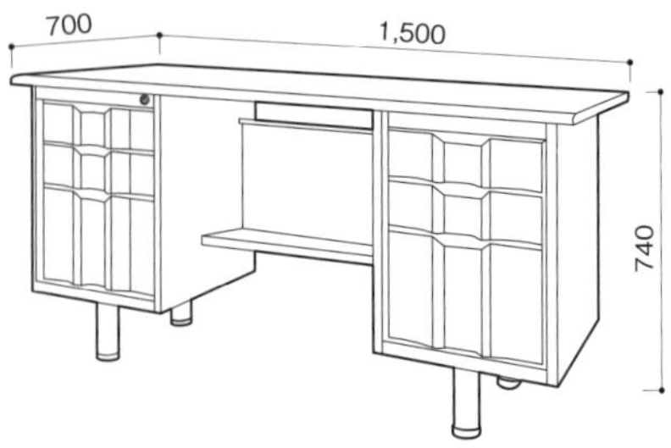
700
1,500
740

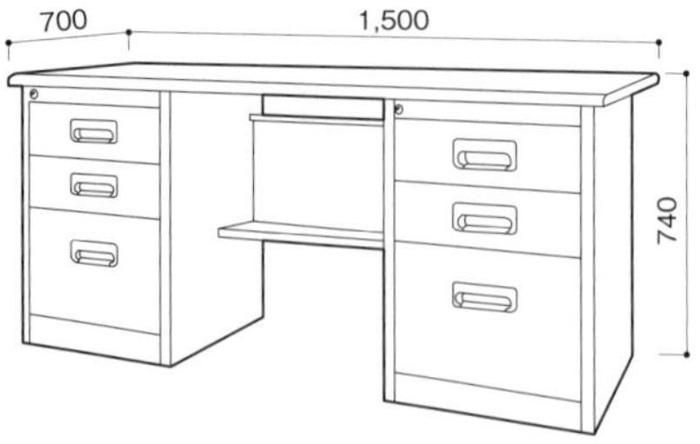
700
1,500
740

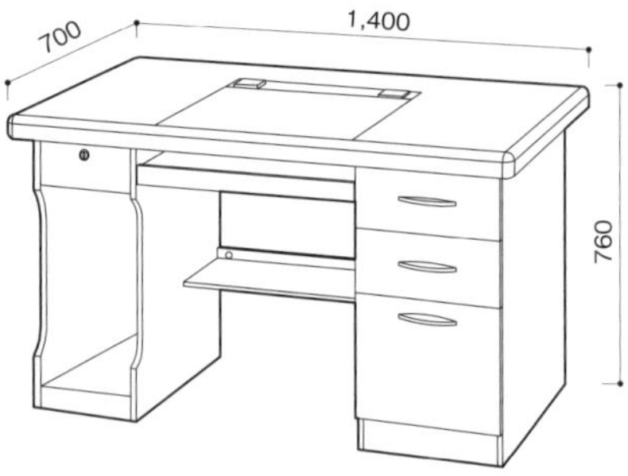
700
1,400
760

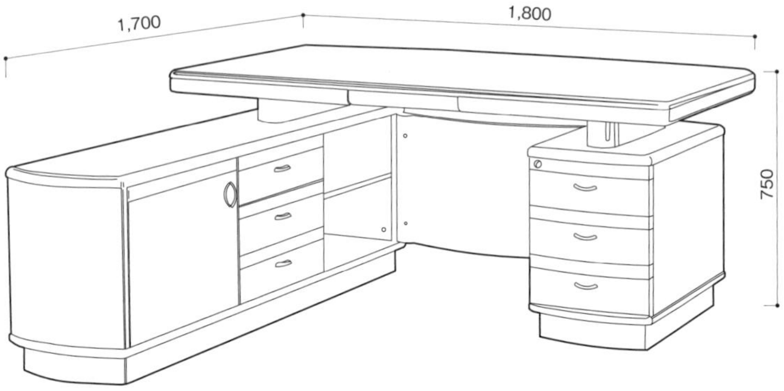
1,700
1,800
750

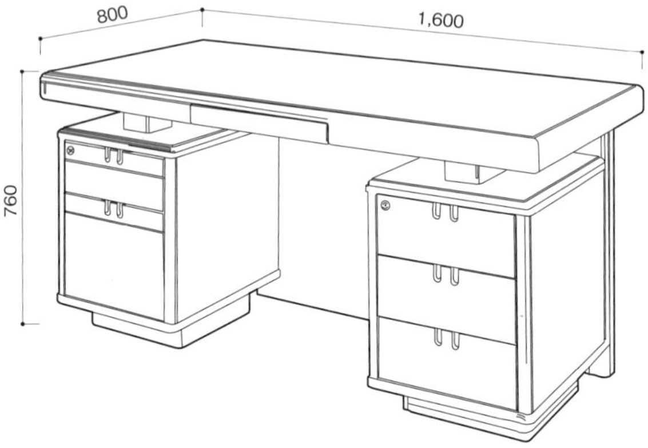
800
1,600
760

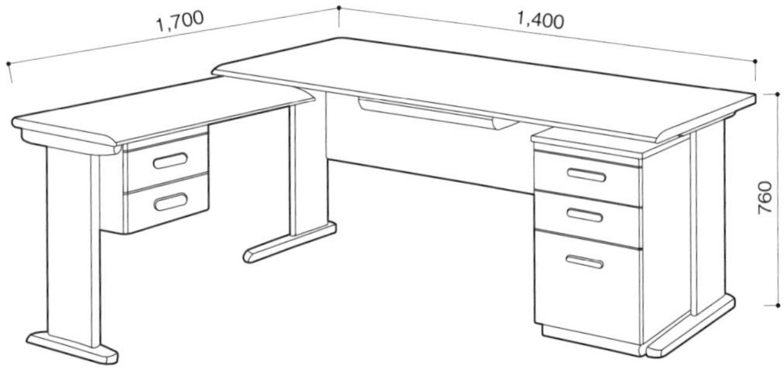
1,700
1,400
760

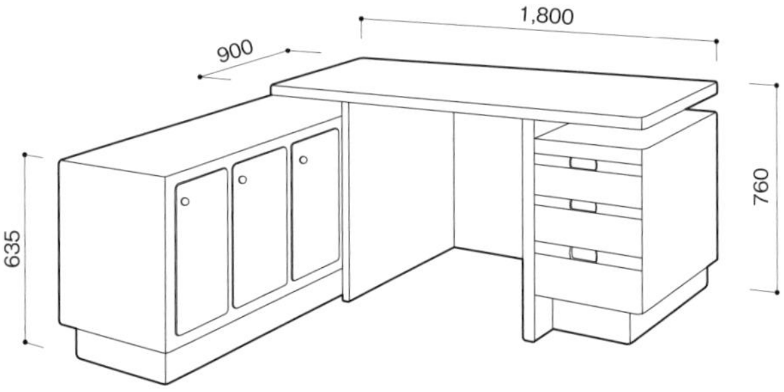
900
1,800
635
760

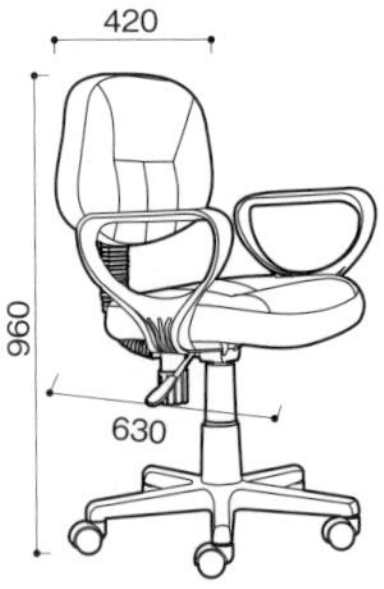
420
960
630

520
1,020
660

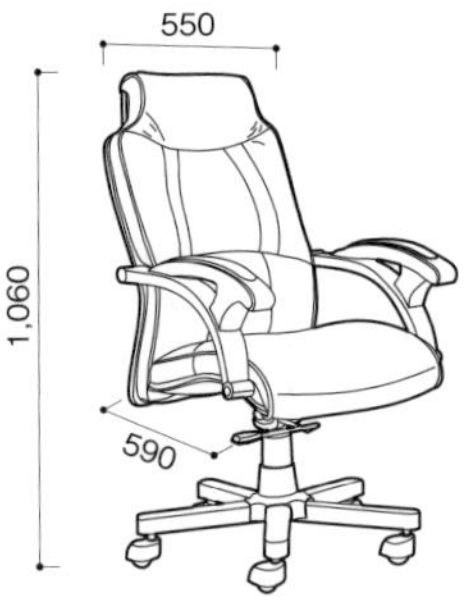
550
1,060
590

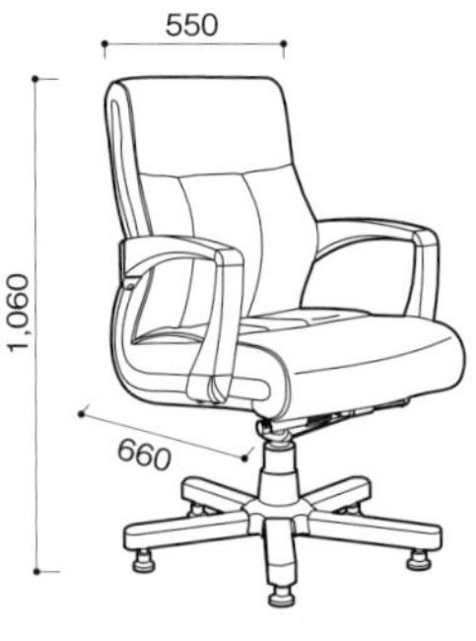
550
1,060
660

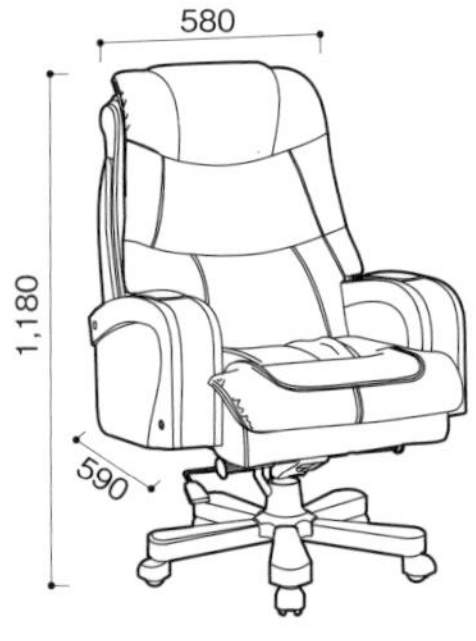
580
1,180
590

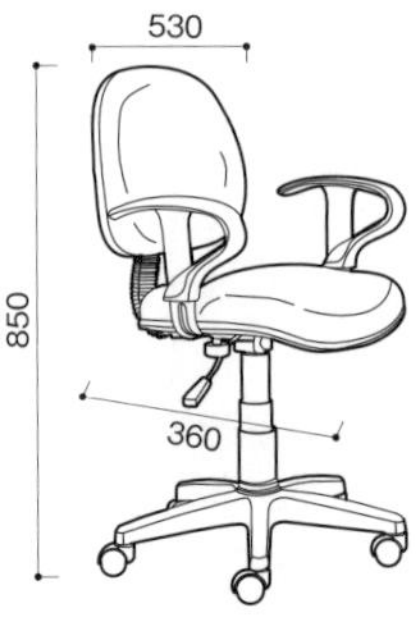
530
850
360

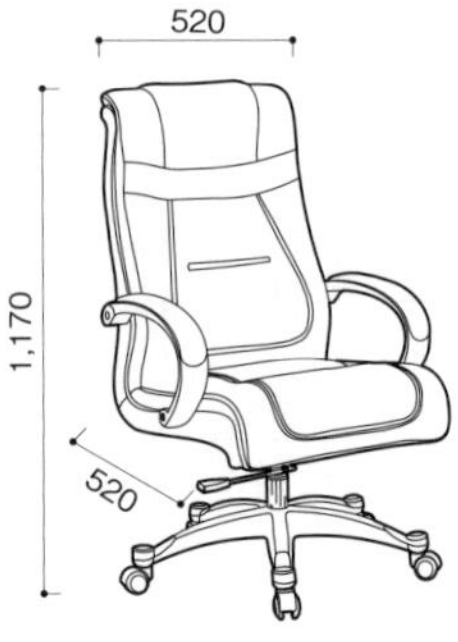
520
1,170
520

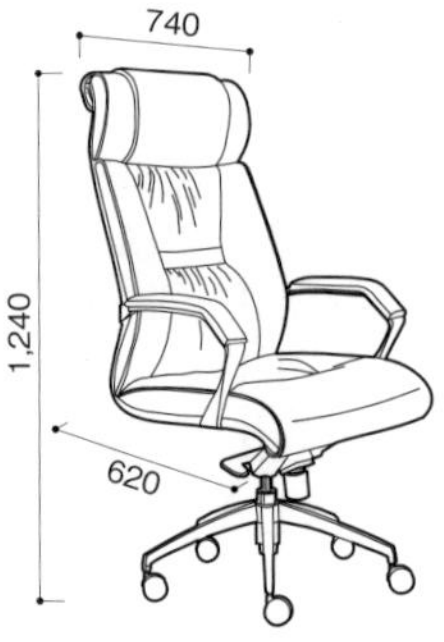
740
1,240
620

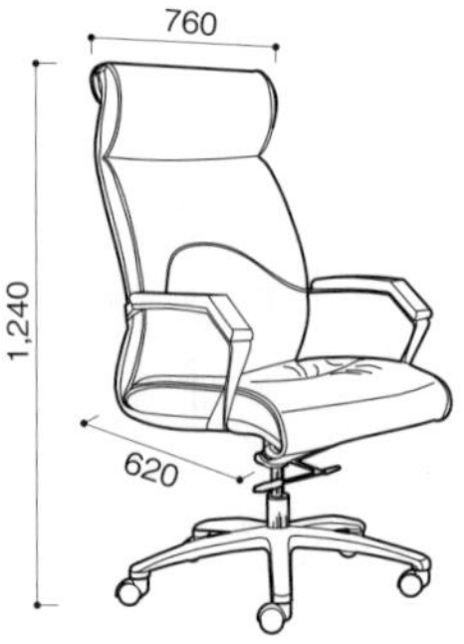
760
1,240
620

520
1,160
580

525
400
640
サイドワゴン

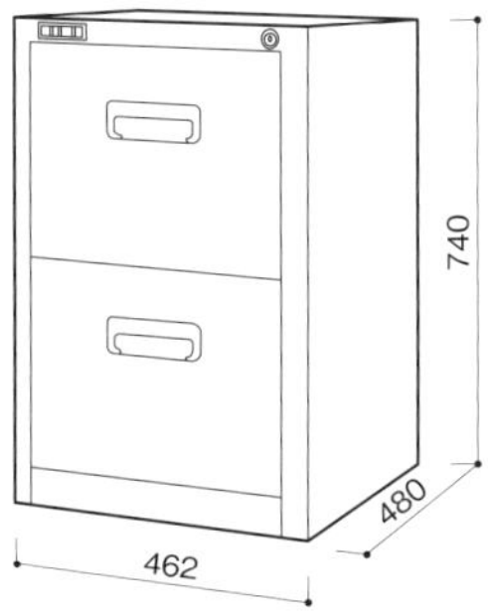
740
480
462
2段キャビネット

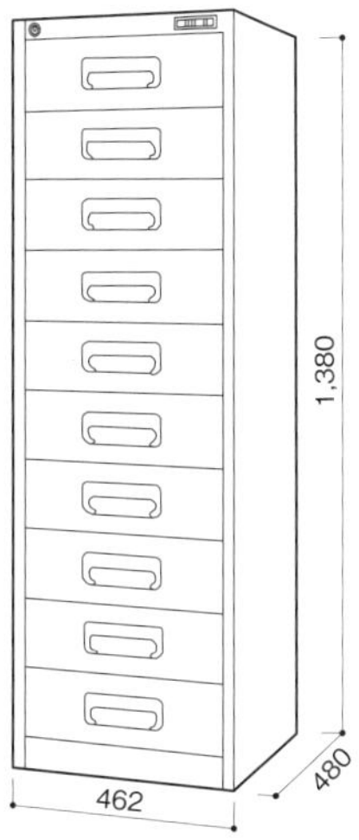
1,380
480
462
10段キャビネット

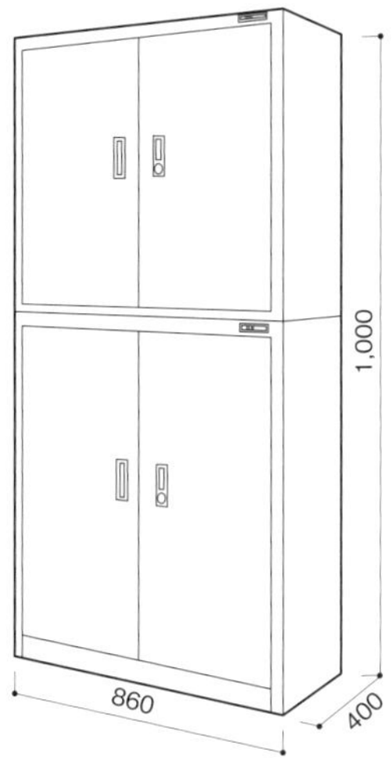
1,000
400
860
4枚扉書庫

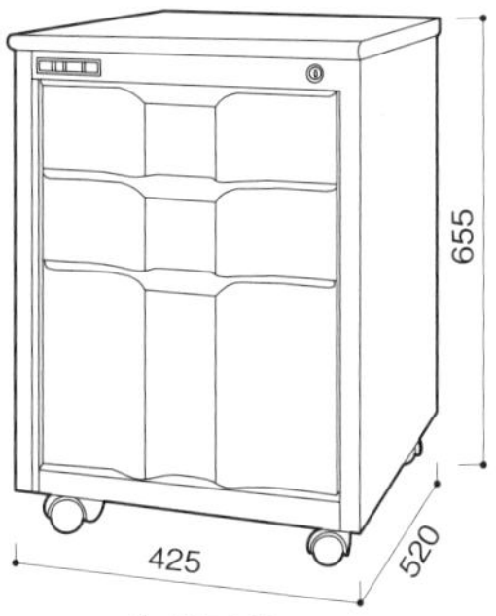
655
520
425
サイドワゴン

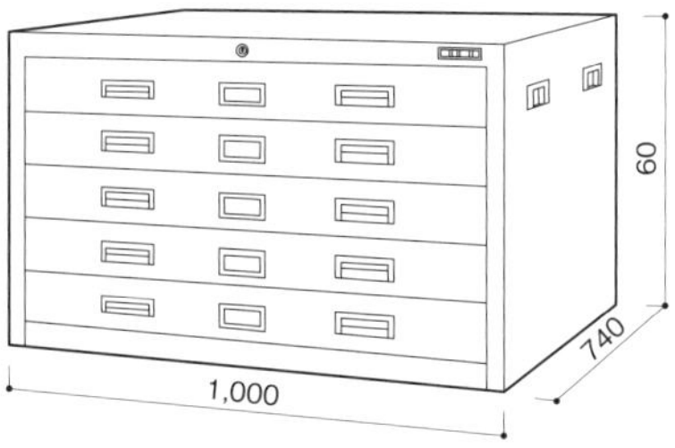
60
740
1,000
図面保管キャビネット

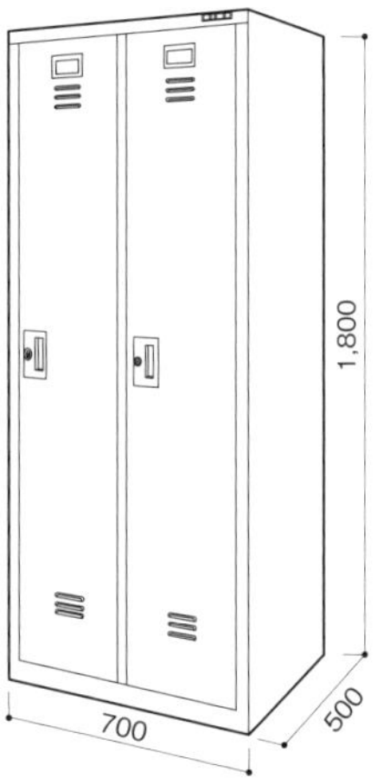
1,800
500
700
2人用ロッカー

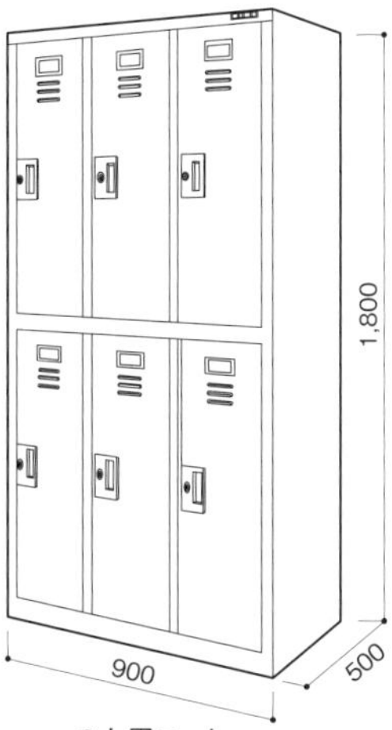
1,800
500
900
6人用ロッカー

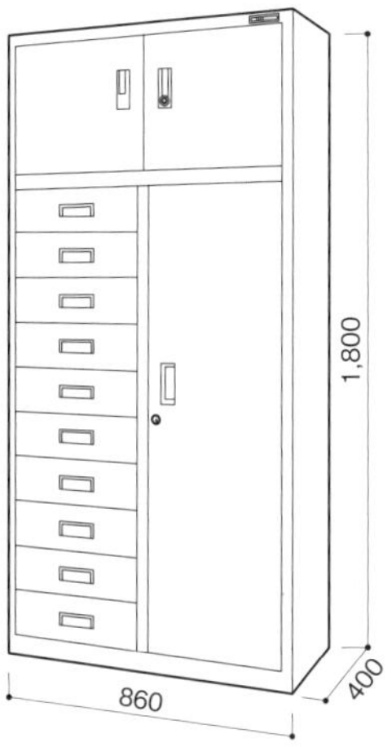
1,800
400
860
10段3枚扉キャビネット

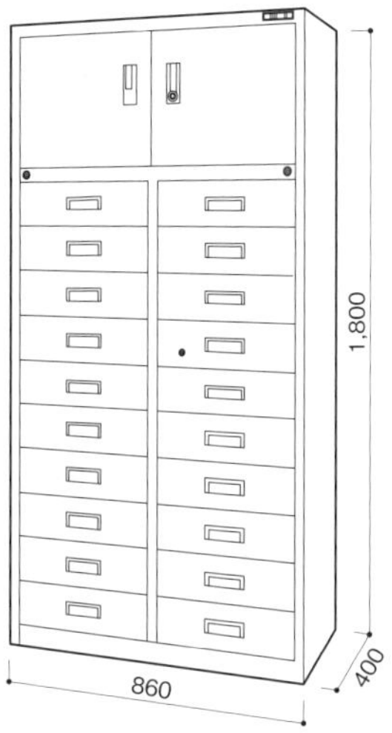
1,800
400
860
2列10段両開きキャビネット

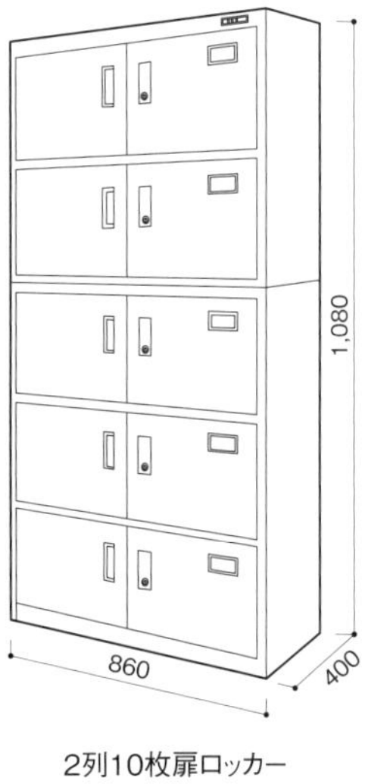
1,080
400
860
2列10枚扉ロッカー

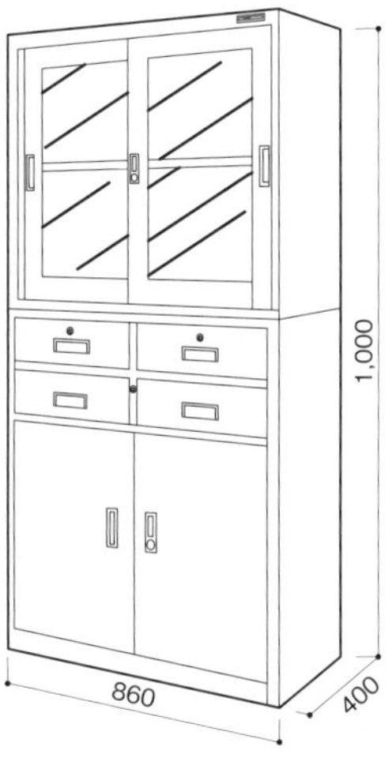
1,000
400
860
上下組み合わせキャビネット

1,000
400
860
上下組み合わせキャビネット

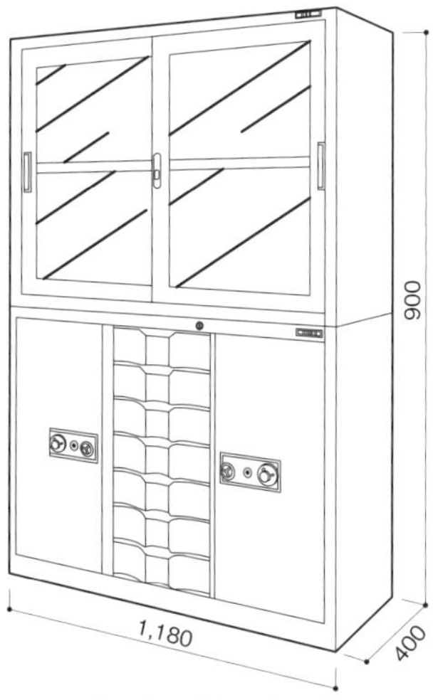
900
400
1,180
上下組み合わせキャビネット
（ダイヤルキー付き）

オフィス用パーテーション

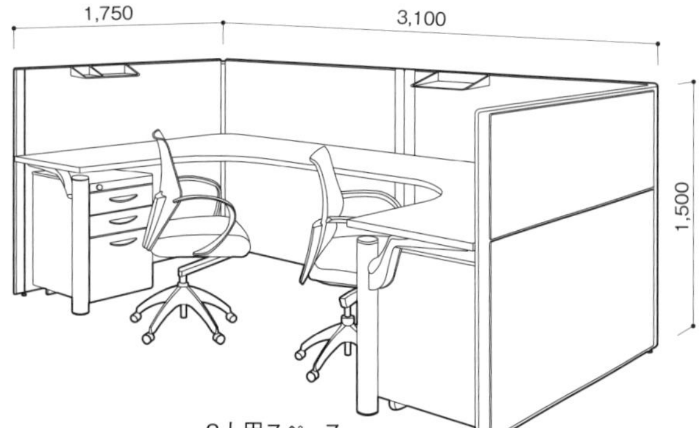
1,750
3,100
1,500

2人用スペース

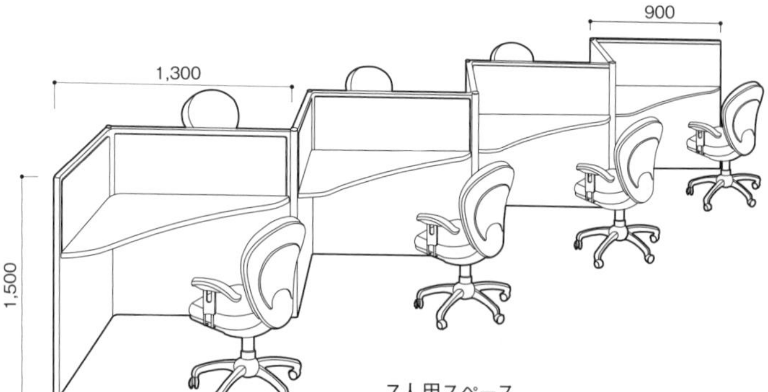
900
1,300
1,500

7人用スペース

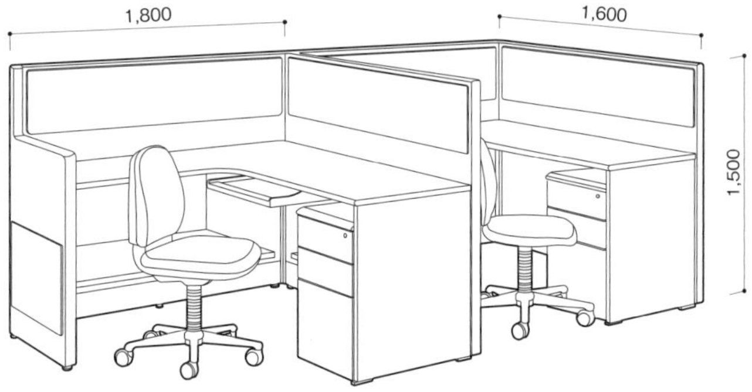
1,800
1,600
1,500

2人用スペース

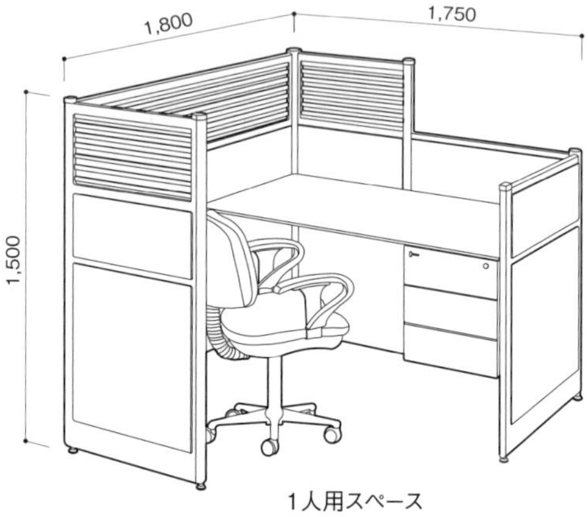
1,800
1,750
1,500

1人用スペース

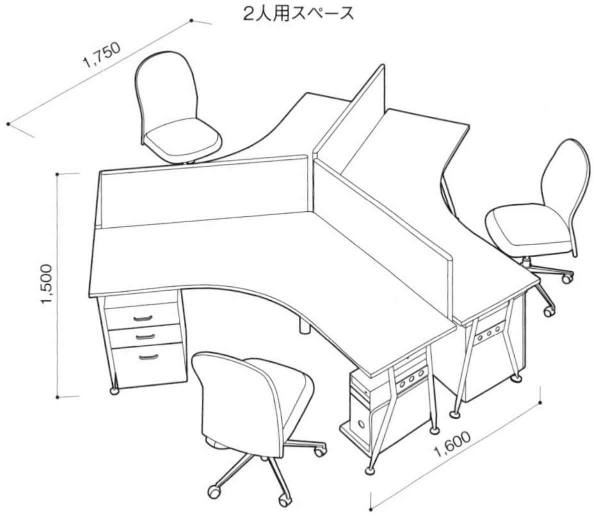
1,750
1,500
1,600

3人用スペース

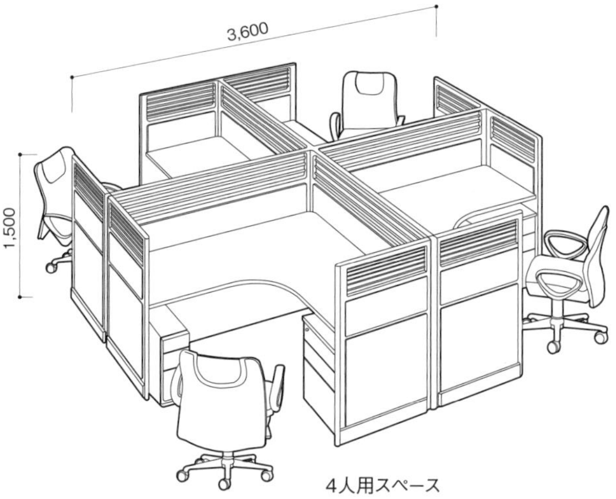
3,600
1,500

4人用スペース

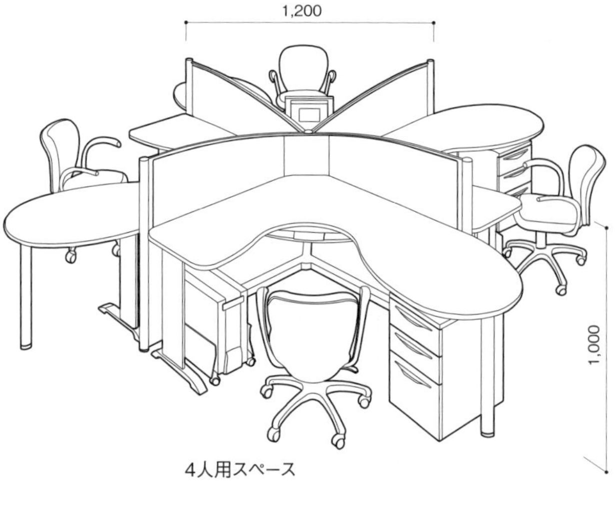
1,200
1,000

4人用スペース

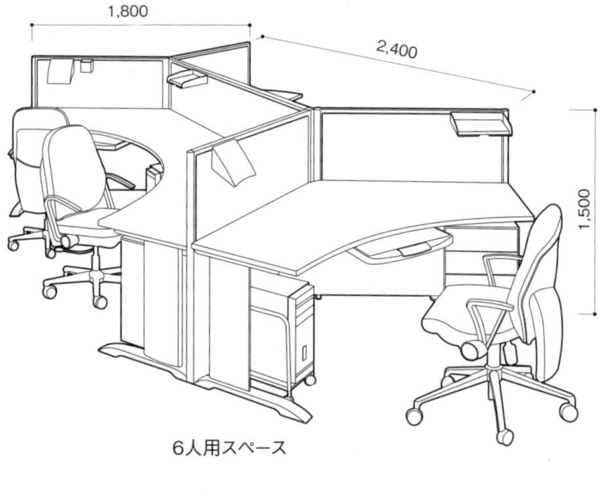
1,800
2,400
1,500

6人用スペース

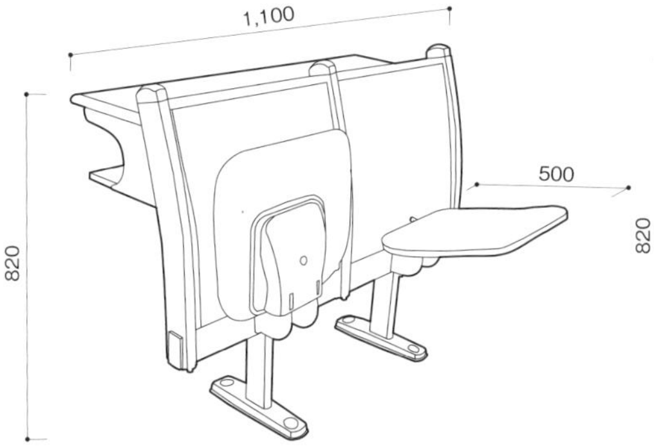
1,100
500
820

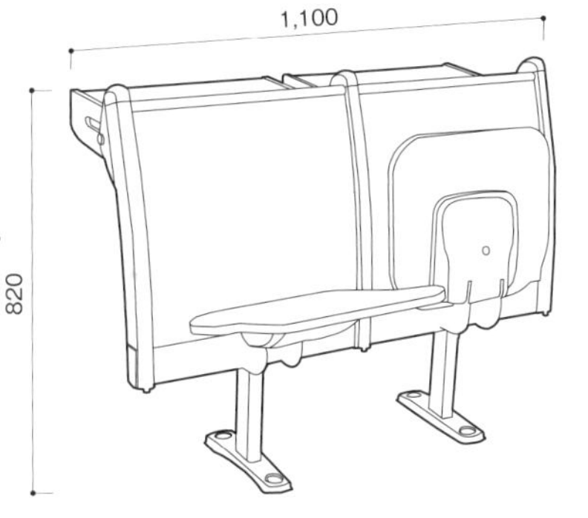
1,100
820

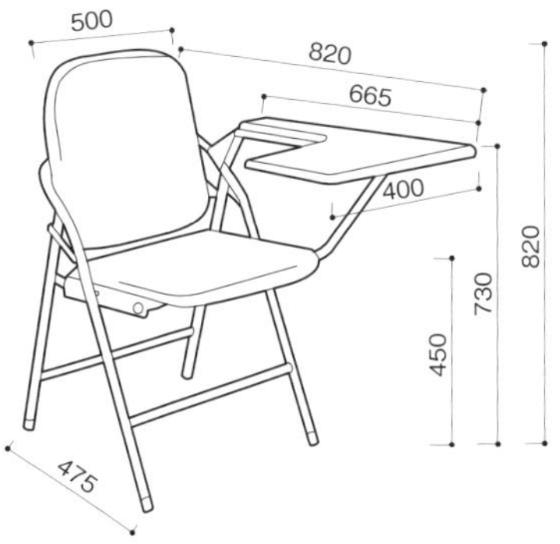
500
820
665
400
820
730
450
475

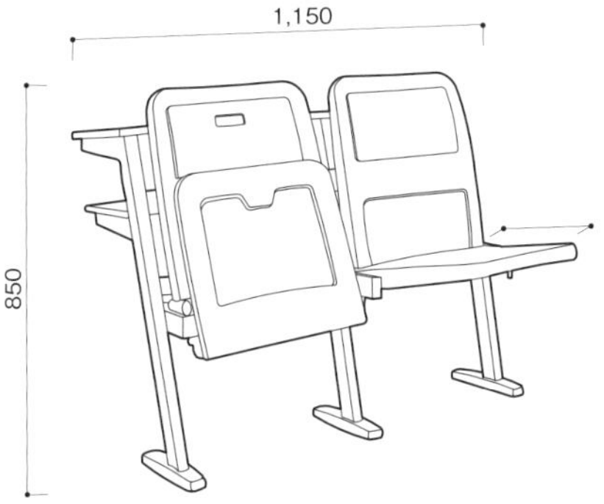
1,150
850

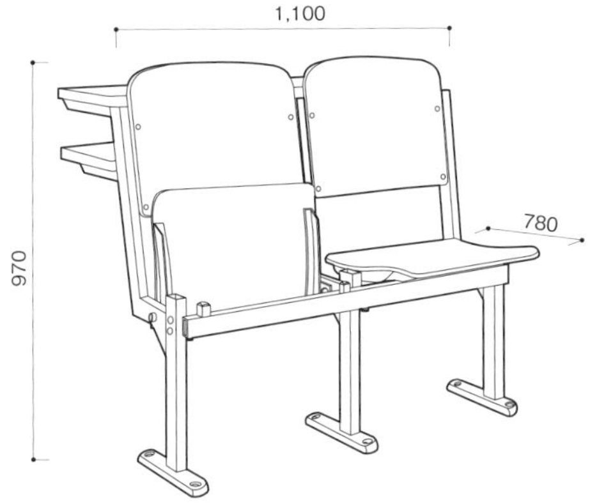
1,100
780
970

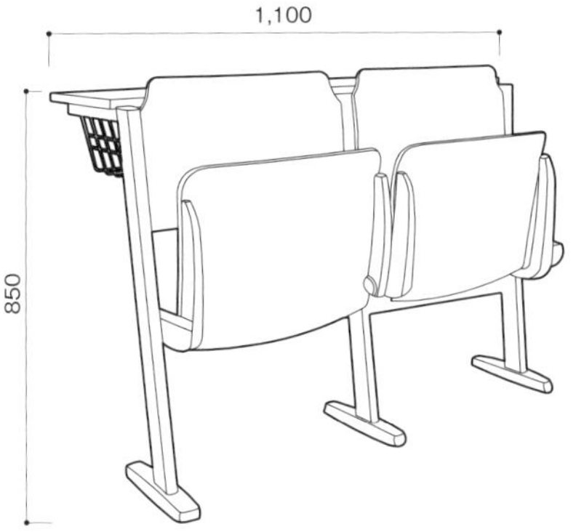
1,100
850

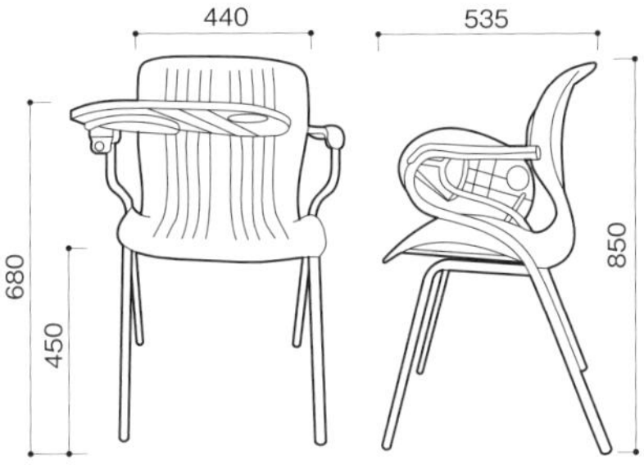
440
535
680
450
850

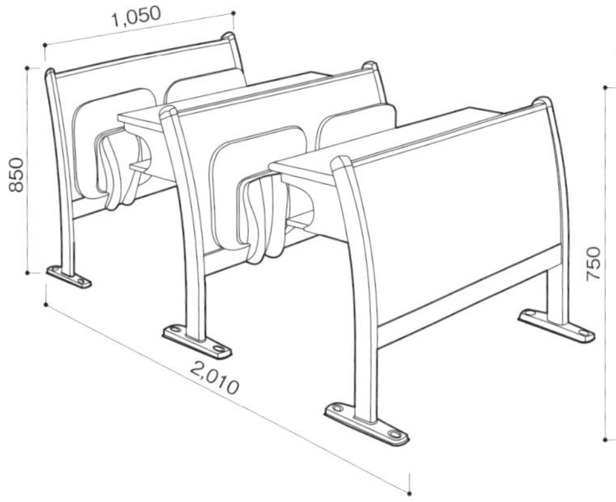
1,050
850
2,010

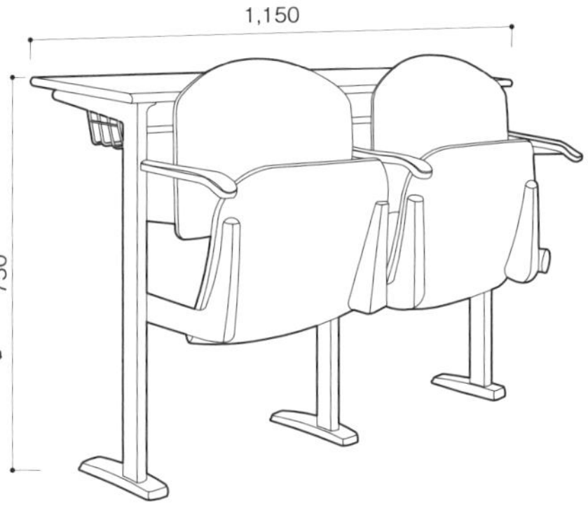
1,150
750

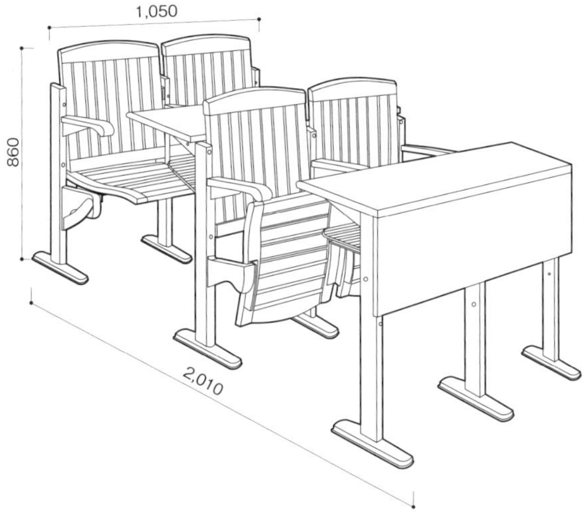
1,050
860
2,010

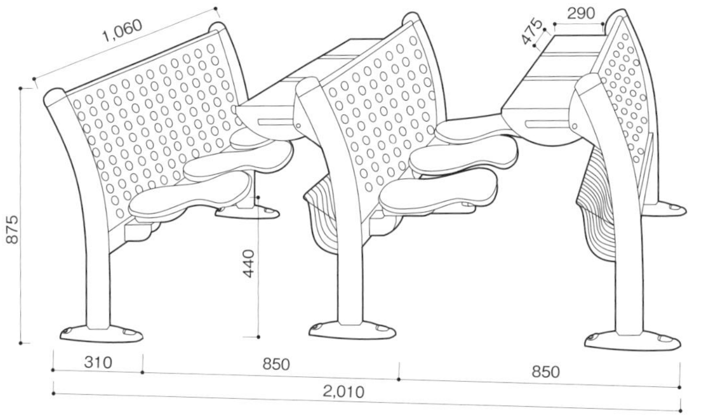
1,060
290
475
875
440
310
850
850
2,010

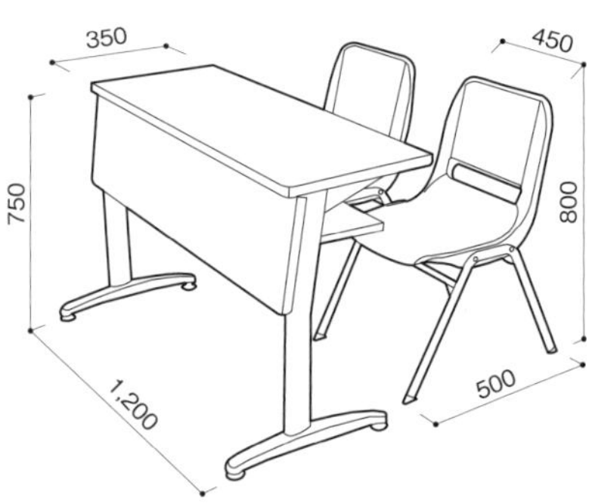
350
450
750
800
1,200
500

2人用机

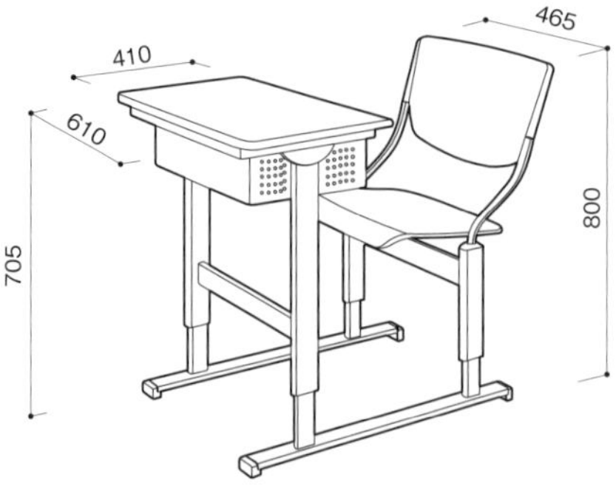
410
465
610
705
800

一体型1人用机

460
450
700
750
800
500

1人用机

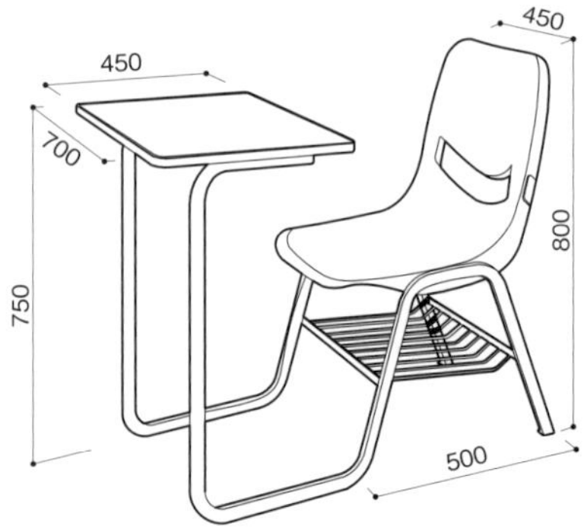
450
450
700
750
800
500

一体型1人用机

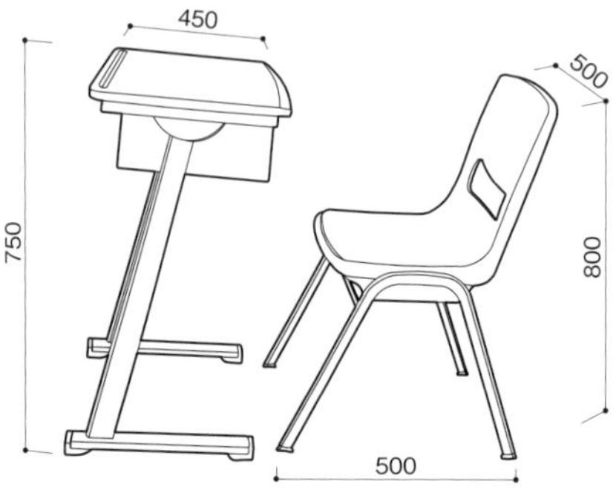
450
500
750
800
500

1人用机

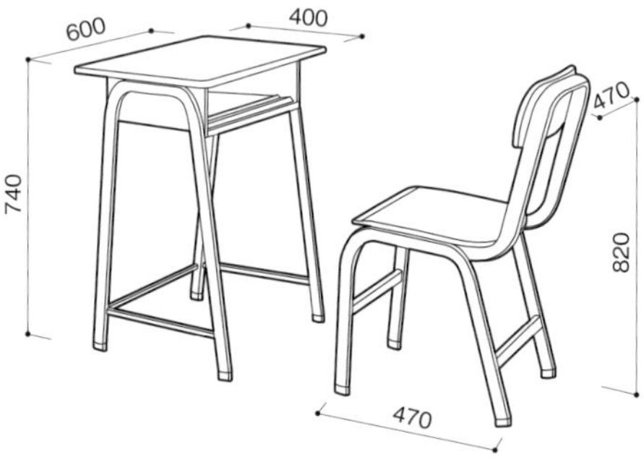
600
400
470
740
820
470

1人用机

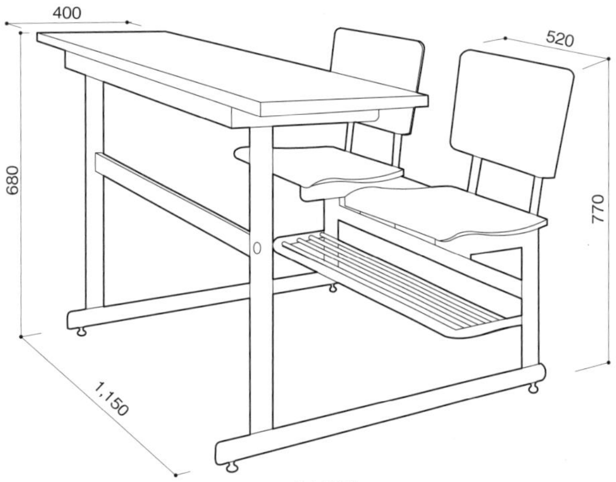
400
520
680
770
1,150

2人用机

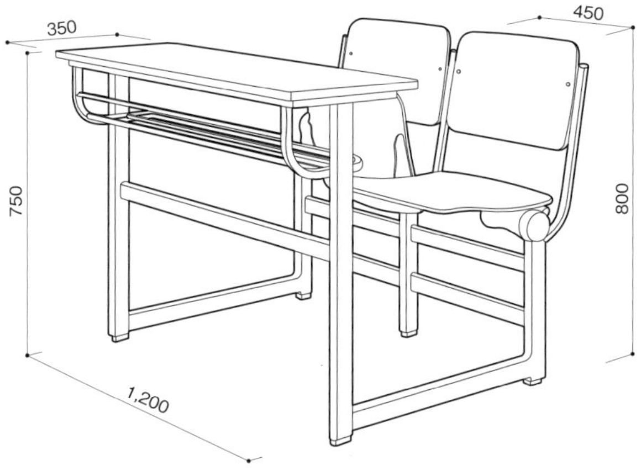
350
450
750
800
1,200

一体型2人用机

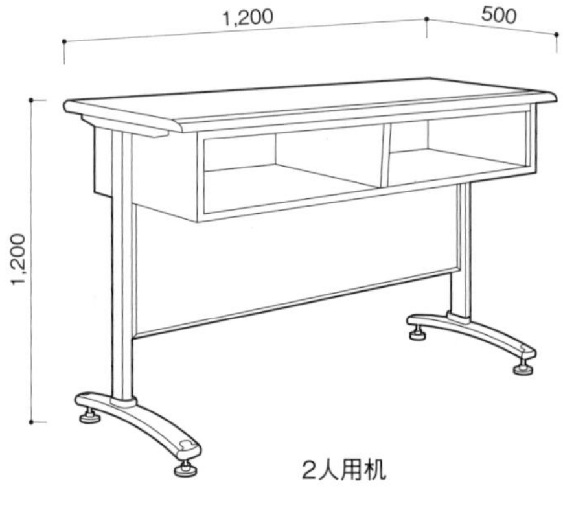
1,200
500
1,200

2人用机

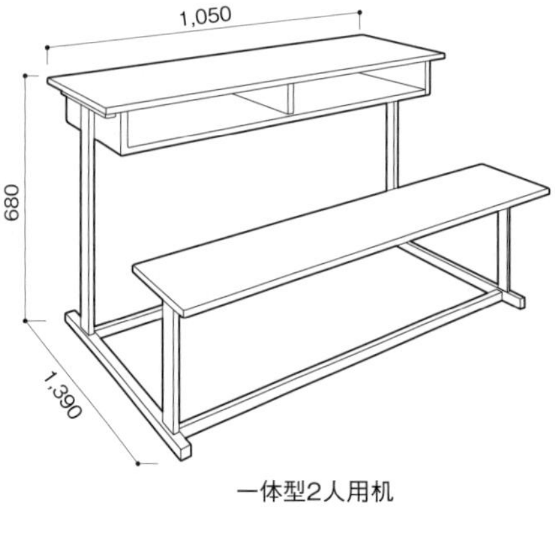
1,050
680
1,390

一体型2人用机

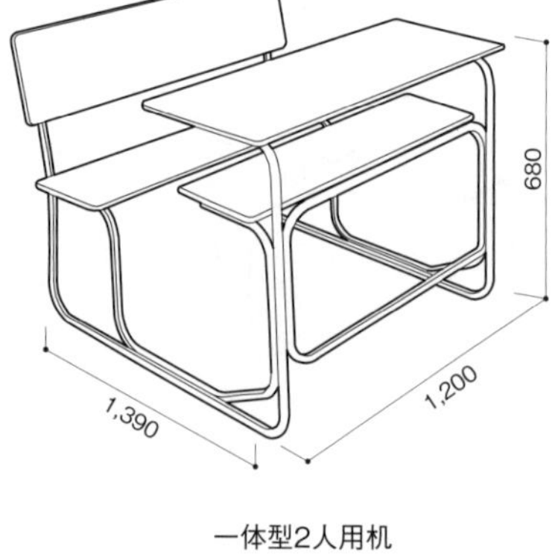
680
1,390
1,200

一体型2人用机

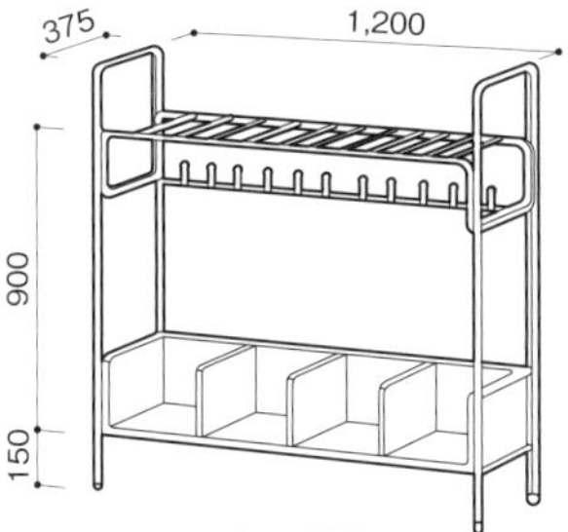
375
1,200
900
150
帽子掛けと靴入れ

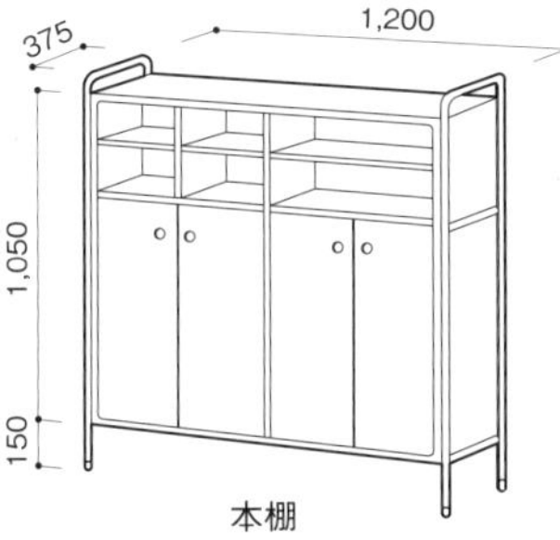
375
1,200
1,050
150
本棚

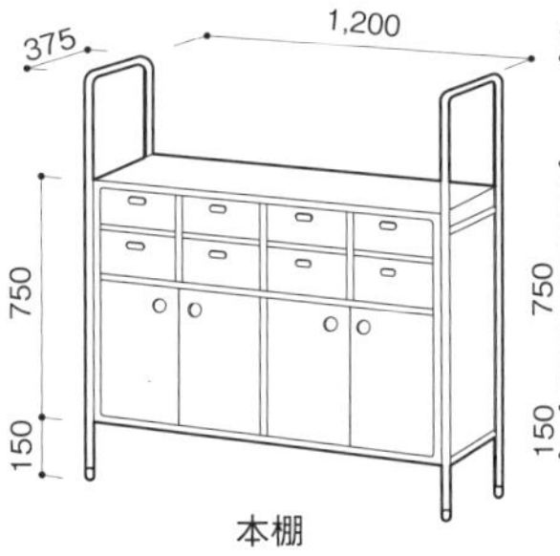
375
1,200
750
150
本棚

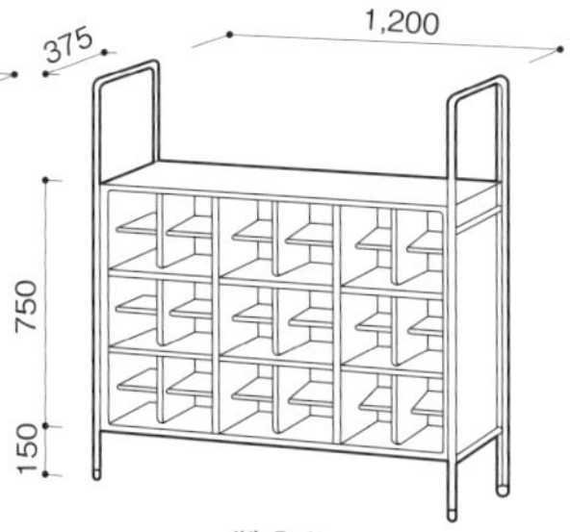
375
1,200
750
150
靴入れ

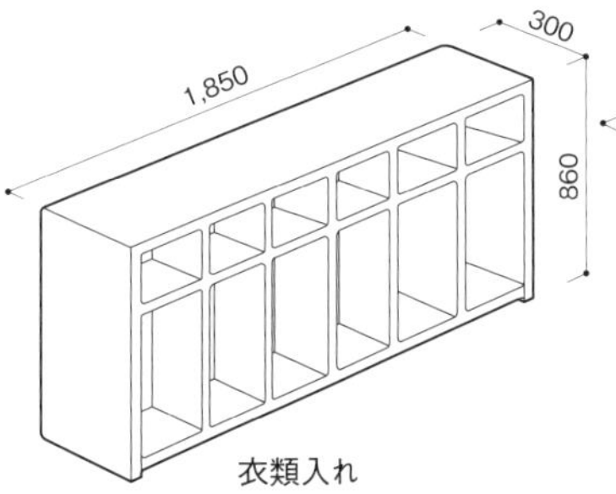
1,850
300
860
衣類入れ

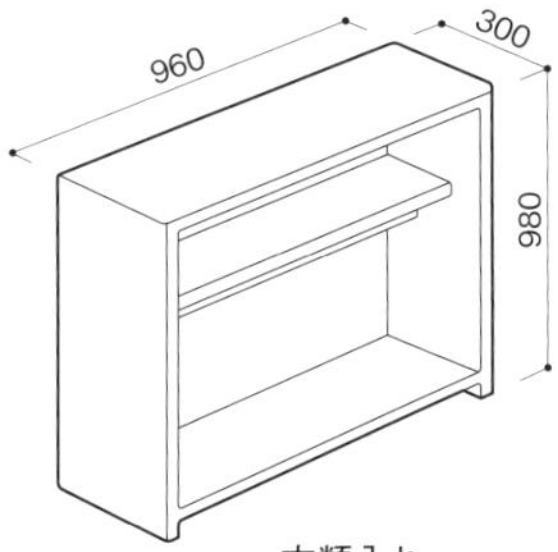
960
300
980
衣類入れ

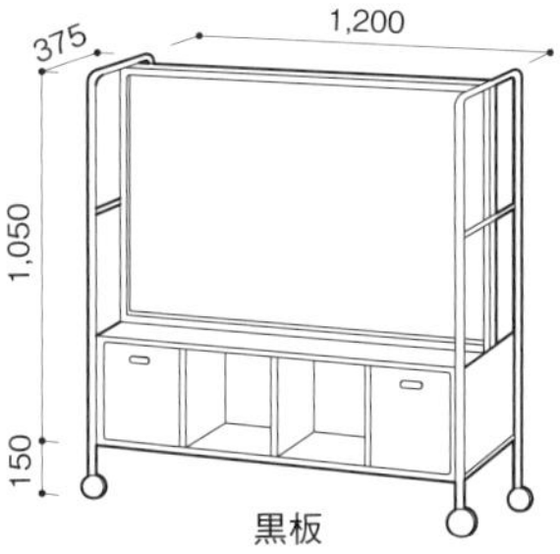
375
1,200
1,050
150
黒板

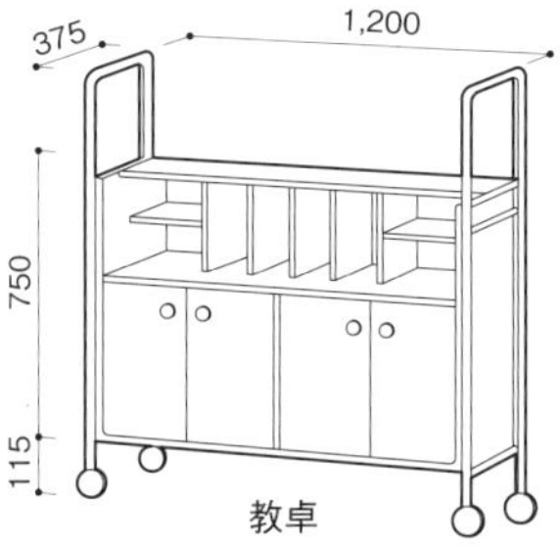
375
1,200
750
115
教卓

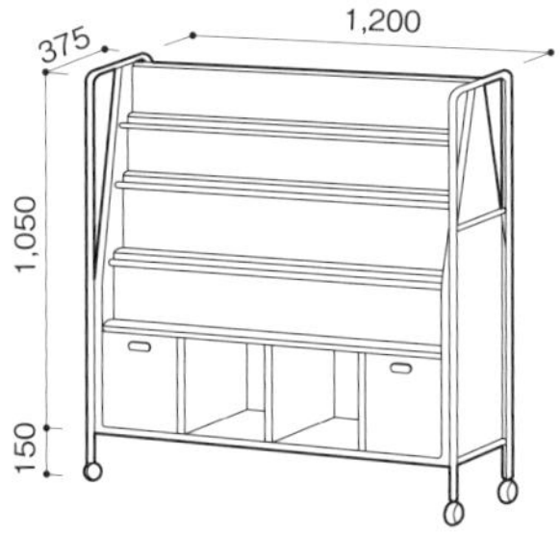
375
1,200
1,050
150
本棚

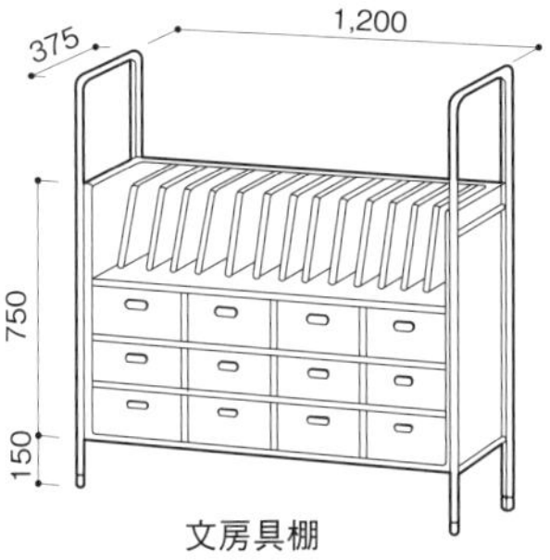
375
1,200
750
150
文房具棚

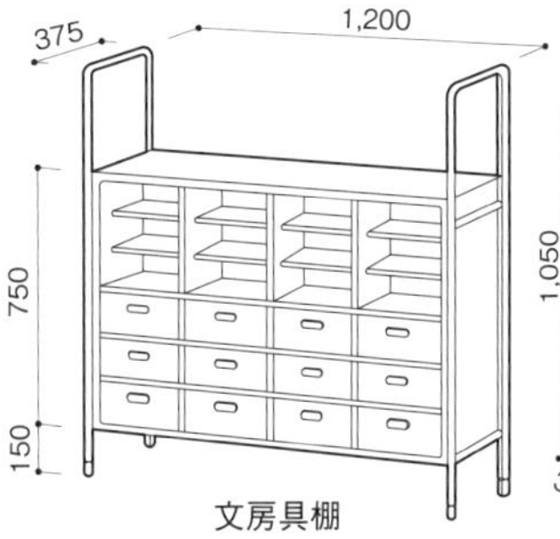
375
1,200
750
150
文房具棚

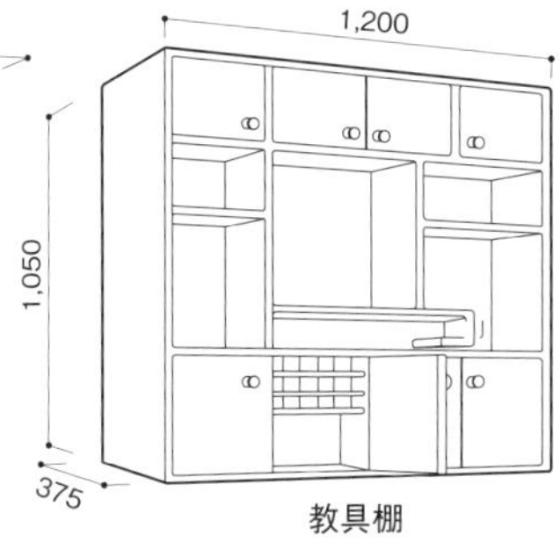
1,200
1,050
375
教具棚

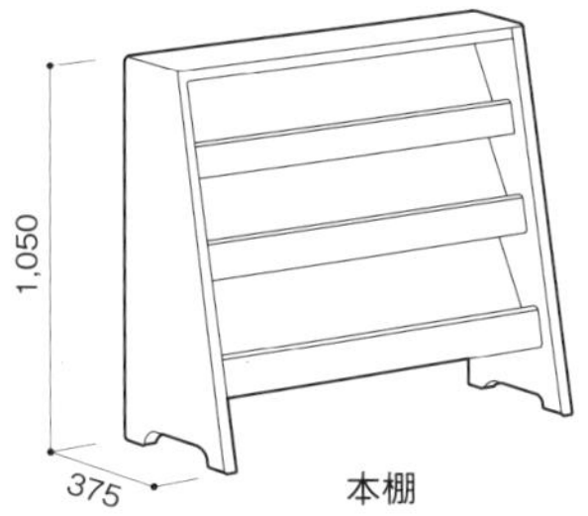
1,050
375
本棚

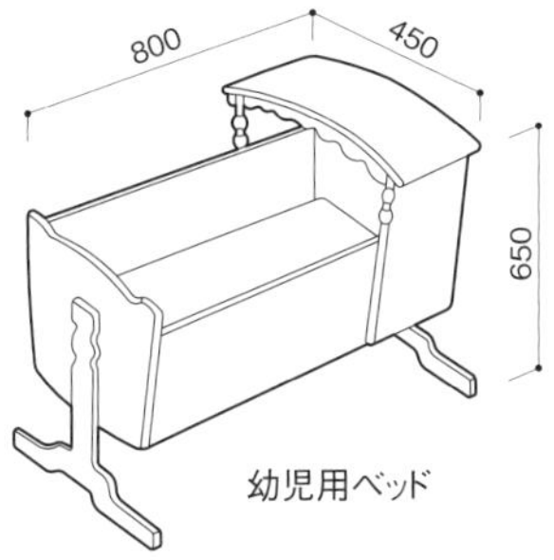
800
450
650
幼児用ベッド

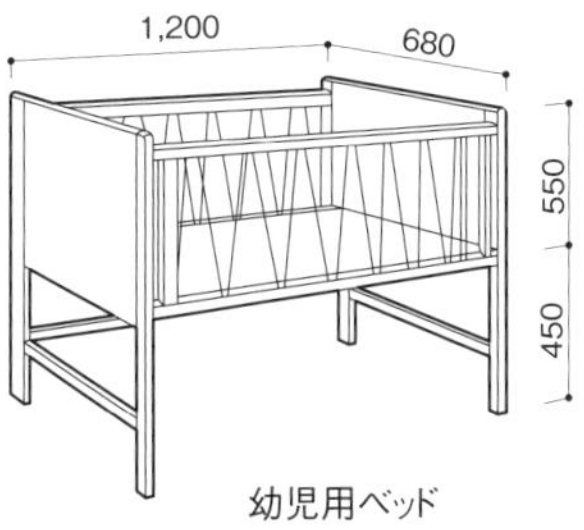
1,200
680
550
450
幼児用ベッド

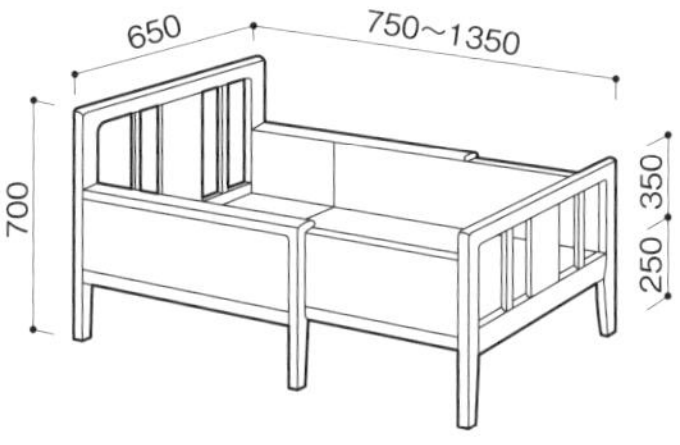
650
750~1350
700
350
250
幼児用ベッド

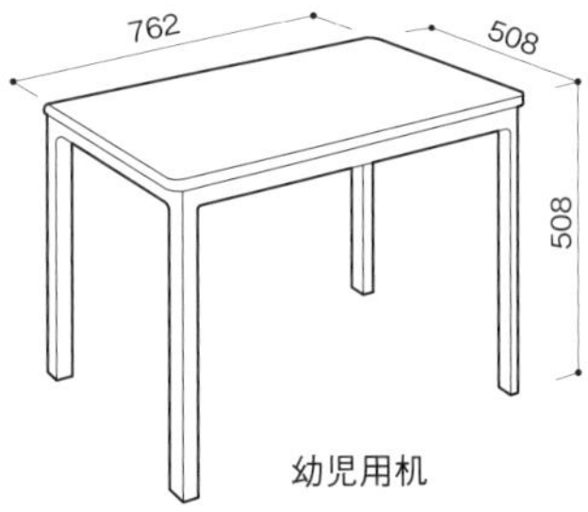
762
508
508
幼児用机

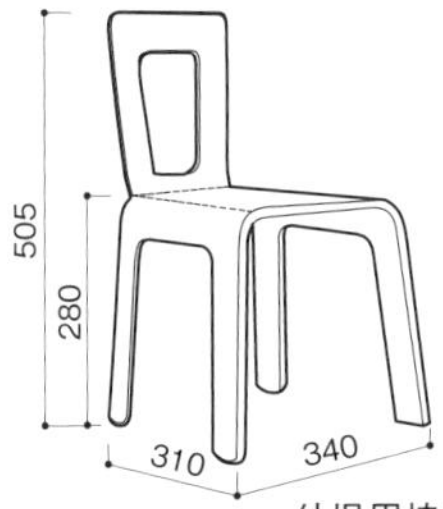
505
280
310
340
幼児用椅子

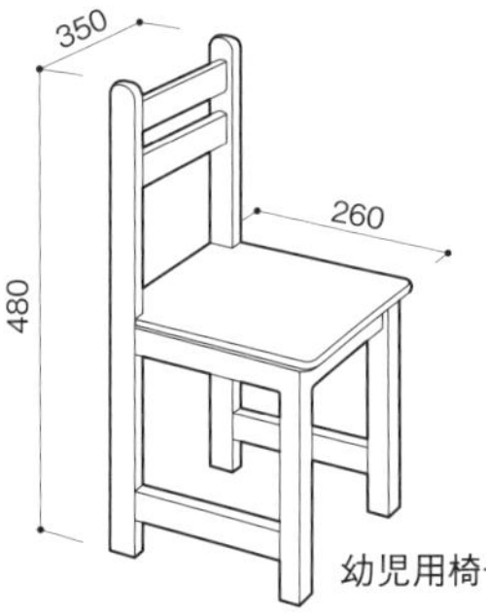
350
260
480
幼児用椅子

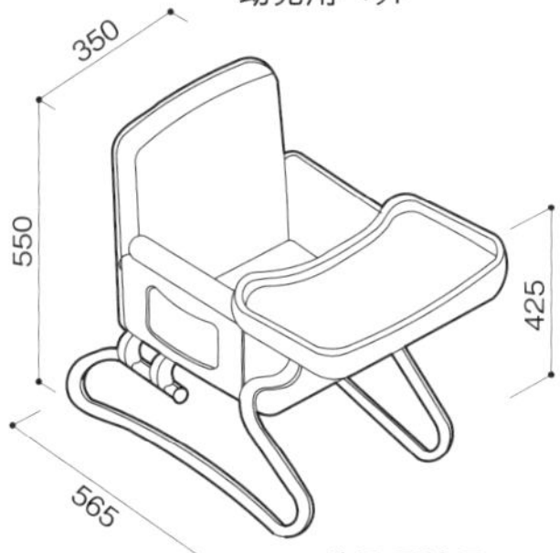
350
550
425
565
幼児用椅子

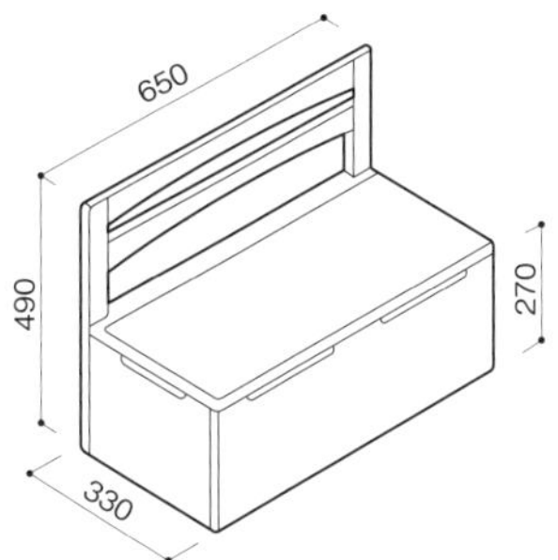
650
490
270
330
おもちゃ箱

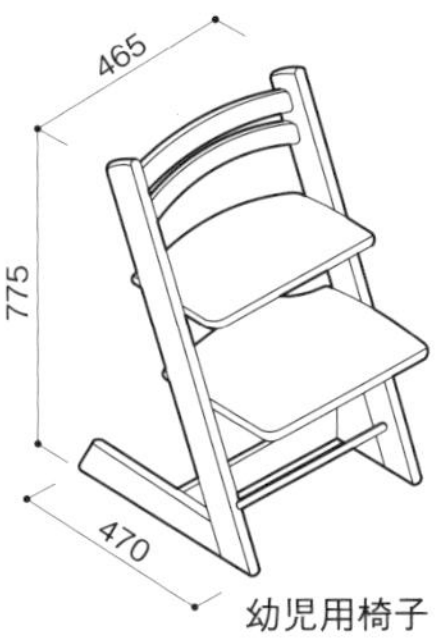
465
775
470
幼児用椅子

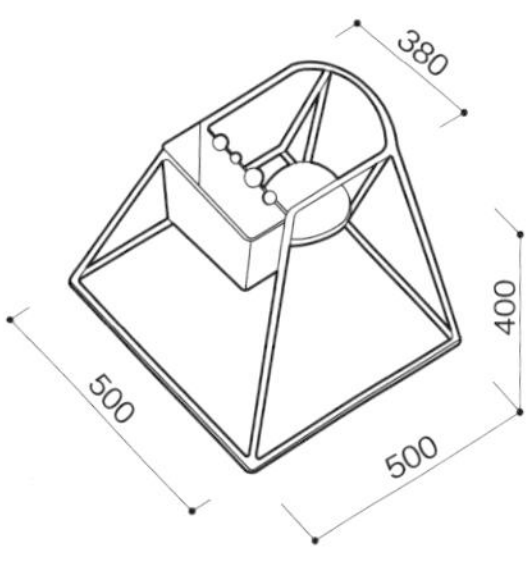
380
400
500
500
幼児用椅子

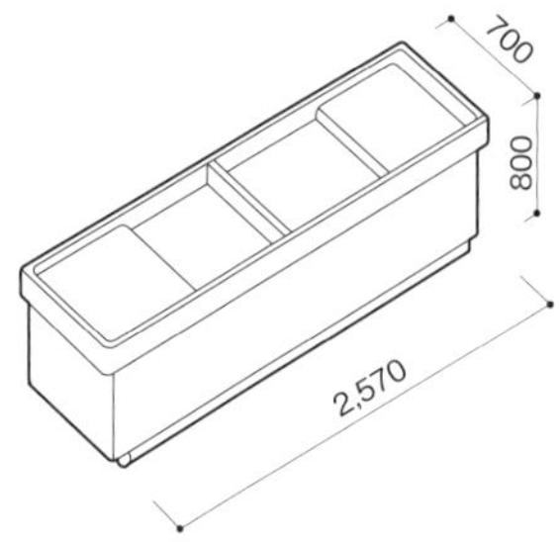
700
800
2,570
洗い桶

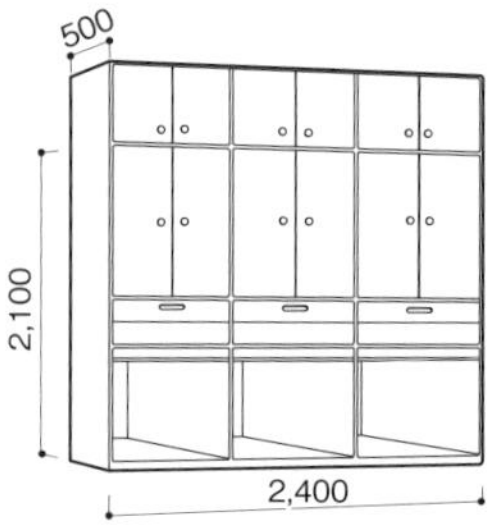
500
2,100
2,400
組み合わせ式キャビネット

680
2,000
ロッカー

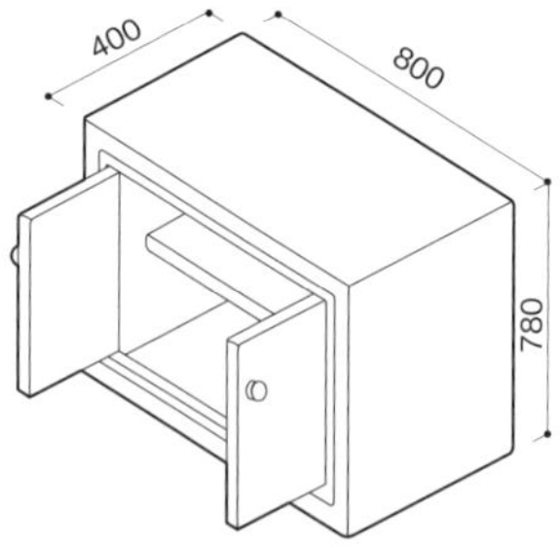
400
800
780
両開きキャビネット

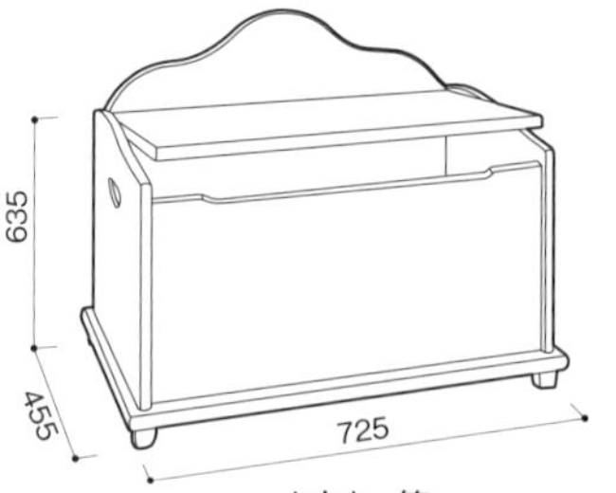
635
455
725
おもちゃ箱

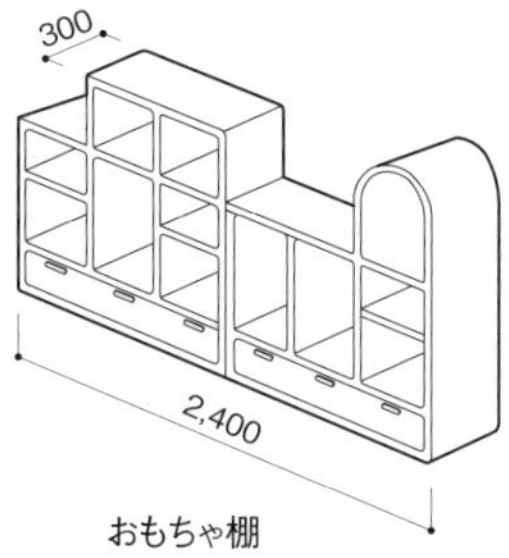
300
2,400
おもちゃ棚

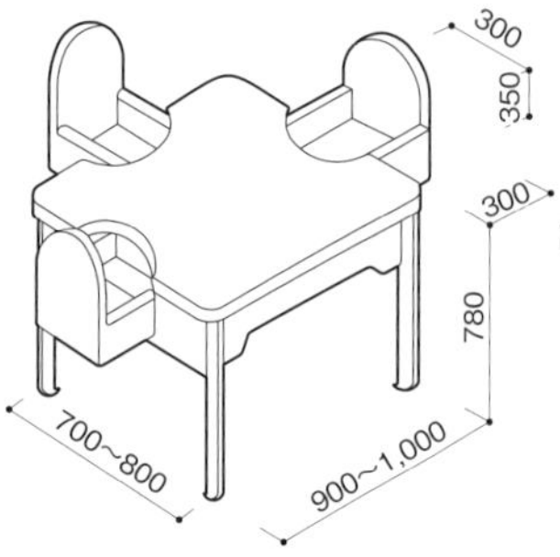
300
350
300
780
700~800
900~1,000
幼児用テーブル

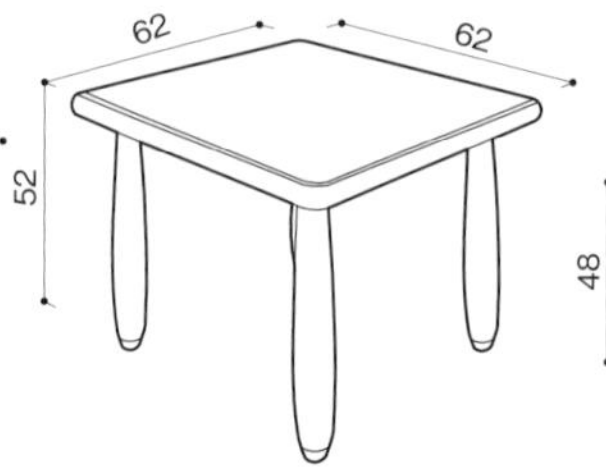
62
62
52
幼児用テーブル

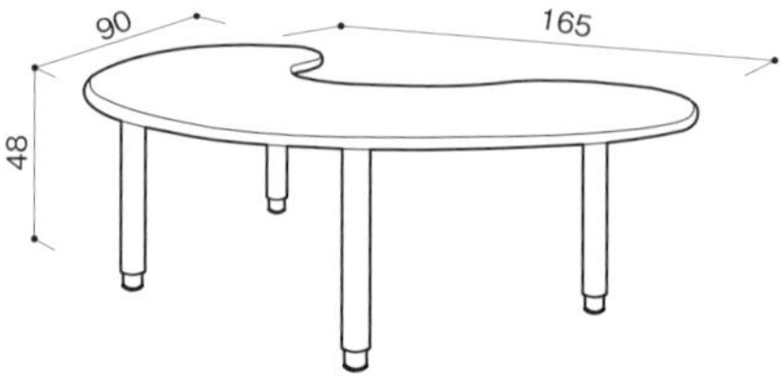
90
165
48
幼児用テーブル

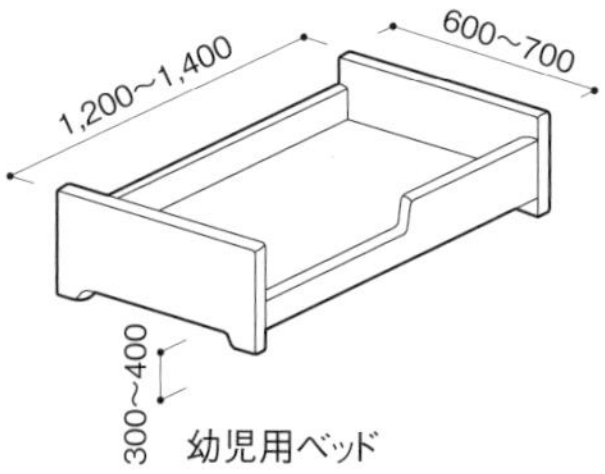
1,200~1,400
600~700
300~400
幼児用ベッド

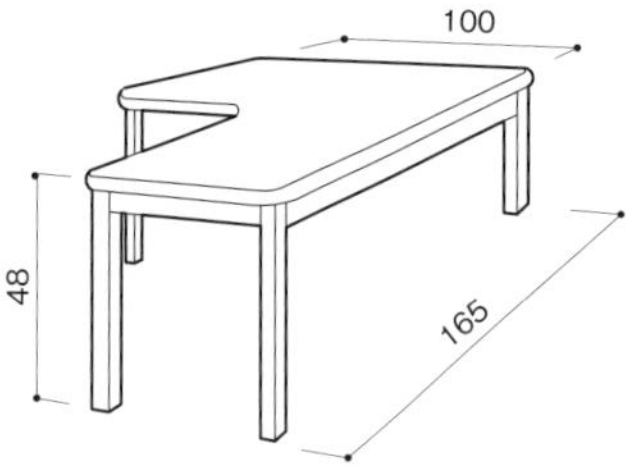
100
48
165
幼児用テーブル

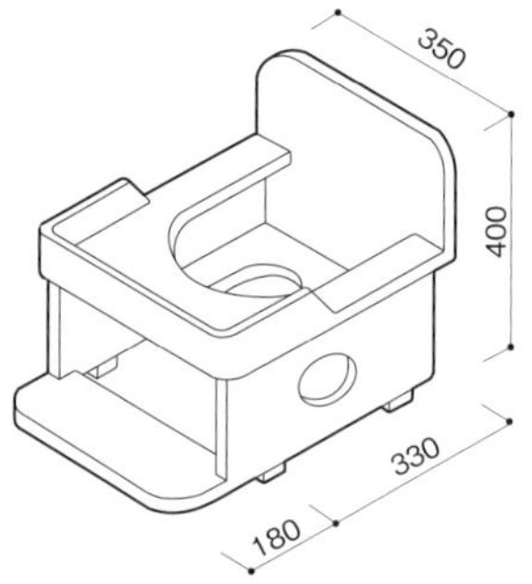
350
400
330
180
ポータブルトイレ

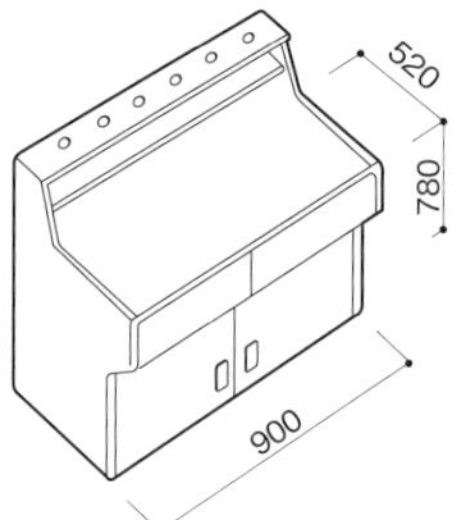
520
780
900
ミルク瓶棚

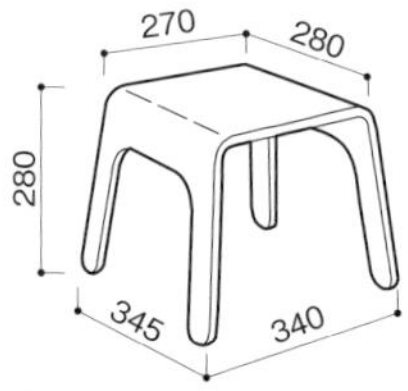
270
280
280
345
340

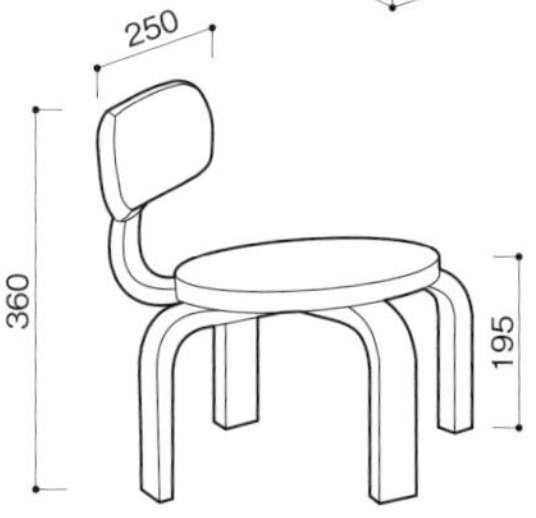
250
360
195

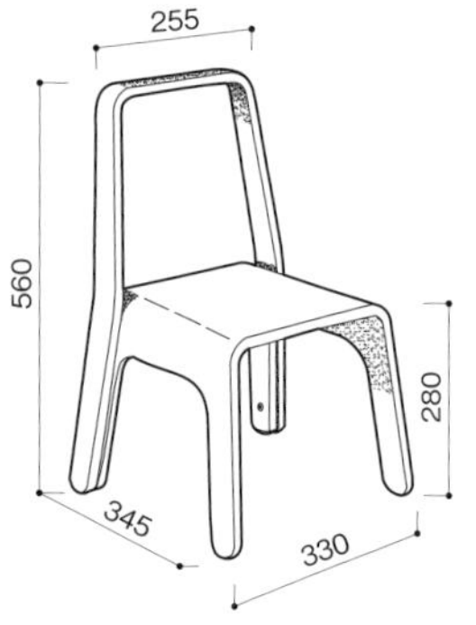
255
560
280
345
330

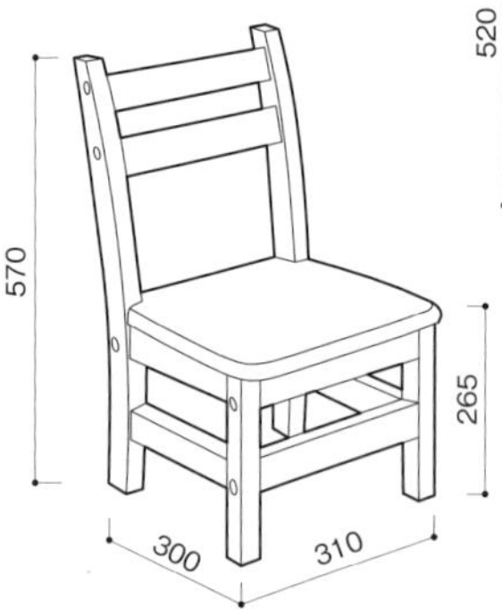
570
265
300
310

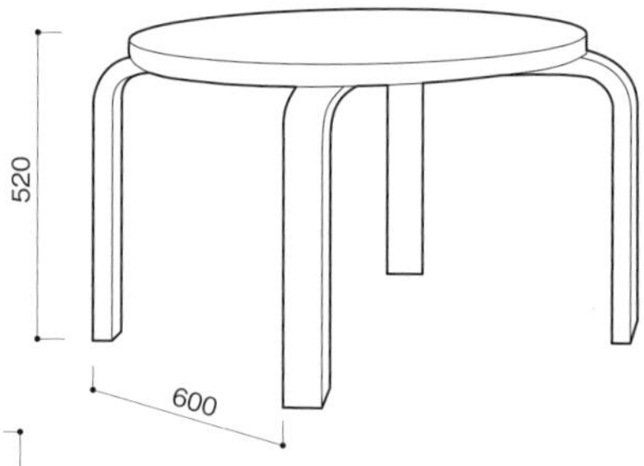
520
600
テーブル

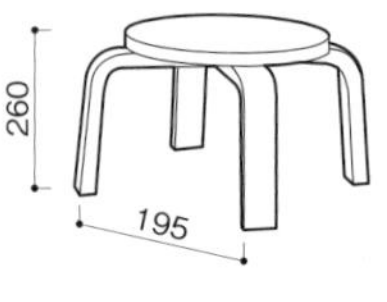
260
195

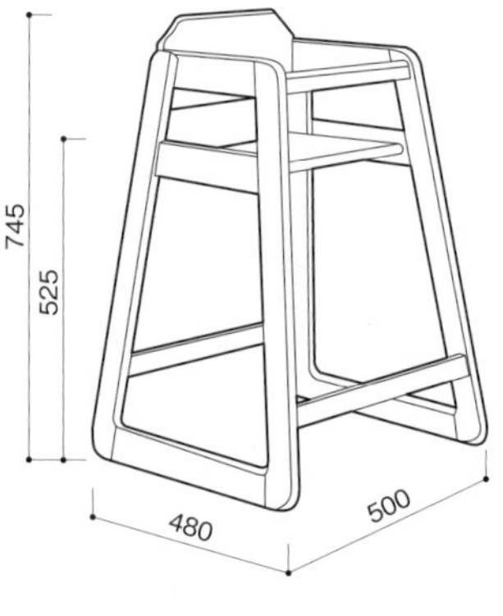
745
525
480
500

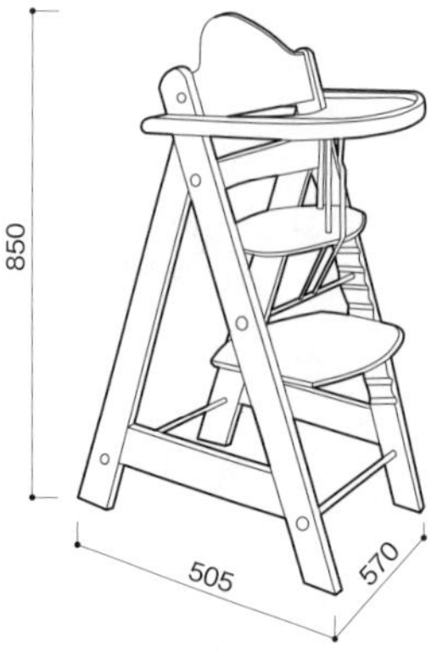
850
505
570

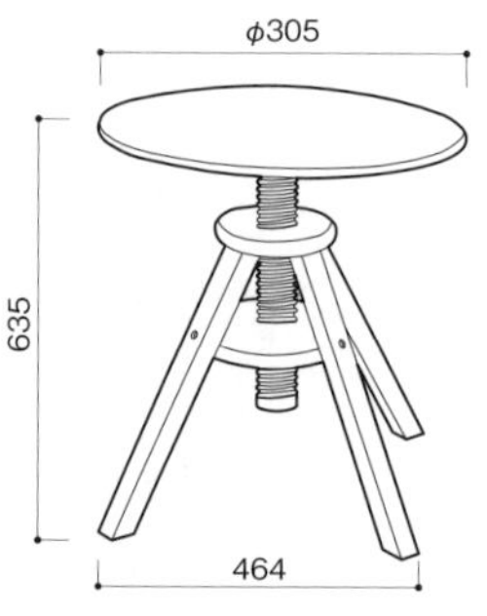
φ305
635
464
幼児用テーブル

480
260
幼児用椅子

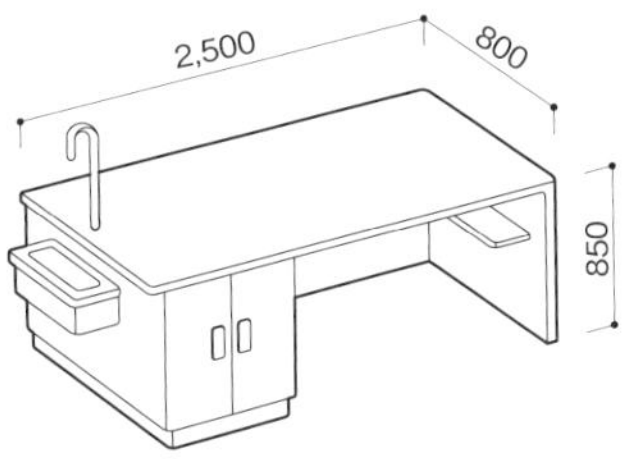
2,500
800
850
教師用実演台

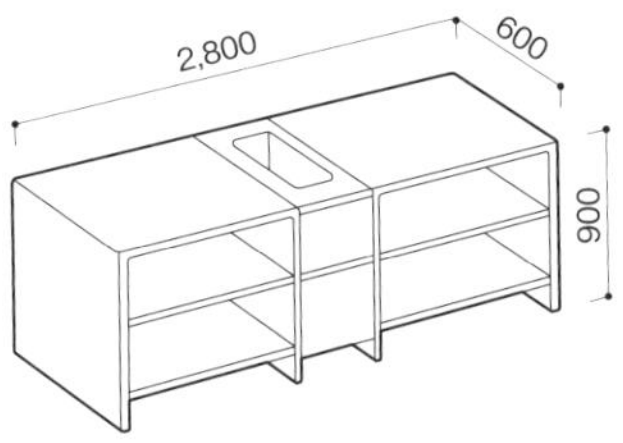
2,800
600
900
教師用実演台

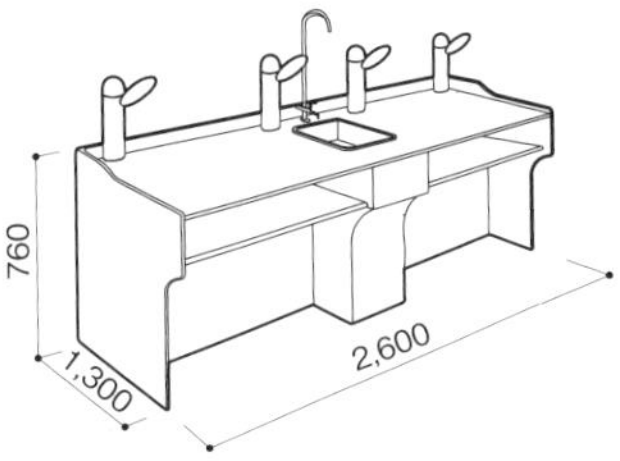
760
1,300
2,600
化学用実験台

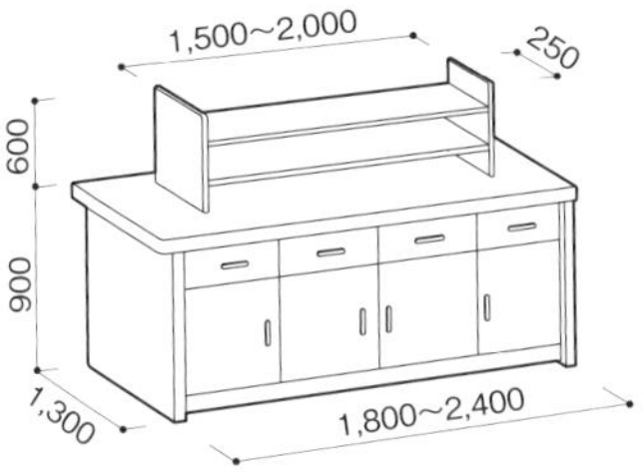
1,500～2,000
250
600
900
1,300
1,800～2,400
化学用実験台

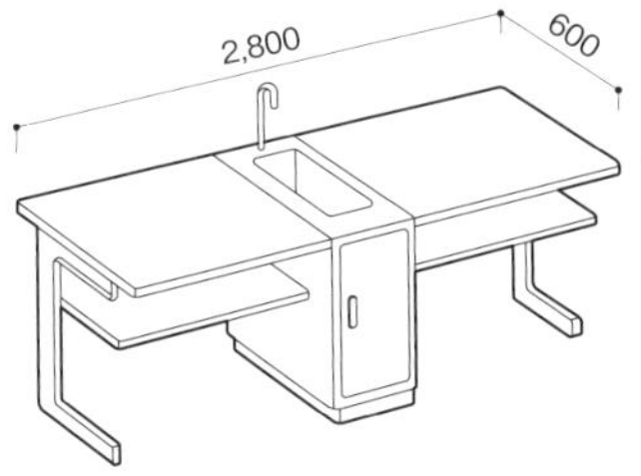
2,800
600
760
4人用実験台

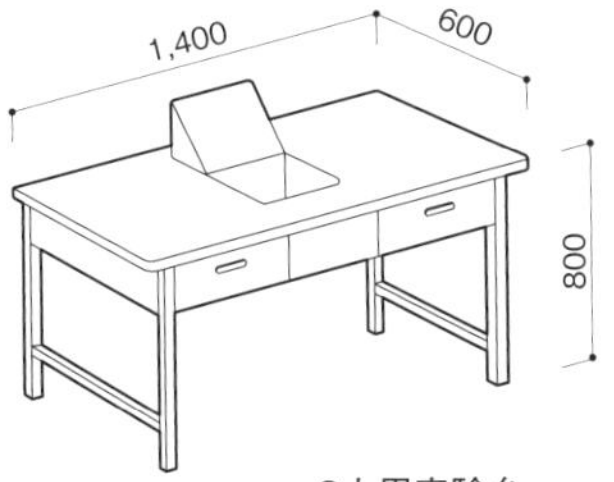
1,400
600
800
2人用実験台

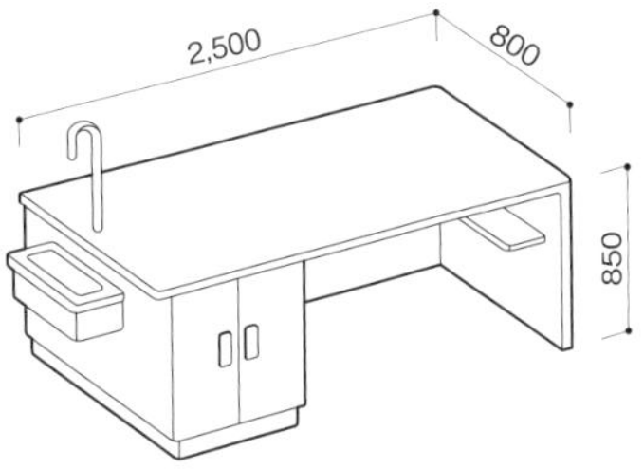
2,500
800
850
教師用実演台

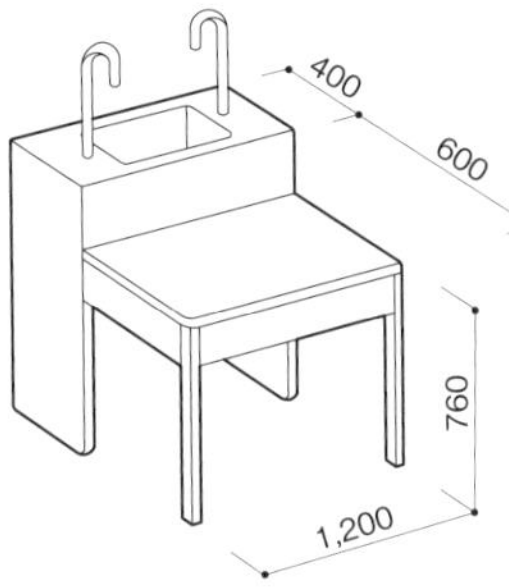
400
600
760
1,200
小型実験台

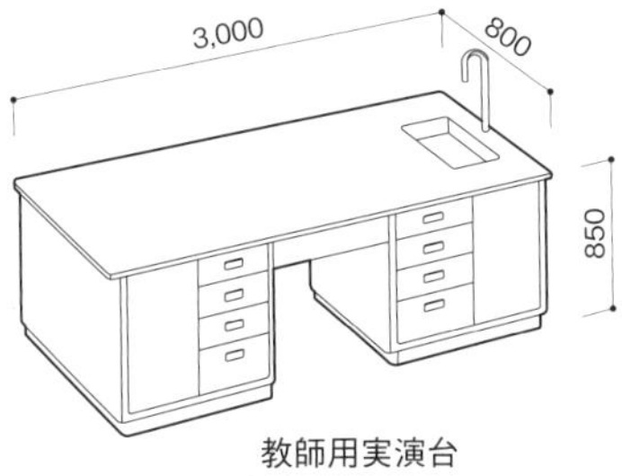
3,000
800
850
教師用実演台

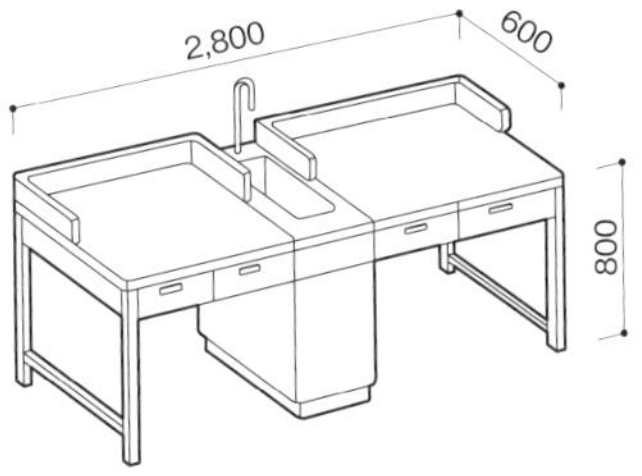
2,800
600
800
4人用実験台

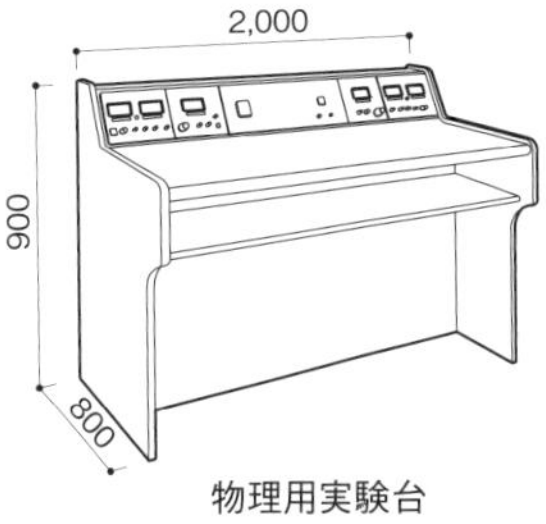
2,000
900
800
物理用実験台

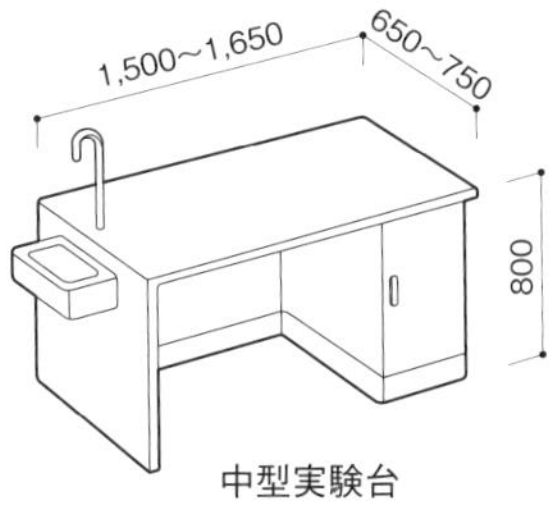
1,500～1,650
650～750
800
中型実験台

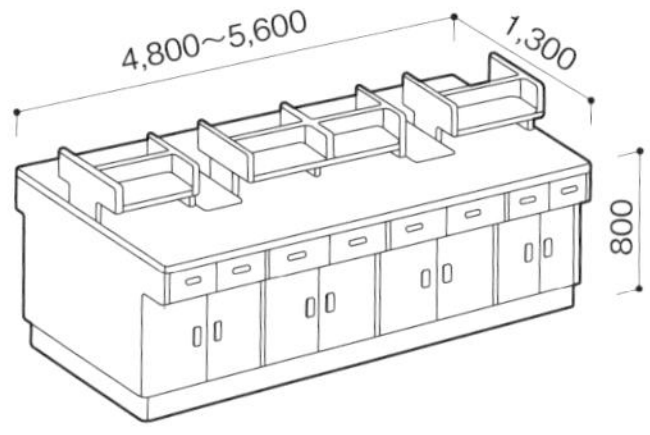
4,800～5,600
1,300
800
化学用実験台

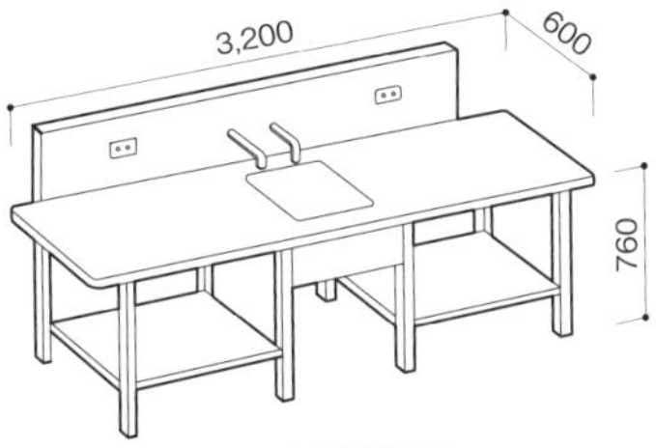
3,200
600
760
4人用実験台

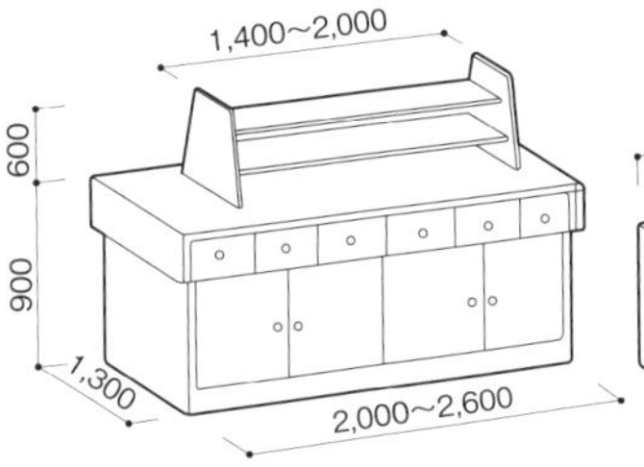
1,400～2,000
600
900
1,300
2,000～2,600
生物用実験台

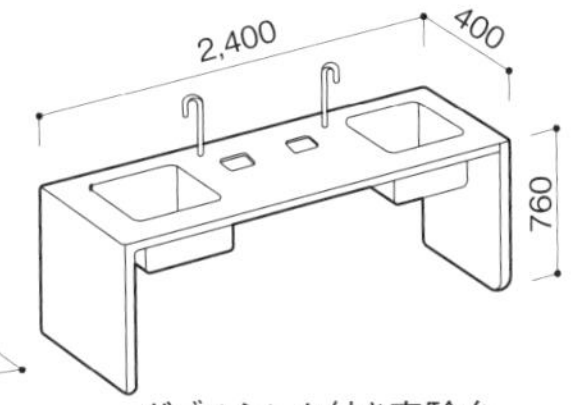
2,400
400
760
ダブルシンク付き実験台

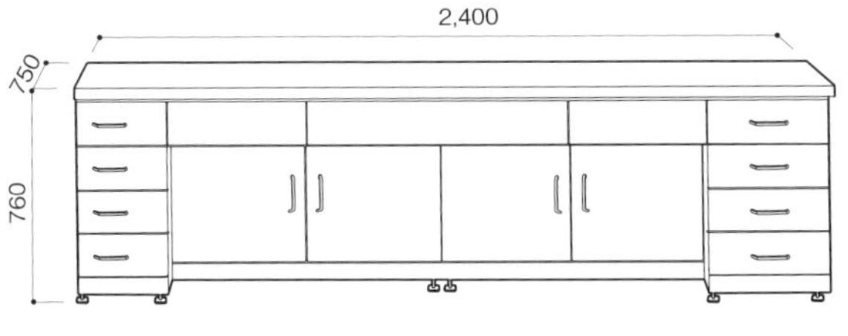
2,400
750
760
教師用実演台

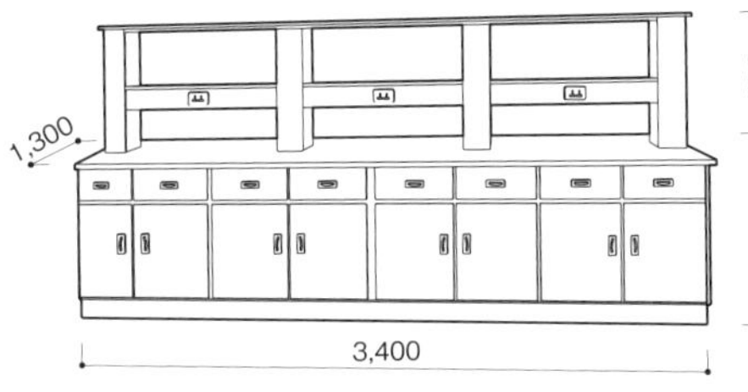
1,300
3,400
生物用実験台

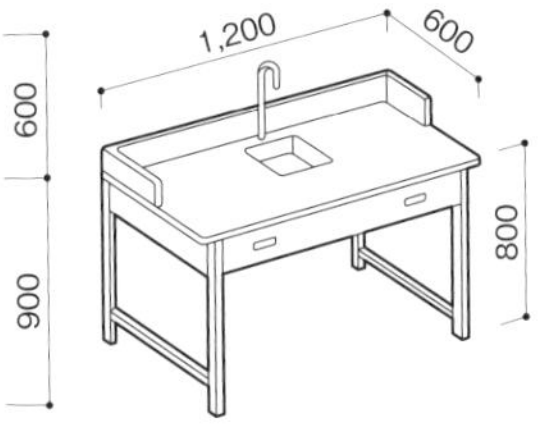
1,200
600
600
900
800
2人用実験台

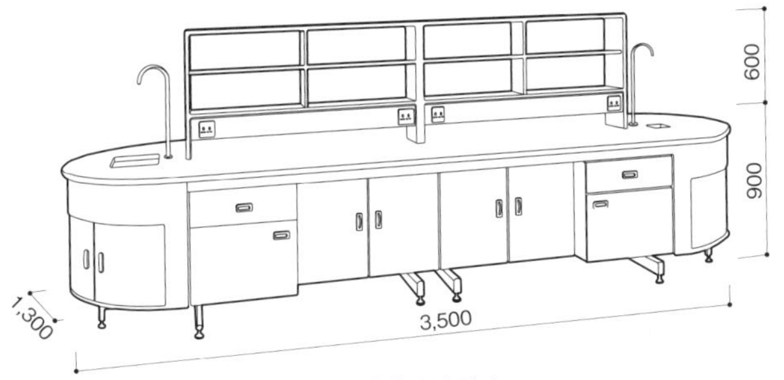
600
900
1,300
3,500
生物用実験台

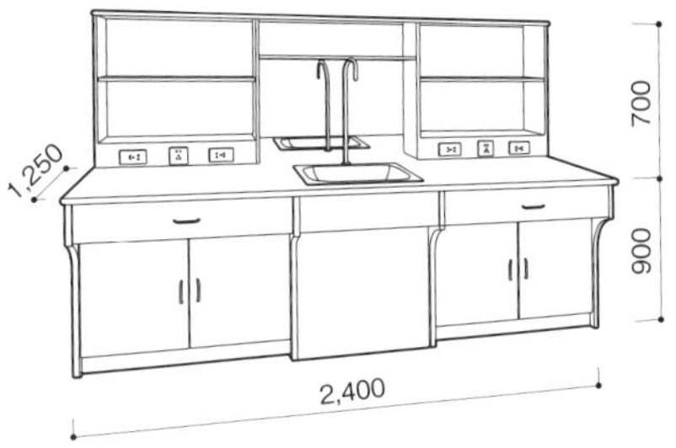
700
1,250
900
2,400
生物用実験台

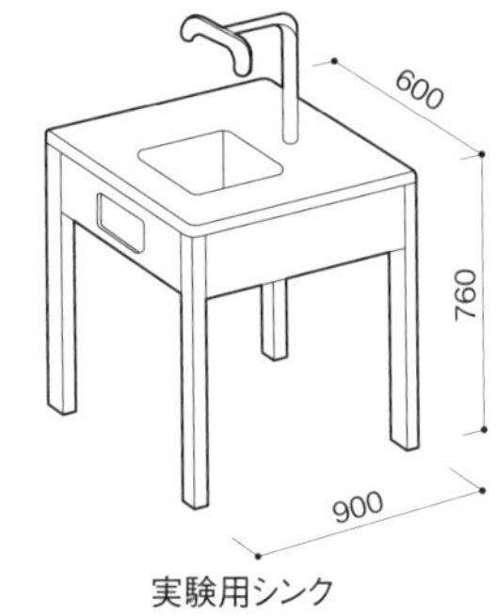
600
760
900
実験用シンク

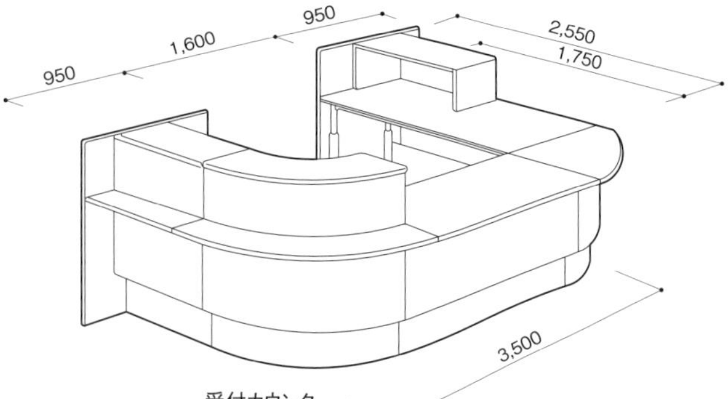
950
1,600
950
2,550
1,750
3,500
受付カウンター

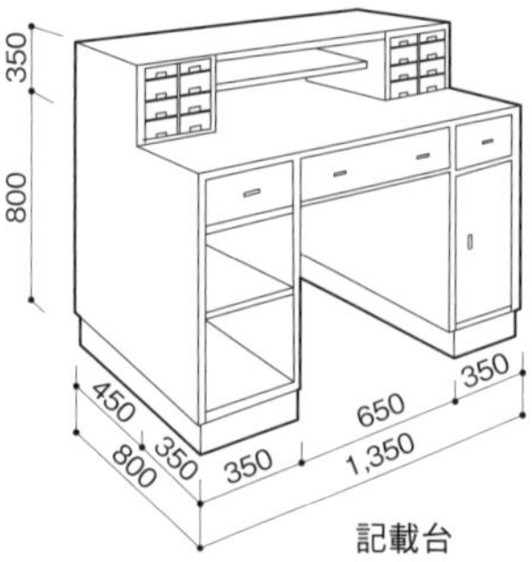
350
800
450
350
800
350
650
350
1,350
記載台

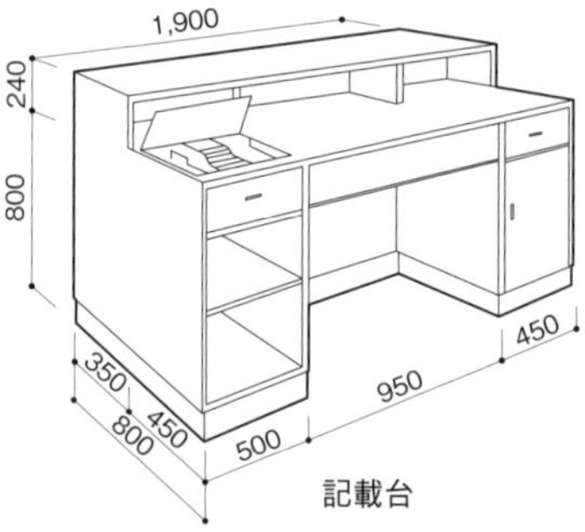
1,900
240
800
350
450
800
500
950
450
記載台

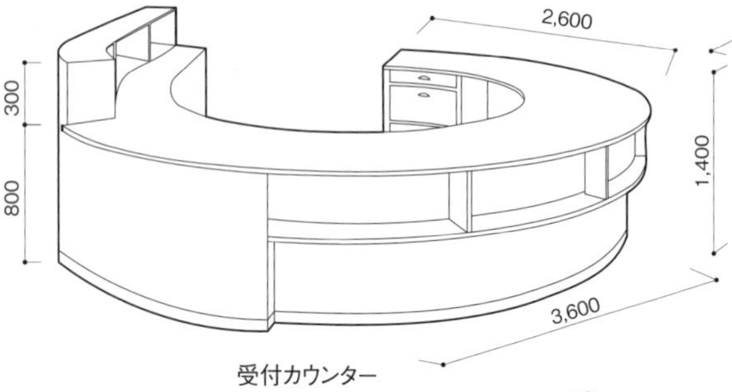
300
800
2,600
3,600
受付カウンター

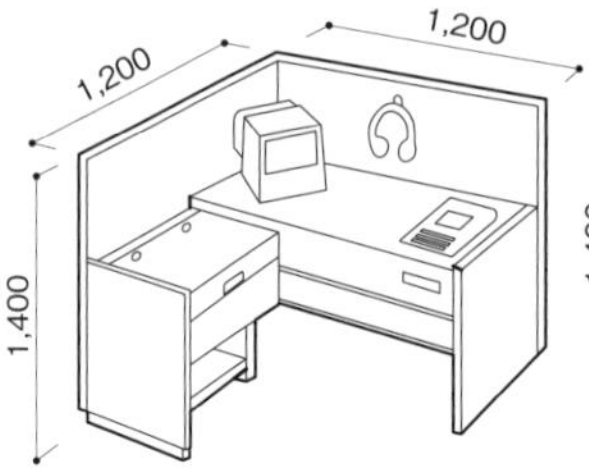
1,200
1,200
1,400
視聴用ブース

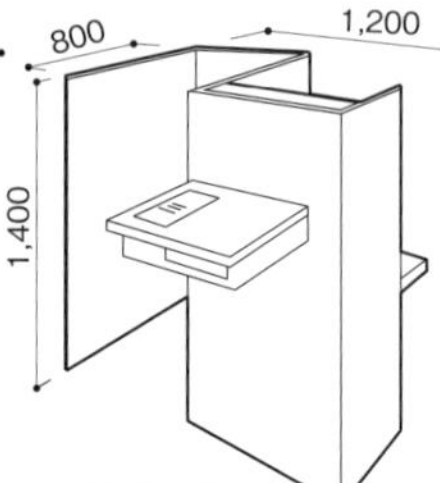
800
1,200
1,400
視聴用ブース

500
500
1,450
350
520
フィルム保管棚

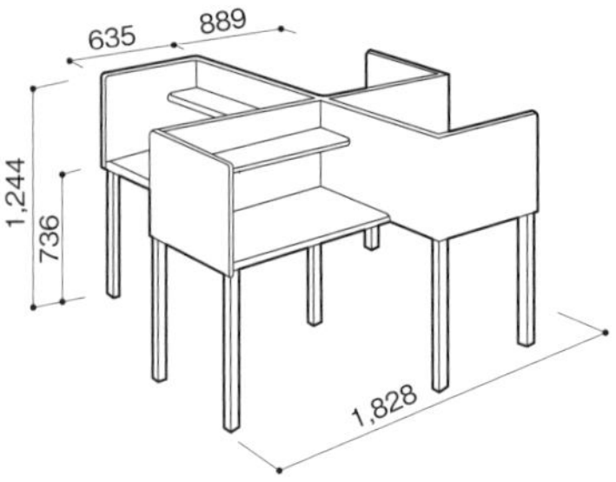
635
889
1,244
736
1,828
風車型閲覧机

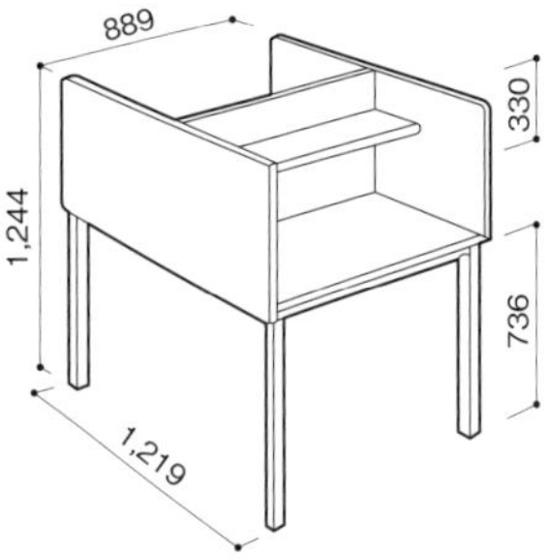
889
330
1,244
736
1,219
対面式閲覧机

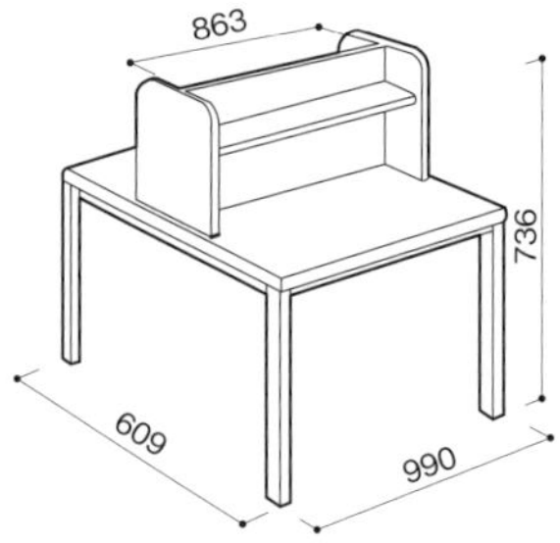
863
736
609
990
対面式閲覧机

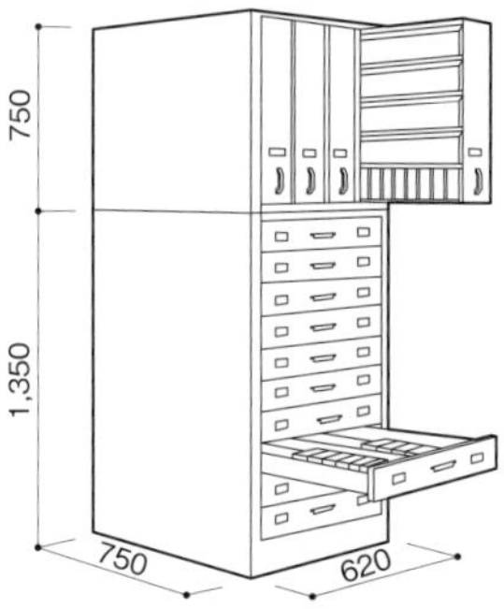
750
1,350
750
620
フィルム保管棚

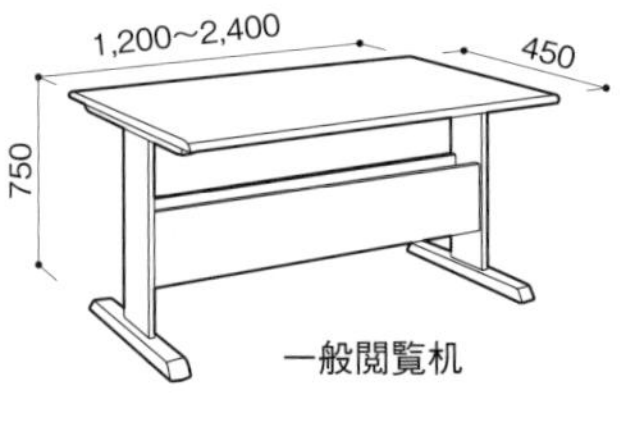
1,200~2,400
450
750
一般閲覧机

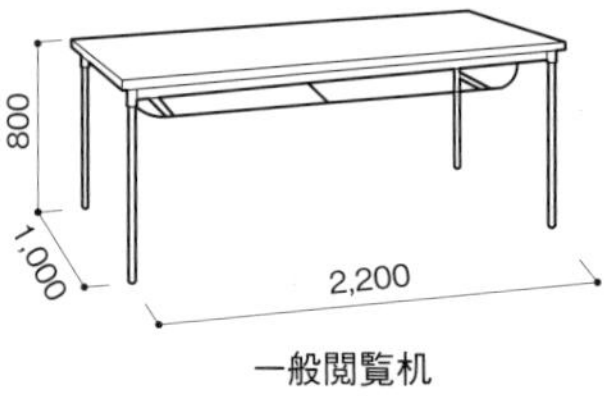
800
1,000
2,200
一般閲覧机

1,050~1,080
780~800
800
1,500~1,800
傾斜閲覧机

400
780~800
650~750
900~1,200
研究机

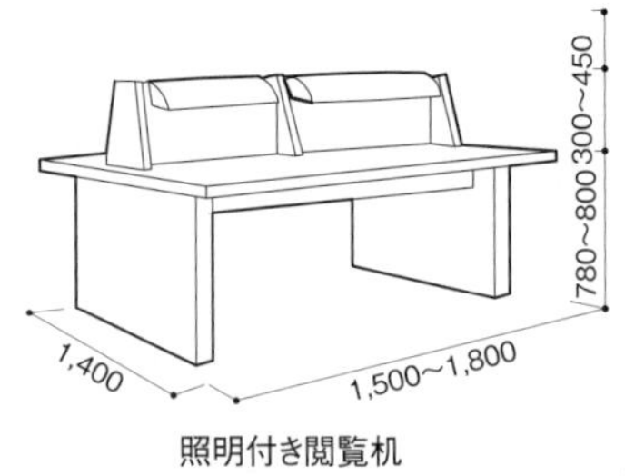
300~450
780~800
1,400
1,500~1,800
照明付き閲覧机

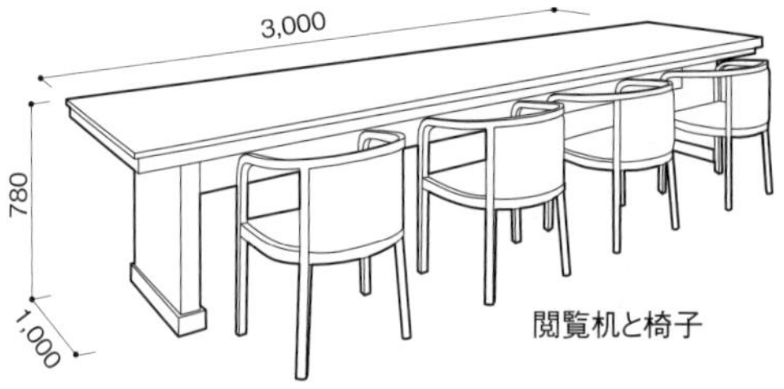
3,000
780
1,000
閲覧机と椅子

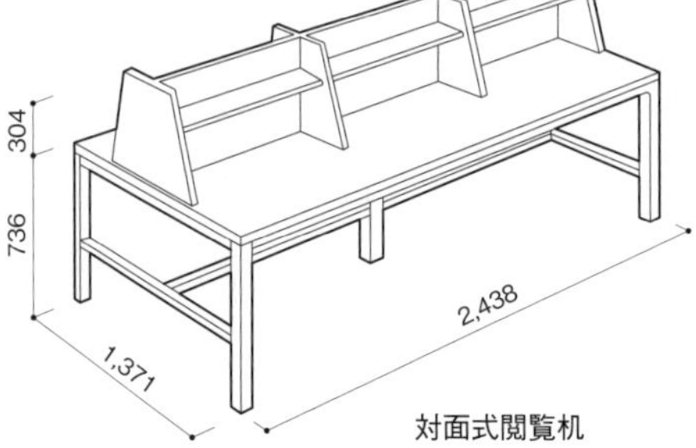
304
736
2,438
1,371
対面式閲覧机

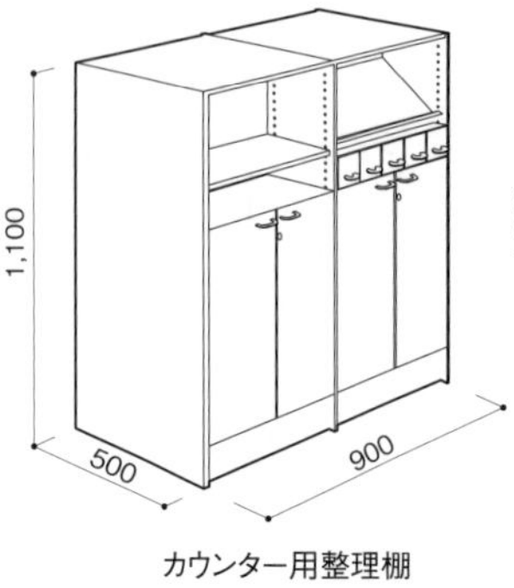
1,100
500
900
カウンター用整理棚

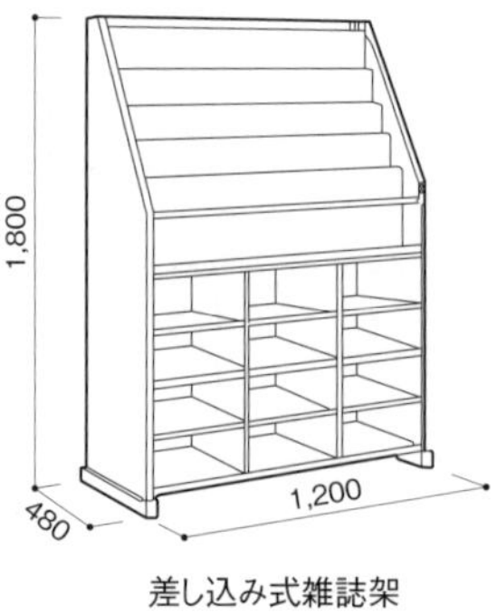
1,800
480
1,200
差し込み式雑誌架

340
340
340
340
340
340
100
2,140
200
1,000
点字図書棚

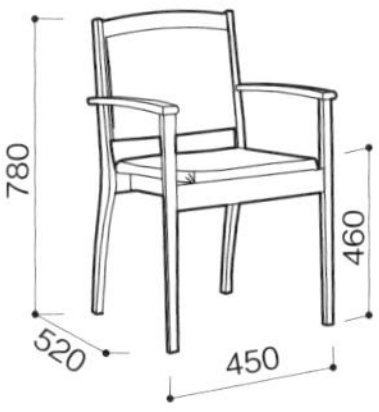
780
460
520
450
椅子

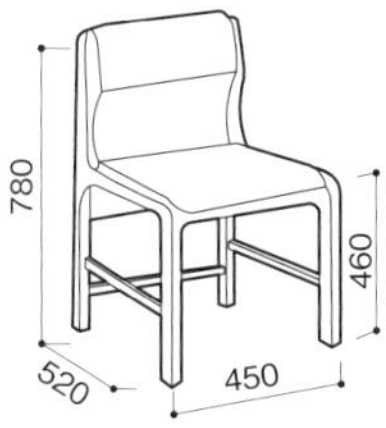
780
460
520
450
椅子

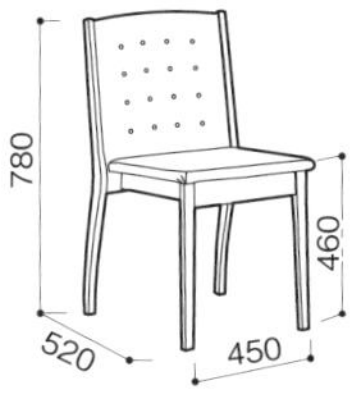
780
460
520
450
椅子

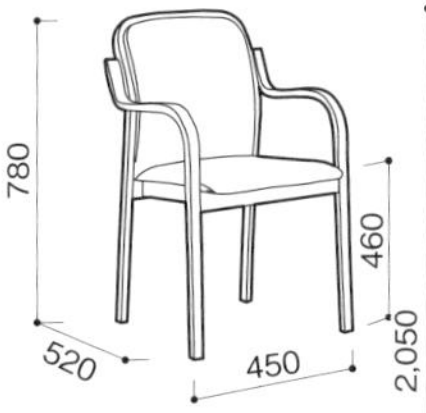
780
460
520
450
椅子

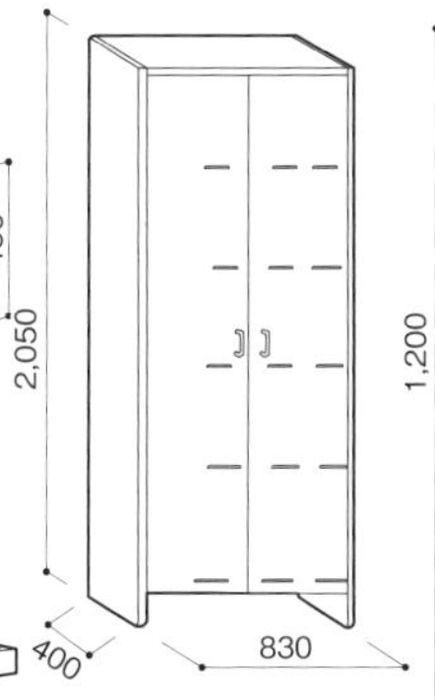
2,050
400
830
長尺物用棚

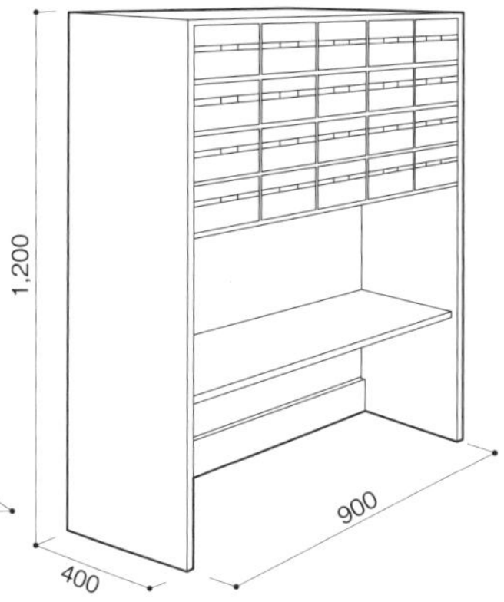
1,200
400
900
図書目録棚

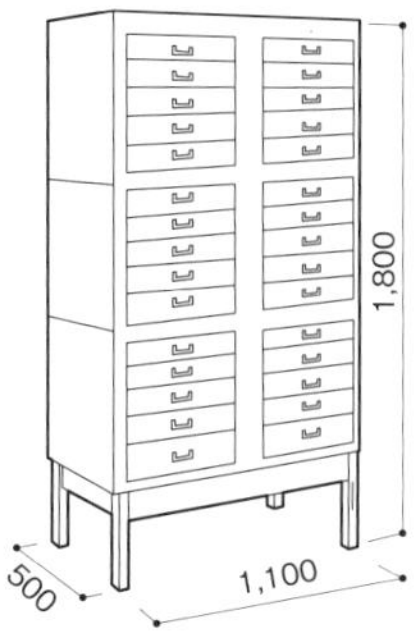
1,800
500
1,100
視聴覚資料棚

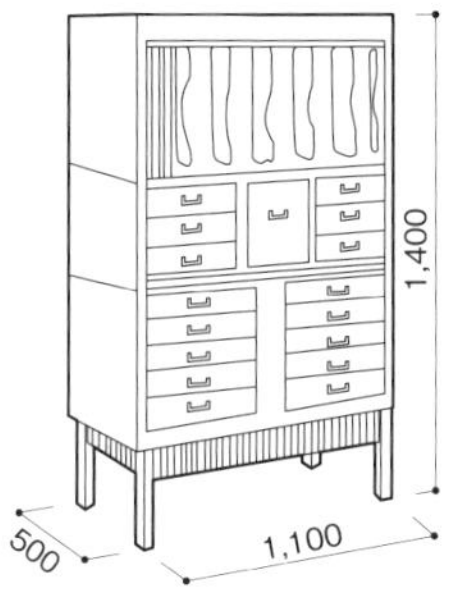
1,400
500
1,100
視聴覚資料棚

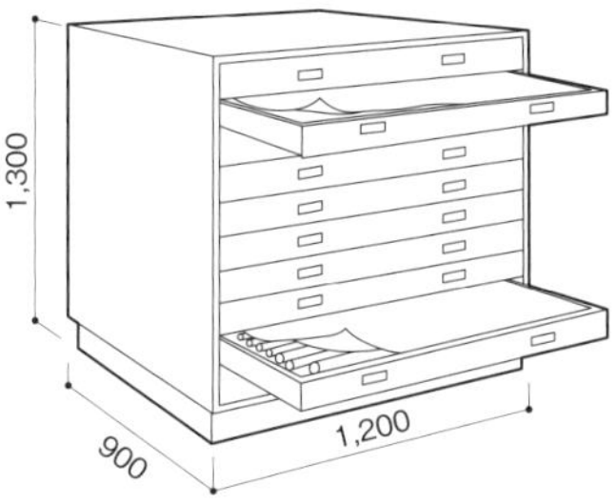
1,300
900
1,200
地図用キャビネット

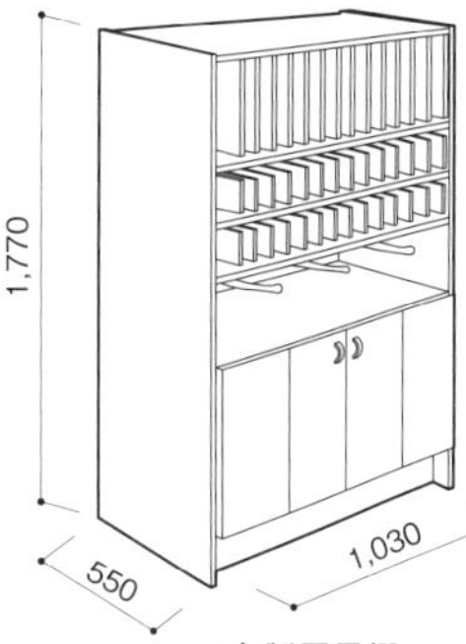
1,770
550
1,030
木製展示棚

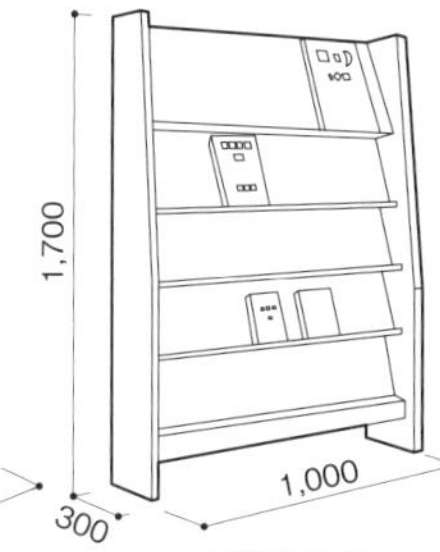
1,700
300
1,000
木製雑誌架

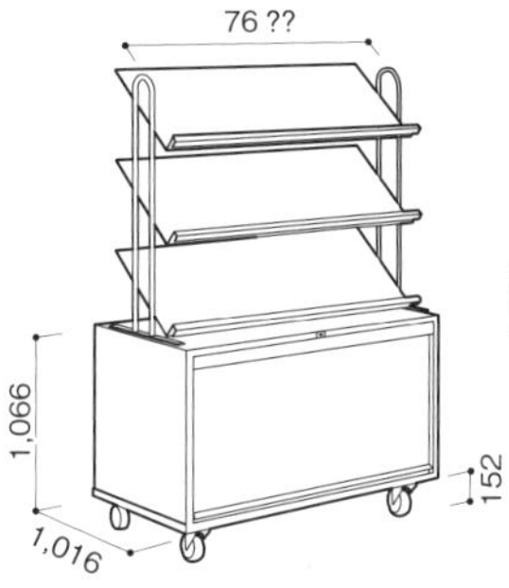
76 ??
1,066
152
1,016
可動式書架

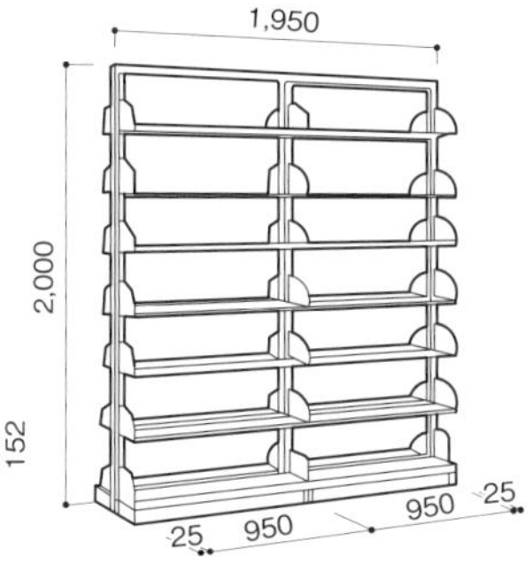
1,950
2,000
25
950
950
25
可動式スチール製書架

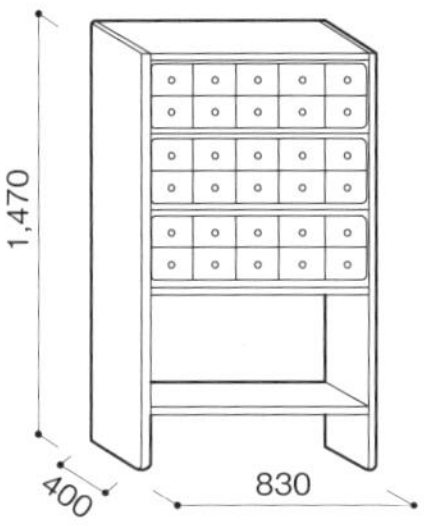
1,470
400
830
木製目録カードラック

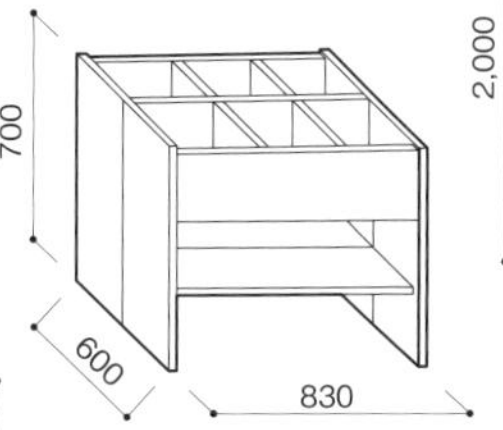
700
600
830
図書展示台

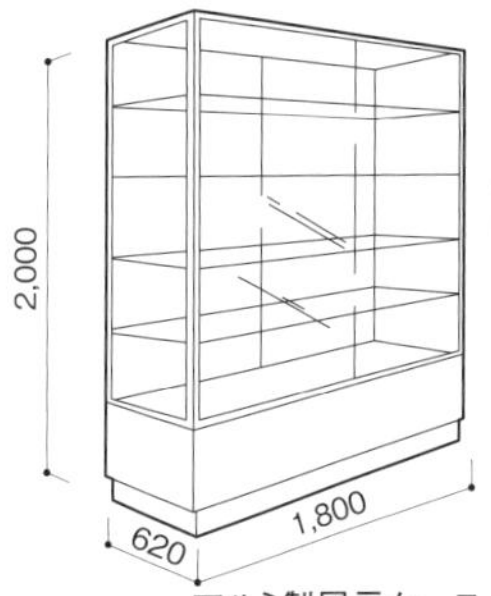
2,000
620
1,800
アルミ製展示ケース

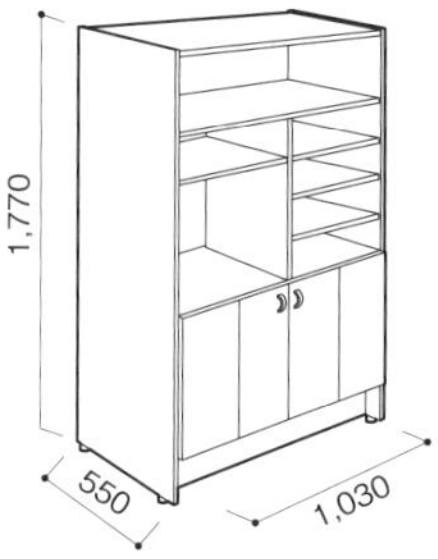
1,770
550
1,030
木製展示ケース

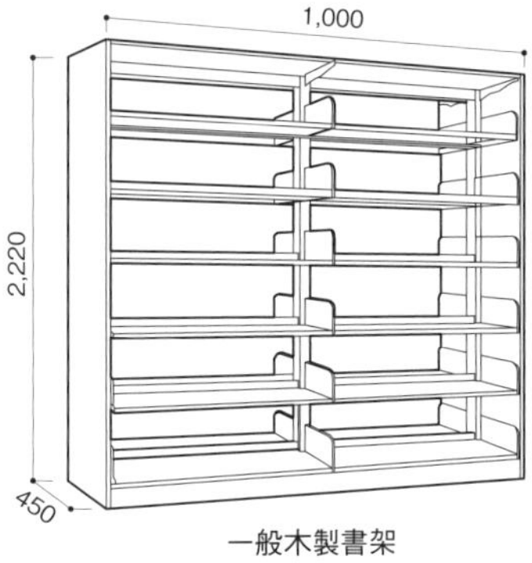
1,000
2,220
450
一般木製書架

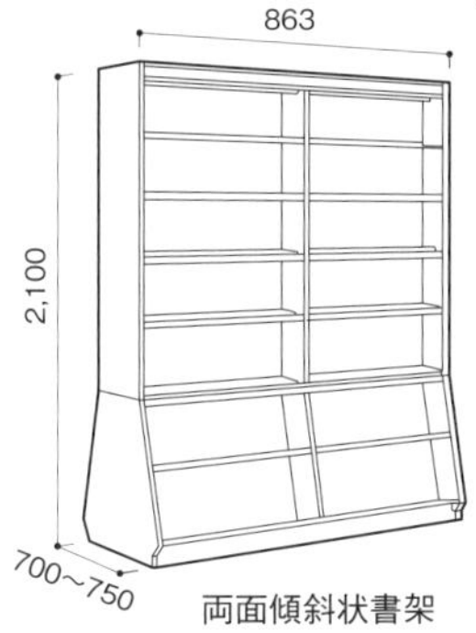
863
2,100
700～750
両面傾斜状書架

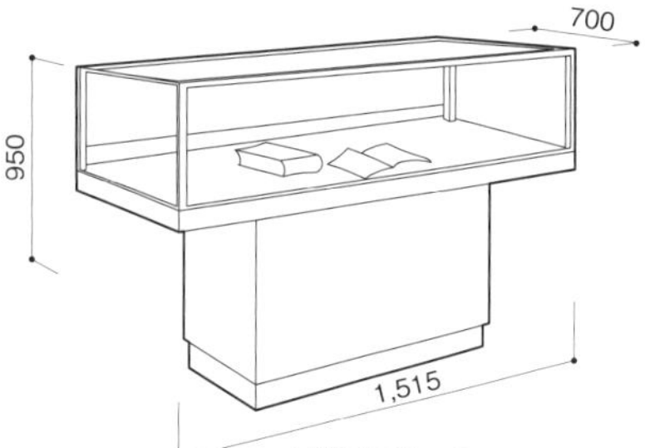
700
950
1,515
木製展示ケース

2,200
440
1,500
木製新聞棚

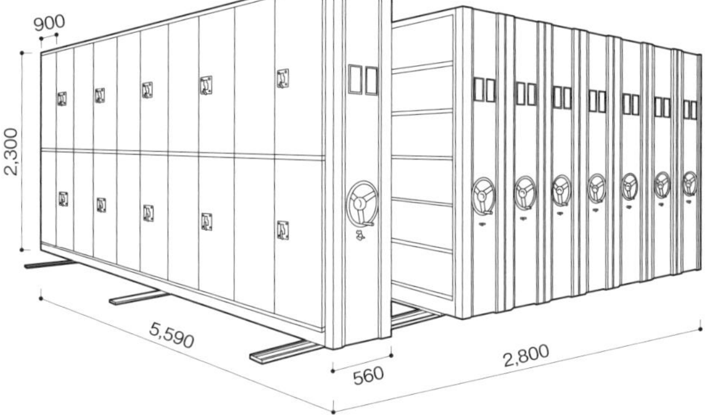
900
2,300
5,590
560
2,800

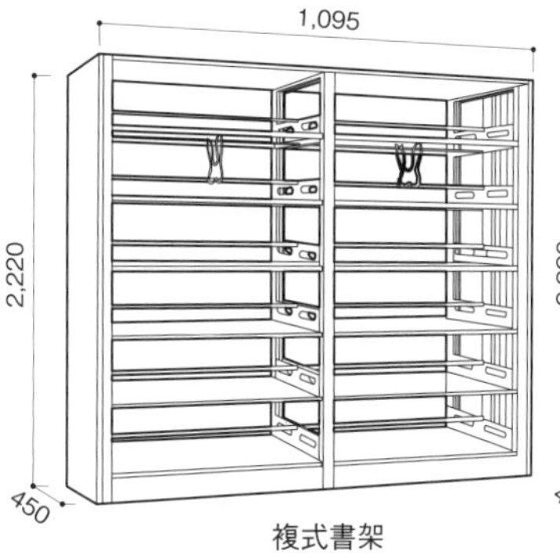
1,095
2,220
450
複式書架

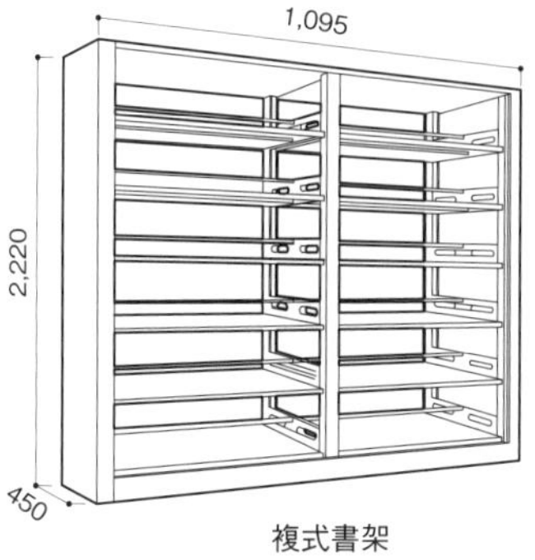
1,095
2,220
450
複式書架

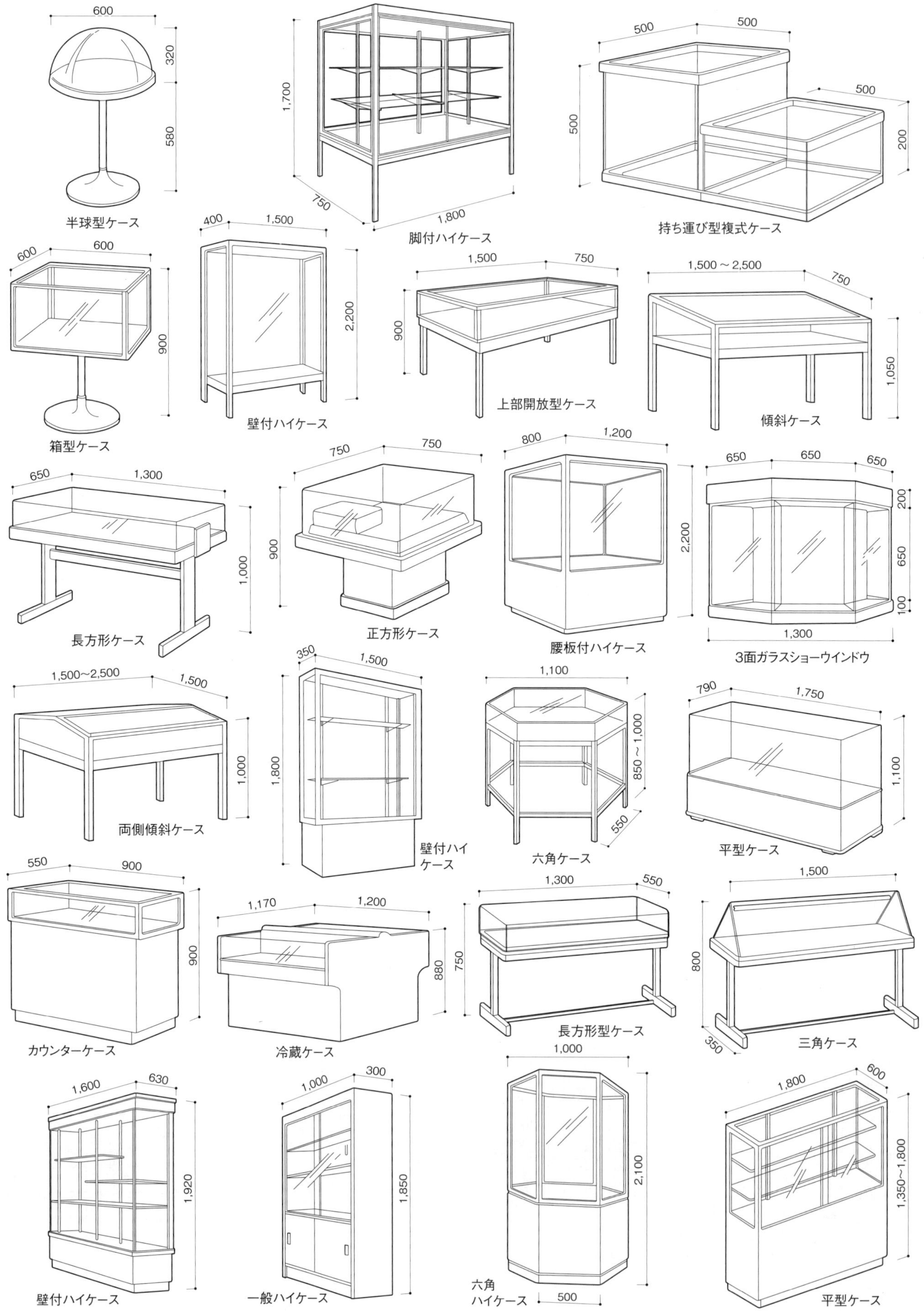
600
320
580
半球型ケース
1,700
750
1,800
脚付ハイケース
500
500
500
500
200
持ち運び型複式ケース
600
600
900
箱型ケース
400
1,500
2,200
壁付ハイケース
1,500
750
900
上部開放型ケース
1,500 ~ 2,500
750
1,050
傾斜ケース
650
1,300
1,000
長方形ケース
750
750
900
正方形ケース
800
1,200
2,200
腰板付ハイケース
650
650
650
200
650
100
1,300
3面ガラスショーウインドウ
1,500~2,500
1,500
1,000
両側傾斜ケース
350
1,500
1,800
壁付ハイ
ケース
1,100
850 ~ 1,000
550
六角ケース
790
1,750
1,100
平型ケース
550
900
900
カウンターケース
1,170
1,200
880
冷蔵ケース
1,300
550
750
長方形型ケース
1,500
800
350
三角ケース
1,600
630
1,920
壁付ハイケース
1,000
300
1,850
一般ハイケース
1,000
2,100
六角
ハイケース
500
1,800
600
1,350~1,800
平型ケース

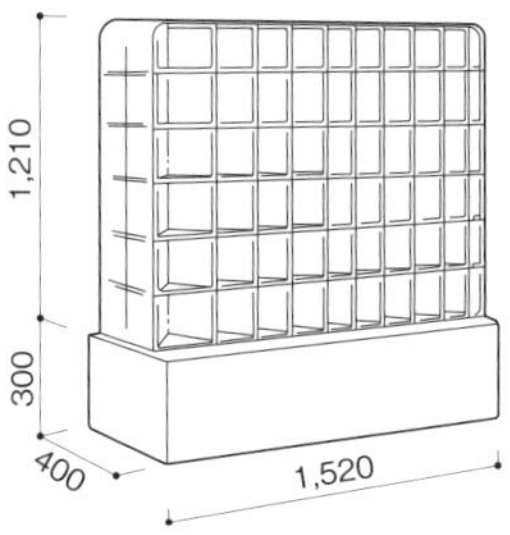
1,210
300
400
1,520
文庫本書架

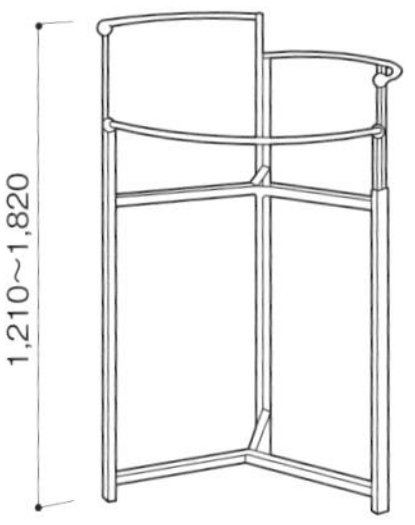
1,210~1,820
3段ハンガー

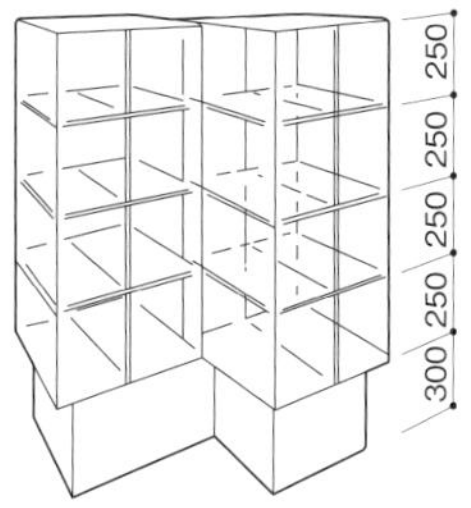
250
250
250
250
300
多機能棚

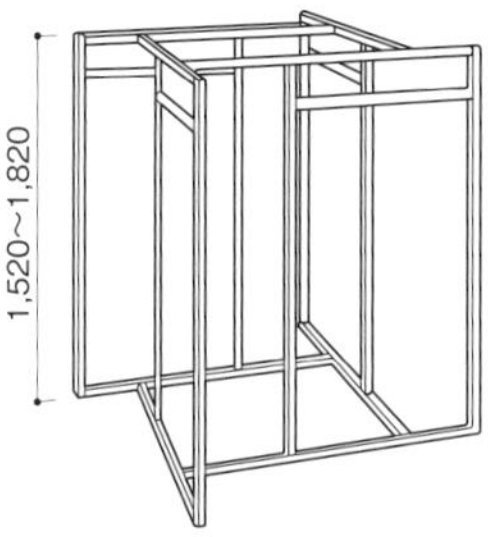
1,520~1,820
4方向ハンガー

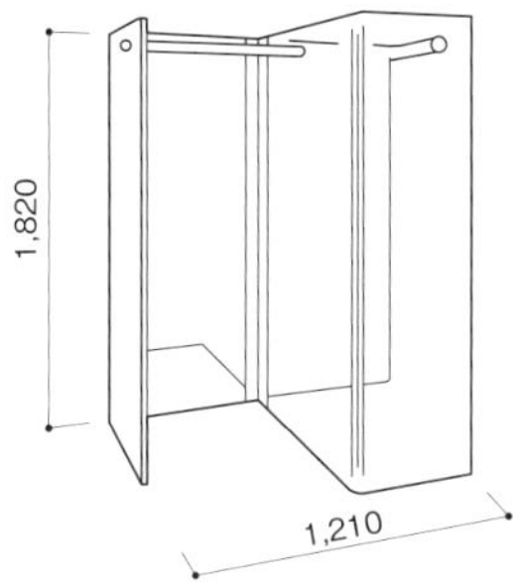
1,820
1,210
風車型ハンガー

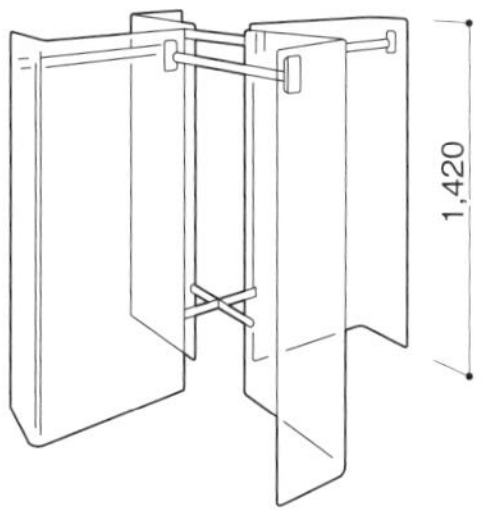
1,420
風車型ハンガー

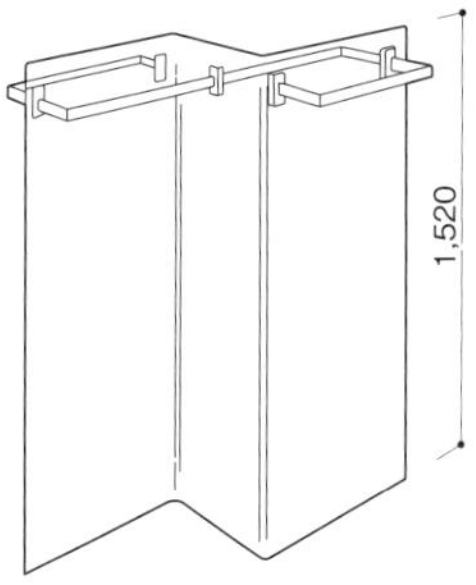
1,520
Z型ハンガー

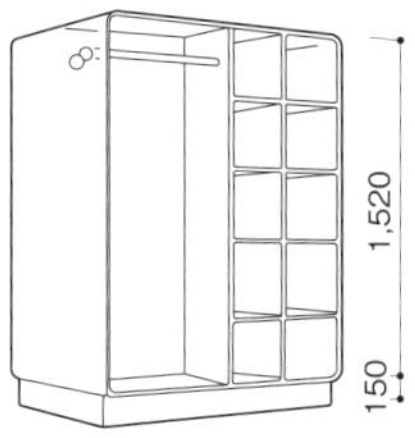
1,520
150
コンビネーションハンガーラック

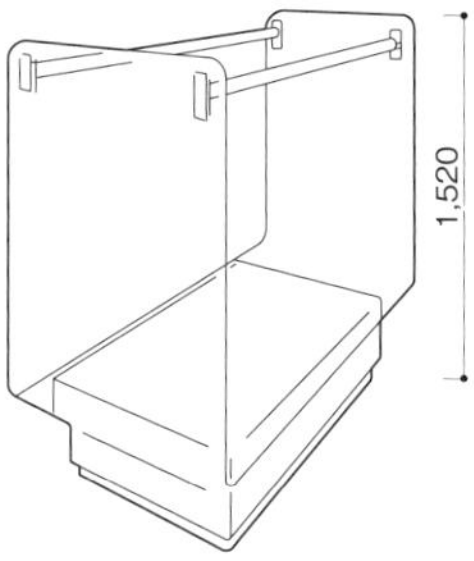
1,520
ダブルハンガーラック

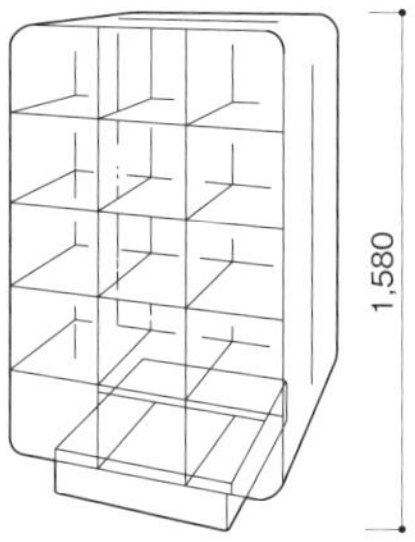
1,580
Yシャツラック

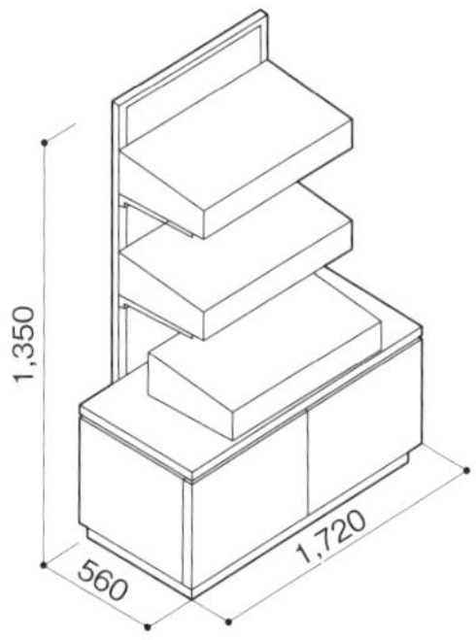
1,350
560
1,720
紳士靴ラック

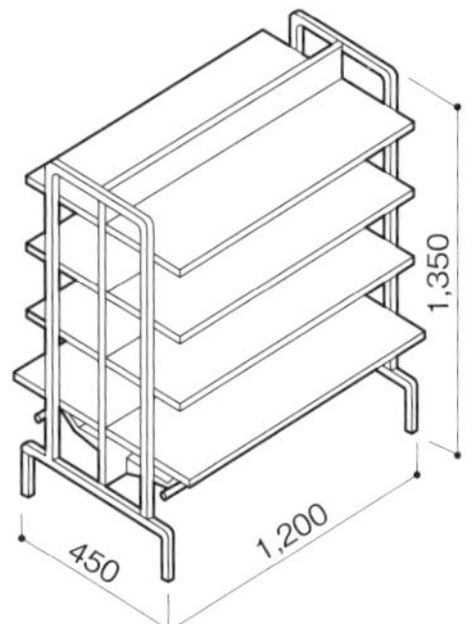
1,350
450
1,200
婦人靴ラック

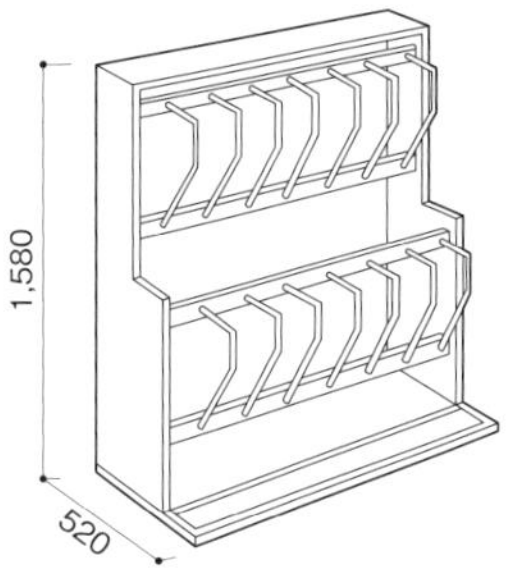
1,580
520
2段ハンガーラック

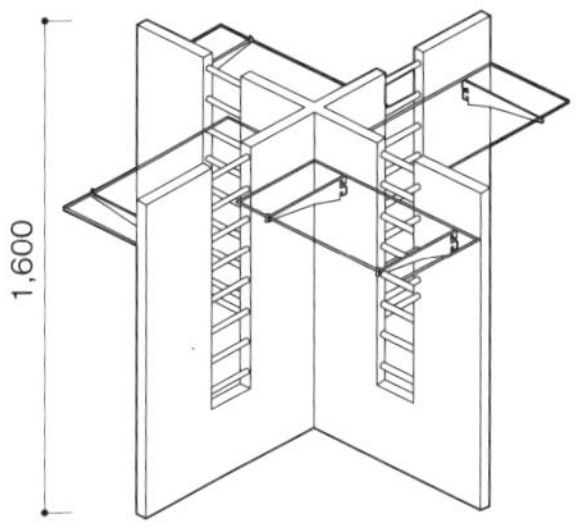
1,600
洋服ラック

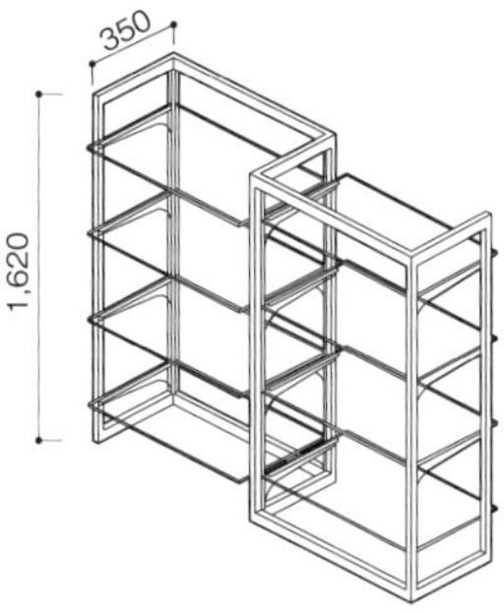
350
1,620
ギフトコーナー用ラック

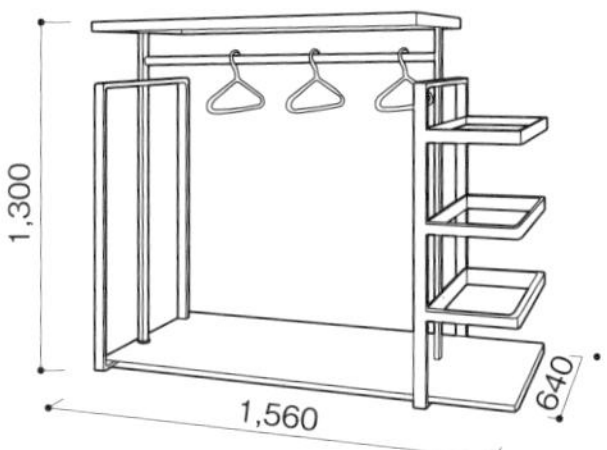
1,300
1,560
640
コンビネーションハンガーラック

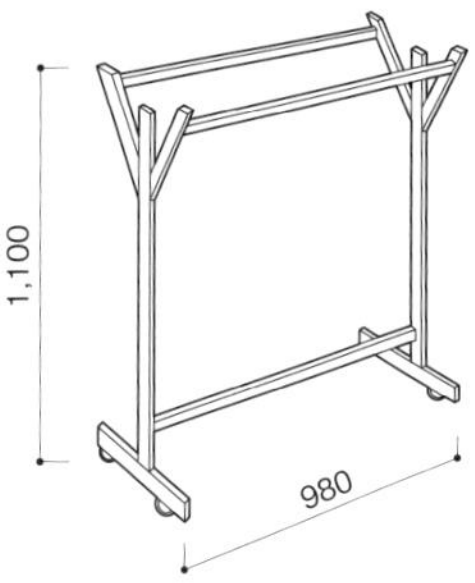
1,100
980
Y字型ハンガー

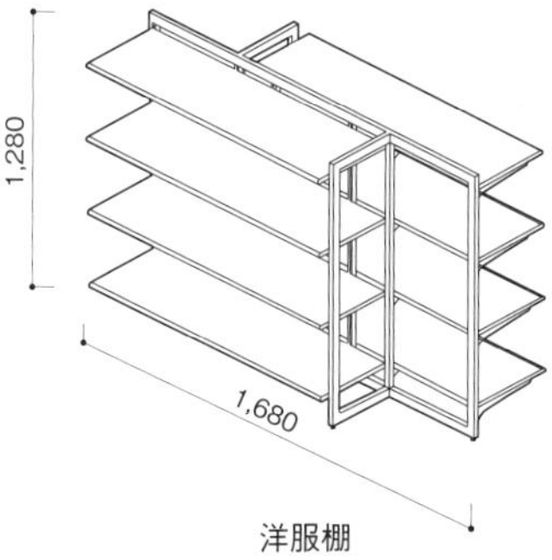
1,280
1,680
洋服棚

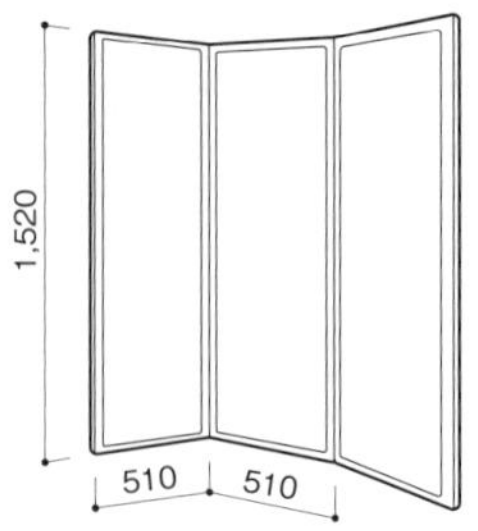
1,520
510
510
三面鏡

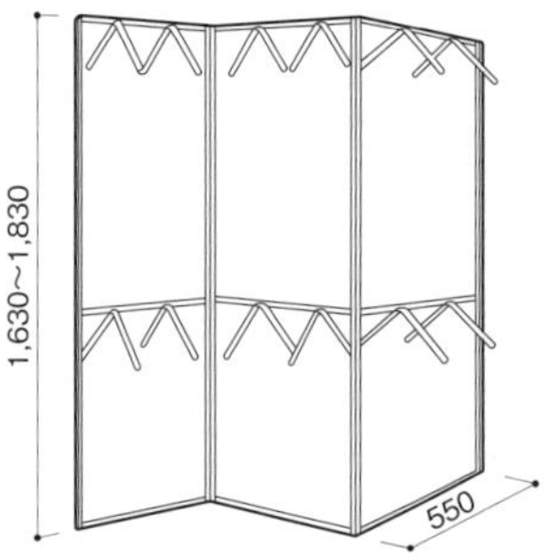
1,630~1,830
550
バッグハンガー

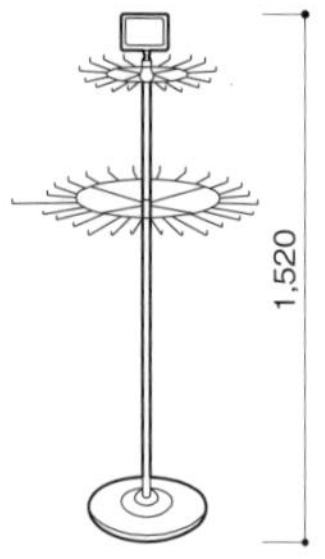
1,520
ネクタイハンガー

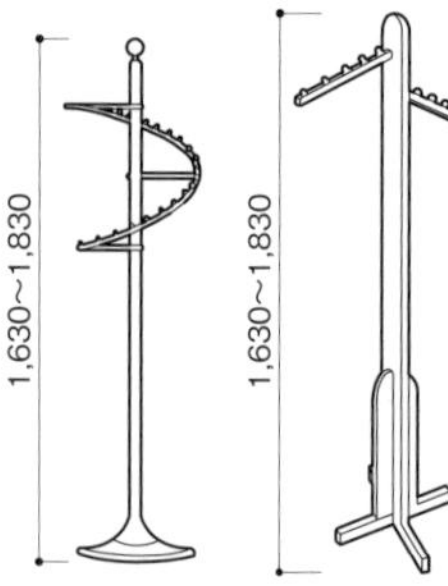
1,630~1,830
1,630~1,830
ベルト・スカーフハンガー

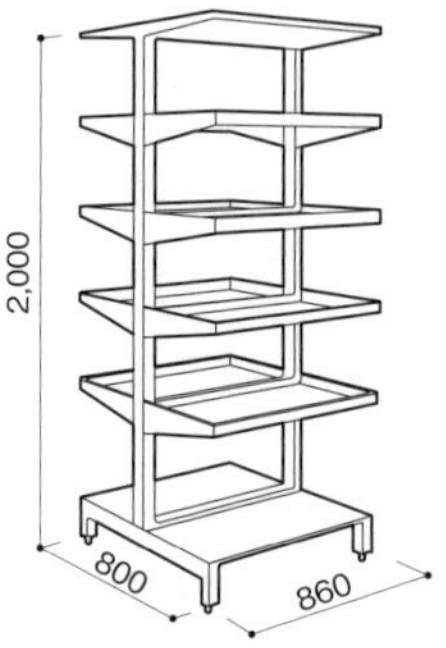
2,000
800
860
薬品棚

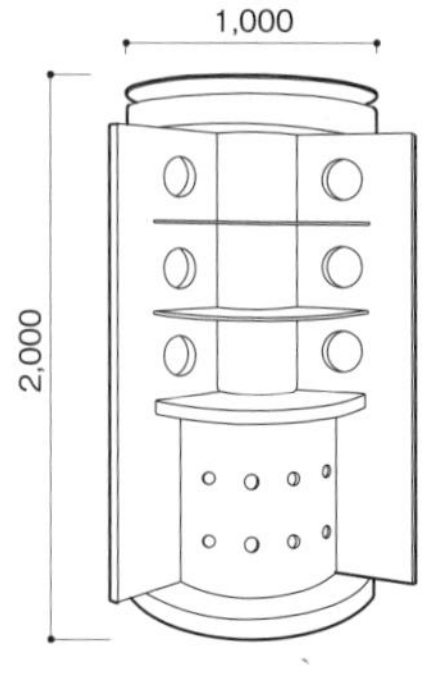
1,000
2,000
電気製品棚

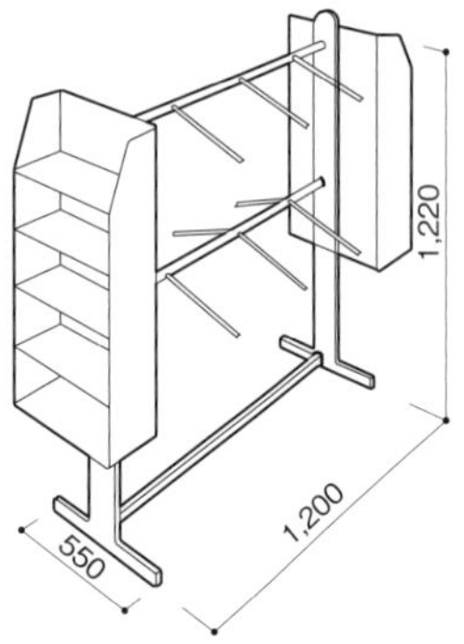
1,220
550
1,200
財布棚

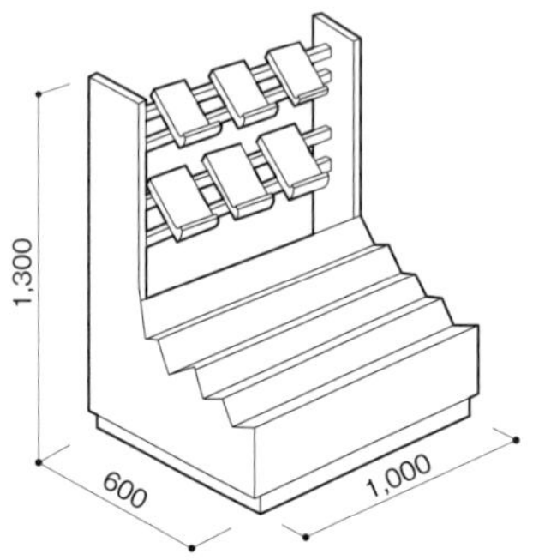
1,300
600
1,000
シューズ棚

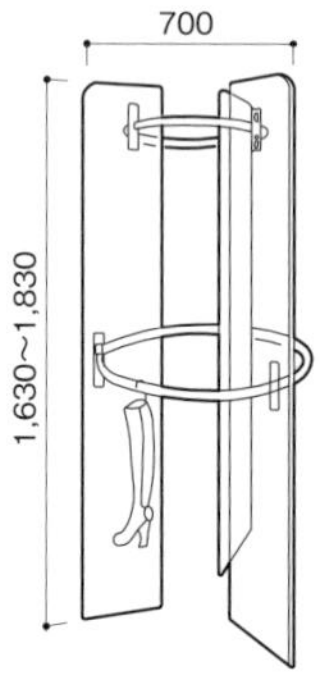
700
1,630~1,830
シューズハンガー

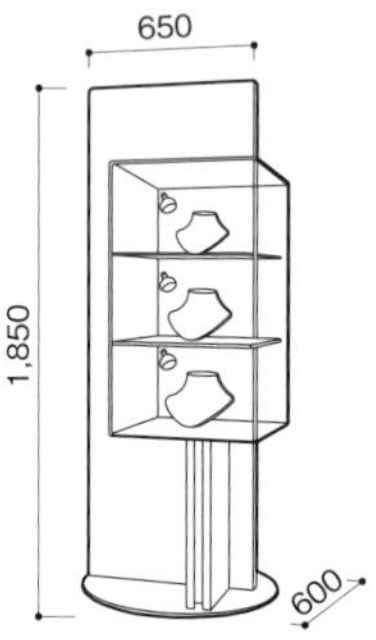
650
1,850
600
ジュエリーケース

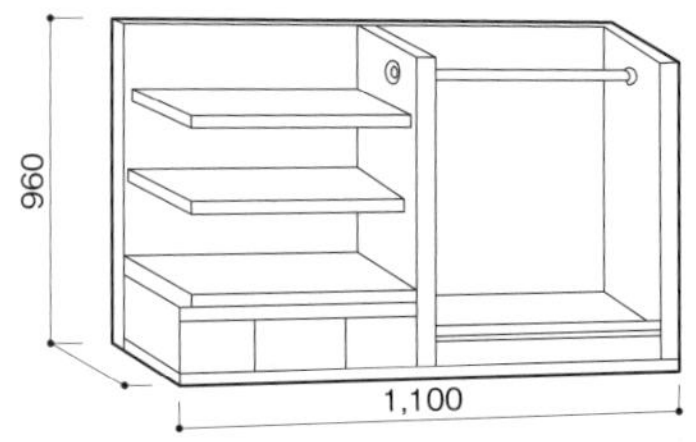
960
1,100
衣装用ローラック

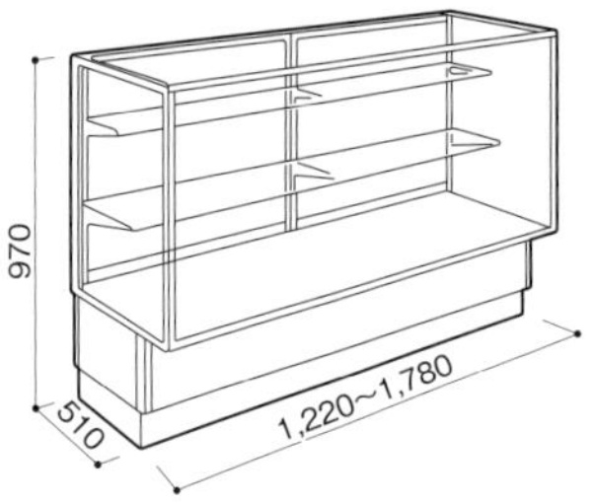
970
510
1,220~1,780
平型ケース

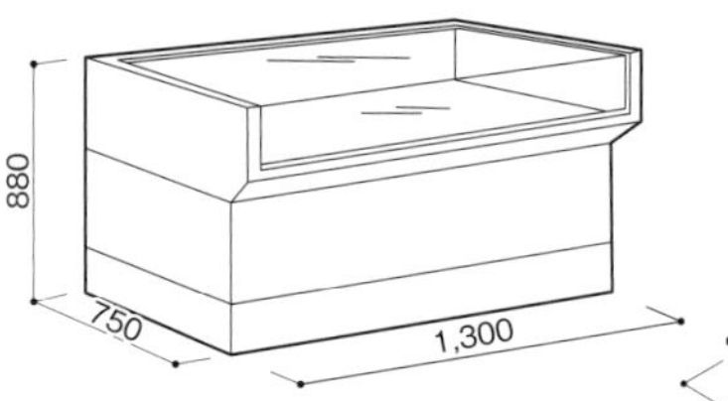
880
750
1,300
時計ケース

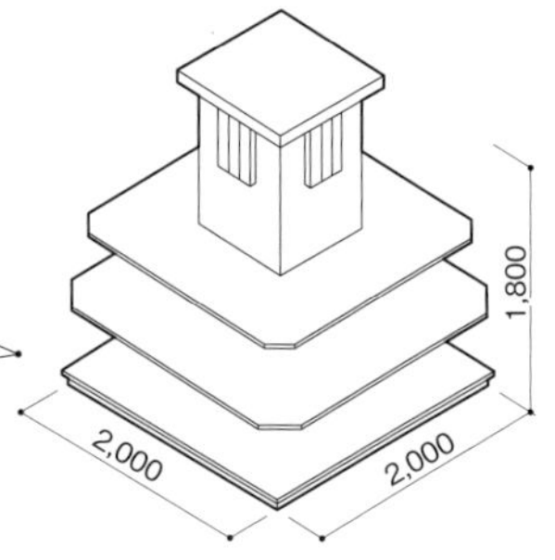
1,800
2,000
2,000
商品棚

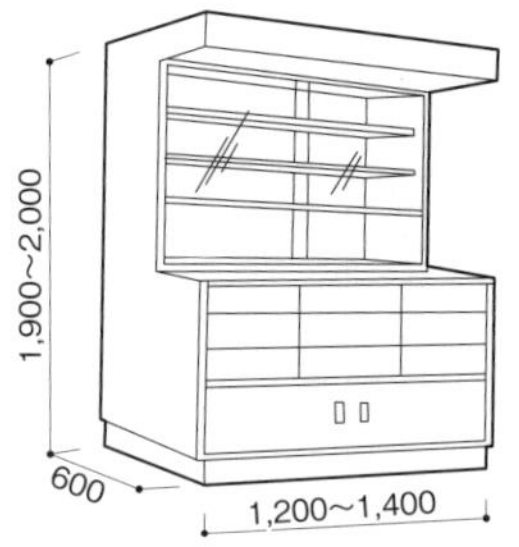
1,900~2,000
600
1,200~1,400
多目的ラック

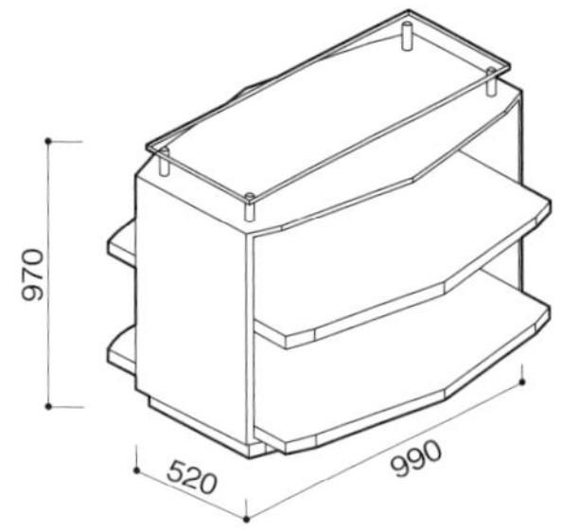
970
520
990
衣装ディスプレー台

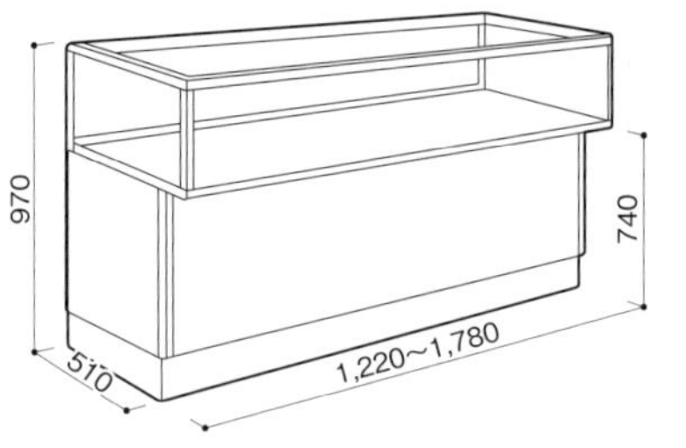
970
740
510
1,220~1,780
ジュエリーケース

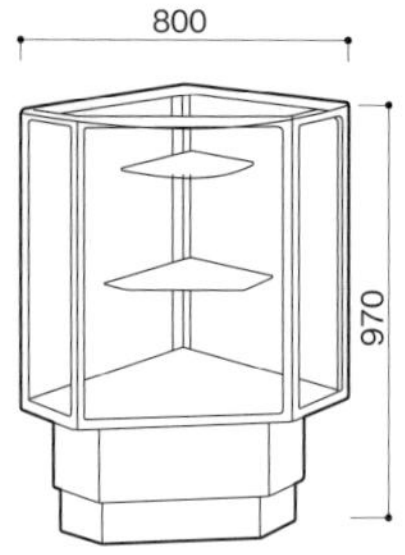
800
970
コーナー展示ケース

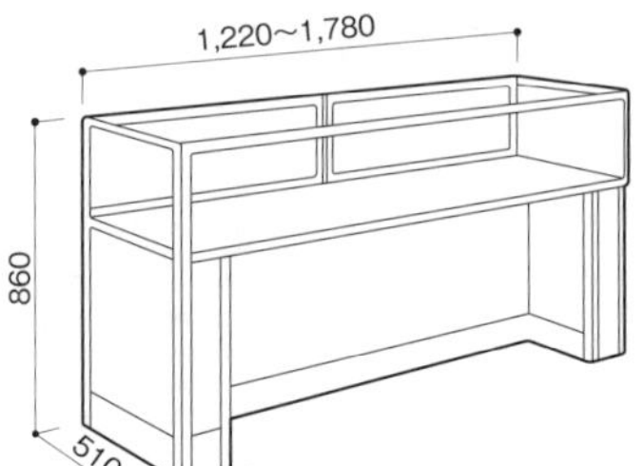
1,220~1,780
860
510
150
貴金属ケース

1,900~2,000
600
1,200
多目的ケース

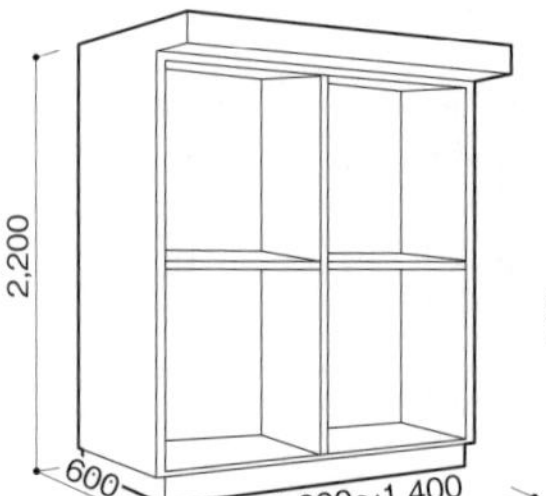
2,200
600
1,200~1,400
多目的ラック

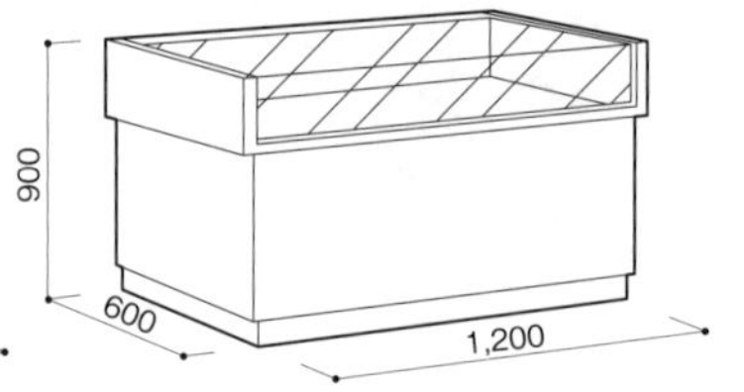
900
600
1,200
カウンターケース

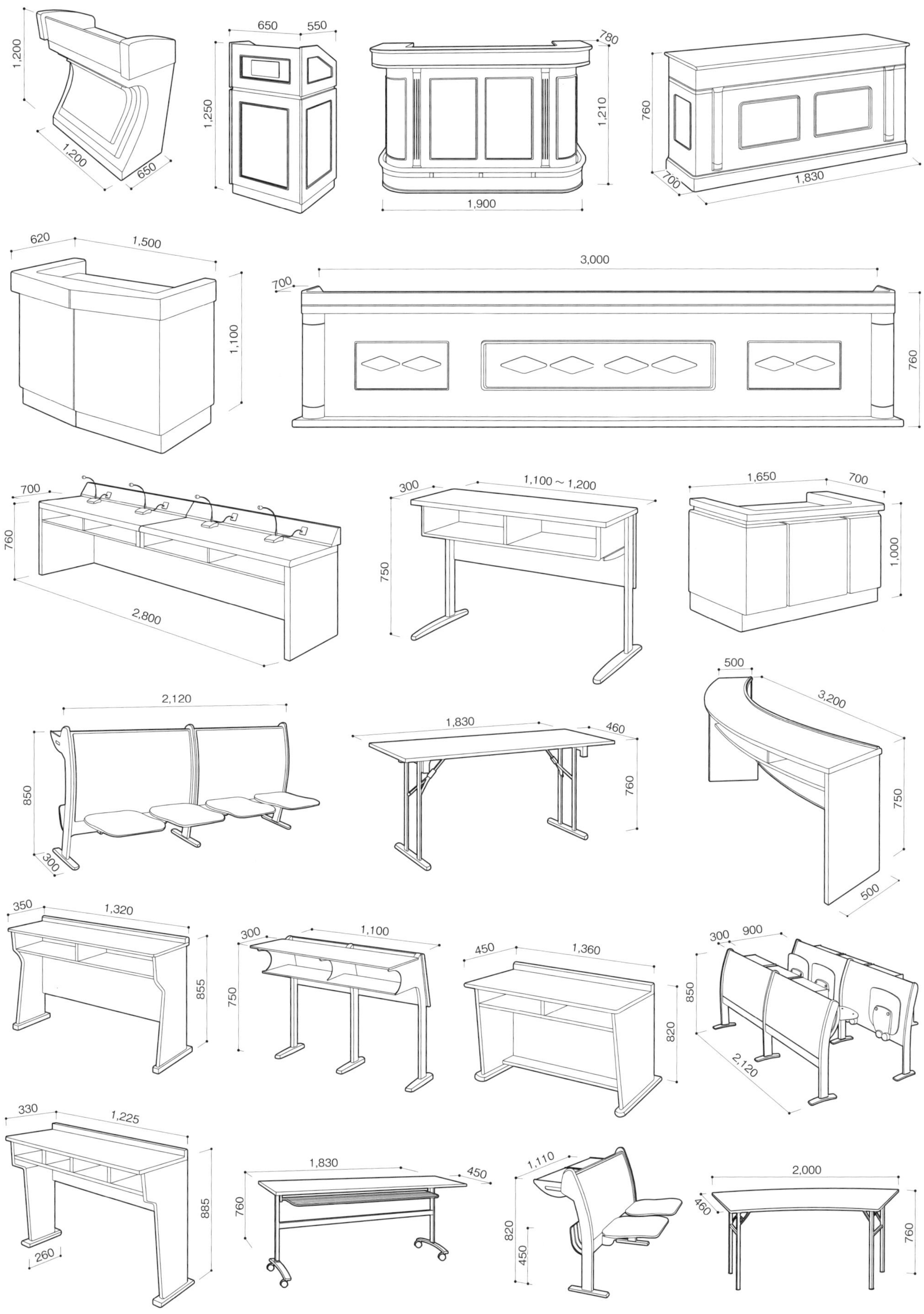
1,200
1,200
650
650
550
1,250
780
1,210
1,900
760
700
1,830
620
1,500
1,100
3,000
700
760
700
760
2,800
300
1,100～1,200
750
1,650
700
1,000
2,120
850
300
1,830
460
760
500
3,200
750
500
350
1,320
855
300
1,100
750
450
1,360
820
300
900
850
2,120
330
1,225
885
260
1,830
450
760
1,110
820
450
2,000
460
760

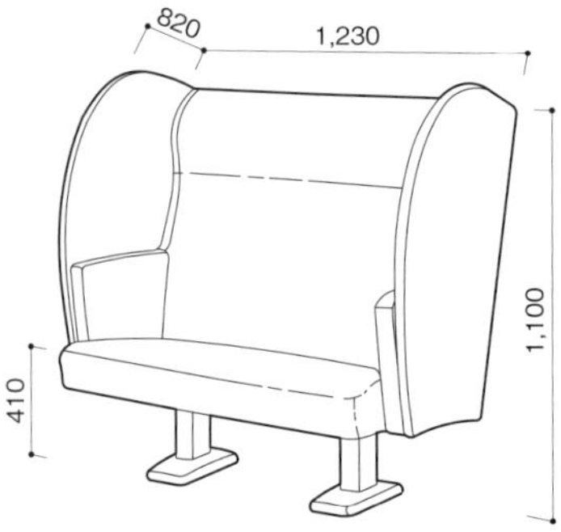
820
1,230
1,100
410

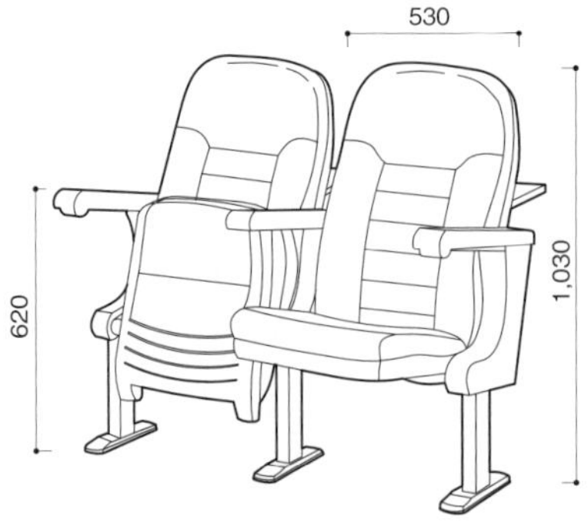
530
620
1,030

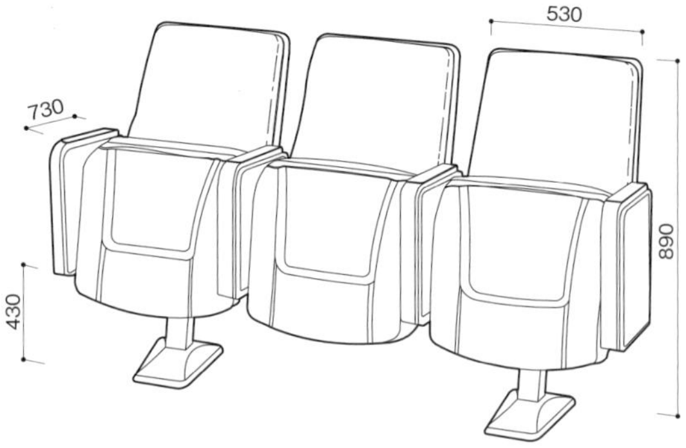
730
530
890
430

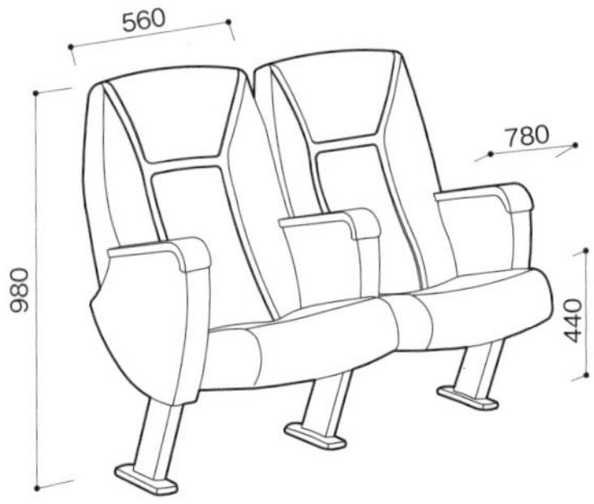
560
780
980
440

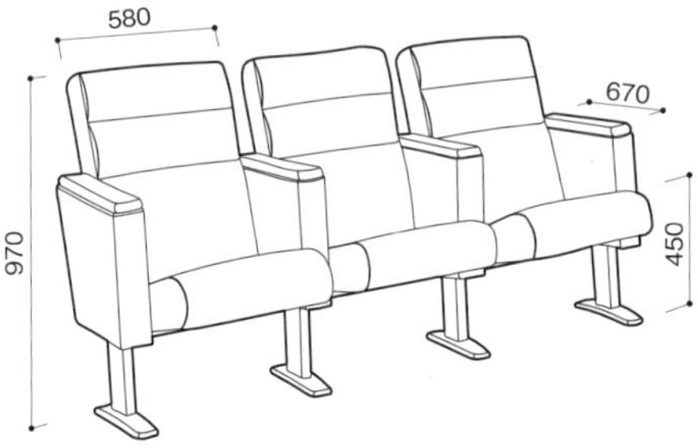
580
670
970
450

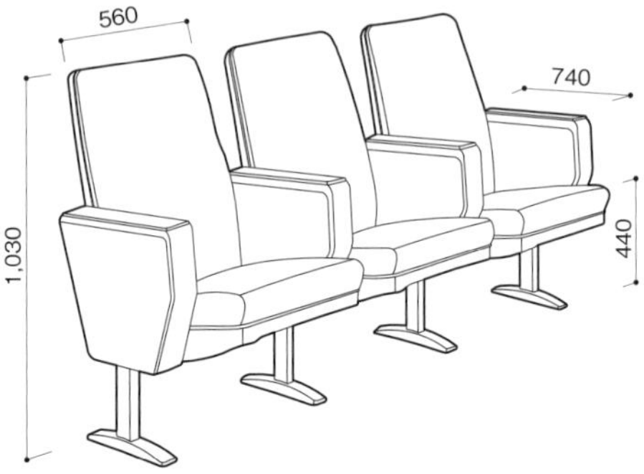
560
740
1,030
440

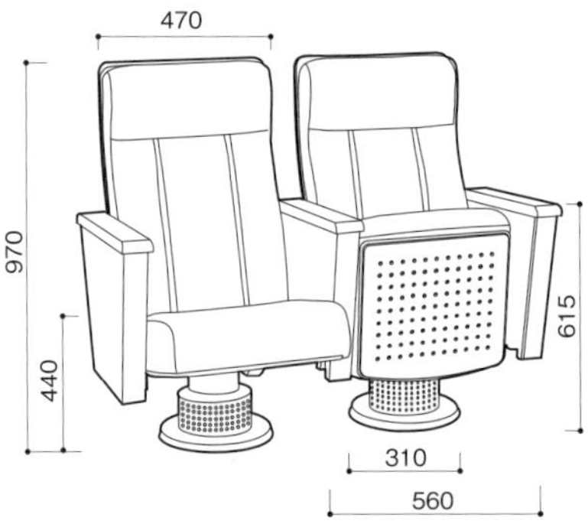
470
970
440
615
310
560

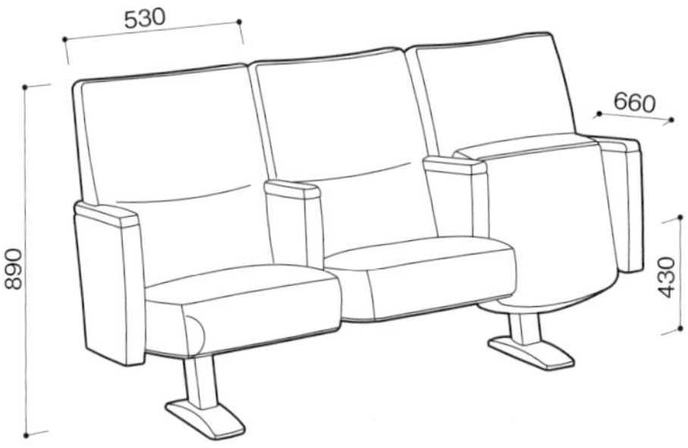
530
660
890
430

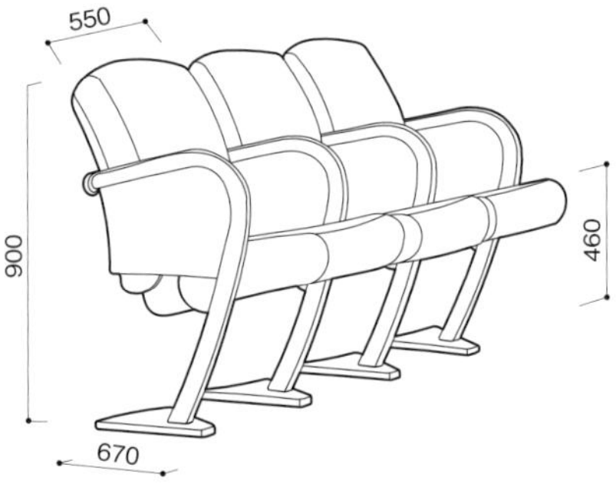
550
900
460
670

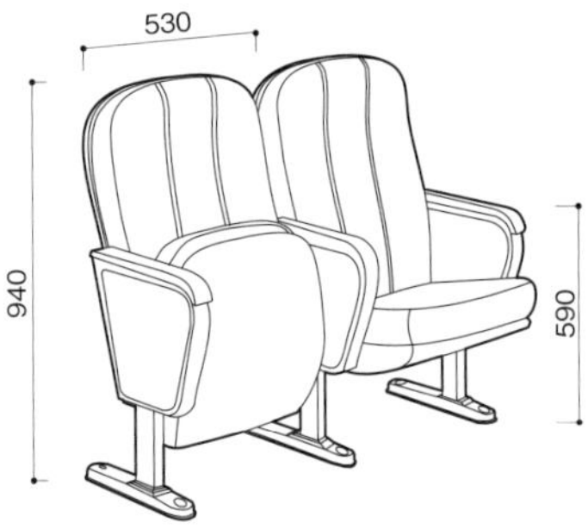
530
940
590

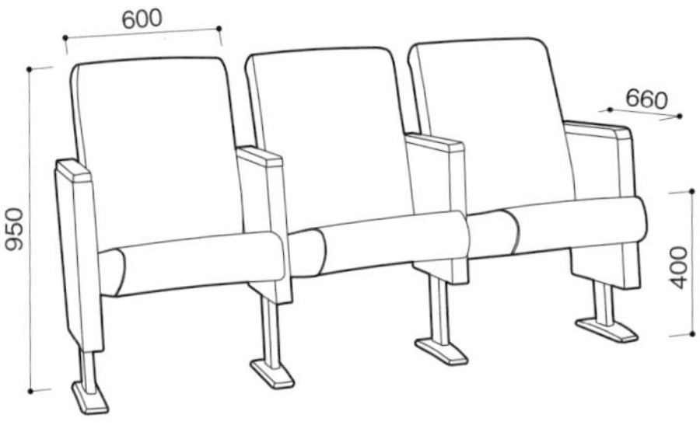
600
660
950
400

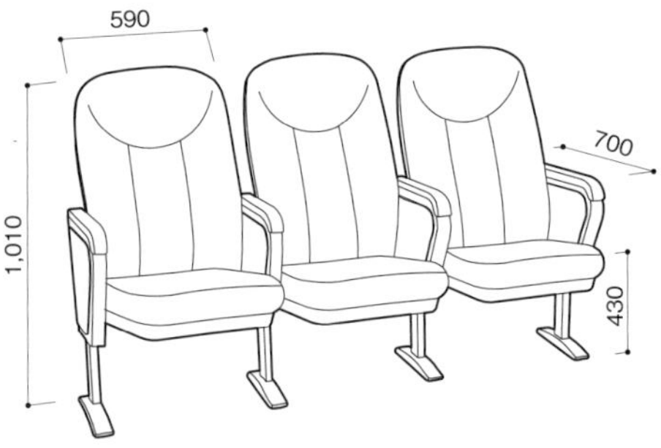
590
700
1,010
430

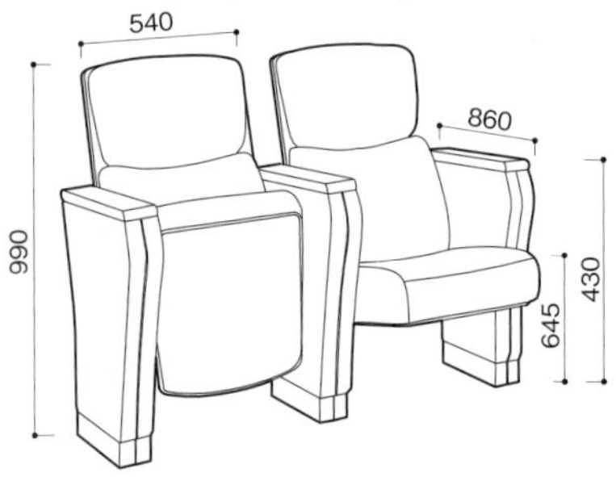
540
860
990
645
430

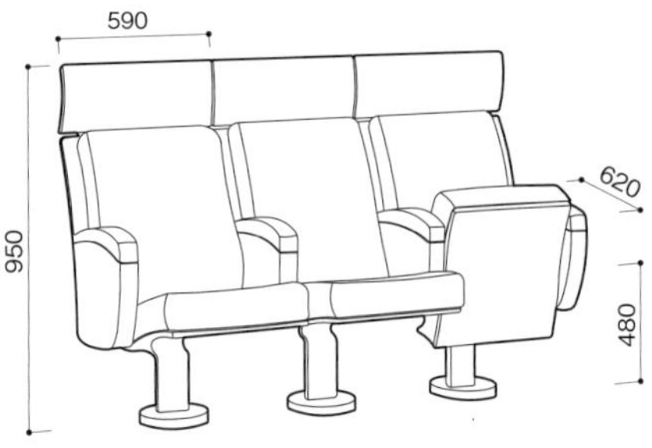
590
620
950
480

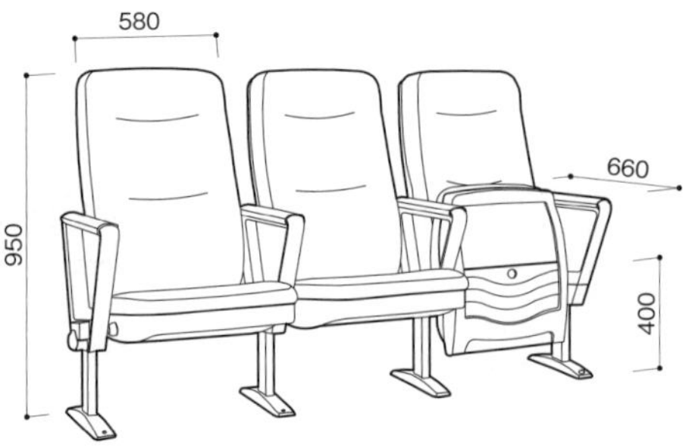
580
660
950
400

ラウンジソファ

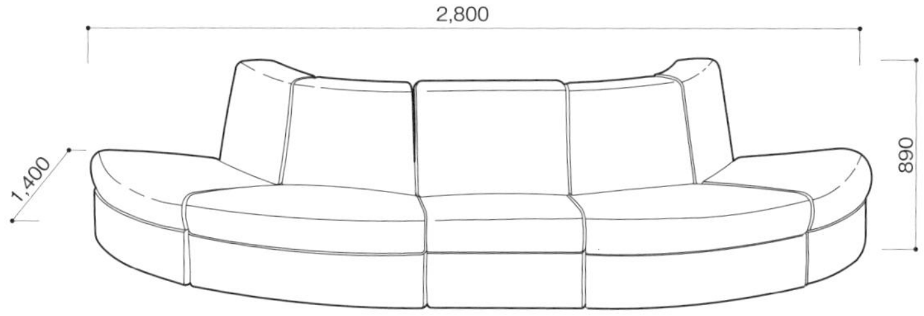
2,800
1,400
890

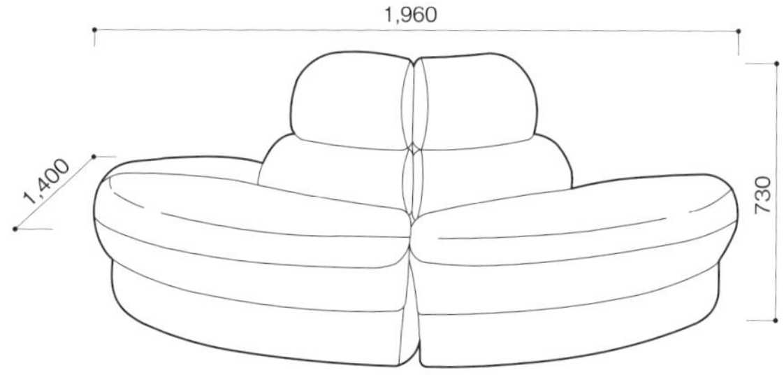
1,960
1,400
730

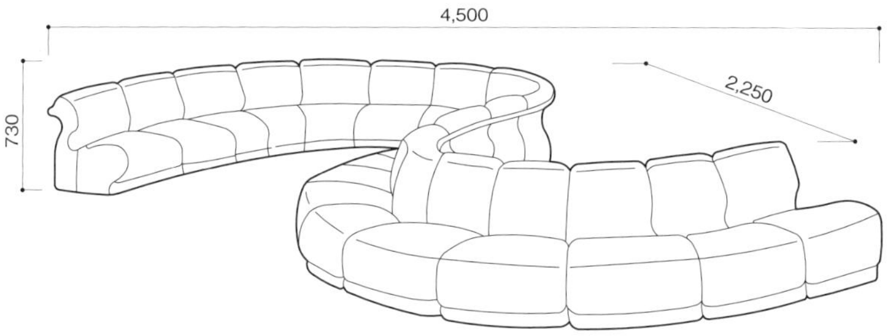
4,500
730
2,250

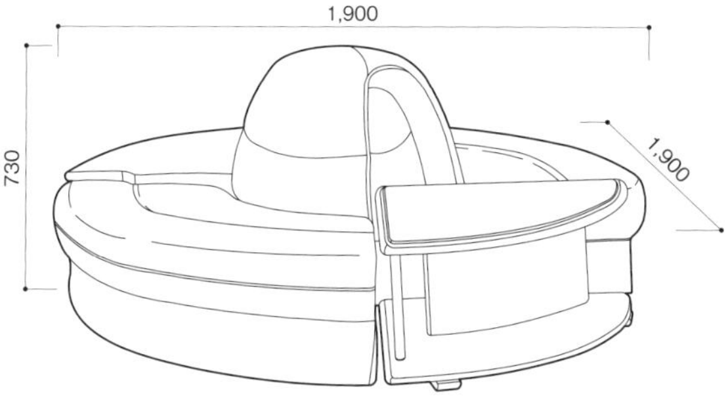
1,900
730
1,900

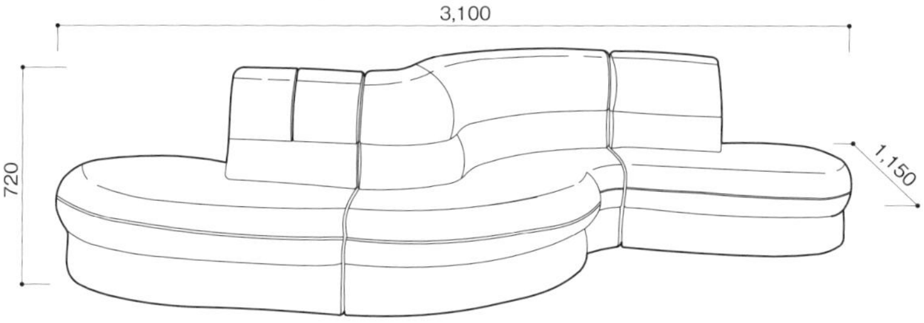
3,100
720
1,150

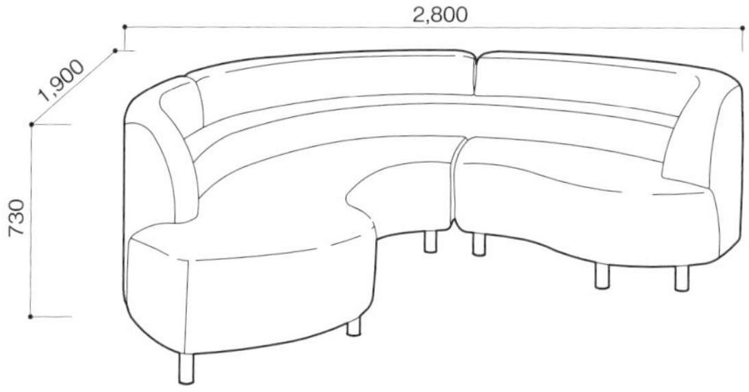
2,800
1,900
730

3,420
950
840

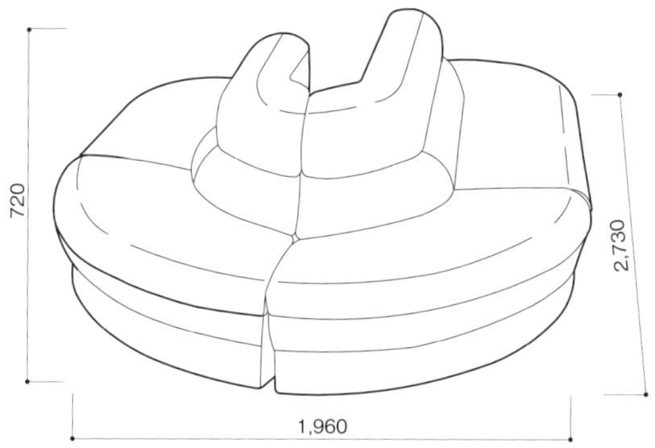
720
2,730
1,960

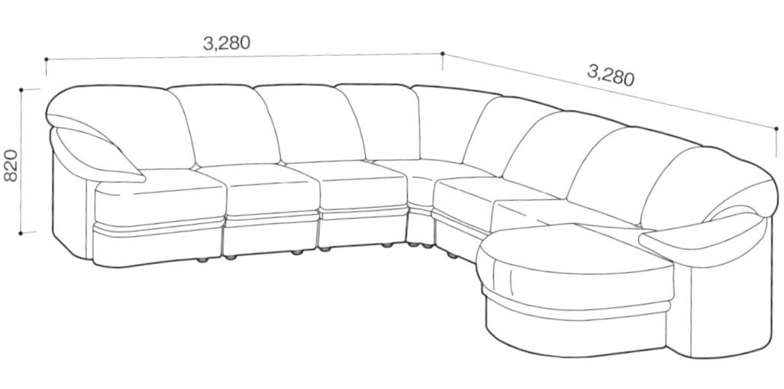
3,280
3,280
820

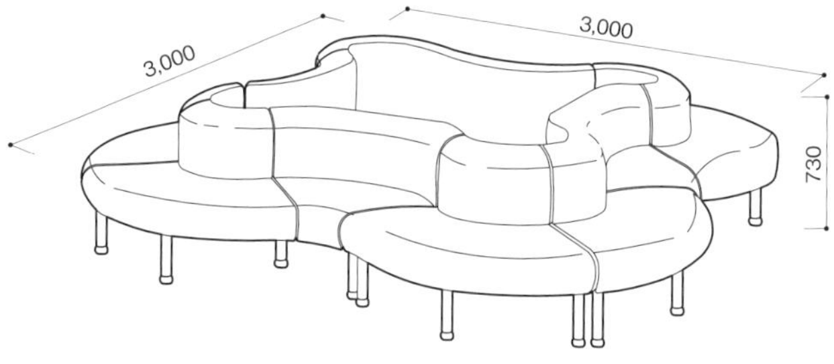
3,000
3,000
730

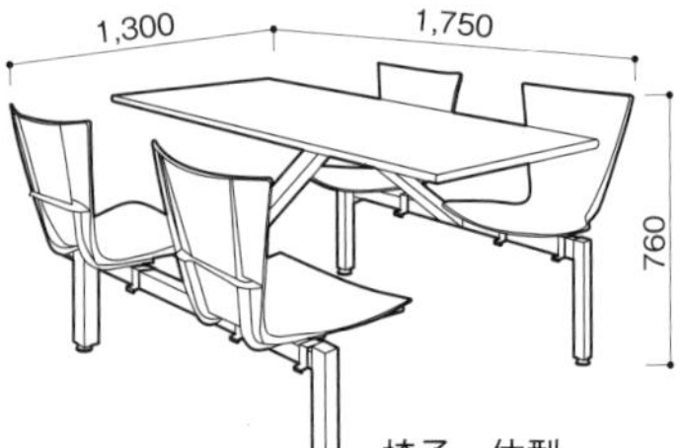
1,300
1,750
760
椅子一体型テーブル

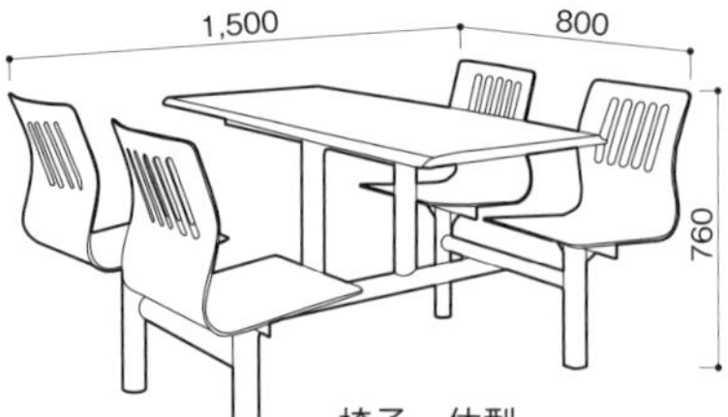
1,500
800
760
椅子一体型テーブル

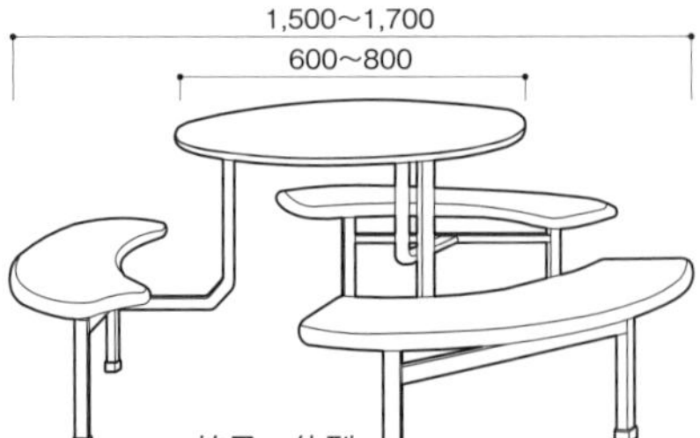
1,500〜1,700
600〜800
椅子一体型テーブル

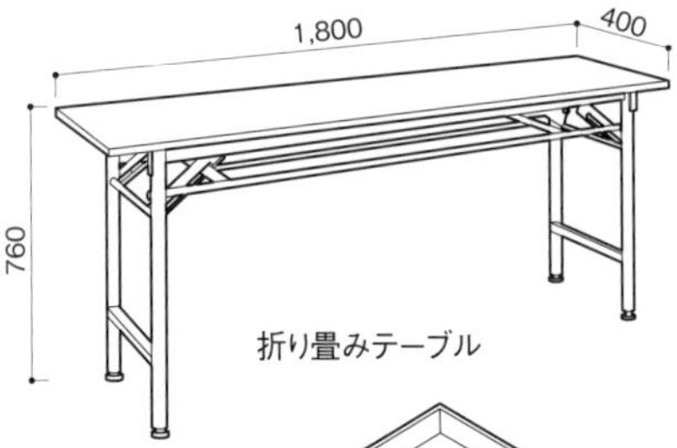
1,800
400
760
折り畳みテーブル

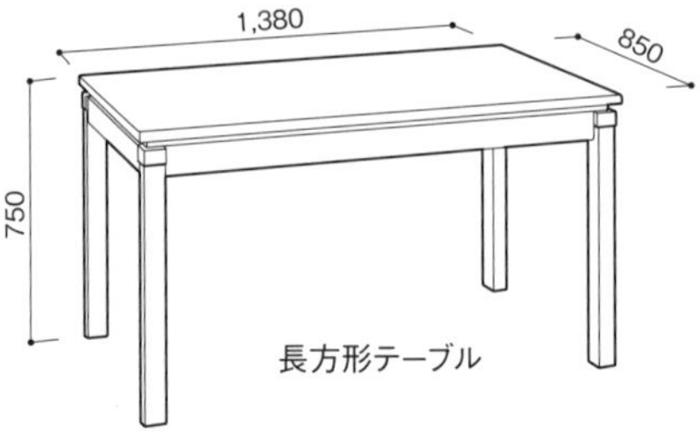
1,380
850
750
長方形テーブル

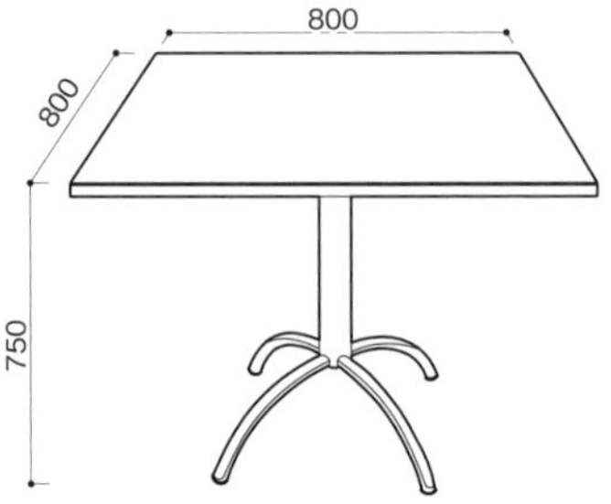
800
800
750
正方形テーブル

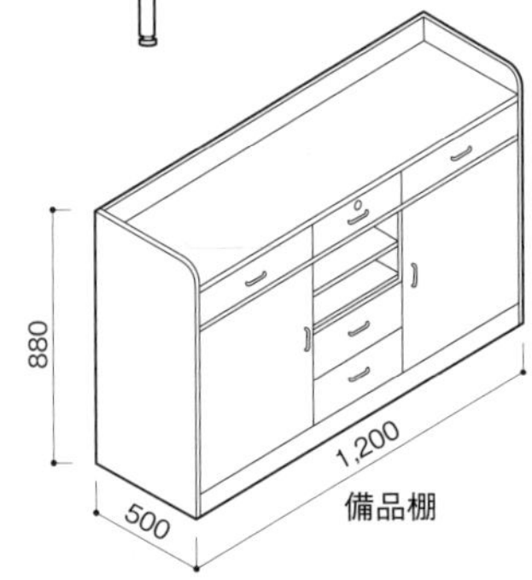
880
1,200
500
備品棚

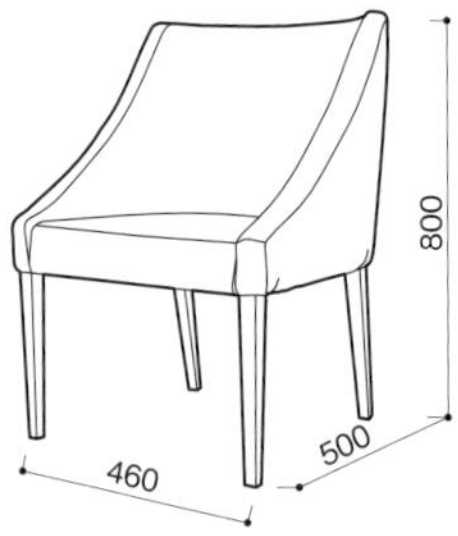
800
460
500
レストランチェア

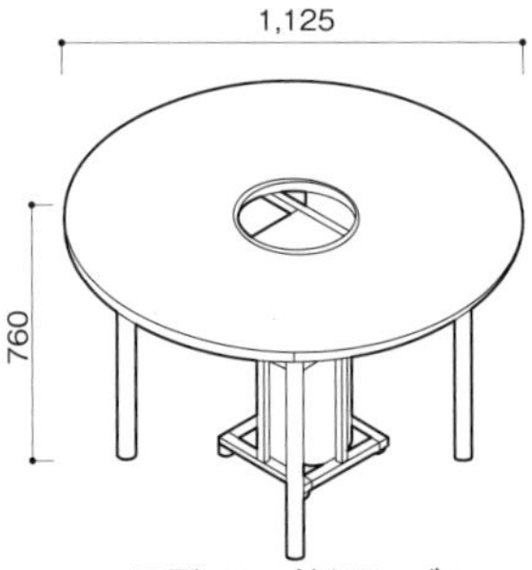
1,125
760
円形コンロ付きテーブル

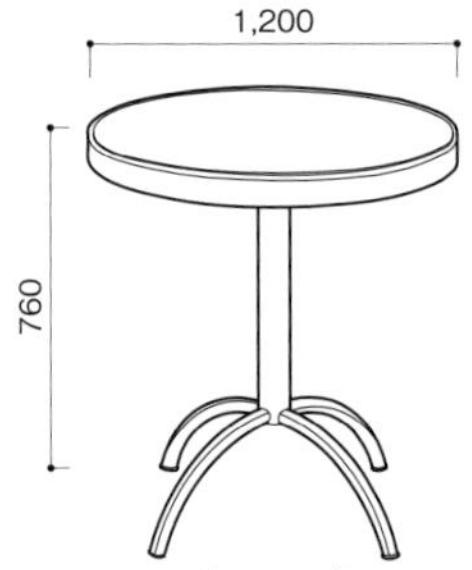
1,200
760
バーテーブル

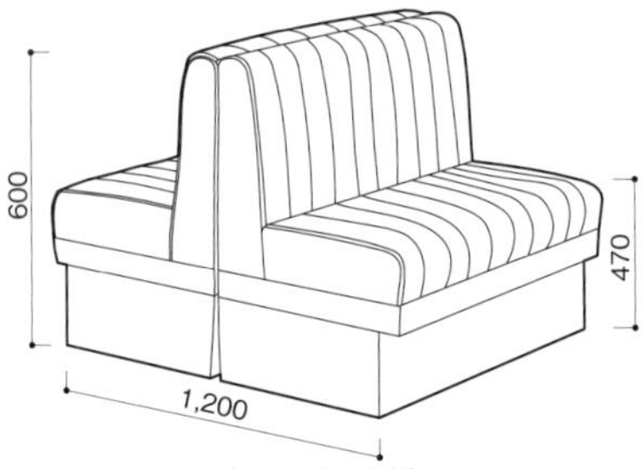
600
470
1,200
組み合わせ式2人掛けソファー

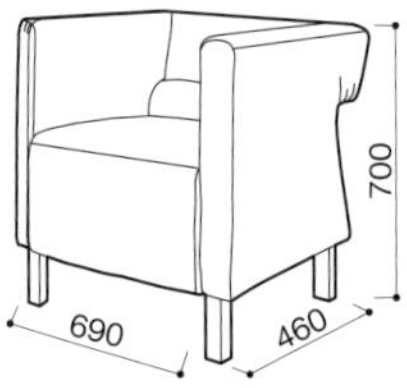
700
690
460
レストランチェア

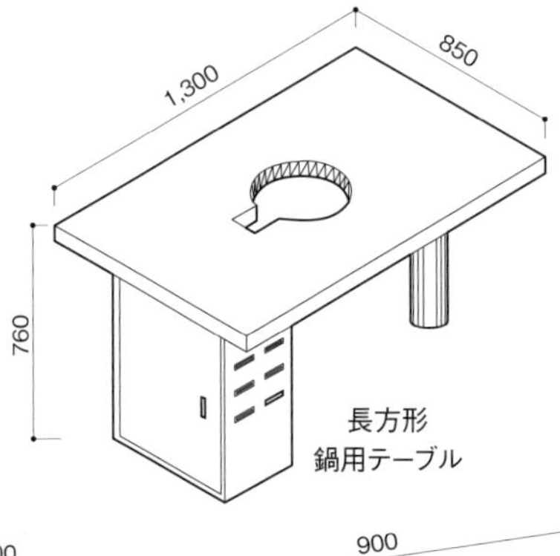
1,300
850
760
長方形
鍋用テーブル

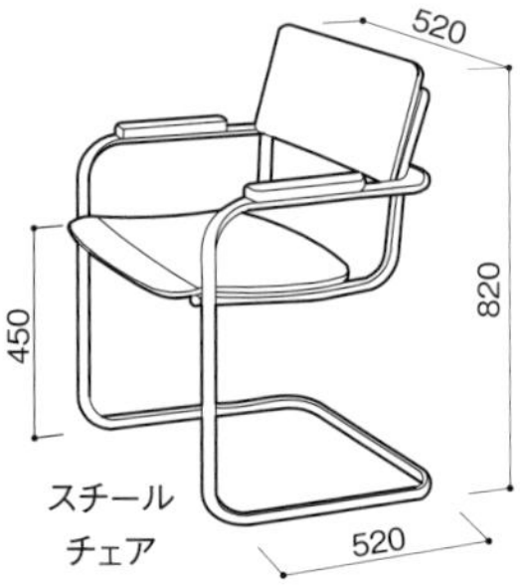
520
450
820
520
スチール
チェア

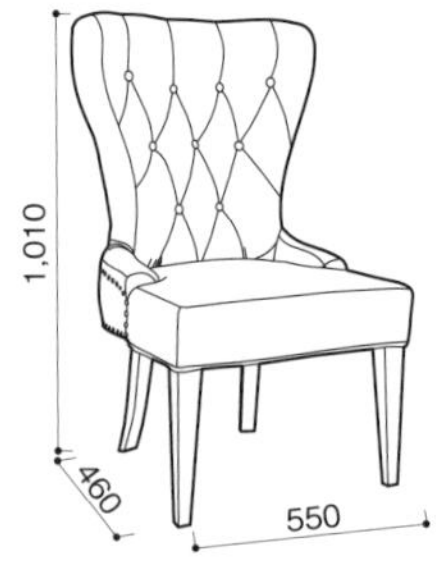
1,010
460
550
レストランチェア

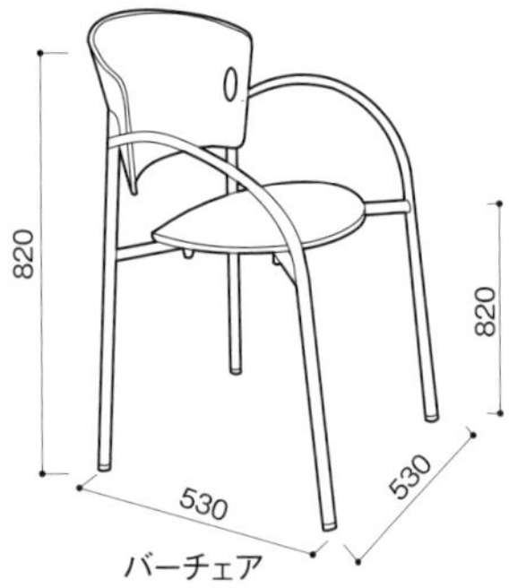
820
820
530
530
バーチェア

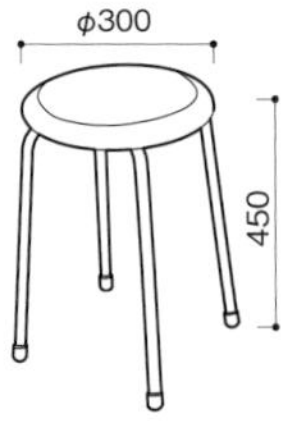
φ300
450
食堂チェア

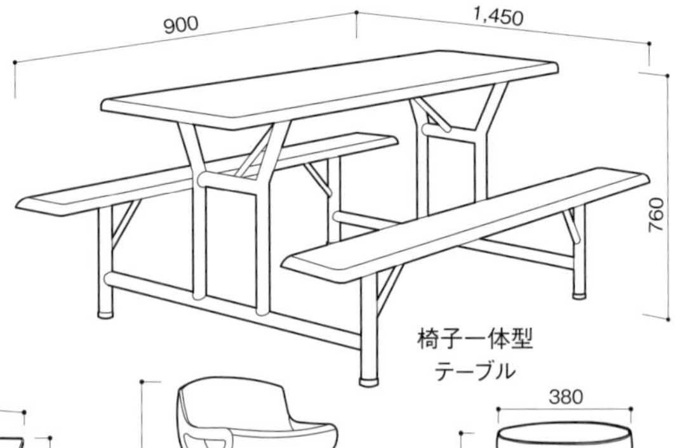
900
1,450
760
椅子一体型
テーブル

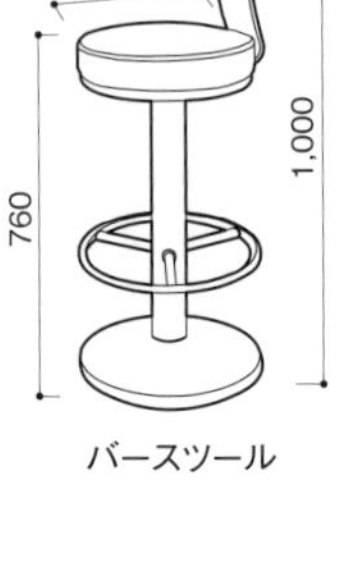
370
1,000
760
バースツール

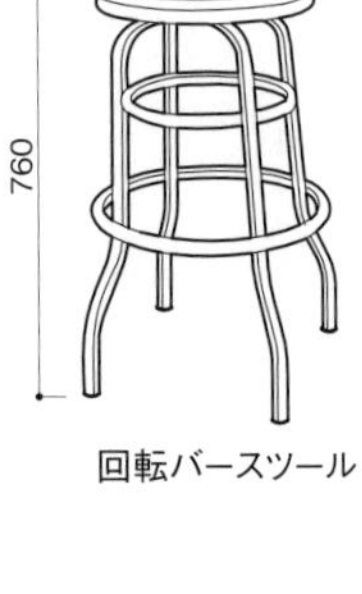
380
760
回転バースツール

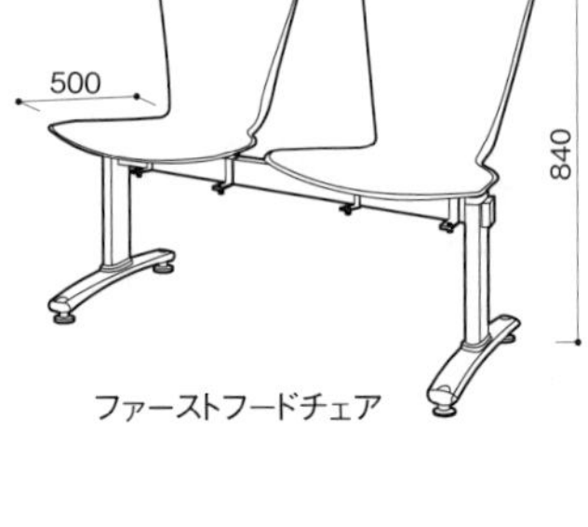
1,000
500
840
ファーストフードチェア

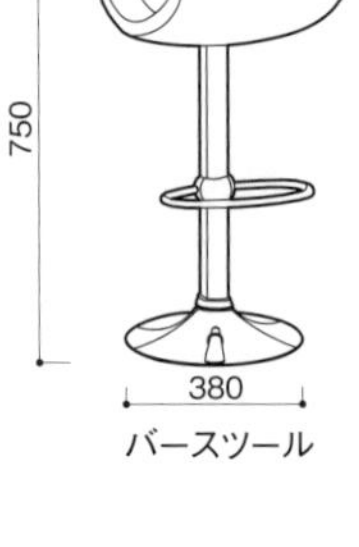
750
380
バースツール

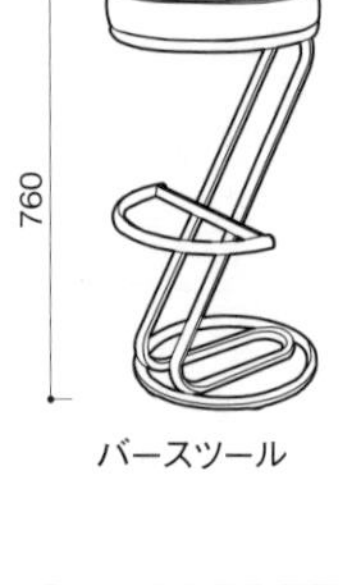
380
760
バースツール

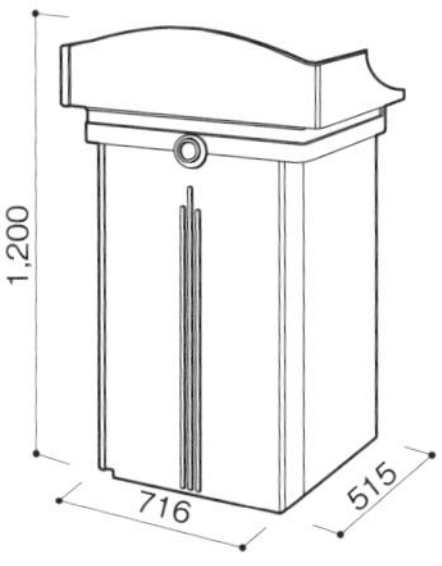
1,200
716
515

演台

720
560
1,180

演台

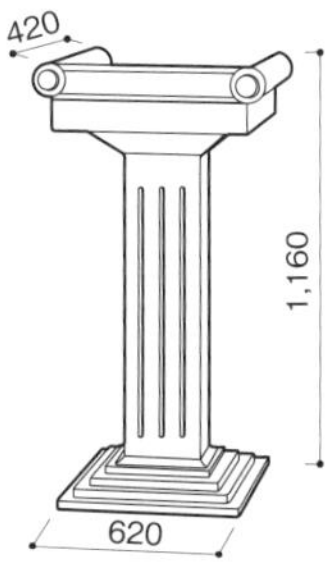
420
1,160
620

演台

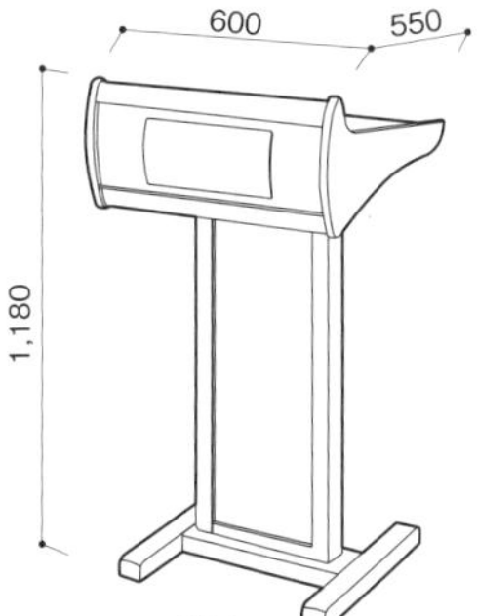
600
550
1,180

演台

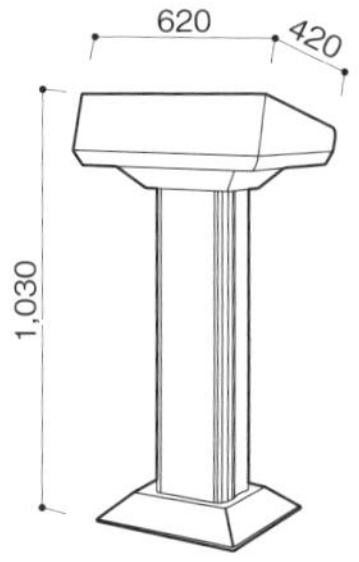
620
420
1,030

演台

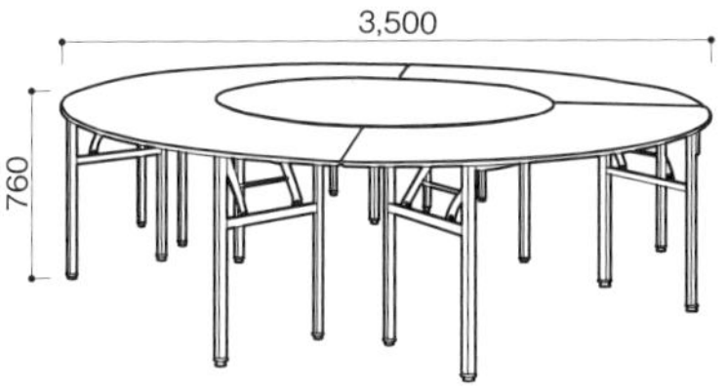
3,500
760

円形テーブル

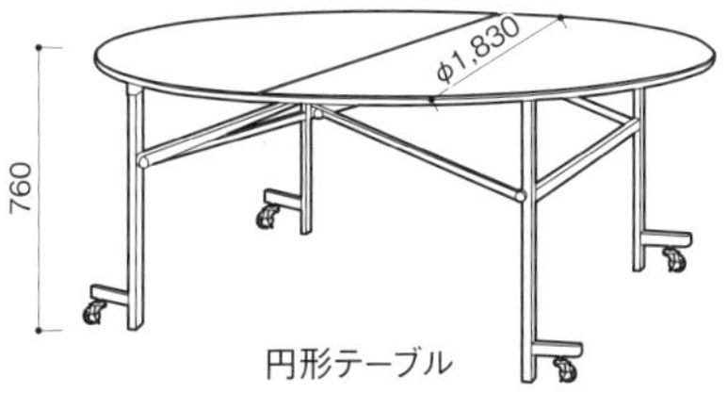
φ1,830
760

円形テーブル

760
2,440
760

長方形テーブル

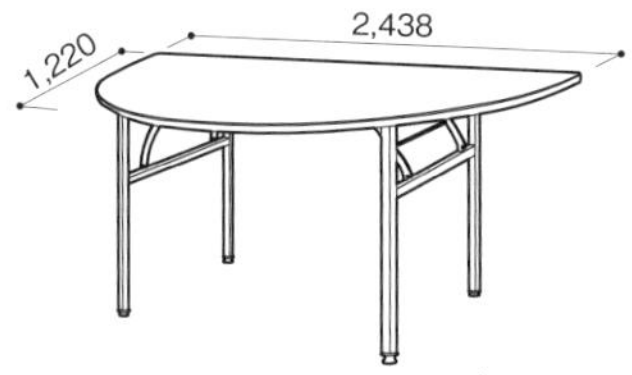
1,220
2,438

折りたたみ式半円形テーブル

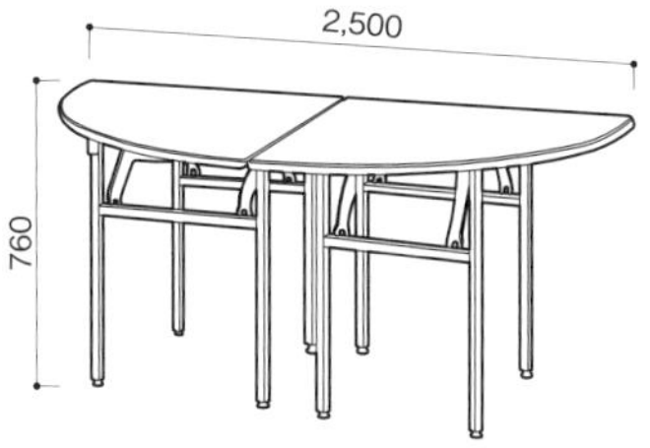
2,500
760

組み合わせ式半円テーブル

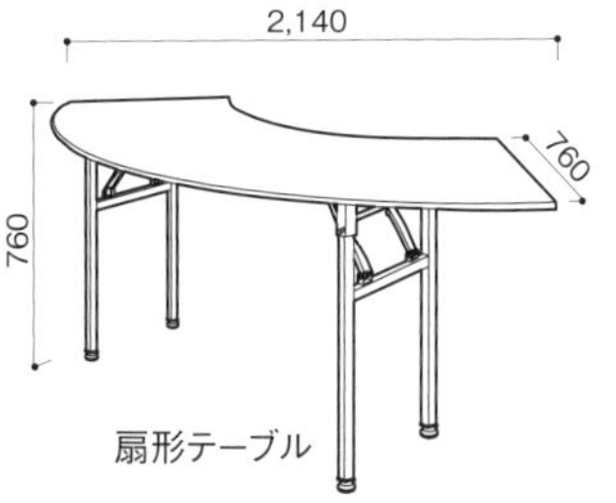
2,140
760
760

扇形テーブル

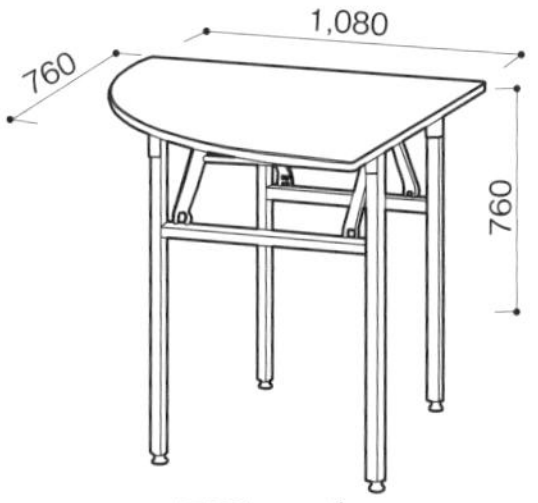
760
1,080
760

扇形テーブル

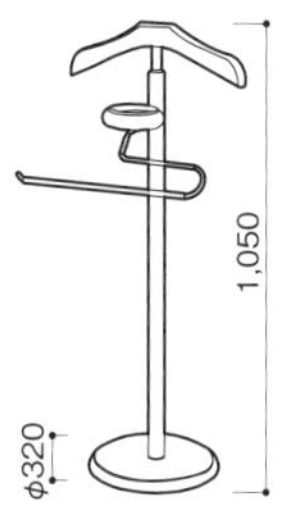
1,050
φ320

コートハンガー

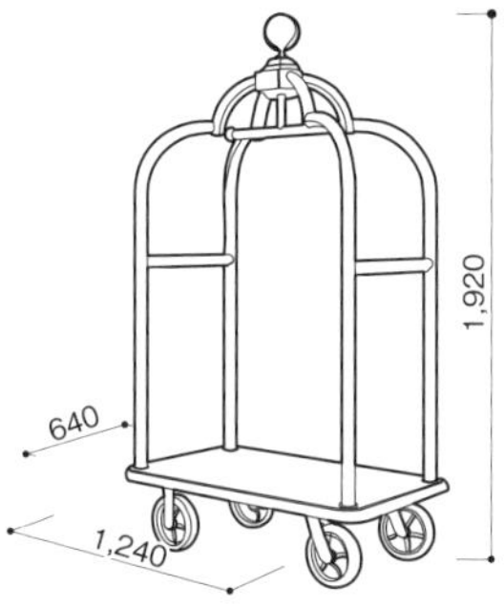
640
1,240
1,920

荷物運搬用台車

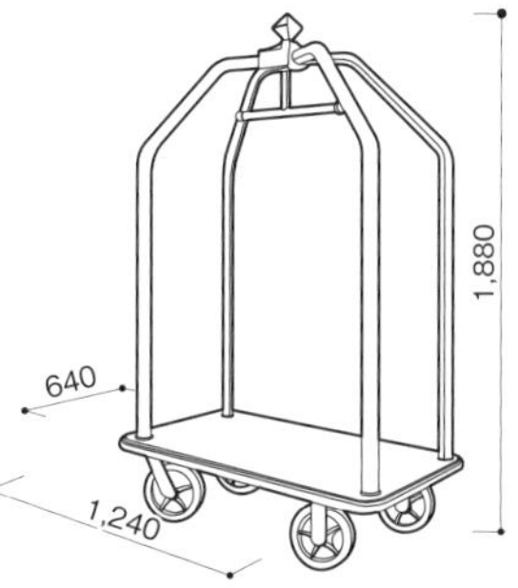
640
1,240
1,880

荷物運搬用台車

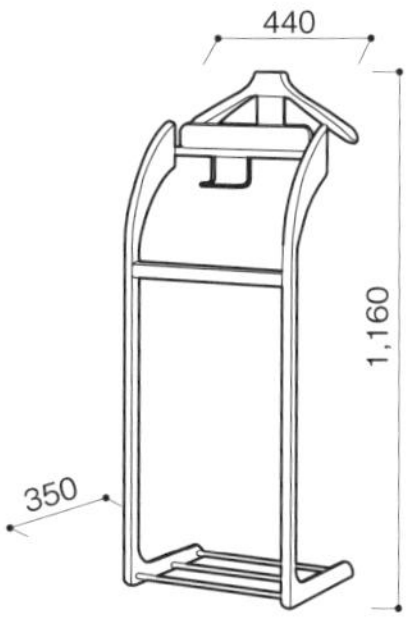
440
1,160
350

コートハンガー

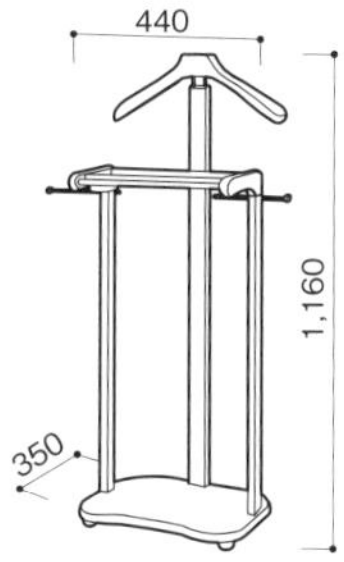
440
1,160
350

コートハンガー

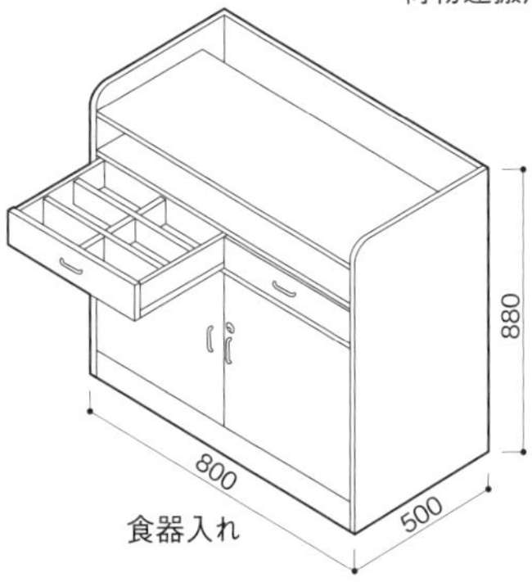
880
800
500

食器入れ

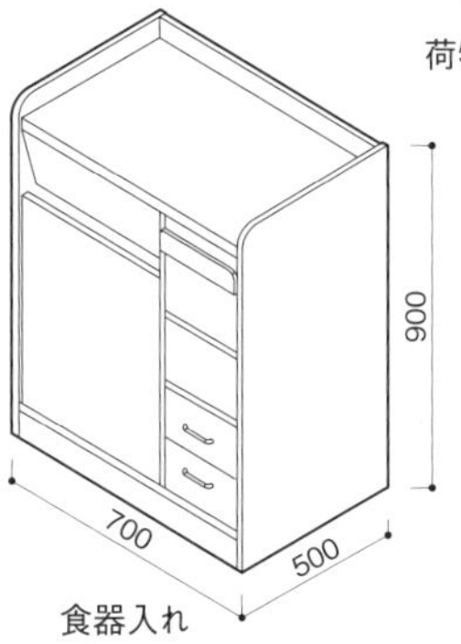
900
700
500

食器入れ

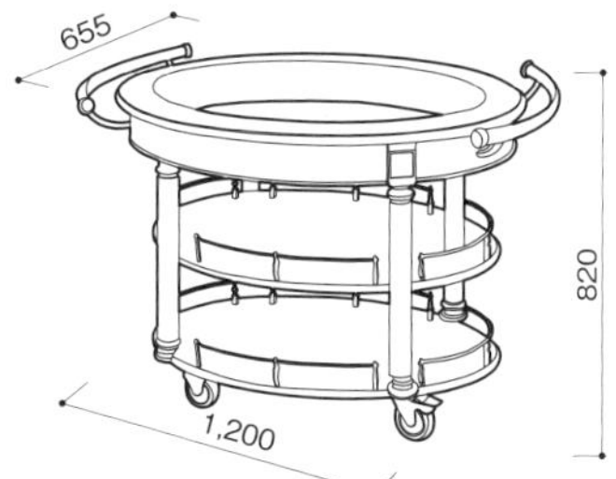
655
820
1,200

ドリンク運搬用台車

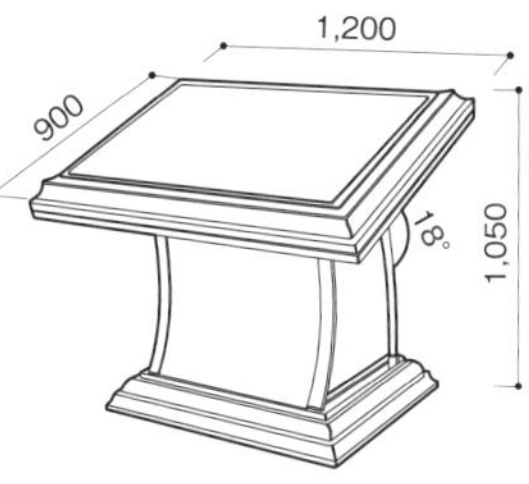
1,200
900
18°
1,050

ウェルカムボード

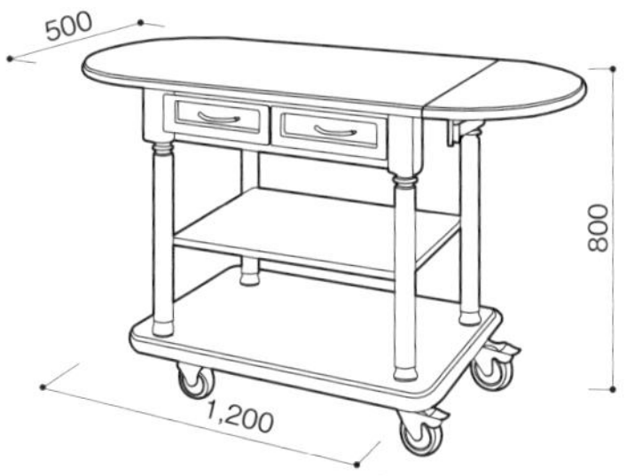
500
800
1,200

サービス用台車

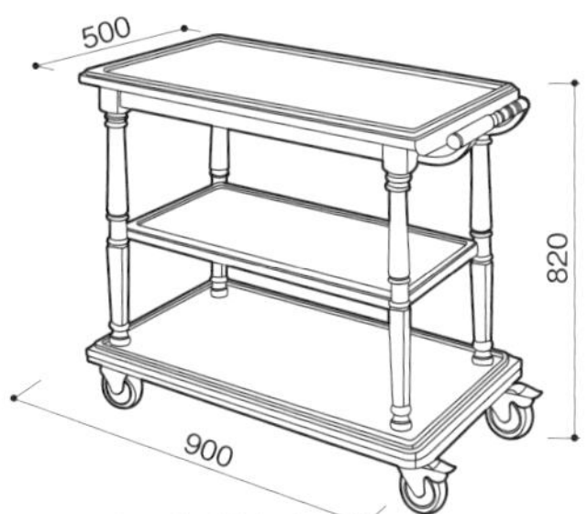
500
820
900

サービス用台車

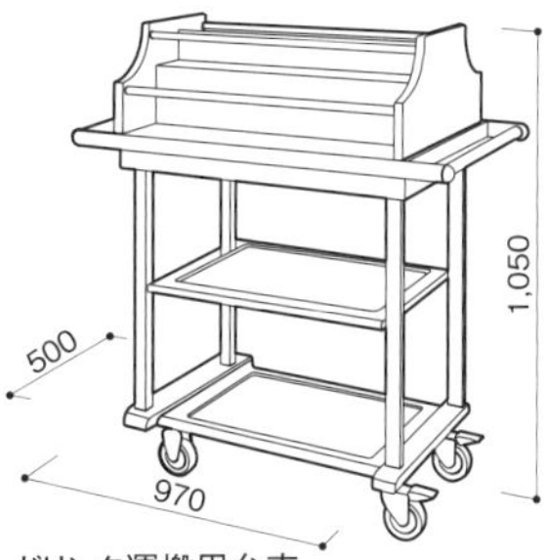
1,050
500
970

ドリンク運搬用台車

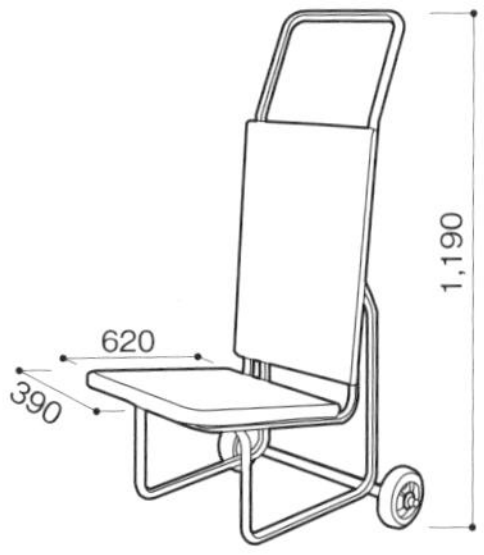
1,190
620
390

台車

レストランチェア

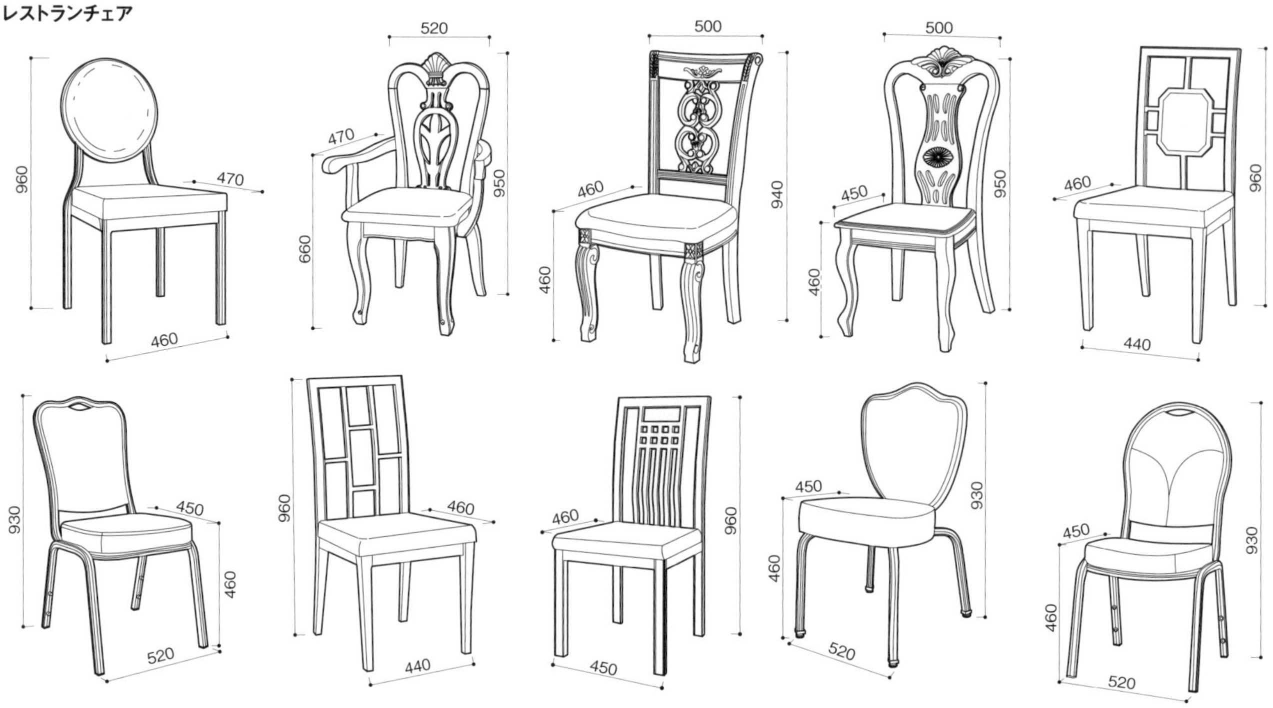
960
470
460
520
470
950
660
500
460
940
460
500
450
950
460
460
960
440
930
450
460
520
960
460
440
460
960
450
450
930
460
520
930
450
460
520

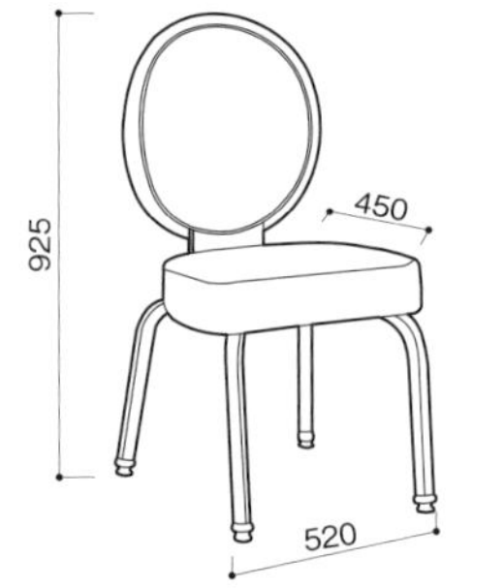
925
450
520

宴会場チェア

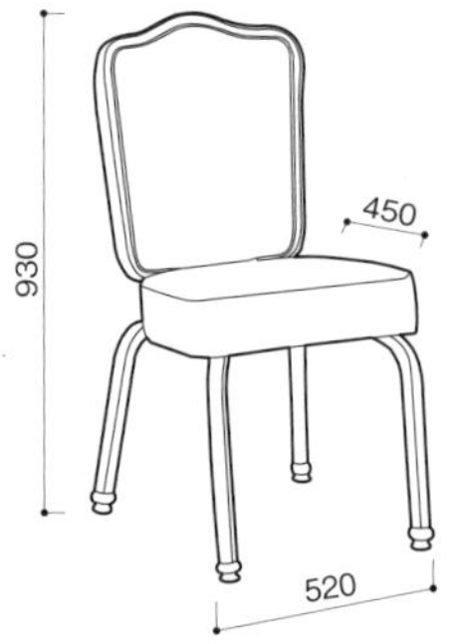
930
450
520

宴会場チェア

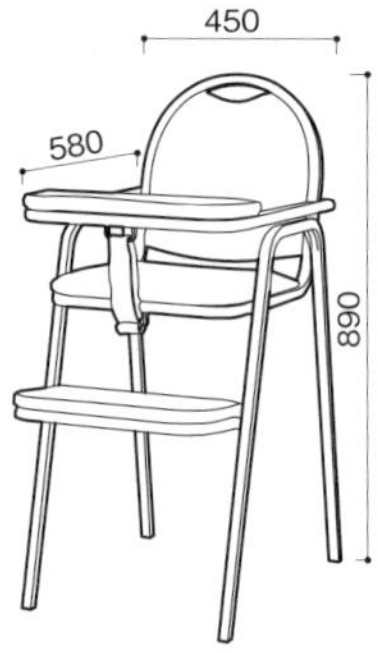
450
580
890

子供用チェア

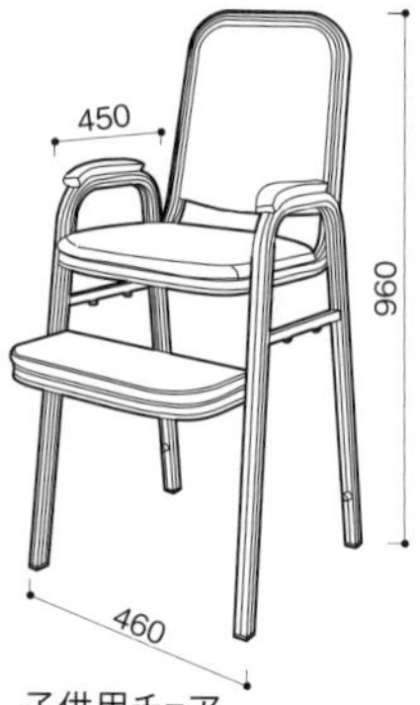
450
960
460

子供用チェア

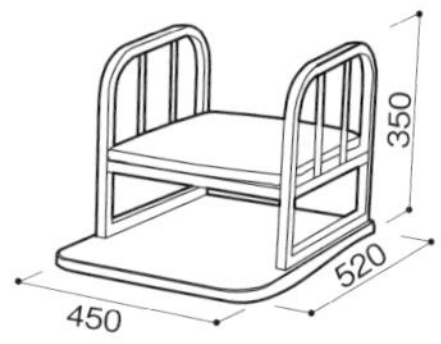
350
450
520

子供用座椅子

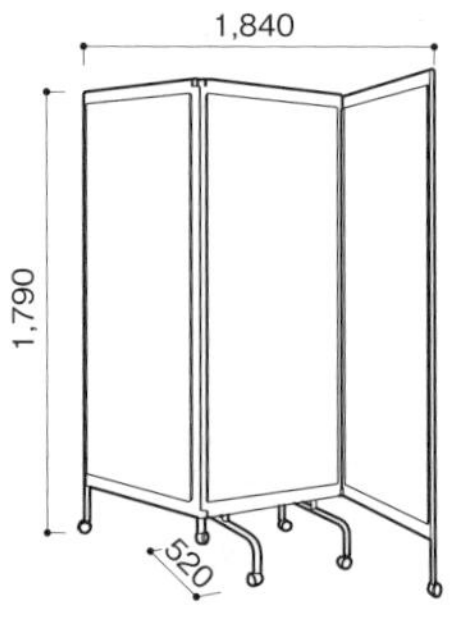
1,840
1,790
520

三面衝立

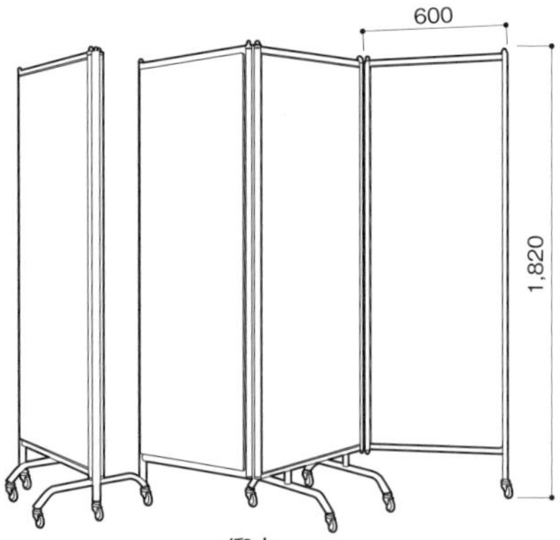
600
1,820

衝立

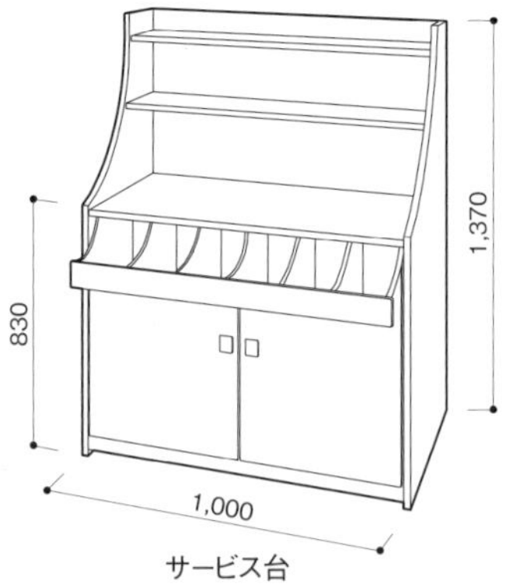
1,370
830
1,000

サービス台

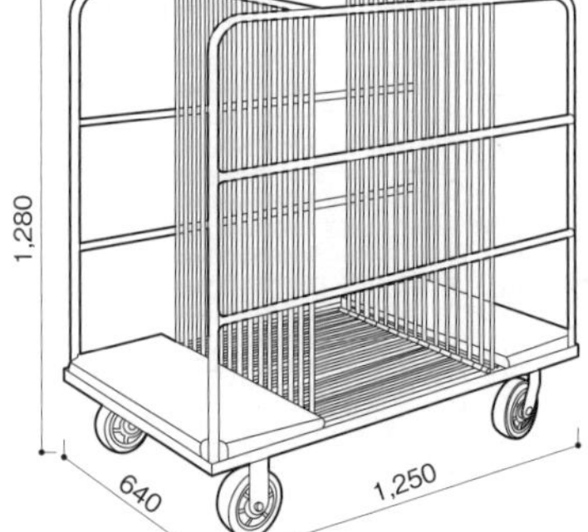
1,280
640
1,250

食事運搬用台車

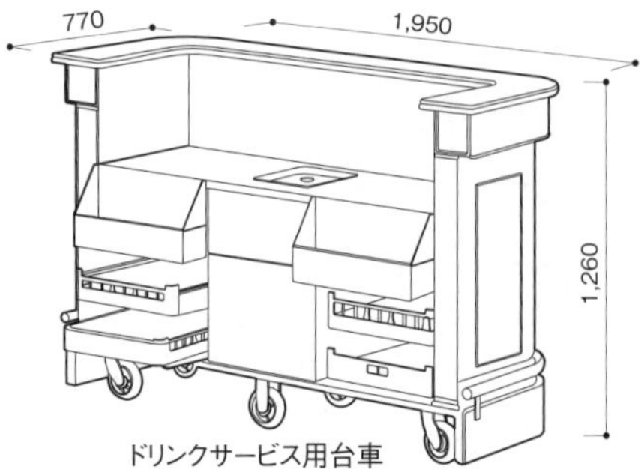
770
1,950
1,260

ドリンクサービス用台車

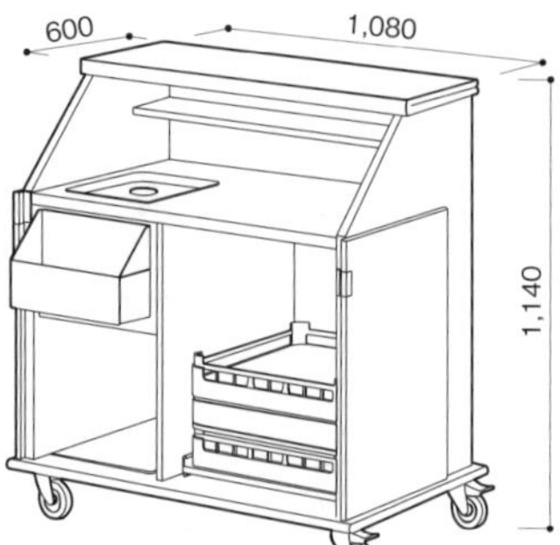
600
1,080
1,140

ドリンクサービス用台車

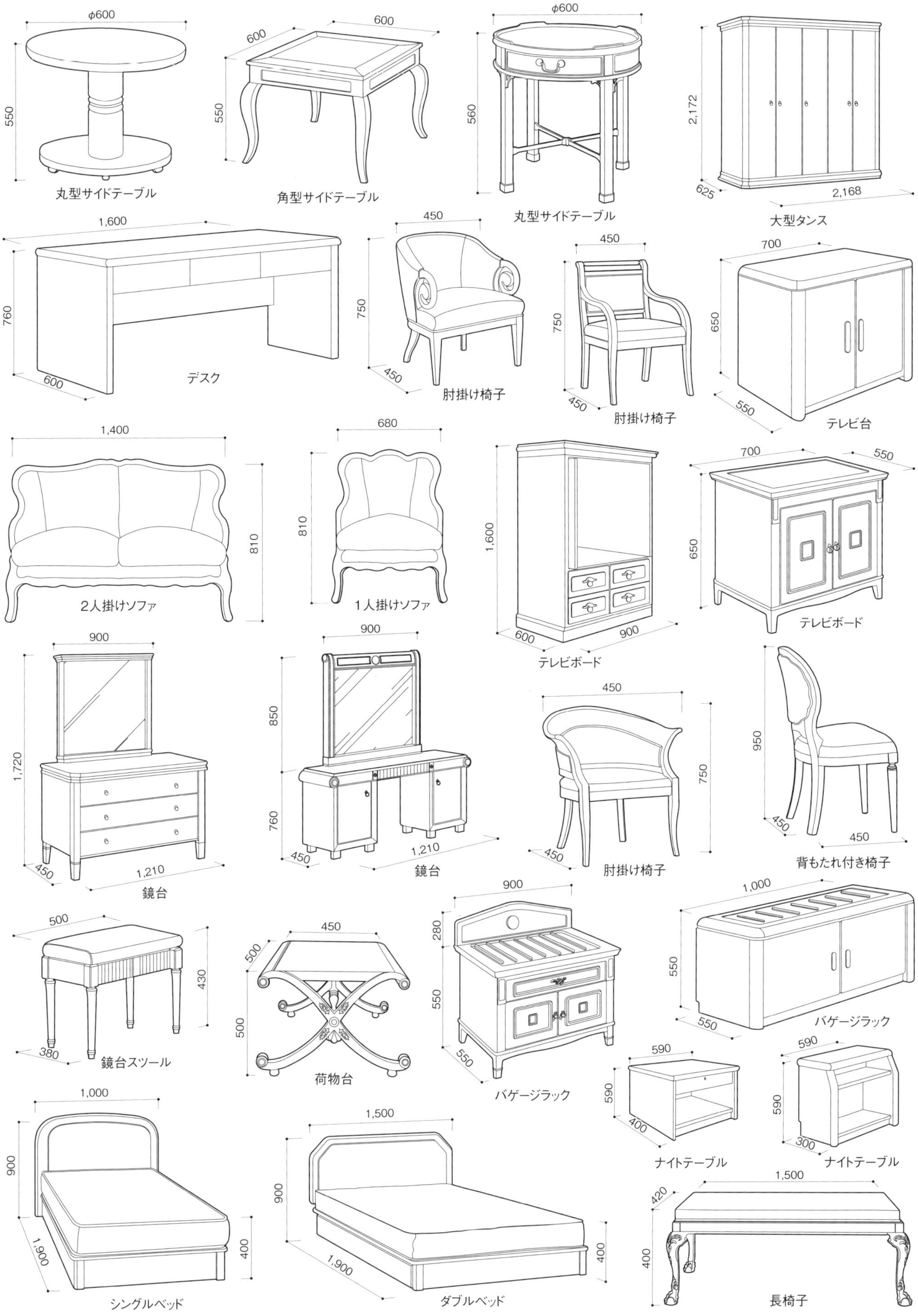

φ600
550
丸型サイドテーブル
600
600
550
角型サイドテーブル
φ600
560
丸型サイドテーブル
2,172
625
2,168
大型タンス
1,600
760
600
デスク
450
750
450
肘掛け椅子
450
750
450
肘掛け椅子
700
650
550
テレビ台
1,400
810
2人掛けソファ
680
810
1人掛けソファ
1,600
600
900
テレビボード
700
550
650
テレビボード
900
1,720
450
1,210
鏡台
900
850
760
450
1,210
鏡台
450
750
450
肘掛け椅子
950
450
450
背もたれ付き椅子
500
430
380
鏡台スツール
450
500
500
荷物台
900
280
550
550
バゲージラック
1,000
550
550
バゲージラック
590
590
400
ナイトテーブル
590
590
300
ナイトテーブル
1,000
900
1,900
400
シングルベッド
1,500
900
1,900
400
ダブルベッド
1,500
420
400
長椅子

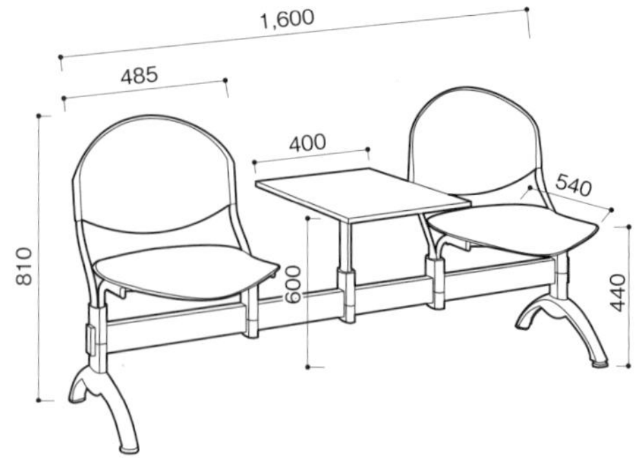
1,600
485
400
540
810
600
440

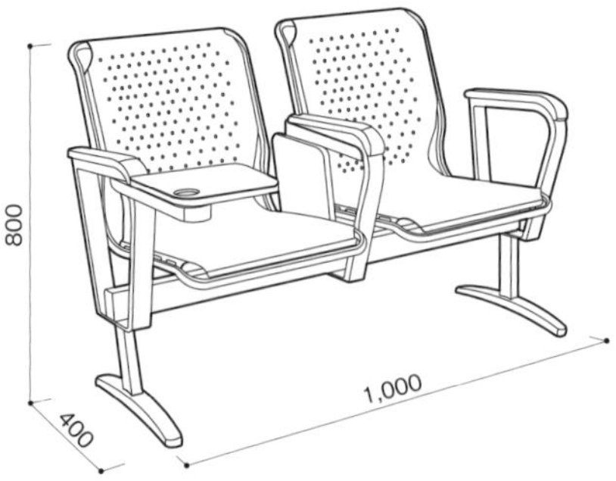
800
400
1,000

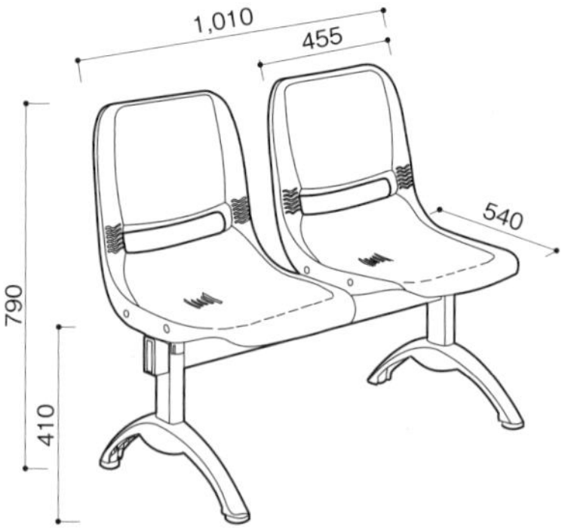
1,010
455
540
790
410

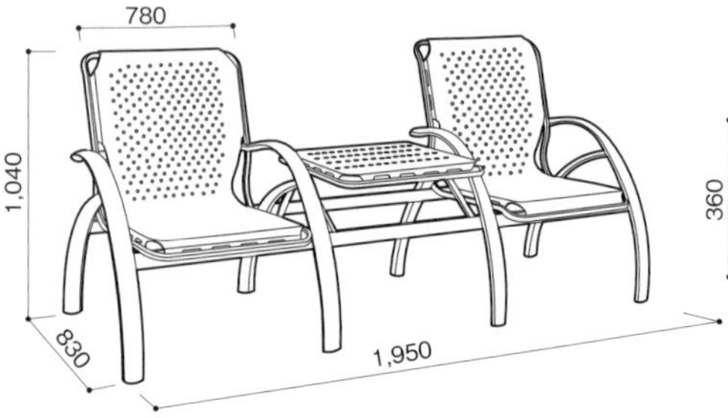
780
1,040
830
1,950

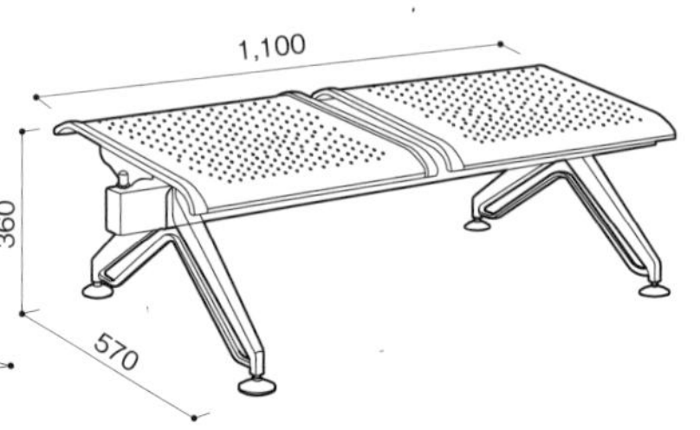
1,100
360
570

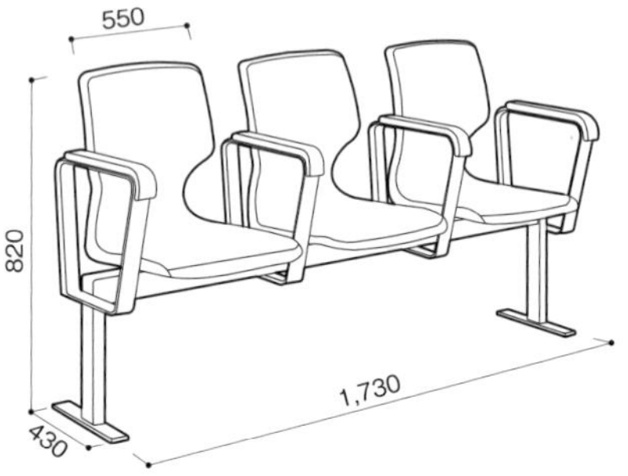
550
820
430
1,730

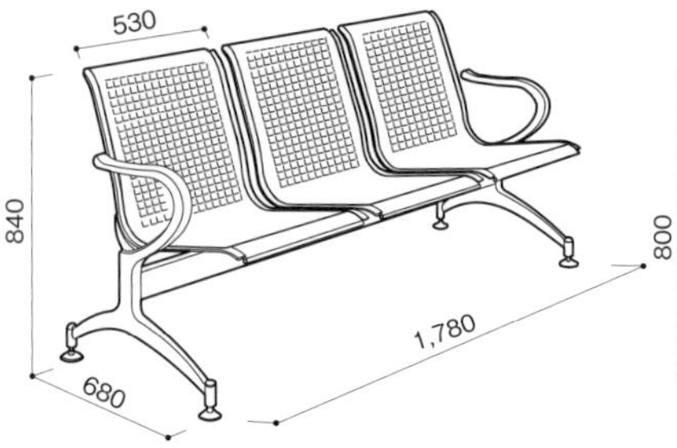
530
840
680
1,780

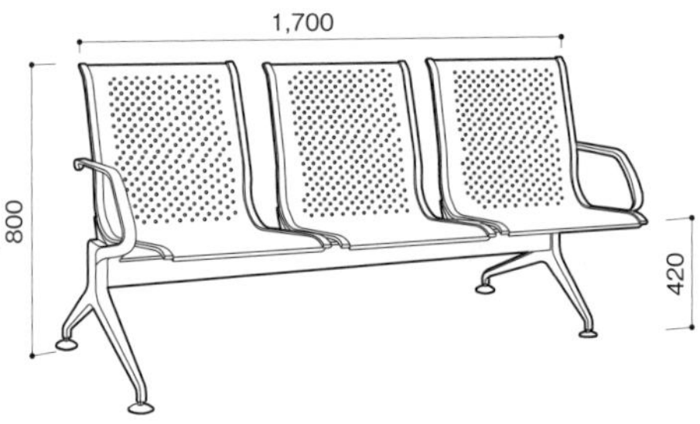
1,700
800
420

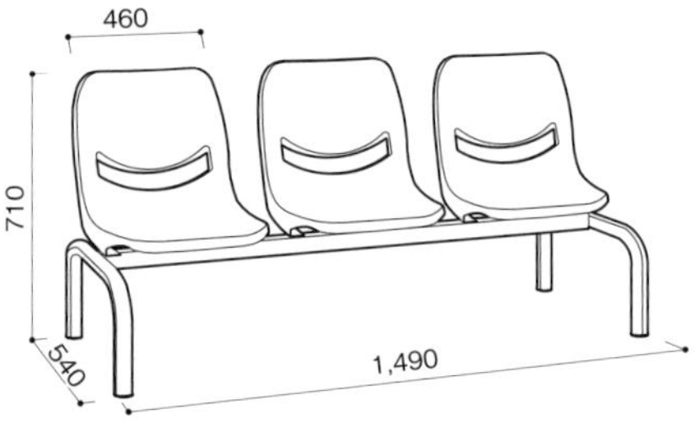
460
710
540
1,490

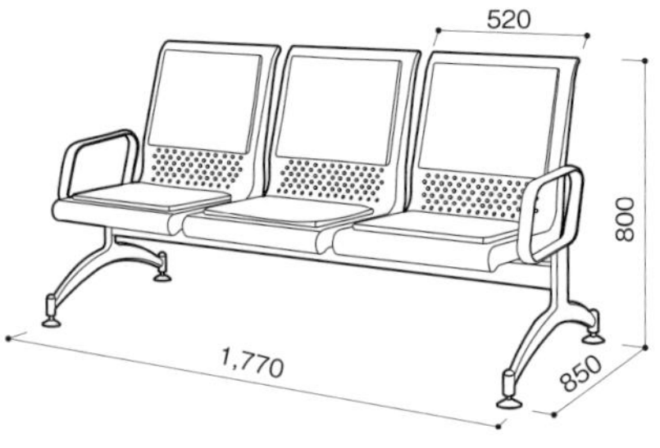
520
800
1,770
850

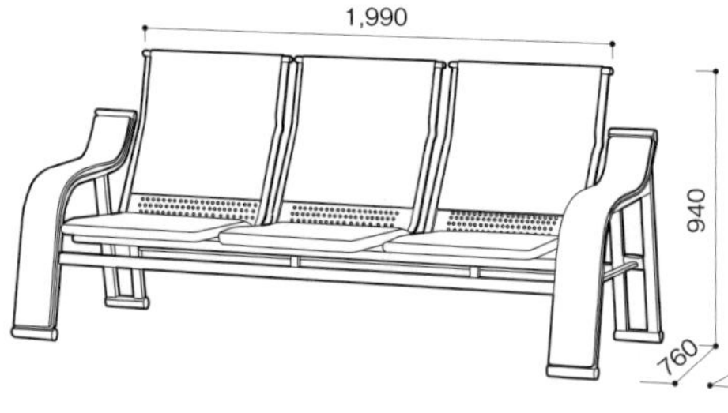
1,990
940
760

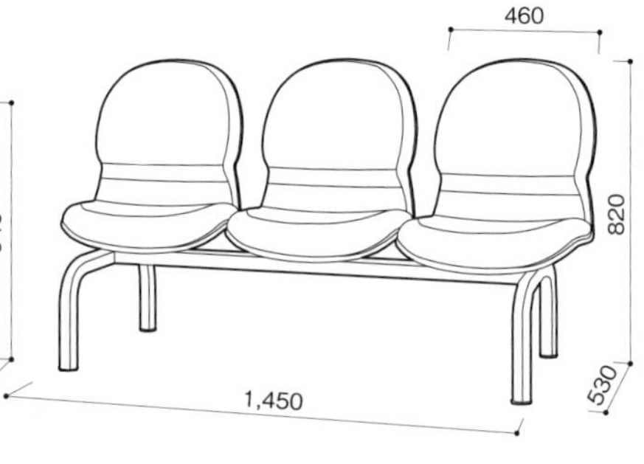
460
820
1,450
530

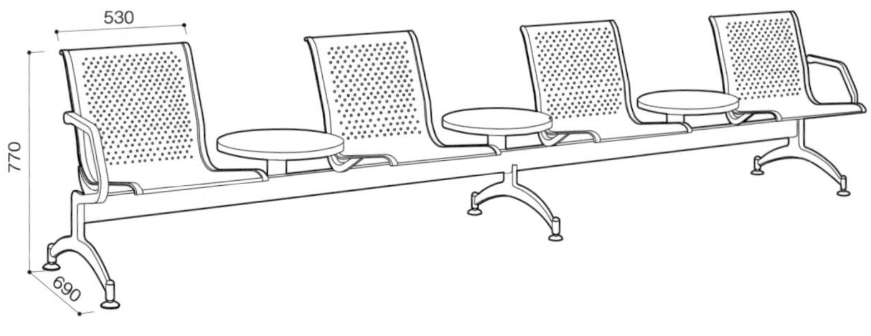
530
770
690

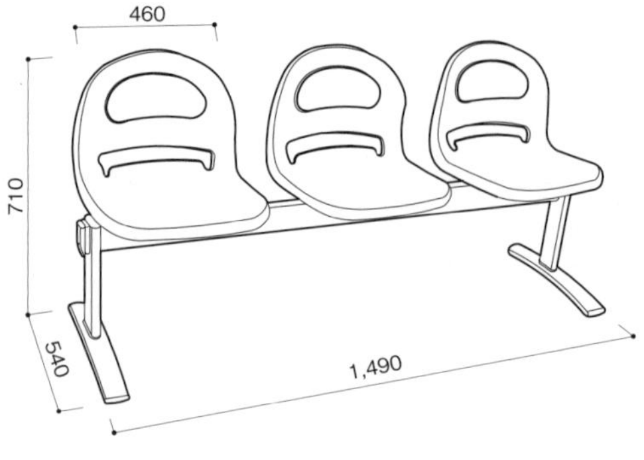
460
710
540
1,490

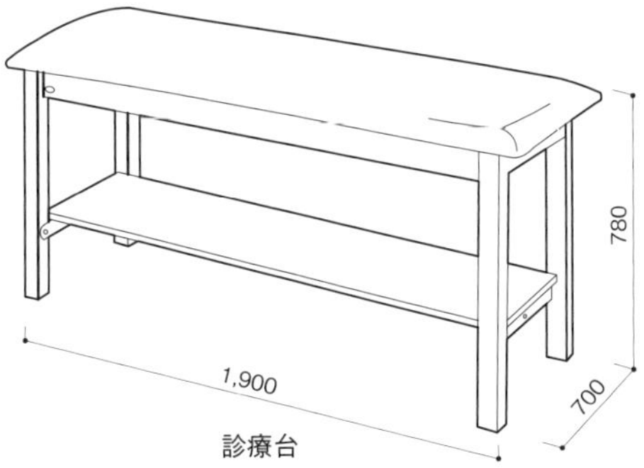
1,900
700
780
診療台

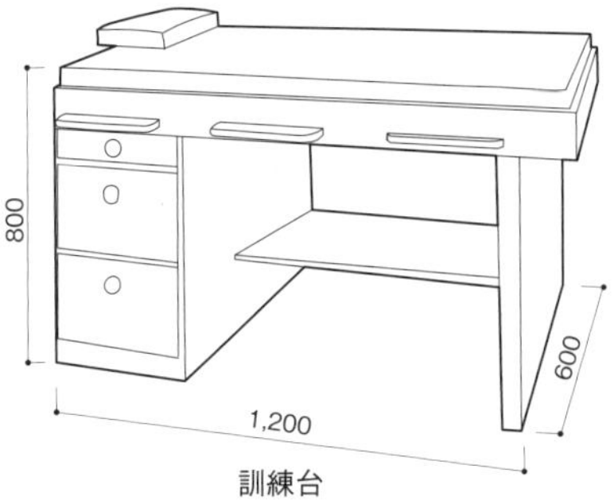
800
1,200
600
訓練台

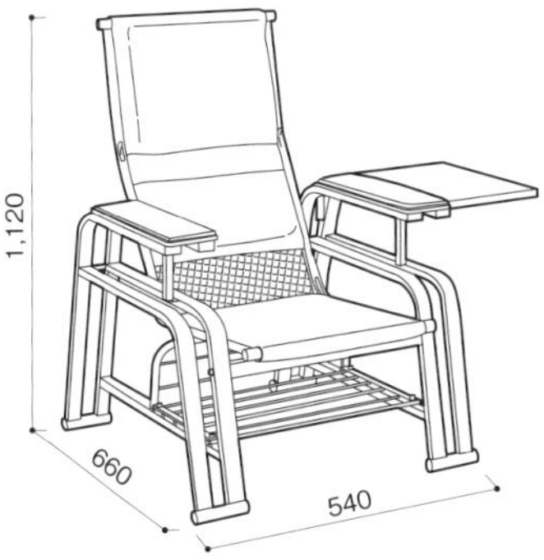
1,120
660
540
採血用椅子

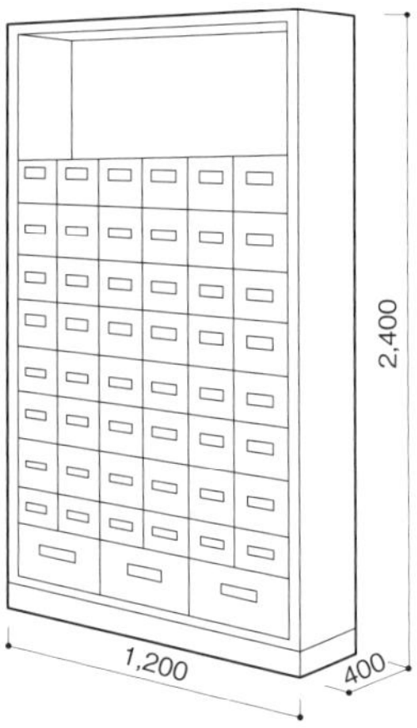
2,400
1,200
400
漢方薬収納棚

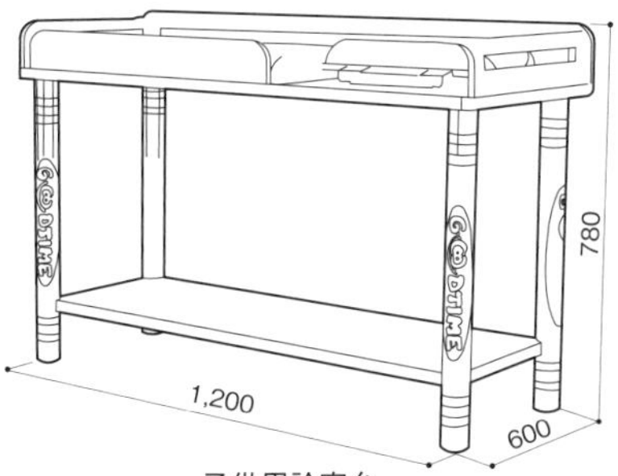
780
1,200
600
子供用診察台

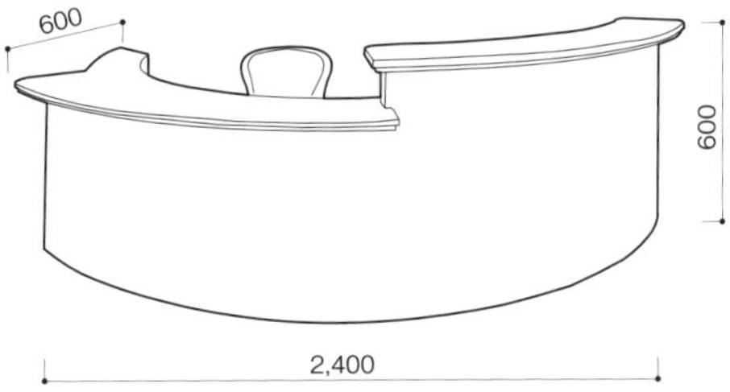
600
600
2,400
受付カウンター

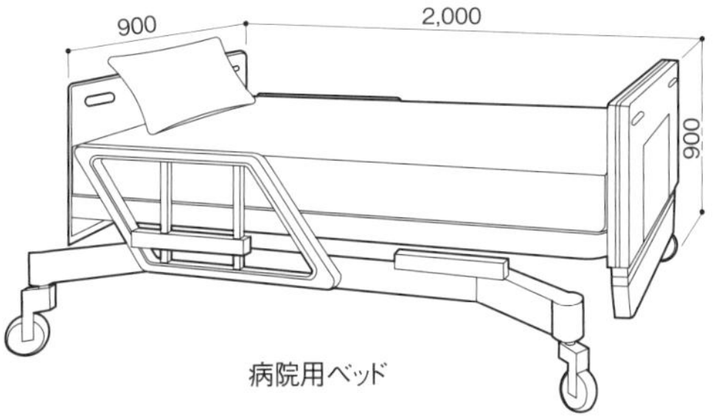
900
2,000
900
病院用ベッド

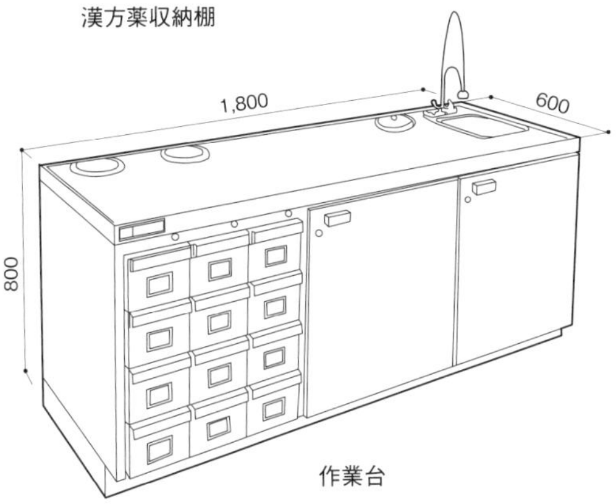
1,800
600
800
作業台

600
450
780
回診車

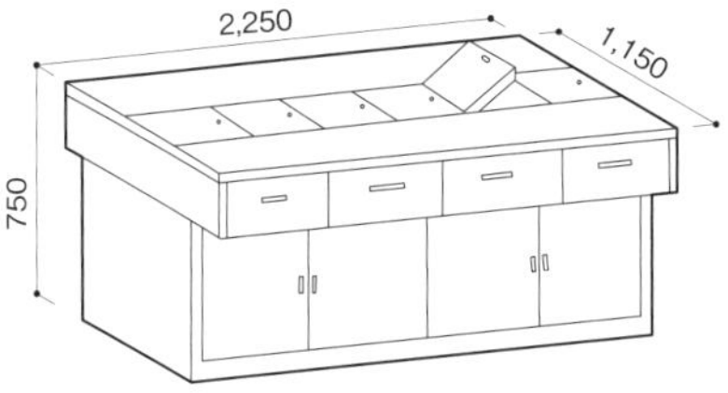
2,250
1,150
750
調合台

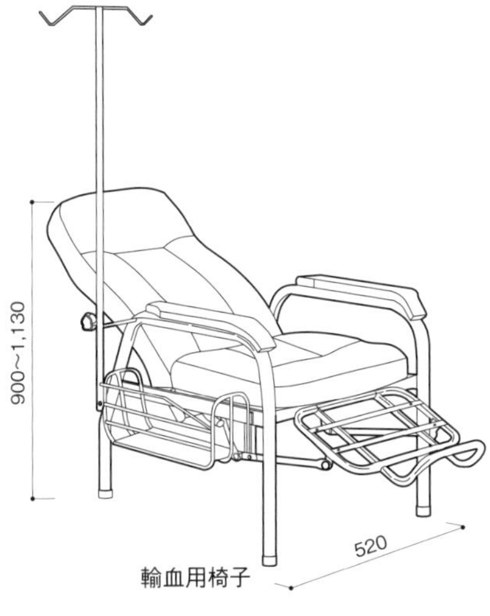
900~1,130
520
輸血用椅子

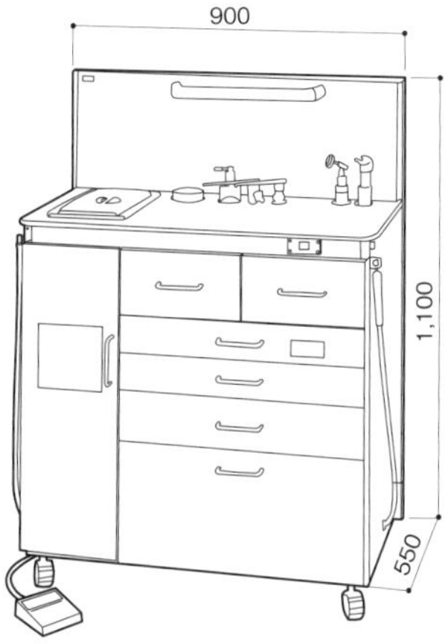
900
1,100
550
作業台

1,500
800
3,000
手すり付き階段

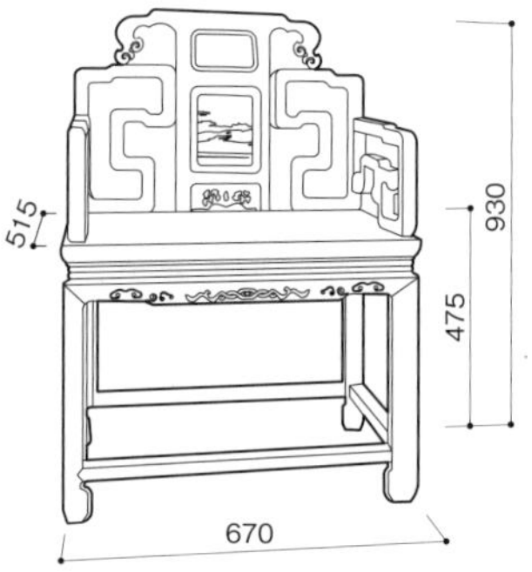
515
930
475
670
清の紅木の椅子

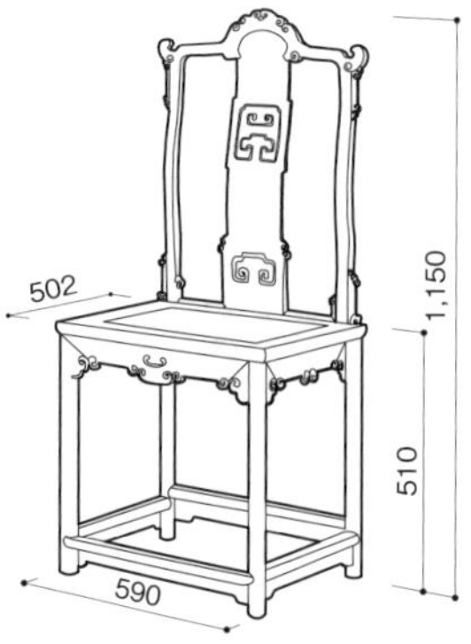
502
1,150
510
590
清の紫檀木の椅子

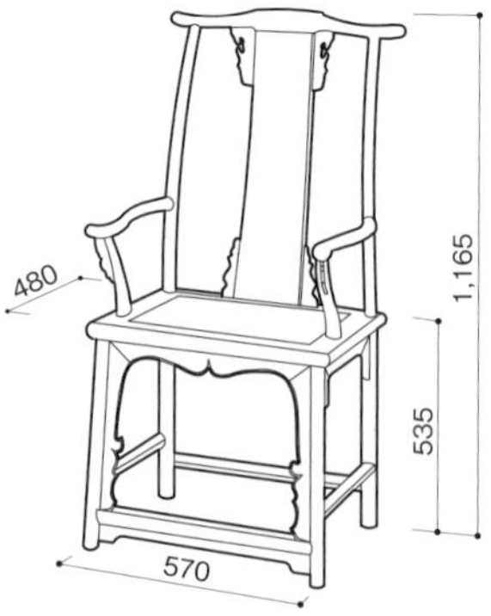
480
1,165
535
570
明の黄花梨木の椅子

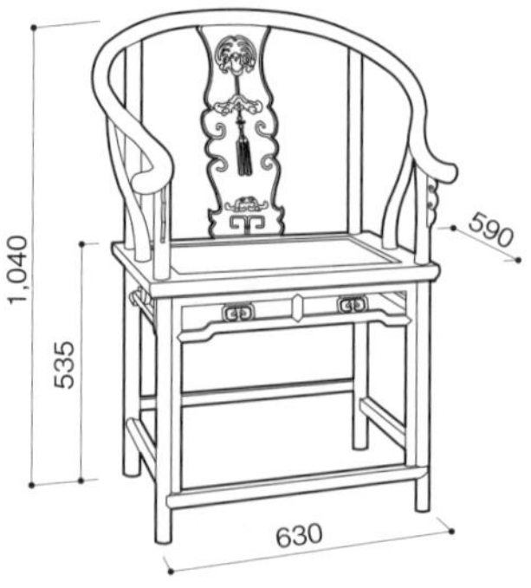
1,040
590
535
630
明の紅木の椅子

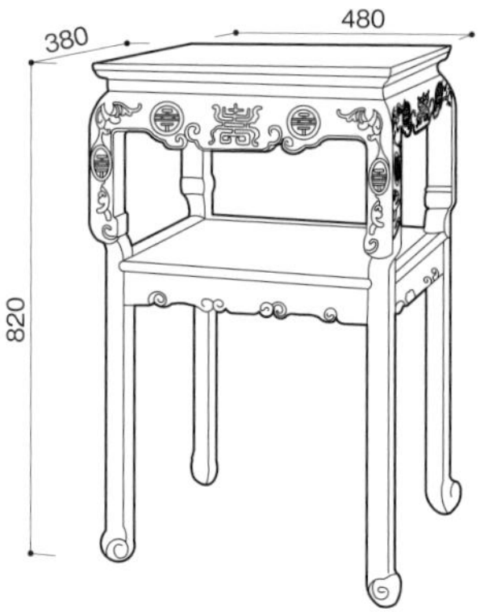
380
480
820
清の紅木の茶台

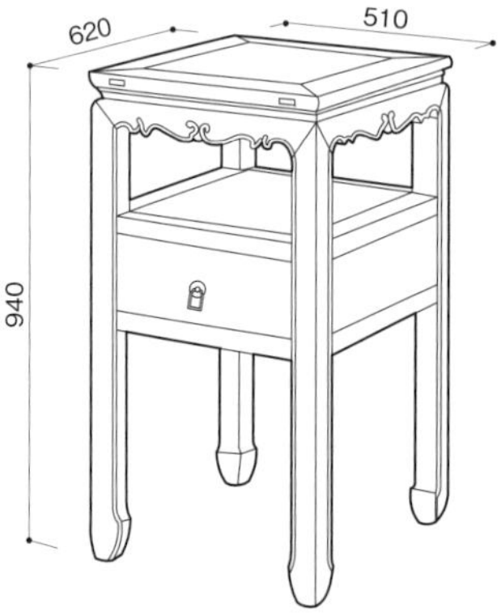
620
510
940
明の黄花梨木の茶台

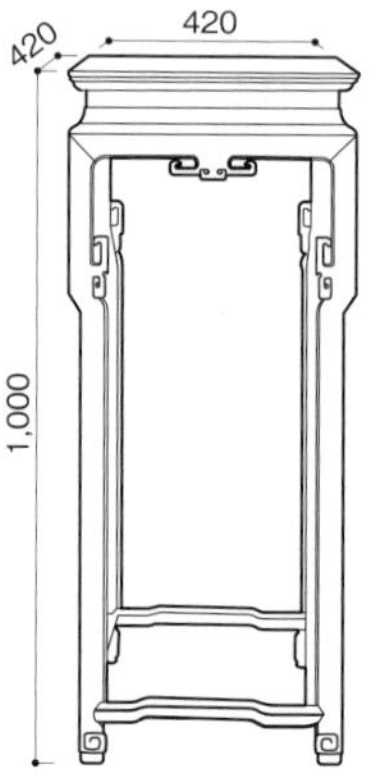
420
420
1,000
清の紅木の花置き

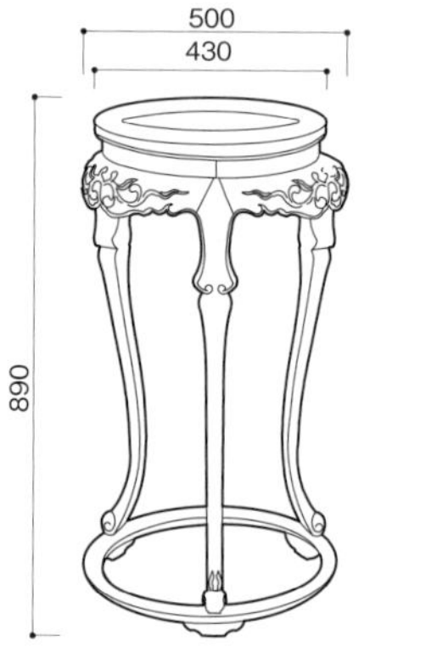
500
430
890
明の黄花梨木の線香置き

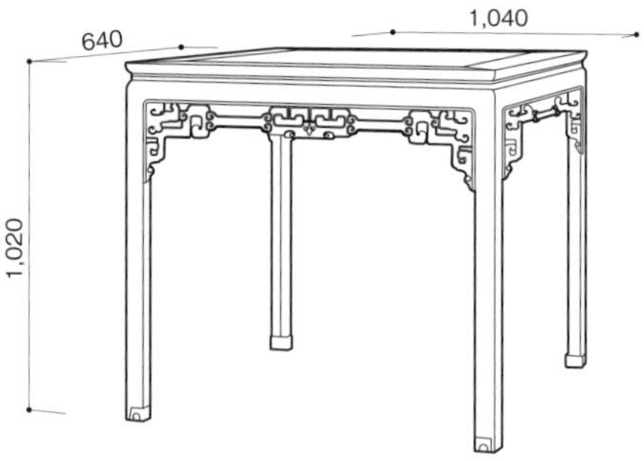
640
1,040
1,020
清の紅木の八仙卓

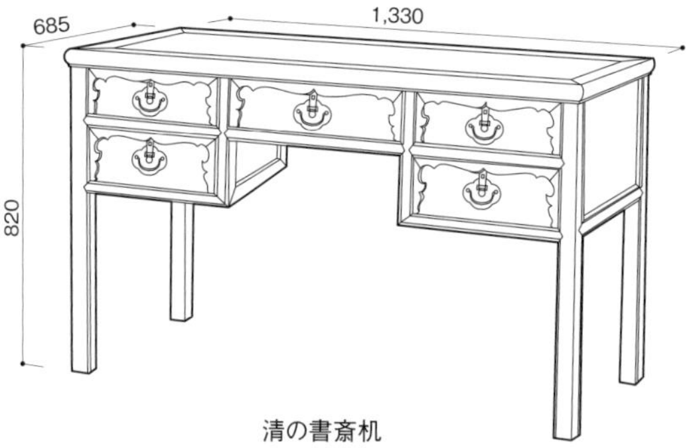
685
1,330
820
清の書斎机

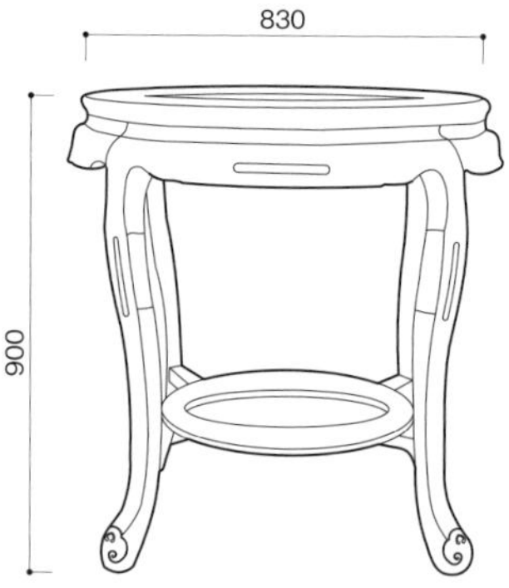
830
900
清の大理石の円卓

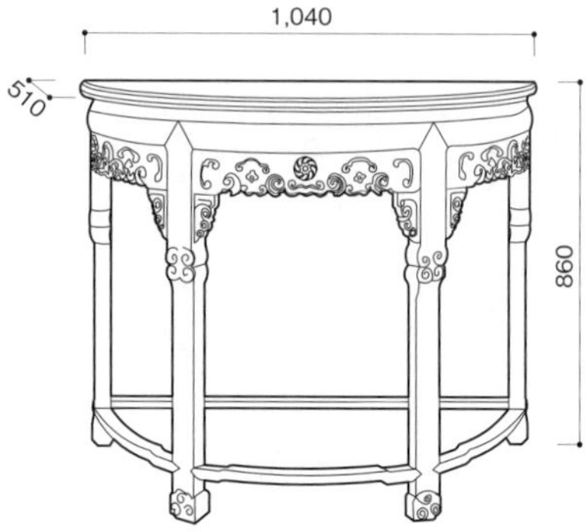
1,040
510
860
清の紅木の半円卓

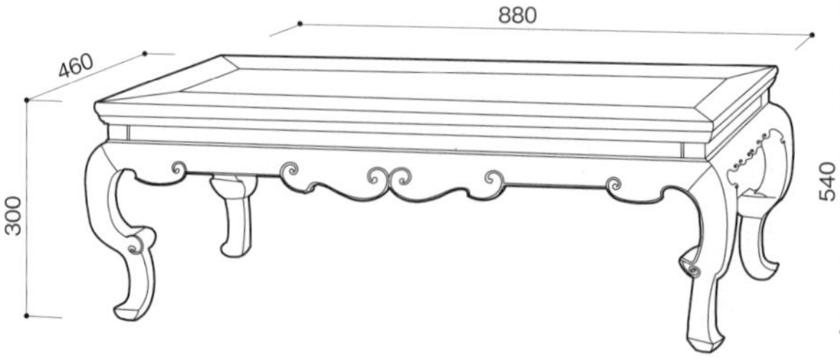
880
460
300
明の黄花梨木の卓

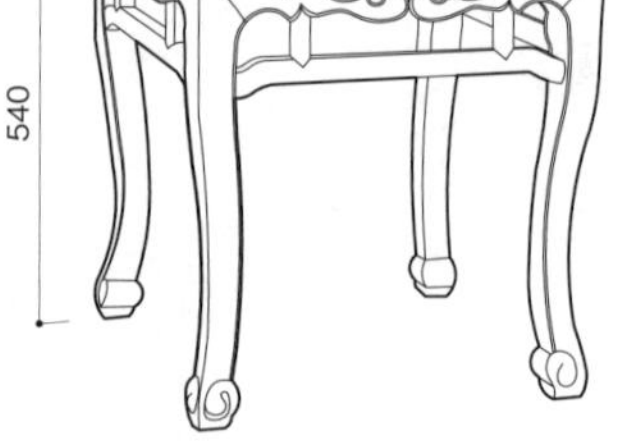
480
540
明の黄花梨木の卓

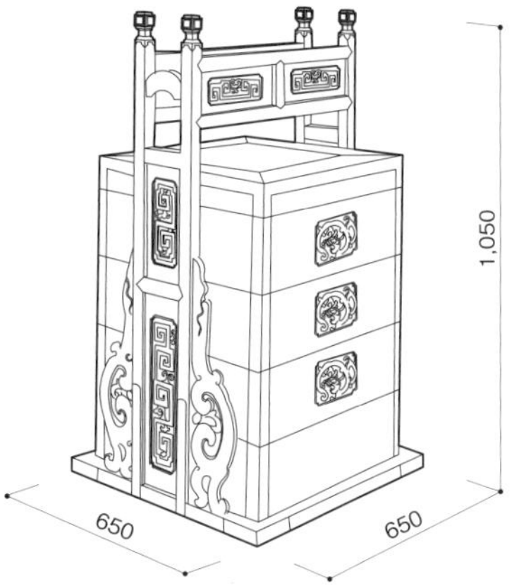
1,050
650
650
清の欅の担ぎ箱

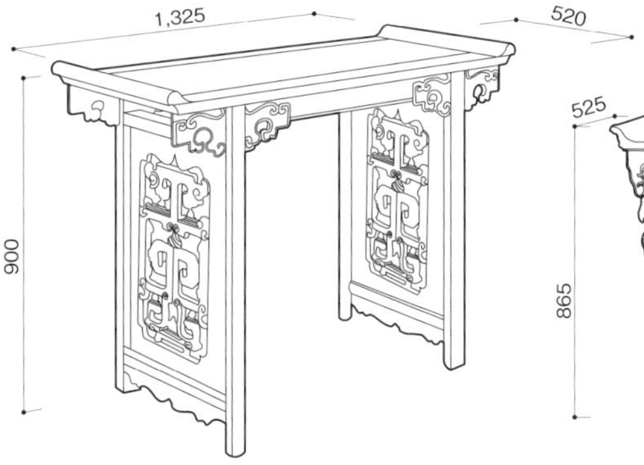
1,325
520
900
清の黄花梨木の机

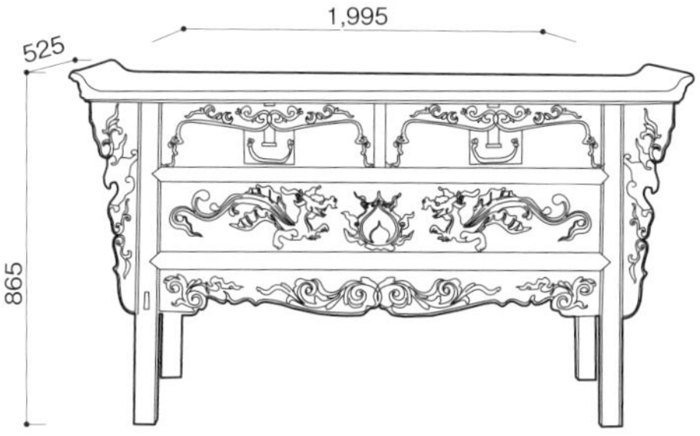
1,995
525
865
明の黄花梨木の机

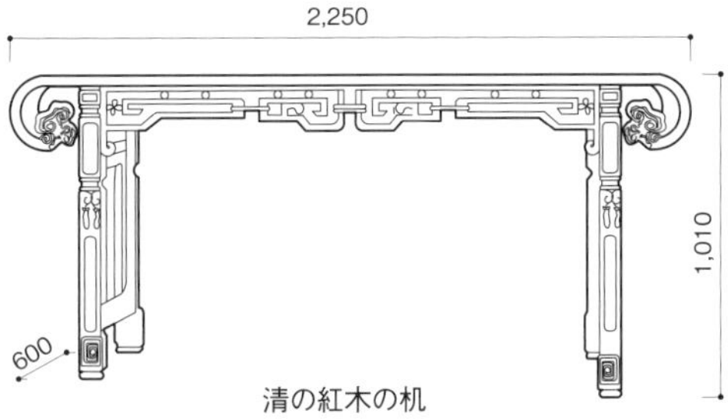
2,250
1,010
600
清の紅木の机

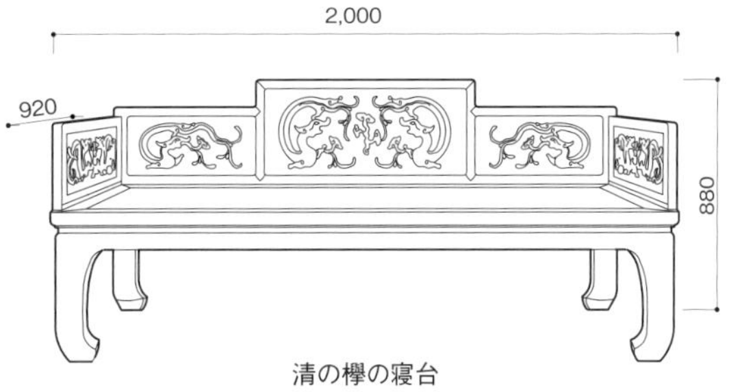
2,000
920
880
清の欅の寝台

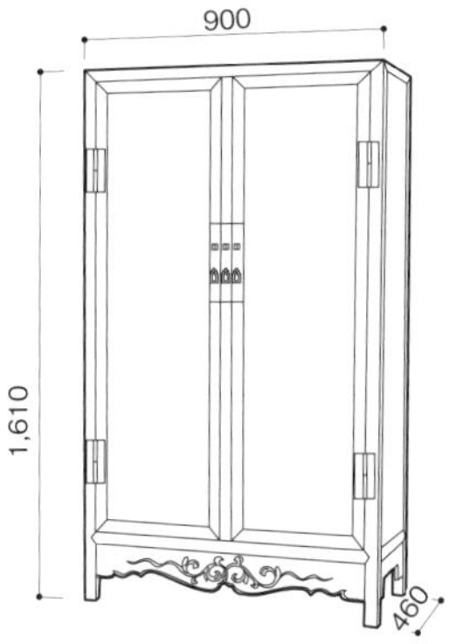
900
1,610
460
明の黄花梨木のタンス

980
1,775
460
明の黄花梨木の棚

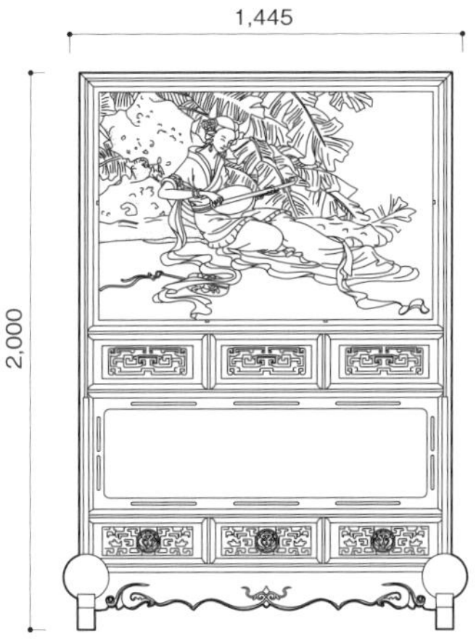
1,445
2,000
清の楠木の屏風

585
1,630
明の黄花梨木の洗面器台

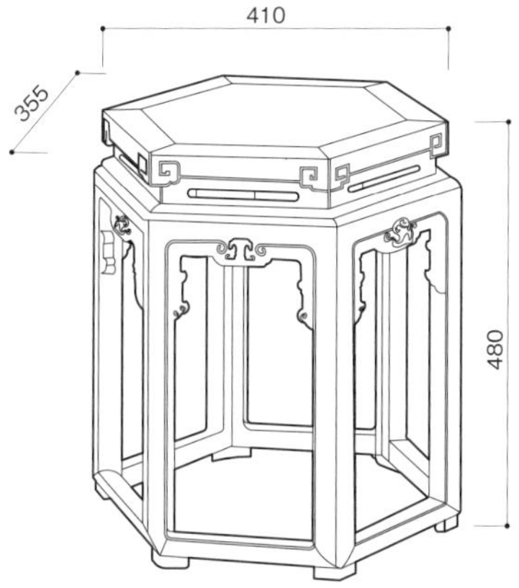
410
355
480
清の紫檀の椅子

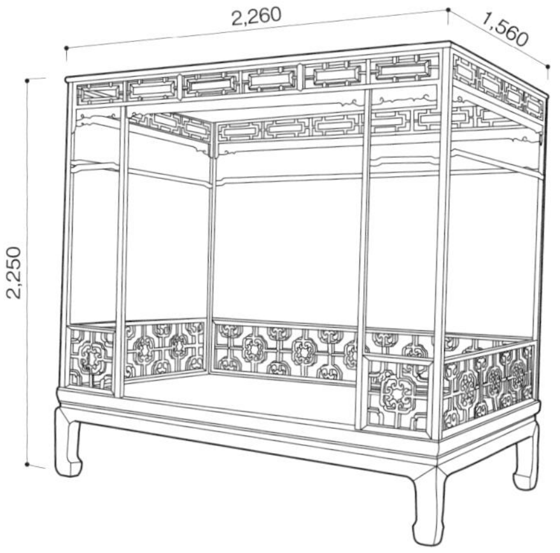
2,260
1,560
2,250
清の黄花梨木の天蓋付き寝台

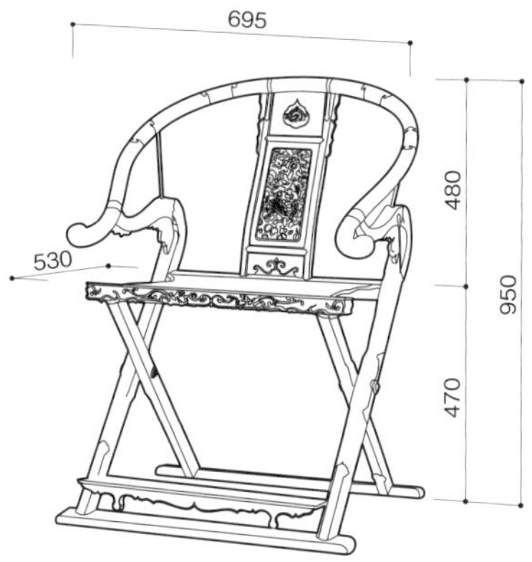
695
530
480
950
470
明の黄花梨木の椅子

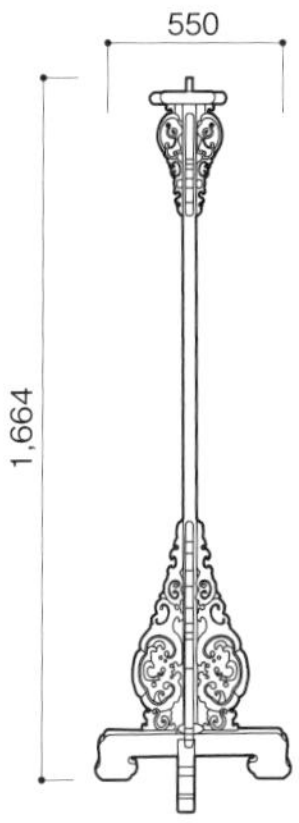
550
1,664
清の紫檀の灯台

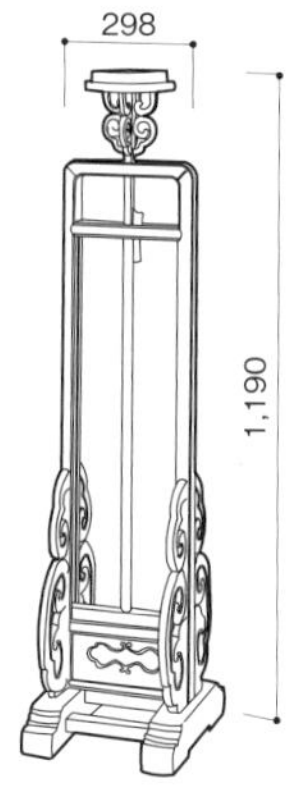
298
1,190
清の黄花梨木の灯台

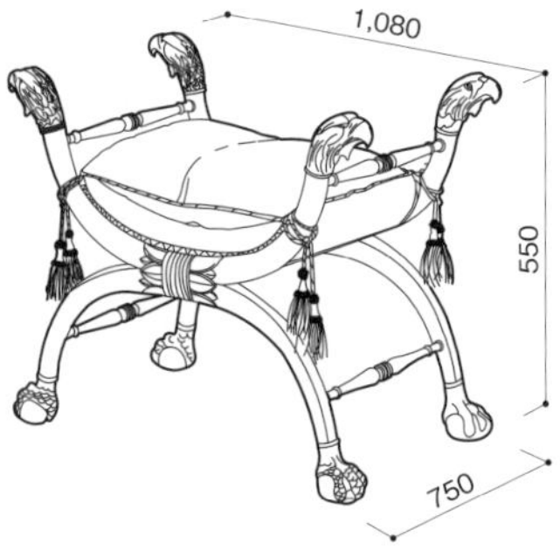
1,080
550
750

イギリス、ジョージ3世時代のオットマン

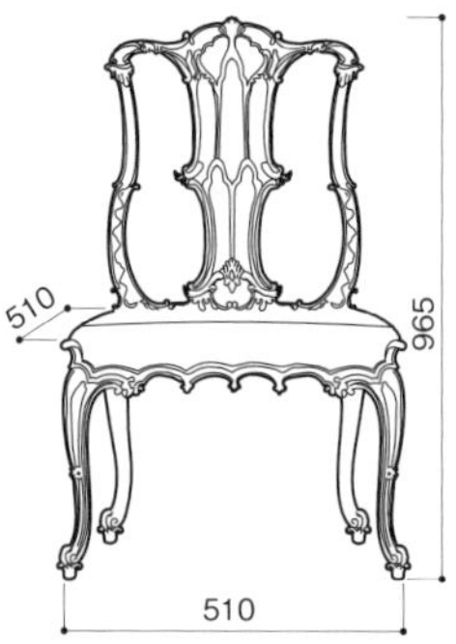
510
965
510

イギリスのゴシック様式の椅子

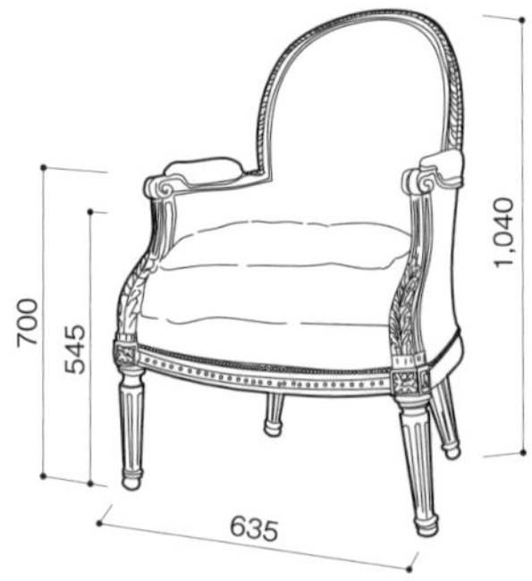
700
545
1,040
635

フランス、ルイ16世時代の肘掛け椅子

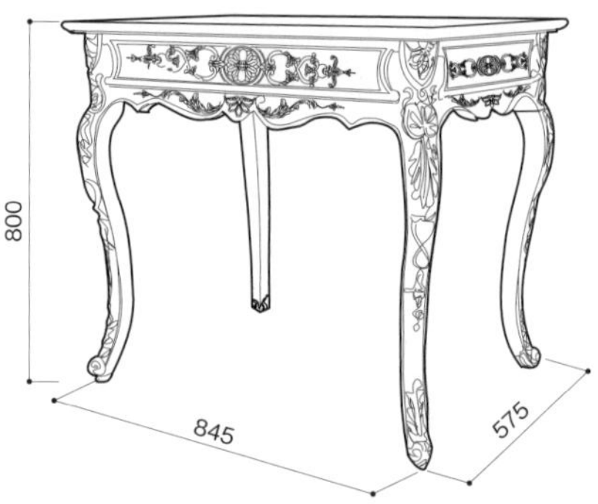
800
845
575

イギリス、ジョージ3世時代のテーブル

2,350
1,275
650

イギリス、ジョージ3世時代のチェスト

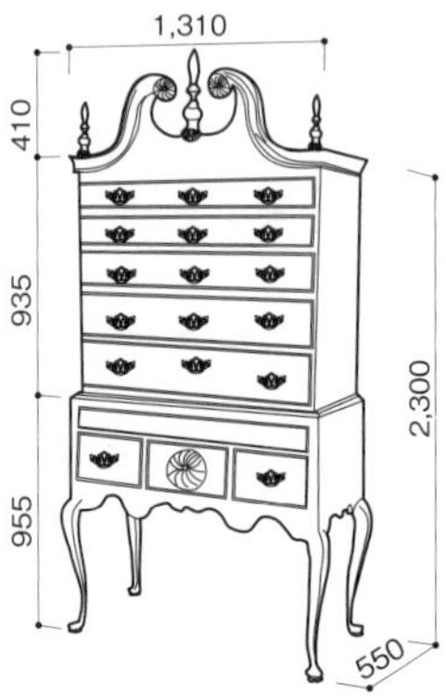
1,310
410
935
955
2,300
550

イギリス、アン女王時代の
メープル材のハイチェスト

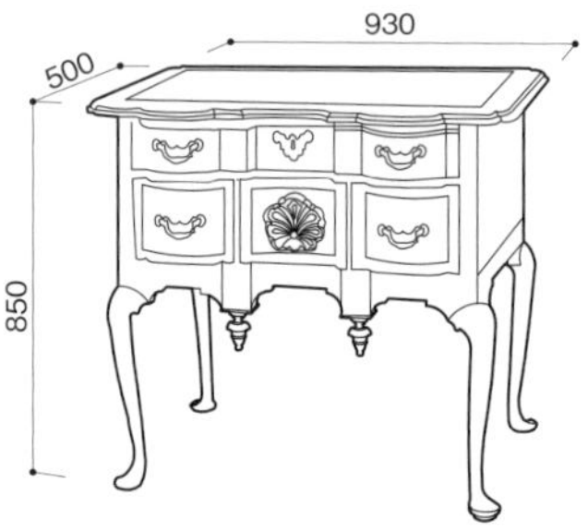
500
930
850

イギリス、アン女王時代の
桜材のローチェスト

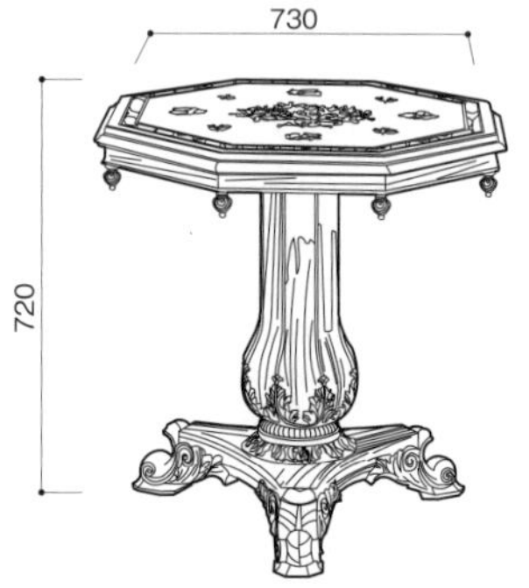
730
720

イギリス、ヴィクトリア女王時代の
大理石と紫檀のテーブル

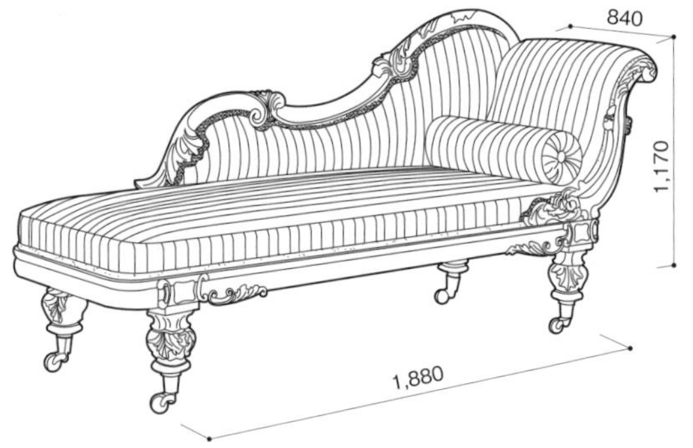
840
1,170
1,880

イギリス、ウィリアム4世時代のセコイア材のカウチ

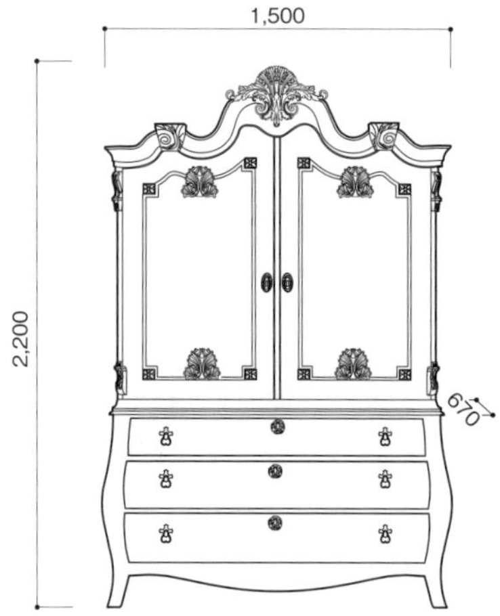
1,500
2,200
670

1770年オランダのマホガニー材のタンス

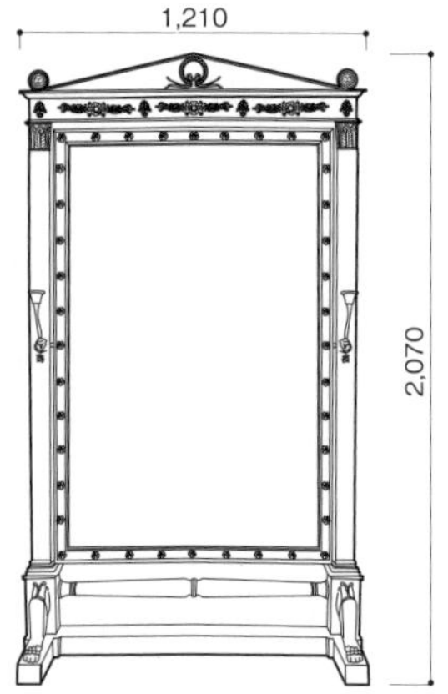
1,210
2,070

大英帝国時代の
マホガニー材と青銅の枠の全身鏡

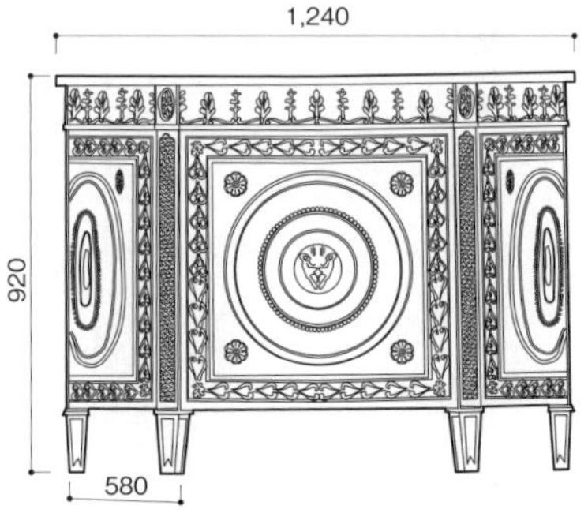
1,240
920
580

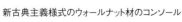

新古典主義様式のウォールナット材のコンソール

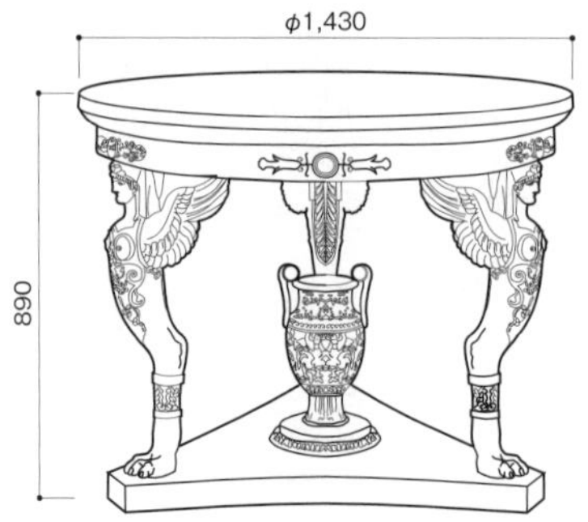
φ1,430
890

大英帝国時代のマホガニー材の円卓

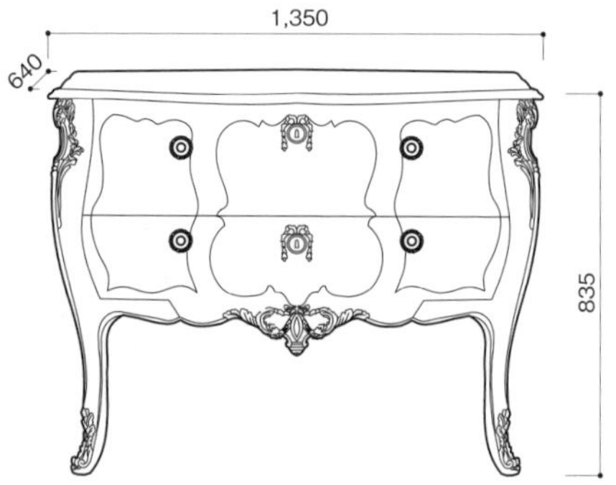
1,350
640
835

フランス、ルイ15世時代のコンソール

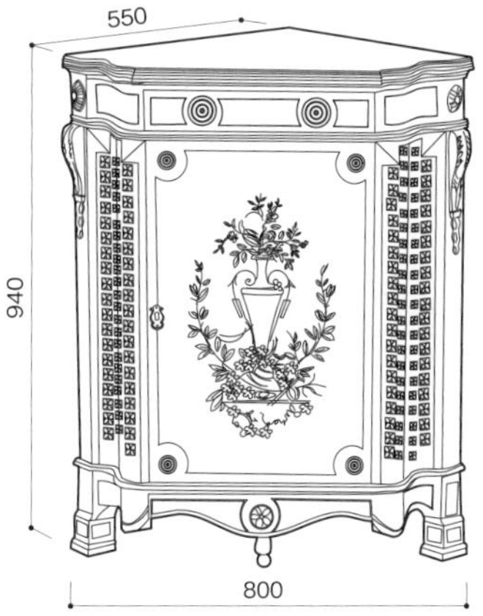
550
940
800

イギリス、ヴィクトリア女王時代の
欅材のコンソール

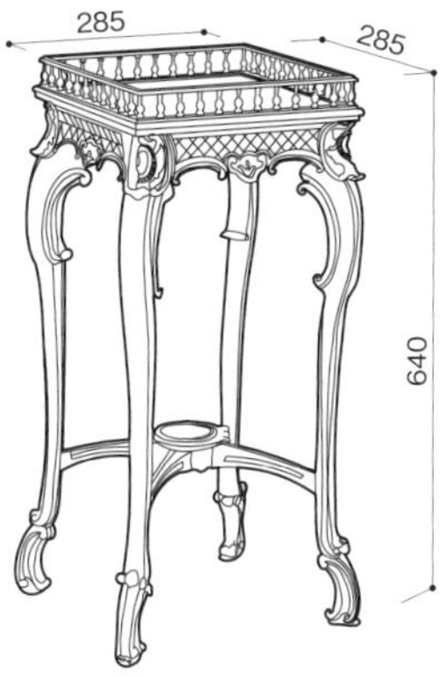
285
285
640

イギリス、ジョージ3世時代の
マホガニー材の花台

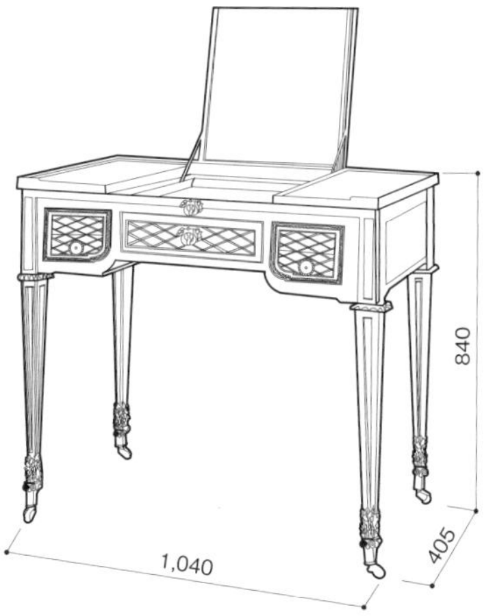
840
1,040
405

フランス、ルイ16世時代のマホガニー材のドレッサー

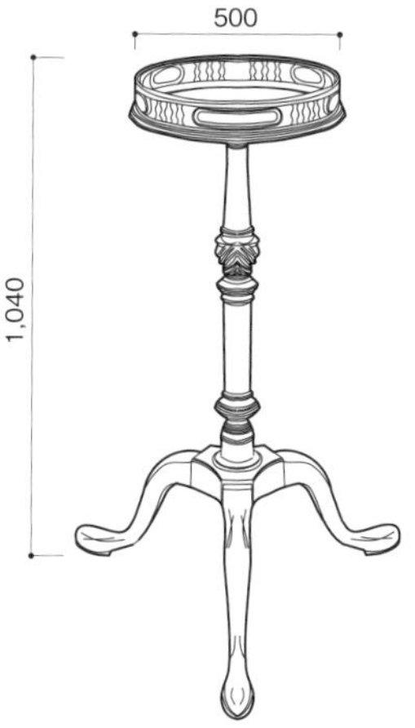
500
1,040

イギリス、ジョージ2世時代の
セコイア材の燭台

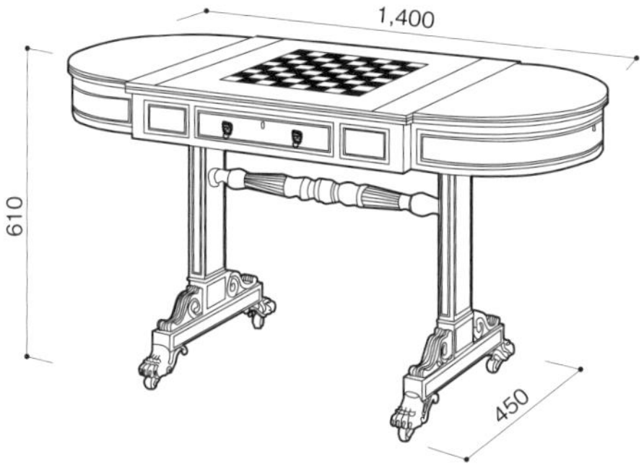
1,400
610
450

イギリス、ジョージ3世時代の紫檀のチェス台

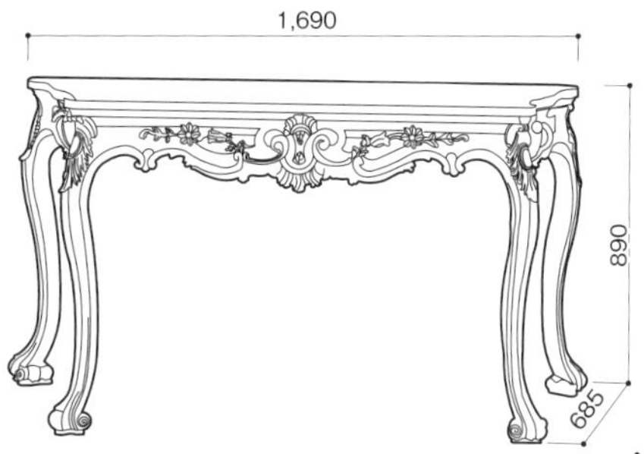
1,690
890
685

ロココ式マホガニー材のコンソール

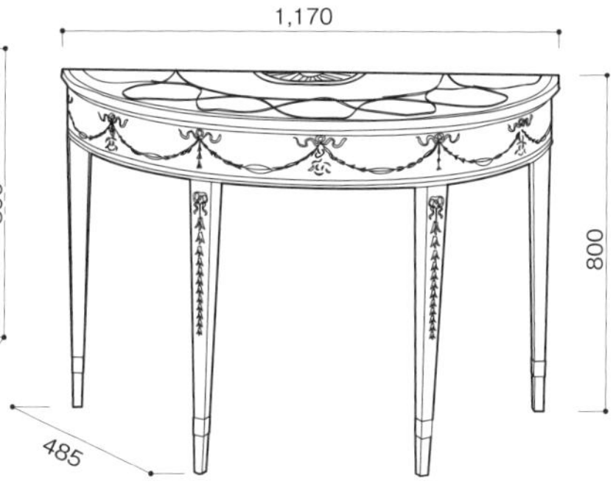
1,170
800
485

イギリス、ジョージ3世時代の椴木のコンソール

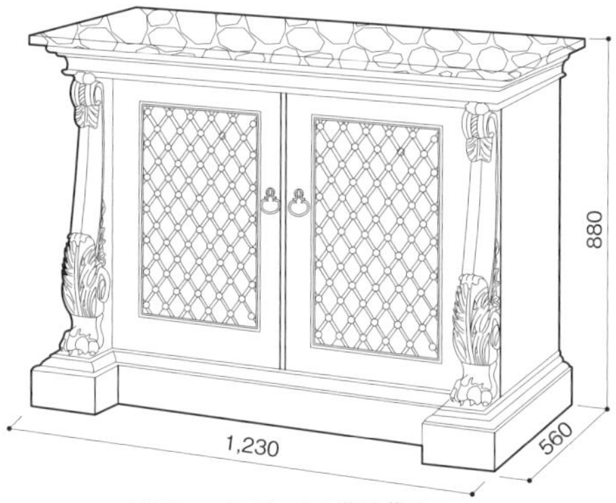
880
1,230
560

イギリス、ウィリアム4世時代の
大理石とマホガニー材のサイドボード

1,500
845
480

イギリス、ジョージ2世時代の
マホガニー材のキャビネット

1,860
890
580

フランス、ルイ16世時代のセコイア材のサイドボード

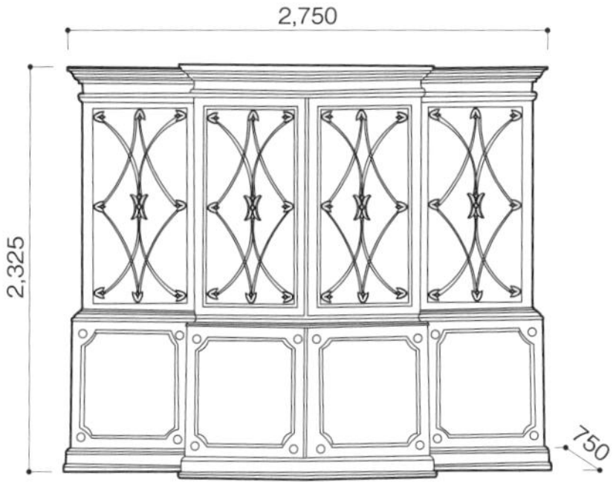
2,750
2,325
750

4つの部分から成る書庫

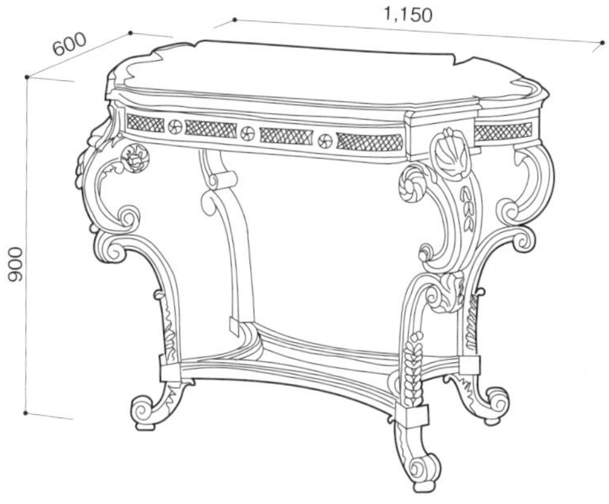
600
1,150
900

フランス、ルイ15世時代のセコイア材のコンソール

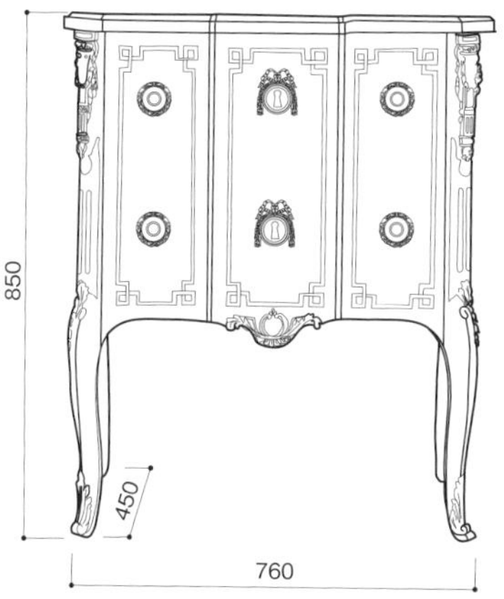
850
450
760

フランス、ルイ15世時代の
マホガニー材のコンソール

故宮・長春宮の寝室

清王朝乾隆帝の
紫檀の肘掛け椅子

明時代の紫檀の角椅子

明時代の紫檀の
肘掛け椅子

蘇州・網師園の万巻堂

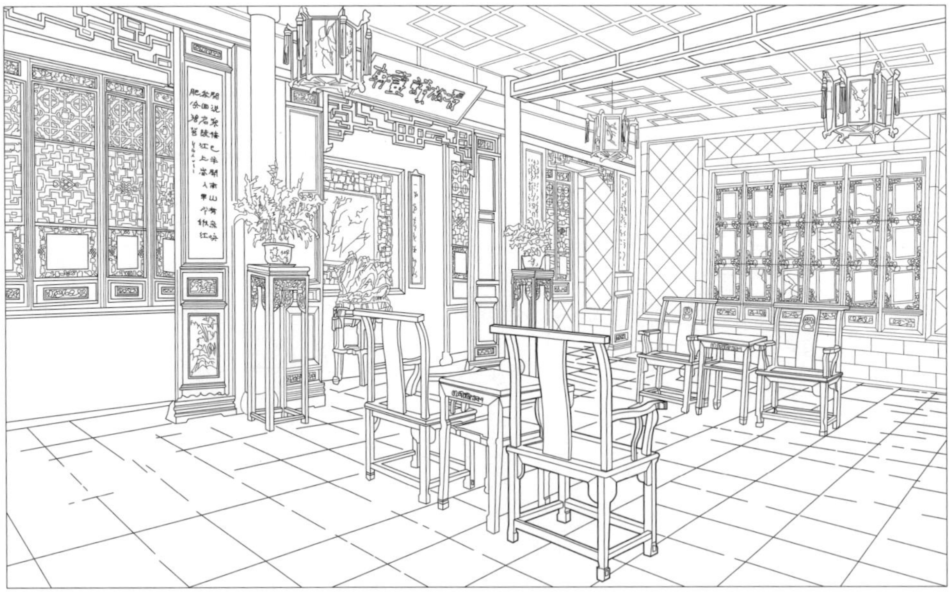

蘇州・網師園の看松読画軒

明時代の肘掛け椅子

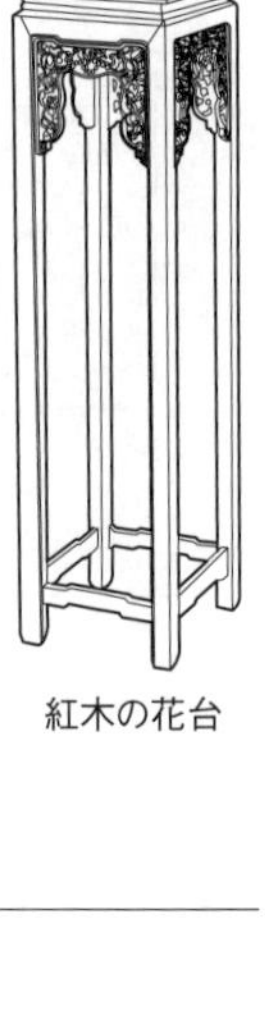

紅木の花台

樂善堂

故宮・崇敬殿の内部

銅めっきを施されたキリン

碧玉とホウロウ製の象

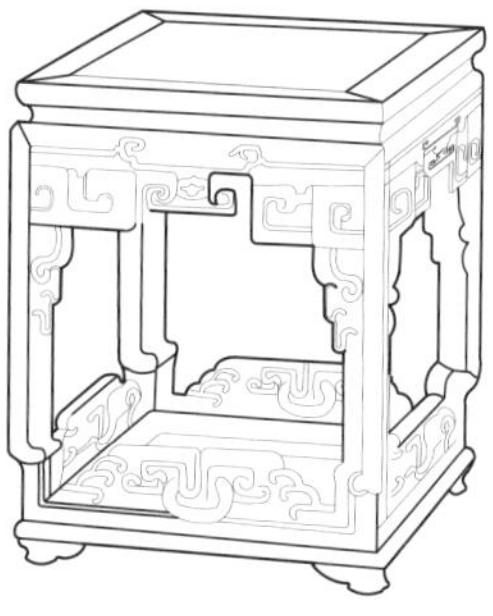

清の紅木の角椅子

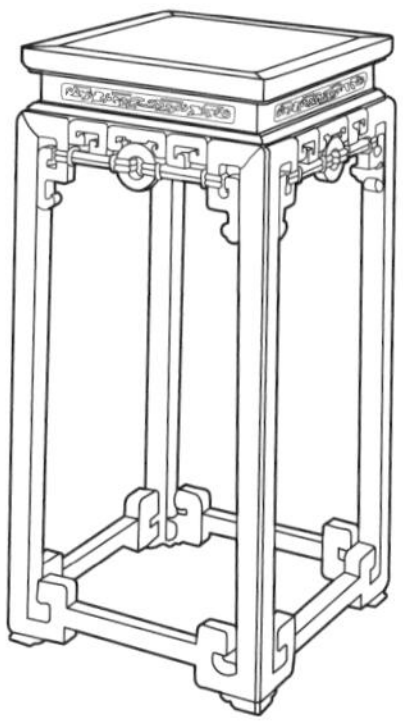

清の茶台

ジョージ3世時代の帝政様式の待合室

大英帝国時代の新古典主義様式の室内

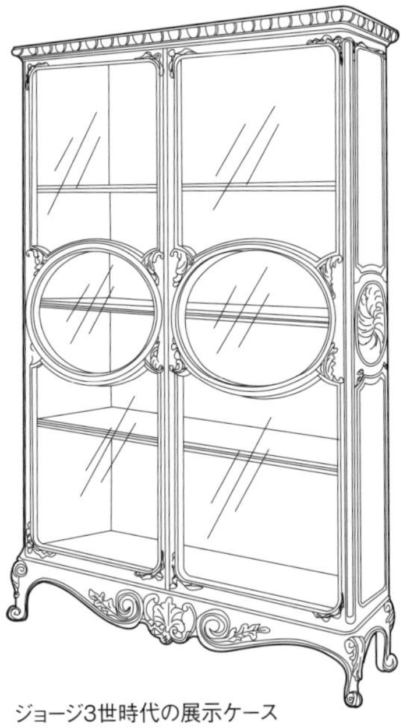

ジョージ3世時代の展示ケース
（1,900×1,060×465）

19世紀エジプト様式の客間

ジョージ3世時代のテーブル

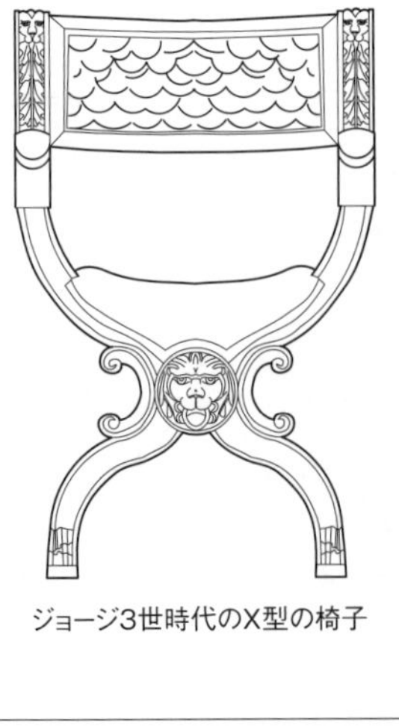

ジョージ3世時代のX型の椅子

ジョージ3世時代のシルクソファ

第一共和制時代の室内装飾

ルイ14世時代のアラビア風絨毯

ベルサイユ宮殿様式のレストランの装飾

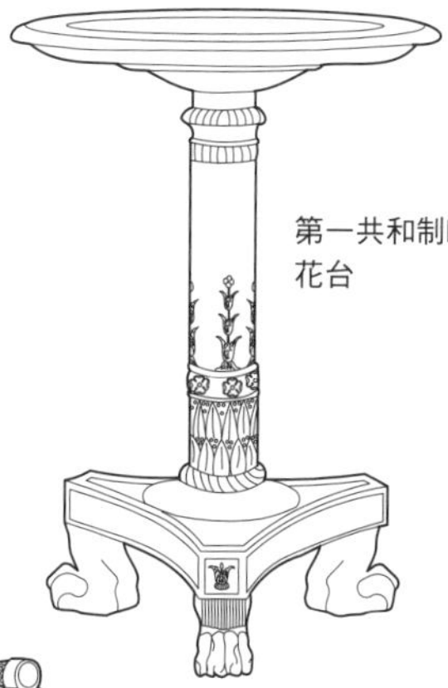

第一共和制時代の
花台

フランス新古典主義の鏡台

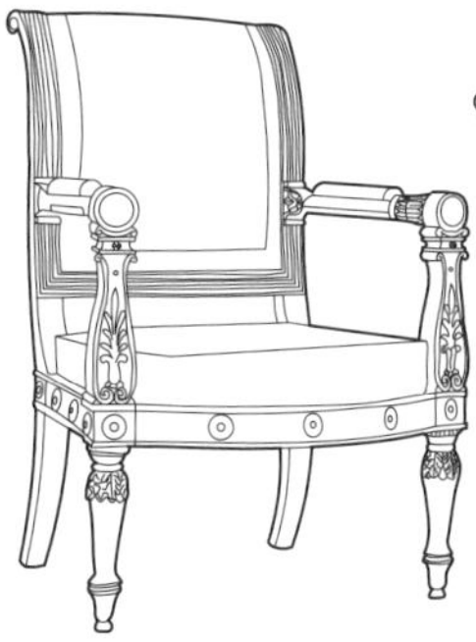

第一共和制時代の
肘掛け椅子

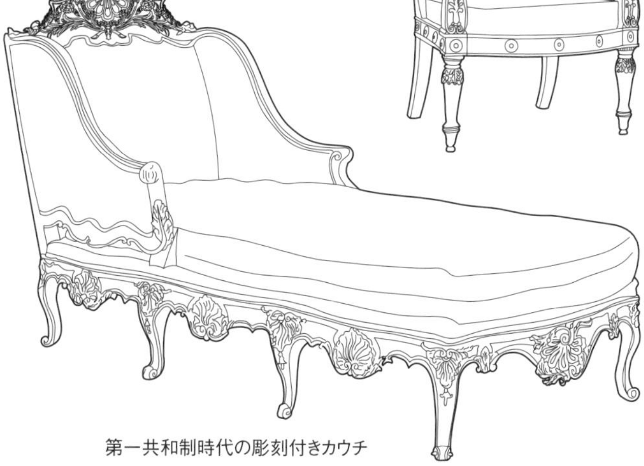

第一共和制時代の彫刻付きカウチ

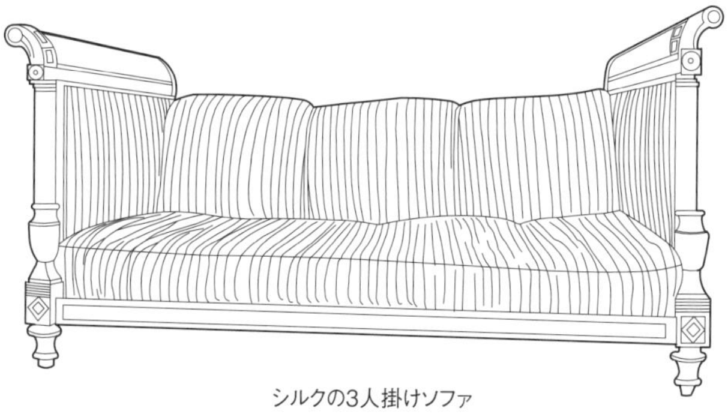

シルクの3人掛けソファ

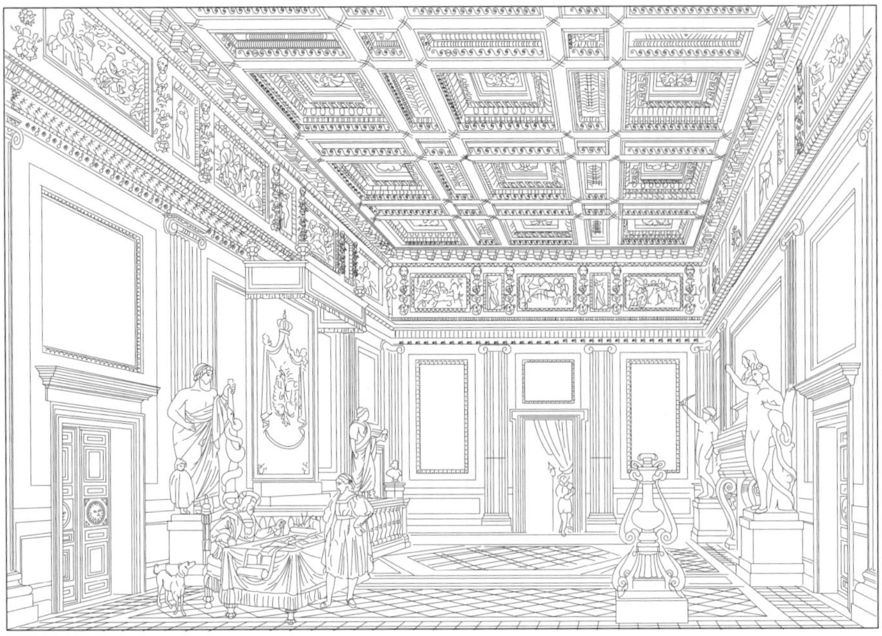

16世紀ローマの邸宅

11世紀後期のローマ法王の椅子

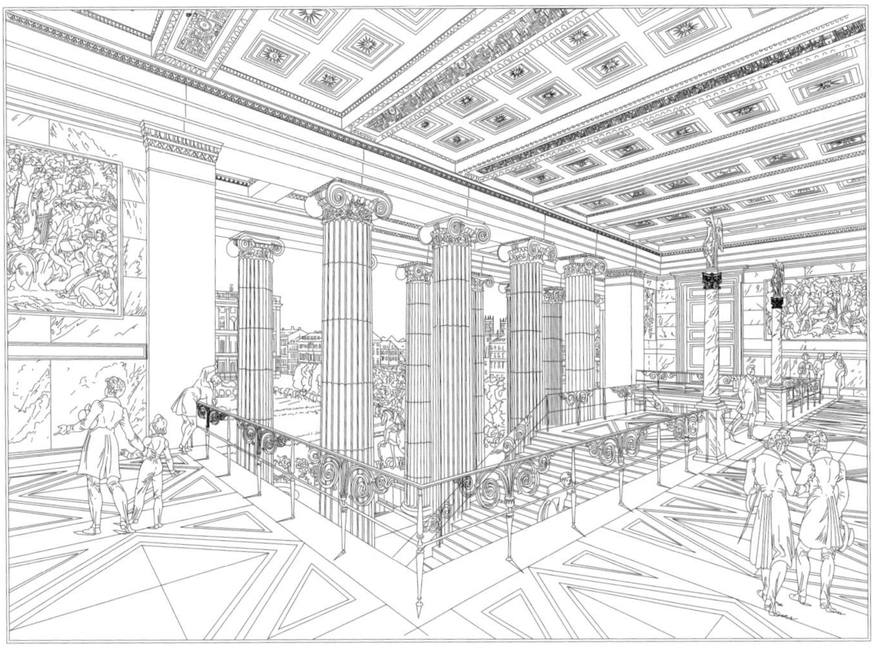

ベルリン、先史・古代博物館

ドイツ、ルネサンス晩期のX型の椅子

ドイツ、ルネサンス晩期のタンス

アルミ合金製のブラインドは、スラットの厚みがわずか0.25mm、幅が15～35mmで、弾力性に優れている。各スラットはナイロンの紐でつながれており、その角度を変えることにより、光と風が容易に調整できる。

プラスチック製のブラインドは湿気や虫食いに強く、清掃しやすいが、高温が弱点である。

ロールスクリーンにはチェーン式と自動巻上げ式があり、これに防水、防火、遮光、抗菌などの機能を持つ生地を組み合わせる。巻上げ、取替え、洗浄が簡単で巻き上げたときに窓を遮る部分が少ないため、室内空間を広く感じさせる利点がある。

プリーツスクリーンは折り畳み式のカーテンで、1枚のものも複数枚組み合わせたものもある。特徴は、一般的な左右に開閉するカーテンよりも生地を節約でき、畳み上げたときに室内空間を広々と見せる点である。また、すっきりとしたデザインであるため、窓の前に物を置いても、たまりを気にせずに使うことができる。

縦型ブラインドはスラットを垂直に並べたタイプで、左右に開閉する。横型と同様、スラットの角度を変えることにより、光と風のコントロールができる。

木のすだれは素朴で落ち着いた雰囲気を醸し出す。折り畳み式と巻き上げ式があり、竹製のものは様式の違うカーテンと合わせることもできる。

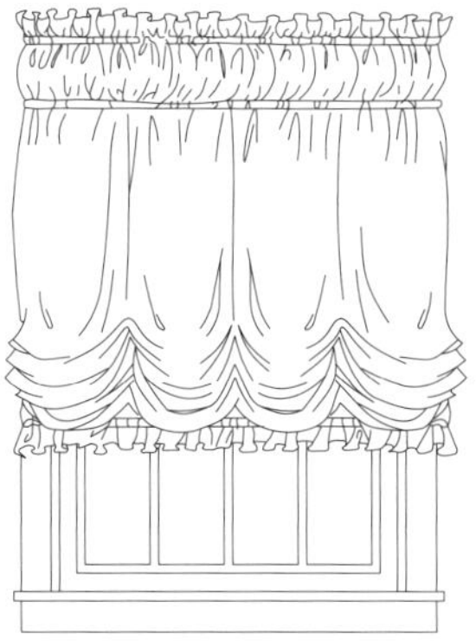
バルーンシェード

ルースシェード

ローマンシェード

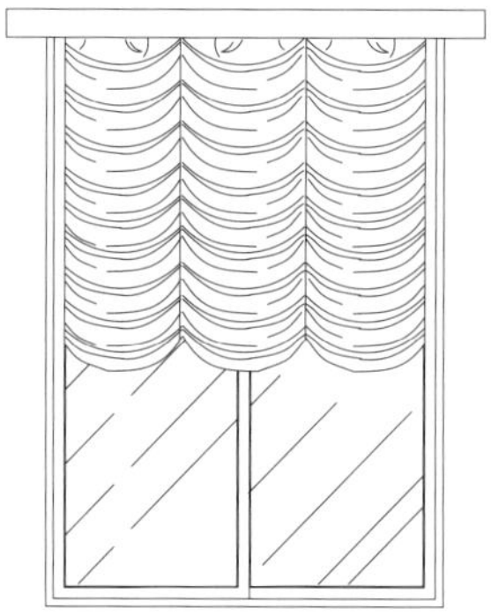
オーストリアンシェード

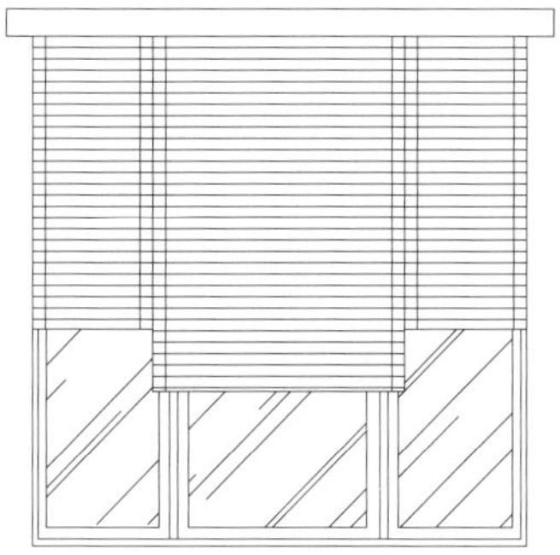
アルミ合金製ブラインド

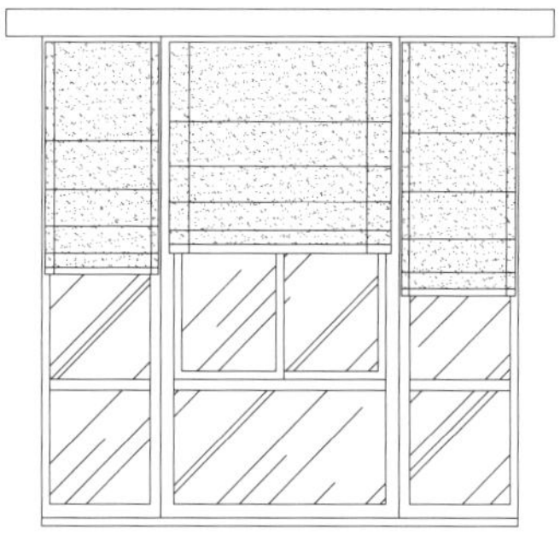
不織布プリーツスクリーン

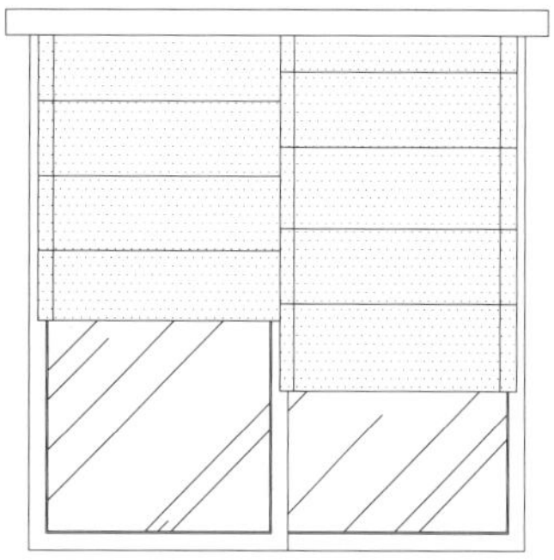
和紙プリーツスクリーン

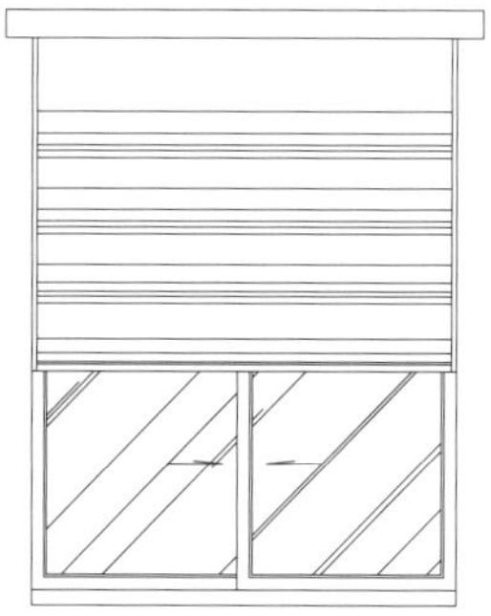
不織布プリーツスクリーン

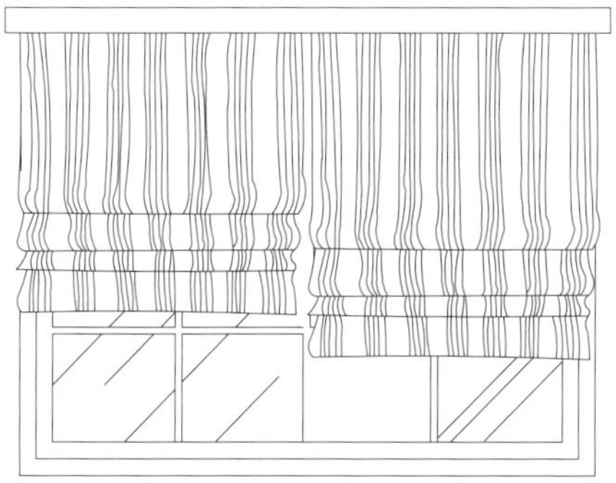
不織布プリーツスクリーン

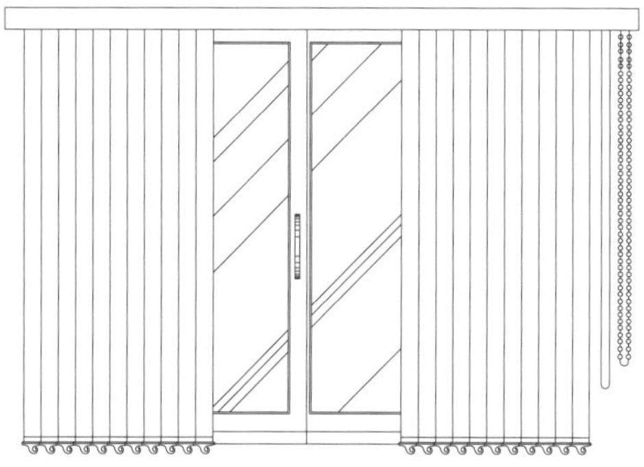
縦型ブラインド

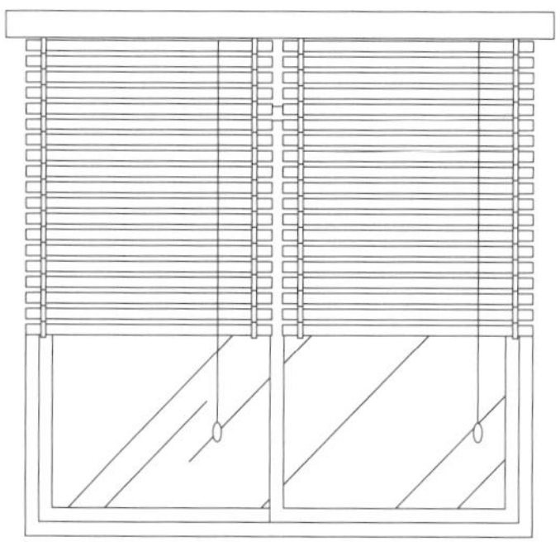
木製ブラインド

カーテンは目隠し、遮光、遮熱、防音などを目的とするものである。また、室内空間において大きな面積を占めるため、色や柄、生地などは慎重に選ばなければならない。

カーテンに使われる生地は主に、重厚感のある厚手のドレープ、透過性のある薄手のレース、柄を染めたプリント、ドレープとレースの中間のケースメントに大別できる。

生地の材質は、綿・麻（天然素材）、レーヨン（再生繊維）、ポリエステル（化学繊維）、アクリル（化学繊維）の４つに分けられる。綿・麻は質感と染色性が良く、丈夫だが、変色しやすく、洗濯で縮みやすいという短所がある。レーヨンは吸湿性と染色性に優れ、混紡・混織に適しているが、耐久性が低く、水に縮みやすいという短所がある。ポリエステルはカーテン繊維の主流で、質感と染色性が良く、丈夫で型崩れしにくいが、汚れがつきやすく、若干コスト高になるという短所がある。アクリルはポリエステルと並んでカーテンの代表的繊維で、軽量で保温性が高く、帯電性も少ないために汚れがつきにくいが、火や熱に弱いという短所がある。

カーテンを選ぶ際は、取りつける場所に応じて、上記のような生地の特色と色合いを勘案して選ぶとよい。一般的には厚手のものと薄手のものを二重に掛ける場合が多いが、場所によっては一重掛けや三重掛けにしてもよい。

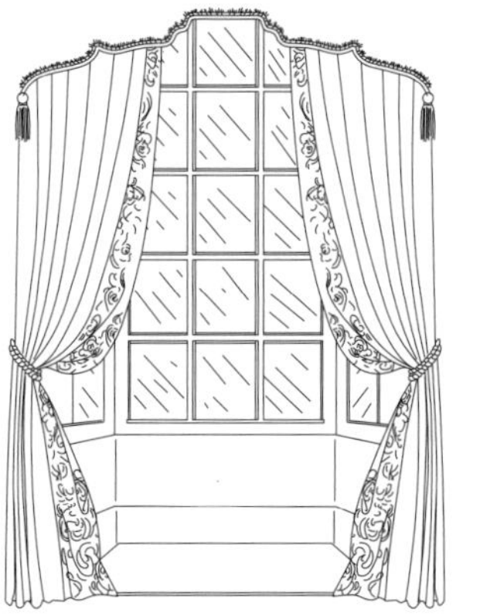
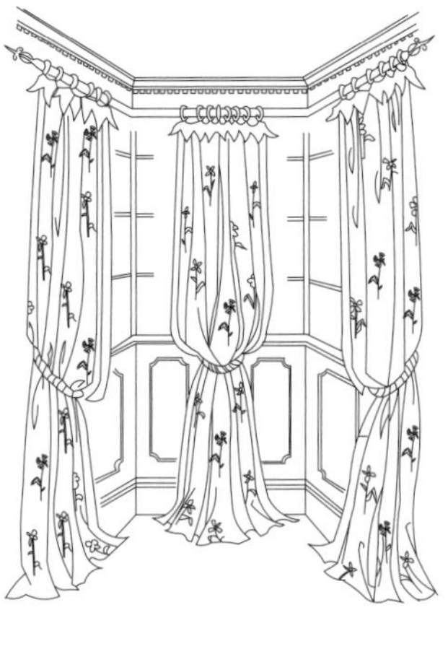

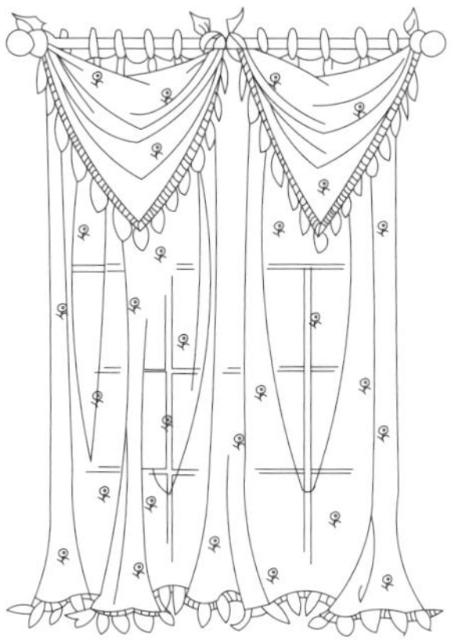

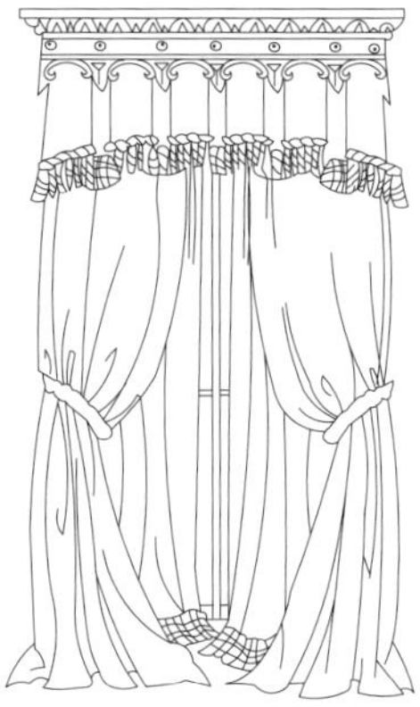
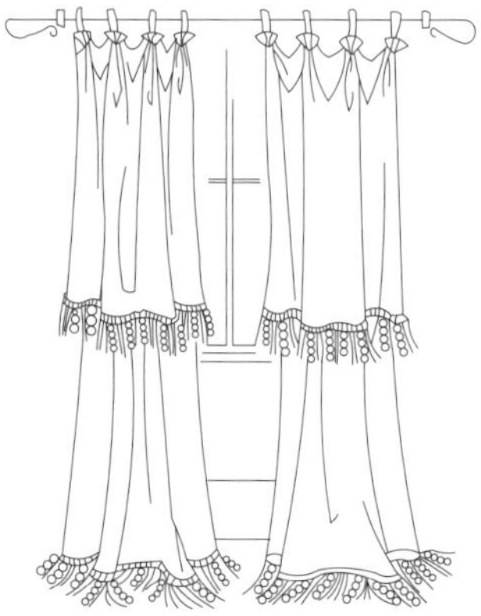
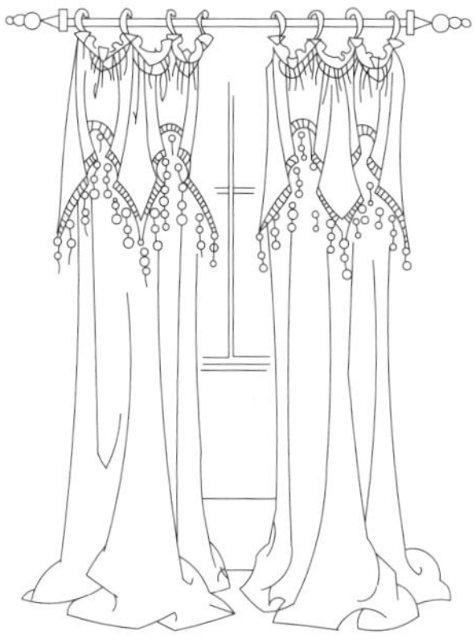

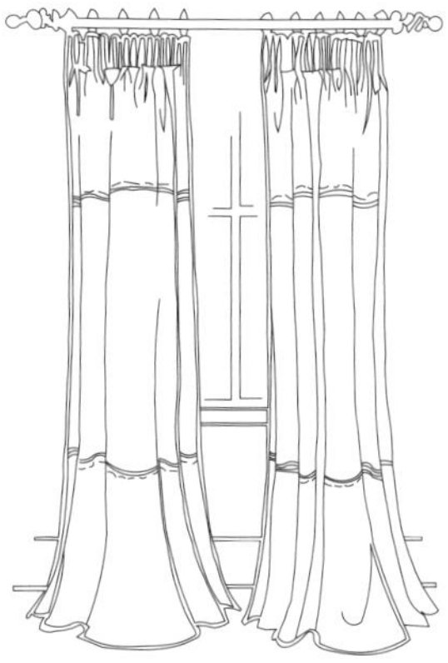
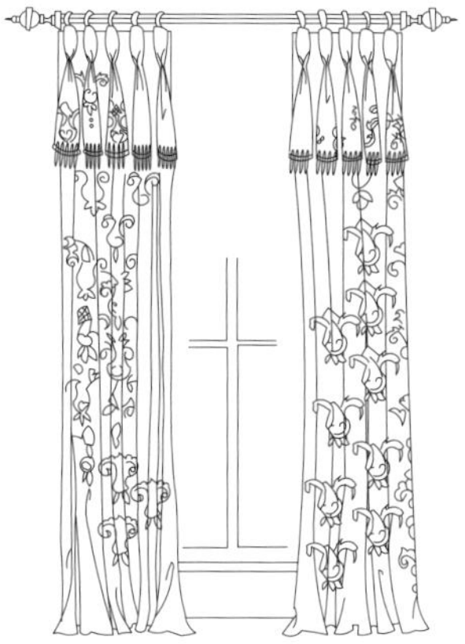
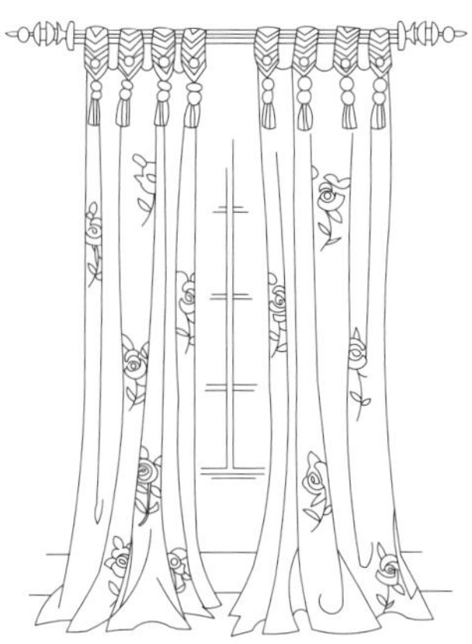

カーテンボックスは、カーテンレールを視界から隠すためのもので、壁付け型と天井埋込み型がある。また、カーテンを設置する方法には以下の3種類がある。

1. **レール式**:ステンレスあるいはアルミ製のレールにはめ込んだランナーにフックを取りつけ、カーテンを吊るす。丈夫なので大きめの窓によく使われる。
2. **ポール式**:木やアルミ合金などのポールにリングランナーを取りつけ、カーテンを吊るす。1.5～2mの幅の窓によく使われる。
3. **ワイヤー式**:ワイヤーにクリップなどを取りつけ、カーテンを吊るす。ワイヤーを張る際は、たるみを防ぐために端を調節できるようにしておく。この方式は、軽量のカーテンや1.2 m以下の窓に適している。

カーテンボックスのデザイン

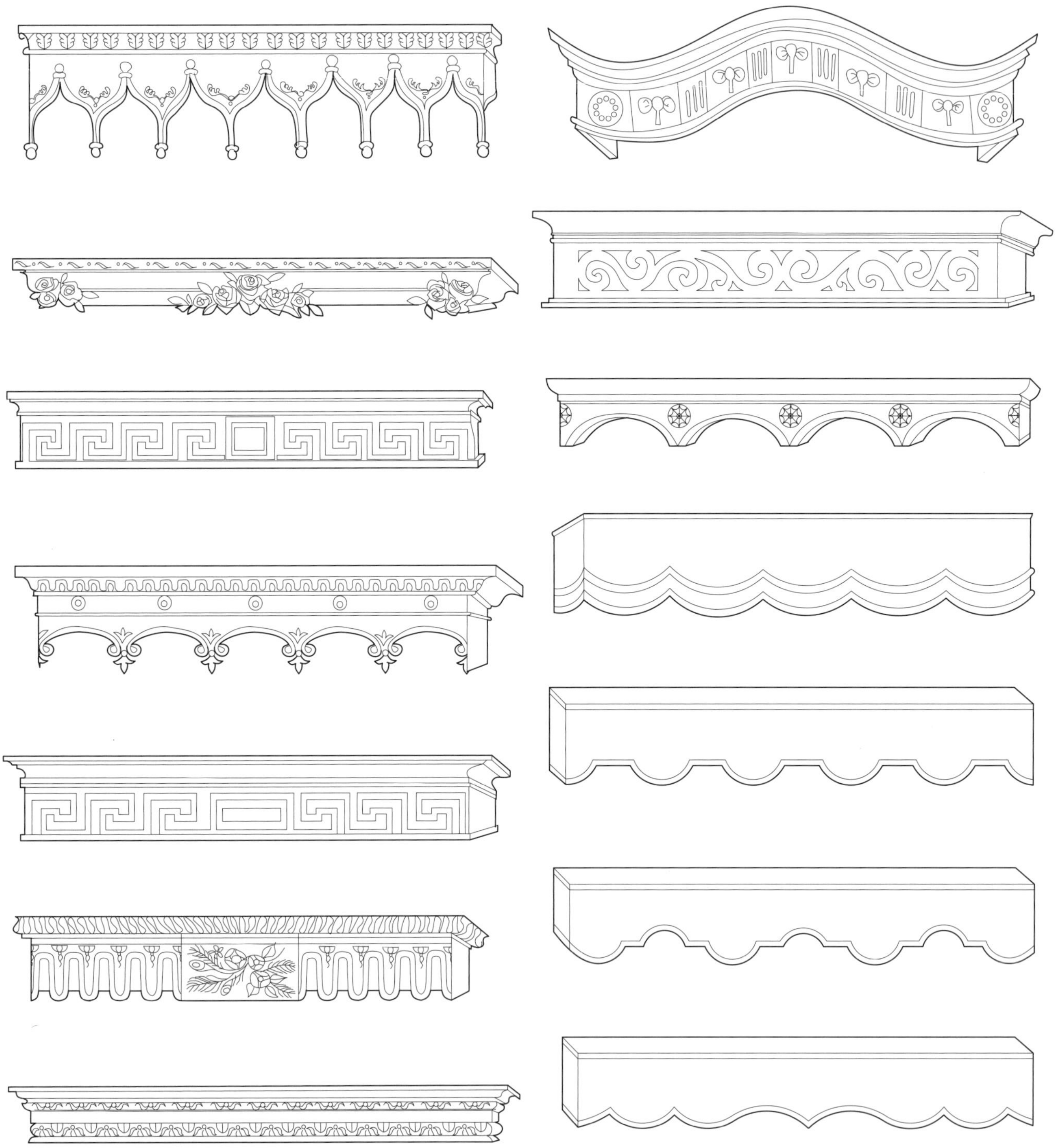

カーテンポールはカーテンレールより装飾的要素が強く、さまざまな意匠のものがある。

カーテンポール両端のキャップはアルミ合金、ステンレス、プラスチック、木材などで作られ、キャップを取り替えられるタイプのものもある。カーテンポールは金属やプラスチックのものに比べて、木材のものは温かく落ち着いた印象を与える。そのため使用範囲も広く、住宅のさまざまな場所で使うことができる。また、近年はナノ合金のポールも増えている。

カーテンポールを設置する際は、取りつける場所の雰囲気に合ったものを選ぶとともに、カーテンの生地や色合いにも十分に配慮しなければならない。

高級アルミ合金

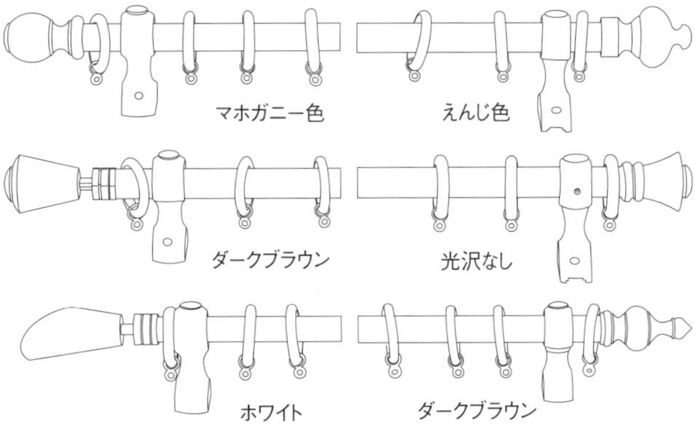
マホガニー色
えんじ色
ダークブラウン
光沢なし
ホワイト
ダークブラウン

天然木材

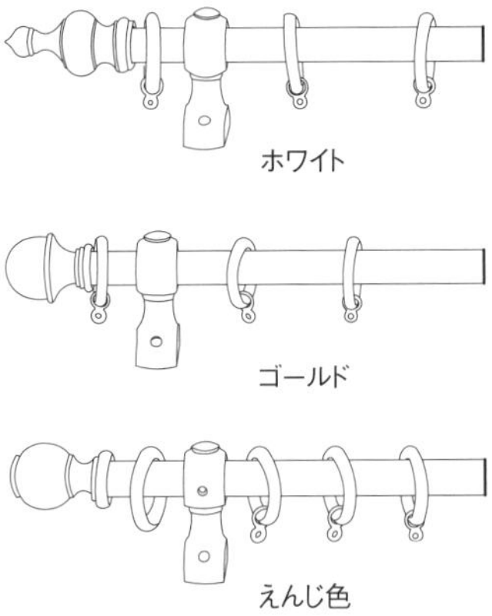
ホワイト
ゴールド
えんじ色

超高級アルミ合金

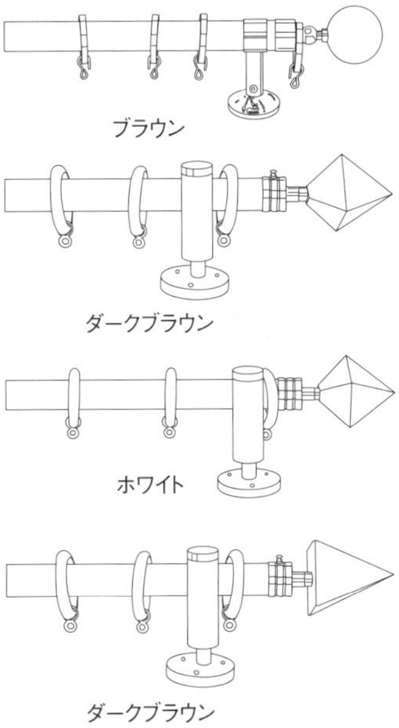
ブラウン
ダークブラウン
ホワイト
ダークブラウン

超高級天然木材

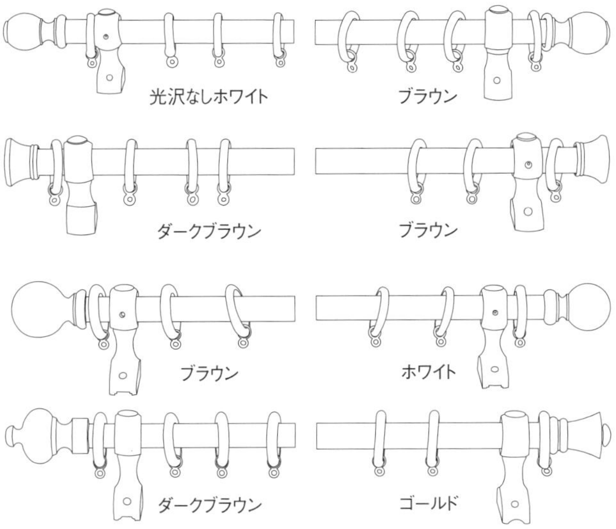
光沢なしホワイト
ブラウン
ダークブラウン
ブラウン
ブラウン
ホワイト
ダークブラウン
ゴールド

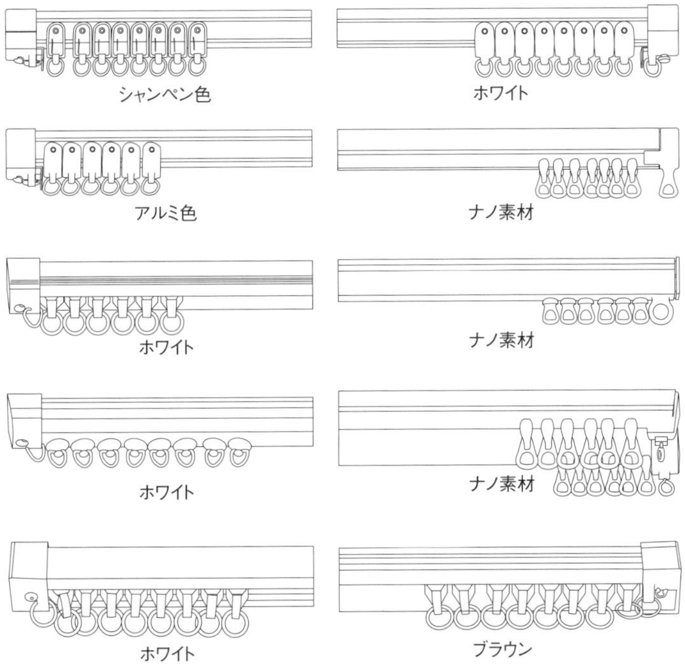
シャンペン色
ホワイト
アルミ色
ナノ素材
ホワイト
ナノ素材
ホワイト
ナノ素材
ホワイト
ブラウン

超高級ナノ合金

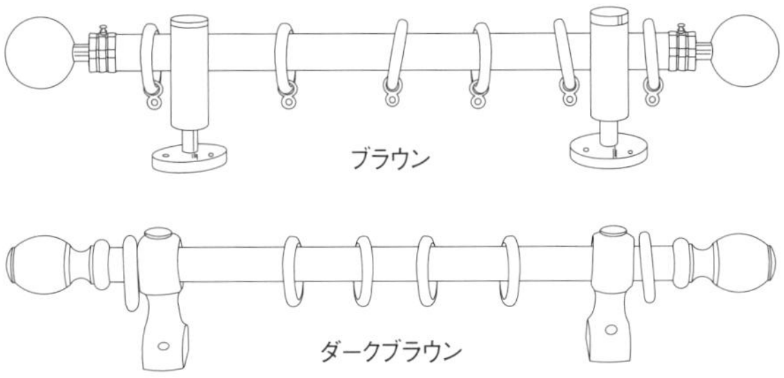
ブラウン
ダークブラウン

木目調

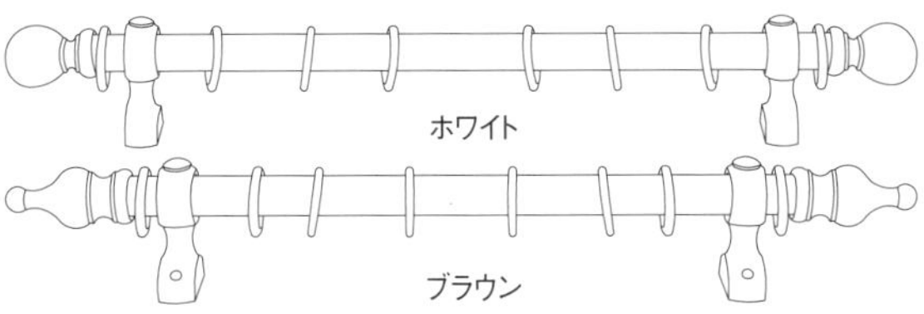
ホワイト
ブラウン

業務用

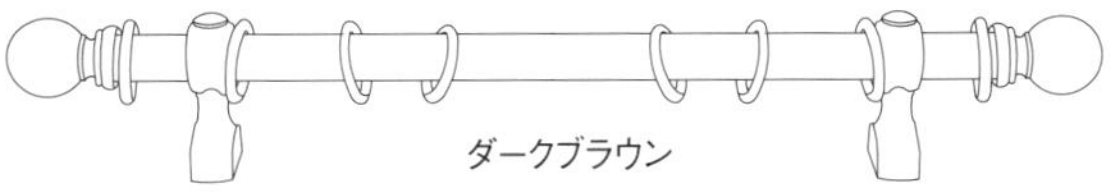
ダークブラウン

枕の素材や大きさ、形状にはさまざまなタイプのものがあるが、何より大事なのは自分の体にフィットするものを選ぶことである。それが見つかったら、寝室の雰囲気に合わせて枕カバーを選ぶとよい。その際、ベッドカバーと色や柄を揃えれば、寝室に統一感を醸し出すことができる。

クッションの形も多様で、よく見られるのは正方形や円形のものだが、動物や植物を模したものもある。クッションは室内の装飾性を高めるのに大いに役に立つが、室内の雰囲気に合わせて色やデザインを慎重に選ばなければならない。例えばシンプルな部屋なら、明るい色のクッションを置くことでメリハリをつけることができる。

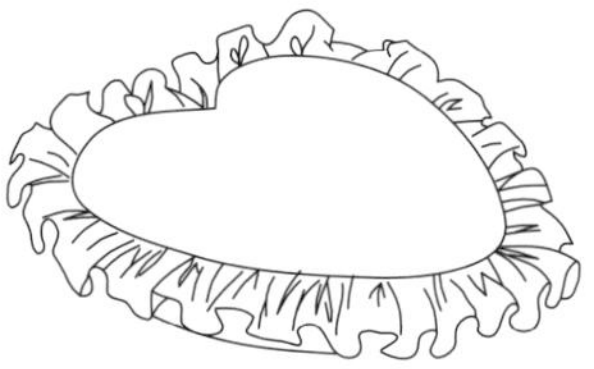

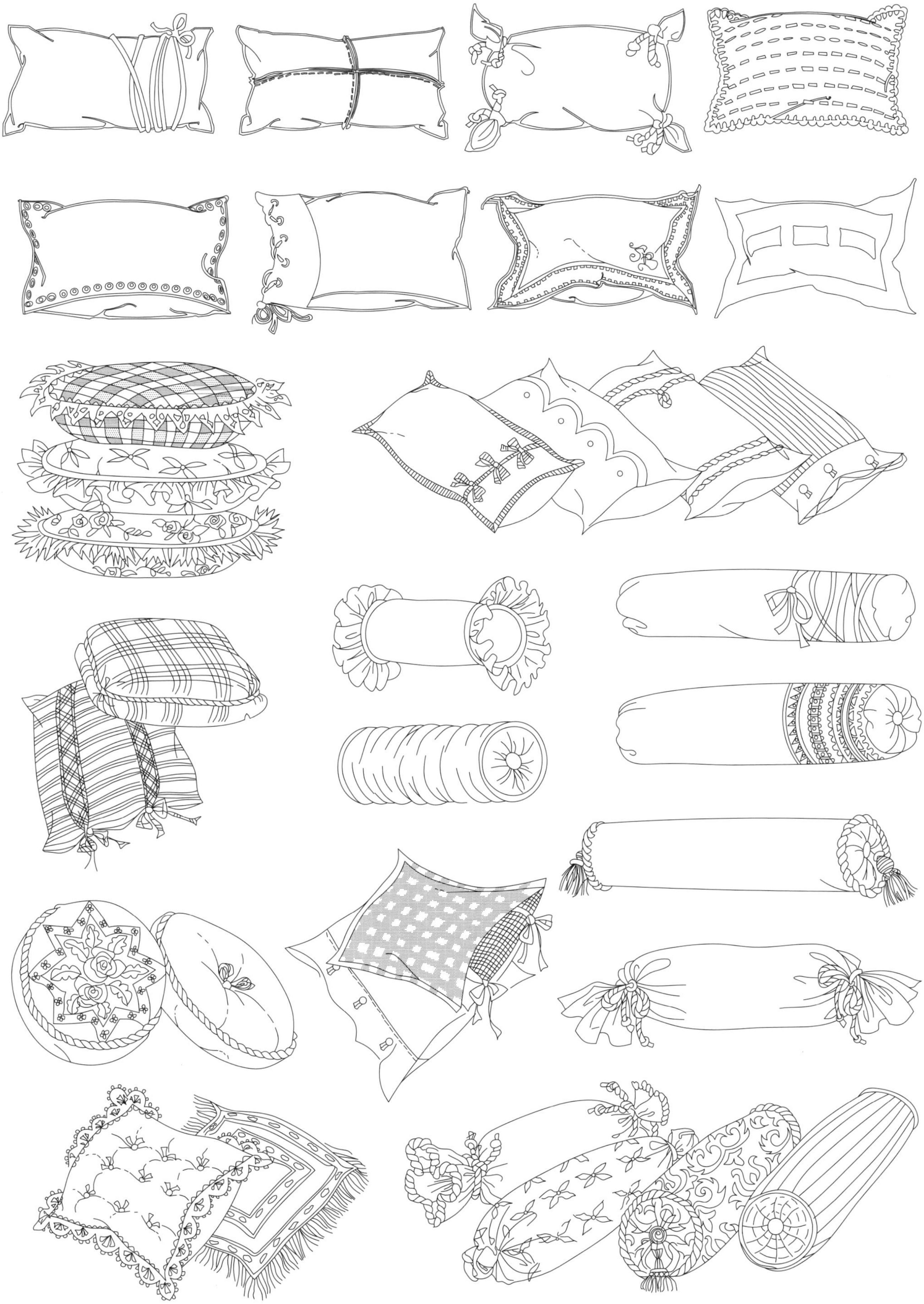

レースや刺繍があしらわれた薄手の上品なものと、プリントが施された厚手で実用的なものの2種類がある。また、生地の裏に防水加工が施されたものもある。テーブルクロスの色や素材によって室内の印象が大きく変わるので、カーテンや絨毯に合わせたり、食器や食事に合わせて選ぶとよい。

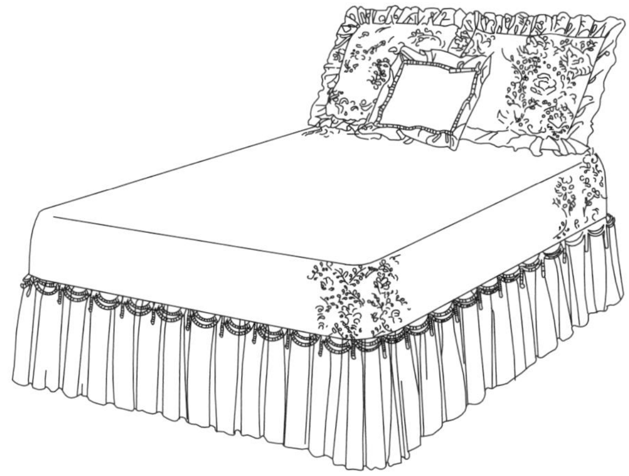

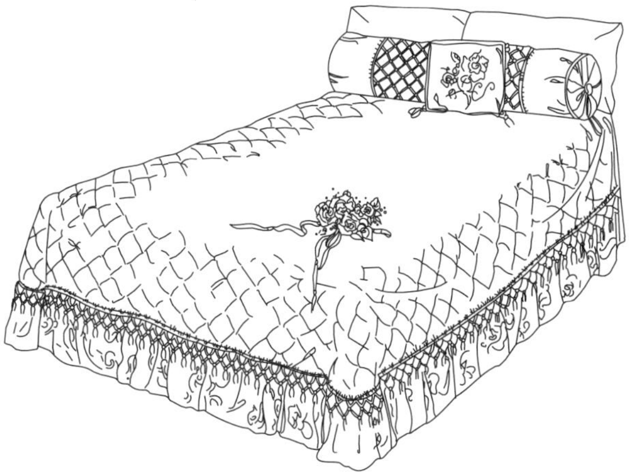

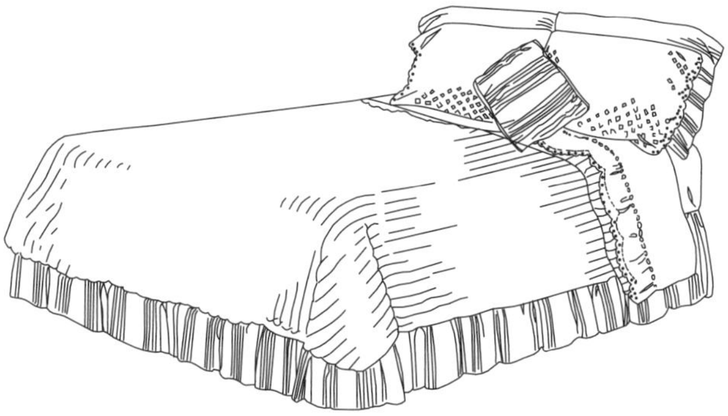

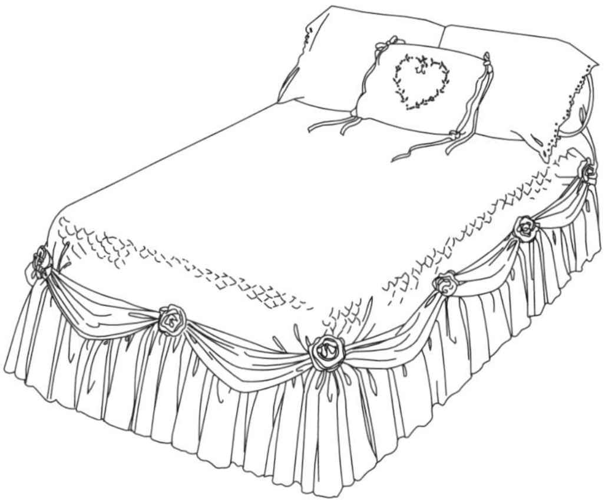

絨毯は保温・防音効果があるだけでなく、室内の装飾性を引き立たせる効果もある。したがって絨毯を選ぶ際は、室内のコーディネートに配慮しなければならない。その上で、汚れの目立たない色柄のもの、清掃しやすい素材のものを選ぶとよい。そこで以下に、絨毯に使われる素材の特徴を挙げる。

1. ウール

弾力性に富み、保湿性と耐熱性が高い。手編みと機械編みがあり、前者のほうが芸術性が高く､高価である。いずれも使用してしばらくは、遊び毛が発生する場合がある。

2. ウール混紡

ウールと化学繊維を混ぜ合わせて作られたもので、ウールだけのものより耐摩耗性と防虫性に優れている。

3. 化学繊維

レーヨン､アクリル､ナイロン､ポリエステルなどで作られたもので､ウールに似た風合いと弾力を持つ上に、保湿性や防虫性、耐摩耗性に非常に優れている。

4. プラスチック

熱可塑性樹脂のポリプロピレンで作られたもので、とても軽く、色も鮮やかで、堅牢性に非常に優れる。また、汚れを簡単に洗い流すことができるため、玄関やベランダでの使用に最適である。

5. シルク

手編みで、最も高価なものである。繊維が細くしなやかで、美しい光沢がある。ただし非常にデリケートな素材なので、取り扱いには十分な注意が必要である。

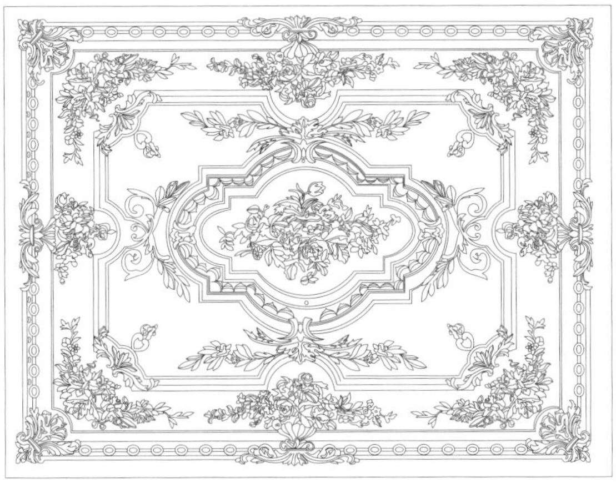

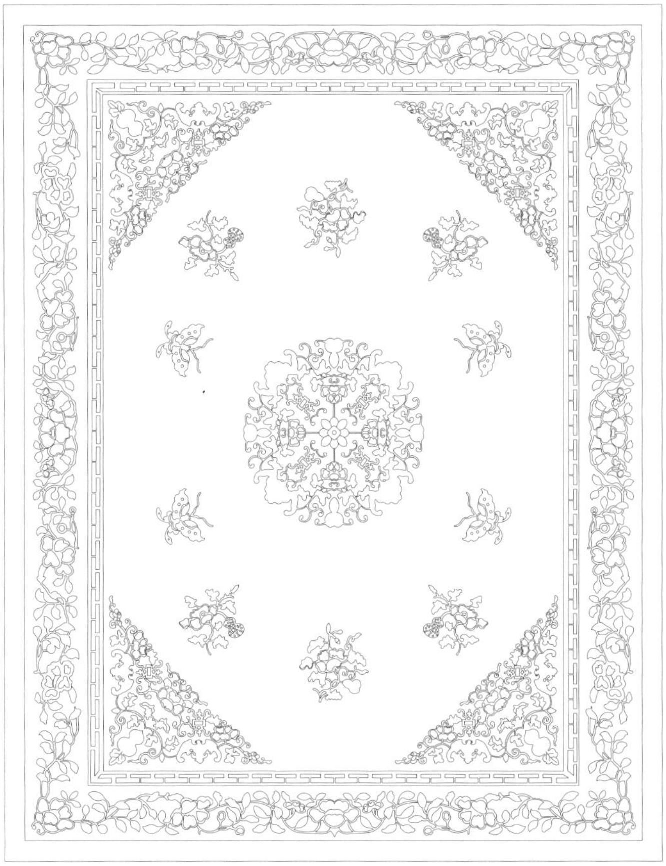

生活環境の改善に従い、観賞魚の飼育が住宅、ホテル、ショッピングモール、オフィスビルなど多くの場所で見られるようになった。生活の場に美しい水槽を設置することで、環境美化や憩いの空間として役立てている。以下に、水槽の設置方法と、主な水草と観賞魚の種類を紹介する。

設置方法

1. **池**：庭園内に池を作る場合は、景観全体に池、樹木、草花、魚がとけこむようにする。
2. **玄関**：殺風景な空間を華やかに演出する効果がある。水槽の大きさは小型のものが望ましいが、その分水質の悪化が早いため、こまめに水換えをすることが必要である。
3. **リビング**：生活の中心の場所であるため、水槽はできるだけ落ち着いたものが好ましい。水槽の大きさはリビングの広さに応じて決めること。また、日当たりや管理のしやすさを考慮して設置場所を決めることが重要である。
4. **ショッピングモール**：一般的に超大型の水槽か、小型の水槽をいくつか組み合わせて設置する。各種の観賞魚を展示することで、施設の印象を高める作用を持つ。
5. **オフィスビル**：主に長さが2m以上の大型の水槽を設置する。場所柄、一服の清涼剤となるようなレイアウトを心がけること。

両面水槽

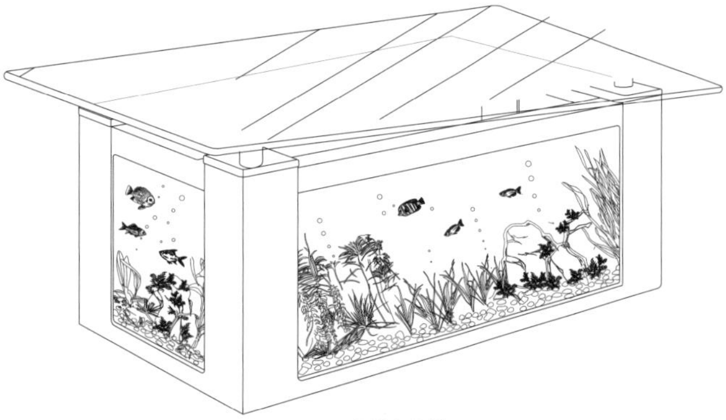

一般的な水槽

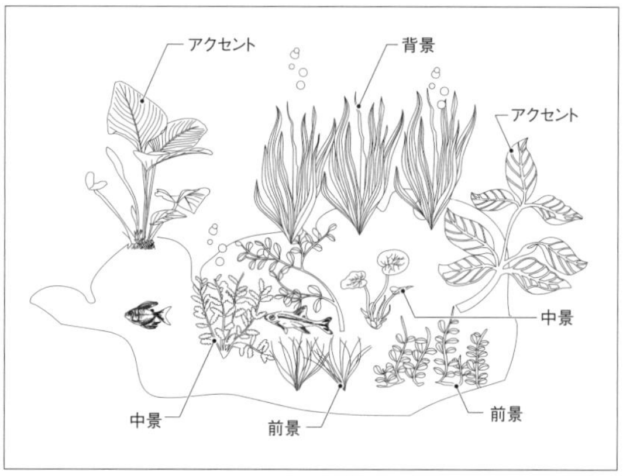
アクセント
背景
アクセント
中景
中景
前景
前景

水槽内の水草の構図

片面水槽

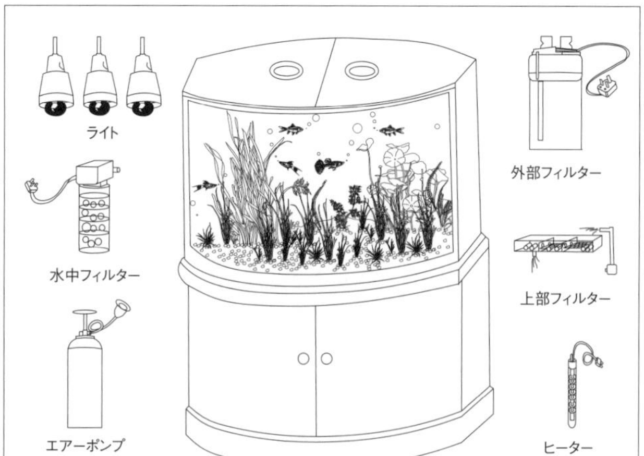
ライト
水中フィルター
エアーポンプ
外部フィルター
上部フィルター
ヒーター

水槽内の設備

金魚

蘭鋳

蛤蟆頭

丹鳳

青文魚

和蘭獅子頭

高頭龍睛

龍睛

高頭パール

羽衣

水泡眼

鶴頂紅

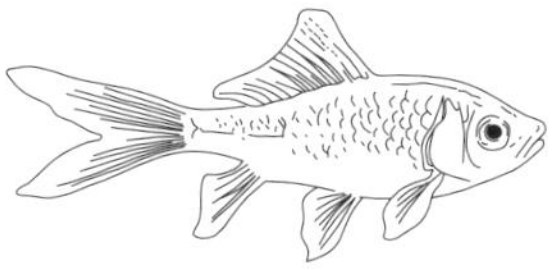
紅燕尾

高頭球

紅玻璃龍睛

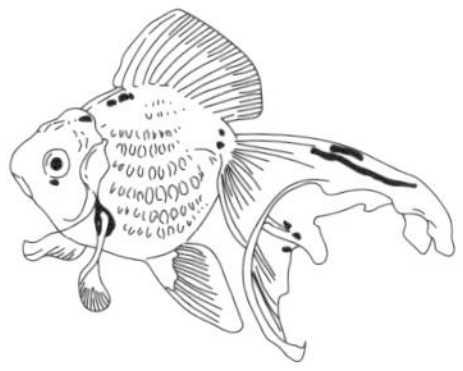
翻鰓

鯉

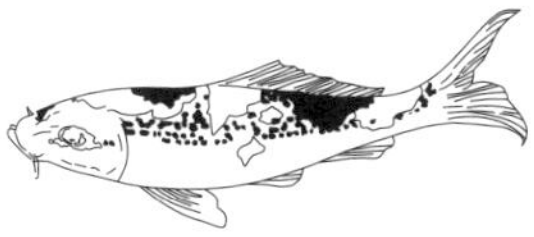
昭和三色鯉

浅黄鯉

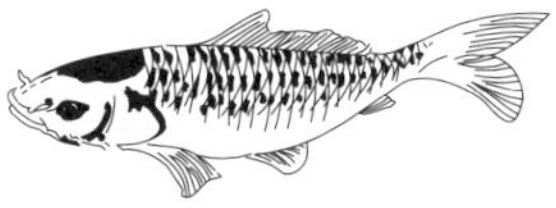
丹頂鯉

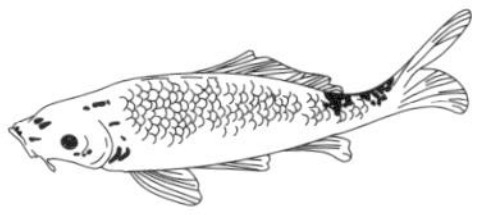
変種鯉

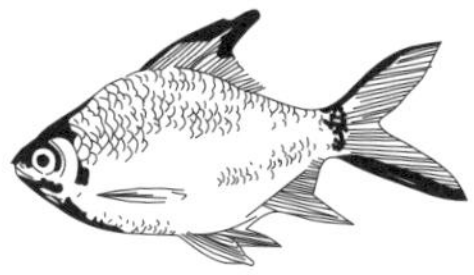
レッドフィンバルブ

紅鯉

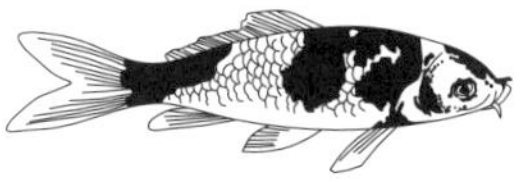
紅白鯉

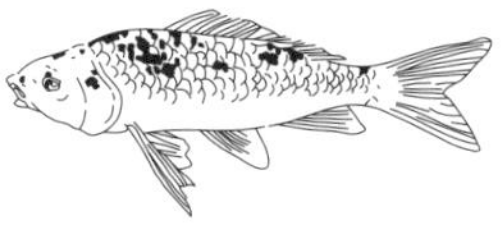
花紋皮光鯉

海水魚

ヒフキアイゴ

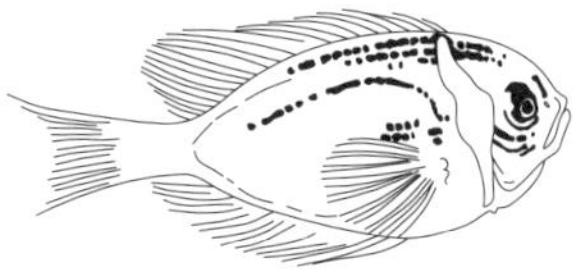
ハマクマノミ

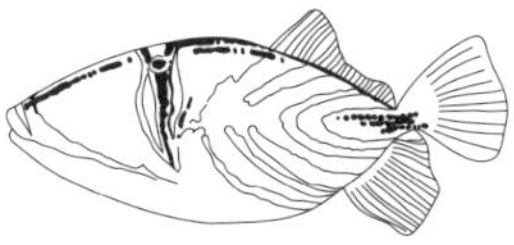
ムラサメモンガラ

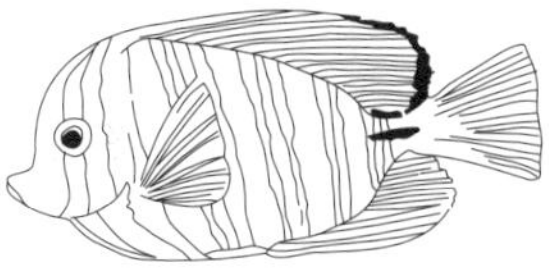
ニシキヤッコ

シリキルリスズメダイ

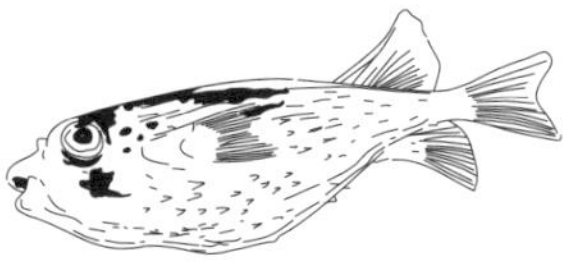
ハリセンボン

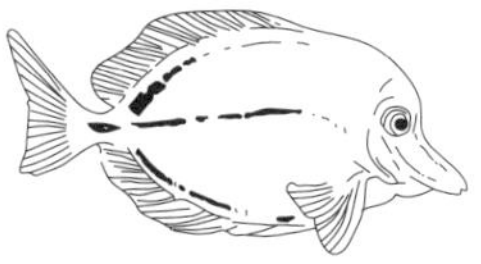
キイロハギ

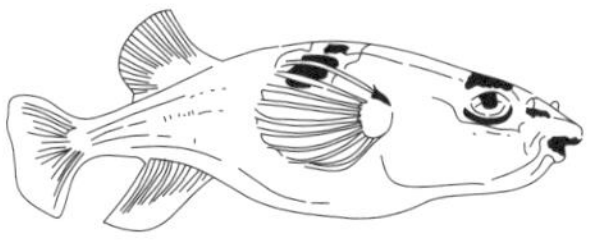
カスミフグ

熱帯魚

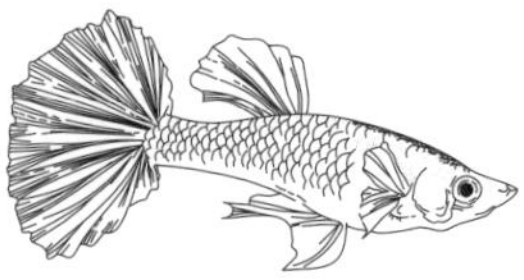
グッピー

キッシンググラミー

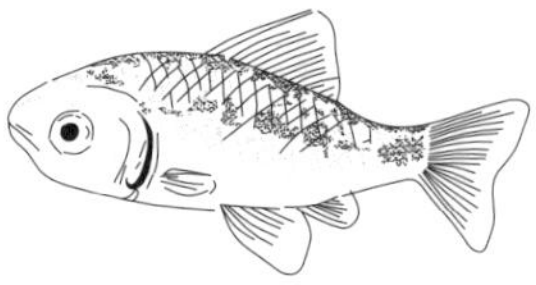
ニューゴールデン・ネオンテトラ

コンゴテトラ

ドワーフ・グラミー

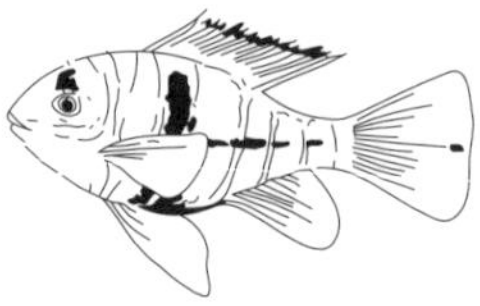
ジャーマンラム

ヘッドアンドテールライト

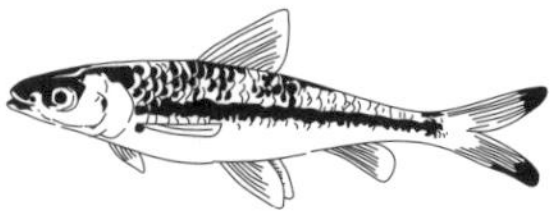
アカヒレ

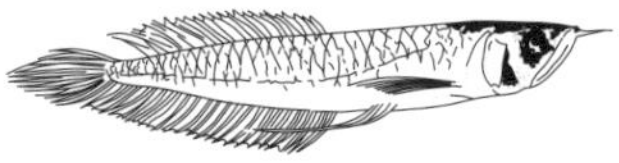
アロワナ

ラミノーズテトラ

ゼブラダニオ

グリーンテラー

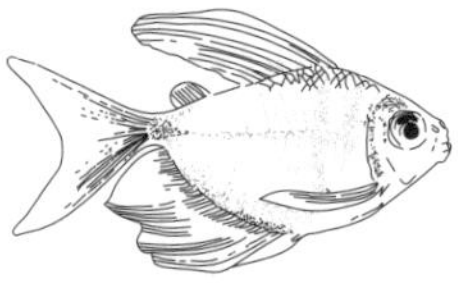
ブラックテトラ

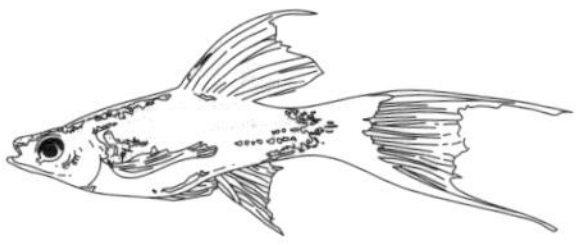
ソードテール

セイルフィンモーリー

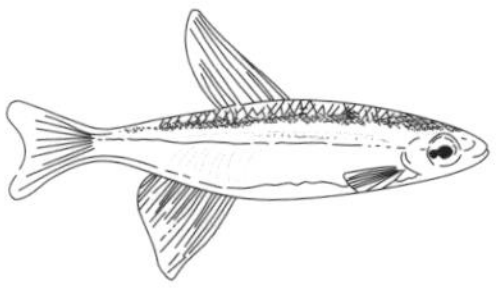
カーディナルテトラ

ブルーギル

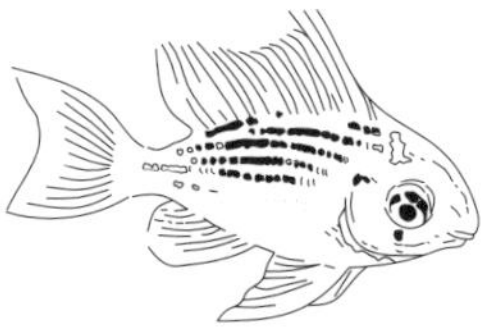
バルーンモーリー

ベタ

セベラム

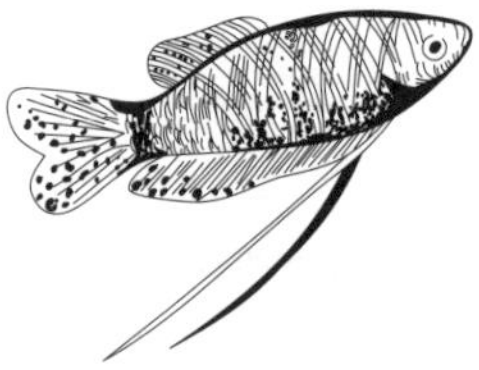
スリースポットグラミー

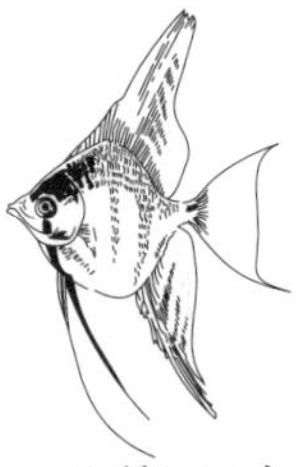
エンゼルフィッシュ

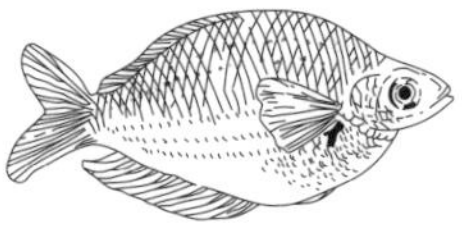
バンデット・レインボー

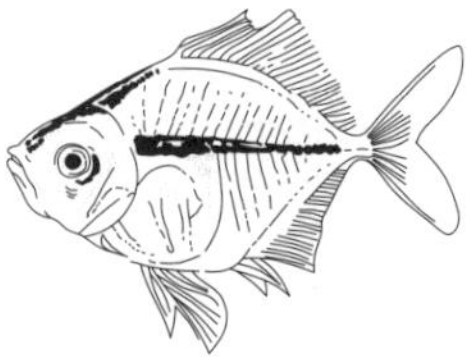
グラスエンゼル

シルバースキャット

ディスカス

ディスカス

水草にはさまざまな種類があり、水槽内の景観をより優美に見せることができる。また、光合成の作用により、水槽内の二酸化炭素や有機物を分解し、水質を安定させる効果がある。さらに、魚が身を隠したり、卵を産んだりする場所にもなるため、魚の生育環境作りに大いに役立つ。

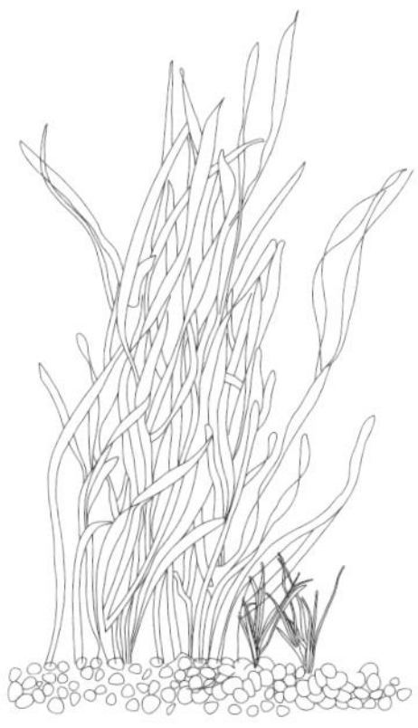

ネジレモ

エキノドルス・テネルス・ブロードリーフ

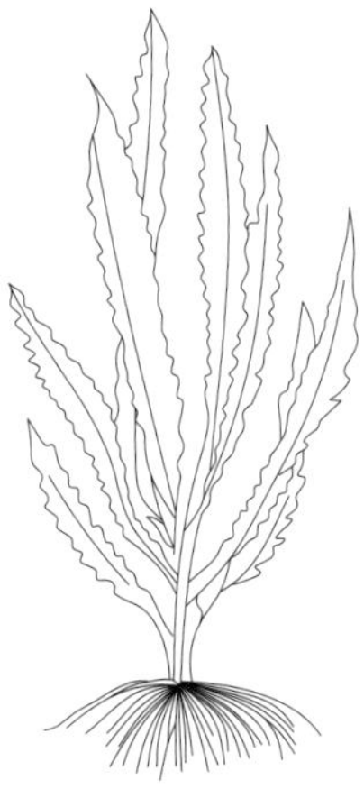

ミクロソリウム・トリピカ

アマゾン・ハイグロ

アヌビア・バルテリー

ミズマツバ

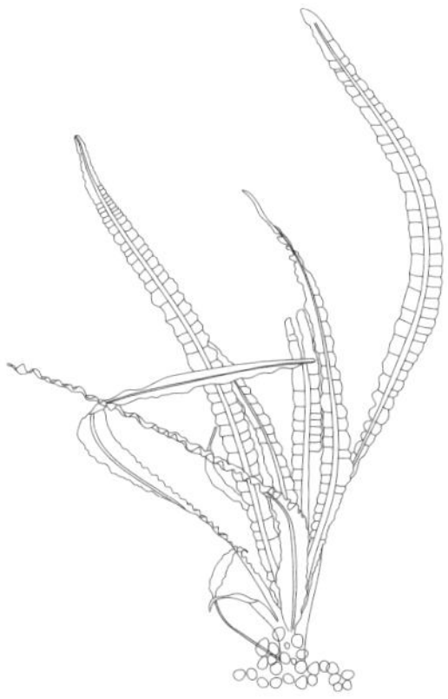

ミクロソリウム・ナロー

スターレンジ

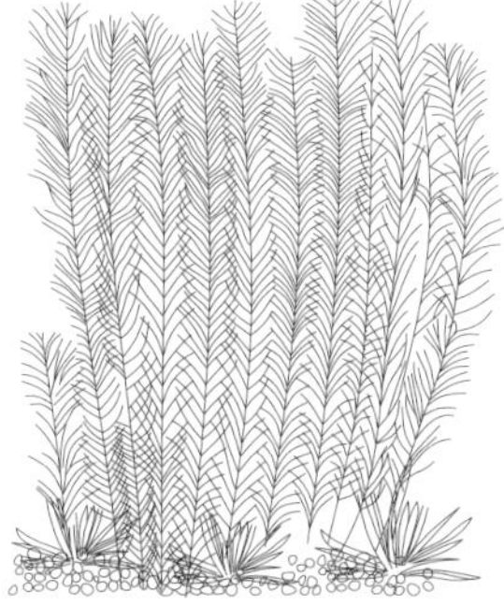

アナカリス

アマゾン・ソードプラント

カボンバ

ミズワラビ

900×450×450

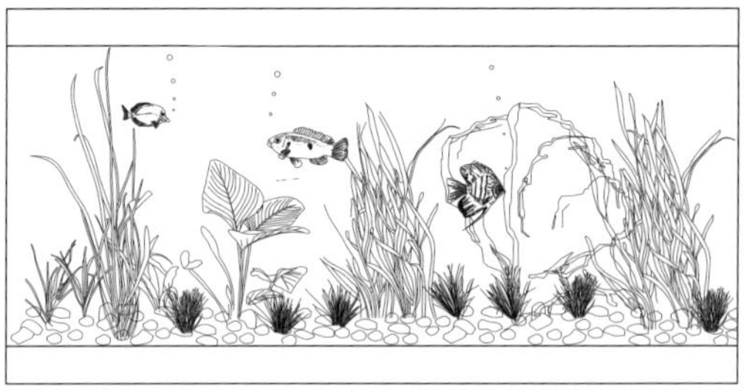

600×300×300

水槽のサイズ 長さ×幅×高さ
450×240×300
450×300×300
600×300×300
600×300×360
600×300×400
750×300×450
750×400×450
750×450×450
900×300×450
900×400×450
900×450×450
1,000×450×450
1,200×450×450
1,500×600×450
1,800×600×450

750×400×450

450×300×300

600×300×400

750×400×450

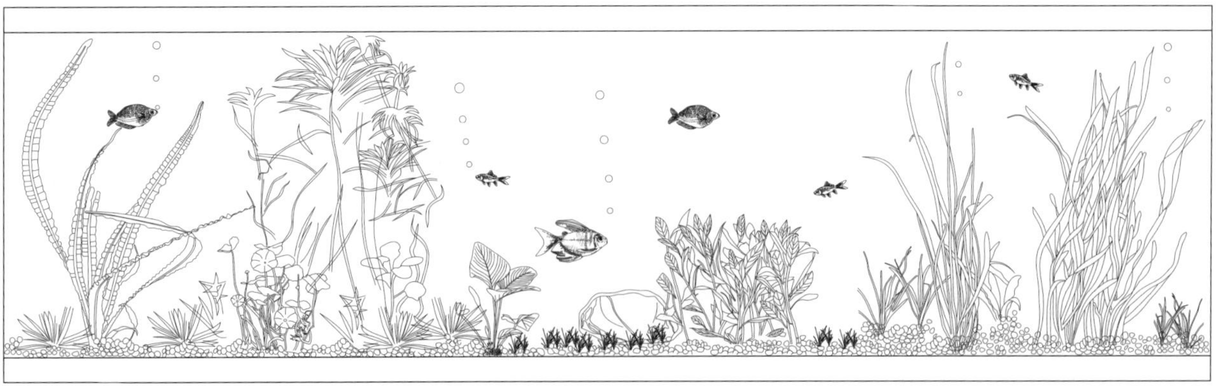

1,500×600×450

絵画の種類

風景

Good Luck
WHERE ARE TO GOING TO MY PRETTY MAID
人物

花

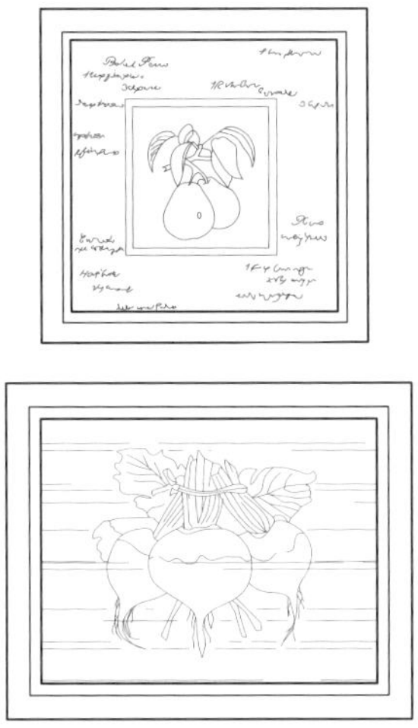
静物

絵画の掛け方

均衡

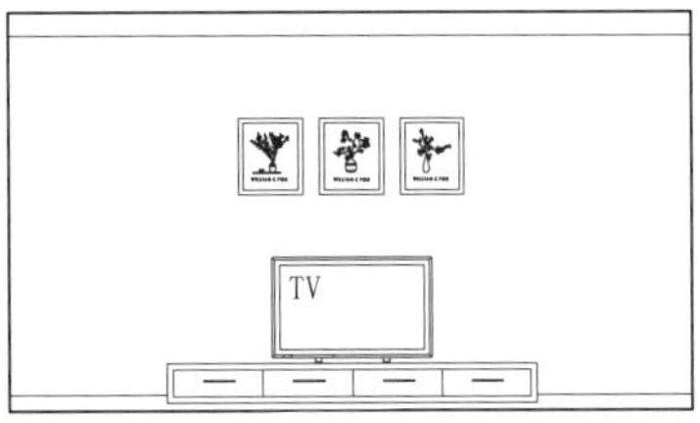
TV
リズミカル

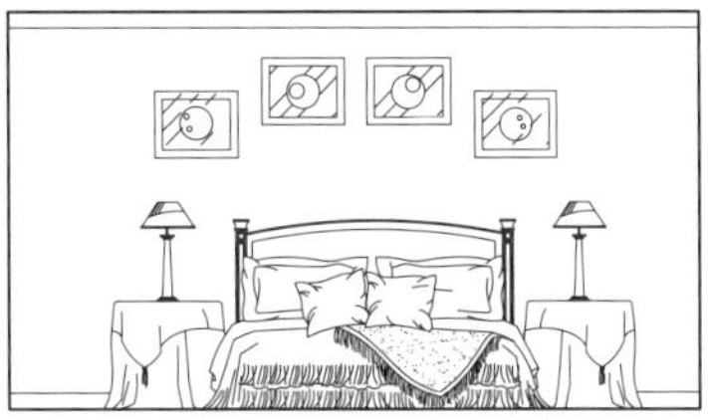
放射

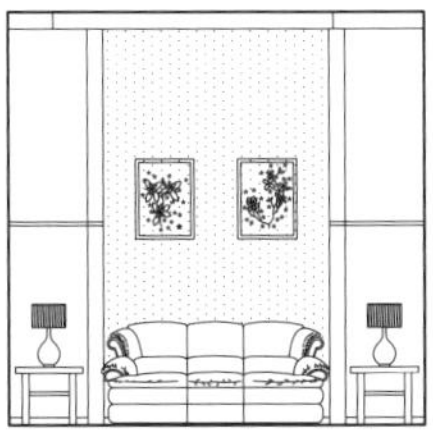
対称

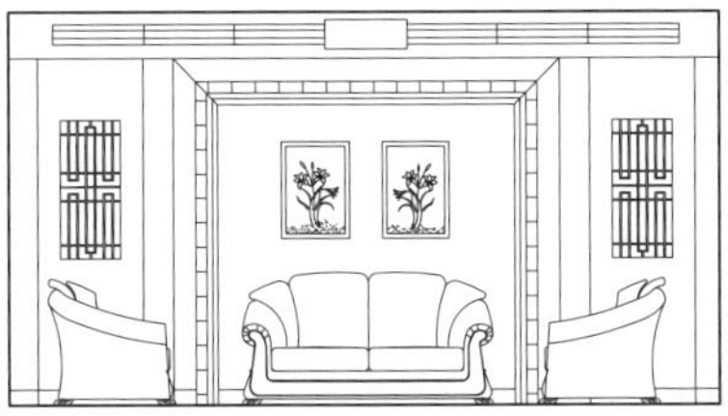
対称

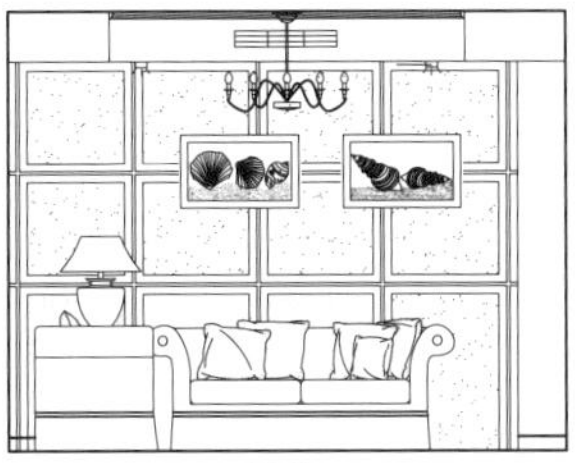
自由

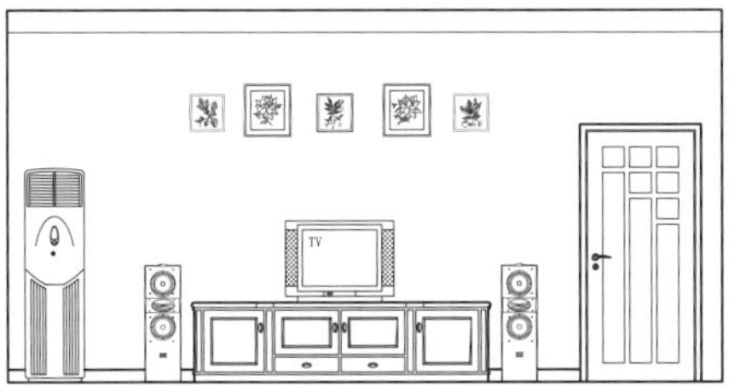
TV
韻律

絵画の展示例

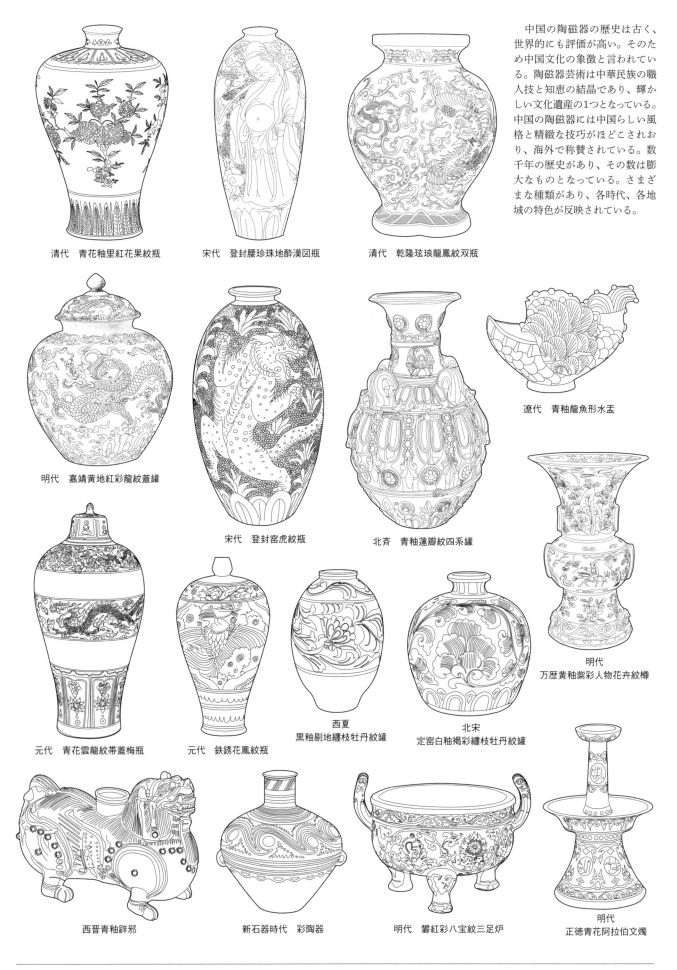

中国の陶磁器の歴史は古く、世界的にも評価が高い。そのため中国文化の象徴と言われている。陶磁器芸術は中華民族の職人技と知恵の結晶であり、輝かしい文化遺産の1つとなっている。中国の陶磁器には中国らしい風格と精緻な技巧がほどこされおり、海外で称賛されている。数千年の歴史があり、その数は膨大なものとなっている。さまざまな種類があり、各時代、各地域の特色が反映されている。

清代　青花釉里紅花果紋瓶

宋代　登封腰珍珠地酔漢図瓶

清代　乾隆琺琅龍鳳紋双瓶

明代　嘉靖黄地紅彩龍紋蓋罐

宋代　登封窑虎紋瓶

北斉　青釉蓮瓣紋四系罐

遼代　青釉龍魚形水盂

明代
万歴黄釉紫彩人物花卉紋樽

元代　青花雲龍紋帯蓋梅瓶

元代　鉄銹花鳳紋瓶

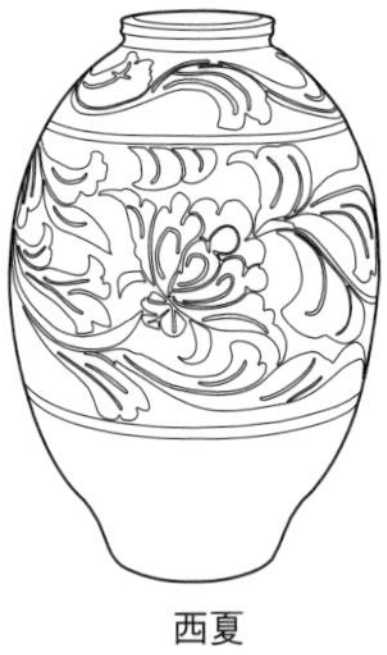

西夏
黒釉剔地纏枝牡丹紋罐

北宋
定窑白釉褐彩纏枝牡丹紋罐

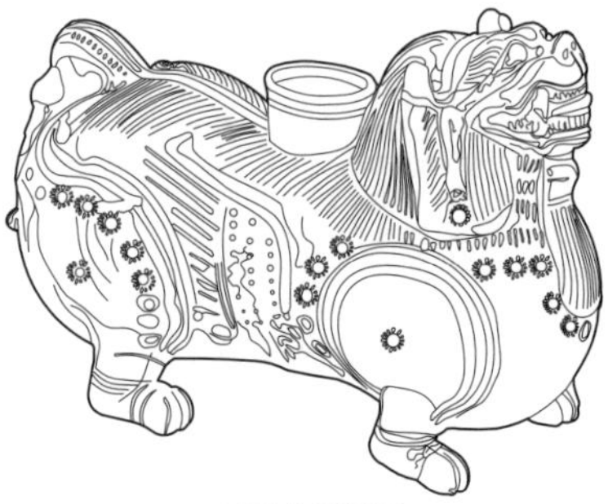

西晋青釉辟邪

新石器時代　彩陶器

明代　礬紅彩八宝紋三足炉

明代
正徳青花阿拉伯文燭

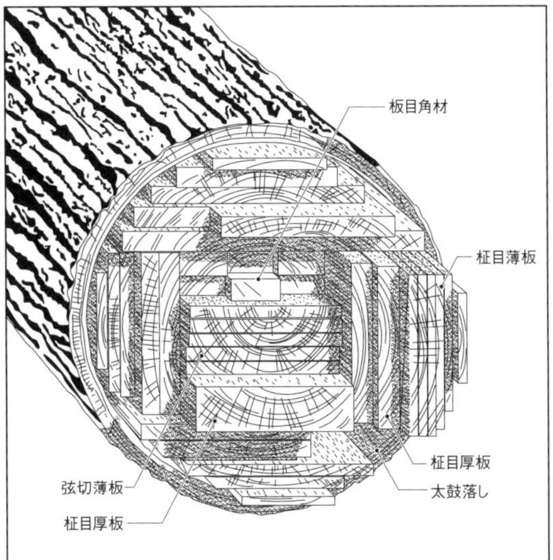
板目角材
柾目薄板
柾目厚板
太鼓落し
弦切薄板
柾目厚板

原木カットの分類

木材は建築物と室内装飾材料における比率が大きく、重要な装飾材料である。木材は床板、腰板、幅木、天井、扉、窓、階段と各種の押し入れ及び家具の製造に用いられ､人々に自然で落ち着いた視覚感を与える。木材は基礎材料だけでなく、表面材料としても使える。純粋な天然木による装飾があり、その加工後の複合製品もある。たとえば、細木工板、ベニヤ板、繊維板などが挙げられる。

木材は装飾性に優れ、美しい天然木目の紋様を有する。たとえば、すっきりとしているサクラ材・チーク材、密度が不均等で紋様が細いウォルナット材、山の形の模様を持つカリン材、糸の模様を持つユリノキ材など実に多彩である。紋様のほかにも、豊富な自然の色と表面光沢を持つ。たとえば、色調が薄いカエデ材・クヌギ材、乳白色のモウハクヨウ材、色調が深いビャクダン材、チーク材、ウォルナット材、赤茶色のブナ材、茶褐色のクルミ材、濃赤色のマホガニー材などがある。鮮やかで美しい色合い、自然な紋様、独特な質感が高い装飾性を与える。

木材の表面はさまざまな手法で装飾できる。設計時に､同種の材料の組合せ･調和、色の組合せ・調和に注意すべきで、全体的な統一感を出せれば、高い装飾効果を得ることができる。木材の装飾効果を際立たせるには、異なる種類のものを組み合わせるとよい。たとえば、木材と金属との組み合わせは、伝統的雰囲気と現代的な雰囲気の融合となり、さらにロマンチックな雰囲気を生む。

ケヤキ材

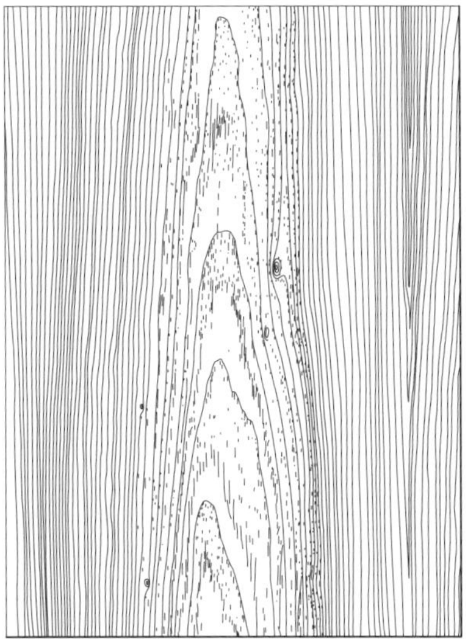

松材

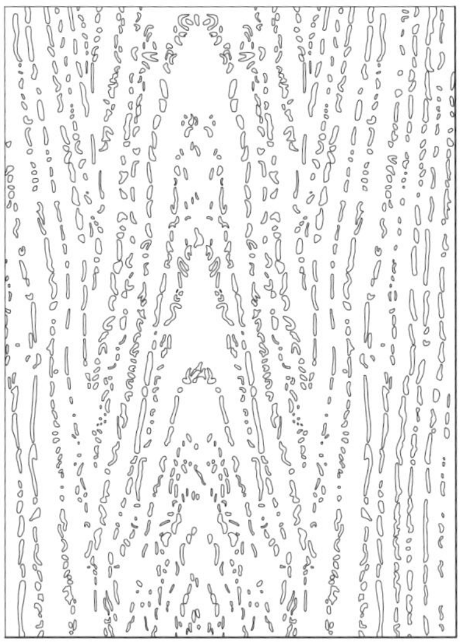

ヤチダモ材

サクラ材

ケランジィ材

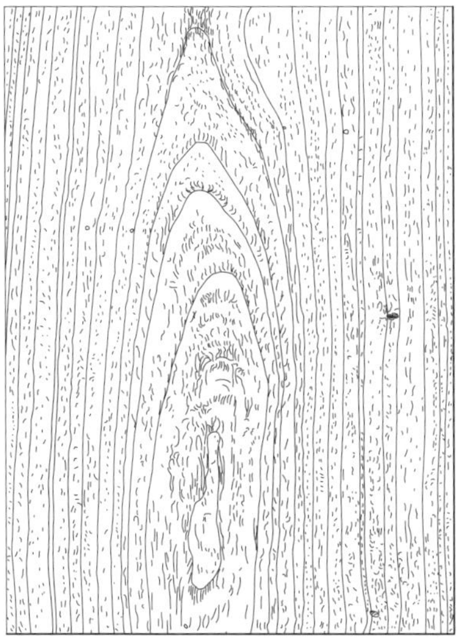

ブラックチェリー材

木材は人類が建築物とその装飾に使用した材料のうち最古のものの1つで、そのほかの材料では代替できない優れた特性が多くあるため、建築物の装飾において依然として重要な地位を占めている。ただし、木材は構造的に異方性が高く、さらに多孔性材料が多いため、使用環境において乾燥すると縮み、湿ると膨張することでサイズの変化を引き起こしやすい。また、木材は燃えやすく、かつ腐食しやすいという欠点があるため、使用に注意しなければならない

原木を鋸で切る前に、切り口に鋸引き口の図案を並べる。これは鋸引き図と呼ばれる。鋸引き図は鋸引きの指示図であり、製材生産の設計図でもある。鋸引き図に従って切断すれば、受注した品種と数量を正しく確保できるだけでなく、原木からの材料産出率と木材の利用率を向上することができる。

木材の乾燥による収縮防止

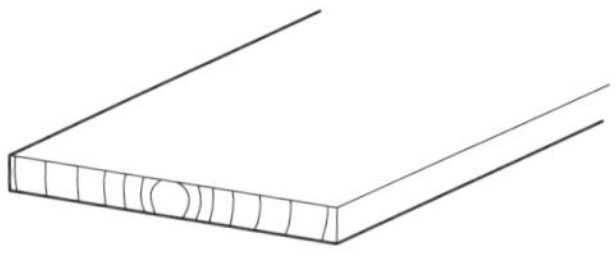

収縮最小

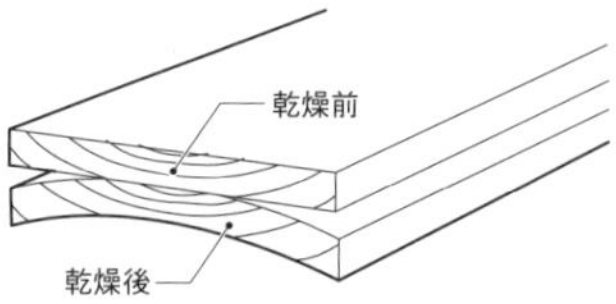
乾燥前
乾燥後

収縮最大

木材が乾燥した後、外周が年輪に沿って中心に向かって縮む。年輪線が長いと収縮は多く、短いと収縮は少ない。そして、それにより木材の幅のゆがみ・変形を引き起こす。木板の端の年輪線が直線であれば、ゆがみ・変形はしにくい。そのため、年輪線が垂直に断ち切られた木板を選ぶほうがいい

木材の鋸引き図

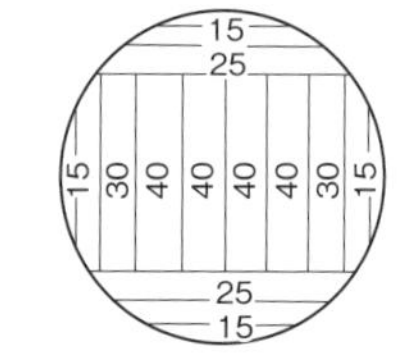
15
25
15
30
40
40
40
30
15
25
15

四面鋸引き法

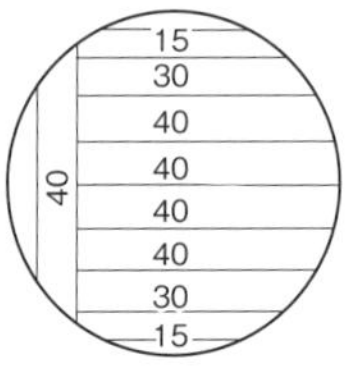
15
30
40
40
40
40
30
15
40

三面鋸引き法

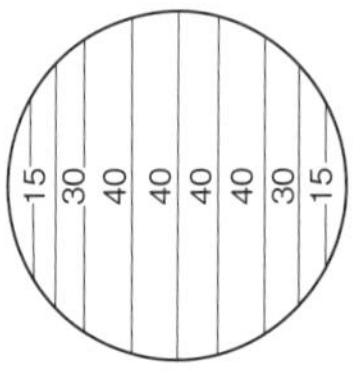
15
30
40
40
40
30
15

原木直径280㎜、長さ600㎜の板材鋸引き法

木材のゆがみ変形の防止

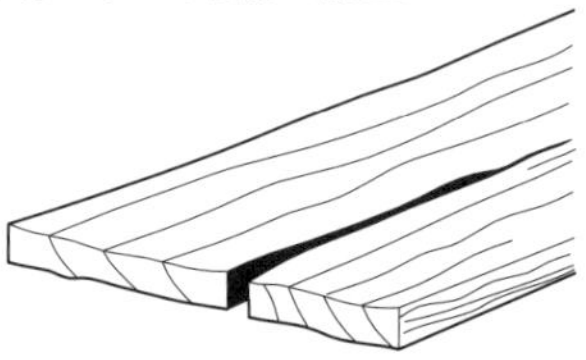

端部の輪割れ

木材場から運んだ木材は一般的に約17%の水分(重量比)を含有している。常温の部屋で数日放置した後に、水分は8～10%に減る。それにより木材に微収縮が発生し、ゆがむ可能性がある。板が広ければ広いほど収縮とひずみが深刻になる

板目材と柾目材の木目の特徴

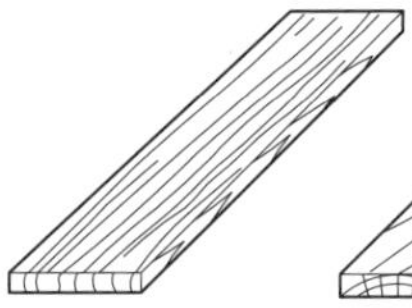

板目板

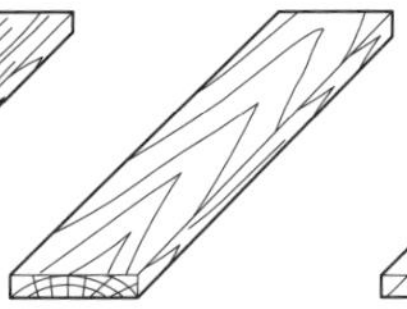

柾目板

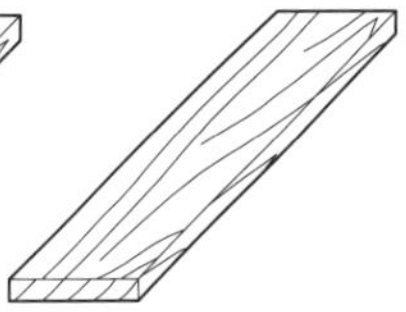

半径切板

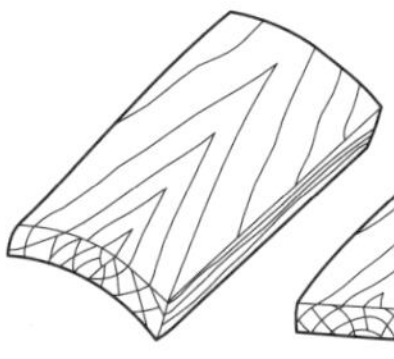

横曲げ

側曲げ

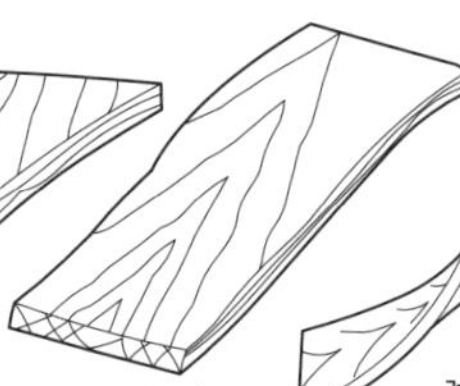

直曲げ

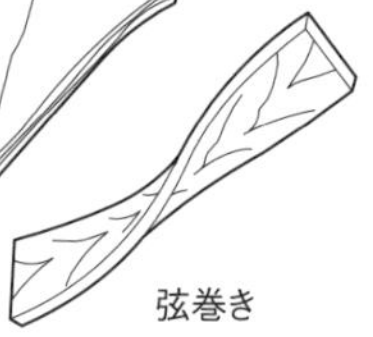

弦巻き

木材結節の利用

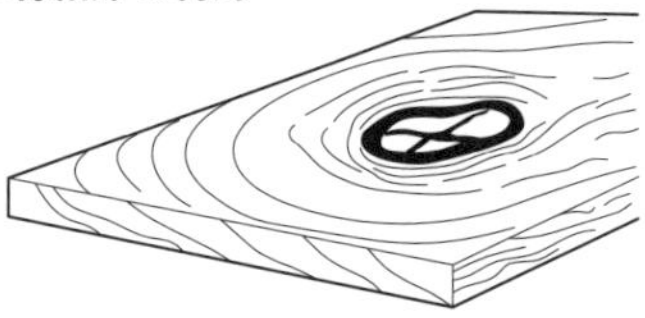

死節

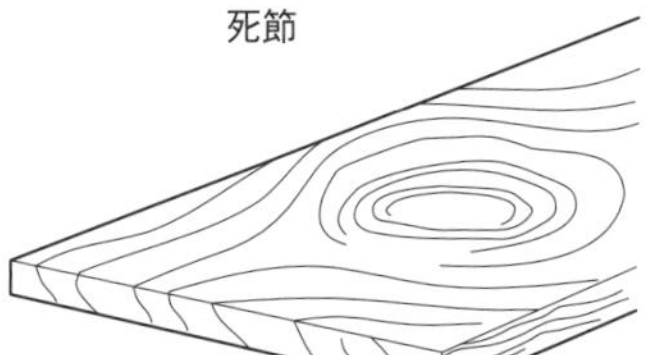

生節

結節は瑕疵ではあるが、きれいな図案となっていることもある。一般的に死節は比較的緩んでおり、落ちることがある。生節は頑丈に木材と結び付いている。少数の結節は樹脂を分泌するため、鋸で切らなければならない。また、樹脂がしみ出さなくなるまで石油溶剤で払拭を繰り返してもよいが、数ヶ月かかる。すでに硬くなっている樹脂は擦り落とさなければらない

鋸引き板材の寸法の計算方法

材料の頭も尾も鋸に引かれる

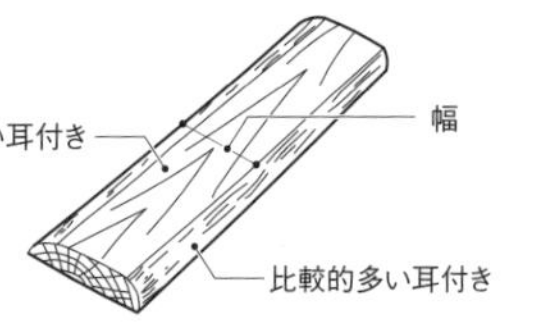
比較的小さい耳付き
幅
比較的多い耳付き

耳付き材の幅の計量方法

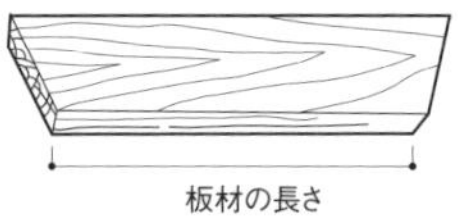
板材の長さ

鋸引き板材の長さの計量法

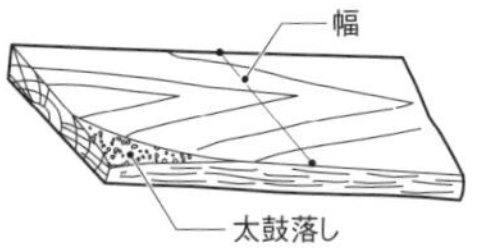
幅
太鼓落し

太鼓落し材の幅の計量法

板材自身に機械損傷がある

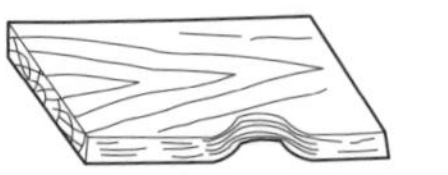

許容範囲によって処理する

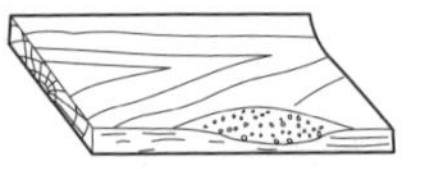

太鼓落しによって評定する

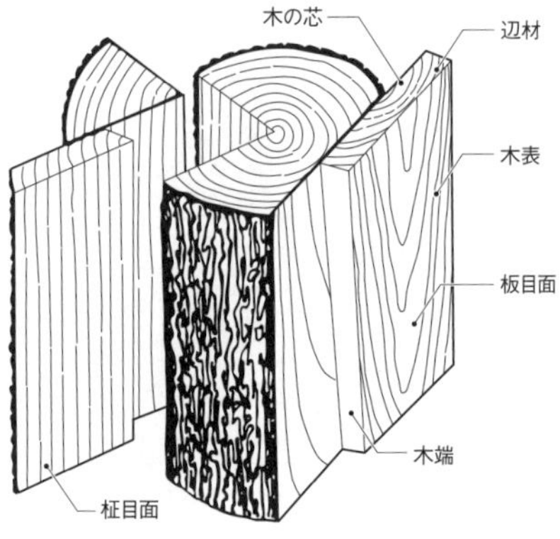
木の芯
辺材
木表
板目面
木端
柾目面

木材の積み方

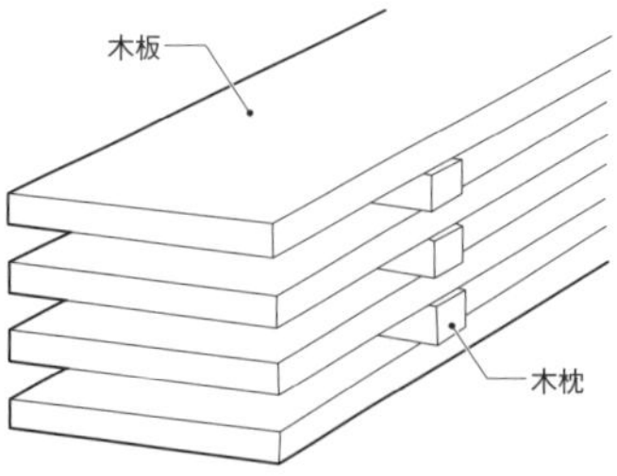
木板
木枕

空気を通すために木板は水平に積み重ね、板の間に木枕を敷かなければならない

木材の3つの切断面

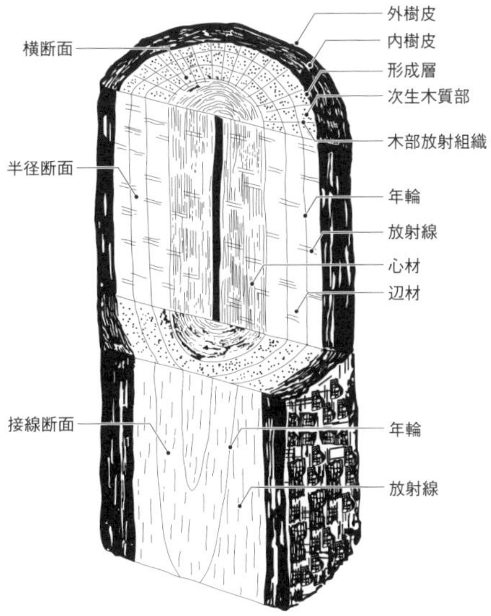
外樹皮
内樹皮
形成層
次生木質部
木部放射組織
年輪
放射線
心材
辺材
横断面
半径断面
接線断面
年輪
放射線

薄板寄せ木は、ロータリー切削法と平削り法により作られた厚さ0.3～1.2㎜の薄い木材である。木材の半径断面は美しい紋様を有し、貼り絵や図案装飾の材料に用いられ、家具製作と内装に使われる。よく平削り薄板に使われる木材にはヤチダモ材、チーク材、ウォルナット材、カエデ材などがあり、木材は蒸煮を経て軟化した後に加工しなければならない。

1. **板目薄板**：年輪が互いに接した方向から原木を平削りし、「火炎」または「大聖堂」の紋様を得る。このような平削り法を利用して薄板を製造すれば、最大限に原木を利用することができるため、板目板は最も節約できる設計である。
2. **柾目薄板**：柾目は年輪の半径方向（90°角）からの平削りによって「垂直」紋様を得る薄板で、その平削り法は柾目法と比較すると、原木から得られる薄板の数量が比較的少なく、さらに板の断面が比較的狭い。柾目薄板はよく表面装飾に使われる。例えば食器棚の表面あるいは壁の板である。

平削り薄板製造方法

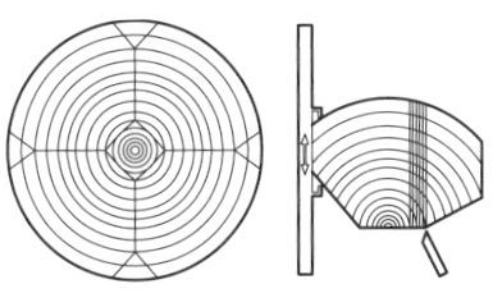
1/4斜削り法

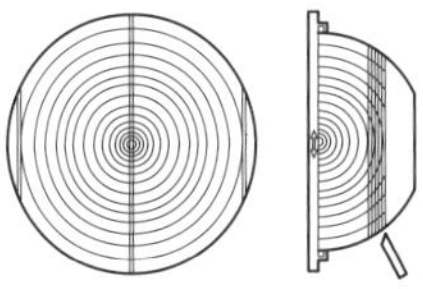
平削り法

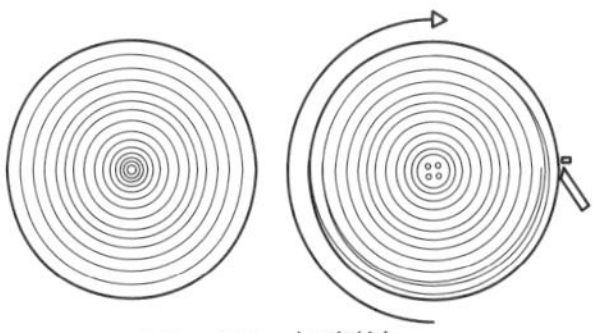
ロータリー切削法

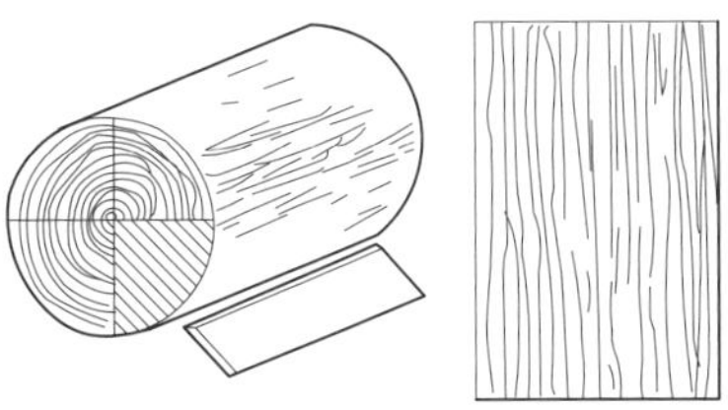
1/4斜削り法

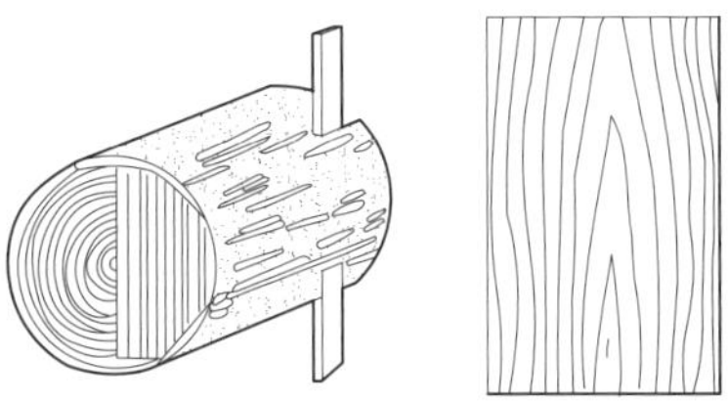
平削り法

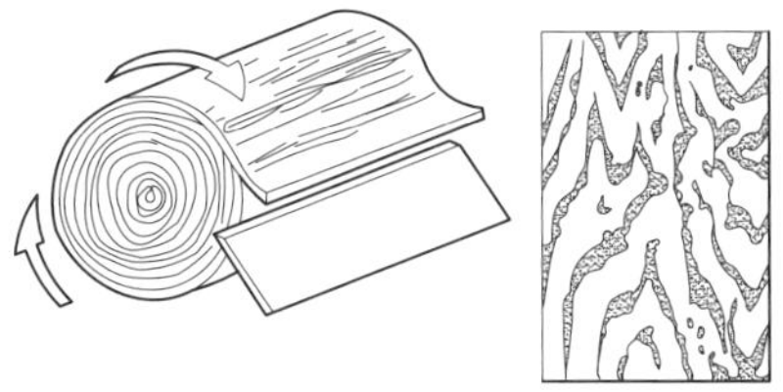
ロータリー切削法

薄板寄せ木図案

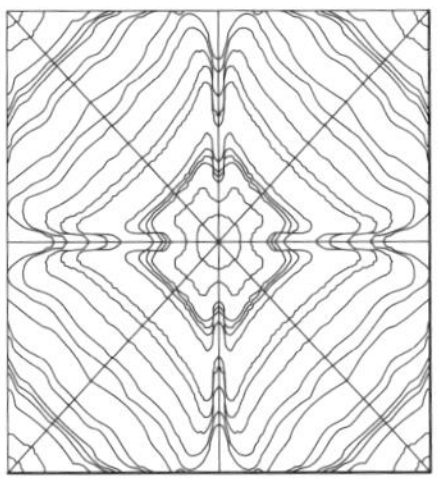
8枚の朝日形の寄せ木

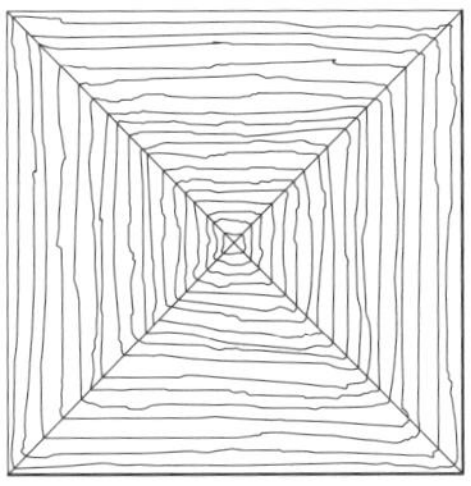
箱の形の寄せ木

形木寄せ木

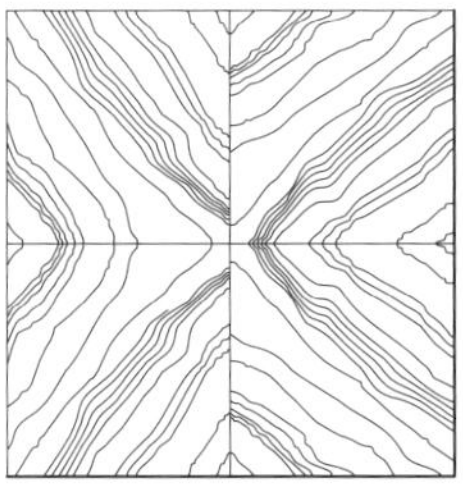
逆ひし形

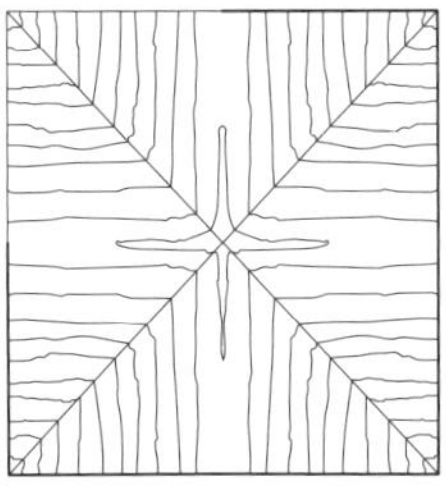
逆方向または端紋様箱形

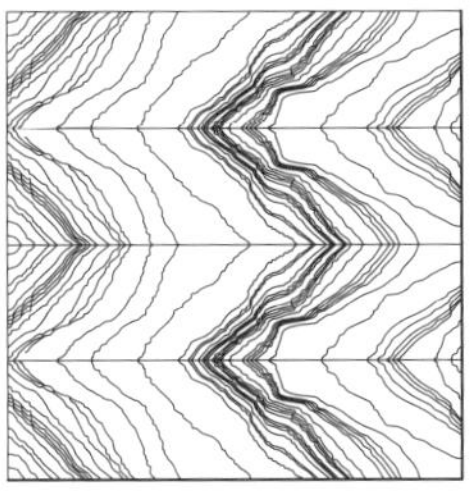
矢尾形

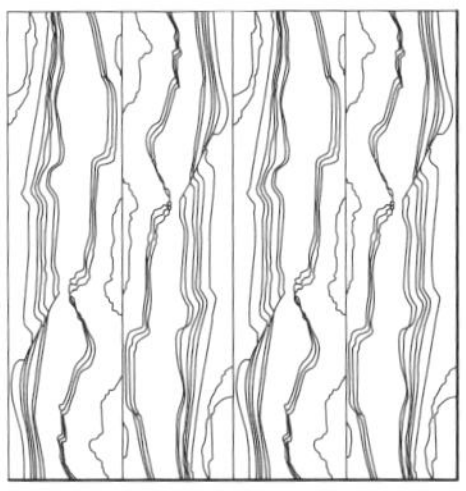
揺動式寄せ木

スケッチ板

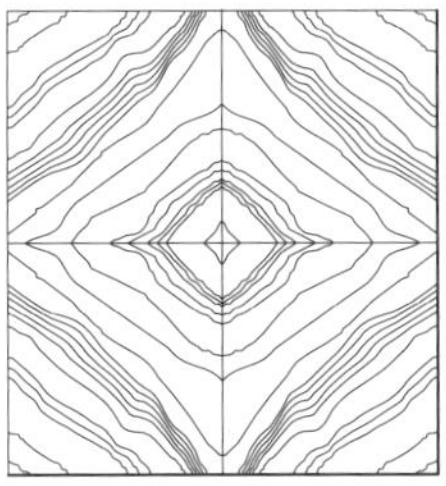
ひし形

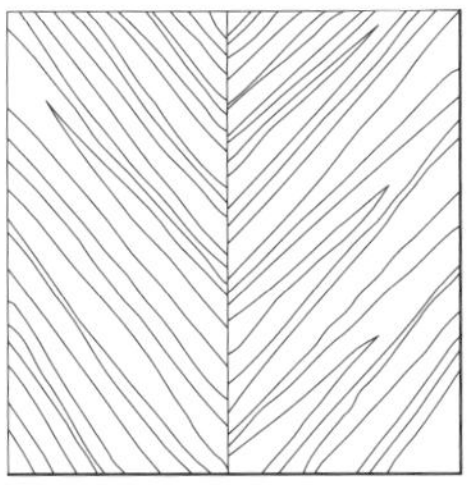
魚骨形

カンラン形

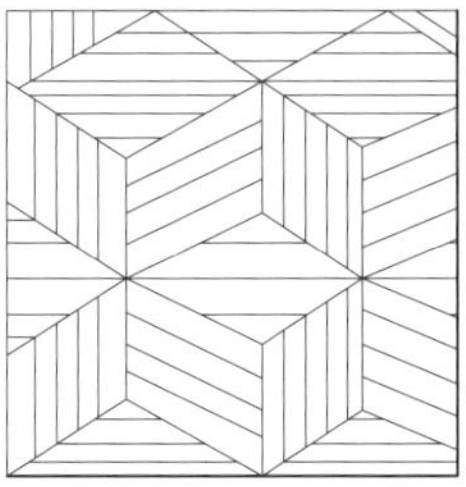
立体形

1. ブロック・ボード（細木工板）

ブロック・ボードは天然ロータリー単板と本実合板を利用してゴムライニング、高温圧縮で作られた板材である。構造から見て、これはコアボードの両面に単板を張り合わせたものであり、コアボードは帯状木板から合わせた本実板材で、その縦方向（芯材の方向で区分する）は耐曲強度が低いが、横方向の耐曲強度は比較的高い。ブロック・ボードは仕様が統一され、加工しやすく、変形しにくく、その他の材料の貼り付けが可能であるという特徴を有し、室内装飾によく使われる木材製品である。ブロック・ボードは加工工程から2種類に分けられる。1つは手作り板で、人力で帯状木板を合わせ層の中に組み込む。その板は釘保持力が低く、すきまが大きく、鋸引き加工に適さず、一般的には全枚でしか使用できない。例として本実床板の下敷き層としての使用がある。もう1つは機械製板で、品質が手作り板より優れ、緊密な性質で、釘保持力が強く、各種の家具を作ることができる。現在、ブロック・ボードは大量に室内装飾に用いられ、各種家具、ドア、窓、カーテンボックス、仕切り及び基礎骨格などを作ることができる。

2. ベニヤ板

ベニヤ板はウッドブロックを単板にロータリー切削し、または角材を薄板に平削りし、さらに粘着材で2層または3層以上張り合わせた板状の材料である。ベニヤ板の変形は小さく、施工に便利で、曲がらず、横方向の耐張力に優れるなどのメリットを有するため、室内装飾においてベニヤ板は主に木質製品の背板、底板などに使われる。ベニヤ板は厚さ・寸法が多様で、性質がしなやかで曲げやすく、ブロック・ボードに合わせて構造のきめ細かなところにも用いられる。

3. 薄板張り板

薄板張り板はベニヤ板の1種で、高級装飾材料である。シタン、クスノキ、チーク、ヤチダモ、ケヤキ、ウオルナット、ローズウッドなどを利用し、精密平削りを通じて厚さ0.2～0.5㎜の薄板を作り、さらにベニヤ板を基層にゴム粘着材を使用して製造される。薄板に適する木の種類は多く、一般的に構造は平均的で、紋様はまっすぐで細く、半径断面またはロータリー断面には美しい紋様を形成することができる。特殊な紋様を得るために根のこぶが多い木を採用するが、切削、つなぎ合わせ、塗装などの加工を行わなければならない。薄板貼り板は紋様が美しく、装飾性に優れ、立体感が際立つ特徴を有し、現在、室内装飾によく使われる装飾パネル材料である。薄板張り板は天井、壁、家具、食器棚などに広く応用されている。

4. 繊維板

繊維板は木材または植物繊維を主要な原料とし、添加剤と粘着材を混入して過熱・加圧で圧縮した板材である。その構造は平均的で、板面がきめ細かく、各種装飾面の処理が容易であり、寸法の安定性が高く、芯の層は平均的で、さまざまな厚さ・寸法の仕様があり、各種の需要を満たすことができる。密度によって繊維板は低密度、中密度、高密度の板に分けられる。一般の型材は仕様が1,220 × 2,240㎜で、厚さは3～25㎜とそろっていない。繊維板は本箱、食器棚などの各家具の製作に適し、そのほかにもオーディオケース、楽器、車と船の内装などに広く応用されている。

5. プラスターボード

プラスターボードは木材または木材余剰物を原料として破砕した後に粘着材と添加剤を混入して機械またはエアーフォーミング装置でプラスターボードベースにし、さらに高温・高圧で製作した板材である。プラスターボードの密度は平均的で、表面はなめらかで、寸法は安定し、節あるいは空洞がなく、釘保持力に優れ、貼り付けと機械加工をしやすく、コストが比較的低いなどの特徴を有する。プラスターボードには多くの性能があり、完成品材料より優れているため、広く応用されている。(1)プラスターボードの密度は平均的で、厚さの公差は小さく、表面はなめらかで、ベニヤ基材に適している。(2)プラスターボードは家具の骨組み、辺板、背板、引き出し、扉とその他の部品などの製作が可能で、コストが比較的低い。(3)床板の敷設板として利用でき、丈夫で、防音効果が高く、耐衝撃性に優れる。(4)室内階段の踏み板として利用が可能で、その厚さは均等で、ひび割れしない。(5)プラスターボードはソリッドウッドのように曲げやすくはなく、断熱性と防音性に優れることから扉の芯材に利用できる。

6. 継目板

小さい規格材料または短材料をつなぎ、材木の色調と紋様によって貼り合せた板材で、フィンガージョイントとバットジョイントがある。扉、窓、家具、ソファの手すり、食卓のテーブル、教具、ピクチャーレール、すそ板、額縁、階段の手すり、組立てハウス用壁板、ルーフパネルと中空扉の裏骨組みなどに使用される。

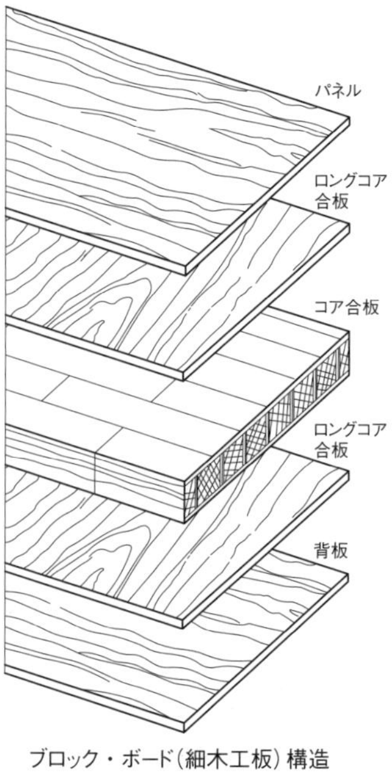
パネル
ロングコア
合板
コア合板
ロングコア
合板
背板
ブロック・ボード（細木工板）構造

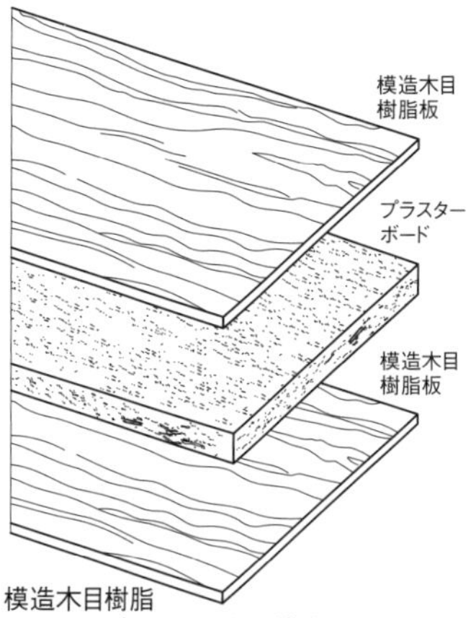
模造木目
樹脂板
プラスター
ボード
模造木目
樹脂板
模造木目樹脂
スティックプラスターボード構造

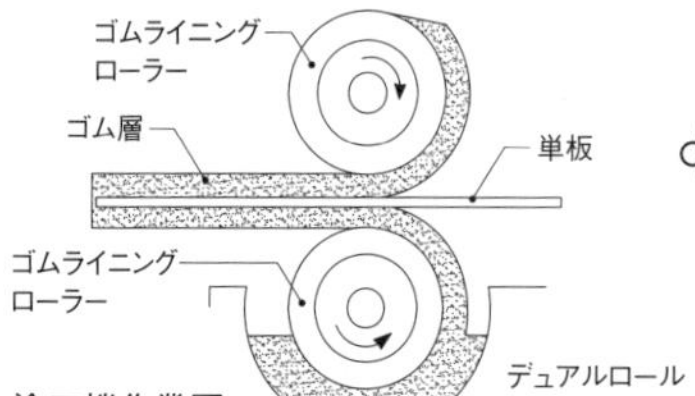
ゴムライニング
ローラー
ゴム層
単板
ゴムライニング
ローラー
デュアルロール
塗工機
塗工機作業図

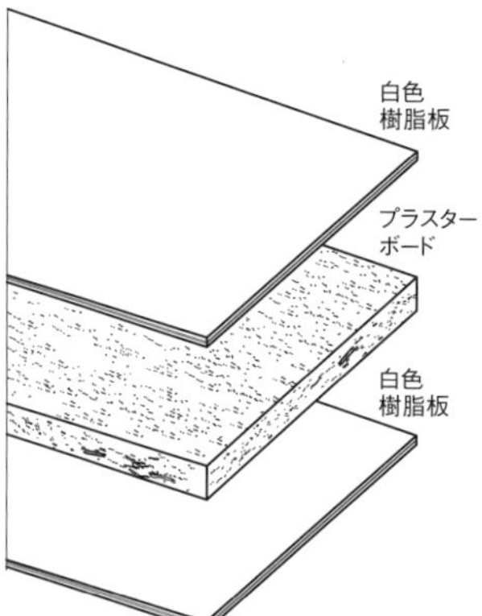
白色
樹脂板
プラスター
ボード
白色
樹脂板
両面白樹脂
スティックプラスターボード構造

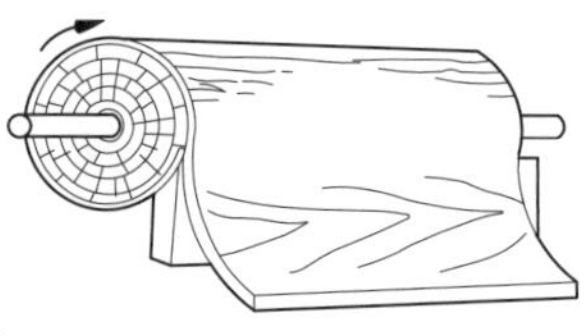
単板ロータリー切削

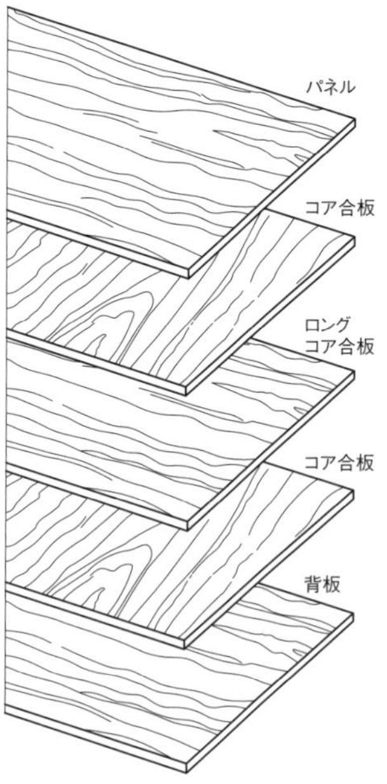
パネル
コア合板
ロング
コア合板
コア合板
背板
5層ベニヤ板構造

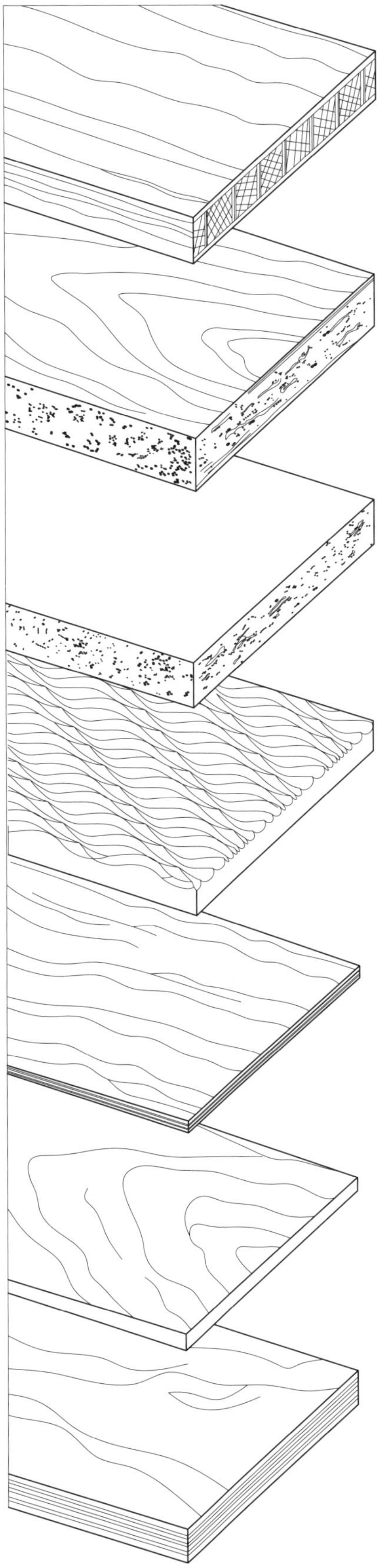

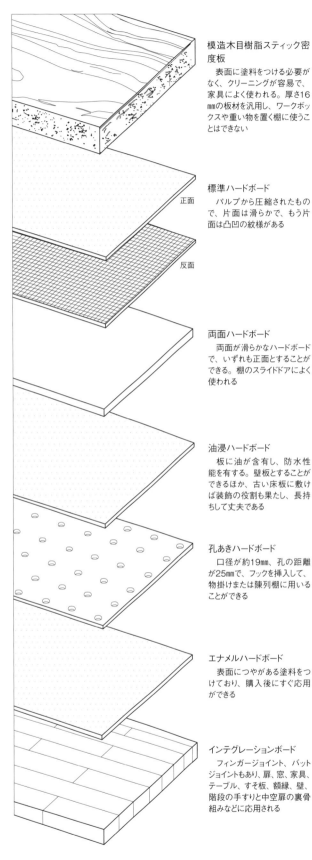

クヌギ材ブロック・ボード
クヌギ材とホンジュラス・マホガニーで作られたベニヤはカバノキ材より丈夫である。通常は一面にクヌギ材またはホンジュラス・マホガニーを貼り、別の一面に比較的安い材木を貼る

ベニヤ用パーチクルボード
この板材のベニヤには松材、ヤチダモ材、ホンジュラス・マホガニー材とチーク材の4種類があり、標準パーチクルボードに貼って装飾の役割を果たす

樹脂スティック密度板
表面に塗料をつける必要がなく、クリーニングが容易で、家具によく使われる。厚さ16㎜の板材を汎用する

装飾用波板
中密度繊維板は電子彫刻、優れた焼き付け塗装技術を施して製造された高級感のある室内装飾材料である。直線紋様、波紋様、横紋様、水波紋などがある

ベニヤ板
最もよく見られるものは3層の薄板で、木目によって縦に1層、横に1層、縦に1層という順序で貼り合わせた3層ベニヤである。表面が滑らかに磨き上げられた後にペンキあるいはワニスをつけることができる。板の表面層にはカバノキ材がよく使われる

防水ベニヤ板
室内外の装飾と室外用の家具に用いられる。表面層にはホンジュラス・マホガニーがよく使われる

樹脂ベニヤ板
色と様式が多く、室内の壁板とすることができる。樹脂表面層が厚いものはワークボックスのパネルにすることができる

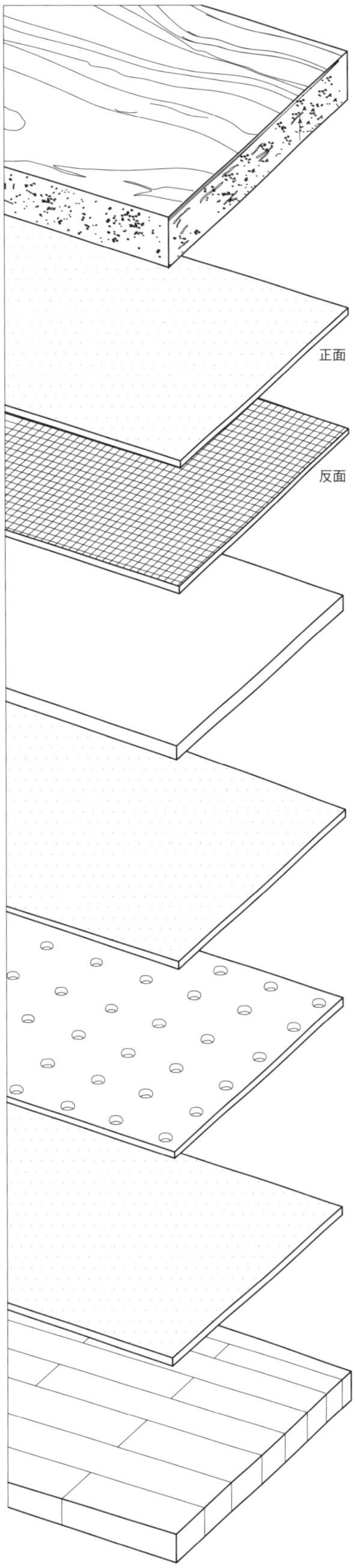
正面
反面

模造木目樹脂スティック密度板
表面に塗料をつける必要がなく、クリーニングが容易で、家具によく使われる。厚さ16㎜の板材を汎用し、ワークボックスや重い物を置く棚に使うことはできない

標準ハードボード
パルプから圧縮されたもので、片面は滑らかで、もう片面は凸凹の紋様がある

両面ハードボード
両面が滑らかなハードボードで、いずれも正面とすることができる。棚のスライドドアによく使われる

油浸ハードボード
板に油が含有し、防水性能を有する。壁板とすることができるほか、古い床板に敷けば装飾の役割も果たし、長持ちして丈夫である

孔あきハードボード
口径が約19㎜、孔の距離が25㎜で、フックを挿入して、物掛けまたは陳列棚に用いることができる

エナメルハードボード
表面につやがある塗料をつけており、購入後にすぐ応用ができる

インテグレーションボード
フィンガージョイント、バットジョイントもあり、扉、窓、家具、テーブル、すそ板、額縁、壁、階段の手すりと中空扉の裏骨組みなどに応用される

天然木床材は天然の木材を採用し、加工処理を経て帯状または塊状にした床面敷設材料である。良質な木製床材は重量が軽く、弾性に優れ、構造が単純で、施工に便利といったメリットを有し、その魅力は自然の模様と装飾物との調和がとれることにある。良質な木製床材には3つの特徴がある。1つ目は、自然を源とすること。2つ目は、熱伝導率が低く、これを使うことで冬は暖かく夏は涼しく感じられる。3つ目は、材木の中に細菌を防ぎ、人間の精神を安定させる揮発性物質が含まれていることである。これらから木材は理想的な床面装飾材料だと言える。天然木床材は一般的に寝室、書斎、居間に用いられる。天然木床材の仕様は一般的に幅が90～120㎜、長さが450～900㎜、厚さが12～25㎜である。

天然木合成床材は貴重なまたは良質な木材を表層として、性質が比較的劣る木の材料を中間層や底層として、高温・高圧で製造した多層構造の床材である。天然木合成床材は主に3種類ある。(1) 3層天然木合成床材は3層とも異なる木材で張り合わせ、中間層と底層に軟質の木材を使う。(2) 多層天然合成木床材は多層ベニヤ板を基材として、表層に堅木薄板を組み込んで、尿素ホルマルデヒド樹脂ゴムを通じて多層圧縮したものである。(3) 新型の天然木合成床材は表層に硬質の木材を使い、中間層と底層に中密度繊維板と高密度繊維板を使用する。表層の厚さはその寿命を決定し、表層の板材が厚いほど耐摩耗時間が長く、貼り合わせの粘着度が強いほど良い。

強化合成床材は多層の異なる材料から合成されたもので、着色印刷層が装飾面の貼紙であり、紋様の色が豊かである。表面の耐磨耗度は普通塗装床材の10～30倍で、接合強度と表面貼り強度、衝撃弾性の力学強度が優れ、さらに良好な耐腐食・耐紫外線性能があり、比較的高い耐収縮・耐膨張性を有する。重合木製床材は耐静電気床材への加工が可能で、主にコンピューター室に用いる。強化合成木製床材の仕様（㎜）は長さが900～1,500、幅が180～350、厚さがそれぞれ6、8、12、15、18である。

竹製床材は3年以上のモウソウチクを火であぶって、防虫、防黴処理を経て、張り合わせて熱間圧縮した装飾材料である。構造によって炭層竹床材、多層竹床材、竹寄木張りの床材などがあり、耐腐食、防黴、変形しにくい、材質が堅い、吸水率が低い、表面がなめらか、模様が細かい、色合いがやさしいといった特徴を有し、高級レストラン、ホテルの床面に適用し、家庭の床面装飾にも用いられる。

樹脂床材には主にポリ塩化ビニール巻材床材とポリ塩化ビニール塊状床材がある。ポリ塩化ビニール巻材床材には基材付き発泡ポリ塩化ビニール巻材床材と基材付き緻密ポリ塩化ビニール床材の2種類があり、表面が平らでなめらかで、一定の弾性を有し、足への感触が心地よい。よくある幅(㎜)は1,800、2,000、長さは2,000、3,000、ロールの厚さは1.5、2、3、4である。ポリ塩化ビニール巻材床材は事務室、会議室、レストランなどの敷設に適する。ポリ塩化ビニール塊状床材には単層と同質合成の2種類があり、その仕様（㎜）は300×300、600×600、厚さは15、20、25、30である。樹脂床材の種類は多く、木材、石材、れんが材、図案、純色などがある。取り付けが容易で、直接展開して平らに敷設できる。広面積で使用する場合は粘着材できれいな地面に固定し、縁はホットメルトシステムで溶接する。ポリ塩化ビニール塊状床材は比較的厚くて、弾性に富み、一般的に室内外スポーツ・娯楽場所の敷設に用いる。

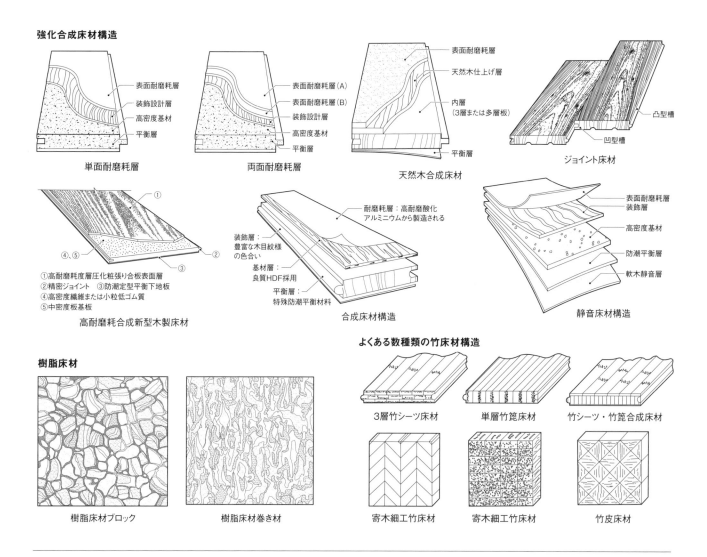

強化合成床材構造

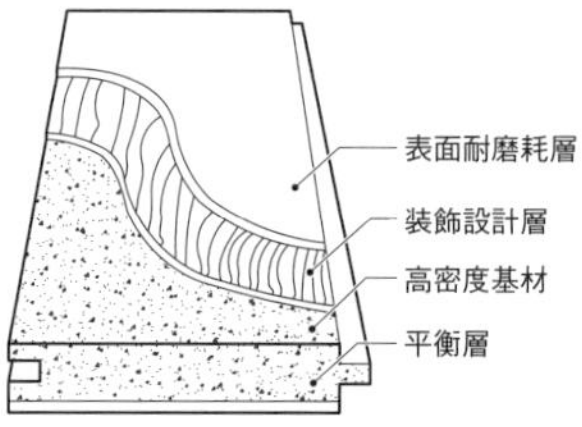
表面耐磨耗層
装飾設計層
高密度基材
平衡層
単面耐磨耗層

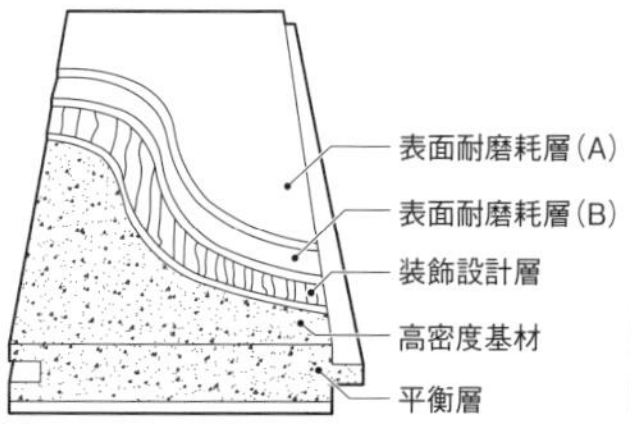
表面耐磨耗層(A)
表面耐磨耗層(B)
装飾設計層
高密度基材
平衡層
両面耐磨耗層

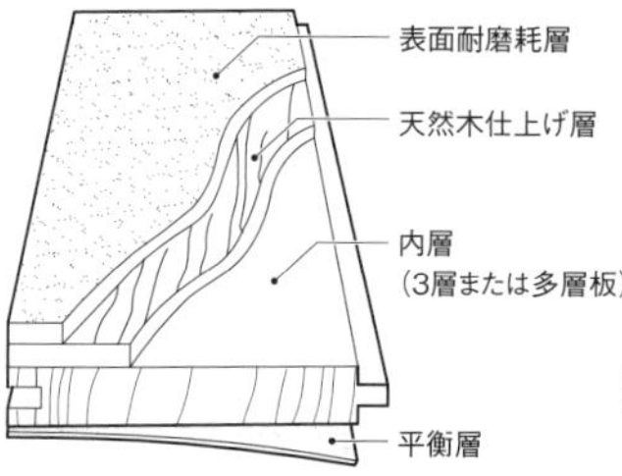
表面耐磨耗層
天然木仕上げ層
内層
(3層または多層板)
平衡層
天然木合成床材

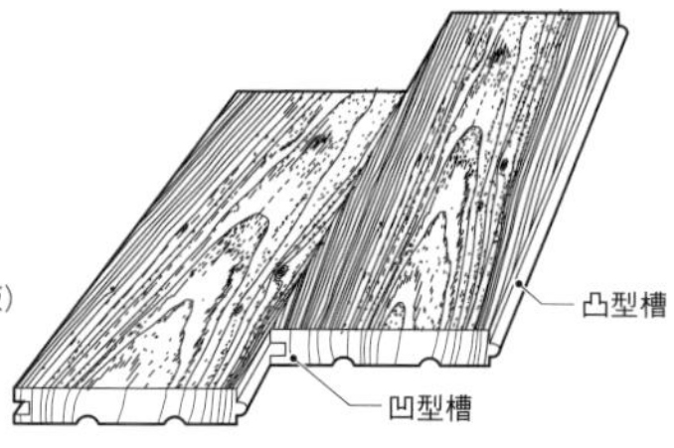
凸型槽
凹型槽
ジョイント床材

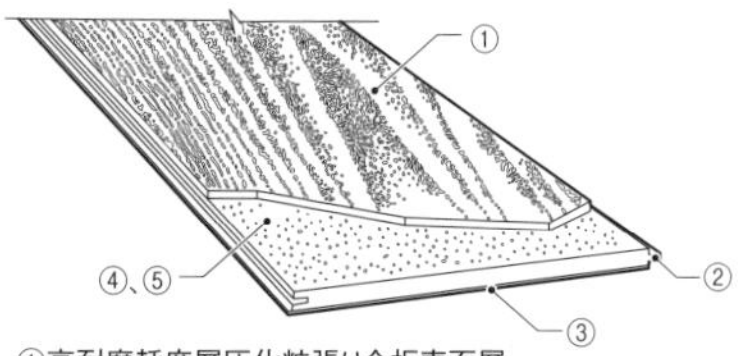
①
②
③
④、⑤
①高耐磨耗度層圧化粧張り合板表面層
②精密ジョイント　③防潮定型平衡下地板
④高密度繊維または小粒低ゴム質
⑤中密度板基板

高耐磨耗合成新型木製床材

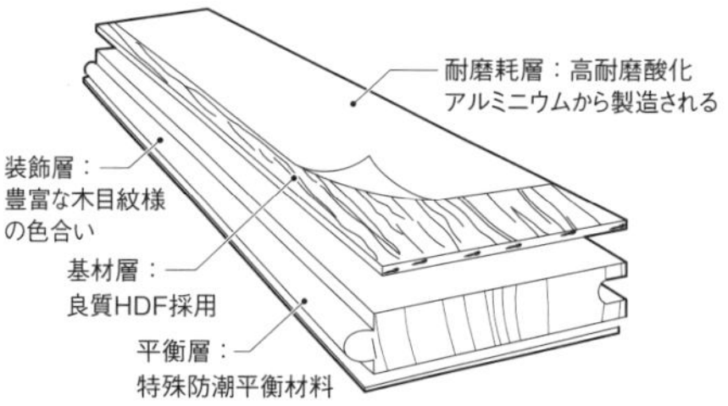
耐磨耗層：高耐磨酸化
アルミニウムから製造される
装飾層：
豊富な木目紋様
の色合い
基材層：
良質HDF採用
平衡層：
特殊防潮平衡材料
合成床材構造

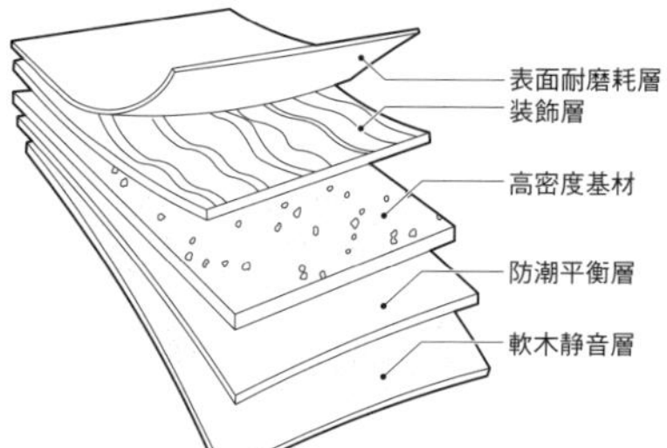
表面耐磨耗層
装飾層
高密度基材
防潮平衡層
軟木静音層
静音床材構造

よくある数種類の竹床材構造

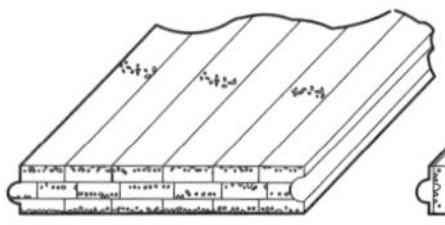
3層竹シーツ床材

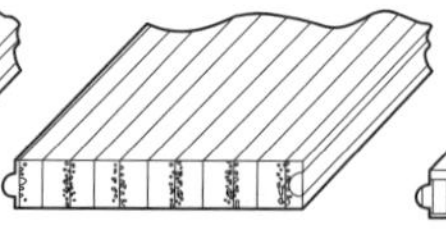
単層竹篾床材

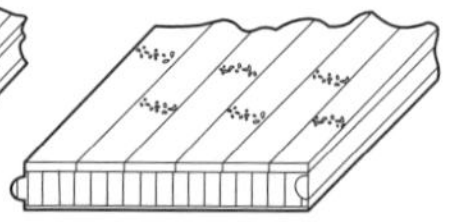
竹シーツ・竹篾合成床材

寄木細工竹床材

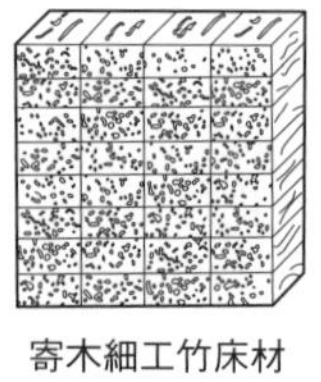
寄木細工竹床材

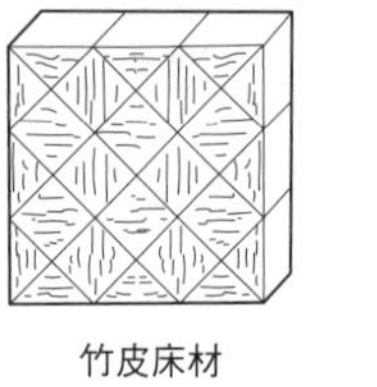
竹皮床材

樹脂床材

樹脂床材ブロック

樹脂床材巻き材

アルミ樹脂複合板は化学処理を経た塗装アルミ板を表層材料とし、ポリエチレン樹脂を芯材として専用のアルミ樹脂複合板生産設備で加工した複合材である。

アルミ樹脂複合板の仕様は1,220mm×2,440mmである。耐候性が強く、酸・塩基、磨耗、クリーニングへの耐性がある。優雅かつ豪華で、色彩豊か、そして豊富な仕様がある。コストは低く、重量は軽く、防水・防火・防虫効果があり、表面色柄が非常に多く、耐汚染性、防音に優れ、クリーニングが容易で、優れた断熱性がある。さらに安全に使用でき、造形が容易なため、室内外に理想的な装飾板材である。アルミ樹脂複合板の色の類型には銀白色、金色、濃藍色、ピンク、濃紺色、ポーセリン・ホワイト、シルバーグレー、コーヒーなどがあり石紋様、木紋様などの色柄シリーズがある。

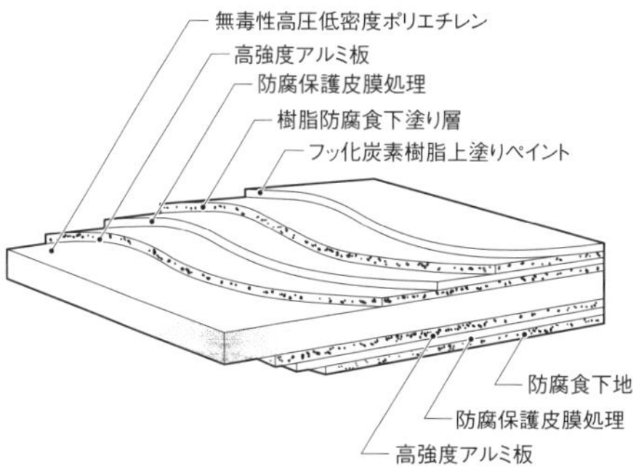
無毒性高圧低密度ポリエチレン
高強度アルミ板
防腐保護皮膜処理
樹脂防腐食下塗り層
フッ化炭素樹脂上塗りペイント
防腐食下地
防腐保護皮膜処理
高強度アルミ板

アルミ樹脂複合板構造

板の類型と接続設計の実例

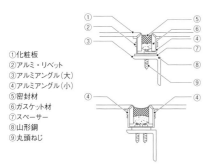

①化粧板
②アルミ・リベット
③アルミアングル(大)
④アルミアングル(小)
⑤密封材
⑥ガスケット材
⑦スペーサー
⑧山形鋼
⑨丸頭ねじ

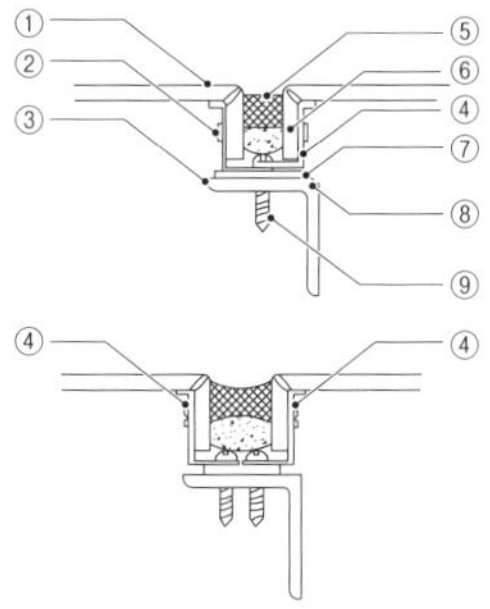

アルミアングル密封接続

①化粧板
②密封材
③ガスケット材料
④山形鋼
⑤メタルラス

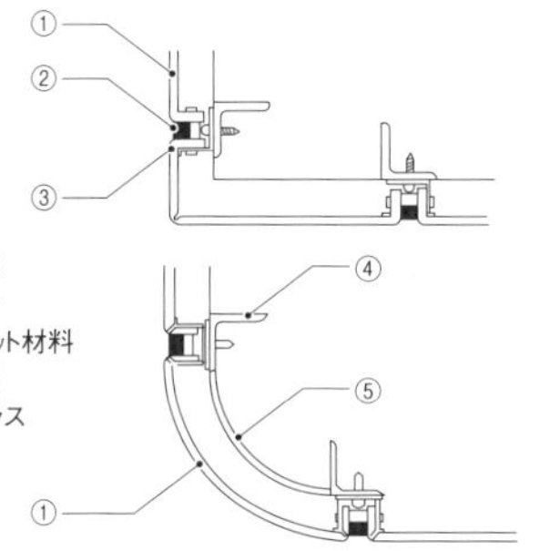

外面曲がり角の取付実例

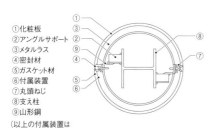

①化粧板
②アングルサポート
③メタルラス
④密封材
⑤ガスケット材
⑥付属装置
⑦丸頭ねじ
⑧支え柱
⑨山形鋼
(以上の付属装置は低層建物に適用する)

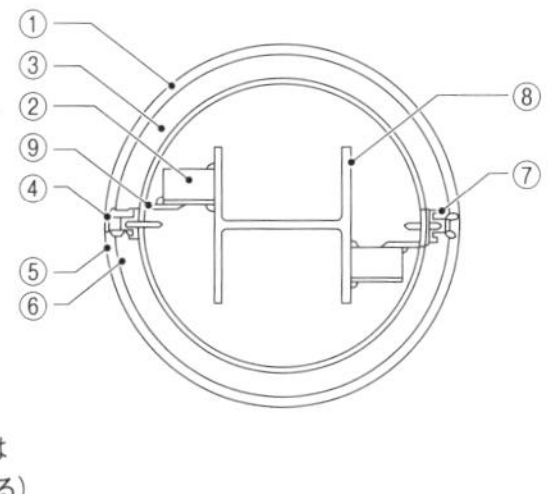

円柱の被覆実例

①化粧板
②密封材
③ガスケット材
④山形鋼
⑤丸頭ねじ

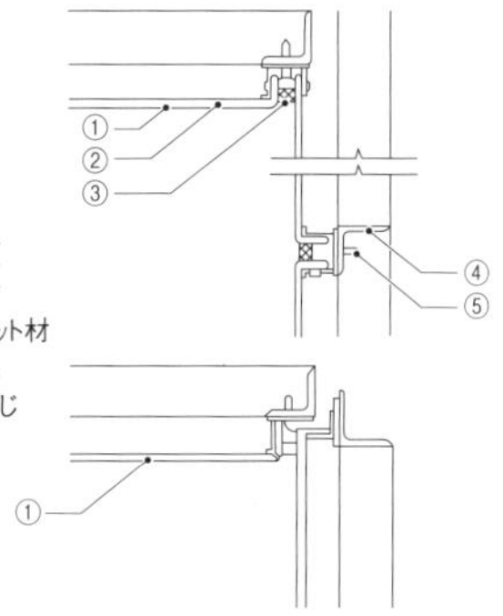

内面曲がり角の取付実例

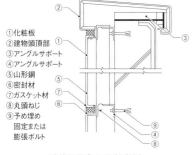

①化粧板
②建物頭頂部
③アングルサポート
④アングルサポート
⑤山形鋼
⑥密封材
⑦ガスケット材
⑧丸頭ねじ
⑨予め埋め固定または膨張ボルト

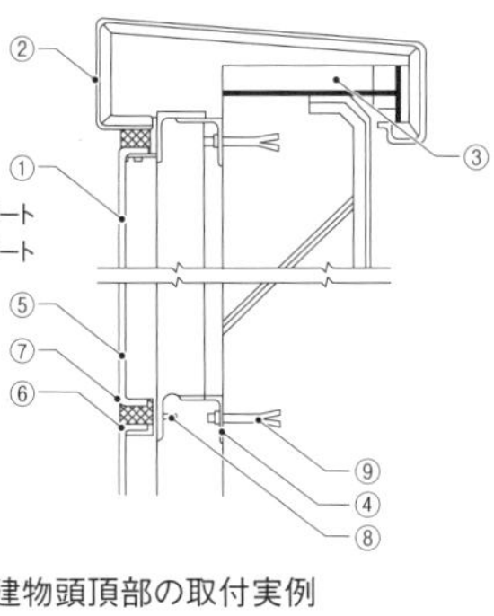

建物頭頂部の取付実例

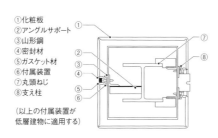

①化粧板
②アングルサポート
③山形鋼
④密封材
⑤ガスケット材
⑥付属装置
⑦丸頭ねじ
⑧支え柱
(以上の付属装置が低層建物に適用する)

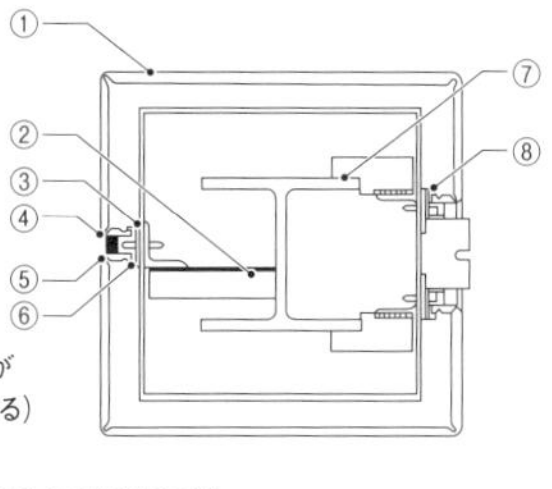

方柱の被覆実例

アルミ樹脂複合板の推奨取付方法

1. 取り付ける前に底壁の竜骨は平面度を高くし(先に竜骨を打って、成型後に石灰板を打つ)、粘着板の位置線あるいは直線を引く必要がある
2. 万能接着剤(平均的に塗布)をつける
3. すでに切断した製品を引き線の位置によって石灰板に貼り、柱を包んで曲げる
4. 柱を包まなければならない円形竜骨を打つ(曲げ強度60～90MPa、形を押さえて曲げる)
5. 3点式スリーローラー機を使って形を押さえて曲げ、角を折る。折角、斜角は角をフライス盤で切削してから角を折る(角をフライス盤で切削する時に深さと角度に注意すること)
6. 雨水の漏れを防止するため、貼った後に封印樹脂フィラメタルで口を封ずる

アルミ樹脂複合板の成型

1. ローリング:ローラーで円弧に切り、パネルの保護に注意する
2. プレス:フォールディングスタントまたはプレス機で内側直径の最小値r=15×t(t=厚度)に折り曲げる
3. 折り曲げ:溝を削ってから手作業で折り曲げ、辺角のr値は削り溝の角度によって決まる

アルミ樹脂複合板の辺接続と固定

1. 穴あけ:(接続用)アルミ板及び樹脂ゴム専用刃を使う
2. 熱溶接:熱溶接及びポリエチレンゴムストリップを使う
3. 粘着剤:金属(芯材不粘着剤)、両面ゴムバンドを使う

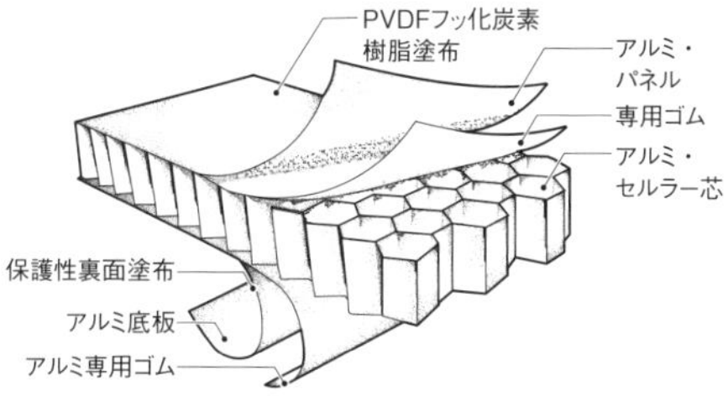
PVDFフッ化炭素樹脂塗布
アルミ・パネル
専用ゴム
アルミ・セルラー芯
保護性裏面塗布
アルミ底板
アルミ専用ゴム

アルミ・セルラー板構造

アルミ・セルラー板はこれまで航空・宇宙飛行および軍事分野に使われ、耐高風圧、振動減衰、防音、保温、難燃、高強度などの優れた性能を持つため、現在では壁板、室内隔板、床板、天井などの装飾に広く使われている

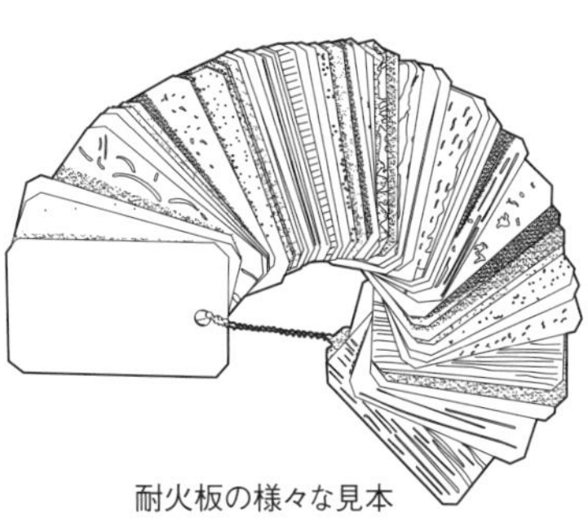

耐火板の様々な見本

耐火板の表面は一般的に表層紙、色紙、基礎紙の3層から構成される。表層紙と色紙はメラミン樹脂成分で染まり、熱間圧縮機によって高温・高圧で製造される。耐火板には耐摩擦、耐擦などの物理性能を持たせるとともに、多層クラフトにより優れた耐衝突性、柔軟性を持たせる。

耐火板は図案、色柄が多彩で、模造木目、模造石紋様、模造皮革紋様、模造織物などの複数の種類がある。耐火板は耐湿、耐磨耗、耐焼、難燃であり、一般の酸、塩基、油あかとアルコールなどの溶剤による侵蝕に耐える。通常の型材の仕様(mm)は:(長×幅)が2,440×1,220、厚さが0.6、0.8、1.0、1.2で、紋様の色合いが比較的よいものは0.8以上が多い。

イミテーション金属板は新型装飾板材で、多彩でとても明るく美しい。イミテーション金属板の基材にはMDF、PBなどがあり、防火板がそれぞれアルミと結合し、異なる基材と厚さの必要に応じて加工することができる。イミテーション金属板の幅は一般的に1,220㎜×2,440㎜で、厚さは2～5㎜である。

基材には環境にやさしい密度板、プラスターボードなどを採用する。表面には酸化アルミを施し、色合いはなめらかで美しく、摩擦に強く、傷がつきにくく、腐食・汚れに耐え、熱や冷気にも強い。また、高温高圧で一次成型し、合成強度が高く、防潮性能も強く、加工が簡単・便利で変形しにくい。

金属モザイクタイルも新型装飾材料であり、製品の表面性質が精巧で、色が多様、そして取付施工が容易である。設計要求によってさまざまな材料や色の選択や組み合わせが可能で、気の向くままに装飾することができるため、現代の装飾設計におけるすばらしい材料と言える。

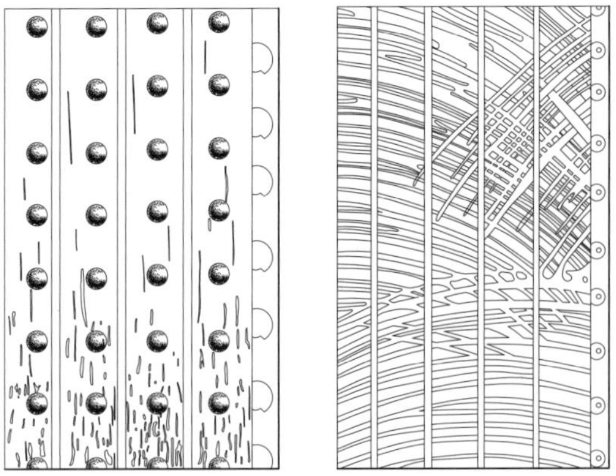

吸音材

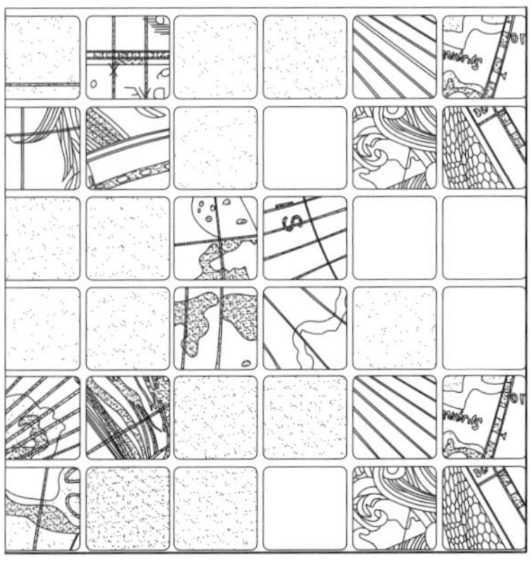

モザイクタイルシリーズ

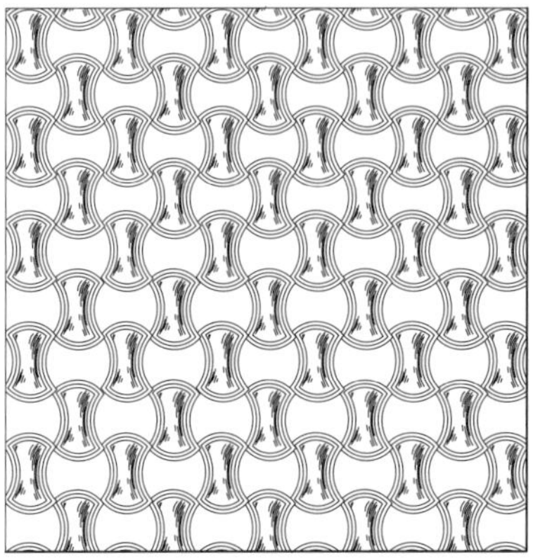

モザイクタイルシリーズ

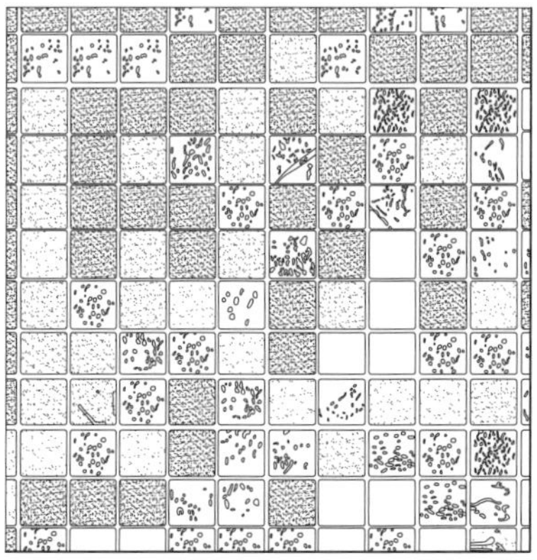

モザイクタイルシリーズ

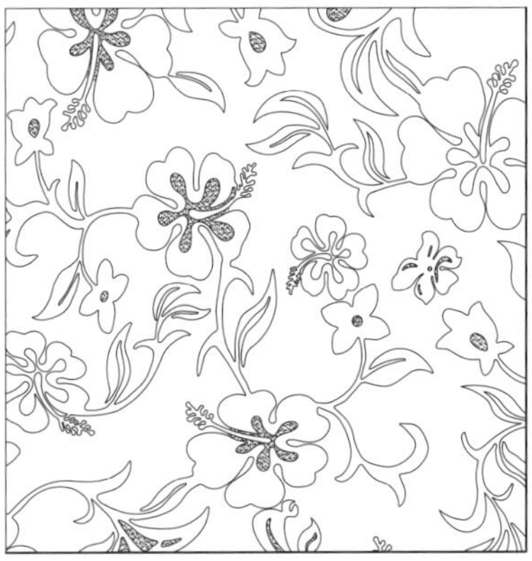

彩色デザインシリーズ

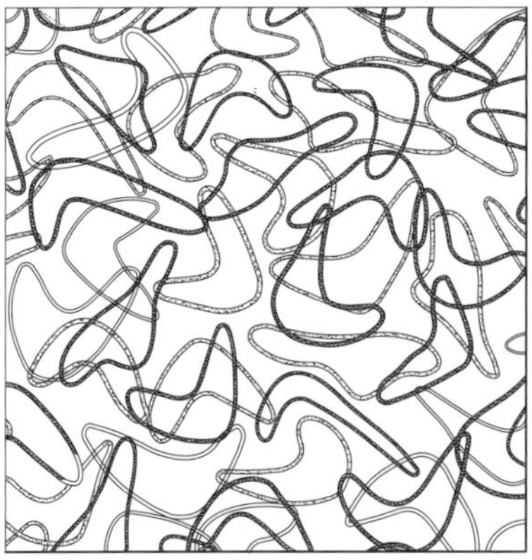

彩色デザインシリーズ

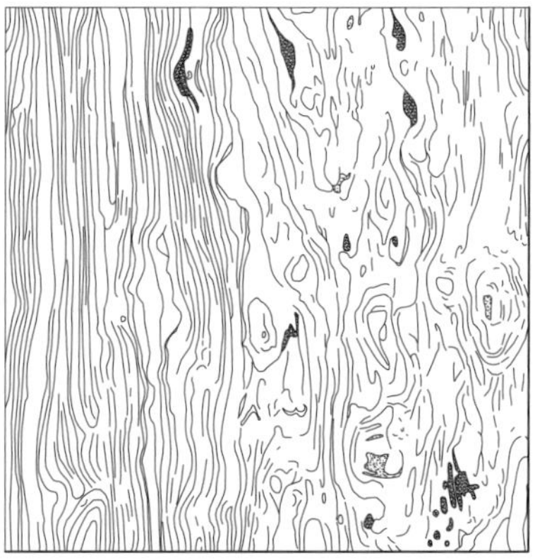

彩色デザインシリーズ

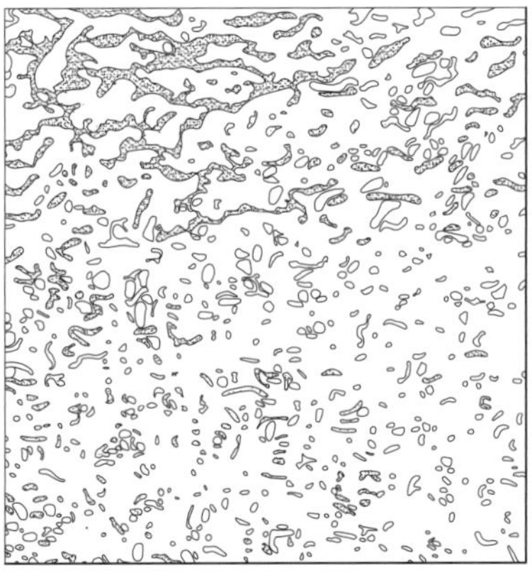

浮き彫りシリーズ

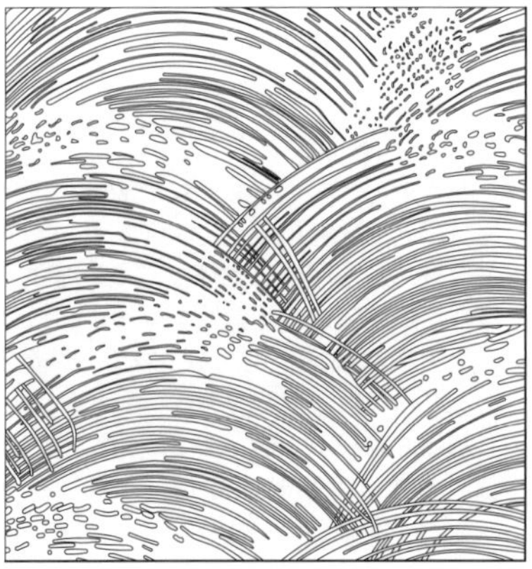

浮き彫りシリーズ

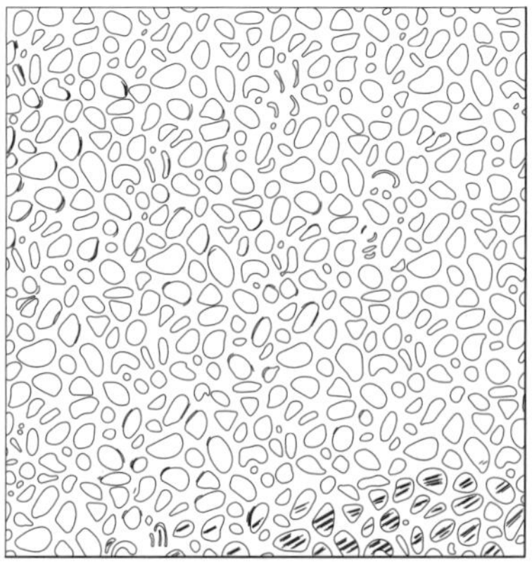

鏡面シリーズ

石膏ボードは石膏をゲル材料とし、適量の添加剤と繊維板を混入してコアボードにし、特殊な光沢紙を表面層とする軽量板材である。石膏ボードは軽量で、耐火性や加工のしやすさなどの特徴を有し、軽量鉄骨などと組み合わせて、軽量仕切りと天井を構成することができる。建築上の防火、防音、断熱、耐震の要求を満たすだけでなく、施工が容易で、室内の空気の湿度を調整し、装飾効果がすばらしいといったメリットを有し、各種の建物に適用できる。石膏ボードは各種類の軽量仕切り壁材の中で生産量が最も多きく、機械化、オートメーション化の程度が最も高い製品であり、壁体の内側にパイプの取り付けが可能で、また壁面は平らで、装飾効果に優れる。

石膏ボードは用途によって普通石膏ボード、耐水石膏ボード、耐火石膏ボードの3種類に分けられる。石膏ボードの形状には長方形、逆三角形、楔形、円形の4種類がある。

普通石膏ボードは建築石膏を主要な原料として、適量の繊維強化材や耐水混和剤などを混入し、耐水芯材を構成し、さらに耐水光沢紙をしっかりと粘着させた、吸水率が低い建築板材である。耐火石膏ボードは建築石膏を主要な原料として、適量の軽骨材、無機耐火繊維強化材と混和物を混入して耐火芯材を構成する。

また、布面石膏ボードは改良したもち米のどろりとした質材を粘着材として、現代の調合方法で開発したハイテク装飾板材である。紙面結合の新技術を採用し、柔軟性に優れ、耐折強度が高く、継ぎ目のひび割れがせず、付着力が強い特徴を有し、普通の石膏ボードの性能を超えている。布面石膏ボードは防火、保温、防音の性能を有する。布面石膏ボードの表面は高温処理を経た化学繊維布で、長持ちして腐らず、ひび割れもせず、使用寿命は15年以上に達する。

そのほか、無紙面繊維石膏ボードは良質な天然石膏粉、繊維糸、繊維網目布およびその他の化学材料を流し込んで成型したものである。無紙面繊維石膏ボードは天井用として任意に造型が可能で、板材の表面に紙面がないため、コーキング石膏粉で固める時の用材と板材は同じ調合方法で、工事竣工後に割れ目が生まれず、長期にわたり天井装飾全体の美感を維持することができる。無紙面石膏ボードは仕切り板材とする時に、一般的には中心に軽量鉄骨を使い、両面に無紙繊維石膏ボードを粘着させ、さらにタッピングスクリューで仕切りの鉄骨に板を固定することが可能で、板の厚さは通常9.5～12㎜である。また、顧客の要求に応じて、15～20㎜以上の厚い板を作り、仕切りの防音性能と壁の強度を増すことができる。

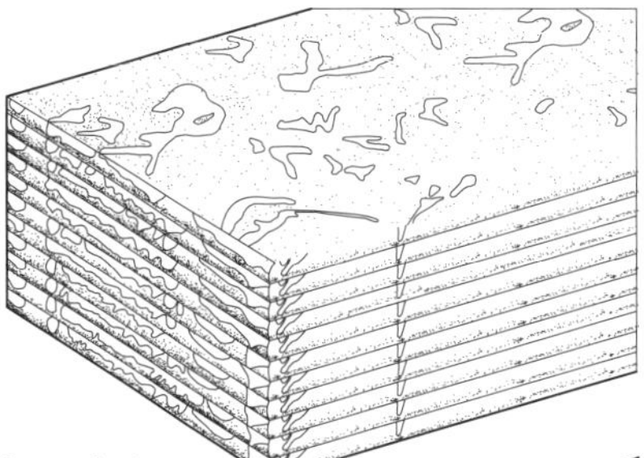

布面石膏ボード

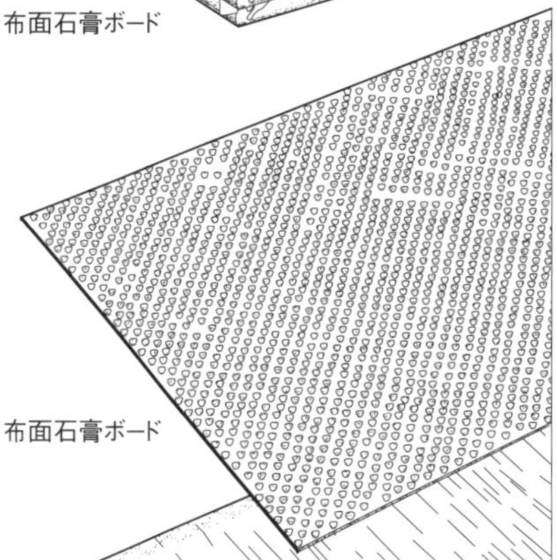

布面石膏ボード

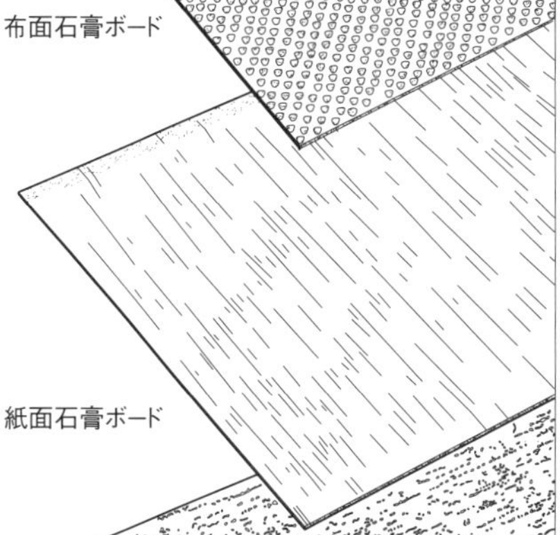

紙面石膏ボード

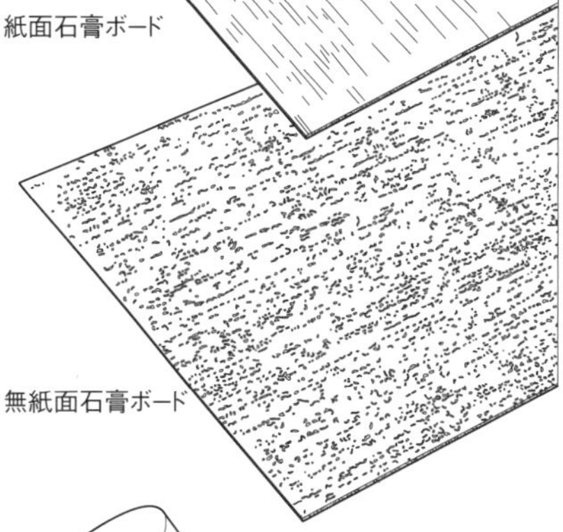

無紙面石膏ボード

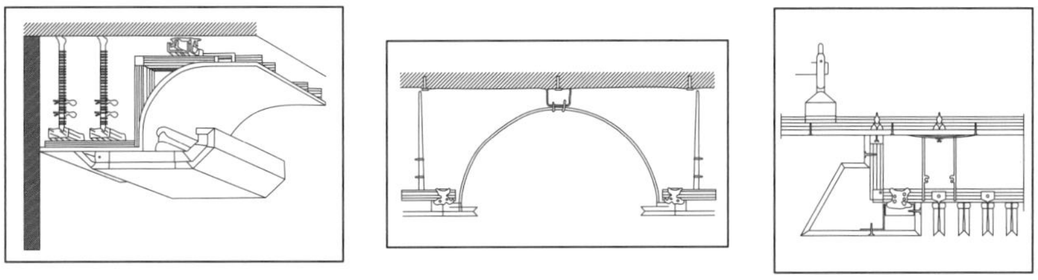

石膏ボードを天井に用いて豊かな装飾空間つくることができる

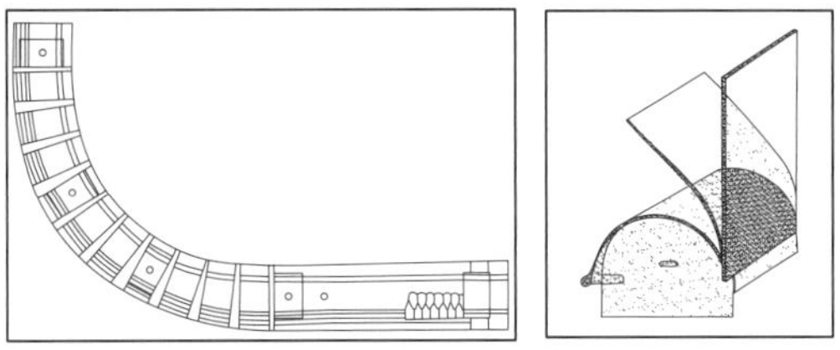

石膏ボードの特殊な取付イメージ

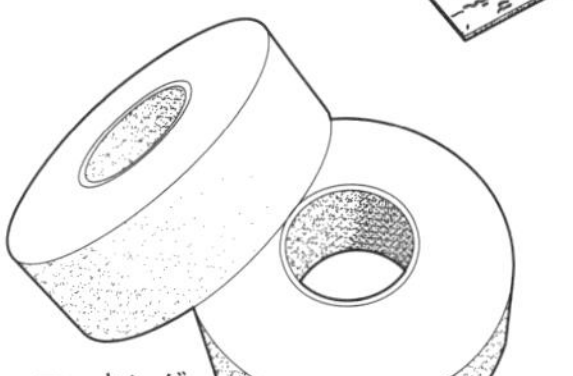

コーキング
紙テープ

コーキング石膏は精密な半水石膏粉に一定の遅延剤、保水剤などの多種の補助剤を入れて混合したものである。主に石膏板コーキングと釘孔の充填に用いる。柔軟性が高く、収縮性が低く、使用が便利で、粘着度が高いなどのメリットを有し、効果的に石膏ボード使用中の板材継ぎ目のひび割れを解決することができる

BAUSITTE
BAUSITTE

高強度粘着粉は良質な石膏、特殊な粘着材を採用し、一定の比率によって特殊な調合を経て製造される。直接壁面、鉄骨、アルミニウム合金、木板などの壁体に使用することができる

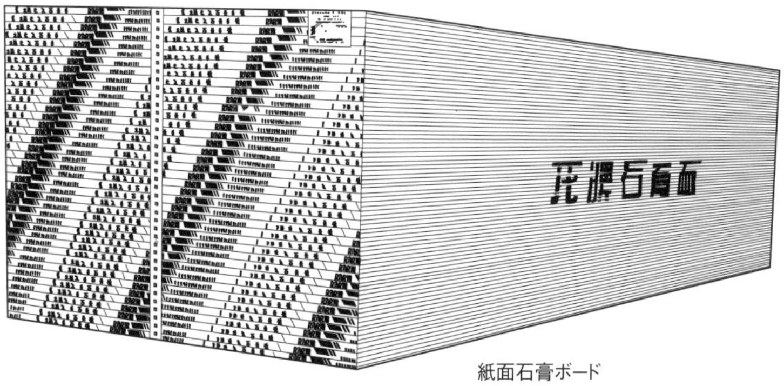

紙面石膏ボード

セメント板内壁施工方法

ブロック・ボード（細木工板）を基礎層として、固定して平らにし、セメント板を必要な寸法に切断する。セメント板の裏面にゲルを塗布するか、粘着材を使うならばブラシで塗ることができる。そしてセメント板を基層板に貼り付け、板と板の間にコーキング処理を行う。板の周りはステンレス釘で固定するか、鋭いねじで固定する。

セメント板床施工方法

床の施工は湿った地面の場合、まず湿った地面に防湿布を敷いて、少なくとも150枚重ねた後に鉄骨を打って、間隔は300㎜×300㎜とし、その中に木炭（水分吸収）、石灰粉（シロアリ予防）を置く。そして細木工板を敷いて、平らにし、セメント板を必要な寸法に切断する。続いてセメント板を基層板に粘着し、板と板の間に2㎜前後の隙間を用意する。板の周りはステンレス製空気ストリップ釘で固定する。空気ストリップ釘から縁までの距離は最小で20㎜以上必要であり、空気ストリップ釘の間隔は100～250㎜とする。また、鋭いねじでも固定できる。空気ストリップ釘で固定する場合は穴が小さければ充填する必要がなく、表面処理を施す。

表面処理

先にサンドペーパーでセメントの表面を軽く磨き上げ、板材表面の汚れを取り除いて、板材の模様を表出させる。空気ストリップ釘で固定する場合は穴が小さければ充填する必要はない。表面のねじ孔または釘穴を修繕する場合は、できるだけ原材料の粉末を使用し、色あいの差の発生を避ける。セメント床用ワックス（中性あるいはアルカリ性）を使う場合は、2回吹き付け塗りが必要で、外壁には3回またはそれ以上の吹き付け塗りが必要となる。

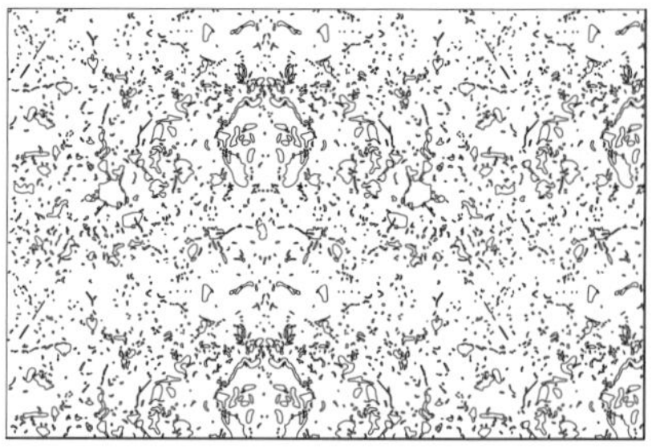

美岩セメント板

強度が高く、高い防水性、防湿性を有する。太い面の模様は立体的で美しく、細い面はしわと質感がきめ細かい。装飾用外壁、内壁、床板、乾式防火仕切り壁、湿式軽量モルタル仕切り壁などに用いることができる。仕様（㎜）：1,220×2,440×6、8など

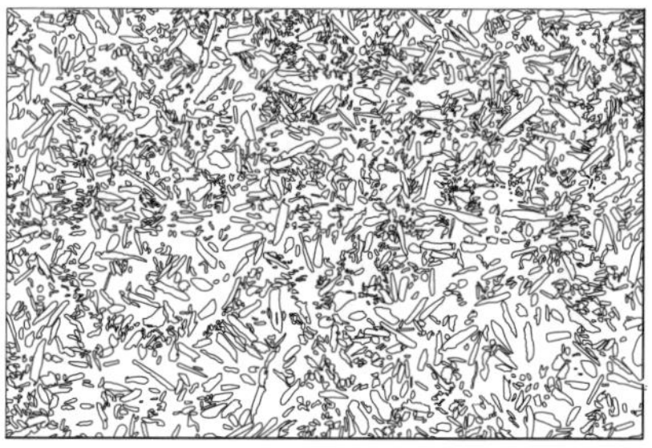

シルクボード

建物装飾壁面と天井に用いるほか、床板、多変化する表面にも適し、一面は無色透明なペイントで塗布する。柱体、はしごの角 主壁、外壁、造形壁または特殊な景観デザインなどに用いることができる。
仕様（㎜）：1,220×2,440×8、10、12、18など

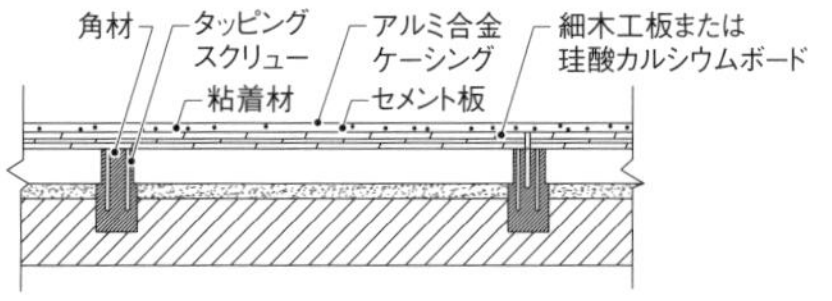
角材
タッピング
スクリュー
アルミ合金
ケーシング
細木工板または
珪酸カルシウムボード
粘着材
セメント板

内壁ケーシング方法イメージ1：5

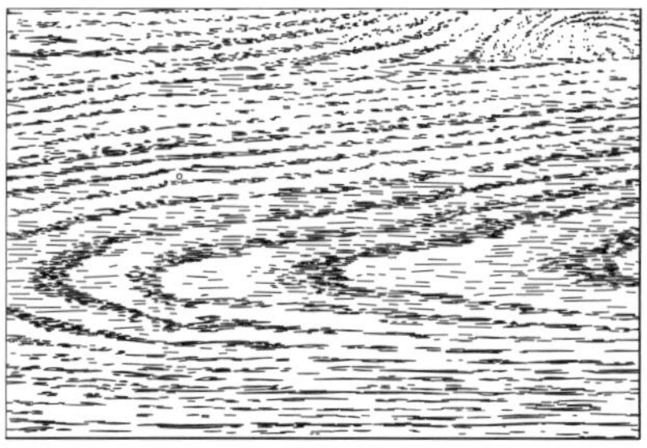

木目模様のセメント板

優れた防水性能を有し、腐食に耐え、菌類とシロアリに強い。材質が軽くて切断しやすく、一般的な大工道具または軽量仕切工法を利用することができる。防火性が高く、熱伝導率が低く、断熱で、保温効果が高い。ホテル、寮、別荘、レジャー農場、屋根、造形壁、浴室その他の室内外装飾工事に適する。仕様（㎜）：2,000×3,000×8

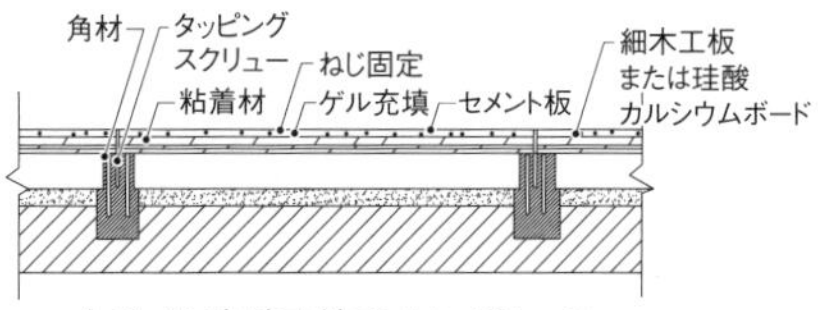
角材
タッピング
スクリュー
ねじ固定
粘着材
ゲル充填
セメント板
細木工板
または珪酸
カルシウムボード

内壁ゴム充填方法のイメージ1：5

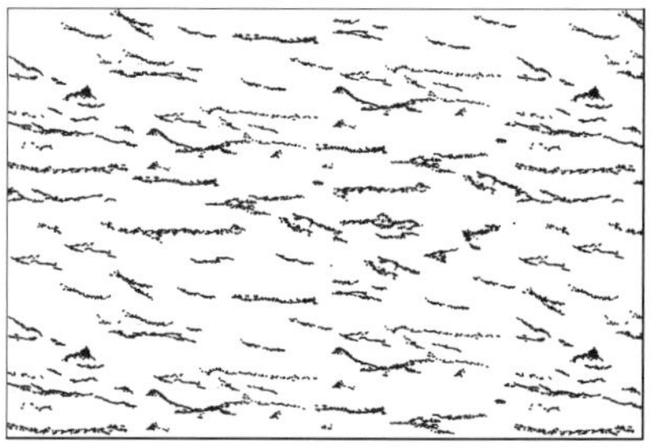

木毛セメント板

光沢化粧板と粗化粧板シリーズがある。軽量で弾力があり、断熱性が高い。厚い面は模様が立体的で美しく、独特で優雅な雰囲気を持つ。高品質の新型建築材料で、特殊な表面模様を有し、さらに高い質感と品位を示すことができる。内外壁、床板、天井、家具、仕切り壁などに応用できる。仕様（㎜）：1,220×2,440×8、10、12、16、20、24など

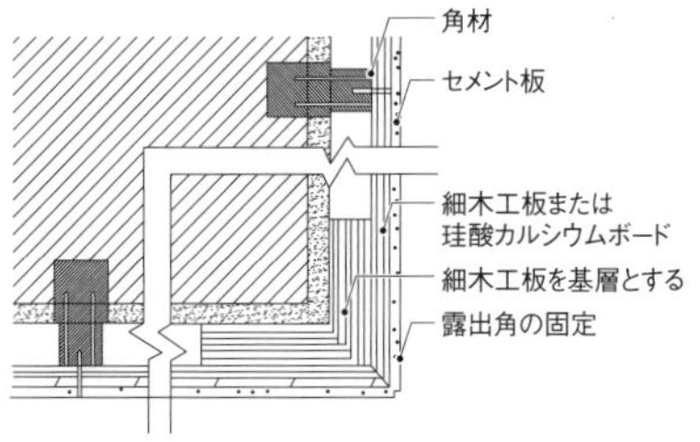
角材
セメント板
細木工板または
珪酸カルシウムボード
細木工板を基層とする
露出角の固定

壁露出角ケーシング方法のイメージ1：5

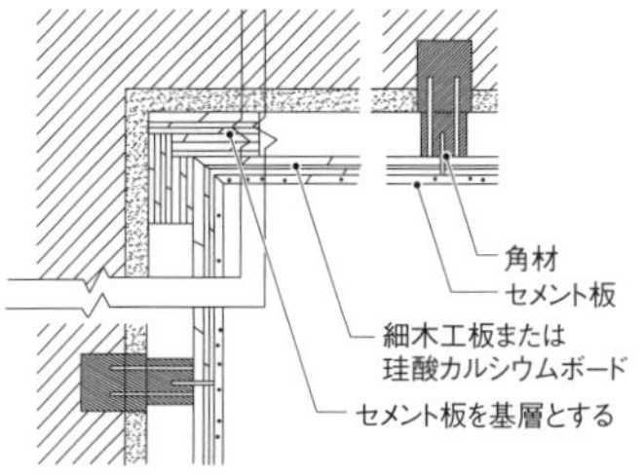
角材
セメント板
細木工板または
珪酸カルシウムボード
セメント板を基層とする

壁陰角ケーシング方法のイメージ1：5

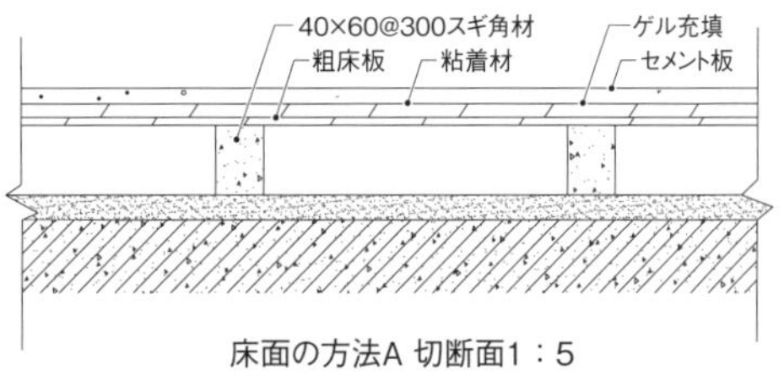
40×60@300スギ角材
粗床板
粘着材
ゲル充填
セメント板

床面の方法A 切断面1：5

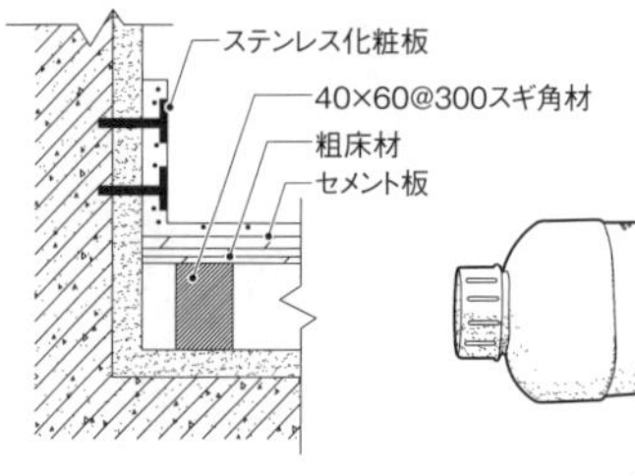
ステンレス化粧板
40×60@300スギ角材
粗床材
セメント板

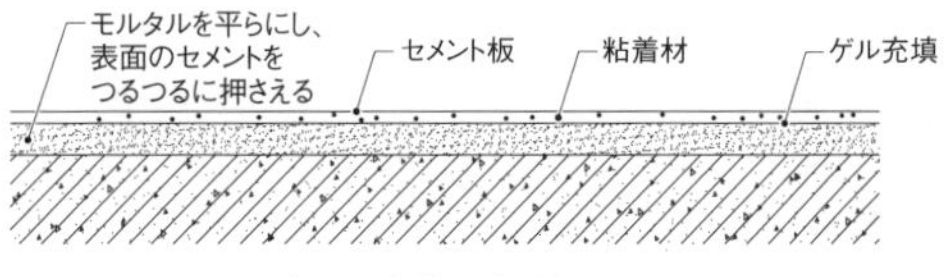
モルタルを平らにし、
表面のセメントを
つるつるに押さえる
セメント板
粘着材
ゲル充填

床面の方法B 切断面1：5

裾板箇所のイメージ1：5

FOREX
REX

セメント板保護剤

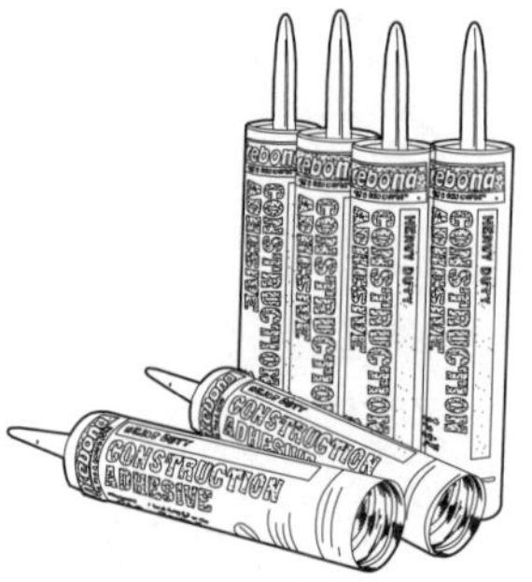
CONSTRUCTION
ADHESIVE

タイトボンド

PC中空板（ポリカーボネイト中空板）はポリカーボネイトを主要な材料として、軽量で、強度が高く、透光度が高い。中空板の重量は同じ厚さのガラスの重量の1/12～1/15で、耐衝撃強度はガラスの80倍である。また透光度は75%以上に達する。中空板特有の中空構造により、板材は優れた防音、断熱、保温の性能を有する。

主に白色、緑色、青色、茶褐色などがあり、透明または半透明に見えて、ガラス、鋼板、石綿スレートなどの従来型材料に取って代わることができる。

シーリング板は一般的に台所と洗面所の天井装飾によく使われ、その外観は清潔で、色が華麗である。天井のシーリング板には樹脂シーリング板と金属シーリング板の2種類がある。

樹脂シーリング板はPVCシーリング板とも呼ばれ、ポリ塩化ビニル樹脂を主要な原料として、適量の抗老化剤、改質剤などを入れて、混合精錬、圧延、真空プラスチック吸入などのプロセスを経て製造され、軽量、断熱、防炎、保温、防湿、施行便利などの特徴を持つ。

PVCシーリング板は仕様、色、図案が非常に多く、きわめて装飾性に富み、台所、洗面所の天井装飾によく使われ、その外観は細長のものが多数を占めて、幅（㎜）は200～450、長さは一般的に3,000、6,000の2種類で、厚さは1.2～4である。

金属シーリング板はアルミニウム・シーリング板とも呼ばれ、その表面はプレスチック吸込、吹付け塗装、光沢加工などを通じて、なめらかかつ鮮やかで、色が豊富である。アルミニウム・シーリング板は耐久性に優れ、変形しにくく、ひびが入りにくく、質感と装飾感はいずれもプラスチック・シーリング板より優れる。この板は新型の天井の装飾材料で、防火、防湿、防腐、抗静電、吸音、防音効果があり見た目も美しく、耐久性にも優れている。

アルミニウム・シーリング板には吸音板と化粧板の2種類があり、吸音板の孔型に円孔、方孔、長円孔、長方形孔、三角形孔、複合孔などがあり、底板はほとんど白色あるいはアルミニウム色である。化粧板は装飾性を重視し、線がシンプルかつなめらかで、多種の色があり、長方形、四角形などがある。

アルミニウム・シーリング板は室内装飾において、台所、洗面所の天井装飾によく使われ、その中でも吸音アルミ板は公共空間にも用いられる。

適用範囲

1. 住宅ガラス、室内仕切り間、横断歩道、張り出し窓、ガード・レールと住宅遮光板、ベランダ、シャワー室の引き戸など。
2. 室内農園、室内プール、日光浴室などの温室の屋根。
3. 地下鉄の出入口、駐車場、車庫・自転車置き場、バス停、駅、マーケット、大型スポーツ競技場や各種の屋根など。
4. 庭園建築のあずまや、休憩室、回廊などの天井。
5. 銀行の盗難防止カウンター、宝石店の盗難防止ショーウインドー及び警察用暴動防止盾。
6. 各類の建物の採光日よけ。

日よけの構造は一般的にステンレス、天然木またはプラスチックスチールを骨組みとして採用し、中空板を底面として、遮光日よけまたはキャノピーを構成、さらに完全に拡張した室内空間を作り上げることができる。

中空板の正しい取付例

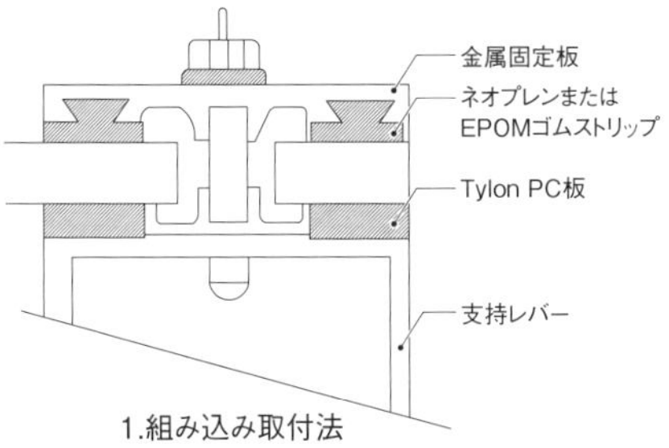
金属固定板
ネオプレンまたは
EPOMゴムストリップ
Tylon PC板
支持レバー

1.組み込み取付法

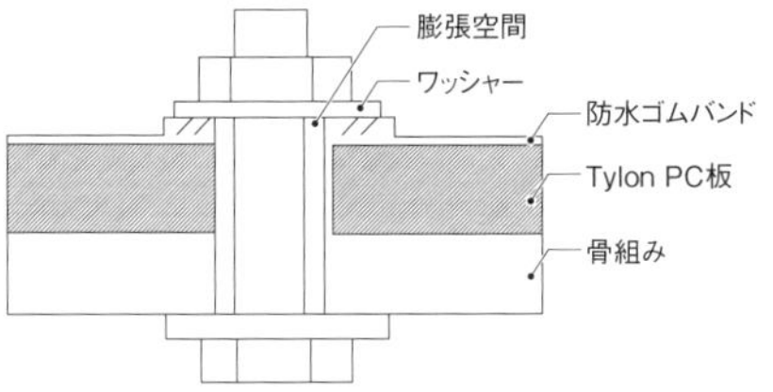
膨張空間
ワッシャー
防水ゴムバンド
Tylon PC板
骨組み

2.ボルトの取付法

ステンレス中空版を用いた日よけ

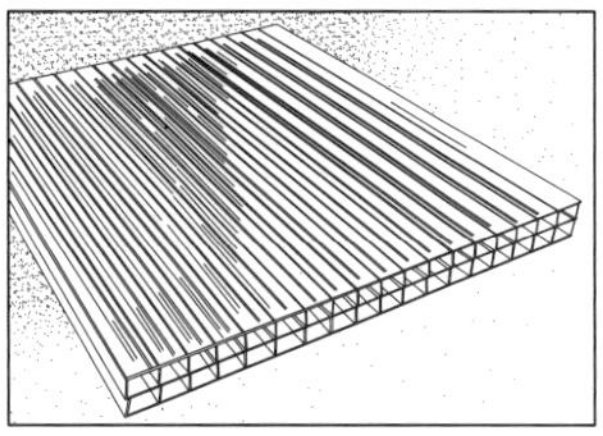

3層中空板

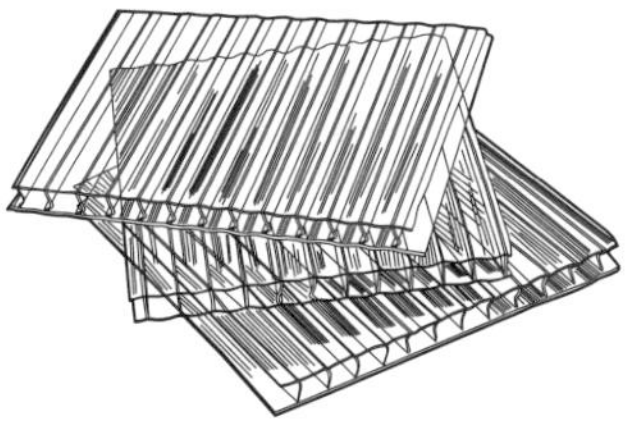

中空板

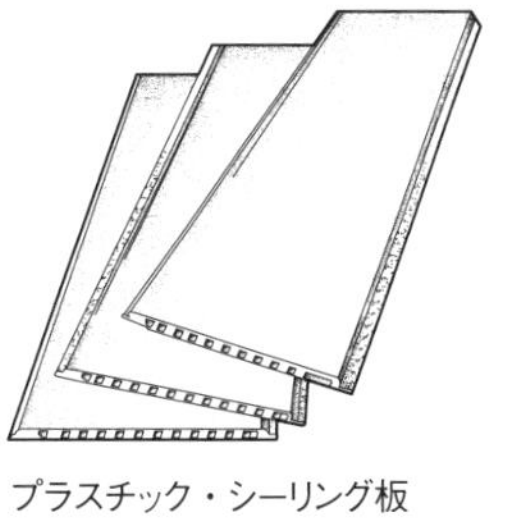

プラスチック・シーリング板

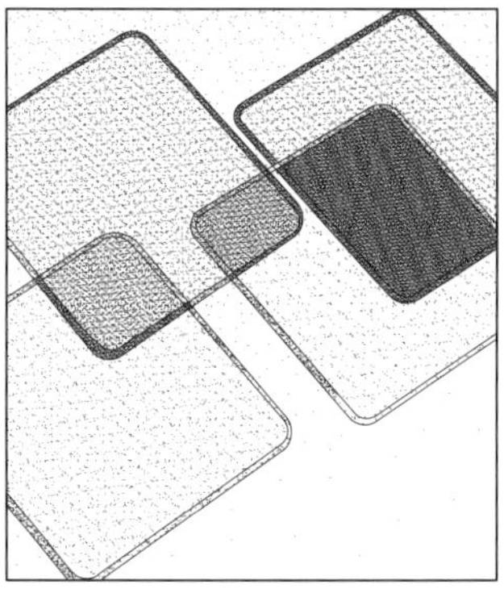

耐力板

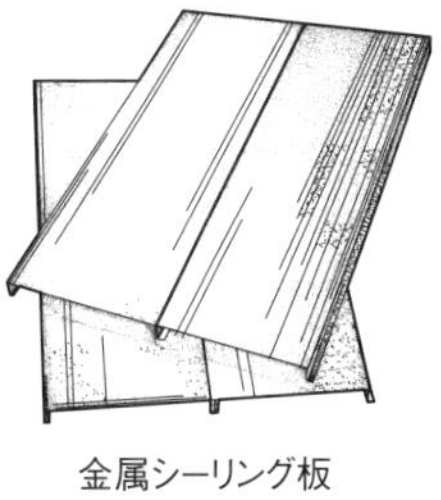

金属シーリング板

ロックウール吸音板は良質な粒状綿を主要な原材料とし、独特な結晶構造を持つ粘土を添加して無機粘着剤にし、配合、成型、加熱、切断、精密加工と表面の吹付け塗装を経て製造される。原材料の粒状綿の独特な多孔性構造のため、鉱物綿吸音板材に大量の貫通微孔が存在し、効果的に音を吸収し、反射を減らす。

ロックウール板の天井システムは面層がロックウール吸音板で、吸音板自身に吸音特性があり、部屋内の音声反射の低減が可能で、周囲の環境から伝播した騒音の低下に役立つ。また、天井吸音は室内の音を下げて、話をする時の明瞭度を高め、内部にいる人々をさらに心地良くさせる。ロックウール板と石膏板を張り合わせる取付方法を採用して、天井の防音性能を大いに高めることができる。ロックウール板を多孔板に加工すると、多孔吸音板の低周波騒音吸収時の優位性とロックウールの高周波騒音吸収時の優位性を融合し、効果的に室内の音環境を改善することができる。

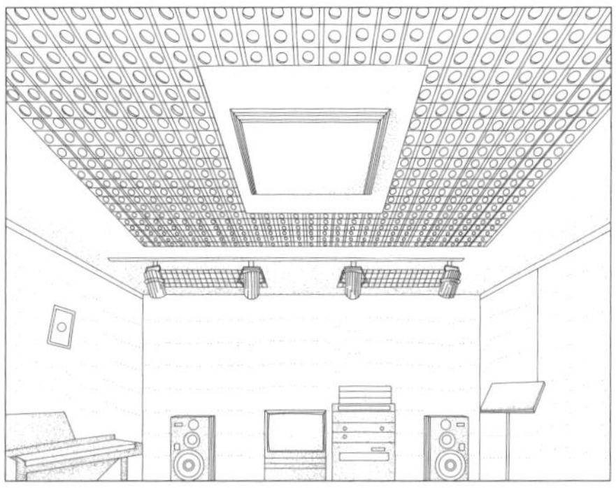

ロックウール吸音板が音楽室、ピアノ教室に応用される

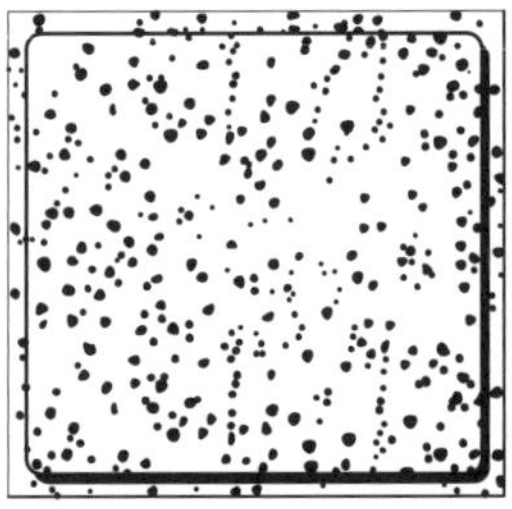

天賦

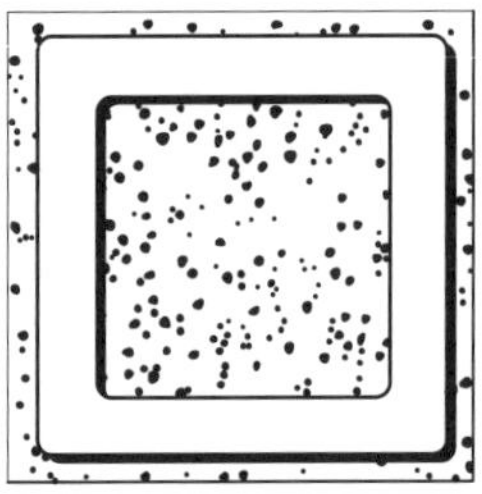

天才

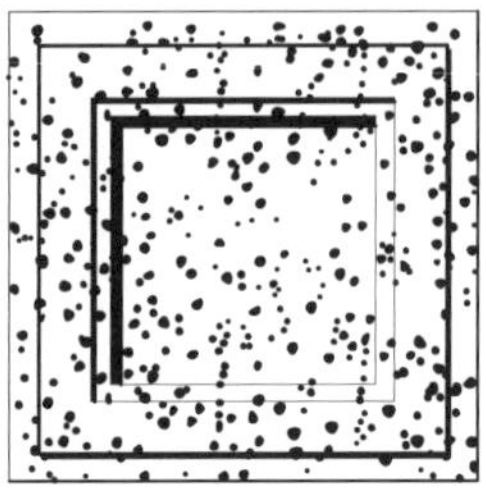

天倫

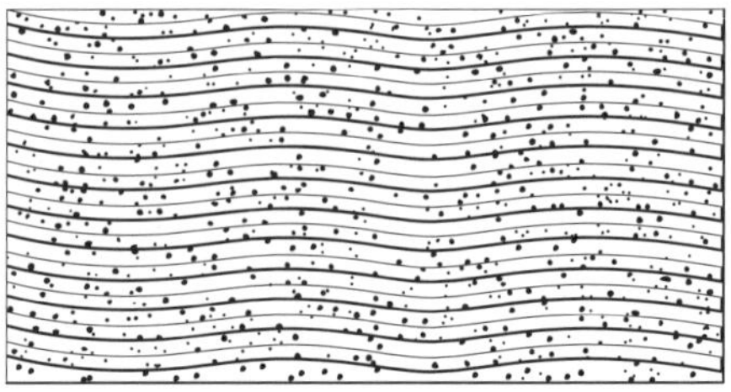

雪莽

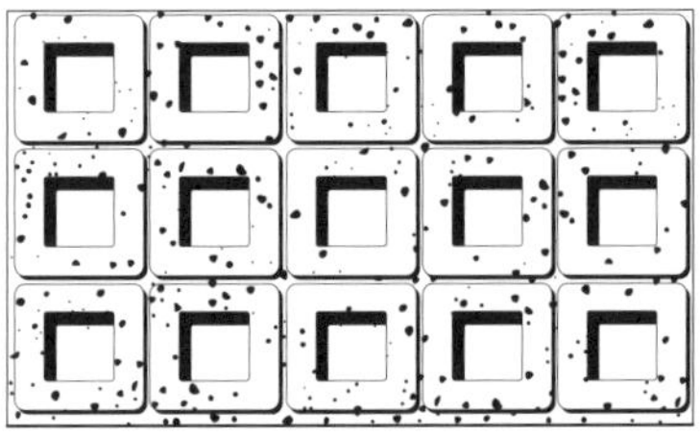

天方

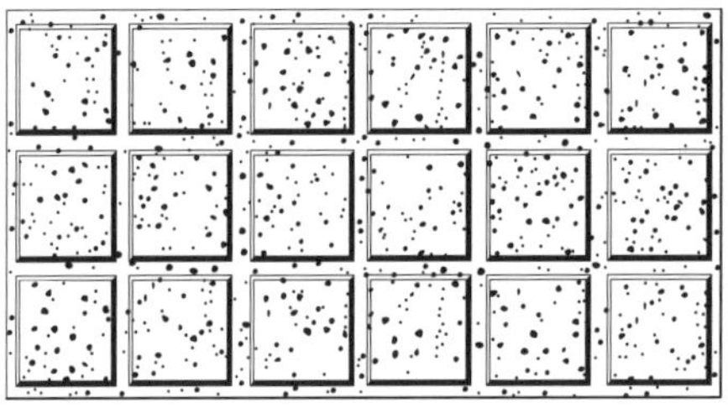

雪田

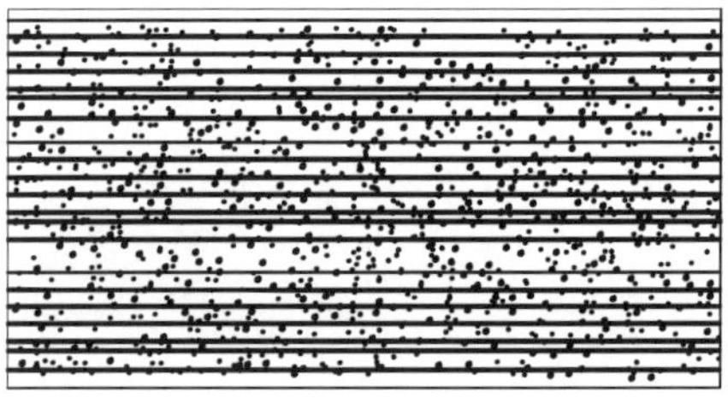

雪川

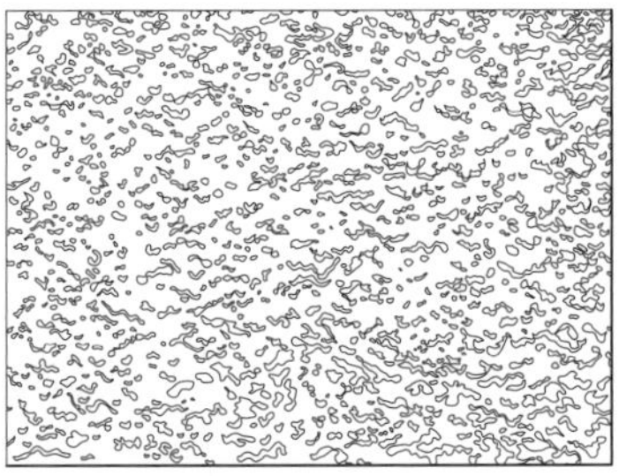

派爾

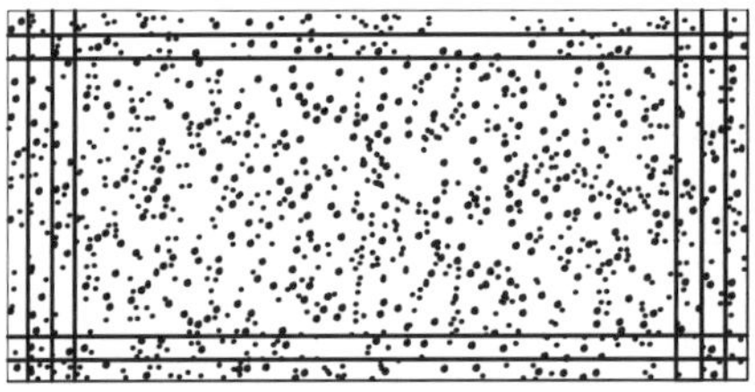

雪嬌

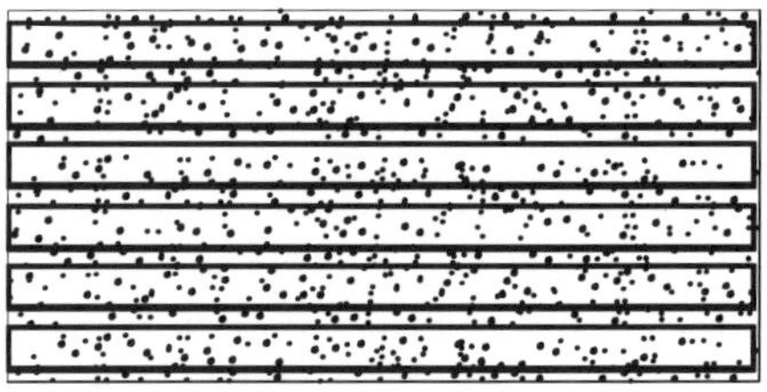

雪瑞

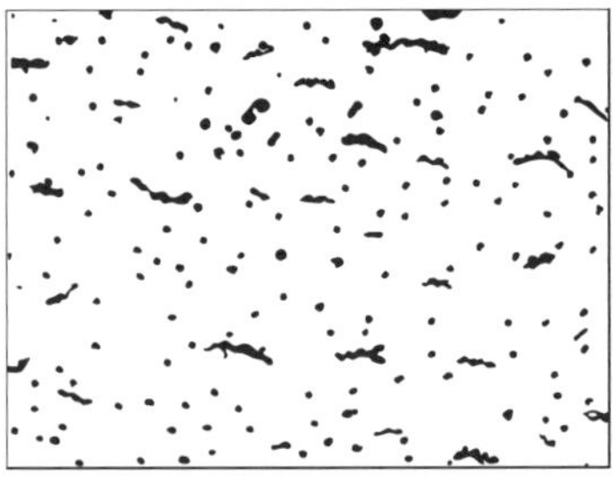

傑爾

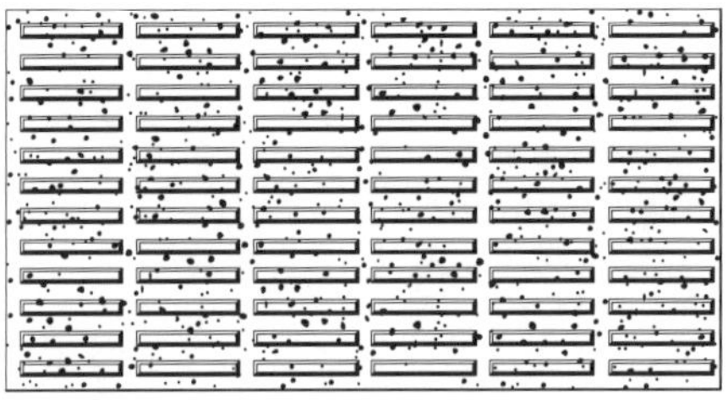

雪俑

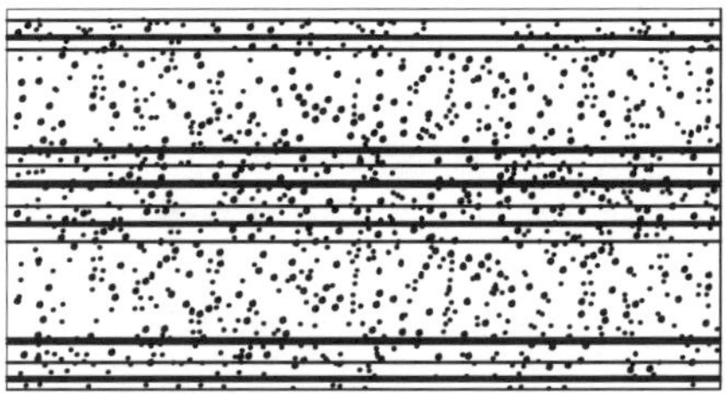

雪陣

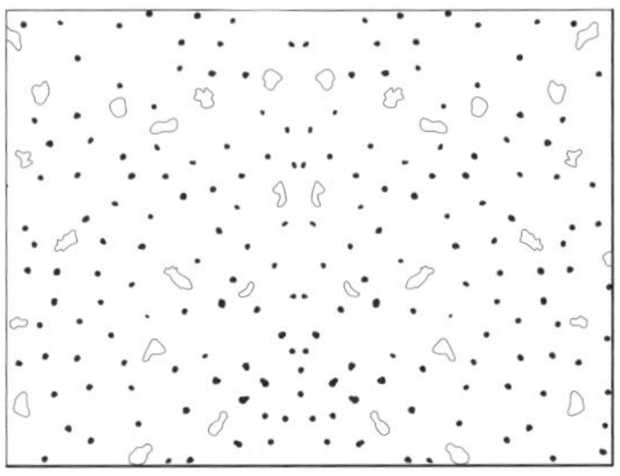

格爾

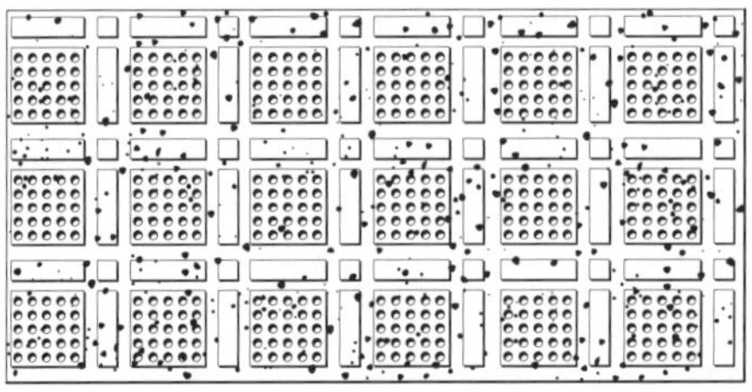

天音

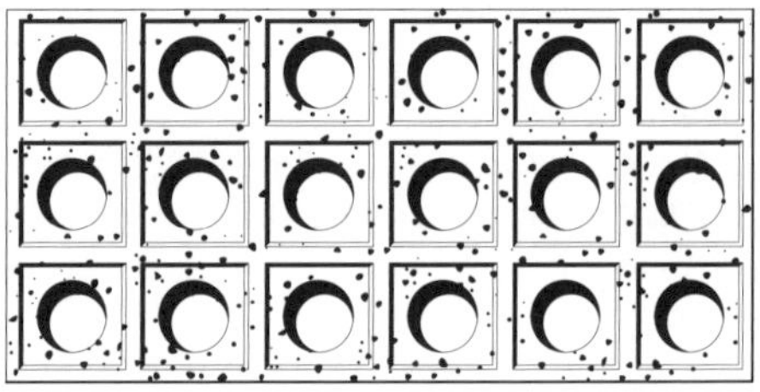

天籟

1. 繊維多孔吸音材

繊維多孔吸音材の内部には大量の微小な隙間があり、音波はこれらの隙間に沿って材料内部に深く入り込み、材料と摩擦作用を発生して音声エネルギーを熱エネルギーに転化する。多孔性材料の吸音に必要な条件は、材料に大量の隙間があり、隙間が互いに繋がり、隙間が材料の内部に深く入り込むことである。繊維多孔吸音材の種類は非常に多く、たとえば遠心グラスウール、ロックウール、植物繊維のスプレー塗装材などがある。遠心グラスウールはよく使われる繊維多孔吸音材で、高周波の音に対して高い吸音性能を有する。容量が異なるグラスウールを積み重ねて、単位重量が次第に増大する形式を採用すると、もっと高い吸音効果が得られる。

難燃ポリウレタンは柔らかい発泡材料で、開孔と閉鎖孔の2種類があり、開孔の間が互いに繋がり、弾性があり、吸音性能に優れ、劇場の吸音椅子の裏または防音カバーのライニングによく使われる。

セルロース・スプレー塗装材は繊維吸音材を水、ゲルと混合した後に天井や壁に吹き付けて塗る。施工が簡単で、リフォームや表面層の複雑な工事によく適用される。

重くてしわの多い防火処理を施したカーテンは、建物の吸音によく使われる。カーテンの開閉は容易で、可変的な吸音によく使用される。ロックウールやグラスウールを長さ1m前後のくさび形にして、吸音構造を形成することができる。各周波数の吸音係数は0.99に達し、吸音性能に最も強い構造で、消音実験室や作業場の吸音・ノイズ低減用によく使われる。

2. 多孔板

壁と天井に空気層がある多孔板は、材料自体の吸音性能は悪いが、その構造は吸音性能を備える。たとえば、穴あきの石膏ボード、木板、金属板、吸音れんがなどがある。

多孔石膏ボードは建物装飾の吸音用途によく使われる。多孔石膏に薄い吸音紙や吸音フェルトを被覆すれば、空気分子は共振するときに摩擦力が増大し、それぞれの周波数の吸音性能が明らかに向上する。このような紙面多孔吸音構造はホールの吸音・ノイズ低減などの音響学エンジニアリングに広く用いられる。多孔石膏ボードに類似した多孔共振吸音構造に、多孔セメント板、多孔木板、多孔金属板などがある。セメントと木板の吸音性能は多孔石膏ボードに似ている。

多孔セメント板は、価格は安いが装飾性が劣り、施設管理用設備、地下室などの吸音用途によく使われる。多孔木板は美しく、装飾性は高いが、防火・防水性能が低く、価格が高く、ホールの吸音装飾によく使われる。

多孔金属板は常に吸音天井や吸音壁に使われ、穴あき率が35%に達する。多孔板の裏に1層の吸音紙や吸音フェルトを貼ることにより、孔の共振摩擦効率が上がり、大いに吸音性能を向上させる。板の厚さが1mmより小さい薄金属板に直径が1mmより小さい微孔をあけて、微孔吸音板を形成する。微孔板は普通の多孔板より吸音係数が高く、吸音周波帯が広く、一般的に穴あき率は1～2%で、後部に多孔吸音材を敷く必要はない。建築において応用する場合、吸音材と吸音構造の性能が安定し、防火、耐久、価格にも優れ、施工が便利で、環境にも良く、美しくて実用的である。

高周波の音声吸収を主とした壁面と天井の方法

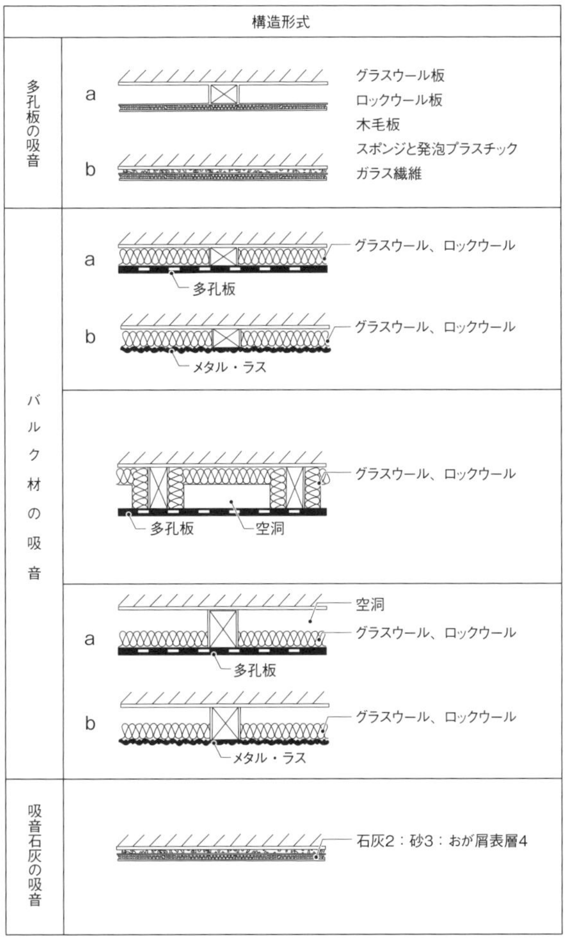

構造形式
多孔板の吸音
a
b
グラスウール板
ロックウール板
木毛板
スポンジと発泡プラスチック
ガラス繊維
バルク材の吸音
a
グラスウール、ロックウール
多孔板
b
グラスウール、ロックウール
メタル・ラス
グラスウール、ロックウール
多孔板
空洞
空洞
a
グラスウール、ロックウール
多孔板
b
グラスウール、ロックウール
メタル・ラス
吸音石灰の吸音
石灰2：砂3：おが屑表層4

低周波の音声吸収を主とした壁面と天井の方法

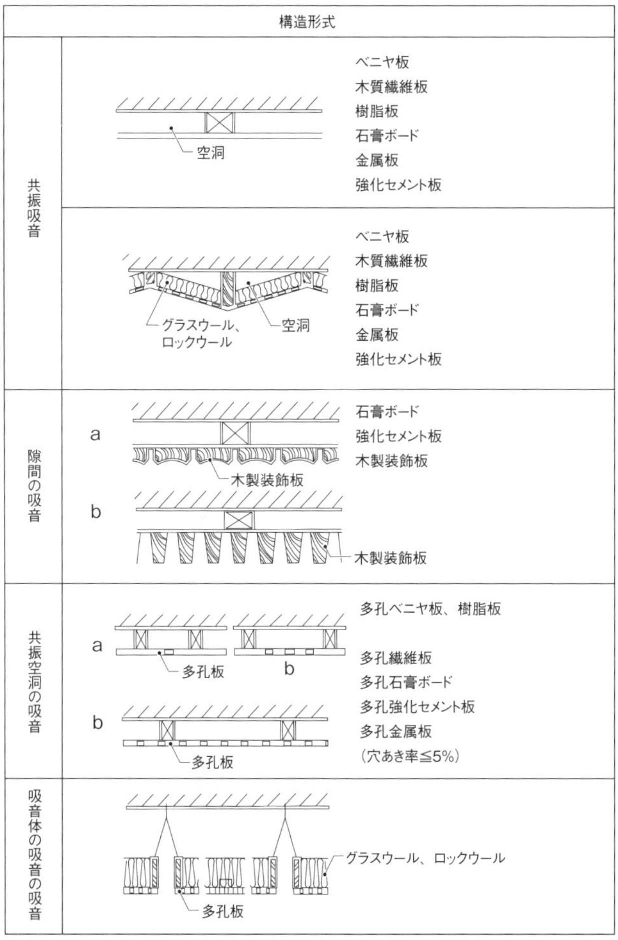

構造形式
共振吸音
空洞
ベニヤ板
木質繊維板
樹脂板
石膏ボード
金属板
強化セメント板
グラスウール、ロックウール
空洞
ベニヤ板
木質繊維板
樹脂板
石膏ボード
金属板
強化セメント板
隙間の吸音
a
木製装飾板
石膏ボード
強化セメント板
木製装飾板
b
木製装飾板
共振空洞の吸音
a
多孔板
b
b
多孔板
多孔ベニヤ板、樹脂板
多孔繊維板
多孔石膏ボード
多孔強化セメント板
多孔金属板
(穴あき率≦5%)
吸音体の吸音の吸音
グラスウール、ロックウール
多孔板

化粧石膏ボードは建築石膏を主要な原料として、適量の繊維増強材料と混合剤を入れ、水と均等なスラリーになるよう攪拌し、注入成型を経て乾燥した、光沢紙が付かない板材である。使われる繊維材料はガラス繊維で、板の強度を増加させるために長繊維かガラス繊維を加えて縄状に捩り、石膏ボードの成型過程において網目を板の内に配置することができる。板面は平面形だが、浮き彫りの図案や小さい穴をあけることもできる。化粧石膏ボードは正方形で、その角の断面には直角形と逆三角形の2種類がある。

板材の仕様(mm)は600×600×11が多い。防湿性能によって普通板と防湿板がある。化粧石膏ボードは表面は真っ白で、模様の図案は豊か、質はきめ細かく、個別の図案の立体感が強い。装飾効果に優れ、価格は安く、施工が簡単で、広く使われている。ホテル、商店、レストラン、講堂、会議室、病院などの建物の内壁や天井装飾に用いることができる。

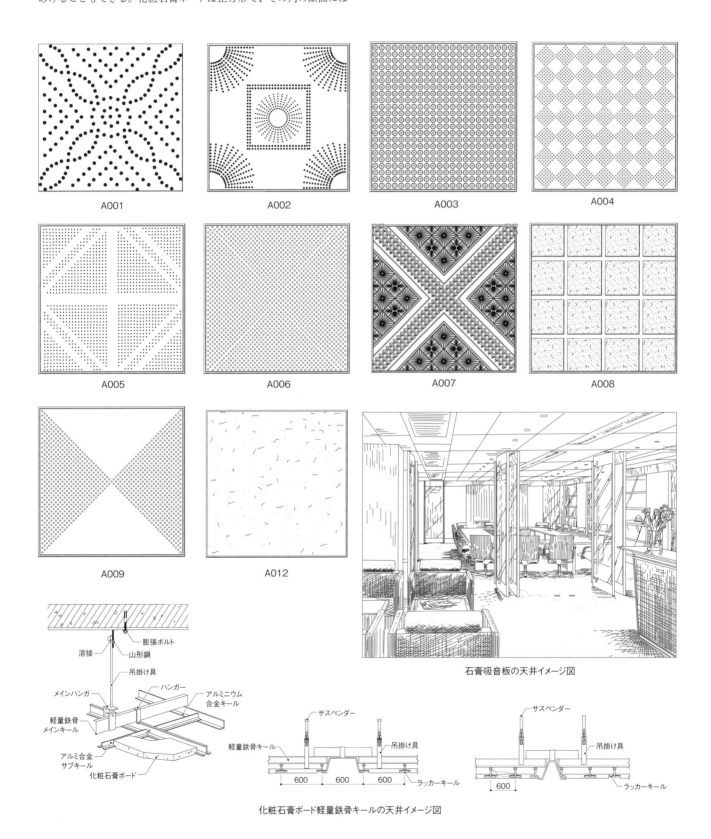

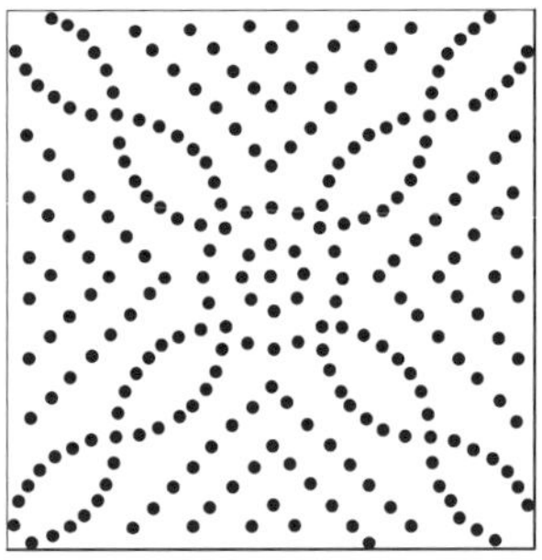
A001

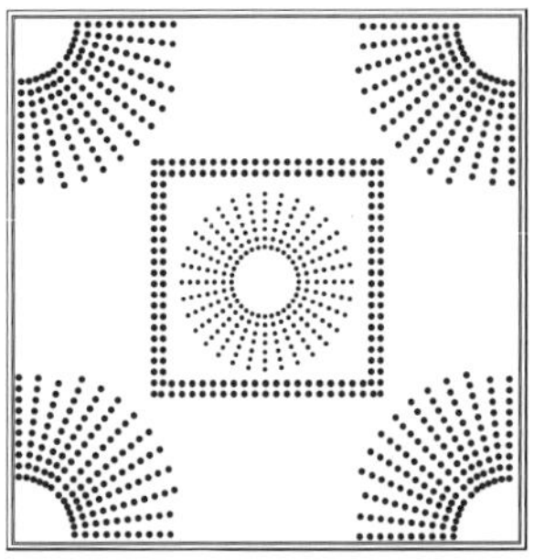
A002

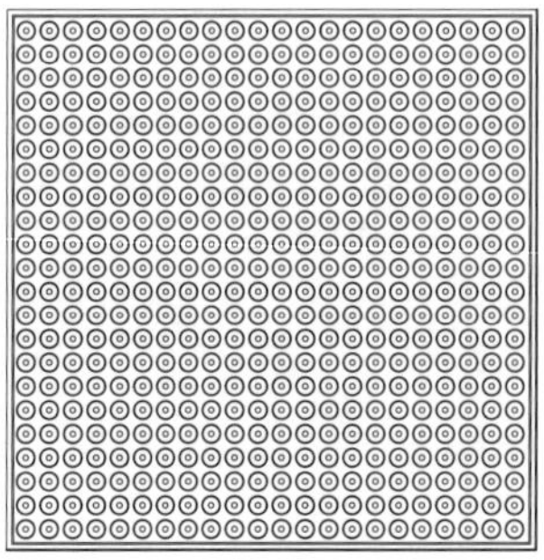
A003

A004

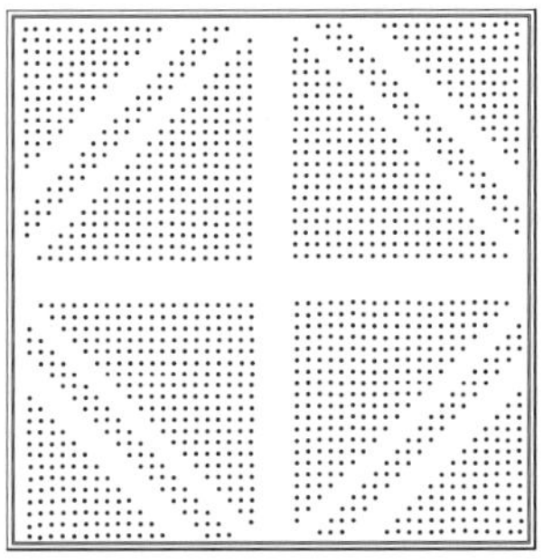
A005

A006

A007

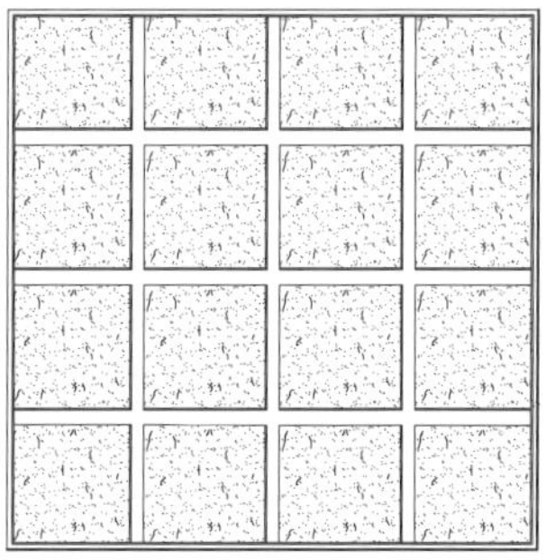
A008

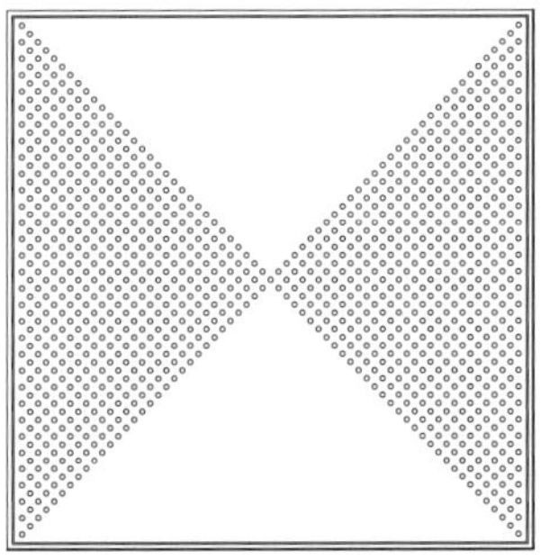
A009

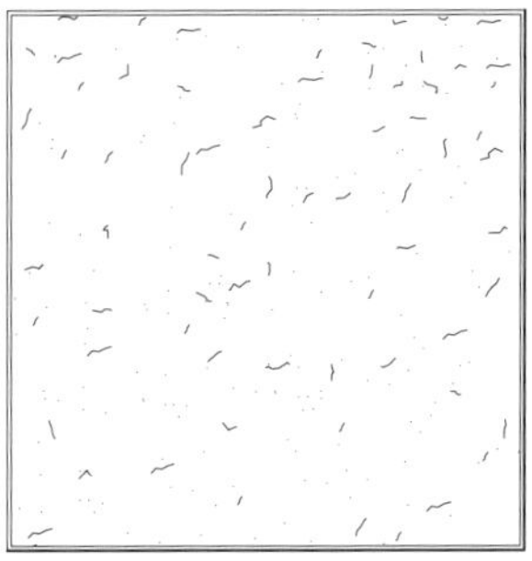
A012

石膏吸音板の天井イメージ図

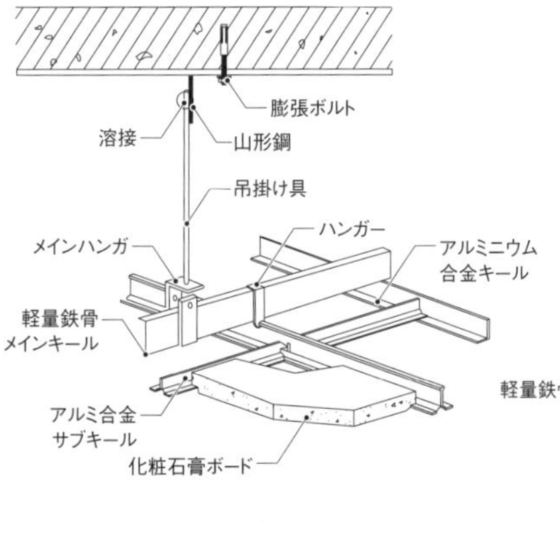
膨張ボルト
溶接
山形鋼
吊掛け具
ハンガー
メインハンガ
アルミニウム
合金キール
軽量鉄骨
メインキール
アルミ合金
サブキール
化粧石膏ボード

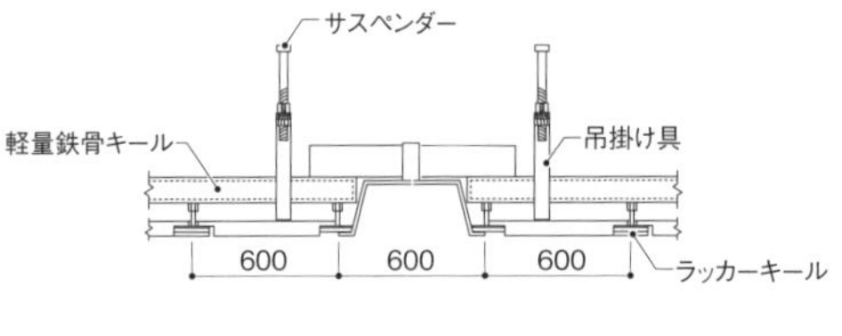
サスペンダー
軽量鉄骨キール
吊掛け具
600
600
600
ラッカーキール

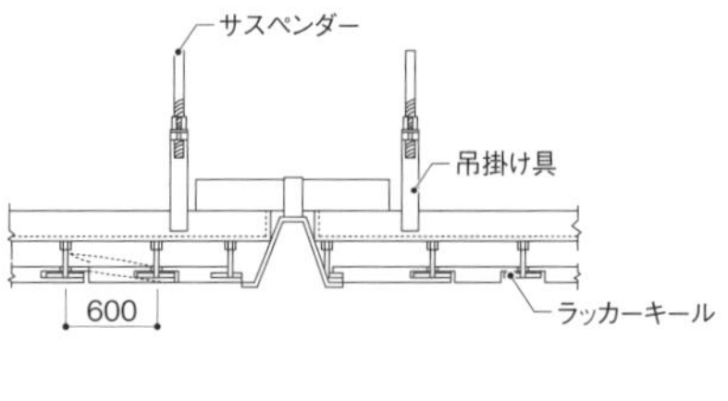
サスペンダー
吊掛け具
600
ラッカーキール

化粧石膏ボード軽量鉄骨キールの天井イメージ図

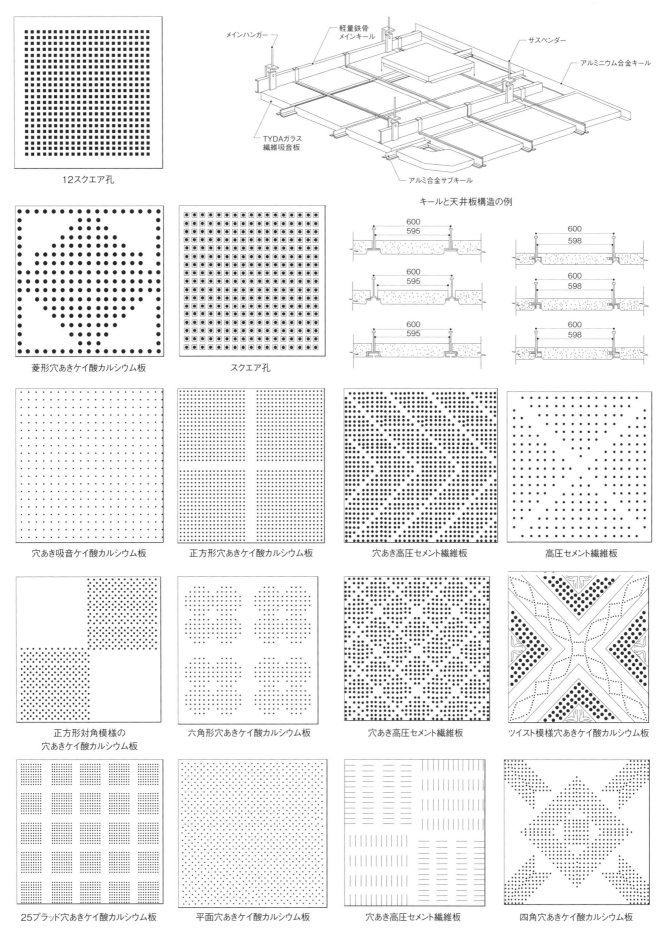

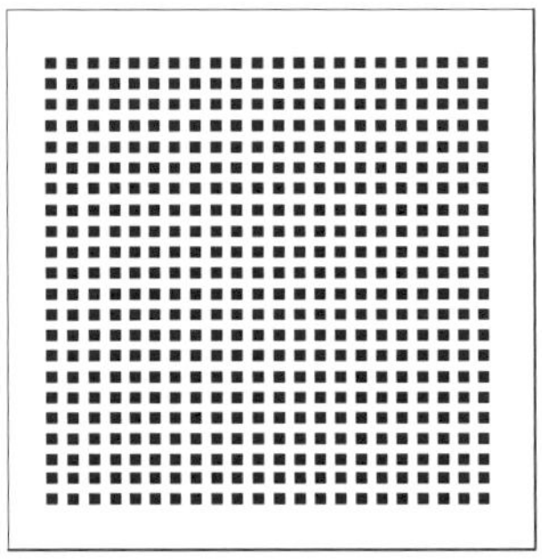

12スクエア孔

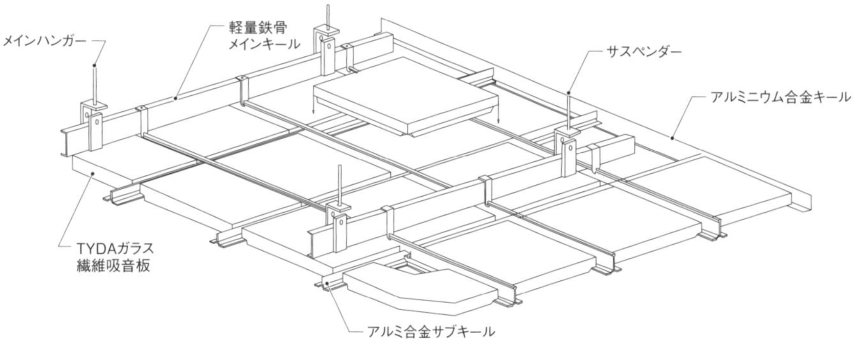
メインハンガー
軽量鉄骨
メインキール
サスペンダー
アルミニウム合金キール
TYDAガラス
繊維吸音板
アルミ合金サブキール

キールと天井板構造の例

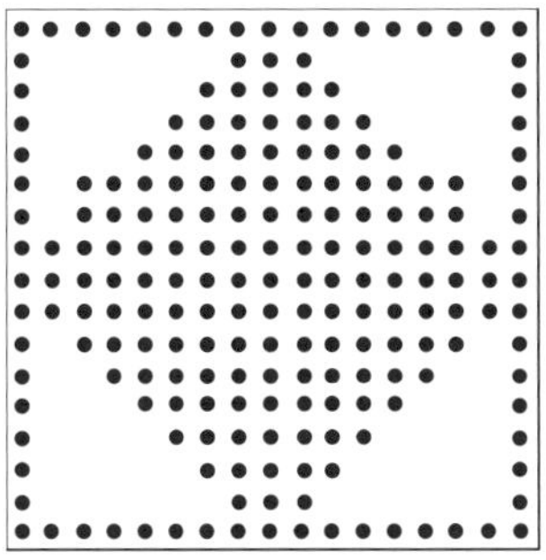

菱形穴あきケイ酸カルシウム板

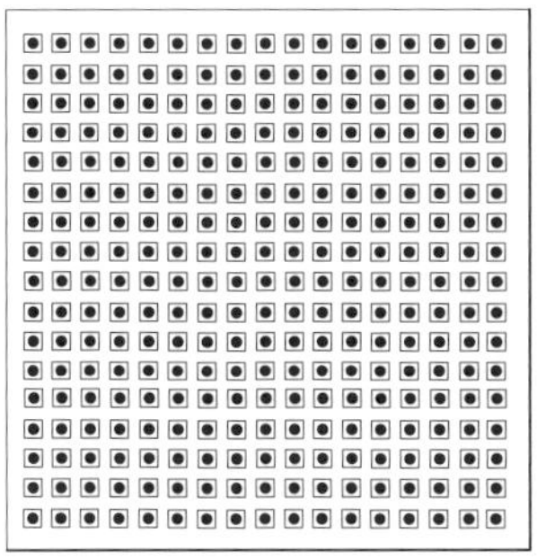

スクエア孔

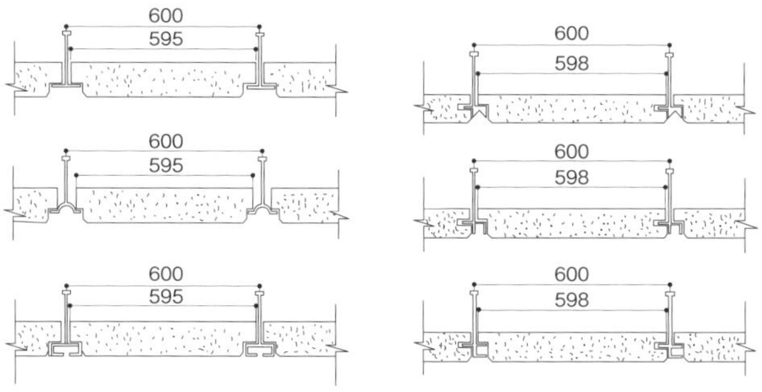
600
595
600
595
600
595
600
598
600
598
600
598

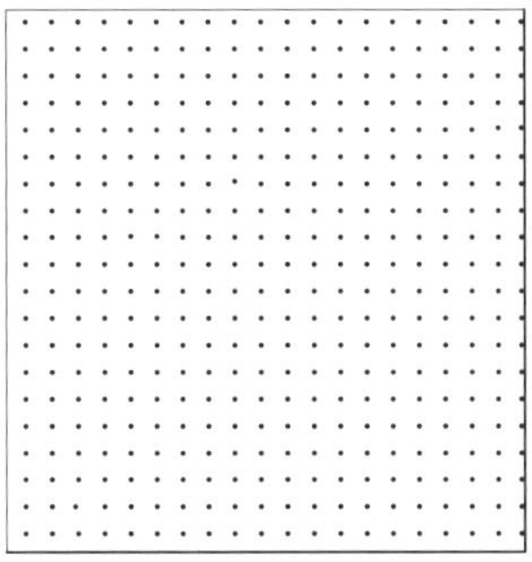

穴あき吸音ケイ酸カルシウム板

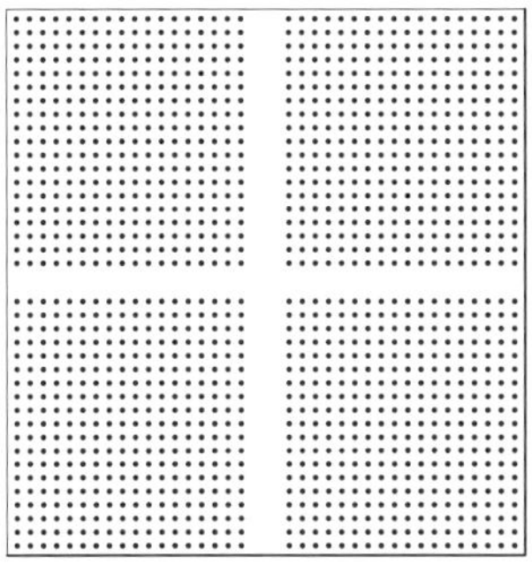

正方形穴あきケイ酸カルシウム板

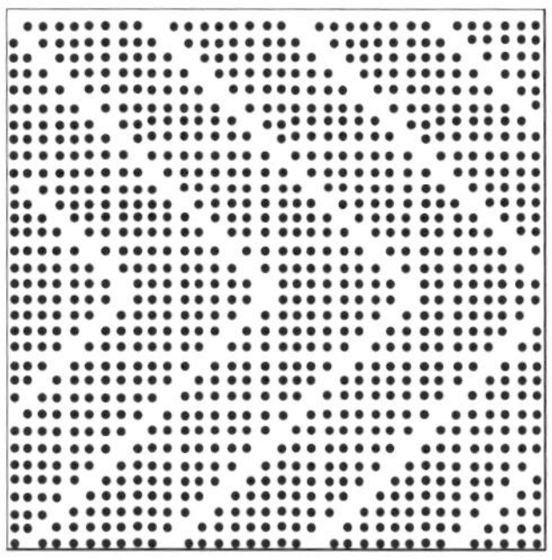

穴あき高圧セメント繊維板

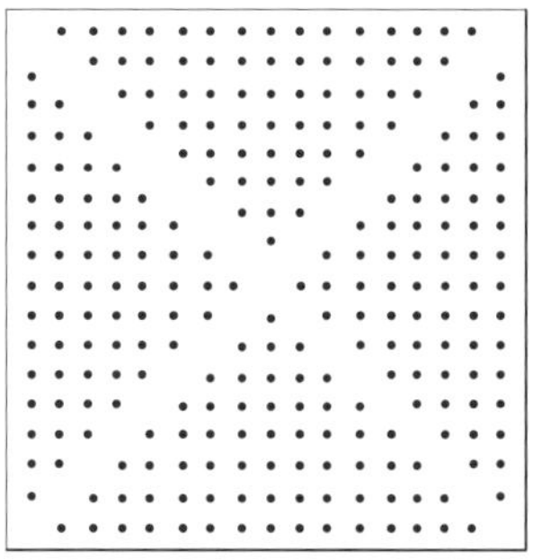

高圧セメント繊維板

正方形対角模様の
穴あきケイ酸カルシウム板

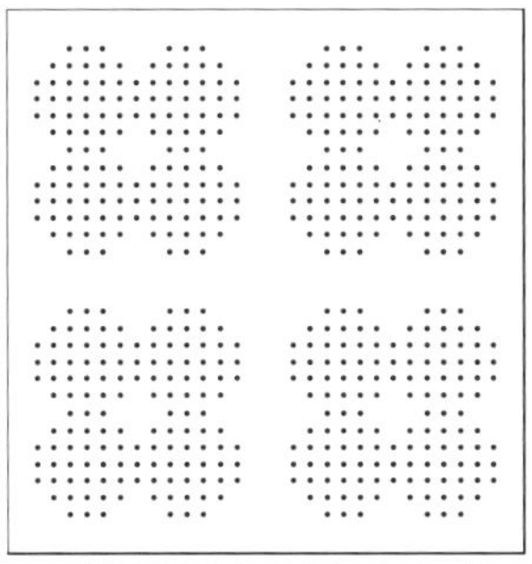

六角形穴あきケイ酸カルシウム板

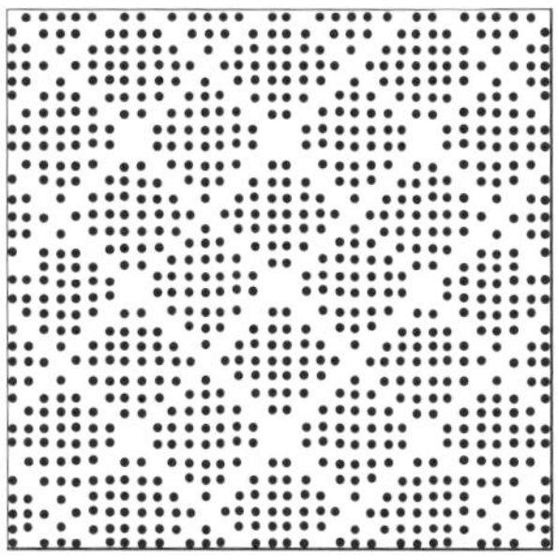

穴あき高圧セメント繊維板

ツイスト模様穴あきケイ酸カルシウム板

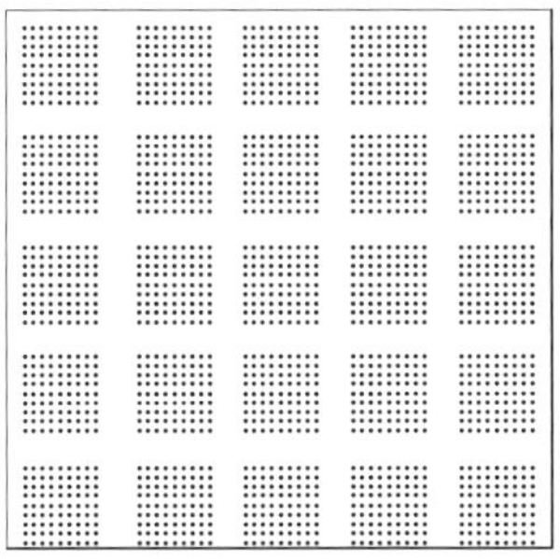

25プラッド穴あきケイ酸カルシウム板

平面穴あきケイ酸カルシウム板

穴あき高圧セメント繊維板

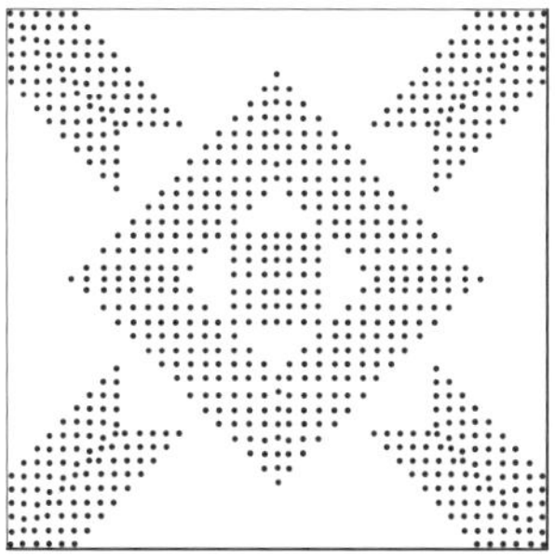

四角穴あきケイ酸カルシウム板

穴あき金属板は一般的にアルミ板と亜鉛メッキ鋼板を使い、平板、目板、ガセット板に加工することができるだけでなく、各種の形式の空間吸音板に加工することもできる。穴あき金属板は音響装飾において、一般的に音響透過の化粧材料として使われる。通常の方法は穴あき金属板を天井や壁面の化粧材料として、板の中に多孔性吸音材を充填する。比較的新型の穴あき金属板の吸音構造はメタルプレートの裏に1層の不織布を貼る。取り付ける時にメタルプレートに一定の厚さの空洞を残し、空洞の中には多孔性吸音材を充填しなくてよい。

取付方法

1. 同一の水平高度によって縁角を取り付ける。
2. 適当な間隔によって38号の軽量鉄骨キールを吊り上げ、一般的な間隔は1～2mで、サスペンダー間隔は軽量鉄骨キールの規定によって分布される
3. 三角形キールに予め取り付けた吊り具と三角形キールを軽量鉄骨キールに締めて、さらに軽量鉄骨と垂直方向で軽量鉄骨キールの下に掛ける。三角形キールの間隔は板の幅によって決められ、すべて取り付けた後に水平に調整しなければならない。
4. 天井の2本の平行辺を三角形キールの隙間に軽く押して、先に横方向と縦方向にそれぞれ1列の天井板を取り付け、互いに垂直であることを確認した後、残りの天井板を取り付ける。
5. 正方形板と正方形板の張り合わせは、少し圧力を加えて隙間がないようにする。縦方向と横方向の板は垂直でなければならない。
6. 板の取り付けのときに両面の保護膜を引き裂き、取り付けが完成した時に板の保護膜をすべて取る。

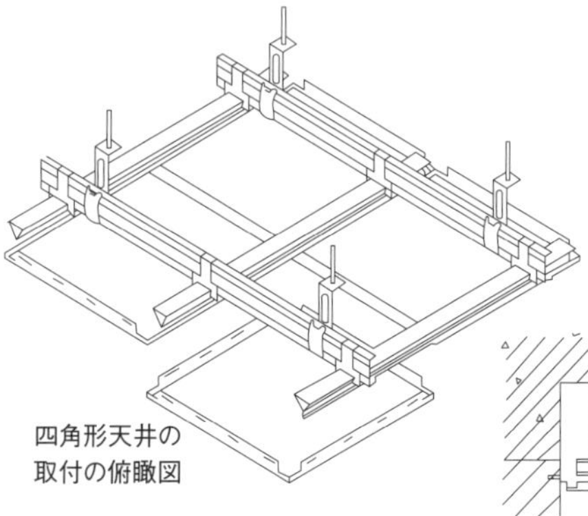

四角形天井の取付の俯瞰図

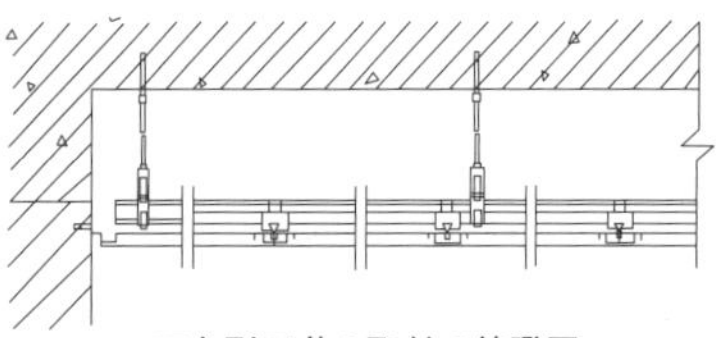

四角形天井の取付の俯瞰図

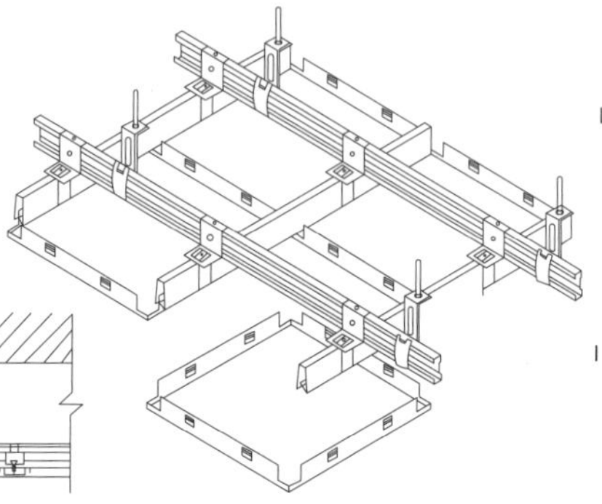

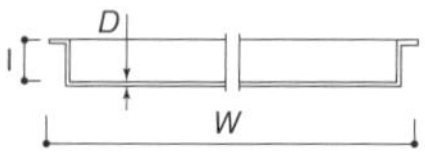
D
W

直角系列

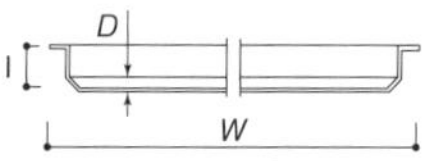
D
W

斜角系列

アルミ天井版の種類

香港製

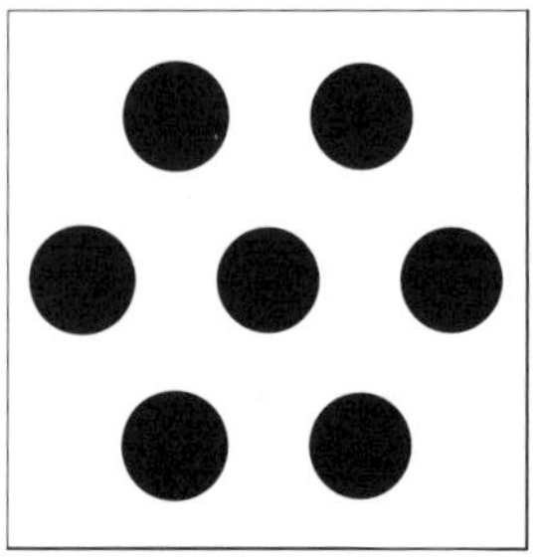

60×60φ12穴

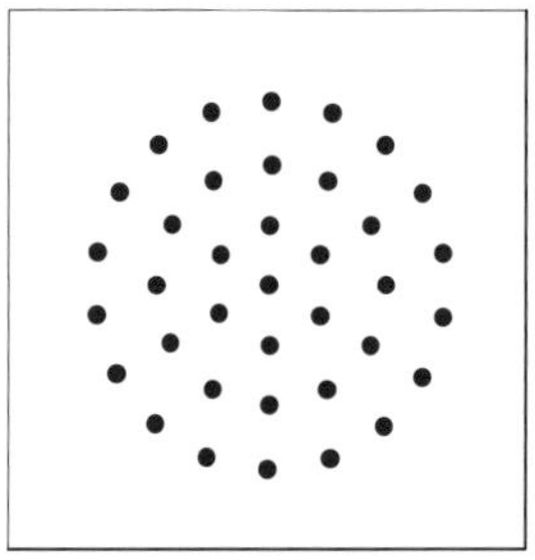

60×60φ2.5穴

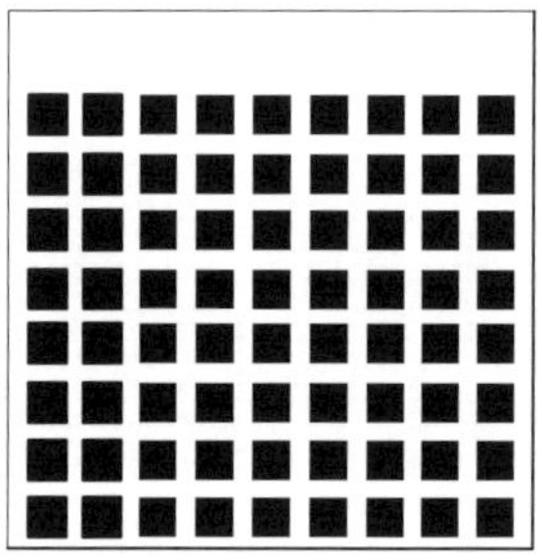

40×40φ6穴

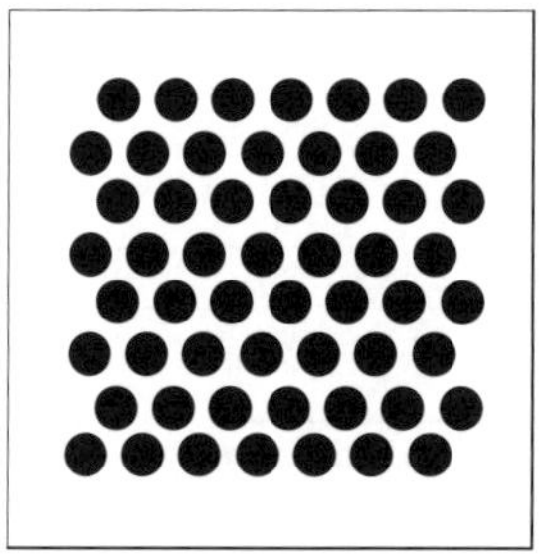

60×60φ4.5穴

上海製

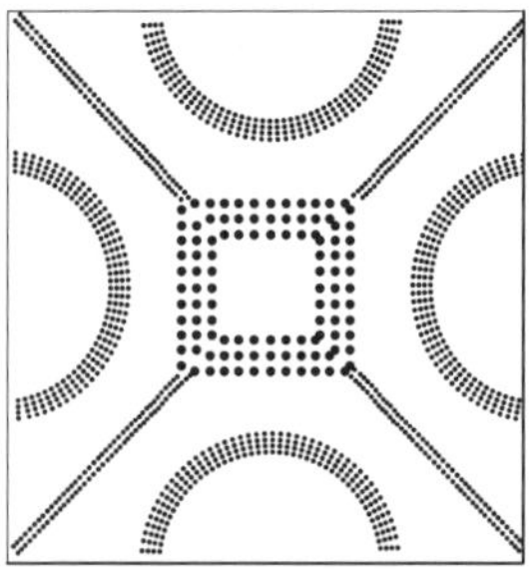

60×60φ2.5穴寄せ木

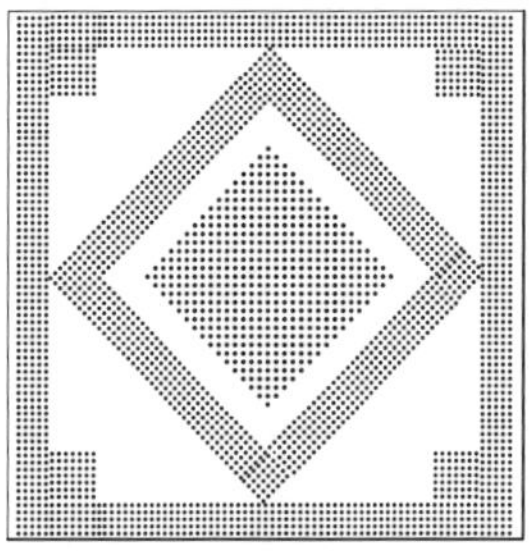

60×60φ3穴寄せ木

60×60φ3穴寄せ木

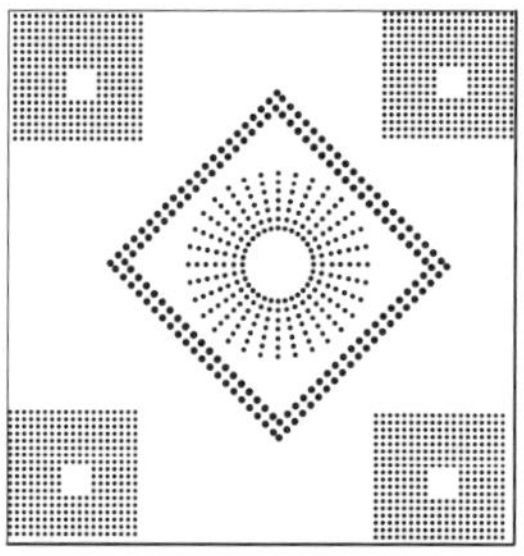

60×60φ3穴正方形大向日葵

60×60φ3穴寄せ木

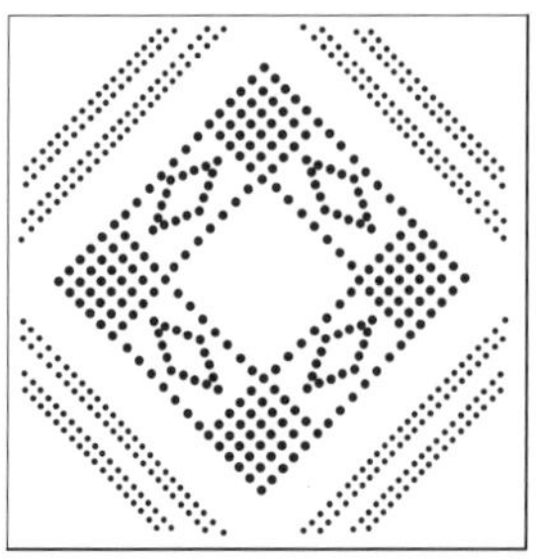

60×60φ3穴寄せ木

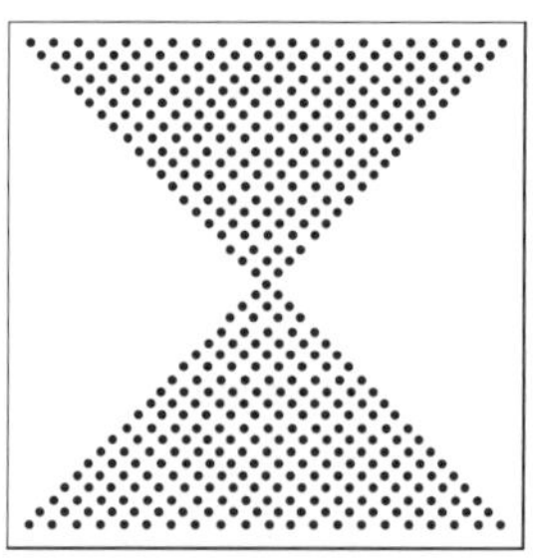

30×30φ3穴対角

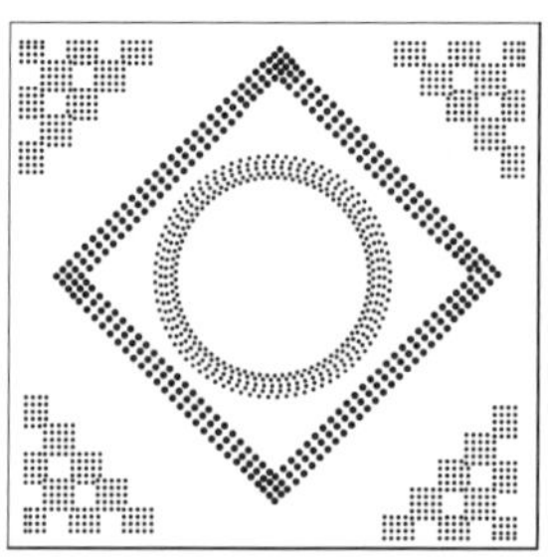

60×60φ2.5穴寄せ木

複合吸音化粧板

現代の建築は芸術性と機能、ハイテクを互いに結び付けるのが特徴で、建築音響学は建築物の工事設計において特別な地位と役割を占めている。音質設計は建物全体の成否を決める重要な要素である。異なる施設によって異なる消音周波数の吸音材料や吸音化粧板を採用し、系統立てて平均的に分布させ、ビルの天井と壁に取り付けることで、室内の音響の抑制と調整、反響解消、音色の改善や、音をクリアにさせることが可能で、さらに室内の騒音レベルを低減し、生活環境と作業環境を改善することができる。また穴あき吸音板は複合型の吸音化粧板である。音響学の需要により、この製品は表面が異なる形状に処理され、孔形板、線形板、長方形板、造型板の4つの種類がある。

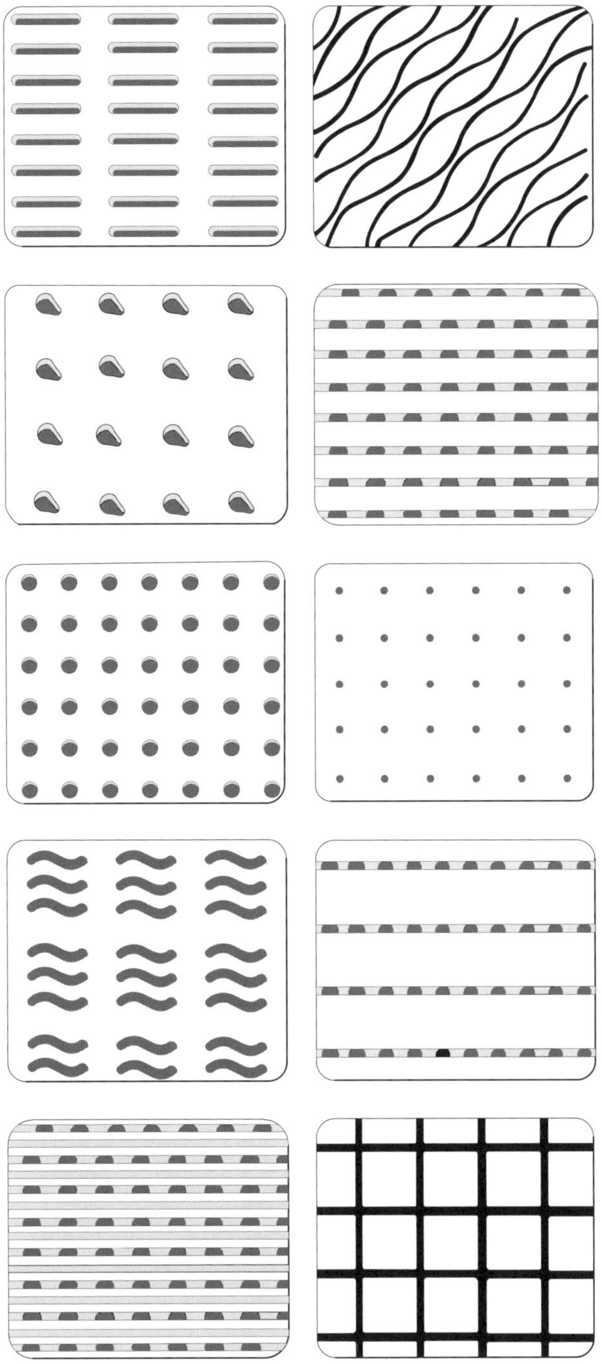

キールの取付

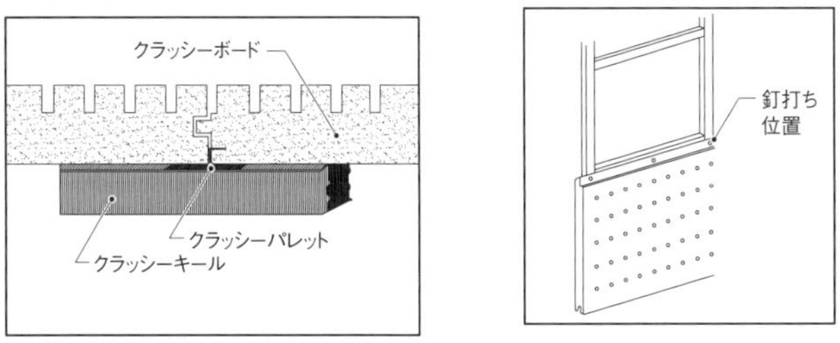
クラッシーボード
クラッシーパレット
クラッシーキール
釘打ち
位置

装飾キール

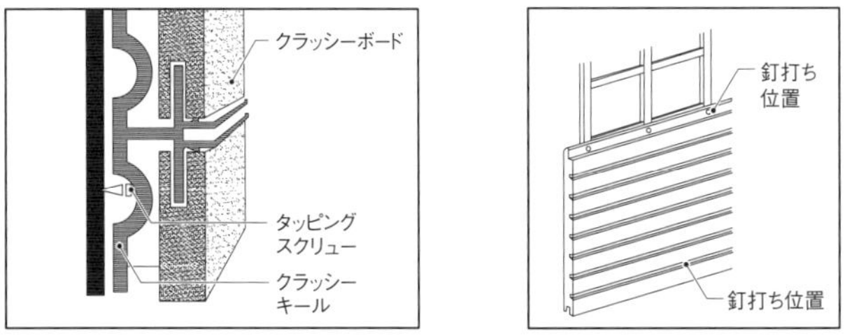
クラッシーボード
タッピング
スクリュー
クラッシー
キール
釘打ち
位置
釘打ち位置

開口接合の取付（開口接合、隙間接合、線条接合がある）

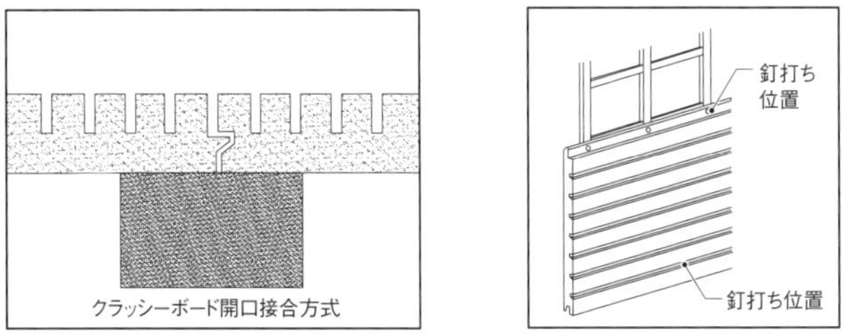
クラッシーボード開口接合方式
釘打ち
位置
釘打ち位置

取付操作手順

1. 壁面の寸法を測量し、取付位置、水平線と垂直線、電線ソケット、パイプなどの品物の接空間予備寸法を確定する
2. 施工現場の実際寸法によって一部の吸音板と線条を計算して切断し、電線ソケット、パイプなどの接空間を取っておく
3. 吸音板の取付手順は左から右へ、下から上への原則に従う。吸音板の横方向取付の場合は凹型口を上にし、縦方向の取り付けの場合は凹型口を右側にする
4. 吸音板はキールに固定される
5. エッジはねじで固定し、右側、上側のエッジ線の取り付けの時に横方向1.5㎜を残し、シリカゲルで密封する

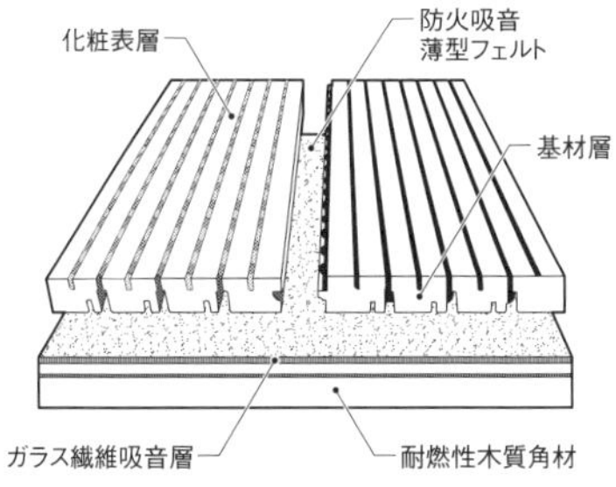
化粧表層
防火吸音
薄型フェルト
基材層
ガラス繊維吸音層
耐燃性木質角材

化粧穴あき吸音板構造

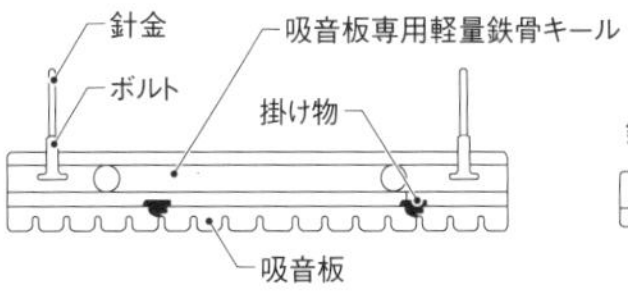
針金
ボルト
吸音板専用軽量鉄骨キール
掛け物
吸音板

吸音板軽量鉄骨キール天井断面図

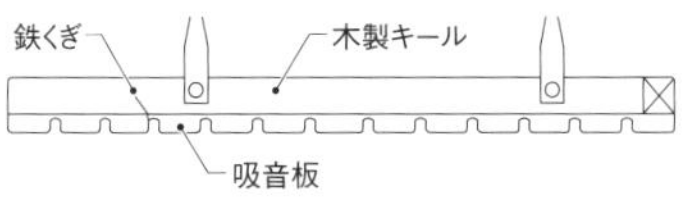
鉄くぎ
木製キール
吸音板

吸音板木製キール天井断面図

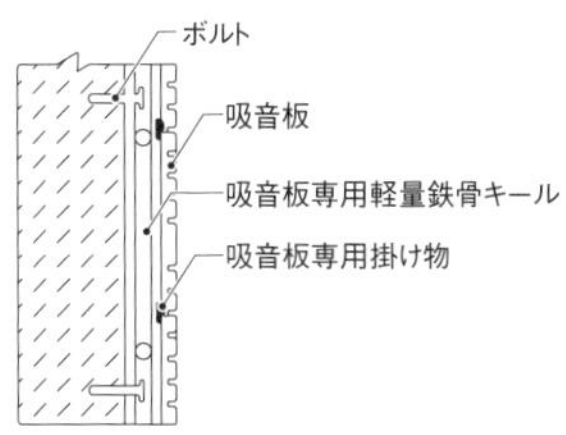
ボルト
吸音板
吸音板専用軽量鉄骨キール
吸音板専用掛け物

吸音板軽量鉄骨キール壁面断面図

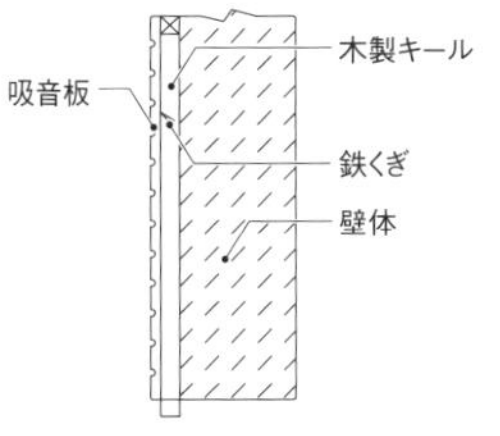
吸音板
木製キール
鉄くぎ
壁体

吸音板木製キール壁面断面図

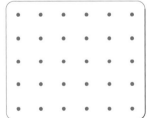

Heraklith木毛板とは、すなわち木毛吸音板で、マグネサイトと材木の細切りの合成圧縮により製造された板材で、壁面と天井面の装飾に広く応用される。マグネサイトには防腐剤が含有され、木毛の腐食を防止し、その既存特性を保持することができる。Heraklith木毛板はすでに各種類の装飾工事に広く使われ、ずば抜けた特性を見せており、美観と音質の完璧な融合と言える。

Heraklith木毛板には以下のいくつかの種類がある

1. Herakustik Starは最近設計された吸音化粧板で、優れた吸音特性を有し、壁面と天井に理想的な装飾材料である。Star板の主要な成分は木毛で、完全に環境保護の要求に合致する。当該板材の表面には精致な木毛紋様が見られ、美しく上品で、木毛の構造がすぐれた吸音効果を有する。Star板は現代的なオフィス、劇場、ミュージック・ホール、文化会館などの公共施設に広く用いられる。
2. Herakustik Fの表面は精致な木毛に覆われ、木毛はマグネサイトで接合し、さらにマグネサイトの防腐食処理を行なっている。F板は同様に環境にやさしく、広範に幼稚園、学校、室内のプール、旅館と体育館などに用いられる。
3. Travertine Micro板は、建築設計上と音響学の完璧な結合により実現した。Micro板の表面模様は精巧で美しく、上品に見え、オフィス、公共施設と幼稚園などの天井や壁面の装飾に最適である。天然の建築材料としてMicroは高い耐久性を有し、スタジアムにとっても理想的な装飾材料である。

Heraklith木毛吸音板を取り付ける際には、施工時に温度と湿度を制御しなければならない。ほこりを引き起こすすべての施工は、板材の取付開始の前に終えなければならない。掛け物等の取付は生産メーカーの規定に合致しなければならない。取り付け後、微小な損傷や釘の露出などがあれば、塗料を塗布しても良いが、色のむらを抑えるように、できるだけ少量の塗料を使用しなければならない。また、板材の直接接合を避けること。これは1つの点で4枚の板材の角が揃うため、取付技術的に把握しにくいからである。また木工道具で板材を加工することができる。板材の切断時に切断による灰くずによって化粧面が汚れないようにすること。可能であれば、室内で板材の後続加工を行う。作業の時に施工員の両手と道具は必ず清潔に保たなければならない。

Heraklith木毛吸音板の色は普通、自然色（自然のベージュ）である。ただし、原材料マグネサイトと木材が天然材料であるため、色は微妙に異なる可能性がある。ユーザーは材料に色の塗装を行なうことができる。色塗装工程において珪酸塩顔料を採用すれば、吸音性能を含めて板材の物理性能が変わることはない。

Heraklith木毛吸音板は音波エネルギーを吸収するだけでなく、強烈な衝撃による運動エネルギーの吸収も可能で、特に体育館でHeraklith木毛吸音板は時速90kmの球体の衝撃にも耐えることができる。

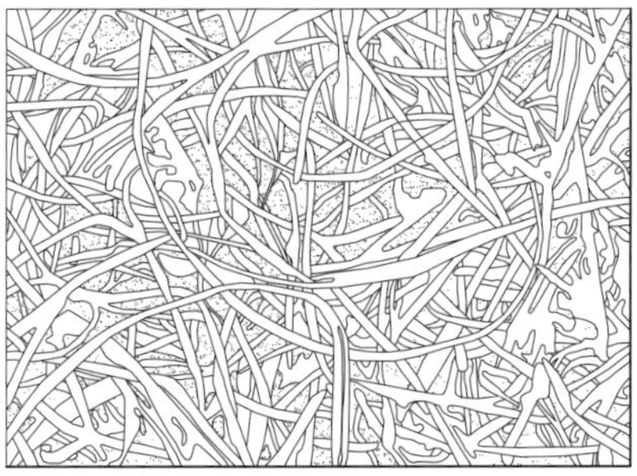

F板詳細図

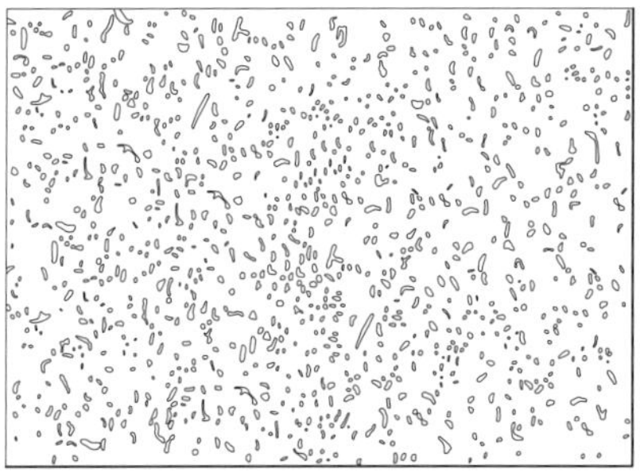

Micro詳細図

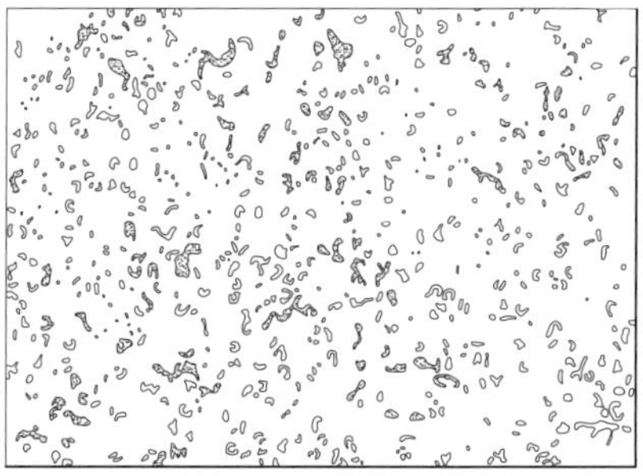

Micro詳細図

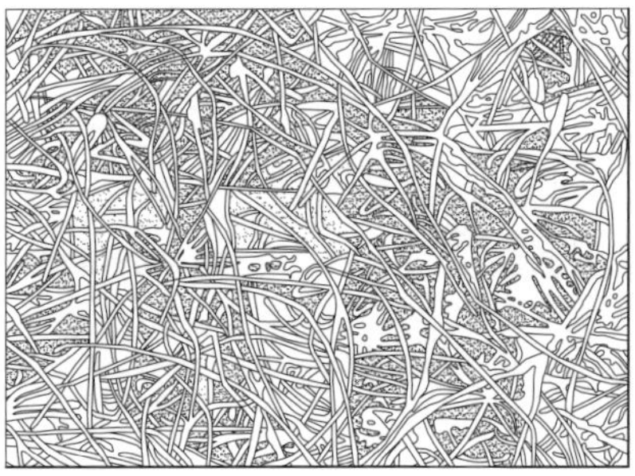

Star板詳細図

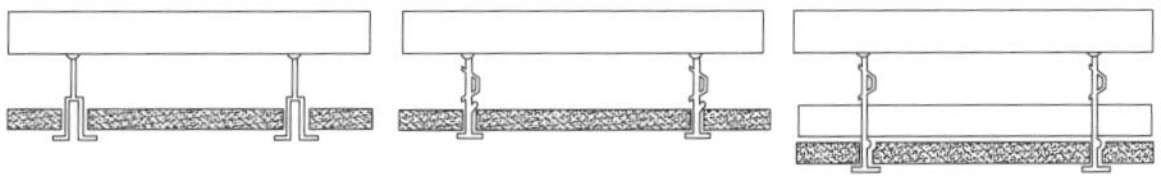

透明型キールの取付構造

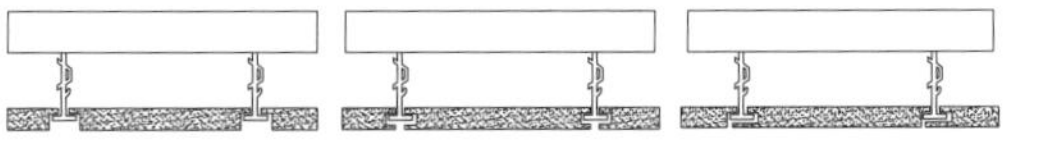

用木毛吸音板で吊り上げる時の暗色キールの取付構造

木毛吸音板で装飾した教堂のイメージ図

取付手順

1. 設計要求に応じて取付方法を選択し、室内の吊り点位置を確定し、吊り点線を引く（間隔は1,200㎜未満）。
2. 吊り点穴をあけ、膨張ボルトで天井と固定し、天井に予め埋め物があれば、その他の方法を採用することができる。
3. Z字形鉄（大型固定物）の取付は天井の高さによってサスペンダーの長さ（一般的に長さ10～15㎜を採用）を調整し、サスペンダーと吊り具を取り付ける。
4. サスペンダーと吊り具でU形軽量鉄骨を吊り上げ、メインキール（人を乗せない天井にCB38積載キールを採用し、人を乗せる必要がある場合はCS50またはCS60を積載キールとして採用し、それによって構造全体の安定性を確保し、積載キールの間隔は900～1,200㎜とする）を積載する。
5. 水平線によってサイドキールの高さと位置を確定し、サイドキールと辺壁を固定させる。
6. 掛け物（水平線による）でT形ラッカーメインキールまたは立体凹型槽ラッカーキールを吊り上げ、サブキールを板材の仕様によって等級を分けて配置する。
7. ミネラルウール吸音板をラッカーキールスタンドに取り付け、周りに余剰な分を平均的に配置する。

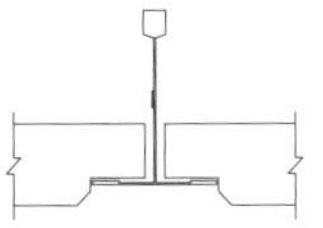

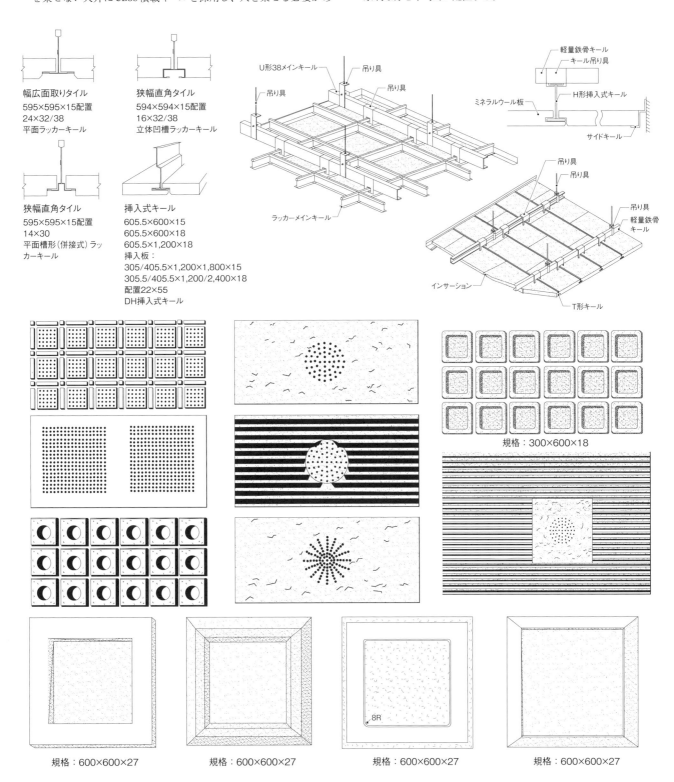

幅広面取りタイル
595×595×15配置
24×32/38
平面ラッカーキール

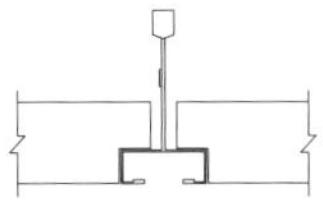

狭幅直角タイル
594×594×15配置
16×32/38
立体凹槽ラッカーキール

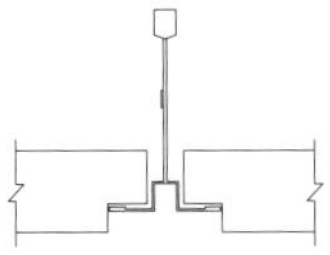

狭幅直角タイル
595×595×15配置
14×30
平面槽形（併接式）ラッカーキール

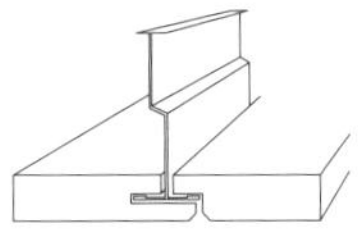

挿入式キール
605.5×600×15
605.5×600×18
605.5×1,200×18
挿入板：
305/405.5×1,200×1,800×15
305.5/405.5×1,200/2,400×18
配置22×55
DH挿入式キール

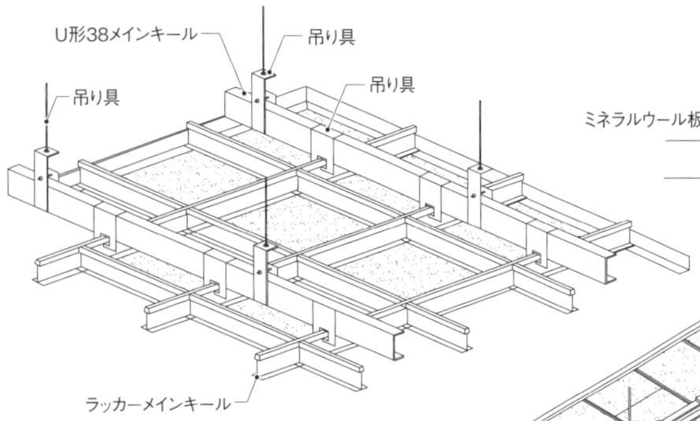
U形38メインキール
吊り具
吊り具
吊り具
ラッカーメインキール

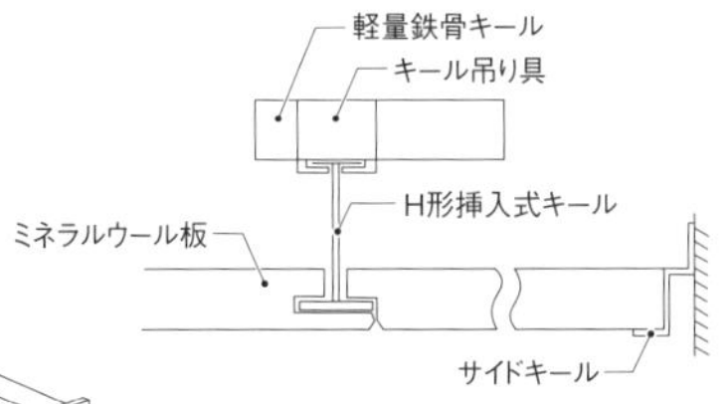
軽量鉄骨キール
キール吊り具
H形挿入式キール
ミネラルウール板
サイドキール

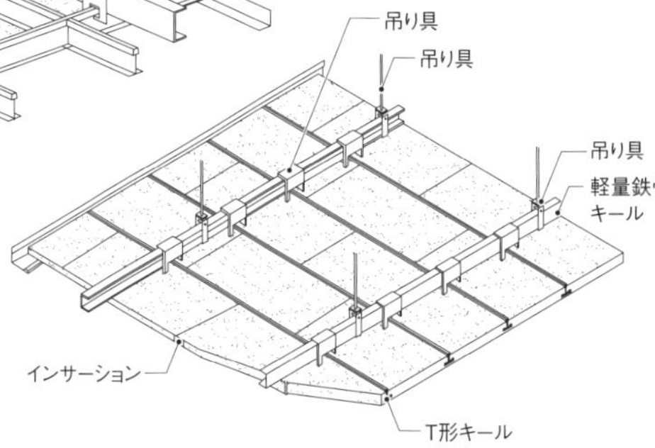
吊り具
吊り具
吊り具
軽量鉄骨
キール
インサーション
T形キール

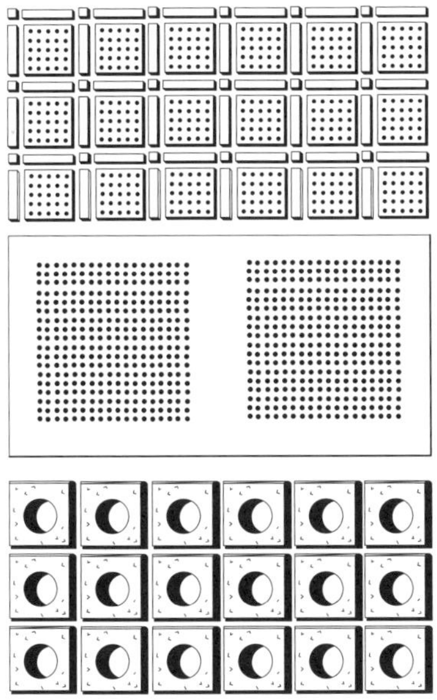

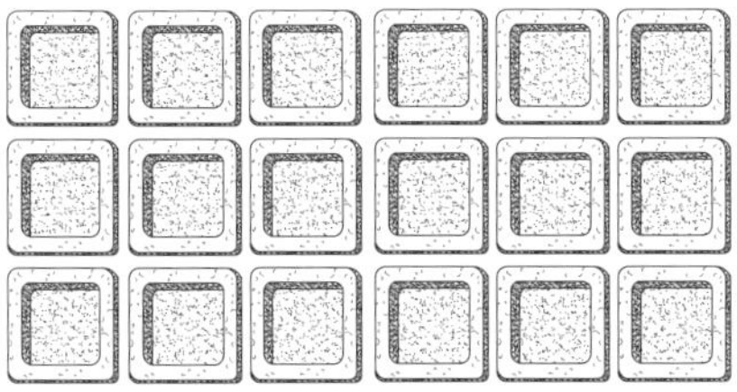

規格：300×600×18

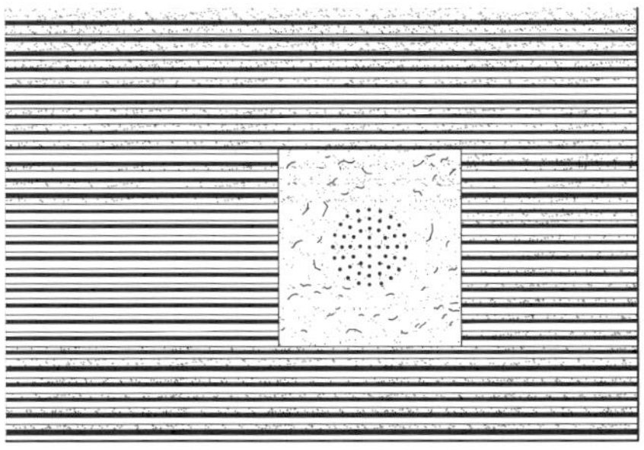

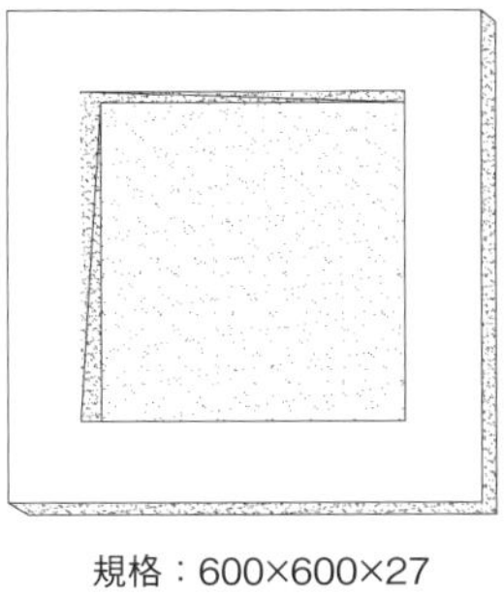

規格：600×600×27

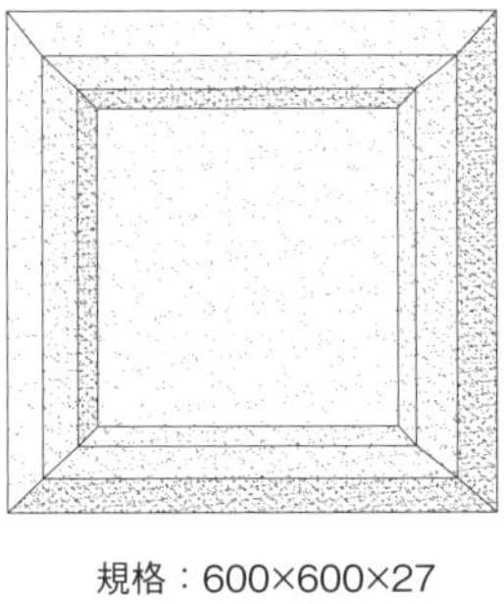

規格：600×600×27

8R

規格：600×600×27

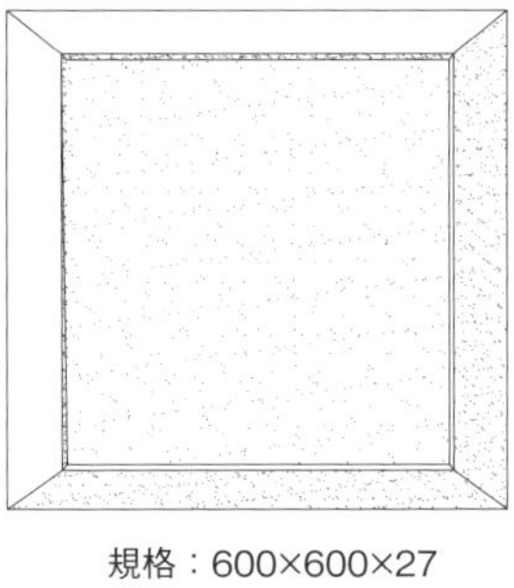

規格：600×600×27

セメント繊維板(FC板)は高圧セメント繊維板とも呼ばれ、その原料は繊維セメントで、高圧で圧縮して板材を形成する。穴あきFC板は一般的に厚さが4mmで、丸い穴とスリットの2つの形式があり、表面に図案を形成することができる。穴あき率は最高で20%を超え、表面装飾の材料として利用できる。

穴あきFC板は穴あき率が比較的大きい（15%以上）場合、一般的に吸音用の装飾材として使われる。吸音性能は、主に板材の裏側の空胴の体積や充填した多孔性吸音材の吸音特性によって決まり、穴あき率が比較的小さい場合(8%～15%)、中低音域に対する吸音性能は高まるが、高音域に対する吸音性能への影響は限定的である。穴あき率が低すぎる場合、吸音構造は共振吸音の特性を示し、ある音域に対しては比較的高い吸音性能があるが、大部分の音域に対する吸音性能は低い。

穴あきFC板は壁面と天井の装飾に用いることができる。一般的に600×600mmと600×1,200mmの2種類の仕様があり、天井に用いる時はキールを露出させても隠してもよい。取り付け方法は通常の材料とほぼ同じである。吸音天井の場合は、板の裏に1層のガラス繊維あるいは不織布を貼ってから、その上に一定の厚さの多孔性吸音材(たとえば、ガラス・ウール）を置く。壁面装飾に用いる場合は先に1層の木または軽量鉄骨キールを敷設し、さらにタッピングねじでFC板をキールに固定し、天井と同じく取り付けの前に板の裏に1層のガラス繊維あるいは不織布を貼って、さらに空胴の内側に一定の厚さの多孔性吸音材を充填する。注意しなければならないのは、ガラス繊維あるいは不織布を貼るときに、ゲル状液体が開口部を塞いで音響効果に悪影響を与えるのを避けることである。そのためには、FC板の裏にゲルを塗布しなければならず、ガラス繊維あるいは不織布にゲルを塗ってはならない。

穴あきFC板自体は灰色だが、表面に塗装処理が可能である（取り付けの前にガラス繊維あるいは不織布を貼っていないもの)。

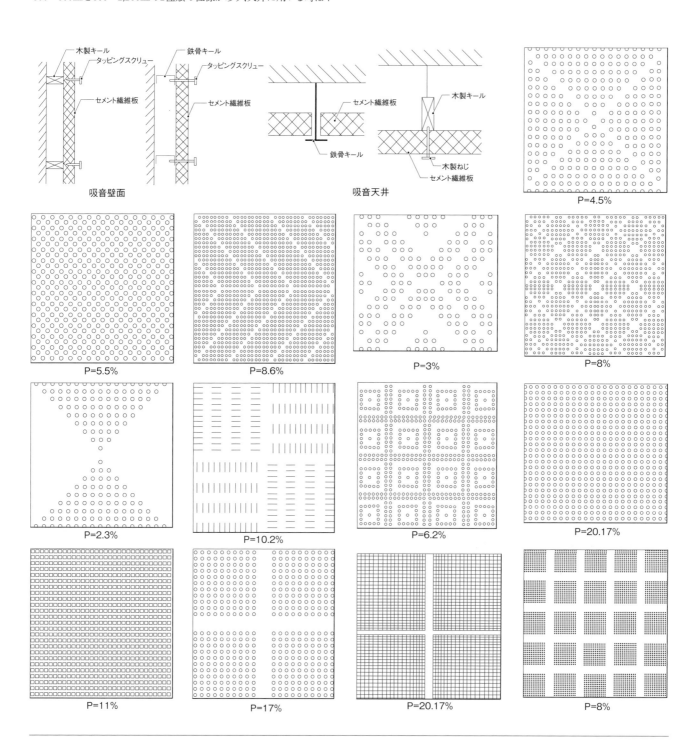

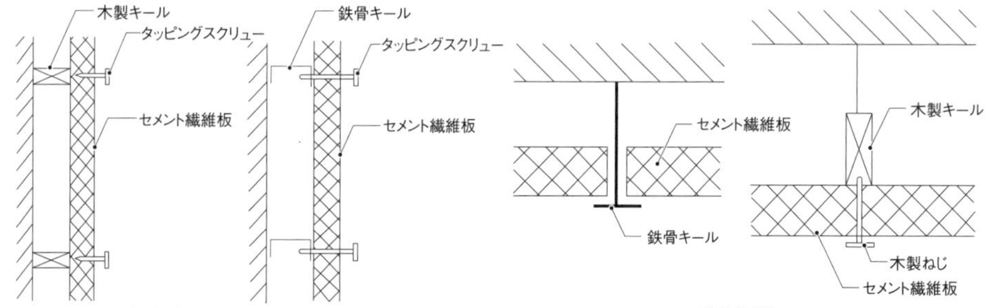
木製キール
タッピングスクリュー
セメント繊維板
鉄骨キール
タッピングスクリュー
セメント繊維板
セメント繊維板
鉄骨キール
木製キール
木製ねじ
セメント繊維板

吸音壁面　吸音天井

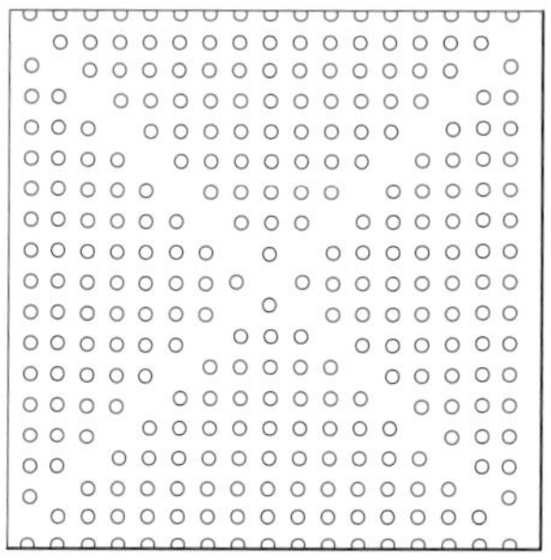

P=4.5%

P=5.5%

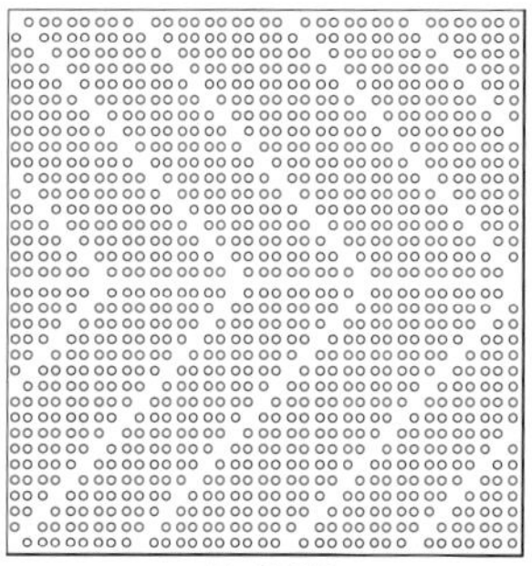

P=8.6%

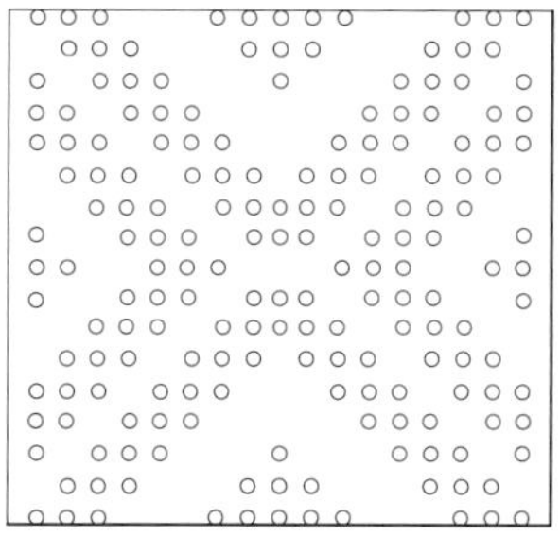

P=3%

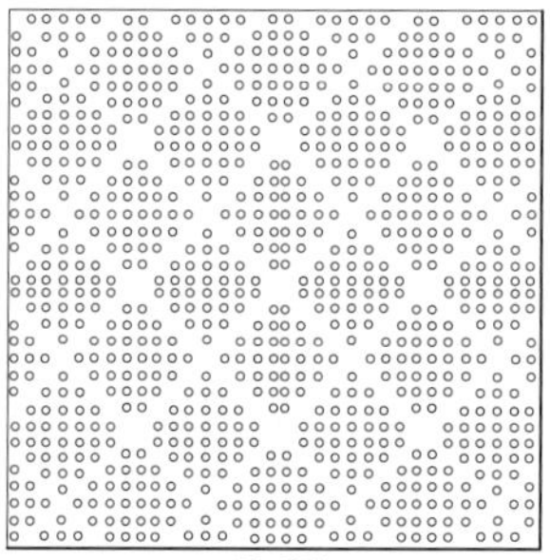

P=8%

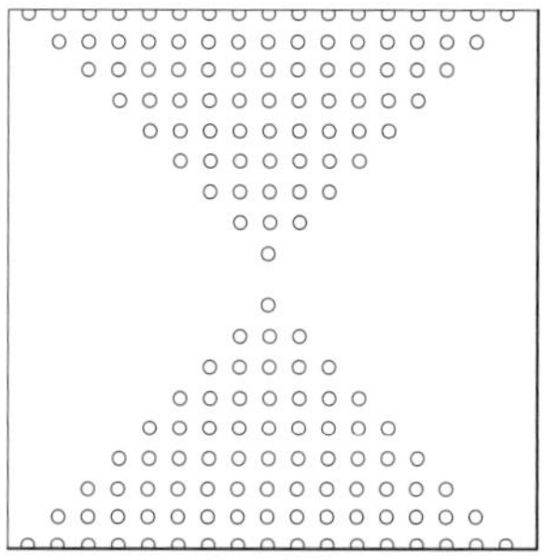

P=2.3%

P=10.2%

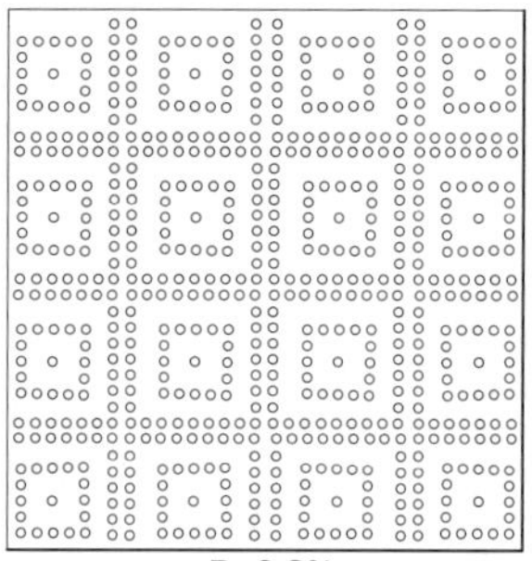

P=6.2%

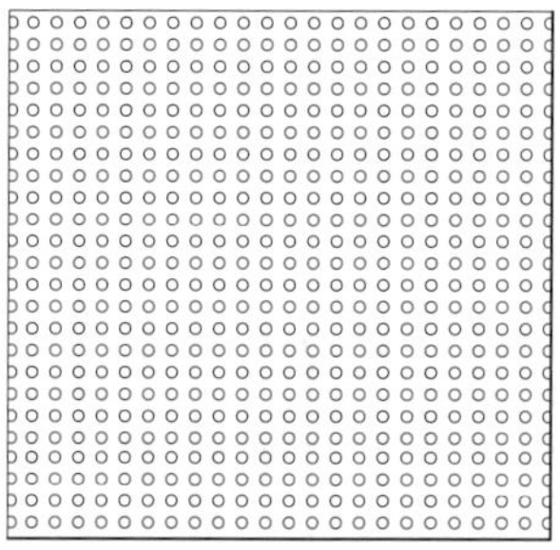

P=20.17%

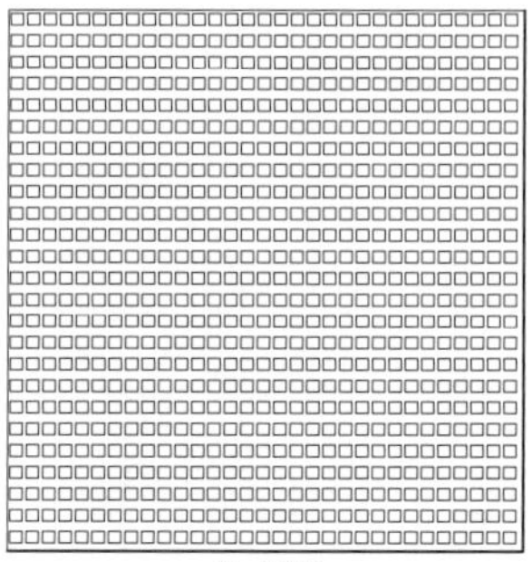

P=11%

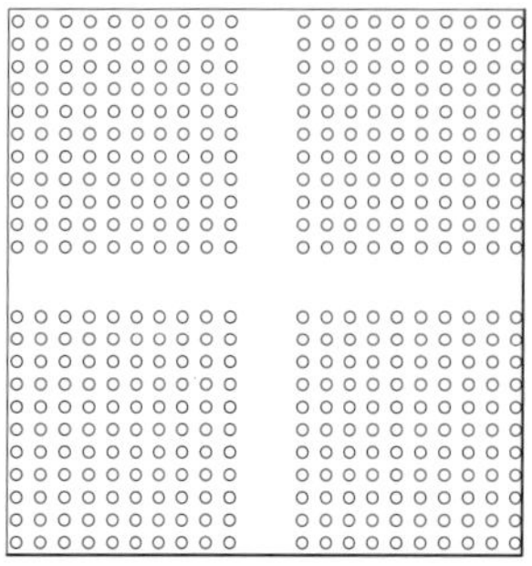

P=17%

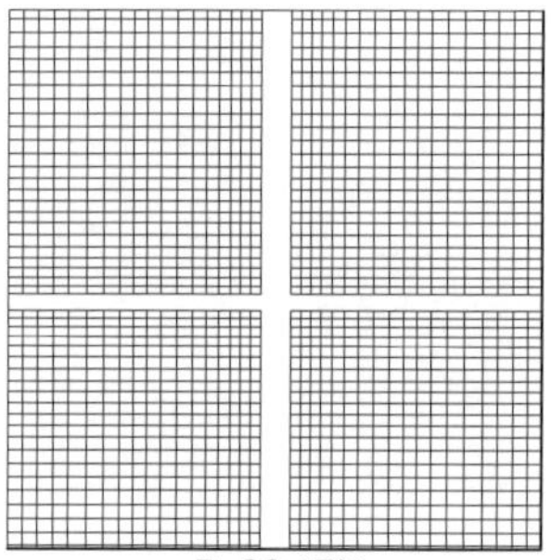

P=20.17%

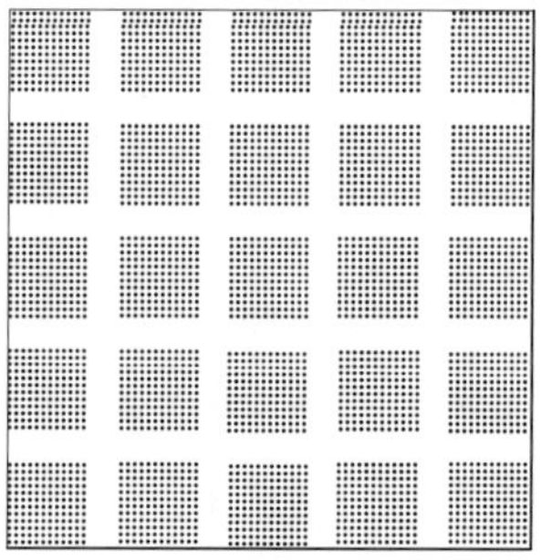

P=8%

樹脂製吸音天井板は不飽和ポリエステル樹脂、ガラス繊維、水酸化アルミニウム、炭酸カルシウムと異形剤などの主要な成分からつくられる、新型の複合成型装飾材料である。熱硬化樹脂天井板は丈夫で、変形・退色せず、耐腐食性があり、水に強く、汚れても水で洗うことができる、無毒無害のグリーン環境製品である。湿度の高い環境下でも腐食、変形、色褪せなどが現れることはまったくなく、屋内プール、温泉、浴室などの施設に適する。新しい耐腐食難燃素材で、温度が200℃に達しても変形せず、非常に強い耐熱性、絶縁性、吸音性を有する。色や図案が斬新かつ多様で、ほかの素材との組み合わせが可能で、好きなように貼り合わせることができる。屋根内側の補修工事にける諸問題を解決でき、さらに補修にかかる工期とコストを減少させることもできる。

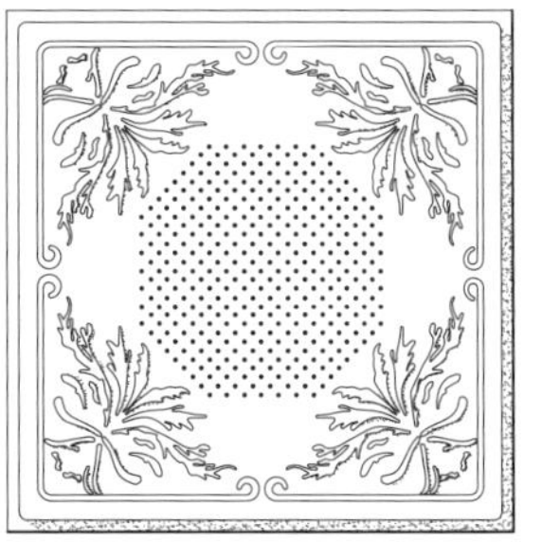
吸音唐草模様
規格：600×600

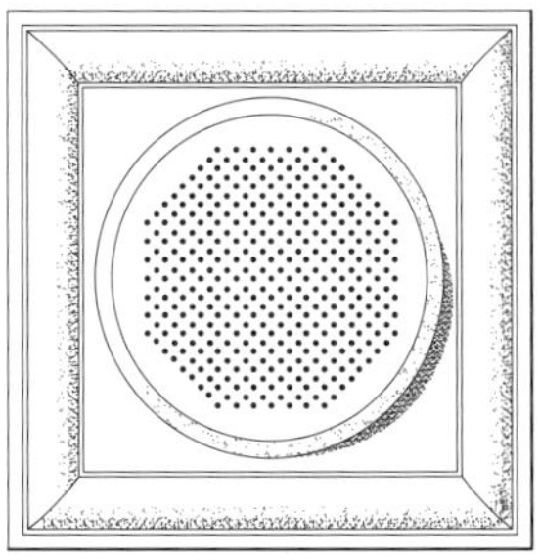
吸音円形
規格：600×600

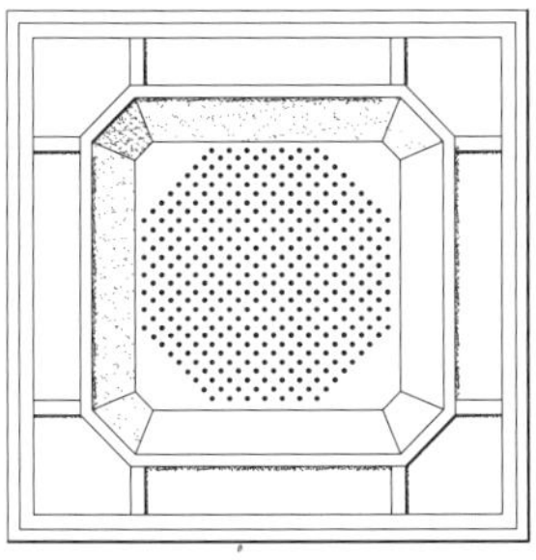
吸音八角形
規格：600×600

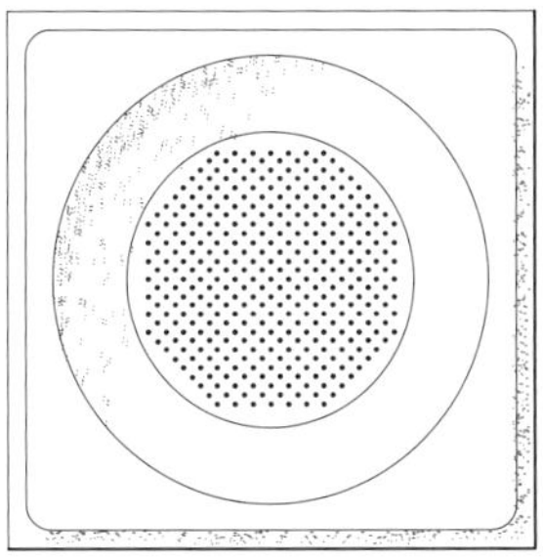
吸音円形
規格：600×600

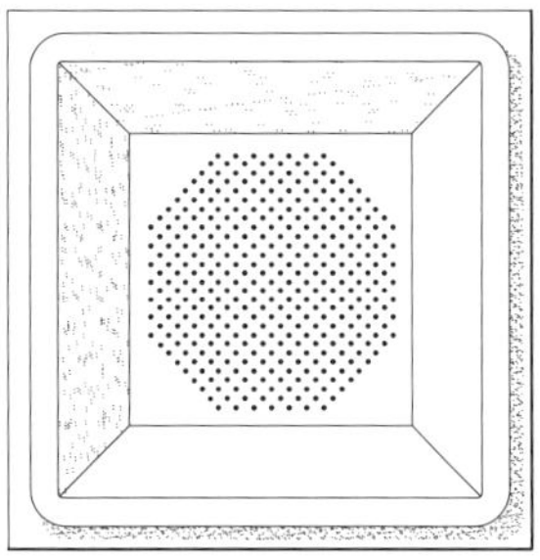
吸音四角形
規格：600×600

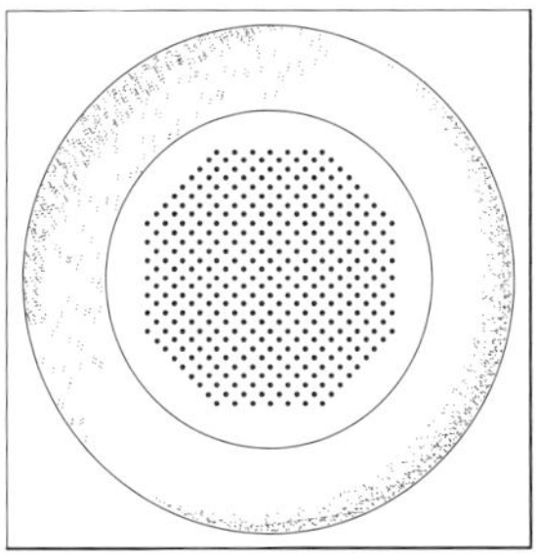
吸音円形
規格：600×600

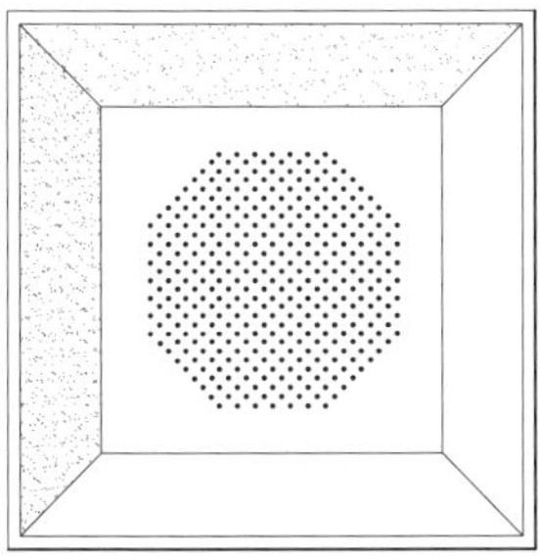
吸音四角形
規格：600×600

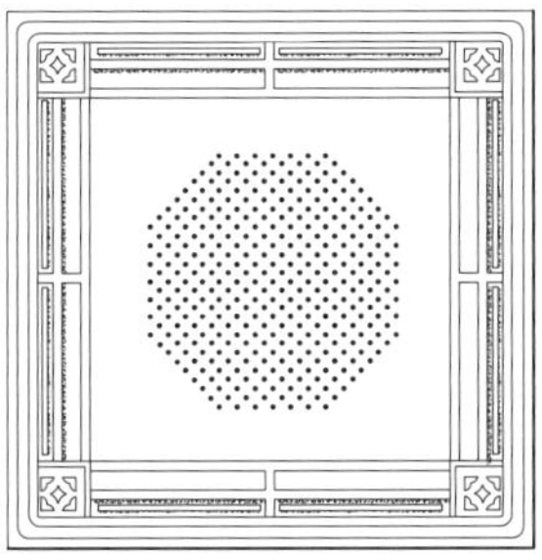
吸音KORETONE
規格：600×600

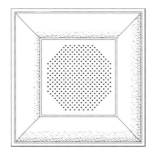

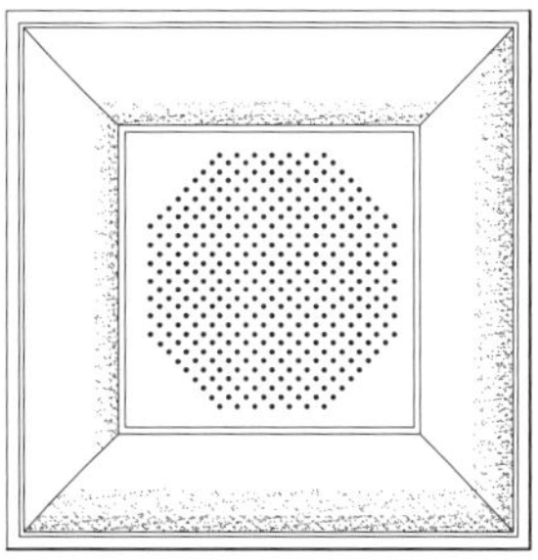
吸音スクリーン形
規格：600×600

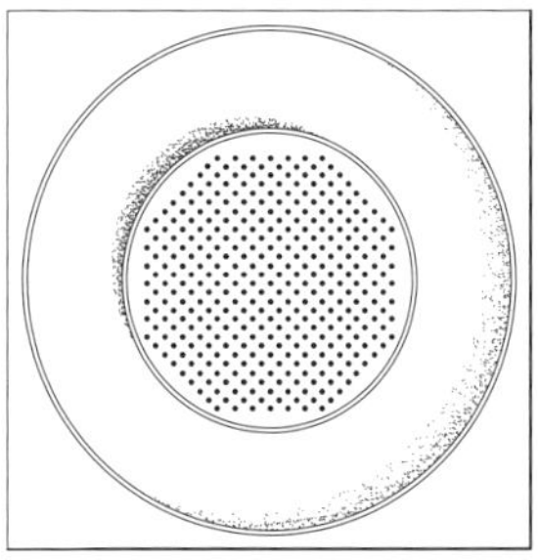
吸音球型
規格：600×600

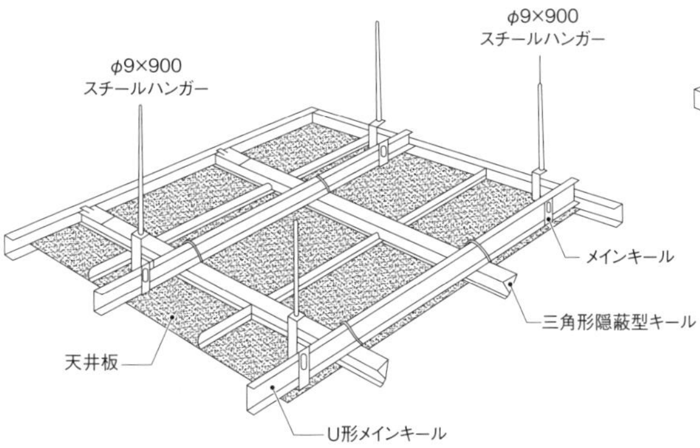
φ9×900
スチールハンガー
φ9×900
スチールハンガー
メインキール
三角形隠蔽型キール
天井板
U形メインキール
U形キールシステム

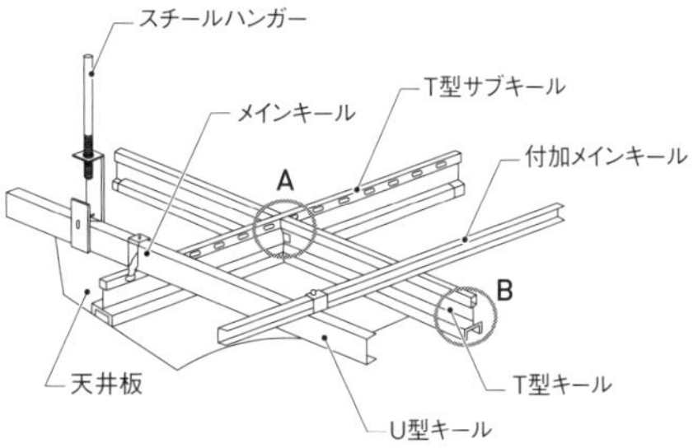
スチールハンガー
メインキール
T型サブキール
付加メインキール
A
B
天井板
T型キール
U型キール
T形キールシステム

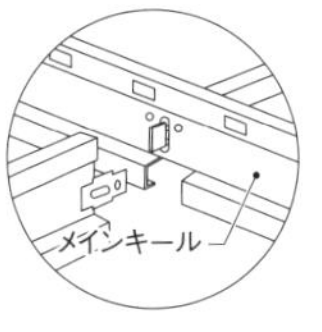
メインキール
A詳細図

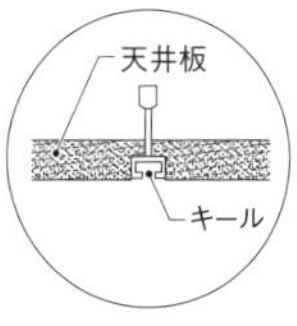
天井板
キール
B詳細図

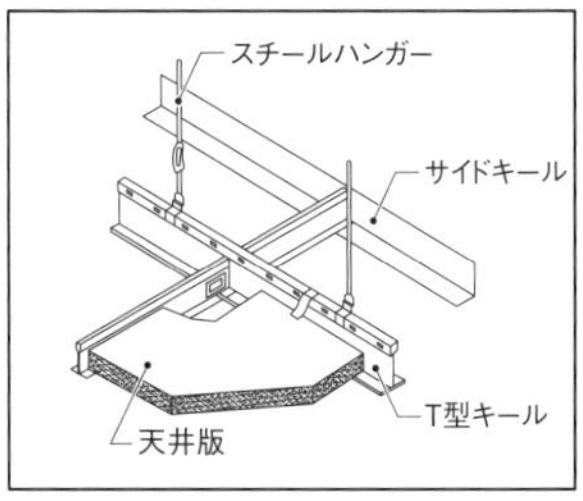
スチールハンガー
サイドキール
T型キール
天井版

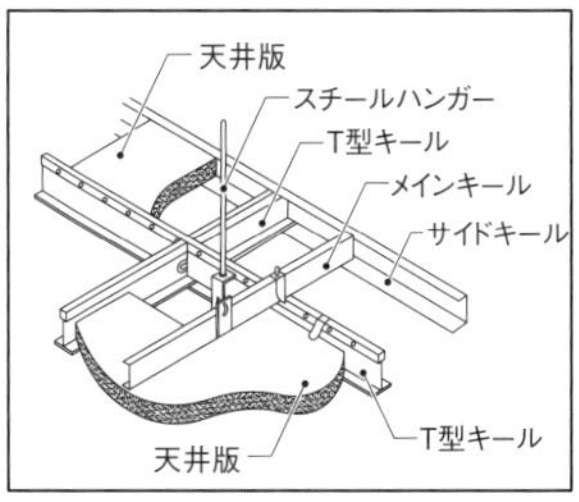
天井版
スチールハンガー
T型キール
メインキール
サイドキール
天井版
T型キール

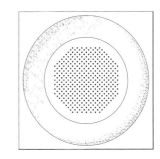

08 室内装飾材料

御影石とは単に花崗岩の石を指すのではなく、装飾性があり、磨いてバフ仕上げすることができる各種の深成岩を指す。御影石となる岩には各種の花崗岩、輝長岩、正長岩、閃長岩、輝緑岩、玄武岩などがある。天然の御影石材は形状によって普通石板（N）と異型石板（S）の2種類がある。普通石板（N）には正方形と長方形の2種類がある。異型石板（S）はその他の形状の板材である。

表面加工の程度によって、バフ研磨石板（RB）、鏡面研磨石版（PL）、未加工石版（RU）の3種類がある。

御影石は深成岩の1種で、構成する主要な鉱物成分に、石英、長石と雲母があり、全晶質天然岩である。結晶粒の大きさによって細粒、中粒、太粒、斑形粒の複数の種類があり、色や光沢は長石、雲母と暗色鉱物質の含有量によって異なる。通常は灰色、黄色、濃赤色を呈する。優良品質の御影石は、性質が均等で、構造は緊密、石英の含有量が多く雲母の含有量が少なく、有害な不純物を含有せず、長石の光沢が明るく、風化しておらず、硬度と抗圧強度に優れ、吸水率が低く、熱伝導率と耐磨耗性が高く、耐久性があり、冷温にも耐え、酸と腐食に強く、表面が滑らかで、角が整い、色合いの持続力が強い。上品で比較的高級な化粧材である。

御影石は優良な建築用石材で、基礎、橋脚、石段、路面によく用いられ、室内では一般的に壁、柱、階段、床、台所の棚、窓などに用いられる。

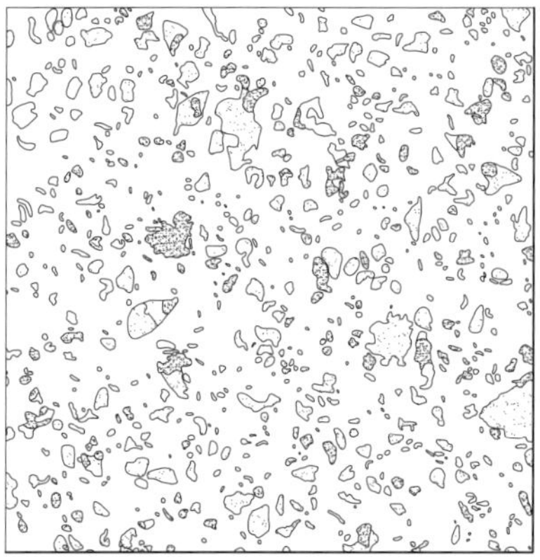
グレインホワイト

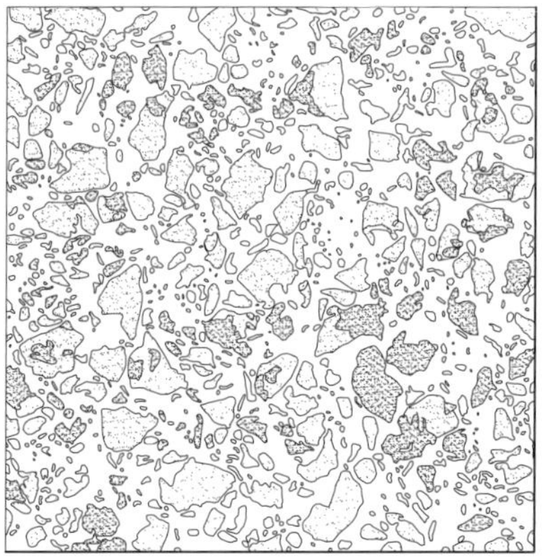
カパオボニート

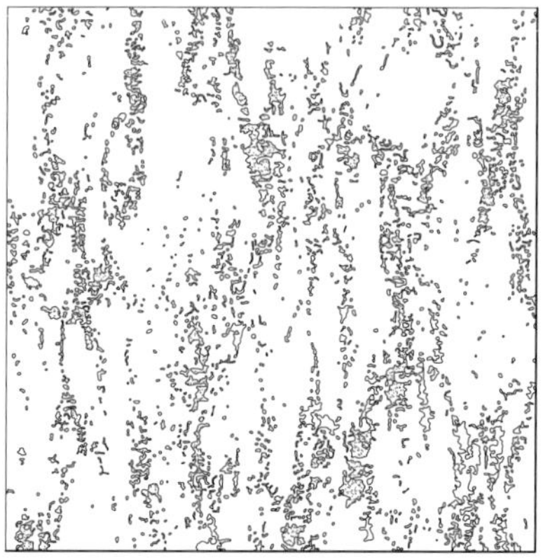
ベルファスト

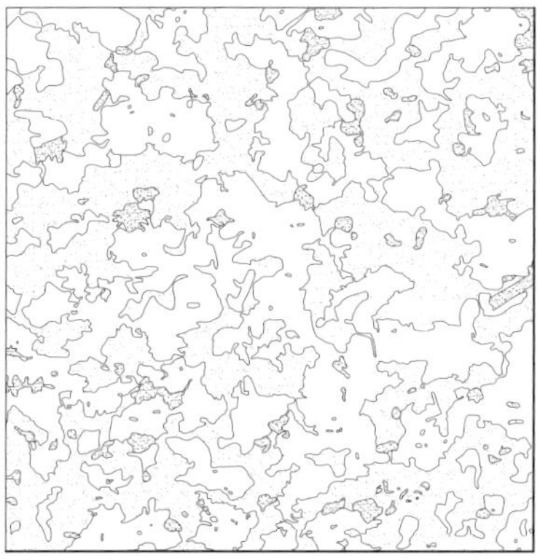
桂林レッド

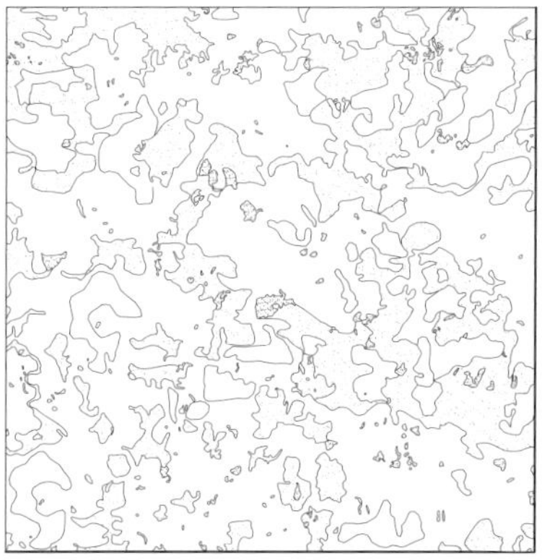
竜海オータムゴールド

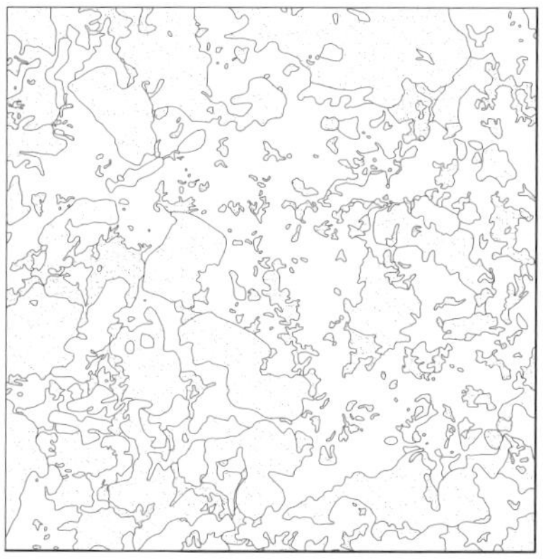
ボタングリーン

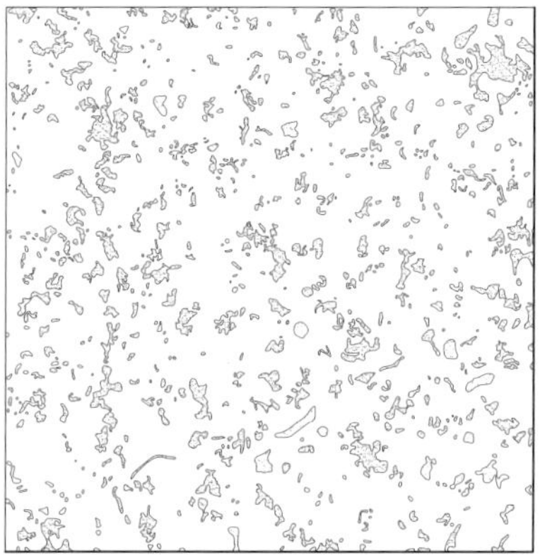
五蓮花

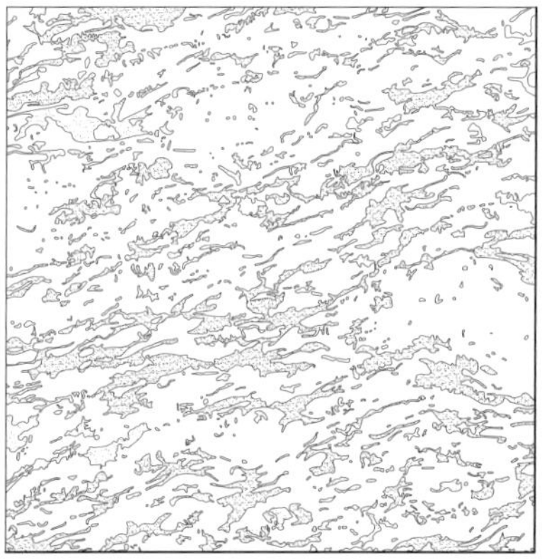
信宜海波濤

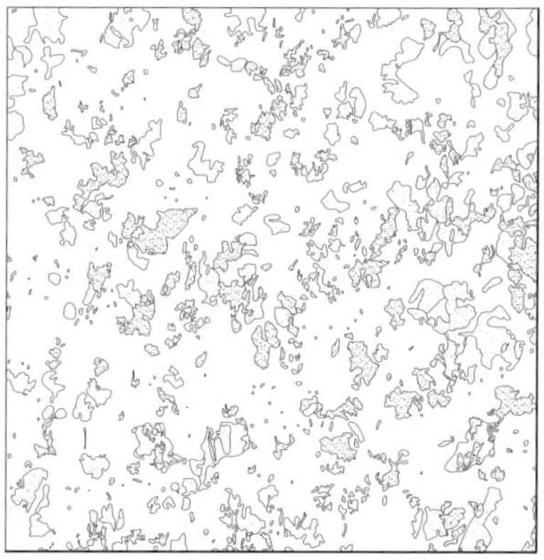
普寧白花

大理石とは単に大理石製品を指すのではなく、装飾性があり、磨いてバフ仕上げすることができる各種の炭酸塩類岩石と少量の炭酸塩を含有する珪酸塩基類岩石を指す。大理石と呼ばれる岩石には、大理石、石灰岩、火山性凝灰岩、砂岩、石英岩、蛇紋岩、白雲岩、石膏岩などがある。

天然大理石材には普通石板（N）と異型石板（S）の2つの種類がある。普通石板（N）には正方形と長方形の2種類がある。異型石板（S）はその他の形状の板材である。

大理石はマグマの熱を受け接触変成作用で再結晶した変成岩の1種で、中硬石材に属し、主要な鉱物質成分は方解石、蛇紋石、白雲石などがある。化学成分は炭酸カルシウムが5%以上を占める。大理石は抗圧強度が比較的高く、緊密な性質を持つが、硬度は低く、御影石に比べて加工しやすい。純粋な大理石は白色で、中国では漢白玉と称される。通常の大理石は酸化鉄、二酸化珪素、雲母、黒鉛、蛇紋石などのさまざまな石を含有し、赤色、黒黄色、緑色、茶褐色などがあり、その色味は装飾性がきわめて高い。天然大理石の石質は繊細で光沢があり、よく見えるものにはボラカス、ペルラートスベボ、木目、ボテチーノ クラシコ、ペルリーノロザート、ボテチーノ フィオリート、スノーホワイト、タソスホワイ、ビアンコカラーラ、サルモーネ、ホワイトフラワー、ノルウェージャンローズ、アップルグリーン、ダークグリーン、ローズレッド、ローザテ、ロッソベローナ、ロッソアリカンテ、ポルトーロ・ブラック、エンペラドールダークなどがある。天然大理石化粧板は天然大理石材料の加工、表面粗研磨、細研磨、半研磨、高度研磨、バフ仕上げなどの工程を経て製造される。天然大理石は性質が緻密であるが、硬度は小さく、加工や研磨が容易である。大理石はバフ仕上げを経て、なめらかで美しく、模様が自然でしなやか、そして高い装飾性を有するものとなる。大理石の吸水率は低く、耐久性が高く、旅館、ホテル、展示館、デパート、空港、娯楽施設、住宅の室内壁面、床、階段、テーブル、窓台、足踏み板などに用いられ、テーブルなどの家具にも用いられる。大理石は室外の装飾には適さない。空気中の二酸化硫黄が大理石の中の炭酸カルシウムと反応すると、水に溶ける石膏が生成され、表面の光沢が失われて表面が粗くなり、装飾効果を下げることがある。

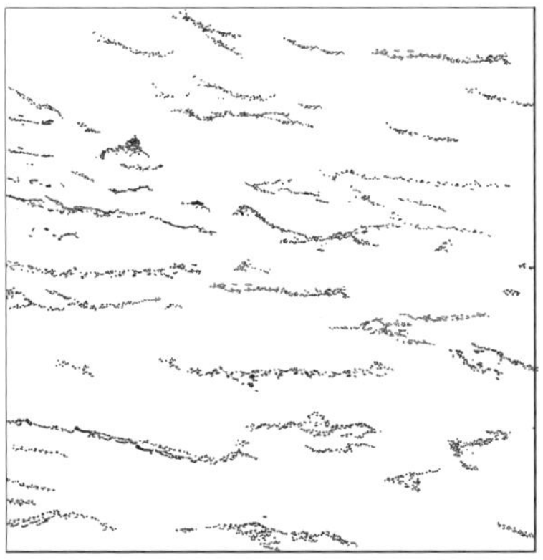
ギリシアボラカス

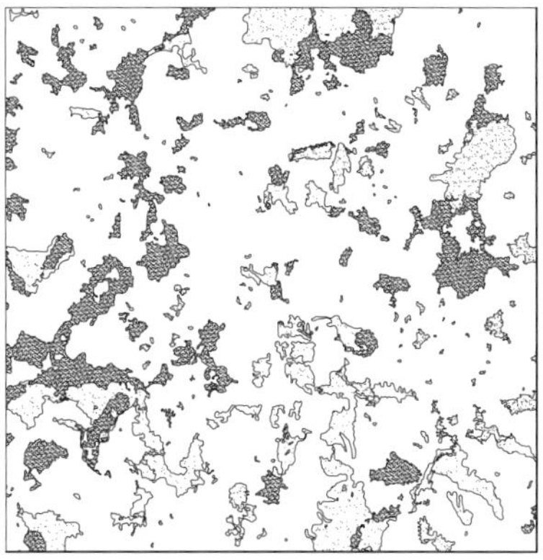
スペイングリジオ・ペルラ

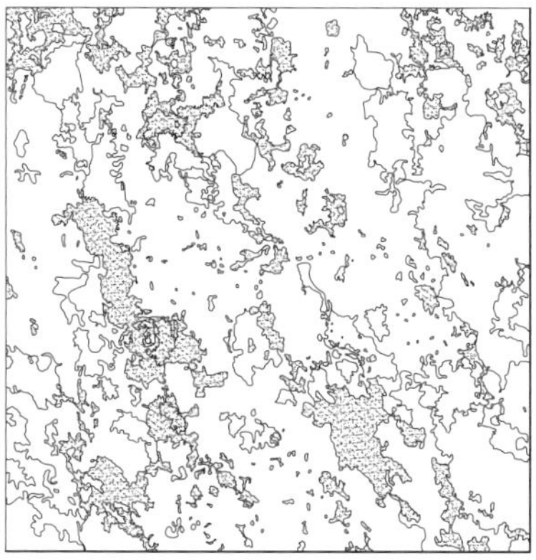
インドサロメ

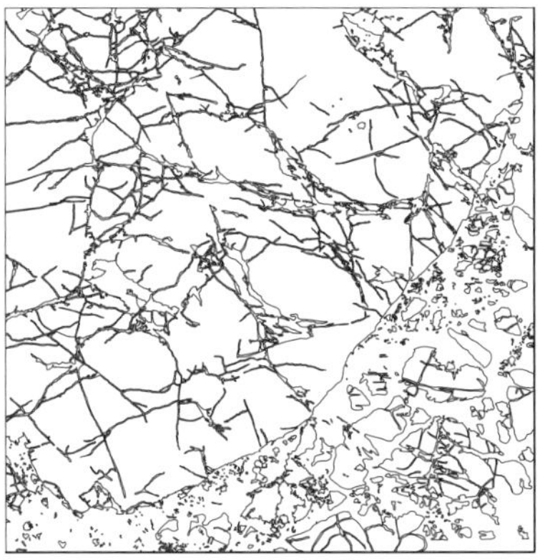
スペインエンペラドールダーク

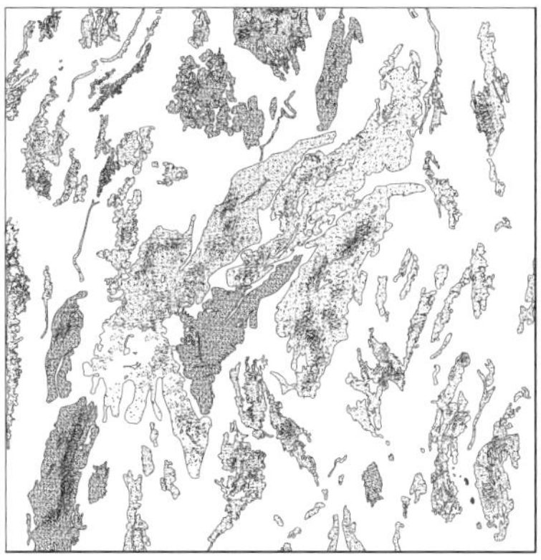
ノルウェーローズ

イタリアコルク

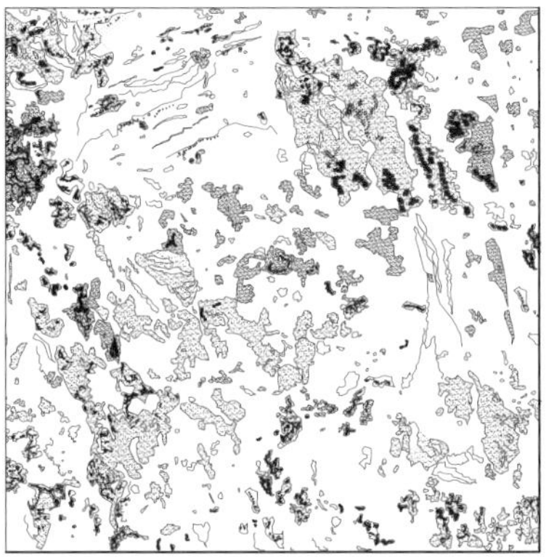
オータムゴールド

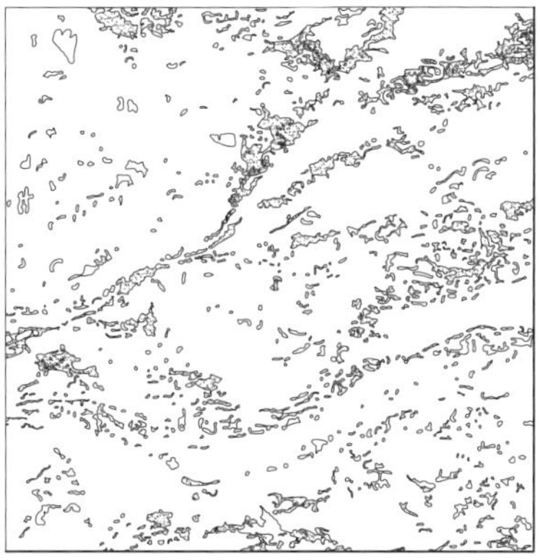
インドバラ

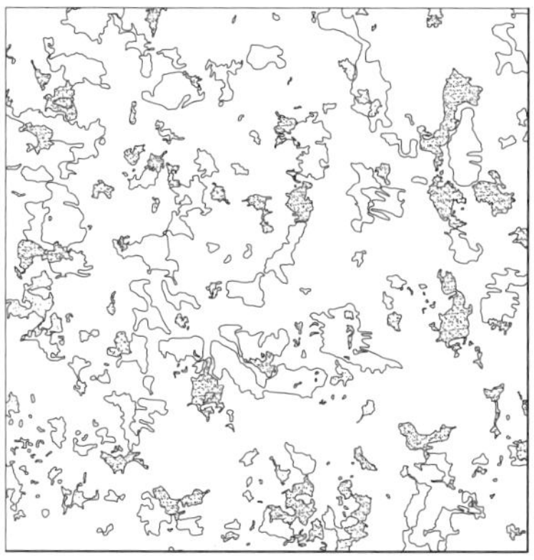
イタリアラガグレイ

人工石材とは、主に人工大理石や人工花崗岩、人工メノウ（瑪瑙）、人工の玉などを使ったタイルを指す。その模様や光沢、質感などが本物と良く似ている上、強度があり、薄く作れ、密度が小さく、腐食に強い。設計要求に応じて大型にするなどさまざまに成形できる。さまざまな石材の模様を模倣しており、肌触りも似ている。均等な光沢、密構造、研磨に強い、耐水性と耐寒性、耐熱性など利点が多い。高品質の人工石材ならば、機能的にみて天然の石材より優れている。とはいえ、天然石材に比べて光沢や模様の点で美しさ、柔和さにやや欠ける。人工石材の材料として、セメント系や樹脂系、複合系、焼結系の4種類がある。セメント系は製造しやすいが性能が並である。複合系はセメントと樹脂を複合させたものであり、性能が比較的良い。焼結系は高度な製造技術を必要とし、エネルギー消費が高い。そのため価格が高い。よく使用されているのは樹脂系である。

人工大理石の特徴は、(1) 比較的軽く、天然の80％程度である。厚さも天然の40％程度で済み、建築物の総重量を下げることができる上、運搬や施工にも便利である。(2)耐酸性がある。大理石は酸に弱いため、酸性物に晒される場所でしばしば人工大理石が使用される。(3) 製造が容易である。簡易な設備でも製造でき、原料も入手しやすい。色や模様は設計に応じて変えることができ、複雑な形状でも製造が可能である。

樹脂系石材は、不飽和ポリエステル樹脂を粘着剤とし、石英や大理石、方解石、ガラスの粉末を混ぜ、形におこして作る。大理石や花崗岩の模様を本物同様に作り出すことが可能で、価格も安く、吸水率が低く、軽量である。耐圧性も高く、汚れにも強い。酢や醤油、食用油、靴ズミ、機械油、墨汁などの汚れにも強い。耐久性も比較的高い。一般的にキッチン台に使用されることが多い。

セメント系人工石材は、セメントを凝固剤とし、大理石や花崗岩、工業用固形廃棄物などを砕いたものを材料としている。光沢が比較的良く、模様の消耗も少ない。ほかの人工石材より風化によく耐え、また耐火性や防水性にも優れており、価格も安い。室内の床やベランダのタイル、階段の幅木など、広い箇所で使用される。

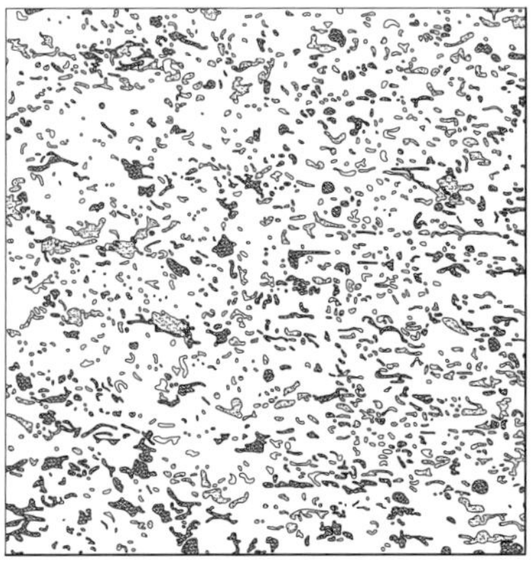
人造石稲田

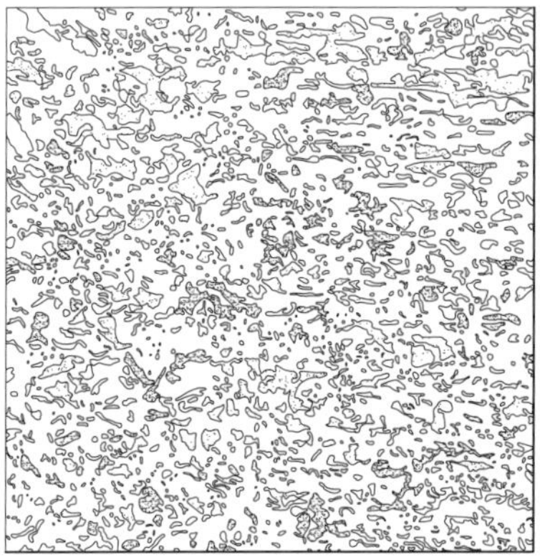
人造石万成

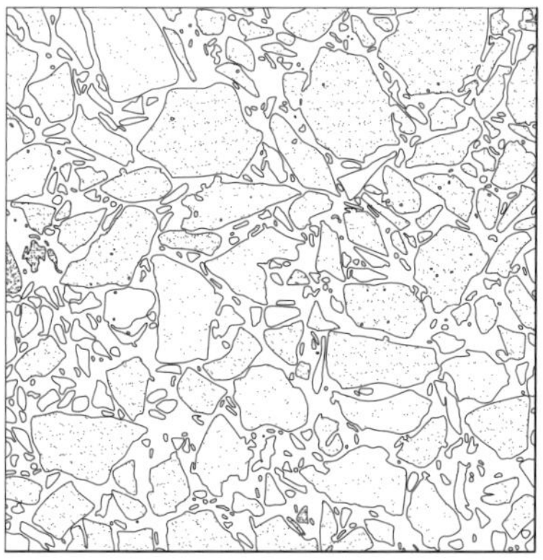
遠眺鏡

江盆峡谷

山口花布

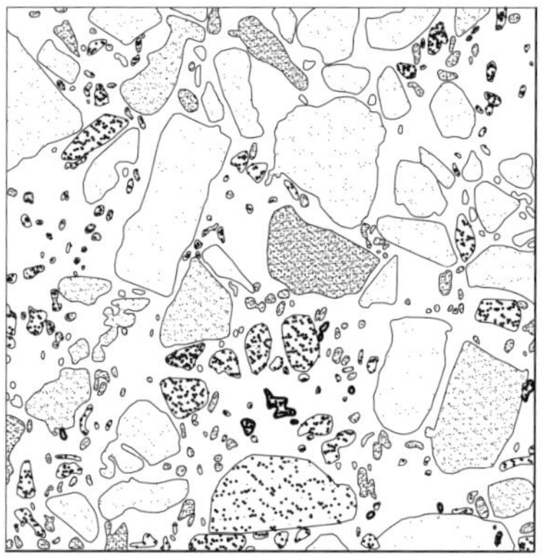
日本鲁桑

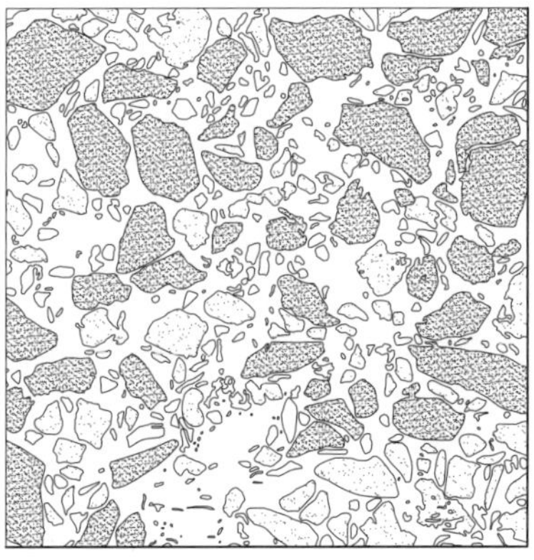
蛇紋

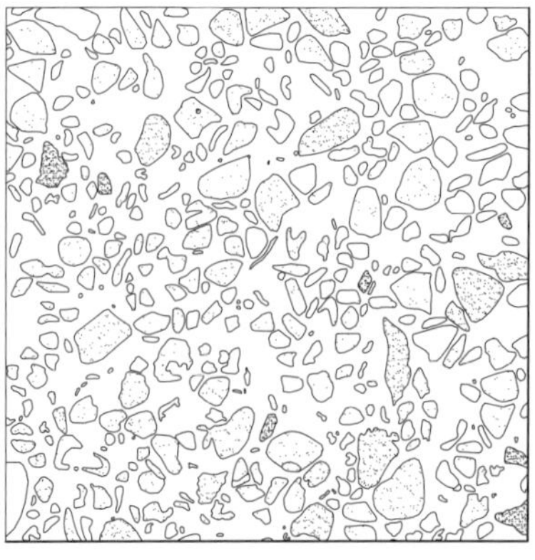
寒水石

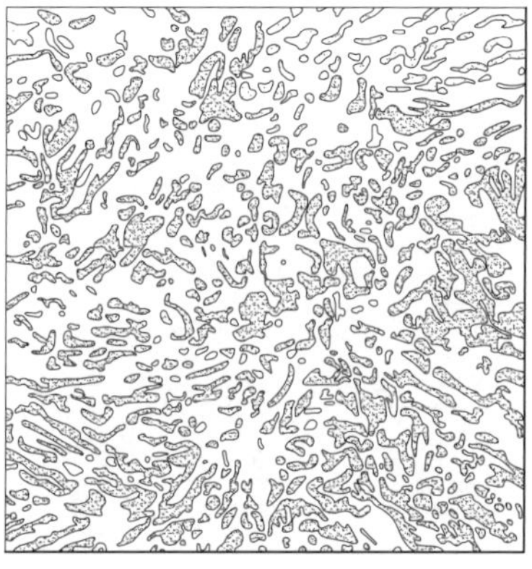
塊石根

イオニア式円柱

空洞式の円柱

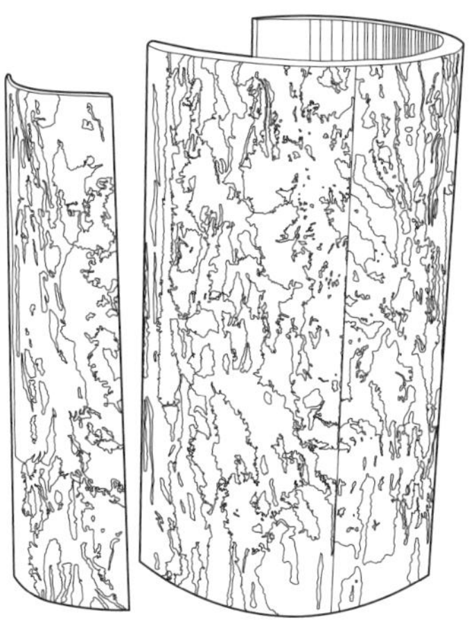

孤形の石材

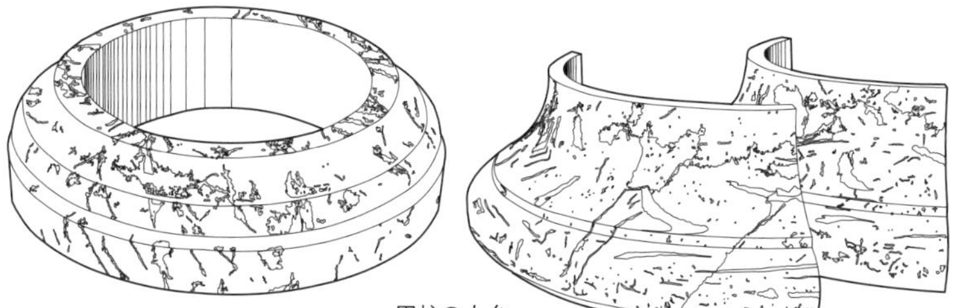

円柱の土台

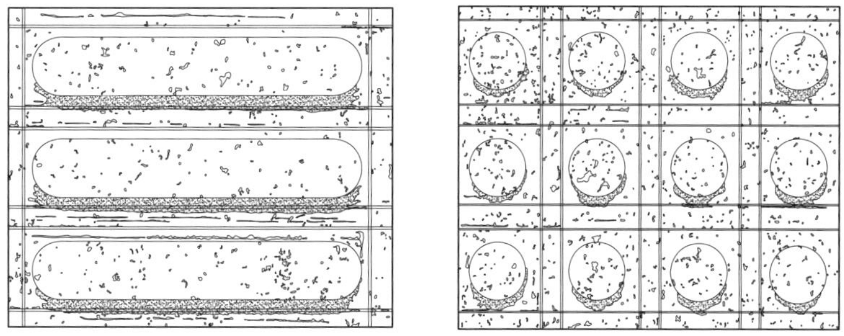

平面レリーフ

石の窓

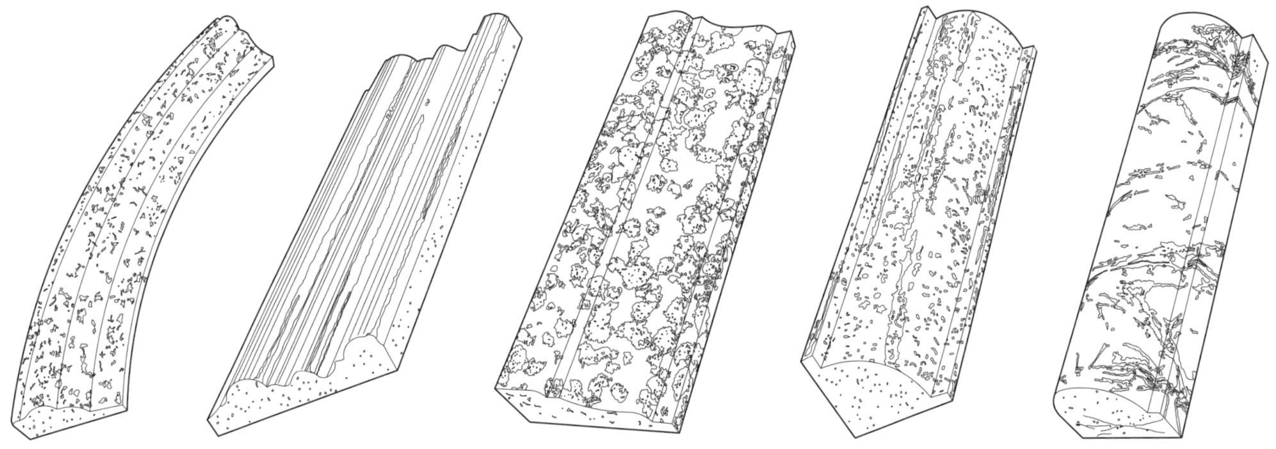

モールディング

天然石材による建材は、構造が緻密で、強度が高い特徴があり、防水性や耐候性が強い。その模様は多様であり、色彩も豊かで、かつ自然な雰囲気を持つ。デザイン的効果として、素朴な美しさから来る快適な感覚を伝えられる。さらに汚れにくく洗いやすいといった、維持しやすいメリットもある。

天然石材による建材には大理石や御影石、人造石があり、それぞれ数百のカラータイプがある。非常に豊富な色が選べ、品質も多様である。独特の光沢感と優美な模様から、室内外の装飾材料としてさまざまな場所で使われている。

大面積の壁材や床材などに石材を使う場合、特徴的な図案を組み込むことで豊かな造形を作り出してもいいだろう。組み込み方によってモザイク、玉縁、フィレットなどのタイプに分かれる。通常はパソコンを使いながら石材カッターで切断して製作され、さまざまな模様と色彩を作り出す。床全体をデザインしても、局所的に使用しても良い。石材モザイクは、本来単調になりがちな床をさまざまな風貌に変化させることができる上、ゴージャスな雰囲気を演出することが可能である。室内空間に良好な装飾効果をもたらす材料である。

紅沙石
ブラック
ギャラクシー
幻彩紅
インディアン
ブラック
スノーホワイト
ライトブラウン

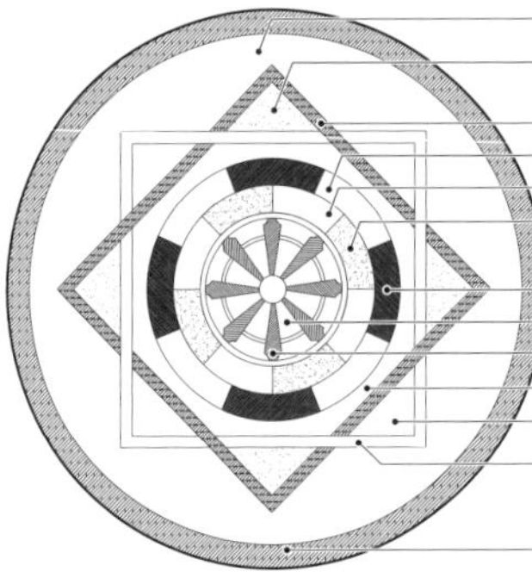
クリーム色
ブラック
（ホワイトの模様）色
ダークグリーン
クリーム
ロサ・ティー
ブラック
（ホワイトの模様）
ダークグリーン
ロサ・ティー
ダークグリーン
ロサ・ティー
ロサ・ティー
ブラックギャラクシー
ブラック（ゴールドの模様）

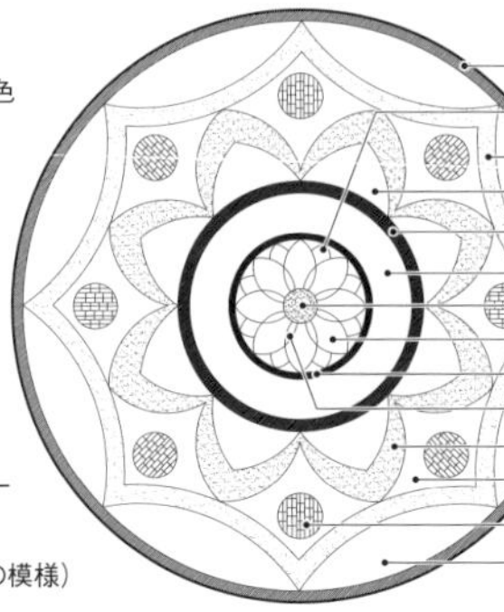
チャイナグリーン
ロッソ
ロッソ
スノーホワイト
チャイナグリーン
スノーホワイト
チャイナグリーン
ロッソ
チャイナグリーン
スノーホワイト
チャイナグリーン
スノーホワイト
ロッソ
スノーホワイト

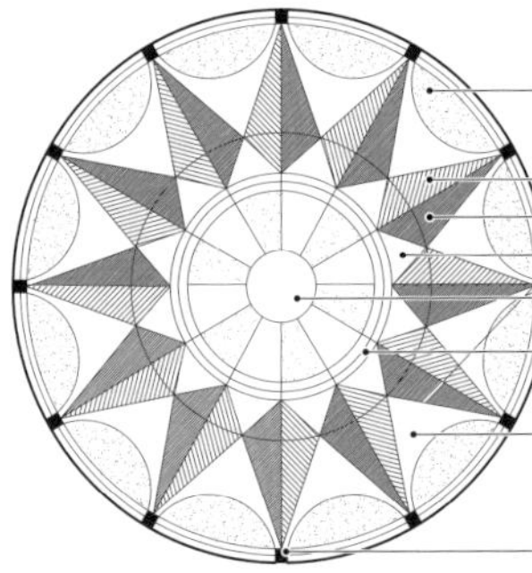
琥珀色
琥珀色
ロサ・ティー
ブラックギャラクシー
ブラックギャラクシー
ダークグリーン
ダークグリーン
ブラックギャラクシー

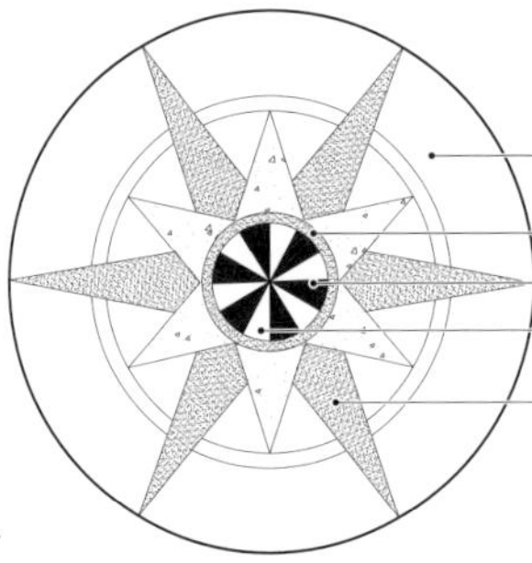
豹皮花
グリーンジェイド
インディアンレッド
ホワイトボラカス
麻花

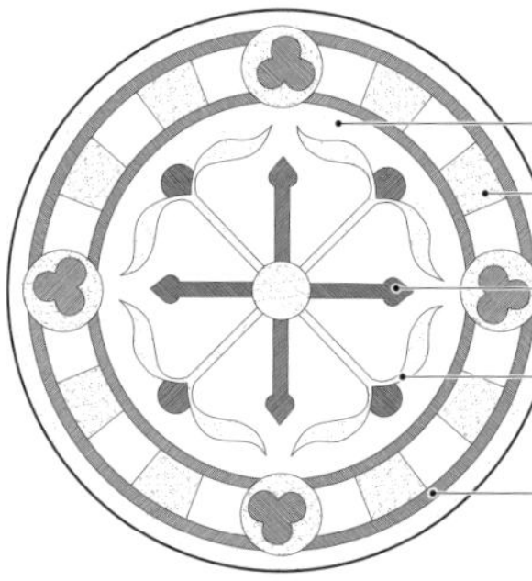
ロイヤルホワイト
フォックスブラウン
ブラックパール
バナホワイト
ブラックパール

ガーデニア
ホワイト
ガーデニア
ホワイト
バルチックブ
ラウン
ダーク
クリスタル

スパニッシュ
クリーム
グリーン
オニキス
スパニッシュ
クリーム
ホワイト
クリスタル
ホワイト
クリスタル
ホワイト
クリスタル

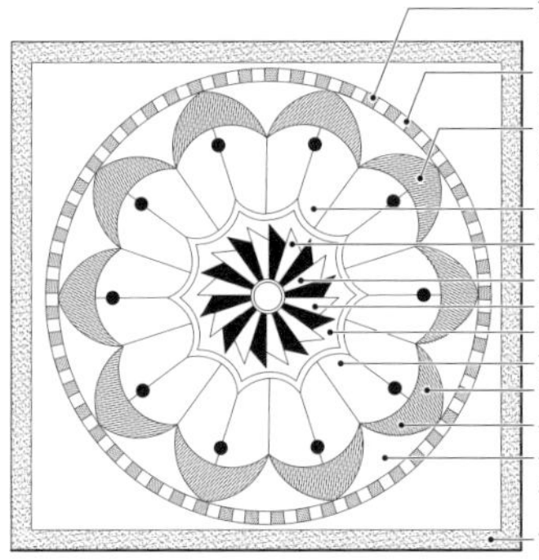
ブラウン
クラシック
クリーム
クラシック
クリーム
ロイヤルホワイト
ブラウン
ロイヤルホワイト
ブラウン
クラシッククリーム
ブラウン
ロッソ
イングリッシュホワイト
イングリッシュ
ホワイト
ブラックギャラクシー

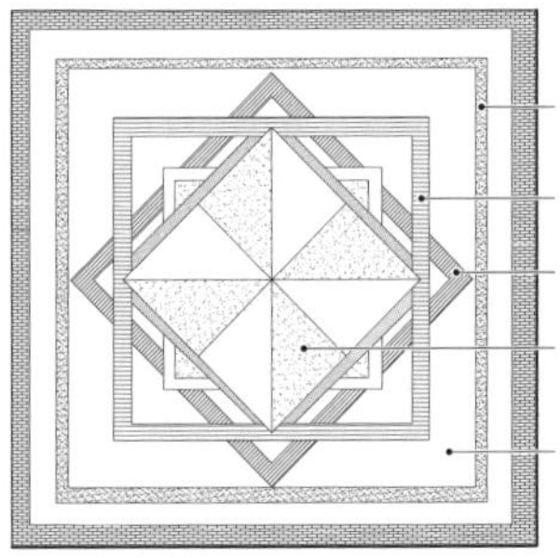
ダークブルー
ブラック
（ホワイトの模様）
ブラウン
ダークグリーン
ホワイトボラカス

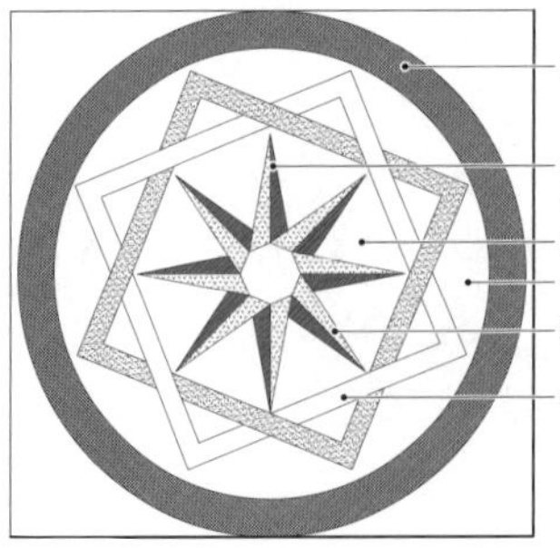
ニュークリーム
ブラック
（ホワイトの模様）
ロイヤルホワイト
インディアンレッド
琥珀色
イエロー

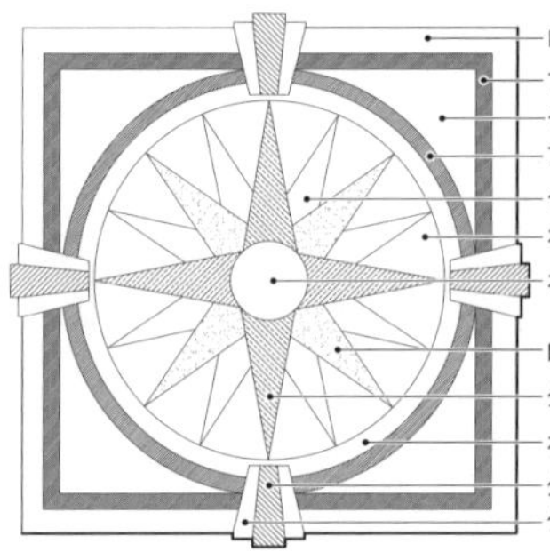
ロサ・ティー
ブラック（ホワイトの模様）
クラシッククリーム
ブラック（ホワイトの模様）
クラシッククリーム
ホワイトボラカス
ホワイトボラカス
ロサ・ティー
ダークグリーン
ホワイトボラカス
ダークグリーン
クラシッククリーム

砂岩は多くが石英砂で成り、一部長石が含まれる。あるいは石英砂に長石、雲母で構成される。構成される成分により色が変わり、こげ茶色、褐色、白色などがある。砂岩彫刻とは人の手による石材工芸品であり、立体彫刻や浮彫、パネル型、円盤型、柱型、壁掛け、噴水、ドア枠、電灯装飾、手すり、鏡枠、土台、輪郭などに見られる。

これらの彫刻は、ホテルや観光施設、クラブ、高級娯楽施設などの室内外の装飾物としてよく使われる。重厚で優美な彫刻のほとんどは、周囲の景観にマッチする。その優れた材質特性と変化に富んだ芸術性から、新しい装飾石材として都市環境に彩りを添えている。

壁飾りφ350

壁飾りφ350

壁飾りφ350

壁飾りφ350

壁飾りφ600

噴水1,450×700

浮彫2,000×700

浮彫2,000×700

浮彫2,000×700

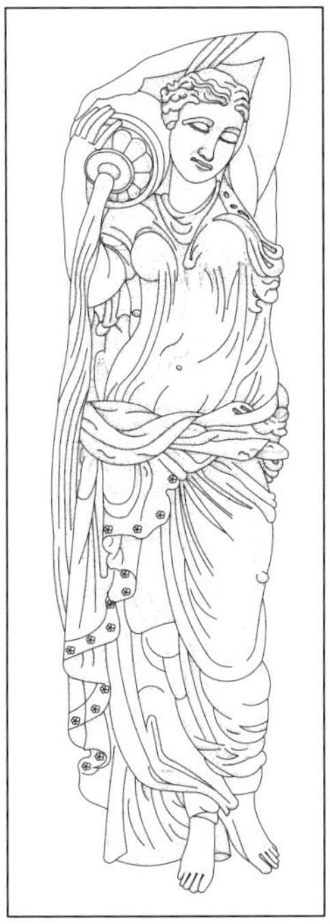

浮彫2,000×700

浮彫2,200×800×250

浮彫2,460×640

天然石は色褪せもなく、風化もせず、寒冷に耐える。湿度に強い上、保湿性が高く、手入れも容易である。石材加工と敷石は天然石の持つ特性を持ち、天然石の形状や模様、質感を保ちながら、自然な外観と感覚を作り出すことができる。人々にイマジネーションをわかせる素材であり、デザインを創造する際に大きな表現の余地を与えてくれる。

粗石は形状が大小さまざまで、表面が荒削りである。田園風の雰囲気があり、素朴な表現をする際に使われる。石材という素材そのままの美しさ、独自さを表現できる。

玉砂利や御影石は、遠目では光沢感があり、近くだとまばら模様に見える。磨かれた表面は、重厚な質感があるとともに柔らかい曲線があり、気品を感じさせる。

積層岩は、岩石らしい筋が何層もある独特な質感が特徴である。いくつかの岩石が結合し合い、その凹凸が柔らかな陰影を演出する。角ばっており、上下が平らなことから、施工すると手作り風なものに仕上がり、かつ大自然の雰囲気を感じさせることになる。

天然石は自然な外観と豊富な形状、柔和な色彩から、気品と優雅さ、独特さをもたらす装飾材である。自然な雰囲気を演出できる。

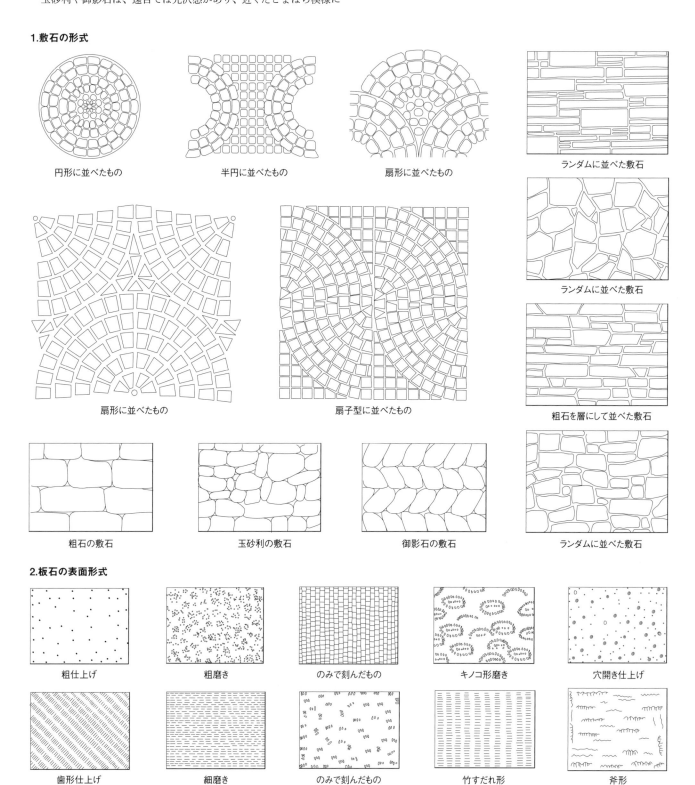

1.敷石の形式

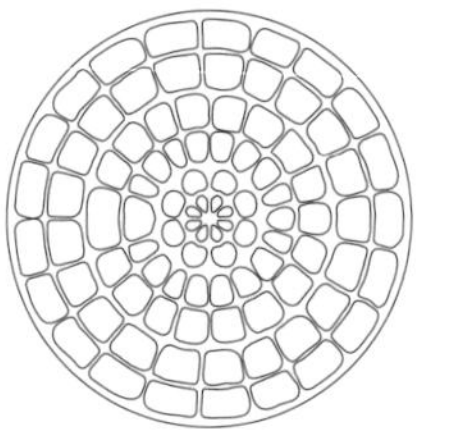
円形に並べたもの

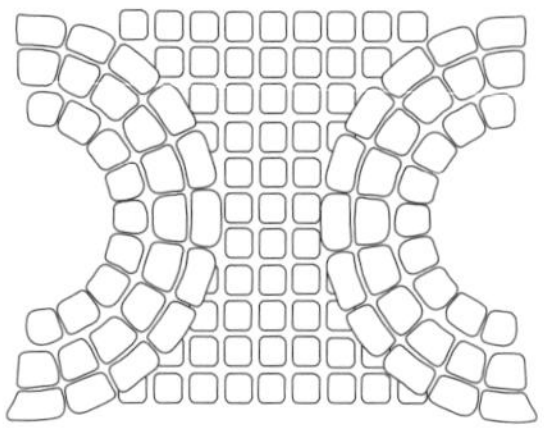
半円に並べたもの

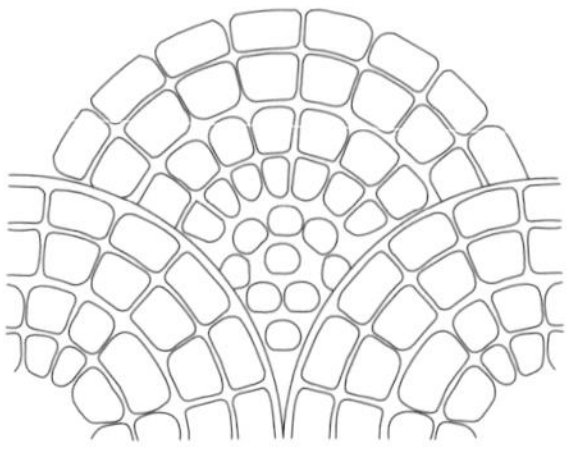
扇形に並べたもの

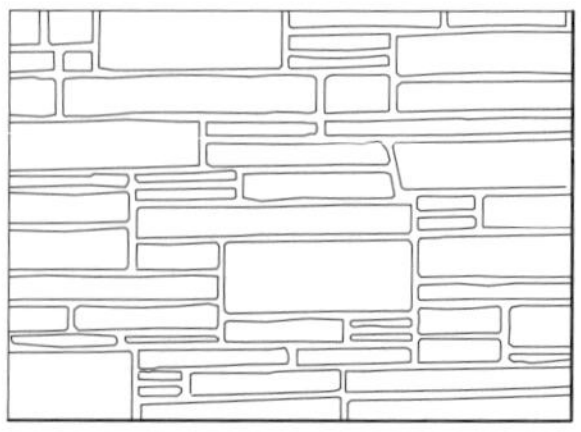
ランダムに並べた敷石

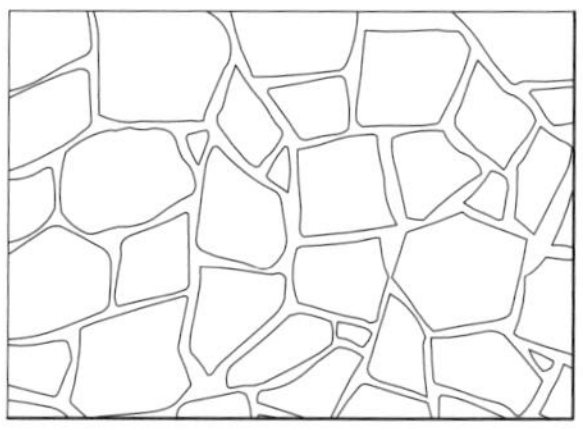
ランダムに並べた敷石

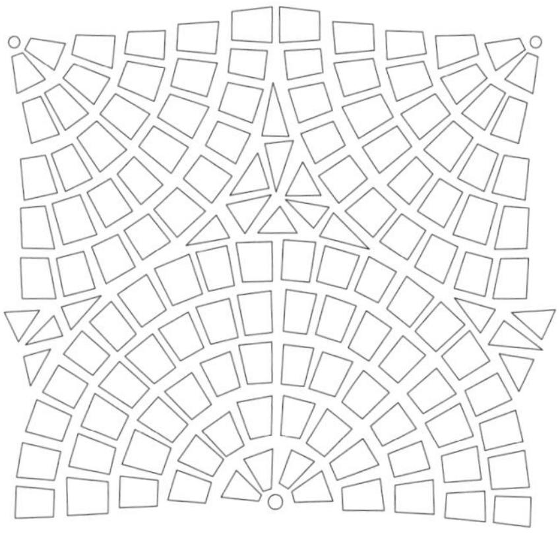
扇形に並べたもの

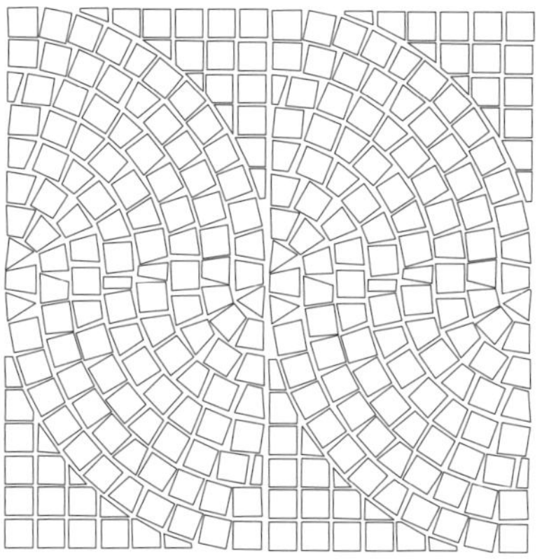
扇子型に並べたもの

粗石を層にして並べた敷石

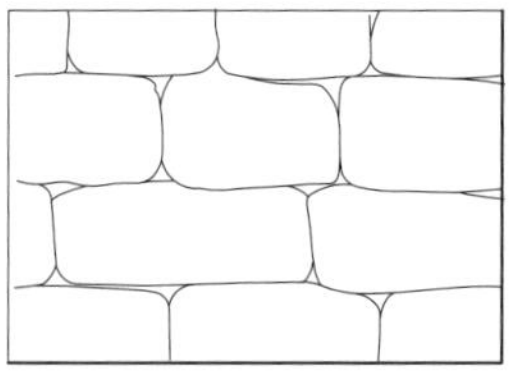
粗石の敷石

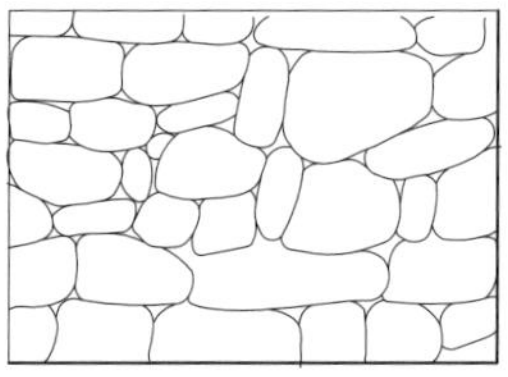
玉砂利の敷石

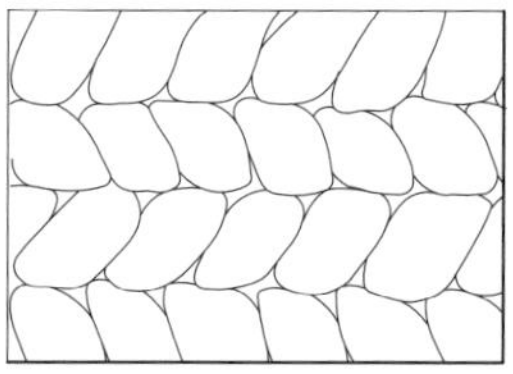
御影石の敷石

ランダムに並べた敷石

2.板石の表面形式

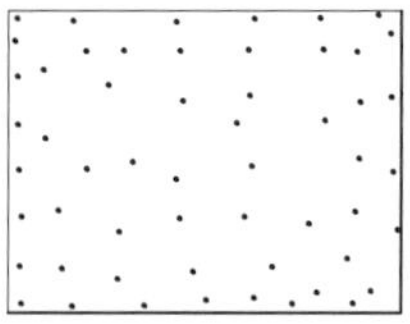
粗仕上げ

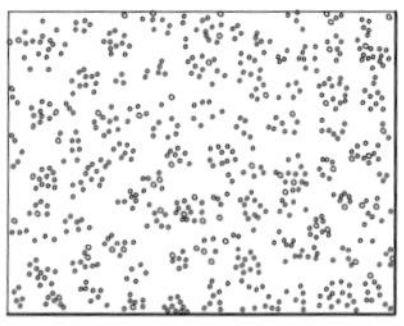
粗磨き

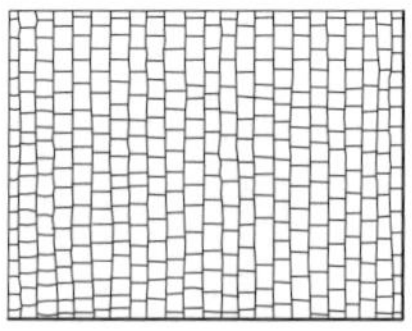
のみで刻んだもの

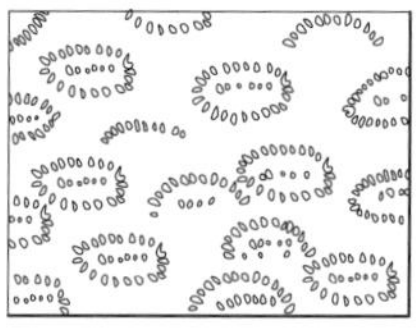
キノコ形磨き

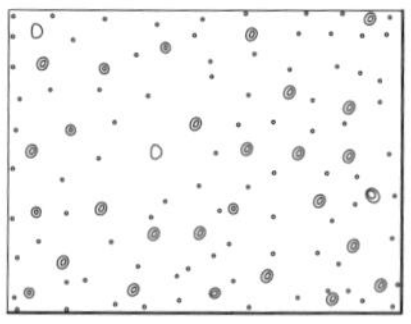
穴開き仕上げ

歯形仕上げ

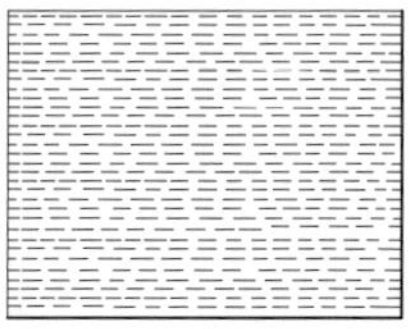
細磨き

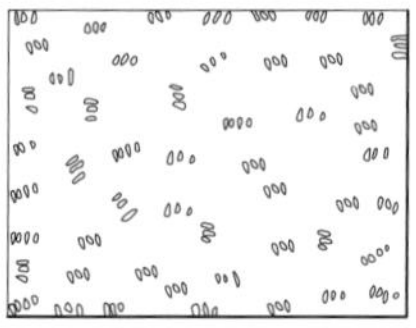
のみで刻んだもの

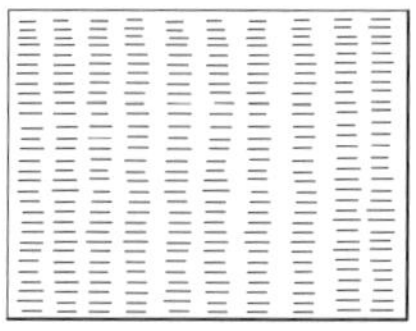
竹すだれ形

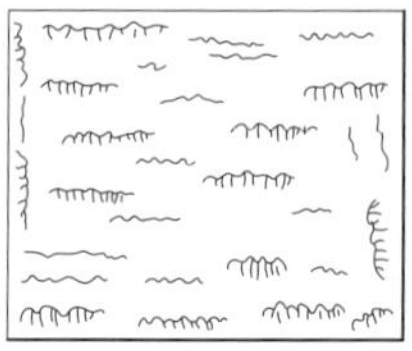
斧形

透光人造石はガラス材とクリスタルレジンを原料とし、難度のきわめて高い脱ろう鋳造製法によって作られる。さまざまな色、模様が作れるのが特徴で、天然石材と比べて薄く軽い。また隙間がなく、水分が入りにくい。光沢が良く、透光性が高い。さまざまな図案を短期間で作ることができ、取付けも簡単である。

透光人造石は透明性は高い。可逆性と加工性が高く、柱状にも弧状にも円錐状にも作れる。強度や硬度も比較的あり、軽く、腐りにくく、人体に無害なエコ材料と言える。高分子合成製品に属し、安全で加工もしやすく色彩も豊富である。

透光人造石の表面加工に穏やかな光沢、明るい光沢、ヘアラインなどがある。使用できる光源は、蛍光灯やLEDなど熱を帯びないものである。色は要求に応じて白色や乳白色が使われる。光源と透光人造石の距離は通常150～200㎜で、基盤部分の接点には透光効果を際立てさせるために防火反射材が使用される。ホテルや娯楽施設、スクリーンの背景、住宅の天井、壁面、柱などに使用される。

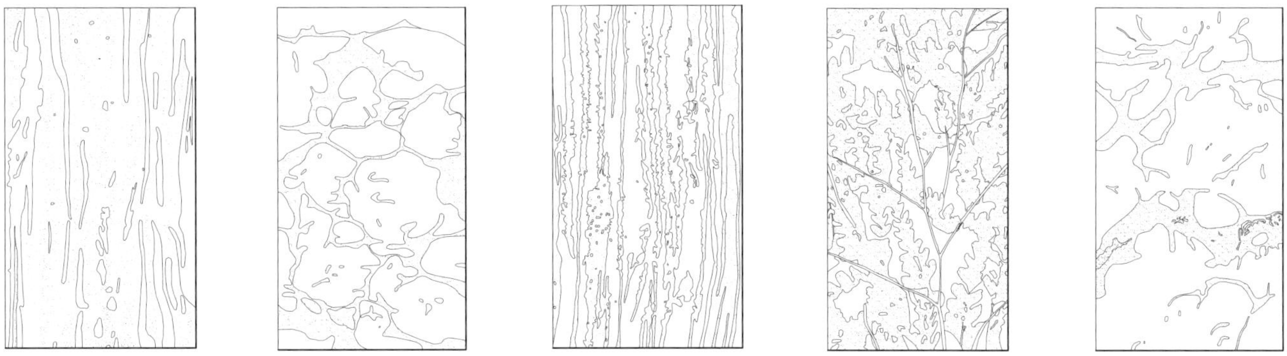

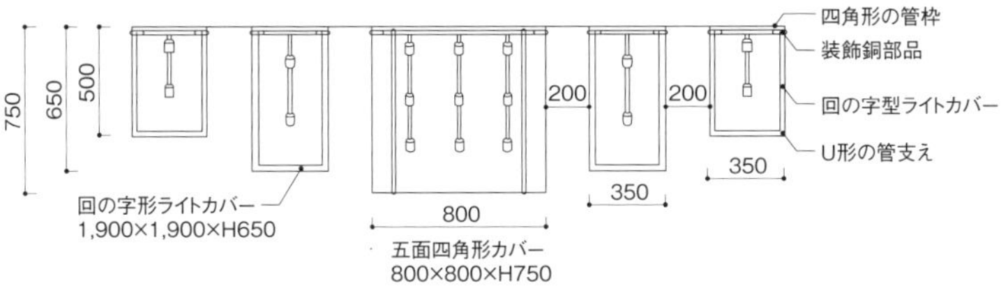
750
650
500
200
200
350
350
800
四角形の管枠
装飾銅部品
回の字型ライトカバー
U形の管支え
回の字形ライトカバー
1,900×1,900×H650
五面四角形カバー
800×800×H750

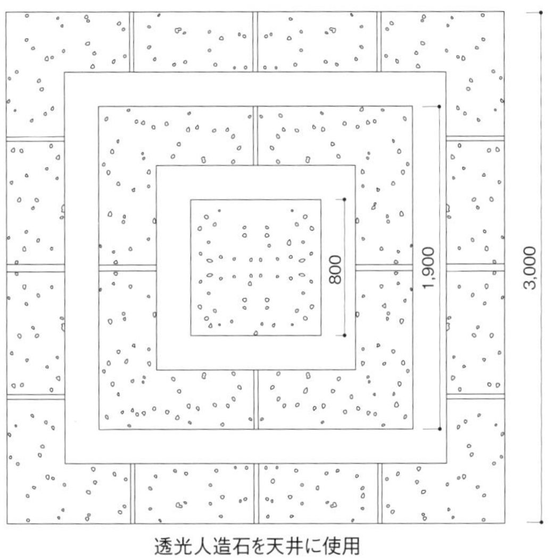
800
1,900
3,000

透光人造石を天井に使用

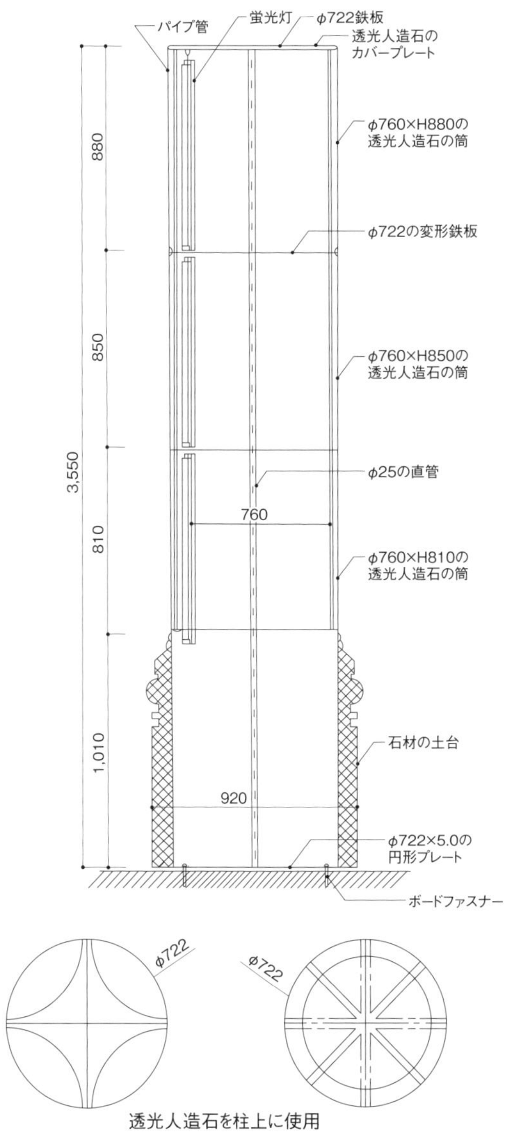
パイプ管
蛍光灯
φ722鉄板
透光人造石の
カバープレート
880
φ760×H880の
透光人造石の筒
φ722の変形鉄板
850
φ760×H850の
透光人造石の筒
3,550
φ25の直管
760
810
φ760×H810の
透光人造石の筒
1,010
石材の土台
920
φ722×5.0の
円形プレート
ボードファスナー
φ722
φ722

透光人造石を柱上に使用

陶磁レンガは、伝統的な壁材としては粘土あるいは高陵土を原料とし、助溶剤を加え、研磨や火干し、成形などを経て作る。うわぐすりを塗るタイプなら、表側にうわぐすりが塗られ、裏側には凹凸がある。うわぐすりの塗り方はいくつかあり、白いうわぐすり、色つきのうわぐすり、プリント付きのうわぐすりなどがある。陶土で焼いたうわぐすりのタイルは吸水率が高く、強度が低く、裏側が赤い。磁土焼いたうわぐすりのタイルは吸水率が低いが、強度が高く、裏側がグレーである。いわゆるタイルは、色と図案が豊富で、柔和で品があり、表面に光沢があり、急冷急熱に耐え、防火、耐腐、防水などの利点がある。品質、美観の良さ、膨張が目立たないなどの理由から、壁材や床材として最も使われる材料の1つとなっている。

アートタイルは新しいタイプのタイルで、天然石材の質感と古いタイルの雰囲気を持つ。放射性物質は天然石材以下で、ほぼゼロである。摂氏千度以上の高温で焼いて作られ、通常のタイルより模様がきめ細かく、つやがある。ガラスのようなつややかさである。硬度もあり、耐磨性も高い。色彩も明るく豊かである。鏡のように輝いており、鮮やかとクラシックな雰囲気を併せ持つ。東西の文化を融合させつつ、西洋の彫刻、油絵、現代アートを天然石に詰め込んだような、さまざまな文化要素が込められている。図案は自然美と人工美がうまく溶け合い、天然石の持つ優美な模様や色彩をうまく取り入れている。

タイルは極めて多くの場所で使用されている。厨房やレストラン、浴室、トイレ、歩道、病院などの壁面や床などに多用されるほか、室内の衛生を保ちたい箇所などでもよく使用される。

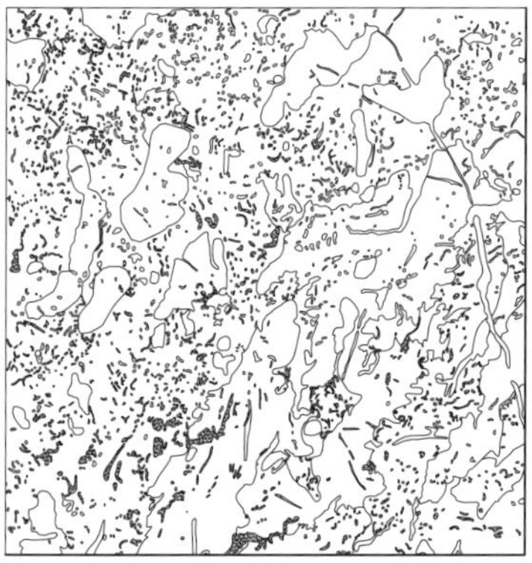
カスバ

ゴールデンドラゴン

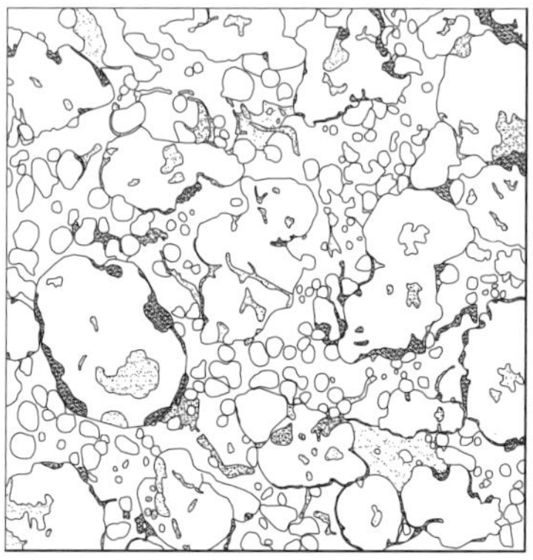
棕櫚翠

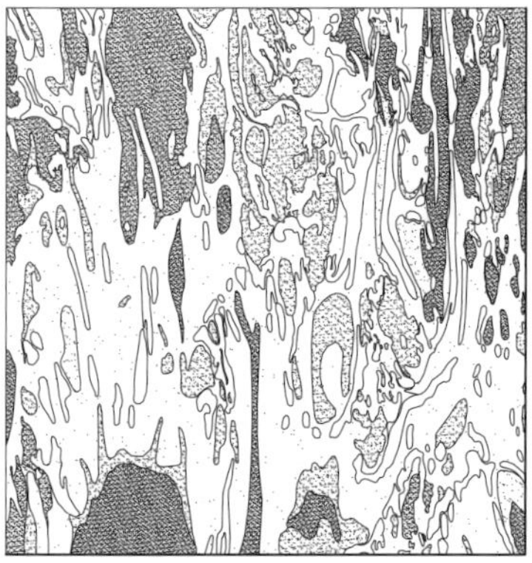
紫紅色

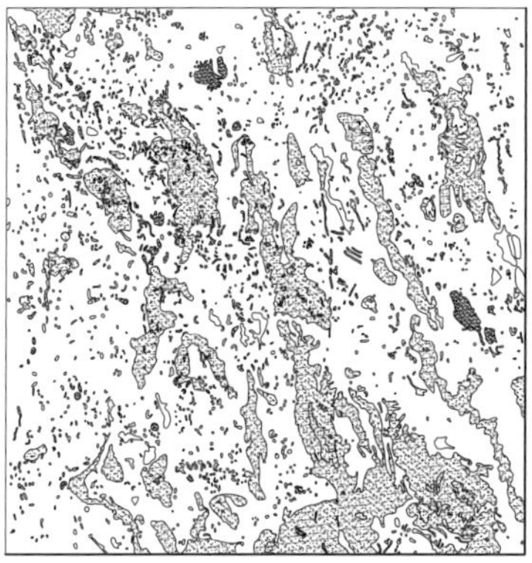
クリーム

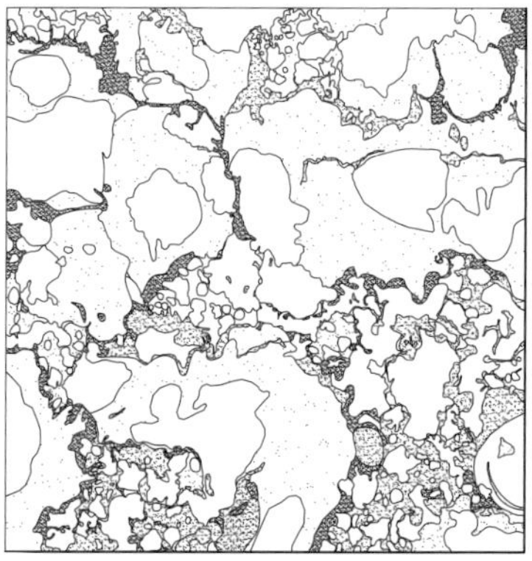
パールホワイト

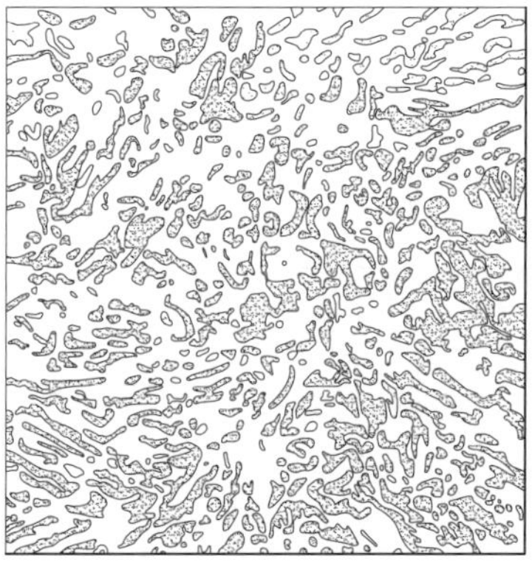
塊石根

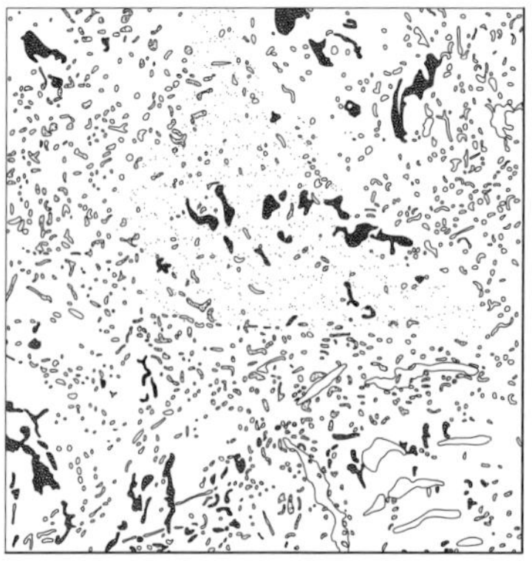
金土岩

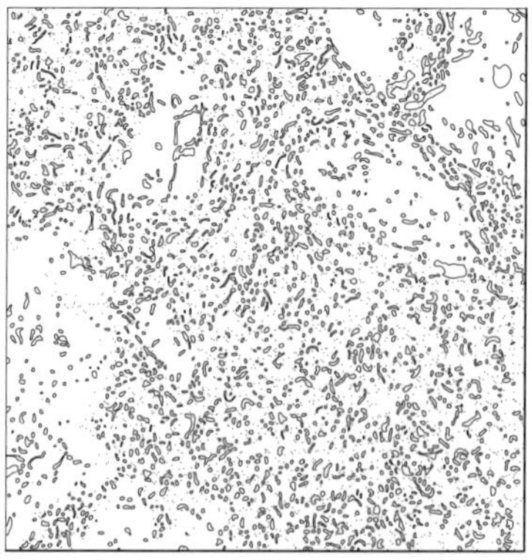
南占礁

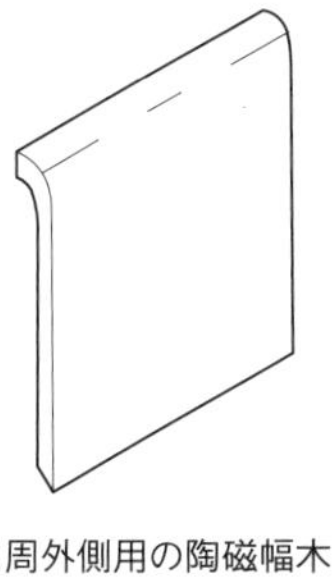

円周外側用の陶磁幅木
一般幅木と合わせて使用

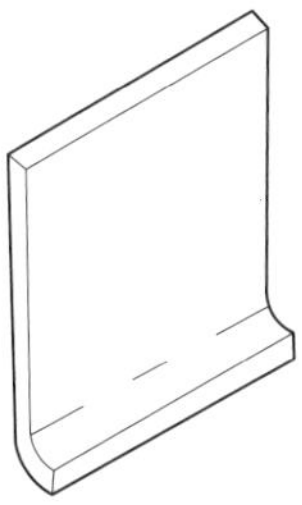

円周内側用の陶磁幅木
一般幅木と合わせて使用

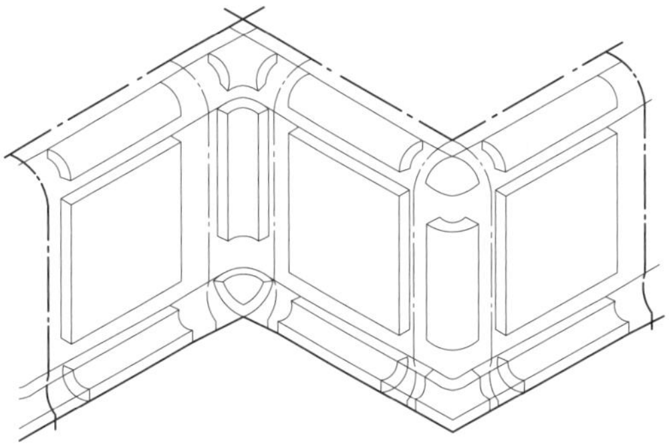

陶磁部品の合わせ方例

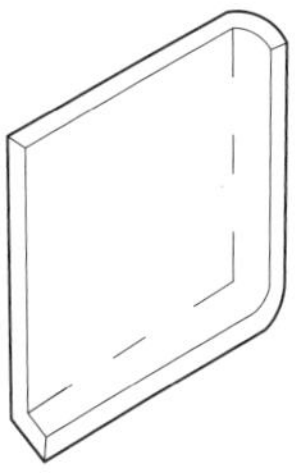

円周内側用の陶磁幅木のサイド部分
一般幅木と合わせて使用

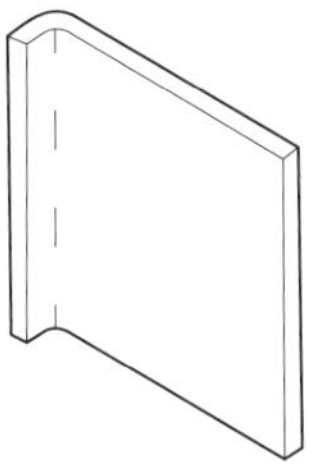

円周内側用の陶磁幅木の右サイド部分
一般幅木と合わせて使用

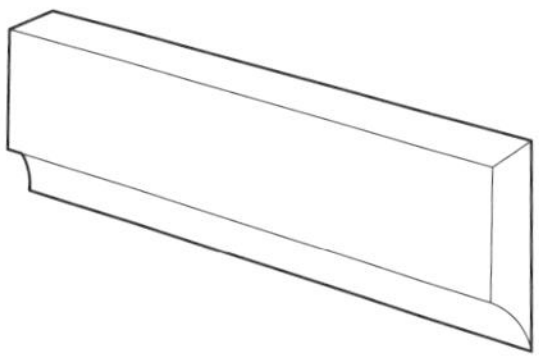

壁上部の笠木

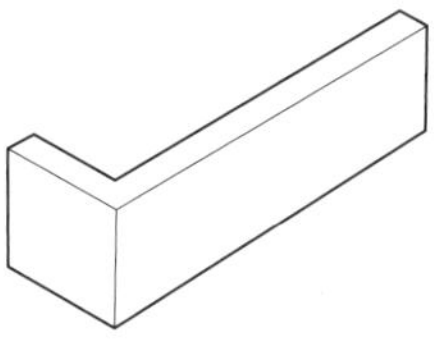

壁の角にあてる陶磁部品

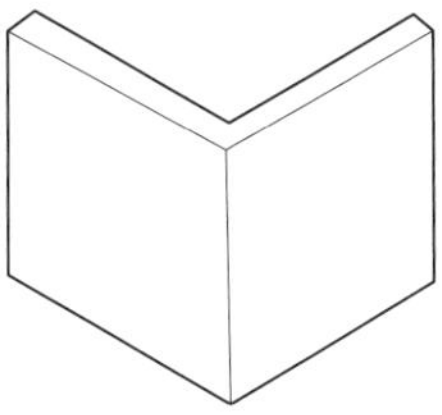

壁の角にあてるための陶磁部品

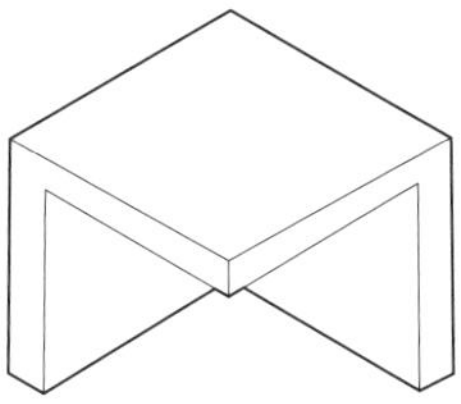

壁の角にあてるボックス型陶磁部品

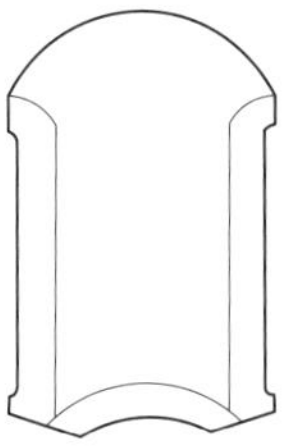

内向き半円形型
笠木と合わせて使用

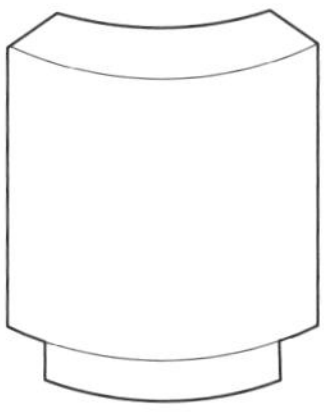

外向き半円形型
壁の縁に貼る

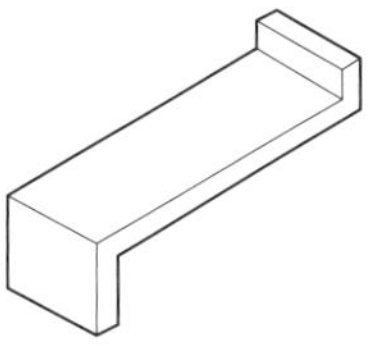

両サイドにカーブが付いている
壁面角にあてる部品

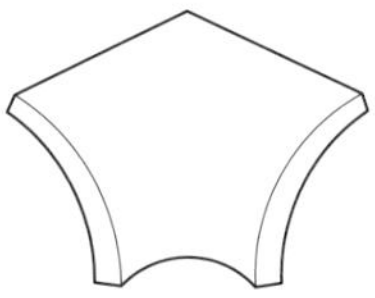

壁の角の溝にあてる

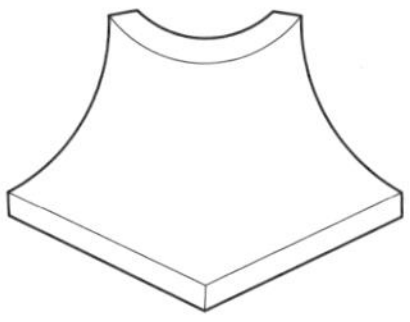

柱脚の形の陶磁部品
壁の角にあてる

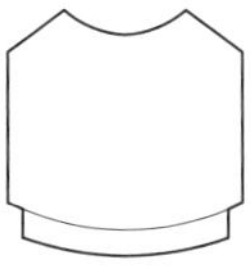

外向き半円形型
笠木と合わせて使用

内向き三角形型
壁の溝に貼る

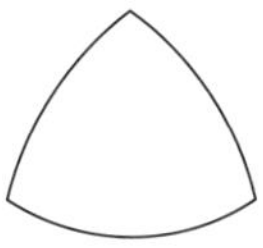

外向き三角形型
壁の角に貼る

半円形の陶磁部品
壁の縁にあてる

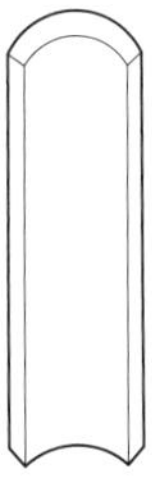

半円形の陶磁部品
壁の縁にあてる

半円形の陶磁部品
壁の縁にあてる
同形部品と組み合わせ可能

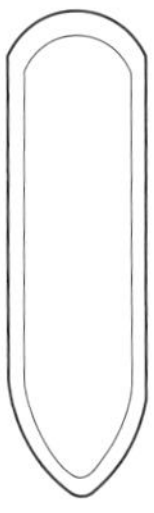

内向き筒型
内側に管を入れて使用

外向き筒型
壁の縁に貼る

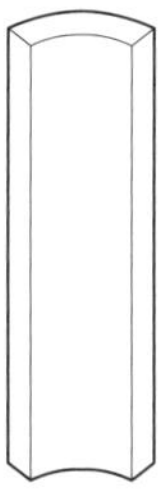

内向き筒型
壁の縁に貼る

モザイク用のタイルは、陶磁製、大理石、金属製、貝殻など数種類に分けられる。陶磁製タイルは最も伝統的なもので、施釉と無釉の2種類がある。大理石のタイルはルネサンス期に発展したが、耐酸性や耐アルカリ性、防水性が低い。

ガラスモザイクタイルは色彩と種類が豊富で、金星、雲彩、ガラスなどの種類がある。現代では建築装飾に用いる芸術品であり、色は柔らかで美しく、無毒無害である。変色せず、埃もたまりにくく、耐久性が強いので、建築物内外の壁の装飾に適している。

廻り縁タイル

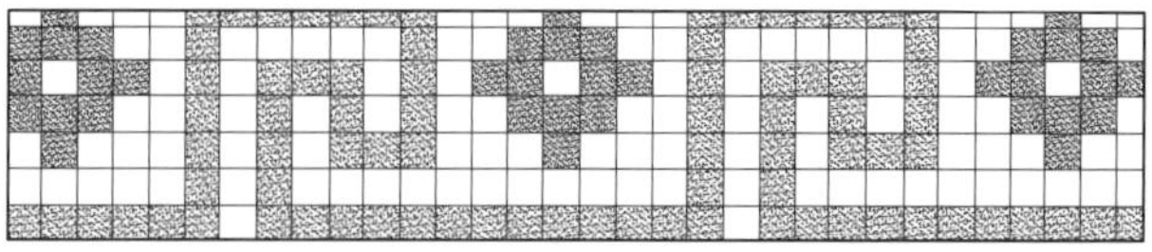

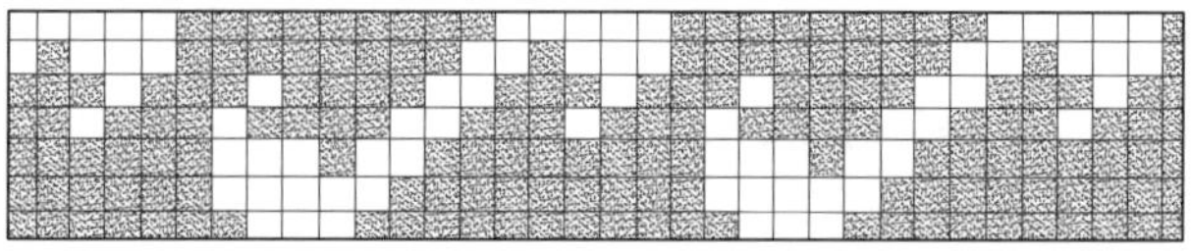

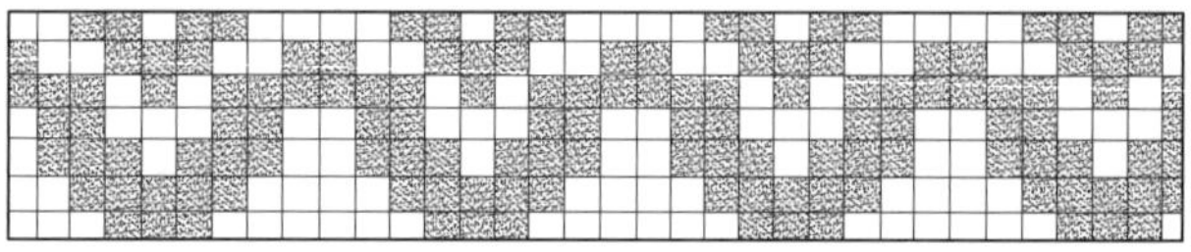

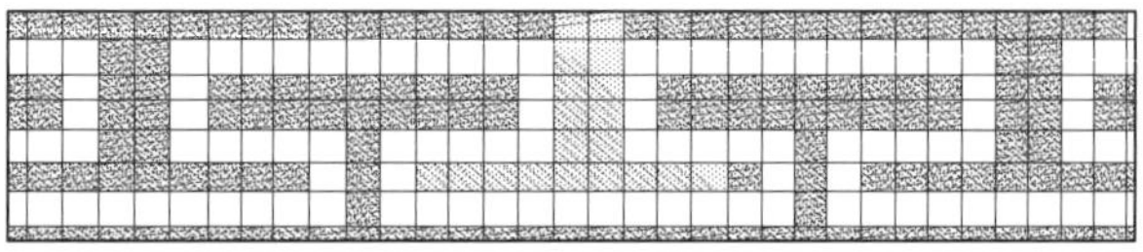

グラデーションタイル

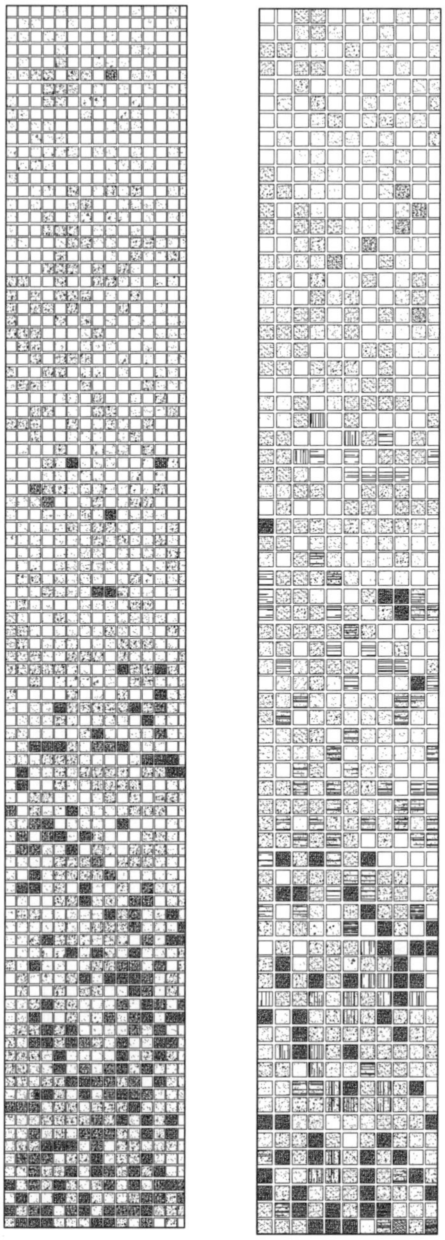

モザイクタイル

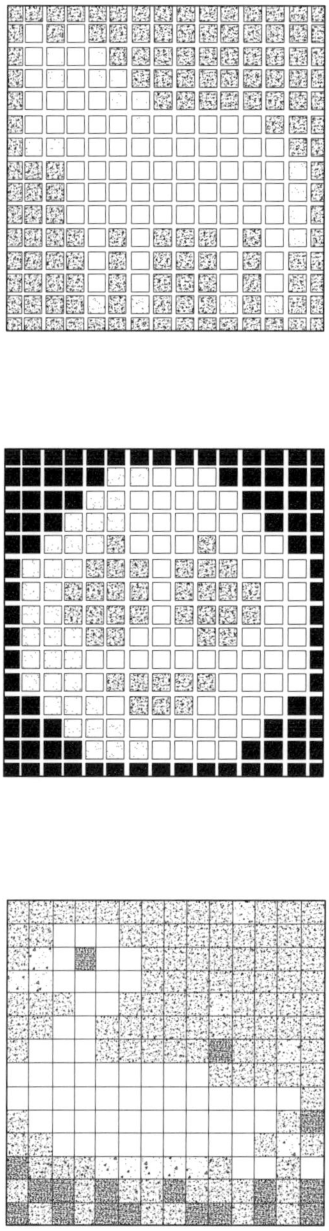

グラデーションタイル

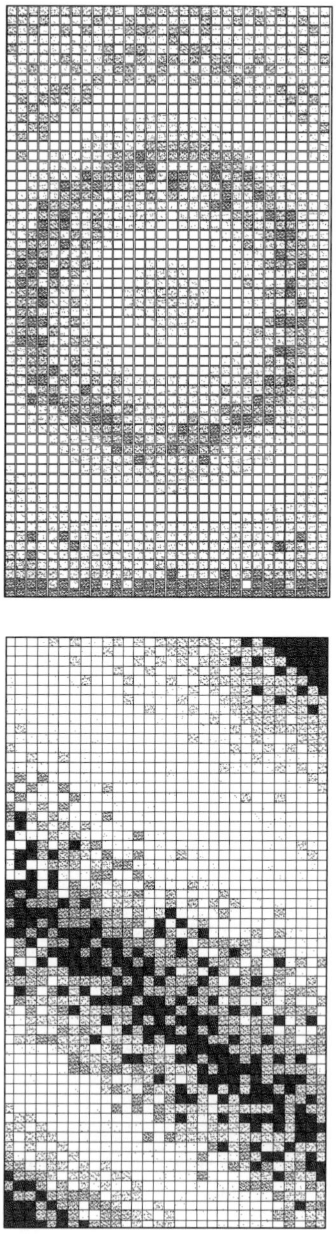

主な成分は珪酸塩とガラス粉末で、高温で焼成する。酸、アルカリ、腐蝕に強く、色落ちしない。ガラスの品種により種類が分かれる。

1. **熔解ガラスタイル**：酸を主成分として、高温で溶かしてから固める。
2. **焼結ガラスタイル**：ガラス粉末が主原料で、一定温度で焼く。
3. **金星ガラスタイル**：少量の気泡と一定量の金属結晶の粒子が含まれている。

貝殻

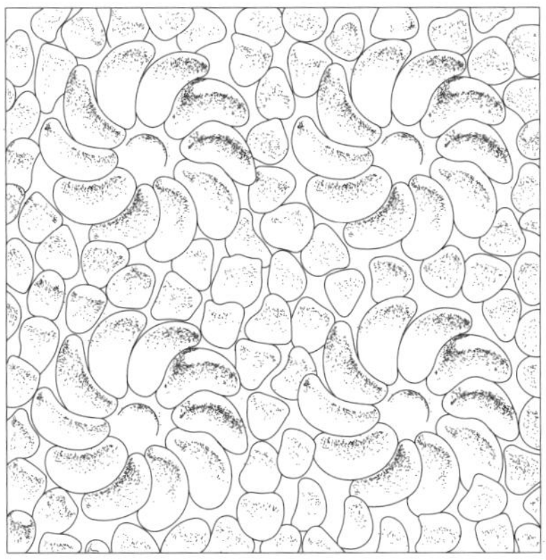
ガラス玉

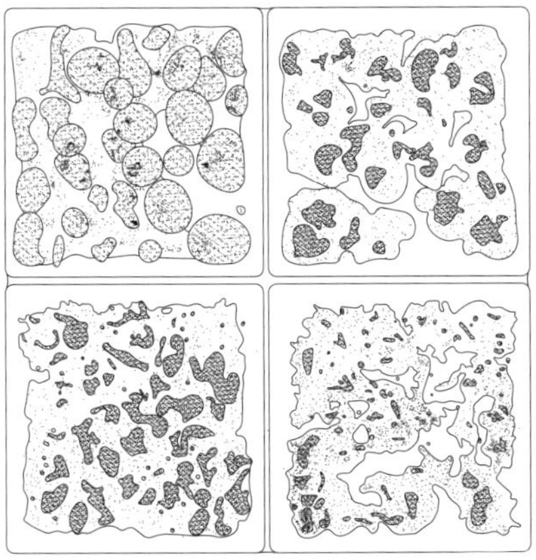
彩釉

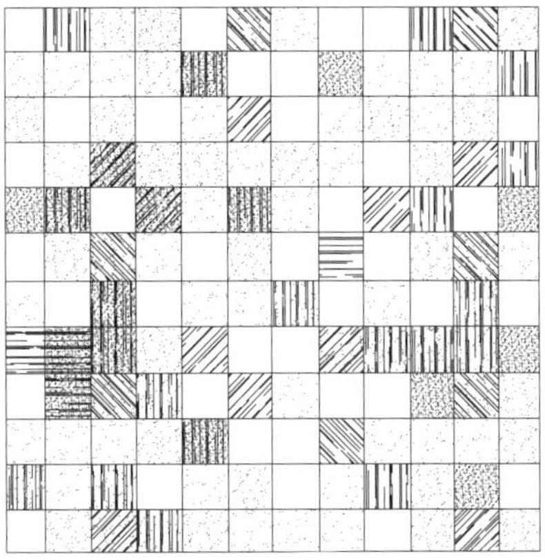
貝殻

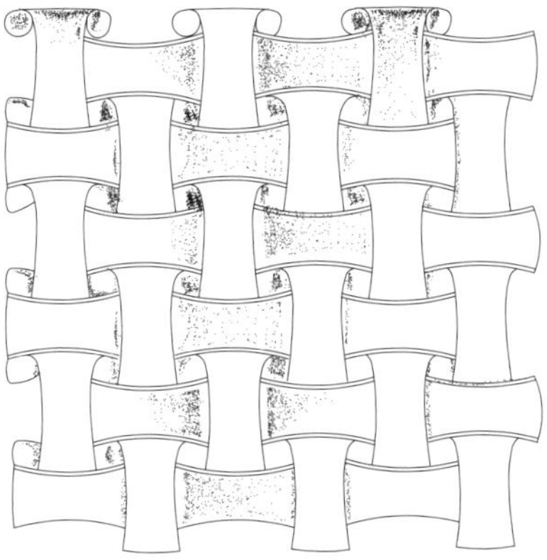
金属

金属

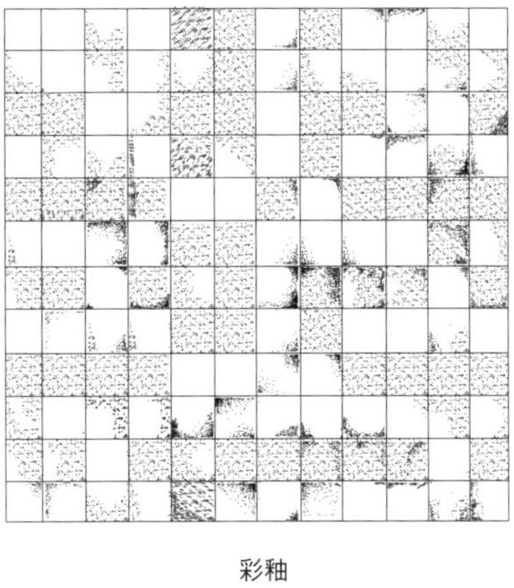
彩釉

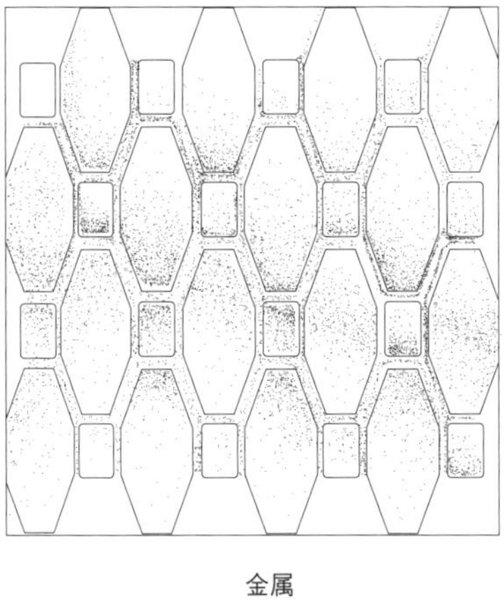
金属

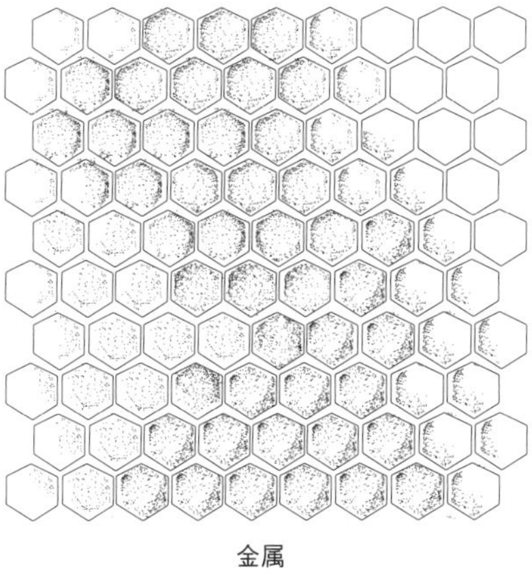
金属

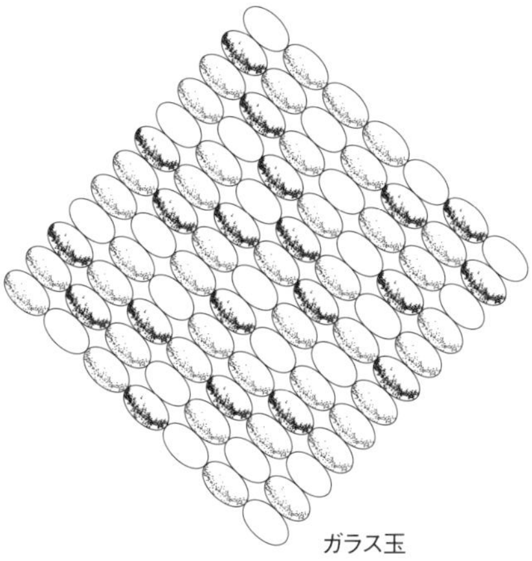
ガラス玉

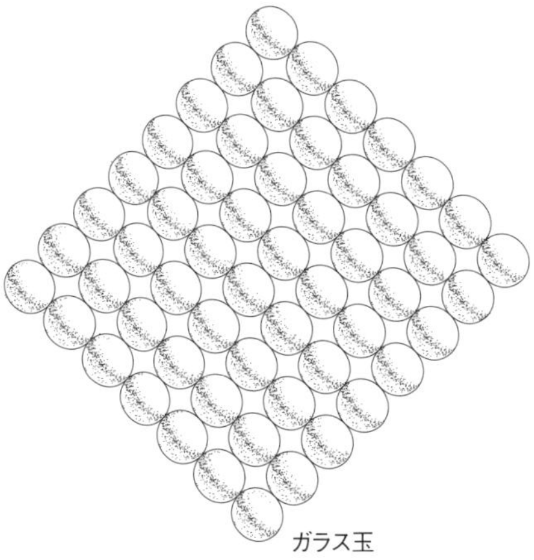
ガラス玉

高温で焼かれた小さなタイルで、組み合わせによって無数のデザインができ、そのデザインによって室内の雰囲気を変えられる。吸水率が低く、亀裂が入りにくいため、キッチンやトイレ、洗面室などの床によく使われる。

1,200×1,200

1,200×1,200

600×600

800×800

800×800

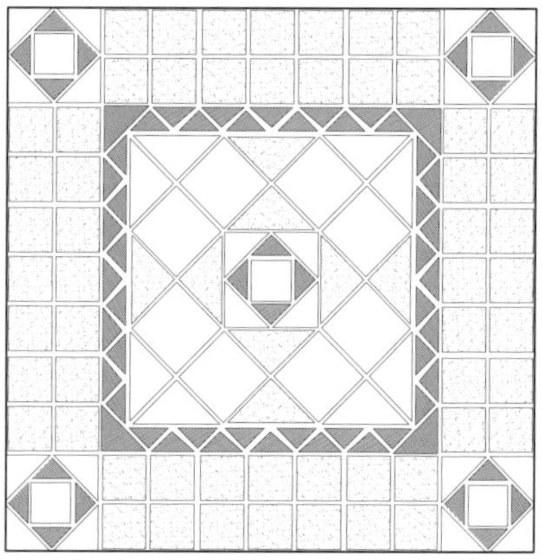

800×800

800×800

1,200×1,200

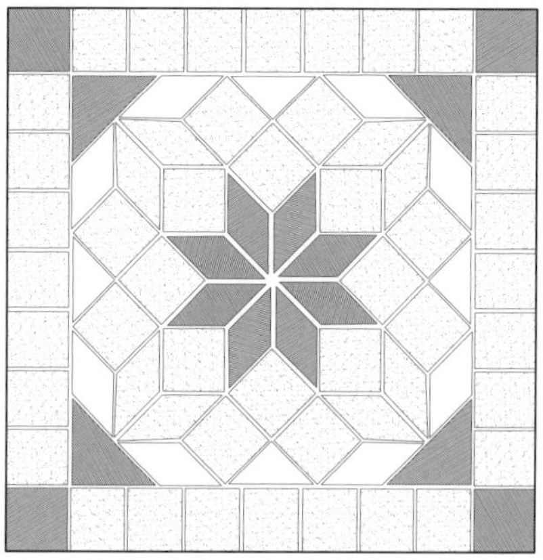

800×800

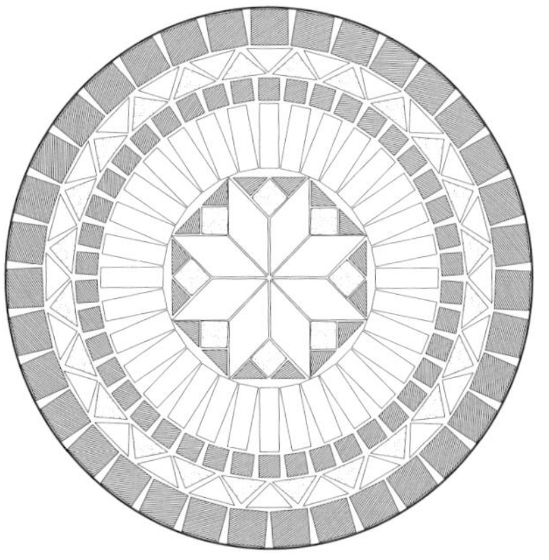
ϕ600

ϕ600

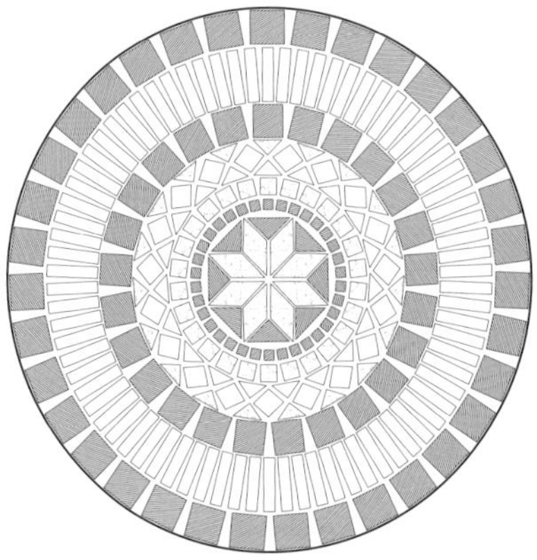
ϕ600

ϕ600

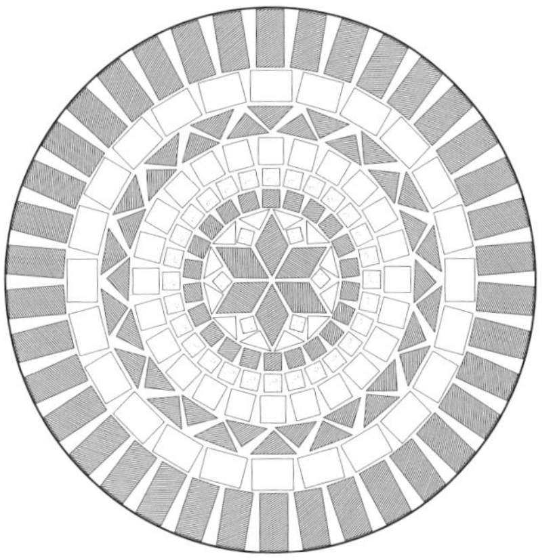
ϕ600

ϕ600

ϕ600

ϕ600

ϕ600

ϕ600

ϕ600

ϕ600

粘土と石の粉末を圧縮、焼成したもので、表と裏が同じ色である。さらに表面を加工して光沢をもたせることによって、より美しく見えるようにできる。硬いうえに摩擦に強く、見た目も美しい。

1,600×1,600
1,200×1,200

1,600×1,600
1,200×1,200

1,600×1,600
1,200×1,200

1,600×1,600
1,200×1,200

1,600×1,600
1,200×1,200

1,200×1,200

1,600×1,600
1,200×1,200

1,600×1,600
1,200×1,200

1,200×1,200

1,200×1,200

1,200×1,200

1,200×1,200

1,200×1,200

1,200×1,200

600×600

1,200×1,200

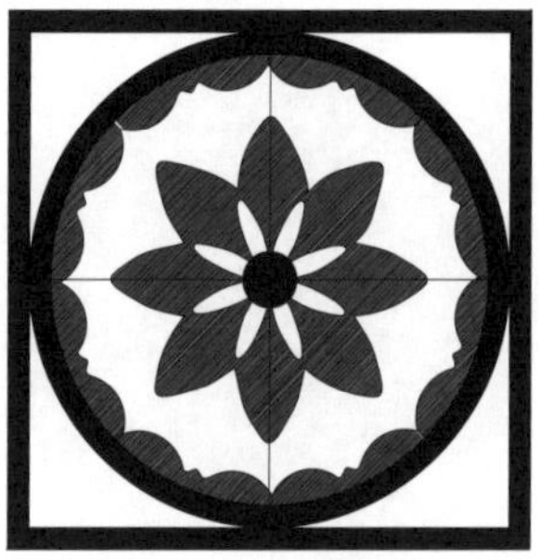

1,200×1,200

建築に使われる陶製タイルを砕いて圧縮したものである。高い色彩効果があり、通常は中に含まれている鉱物質や赤鉄鉱などの成分を利用して自然に発色させるが、金属酸化物を混ぜて人工着色することもできる。埃がたまりにくく、汚れにくいことが特徴である。

現代の製造技術で作られた古典的な雰囲気をもつ陶製タイルは、表面に凹凸があり、色も均一ではない。正方形、長方形、三角形などの形がある。

アンティークタイルの多くはカフェやレストランなどで使われる。

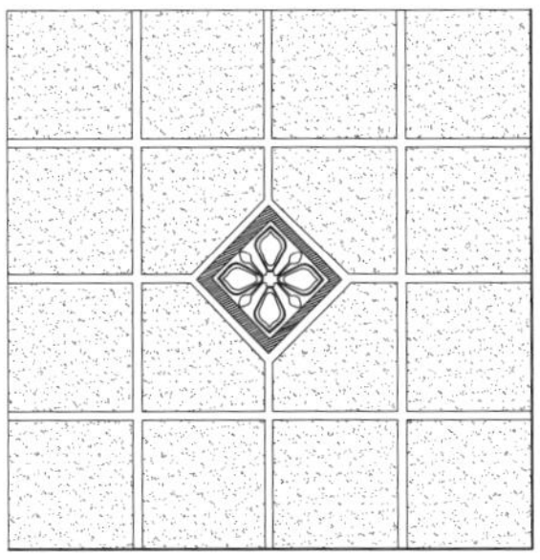
250×250

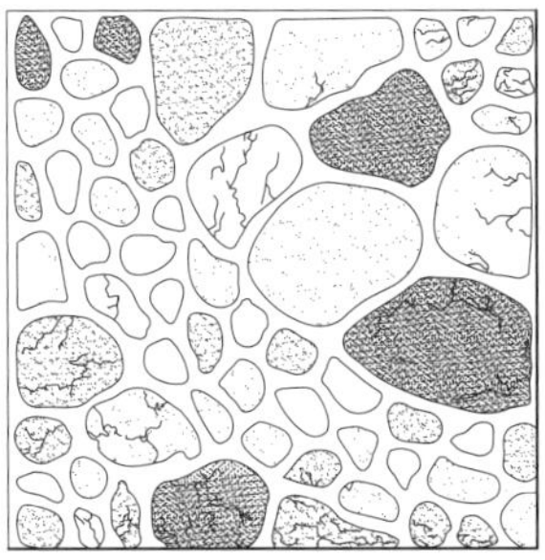
250×250

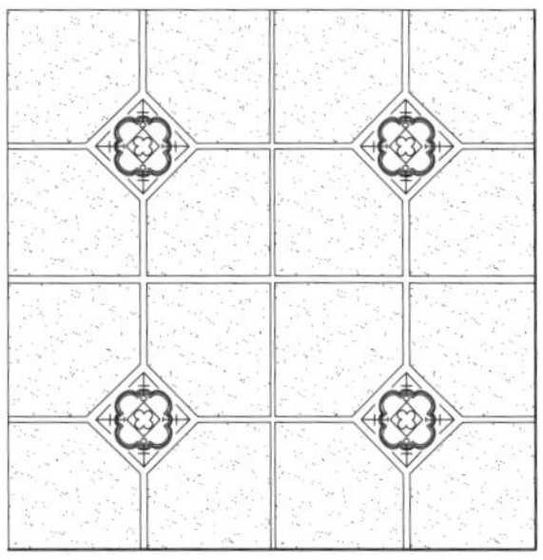
250×250

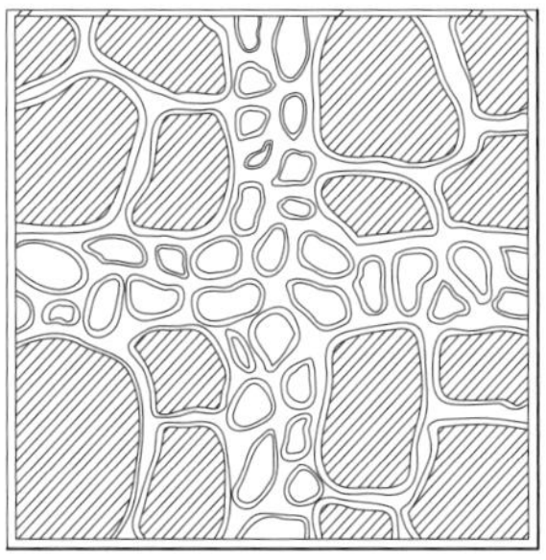
250×250

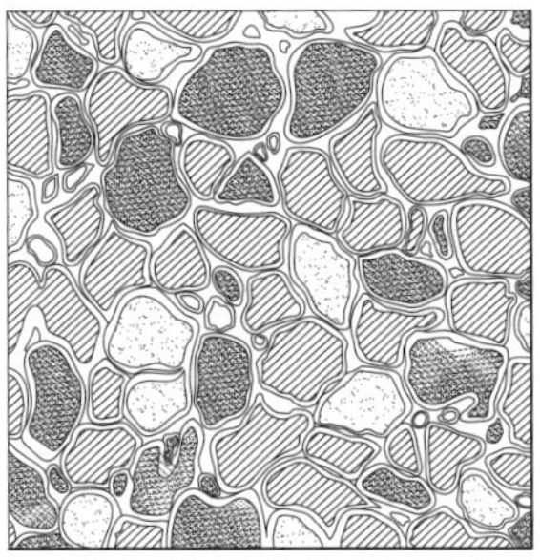
250×250

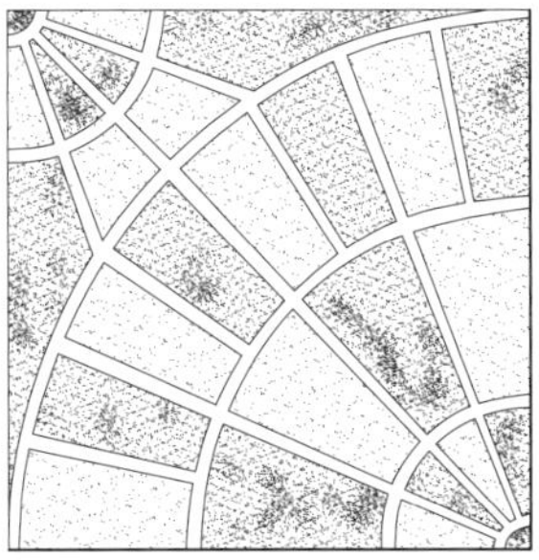
300×300

300×300

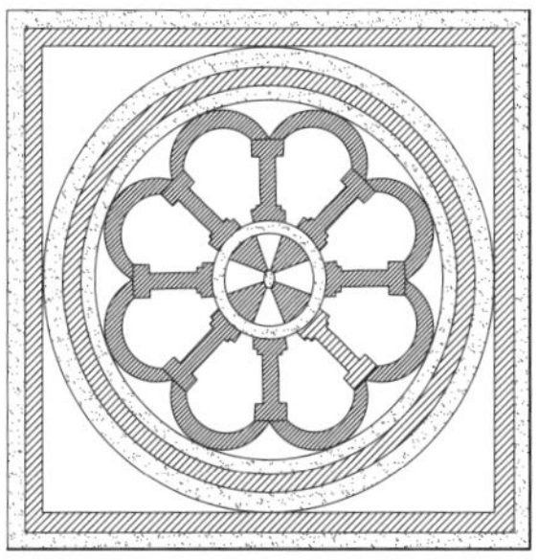
300×300

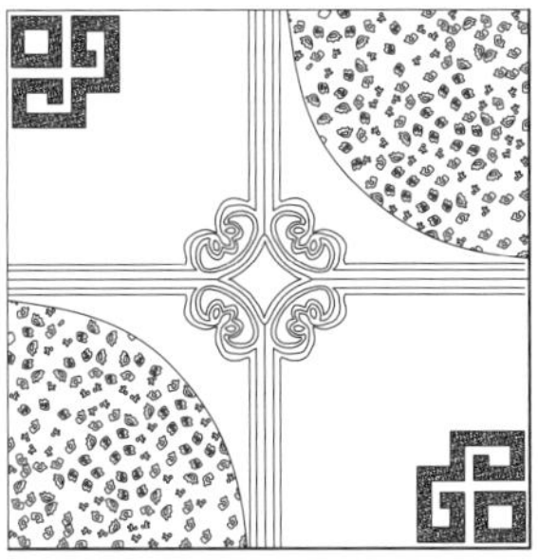
300×300

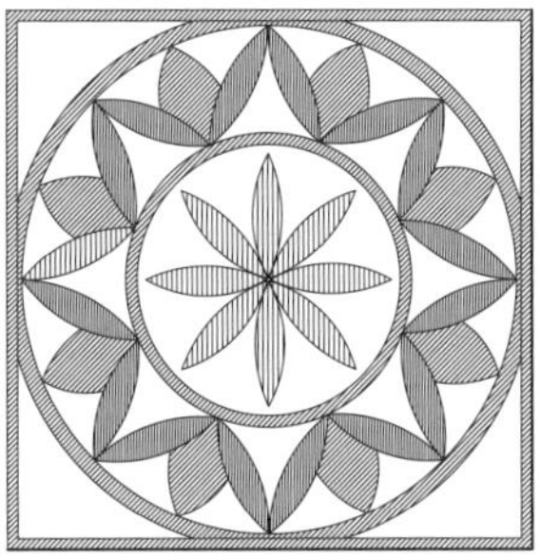
300×300

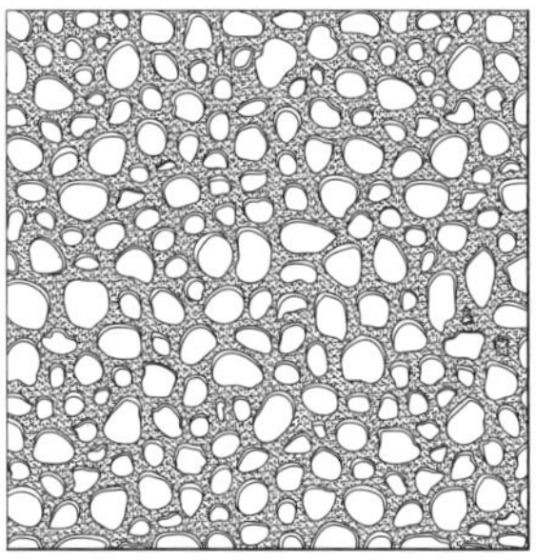
300×300

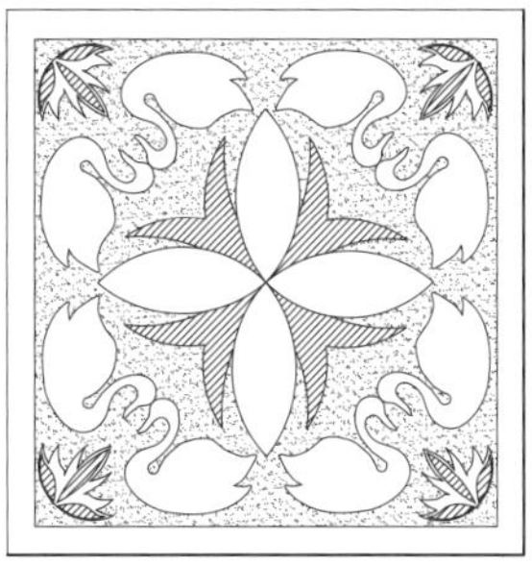
1,200×1,200

1,200×1,200

1,200×1,200

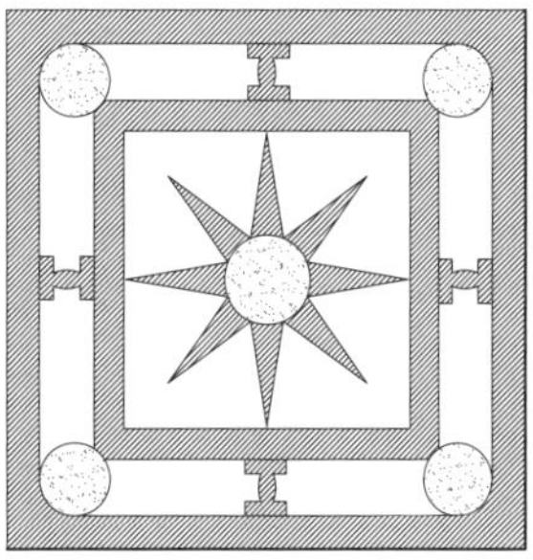
1,200×1,200

1,200×1,200

内装に用いることで、壁の装飾効果を高められる。壁のタイルが濃い色の場合は淡い色の帯状タイルを使い、壁のタイルが淡い色の場合は濃い色の帯状タイルを使うことで、コントラストがはっきりし、視覚効果を高めることができる。

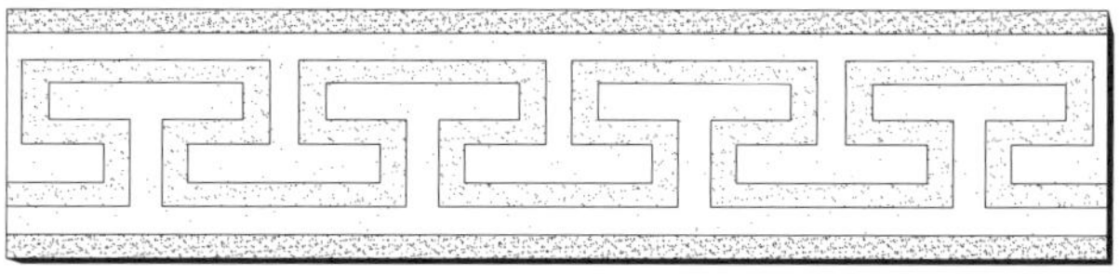

150×600

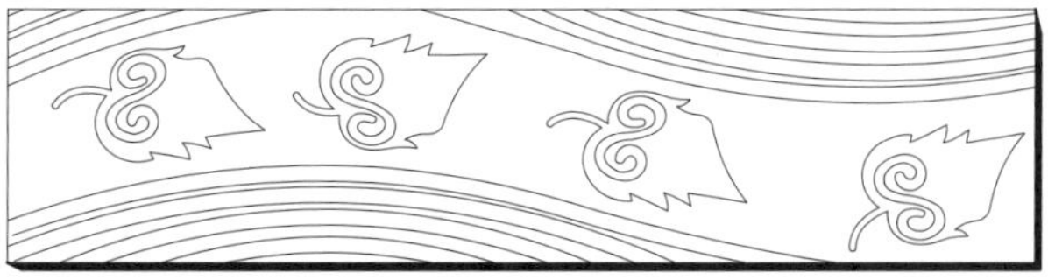

150×600

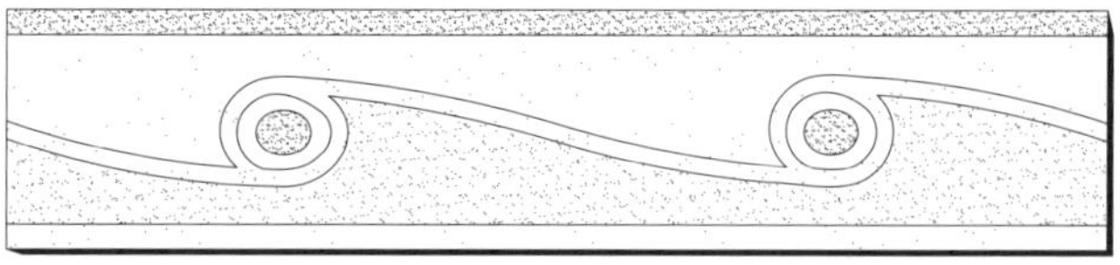

150×600

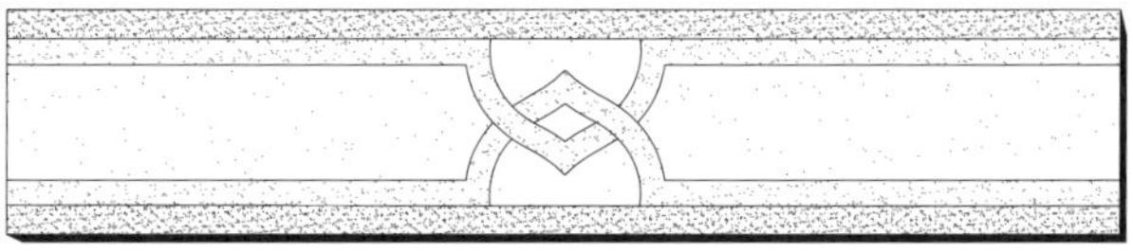

120×600

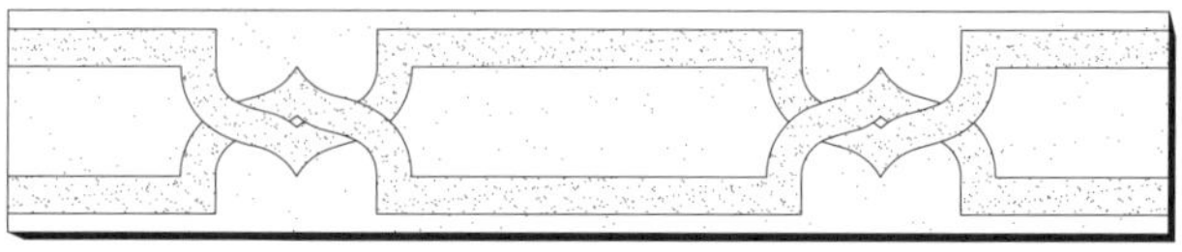

120×600

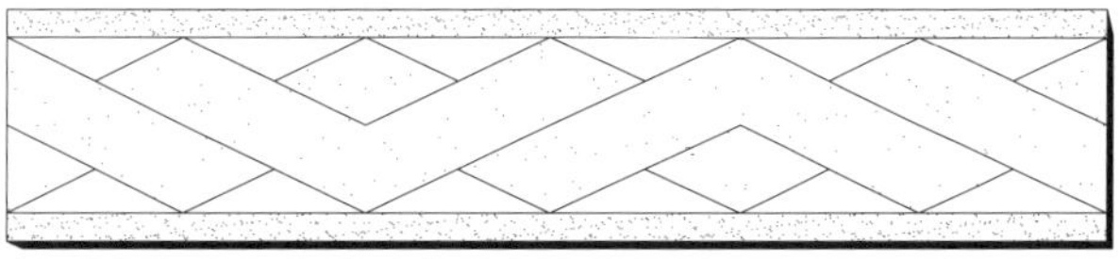

120×600

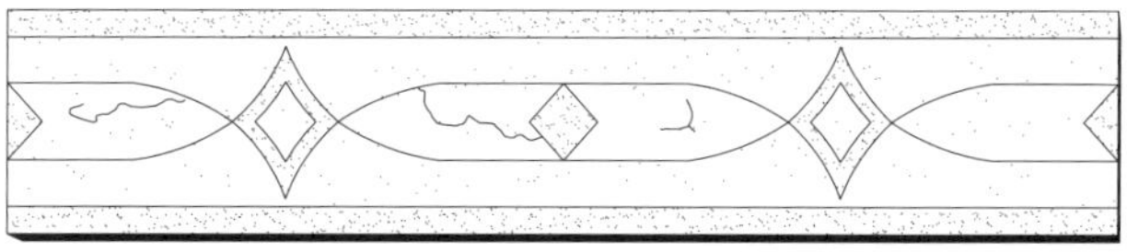

120×600

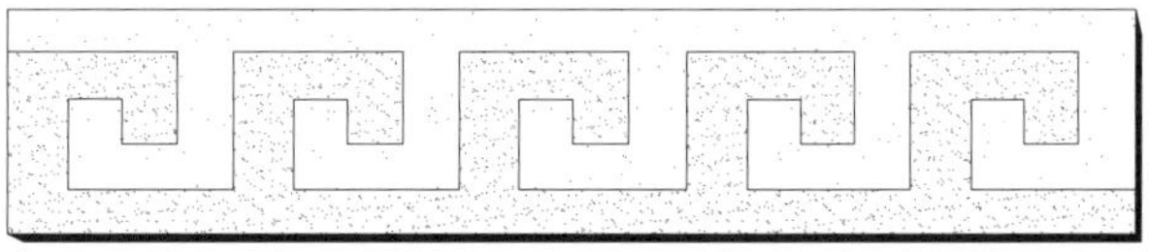

120×600

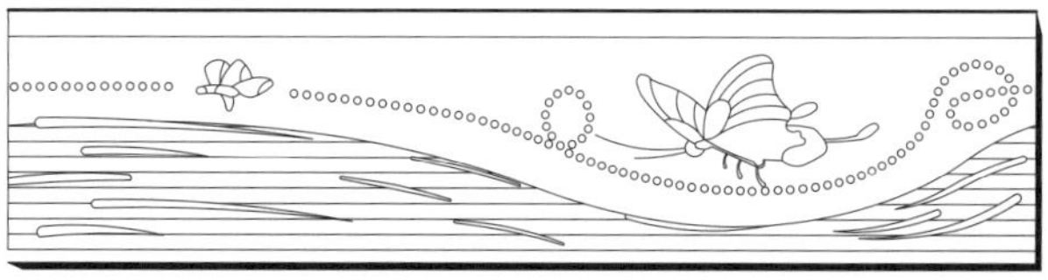

150×600

120×600

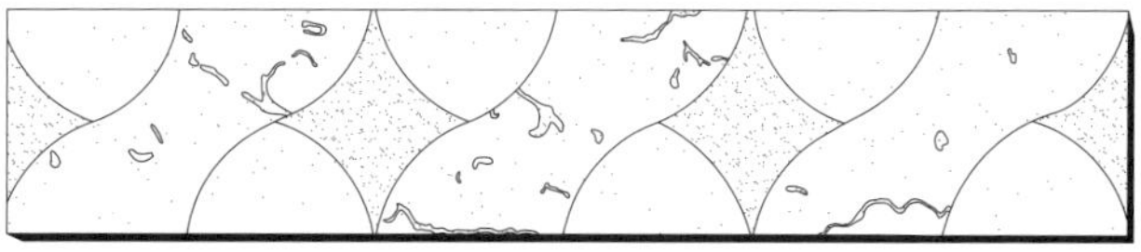

120×600

150×600

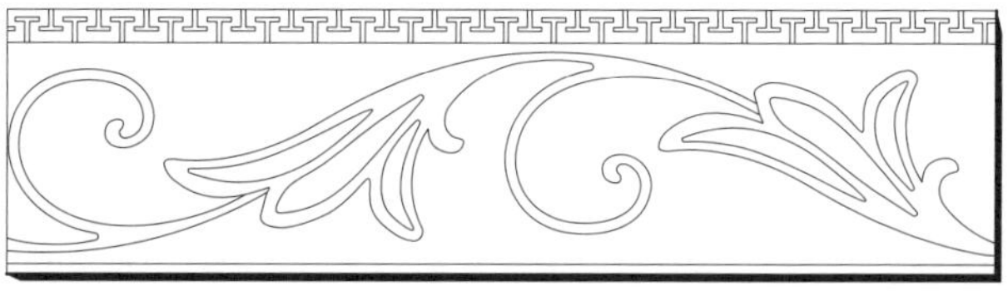

150×600

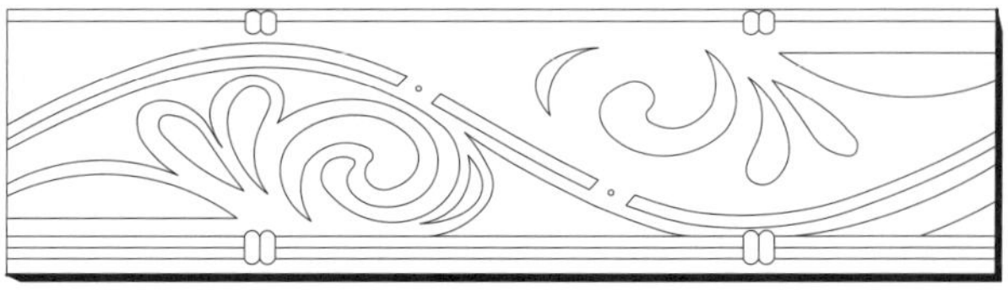

150×600

150×600

レンガは一般レンガと空洞レンガに分けられ、粘土、セメント、砂、骨料などを一定の比率に従って調合し、型に入れ、人力または機械で高圧圧縮し、窯で焼成する。レンガは材料によって区分される。レンガには、耐荷重、防火、防音などの作用があり、建築工程ではこれらの機能を果たすほかに、材質によっては装飾効果もある。レンガはよく壁の荷重やコンクリート構築の表面装飾に用いられる。レンガ積みの外観は、レンガの色、質感、積み方と漆喰が決め手である。各段の隙間に変化をつくることで、独特な雰囲気があらわれる。レンガを壁面から突出あるいは後退させることで、立体的な図案をつくることができる。

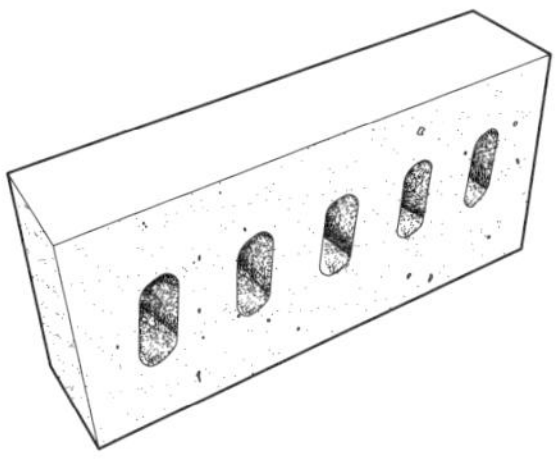

穴あきレンガ
240×115×53
用途：内外壁、庭園、駐車場

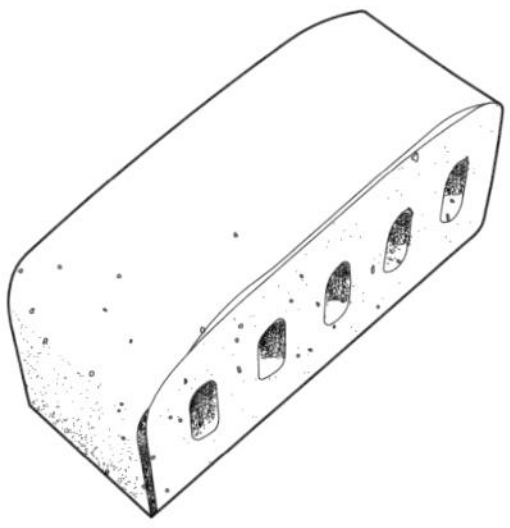

窓枠レンガ
240×115×90
用途：アーチ、窓、庭園などの装飾

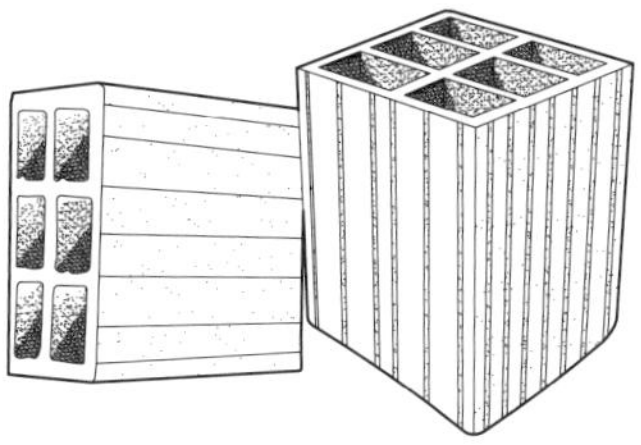

詰めレンガ
240×240×115、240×190×150
用途：内外壁表貼りの装飾

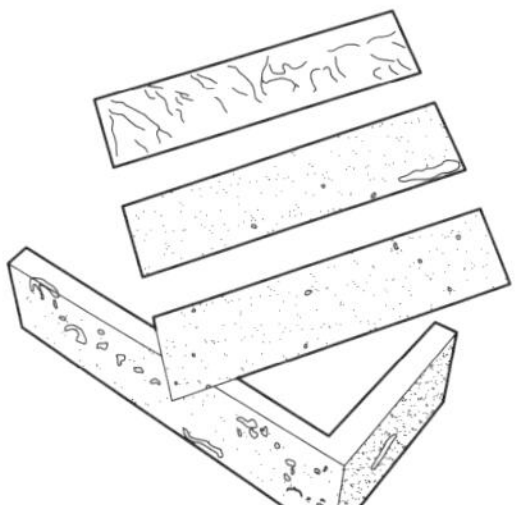

表貼りとコーナー
240×115×53、240×115×90
用途：内外壁の表面装飾

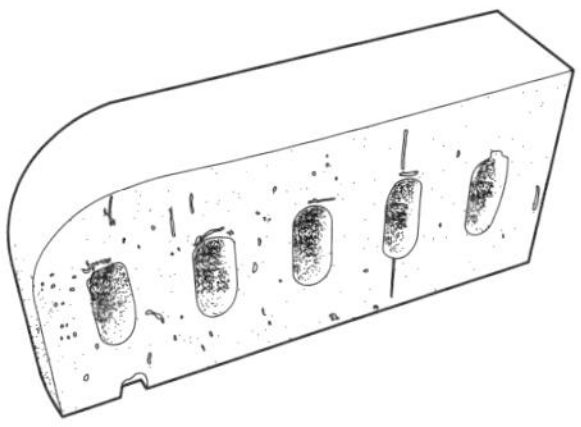

縁石用レンガ
240×115×53
用途：窓枠、道路の縁石、庭園装飾

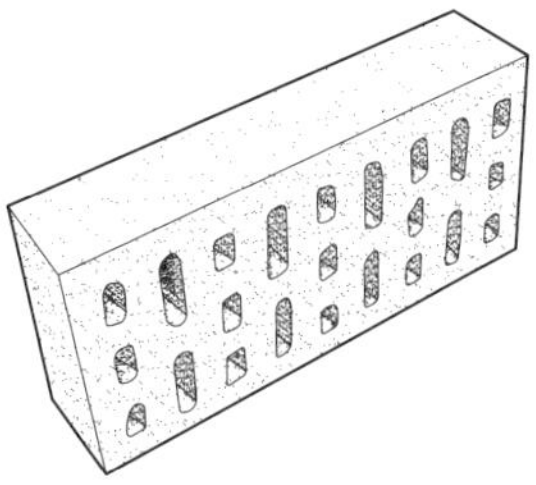

塗釉レンガ
240×115×53、240×115×90
用途：地下室、側溝

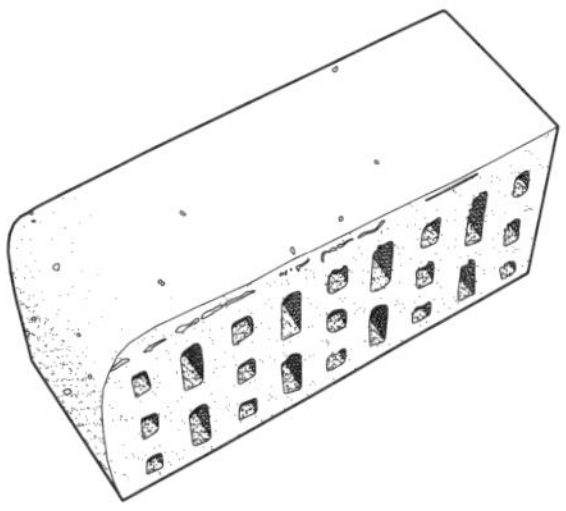

階段レンガ
240×115×53、240×115×90
用途：階段の舗装、庭園装飾

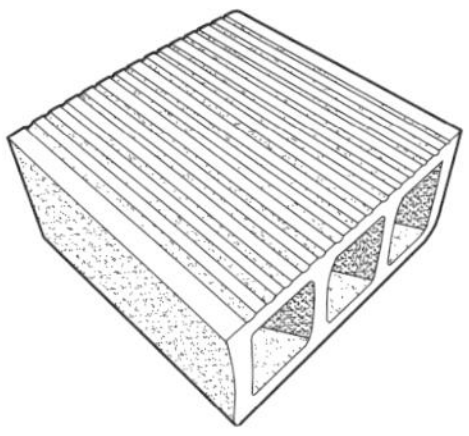

詰めレンガ
240×240×115
空洞率50%

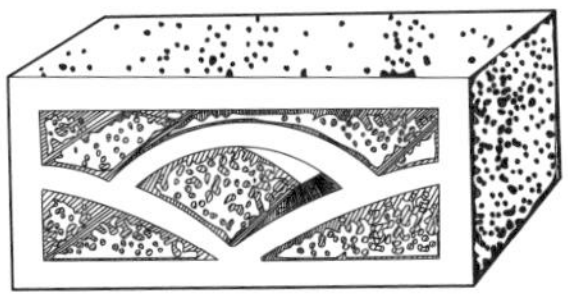

日の出型
10×12×15

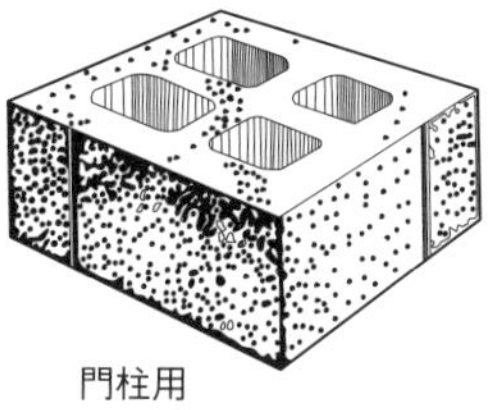

門柱用
30×40×19

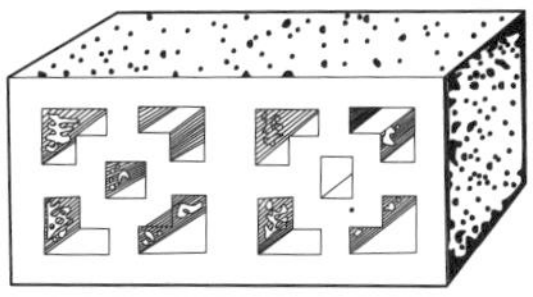

格子型
10×12×15

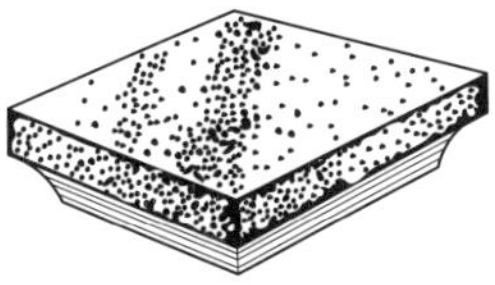

門柱蓋
10×44×36

さまざまな形状のくり抜き方

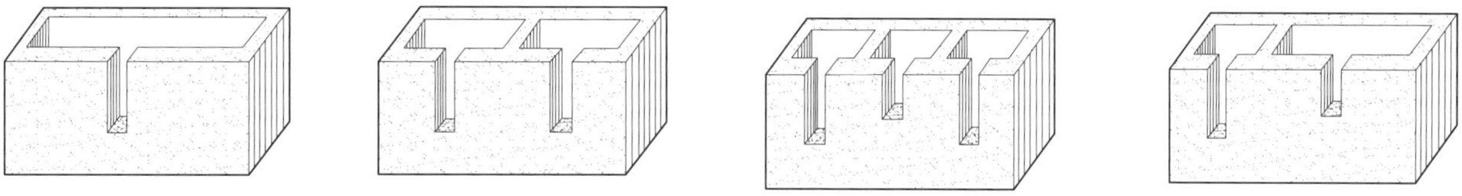

防音レンガ

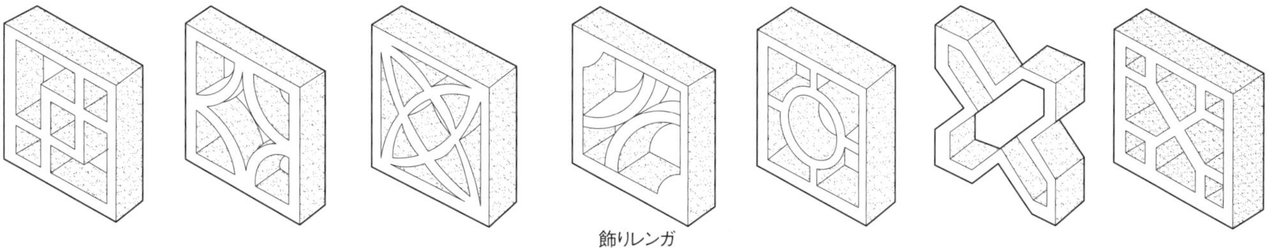

飾りレンガ

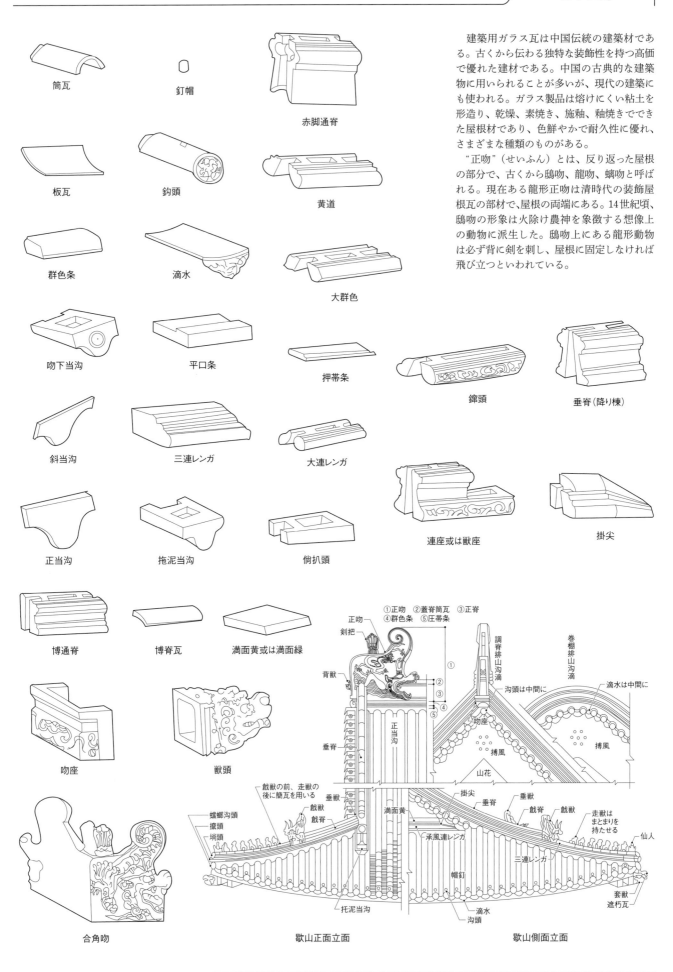

建築用ガラス瓦は中国伝統の建築材である。古くから伝わる独特な装飾性を持つ高価で優れた建材である。中国の古典的な建築物に用いられることが多いが、現代の建築にも使われる。ガラス製品は熔けにくい粘土を形造り、乾燥、素焼き、施釉、釉焼きでできた屋根材であり、色鮮やかかで耐久性に優れ、さまざまな種類のものがある。

“正吻”（せいふん）とは、反り返った屋根の部分で、古くから鴟吻、龍吻、螭吻と呼ばれる。現在ある龍形正吻は清時代の装飾屋根瓦の部材で、屋根の両端にある。14世紀頃、鴟吻の形象は火除け農神を象徴する想像上の動物に派生した。鴟吻上にある龍形動物は必ず背に剣を刺し、屋根に固定しなければ飛び立つといわれている。

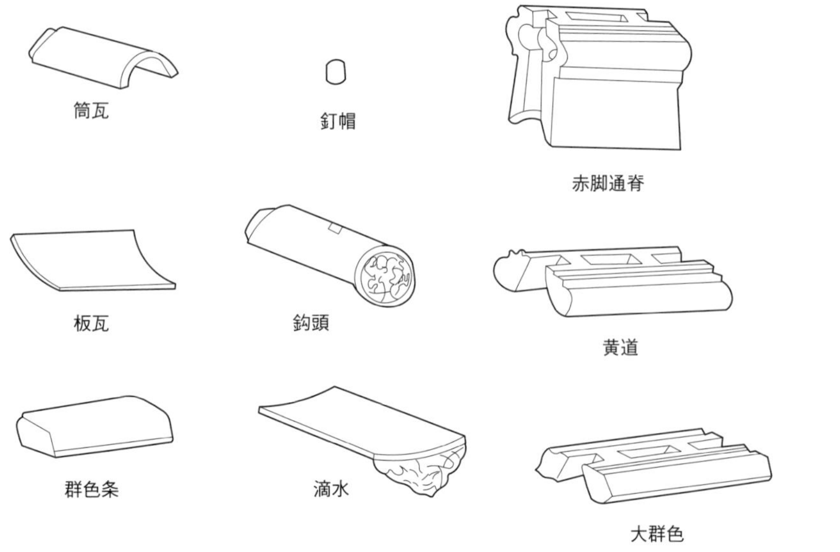
筒瓦
釘帽
赤脚通脊
板瓦
鉤頭
黄道
群色条
滴水
大群色

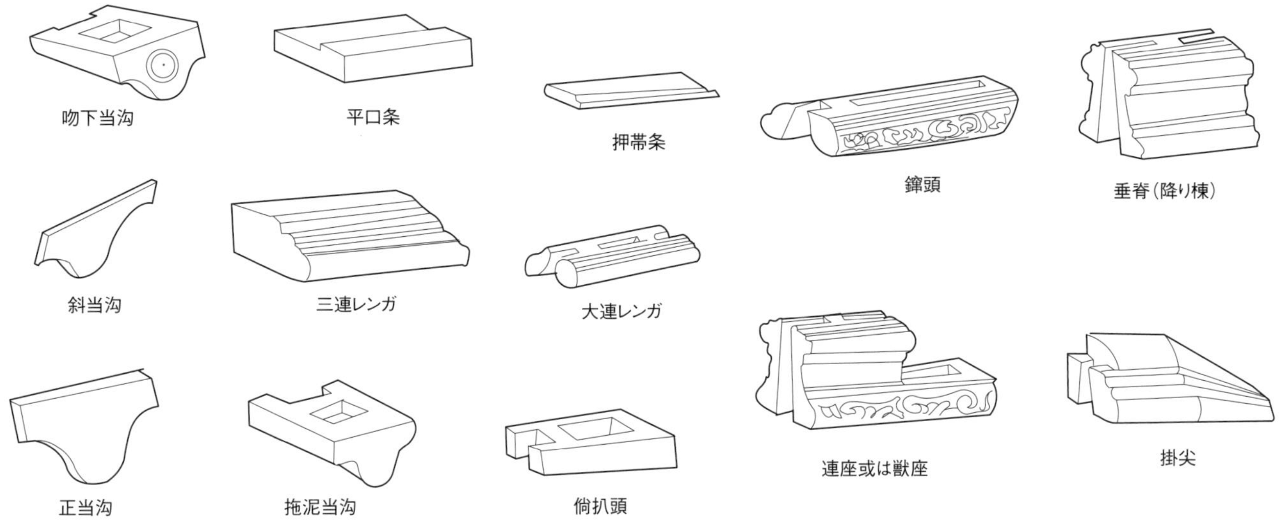
吻下当沟
平口条
押帯条
鐔頭
垂脊（降り棟）
斜当沟
三連レンガ
大連レンガ
連座或は獣座
掛尖
正当沟
拖泥当沟
倘扒頭

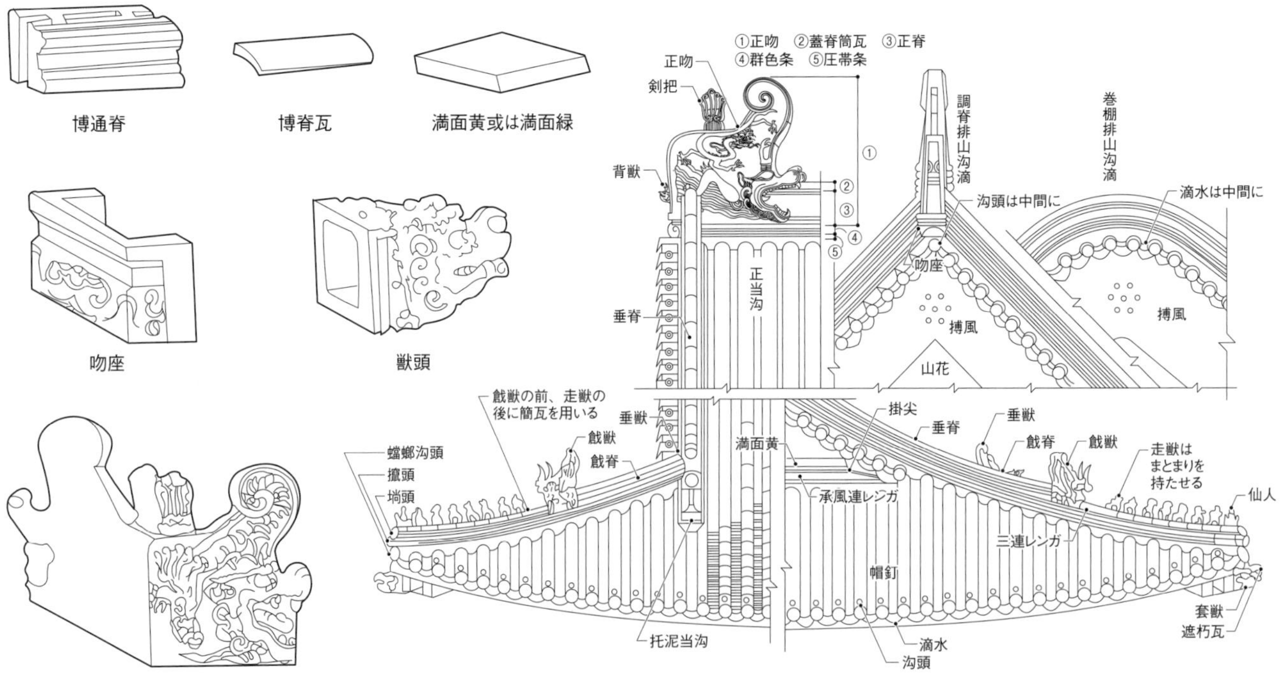
博通脊
博脊瓦
満面黄或は満面緑
吻座
獣頭
合角吻
①正吻　②蓋脊筒瓦　③正脊
④群色条　⑤圧帯条
正吻
剣把
背獣
垂脊
正当沟
①
②
③
④
⑤
調脊排山沟滴
巻棚排山沟滴
沟頭は中間に
滴水は中間に
吻座
搏風
山花
搏風
戧獣の前、走獣の後に筒瓦を用いる
垂獣
戧獣
戧脊
蟷螂沟頭
攛頭
埫頭
満面黄
承風連レンガ
托泥当沟
掛尖
垂脊
垂獣
戧脊
戧獣
走獣はまとまりを持たせる
仙人
三連レンガ
帽釘
滴水
沟頭
套獣
遮朽瓦

歇山正面立面　　歇山側面立面

ガラス製壁面装飾は建物表面の防雨と装飾が目的で、中国の伝統的な建築装飾である。品種が多く、約100種類ほどあり、大まかに瓦、梁、装飾の3つに分けられる。

屋根に用いるガラス製品の特徴は、精密かつ表面が滑らかなため、汚れにくく、耐久性が高いことである。色も鮮やかで、金色、緑、藍色、黒、紫などがある。主に宮殿式の家屋、およびモニュメント、庭園の牌亭、楼閣などに見られる。

唐草模様透彫　明朝北京故宮博物館

双龍照壁

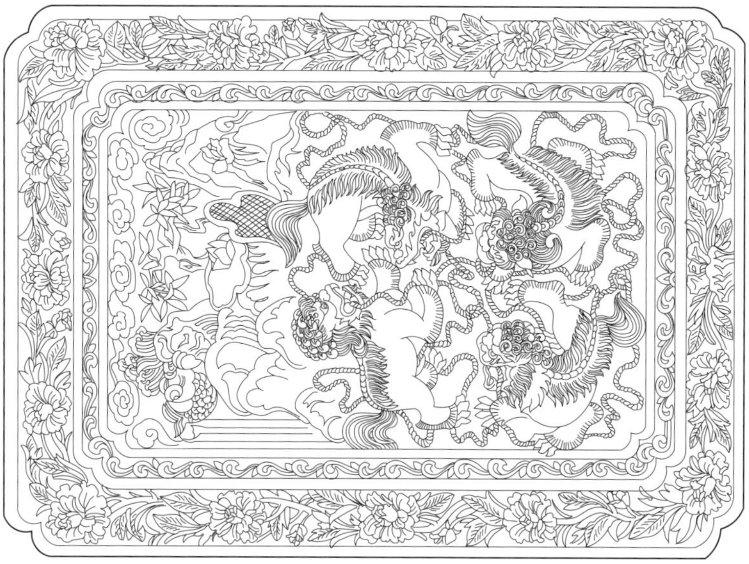

清山峡会館（獅子・牡丹・紋浮彫）南陽社旗

ガラスタイル（台湾の住宅）

宝相華

団寿字

中心如意

蓮華蓮心

八角銭

八面卍

昇陽海藻

ヒマワリ

八角海藻

円心十字

室内装飾用のガラスは板ガラス、強化ガラス、複層ガラス、合わせガラス、スリガラス、ステンドグラス、彫刻ガラス、アイスガラス、フローラガラス、鏡面ガラスなどの種類がある。

板ガラスは最も使われ、さらにこれを基礎材料として多種多様なガラスに加工が可能である。主原料は珪砂、ソーダ灰、石灰石で、その他の補助材料とともに高温熔融の後に型に入れて冷却することで透明な固体となる。板ガラスは、断熱、防音、保温、吸熱、耐放射線などの性能があり、建築物の玄関、窓、壁、室内装飾などに広く用いられる。

複層ガラスは、複数の板ガラスの間にポリビニルブチラール膜を挟み、高熱圧縮した複合ガラス製品で平面と曲面のものがある。安全性に優れ、割れても膜がるためガラスが飛び散ることがない。防犯、耐光、耐熱、耐湿、耐寒、防音などの機能があり、玄関、窓、カーテンウォール、採光天井、天窓、ガラス壁、室内の間仕切りなど広く使われる。

強化ガラスは、加熱後、迅速に冷却する特殊処理をしたガラスである。強度が高い、酸とアルカリに耐性があり、衝撃に対しては一般ガラスの3～5倍強い。砕けたときに尖った破片にならず、安全性に優れている。曲面ガラス、吸熱ガラスも作られる。玄関、窓、室内のパーテーション、シャワールームなど安全性が求められる場所に使われる。

合わせガラスは複数の板ガラスを合わせ、四周を高強度、高気密性の複合接着剤で覆い、ガラスの間には乾燥気体または不活性気体を注入する。さまざまな色や機能を持つフィルムを加えることもできる。ガラスの間に空間があるため、保温、断熱、防音に優れている。温度調節、騒音防止、結露対策や、直射日光の入る必要のない場所に用いられることが多い。

スリガラスは金剛砂などで研磨加工し、表面を粗くした板ガラスである。スリガラスは不透明でやわらかい光を取り入れることができる。屏風、浴室、トイレ、オフィスの入り口、パーテーションなどに使われ、ボード、家具、工芸品などにも用いられる。

アイスガラスは板ガラスに特殊な処理を施し氷の模様をつけたものである。光線の拡散作用があり、玄関のガラスに使用すれば、シフォンカーテンを掛けたように室内がはっきり見えなくなるが、採光機能に優れ、装飾効果もある。アイスガラスは無色、茶色、藍色、緑色などがあり、装飾効果はフローラガラスよりも高い。ホテル、レストランなどの入り口、間仕切りや住宅の装飾に使われる。

フローラガラスは板ガラスをローラーで押し延ばし、一般的には真空フィルム入りで、彩色フローラガラスなどもある。光を和らげ、表面の模様が凸凹をつくり、通過した光線を拡散させる。そのため、ガラスの向こう側がはっきり見えない。表面の模様は芸しく、オフィス、会議室、浴室や公共施設の入り口や間仕切りに使われる。

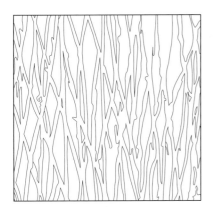

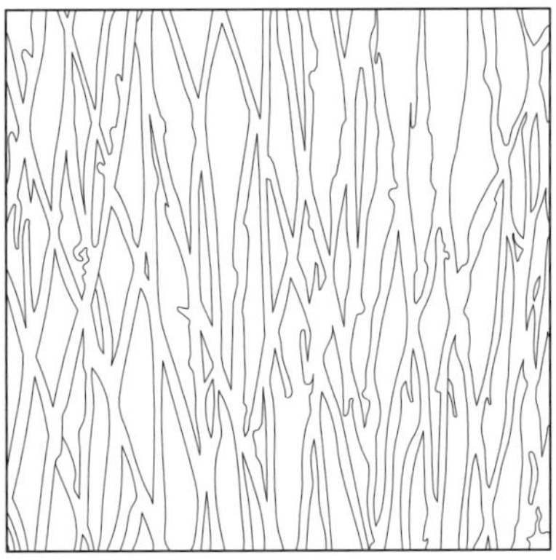
熱熔ガラス

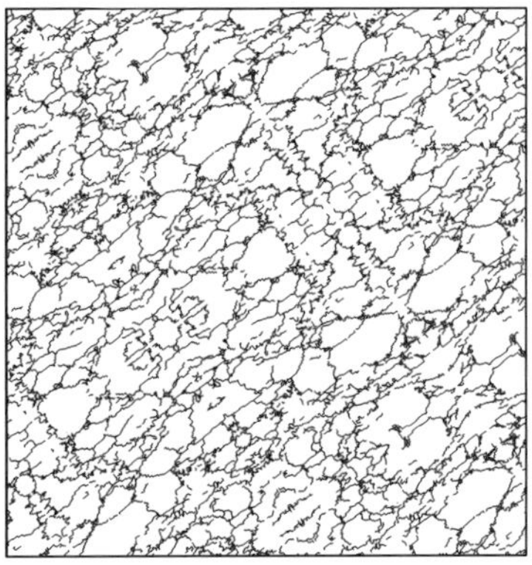
アイスガラス

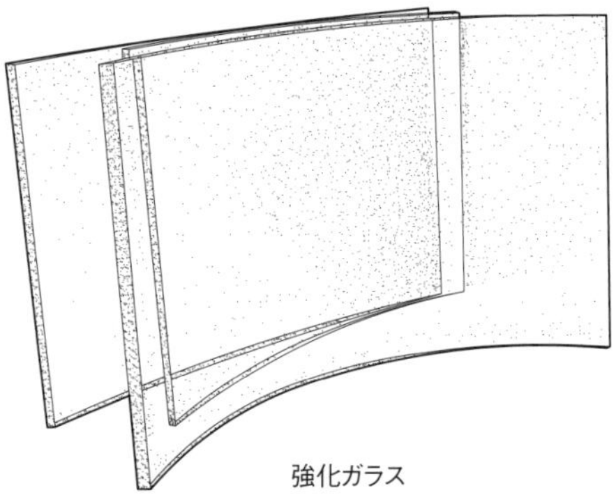
強化ガラス

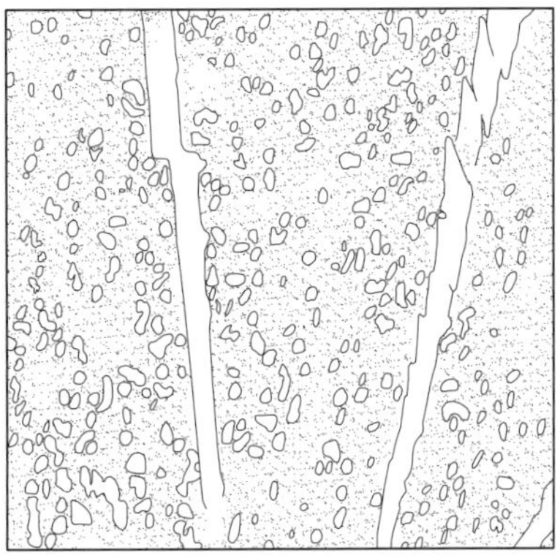
レーザーガラス

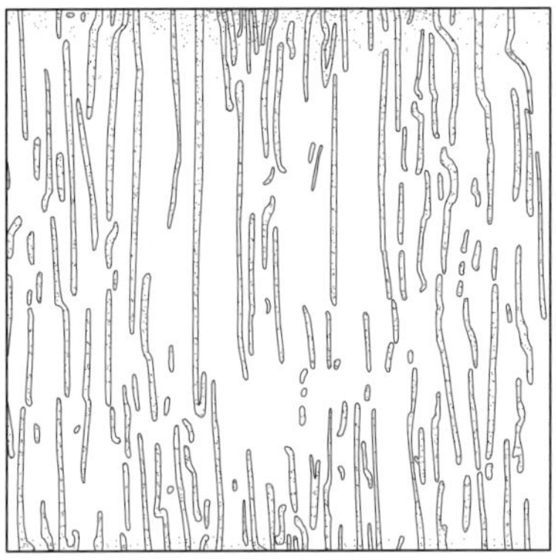
フローラガラス

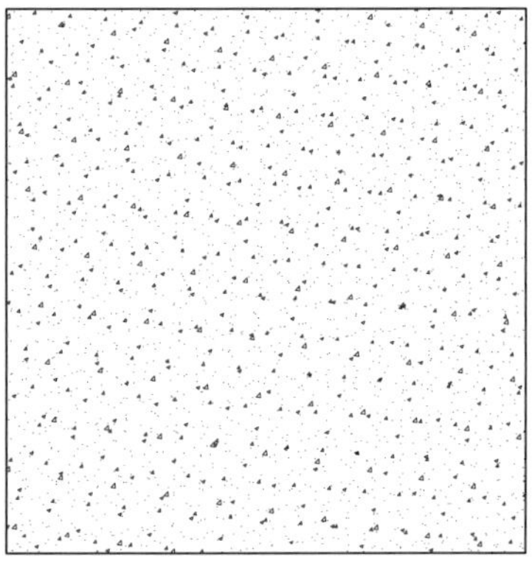
スリガラス

カラフルな図案のステンドグラスは、普通のガラスにさまざまな加工を施し、変化と表現力を付加したものである。擦りガラス、浮彫ガラス、彩絵ガラスや人物、植物、動物や幾何学的な図案を嵌め込み、周りは乾燥剤入りの接着剤で真空密封処理する。ガラスを通してさまざまに変わる光彩を拡散し、強い芸術的な装飾効果を醸し出す。空間に立体感と美観を与え、閉鎖的な室内環境に情緒を添えることができる。

ステンドグラスはホテル、レストラン、ショッピングモール、娯楽施設や一般住宅の門窓、屏風、間仕切りなどに広く使われる。ステンドグラスを採用することで、高い芸術的効果を醸成できる。

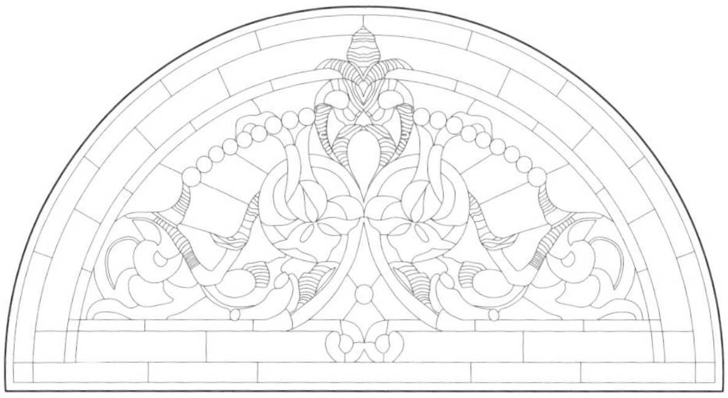

彫ステンドグラス

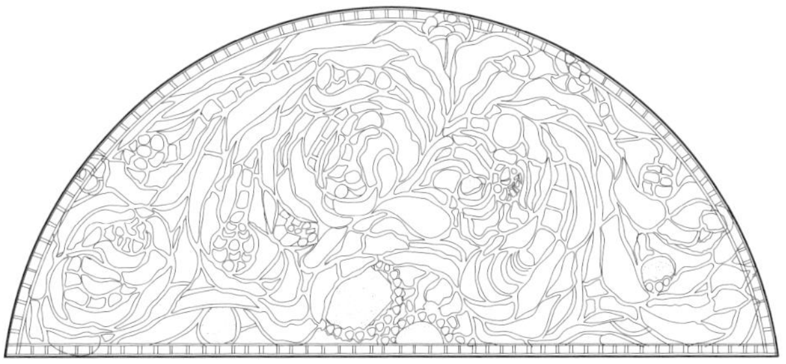

嵌め込みステンドグラス

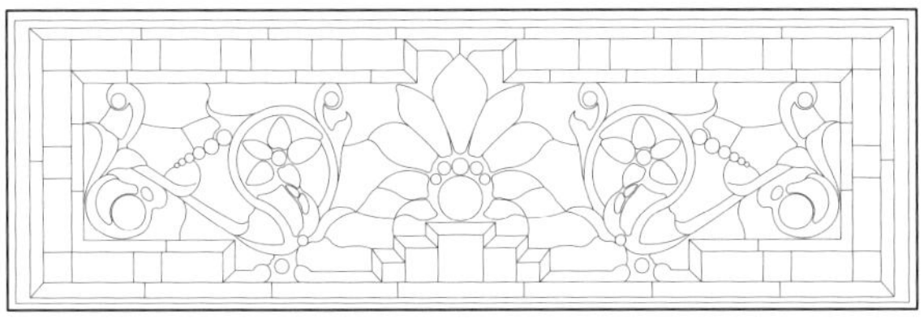

彫ステンドグラス

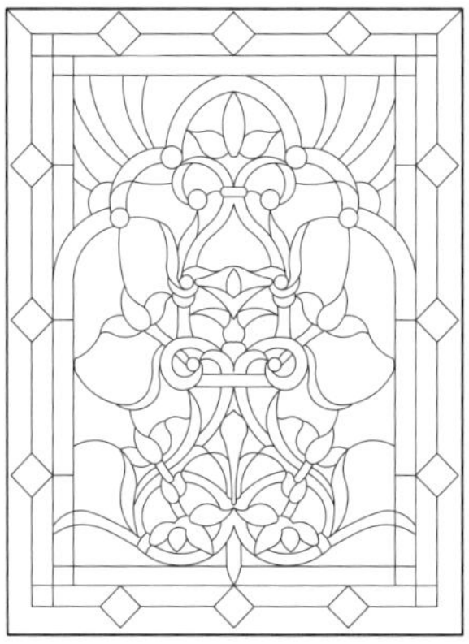

彫ステンドグラス

彫ステンドグラス

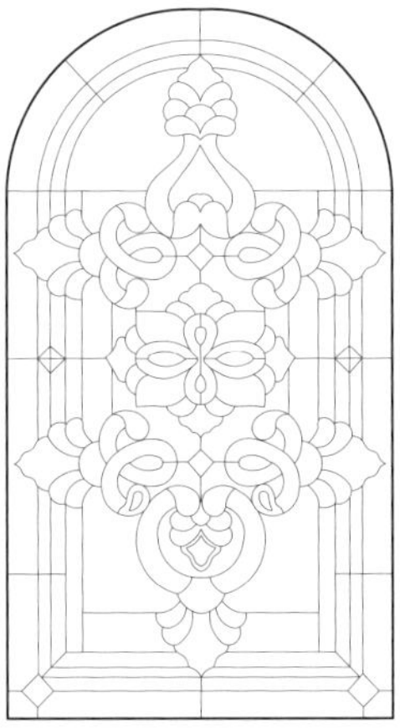

挟み板ガラス

彫ステンドグラス

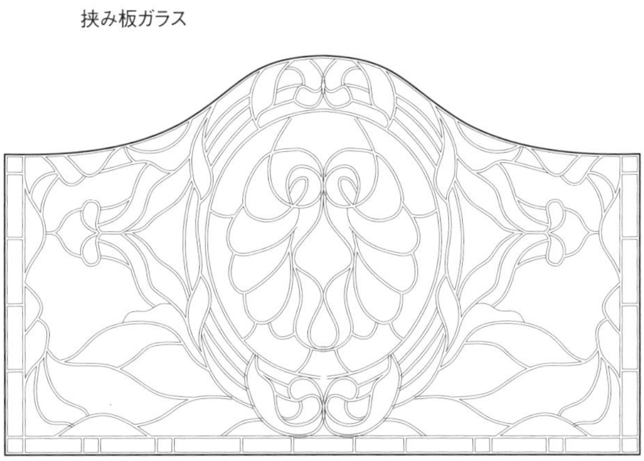

嵌め込みステンドグラス

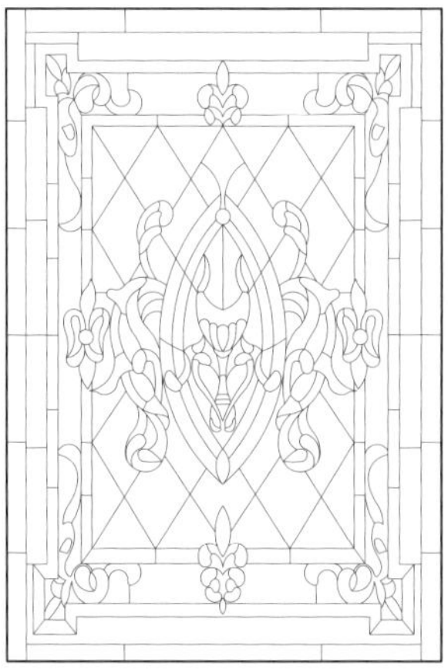

彫ステンドグラス

彫ステンドグラス

彫ステンドグラス

白黒彫刻ガラス

白黒彫刻ガラス

彫ステンドグラス

彫ステンドグラス

白黒彫刻ガラス

彫ステンドグラス

彫ステンドグラス

彫ステンドグラス

クローゼットのフローラガラス引き戸

フローラガラスには、彩色ガラス、立体彩色ガラス、ファブリック系ガラス、そして絵画系ガラスなどがある。

立体彩色ガラスは強い立体効果がある。色合いが明るく、金属のように角度によって見え方が変わるため、家具の背面やドアの装飾、床面、カラオケルーム、ナイトクラブなどで使われることが多い。透明性が高く、耐熱性に優れ、エコロジーにも配慮され、安心して使うことができる。

百花誕生

想像の時間

直立花（彩色）

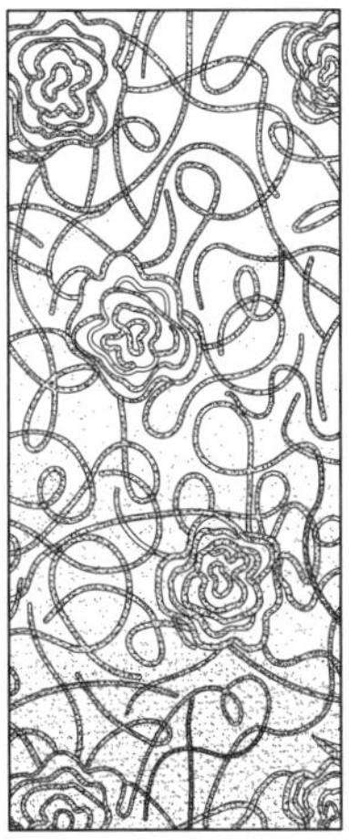

ロマンチック（彩色）

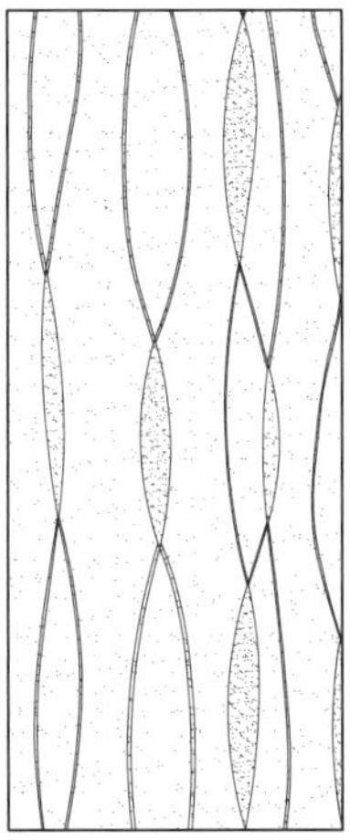

レインボー（ファブリック系）

蜜蜂（ファブリック系）

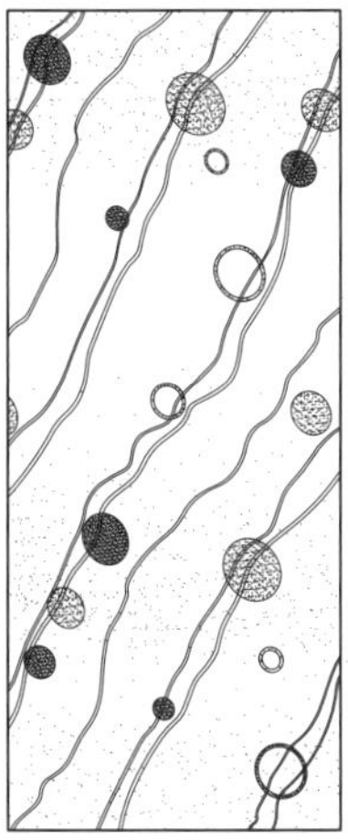

記憶（ファブリック系）

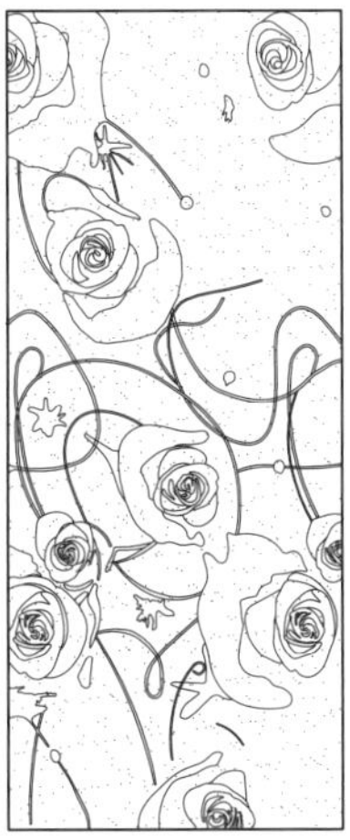

バラ（ファブリック系）

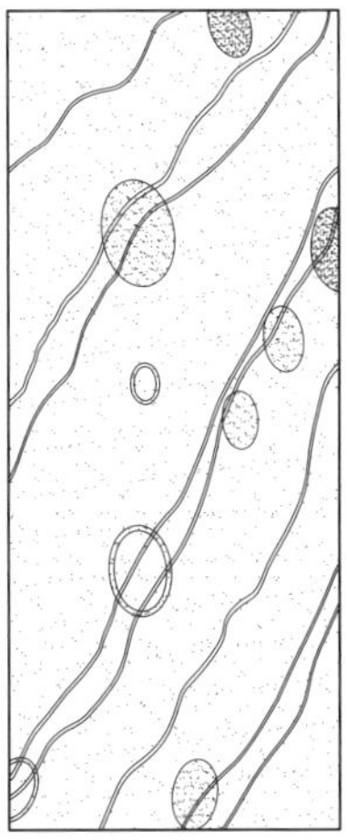

緑の心情（ファブリック系）

妖精（ファブリック系）

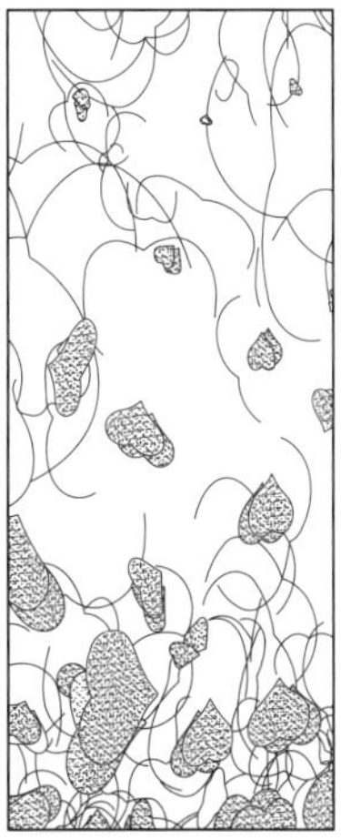

心のまま（ファブリック系）

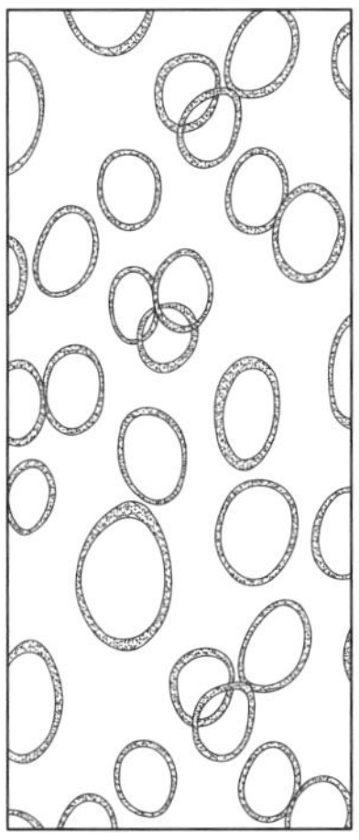

連環円（ファブリック系）

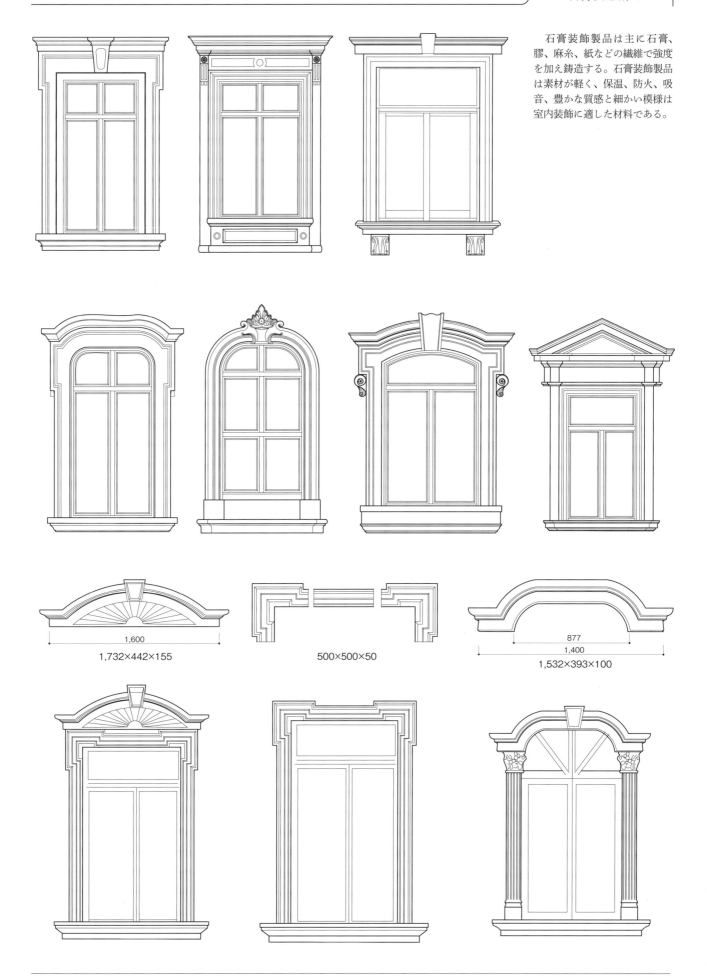

石膏装飾製品は主に石膏、膠、麻糸、紙などの繊維で強度を加え鋳造する。石膏装飾製品は素材が軽く、保温、防火、吸音、豊かな質感と細かい模様は室内装飾に適した材料である。

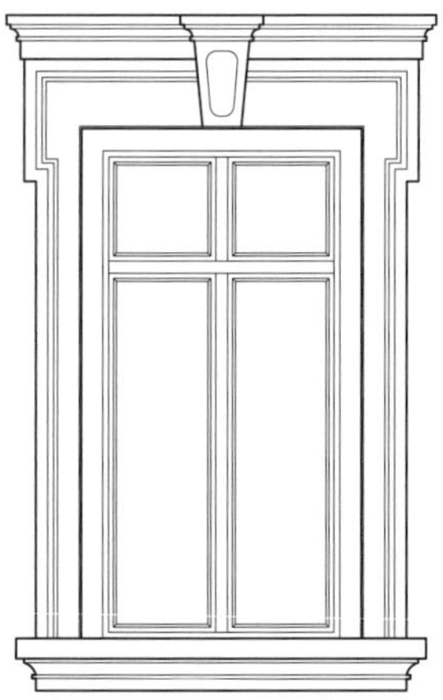

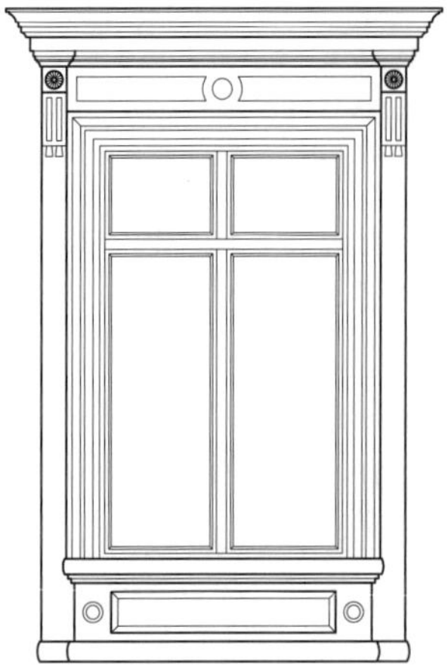

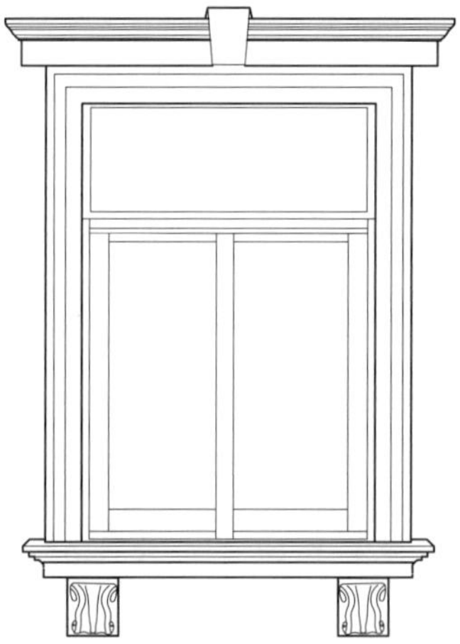

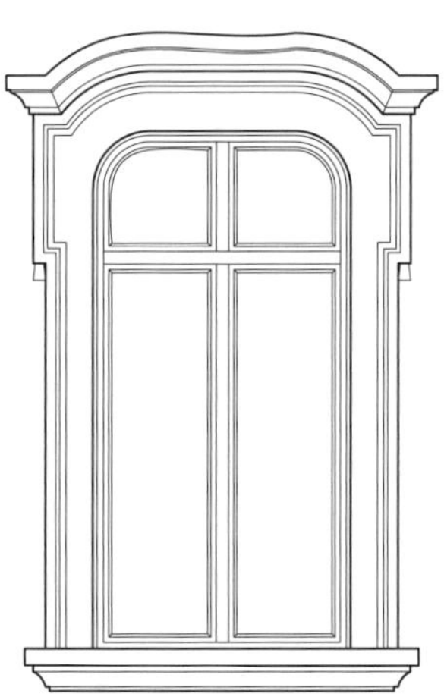

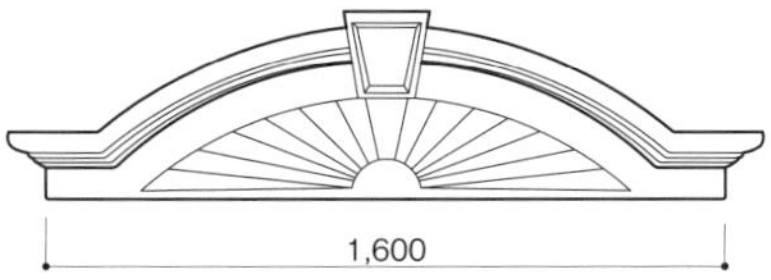
1,600

1,732×442×155

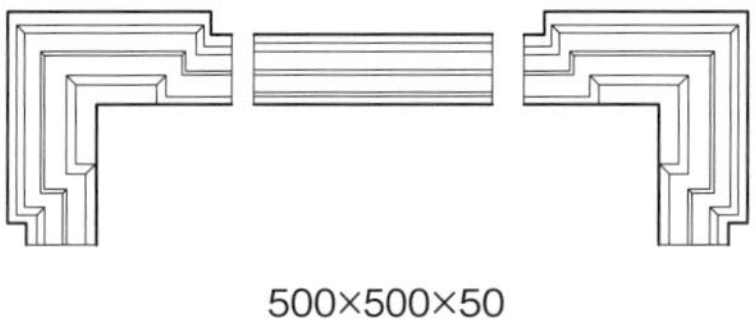

500×500×50

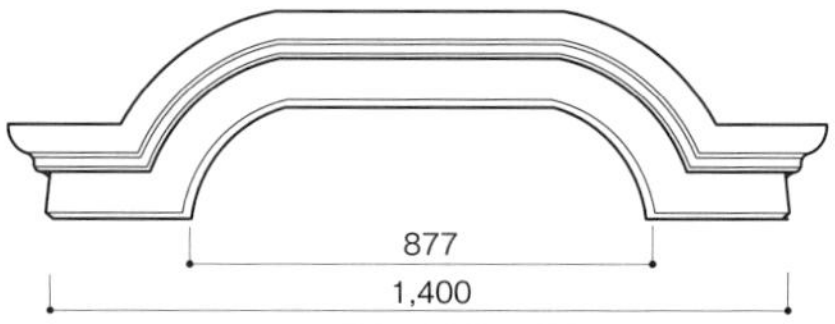
877
1,400

1,532×393×100

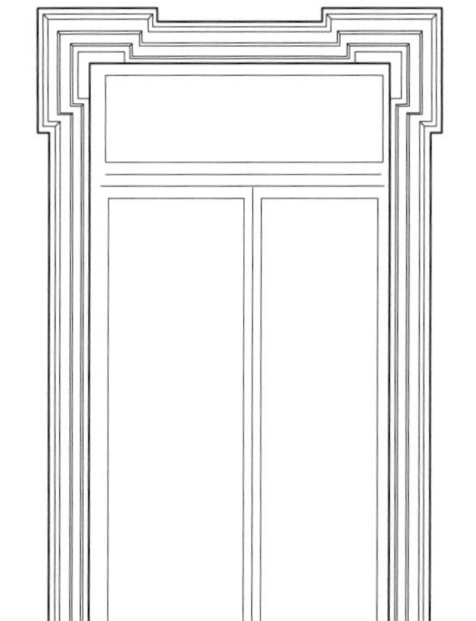

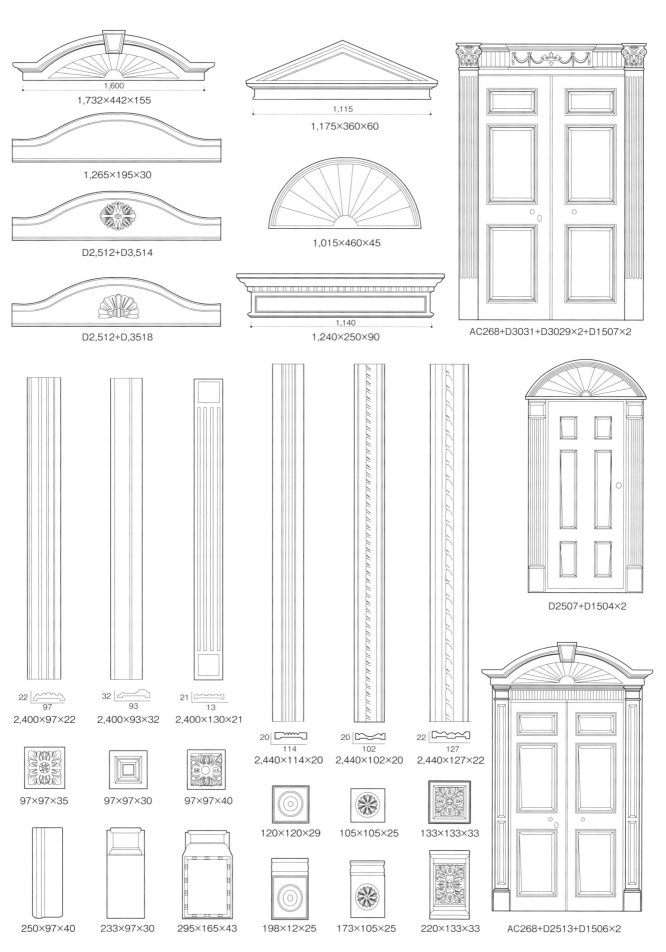

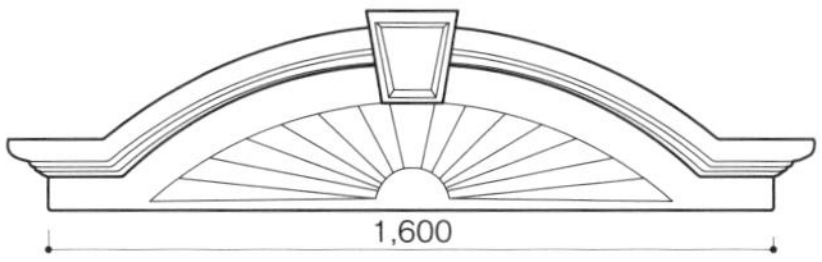
1,600
1,732×442×155

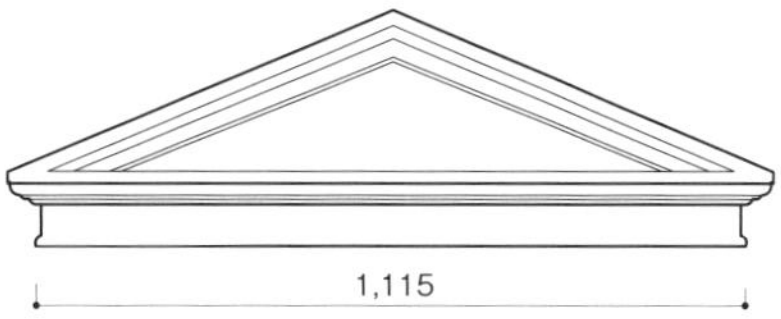
1,115
1,175×360×60

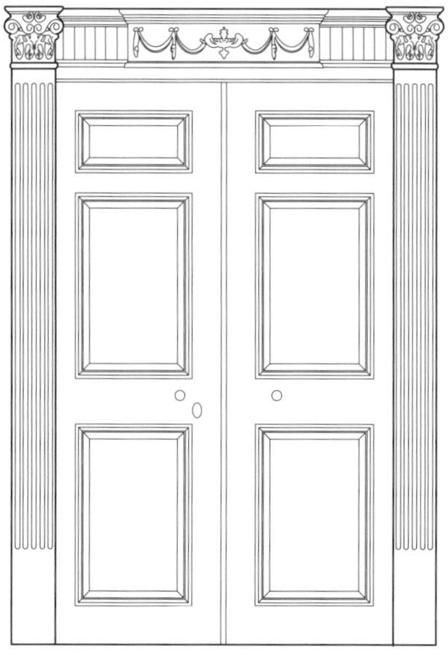
AC268+D3031+D3029×2+D1507×2

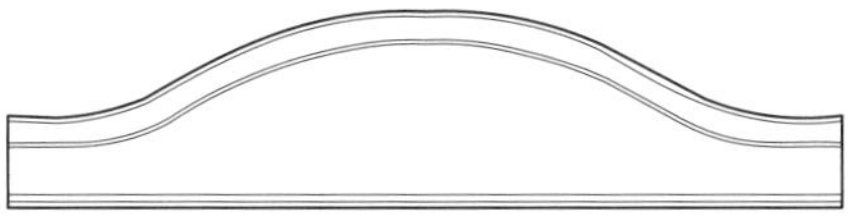
1,265×195×30

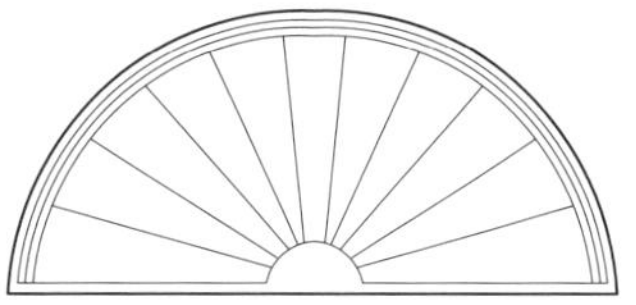
1,015×460×45

D2,512+D3,514

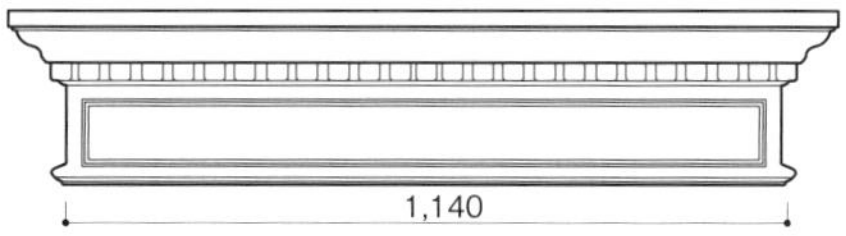
1,140
1,240×250×90

D2,512+D,3518

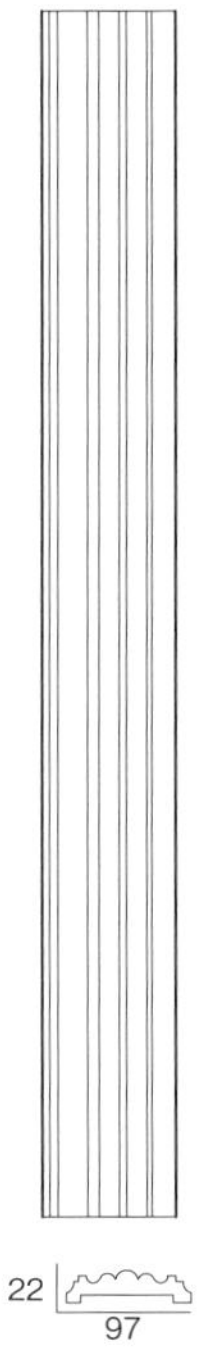
22
97
2,400×97×22

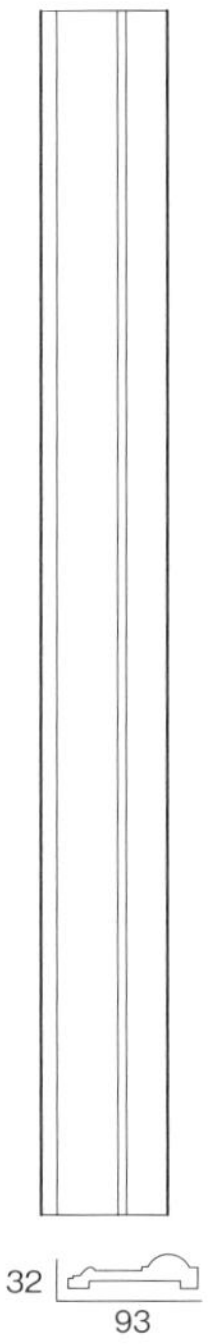
32
93
2,400×93×32

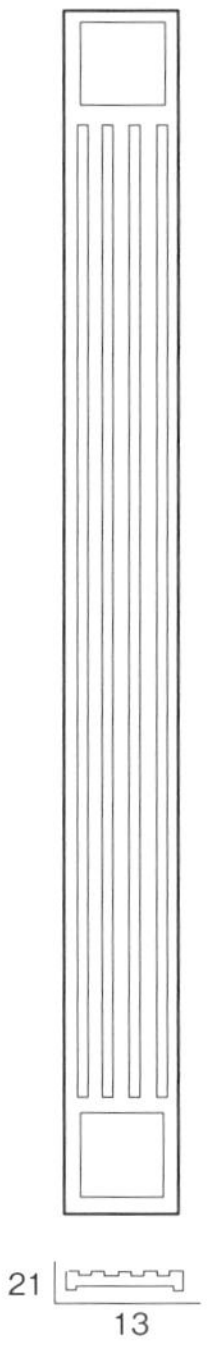
21
13
2,400×130×21

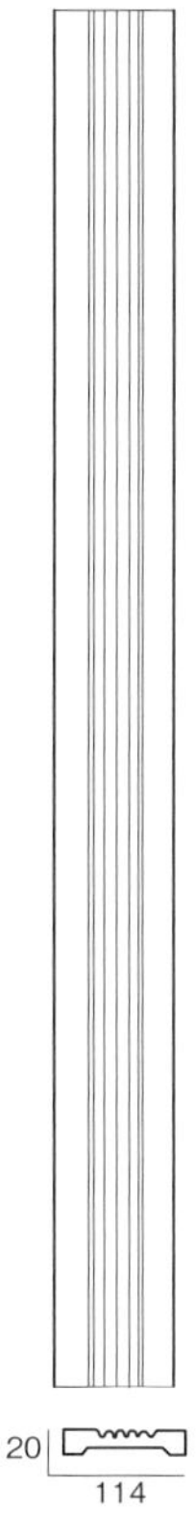
20
114
2,440×114×20

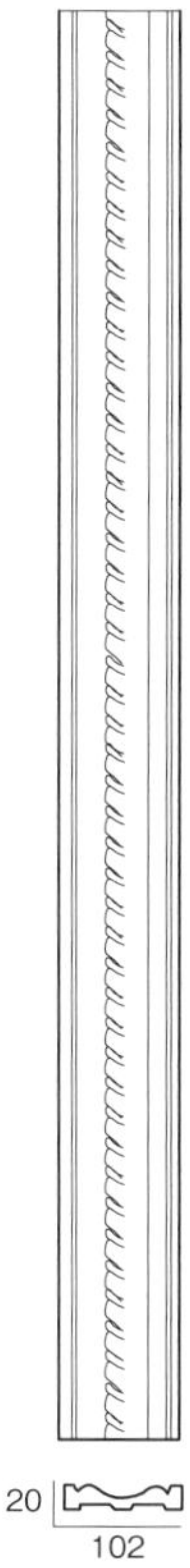
20
102
2,440×102×20

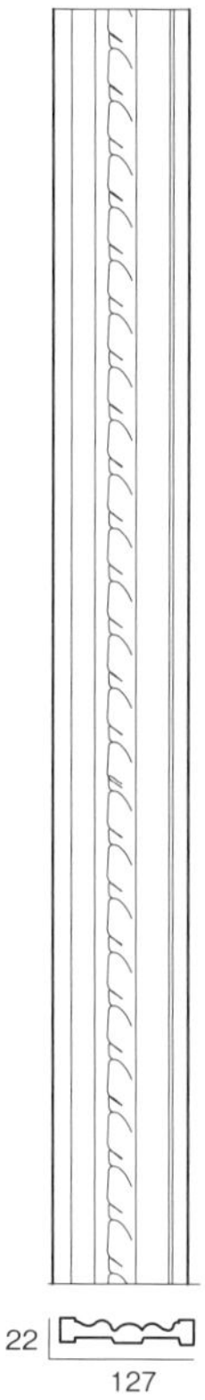
22
127
2,440×127×22

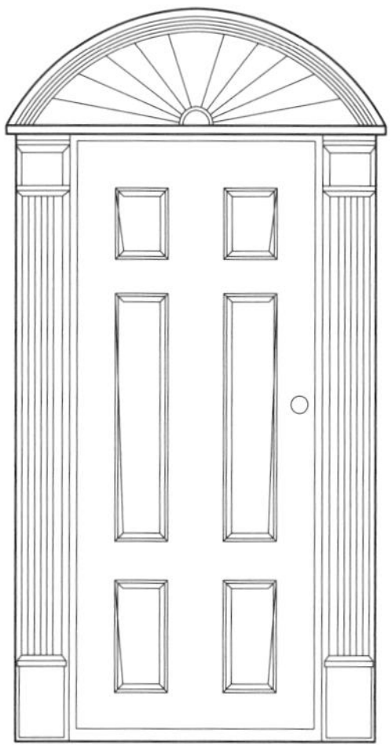
D2507+D1504×2

97×97×35

97×97×30

97×97×40

120×120×29

105×105×25

133×133×33

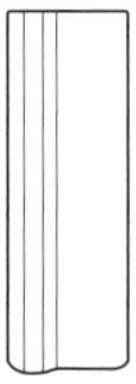
250×97×40

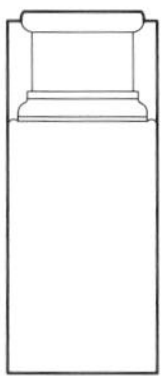
233×97×30

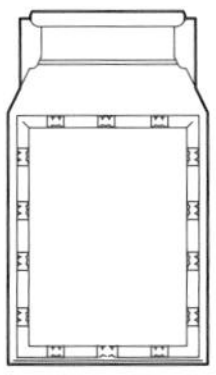
295×165×43

198×12×25

173×105×25

220×133×33

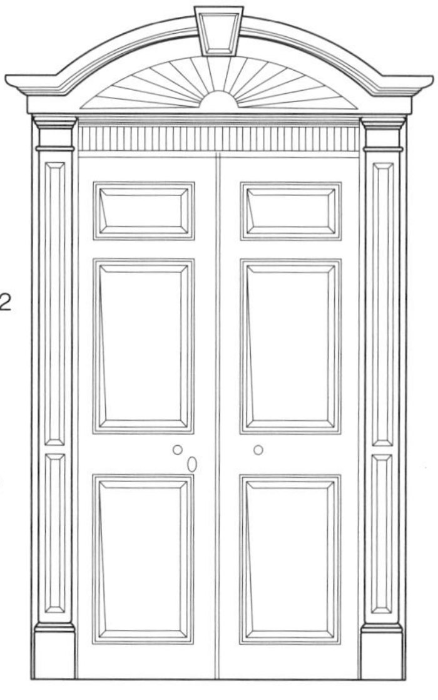
AC268+D2513+D1506×2

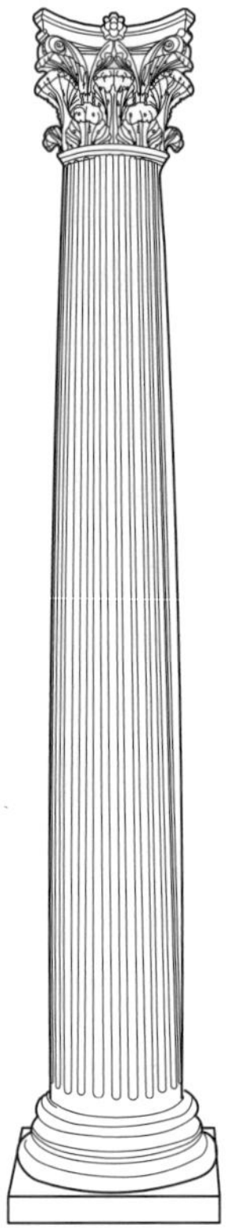

φ203 L：1,840
273×273×90

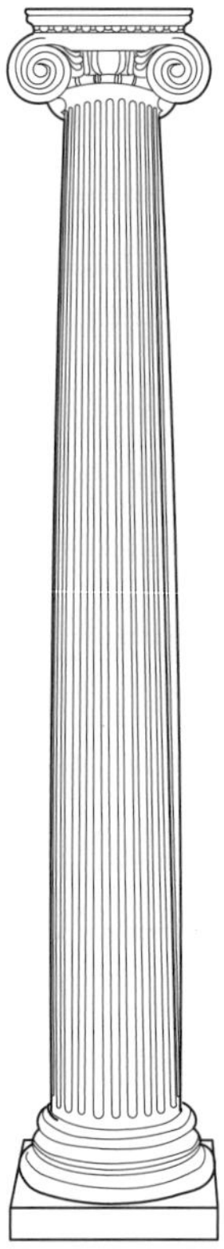

280×280×116

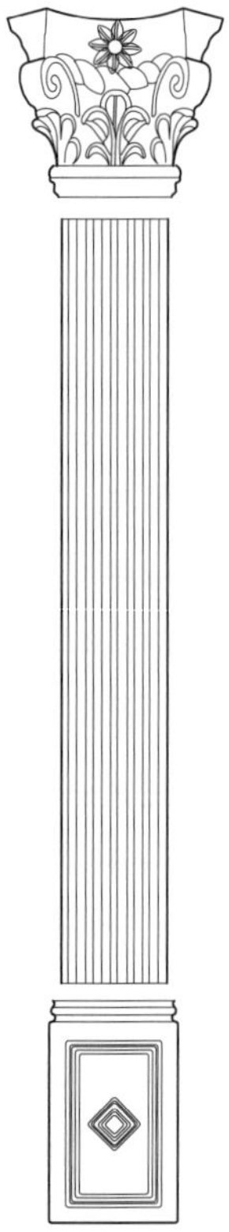

2,000×240×34
450×280×57

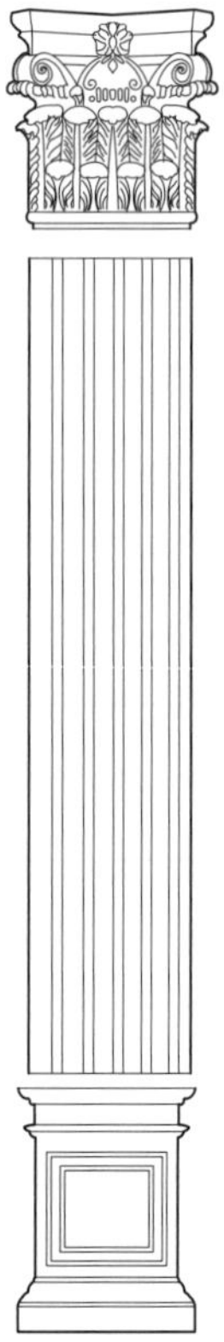

2,400×450×40
600×805×140

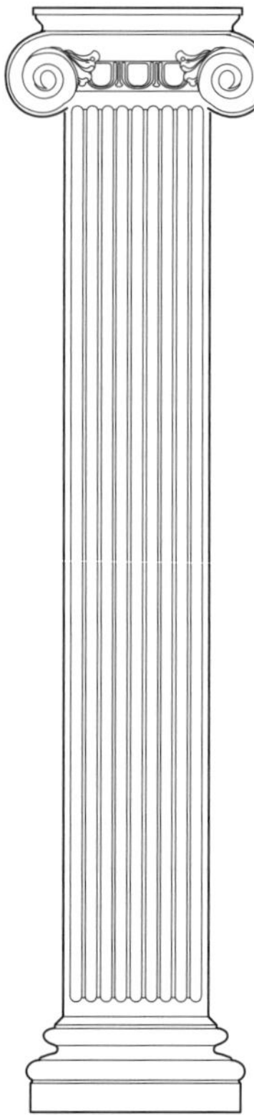

2,000×250×30

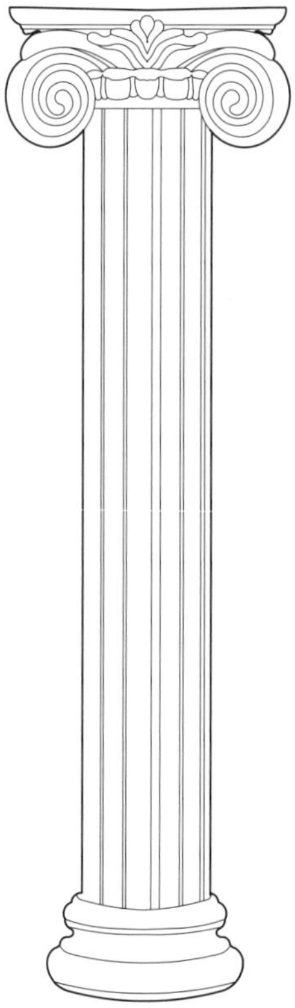

φ240 L：2,000
440×160

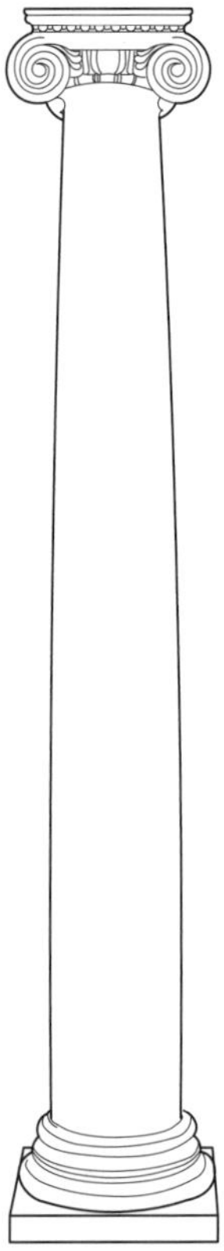

280×280×116

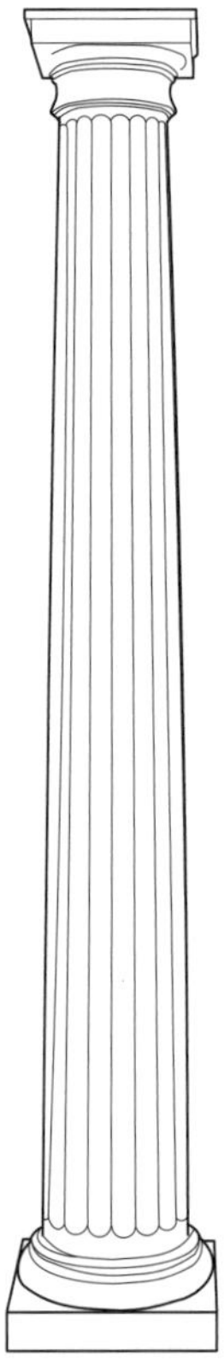

φ203 L：1,970
273×273×90

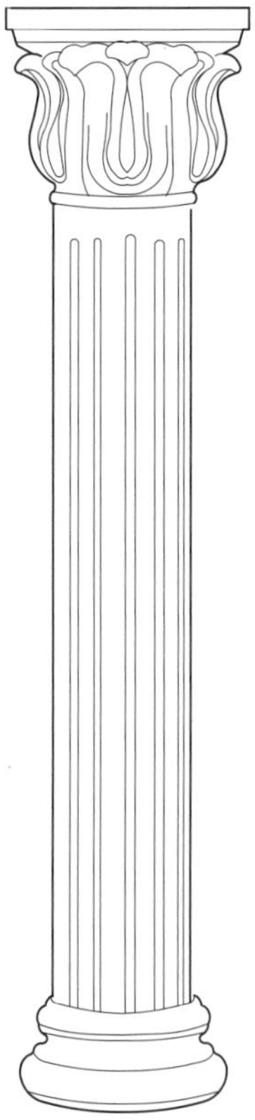

φ180 L：2,000
320×125

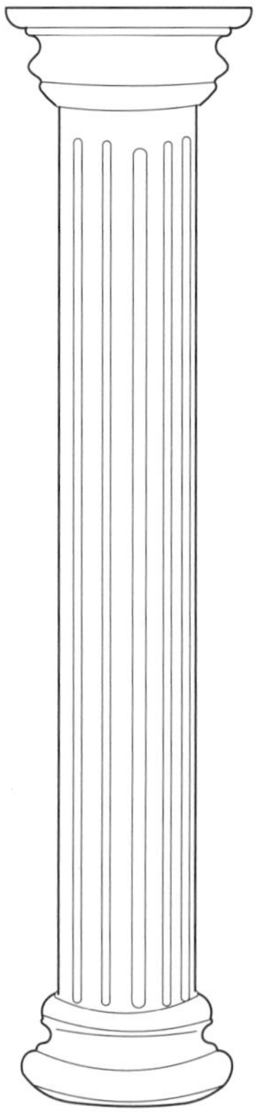

φ180 L：2,000
320×125

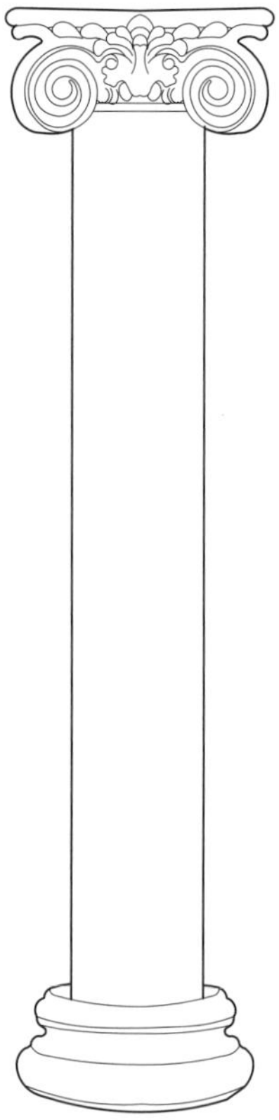

φ300 L：2,000
515×200

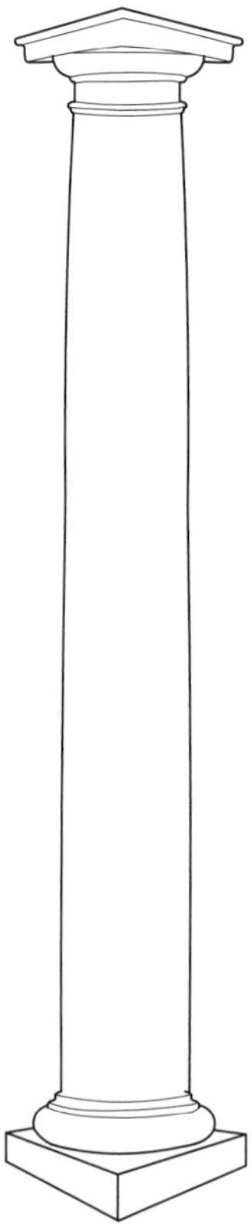

φ203 L：1,840
280×280×106

柱頭

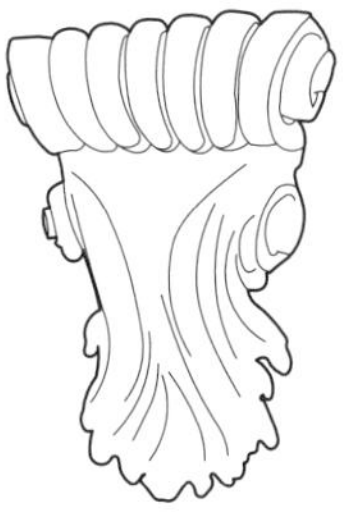
100×50×136

108×69×149

180×90×230

128×100×225

140×70×240

186×77×26

138×65×200

186×77×26

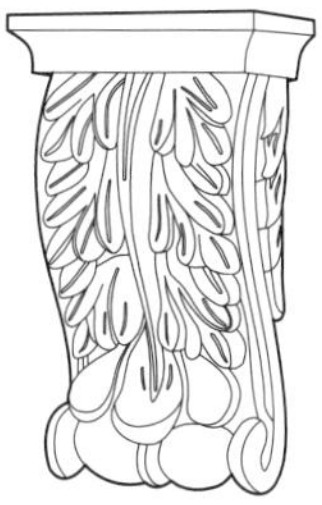
128×100×225

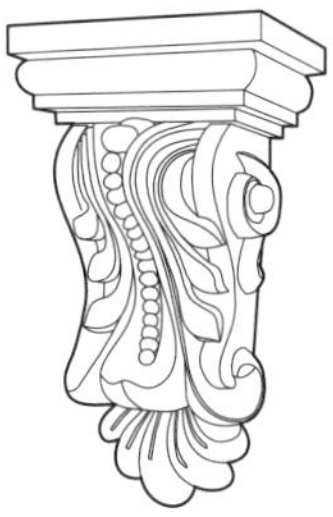
140×70×240

カーテンボックス

1,020
2,200×116×37

1,330
2,200×167×50

1,020
2,200×116×41

1,330
2,200×160×61

1,020
2,200×116×37

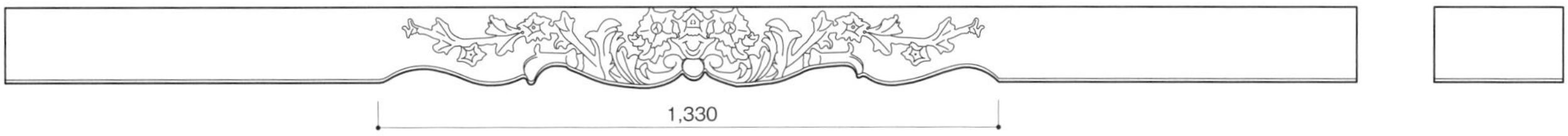
1,330
2,200×160×51

中国式壁飾り
800×700×40

中国式壁飾り　600×510×40

組合せ式壁飾り
300×300×160

洋式壁飾り
800×300×50

壁龕　前面と側面図

洋式壁飾り
500×370×20

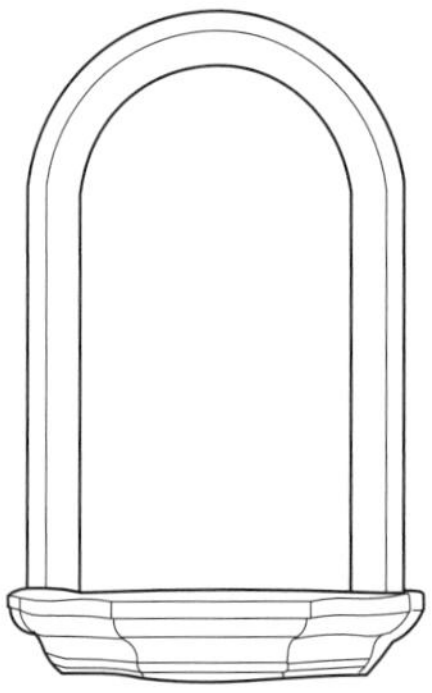
壁龕
700×420×190

壁龕
1,220×700×270

壁龕
1,820×1,090×510

壁龕
970×460×160

壁龕
860×600×150

壁龕
1,320×670×380

A001　140×430

A002　4,000×90　3,600×85

A003　70×38

A004　730×110

A005　2,000×40

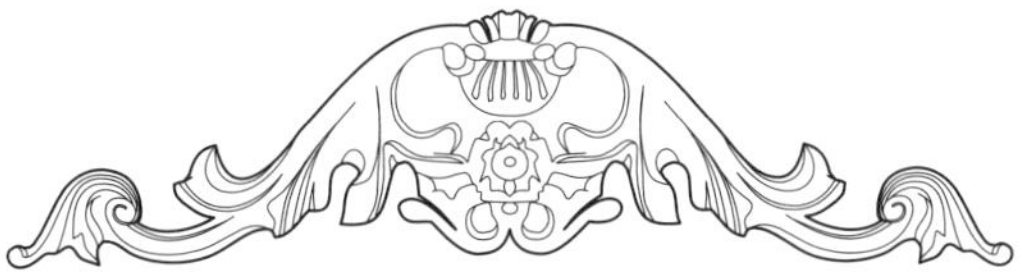
A007　2,000×480

A008　935×350

A006　290×290

A009　4,000×90

A010　140×430

A011　500×200

A012　935×350

A013　2,300×850　1,610×60

A014　380×800

A015

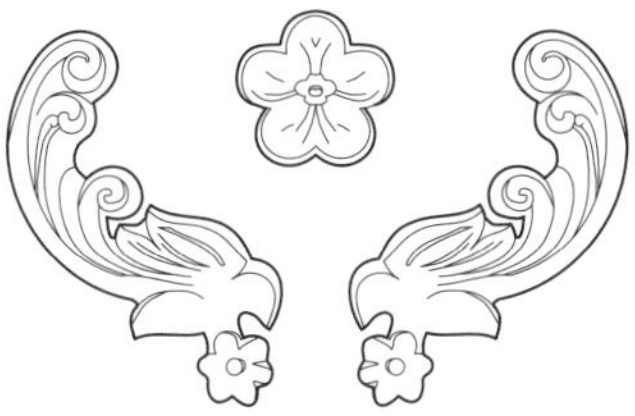
A016

A018　1,250×40

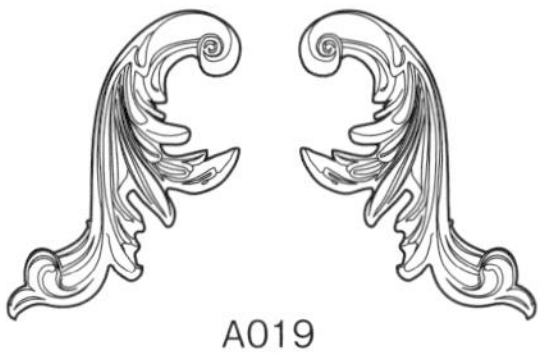
A019

A017

280×160×15

215×150×16

280×180×16

270×180×16

230×180×15

230×168×15

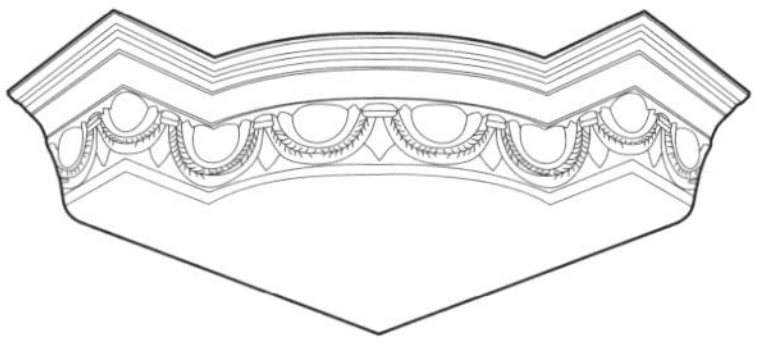
E001

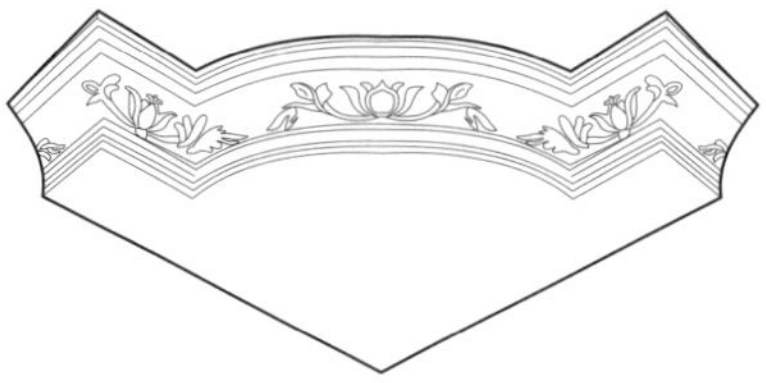
E002

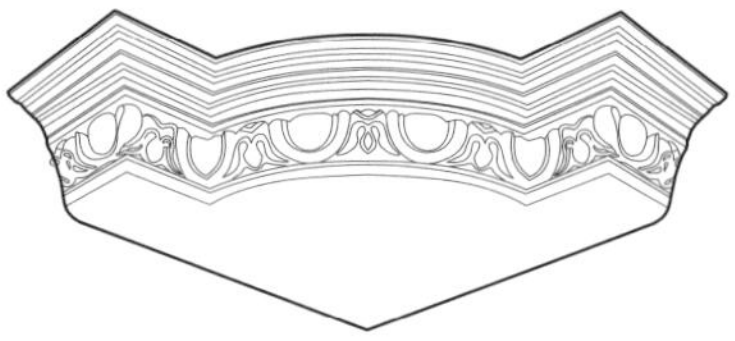
E003

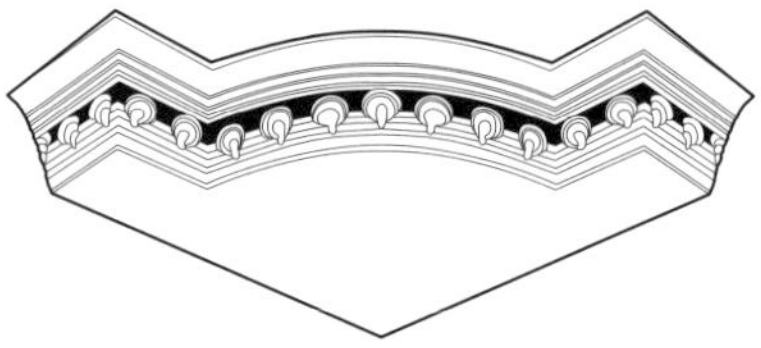
E004

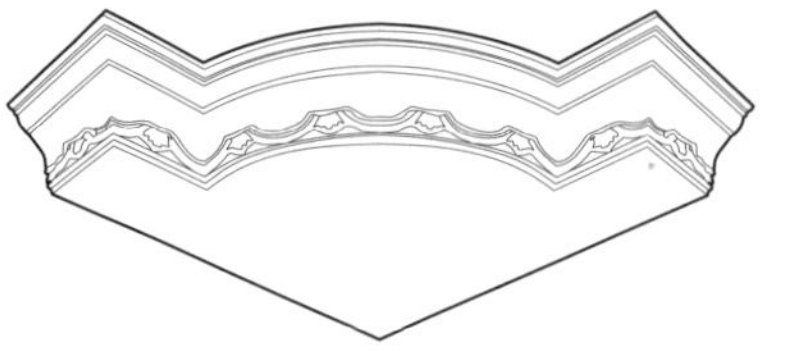
E005

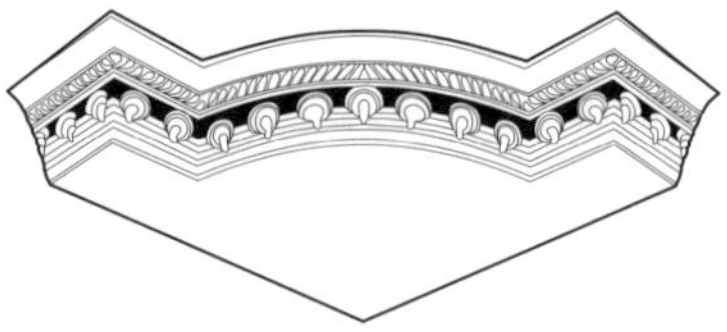
E006

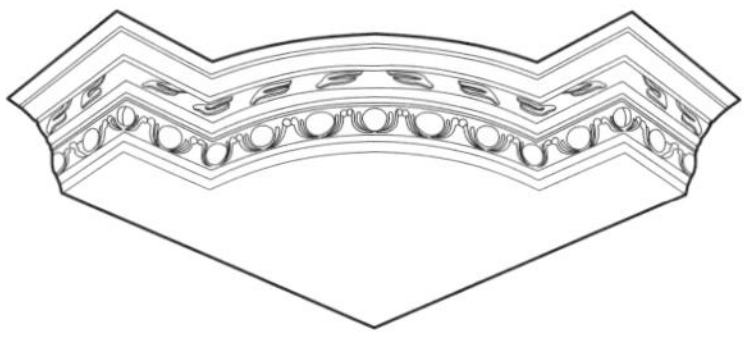
E007

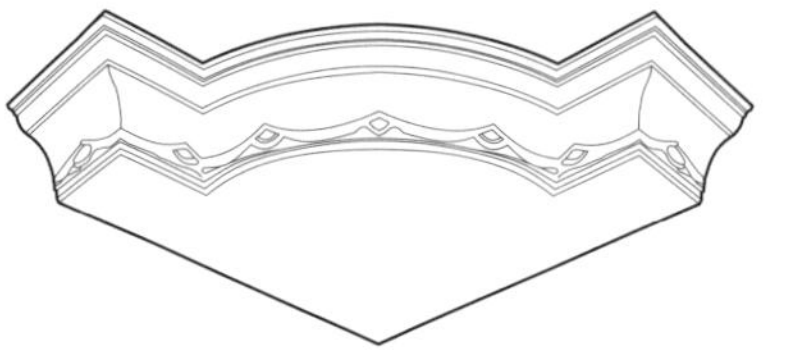
E008

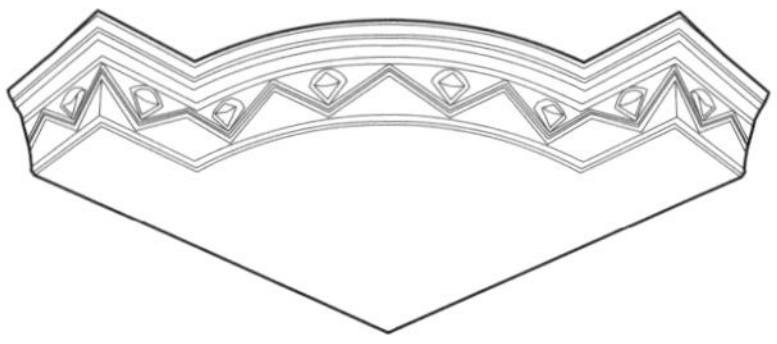
E009

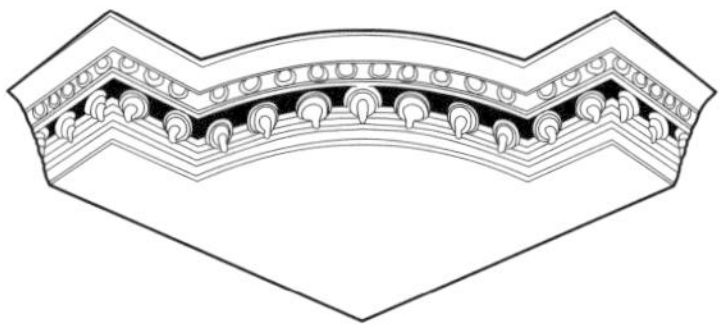
E010

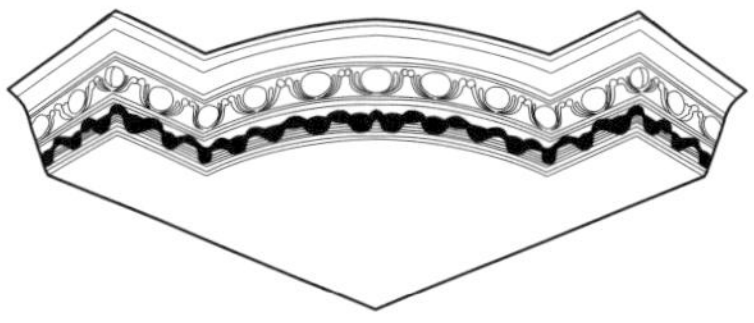
E011

E012

E013

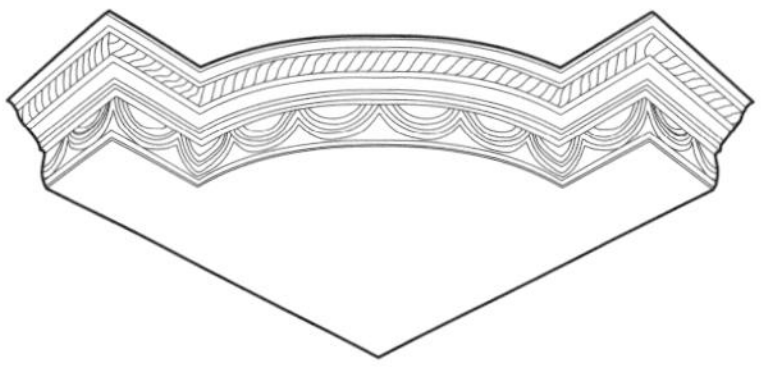
E014

E015

E016

E017

E018

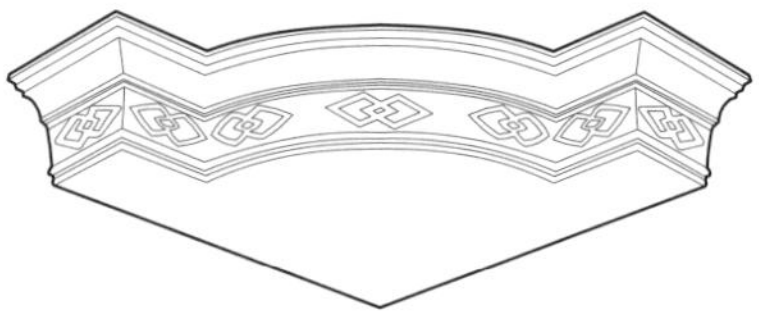
E019

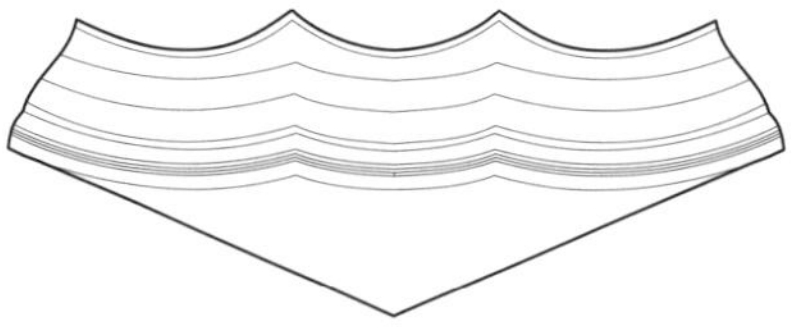
E020

E021

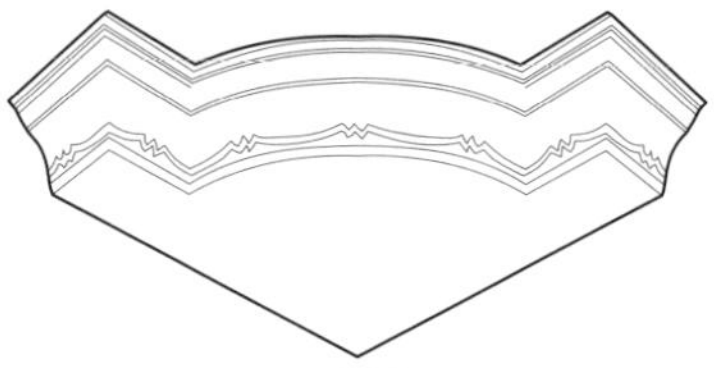
E022

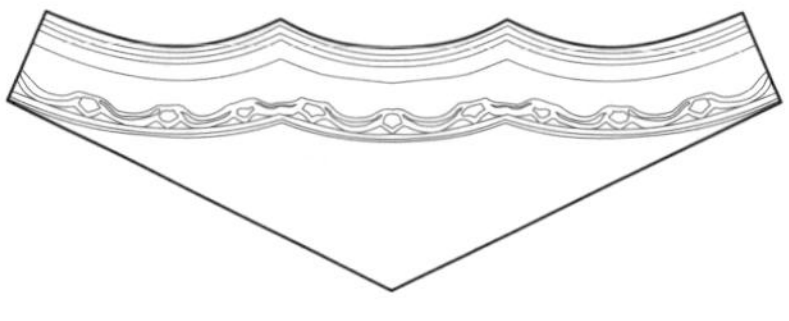
E023

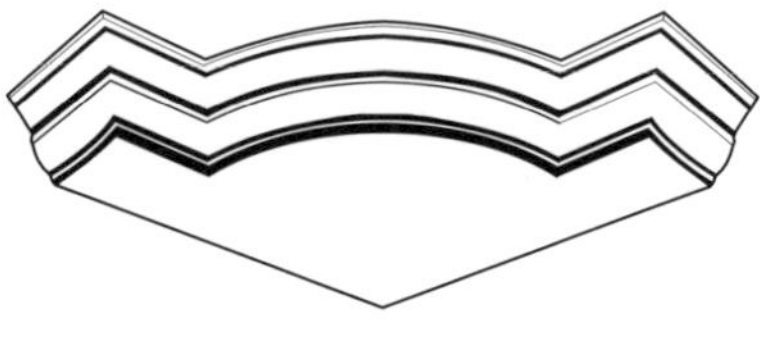
E024

D001 φ820

D002 φ760

D003φ750

D004 φ820

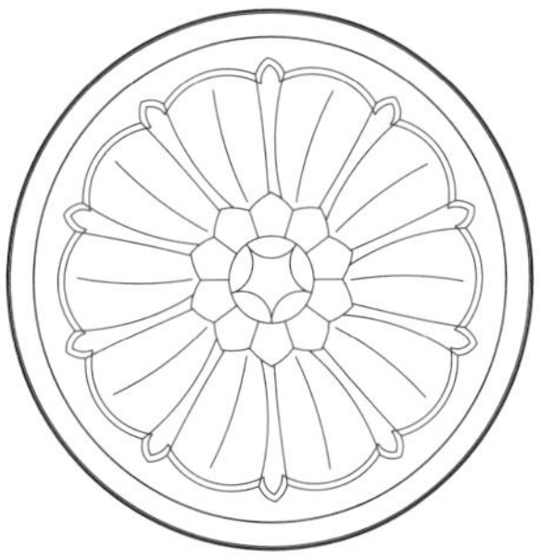
D005 φ670

D006 φ710

D007 φ670

D008 φ520

D009 φ830

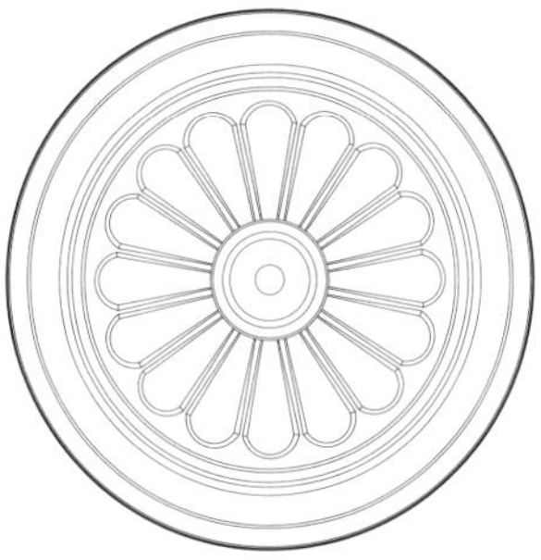
D010 φ600

D011 φ750

D012 φ680

D013 φ670

D014 φ750

D015 φ600

D016 φ750

D017 1,280×700

D018 1,350×950

D019 1,100×610

天井は室内空間の６面の中で最も変化に富んだ装飾面である。伝統建築の天井装飾は、天井表面に塗装を施し、その後にクロス貼りや描画、レリーフを彫るなどの表面塗飾を加える。例えば、有名なバチカン宮殿のシスティーナ礼拝堂の大天井画、イタリアのサンタ・マリア・デル・フィオーレ大聖堂の天井画、フランス・パリのオテル・ド・スービーズの天井画などがある。シーリング・メダリオンとモールディングは高分子複合材で造り、表に金や銀を噴き付ける。この壮麗な色彩は手描きの天井画にとって替わり、天井装飾の施工に費やされる人的、物的なコストを大幅に削減した。

1,200×1,200

1,500×1,500

1,800×1,800

2,000×1,600

1,800×1,800

2,200×1,600

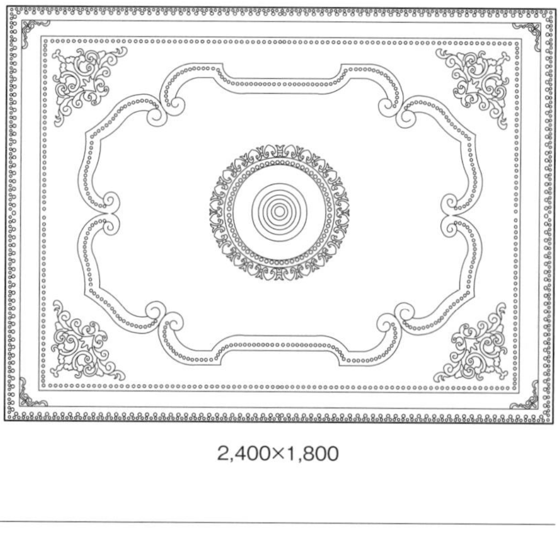

2,400×1,800

1,400×2,000

1,500×2,100

1,200×1,800

ϕ1,700×2,200

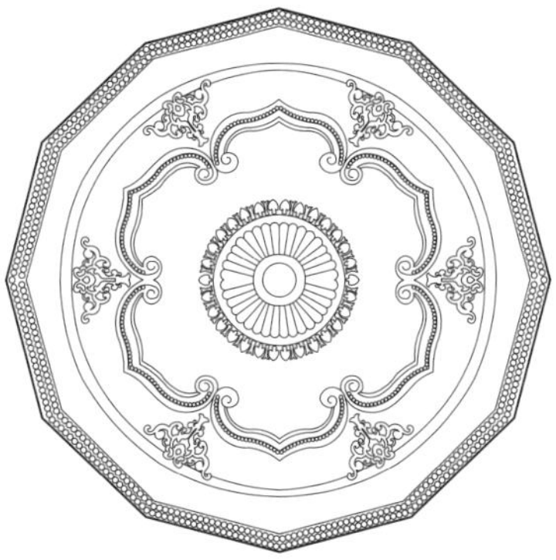

ϕ2,100

ϕ1,100

900×1,200

1,800×2,400

ϕ1,500～1,600

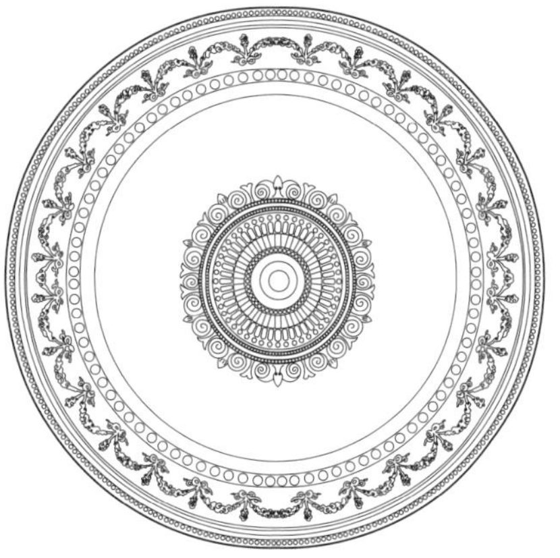

ϕ1,800

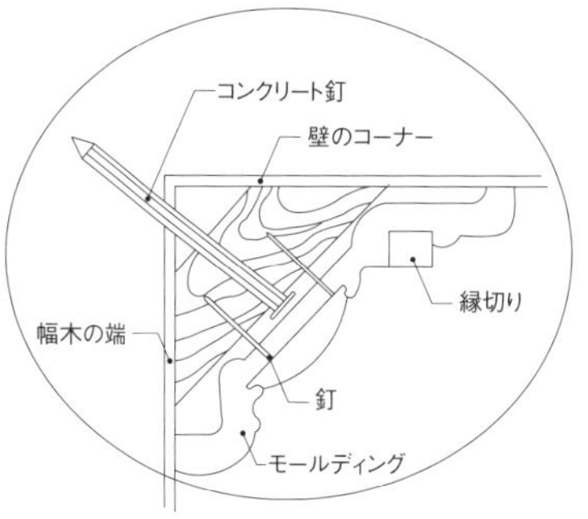
コンクリート釘
壁のコーナー
縁切り
幅木の端
釘
モールディング

モールディングの簡単な取り付け方

1. 取り付ける場所に予めコンクリート釘で幅木を打ちつける。幅木の一般規格は15㎜(厚)×60㎜(幅)×50㎜(長)、間を330㎜くらい空ける、幅木は必ずモールディングの隙間と合わせなければならない
2. コーナーに取り付ける前に、モールディングのオーナメントに完全な模様を彫り、余分なところを削った後に釘を打つ部位に貼り合わせる
3. モールディングを1つにつき2～3本の円釘で幅木に取り付け、最後にオーナメントを接着剤で貼る

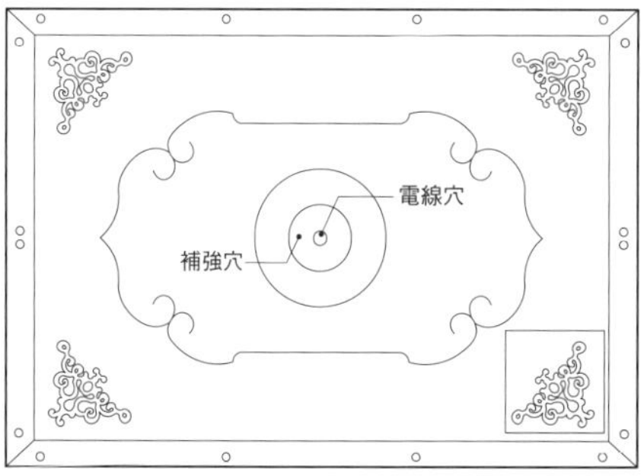
電線穴
補強穴

ポリウレタン(PU)製室内装飾用製品は数百種類あり、モールディング、化粧縁、腰板、廻り縁、カーテンボックス、まぐさ、レリーフ、ローマ柱などがある。ホテル、オフィス、別荘、一般住宅の内装に広く使われ、優雅で豪華なヨーロッパ式内装を作りだすことができる。素材が軽く変形しない、耐湿性、ひび割れしない、高温に強い、施工が早くて簡単といった特性を持つ。

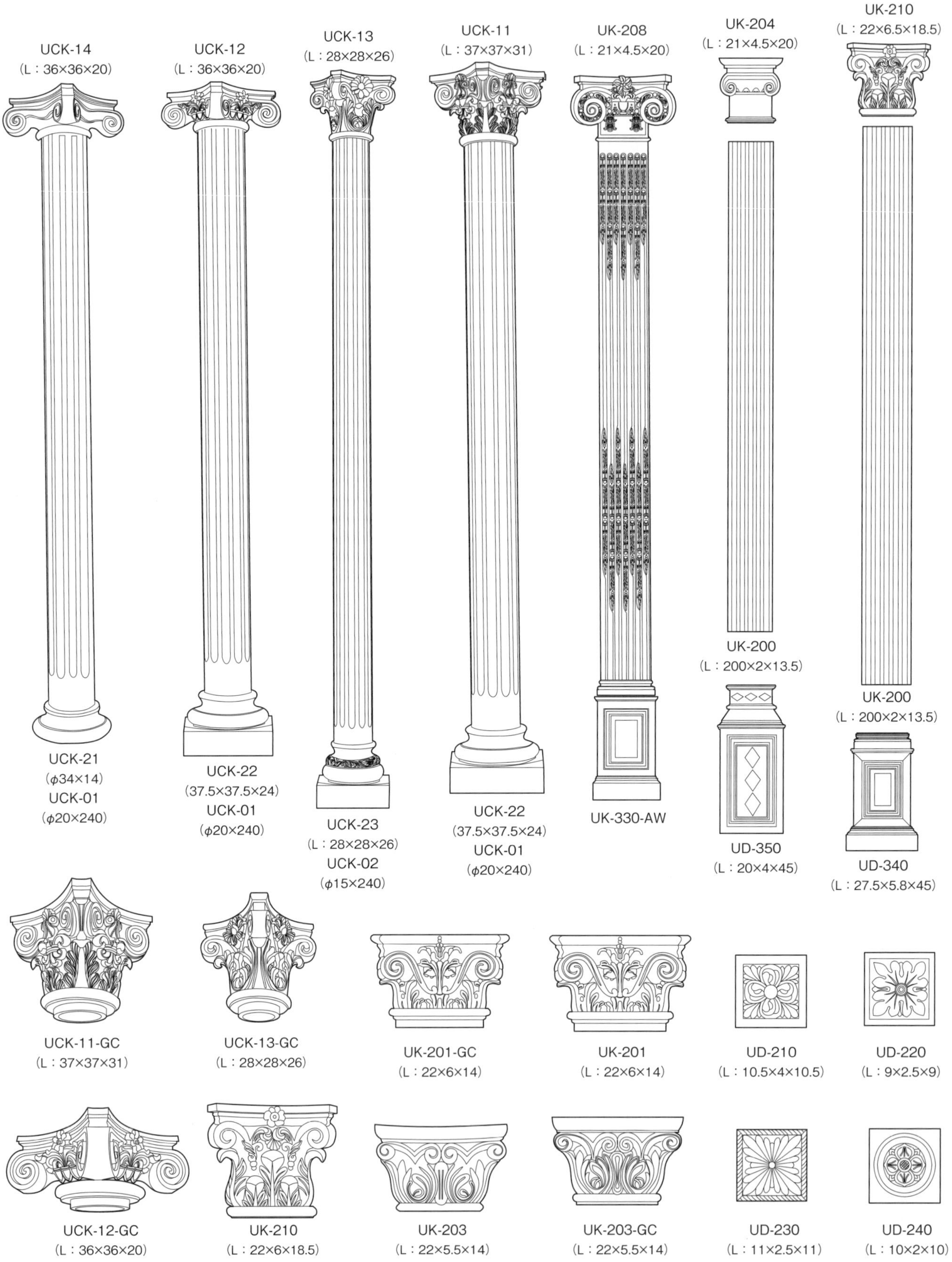
UCK-14
(L：36×36×20)
UCK-21
(φ34×14)
UCK-01
(φ20×240)
UCK-12
(L：36×36×20)
UCK-22
(37.5×37.5×24)
UCK-01
(φ20×240)
UCK-13
(L：28×28×26)
UCK-23
(L：28×28×26)
UCK-02
(φ15×240)
UCK-11
(L：37×37×31)
UCK-22
(37.5×37.5×24)
UCK-01
(φ20×240)
UK-208
(L：21×4.5×20)
UK-330-AW
UK-204
(L：21×4.5×20)
UK-200
(L：200×2×13.5)
UD-350
(L：20×4×45)
UK-210
(L：22×6.5×18.5)
UK-200
(L：200×2×13.5)
UD-340
(L：27.5×5.8×45)
UCK-11-GC
(L：37×37×31)
UCK-13-GC
(L：28×28×26)
UK-201-GC
(L：22×6×14)
UK-201
(L：22×6×14)
UD-210
(L：10.5×4×10.5)
UD-220
(L：9×2.5×9)
UCK-12-GC
(L：36×36×20)
UK-210
(L：22×6×18.5)
UK-203
(L：22×5.5×14)
UK-203-GC
(L：22×5.5×14)
UD-230
(L：11×2.5×11)
UD-240
(L：10×2×10)

UC-625-AW

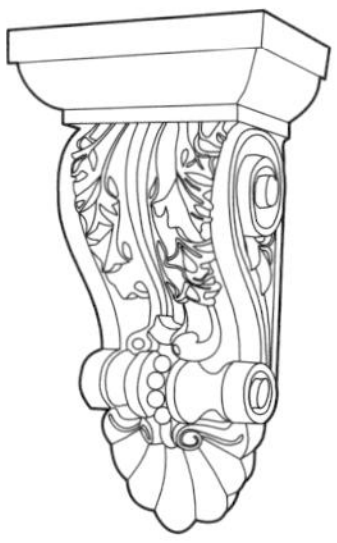
UC-601-AW

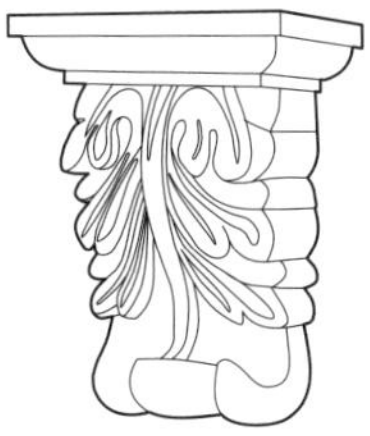
UC-606-AW

UC-604-AW

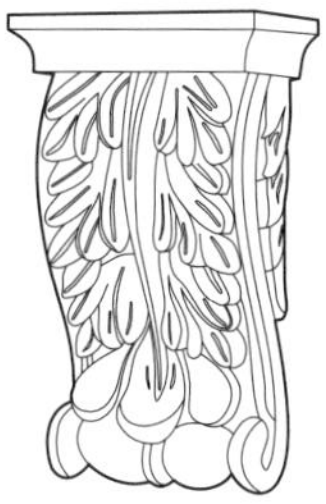
UC-605-AW

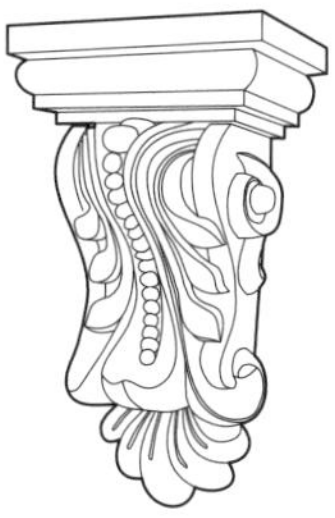
UC-619-AW

UC-609

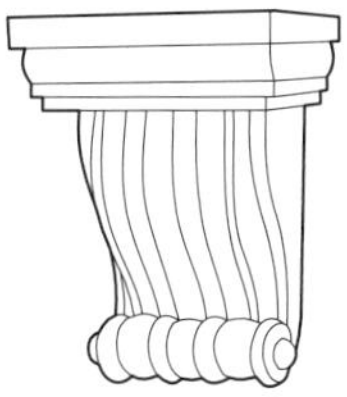
UC-614

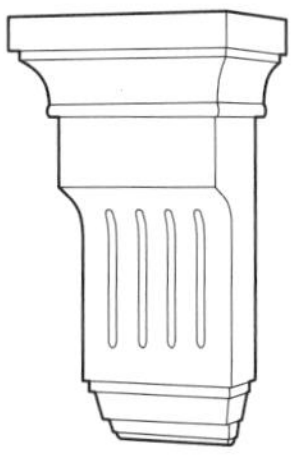
UC-612

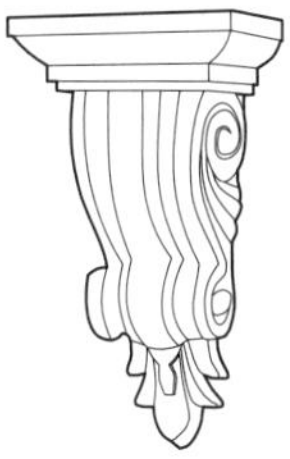
UC-613

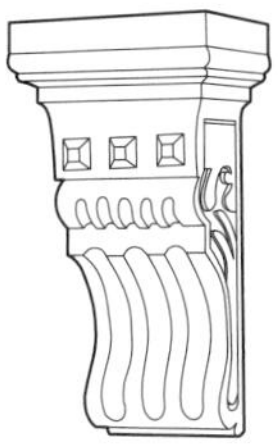
UC-611

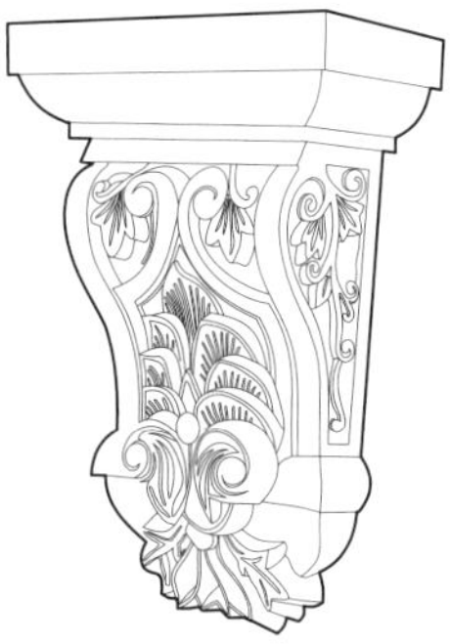
UC-602-AW

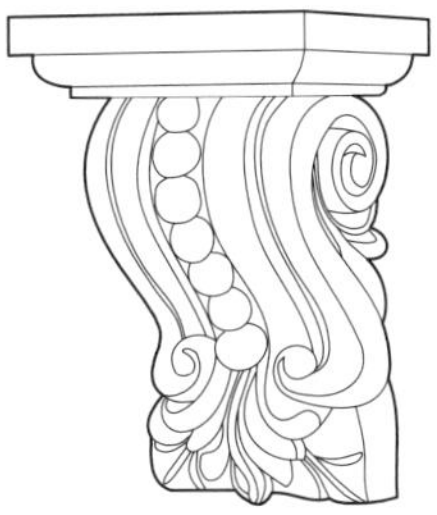
UC-608-AW

UC-607-AW

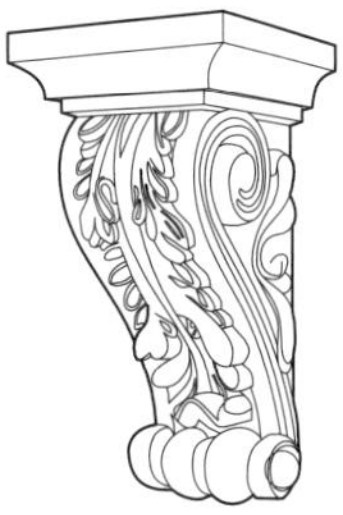
UC-620-AW

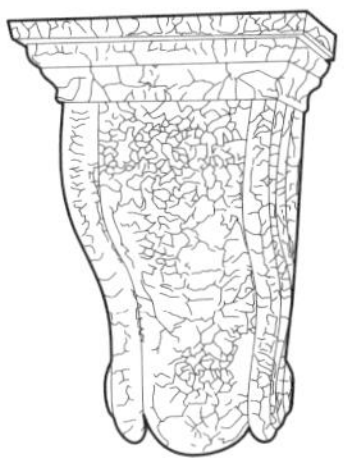
UC-622

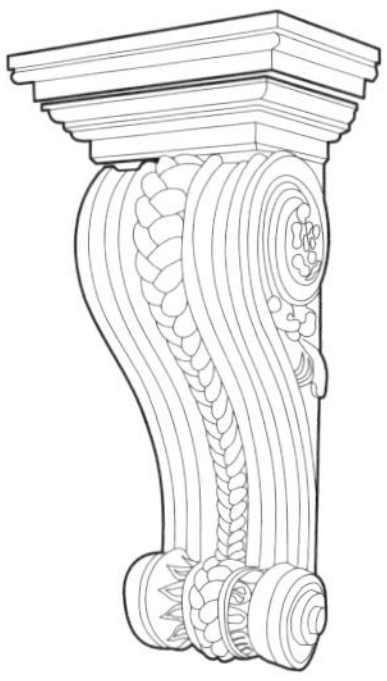
UC-617-AC

UC-618-AW

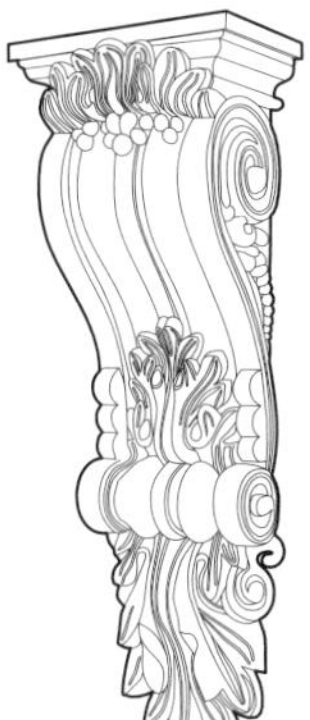
UC-616-AC

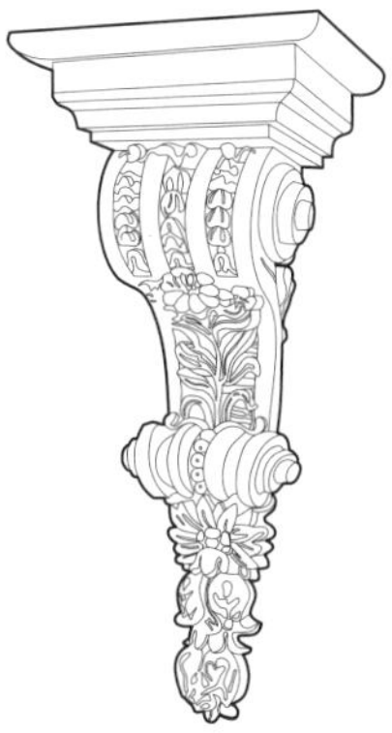
UC-615-AW

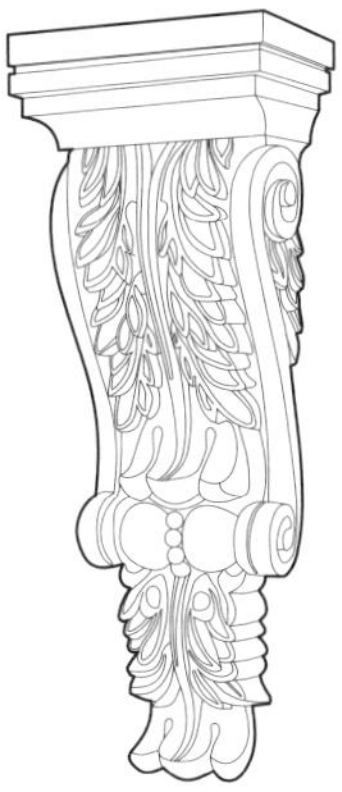
UC-603-AW

壁龕

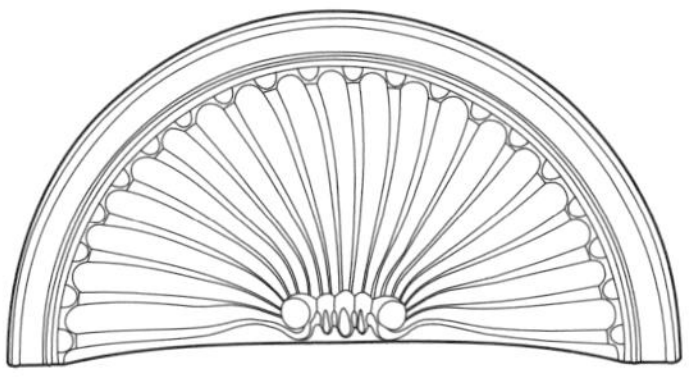
UNH-03-GC

UNH-01-GC

UNH-02-GC

1. ジャカードクロスは、各種の幾何学図案と植物図案があり、繊細な色彩効果、光沢の特性を持ち、金糸銀糸を加えると更に豪華になる。
2. 厚手の毛織生地クロスはビロードのような風格と模様がある。立体的で豪華な雰囲気である。
3. テリーファブリッククロスは、繊維の粗密により、荒々しい風格を表現できる。
4. プリント生地クロスは、柄は主に幾何学図案、小花、風景が使われ、暖色系の素朴な色合いが多い。
5. シルククロスは、紙に貼り付けて使い、上品かつ繊細な光沢で高級クロスに属する。
6. ブロケードクロスはさらに高級な生地で、3色以上の下地の上に多彩な古典図案を織り込まなければならない。生地が柔らかく加工しやすいが、高価格なので高級な室内装飾に用いられる。
7. 花柄シフォン生地クロスは、優雅で柔らかな色彩で、静電気を起こさない。吸音効果もよく日光に強いが、値段が高いので、高級ホテルやレストランに適し、一般寝室にも使われる。
8. 不織布クロスは、生地が柔らかく、変色しにくく、弾力性があり、ウールのような感触があり、拭き洗いもできる。
9. フロッキー加工クロスは、ベルベットのような高級感を出すことができ、立体感がある。
10. ラミー生地クロスは、単色で、摩擦に強い、色の選択肢も多く。素朴な自然派の流行で、更に重視されるであろう。
11. リネンクロスは国外での使用比率が高く、ヨーロッパの多くの国では20%を占めている。
12. 天然素材クロスは、特殊な装飾効果があり、質素で自然の中にいるような感覚をもたらす。高級ホテルや住宅に使われる。
13. プラスチック合成クロスは、水撥ねやカビに強い、手入れが簡単で、公共施設に適している。
14. ガラス繊維クロスは、色彩や模様が多く、色褪せや老朽化、湿気に強い。洗うことができ、施工も簡単である。有害微生物の抑制や防火性に優れ、静電気の抑制ができ、アレルギー反応の発生が避けられる。
15. 蛍光クロスは、消灯後壁に星空や風景などの図案が立体的に浮かぶ。
16. 滅菌クロスは、抗菌効果、殺菌機能があり、病院の内装に広く使われる。
17. 環境保全不燃クロスは、表面が多孔構造で、吸音、防音に優れ、汚れが清除しやすい。寿命は10年以上で、香り付け、虫除け、蛍光、変色など特殊機能を加えることもできる。

クロスの模様

紙製の壁紙は表層紙と基層紙を接着剤で合わせ、印刷と浮出しプレスをかけ、糊付けなどの工程を経て完成する。通気性が高く、室内の温度調節ができ、耐水性のものは洗うことができるという特徴がある。

プラスチック製壁紙は、紙や布を基材とし、ポリ塩化ビニル樹脂、ポリエチレン樹脂、ポリプロピレン樹脂などを表面層にし、プリントや浮出しプレスをかけ、糊付けなどの工程を経て完成する。一般プラスチック製、発泡プラスチック製、特種プラスチック製壁紙の3つに分けられる。

一般プラスチック製壁紙は、プリント、浮出しプレスとその両方を合わせたものがある。図案が豊富で、色彩も鮮やか、伸縮性がある。発泡プラスチック製壁紙は弾力性があり音響、吸音に優れる。会議室、映画館などに使われる。表面の凸凹図案は立体感がある。特種プラスチック製壁紙には耐水、防火、防カビなどの機能がある。

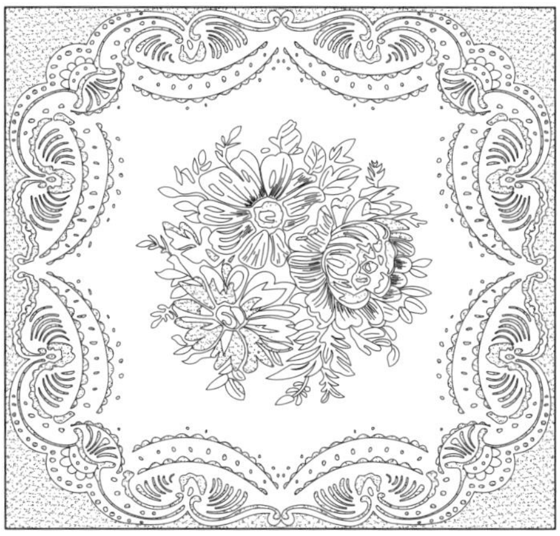

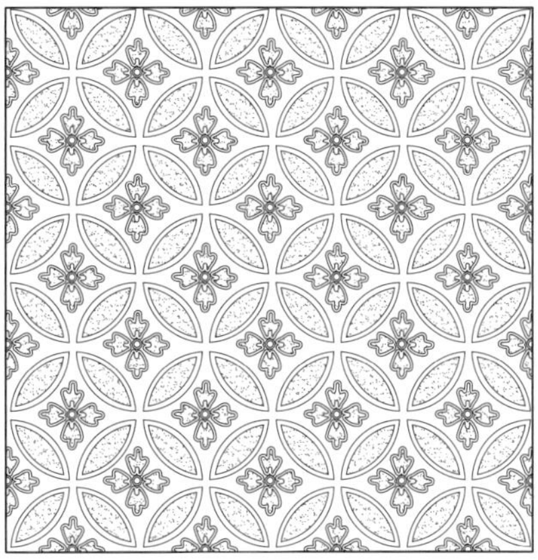

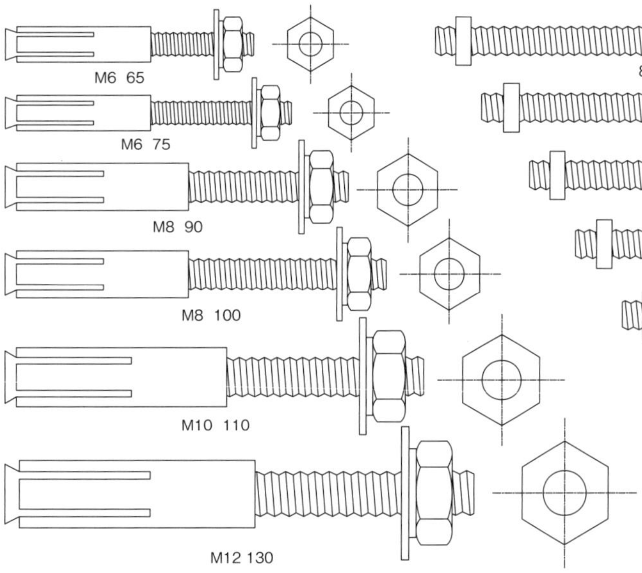
M6 65
M6 75
M8 90
M8 100
M10 110
M12 130
アンカーボルト

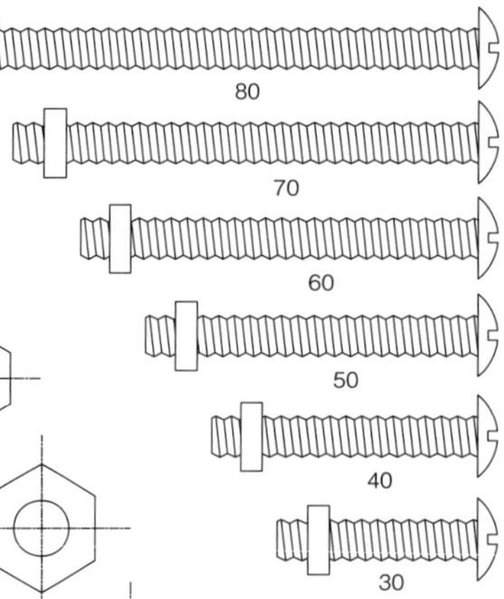
80
70
60
50
40
30
亜鉛メッキトラス頭ねじ

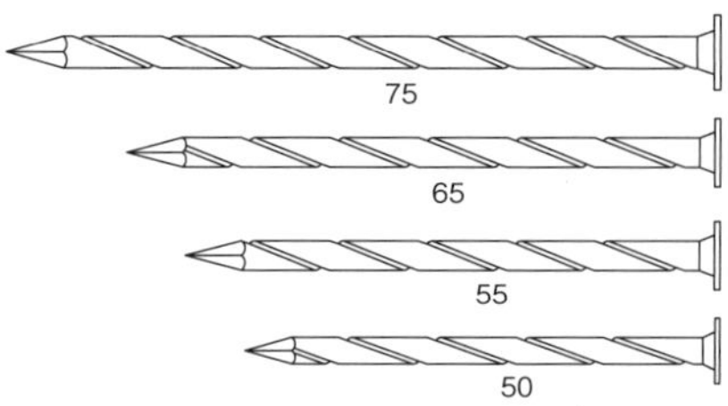
75
65
55
50
スクリュー釘

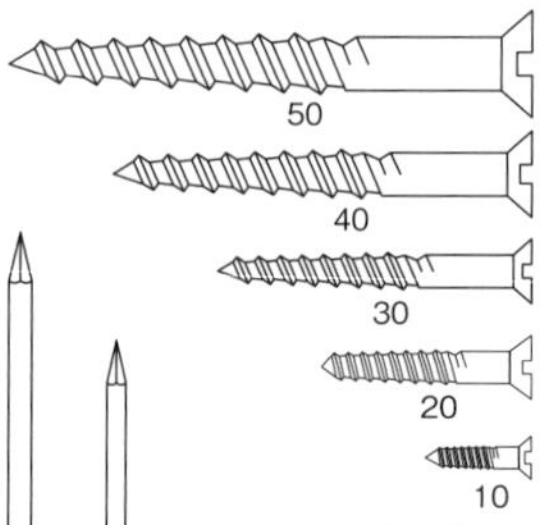
50
40
30
20
10
木ねじ

60
50
40
30
鉄釘

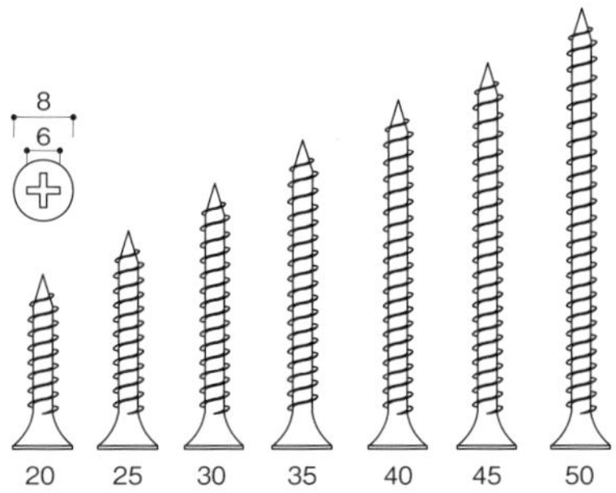
8
6
20
25
30
35
40
45
50
2条ねじ(＋)

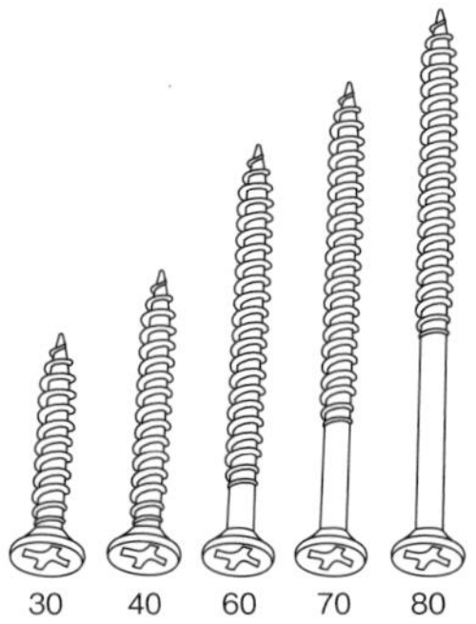
30
40
60
70
80
セルフタッピンねじ

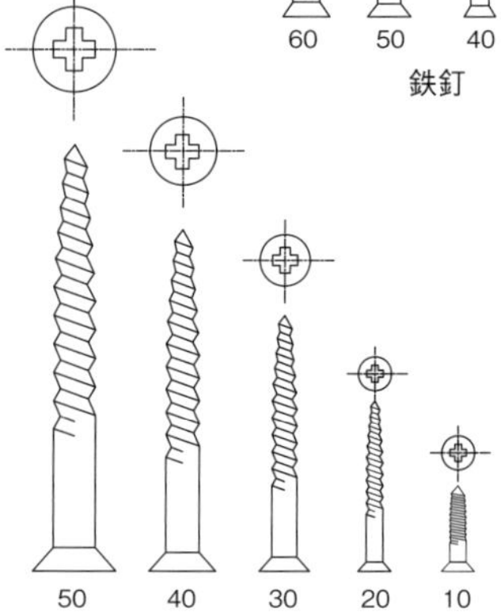
50
40
30
20
10
木ねじ(＋)

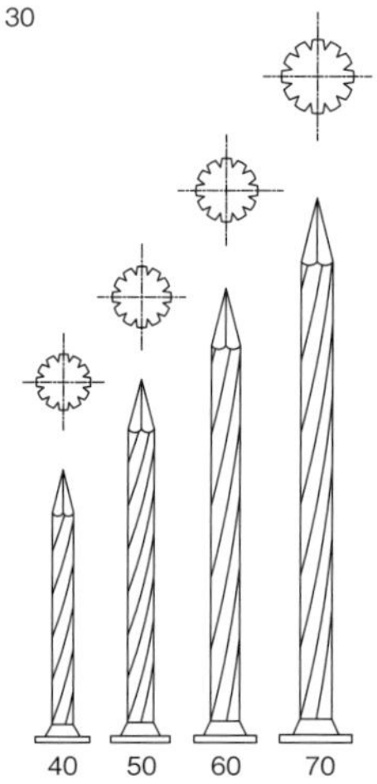
40
50
60
70
コンクリートビス

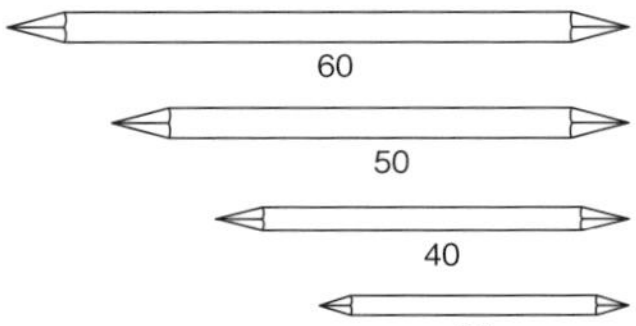
60
50
40
30
合釘

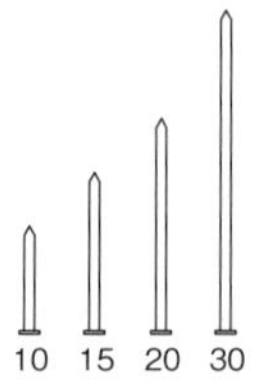
10
15
20
30
針釘

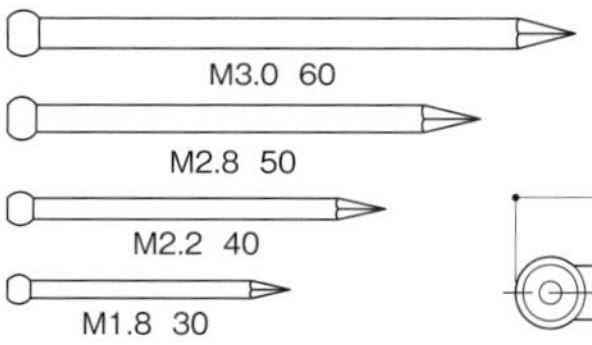
M3.0 60
M2.8 50
M2.2 40
M1.8 30
フィニッシュ釘

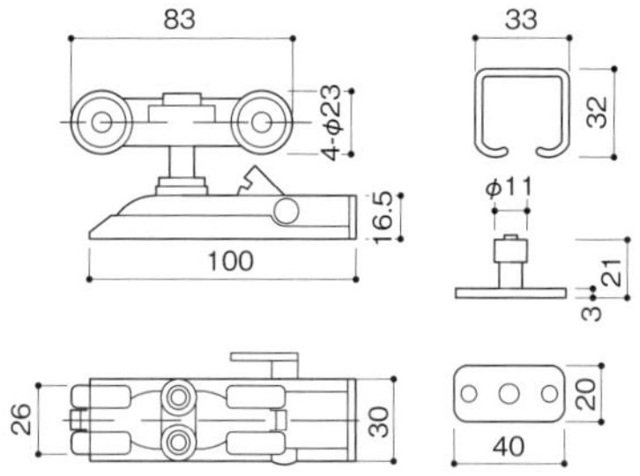
83
4-φ23
16.5
100
33
32
φ11
21
3
26
30
20
40
吊り滑車

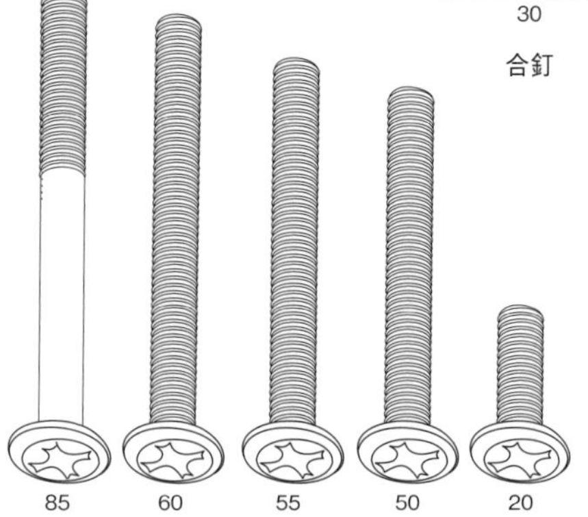
85
60
55
50
20
皿ねじ(＋)

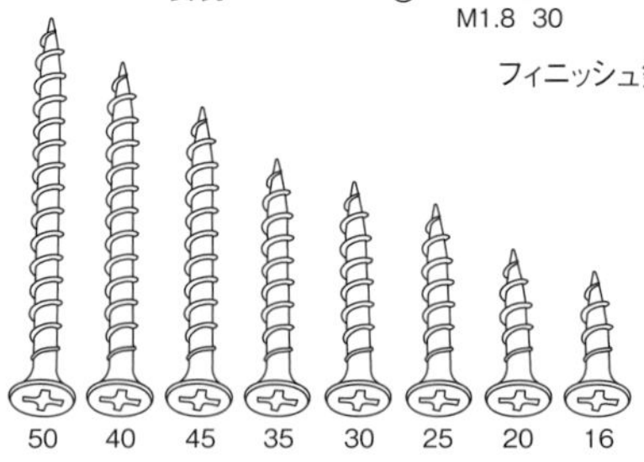
50
40
45
35
30
25
20
16
タッピンねじ

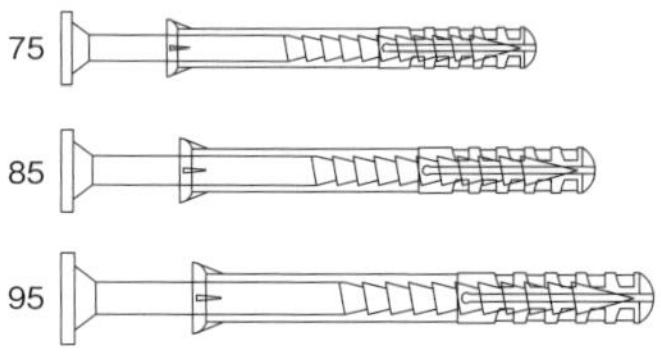
75
85
95
膨張ネジ釘

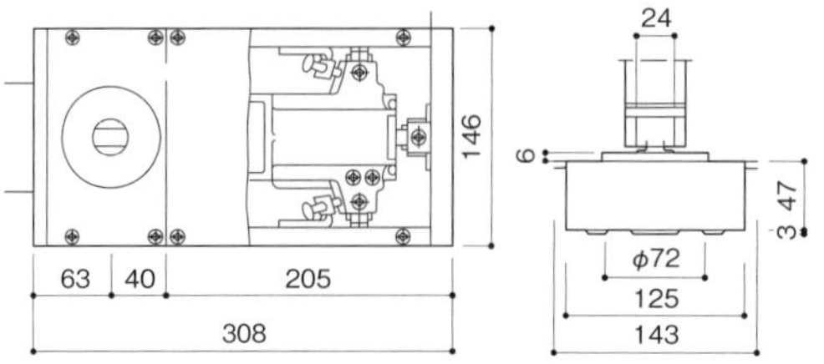
146
63
40
205
308
24
6
3
47
φ72
125
143
フロアスプリング

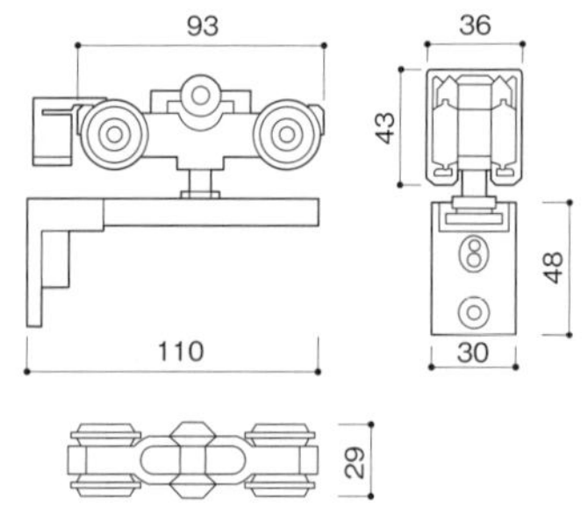
93
110
36
43
48
30
29
吊り滑車

ドアの金属部品は現代のインテリアに欠かせないものである。金具の種類が多く、広範に使われるため、合理的な組み合わせによって、高い装飾効果を得ることができる。

ドアの金具部品とは、ドアの錠前、ドアクローザー、ドアノブ、ドアの固定器、蝶番、チェーンなどをいう。

ロックはケースロック、チューブラ錠、円筒錠、カードキー、指紋検証式など、いろいろな種類がある。

取っ手の材質は亜鉛合金、銅、ステンレス、プラスチック、陶磁器など、さまざまな色や素材、形がある。

蝶番はヒンジともいう。平蝶番、門扉用ヒンジとその他の蝶番などがある。蝶番の大きさ、幅、使用数量はドアの重さ、材質、入口の幅に関係している。現在の平蝶番、門扉用ヒンジの材質は主に真鍮とステンレスである。

ドアクローザーは自動的にドアを閉め、風による急な開閉や人身事故、壁、ドアの損傷を防ぐことができる。

ドア金具部品

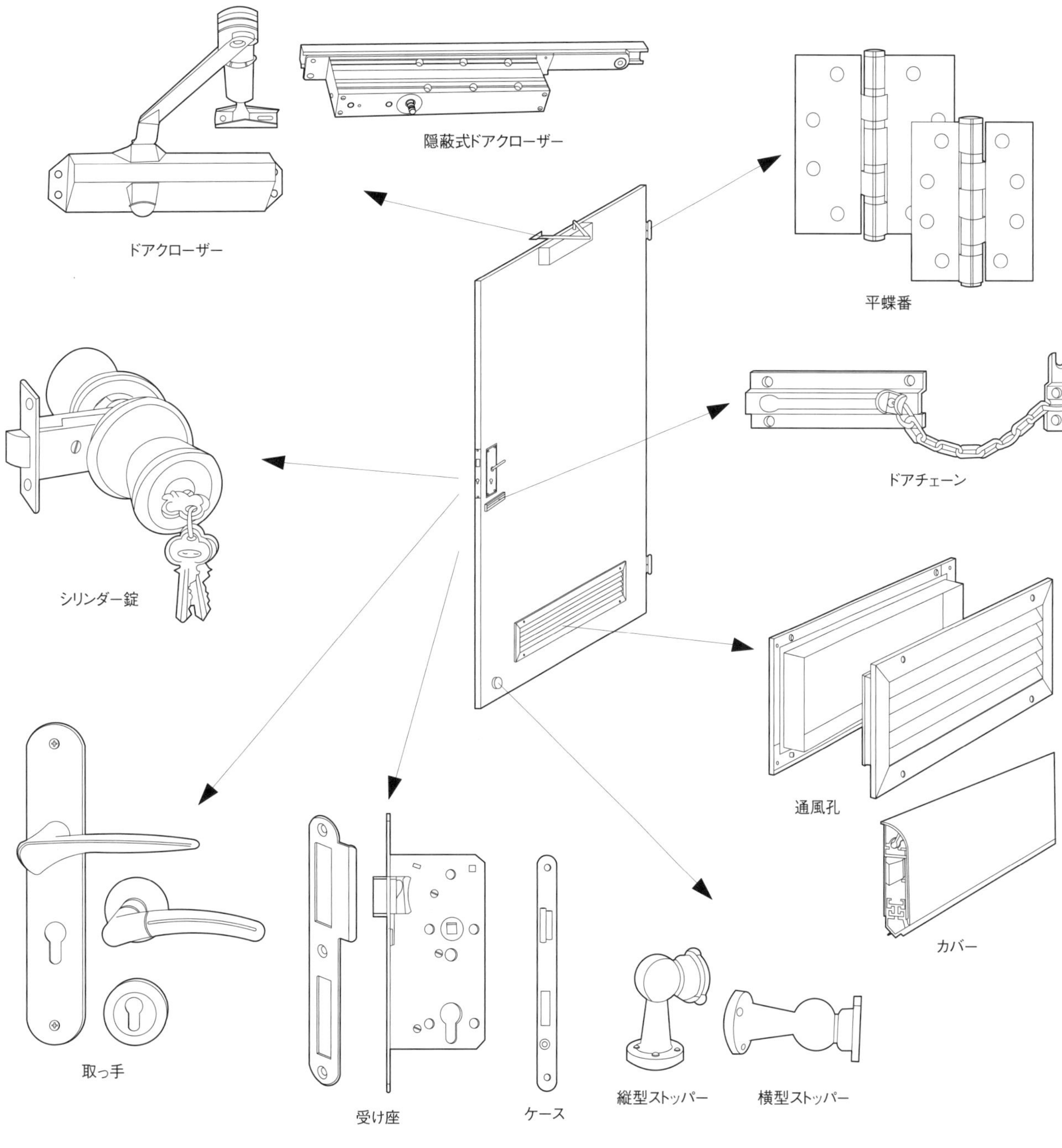
隠蔽式ドアクローザー
ドアクローザー
平蝶番
シリンダー錠
ドアチェーン
通風孔
カバー
取っ手
受け座
ケース
縦型ストッパー
横型ストッパー

引き戸金具部品

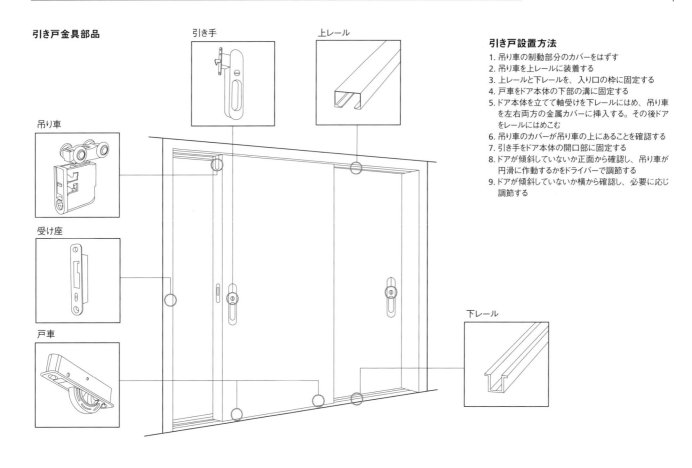

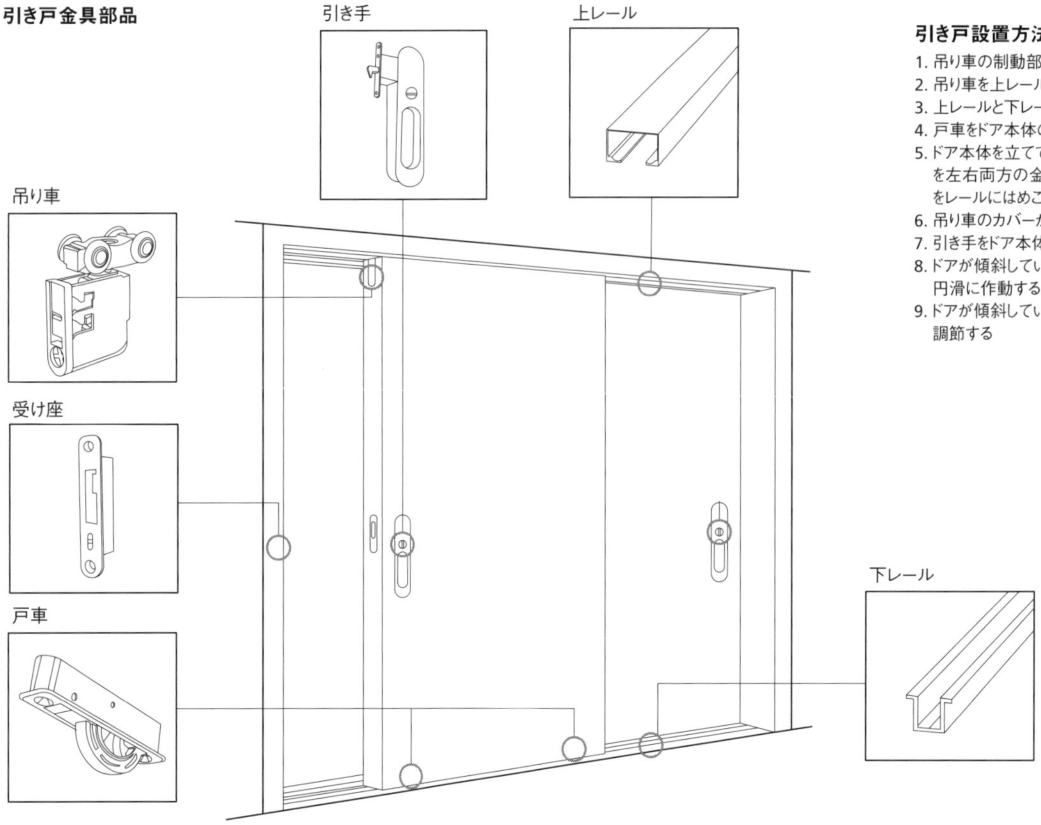
引き手
上レール
吊り車
受け座
戸車
下レール

引き戸設置方法

1. 吊り車の制動部分のカバーをはずす
2. 吊り車を上レールに装着する
3. 上レールと下レールを、入り口の枠に固定する
4. 戸車をドア本体の下部の溝に固定する
5. ドア本体を立てて軸受けを下レールにはめ、吊り車を左右両方の金属カバーに挿入する。その後ドアをレールにはめこむ
6. 吊り車のカバーが吊り車の上にあることを確認する
7. 引き手をドア本体の開口部に固定する
8. ドアが傾斜していないか正面から確認し、吊り車が円滑に作動するかをドライバーで調節する
9. ドアが傾斜していないか横から確認し、必要に応じ調節する

折れ戸金具部品

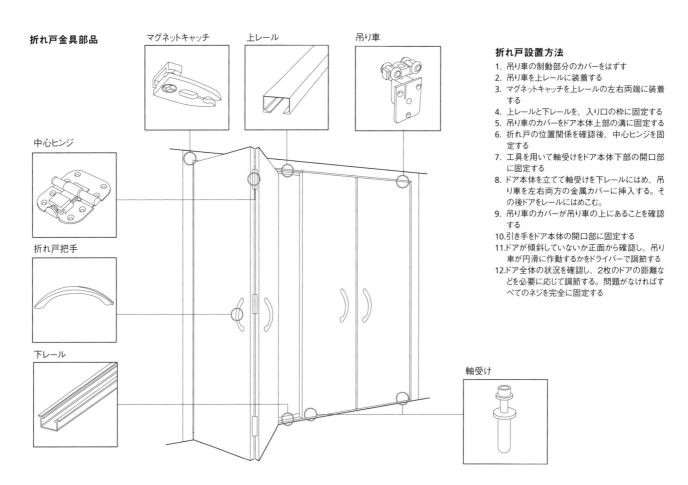

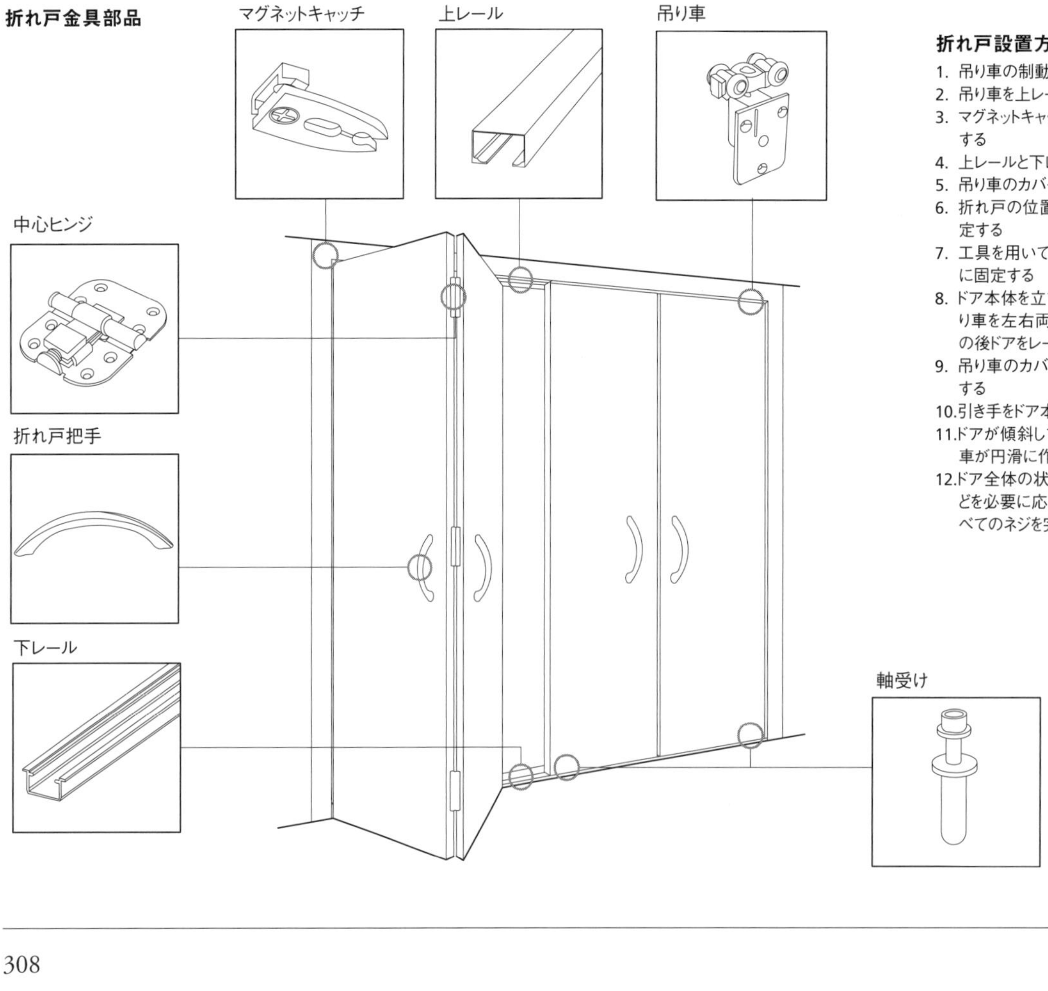
マグネットキャッチ
上レール
吊り車
中心ヒンジ
折れ戸把手
下レール
軸受け

折れ戸設置方法

1. 吊り車の制動部分のカバーをはずす
2. 吊り車を上レールに装着する
3. マグネットキャッチを上レールの左右両端に装着する
4. 上レールと下レールを、入り口の枠に固定する
5. 吊り車のカバーをドア本体上部の溝に固定する
6. 折れ戸の位置関係を確認後、中心ヒンジを固定する
7. 工具を用いて軸受けをドア本体下部の開口部に固定する
8. ドア本体を立てて軸受けを下レールにはめ、吊り車を左右両方の金属カバーに挿入する。その後ドアをレールにはめこむ。
9. 吊り車のカバーが吊り車の上にあることを確認する
10. 引き手をドア本体の開口部に固定する
11. ドアが傾斜していないか正面から確認し、吊り車が円滑に作動するかをドライバーで調節する
12. ドア全体の状況を確認し、2枚のドアの距離などを必要に応じて調節する。問題がなければすべてのネジを完全に固定する

錠前は、外見で分類すれば外付け型、縦長型、球形型に分けられる。構造で分類すると弾構造、羽根構造、磁気構造、パスワード構造、電子コード構造などがある。外付け型は、さらに単一ボルト、二重ボルト、多重ボルト、引き戸型などに分けられる。縦長型は、さらに弾構造と羽根構造の2種類に分けられる。弾構造は、さらに単一四角形ボルト、単一傾斜ボルト、単一傾斜プッシュ式、二重ボルト、引き戸用などに分けられる。羽根構造は、さらに単一開錠式と二重開錠式に分けられる。球形型は複雑型と簡易型に分けられる。機能で分類すると3つある。第1に、機械的な開錠防止機能を有するもの。穴を広げられたり、叩かれたり、引っ張られたり、衝撃を被ったり、技術的に開けられたりするのを防ぐ。第2に、磁気カードを使ったもの。パスワードを持つ磁気カードでドアを開ける。第3に、第1と第2の複合型である。総合キーは、1つのフロア全ての部屋を開閉することができる。部屋キーは、1つの部屋しか開閉できない。これはオフィスビルやホテルなどの公共施設の管理者が使用する。

ドアのノブやレバーは、材質で分類すれば銅材、アルミ材、金属メッキなどに分けられる。形状で分類するとシングルタイプとダブルタイプに分けられる。用途で分類すると、ノブ、レバー、その他のレバー(引き戸、引き出し、自動車など)に分けられる。

ドアノブやレバーは、ドアの開け閉めに使われる金具の1つである。そしてこれらは、錠前機能のあるものとないものに分けられる。

オートロック

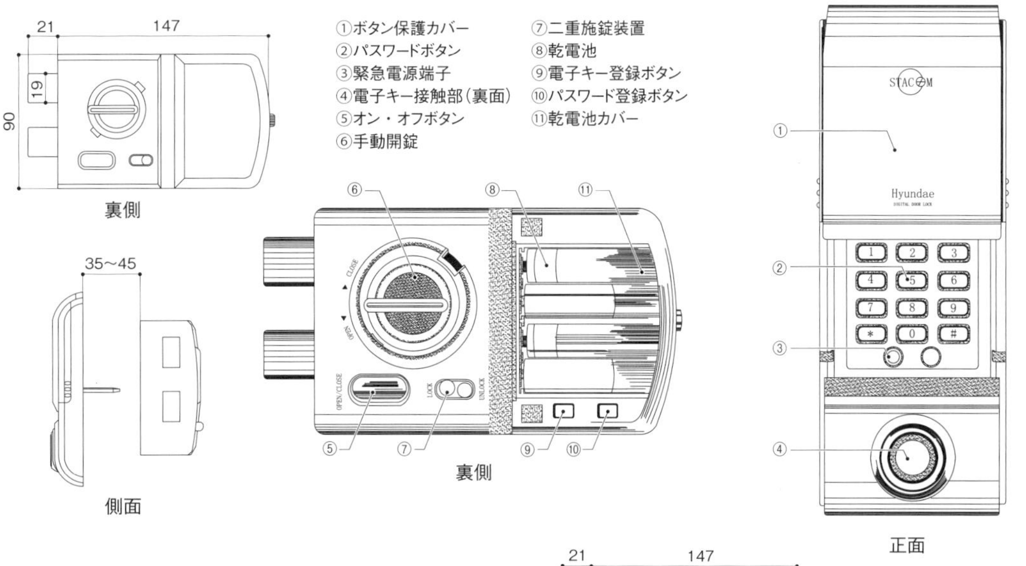
21
147
19
90
裏側
35~45
側面
①ボタン保護カバー
②パスワードボタン
③緊急電源端子
④電子キー接触部(裏面)
⑤オン・オフボタン
⑥手動開錠
⑦二重施錠装置
⑧乾電池
⑨電子キー登録ボタン
⑩パスワード登録ボタン
⑪乾電池カバー
CLOSE
OPEN
OPEN/CLOSE
LOCK
UNLOCK
裏側
STACOM
Hyundae
正面

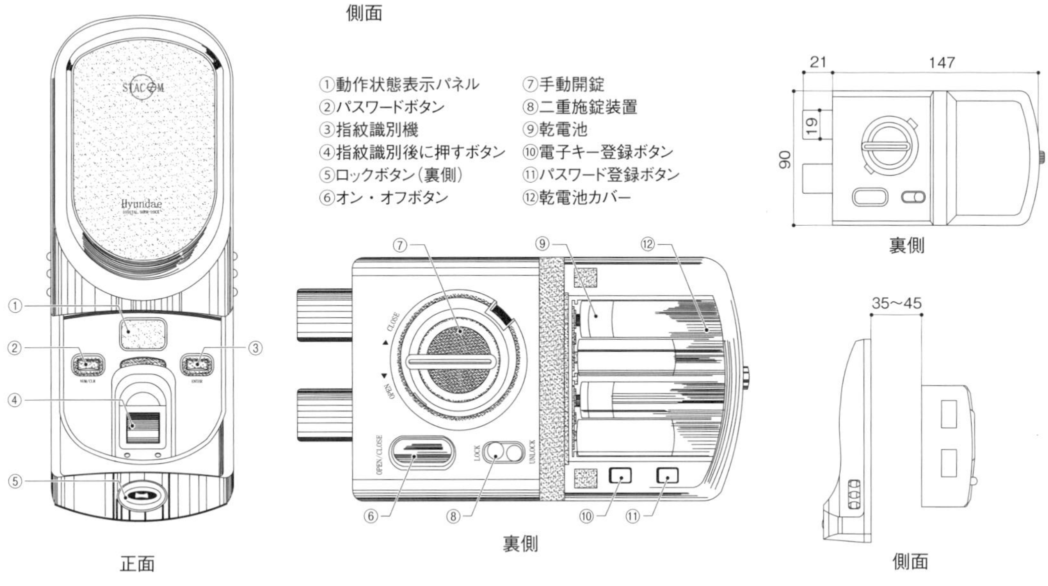
STACOM
Hyundae
正面
①動作状態表示パネル
②パスワードボタン
③指紋識別機
④指紋識別後に押すボタン
⑤ロックボタン(裏側)
⑥オン・オフボタン
⑦手動開錠
⑧二重施錠装置
⑨乾電池
⑩電子キー登録ボタン
⑪パスワード登録ボタン
⑫乾電池カバー
21
147
19
90
裏側
CLOSE
OPEN
OPEN/CLOSE
LOCK
UNLOCK
裏側
35~45
側面

ドアレバー

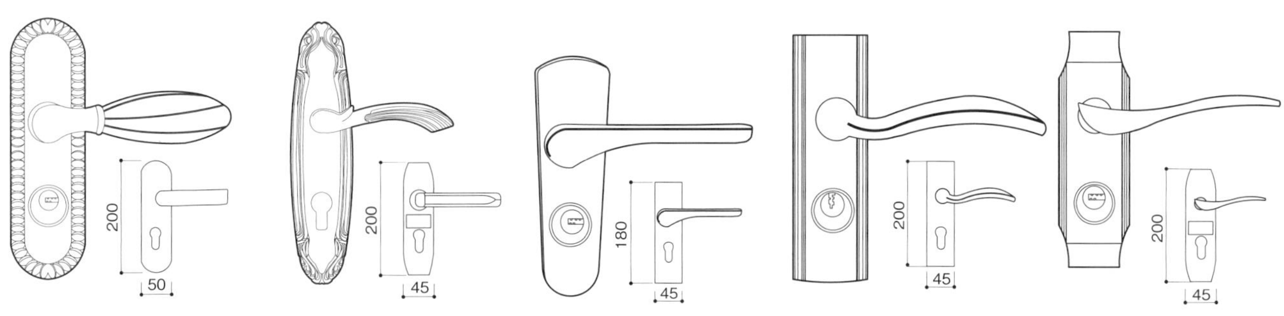
200
50
200
45
180
45
200
45
200
45

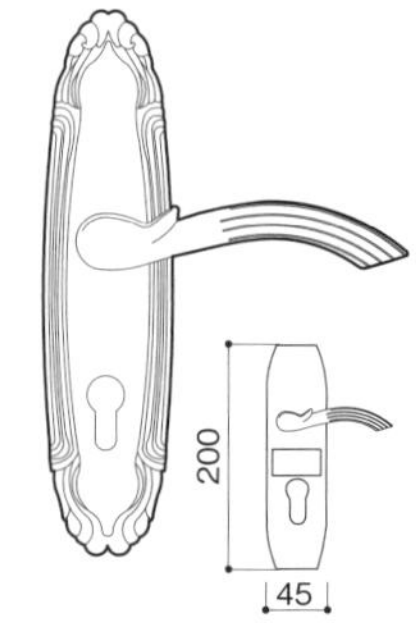
200
45

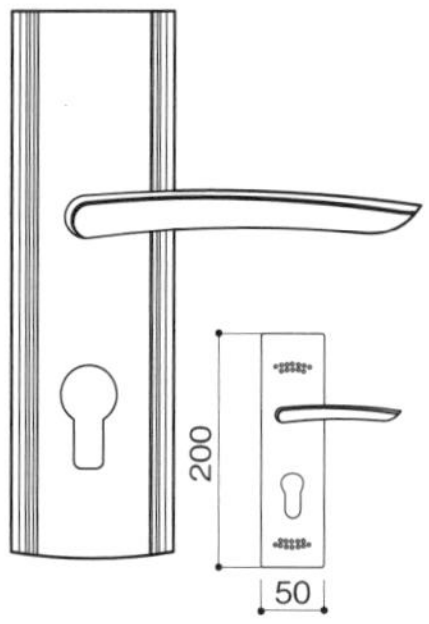
200
50

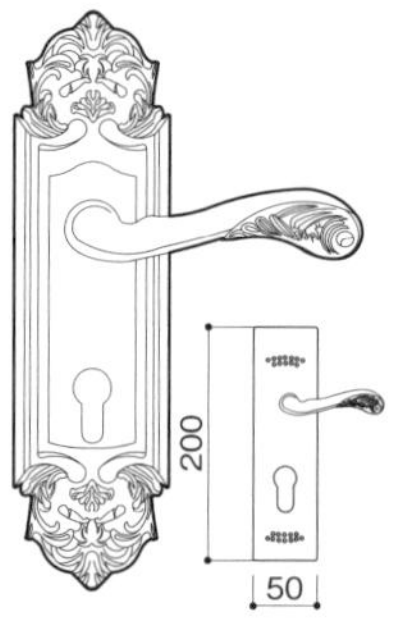
200
50

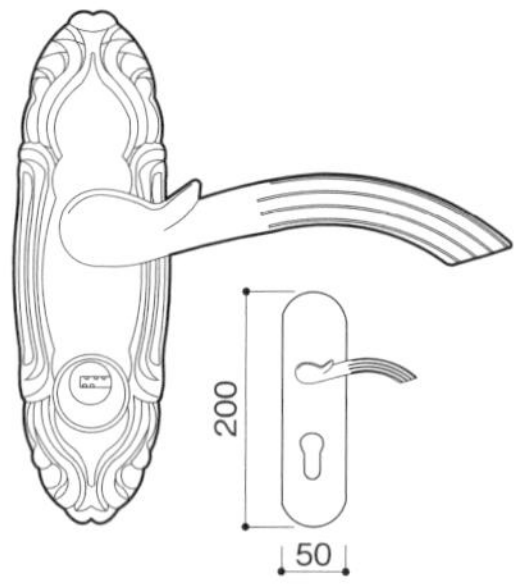
200
50

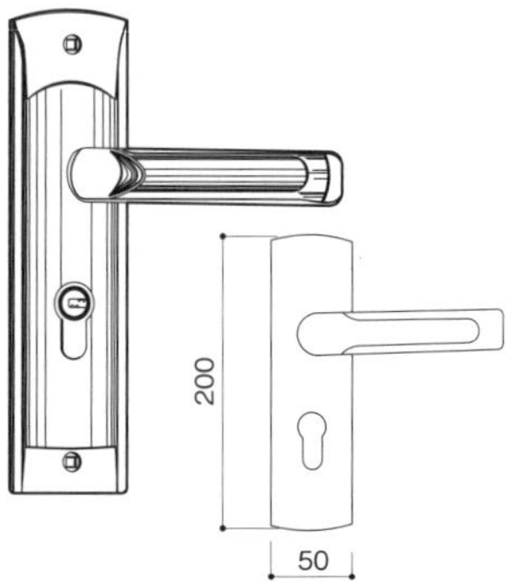
200
50

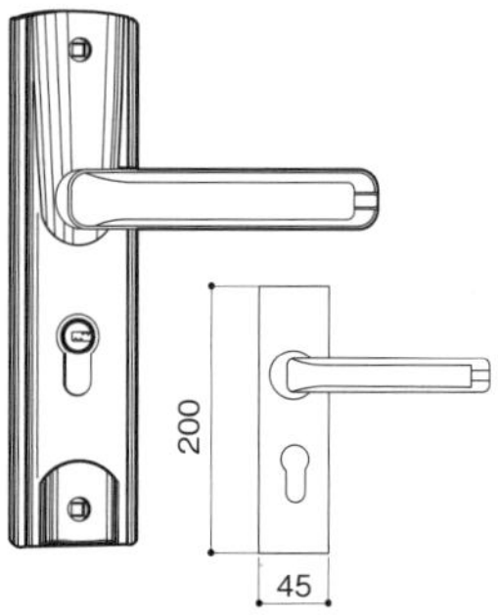
200
45

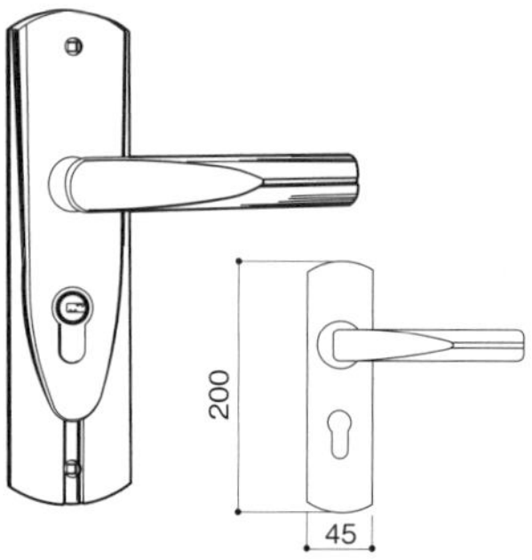
200
45

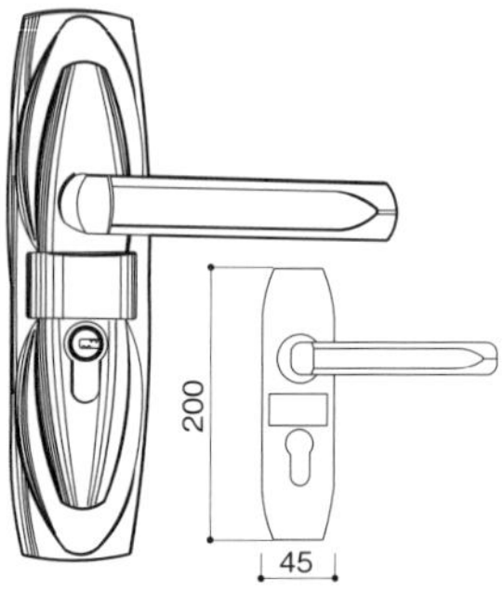
200
45

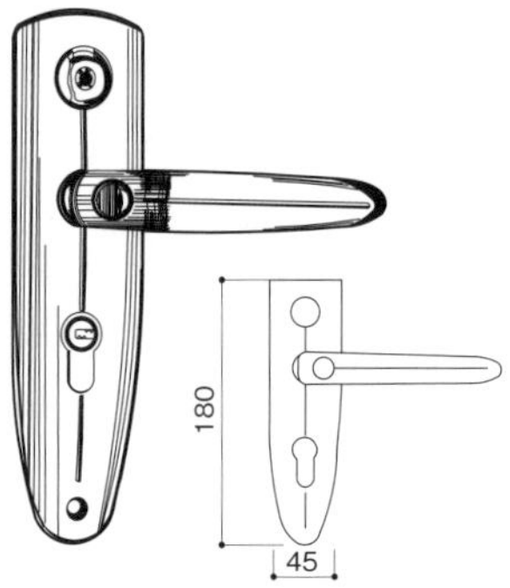
180
45

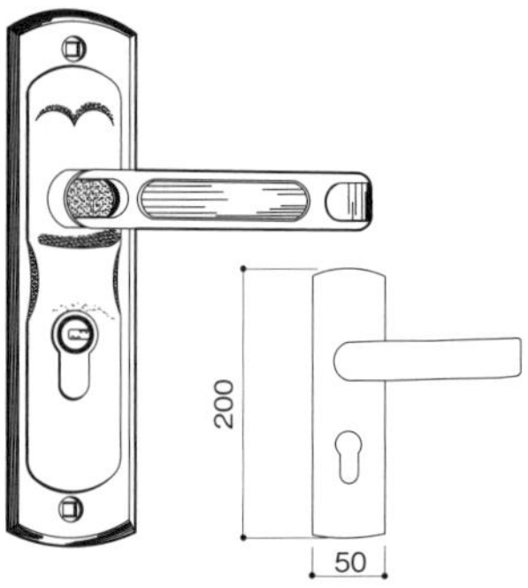
200
50

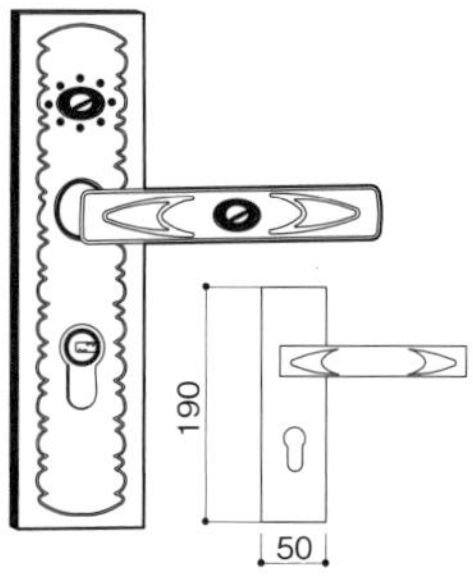
190
50

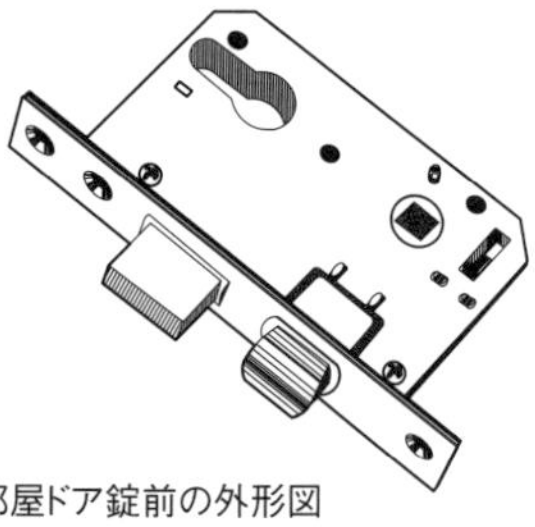
部屋ドア錠前の外形図

安全スプリング錠

ドアの縁に設置する。施錠後、鍵を再度回すとボルトが固定される。たとえガラスを破り、手を伸ばして内側からドアを開けようとしても、開けることができない。内側、外側を問わず、ドアを開けるためには鍵が必要となる。玄関のドアなどに使用される

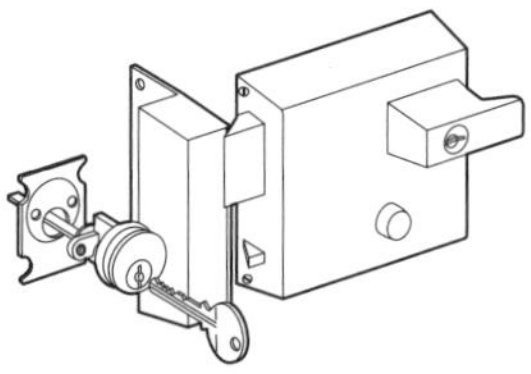

四角形ボルト錠

鍵を使って初めてボルトが引っ込むものである。鍵を回すことで錠前内部のボルトが動く。鍵穴は多ければ多いほど防犯力が高まる。5つの鍵穴のある錠前が最も安全である。玄関のドアに適している。スプリング錠と兼用するのも良い

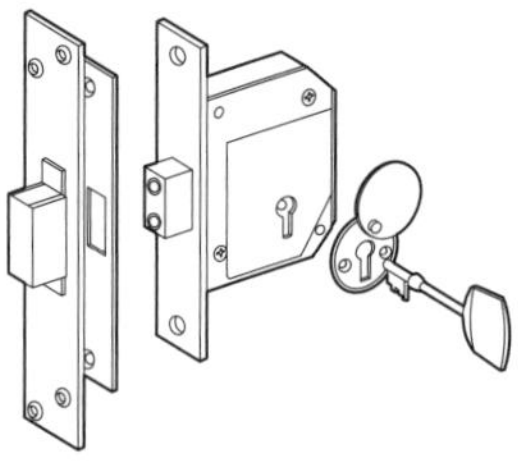

スプリング錠

ドアの縁に設置する。室外では鍵を使い、室内ではひねり錠を回して、ボルトを引っ込ませる。安全ボタンを押すと、ボルトが出た状態あるいは引っ込んだ状態で固定される。安全面では安全スプリング錠ほどではない。玄関のドアに適しているが、チェーンと併用すると良い

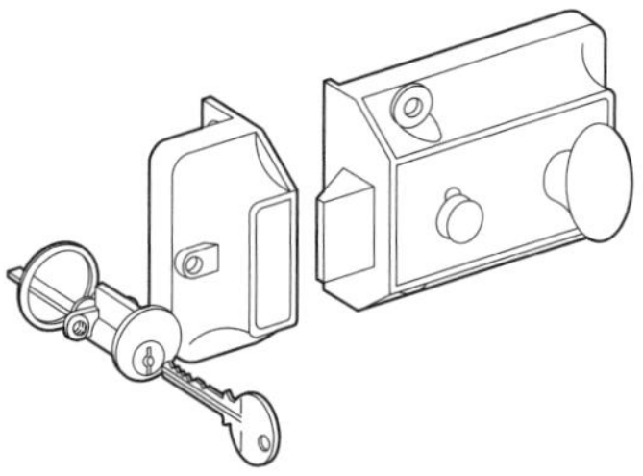

浴室に使用するドアレバー

ドア内側にひねり錠があり、回してドアを閉めることができる。ドア外側には応急にドアロックを解除する装置がある。内側と外側が決まっており、両用はできない

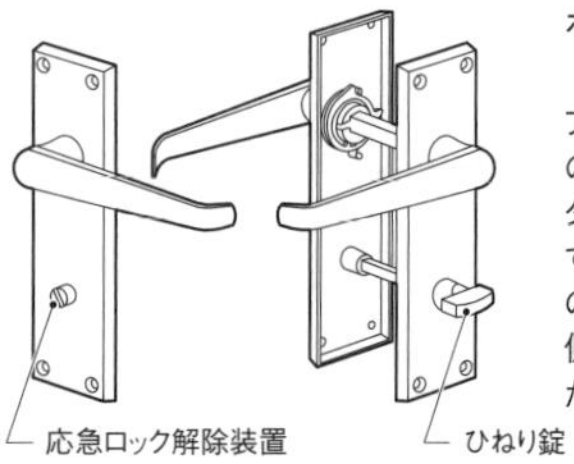
応急ロック解除装置
ひねり錠

球形型押しボタンドア錠

鍵穴は外側の球形ノブについている。内側の球形ノブには押しボタンが付いており、押すとドアが閉まる。ドアの鍵を開ける際は、内側からならばノブを回すだけで良い

自動レバー

施錠する必要のない場所で使われるもので、レバーに鍵穴がない。内側と外側に区別がなく、両用できる

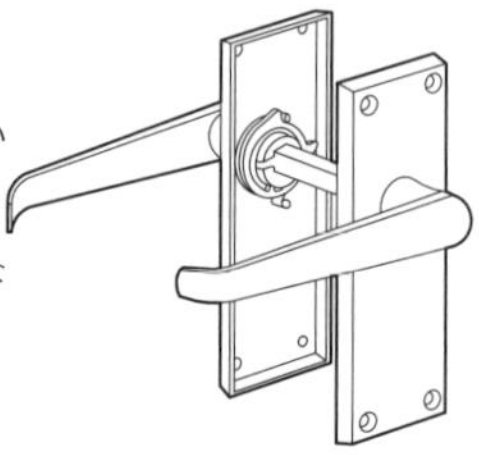

家具用の金具部品は、家具製品に欠かせないものである。特に組立式家具などでは重要性が増す。連結、固定、装飾の機能があり、また家具の造形や構造を改善するものであることから、製品の品質や外観的な美しさに直接関係するものである。

家具の金具部品は、機能面でみた場合、可動する部品、ねじって固定する部品、支えて固定する部品、はめ合わせる部品、装飾用の部品などに分けられる。構造面でみた場合、蝶番、連結部品、引き出し用滑車、引き戸用スライド、扉を支える伸縮棒、取っ手、留め金、ドアストッパー、棚受け、ハンガーラックのポールを付ける金具、脚カバー、脚、カバー、ボルト、ねじ、丸くぎ、照明器具などに分けられる。国際標準化機構（ISO）は家具用金具を9種類に分類している。すなわち、カギ、連結用部品、蝶番、滑り系装置、位置保持装置、高度調整装置、支えるための部品、取っ手、キャスターである。

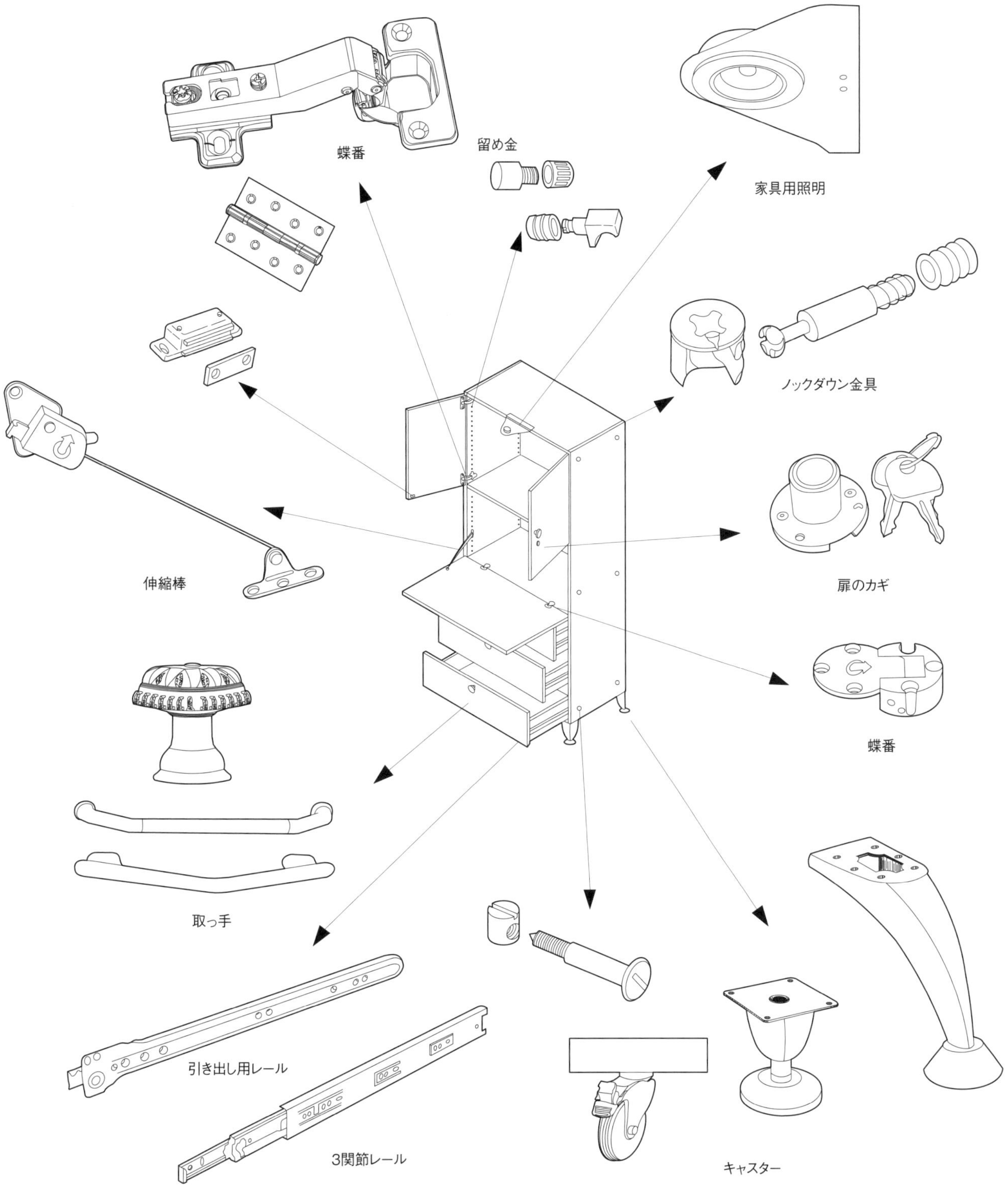
蝶番
留め金
家具用照明
ノックダウン金具
伸縮棒
扉のカギ
蝶番
取っ手
引き出し用レール
3関節レール
キャスター

金属連結部品

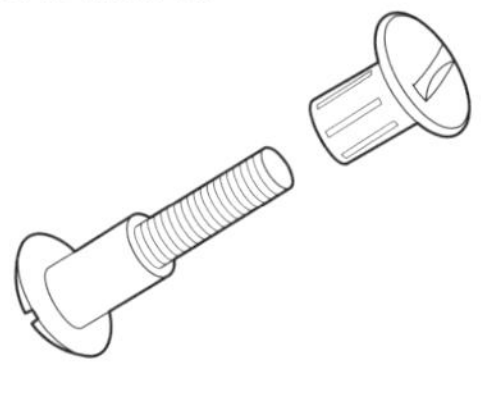

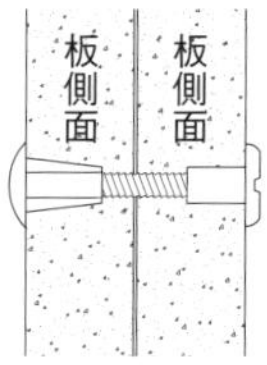
板側面
板側面

この部品は棚板と棚板を連結する際に使用する。金属製ねじの両端にナイロン製カバーを付ける。ドライバーで両板を固定する

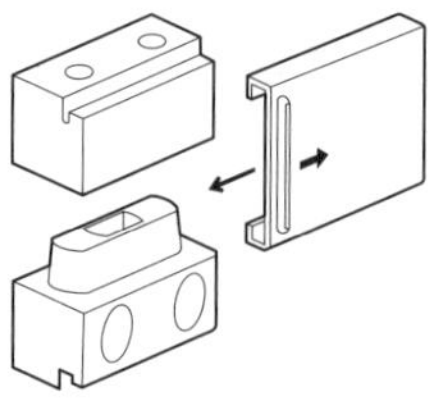

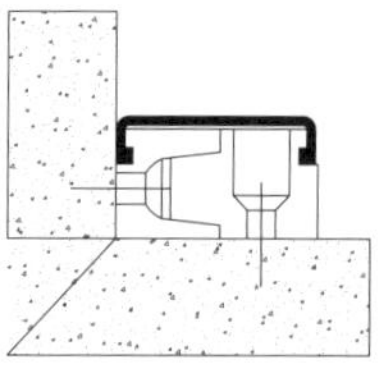

この部品は使い方が簡便でかつ大きな負荷に耐えられる。大型の棚板を連結するのに適している

この部品は板と板を連結するものだが、T字形での連結に使用する。金属製のねじをナイロン製キャップに入れ、ドライバーで固定する

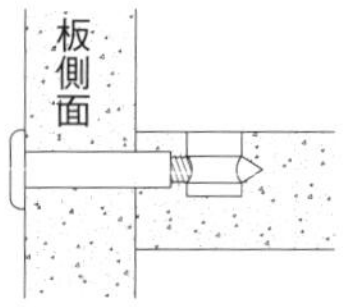
板側面

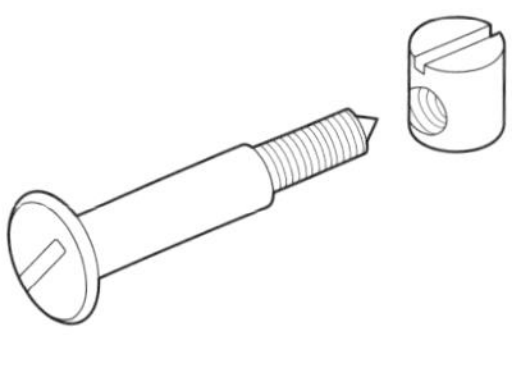

この部品は使い方が簡便である。異なる設置形式の板と板の間の連結に適している

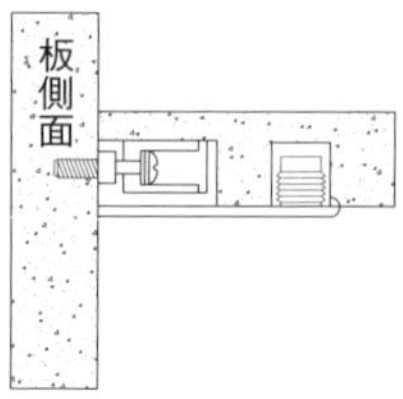
板側面

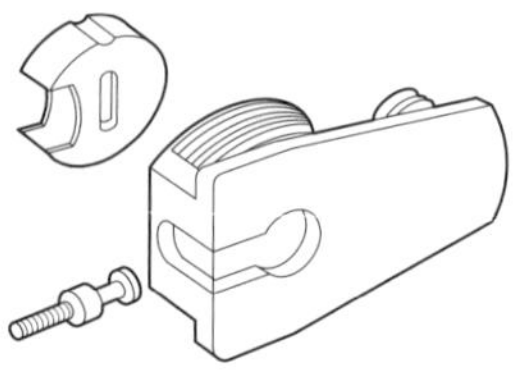

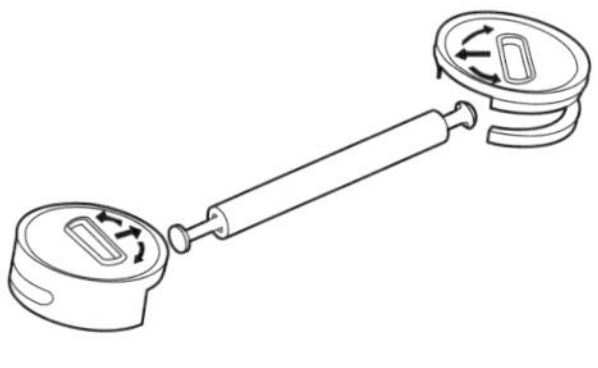

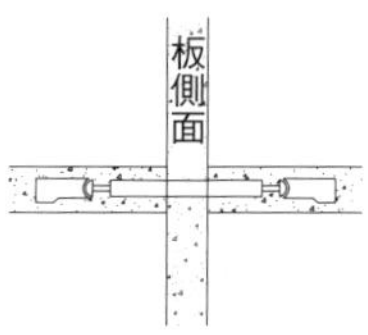
板側面

この部品は使い方が簡便でかつ固定力が高い。板材の間の十字型の部分を連結する際に適している

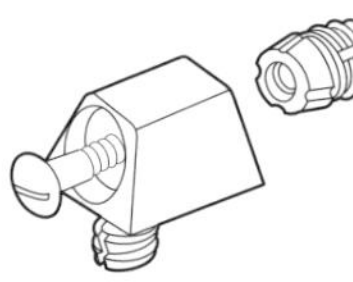

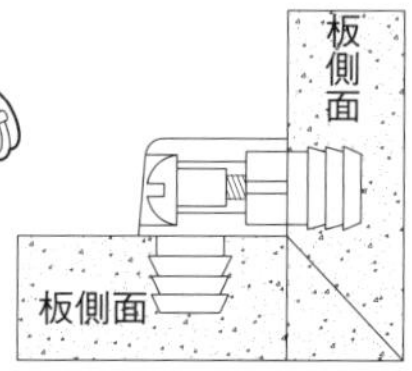
板側面
板側面

この部品は棚の骨組みや角部分での連結などで使用される。プラスチックのカバーと小ねじカバーを板の中に打ち込み、ねじを入れてドライバーで締める。そうすることで両側の板が連結される

この部品は板材の連結によく使われ、L字の直角形を連結する

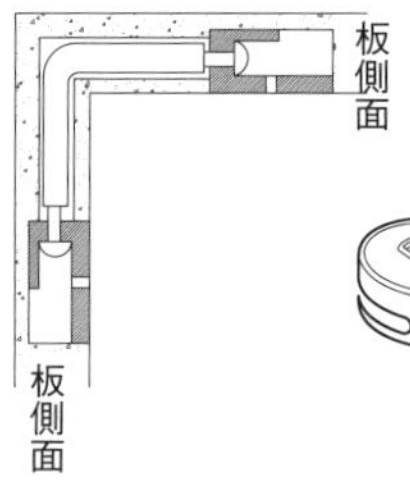
板側面
板側面

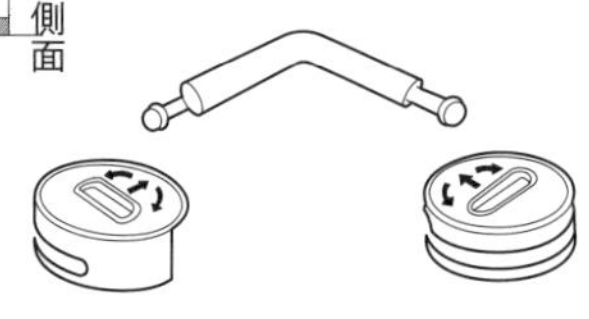

この部品は棚の骨組みや角部分での連結などで使用される。構造原理は同上だが、ねじカバーが細く長方形になっている

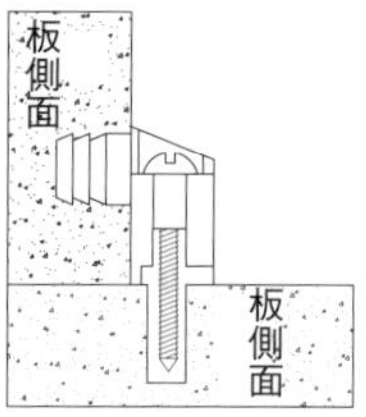
板側面
板側面

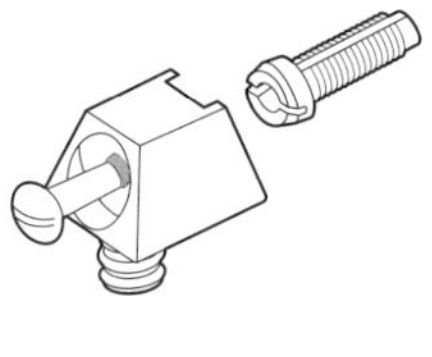

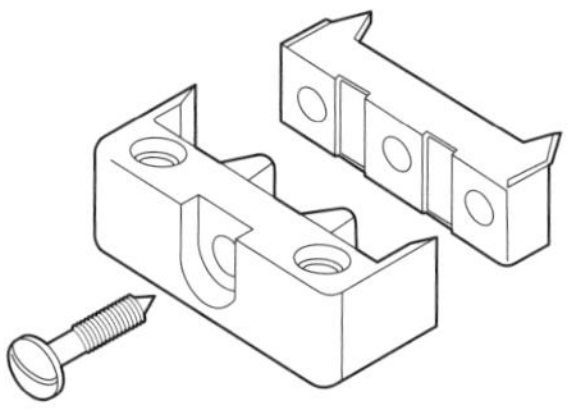

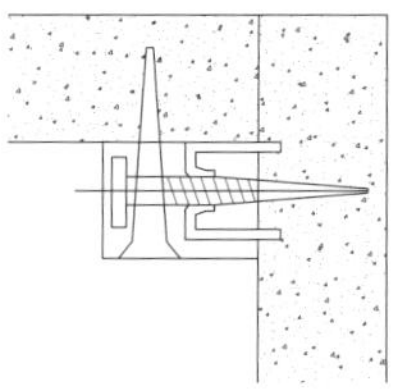

この接続部品は分解が可能で、ボックス棚の連結に使用される。受け台を板に固定した後、プラスチックの外カバーを加え、ねじで固定する

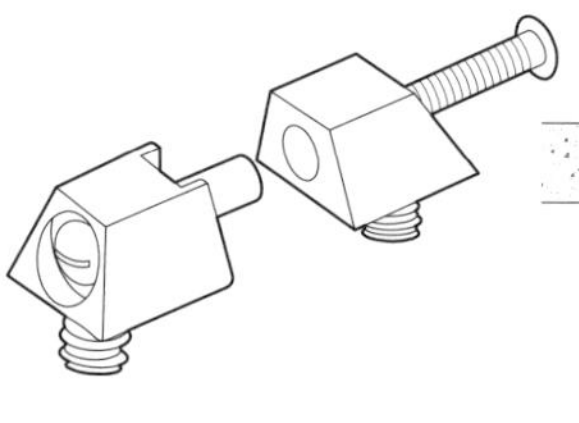

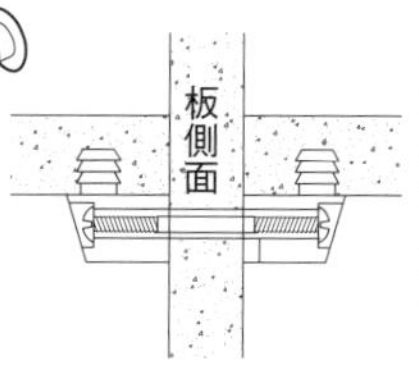
板側面

この部品は板の両側と棚板を固定する際に使用される。板に穴を開け、カバー付きのボルトをねじり入れる

この部品は板の両側から棚板を設置するのに適している。板に穴を開け、ねじで連結する。棚板にはくぼみを作り、連結部品を装着する

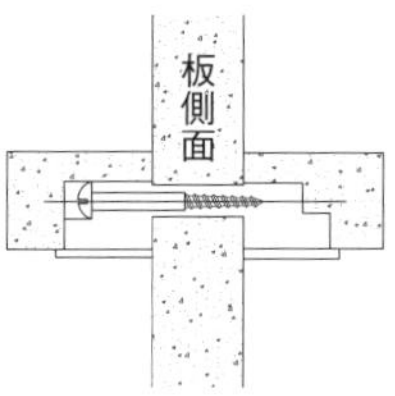
板側面

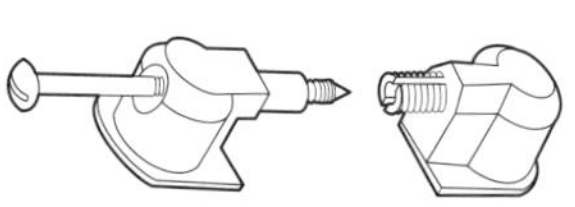

この部品は棚の骨組みや角部分での連結などで使用される。大きな負荷に強くない。ねじの調節で誤差を調整できる

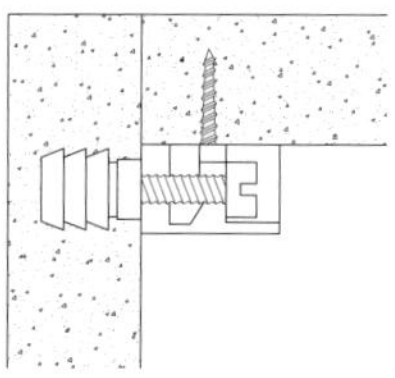

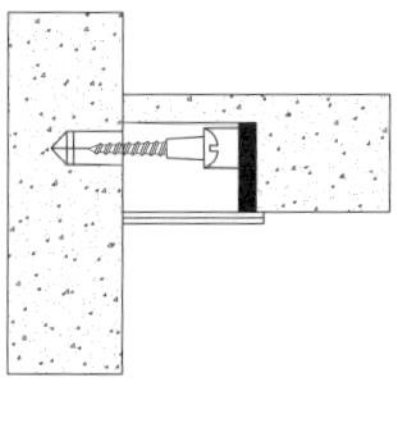

この部品は使い方が簡便だが、負荷には強くない。ねじで連結部品を板に固定する。棚板にくぼみを作り、カバーを装着させる

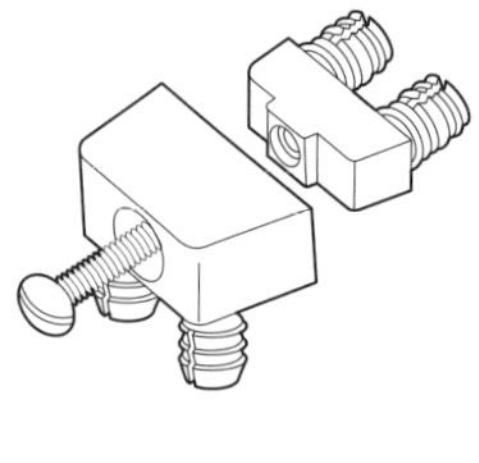

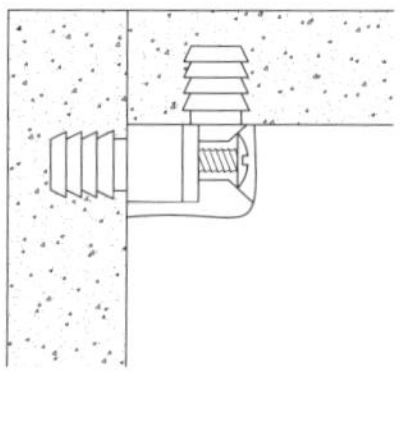

この部品は棚の骨組みや角部分での連結などで使用される。負荷に強い。大小2つのねじ口があり、ねじで固定する

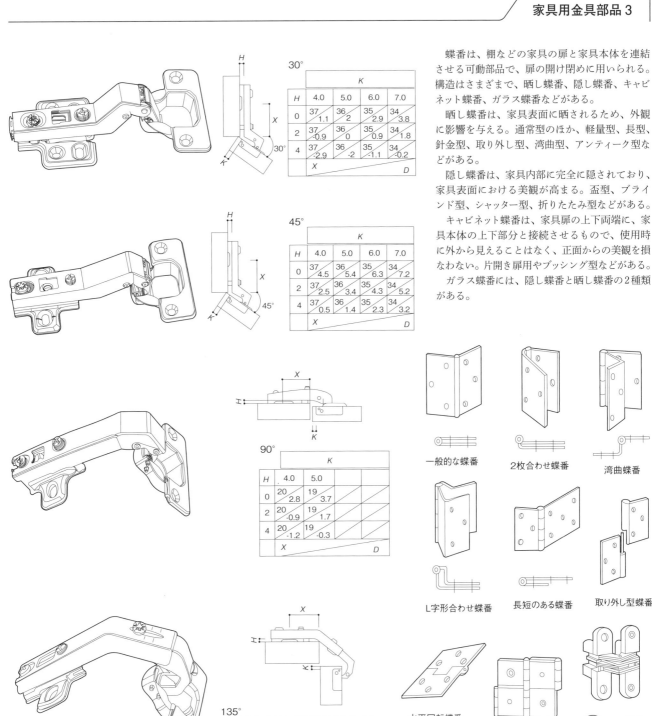

蝶番は、棚などの家具の扉と家具本体を連結させる可動部品で、扉の開け閉めに用いられる。構造はさまざまで、晒し蝶番、隠し蝶番、キャビネット蝶番、ガラス蝶番などがある。

晒し蝶番は、家具表面に晒されるため、外観に影響を与える。通常型のほか、軽量型、長型、針金型、取り外し型、湾曲型、アンティーク型などがある。

隠し蝶番は、家具内部に完全に隠されており、家具表面における美観が高まる。盃型、ブラインド型、シャッター型、折りたたみ型などがある。

キャビネット蝶番は、家具扉の上下両端に、家具本体の上下部分と接続させるもので、使用時に外から見えることはなく、正面からの美観を損なわない。片開き扉用やブッシング型などがある。

ガラス蝶番には、隠し蝶番と晒し蝶番の2種類がある。

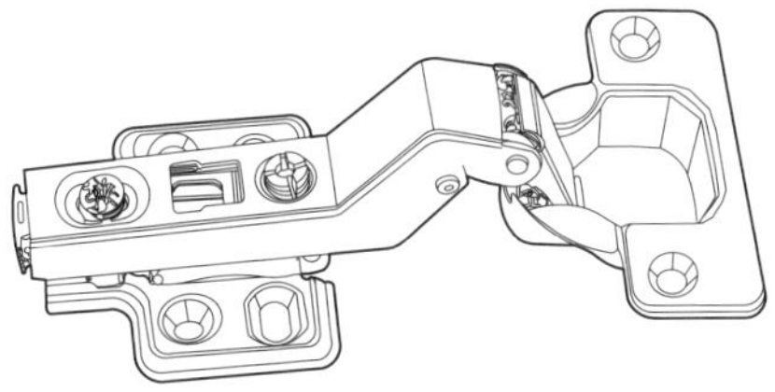

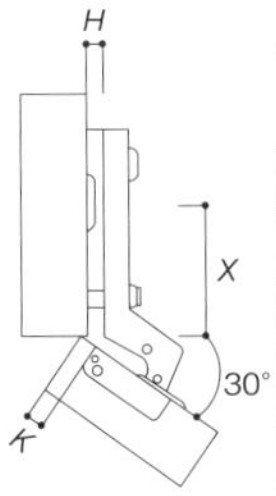
H
X
30°
K

30°

H	K 4.0	5.0	6.0	7.0
0	37 / 1.1	36 / 2	35 / 2.9	34 / 3.8
2	37 / -0.9	36 / 0	35 / 0.9	34 / 1.8
4	37 / -2.9	36 / -2	35 / -1.1	34 / -0.2
	X / D			

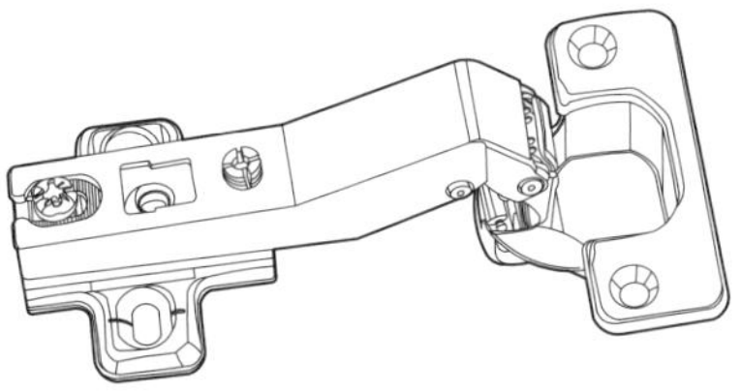

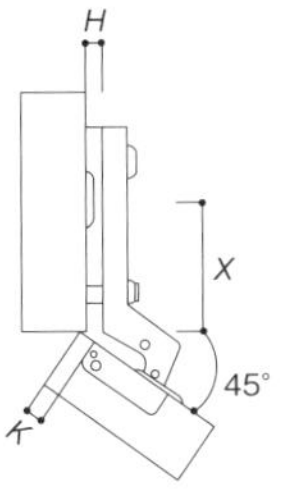
H
X
45°
K

45°

H	K 4.0	5.0	6.0	7.0
0	37 / 4.5	36 / 5.4	35 / 6.3	34 / 7.2
2	37 / 2.5	36 / 3.4	35 / 4.3	34 / 5.2
4	37 / 0.5	36 / 1.4	35 / 2.3	34 / 3.2
	X / D			

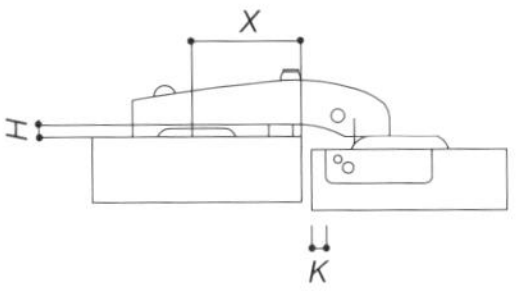
X
H
K

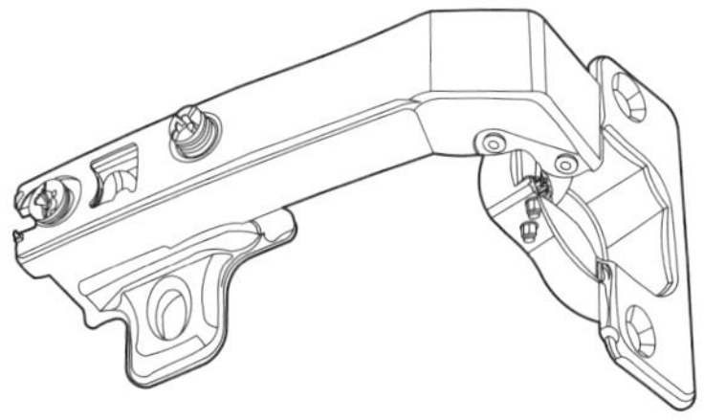

90°

H	K 4.0	5.0		
0	20 / 2.8	19 / 3.7		
2	20 / -0.9	19 / 1.7		
4	20 / -1.2	19 / -0.3		
	X / D			

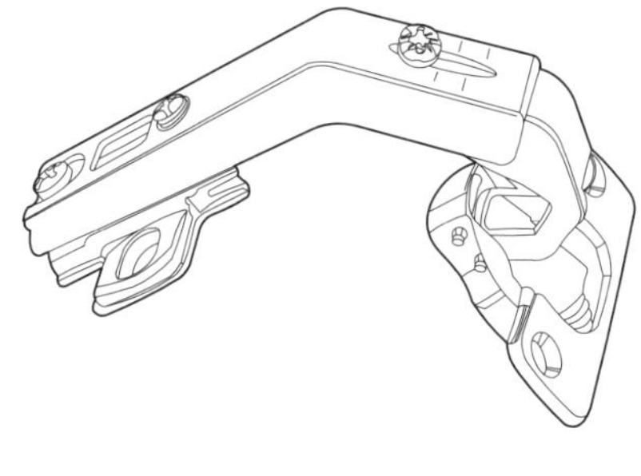

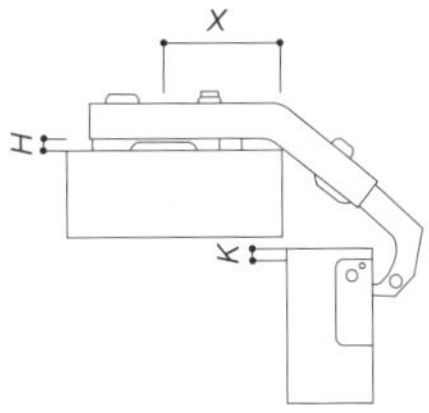
X
H
K

135°

	扉板の厚さ<18	22>扉板の厚さ>18
H	2	0
X	37	37

スライド蝶番
開き角度：95°
厚さ：11.3
直径：35
板間距離：3～7
使用可能な扉厚：14～23
材質：スチール

H：設置板の高さ
D：板が必要とする面積
K：扉板と蝶番穴の距離
A：扉と板の間隔

115°

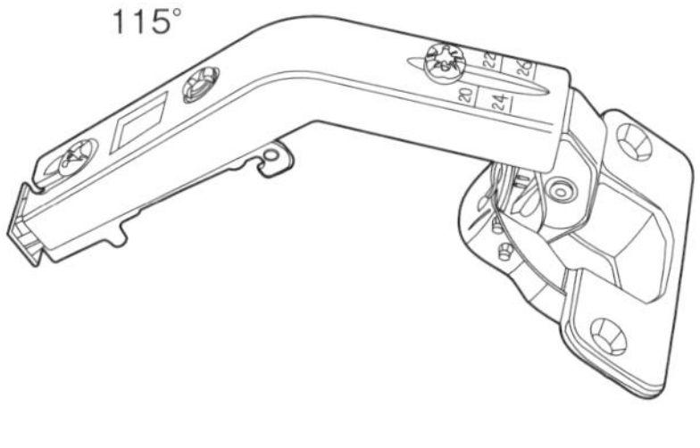

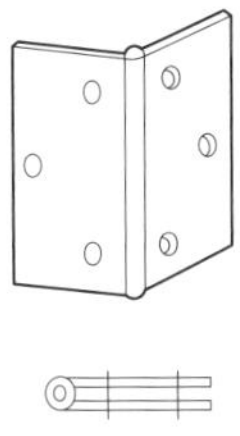
一般的な蝶番

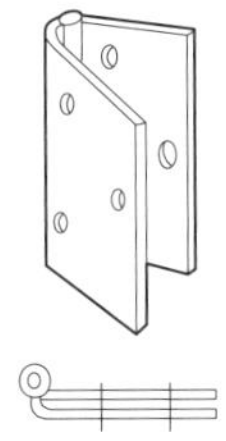
2枚合わせ蝶番

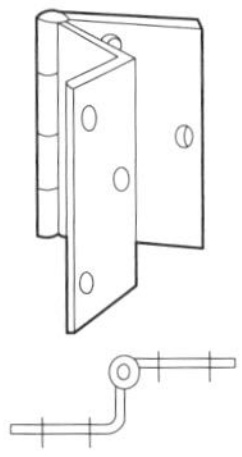
湾曲蝶番

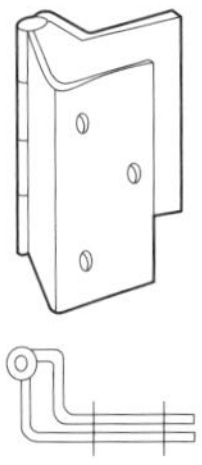
L字形合わせ蝶番

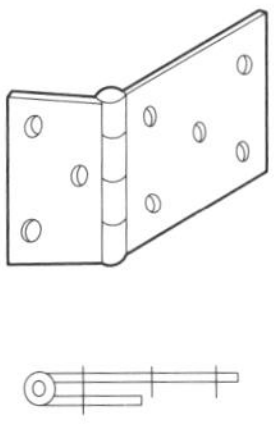
長短のある蝶番

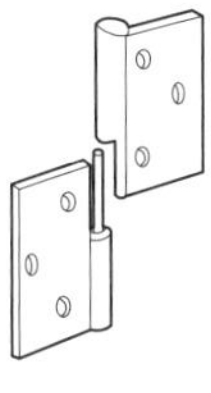
取り外し型蝶番

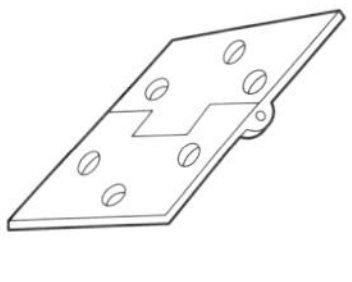
水平回転蝶番

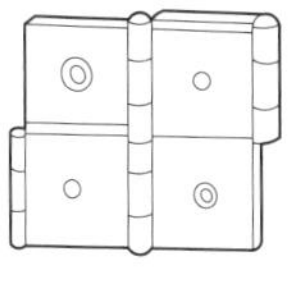
4方向回転蝶番

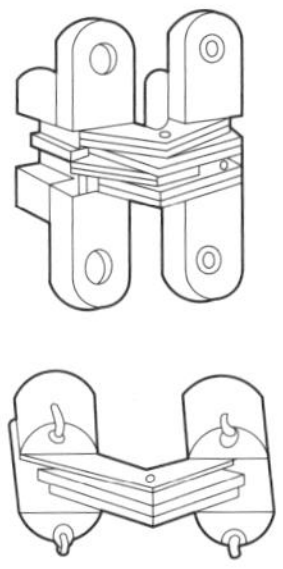
隠し蝶番

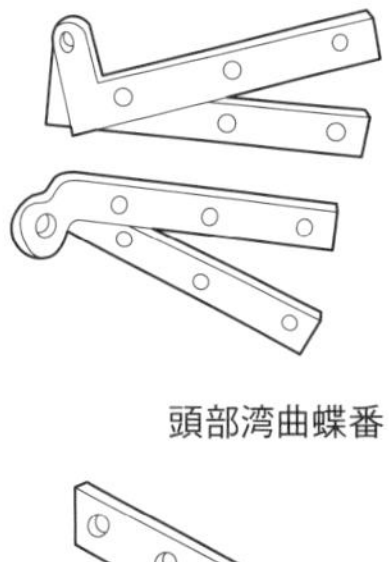
頭部湾曲蝶番

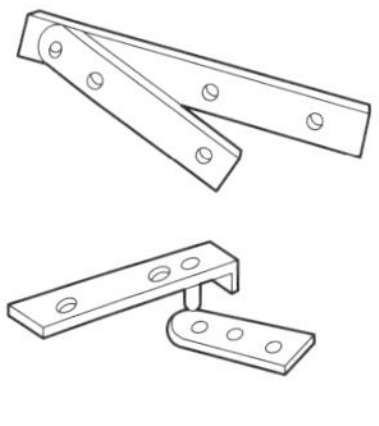
ストッパー付き長蝶番

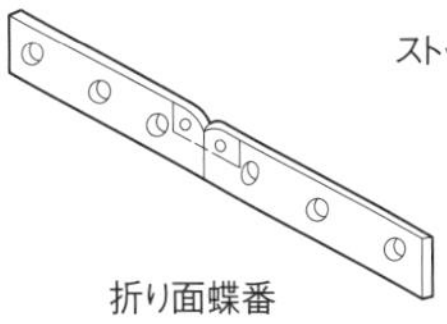
折り面蝶番

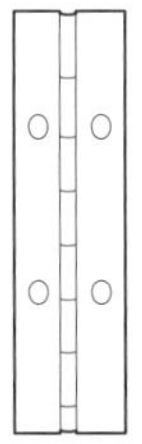
長型蝶番

室内用の電線は一般的に単線とより線の2種類に分けられる。

1. **単線**：芯は銅で、外側はPVC絶縁カバーである。設置する場合は専門スタッフが専用耐熱PVC線管に通し繋いでから、壁に埋めこむ。単線のPVC絶縁線は赤、緑、黄、青、紫、黒、白あるいは緑と黄色の2色のものがある。
2. **より線**：L線とN線の2種類がより合わされ、外側はPVC絶縁カバーによって守られる。PVC絶縁カバーは一般的に白あるいは黒、内部の電線は赤などで、壁に直接埋めこむことができる。

電線

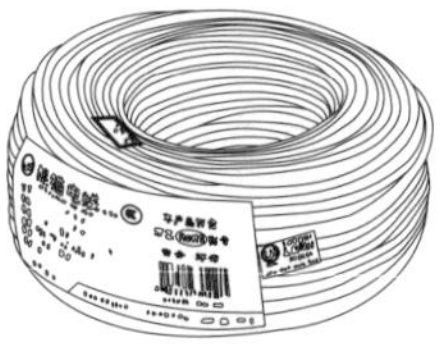
単線／2色電線

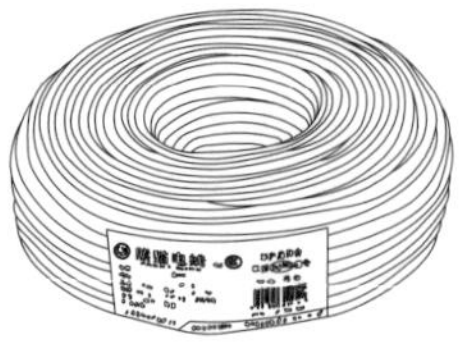
より線

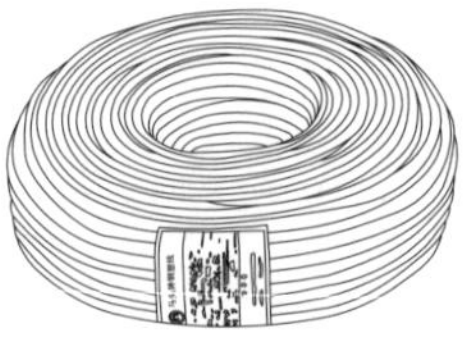
銅線

4芯電線

金銀スピーカー用ケーブル

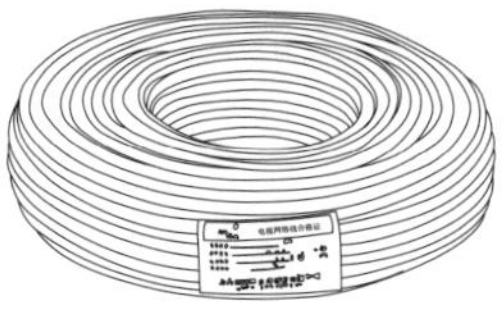
テレビ用ケーブル

8芯コンピューター用ケーブル

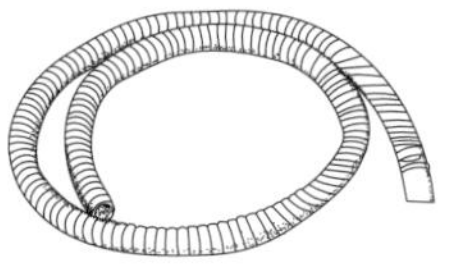
簡易包装金属電線

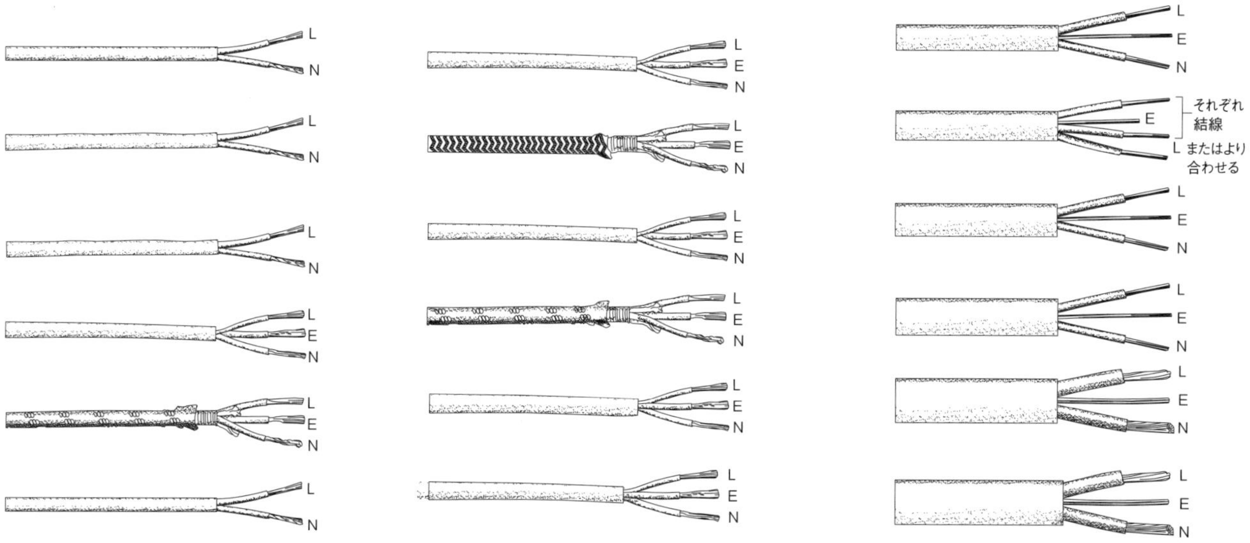
L
N
L
E
N
それぞれ結線
L またはより合わせる

PVCのり

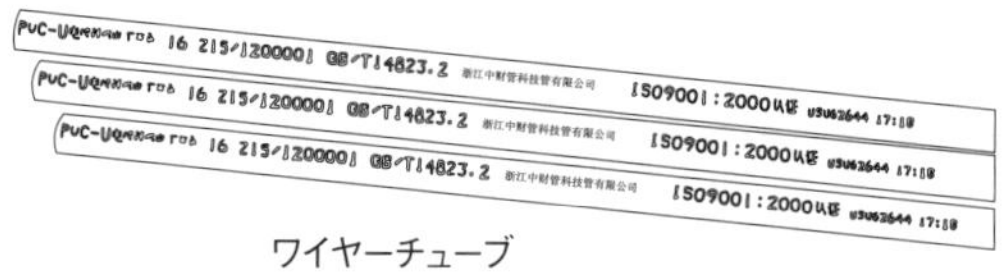
ワイヤーチューブ

ワイヤーボックス

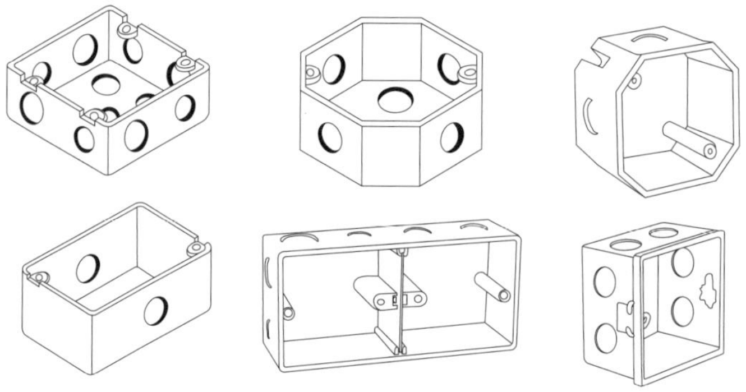

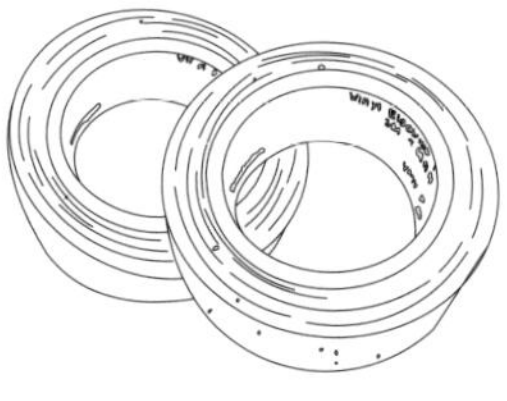
プラスチック絶縁テープ

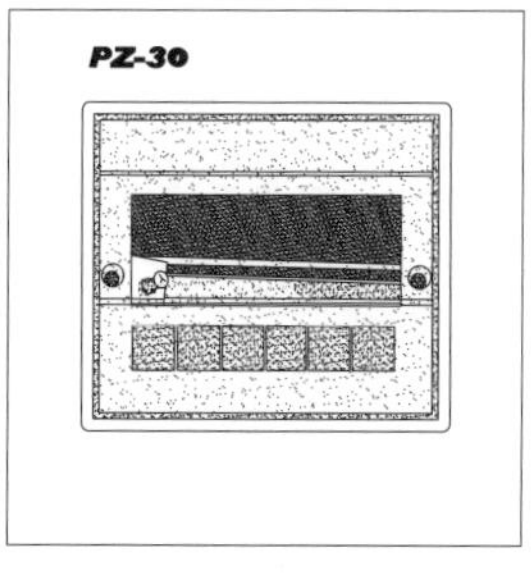
PZ-30
配電ボックス

PP-Rパイプは熱熔パイプともいい、アクリル酸とその他のアルケンで形成されたものである。軽くて腐食しにくいうえ、高い耐熱性があり、95℃まで耐えることができる。さらに、無害な素材から作られている。

近年、従来のPP-Rパイプを応用して、銅プラスチックやアルミプラスチック、ステンレスプラスチックのPP-Rパイプなど、より強度の高いものも作られている。

PP-R給水管

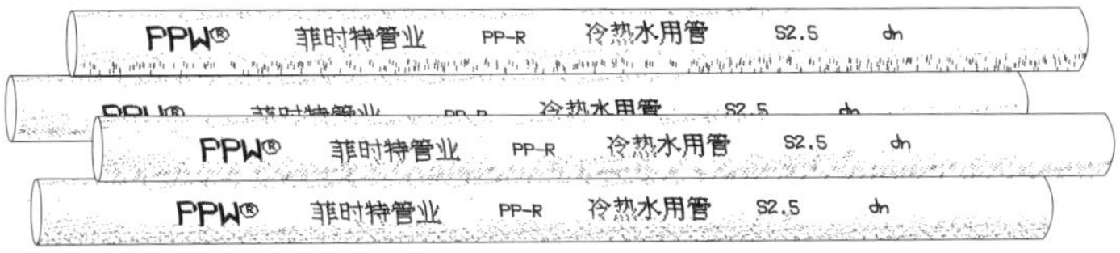
PPW® 菲时特管业 PP-R 冷热水用管 S2.5 dn
PPW® 菲时特管业 PP-R 冷热水用管 S2.5 dn
PPW® 菲时特管业 PP-R 冷热水用管 S2.5 dn

冷熱水用PP-R給水管

PP-Rパイプ部品

　PVC排水管はアクリル樹脂に添加剤を混ぜて作られたものである。対応する温度は45℃まで、圧力も0.6MPaまでしか耐えられない。接続方法は粘着やねじなどである。
　PVC管は軽く、内部が滑りやすいため抵抗が少なく、腐食しにくい。価格も手ごろで、伝統的な鉄のパイプに取って代わった。円形や方形など多くの形があり、直径は10～250㎜である。

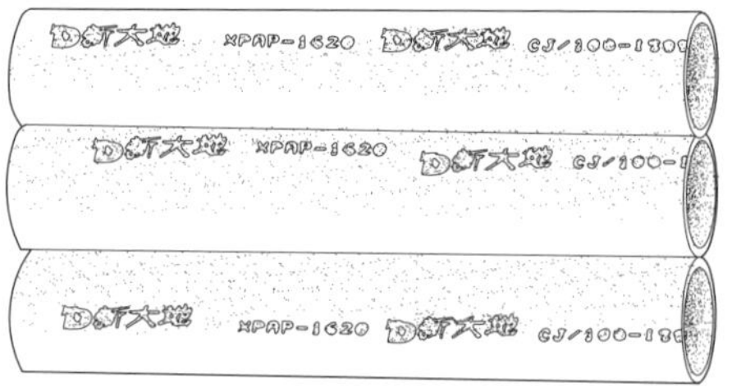

排水管

PVCパイプ部品

亜鉛メッキ鋼管は水道管として広範に使われてきた。亜鉛メッキ鋼製パイプは硬く、高い強度があり、折れにくい、耐候性と衝撃に強いなどの特徴がある。現在はガスの配管に使用されている。パイプの密閉口には必ず白い塗料を厚く塗布する必要がある。

銅管は家庭排水用に使われ、安全でリサイクルができ、環境汚染にならない。強度が高く、耐候性、防火性、耐腐食性があり、有機物資、有害気体、液体に浸蝕されることはない。

鋳鉄製連接部材は、パイプの継ぎ手部材である。圧力がPN1.6MPaを超えない、温度が200°C以下の中性液体、気体の輸送管に適し、表面が亜鉛メッキの管材は水、オイル、空気、ガス、蒸気などに多く使用されている。

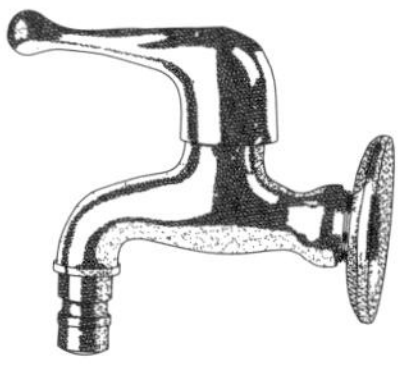
洗濯機蛇口

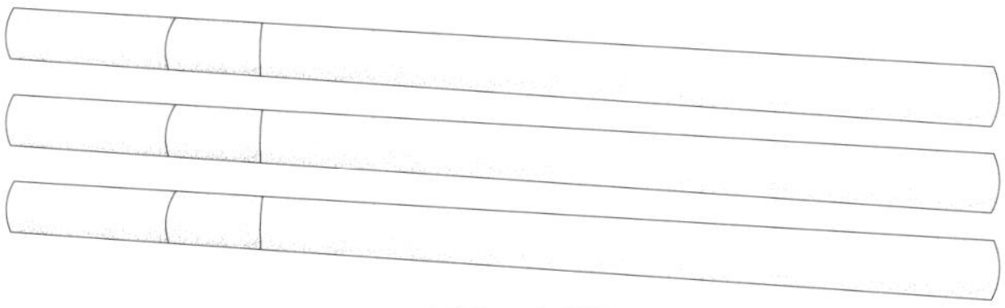
亜鉛メッキ鋼管

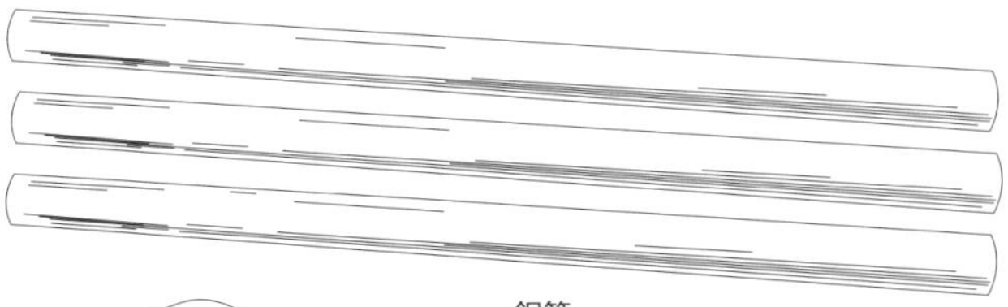
銅管

橋管

真鍮製90°バルブ

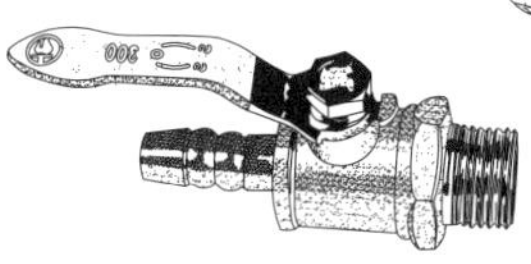
レバーバルブ

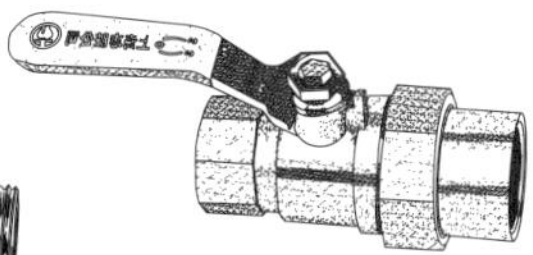
ニッケルメッキボールバルブ

S字湾曲
下水管

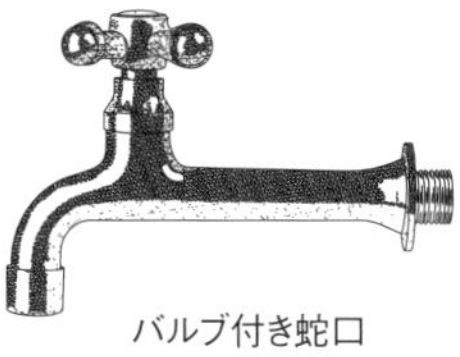
バルブ付き蛇口

ステンレス波型管

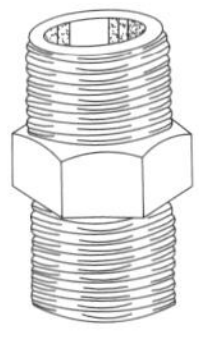
内接ニップル

外接ニップル

亜鉛メッキ雄ねじ管

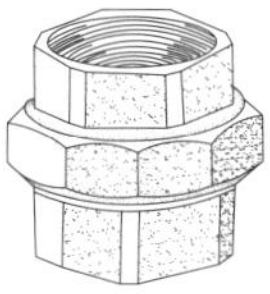
ジョイント

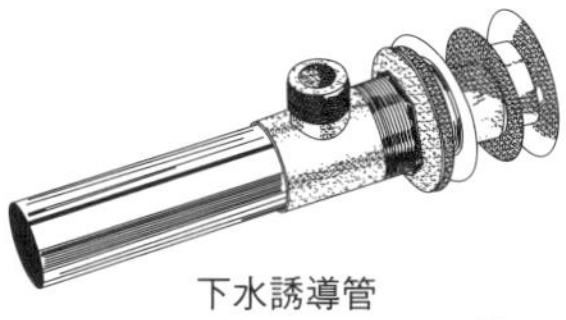
下水誘導管

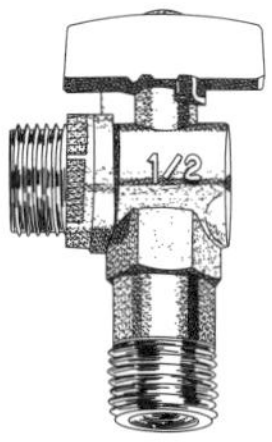
真鍮製90°
ボールバルブ

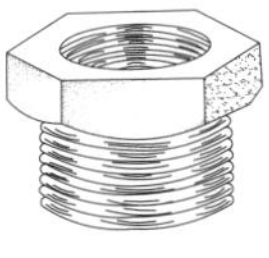
両ねじジョイント

径違い外接ニップル

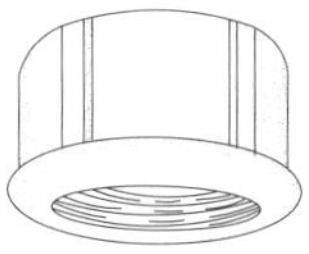
キャップ

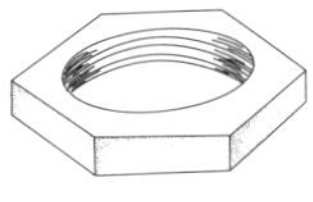
ナット

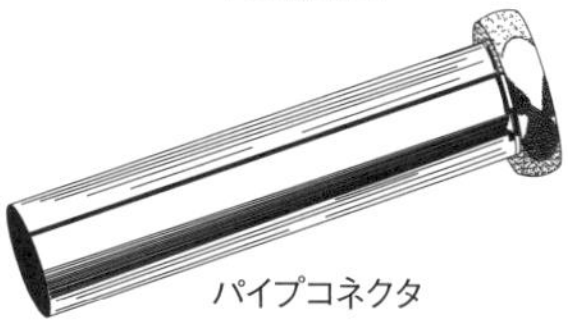
パイプコネクタ

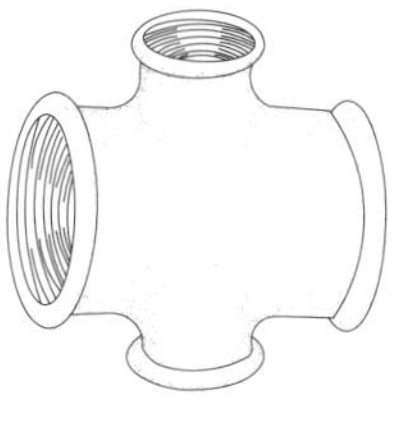
四方向径違い継手

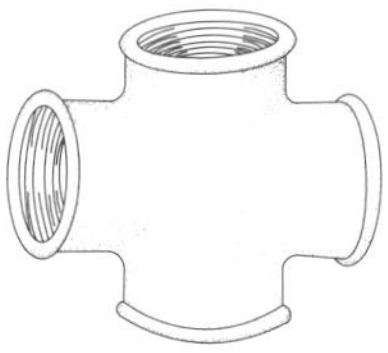
四方向継手

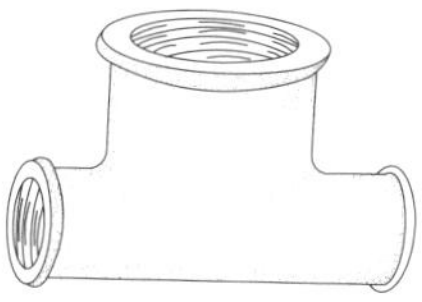
三方向径違い継手

カーブパイプ

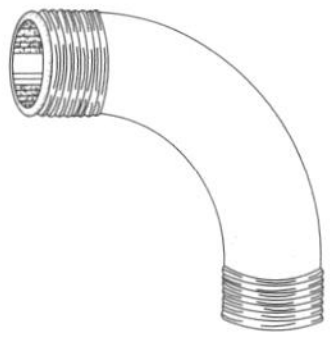
外ねじカーブパイプ

径違いカーブニップル

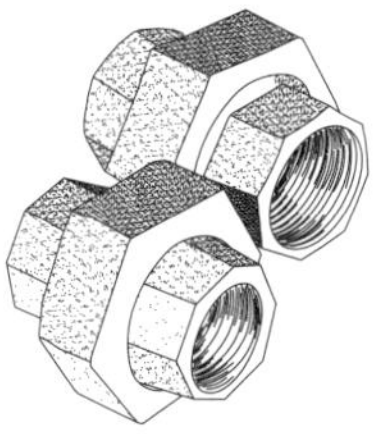
亜鉛メッキジョイント

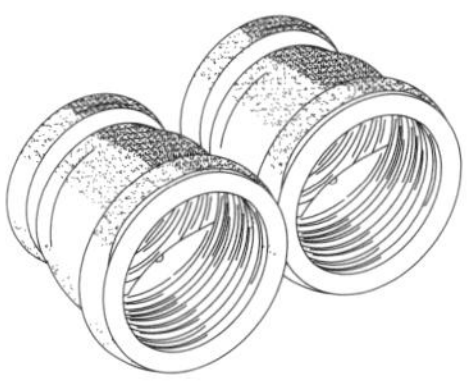
亜鉛メッキ径違いニップル

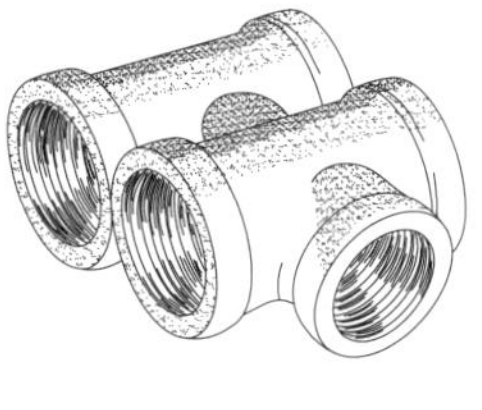
亜鉛メッキ三方向継手

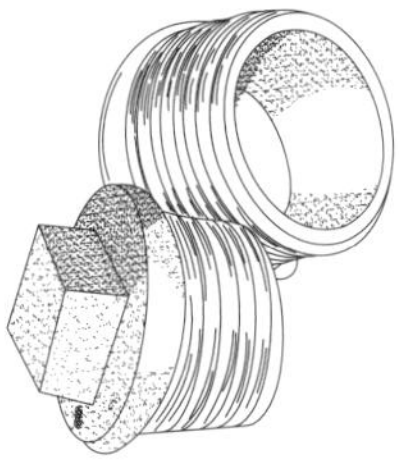
亜鉛メッキプラグ

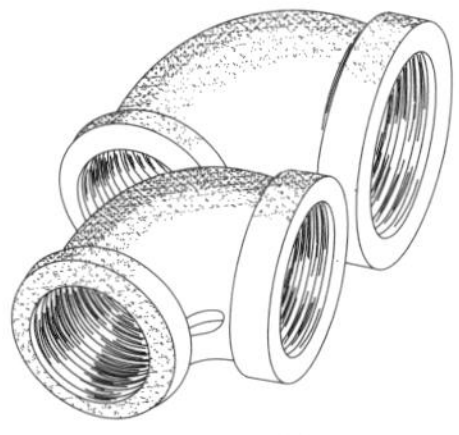
亜鉛メッキ継手

鋼材にはL形鋼、みぞ形鋼、H形鋼など様々な種類があり、溶接が可能で、建築構造物やコンクリート構造の中で広く使われる。

模様付き鋼板の表面には圧延による突起や陥没の模様が付いている。その模様は滑らないようにする目的があるのに加え、装飾的な意味を持つ。圧延器のローラー表面には模様を付ける溝があり、模様の深さが小さい鋼板は、冷間圧延や温間圧延による生産方式が採られている。1㎜以上の深さを持つ溝模様の場合は、熱間圧延による生産方式となる。模様付き鋼板は室内施工において床構造や階段ステップに用いられ、また施工現場の臨時通路としても使われる。

金網は冷間圧延によって作られ、しっくいの基礎として使用される。金属や木材などを骨組みとして見晴しのよい空間を作ることもある。その際、骨組みの間隔は400～600㎜程度となる。

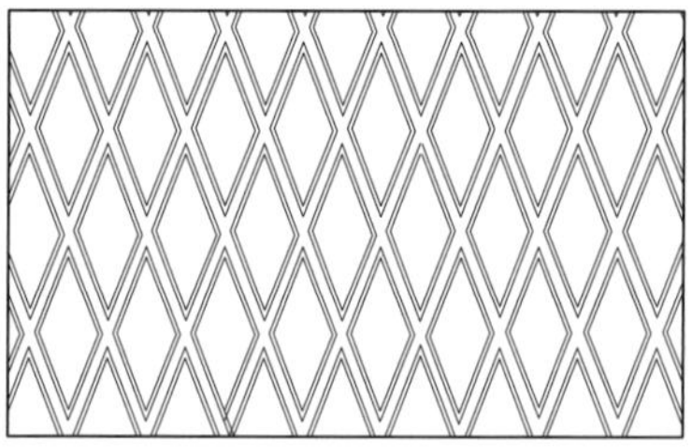

模様付き鋼板
厚さ：2～8、幅600～1,800、
長さ：600～12,000

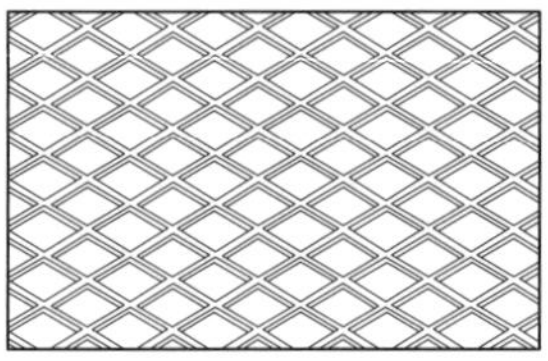

亜鉛メッキ金網

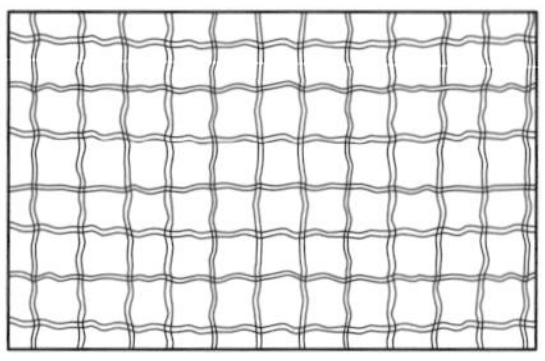

金網

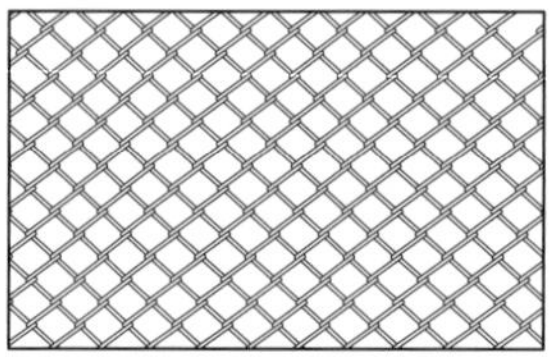

細い金網

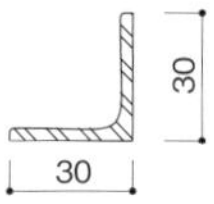
30
30

30×3等辺のL形鋼

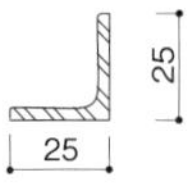
25
25

25×3等辺のL形鋼

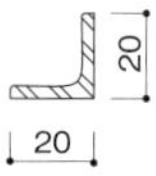
20
20

20×3等辺のL形鋼

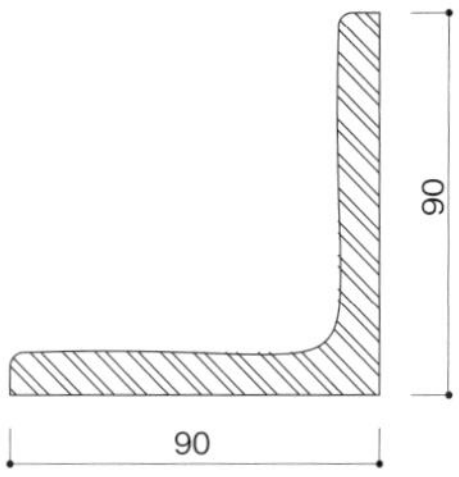
90
90

90×10等辺のL形鋼

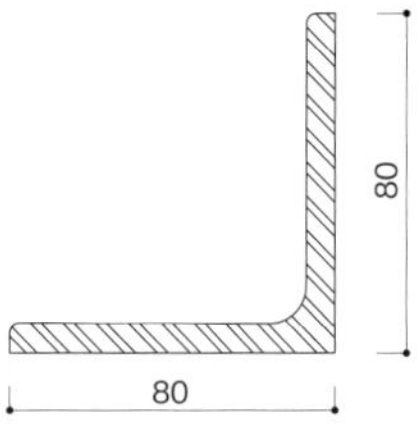
80
80

80×7等辺のL形鋼

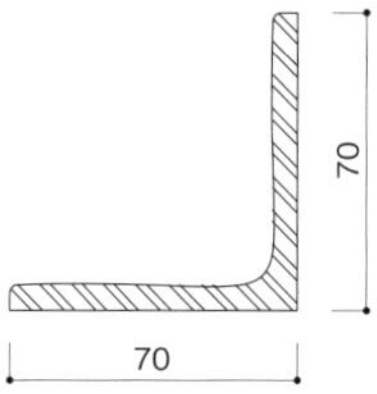
70
70

70×6等辺のL形鋼

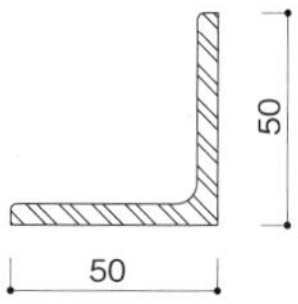
50
50

50×5等辺のL形鋼

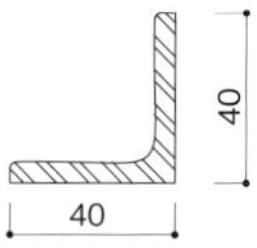
40
40

40×5等辺のL形鋼

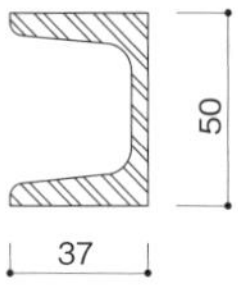
50
37

5号みぞ形鋼

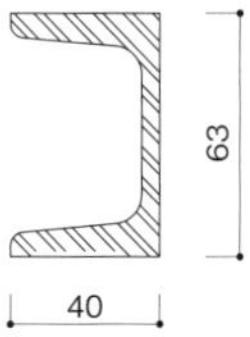
63
40

6.3号みぞ形鋼

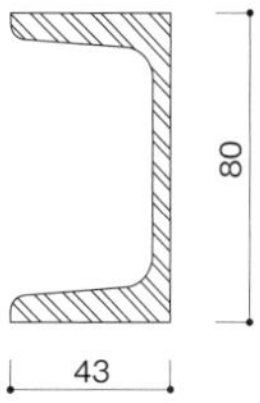
80
43

8号みぞ形鋼

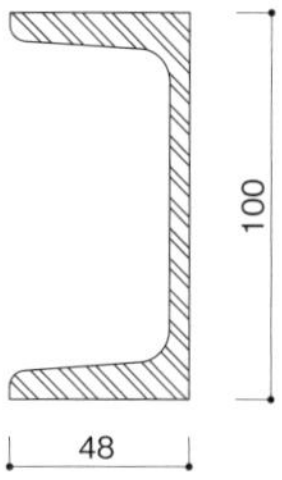
100
48

10号みぞ形鋼

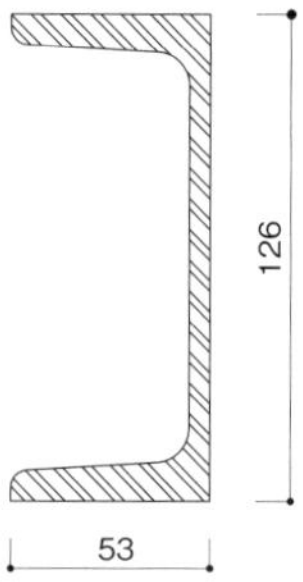
126
53

12.6号みぞ形鋼

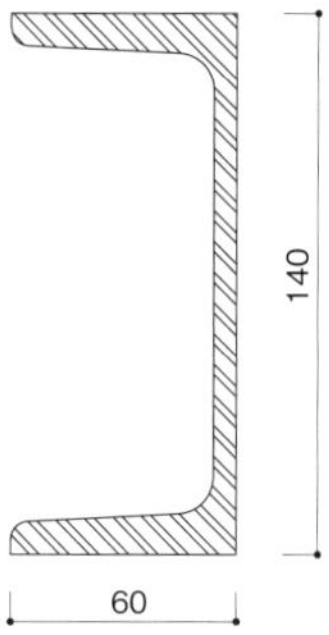
140
60

14号みぞ形鋼

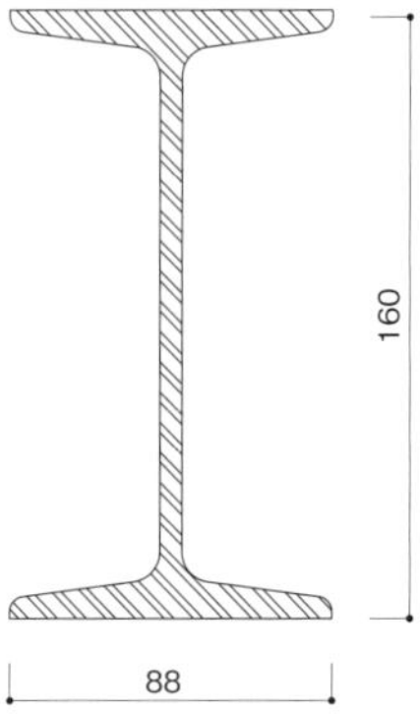
160
88

16号H形鋼

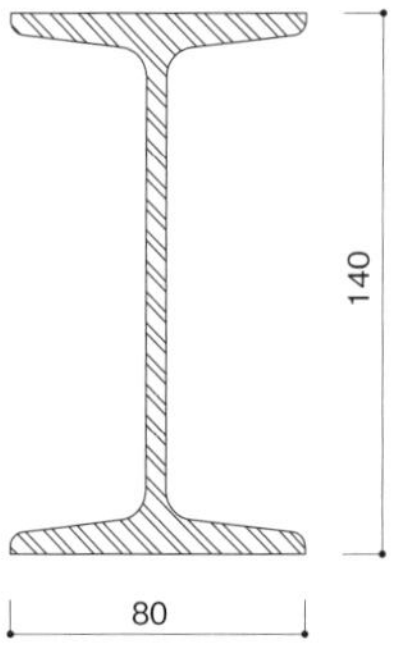
140
80

14号H形鋼

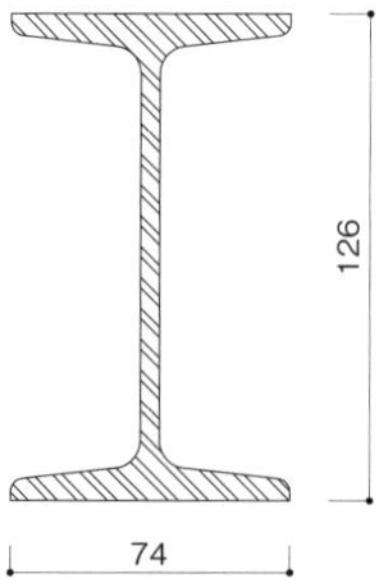
126
74

12.6号H形鋼

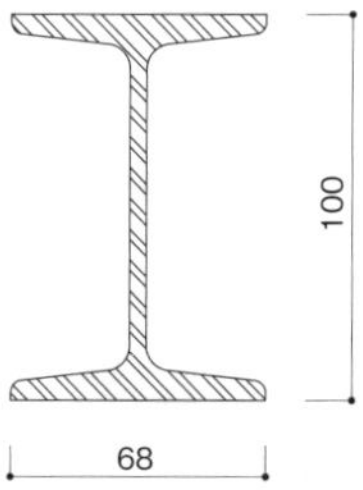
100
68

10号H形鋼

1. 装飾ステンレス板

さまざまな色と模様があり、その輝きも相まって豪華な雰囲気を持つ。耐火性、耐水性、耐蝕性がある上、変形せず、設置しやすいという特性がある。高級ホテルやレストラン、劇場、ダンスホール、会議場、空港、駅、港、美術館、百貨店、博物館、エレベーターのほか、室内の柱や天井の装飾に使われる。

2. アルミ亜鉛銅板

表面が鏡のように輝いており、軽く硬い。断熱性と耐蝕性がある。色はグレーやブルーなど様々ある。建築物の壁面や屋根、軒はしなどに使われる。

3. 孔あきアルミ合金板

高い耐蝕性があり、表面が滑らかである。強度は中程度あり、振動や水、火に強く、消音性も持つ。劇場やパソコンルーム、コントロールルームなど消音の要求がある場所に適しており、装飾性も兼ねつつ天井や壁などに使用される。

4. カーテンウォール用アルミ板

軽量で色が均一、表面が滑らか、変色しにくい、寿命が長いなどの特徴がある。カーテンウォールに使用されるほか、敷居や柱、テーブル台にも使われる。

5. マグネシウム合金板

変形しにくい、反りにくい、水に強い、傷つきにくい、釘を打ったり、削ったり、切ったりなど加工しやすいといった特徴がある。

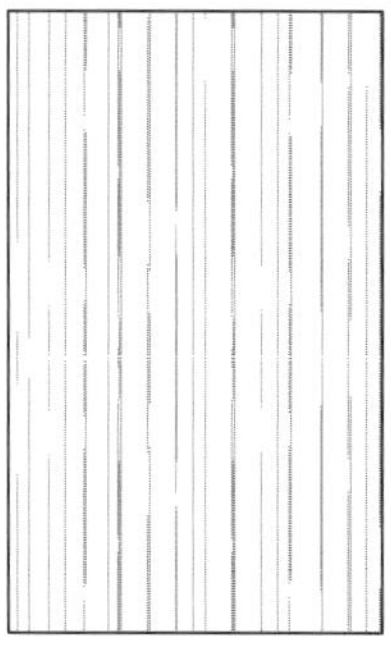
ヘアライン付きアルミ板

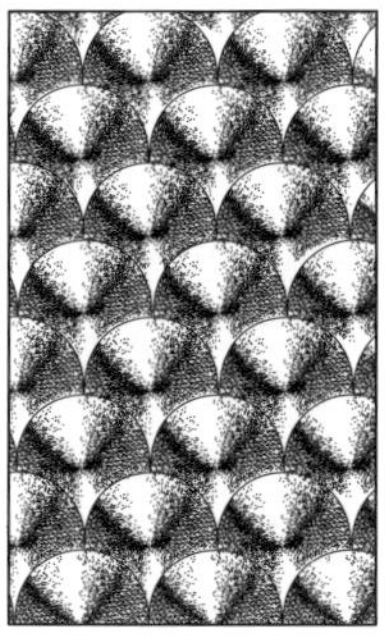
扇形模様の金属板

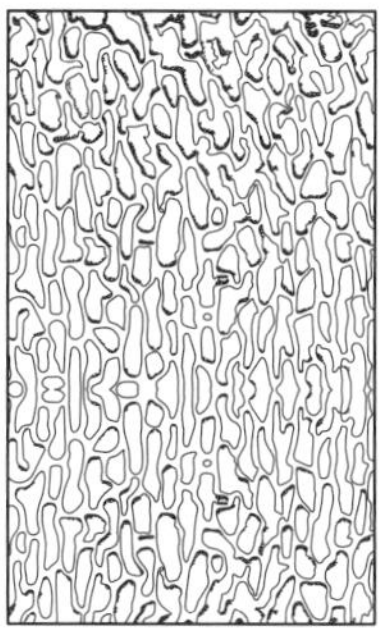
水滴模様の金属板

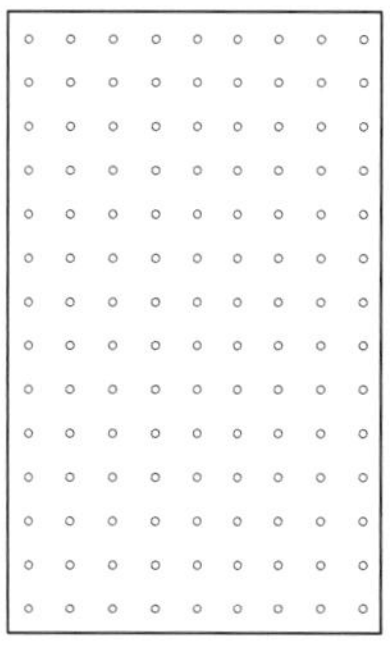
孔あきアルミ合金板

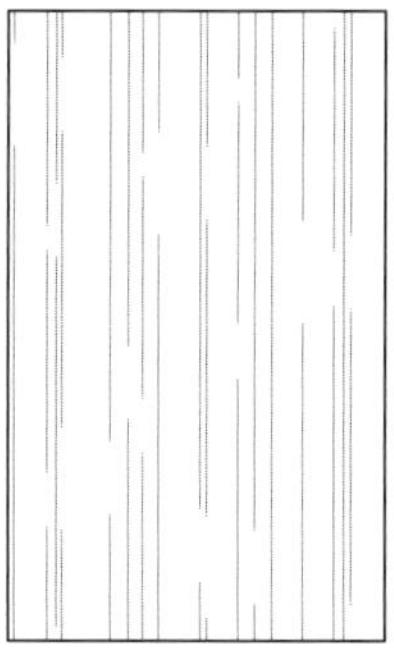
マグネシウム合金板

金網とは、建築を装飾する際に使用する金属の網を指す。カーテンウォール用金網やカーテン用金網、クロス金網、暖炉用金網などがある。材質として良質のステンレス、アルミ合金、真鍮、銅などが使われ、特殊な工程を経て作られる。金網には独特の弾力感と光沢感があり、また金属によってそれぞれ持ち味があるため、装飾的価値が高い。

展示会場やホテル、高級なリビングの屏風としてよく使用されるほか、高級なオフィス、高級ダンスホール、ロビー、大型ショッピングセンター、スポーツセンターの内外装飾にも使われる。建築物の屋根や壁、階段、欄干などに使用しても効果的であるとともに、防護効果もある。

クロス金網は良質のアルミ合金を材料とし、機械織りで製造される。柔らかで光沢がある。室内装飾およびショーウインドーの飾り付けなどに使用され、ダイナミックでゴージャスな演出が可能となる。

暖炉用金網は、吊りやすく、カーテンのような自在性があり、装飾効果が高い。特殊な処理を経ることで、高温に強く、色あせしにくいといった特徴を持つ。

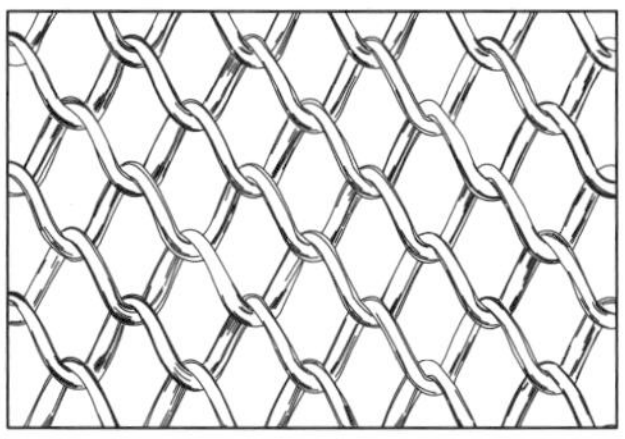
装飾金網

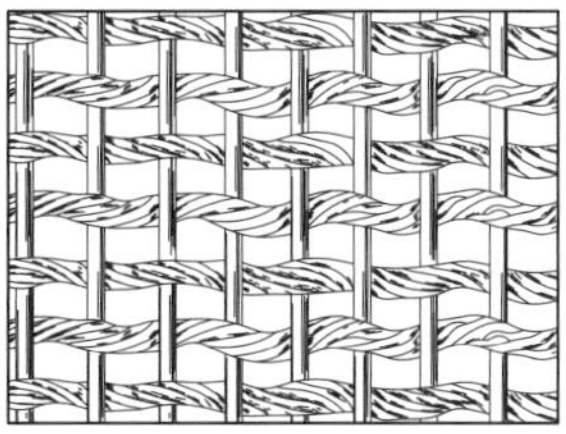
カーテンウォール用金網

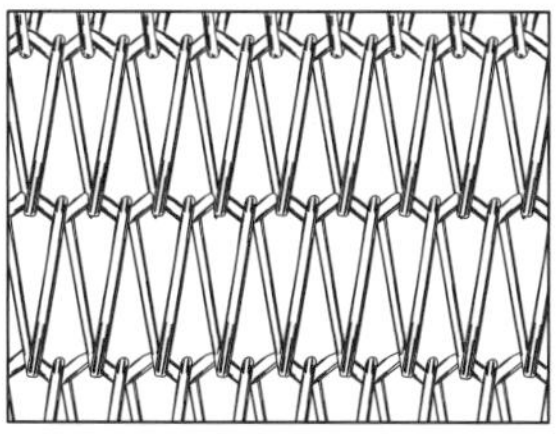
カーテンウォール用金網

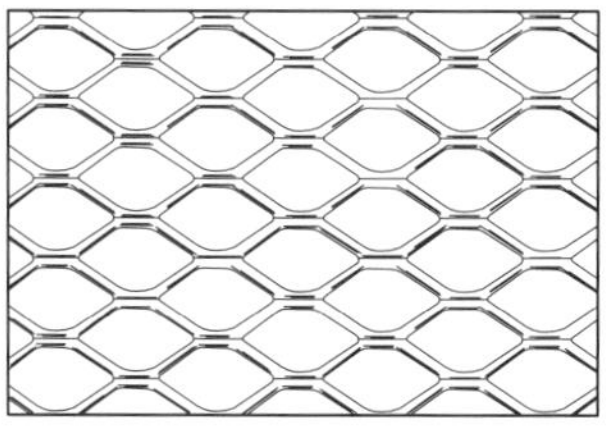
装飾金網

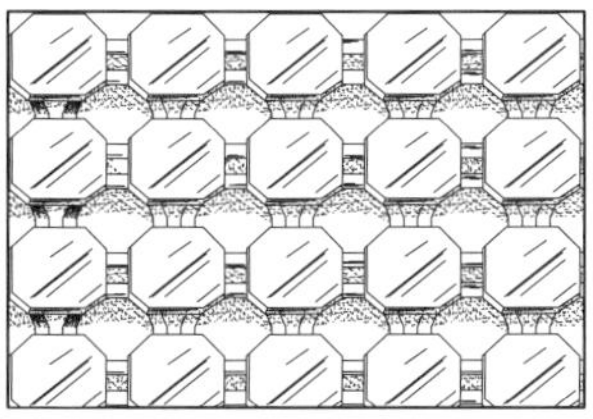
クロス金網

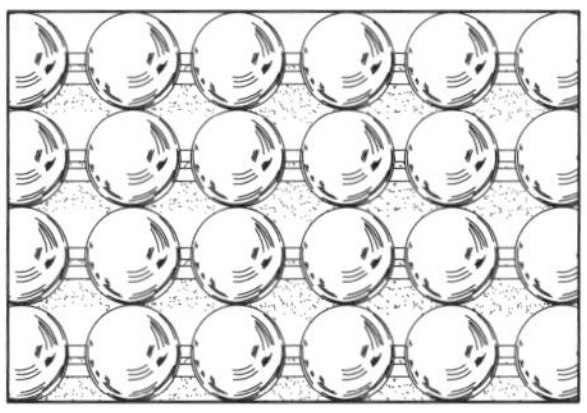
クロス金網

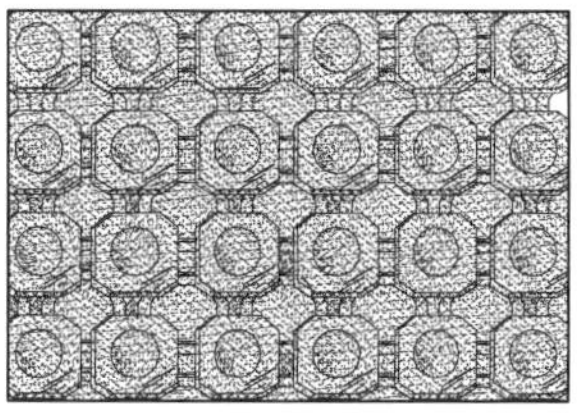
クロス金網

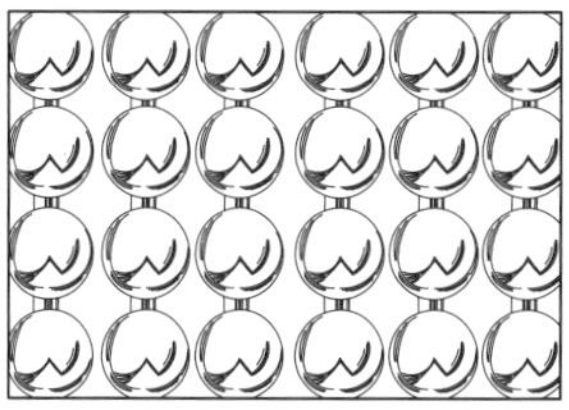
クロス金網

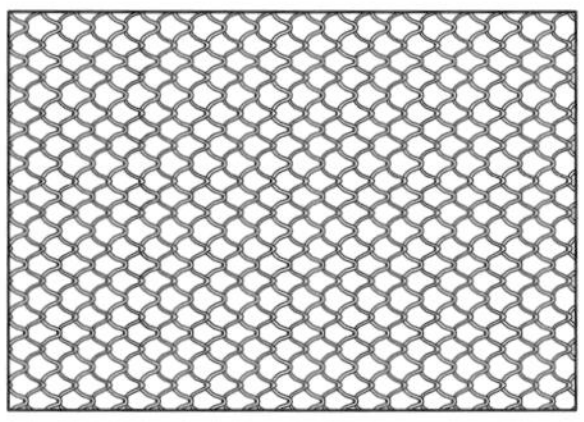
暖炉用金網

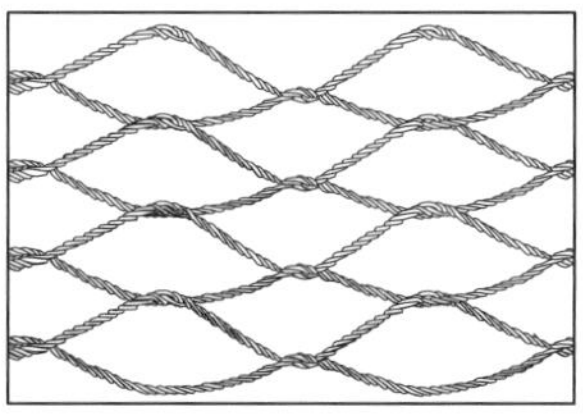
カーテンウォール用金網

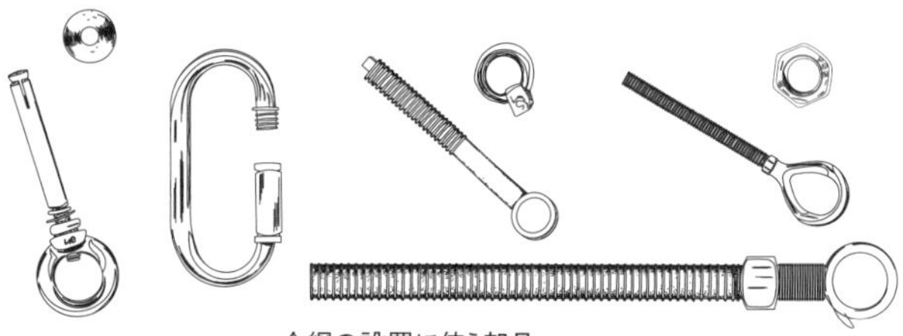
金網の設置に使う部品

金箔を用いた装飾は、古代ローマと古代ギリシアに起源を持つ技術である。金箔を用いる技術は宮殿、ホテルのロビー、寺院、仏塔、劇場などで使われ、広がっていった。
レリーフに用いたり、釘を打つこともでき、防火、防水、耐紫外線の効果がある。さらに、腐食しづらく、変形せず、伸縮せず、塗装しやすく、取り付けしやすいなどの利点があり、室内外のレンガ壁の装飾に適している。

金腰線系

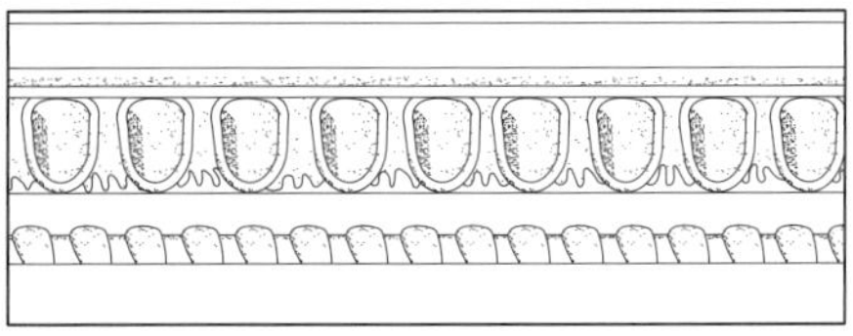

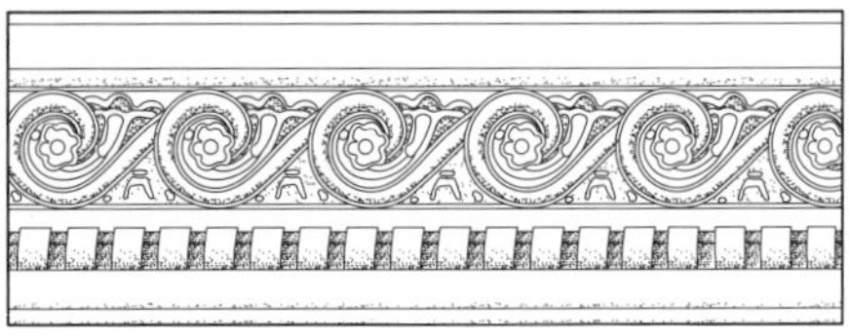

文化石系

400×400×20

400×400×20

金レンガ系

50×50×8

25×25×4

複合浮き彫り装飾板

2,400×1,200×3

2,400×1,200×3

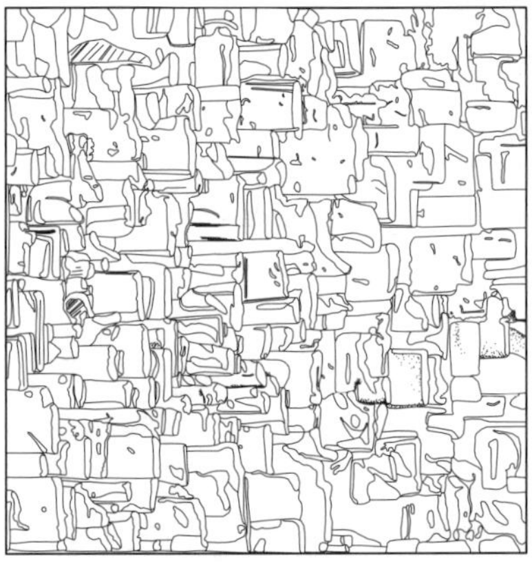

2,400×1,200×3

2,400×1,200×3

2,400×1,200×3

スタッド系列表

製品名称	活用範囲・特徴	イメージ
U形スタッド	天井用スタッド。38系は人が上れない。50、60系は人が上れる	
C形スタッド		
U形ランナー	スタッドと併用して使用する。天井用軽量鉄骨はミネラルウールボードと合わせて使用	
幅広T形スタッド	オープン天井、あるいは段差のあるミネラルウールボードに合う	
幅狭T形スタッド		
幅狭T形ランナー		

製品名称	活用範囲・特徴	イメージ
幅広溝付きT形スタッド	オープン天井、あるいは段差のあるミネラルウールボードに合う	
幅広溝付きT形ランナー		
幅狭溝付きT形スタッド		
幅狭溝付きT形ランナー		
幅広溝付きスタッド	段差のあるミネラルウールボードに合う	
幅広溝付きランナー		
凹形スタッド	オープン天井、あるいは段差のあるミネラルウールボードに合う	
凹形ランナー		
凸形スタッド		
凸形ランナー		
斜辺形スタッド		
斜辺形ランナー		
ジョイントスタッド	吸音性のあるミネラルウールボードに合う	

製品名称	活用範囲・特徴	イメージ
幅広T形スタッド	オープン天井、あるいは段差のあるミネラルウールボードに合う	
幅狭T形スタッド		
スタッド	開閉式天井に合う	
ランナー		
ランナー（枠）	ミネラルウールボードを収めるのに使用	
ランナー（枠）		
ランナー（枠）		
ランナー（枠）		

スタッド関連部品表

製品名称	活用範囲・特徴	イメージ
垂直方向の取付け用金物	スタッド垂直留め金	
	スタッドとランナーの連結部品	
	天井の主スタッドとT型またはH型スタッドの連結部品	
平面連結部品	スタッド連結用部品	
	スタッド連結用部品	

製品名称	活用範囲・特徴	イメージ
垂直方向の取付け用金物	主スタッドの留め金	
	H、T形スタッドの留め金	
可動連結部品	天井部分の可動連結部品	

製品名称	活用範囲・特徴	イメージ
水平方向の取付け用金物	38系スタッド用	
	50系スタッド用	
	60系スタッド用	
	50系スタッド用	
	H形スタッド用	

軽量鉄骨スタッドは薄い鋼板で作られたもので、壁や天井の下地材として使われる。壁下地で薄いものは、厚さが0.5～1.5㎜である。壁は、スタッドに石膏ボード、ファイバーボード、ガスコンクリートボードといった軽量の材料を組み合わせて作られる。天井は、スタッドにグラスウール、ミネラルウール、石膏、アルミプラスチックなどのボードを組み合わせて作られる。軽量鉄骨スタッド以外にもアルミ合金のスタッドがある。天井の骨組みはスタッド（主になる骨組み）とランナー（補足する骨組み）、その他部品で構成される。スタッドには38、50、60の3つの系列があり、38系列は間隔が900～1,200㎜で人が上るほどの強度がない。50系列は間隔が900～1,200㎜で人が上れる強度を持つ。60系列は間隔が1,500㎜で人が上れる強度を持つ。ランナーには50と60の2つの系列があり、スタッドと組み合わせて使用する。壁の骨組みにはスタッド、ランナー、ふれ止めなどの部品で構成される。

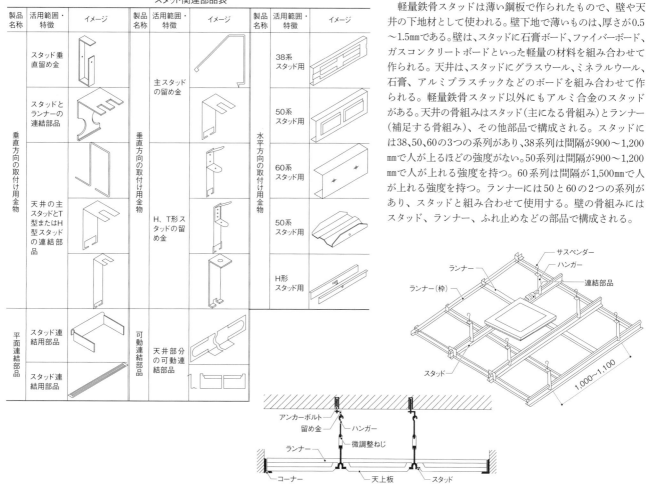

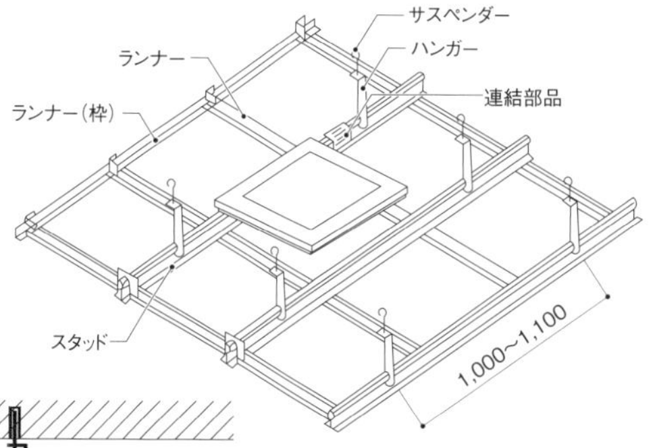
サスペンダー
ハンガー
ランナー
連結部品
ランナー（枠）
スタッド
1,000～1,100

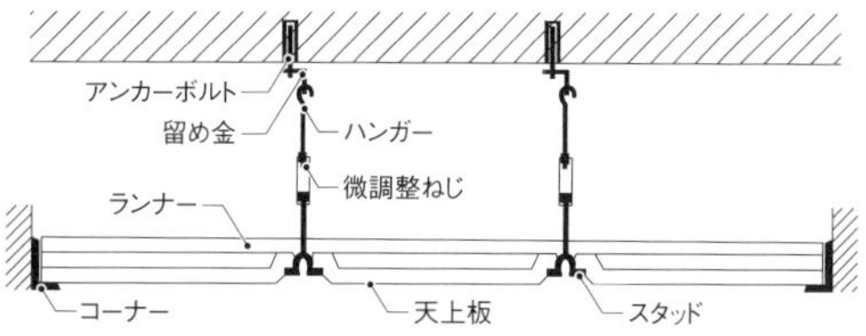
アンカーボルト
留め金
ハンガー
微調整ねじ
ランナー
コーナー
天上板
スタッド

08 室内装飾材料

木材の骨組みは、無垢材でも、加工された規格木材でも、二次加工された規格木材でも、直接市場で入手できる既製品でも良い。

使用部位に応じて、さまざまな寸法で切断する。室内天井や壁に使用する主となる骨組みの寸法は一般的に、50 × 70または60 × 60㎜である。補強用骨組みの寸法は40 × 60または50 × 50㎜である。軽量ガセットプレートを用いた天井用には30 × 40、無垢木材を敷いた床の骨組みでは30 × 50㎜となる。

木材の可燃性は欠点の1つである。木材の防火処理とは、木材の耐火性を高め、燃えにくくすることを指す。よく用いられる防火処理手法として、木材の表面に防火塗料や防火剤を塗ることが挙げられる。

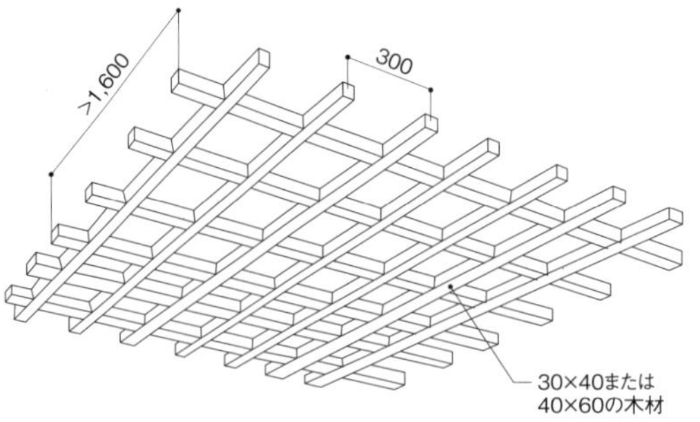
>1,600
300
30×40または
40×60の木材
木材を使った天井の骨組み図

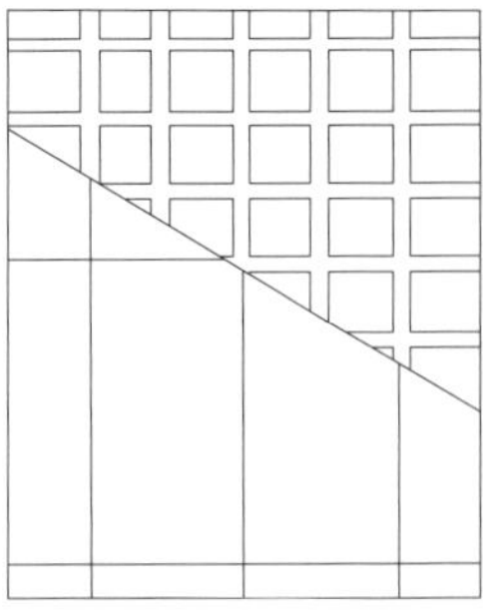
石膏ボードの取付け

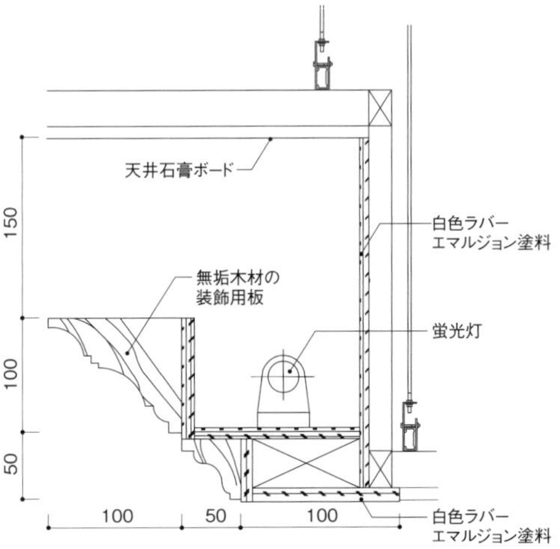
天井石膏ボード
150
100
50
無垢木材の
装飾用板
白色ラバー
エマルジョン塗料
蛍光灯
100
50
100
白色ラバー
エマルジョン塗料
蛍光灯設置図

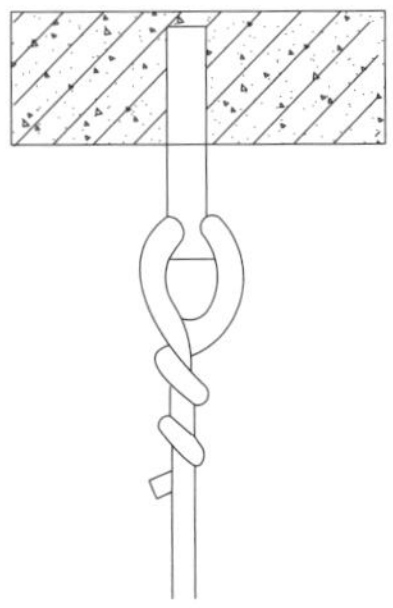
ボルトで天井を
しっかり固定する

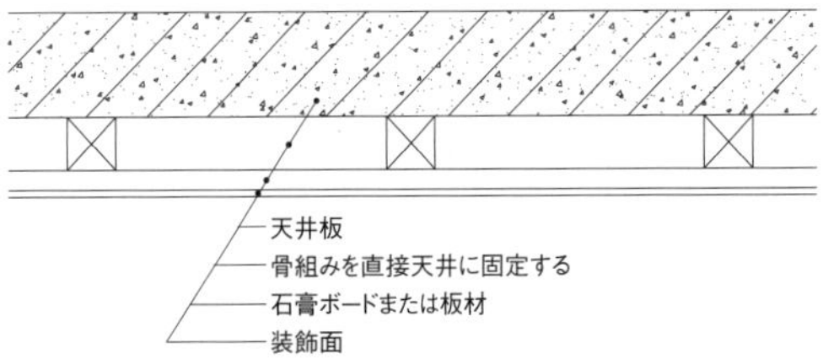
天井板
骨組みを直接天井に固定する
石膏ボードまたは板材
装飾面
骨組みを直接天井に設置する

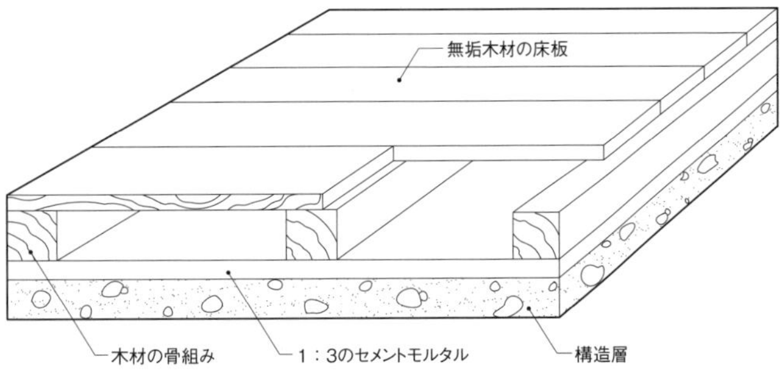
無垢木材の床板
木材の骨組み
1：3のセメントモルタル
構造層
木材骨組みを床に応用した際の図

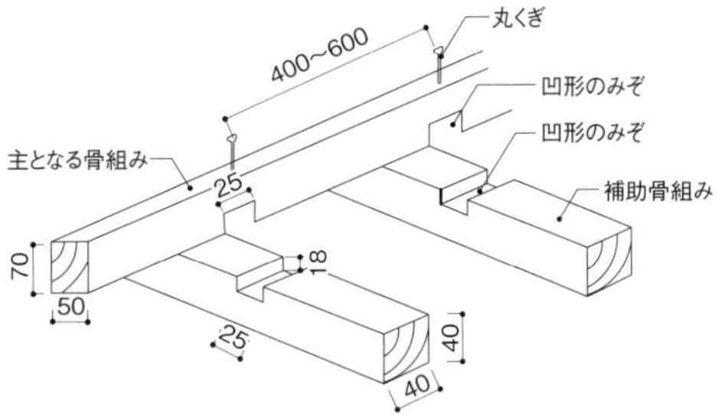
400~600
丸くぎ
凹形のみぞ
凹形のみぞ
主となる骨組み
補助骨組み
25
70
50
18
25
40
40
主となる骨組みと補助骨組みの連結方法

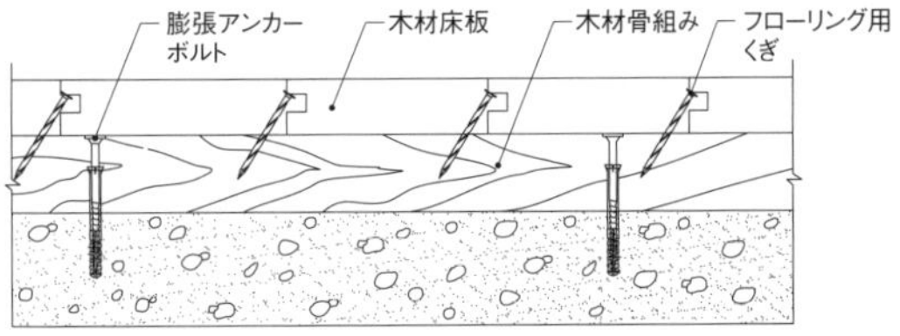
膨張アンカー
ボルト
木材床板
木材骨組み
フローリング用
くぎ
木の床と木の骨組みを釘でつなげる方法

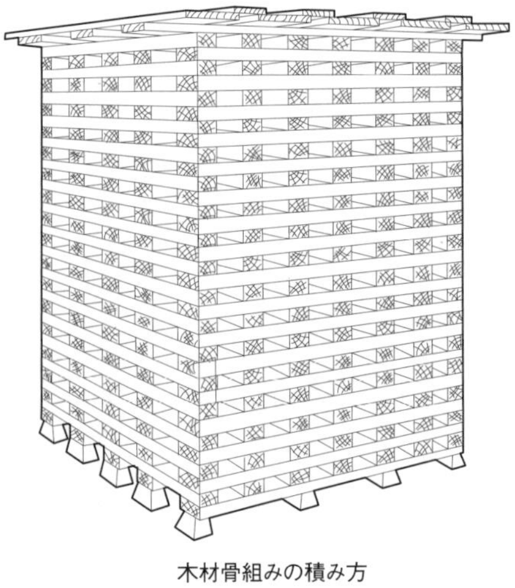
木材骨組みの積み方

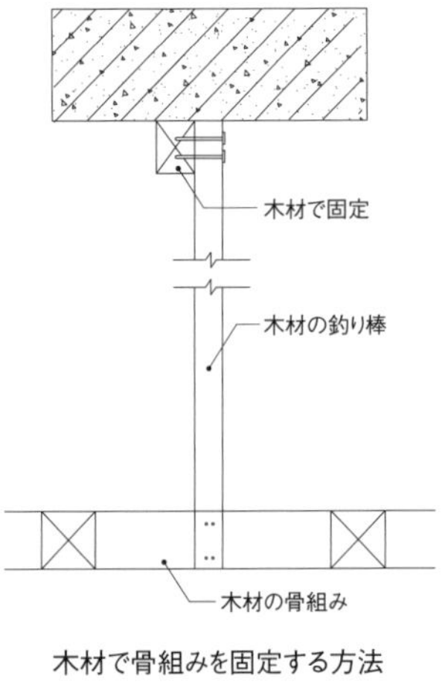
木材で固定
木材の釣り棒
木材の骨組み
木材で骨組みを固定する方法

木材を使ったモールディングは、室内装飾において大きな位置を占めるものではないが、細部の装飾に効果的である。無垢材と合成木材があり、硬質で、組織が細かく、材質の良いものが使用される。乾燥処理の後、機械や手作業で加工して作る。価格は高いものの、高級木材を使用したものは特に光沢があり、模様が自然で重厚な雰囲気を持ち、角や平面、局面などで存在感を発揮する。また摩擦や腐食に耐え、壊れにくい上、固定されやすい。無垢材のモールディングは、チーク、サクラ、クルミ、ブナ、シロキ、ヤチダモ、ムクゲなどが使用される。合成木材では高密度繊維のものを使い、表面に豊富な色彩の塗料を塗ったり、模様を付けたりして使用される。

木材を使ったモールディングは、壁の中央に取り付けるものや壁の下部に取り付ける幅木も含む。壁中央に付けるモールディングは、一般的にベランダと同様の高さの位置に設置し、堅木がよく使用される。このモールディングを境として上下の壁の装飾に区別をつける場合が多い。幅木は、室内の床と壁の境目に使用され、装飾と保護の2つの機能を持つ。通常、木材の床を使う場合は、幅木も木材のものが使用される。木材幅木はどんどん薄くなってきており、数mmという厚さの製品も出てきている。壁の根本に打ち付けるだけでよく、施工しやすい。従来式の幅木は高さが100～150mmで、長さは数m。機械で加工して作られる。

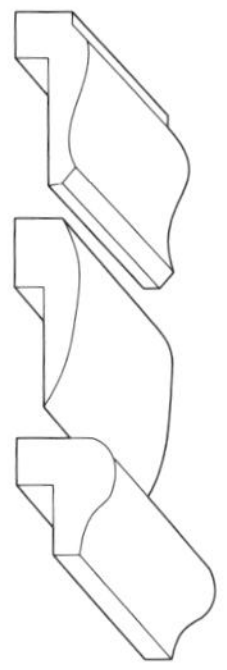
壁のモールディング

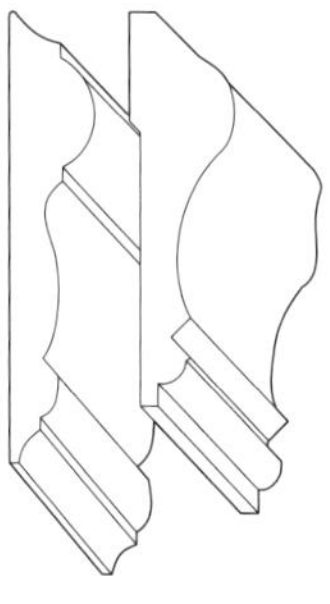
椅子手すり用

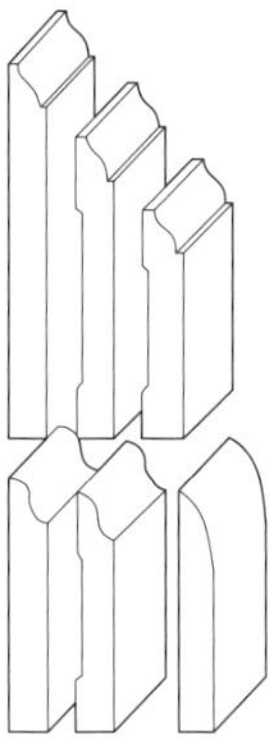
幅木

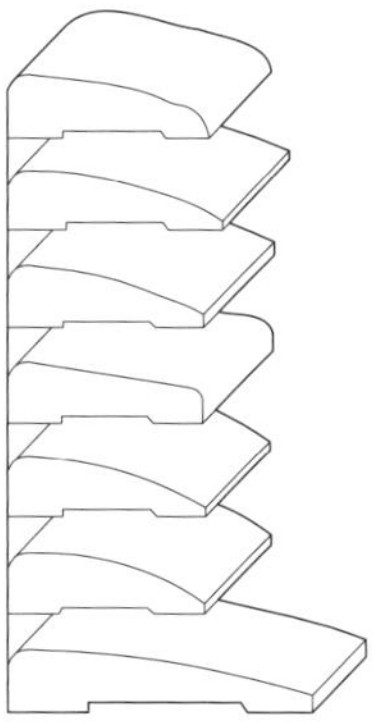
曲線見切り板

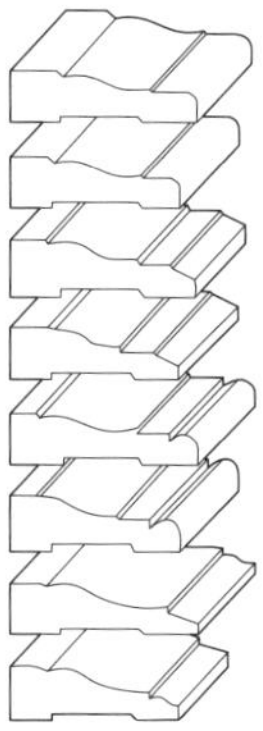
見切り板

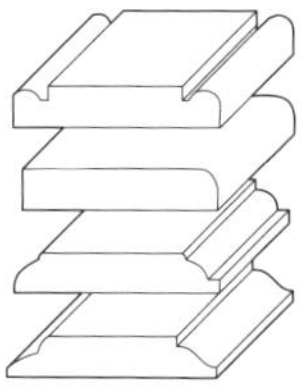
堅木の見切り板

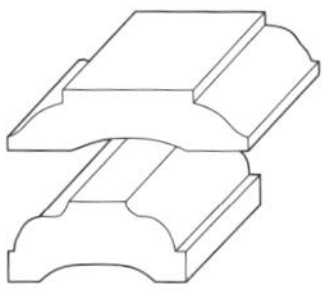
見切り板

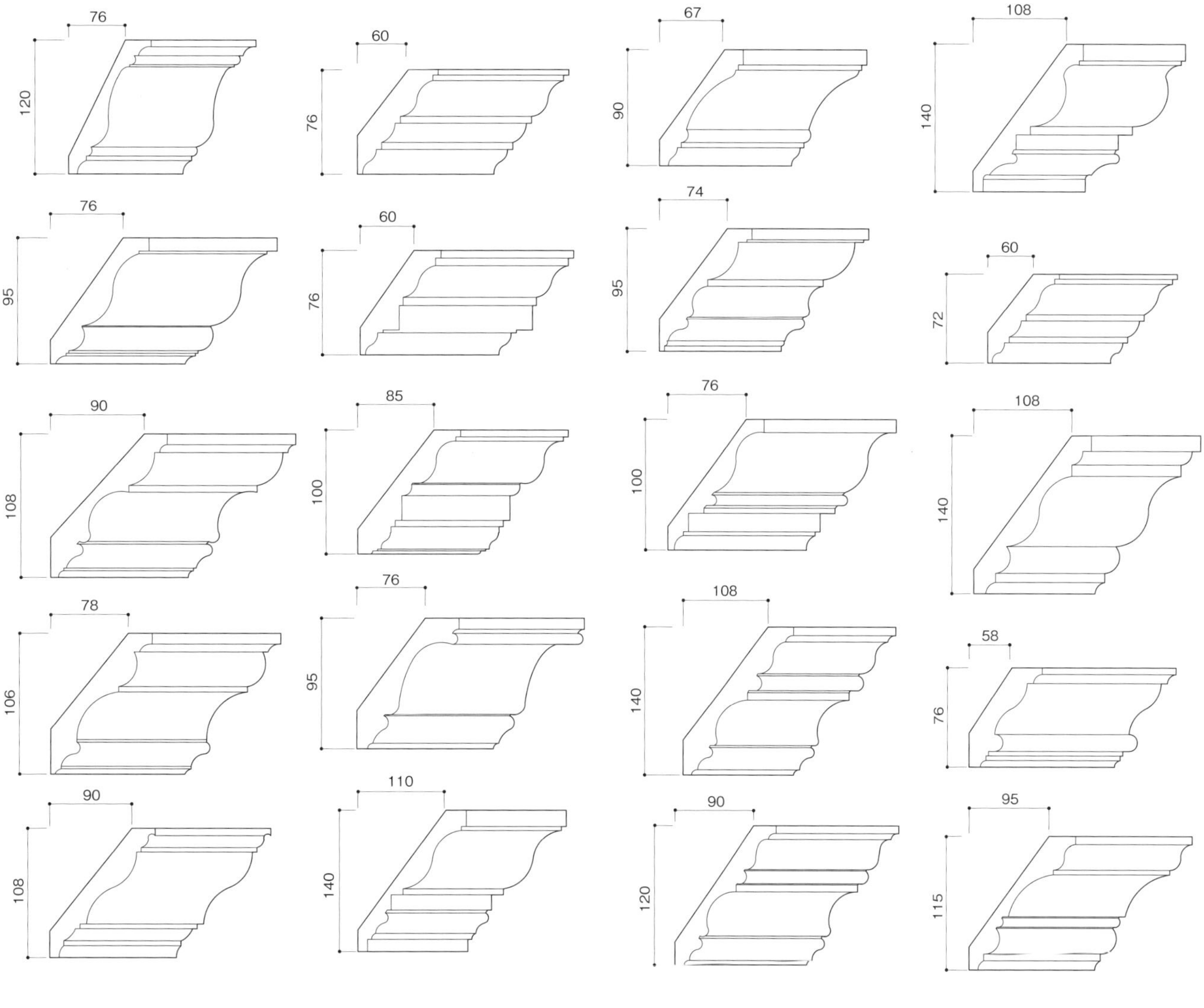
76
120
60
76
67
90
108
140
76
95
60
76
74
95
60
72
90
108
85
100
76
100
108
140
78
106
76
95
108
140
58
76
90
108
110
140
90
120
95
115

木材を使ったモールディングは、通常は天井や壁の装飾や、また家具制作時の飾り付けで、面と面の接続や、交差、段差などのある場所に使われる。同時に室内において色彩を変化させたい場合にも用いられる。または壁と天井などの角部において、色を明確に区別させたり、調和させたりする効果もある。さらには角部にありがちな、施工面の不具合を隠す機能も持つ。

その形体から、平板、円弧形、みぞ板などに分けられる。

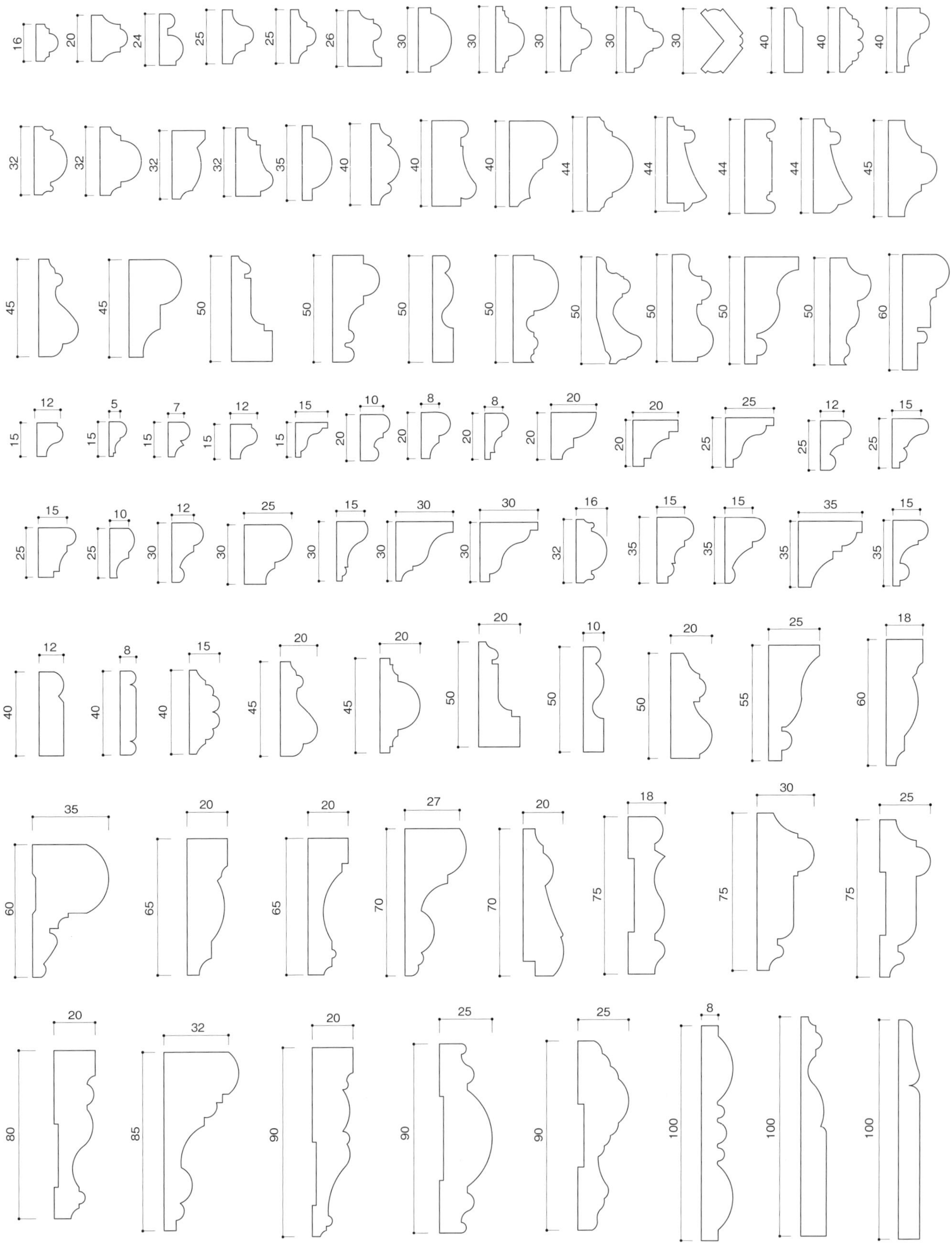
16 20 24 25 25 26 30 30 30 30 30 40 40 40
32 32 32 32 35 40 40 40 44 44 44 44 45
45 45 50 50 50 50 50 50 50 50 60
12 15 5 15 7 15 12 15 15 15 10 20 8 20 8 20 20 20 20 20 25 25 12 25 15 25
15 25 10 25 12 30 25 30 15 30 30 30 30 30 16 32 15 35 15 35 35 35 15 35
12 40 8 40 15 40 20 45 20 45 20 50 10 50 20 50 25 55 18 60
35 60 20 65 20 65 27 70 20 70 18 75 30 75 25 75
20 80 32 85 20 90 25 90 25 90 8 100 100 100

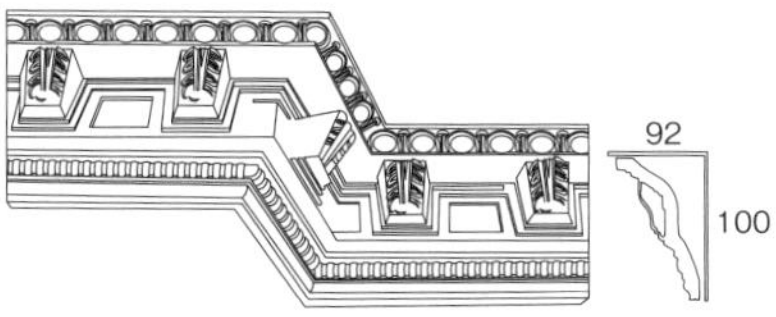
92
100
C013 2,460×136

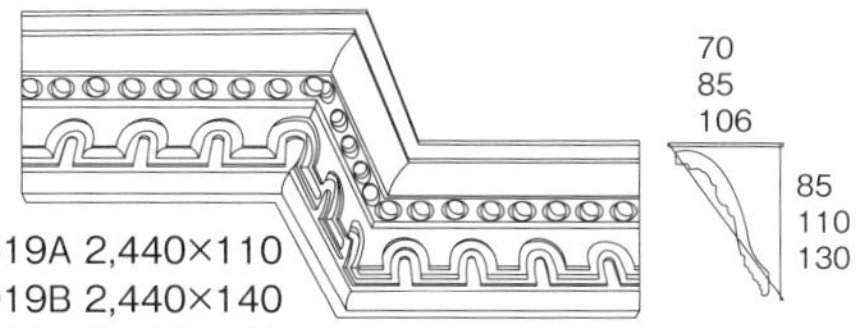
70
85
106
85
110
130
C019A 2,440×110
C019B 2,440×140
C019C 2,440×168

80
100
C022 2,440×128

70
85
C017 2,440×110

65
90
C014 2,450×110

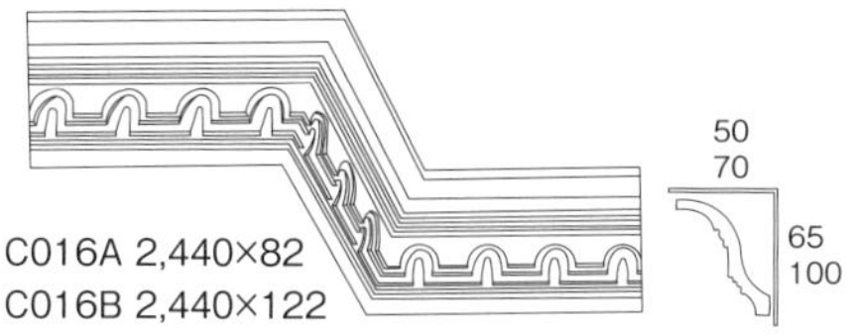
50
70
65
100
C016A 2,440×82
C016B 2,440×122

80
68
95
110
C018 2,440×136

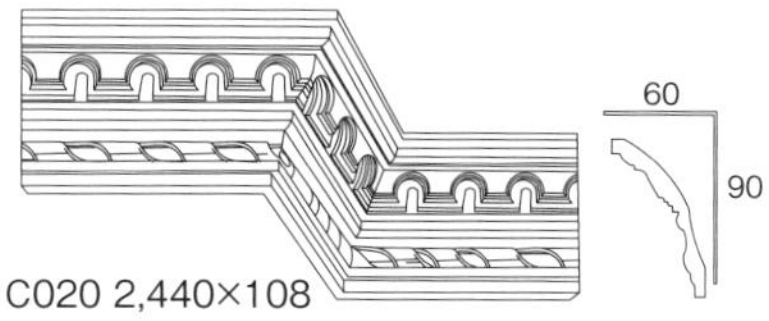
60
90
C020 2,440×108

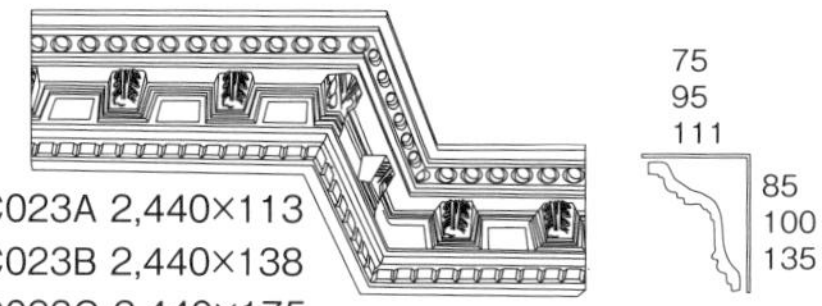
75
95
111
85
100
135
C023A 2,440×113
C023B 2,440×138
C023C 2,440×175

65
90
C025 2,440×111

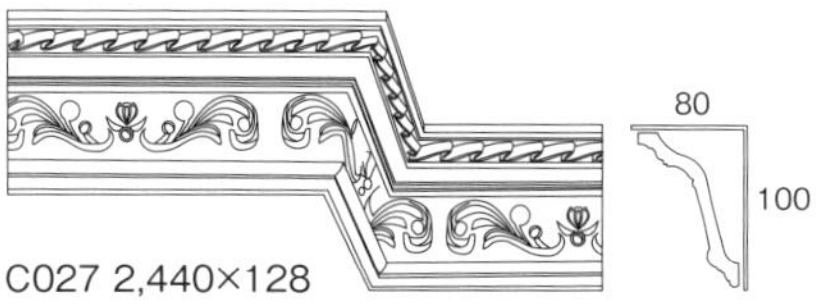
80
100
C027 2,440×128

80
130
C029 2,440×153

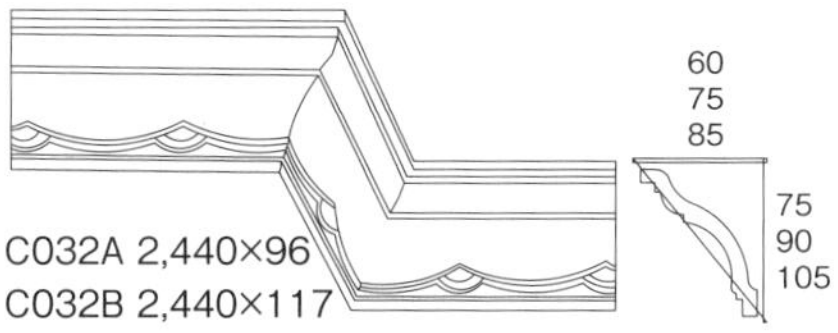
60
75
85
75
90
105
C032A 2,440×96
C032B 2,440×117
C032C 2,440×135

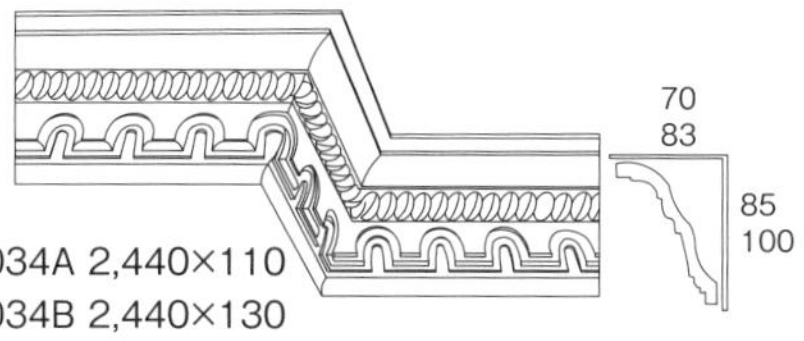
70
83
85
100
C034A 2,440×110
C034B 2,440×130

70
90
C037 2,440×114

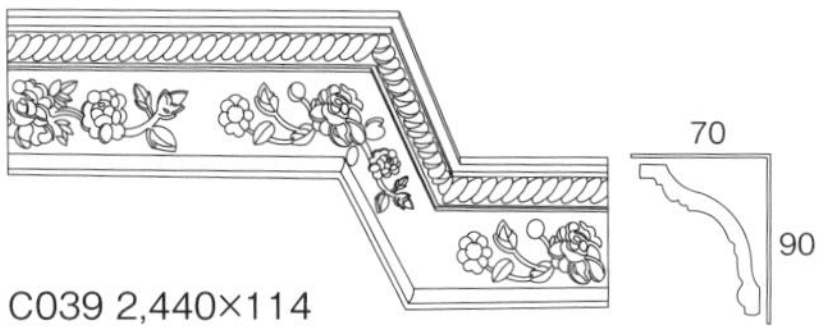
70
90
C039 2,440×114

66
80
95
110
C041 2,440×136

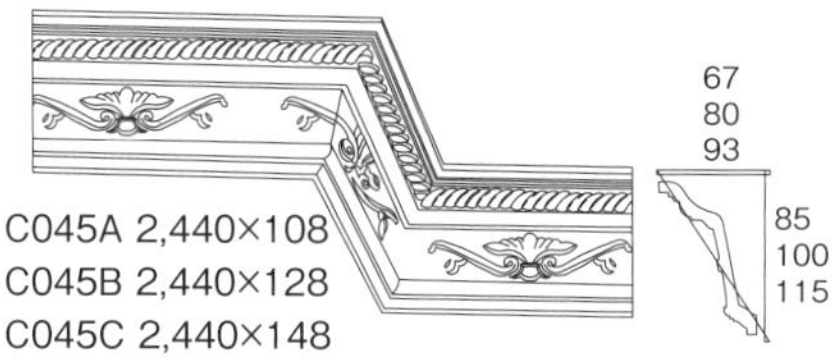
67
80
93
85
100
115
C045A 2,440×108
C045B 2,440×128
C045C 2,440×148

71
115
C047 2,440×135

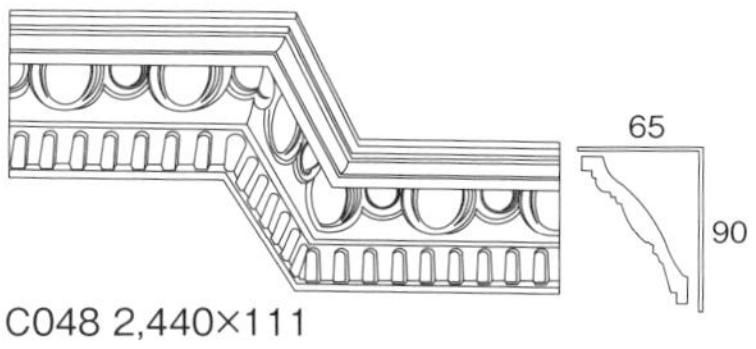
65
90
C048 2,440×111

95
145
C010 2,440×173

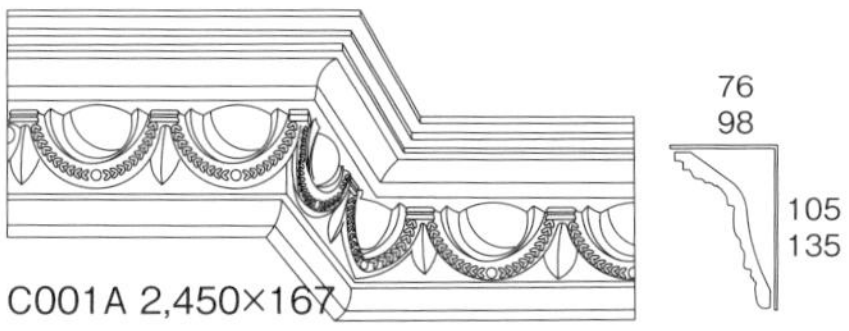
76
98
105
135
C001A 2,450×167
C001B 2,450×130

70
90
C004 2,420×114

65
105
C012 2,340×124

G001 2,000×90

G002 1,500×60

G001 2,000×90

G002 1,500×60

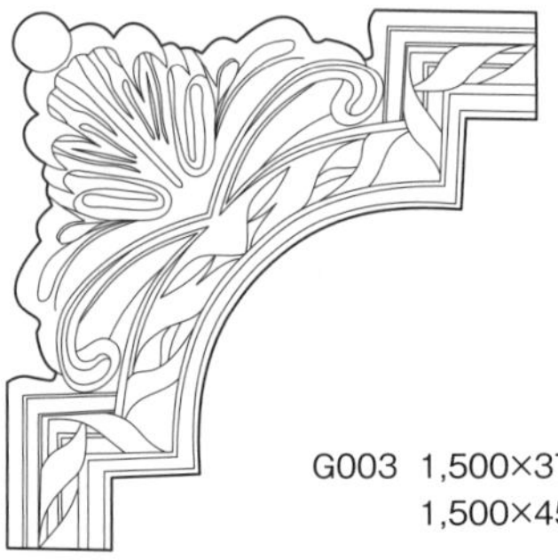

G003 1,500×37
1,500×45

G004 1,500×60

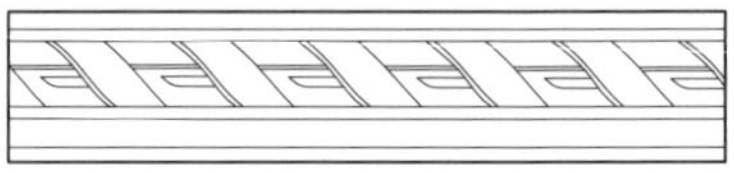

G003 1,500×37
1,500×45

G004 2,095×100

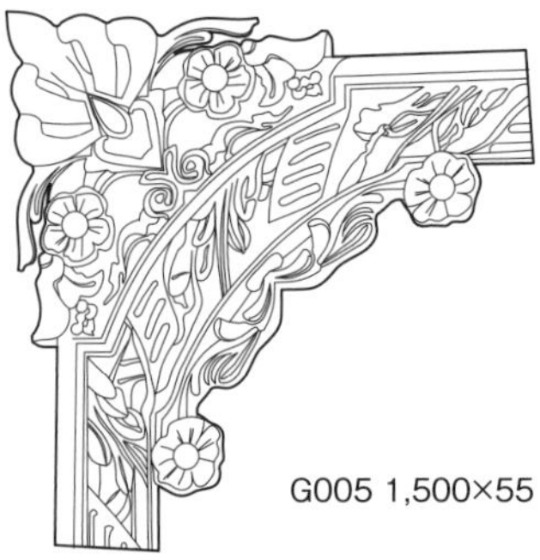

G005 1,500×55

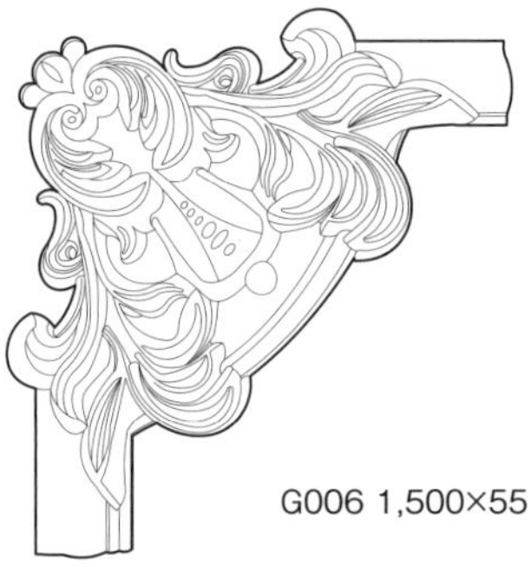

G006 1,500×55

G005 1,500×55

G006 1,500×55
1,500×70
1,500×30

G007 1,500×55

G008 1,500×65

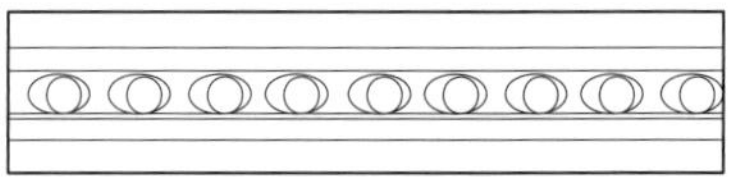

G007 1,500×55

G008 1,500×65

G009 1,500×55

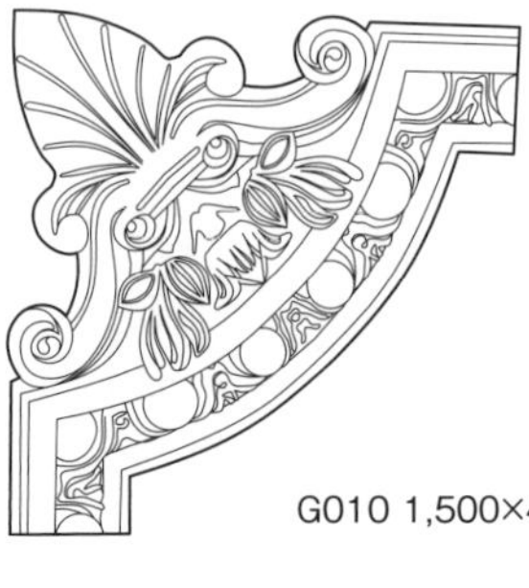

G010 1,500×48

G009 1,500×48

G010 1,510×55

プラスチックは人工または天然の高分子有機化合物である。合成樹脂や天然樹脂、ゴム、繊維素エステルまたはエーテル、コールタールなどの材料から成る。これらの材料は一定の高温・高圧下において流動性が高まり、各種製品を作り出すことができる。常温・常圧下では、形状は不変状態を維持し、金型を使ったり、プレスしたりすることで、さまざまな形状にすることができる。伸ばせば繊維にすることもできる。

プラスチックは軽く、安価で、腐らず、虫が付くこともなく、熱や音を遮断し、成形も容易で、施工も簡便である。色も豊富で、装飾効果が高いなどのメリットがある。

プラスチック製品は装飾品として使いやすい。色が豊富で、表面はなめらかで光沢があり、描かれた図案もはっきりしている。また、叩いたり、釘を打ったり、穿孔したり、削ったり、溶接したり、貼りつけたりできることから、施工も簡単かつ迅速にできる。さらに、熱可塑性のプラスチックは湾曲させることもできるので、施工精度も上げられる。それ以外にも、プラスチック製品には酸化、アルカリ化、水による腐食などに耐え、化学的な安定性が高いため長持ちするという特徴がある。非発泡型製品ならば水洗いもしやすく、塗料も塗りやすい。

PVCカバーは軽く、カビを防ぎ、虫が付くことがなく、腐らない。熱を遮り、設置が簡易で、美しく、経済的などのメリットがある。プラスチックカバーには深い色をした木目調が多く、装飾用としても、あるいはカーテンボックスや配線カバーとしても使用できる。

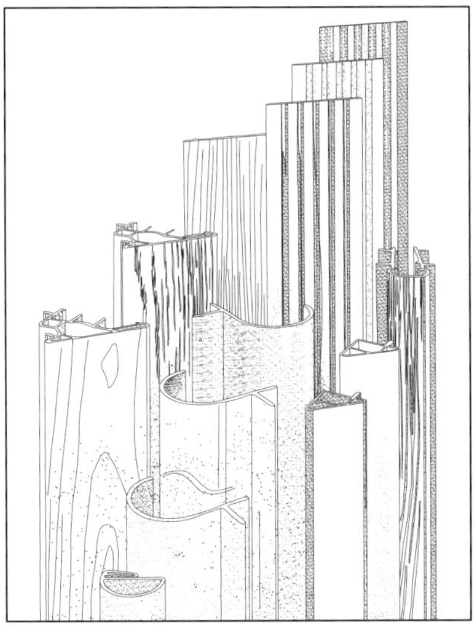

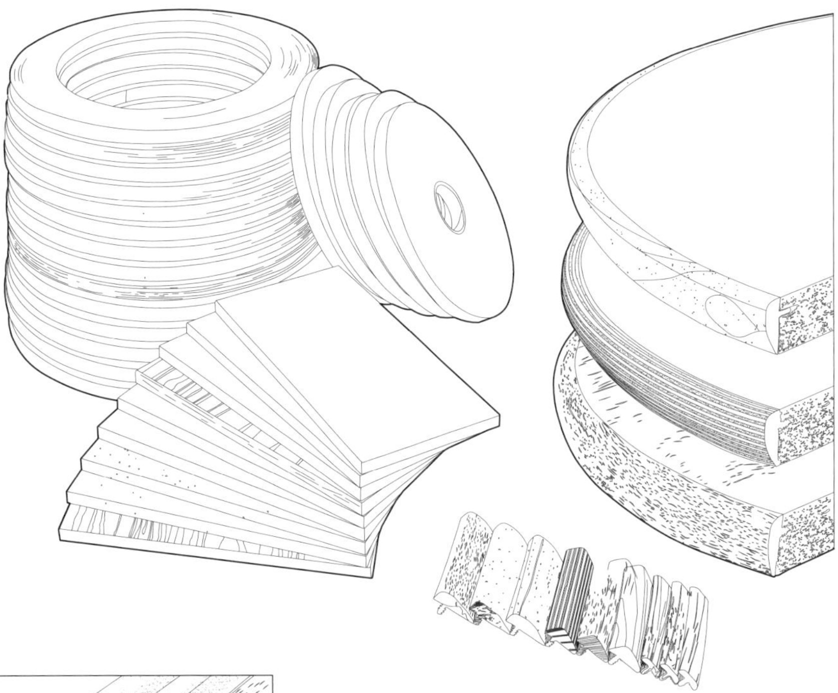

家具用カバー

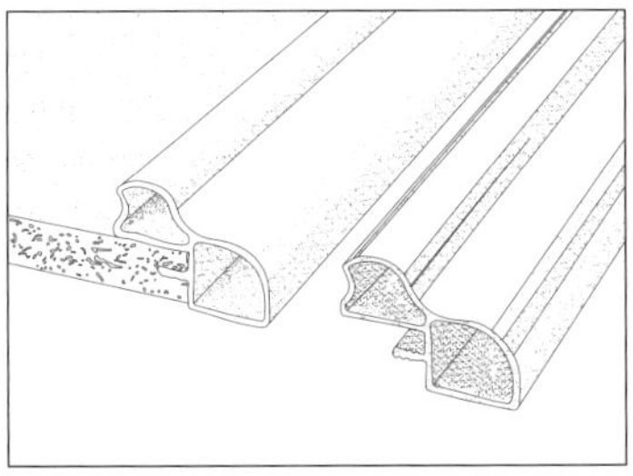

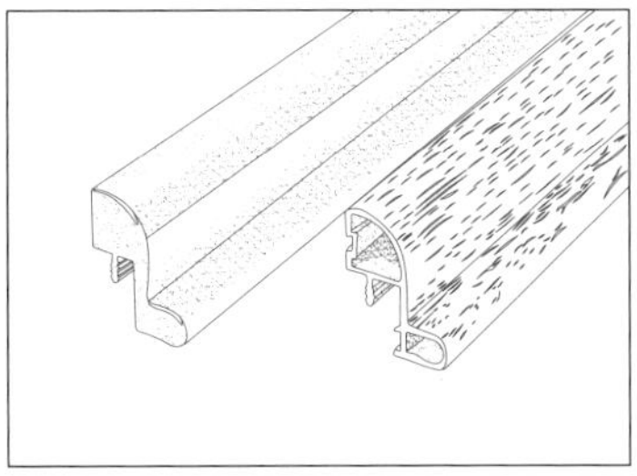

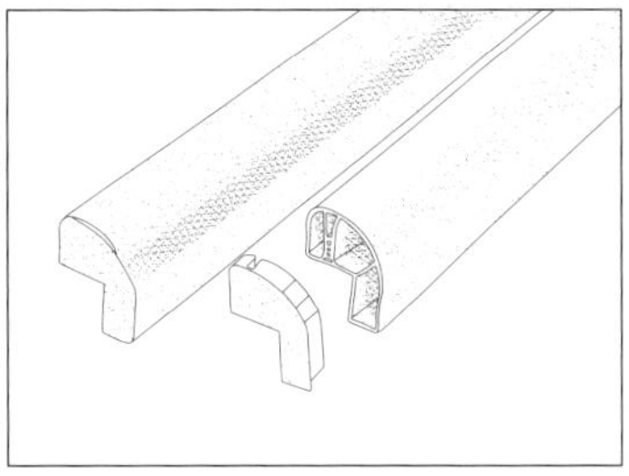

階段手すり用カバー

手すりA

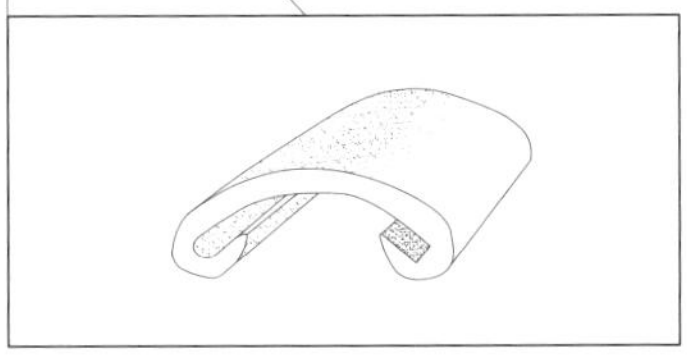

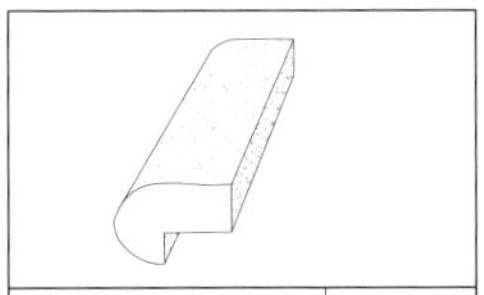

ガラス用カバー

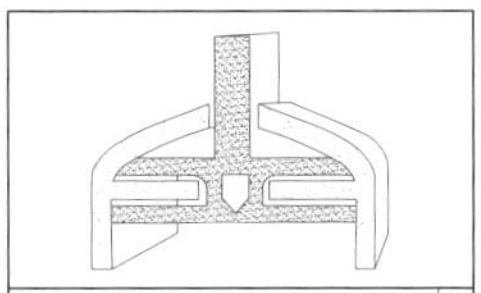

三位一体のガラス用カバー

手すりB

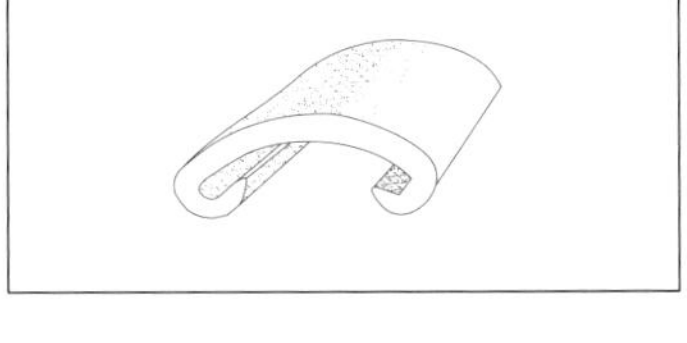

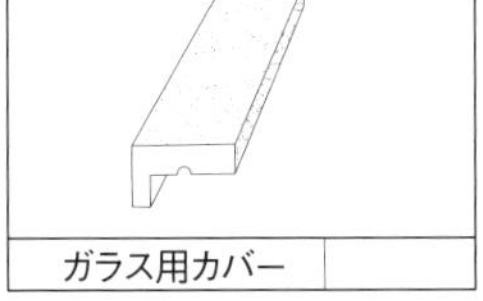

ガラス用カバー

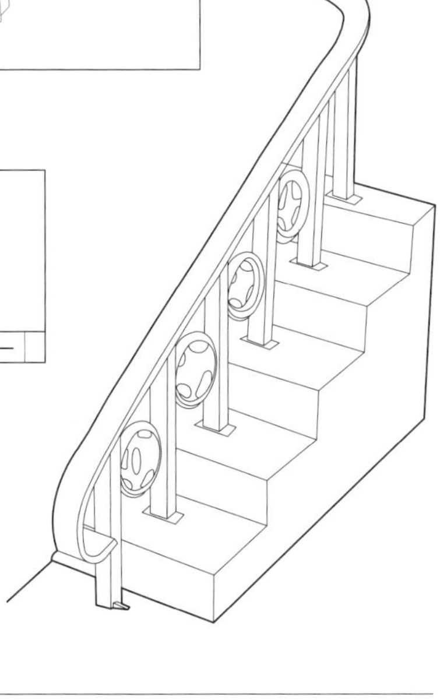

モールディングは室内施工においてよく使用される材料であり、主に装飾の境界を分けるものとして、または継ぎ目部分を隠すために使われる。モールディングは造形の構造を強化する役割を持ち、デザイン効果を高め、デザインの特色を際立たせることができる。一部は連結や固定の役割を持つ。

プラスチック製のモールディングは主にPVCで作られ、さまざまな種類がある。その多くが構造的に木製モールディングからの代替が可能で、低価格で色の種類が豊富である。強度もあり、また外観の規格と造形は自由にデザインすることが可能である。表面の色と模様はシールを貼ったり、印刷したりなど、さまざまな手法で処理できる。

プラスチック製のモールディングは製品数や規格数が比較的多い。機能で分けると、コーナー用、柱の角用、壁の角用、壁中央用、カバー用、鏡用などがある。外観で分けると、半円型、直角型、斜め型などがある。様式で分けると、外部凸型、内部凹型、凹凸結合式などがある。

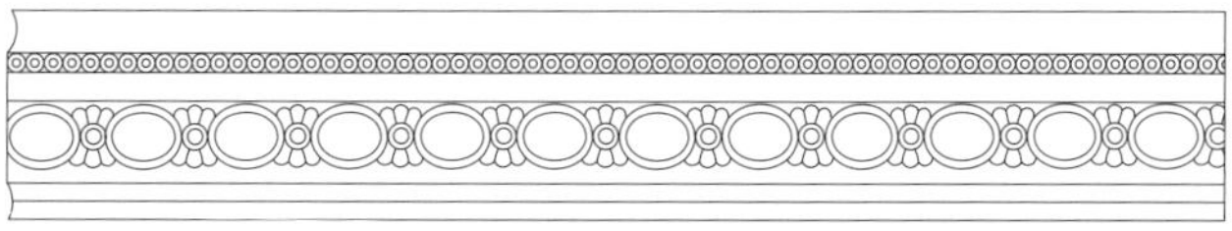

11×6

11×6

13×6

11×6

13×6

13×6

28×80

28×8

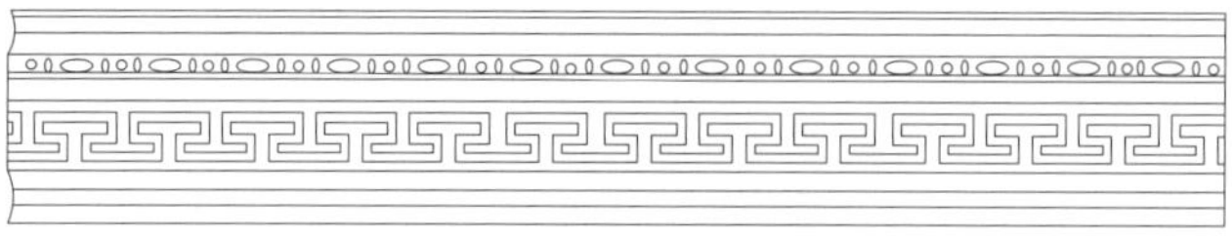

13×6

13×6

10×6

11×6

13×6

28×80

28×80

28×8

アルミ合金見切材（複合酸化）

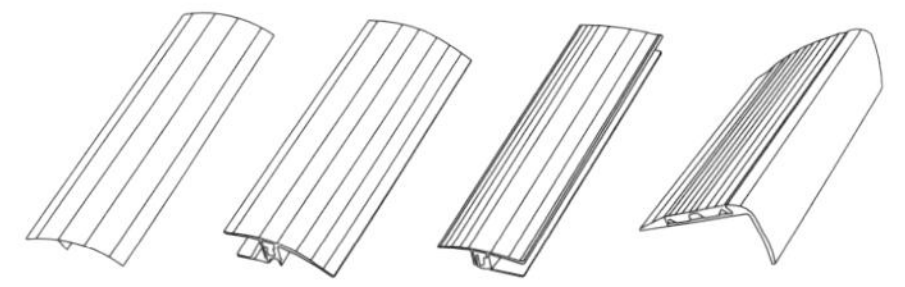

万能タイプ　高低フックタイプ　平板タイプ　ゴム付き直角タイプ

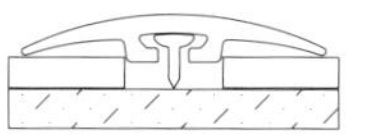

断面図

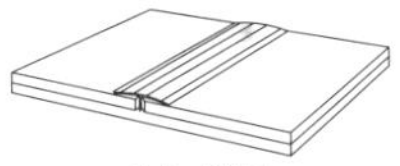

イメージ図

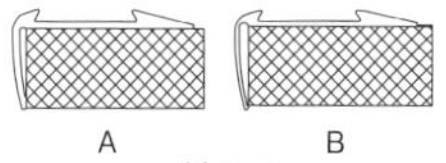
A
B

断面図

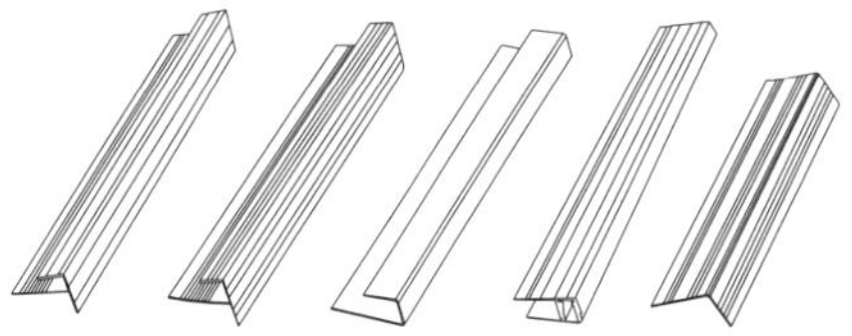

ステップ用　ステップ用　C形タイプ　片側フックタイプ　直角タイプ

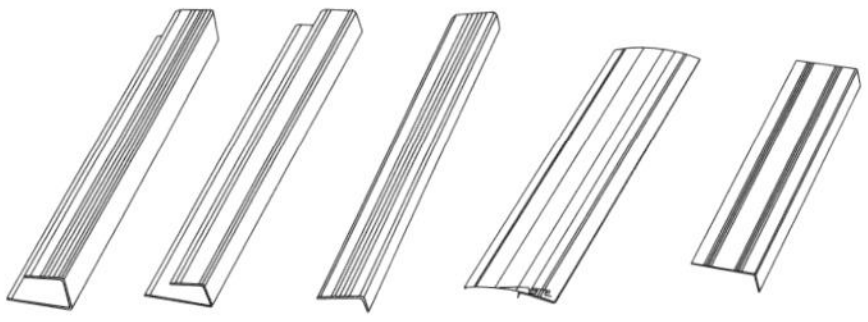

光沢銀色　金色　直角タイプ　万能タイプ　直角タイプ

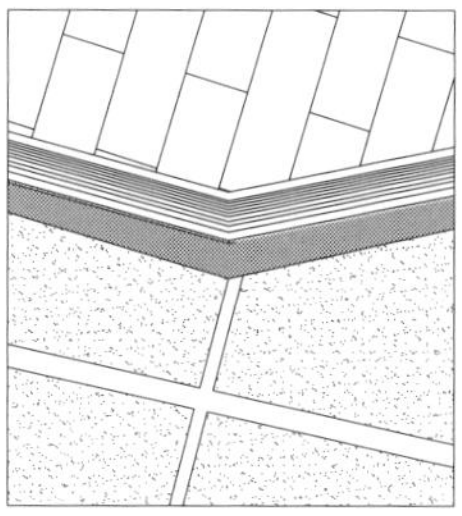

イメージ図

アルミ合金見切材（通常酸化）

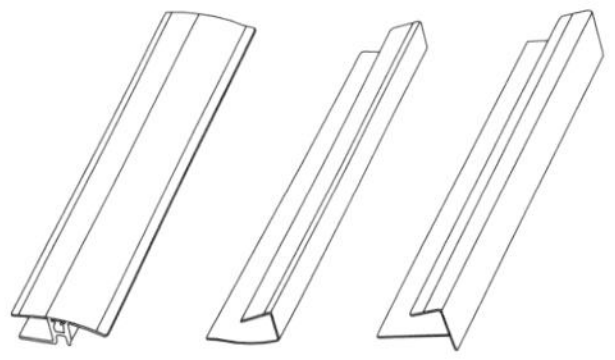

片側フックタイプ　C形タイプ　階段用

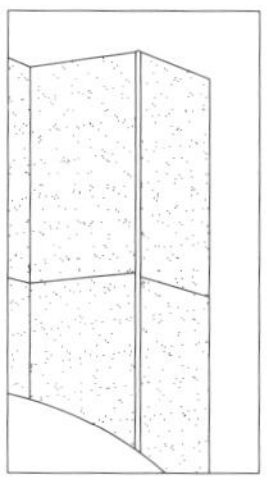

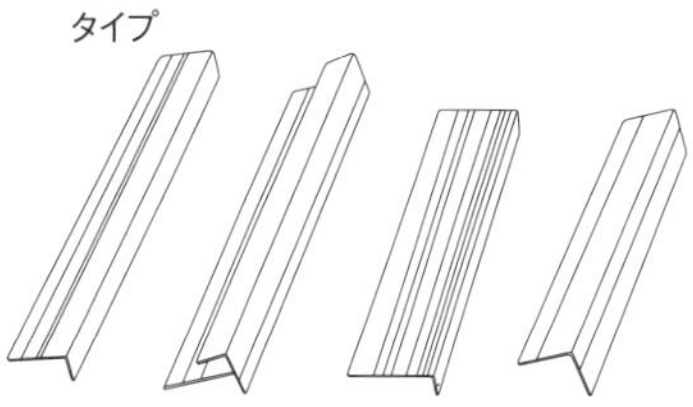

L形タイプ　ステップ用　11×28角　25×25角

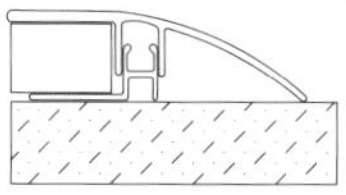

断面図

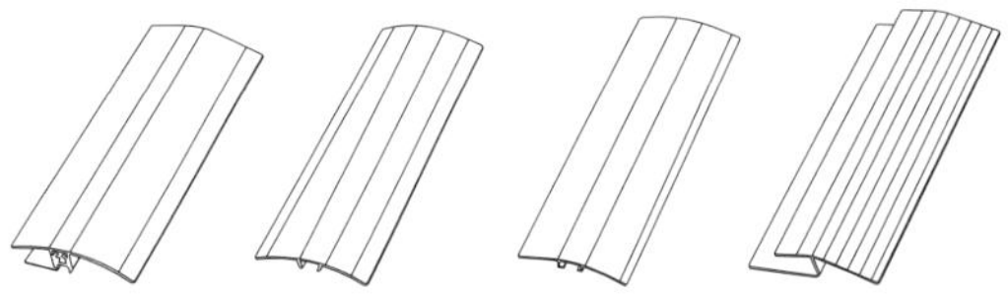

高低フックタイプ　万能タイプ（厚）　万能タイプ（中）　斜めC形タイプ

PVC見切材

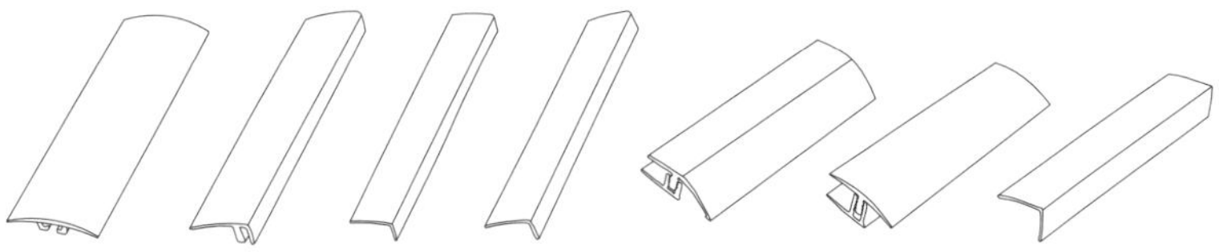

万能タイプ　片側フックタイプ　小型　中型　高低タイプ　平板タイプ　直角タイプ

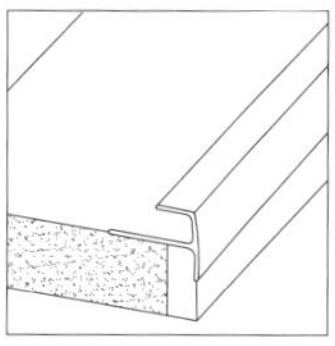

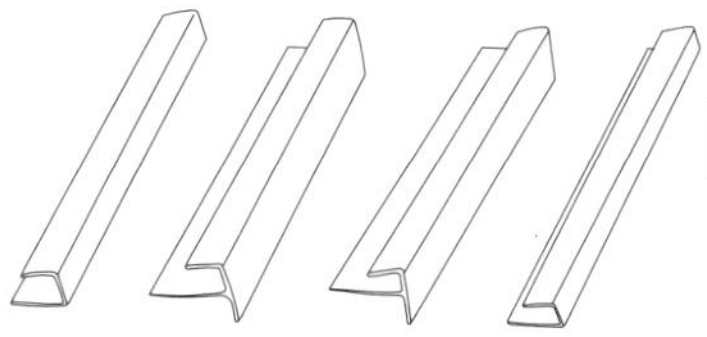

C形　ステップ用　ステップ用　C形

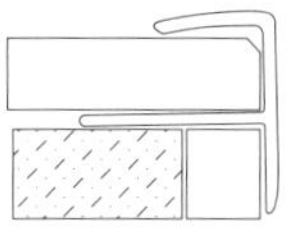

断面図

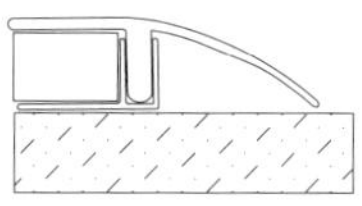

断面図

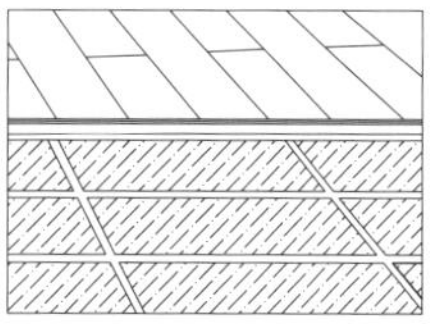

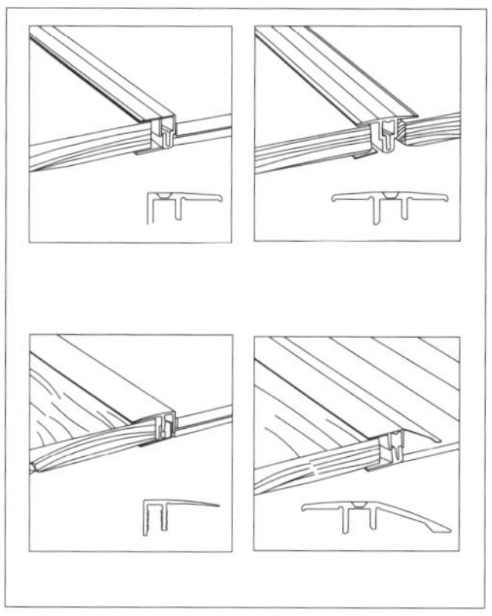

アルミ合金、PVCのタイル見切材

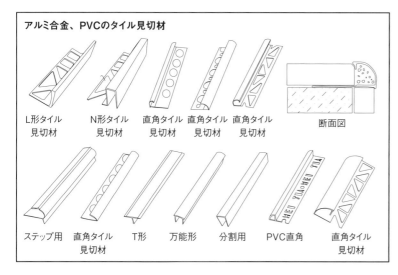

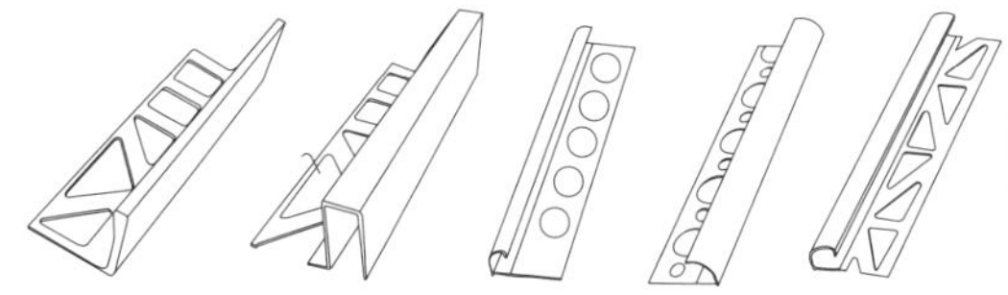

L形タイル見切材　N形タイル見切材　直角タイル見切材　直角タイル見切材　直角タイル見切材

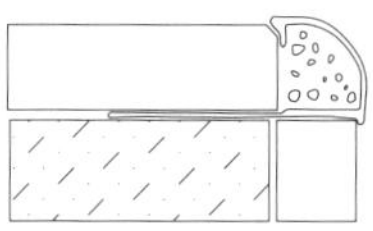

断面図

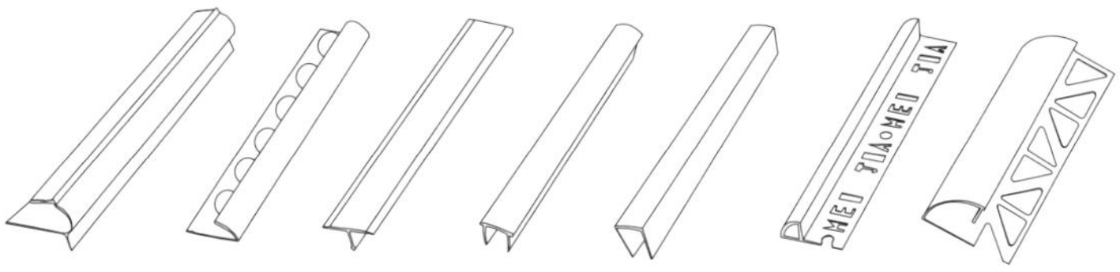

ステップ用　直角タイル見切材　T形　万能形　分割用　PVC直角　直角タイル見切材

銅の見切材

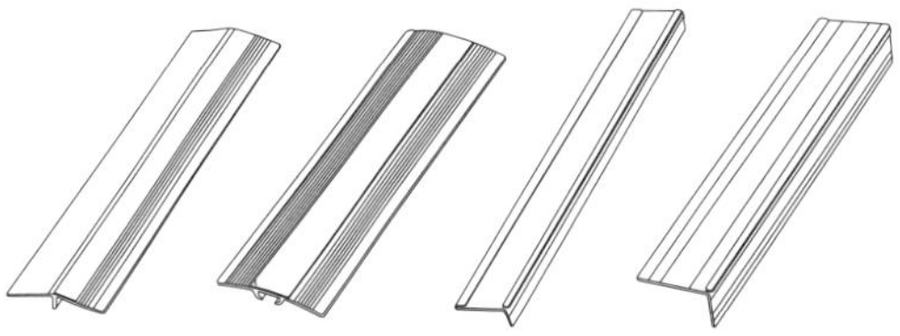

銅高低フック　銅万能　銅の中型　銅の大型

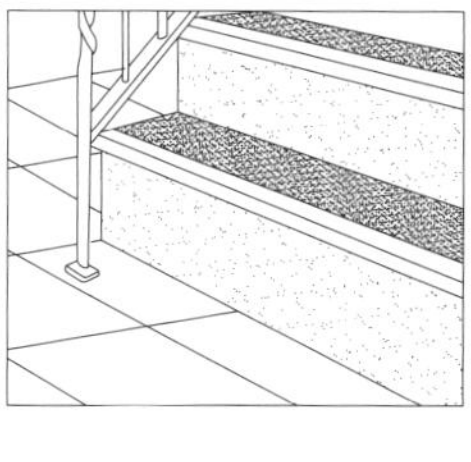

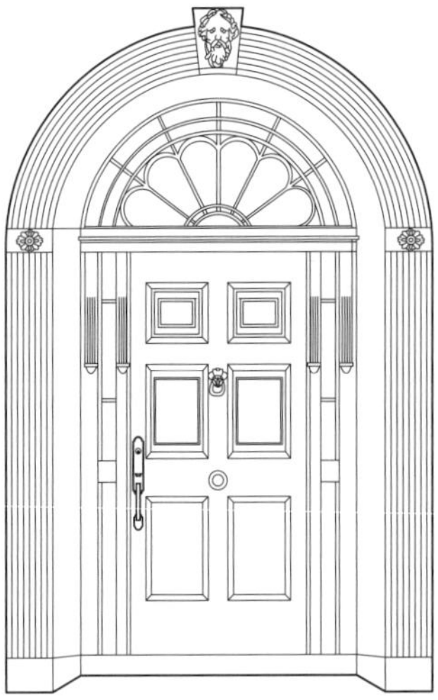
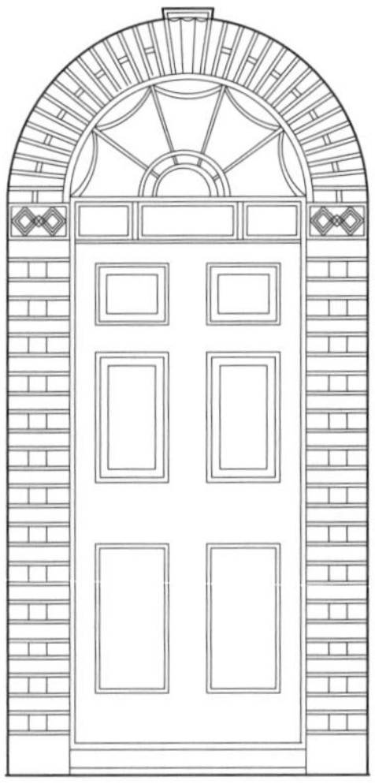

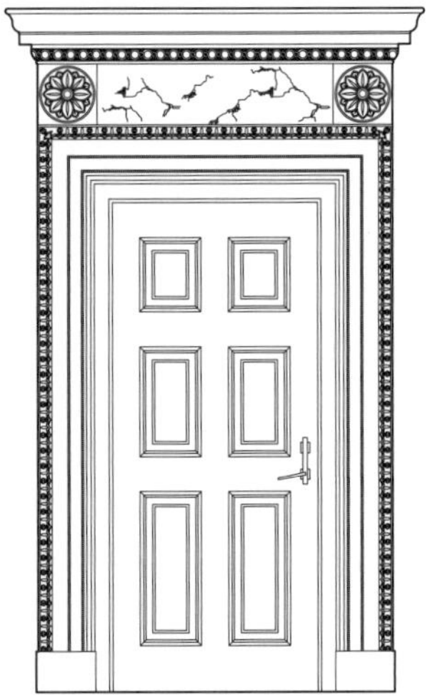

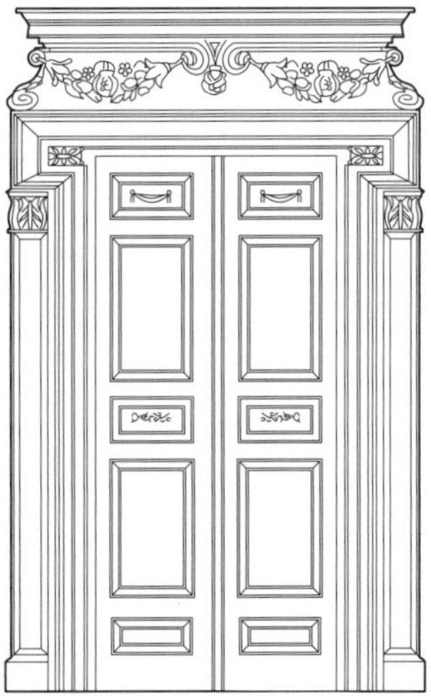

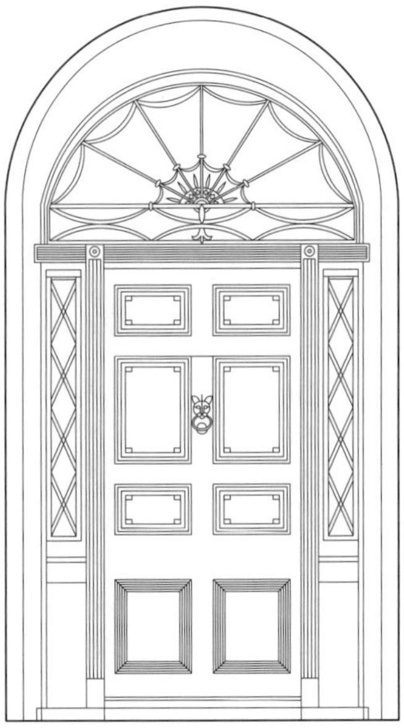
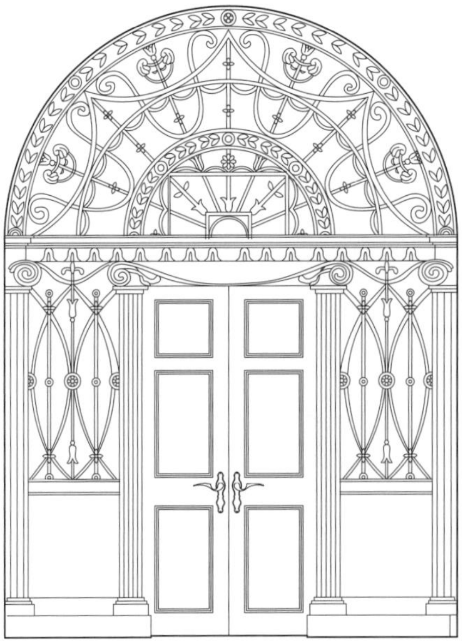

防犯ドアは通常鋼板、ステンレス、アルミ合金などで作られる。鋼とアルミ合金で造られたものはより頑丈であり、図柄によってより豪華に見える効果が得られる。

近年では木目調のデザインの防犯ドアもあり、ネジなどが隠されとても美しい外見である。

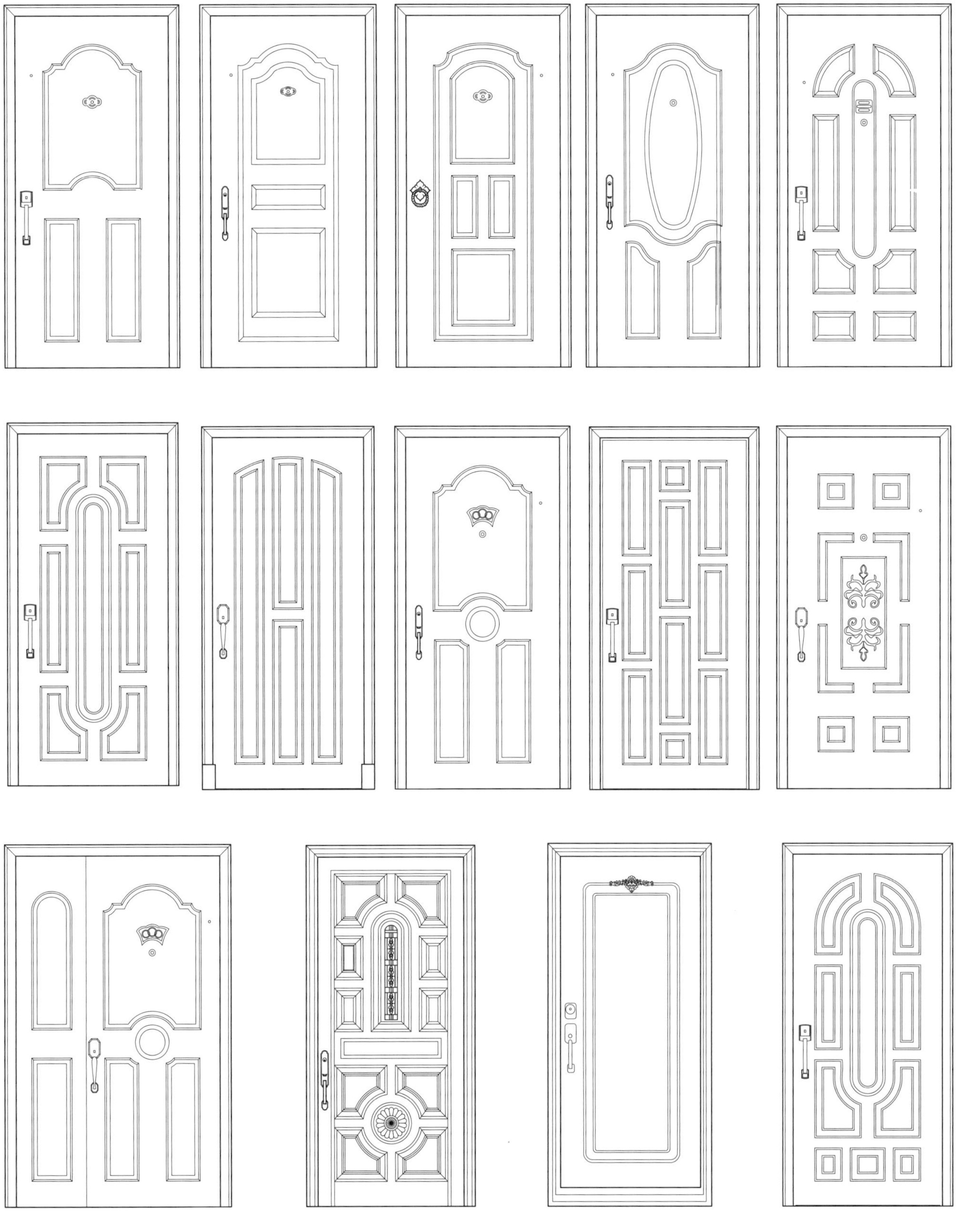

合金鋼防犯ドアは軽量かつ頑丈、色彩豊かで外見が美しい、腐食に強い、機密性が高いなどの特徴があり、簡単には破れないという感覚を与えることができる。

合金鋼防犯ドアは風の通せるものや、二重扉のものなど種類が多い。また、直線や図形などのデザインを施すことで、現代的な生活にマッチしたものにできる。合金鋼防犯ドアは高い人気があり、建築材市場では非常に売れ行きが良い。

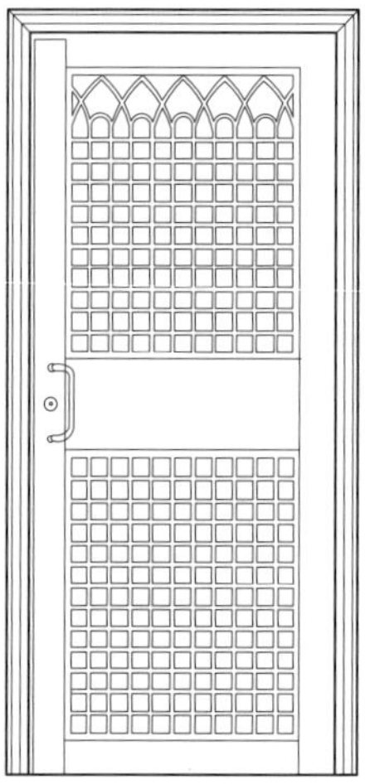
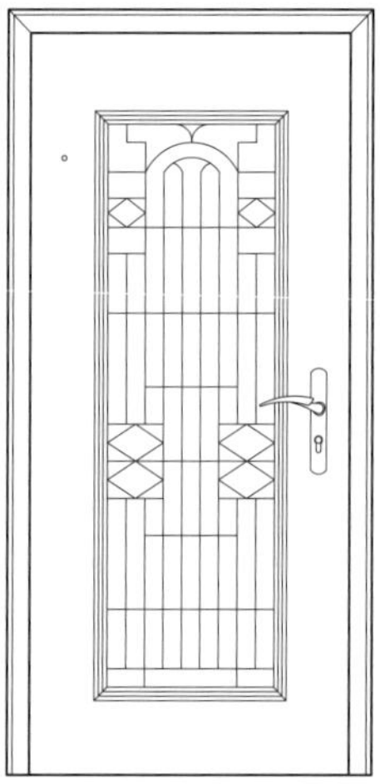
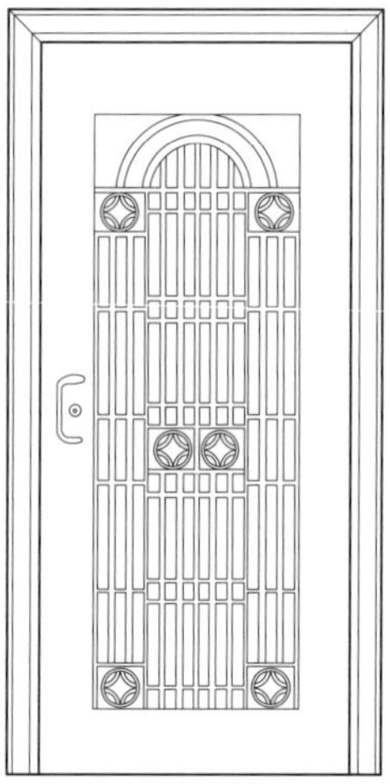
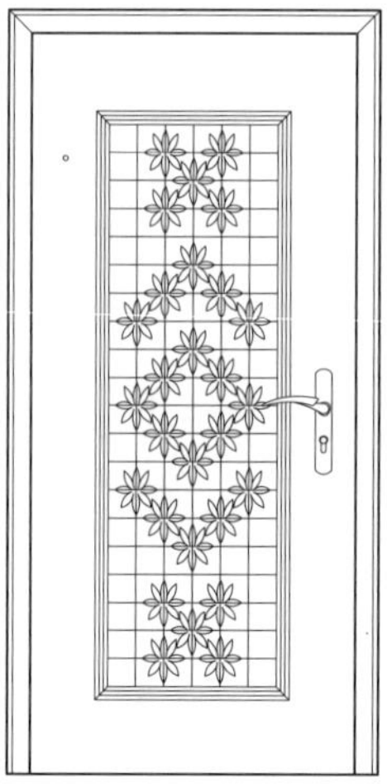
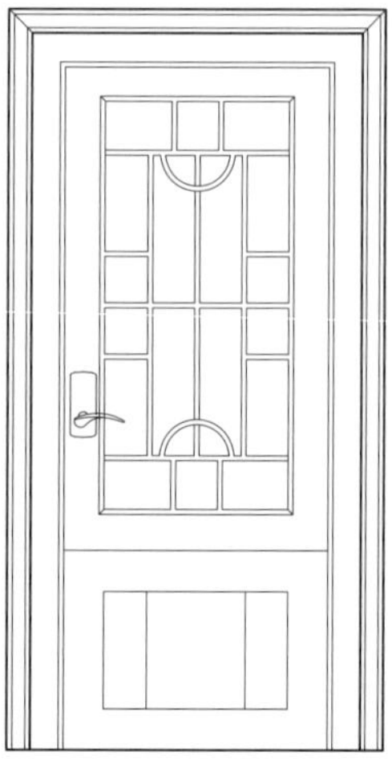
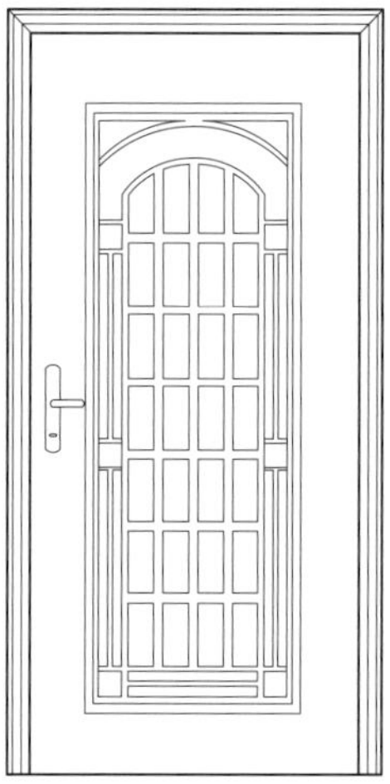
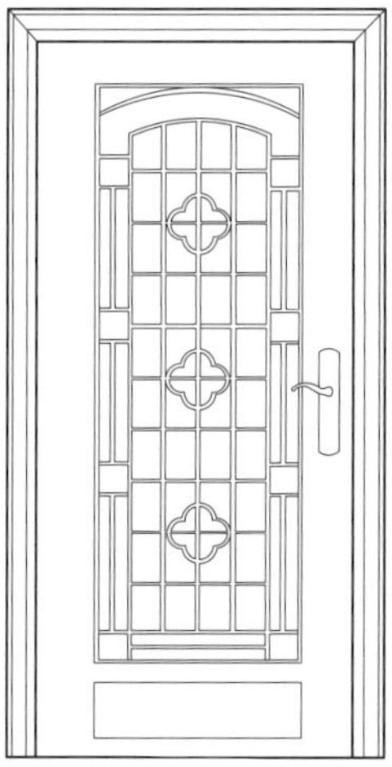
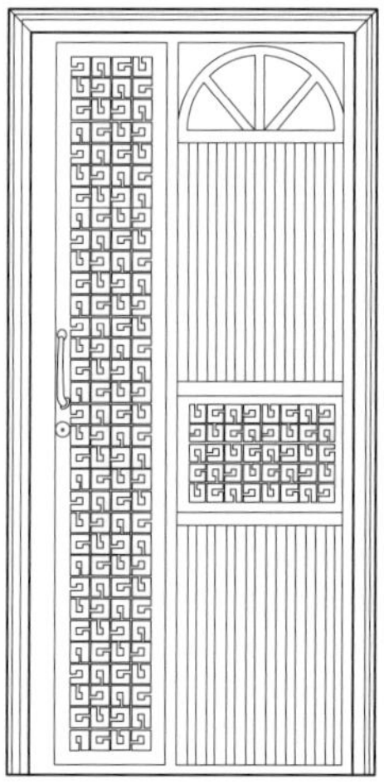
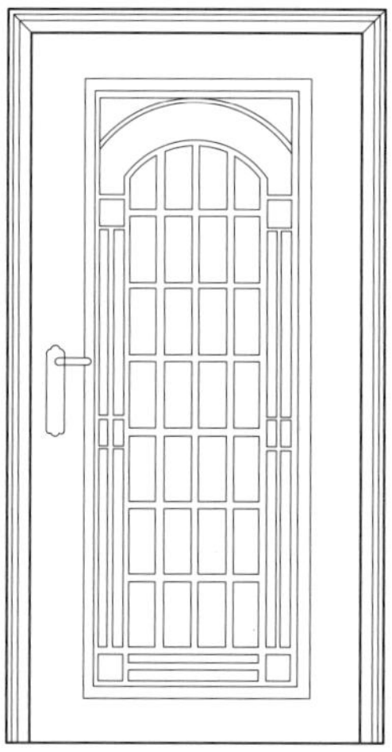
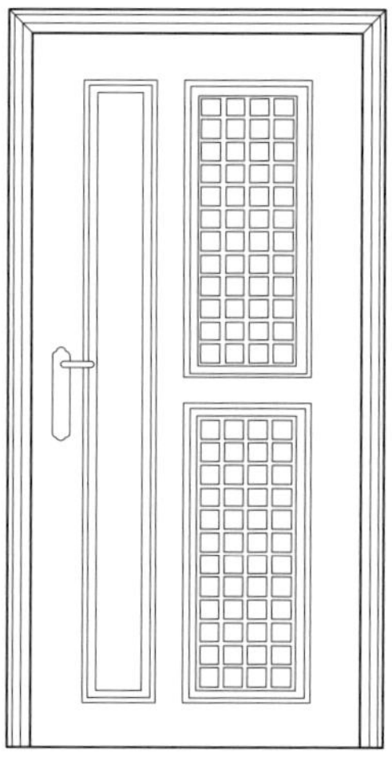
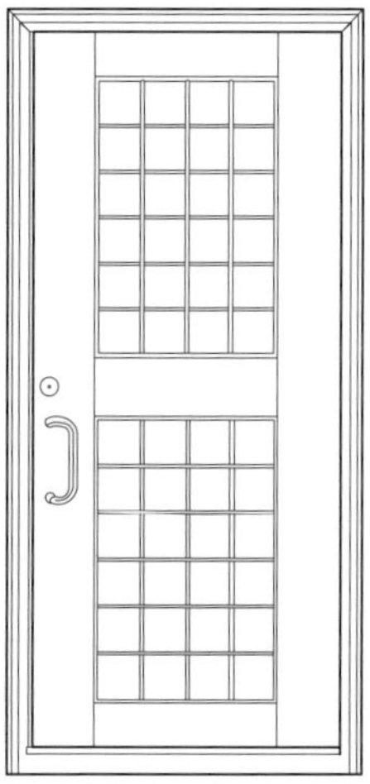
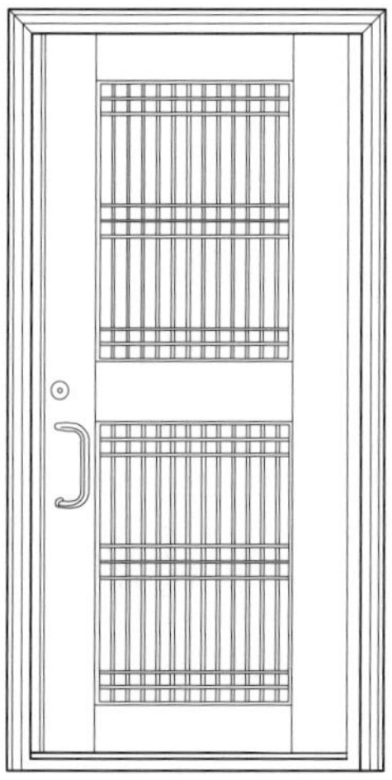
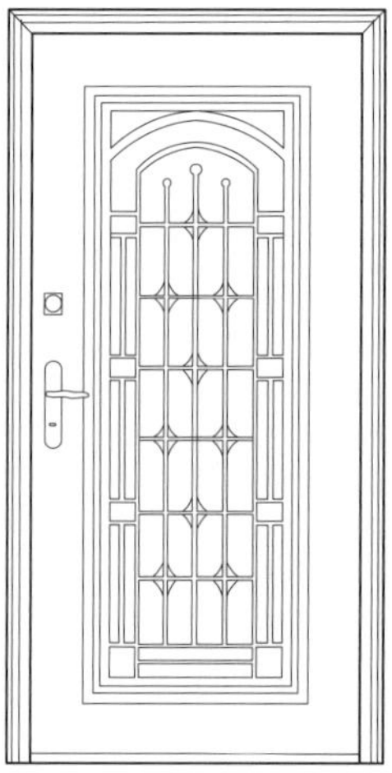
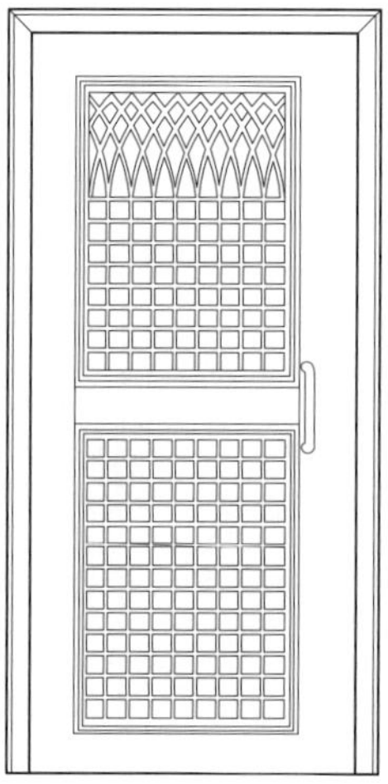
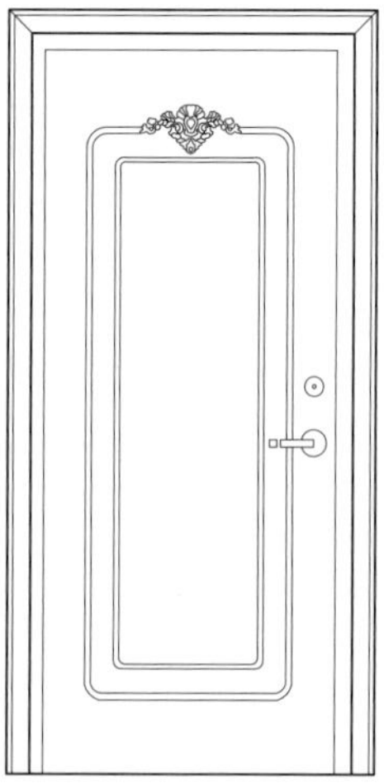

木製ドアには、合板や羽目板、ガラス入り、彫刻入りなどの種類がある。合板は現在ではあまり使われない。羽目板、ガラス入り、彫刻入りのドアは、ともに外枠、中桟、パネルで構成されている。

天然の木材を加工した無垢材のドアは美しい年輪の模様があり、色も美しい。硬度も程よく、加工もしやすいことから、多くの人に愛好されている。

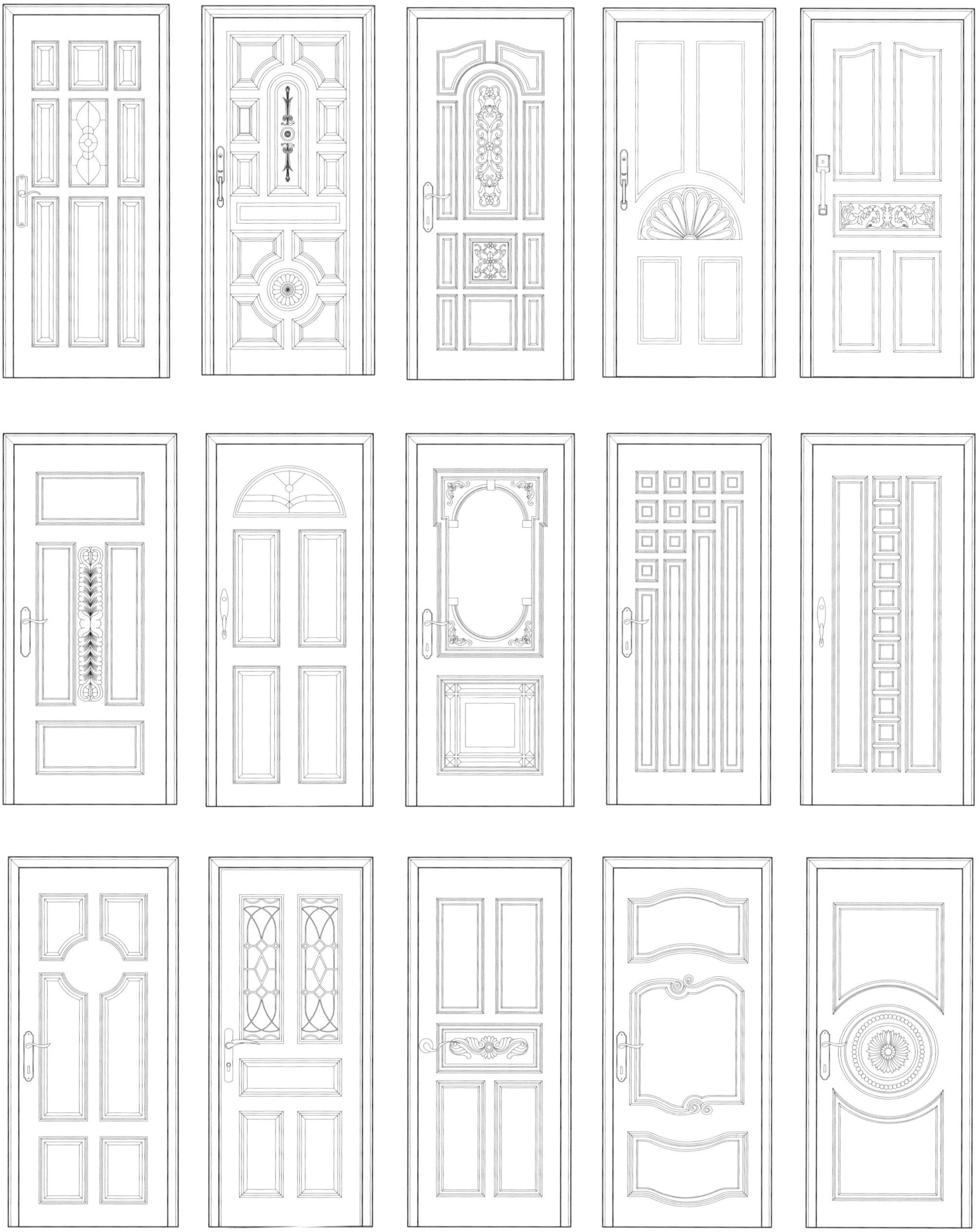

レリーフドアの特徴

ドアの骨組みは木製で、両面は高級な装飾樹脂板が貼られ、その上に装飾部品がはめ込まれ、非常に芸術性が高い外観である。

ドア枠と桟は同じ木材で組み合わされ、パネルには高級な薄板が使われ、金色の装飾が施され、金属のドアチェーンや取っ手と合わせやすい。外観が美しく、新古典主義的な風格がある。

レリーフドアは加工が難しく、コストが高いため、高級住宅に採用されることが多い。

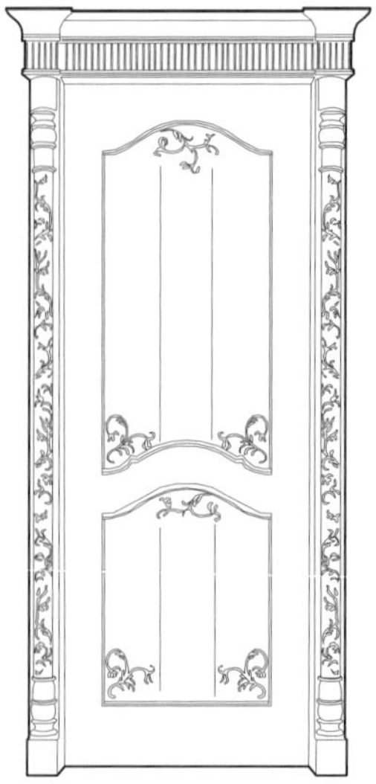
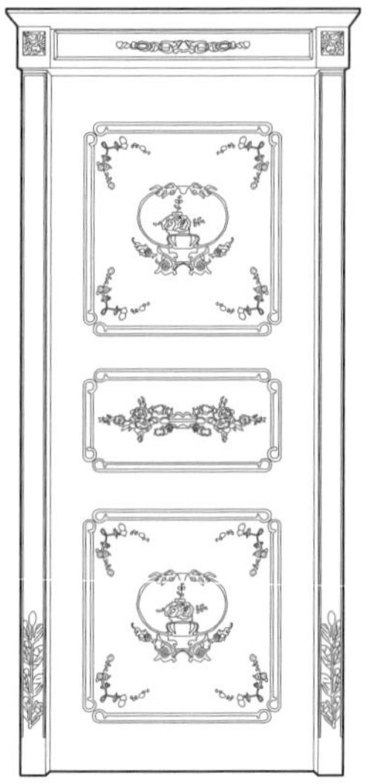
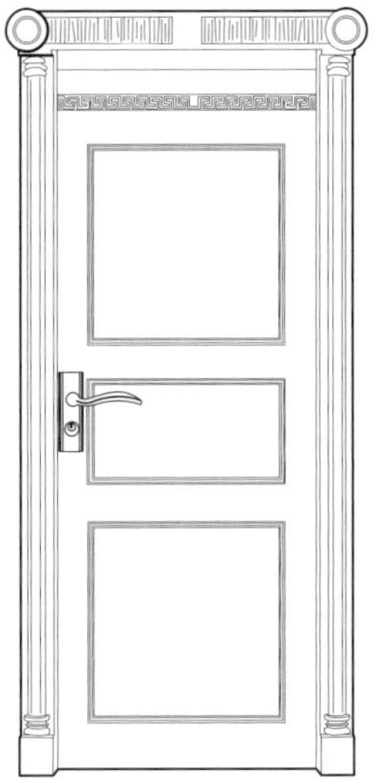

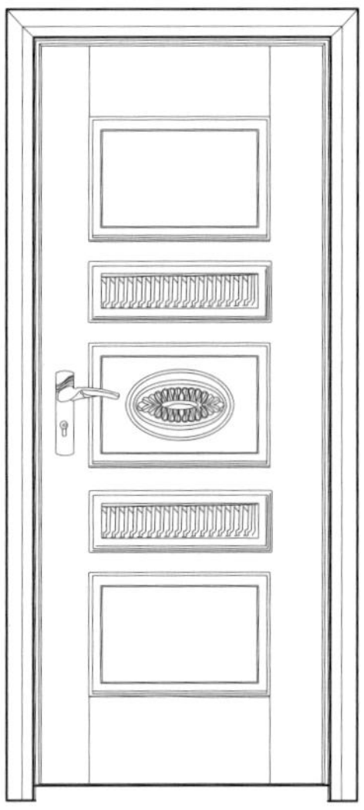

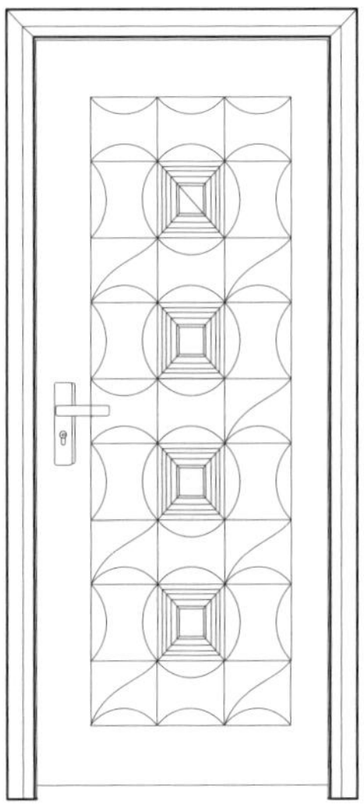
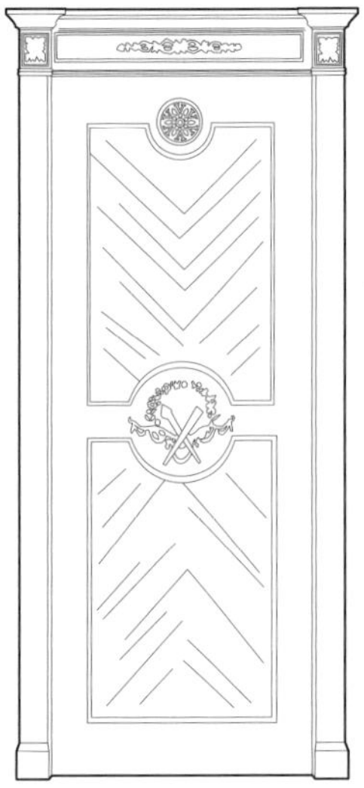
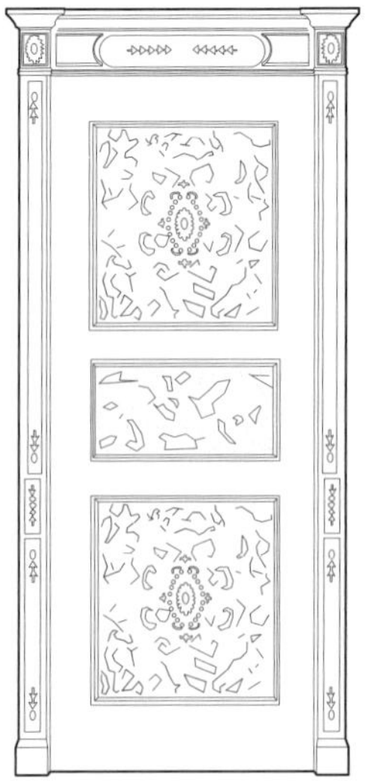
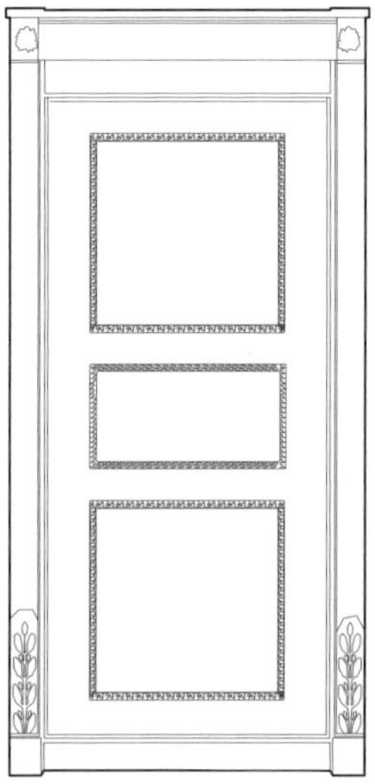
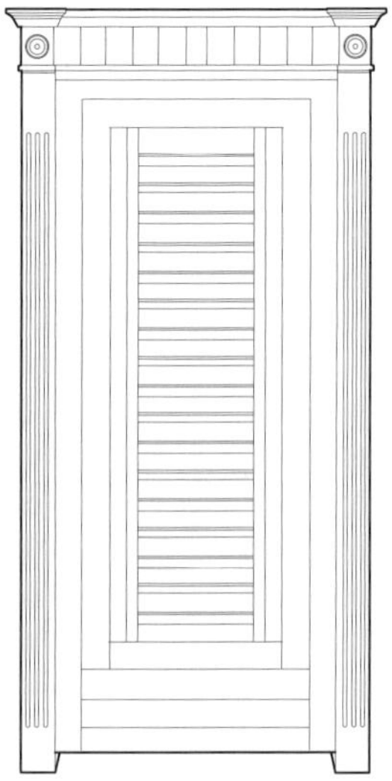

鉄製ドアは鉄でつくられたドアのことで、素材が頑丈であることが特徴で、微細な加工もできることから、意匠を凝らしたドアをつくることが可能である。鉄と火によりつくられた一種の芸術とも言え、動きのある直線や優美な曲線をつくりだすことができる。西洋的なロマンチックな雰囲気にも、東洋的な素朴なエレガントさにも対応でき、現代人の高い美意識の追求に応えることができる。

鉄製ドアは、その技術的なメリットとともに環境的な配慮もできるため人気が高く、広く使われている。

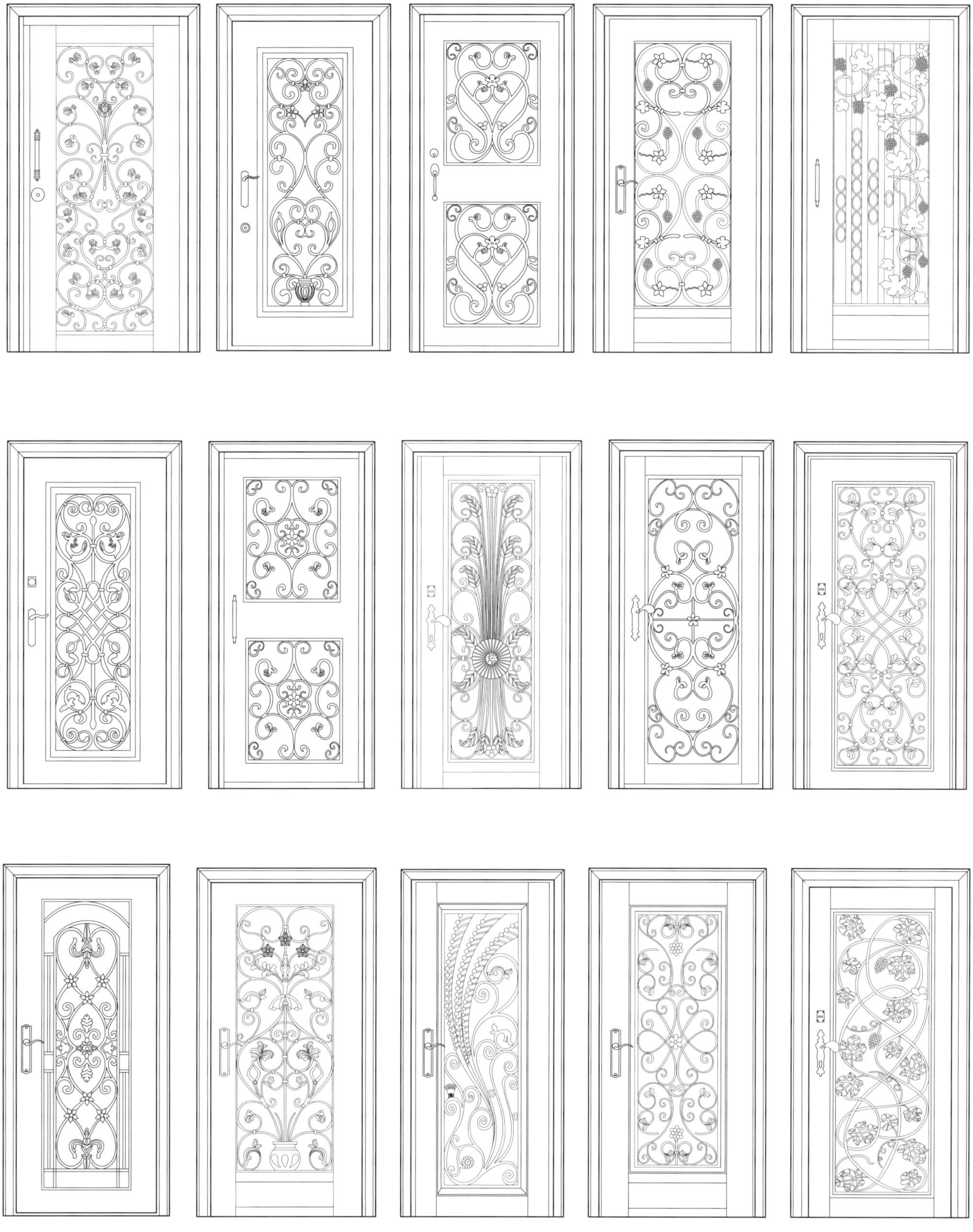

フラッシュドアは、軽量骨組みの両面に板を貼るという構造である。骨組みは木でつくられ、厚みはそれぞれ異なり、一般的に200～400㎜である。そのほかには、蜂の巣状に素材を組み合わせて骨組みを作り、両面に装飾板を貼り四方に釘を打って固定するというものもある。

フラッシュドアは、その機能と外観から室内環境に適している。また、軽量で外観が美しいため、主に寝室やホテルの客室、オフィスなどで使われる。

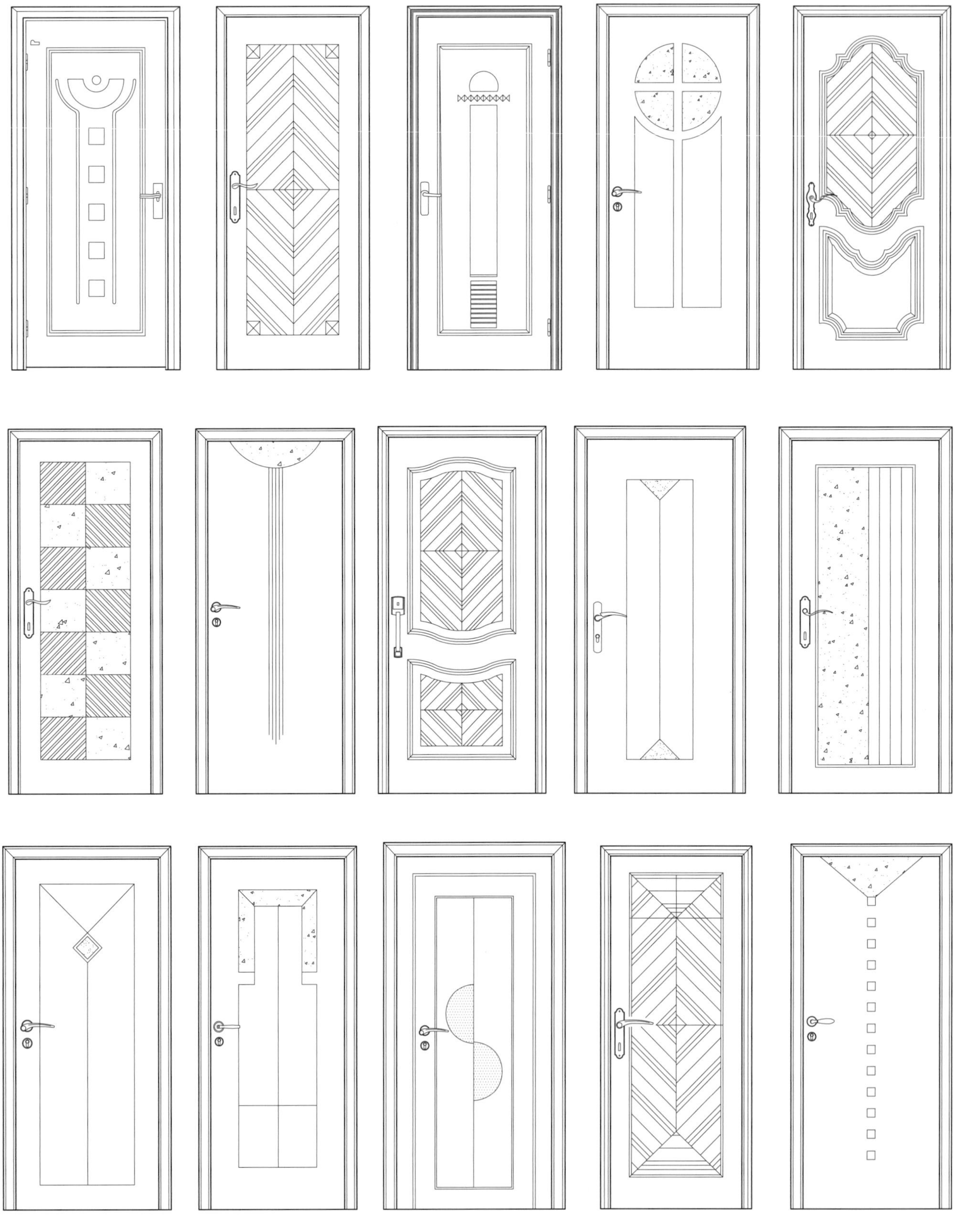

成型ドアは外枠と中身が別々に作られている。表面は木製で、中身は細かい繊維と粘着材を高圧下で圧縮した、高密繊維板である。表面は木の風合いで、光沢がある。

一般の木製のドアと比較して中身の密度が高いため、割れにくい、変形しにくいなどの利点がある。

表面の柄の種類は多く、外見も美しく、本物の木と同じ質感も出せる。表面にはペンキを塗り、好みの色に塗装可能である。ガラスや通気口を組み込むこともでき、交換もしやすい。

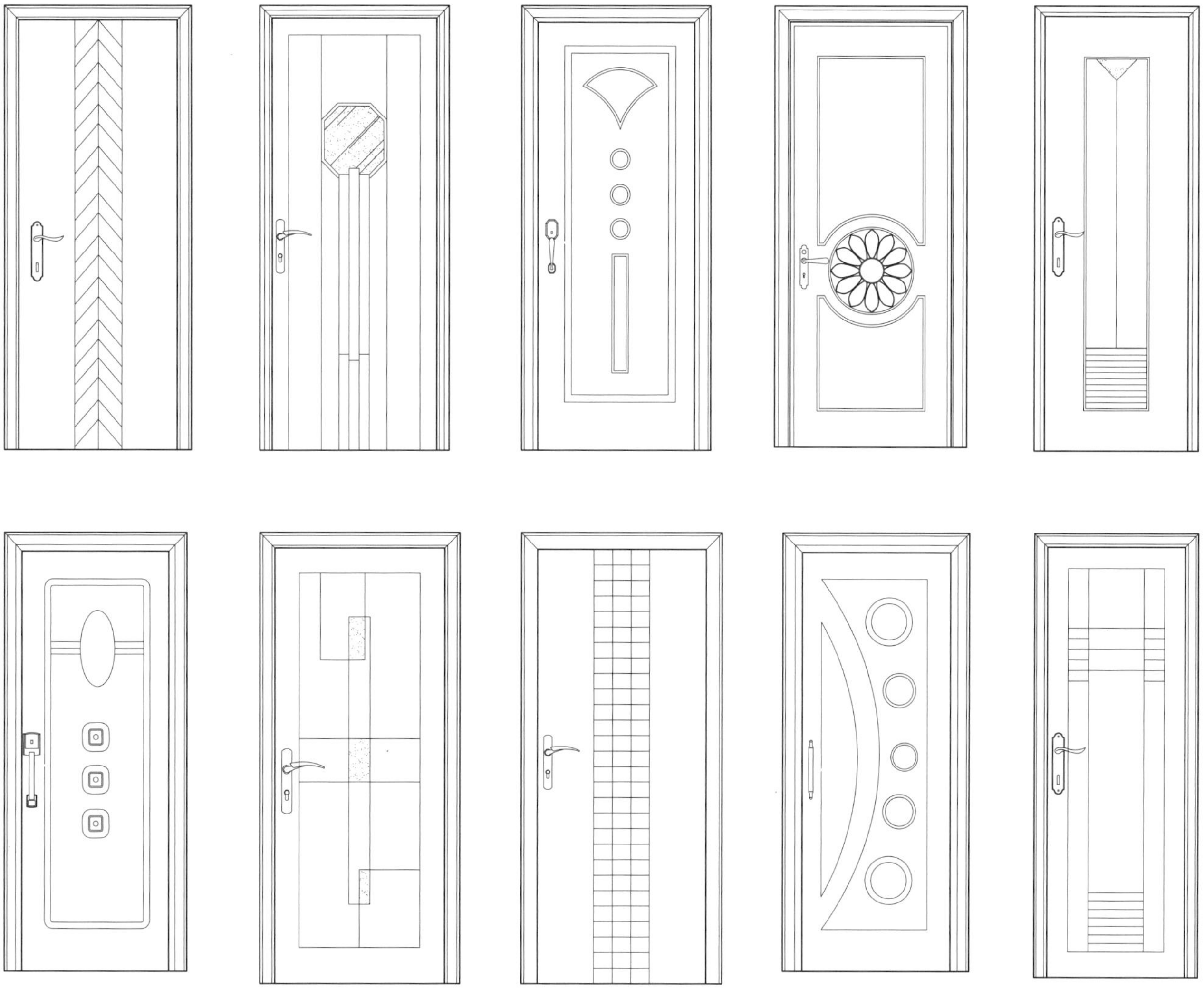

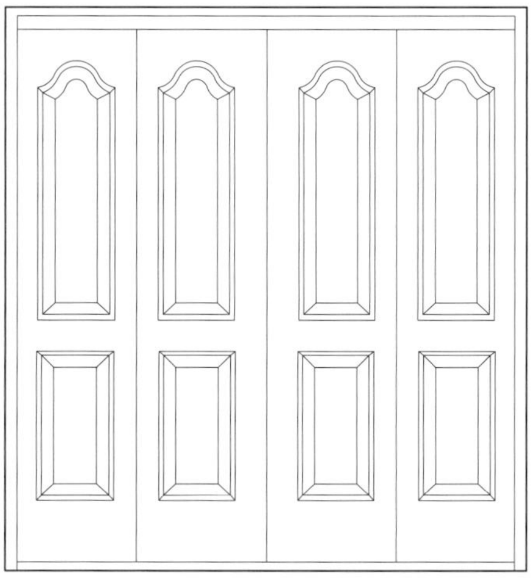

4枚折れ戸

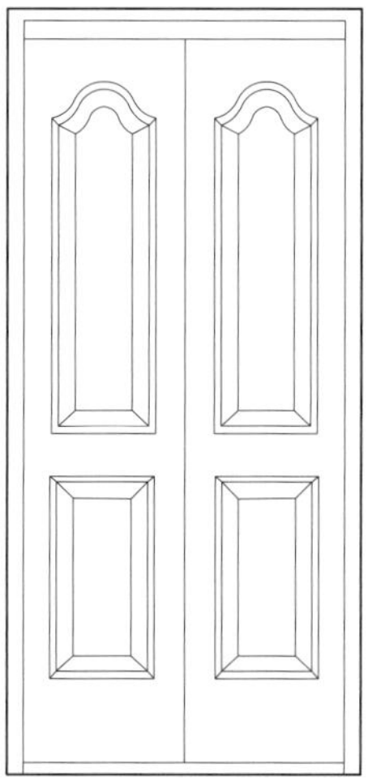

2枚折れ戸

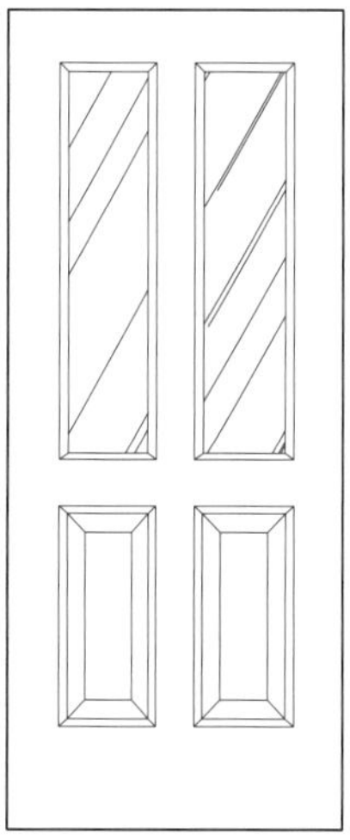

ガラスドア

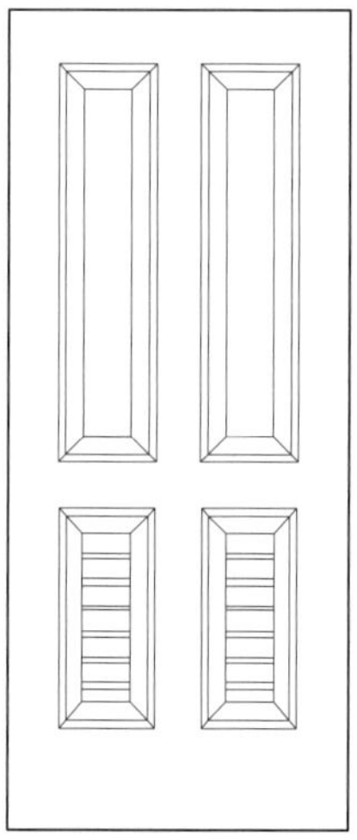

レバードア

木製枠のガラスドアは、無垢の木材で作った枠に、ガラスのパネルが組み込まれたものである。使用するガラスには、透明ガラスや研磨ガラス、水滴風ガラス、彩色ガラスなどがある。研磨ガラス、水滴風ガラス、彩色ガラスなどは透光性を持ちながら、中ははっきり見えない。パネルの形状や分割のしかたによって、さまざまなスタイルのドアを作ることができる。また、色の組み合わせによりさらに多様なデザインが可能となる。これにより、室内環境を多彩にすることができる。木製枠ガラスドアは、空間に開放性や柔軟性を持たせることができる。ガラス越しの自然光により、室内環境にうるおいを与えることが可能となる。厨房に使用すれば、開放感を保ちながら油や煙を遮断することができる。

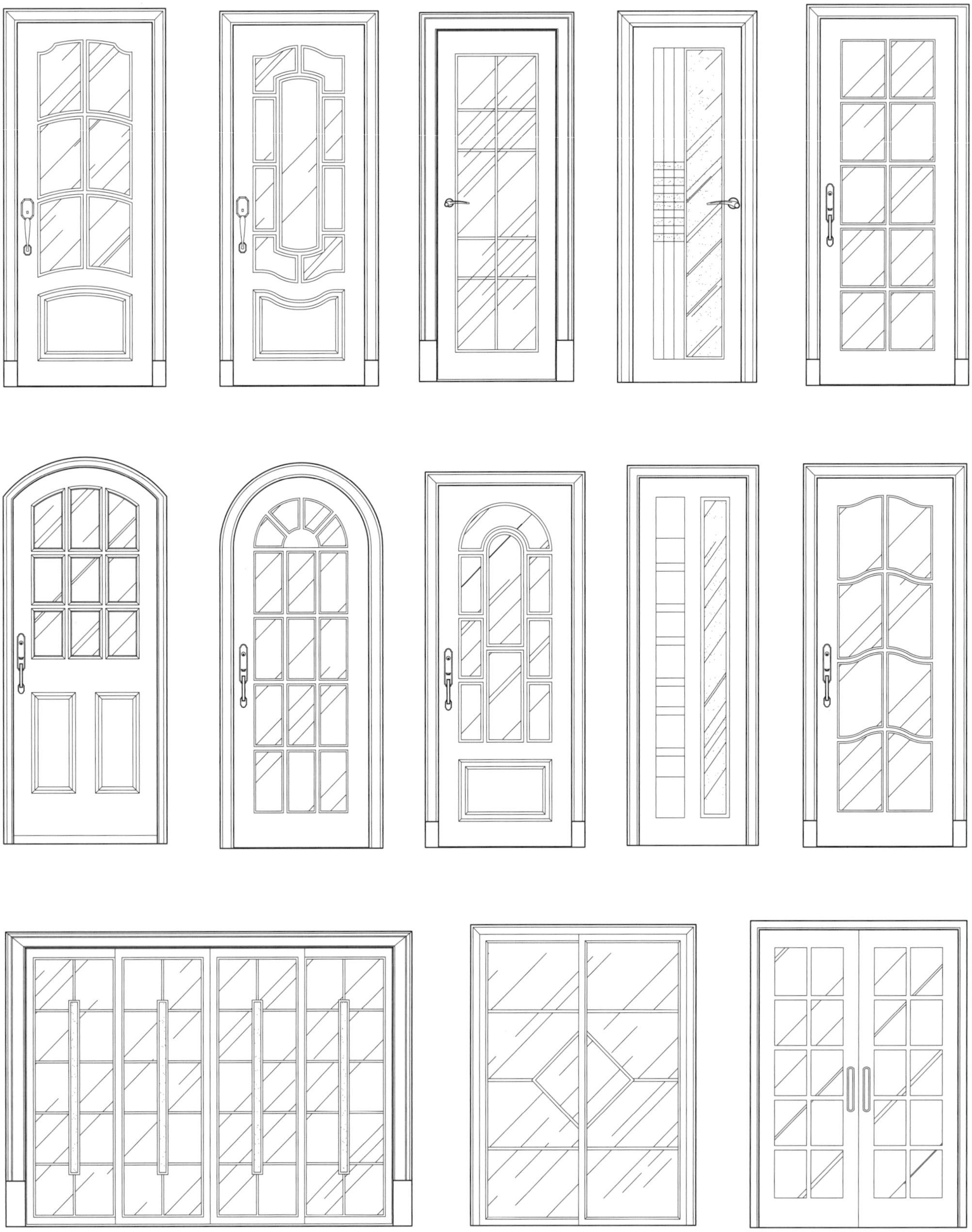

モザイクガラスドアは、ガラスの光学的な性質にさまざまな材料や木製の枠などを組み合わせ、芸術効果を高めたものである。独特な透明感があるため、優雅で清潔感のあふれた印象となる。

ガラスの透明性を利用して、それぞれ異なる角度から反射した神秘的な光が高い芸術性のみならず、空間の立体効果を演出する。

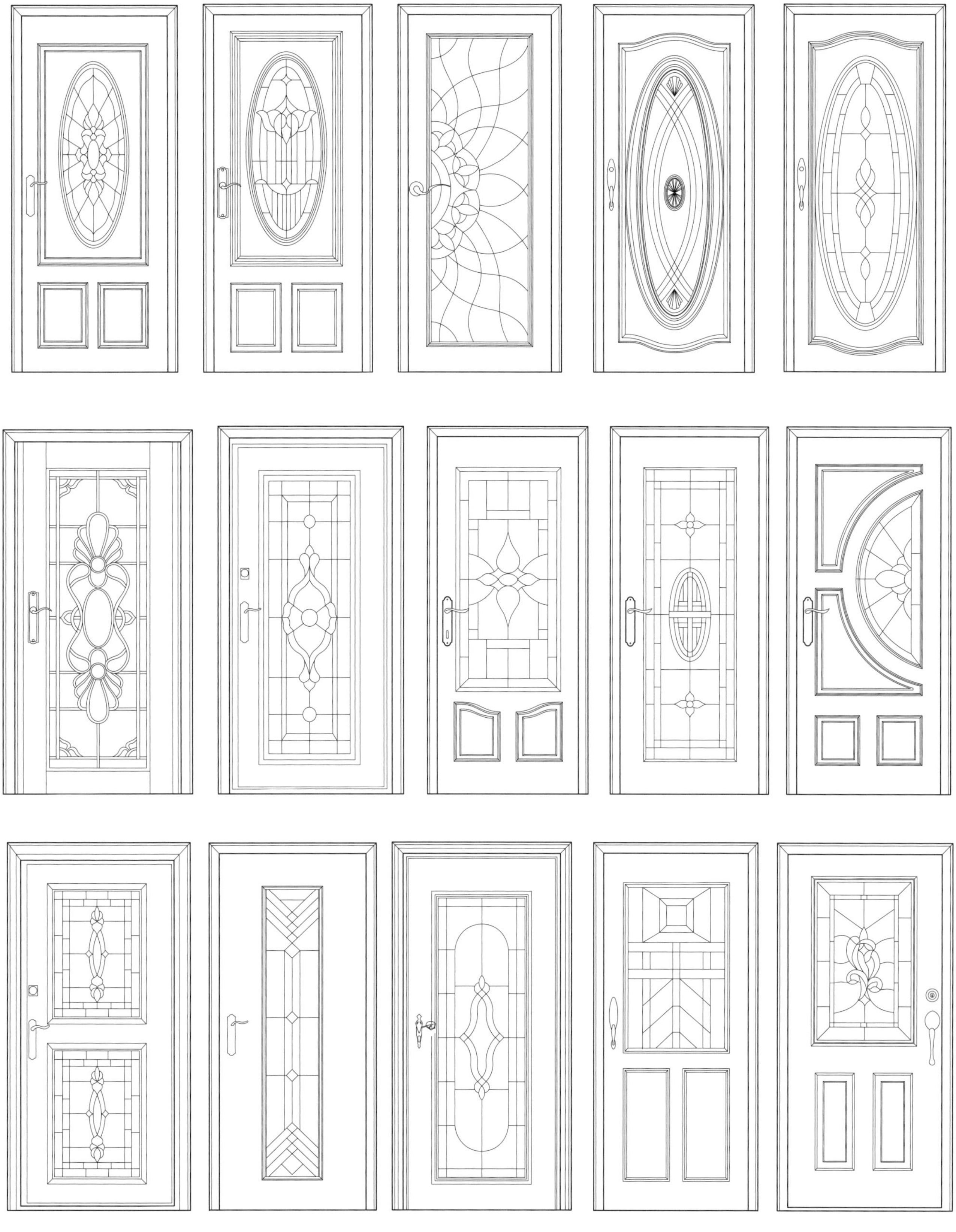

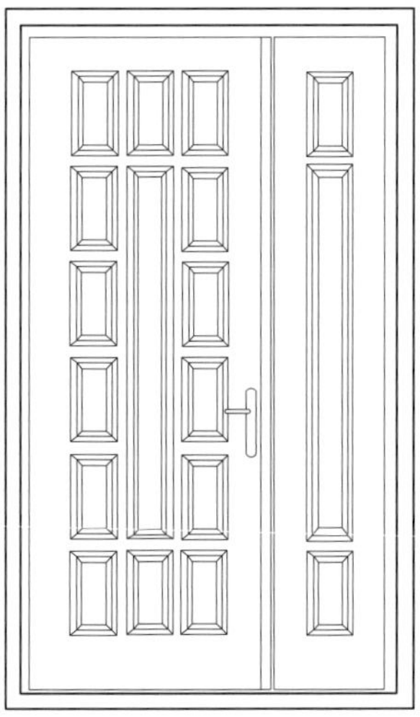

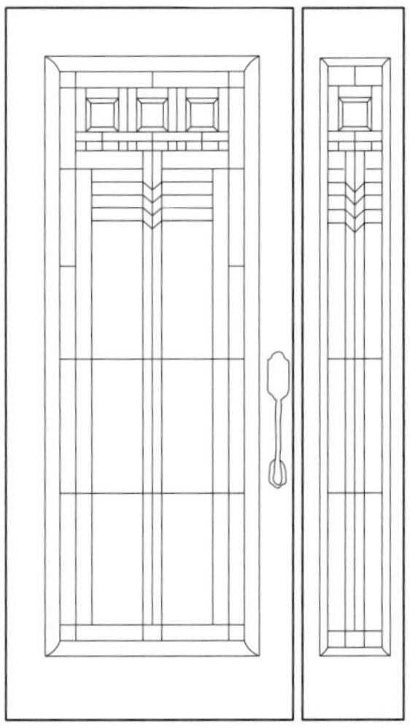

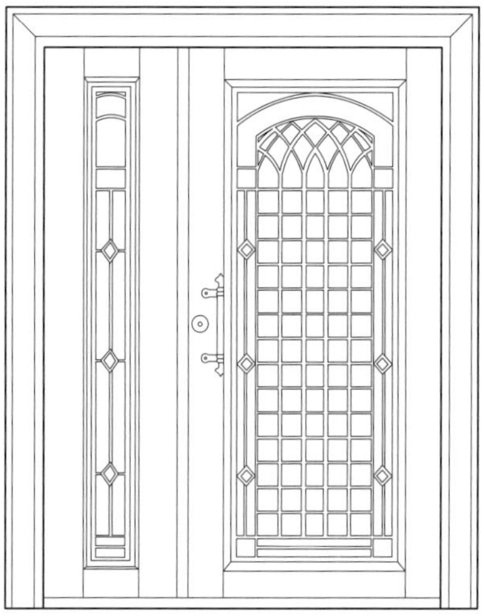
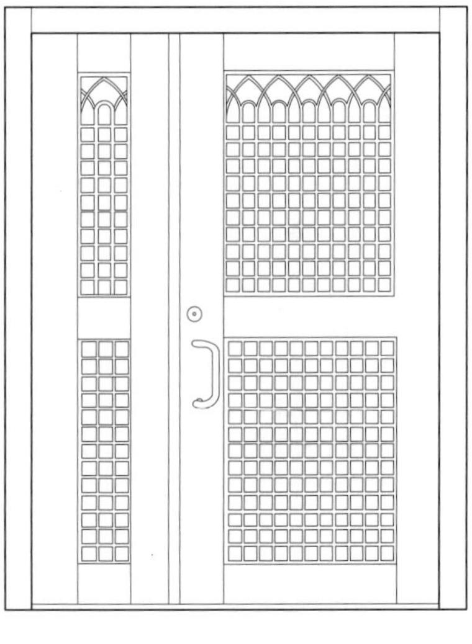

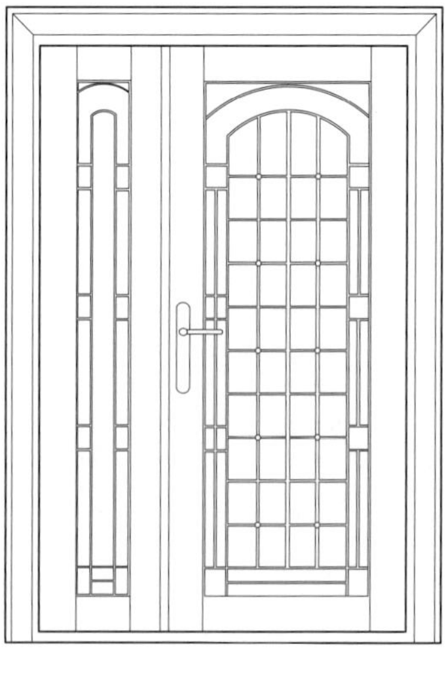

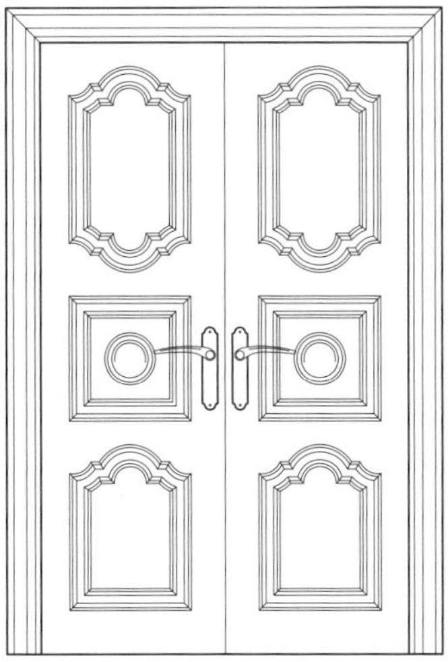

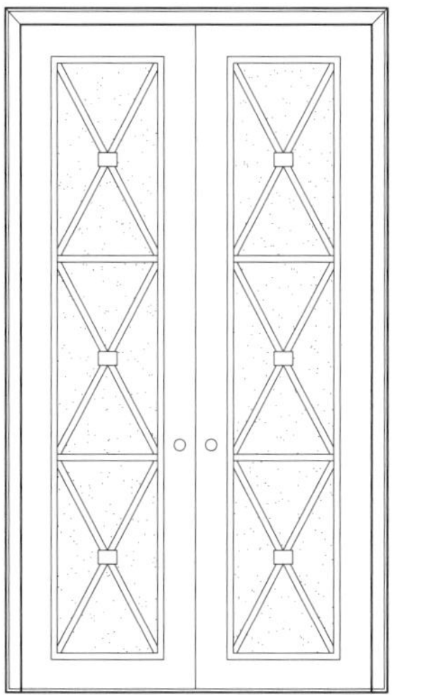

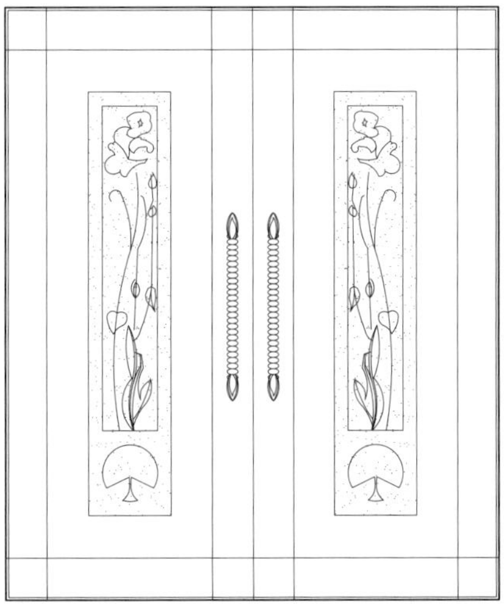

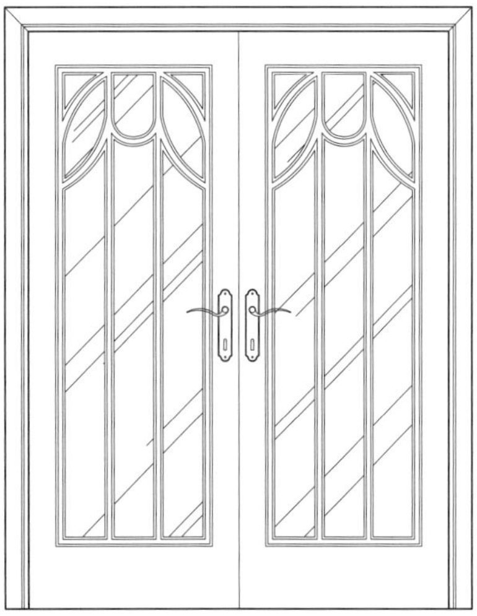

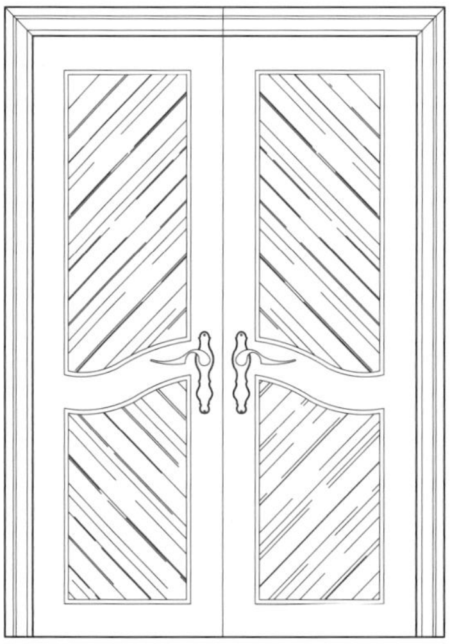

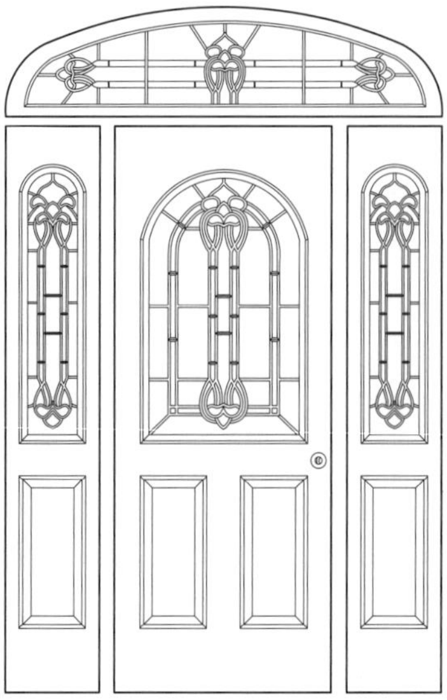

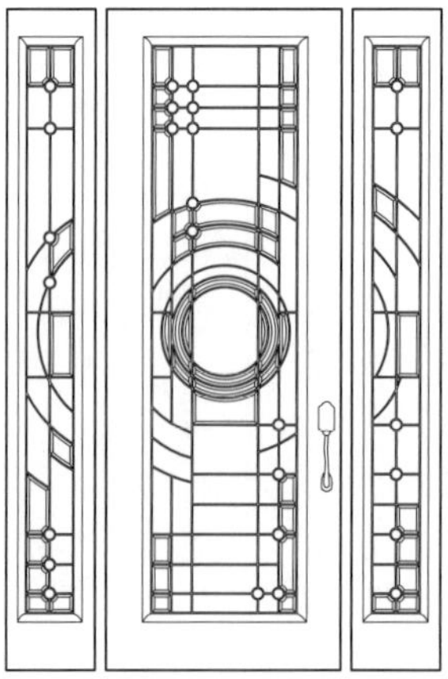

　折りたたみドアには、開き戸と中折れ戸、親子開き扉の3種類がある。開き戸は、開くときに何枚もの扉を動かすため、やや力が必要となる。中折れ戸は力をそれほど必要としない。親子開き扉は一般的な蝶番を使用しているが、通常は扉の一方しか動かさない。大型の折れ戸用レールは木製ドアに適している。
　折れ戸は開閉が便利な上、空間を節約できることから、都市の住宅などでよく使用されている。

技術的要件	
ドアの最大重量	40kg
ドアの最大幅	750
ドアの最大高さ	2,400
ドアの厚み	20~40
製品	間口の広さ
HF40/15	最大1,500
HF40/30	最大3,000

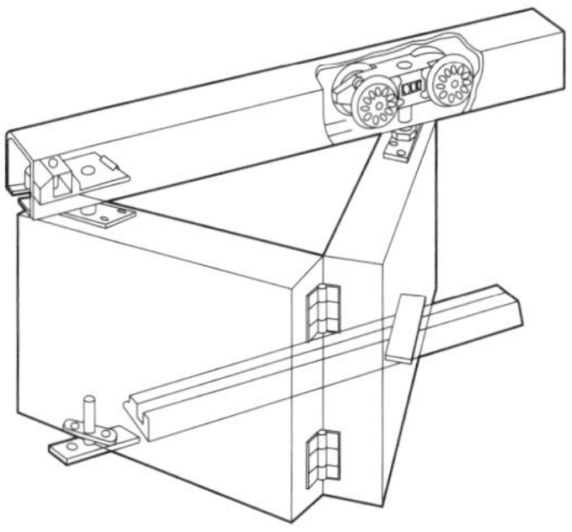

規格	
ドアの最大重量	25kg
ドアの最大幅	600
ドアの最大高さ	2,400
ドアの厚み	20~40
製品	間口の広さ
HF25/12	最大1,200
HF25/24	最大2,400

大型折れ戸用レール「強大40型」

1. 木製扉に対応
2. 中程度の重量の住宅用折れ戸に使用
3. 片側あるいは両端に、見えないように設置
4. 地面の部品はレールと滑車

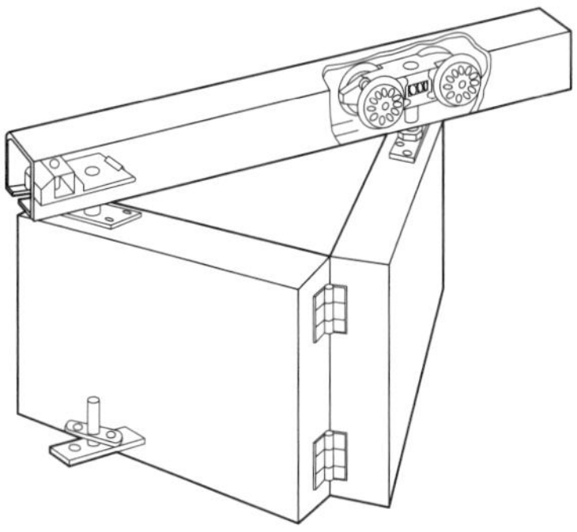

大型折れ戸用レール「強大25型」

1. 木製扉に対応
2. 軽量の住宅用折れ戸に使用
3. 片側あるいは両端に、見えないように設置
4. 地面の部品は滑車のみ

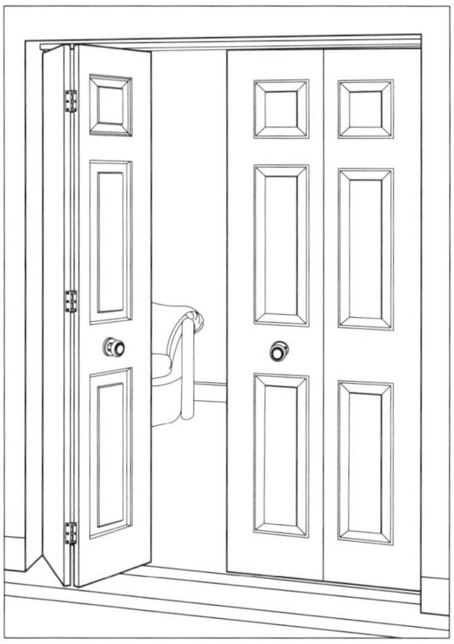

規格	
ドアの最大厚さ	
単一支え、二重支え	F13416~34 F13816~18
大型 50/100	F13420~40 F13820~28
製品	開いた時の幅による
F134/15	最大800
F134/18	最大950
F134/20	最大1,050
F134/24	最大1,250
F138/15	最大800
F138/18	最大950
F138/20	最大1,050
F138/24	最大1,250

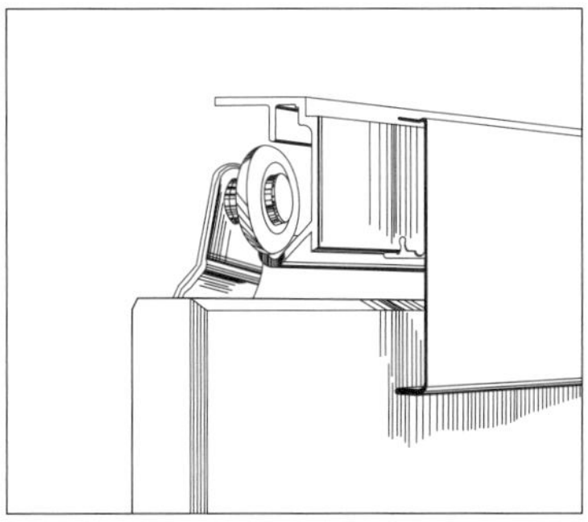

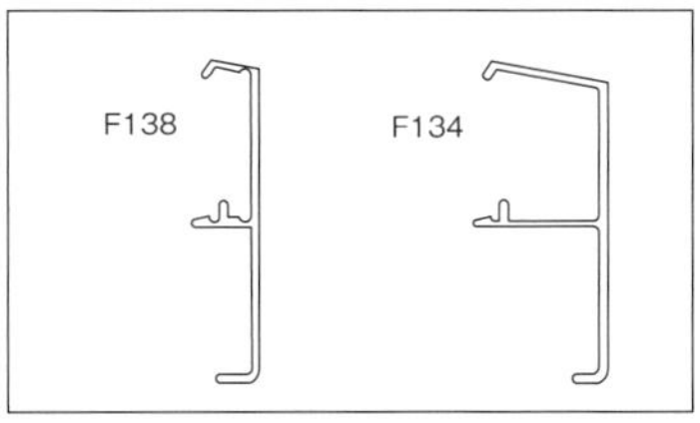
F138
F134

装飾カバー　折れ戸用装飾カバー

1. 単一支え、二重支え、大型50、大型100に適している
2. 設置が容易
3. 陽極(酸化)処理をしたアルミで作られている

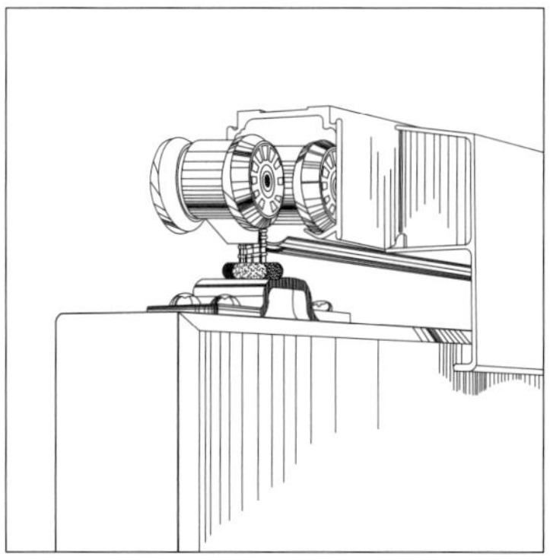

引き戸は開閉の仕方に特徴がある。戸が壁に沿った形で開閉し、一部を隠せるという機能もある。

引き戸には上吊り式と下部レール式の2種類がある。扉の高さが300㎜以下の時は上吊り式を、300㎜以上の時は下部レール式を採用することが多い。引き戸の扉はかかる負担が軽微で、構造も簡単だが、レールの設置などにはやや技術が必要となる。

技術的要件	
ドアの最大重量	100kg
ドアの最大幅	1,250
ドアの最大高さ	2,400
ドアの厚み	20~50
製品	**間口の広さ**
H100/15	最大800
H100/18	最大950
H100/20	最大1,050
H100/24	最大1,250

間仕切りレール「強大100型」

1. 重い扉用
2. 木製扉に合う
3. 高さ調整が容易
4. 末端にロックがあり、開閉状態を維持できる
5. 下部の部品に溝付きレール

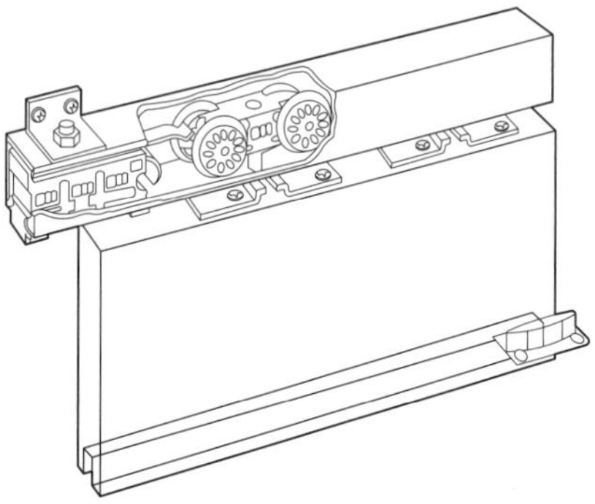

技術的要件	
ドアの最大重量	55kg
ドアの最大幅	1,500
ドアの最大高さ	3,000
ドアの厚み	32~50
製品	**間口の広さ**
J2	400~750
J3	750~900
J4	900~1,050
J5	1,050~1,200
J6	1,200~1,500

間仕切りレール「マラソン55型」

1. 住宅の重い扉向け、あるいは商業用の軽い扉向け
2. 木製扉に合う
3. 高さ調整が容易
4. 天候に配慮することで室外使用も可能
5. 同時可動も可能

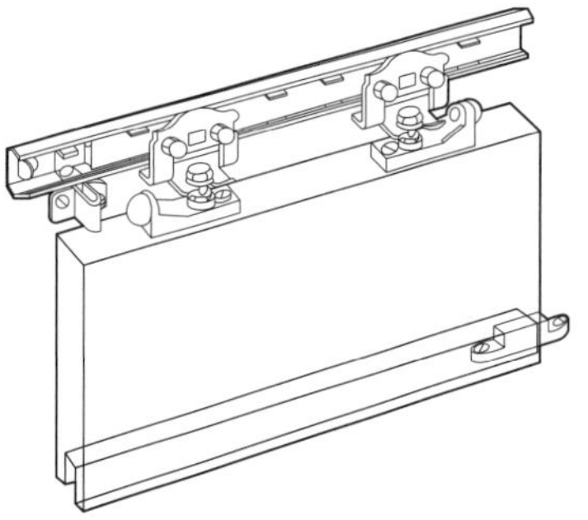

技術的要件	
ドアの最大重量	90kg
ドアの最大幅	1,500
ドアの最大高さ	3,000
ドアの厚み	32~50
製品	**間口の広さ**
S3	750~900
S4	900~1,050
S5	1,050~1,200
S6	1,200~1,500

間仕切りレール「マラソン99型」

1. 住宅あるいは商業用のかなり軽い扉向け
2. 木製扉に合う
3. 高さ調整が容易
4. 天候に配慮することで室外使用も可能
5. 同時可動も可能
6. 防火扉を選択することもできる

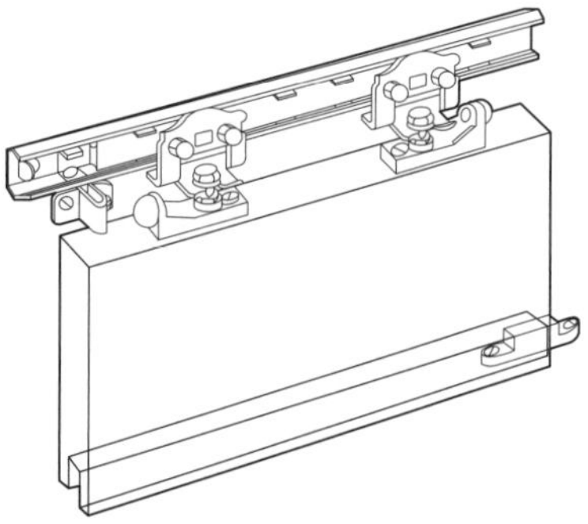

隠し扉は、開いた扉を全て壁の中に隠すことができる。その壁の表面は壁板やモルタル、タイルなどで装飾できる。周囲の家具や設備に干渉することがなく、壁の周囲には家具を置くことができ、またコンセントを付けたり、絵画などを掛けたりすることができる。全ユニットを工場で製作することで、安全かつ迅速な設置が可能である。レストラン、会議室、病院、浴室、キッチン、書斎、寝室、倉庫、娯楽ルームなどでよく使用される。

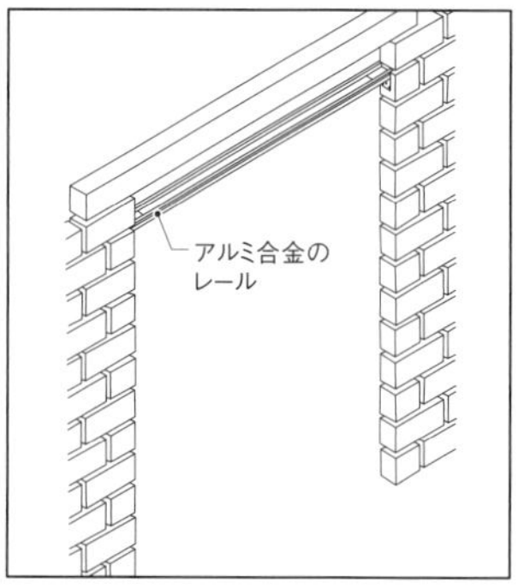
アルミ合金の
レール

1. 壁内部に空間を作る
2. アルミ合金のレールは壁に固定

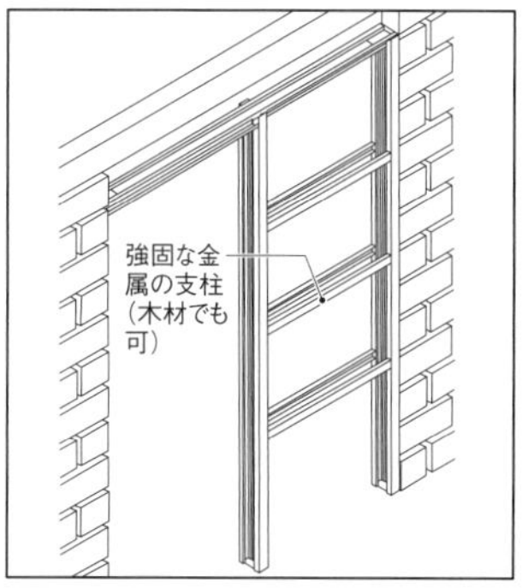
強固な金
属の支柱
(木材でも
可)

3. 垂直に金属支柱を固定
4. 横の支柱を固定

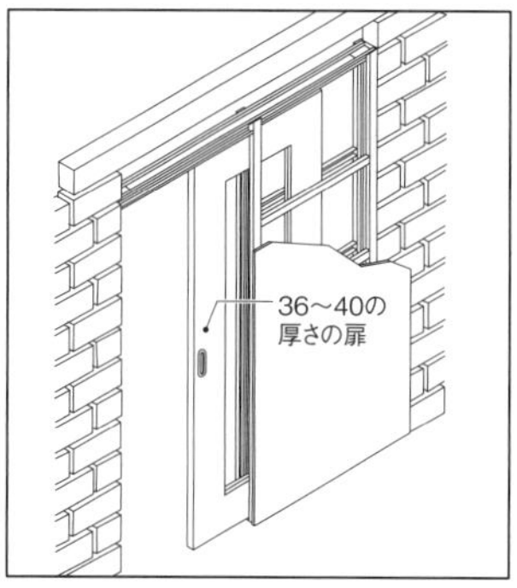
36～40の
厚さの扉

5. 扉をフレームに配置
6. 扉を吊るす

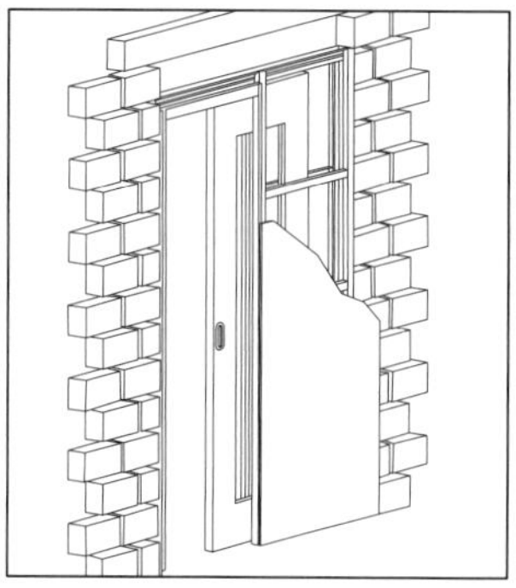

7. 扉を設置する
8. 完成

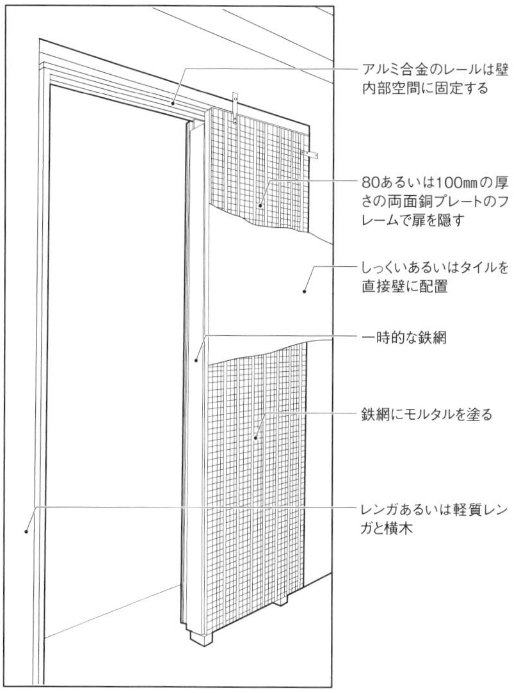
アルミ合金のレールは壁
内部空間に固定する
80あるいは100mmの厚
さの両面銅プレートのフ
レームで扉を隠す
しっくいあるいはタイルを
直接壁に配置
一時的な鉄網
鉄網にモルタルを塗る
レンガあるいは軽質レン
ガと横木

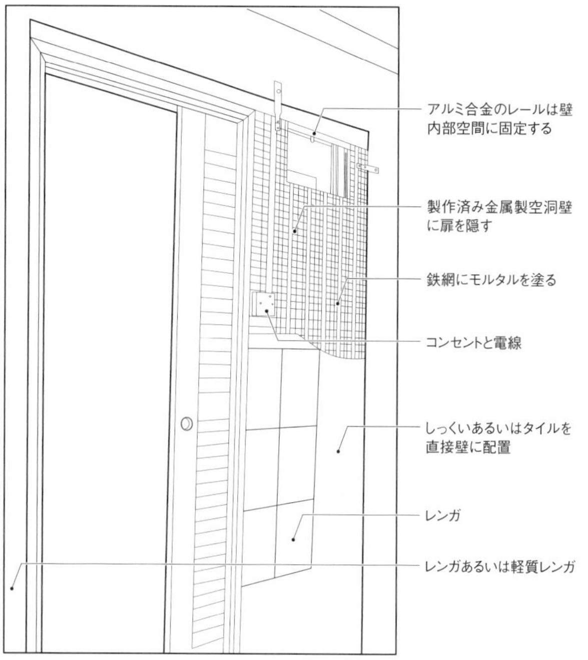
アルミ合金のレールは壁
内部空間に固定する
製作済み金属製空洞壁
に扉を隠す
鉄網にモルタルを塗る
コンセントと電線
しっくいあるいはタイルを
直接壁に配置
レンガ
レンガあるいは軽質レンガ

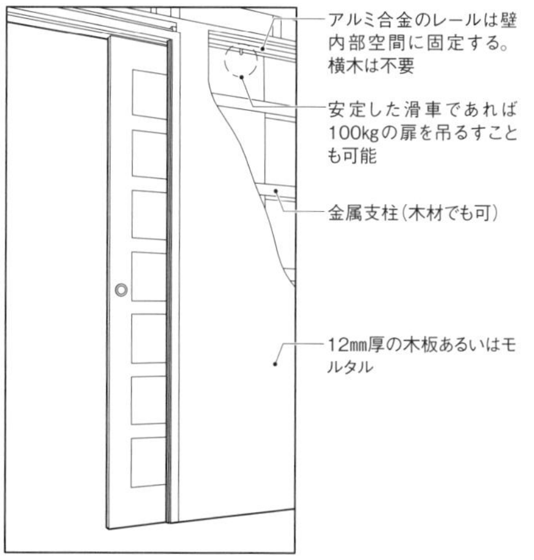
アルミ合金のレールは壁
内部空間に固定する。
横木は不要
安定した滑車であれば
100kgの扉を吊るすこと
も可能
金属支柱(木材でも可)
12mm厚の木板あるいはモ
ルタル

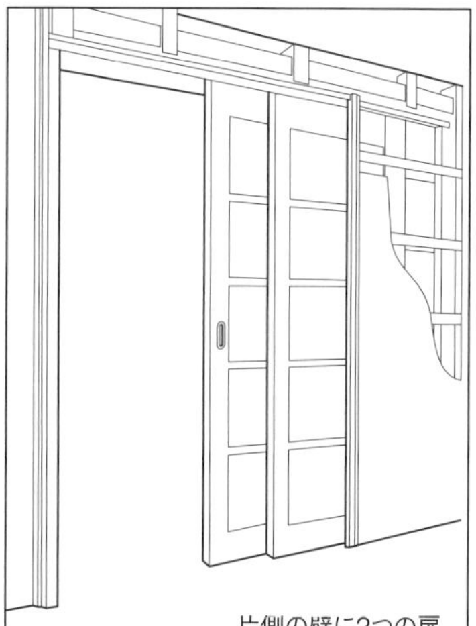

片側の壁に2つの扉

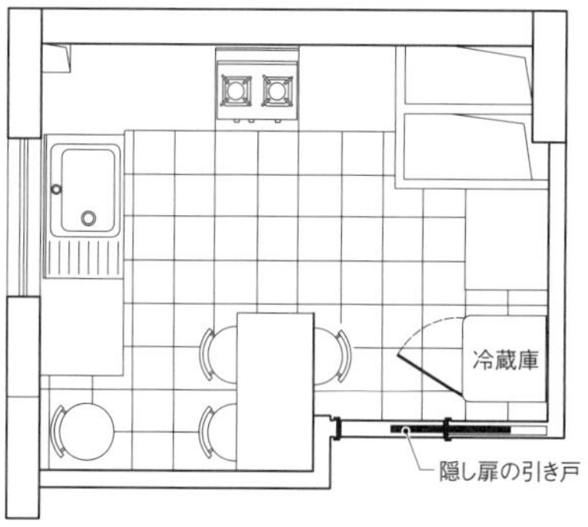
冷蔵庫
隠し扉の引き戸

隠し扉により、周囲の設備に全く影響を
与えないで済む

全面ガラスドア

全面ガラスドアは厚さ12㎜のフロートガラスや強化ガラスを用い、一定の仕様によって加工した後に直接ドアとして使用する、フレームレスのガラスドアである。ガラスドアは壁部分となるガラスと一緒に固定され、全体で大きなガラス壁を構成し、シンプルかつ透明感に富んだ近代的な印象を作りだす。全面ガラスドアは建物のメインエントランスに用いられ、玄関の装飾と一体化でき、玄関をいっそう際立たせることができる。またガラスカーテンウォールの建物においては、室内外の透明感とガラス装飾面の装飾効果を増すことができる。

全面ガラスドアの種類

全面ガラスドアは、開閉機能によって手動ドアと自動ドアに分けられる。手動ドアは上部ピボットとフロアスプリングを採用して人力で開閉を行う。電動ドアにはスイッチ式自動開閉装置とセンサー式自動開閉装置がある。

全面ガラスドアの構造

1. まずドアの寸法を確定する。ガラスドアの汎用的な仕様は800～1,000 × 2,100㎜で、ガラスドアの金属部品によってその作り方には2種類ある。一方は横梁に固定ガラスを加えるもので、もう一方はクランプでドアをつなげるものである。この種のドアは構造が単純で、よく使われている。
2. ガラスドアは、ドアフレームか固定ガラスとつなげ、いずれもトップクランプの上部ピボットと床面フロアスプリングという上下に2点を固定する。ドアは上部ピボットとフロアスプリングと垂直に交わるようにし、ドアとフレームが傾かないように注意しなければならない。

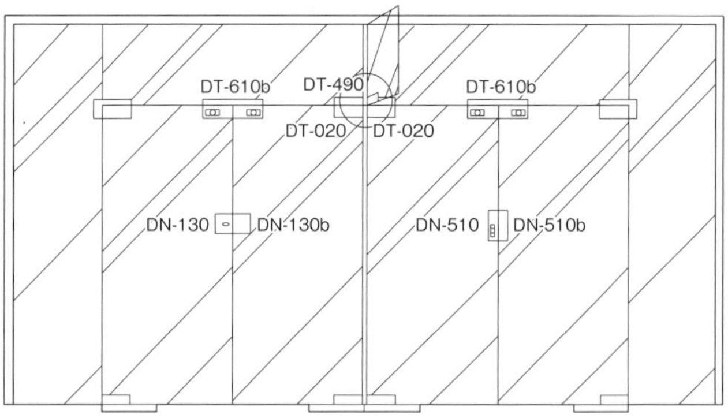
DT-610b
DT-490
DT-610b
DT-020
DT-020
DN-130
DN-130b
DN-510
DN-510b

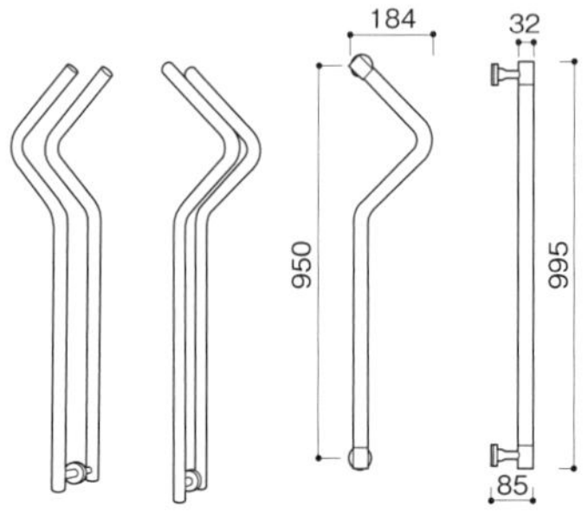
184
32
950
995
85
HL3705-32×1,000
光沢クロム、光沢クロム/光沢ゴールド

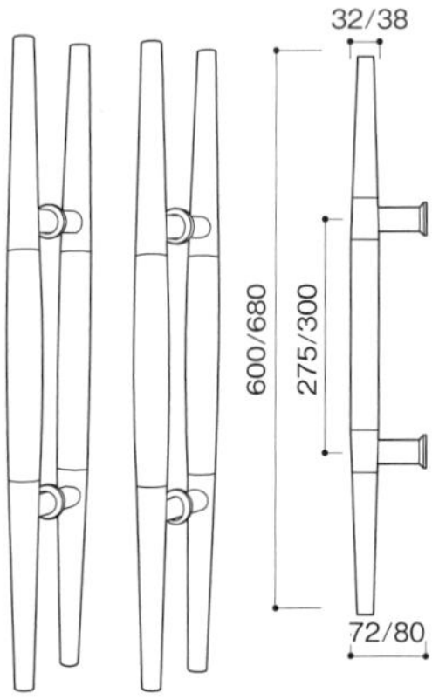
32/38
600/680
275/300
72/80
HL3604-32×680
光沢クロム/サテンクローム

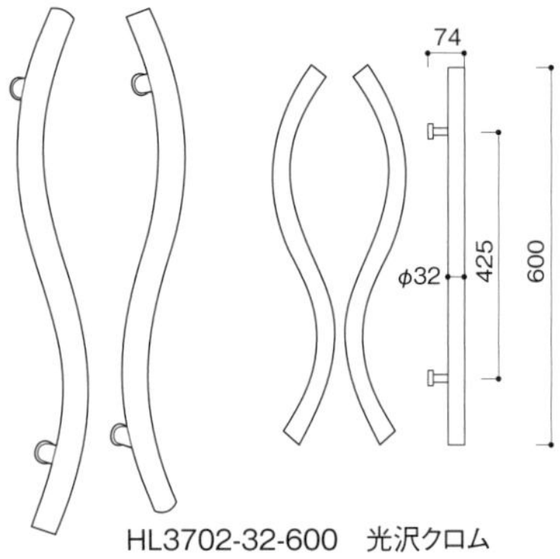
74
φ32
425
600
HL3702-32-600　光沢クロム

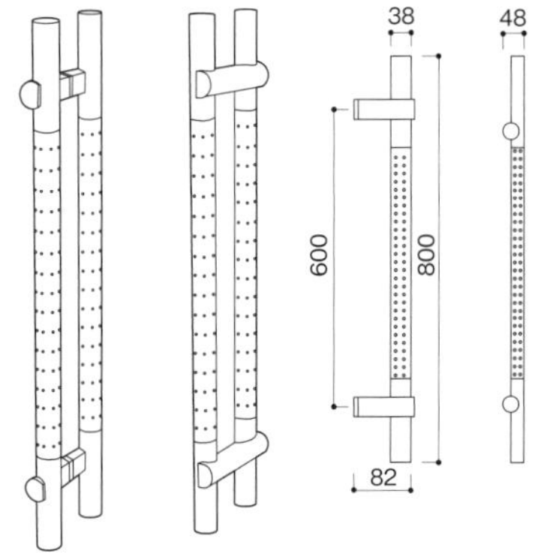
38
48
600
800
82
HL3612-38×800　光沢クロム/サテンクローム

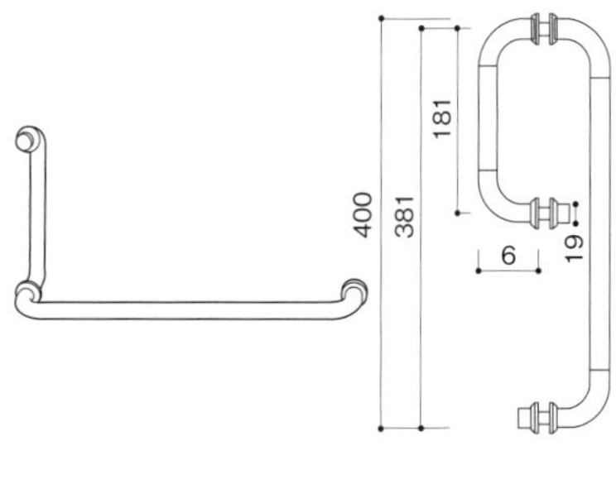
400
381
181
6
19
HL3603-19×400　光沢クロム/サテンクローム

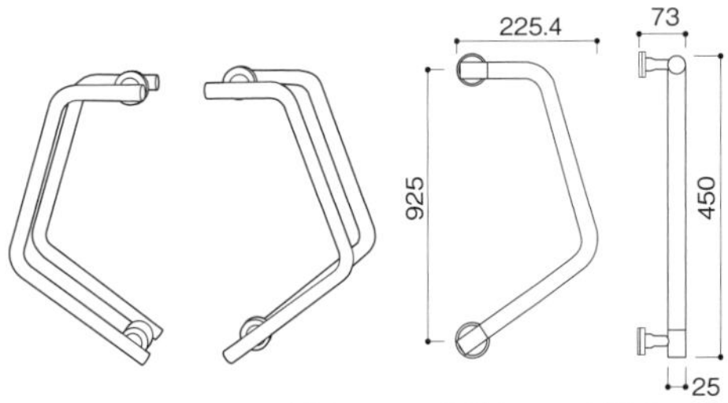
225.4
73
925
450
25
HL3706-25×450　光沢クロム、光沢クロム/光沢ゴールド

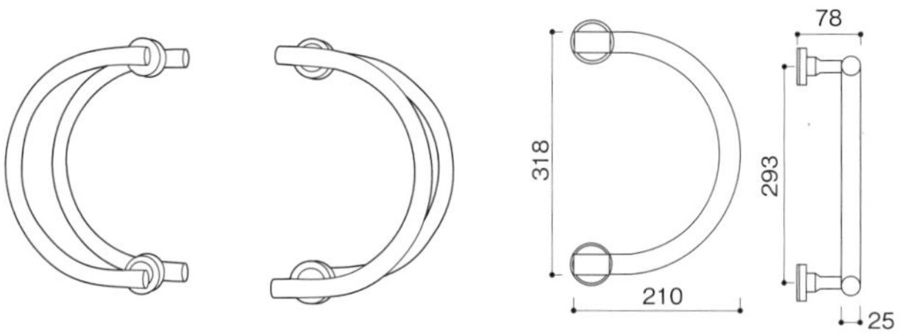
78
318
293
210
25
HL3707-25×320　光沢クロム、光沢クロム/光沢ゴールド

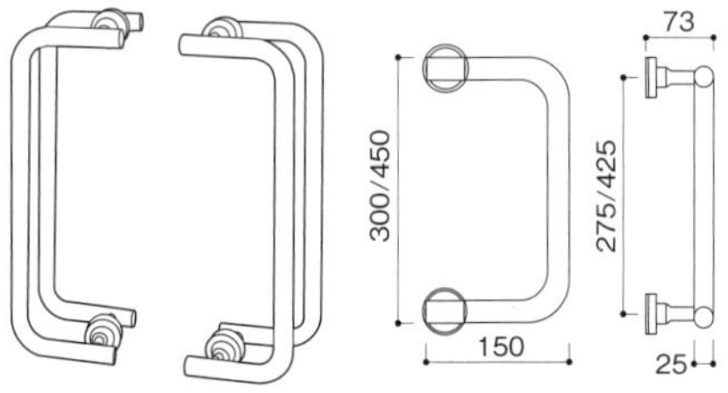
73
300/450
275/425
150
25
HL3708-25×300　光沢クロム
HL3708-25×450　光沢クロム

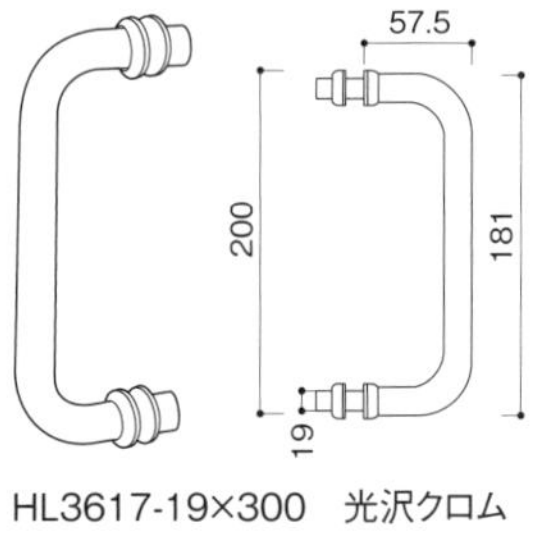
57.5
200
181
19
HL3617-19×300　光沢クロム

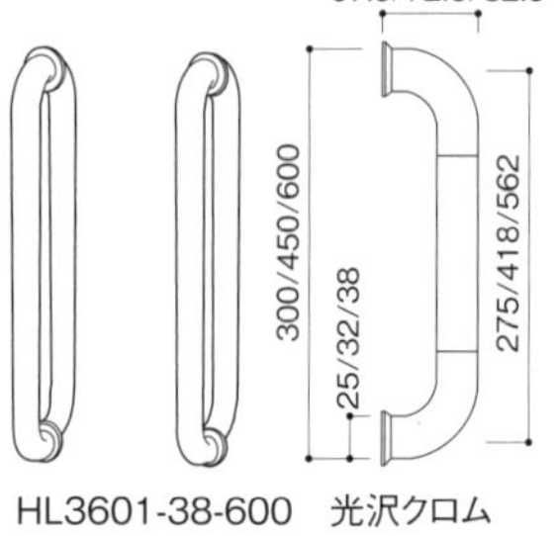
67.5/72.5/82.5
300/450/600
25/32/38
275/418/562
HL3601-38-600　光沢クロム

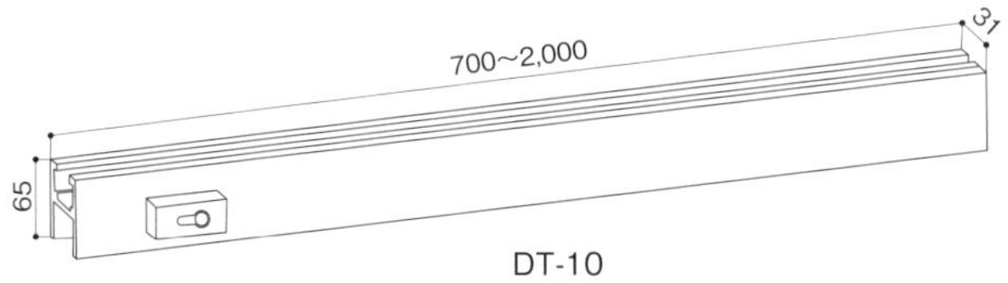
700~2,000
31
65

DT-10

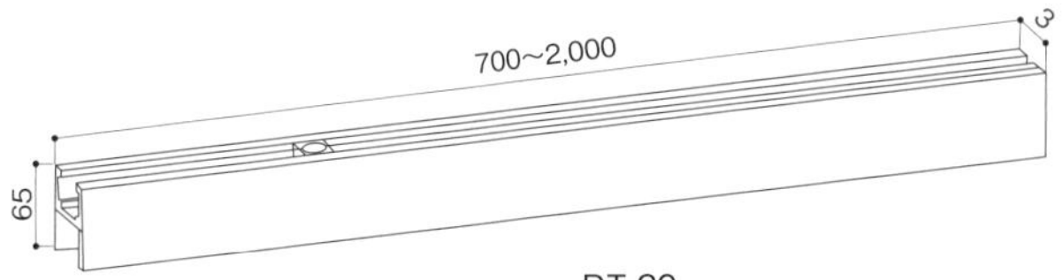
700~2,000
3
65

DT-20

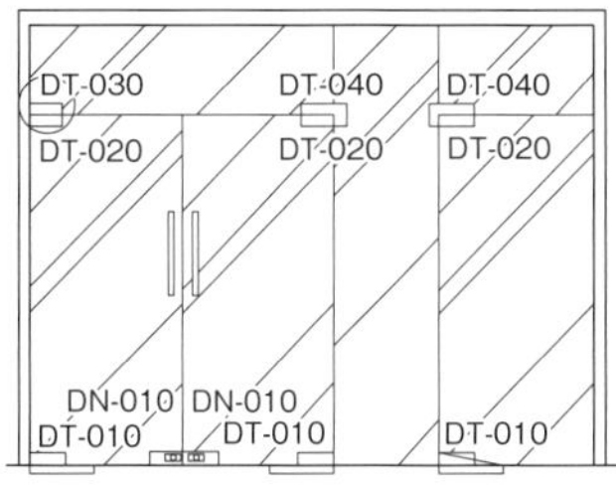
DT-030
DT-040
DT-040
DT-020
DT-020
DT-020
DN-010
DN-010
DT-010
DT-010
DT-010

DT-030

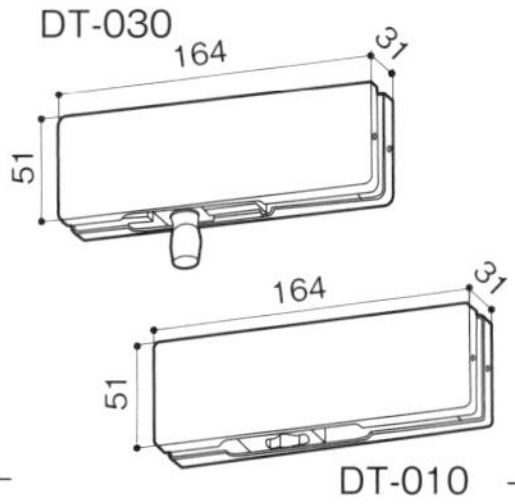
164
31
51
164
31
51

DT-010

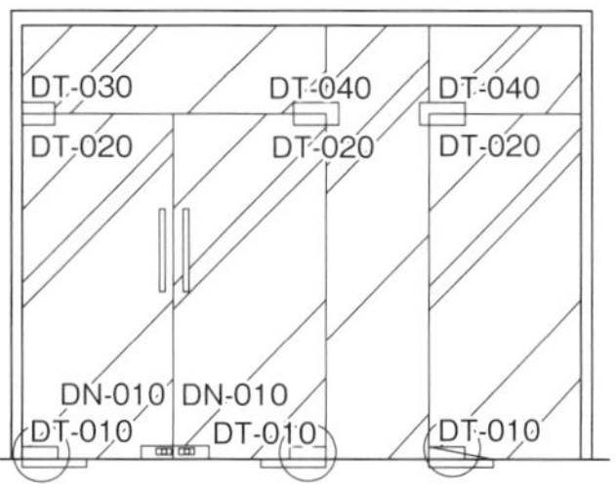
DT-030
DT-040
DT-040
DT-020
DT-020
DT-020
DN-010
DN-010
DT-010
DT-010
DT-010

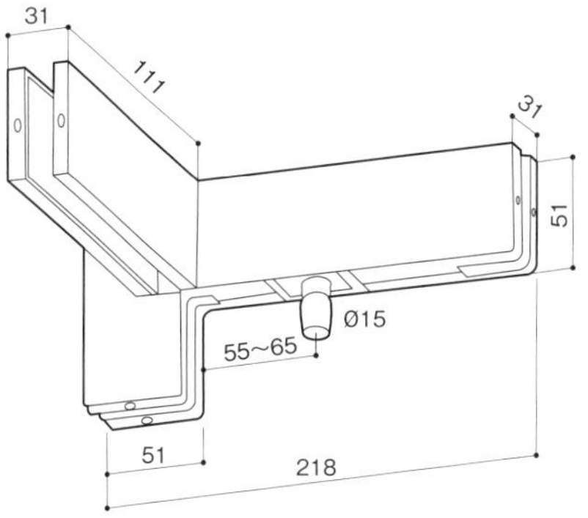
31
111
31
51
Ø15
55~65
51
218

DT-480/L

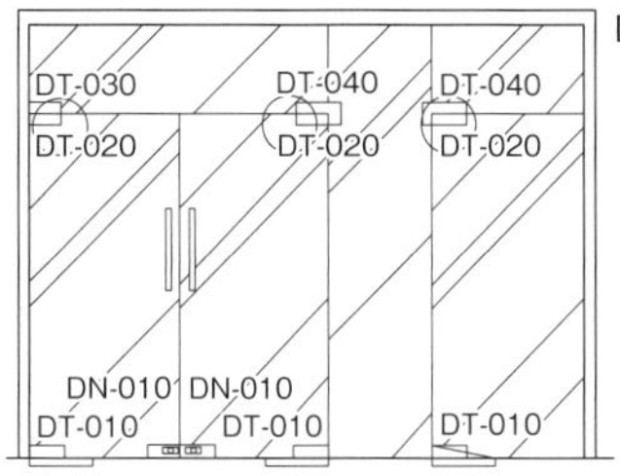
DT-030
DT-040
DT-040
DT-020
DT-020
DT-020
DN-010
DN-010
DT-010
DT-010
DT-010

DT-020

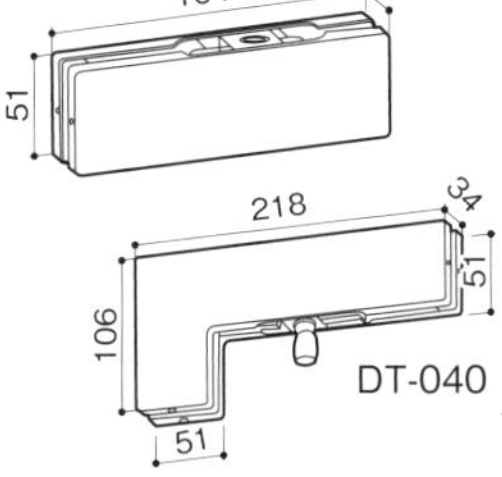
164
31
51
218
34
51
106
51

DT-040

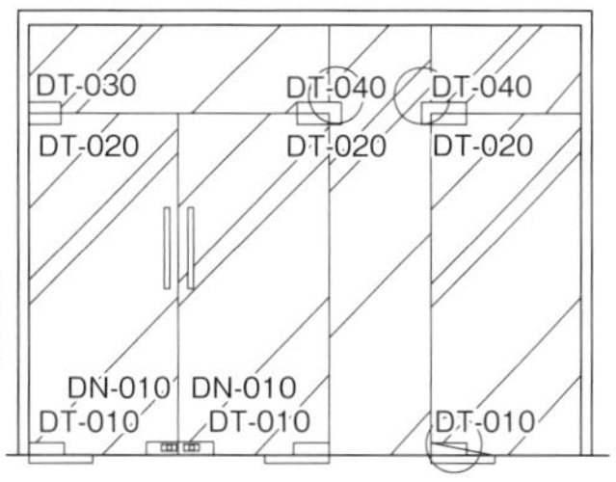
DT-030
DT-040
DT-040
DT-020
DT-020
DT-020
DN-010
DN-010
DT-010
DT-010
DT-010

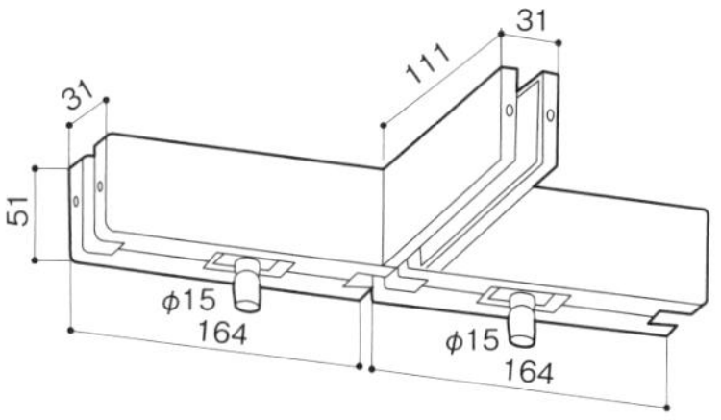
111
31
31
51
ϕ15
164
ϕ15
164

DT-490

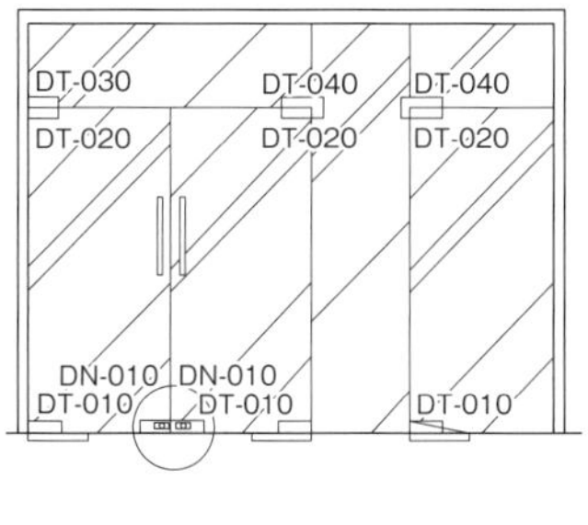
DT-030
DT-040
DT-040
DT-020
DT-020
DT-020
DN-010
DN-010
DT-010
DT-010
DT-010

DT-010

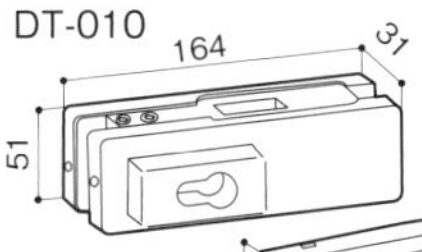
164
31
51

DT-100

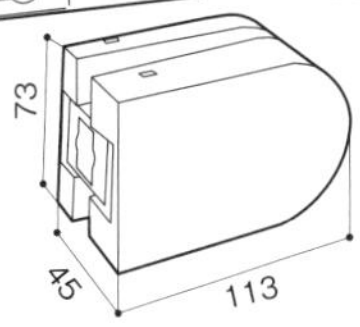
73
45
113

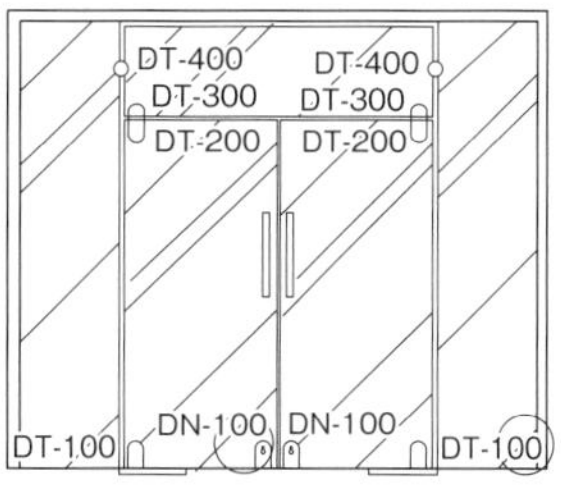
DT-400
DT-400
DT-300
DT-300
DT-200
DT-200
DT-100
DN-100
DN-100
DT-100

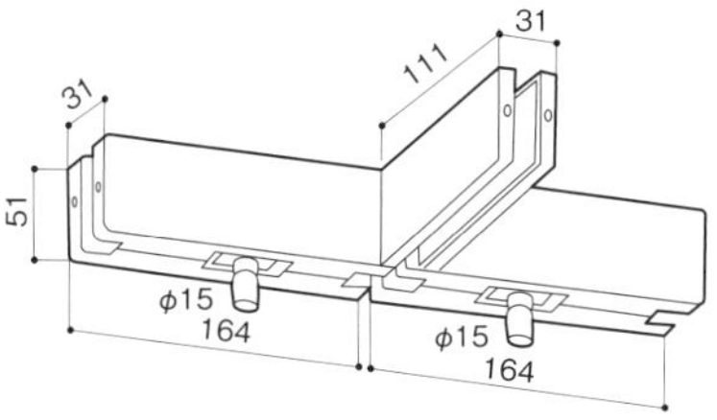
111
31
31
51
ϕ15
164
ϕ15
164

DT-490

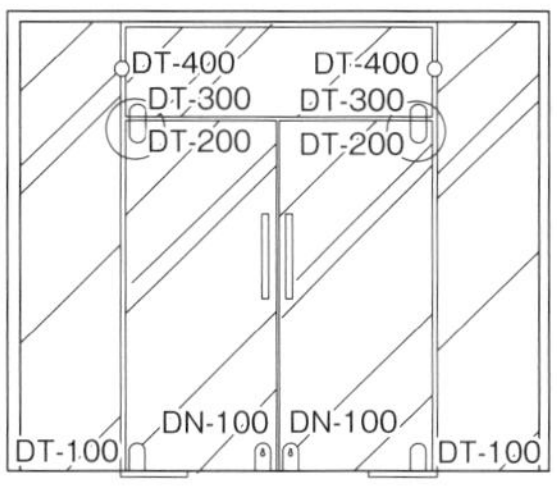
DT-400
DT-400
DT-300
DT-300
DT-200
DT-200
DT-100
DN-100
DN-100
DT-100

DT-200

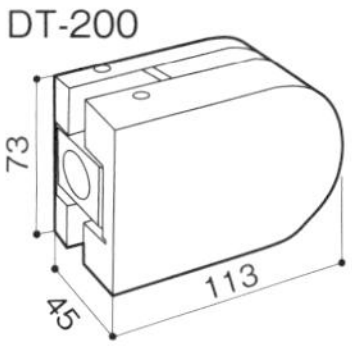
73
45
113

DT-300

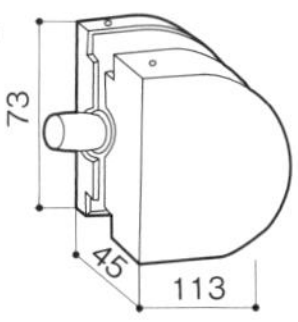
73
45
113

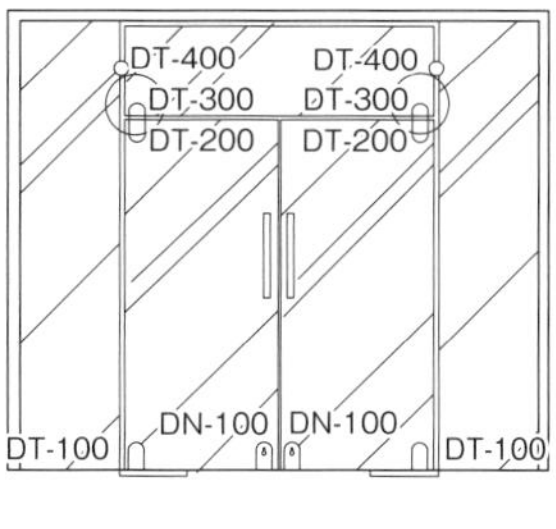
DT-400
DT-400
DT-300
DT-300
DT-200
DT-200
DT-100
DN-100
DN-100
DT-100

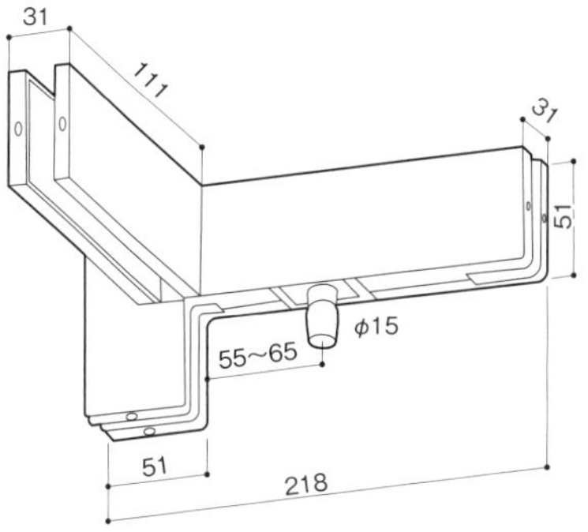
31
111
31
51
ϕ15
55~65
51
218

DT-480/L

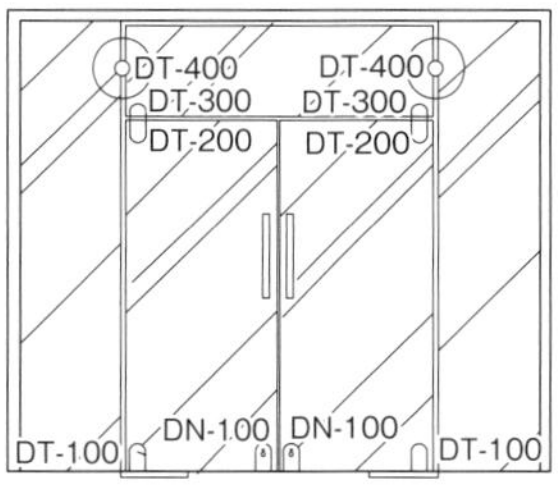
DT-400
DT-400
DT-300
DT-300
DT-200
DT-200
DT-100
DN-100
DN-100
DT-100

DT-400

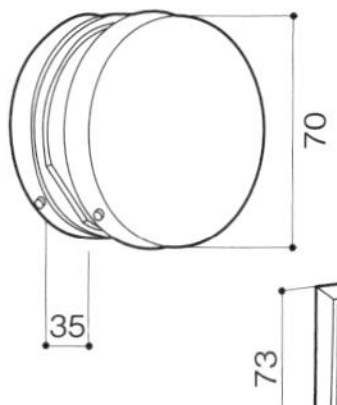
70
35

DT-500

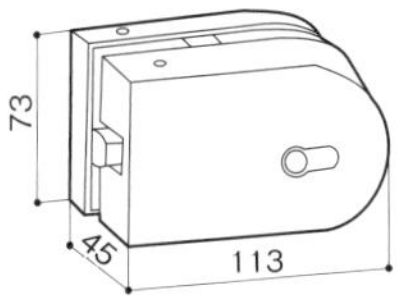
73
45
113

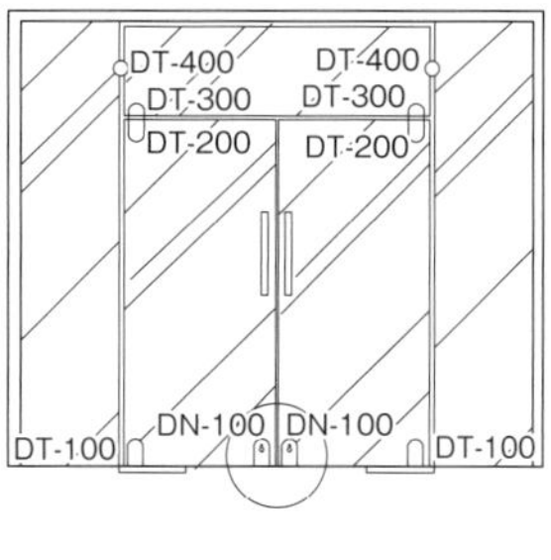
DT-400
DT-400
DT-300
DT-300
DT-200
DT-200
DT-100
DN-100
DN-100
DT-100

1. 銀行の出入口のドアは、一般的に防火・防犯性能が高い、金属フレームのガラス入りドアを採用する。その外部には鋼板製の防護遮断扉を設置する。内扉は防犯のために内側から開く仕様の方が良い。銀行ドアは、接客ロビーとカウンター内をつなぐ通路や金庫など高度な安全性が必要な場所に設置される、現段階における理想的な防犯製品である。
2. 一定時間内、一定の条件下での不正開錠を防ぐことができる、専用の錠と防犯装置を備えるのが特徴である。
3. ユーザーが設置したパスワードを入力して、電動ロックを解除するのが正常な開錠操作である。ユーザーは外扉から通路に入り、外扉を閉じてから初めて内扉を開けることができる。

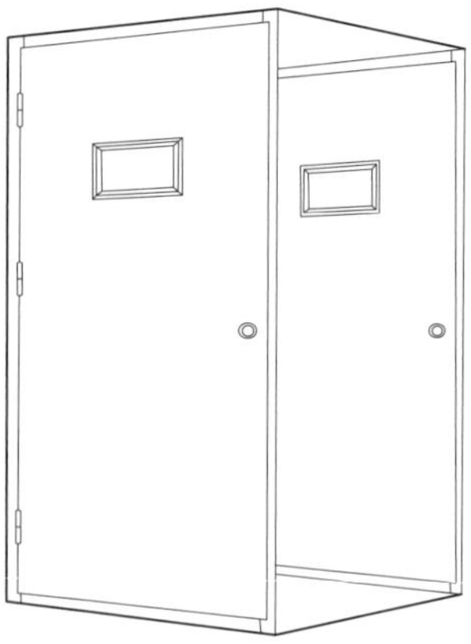
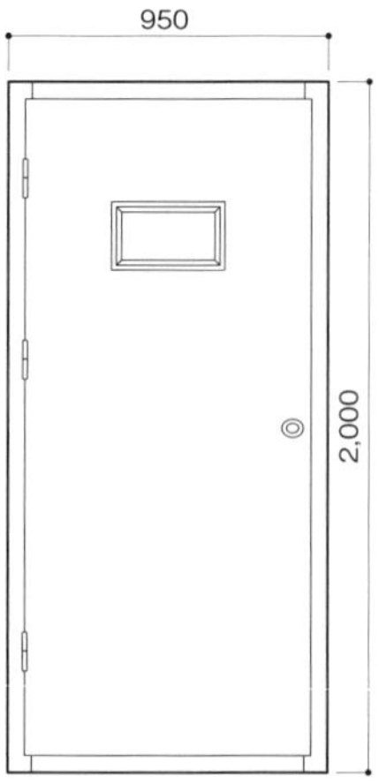
950
2,000

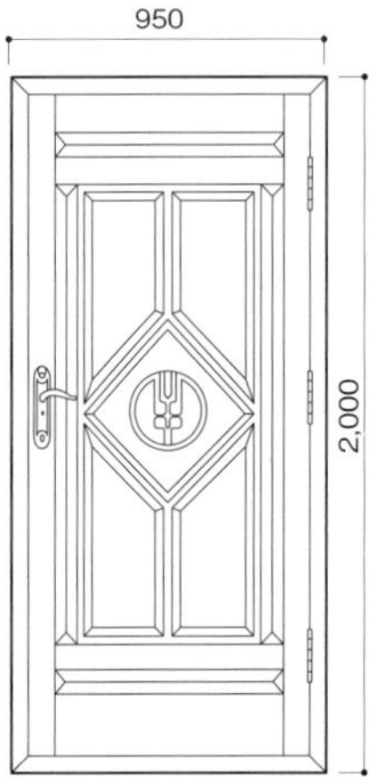
950
2,000

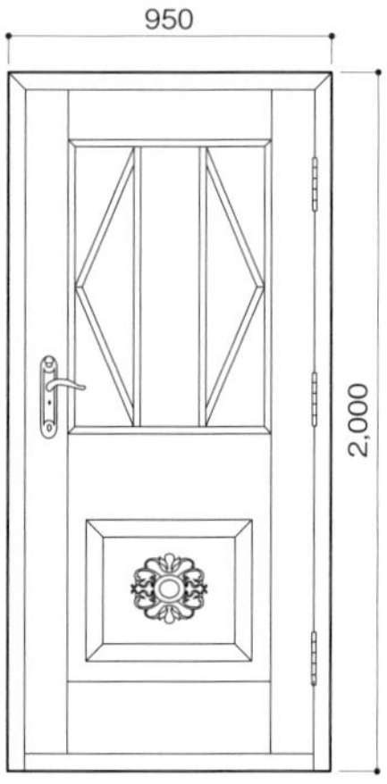
950
2,000
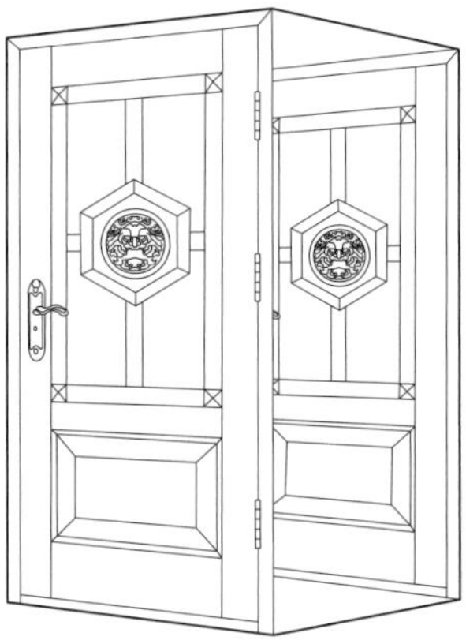
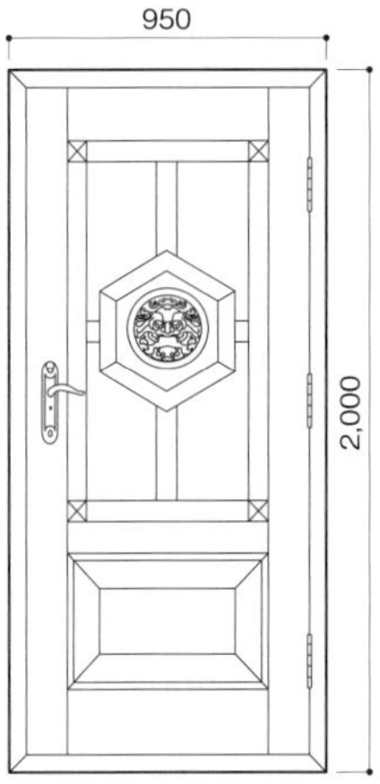
950
2,000
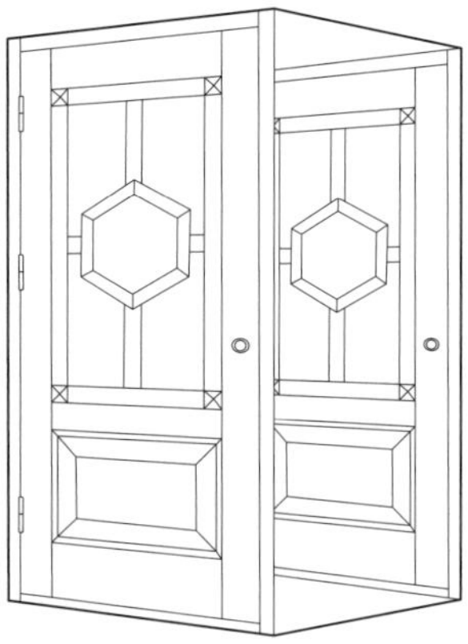
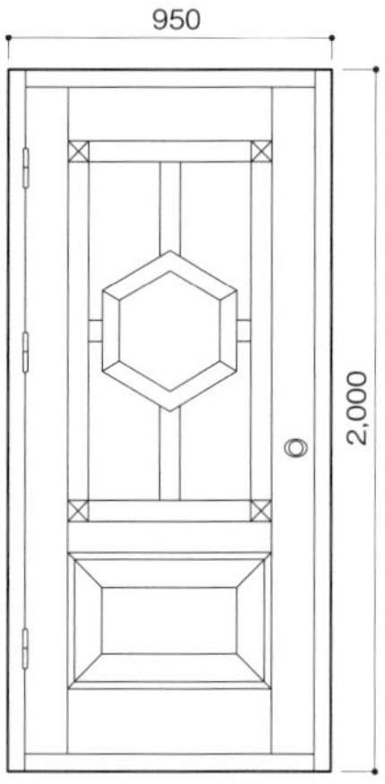
950
2,000

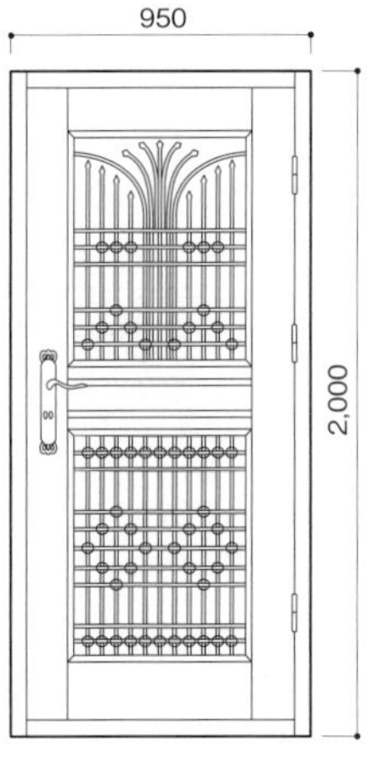
950
2,000

寸法(mm)

型号	名称	仕様
CR-A	ステンレスインターロックドア	2,000×950
CR-B	ガラスインターロックドア	2,000×950
CR-C	スチールインターロックドア	2,000×950
CR-D	銅製インターロックドア	2,000×950

片開きまたは両開きのスライドドアに用いることができ、そのスリムな形状により、デザイナーにとってはデザインの幅が広がる。自動スライドドアは空港、駅、病院、銀行、オフィスビル、スーパーマーケットなど、人の流動性が高い場所に用いられ、外部のドアにも屋内のドアにも対応できる。自動スライドドアの制御システムはマクロ処理システムで、ドアを静かに作動させることができるため騒音が非常に低い。ドア自体の重量を自動的に計測することによって、ドアの加速始動と減速停止を精緻に安定的にコントロールできる。また、コード化された情報の変化を常時計測することにより、ドアの位置を確実に把握できる。

最大負荷の下での安全措置：赤外線安全センサーと音波安全センサー、オートマチックインバーターなどの安全装置の装備が可能で、さらにドアの重さによってドアの制動力を自動的に調節し、ゆるやかに開放または閉鎖位置まで移動させることができる。

標準装置の機能と特徴：すべての部品があらかじめセットされているため、組み立てと取り付けが迅速にできる。

デバッグ：プログラムスイッチのいくつかのファンクションキーを押すだけで、運行パラメータ（アンロック維持時間、開放速度など）の調整を行なうことができる。変位センサー、安全センサー、電気錠、バッテリー、プログラム制御装置のキースイッチ、カードリーダーなどを制御コンポーネントに接続できる。故障検査機能と緊急避難制御機能、また各種運行状態における開放維持時間は調節が可能である。人の流れが多すぎる場合、開放時間を自動的に延長し、人の流れが減少した後に再び正常の開放時間へと戻すこともできる。

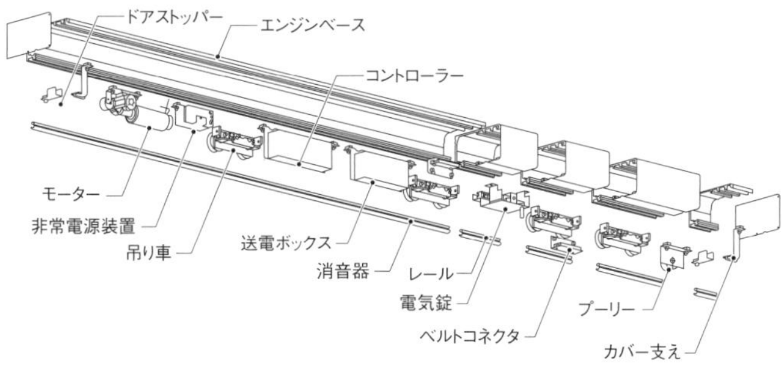
ドアストッパー
エンジンベース
コントローラー
モーター
非常電源装置
吊り車
送電ボックス
消音器
レール
電気錠
ベルトコネクタ
プーリー
カバー支え

プログラム制御スイッチの機能

常時開放モード
ドアが開放位置まで移動して、アンロック状態を維持する

夜間モード
変位センサーなどが出力した開放信号は無効に設定され、ドアが閉じられ、さらにロック状態を維持する（電磁ロックの選択が可能）

単方向モード
デパートの閉店時などに用いる。このモードは人が内側から外側へ歩くと、ドアが自動的に開く。その場合、ドア外部の変位センサーは無効状態に設定されるが、ドア内部の変位センサーは有効である

全自動モード
変位センサーまたはプッシュボタンが開放信号を出力すると、コントロールシステムによりドアが開く。あらかじめ設定したアンロック維持時間になると、ドアが自動的に閉じる。閉鎖の途中で人が通過する場合、安全センサーが作動してドアが開き、通行人の安全を確保する

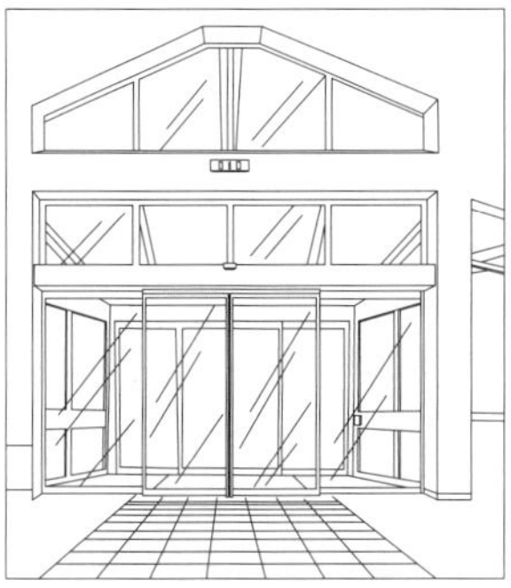

自動スライディングドア

材質：アルミ合金
通路の幅：最大1,250（片開き）/最大2,500（両開き）
通路の高さ：最大2,500
適用のドア幅：最大5,200
適用のドア重量（kg）：最大120（片開き）/最大220（両開き）
開門速度（m/s）<0.7
閉門速度（m/s）<0.7
電源容量：AC230、50Hz
出力（W）：160

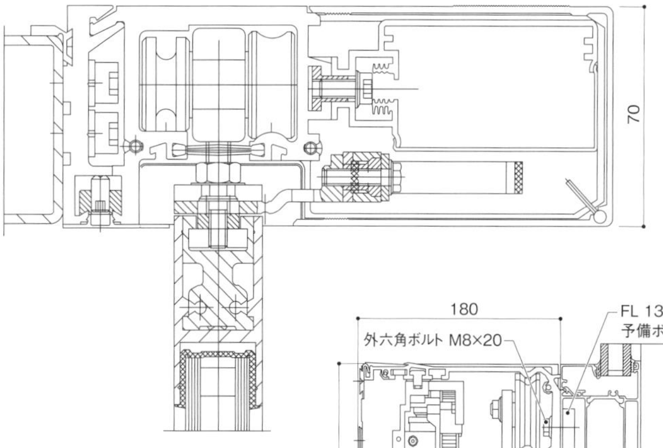
70

ダブルレール構造

緊急時の避難に用いられる。以下の安全性確保機能を有する。

1. **挟み込み防止機能：**ZH1/494規格に適合する安全センサーに接続可能。
2. **自動リバース機能：**ドアの閉鎖途中に抵抗を受けた場合、ドアが自動的に停止し、さらに逆方向に動く。
3. **緊急アンロック装置：**自動ドアがロック状態にある場合、緊急時にアンロックする。
4. **電池パック：**緊急時やプログラム制御スイッチが夜間モードに設定中、電池によりドアを開閉する。

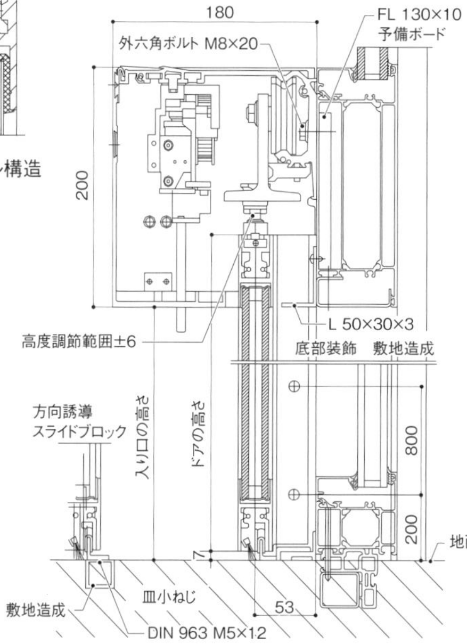
180
FL 130×10
予備ボード
外六角ボルト M8×20
200
L 50×30×3
底部装飾
敷地造成
高度調節範囲±6
方向誘導
スライドブロック
入り口の高さ
ドアの高さ
800
200
地面
7
皿小ねじ
敷地造成
53
DIN 963 M5×12

溝型鋼取付断面図

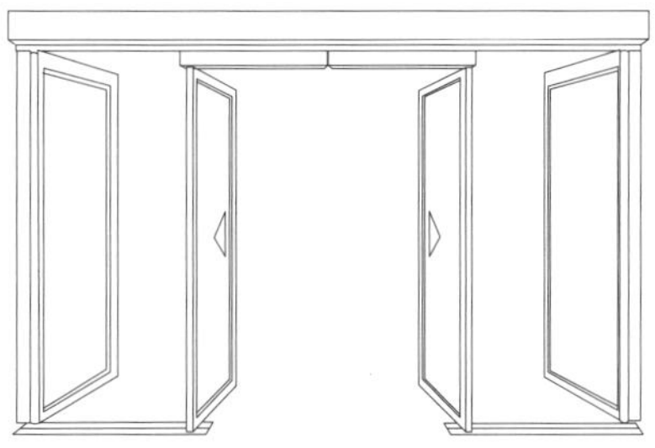

両開きドアの緊急開放状態

自動スライドドアの正常開放状態

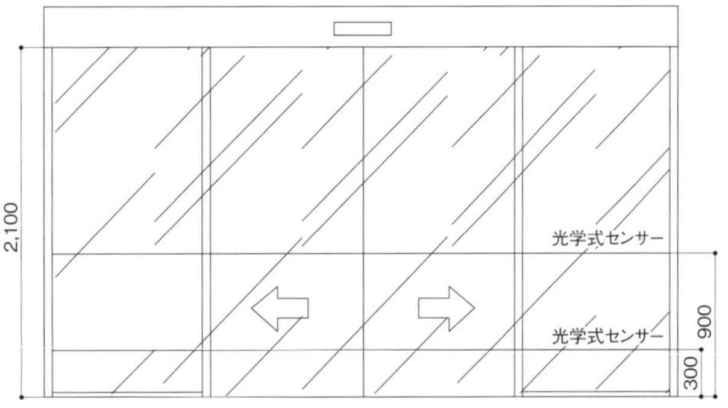
2,100
光学式センサー
光学式センサー
900
300

XM-DC100自動感知式ドア

平行移動形式	片開き	両開き
ドアの重さ	150kg以下	150kg×2以下
ドアの幅	700〜1,300	600〜1,250
制御装置	8ビットプロセッサー制御装置	8ビットプロセッサー制御装置
モーター	直流24V55Wブラシレスモーター	直流24V55Wブラシレスモーター
開放運行速度	15〜50cm/s（調整可能）	15〜45cm/s（調整可能）
閉鎖運行速度	10〜45cm/s（調整可能）	10〜43cm/s（調整可能）
開放保持時間	0.5 〜 8s（調整可能）	0.5〜8s（調整可能）
手動推力	最大4.5kg	最大4.5kg
電源電圧	AC200 〜 250V 50/60Hz	AC200 〜 250V 50/60Hz
作業環境温度	−20 〜+50℃	−20 〜+50℃
基本動作	センサー出力信号 ──▶ 加速開放 ─▶ 制動 ─▶ 遅速運行 ──▶ 停止 ▼ 加速閉鎖 ──▶ 制動 ──▶ 遅速運行 ──▶ 閉鎖力強化 ▲ センサー出力信号	
オプション部品	全開放/半開放機能、相互ロック、カード読み取り、電気錠	全開放/半開放機能、相互ロック、カード読み取り、電気錠

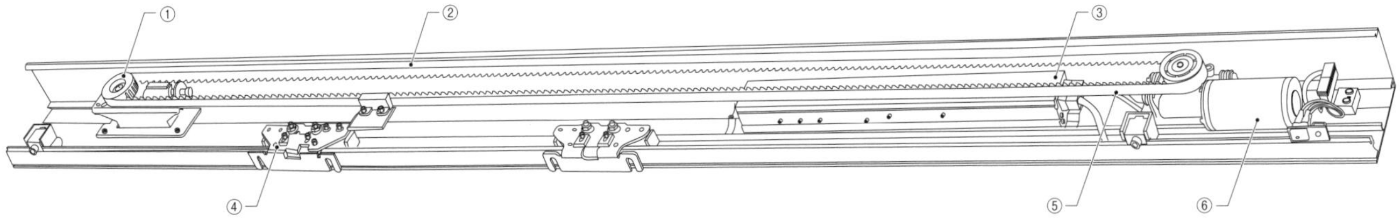
①
②
③
④
⑤
⑥

XM-DC100

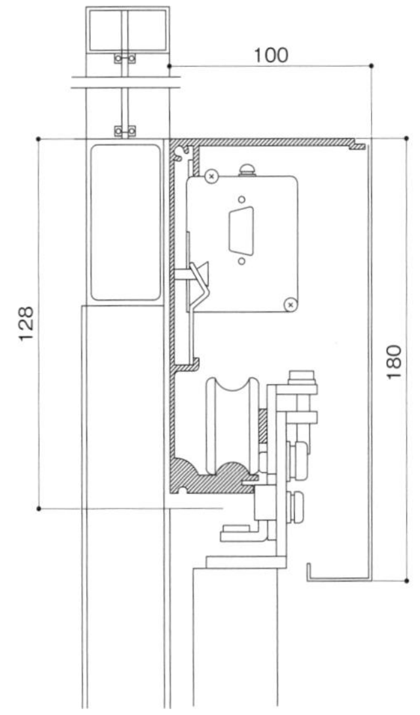
100
128
180

①ベルト張力調整装置：機械を利用してベルトの張力を調整することができる。ベルトの伸縮を緩和し、順調な運行を可能にできる

②高硬度レール：高硬度アルミニウム材を採用し、全く新しく設計した独立式レールで、取り付け、交換、保守が便利である。横梁とレールの間に高品質ゴムを敷き、摩擦、変形に強く美しい、かつ低騒音での運行が可能となる

③インテリジェント制御装置：自動感知式ドアをコントロールする中枢は、内蔵する制御チップによりセンサーの測定信号を感知し、ドアの大きさや重量によって高度な調節を行い、制御する

④駆動プーリー、ハンガー装置：冷延鋼板をプレス成型し、表面は亜鉛メッキで仕上げる。ドアの吊り上げや高さの調整に用い、さらにナイロン製のガイドホイールを搭載し、レールに沿って移動する。片開きドアの重量は150kgまで対応可能

⑤ベルト同期伝送装置：同装置はモーターの回転を伝え、往復運動に変換する。自動車用の動力ベルトを採用し、収縮性しにくく円滑な伝動ができ、丈夫で長持ちする

⑥直流ブラシレスモーター：体積が小さく、精巧かつ大出力の直流ブラシレスモーターを装備する。ギヤボックス内は伝動効率が高く、騒音が小さいタービンレバーを採用してベルト装置の駆動、減速をおこなう。安全装置の作用により、頻繁に開閉しても故障することなく連続的に運行することができる

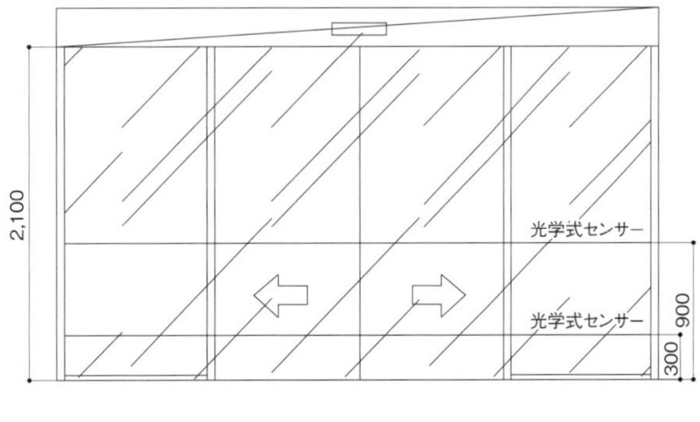
2,100
光学式センサー
光学式センサー
900
300

自動感知式ドア警備システム（部品オプション）

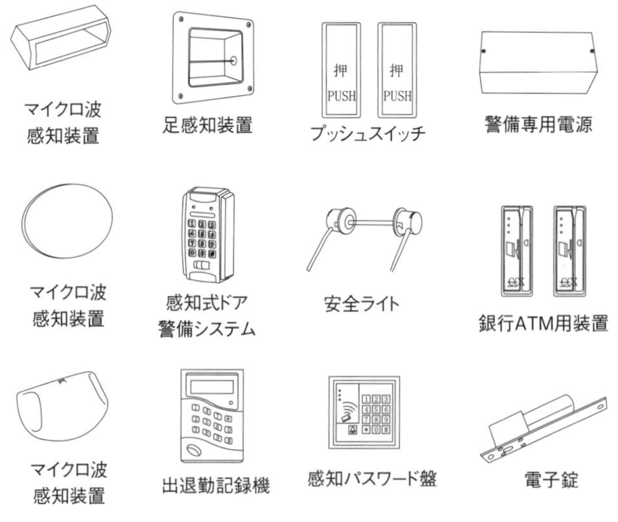
押
PUSH
押
PUSH

マイクロ波感知装置　足感知装置　プッシュスイッチ　警備専用電源

マイクロ波感知装置　感知式ドア警備システム　安全ライト　銀行ATM用装置

マイクロ波感知装置　出退勤記録機　感知パスワード盤　電子錠

XM-DC200自動ドア

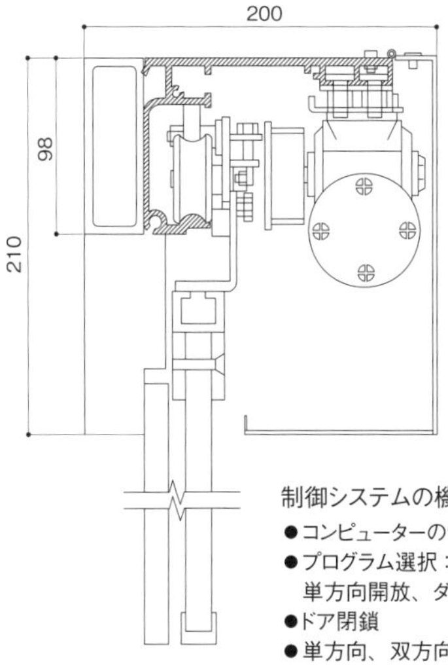
200
98
210

平行移動形式	片開き	両開き
ドアの重さ	150kg以下	130kg×2以下
ドアの幅	750～1,600	600～1,250
開放運行速度	250～550cm/s （調整可能）	250～550cm/s （調整可能）
閉鎖運行速度	250～550cm/s （調整可能）	250-550cm/s （調整可能）
緩速運行速度	30～100cm/s （調整可能）	30～100cm/s （調整可能）
開放保持時間	2～20s （調整可能）	2～20s （調整可能）
閉鎖時抵抗	最大100N	最大100N
手動抵抗	最大70N	最大70N
電源電圧	AC220±10% 50/60Hz	AC200±10% 50/60Hz
作業環境温度	−20～+50℃	−20～+50℃
基本動作	センサー出力信号 → 加速開放 → 制動 → 遅速運行 → 停止 閉鎖力強化 ← 遅速運行 ← 制動 ← 加速閉鎖	
オプション部品	全開放/半開放機能、相互ロック、カード読み取り、電気錠	全開放/半開放機能、相互ロック、カード読み取り、電気錠

制御システムの機能：

- ●コンピューターの制御
- ●プログラム選択：開閉、全自動、長期開放、単方向開放、ダブルドアロック
- ●ドア閉鎖
- ●単方向、双方向電子錠の選択が可能
- ●光学式センサー接続（最大で2組）
- ●外部負荷用36V、15V出力

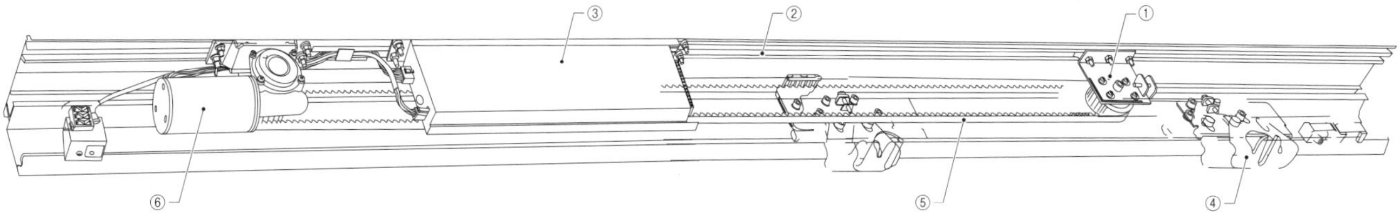
③
②
①
⑥
⑤
④

XM-DC300自動ドア

高機能でより便利に：多機能で保護装置を配備し、常に最高の運行状態を維持する

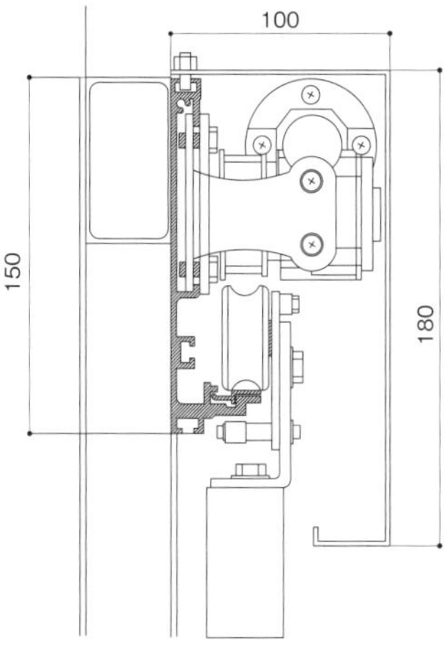
100
150
180

安全でより高い信頼性：安全センサーを設置し、人が挟まれる危険性を解消し、人がドアを押したり引いたりしても誤作動しない。特殊なリモコンロックを配置し、必要に応じて出入りを制御することができる。また、予備用電源を配置し、外部電力供給が中断しても自動的に運行し、設定状態を維持し、安全性を確保する

最適な配置：専用の機械駆動設計で、特別に高効率のブラシレス直流モーターを配置。寿命が長く、大トルクで、低騒音で、最先端の歯付きベルトドライブを装備し、スムーズかつ信頼性の高い運行が可能

平行移動形式	片開き	両開き
ドアの重さ	150kg以下	150kg×2以下
ドアの幅	750～1,600	650～1,250
開放運行速度	0～99段階 （調整可能）	0～99段階 （調整可能）
閉鎖運行速度	0～99段階 （調整可能）	0～99段階 （調整可能）
緩速運行速度	30～100cm/秒 （調整可能）	30～100cm/秒 （調整可能）
開放保持時間	2～20秒 （調整可能）	2～20秒 （調整可能）
閉鎖時抵抗	70N<F<200N	70<F<200N
手動推力	<130N	<130N
電源電圧	AC220±10% 50/60Hz	AC200±10% 50/60Hz
作業環境温度	−20～+50℃	−20～+50℃
基本動作	センサー出力信号 → 加速開放 → 制動 → 遅速運行 → 停止 閉鎖力強化 ← 遅速運行 ← 制動 ← 加速閉鎖	
オプション部品	全開放/半開放機能、相互ロック、カード読み取り、電気錠	全開放/半開放機能、相互ロック、カード読み取り、電気錠

環境にやさしく、より省エネ：周辺環境を維持するために、レールの構造について新しく設計を行い、独特な振幅減衰構造を持ち共振を誘発しない。そのため、よりスムーズかつ低騒音の運行が可能

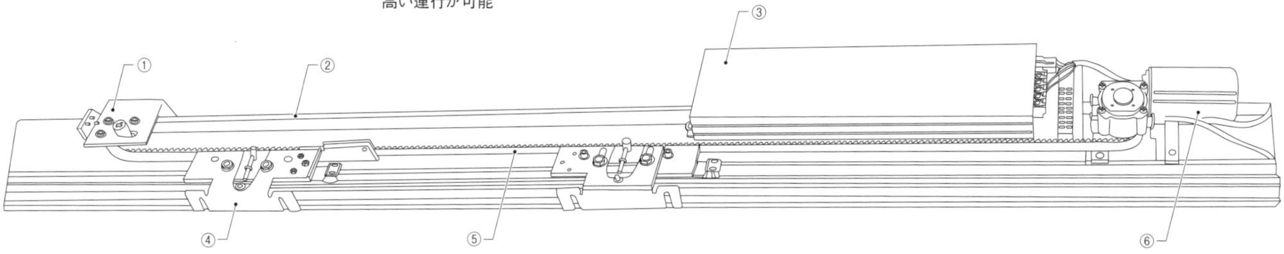
③
①
②
④
⑤
⑥

ドアの片側を軸として、前後に開閉する自動スイングドアで、開閉が手軽にでき、機密性が高いという特徴を持つ。油圧式開閉装置を配置することで開閉時の衝撃を緩和し、さらにドア下部にドア固定装置を置くことでドアを静止させることができる。片開きのドアと両開きドアの2種類に分けられる。一般的に、片開きドアは人の流れが少ない場所に、両開きドアは人の流れが多い場所に用いられる。

TSA 150E/TSA 150P 自動スイングドア

この製品は自動スイングドアシリーズにおける軽量型ドアで、建築物の内部に用いられることが多く、公共施設向けで、老人や身体障害者への配慮も行き届いている

TSA 150Eは単方向開閉のスイングドアで、押し戸、引き戸の2種類がある
TSA 150Pは差動装置内蔵型の双方向開閉スイングドア

スペック：

平行移動形式	TSA 150E	TSA 150P
ドアの最大幅	1,000	1,000
ドアの最大重量	100kg	80kg
開閉方式	押し戸または引き戸（単方向アンロック）	スライディングドア（双方向アンロック）
開閉角度	ドアを押す時は最大115°で、ドアを引くときは最大95°	
開閉速度	25°～ 45°/s 、調整可能	25°～ 45°/s、調整可能
ドア停止時間	0 ～ 60s 、調整可能	0 ～ 60s 、調整可能
開閉時抵抗	<150N m	<150N m
モーター寸法（mm）	530×72×76.5（長さ、高さ、奥）	530×72×76.5
オペレーター重量	6kg	6kg
作業電圧	230/240V AC/24V DC	230/240V AC/24V DC

安全性：自動リバース機能、複数のセンサーへの接続が可能

TSA160Fは片開き防火扉に用いることができる

防火扉は通常、モニタリング装置を配置する。たとえば煙感知センサーでは、火災が発生した時にドア停止装置を起動し､ドアを閉鎖する

TSA160ISFは両開き防火扉に用いることができる

両開きドアは火災が発生した時に、ドアが手順に応じて閉じられる。緊急時や停電時でもTSA 160 ISFは作動可能

	TSA 160F	TSA 160 IS F
取付方式	ヒンジ反対側（押し戸）	ヒンジ反対側（押し戸）
ドアの最大幅	1,400	1,400
ドアの最大重量	250kg	250kg

TSA 160 IS自動スイングドア

TSA 160IS はセレクター機能が付く両開きドアの駆動ドアモーターで、TSA160とTSA 162から構成される。TSA 160 ISのセレクターは内蔵式で、従来の外置き式とは異なり、破壊される可能性を最大限に減らし、美観にも優れ、取り付けが簡単である。

TSA 162は駆動装置で、メインドアモーターシステムによって作動する

TSA 162スペック

最大のドア幅	1,400
最大のドア重量	250kg
開放方式	推し戸または引き戸
取付方式	ヒンジと同じ側または反対側に取り付ける

両開き防火扉

TSA160 自動スイングドア

TSA160は単方向開閉ドアで、押しても引いても開閉できる。通電状況にかかわらず、ドアは普通のドアと同じく手でも開くことができる。停電時には閉鎖装置が作動する。内部に振幅減衰機構を設置し、ドアモーターが運行するときの騒音は小さい

安全性

センサーを配置し、ドアの開閉中に人や物がドアの運行軌道上に入った場合、即座に運行を停止する

スペック：

ドアの最大幅	1,400
ドアの最大重量	250kg
開閉方式	押し戸または引き戸
開閉抵抗	調節可能
閉門速度	調節可能
閉鎖速度	調節可能
最大開放角度	115°
モーター寸法	100×120×690

取り付け

ヒンジと同じ側または反対側に取り付けが可能である。押し戸の場合はアームを配置、引き戸の場合にはスライダーを設置する

安全センサー AIR 16 SA

自動スイングドア用で、ヒンジと同じ側に取り付ける。安全センサーはドアの開放方向に人や物を感知するとドアを停止させる

安全センサー AIR 16 SZ

自動スイングドア用で、ヒンジの反対側に取り付ける。安全センサーはドアの開放方向に人や物を感知するとドアを停止させる

AIR 16 SA

AIR 16 SZ

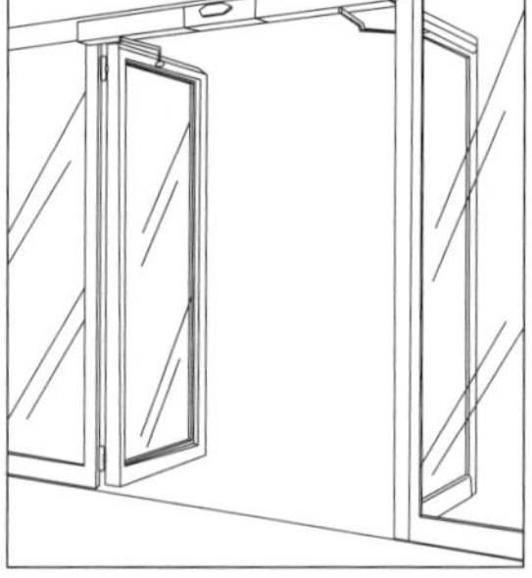

プラスチック鋼はポリ塩化ビニール（PVC）樹脂を主要な原料として、一定の比率の安定剤、着色剤、充填剤、紫外線吸収剤を添加したうえで成型される。切断､溶接またはねじ込み式で接続されてフレームを作り、密閉用テープ、ウール・トップ、金属部品などを組み合わせる。複合プラスチックドア・窓はフレームの内部に金属型材を組み込んで、剛性を増強する。増強用金属型材にはアルミニウム合金型材と軽量鋼型材がある。プラスチック鋼製ドア・窓の装飾材料は装飾性に優れているだけでなく、強度が高く、耐久性、耐腐食、保温・断熱、防音、防水、気密性、防火、耐振動などの点で優れる。

プラスチック鋼は一般的にドア･窓枠に用いられ､これらはプラスチック鋼ドア・窓と呼ばれる。プラスチック鋼ドアはその構造によってパネル扉、フレーム扉と折り畳み扉があり、その開閉方式によってスイングドア、スライドドアと固定ドアに分けられる。また、サッシの有無や、敷居の有無にも分かれる。

スイングドアは従来の木製ドアの開閉と同じで、スライドドアはレールに固定されるものである。プラスチック鋼製窓はその構造により、スイング窓（内開き窓、外開き窓、レールスイング窓）、スライド窓（上下スライド、左右スライド）、突き出し窓、垂直スライド窓、垂直回転窓、固定窓などがある。

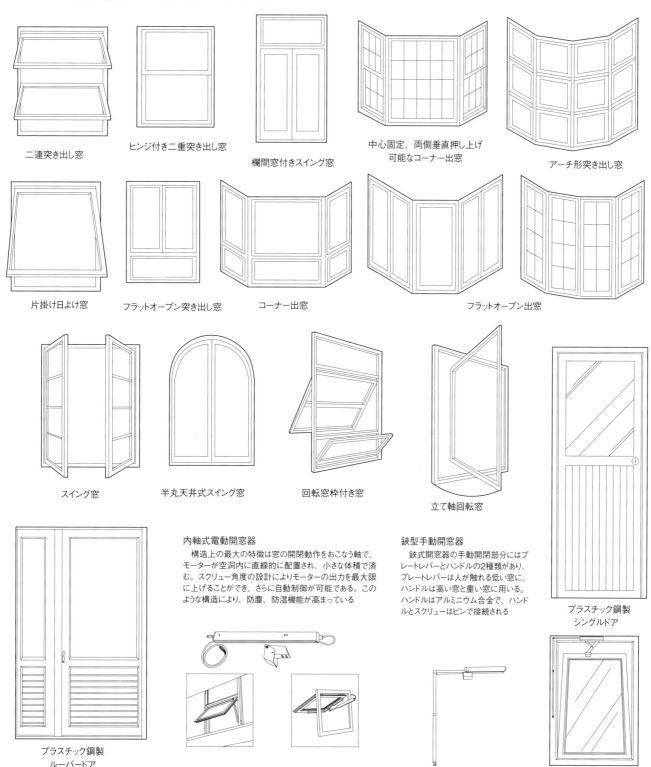

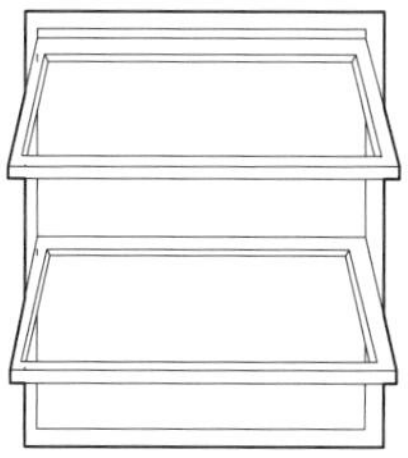

二連突き出し窓

ヒンジ付き二重突き出し窓

欄間窓付きスイング窓

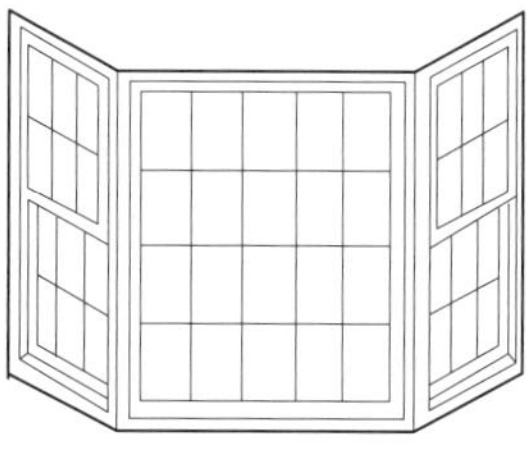

中心固定、両側垂直押し上げ
可能なコーナー出窓

アーチ形突き出し窓

片掛け日よけ窓

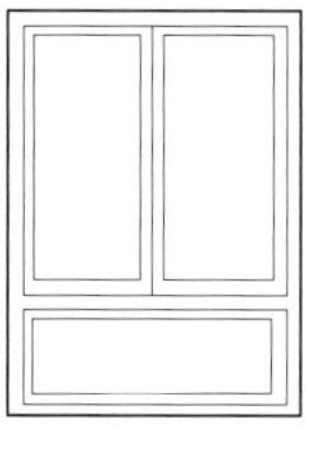

フラットオープン突き出し窓

コーナー出窓

フラットオープン出窓

スイング窓

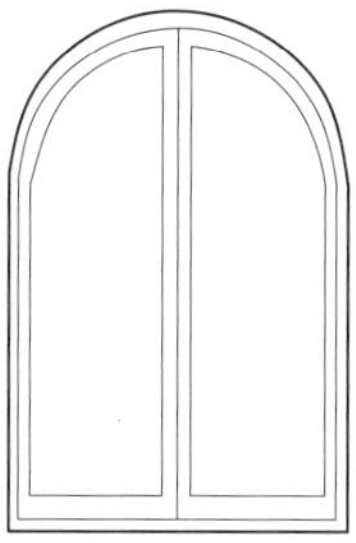

半丸天井式スイング窓

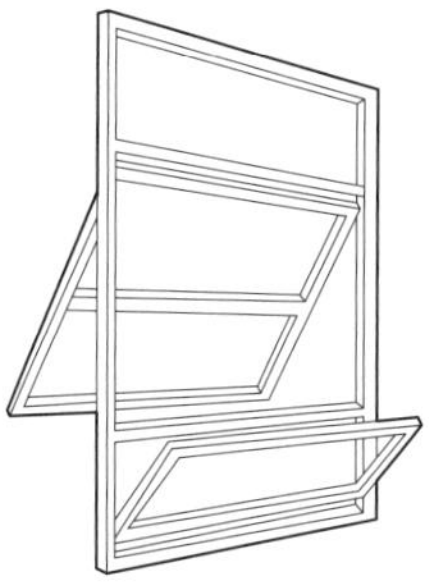

回転窓枠付き窓

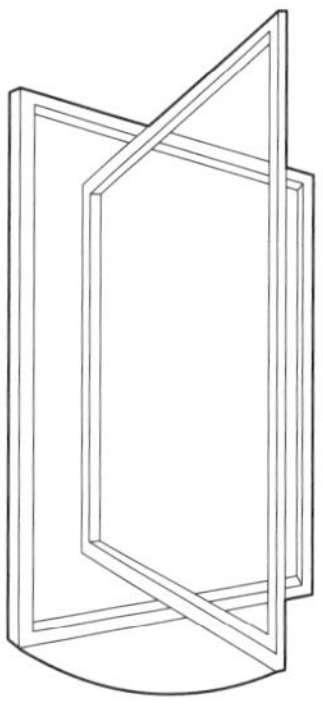

立て軸回転窓

プラスチック鋼製
シングルドア

プラスチック鋼製
ルーバードア

内軸式電動開窓器

構造上の最大の特徴は窓の開閉動作をおこなう軸で、モーターが空洞内に直線的に配置され、小さな体積で済む。スクリュー角度の設計によりモーターの出力を最大限に上げることができ、さらに自動制御が可能である。このような構造により、防塵、防湿機能が高まっている

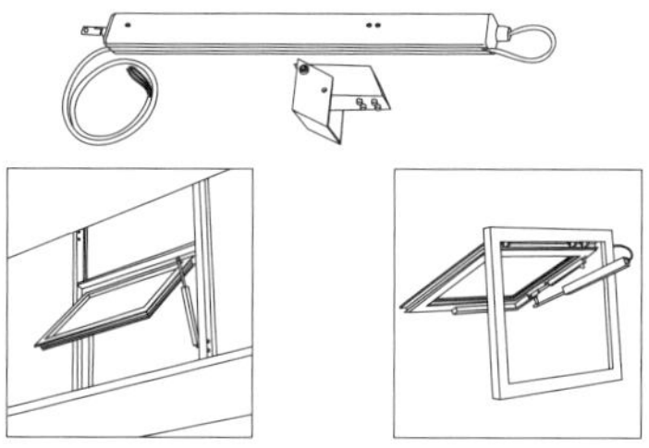

鋏型手動開窓器

鋏式開窓器の手動開閉部分にはプレートレバーとハンドルの2種類があり、プレートレバーは人が触れる低い窓に、ハンドルは高い窓と重い窓に用いる。ハンドルはアルミニウム合金で、ハンドルとスクリューはピンで接続される

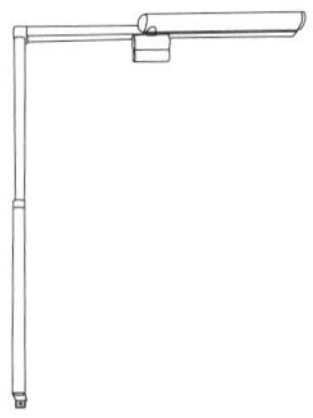

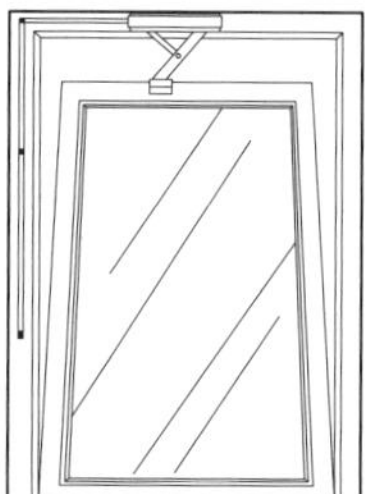

窓は表面処理後に型材に穴あけ、溝削り、タッピング、窓(ドア)製作などの加工を施し、ドア、窓フレームに製造してから、接続部品、密封材、開閉用金属部品と組み合わせて、ドア、窓を組み立てる。

アルミニウム合金ドア・窓は構造部品と開閉方式によって、スライド窓（ドア)、スイング窓（ドア)、固定窓（ドア)、吊るし窓、回転窓、巻上げブラインドなどに分けられる。アルミニウム合金ドアにはフロアスプリングドア、自動ドア、回転ドア、巻き上げドアがある。アルミニウム合金製ドア・窓は高級密封材を採用し、防水性、防音性に優れる。また、気密性が高く、空気の出入りが少ないため、保温性に優れる。表面は光沢があり、銀白色、銅色、黄金色、深灰色、黒色などの色があり、質感が良く、装飾性に優れている。また錆びず、色褪せもせず、寿命が長い。さらに比較的大きな推力と風圧に耐えることができる。

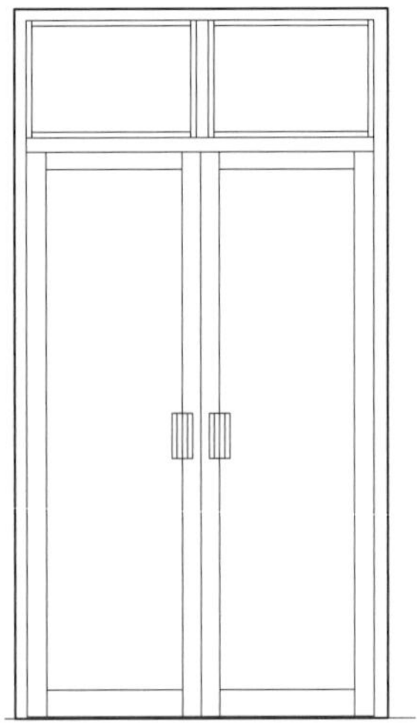

アルミニウム合金製ダブルドア

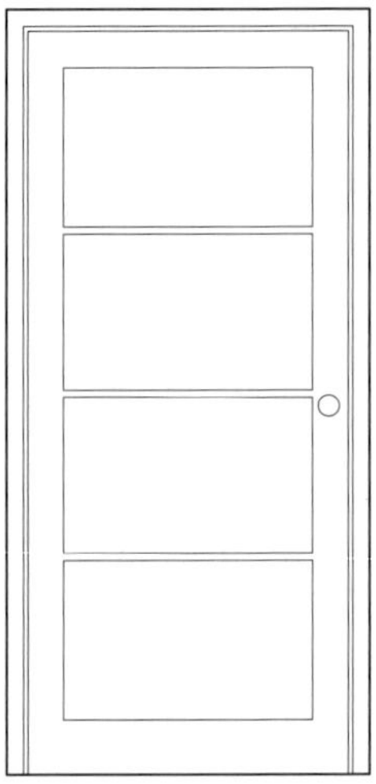

アルミニウム合金製シングルドア

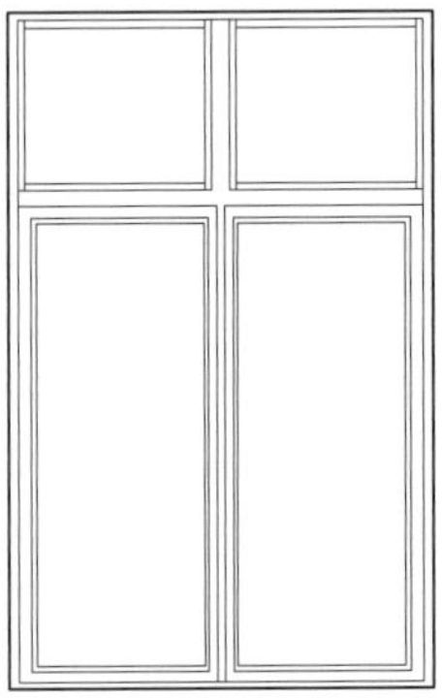

アルミニウム合金窓

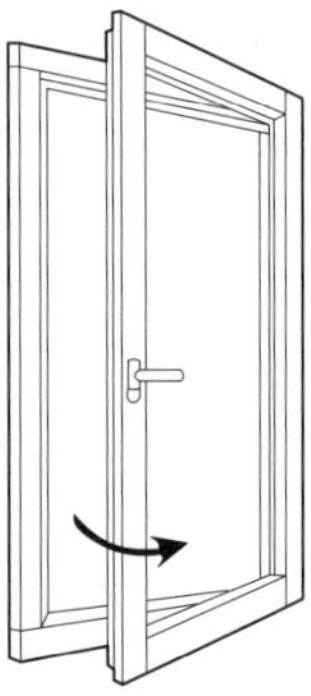

右向き内開き窓

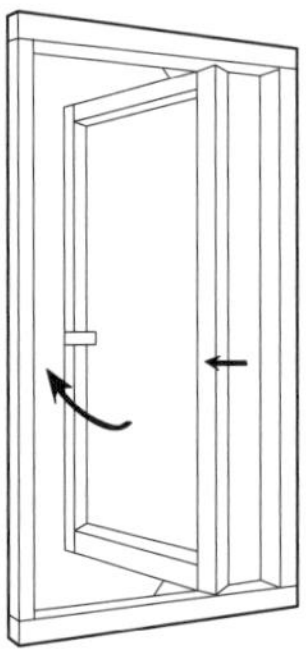

右向き外開き窓

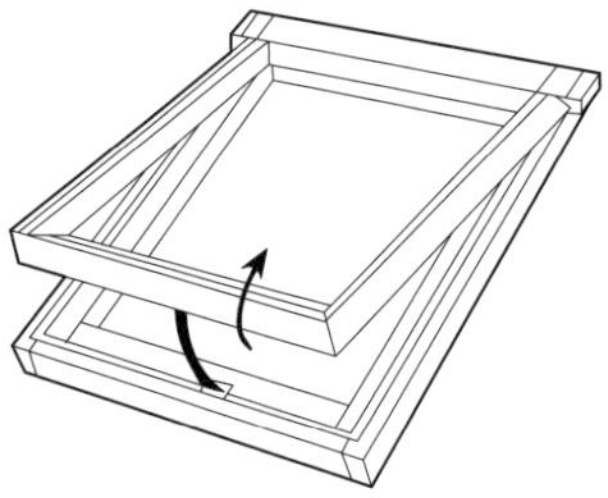

上開きサンルーフ

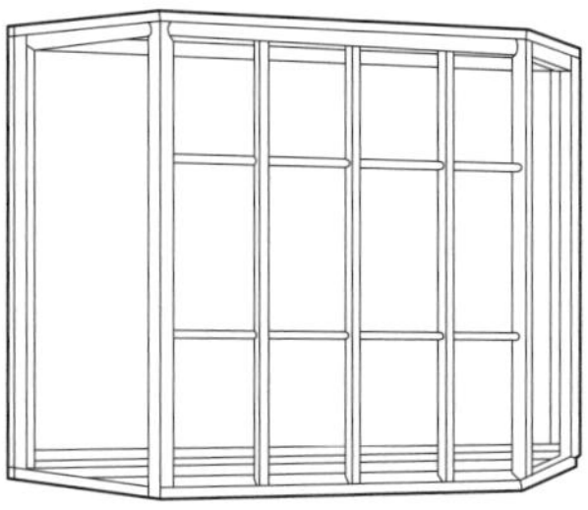

三面張り出し窓

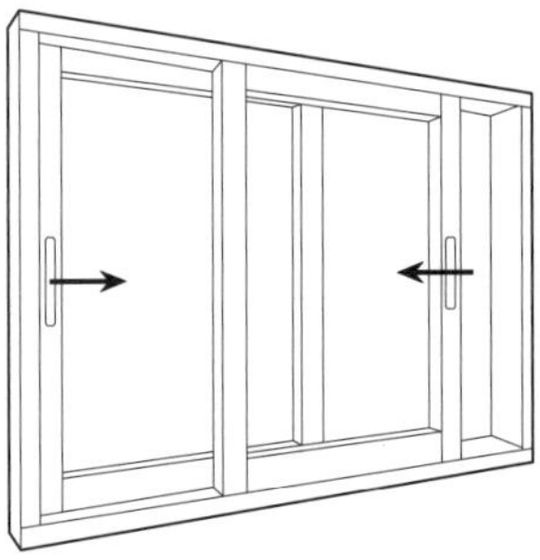

左右双方向スライド窓

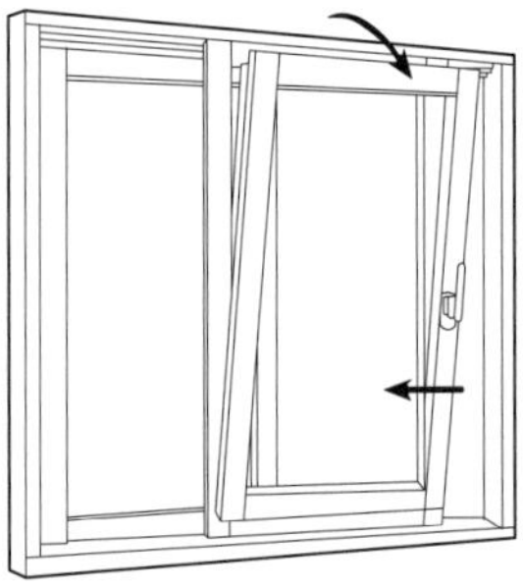

上方跳ね上げ窓とスライド窓の複合窓

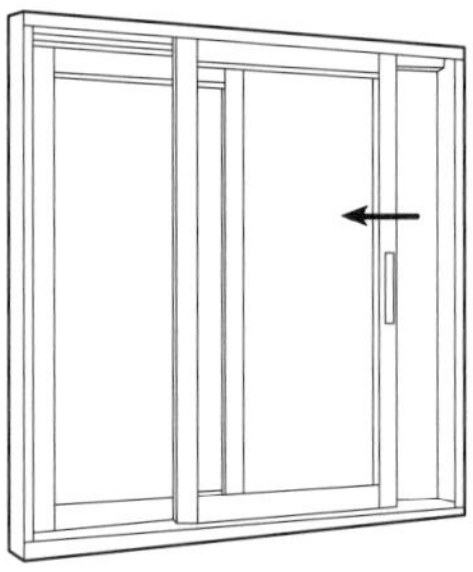

左開きスライド窓

外開き窓

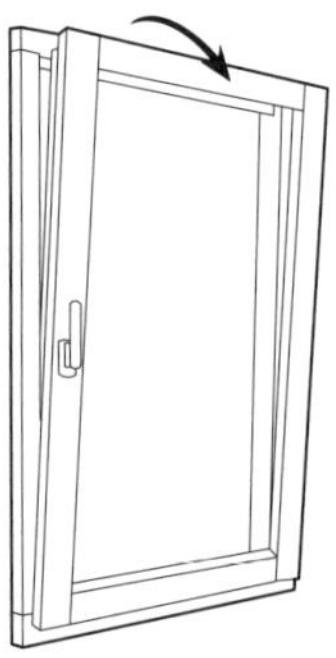

内向き跳ね上げ窓

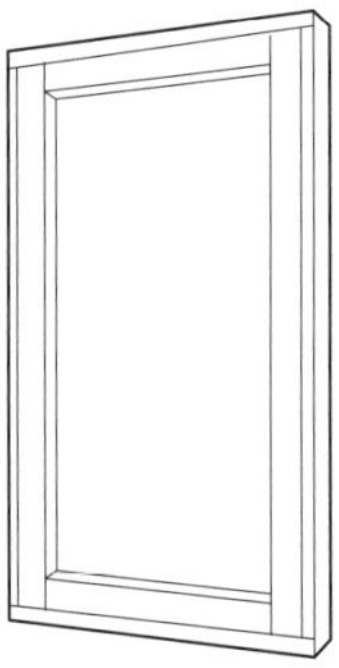

固定窓

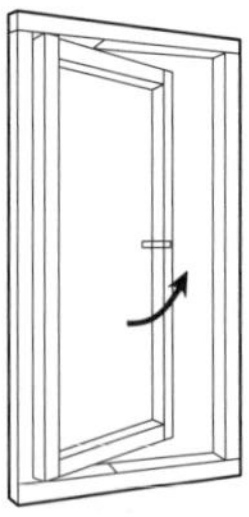

外向き左開き窓

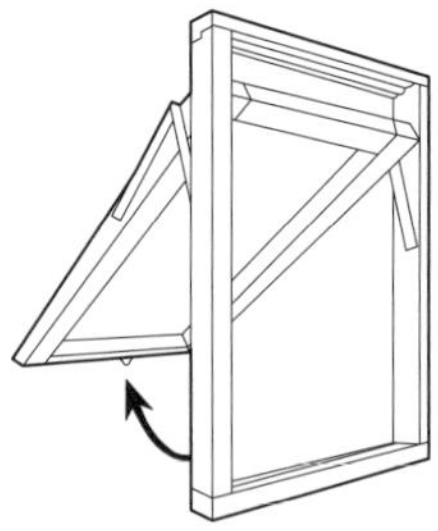

外向き開き窓

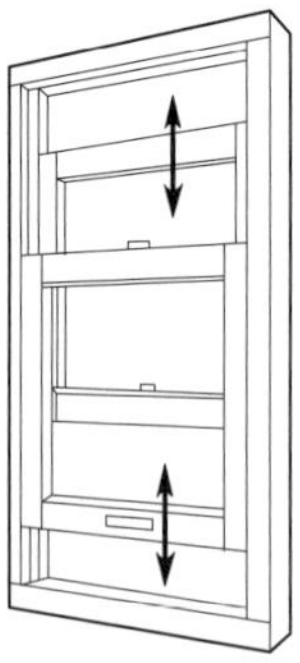

上下スライド窓

中国は南北に長く、地域によっては冬季の暖房、夏季の冷房の利用時間が比較的長い。そのような場合、窓をフレームレス全面窓にすれば冷暖房効率が大いに向上する。フレームレス全面窓はそのきわめて高い気密性により､屋外の騒音を効果的に遮断するだけでなく、冷暖房の効率を大いに向上させる。

現在、多くの高級集合住宅は建築物の外観に影響しないよう､窓枠付きの窓を設置することは減っているが、フレームレス全面窓はそのニーズを満たしている。

従来の窓枠付きの窓に比べて、フレームレス全面窓は視覚的に美しく、部屋に入る光量も多い。普通のフレームレス窓と比べても、材料面とアーチ型バルコニーでは特に大きな利点がある。

フレームレス全面窓は視覚効果に優れているだけでなく、日光を遮らず風通しにも優れ、ガラスクリーニングとその後のケアが楽である。

フレームレス全面窓は、すべての金属部品はステンレスで製造する。その寿命は普通のフレームレス窓の2倍以上である。

構造が安全を決定する

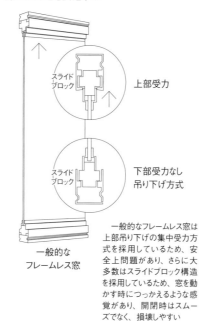

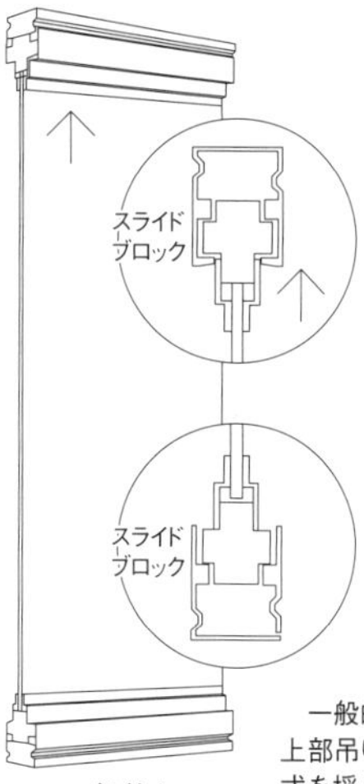
スライドブロック
上部受力
スライドブロック
下部受力なし
吊り下げ方式

一般的なフレームレス窓

一般的なフレームレス窓は上部吊り下げの集中受力方式を採用しているため、安全上問題があり、さらに大多数はスライドブロック構造を採用しているため、窓を動かす時につっかえるような感覚があり、開閉時はスムーズでなく、損壊しやすい

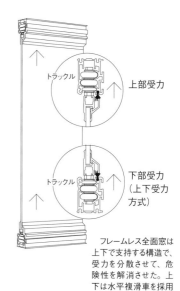

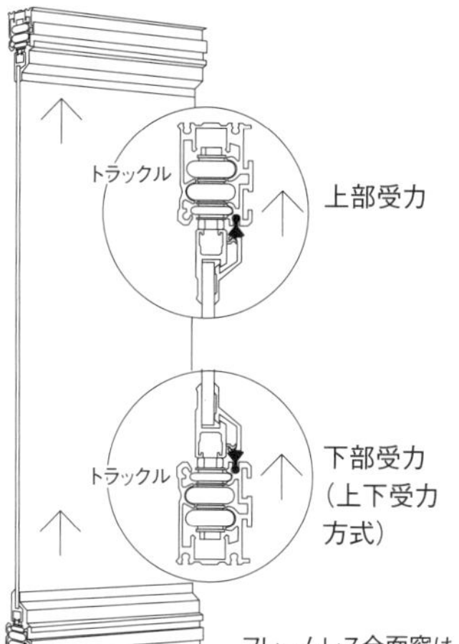
トラックル
上部受力
トラックル
下部受力
(上下受力
方式)

フレームレス全面窓は上下で支持する構造で、受力を分散させて、危険性を解消させた。上下は水平複滑車を採用し、開閉はスムーズで自然である

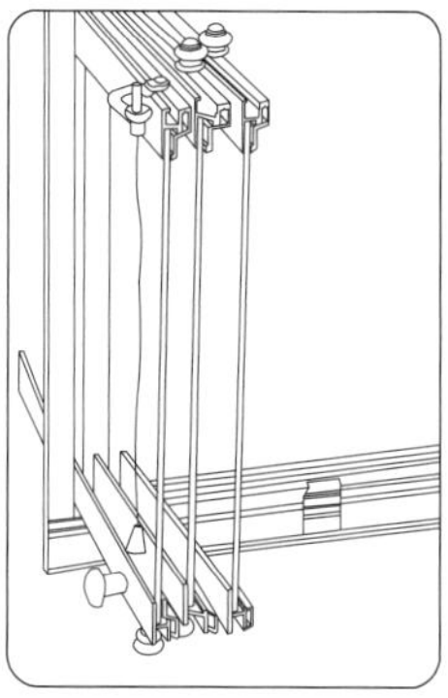

全面折畳み

フレームレス全面窓は、窓の全部または一部を折り畳み全面開放できるため、美しく上品で、クリーニングが容易である

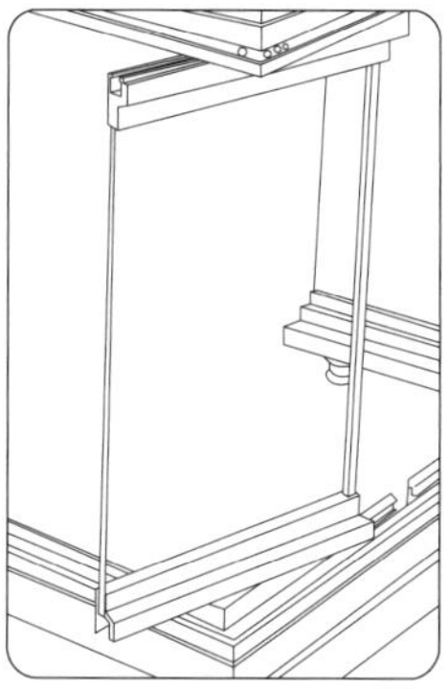

自在窓

フレームレス全面窓は任意の角度で自由に開閉でき、各種のベランダに使うことができる

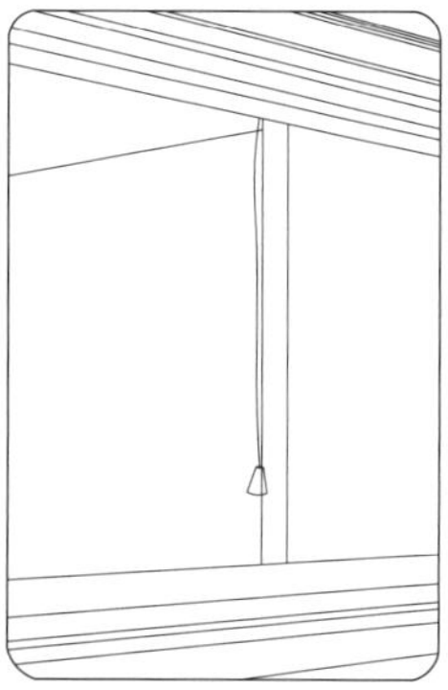

全景フレームレス

フレームレス全面窓は枠がないように見えるが、実際はガラスの上下に枠がある。左右のガラス間は透明の密封テープで接続され、気密性と防水性を高めている

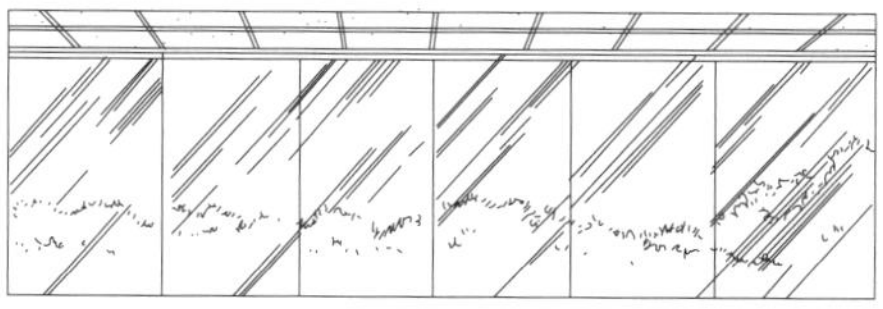

フレームレス全面窓の密封システムは各種類のベランダに適用でき、窓は任意のアーチや角度を自由に設定できる。すべての窓を開いて折り畳み、全面開放することも可能である。

現在、一般的なビルのベランダはいくつかの種類に分けられる。ベランダの形状によって直線形、S形、角形、アーチ形、多角形などに分けられる。ベランダの手すりの材料によって鋳鉄、ステンレス、鉄パイプ、アルミニウム合金、コンクリートなどに分けられる。フレームレス全面窓はあらゆるベランダの形状と手すり材料に合わせて、最適なソリューションを設計できる。

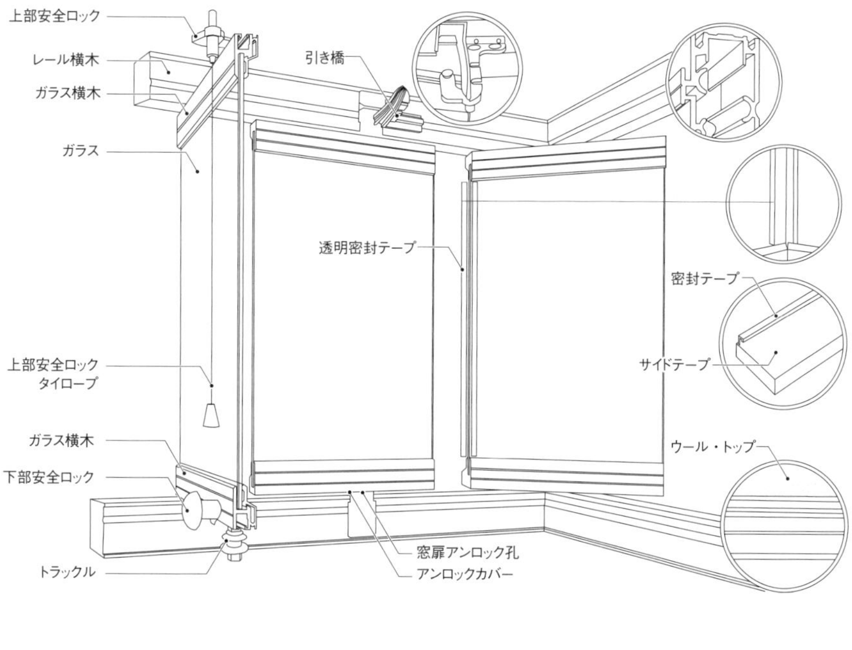
上部安全ロック
レール横木
ガラス横木
ガラス
引き橋
透明密封テープ
密封テープ
サイドテープ
上部安全ロック
タイロープ
ガラス横木
下部安全ロック
ウール・トップ
窓扉アンロック孔
アンロックカバー
トラックル

多様な組合せ方式

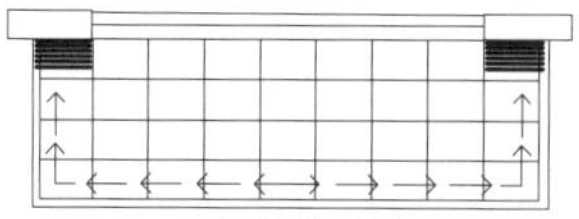

二重曲がり角形

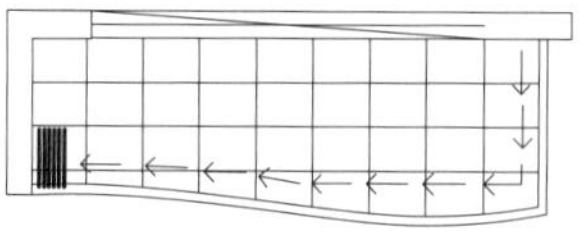

自由形

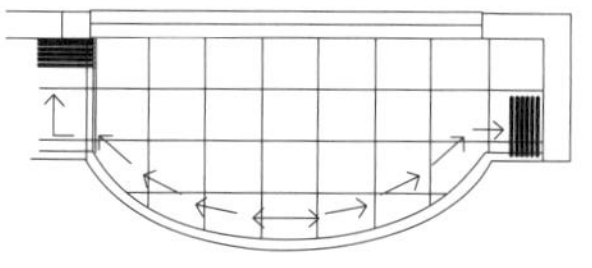

アーチ形

暖炉は一部の西ヨーロッパ諸国の伝統的な暖房器具で、さらに彫刻暖炉は王族や貴族が装飾に用いた芸術品でもある。石彫暖炉と木彫暖炉は、石と木に彫刻を加えたことで、より豪華さが増し、ヨーロッパ全域に広まった。

今日ではもはや、暖炉は特権階級のシンボルではなくなり、広範に客室、寝室、ダイニング、オフィスなどで使われるようになった。

現在では、暖炉は部屋のどこにでも置けるようになった。燃料も木材以外にガスも使用されている。

暖炉は一般的に、材料によって木製、石製、金属製などに分けられる。暖炉は家庭内の空間を飾る不可欠な器具として特別な地位を保っている。置かれる位置によって室内の空間配置と動線に影響を与え、古典的なものや現代的なものなど、その構造によってそのインテリアの雰囲気を決定づける。暖炉は西洋式なインテリアを代表する装飾品で、特に古典的な雰囲気を求める空間にはよく利用される。

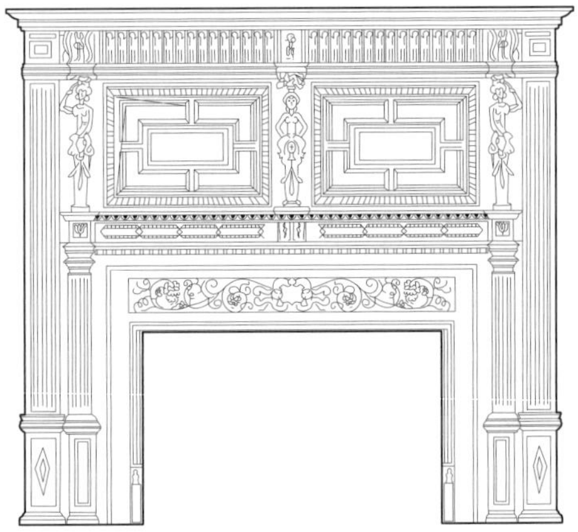

17世紀、英国エリザベス1世時代につくられた石製暖炉

1603年、英国宮廷用木製暖炉

1607年、グリニッジ地方の木製暖炉

1620年、古典主義期の木と石の混合暖炉

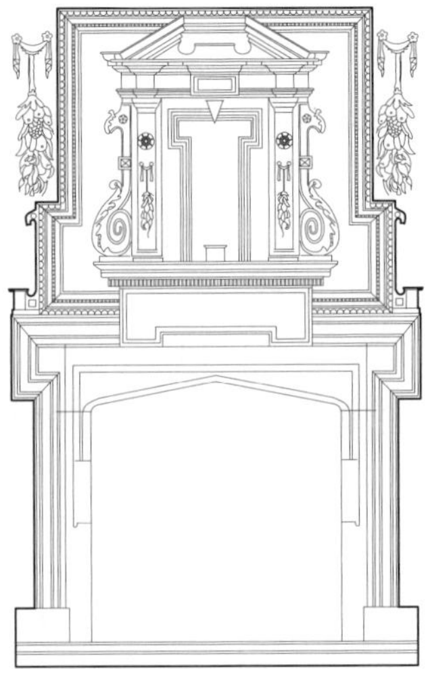

1632年、古典主義期の木製暖炉

1640年、古典主義期の木製暖炉

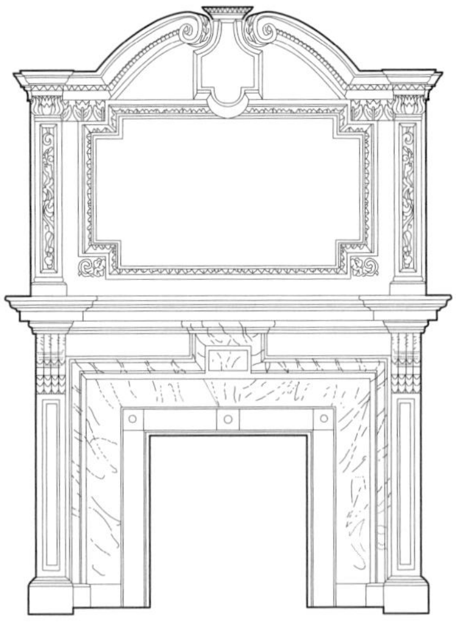

1650年、古典主義期の石製暖炉

1603年、ヨーロッパ古典主義期の石製暖炉

1632年、ヨーロッパ古典主義期の石製暖炉

ヨーロッパ古典主義期の石製暖炉

1603年、ヨーロッパ古典主義期の石製暖炉

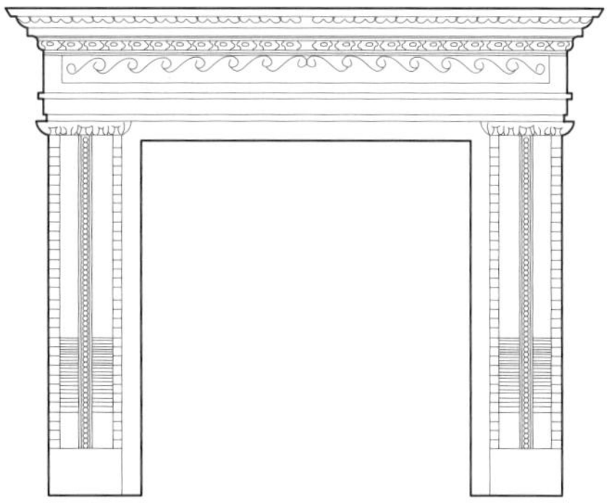

1632年、ヨーロッパ古典主義期の木製暖炉

ヨーロッパ古典主義期の石製暖炉

1632年、ヨーロッパ古典主義期の石製暖炉

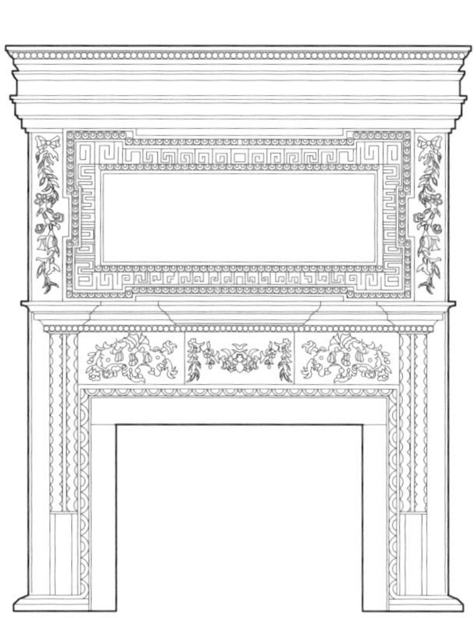

1640年、ヨーロッパ古典主義期の石製暖炉

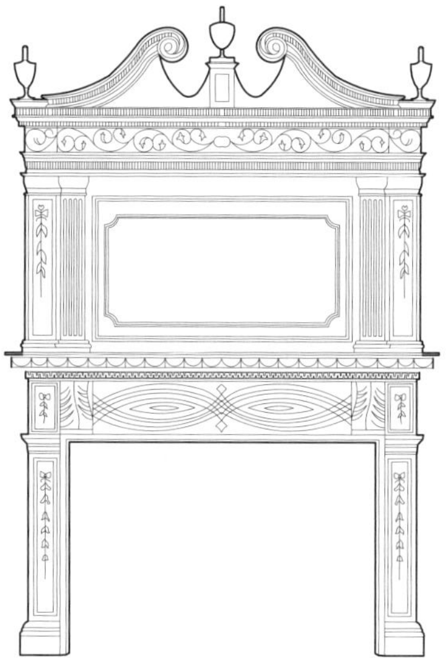

ヨーロッパ古典主義期の石製暖炉

ヨーロッパ古典主義期の石製暖炉

ヨーロッパ古典主義期の石製暖炉

ヨーロッパ古典主義期の石製暖炉

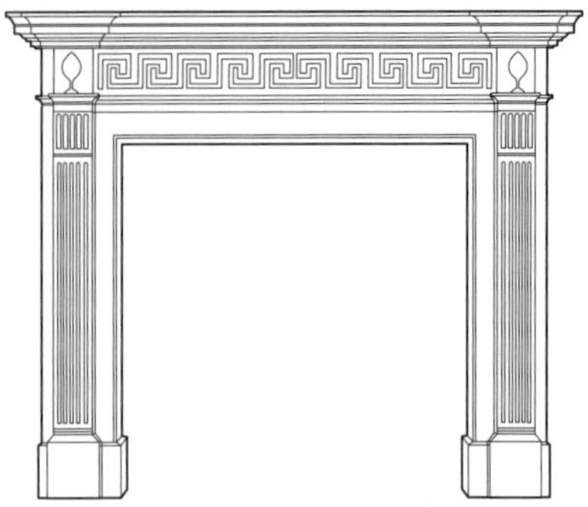

ヨーロッパ古典主義期の木製暖炉

1603年、ヨーロッパ古典主義期の石製暖炉

ヨーロッパ古典主義期の石製暖炉

ヨーロッパ古典主義期の石製暖炉

1640年、ヨーロッパ古典主義期の石製暖炉

ヨーロッパ古典主義期の石製暖炉

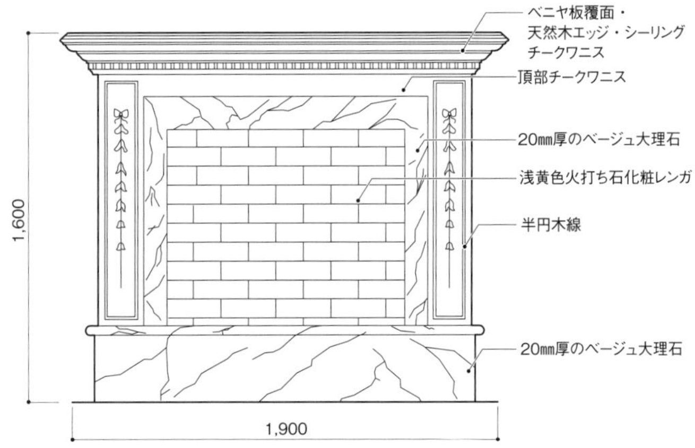
ベニヤ板覆面・
天然木エッジ・シーリング
チークワニス
頂部チークワニス
20㎜厚のベージュ大理石
浅黄色火打ち石化粧レンガ
半円木線
20㎜厚のベージュ大理石
1,600
1,900

暖炉立面図

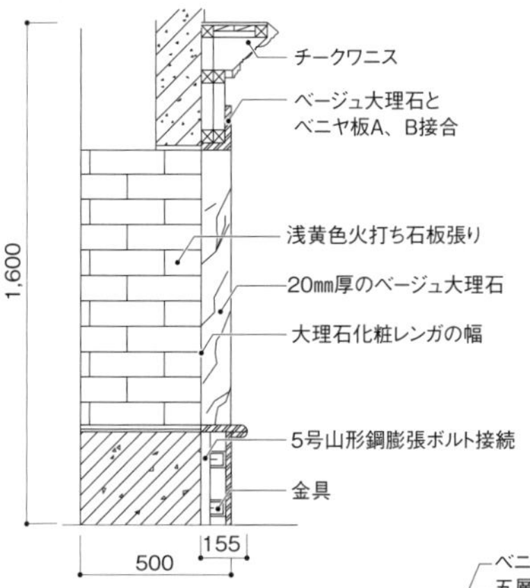
チークワニス
ベージュ大理石と
ベニヤ板A、B接合
浅黄色火打ち石板張り
20㎜厚のベージュ大理石
大理石化粧レンガの幅
5号山形鋼膨張ボルト接続
金具
1,600
500
155

暖炉断面図

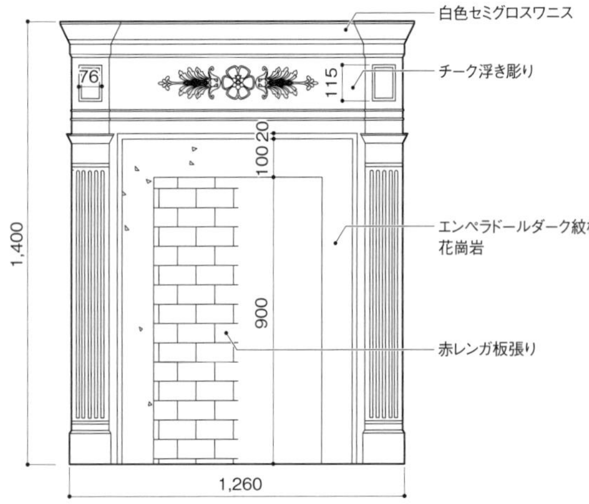
白色セミグロスワニス
チーク浮き彫り
エンペラドールダーク紋様
花崗岩
赤レンガ板張り
76
115
100
20
900
1,400
1,260

暖炉立面図

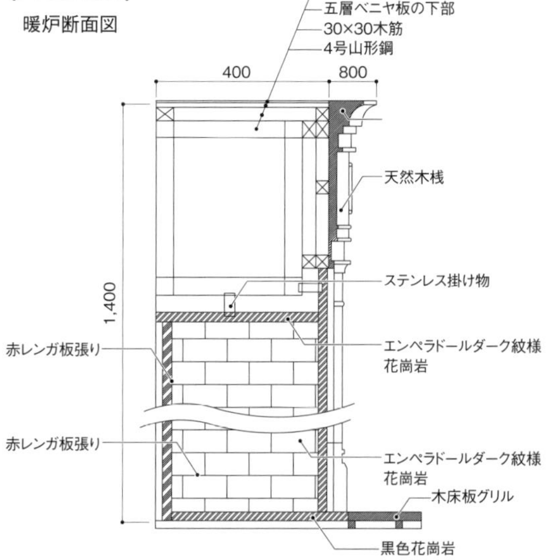
ベニヤ板覆面
五層ベニヤ板の下部
30×30木筋
4号山形鋼
400
800
天然木桟
ステンレス掛け物
エンペラドールダーク紋様
花崗岩
赤レンガ板張り
赤レンガ板張り
エンペラドールダーク紋様
花崗岩
木床板グリル
黒色花崗岩
1,400

暖炉断面図

設置手順

まず図面に応じて施工し、基礎を固めてから、大理石の炉台を設置する。さらに暖炉のデッキ（ガス管、電源、火元に接続する）を取り付けた後に台架を設置する。

暖炉本体と穴の寸法

炉の穴はデッキを収納できる大きさにし、炉内外の地面は水平にしなければならない。火元を設置できるように、穴の横木とデッキとの間は最低15cm開けなければならない。また横木の厚さが230mmを上回る場合は、45°の支えを設置しなければならない。
穴の右壁の前、上部65cmのところに220V、100Wの電源ソケットを設置し、さらに穴の外にこのソケットを制御できるスイッチが必要である。
炉本体の四面と壁体との間隔は10cmで、炉体正面の20cm以内には防火材料を採用し、炉穴の前50cm以内は可燃焼物を避けて、火元は燃えやすい材料より10cm離すこと。

電源の要件

220V、100Wソケットを取り付け、電源ソケットは接地し、さらにソケットは炉壁口の外にスイッチを設置しなければならない。

煙突の要件

暖炉には煙突が必要である。2つの煙突最上部の排煙口は四面に設置し、少なくとも対面式の両開きにし、全ての排煙口の面積は90cm²以上でなければならない。排煙口の高さは4cm以上で、室外（排煙口）まで煙突を出して排煙することを勧める。排煙口の位置は風が当たらない側にするほうがよい。

暖炉寸法（長さ×高さ×奥）
モデルI：1117×735×570
モデルII：884×750×530
デッキ寸法：700×600×470

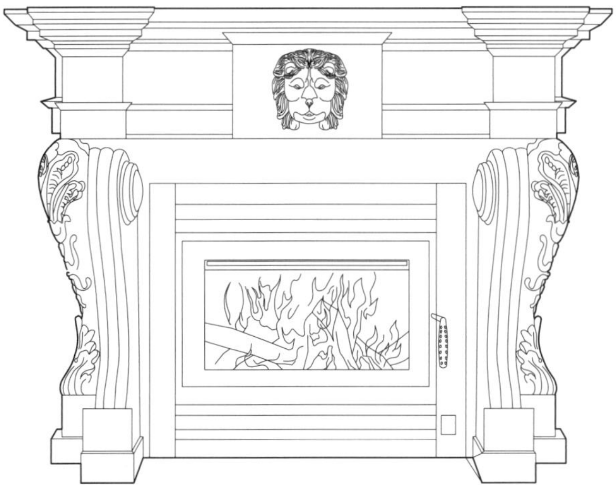

石製暖炉

薪暖炉シリーズ

製品特徴：

- 完全閉鎖システムで、煙が室内へ排出されるのを防ぐ。合理的な設計、複数の空気補給システムで、吸気量の調節が可能。また薪の完全燃焼に役立つ
- 微小結晶ガラスドアの設計、熱空気循環ブロアーを採用し、従来の薪燃焼の観賞性だけでなく、暖炉からの暖房効果を向上させた
- 最高熱量27.9kw、1時間あたり7kg燃焼する
- 採暖面積120～150m²

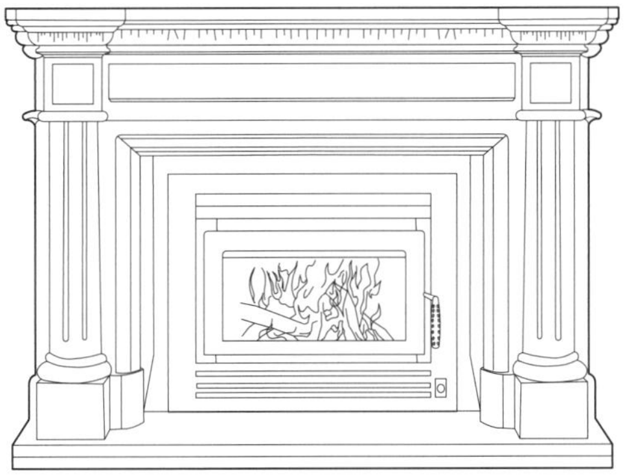

石製暖炉

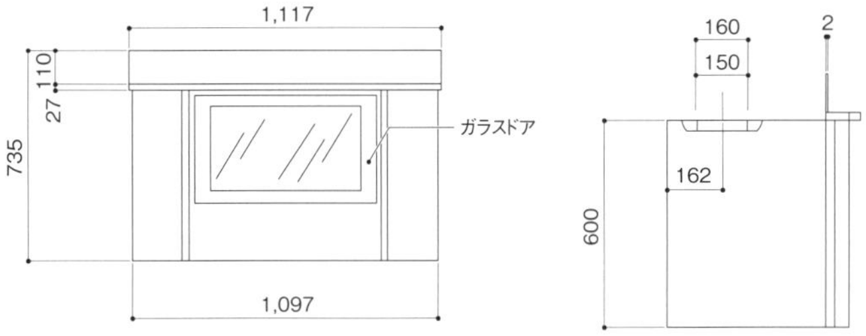
1,117
110
27
735
ガラスドア
1,097
160
150
2
162
600

モデル I寸法

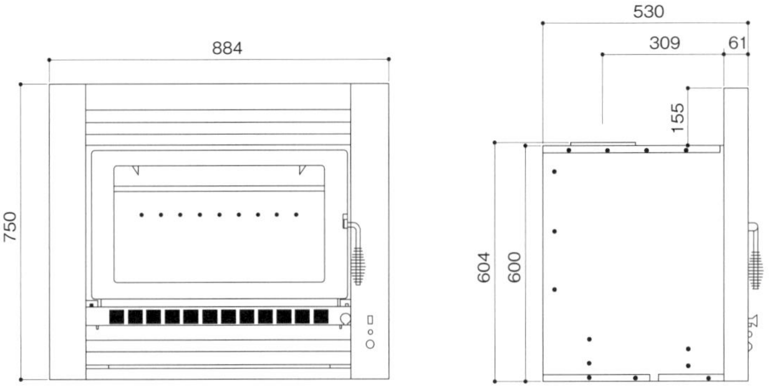
884
750
530
309
61
155
604
600

モデルII寸法

木製暖炉

　階段は通路としての機能を持つほか、空間を分割する上で重要な役割も果たしている。設計者は階段と空間全体の雰囲気をうまく融合することを念頭に置かなければならない。

　階段の位置は空間の方向性を決定する。室内をより広く使うために、面積の小さい部屋の場合は階段を壁沿いにつくる。面積の広い部屋の場合は、階段を中心に置くと空間効果が高まる。

　階段を置くのに最良の位置は、自然光が入り、かつ別の照明効果も活用できるところである。自然光の変化による照明効果はすばらしいものである。日当たりの悪い位置はガラスかガラス・タイルを利用すれば、暗さを抑えることができる。

　狭い部屋に曲がり階段を設置する場合、踊り場と天井との間の距離に注意しなければならない。天井に近すぎると重苦しい印象になってしまう。階段の踏み面の高さは180㎜、幅は250～300㎜とすること。更に空間の広さと階段の長さを考慮して踏み面の奥行を決める。一般的な階段の踏み面の奥行は900㎜、手すりの高さは約1000㎜の位置である。

　直線階段は空間の利用率が最大である。曲線の階段は使用時の快適性を考慮し、最も狭い面の幅を広げるため、比較的大きな空間を占める。

　螺旋階段は使用頻度が少ない所に用いる。小型の螺旋階段は体積が小さく、占める面積を節約することができるが、不便でかつ転びやすい。通常、屋根裏部屋への階段など、使用が比較的少ない場所に用いる。

　階段は使用時に危険が発生しやすい所のため、照明を取り付け、随時十分な明るさを維持できるようにする必要がある。

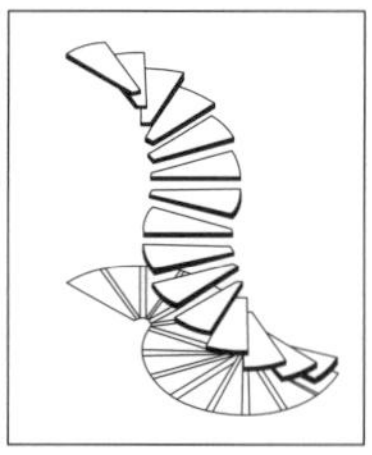
中円弧式

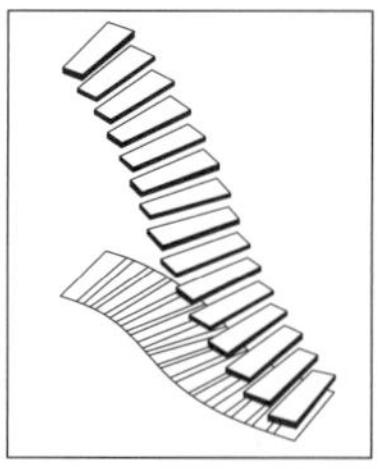
S字式

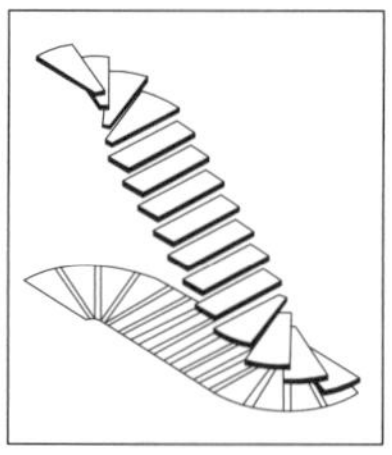
上下扇形式

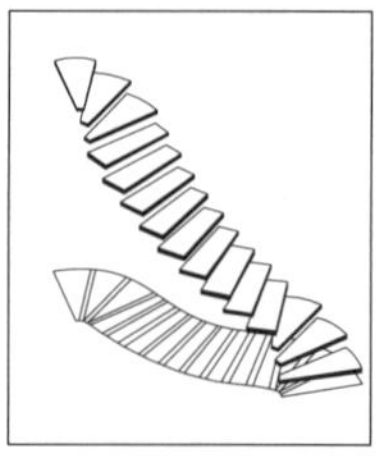
扇形末端式

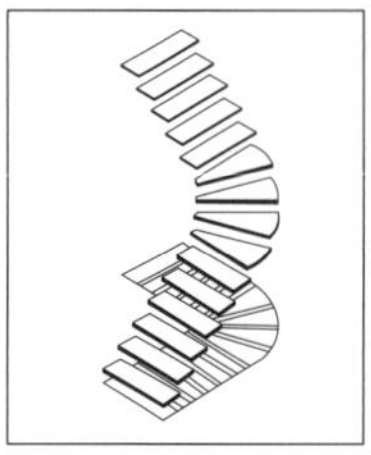
円形旋回式

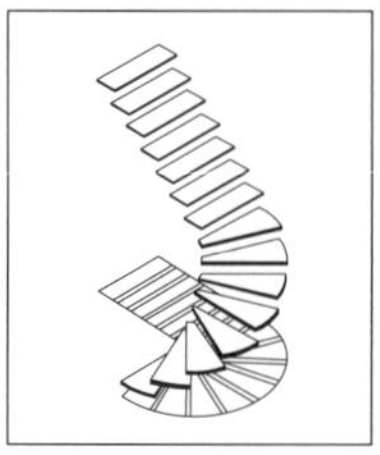
円形旋回式

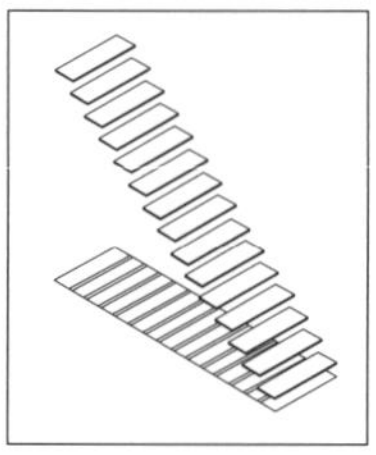
直線折り返し式

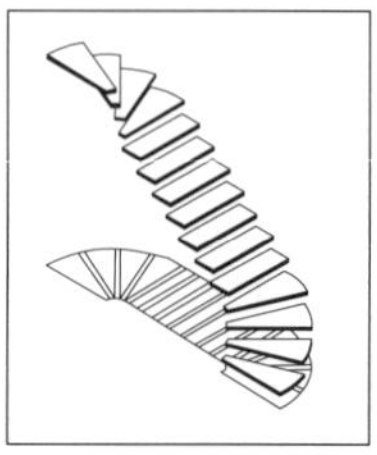
扇形末端式

中空円旋回式

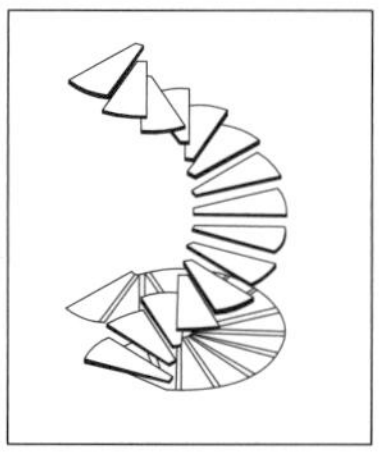
中空円旋回式

中円弧三つ折り式

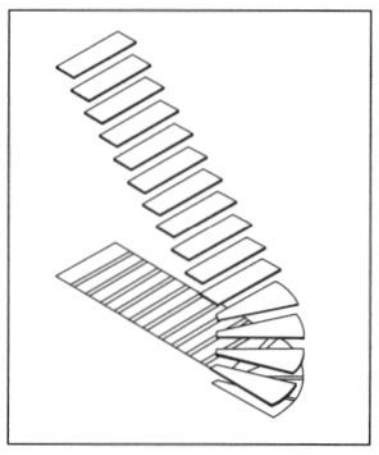
扇形末端式

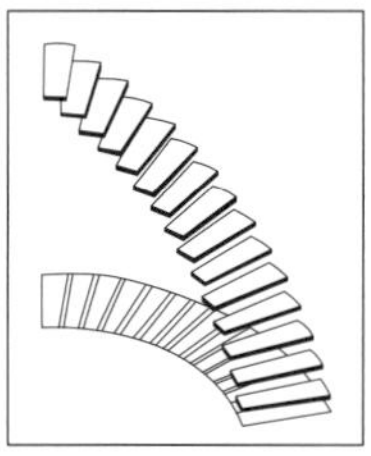
円弧式

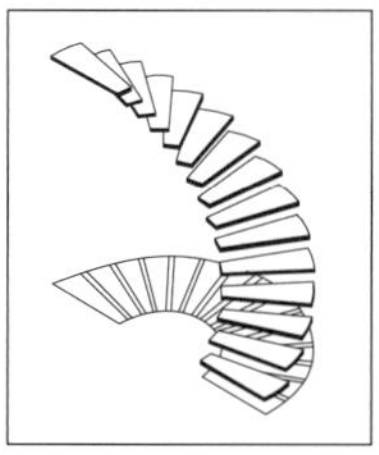
円形旋回式

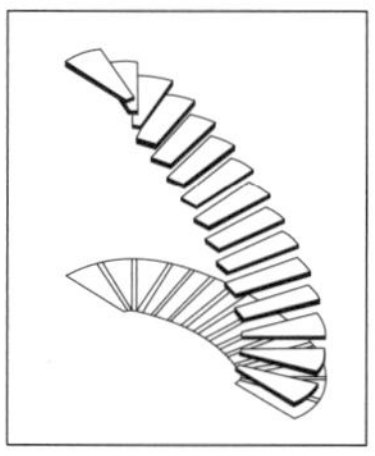
円弧式

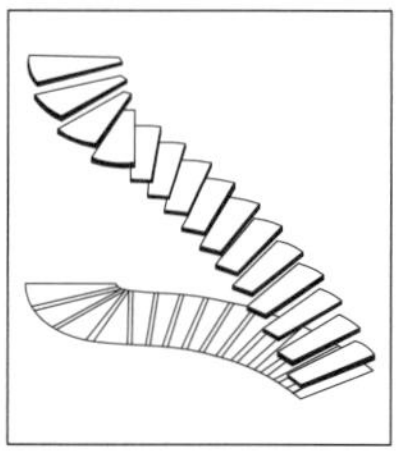
S字式

木製円弧式階段

錬鉄製手すり付きねじり石階段

木製円弧式階段

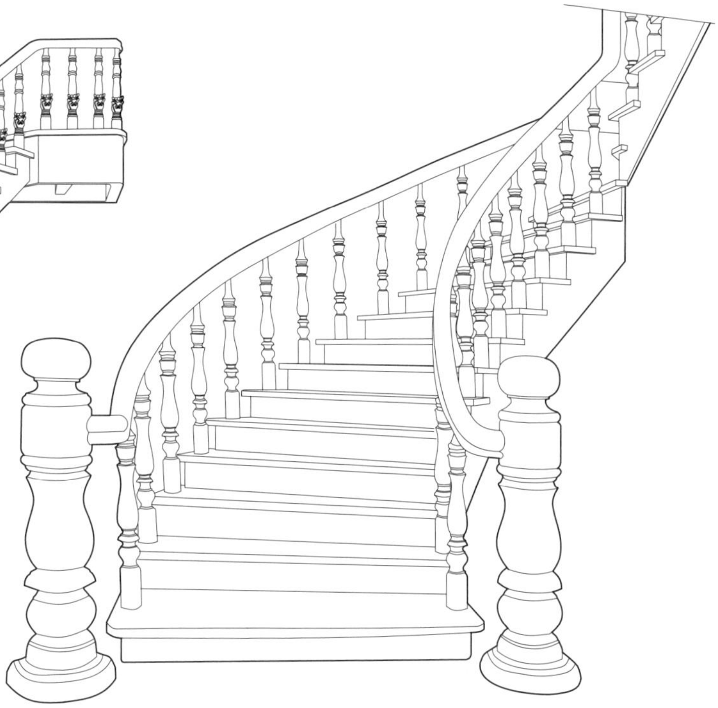

木製円弧式階段

木製円弧式階段

木製円弧式階段

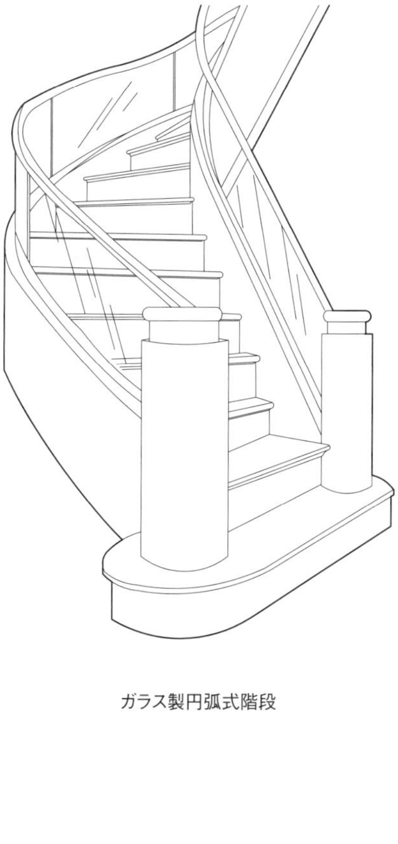

ガラス製円弧式階段

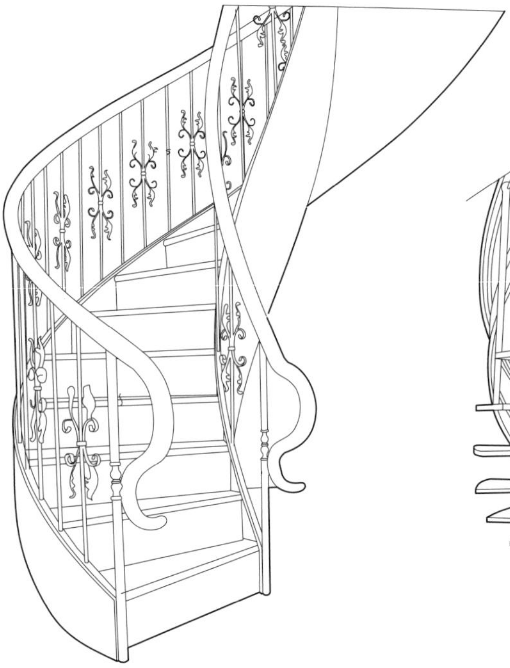

錬鉄製手すり付きねじり木製階段

鉄製螺旋階段

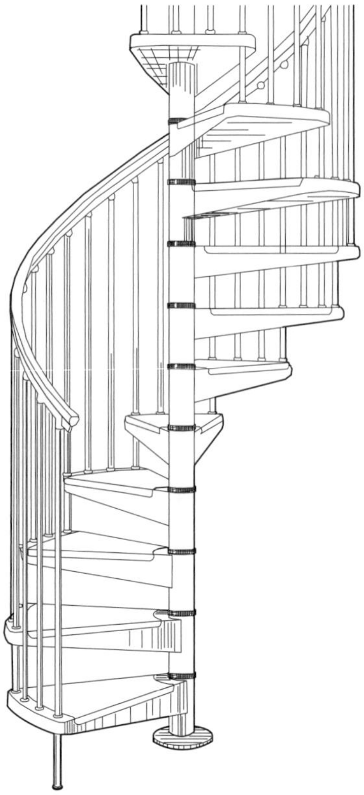

鉄製螺旋階段

木製螺旋階段

鉄製円弧回転階段

錬鉄製手すり付きねじり石階段

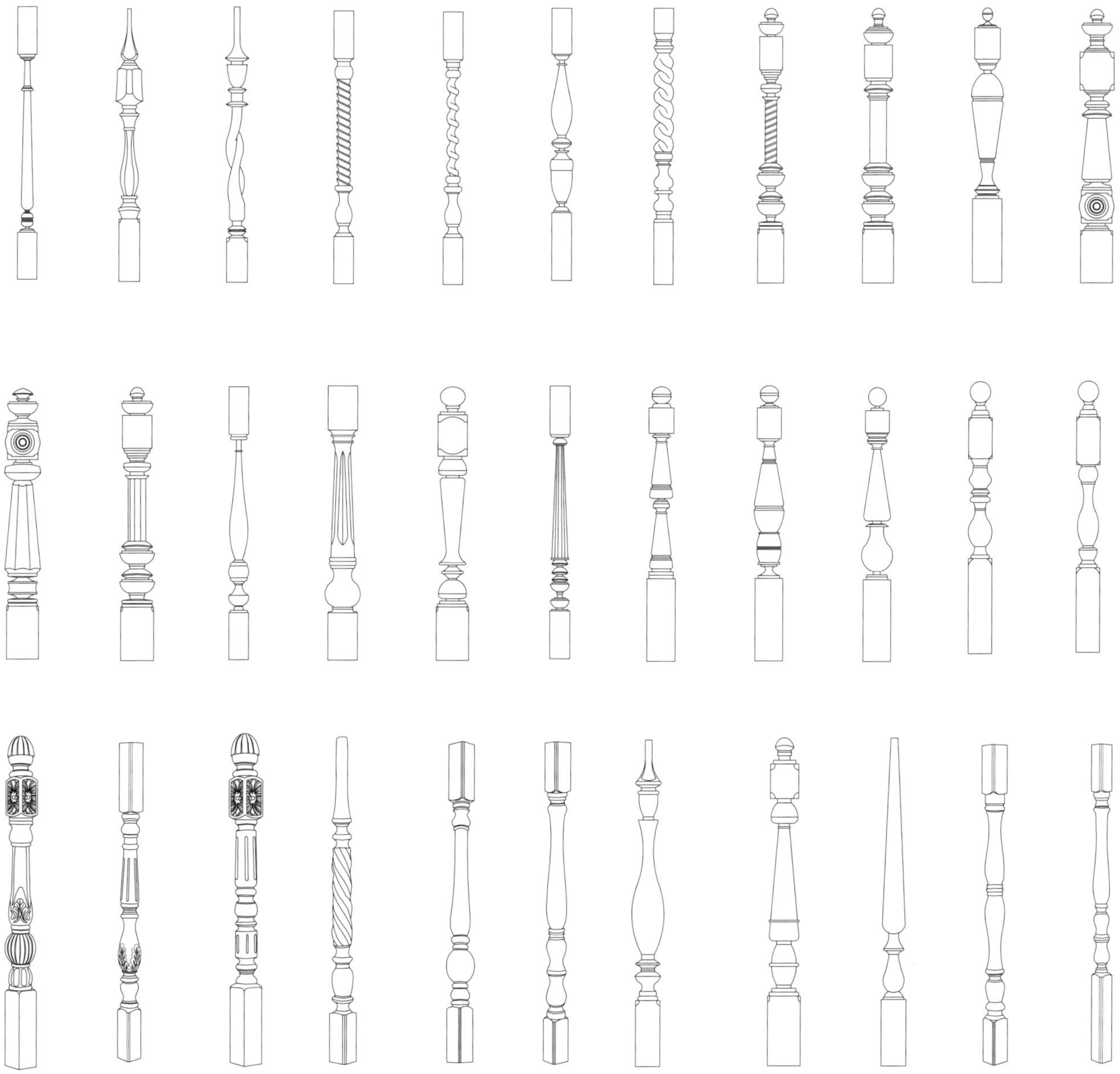

階段手すり

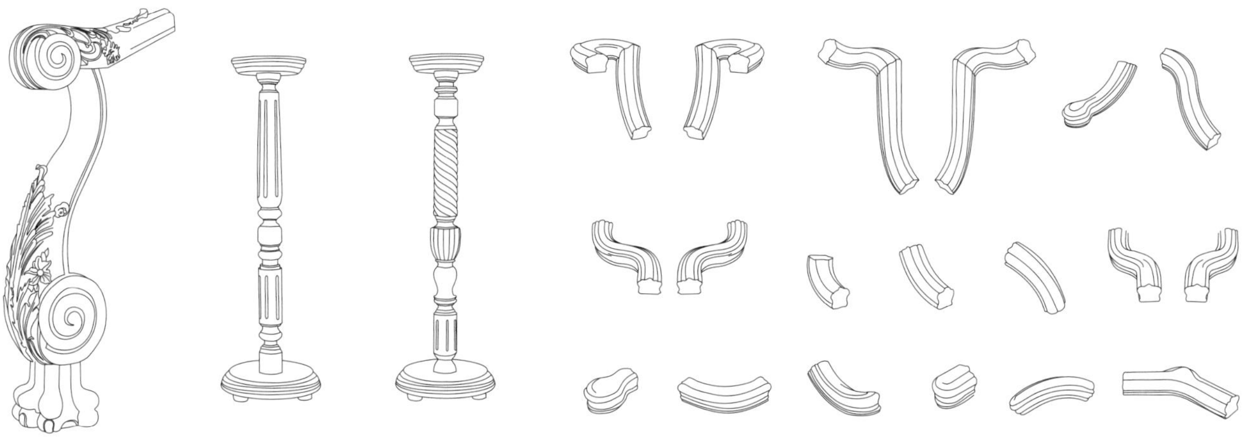

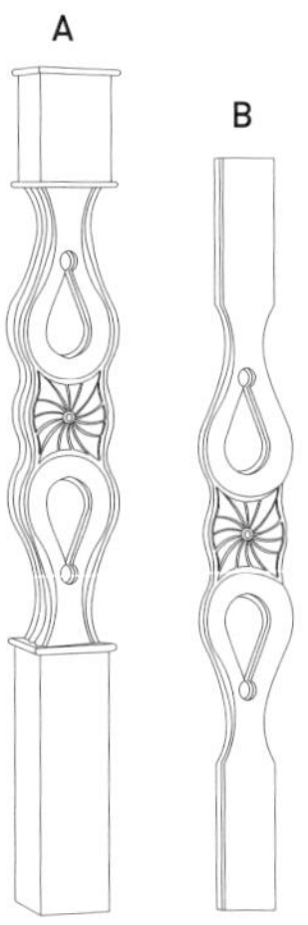
A
B

A：1,170×160×125
B：1,050×150×35

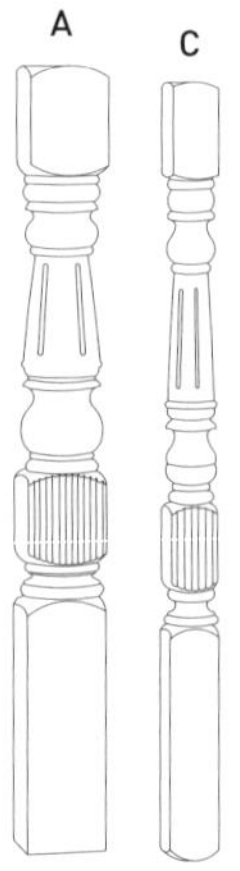
A
C

A：1,100×115×115
C：1,050×70×70

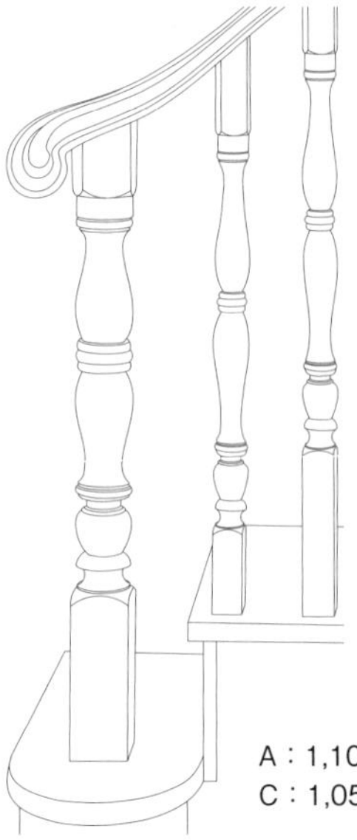

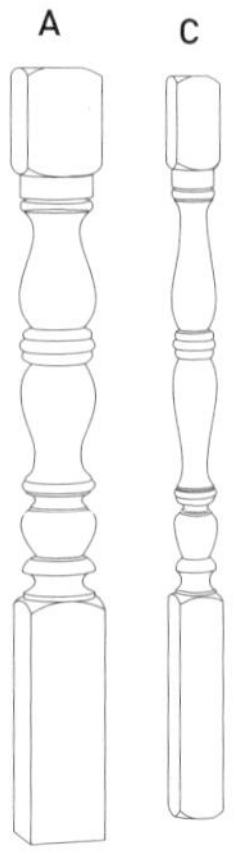
A
C

A：1,100×115×115
C：1,050×70×70

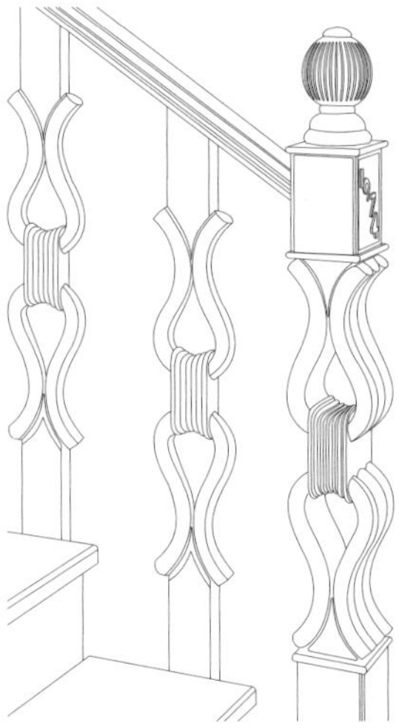

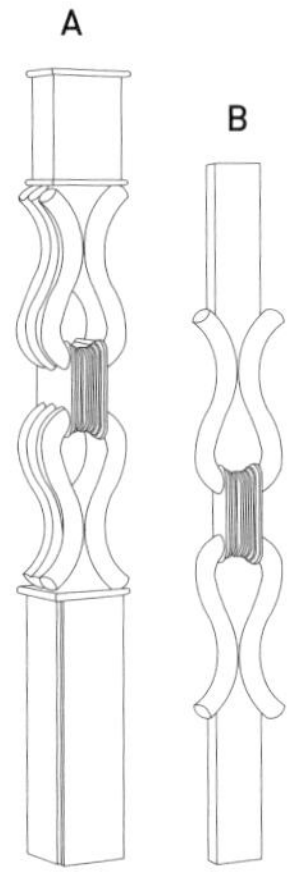
A
B

A：1,170×160×125
B：1,050×150×35

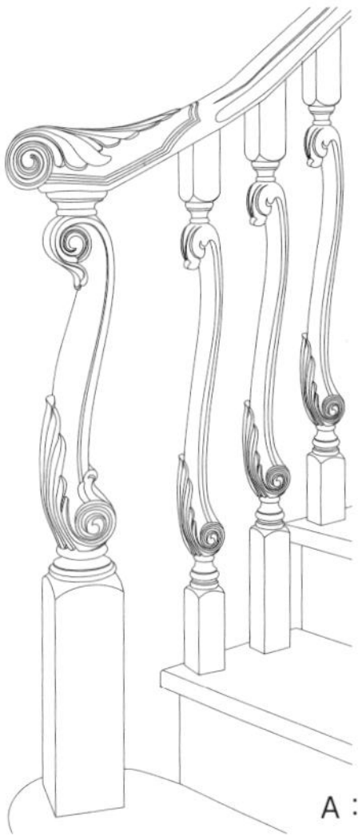

A

A：1,100×115×115

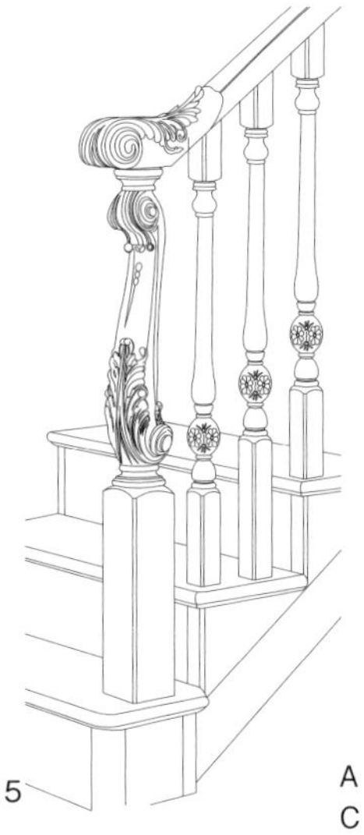

A
C

A：1,100×115×115
C：1,050×70×70

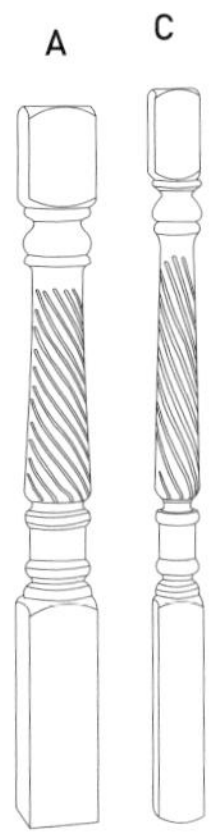
A
C

A：1,100×115×115
C：1,050×70×70

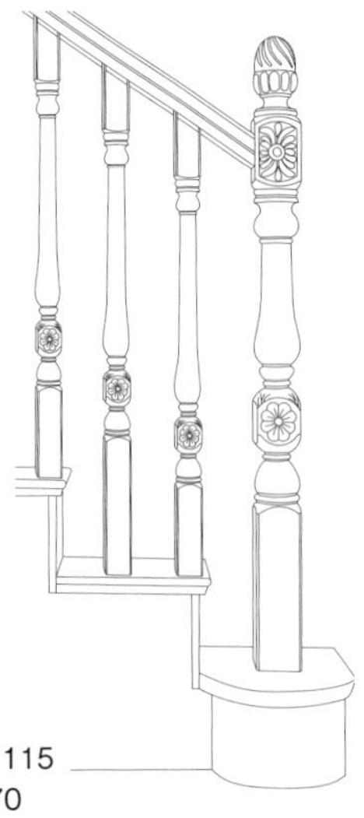

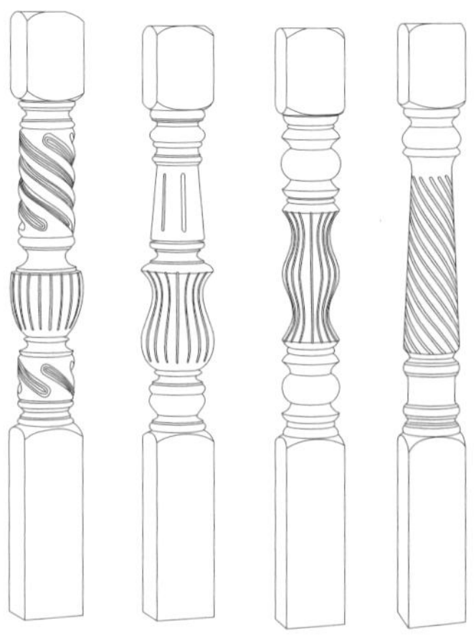

1,100×115×115

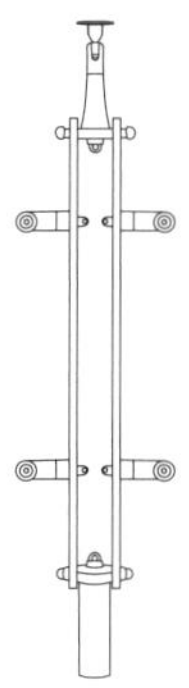
XD1116

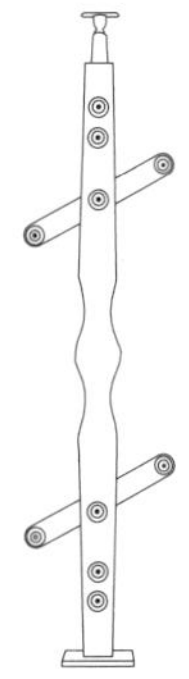
XD1181

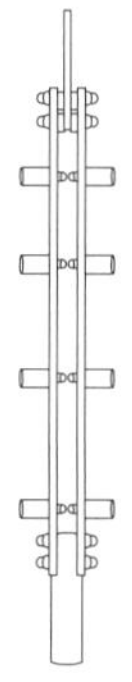
XD1191

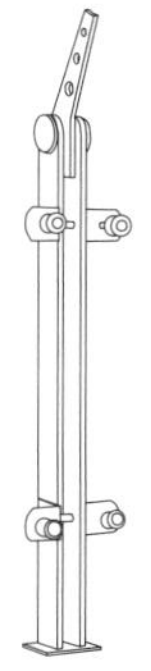
XD1211

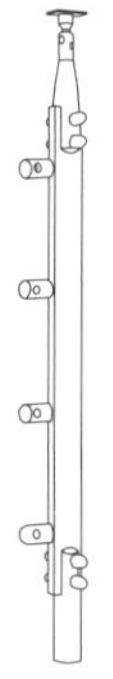
XD1221

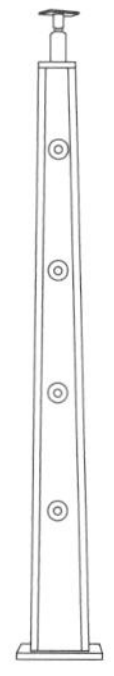
XD2251

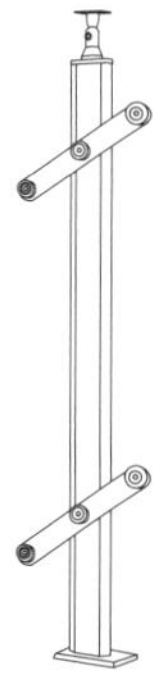
XD2285

鉄製円弧旋回式階段

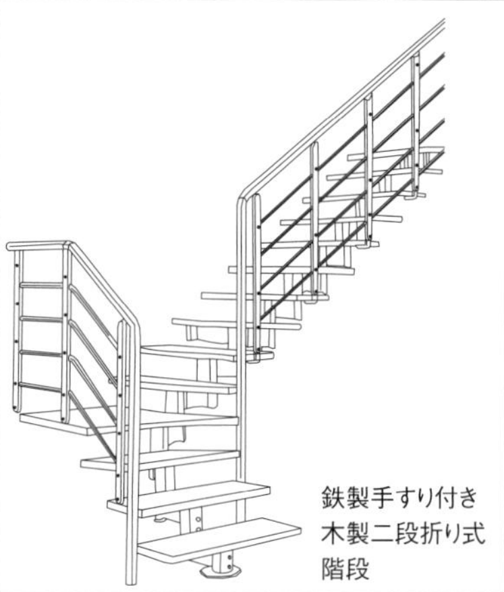
鉄製手すり付き
木製二段折り式
階段

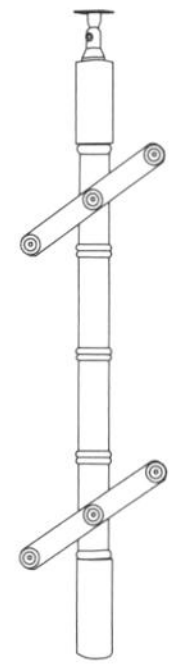
XD2521

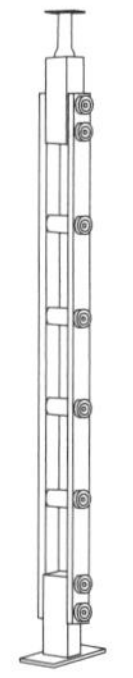
XD3531

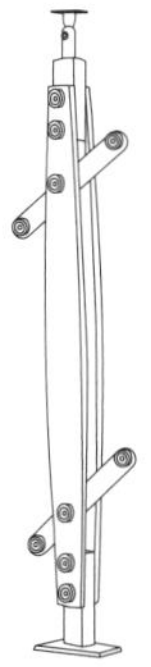
XD2323

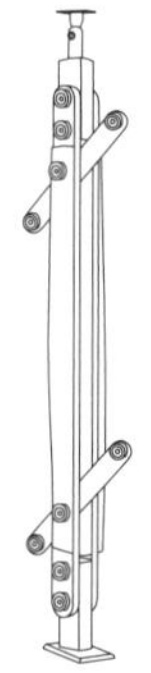
XD2332

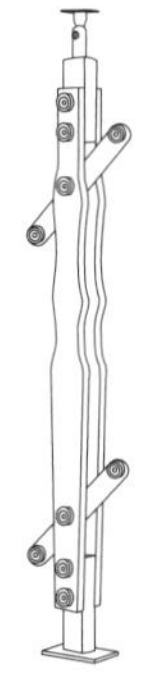
XD2352

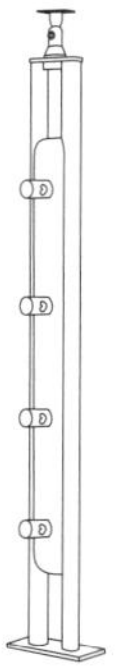
XD2271

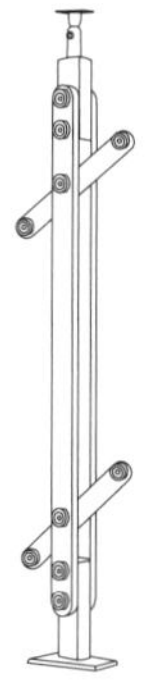
XD2313

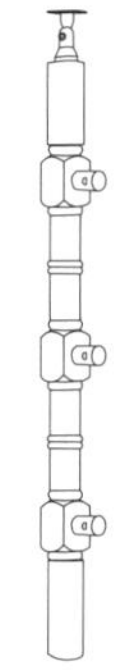
XD2522

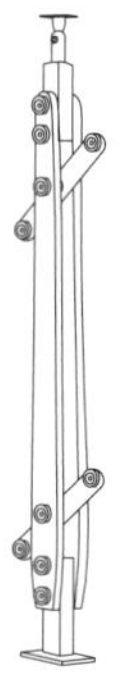
XD2512

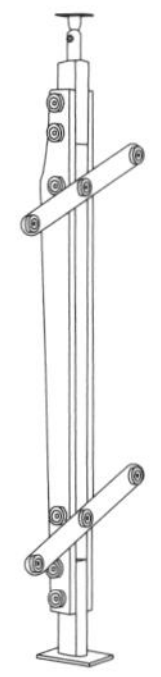
XD2392

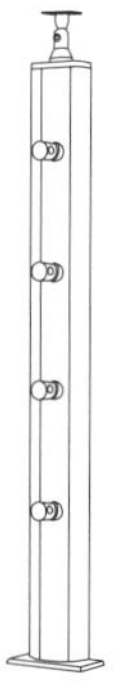
XD1122

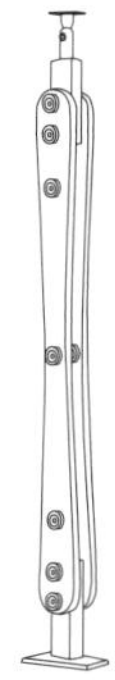
XD2381

XD2372

XD3511

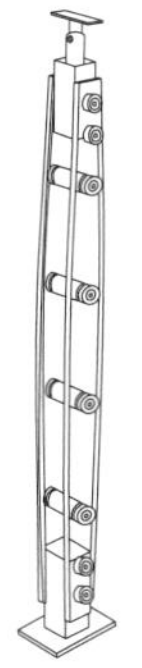
XD3521

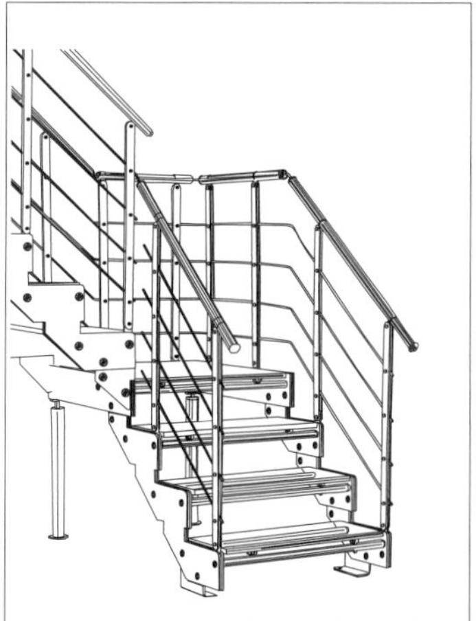
鉄製円弧旋回式階段

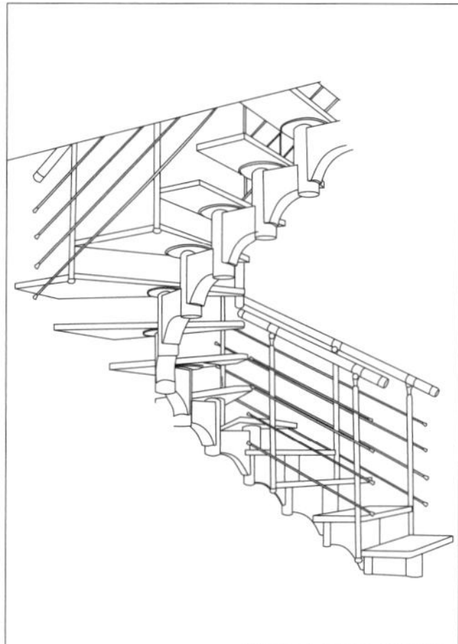
鉄製木円弧式階段

鉄製手すり付き木製円弧式階段

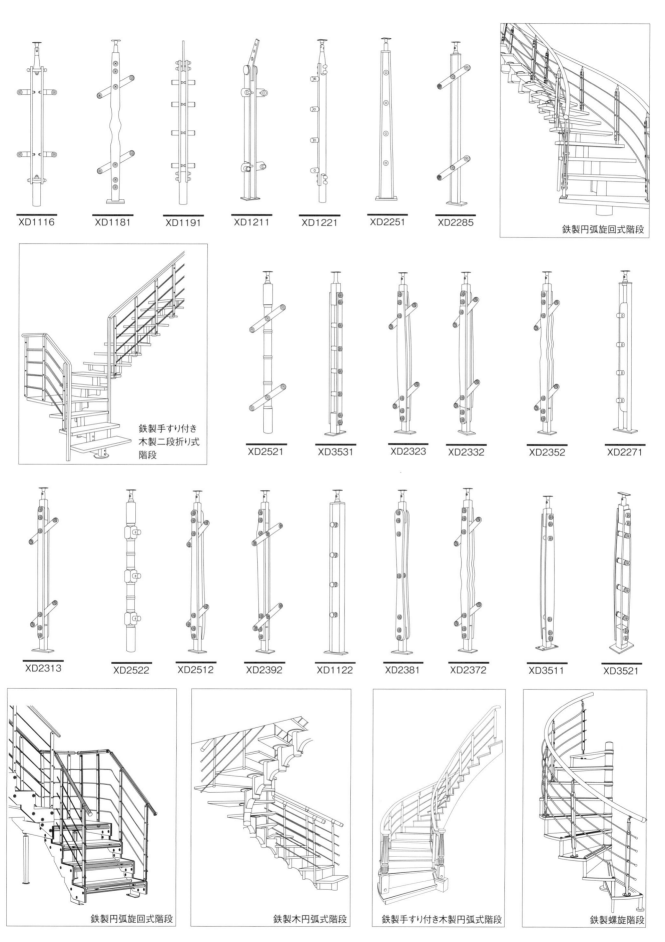

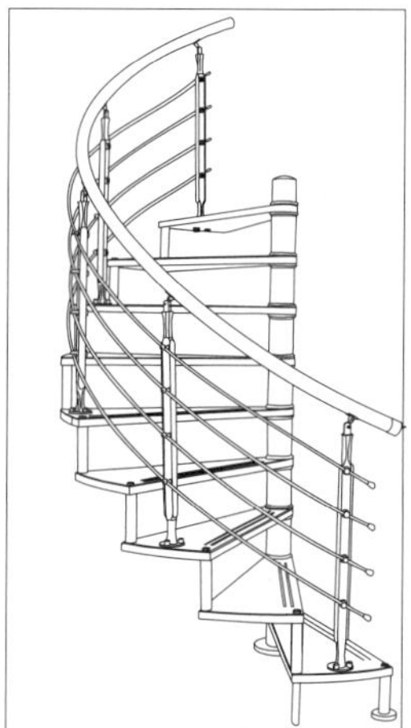
鉄製螺旋階段

現代の金属製手すり

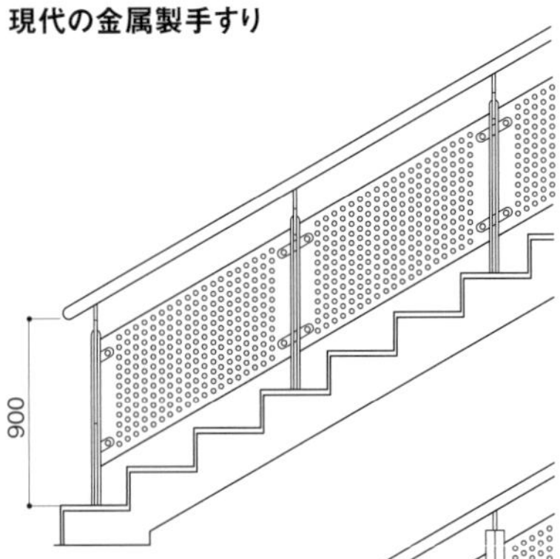
900

金属製柵板

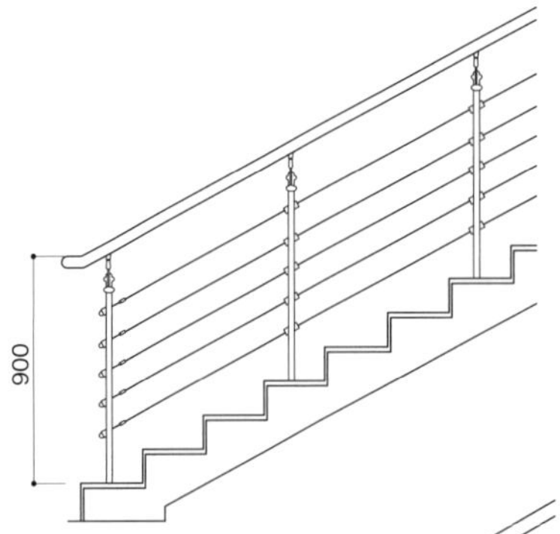
900

ステンレス製手すり

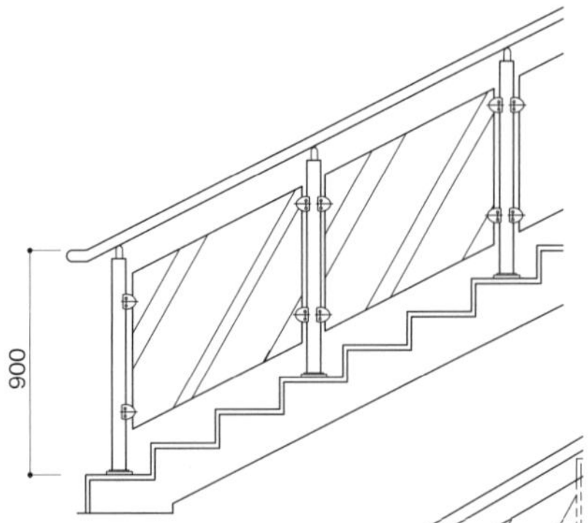
900

ガラス製手すり

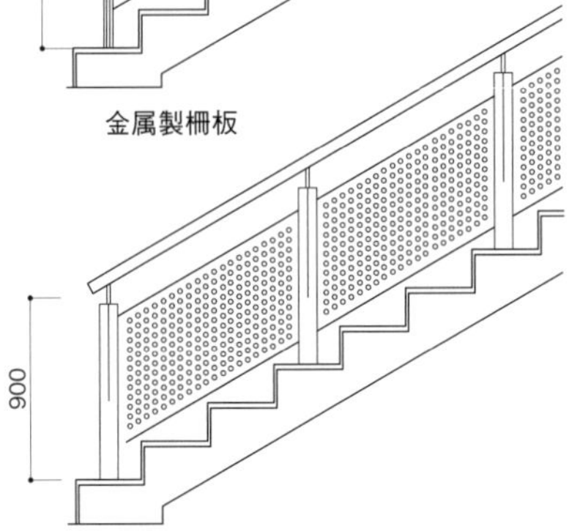
900

金属性柵板

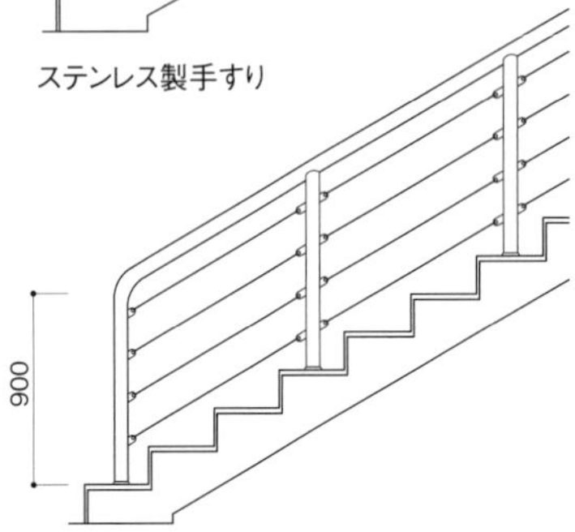
900

ステンレス製手すり

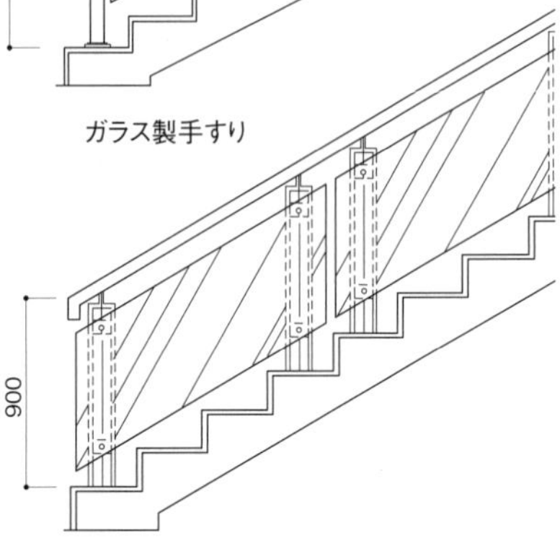
900

ガラス製手すり

西洋伝統的鉄製手すり

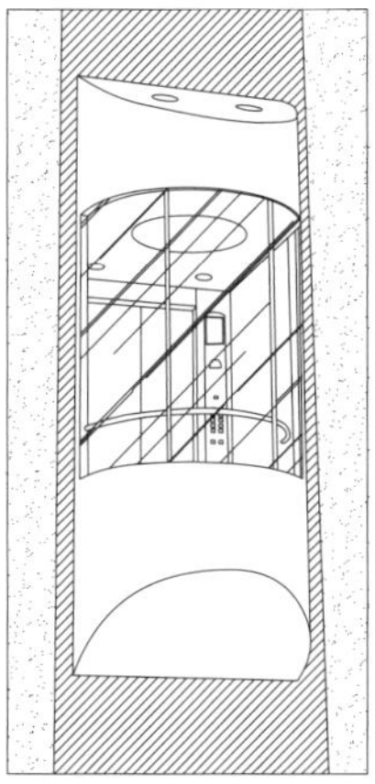

GPS-III-HY05S基本仕様

項目	仕様内容				
速度(m/s)	1	1.5	1.75	2.0	2.5
積載量(kg)	1,050				
最大停止階数	20	28	28	28	28
最大吊上高度(m)	60	80	80	80	80
制御方式	VFEL				
操作方式	1C-2BC、2C ～ 4C-AL-21				
ドアシステム	LV1K-L2N-CO				
開門方式	1D1G				
動力電源	380V、50Hz三相五線式				
照明電源	220V、50Hz				
最小高(mm)	2,800				

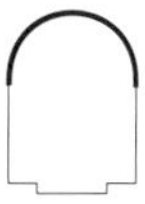

かごの断面

エレベータカーはU字形で、正面には半円形の透明ガラスが組まれ、乗客の視界が比較的広い。かごの外部装飾は塗装鋼板で、色は指定が可能。そのため、かごの外観とビル内の装飾を一体化でき、全体的なデザインができる

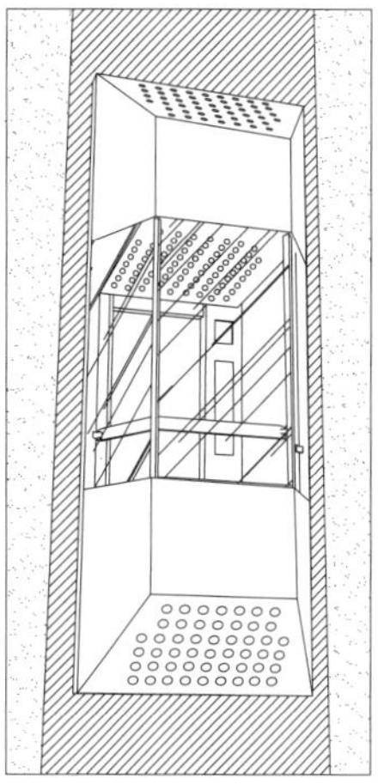

GPS-III-CX7S基本仕様

項目	仕様内容		
速度(m/s)	1	1.5	1.75
積載量(kg)	900、1,050		
最大停止階数	20	28	28
最大吊上高度(m)	55	80	80
制御方式	VFEL		
操作方式	1C-2BC、2C～4C-AL-21		
開門方式	1D1G		
動力電源	380V、50Hz三相五線式		
照明電源	220V、50Hz		
最小高(mm)	2,800		

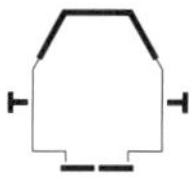

かごの断面

かごの外観は美しく上品で、輪郭が特徴的である。天井の円形の透光部はかご外部の装飾板の透光部と一体となり美しい

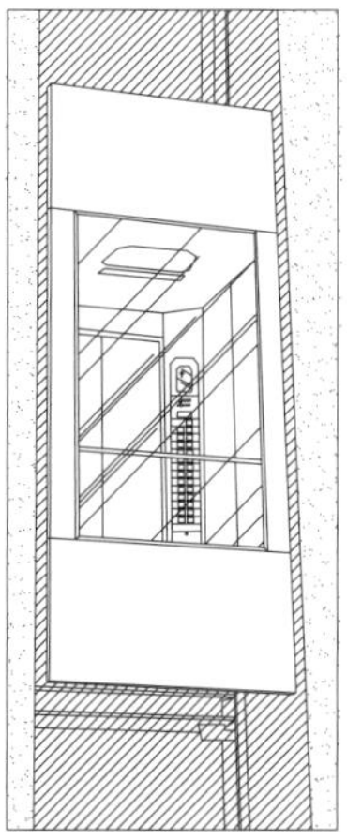

HOPE-S1 基本仕様

項目	仕様内容				
速度(m/s)	1	1.5	1.75	2	2.5
積載量(kg)	800 900 1,050 1,200 1,350	800 900 1,050 1,200 1,350	800 900 1,050 1,200 1,350	800 900 1,050 1,200 1,350	800 900 1,050 1,200 1,350
最大停止階数	20	28	28	28	28
最大吊上高度(m)	55	80	80	80	80
制御方式	VFDA				
操作方式	1C-2BC、2C-SM21、3C-ITS21、4C-ITS21				
ドアシステム	LV1K-L2N-CO				
開門方式	1D1G				
動力電源	380V、50Hz三相五線式				
照明電源	220V、50Hz				
最小高(mm)	2,800				

かごの断面

かごの外観はすっきりとし、正面に透明な安全ガラスを嵌め、天井と内部の装飾組み合わされは多彩。外部の装飾には塗装鋼板を使用

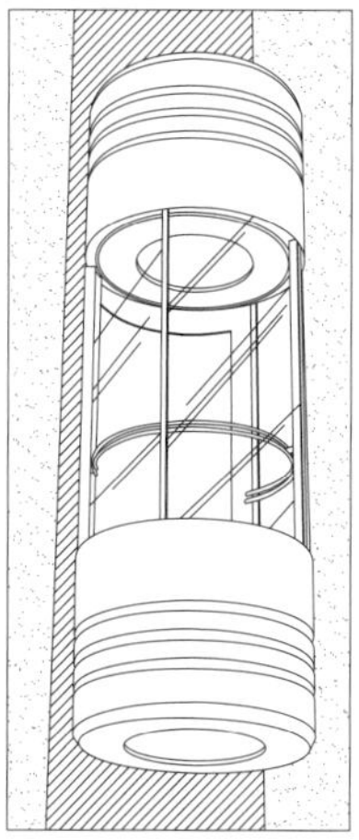

GPS-III-KX2S基本仕様

項目	仕様内容		
速度(m/s)	1	1.5	1.75
積載量(kg)	1,200		
最大停止階数	20	28	28
最大吊上高度(m)	60	80	80
制御方式	VFEL		
操作方式	1C-2BC、2C～4C-AL-21		
開門方式	1D1G、両開きドア		
動力電源	380V、50Hz三相五線式		
照明電源	220V、50Hz		
最小高(mm)	2,800		

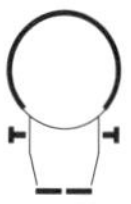

かごの断面

かごの外観は円形で、造型が上品で美しい。アーチ形の透明安全大ガラスにより視界が広い。上下の円筒形外装板には照明付き強化プラスチックを採用し、内部の照明が上品な印象を与える

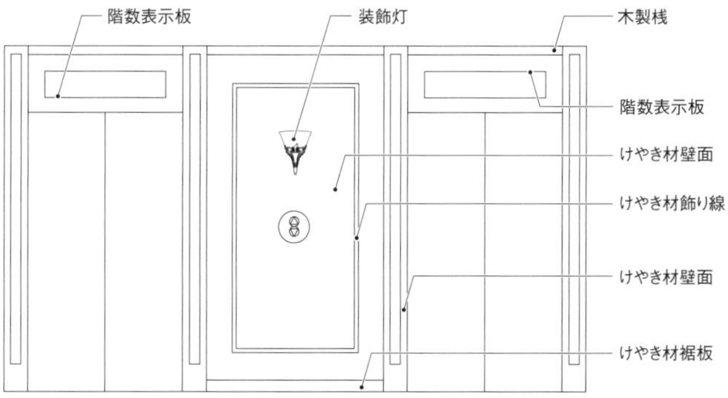
階数表示板
装飾灯
木製桟
階数表示板
けやき材壁面
けやき材飾り線
けやき材壁面
けやき材裾板

エレベーター立面図

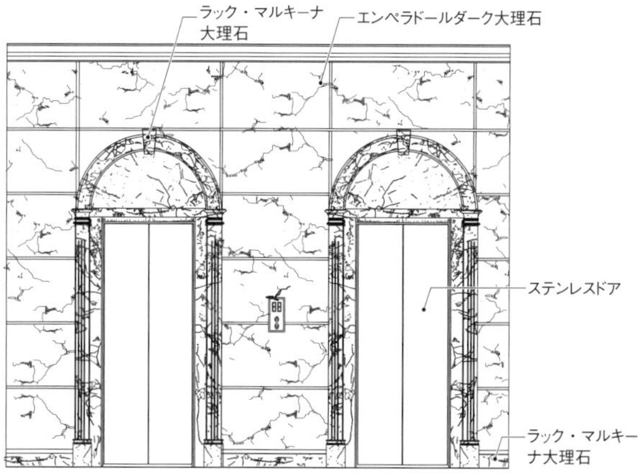
ラック・マルキーナ大理石
エンペラドールダーク大理石
ステンレスドア
ラック・マルキーナ大理石

エレベーター壁装飾

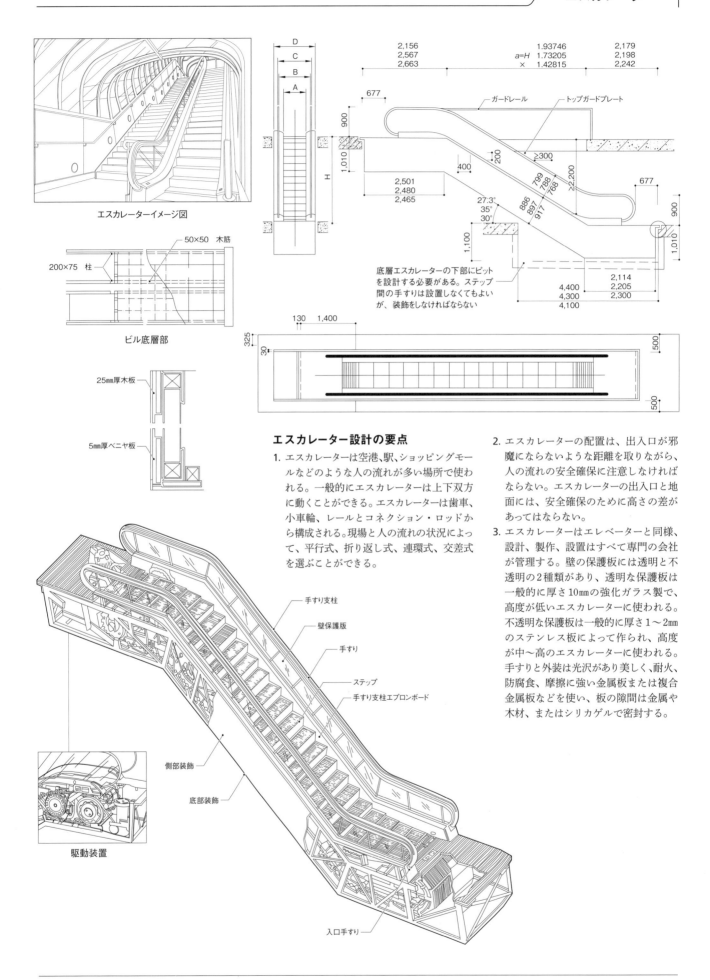

エスカレーターイメージ図

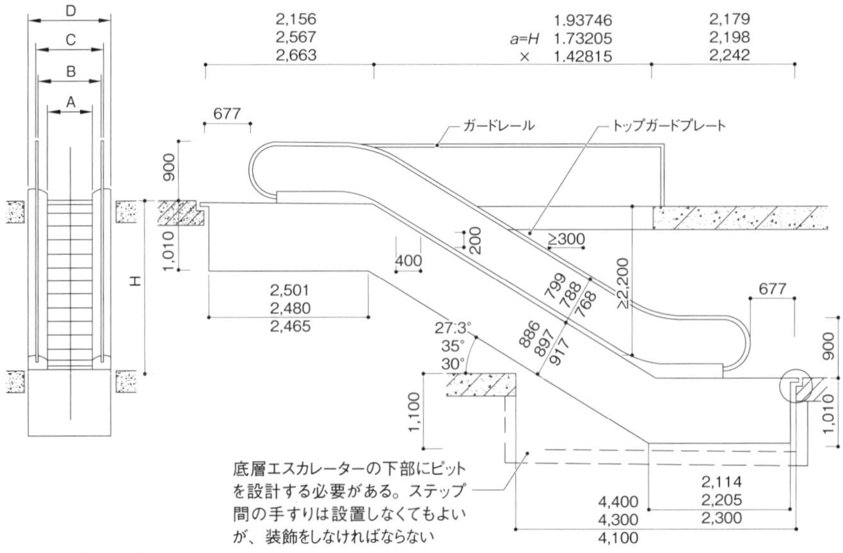
D
C
B
A
H
2,156
2,567
2,663
1.93746
a=H 1.73205
× 1.42815
2,179
2,198
2,242
677
900
1,010
ガードレール
トップガードプレート
200
≧300
400
2,501
2,480
2,465
799
788
768
886
897
917
≧2,200
677
900
27.3°
35°
30°
1,100
1,010
底層エスカレーターの下部にピットを設計する必要がある。ステップ間の手すりは設置しなくてもよいが、装飾をしなければならない
4,400
4,300
4,100
2,114
2,205
2,300

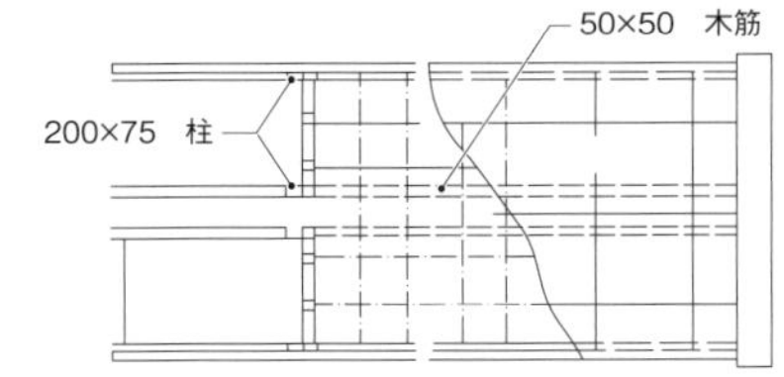
50×50 木筋
200×75 柱

ビル底層部

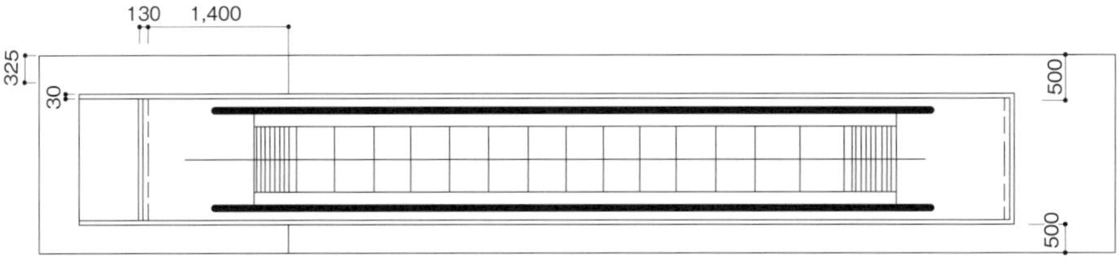
130 1,400
325
30
500
500

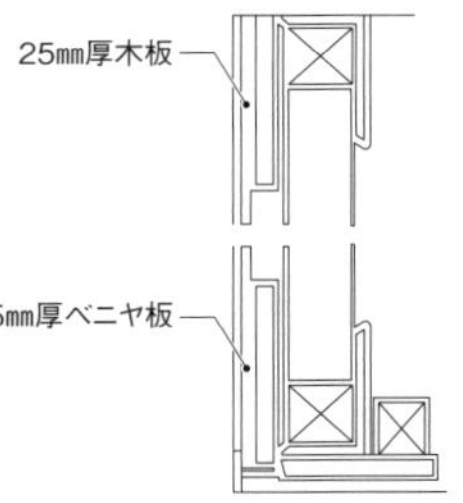
25mm厚木板
5mm厚ベニヤ板

エスカレーター設計の要点

1. エスカレーターは空港、駅、ショッピングモールなどのような人の流れが多い場所で使われる。一般的にエスカレーターは上下双方に動くことができる。エスカレーターは歯車、小車輪、レールとコネクション・ロッドから構成される。現場と人の流れの状況によって、平行式、折り返し式、連環式、交差式を選ぶことができる。
2. エスカレーターの配置は、出入口が邪魔にならないような距離を取りながら、人の流れの安全確保に注意しなければならない。エスカレーターの出入口と地面には、安全確保のために高さの差があってはならない。
3. エスカレーターはエレベーターと同様、設計、製作、設置はすべて専門の会社が管理する。壁の保護板には透明と不透明の2種類があり、透明な保護板は一般的に厚さ10mmの強化ガラス製で、高度が低いエスカレーターに使われる。不透明な保護板は一般的に厚さ1～2mmのステンレス板によって作られ、高度が中～高のエスカレーターに使われる。手すりと外装は光沢があり美しく、耐火、防腐食、摩擦に強い金属板または複合金属板などを使い、板の隙間は金属や木材、またはシリカゲルで密封する。

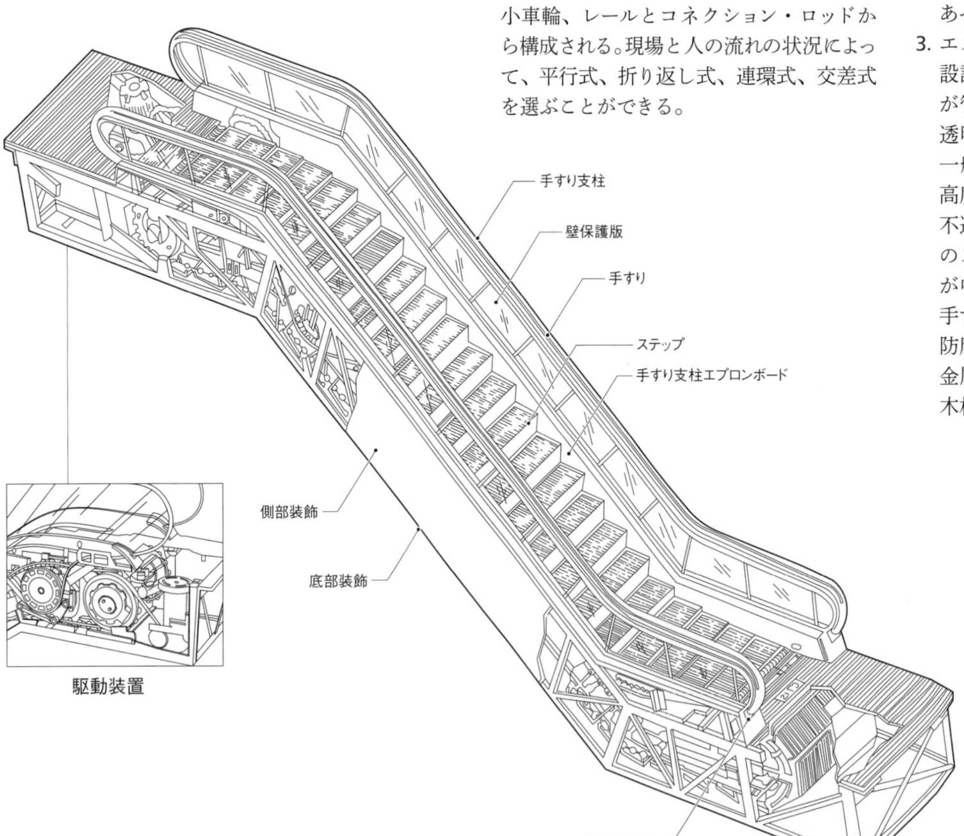
手すり支柱
壁保護版
手すり
ステップ
手すり支柱エプロンボード
側部装飾
底部装飾
入口手すり

駆動装置

中空ボード木枠芯材の形式

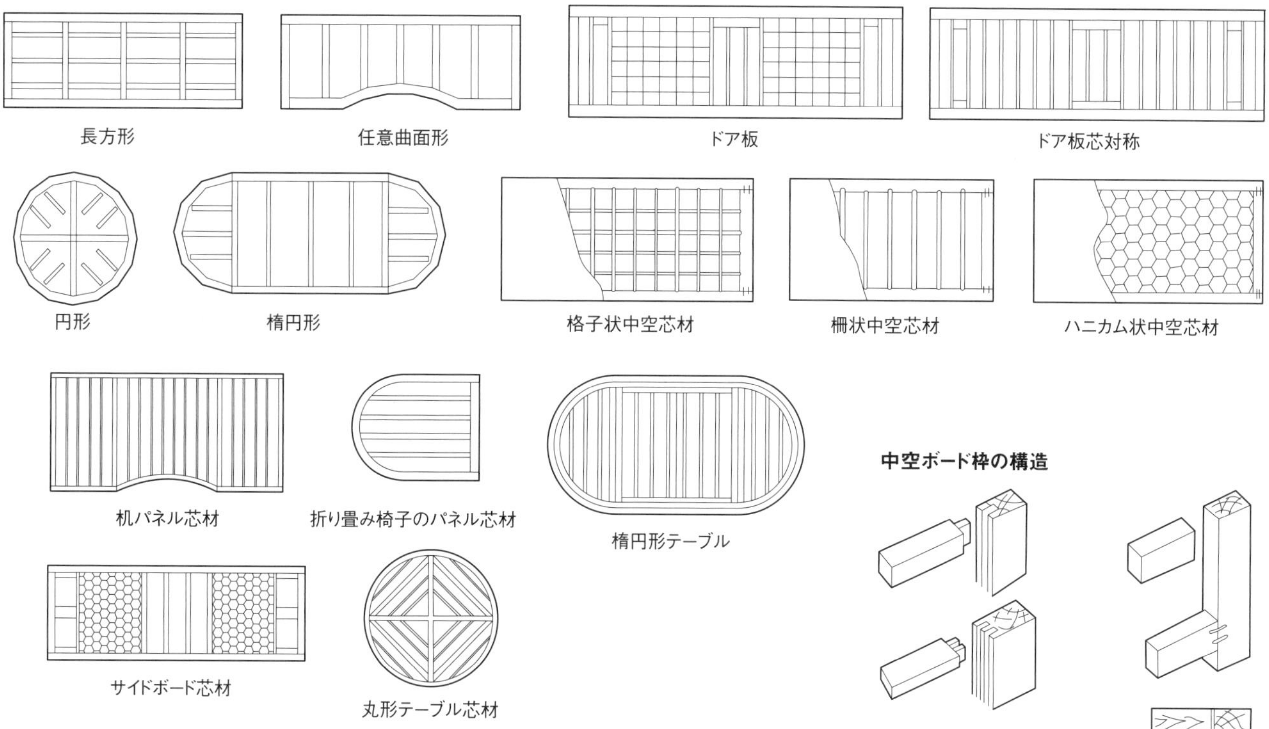
長方形
任意曲面形
ドア板
ドア板芯対称
円形
楕円形
格子状中空芯材
柵状中空芯材
ハニカム状中空芯材
机パネル芯材
折り畳み椅子のパネル芯材
楕円形テーブル
サイドボード芯材
丸形テーブル芯材

中空ボード枠の構造

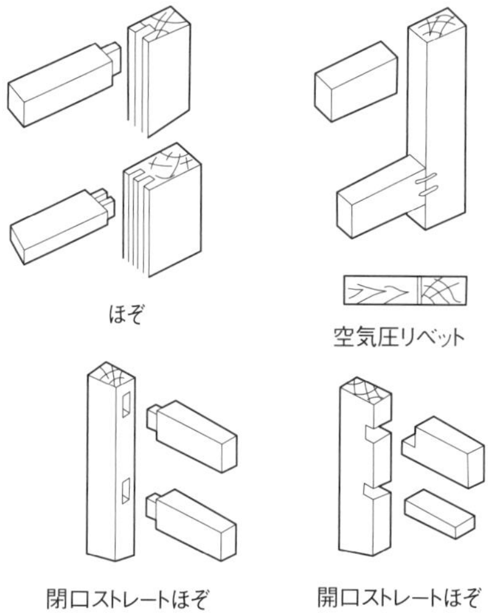
ほぞ
空気圧リベット
閉口ストレートほぞ
開口ストレートほぞ

カバーボードの周辺処理

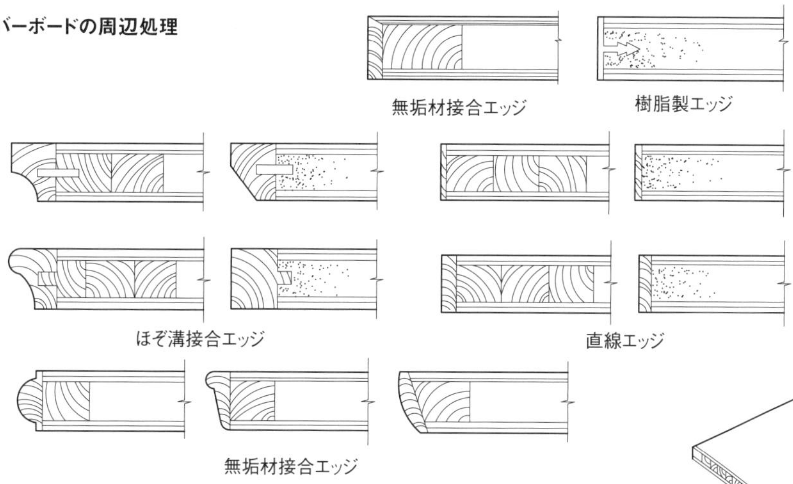
無垢材接合エッジ
樹脂製エッジ
ほぞ溝接合エッジ
直線エッジ
無垢材接合エッジ

ボード丸角と端部の処理

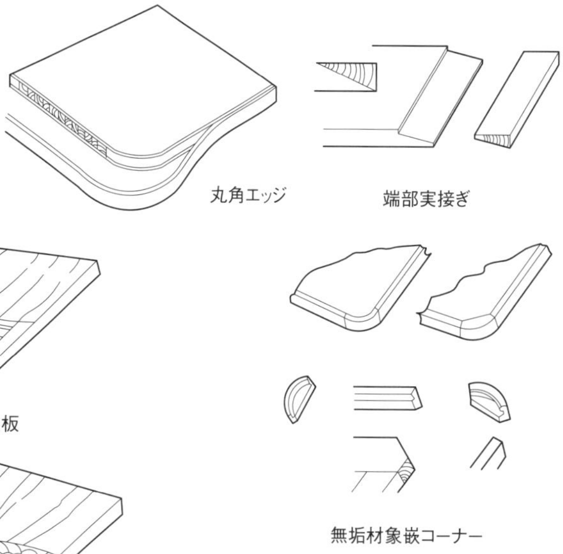
丸角エッジ
端部実接ぎ
無垢材象嵌コーナー

露出ボードの異素材芯材

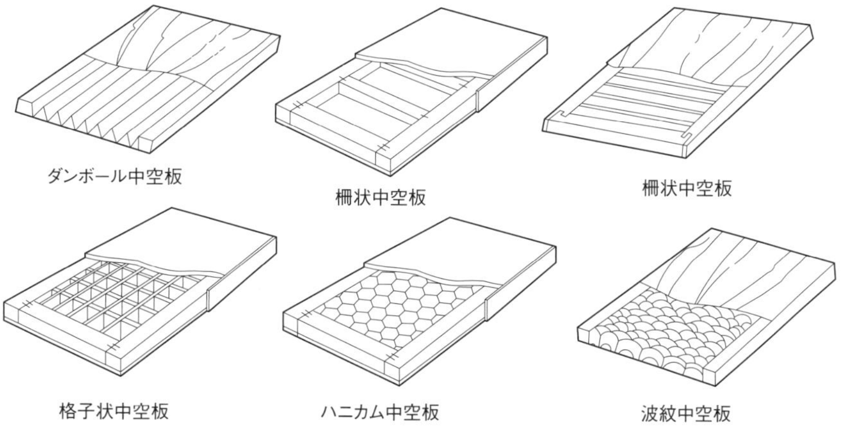
ダンボール中空板
柵状中空板
柵状中空板
格子状中空板
ハニカム中空板
波紋中空板

折り畳み式背板の設置

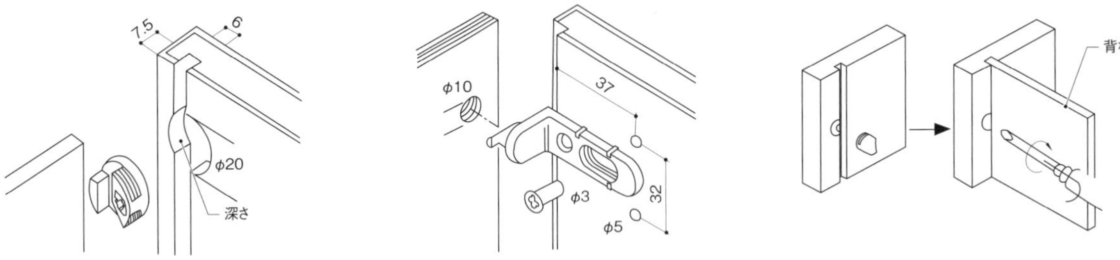
7.5
6
φ20
深さ
φ10
37
φ3
32
φ5
背板

金属枠の引出し

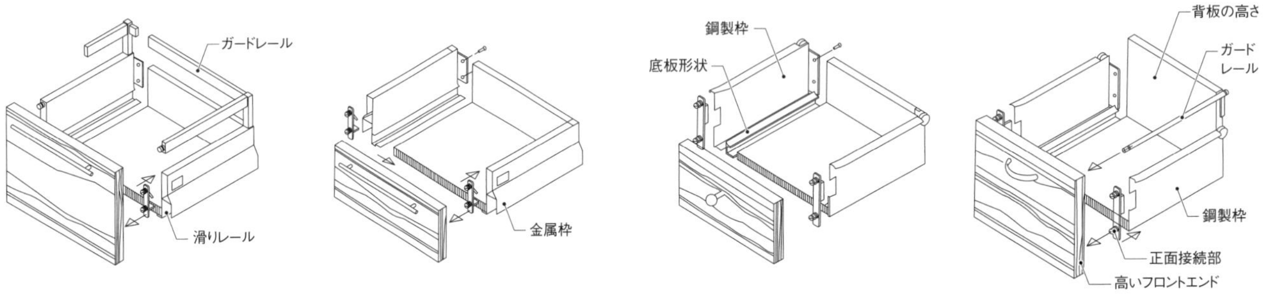
ガードレール
滑りレール
金属枠
鋼製枠
底板形状
背板の高さ
ガード
レール
鋼製枠
正面接続部
高いフロントエンド

引出しの組み立て

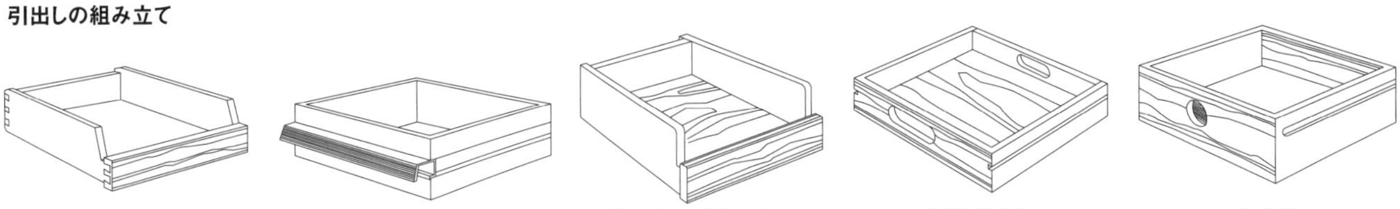

英国式の木製引出し　内引出し　英国式の木製引出し　浅盤式引出し　内引出し

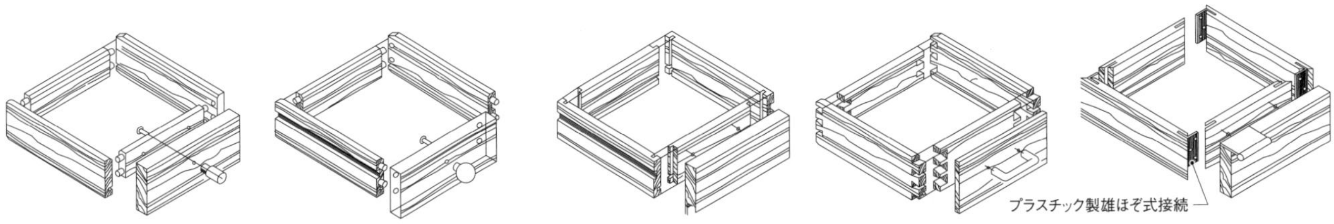
プラスチック製雄ほぞ式接続

ほぞ金具式接続　ほぞ金具式接続　雄ほぞ式接続　蟻接ぎ式　プラスチック製雄ほぞ

引出しスライドレールの取付(フープ式とボール式)

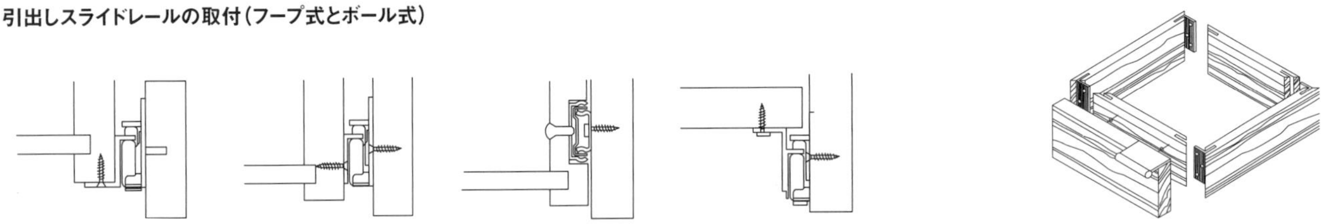

下部サポート式　サイドボード式　ノッチ式　シェルフ式　プラスチック製雄ほぞ

スライドドアのレール取付

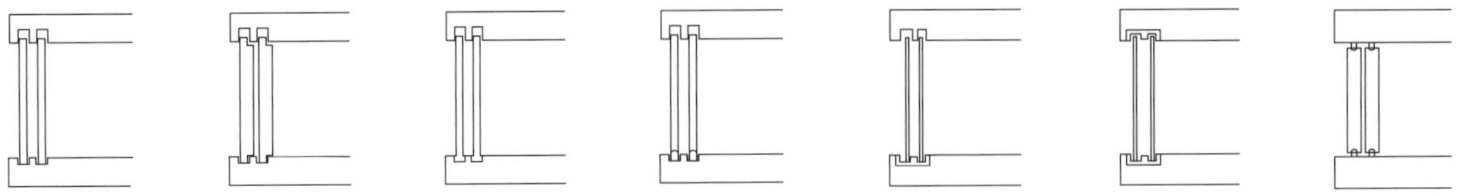

部品接続

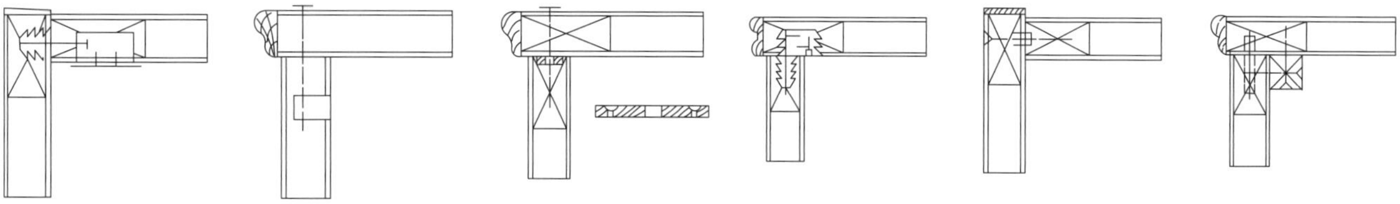

ドアストッパー

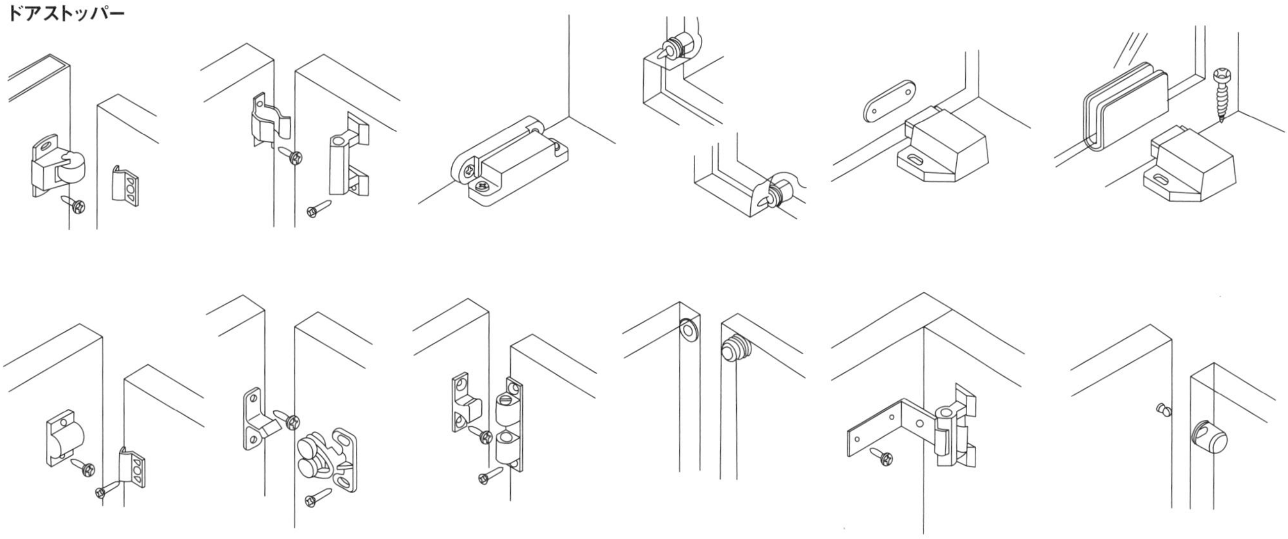

ゴブレット型隠しヒンジ

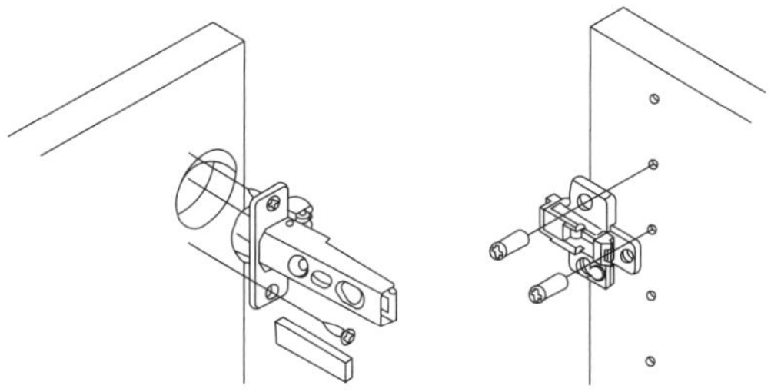

回転プレート、折り畳みドアヒンジ

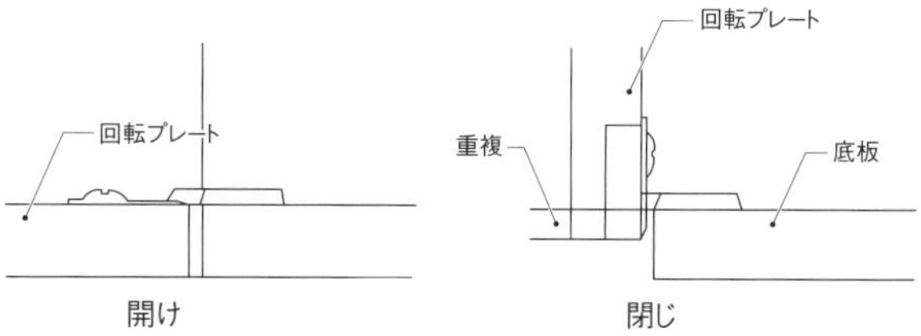

回転プレート
開け
回転プレート
重複
底板
閉じ

フック式コネクタ

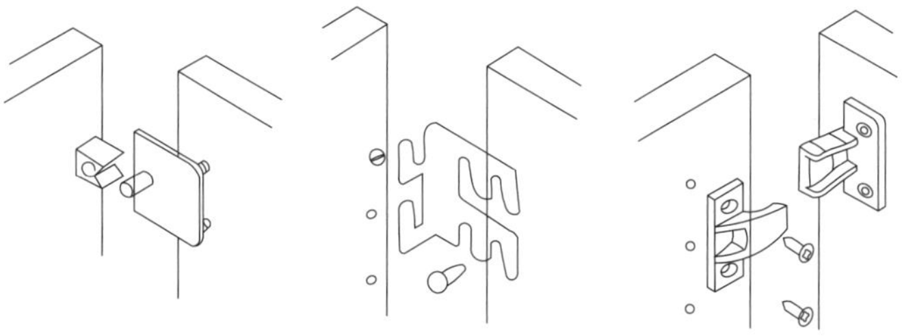

止め金

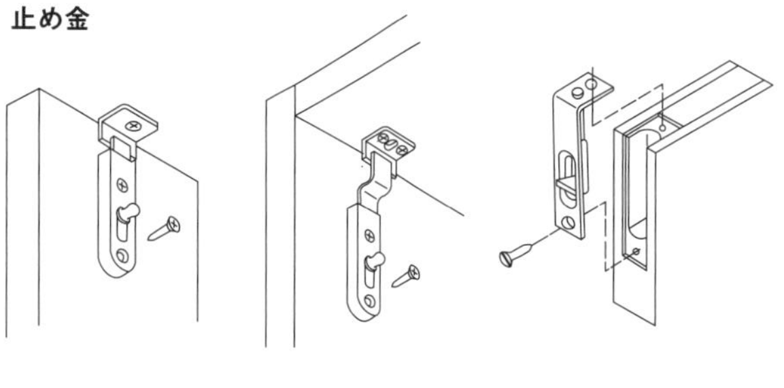

ガラスドアヒンジ

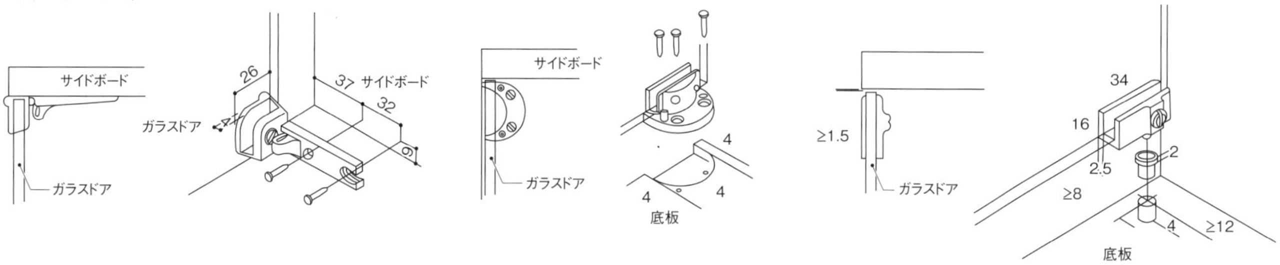

サイドボード
ガラスドア
26
37
サイドボード
32
ガラスドア
サイドボード
ガラスドア
4
4
4
底板
≥1.5
ガラスドア
34
16
2
2.5
≥8
4
≥12
底板

壁式タンスにはいろいろな設置方法がある。正面フレームがあるタンスは簡単に設置することができる。サイドボードと構造板はピンで接合して固定するか、台形コネクタで繋げる。1つの背壁を放棄してもいいが、くさびで部屋の壁と戸棚壁の間の隅に戸棚をぴったりと締めなければならない。正面フレームを側面の縁に取り付け、かつねじで締めるか粘着材でぴったりと粘着する。タンスをそれぞれの棚部品で構成する場合、接続ネジで互いに接合しなければならない。タンスは整然と並べたベースに取り付け、固定し、残りの戸棚部品はその上に設置する。

戸棚壁の背壁とサイドボードは部屋の壁に寄りかからせることはできず、少なくとも25㎜の隙間を設けなければならない。戸棚壁を外壁あるいは湿度の高い内壁に寄りかからせる場合、戸棚の後ろは風が通るようにすること。部屋の壁と戸棚の壁の間の空間は接続部品で覆う。

天井との接続は壁との接続と同じである。部屋の天井戸棚にタンスをしっかりと繋げ、別途通気口を設置して空気を循環させる。

戸棚壁はベースの上に設置することができる。ベースは予め下部くさびなどで床板の上に水平に調整しなければならない。

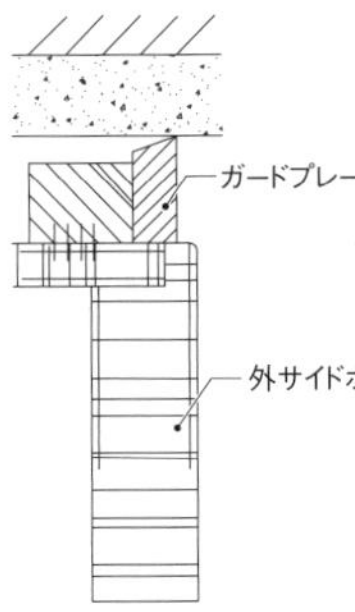
ガードプレート
外サイドボード

木製カバーで覆う

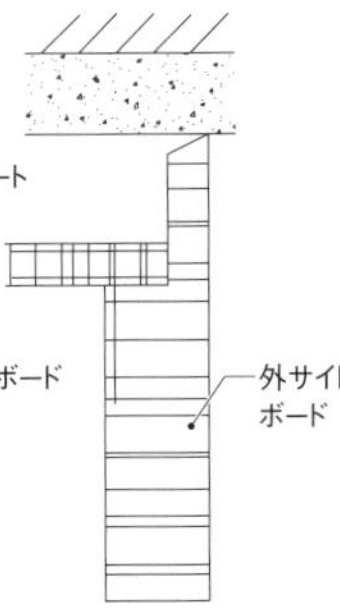
外サイド
ボード

サイドボードが押し入れの奥より広い

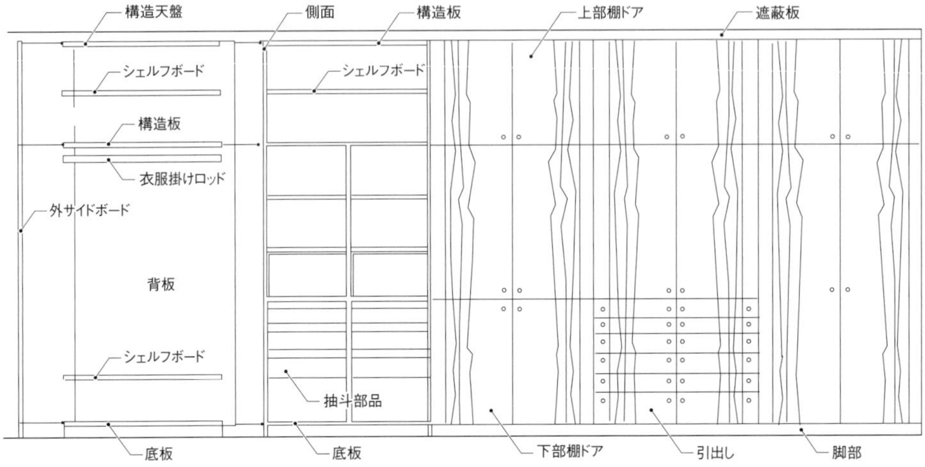
構造天盤
側面
構造板
上部棚ドア
遮蔽板
シェルフボード
シェルフボード
構造板
衣服掛けロッド
外サイドボード
背板
シェルフボード
抽斗部品
底板
底板
下部棚ドア
引出し
脚部

壁式タンス部品名称

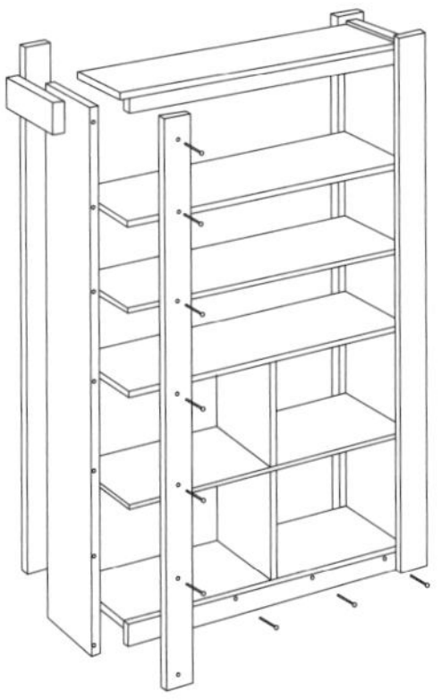

タンス内部分解図

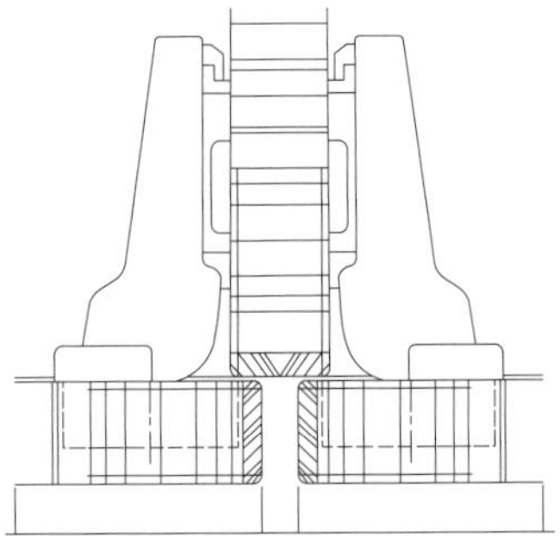

同じサイドボードの接続法

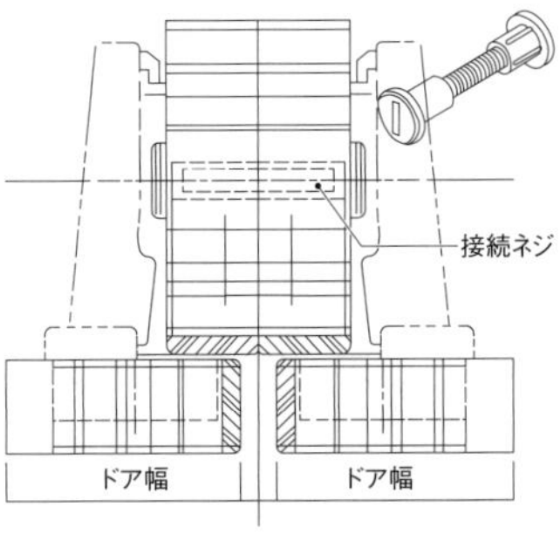
接続ネジ
ドア幅
ドア幅

2枚のサイドボードの接続法

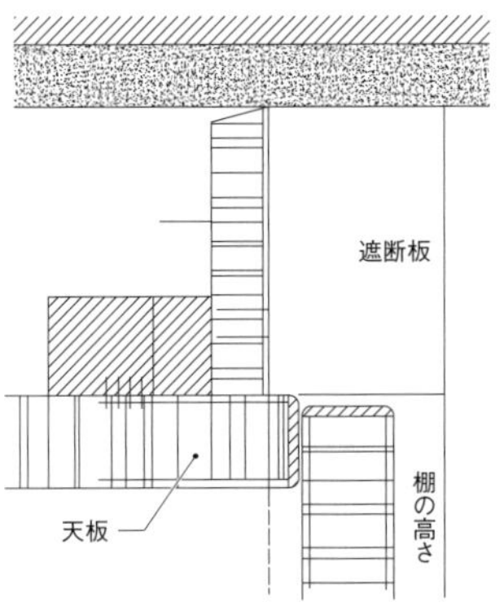
遮断板
棚の高さ
天板

背面天井接続

タンスの戸板とサイドボードの取り付け

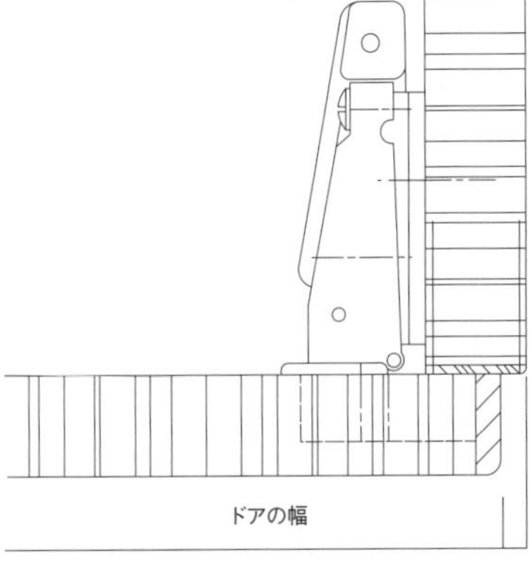
ドアの幅

水平切断面

つなぐドアがあるタンス内の隅の構造。壁とつないでマッチングさせる

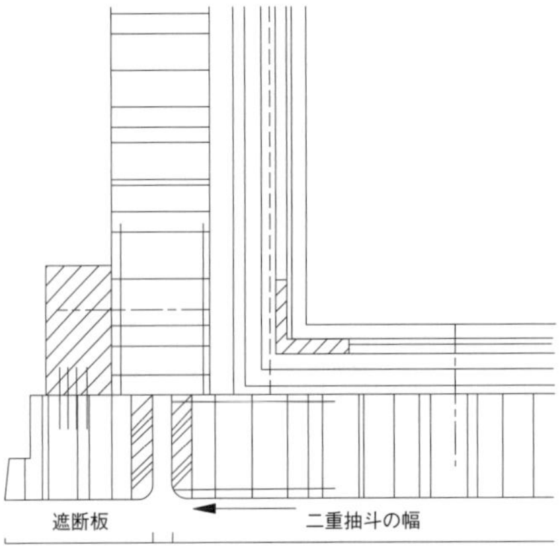
遮断板
二重抽斗の幅

水平切断面

木材に挟まれた二重スライド抽斗

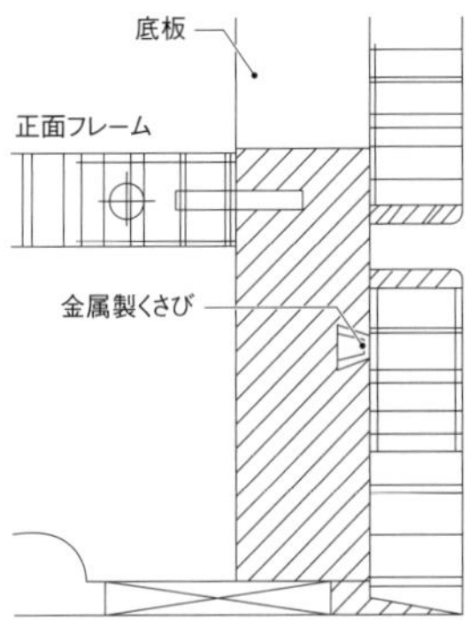
底板
正面フレーム
金属製くさび

正面にフレームとドアがあるタンスを取り付ける場合の床板接続

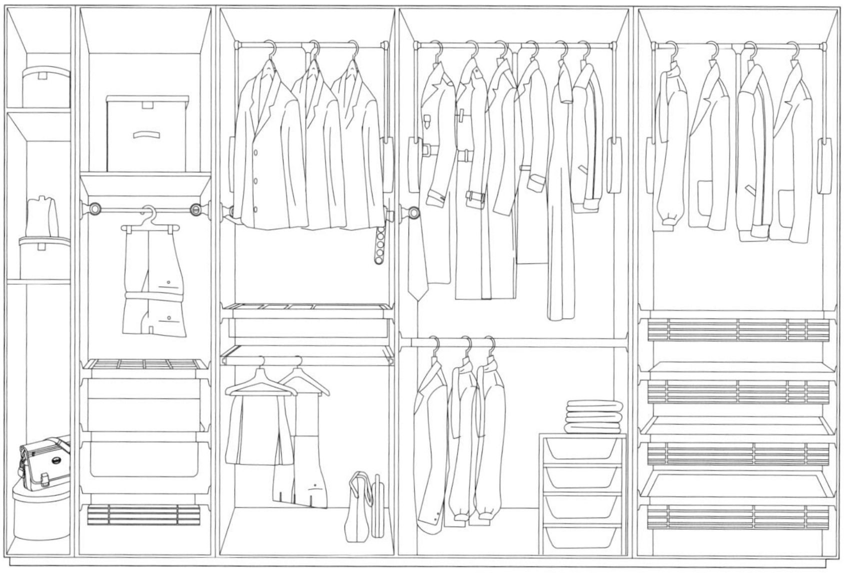

密閉式家具による空間は徐々に忘れ去られつつある。台所から客間、寝室まで開放的で明るい設計が現代の傾向である。パネル家具は伝統的に優雅な生活のシンボルで、その長所は生活環境に応じて設計される点にある。システムワードローブは人々の要求に応じ、空間の利用のしかたが変わる都度、組み換えられる点で優れている。

床面から天井までの一体式ワードローブは合理的に部屋の空間を利用でき、最も実用的な選択といえる。多くの衣服を掛けられ上に、内部の区切りが明確で、男性用と女性用の衣服をエリアで区分でき、また着用済みとそうでない衣服のエリアを区切ることもできるため、使い勝手に優れている。

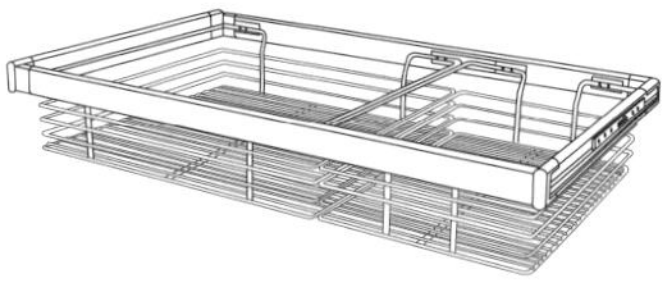

切り替え可能な多機能ワードローブ組み合わせ
ボール・ベアリングによる滑走
延長部分の長さ：340
材料：アルミ+ワイヤー

型式	箱の寸法	Aかごの幅	Bかごの幅
SL-066	600	290	390
SL-067	800	390	390
SL-068	900	485	390

回転ハンガーの参考寸法

型式	仕様 幅×奥行×高さ	取付寸法（内寸）
SL1800A-4	1,000×430×1,800	1,150×560×2,000
SL1800A-5	1,270×430×1,800	1,420×560×2,000
SL1800A-6	1,540×430×1,800	1,700×560×2,000
SL2000A-4	1,000×430×2,000	1,150×560×2,200
SL2000A-5	1,270×430×2,000	1,420×560×2,200
SL2000A-6	1,540×430×2,000	1,700×560×2,200
SL2200A-4	1,000×430×2,200	1,150×560×2,400
SL2200A-5	1,270×430×2,200	1,420×560×2,400
SL2200A-6	1,540×430×2,200	1,700×560×2,400

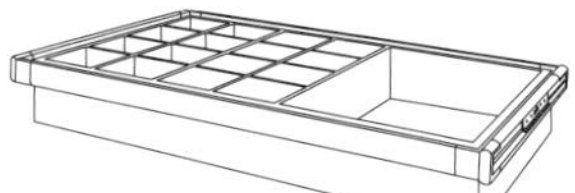

ネクタイ箱、小物箱（木材）
ボール・ベアリングによる滑走
延長部分の長さ：360
材料：アルミ+木材

型式	仕様 幅×奥行×高さ	箱の寸法
SL-016	564×510×150	600
SL-017	764×510×150	800
SL-018	864×510×150	900
SL-019	964×510×150	1,000

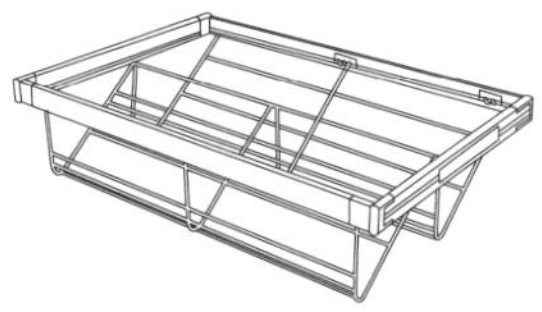

切り替え可能な多機能靴棚
ボール・ベアリングによる滑走
延長部分の長さ：360
材料：アルミ+ワイヤー

型式	仕様 幅×奥行×高さ	箱の寸法
SL-062	564×510×211	600
SL-063	764×510×211	800
SL-064	864×510×211	900
SL-065	964×510×211	1,000

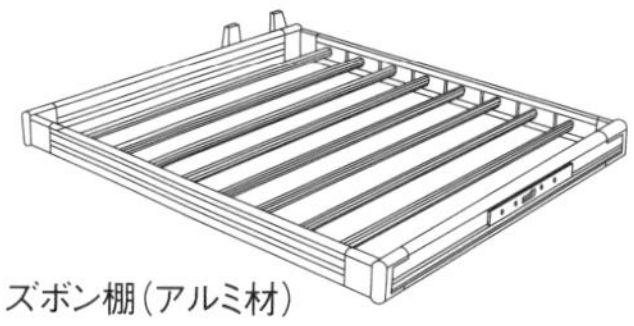

ズボン棚（アルミ材）
ボール・ベアリングによる滑走
延長部分の長さ：360
材料：アルミ

型式	仕様 幅×奥行×高さ	かぎ柵	箱の寸法
SL-012	564×510×87	8	600
SL-013	764×510×87	12	800
SL-014	864×510×87	14	900
SL-015	964×510×87	16	1,000

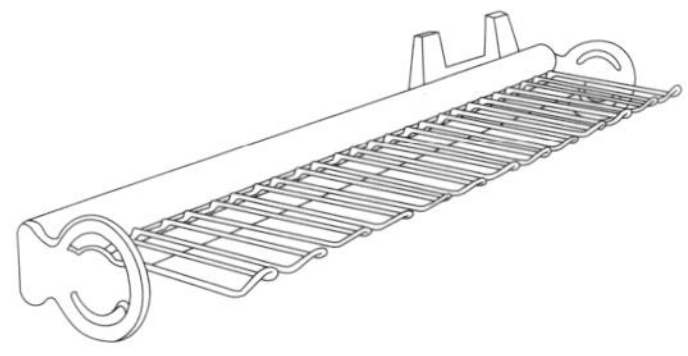

多機能ネクタイ棚
ボール・ベアリングによる滑走
延長部分の長さ：340
材料：アルミ+ワイヤー

型式	仕様 幅×奥×高	かぎ柵
SL-003	140×508×87	26

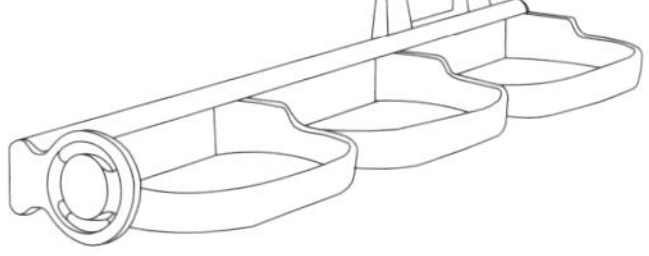

多機能アクセサリー棚
ボール・ベアリングによる滑走
延長部分の長さ：340
材料：アルミ+樹脂

型式	仕様 幅×奥×高	色
SL-004	140×508×87	黒色

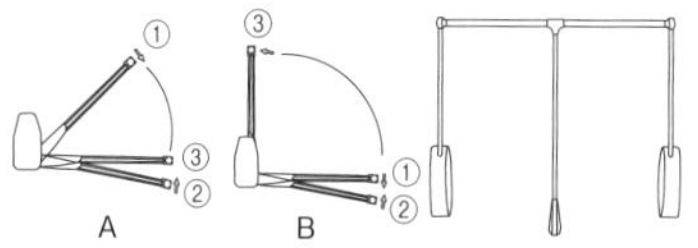

①
③
②
A
③
①
②
B

調節可能な衣服吊り上げレバー
ボール・ベアリングによる滑走
標準色：黒色
材料：アルミ

型式	内部幅	最大荷重（kg）
SL-084	600	6
SL-085	800	8
SL-086	900	9
SL-087	1000	10
SL-088	600～800	7
SL-089	800～1,100	12

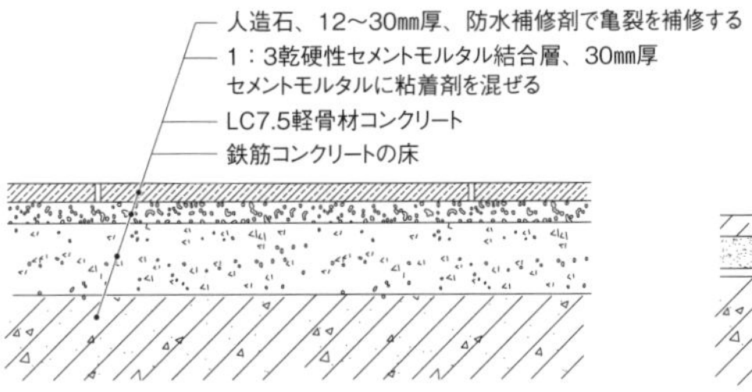
人造石、12～30mm厚、防水補修剤で亀裂を補修する
1：3乾硬性セメントモルタル結合層、30mm厚
セメントモルタルに粘着剤を混ぜる
LC7.5軽骨材コンクリート
鉄筋コンクリートの床

人造石ビル床面

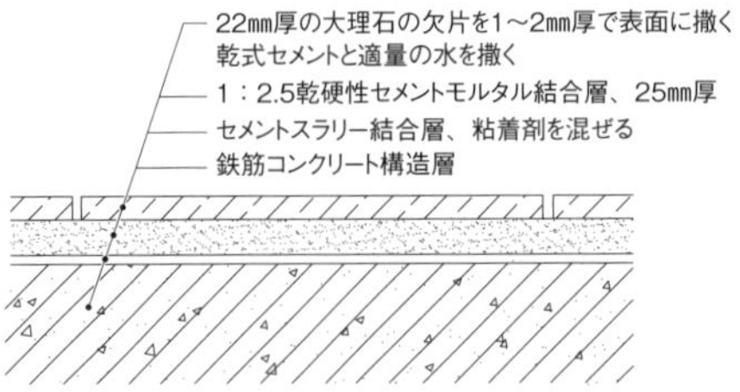
22mm厚の大理石の欠片を1～2mm厚で表面に撒く
乾式セメントと適量の水を撒く
1：2.5乾硬性セメントモルタル結合層、25mm厚
セメントスラリー結合層、粘着剤を混ぜる
鉄筋コンクリート構造層

大理石ビル床面

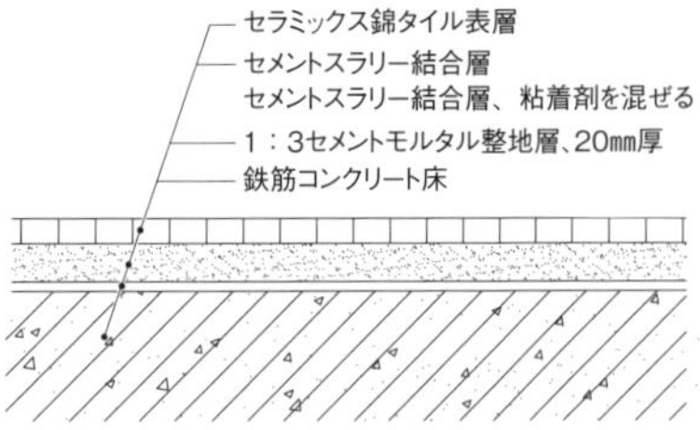
セラミックス錦タイル表層
セメントスラリー結合層
セメントスラリー結合層、粘着剤を混ぜる
1：3セメントモルタル整地層、20mm厚
鉄筋コンクリート床

セラミックス錦タイル床面

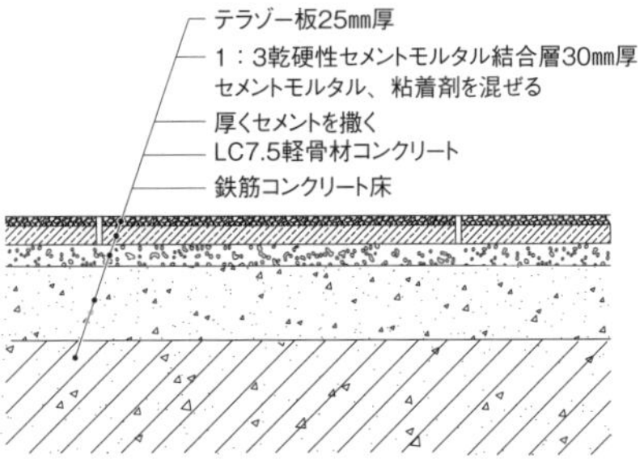
テラゾー板25mm厚
1：3乾硬性セメントモルタル結合層30mm厚
セメントモルタル、粘着剤を混ぜる
厚くセメントを撒く
LC7.5軽骨材コンクリート
鉄筋コンクリート床

テラゾー床面

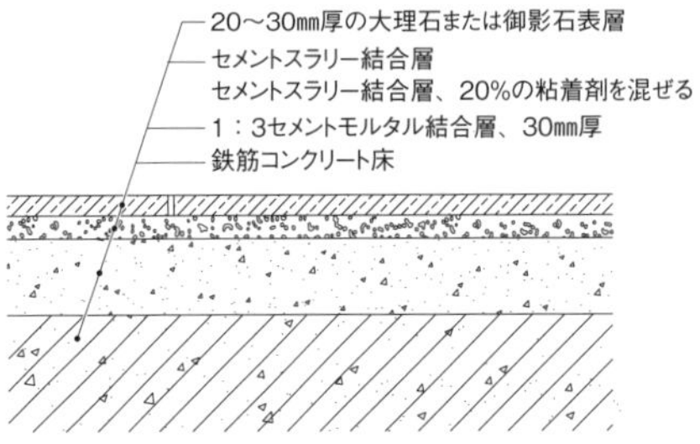
20～30mm厚の大理石または御影石表層
セメントスラリー結合層
セメントスラリー結合層、20%の粘着剤を混ぜる
1：3セメントモルタル結合層、30mm厚
鉄筋コンクリート床

大理石、御影石の床面

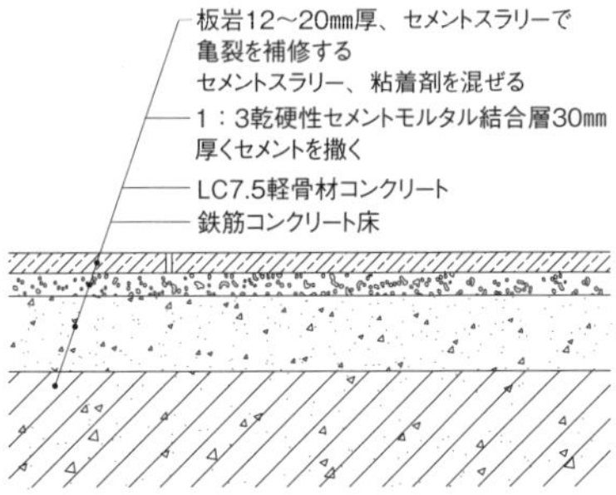
板岩12～20mm厚、セメントスラリーで
亀裂を補修する
セメントスラリー、粘着剤を混ぜる
1：3乾硬性セメントモルタル結合層30mm
厚くセメントを撒く
LC7.5軽骨材コンクリート
鉄筋コンクリート床

板岩ビル地面

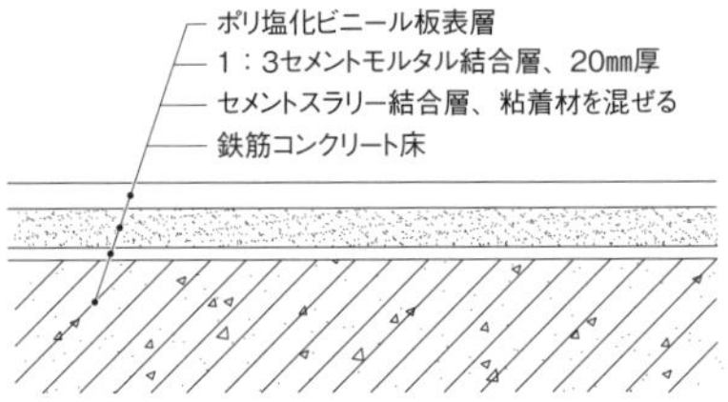
ポリ塩化ビニール板表層
1：3セメントモルタル結合層、20mm厚
セメントスラリー結合層、粘着材を混ぜる
鉄筋コンクリート床

ポリ塩化ビニール板表層

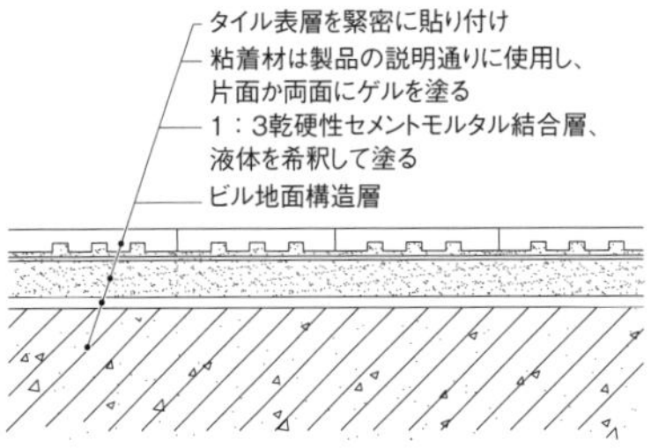
タイル表層を緊密に貼り付け
粘着材は製品の説明通りに使用し、
片面か両面にゲルを塗る
1：3乾硬性セメントモルタル結合層、
液体を希釈して塗る
ビル地面構造層

セラミックスタイル床面

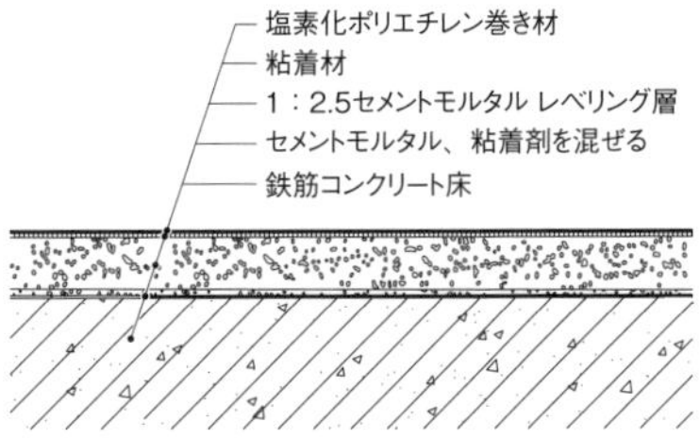
塩素化ポリエチレン巻き材
粘着材
1：2.5セメントモルタル レベリング層
セメントモルタル、粘着剤を混ぜる
鉄筋コンクリート床

塩化ポリエチレン巻き材

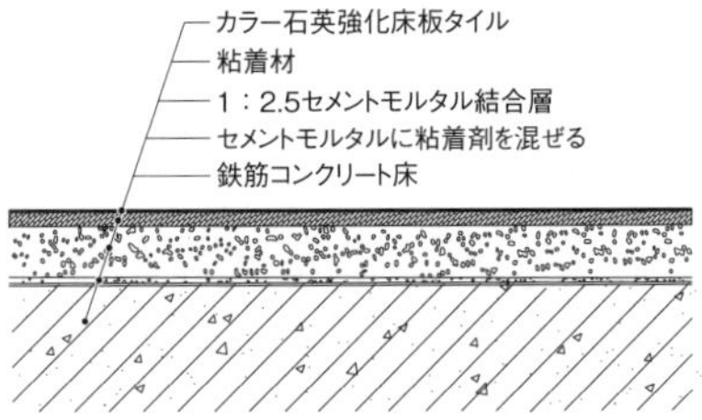
カラー石英強化床板タイル
粘着材
1：2.5セメントモルタル結合層
セメントモルタルに粘着剤を混ぜる
鉄筋コンクリート床

カラー石英強化床板

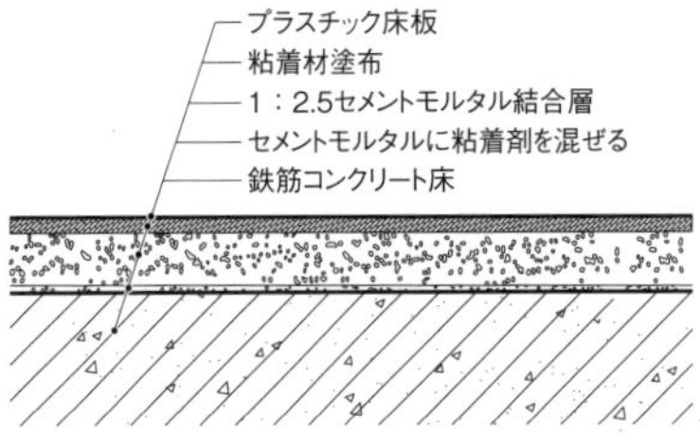
プラスチック床板
粘着材塗布
1：2.5セメントモルタル結合層
セメントモルタルに粘着剤を混ぜる
鉄筋コンクリート床

クラックレス・プラスチック床板

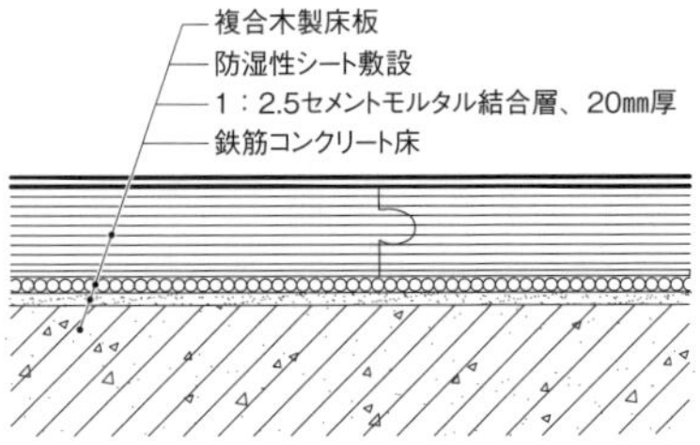
複合木製床板
防湿性シート敷設
1：2.5セメントモルタル結合層、20mm厚
鉄筋コンクリート床

複合木製床板

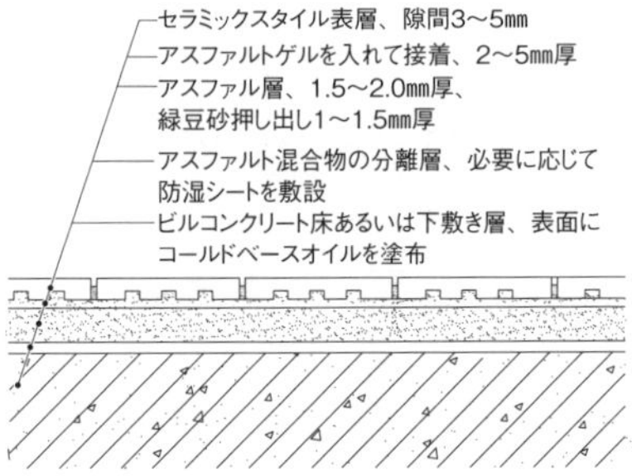
セラミックスタイル表層、隙間3～5mm
アスファルトゲルを入れて接着、2～5mm厚
アスファル層、1.5～2.0mm厚、
緑豆砂押し出し1～1.5mm厚
アスファルト混合物の分離層、必要に応じて
防湿シートを敷設
ビルコンクリート床あるいは下敷き層、表面に
コールドベースオイルを塗布

セラミックスタイルの防湿床面

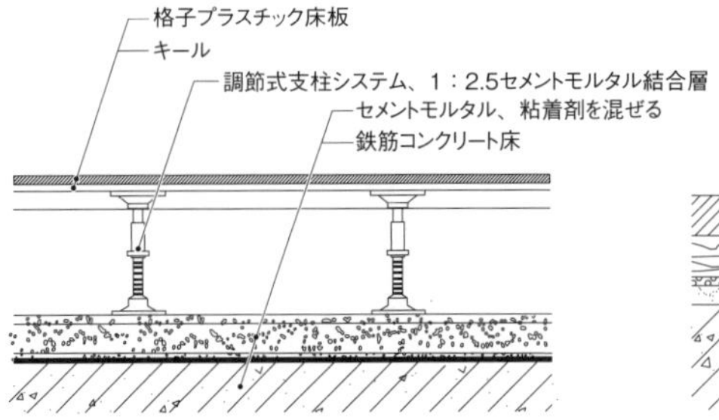
格子プラスチック床板
キール
調節式支柱システム、1：2.5セメントモルタル結合層
セメントモルタル、粘着剤を混ぜる
鉄筋コンクリート床

格子プラスチック床板

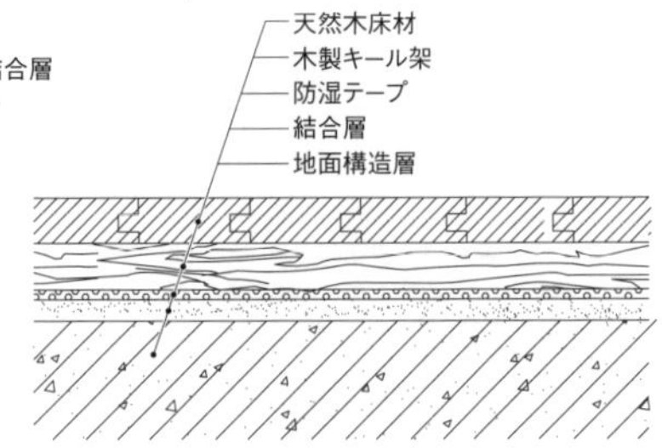
天然木床材
木製キール架
防湿テープ
結合層
地面構造層

天然木床材

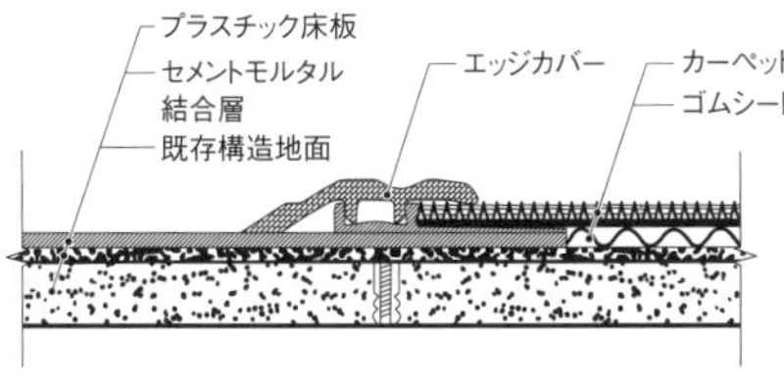
プラスチック床板
セメントモルタル
結合層
既存構造地面
エッジカバー
カーペット
ゴムシート

カーペットとプラスチック床板とのエッジ

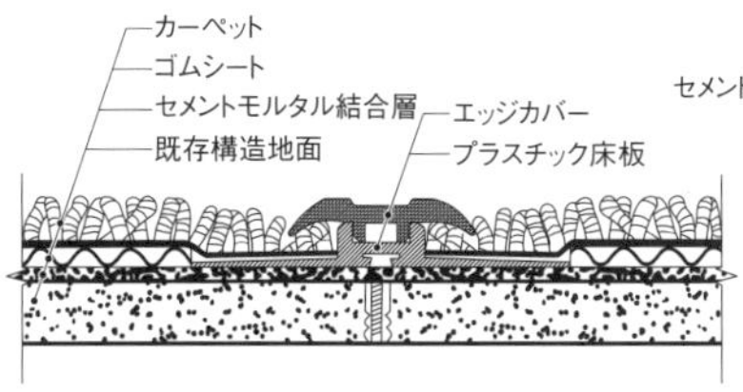
カーペット
ゴムシート
セメントモルタル結合層
既存構造地面
エッジカバー
プラスチック床板

カーペットとカーペットの間のエッジ

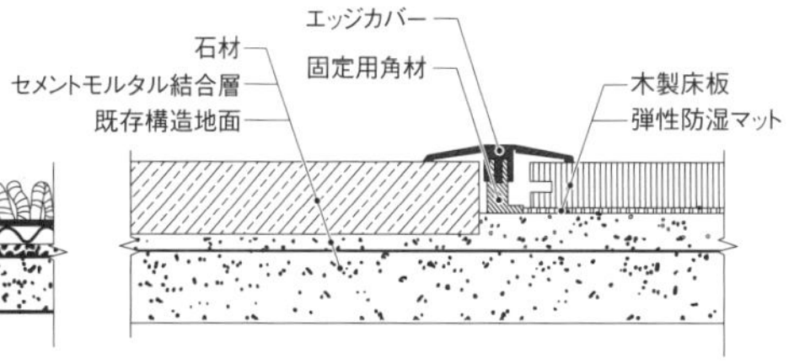
エッジカバー
石材
固定用角材
セメントモルタル結合層
既存構造地面
木製床板
弾性防湿マット

石材と木製床板とのエッジ

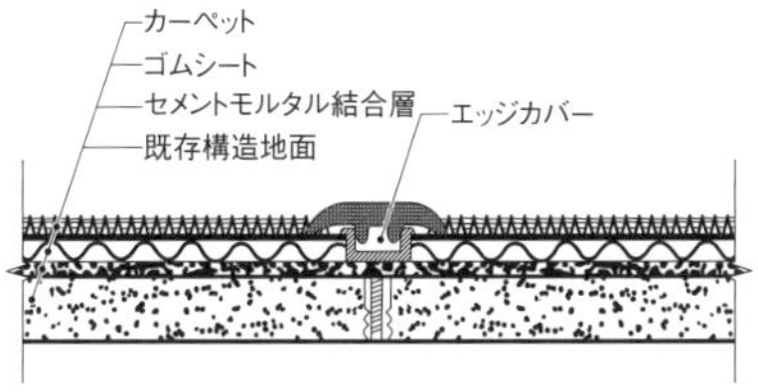
カーペット
ゴムシート
セメントモルタル結合層
既存構造地面
エッジカバー

カーペットとカーペットの間のエッジ

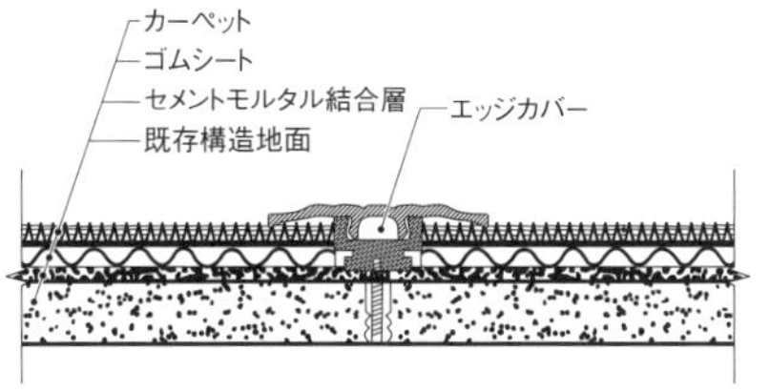
カーペット
ゴムシート
セメントモルタル結合層
既存構造地面
エッジカバー

カーペットとカーペットの間のエッジ

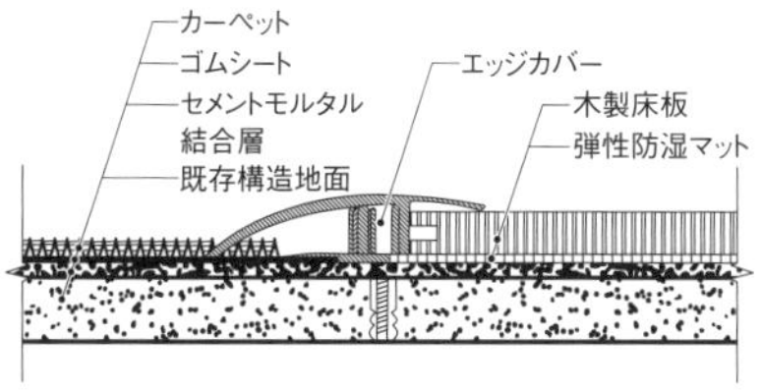
カーペット
ゴムシート
セメントモルタル
結合層
既存構造地面
エッジカバー
木製床板
弾性防湿マット

カーペットと木製床板とのエッジ

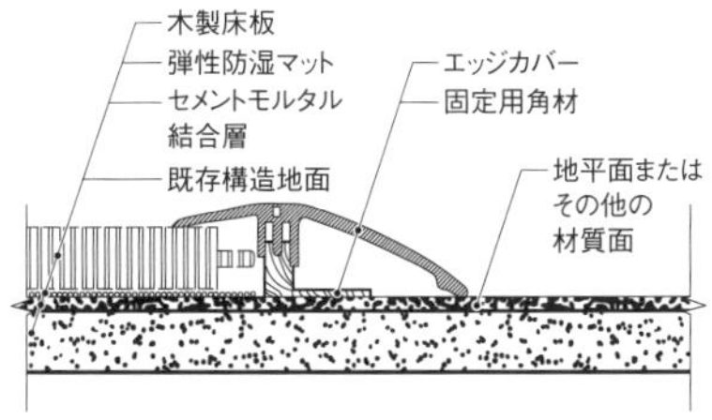
木製床板
弾性防湿マット
セメントモルタル
結合層
既存構造地面
エッジカバー
固定用角材
地平面または
その他の
材質面

木製床板エッジ

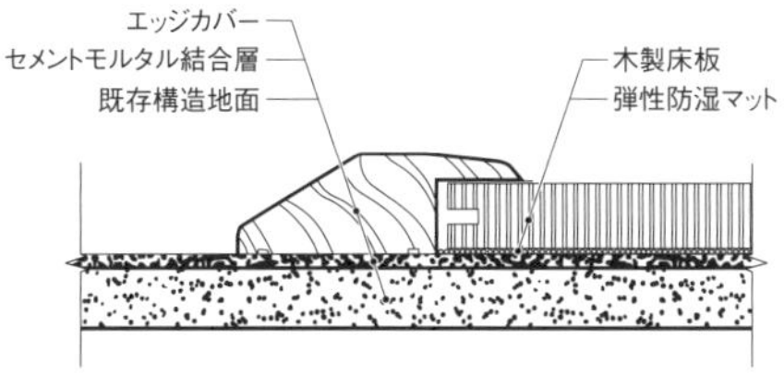
エッジカバー
セメントモルタル結合層
既存構造地面
木製床板
弾性防湿マット

木製床板エッジストリップ

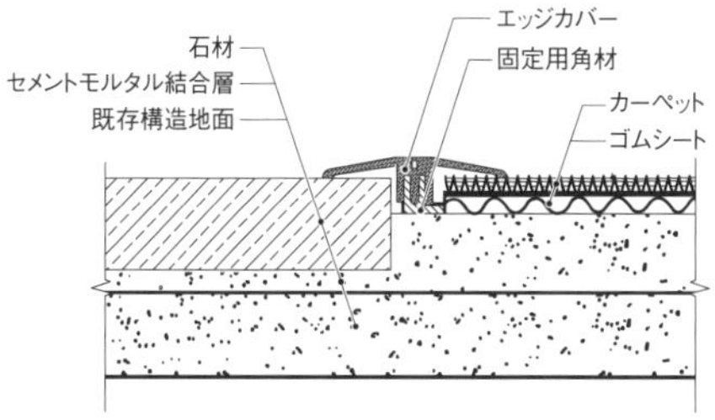
エッジカバー
石材
固定用角材
セメントモルタル結合層
カーペット
既存構造地面
ゴムシート

石材とカーペットの間のエッジ

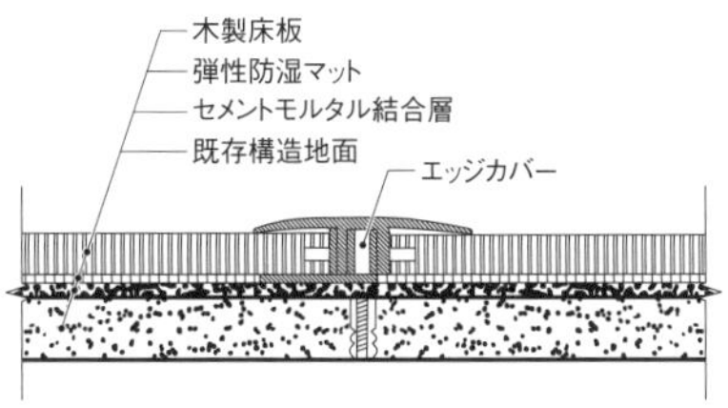
木製床板
弾性防湿マット
セメントモルタル結合層
既存構造地面
エッジカバー

木製床板と木製床板の間のエッジ

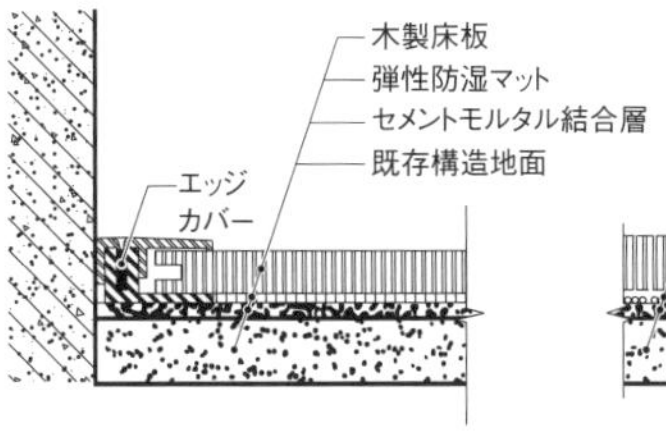
木製床板
弾性防湿マット
セメントモルタル結合層
既存構造地面
エッジ
カバー

木製床板壁際のエッジ

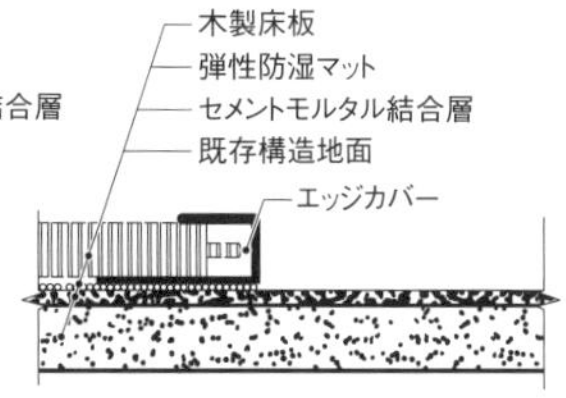
木製床板
弾性防湿マット
セメントモルタル結合層
既存構造地面
エッジカバー

木製床板エッジ

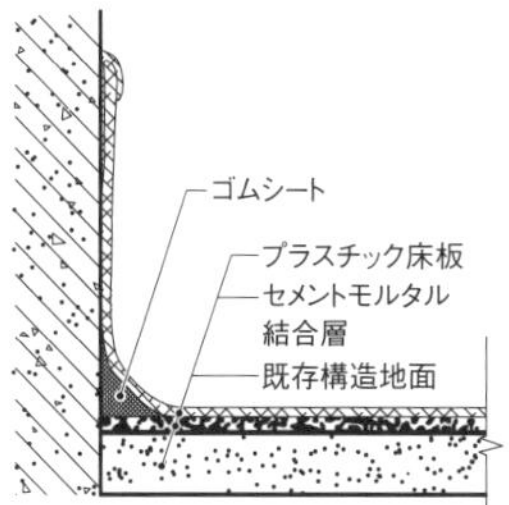
ゴムシート
プラスチック床板
セメントモルタル
結合層
既存構造地面

プラスチック床板壁際のエッジ

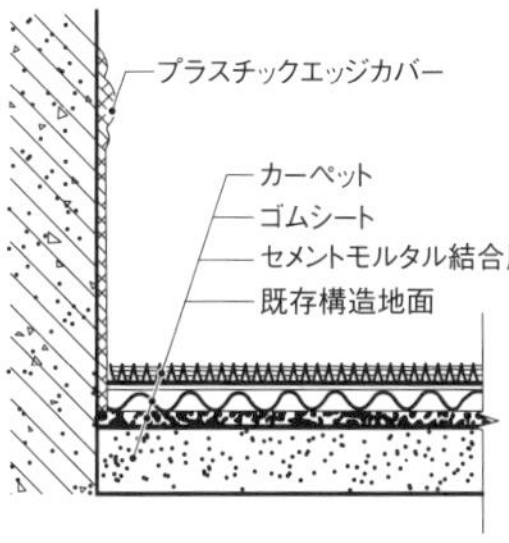
プラスチックエッジカバー
カーペット
ゴムシート
セメントモルタル結合層
既存構造地面

カーペット壁際のプラスチックエッジ

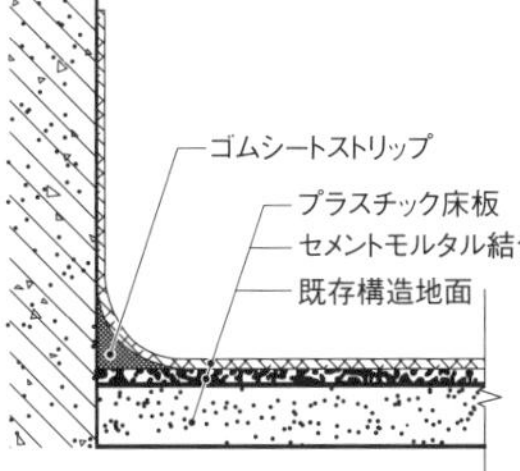
ゴムシートストリップ
プラスチック床板
セメントモルタル結合層
既存構造地面

プラスチック床板壁隅のドアマット

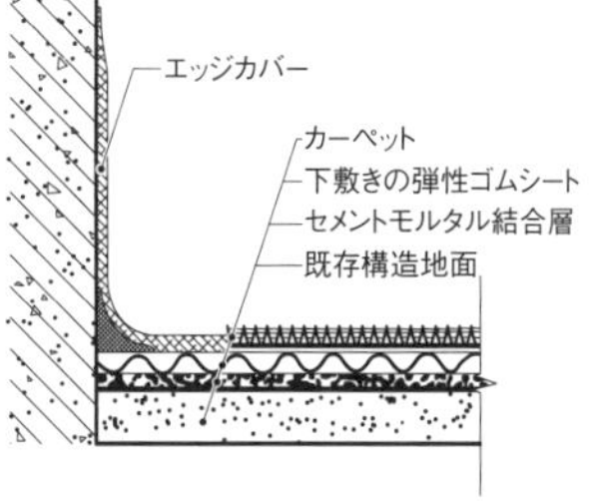
エッジカバー
カーペット
下敷きの弾性ゴムシート
セメントモルタル結合層
既存構造地面

カーペット壁際のプラスチックエッジ

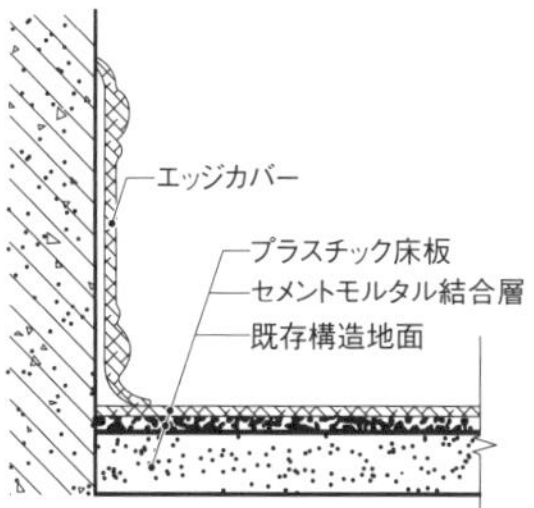
エッジカバー
プラスチック床板
セメントモルタル結合層
既存構造地面

プラスチック床板壁際のエッジ

防音床は、防音の要求が厳しい場所、例えば録音室や放送室などで使用される。

よく見られる防音処理方法として、床に絨毯やゴム、プラスチックなど弾力性のある材料を敷くこと、また箱状や線状の床スラブを設置するなどがある。天井は二重にしたり、防音構造にしたりする。天井は通常、吸音材を使用することで防音効果を高めている。

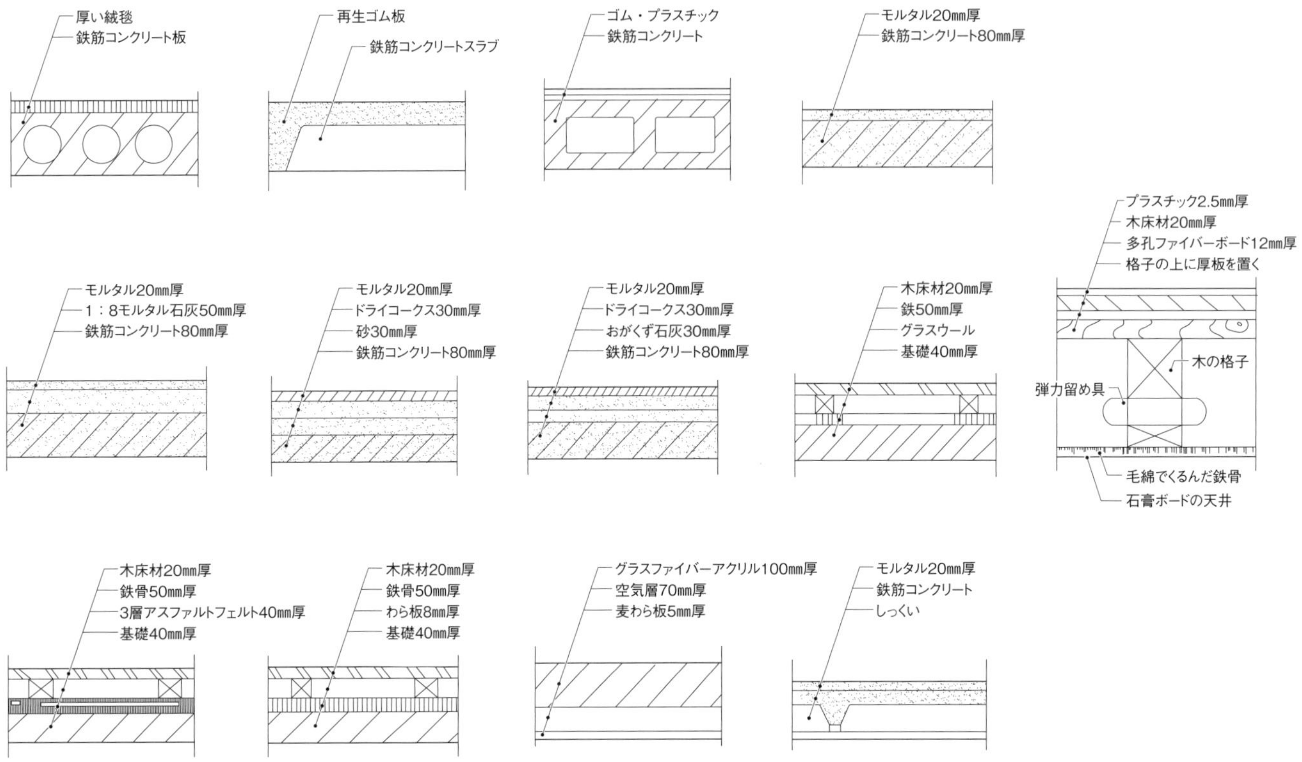

厚い絨毯
鉄筋コンクリート板
再生ゴム板
鉄筋コンクリートスラブ
ゴム・プラスチック
鉄筋コンクリート
モルタル20mm厚
鉄筋コンクリート80mm厚
プラスチック2.5mm厚
木床材20mm厚
多孔ファイバーボード12mm厚
格子の上に厚板を置く
モルタル20mm厚
1：8モルタル石灰50mm厚
鉄筋コンクリート80mm厚
モルタル20mm厚
ドライコークス30mm厚
砂30mm厚
鉄筋コンクリート80mm厚
モルタル20mm厚
ドライコークス30mm厚
おがくず石灰30mm厚
鉄筋コンクリート80mm厚
木床材20mm厚
鉄50mm厚
グラスウール
基礎40mm厚
木の格子
弾力留め具
毛綿でくるんだ鉄骨
石膏ボードの天井
木床材20mm厚
鉄骨50mm厚
3層アスファルトフェルト40mm厚
基礎40mm厚
木床材20mm厚
鉄骨50mm厚
わら板8mm厚
基礎40mm厚
グラスファイバーアクリル100mm厚
空気層70mm厚
麦わら板5mm厚
モルタル20mm厚
鉄筋コンクリート
しっくい

床面の装置

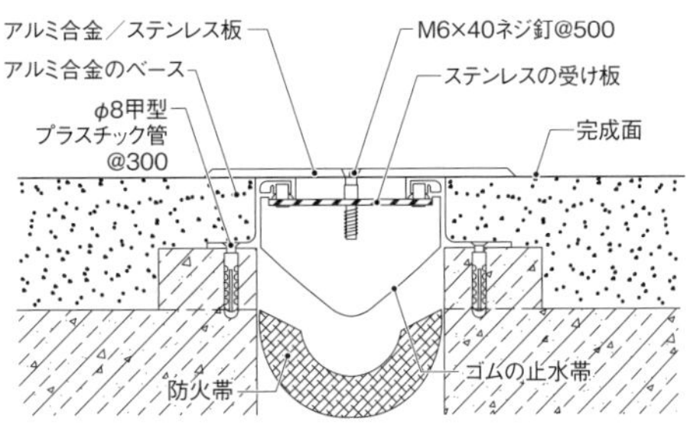

アルミ合金／ステンレス板
アルミ合金のベース
φ8甲型
プラスチック管
@300
M6×40ネジ釘@500
ステンレスの受け板
完成面
防火帯
ゴムの止水帯

金属カバー型

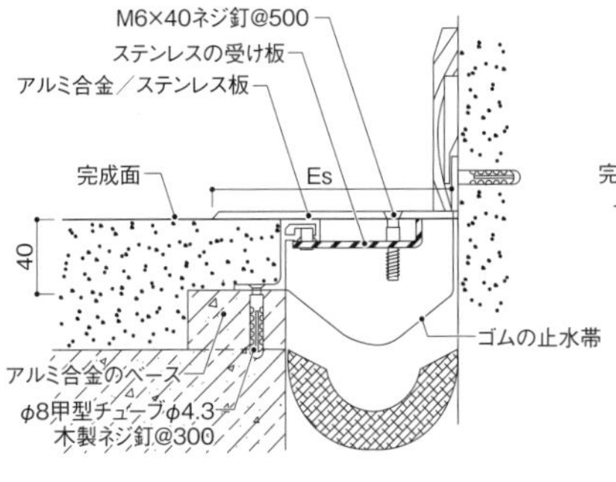

M6×40ネジ釘@500
ステンレスの受け板
アルミ合金／ステンレス板
完成面
Es
40
ゴムの止水帯
アルミ合金のベース
φ8甲型チューブφ4.3
木製ネジ釘@300

金属カバー型

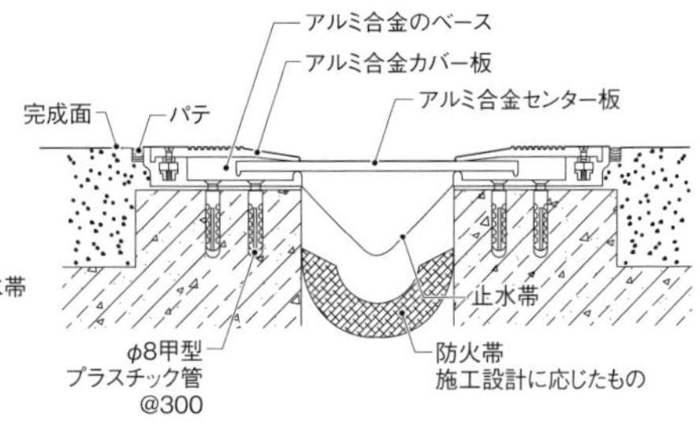

アルミ合金のベース
アルミ合金カバー板
アルミ合金センター板
完成面
パテ
止水帯
φ8甲型
プラスチック管
@300
防火帯
施工設計に応じたもの

水平負荷型

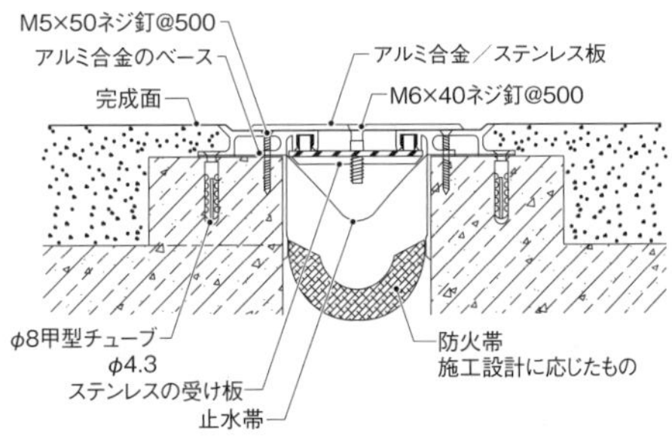

M5×50ネジ釘@500
アルミ合金のベース
完成面
アルミ合金／ステンレス板
M6×40ネジ釘@500
φ8甲型チューブ
φ4.3
ステンレスの受け板
止水帯
防火帯
施工設計に応じたもの

金属カバー型

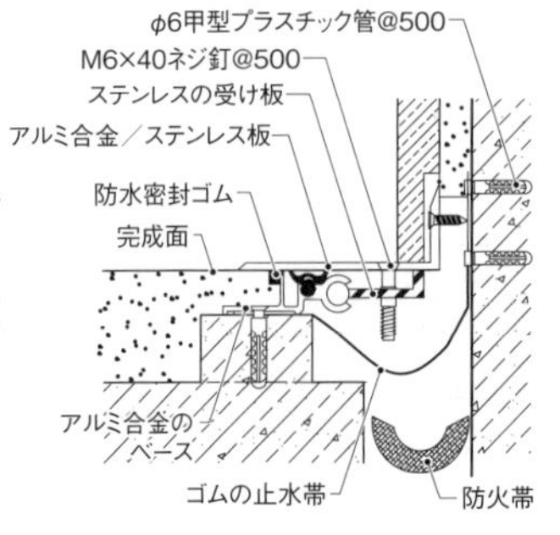

φ6甲型プラスチック管@500
M6×40ネジ釘@500
ステンレスの受け板
アルミ合金／ステンレス板
防水密封ゴム
完成面
アルミ合金の
ベース
ゴムの止水帯
防火帯

金属カバー型

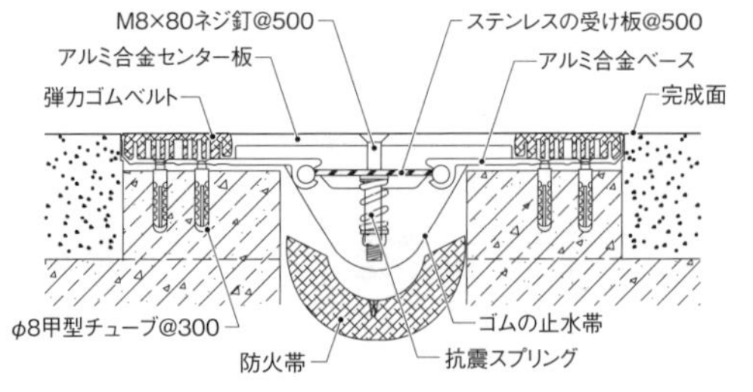

M8×80ネジ釘@500
ステンレスの受け板@500
アルミ合金センター板
アルミ合金ベース
弾力ゴムベルト
完成面
φ8甲型チューブ@300
ゴムの止水帯
防火帯
抗震スプリング

二列耐震型

幅木は、床面と壁面が交わる場所における処理法の1つである。その機能は、床面と壁面の接点を装飾し、補強することである。幅木の材料はさまざまで、木材や石材、タイル、ステンレスなどがあるが、木材を使用するケースが多い。一般的な高さは120～150㎜である。幅木は通常、床と壁の施工が完了した後に設置する。材質によって幅木の特徴も様々に異なる。

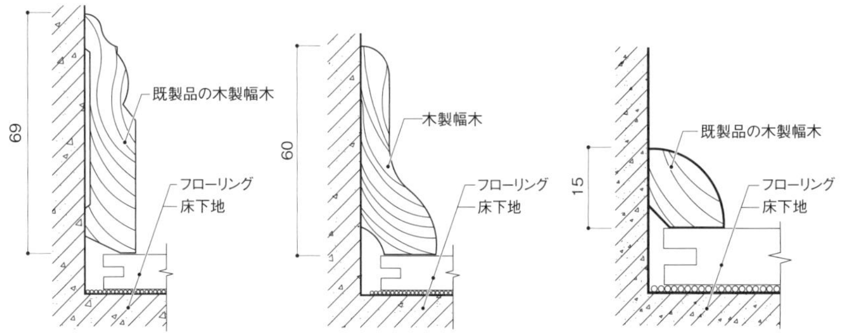
69
既製品の木製幅木
フローリング
床下地
60
木製幅木
フローリング
床下地
15
既製品の木製幅木
フローリング
床下地

木材の幅木

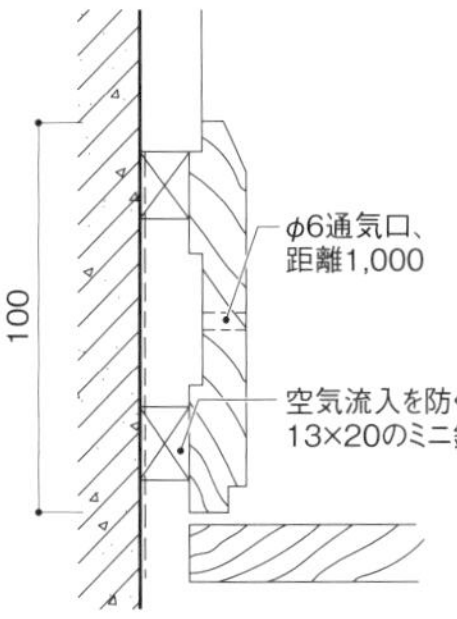
100
φ6通気口、
距離1,000
空気流入を防ぐ
13×20のミニ鉄骨

無垢木材の幅木

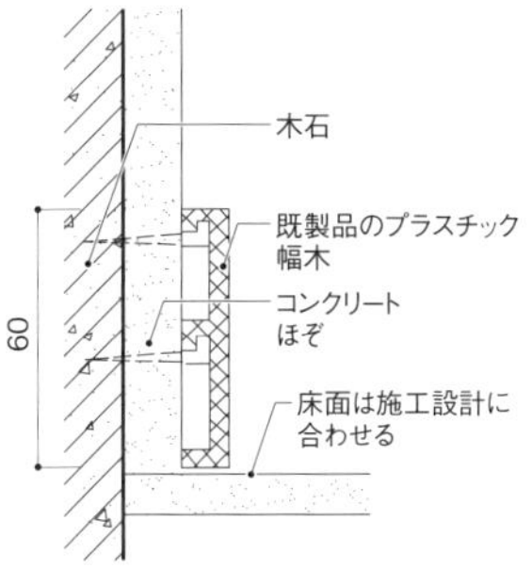
木石
60
既製品のプラスチック
幅木
コンクリート
ほぞ
床面は施工設計に
合わせる

プラスチックの幅木

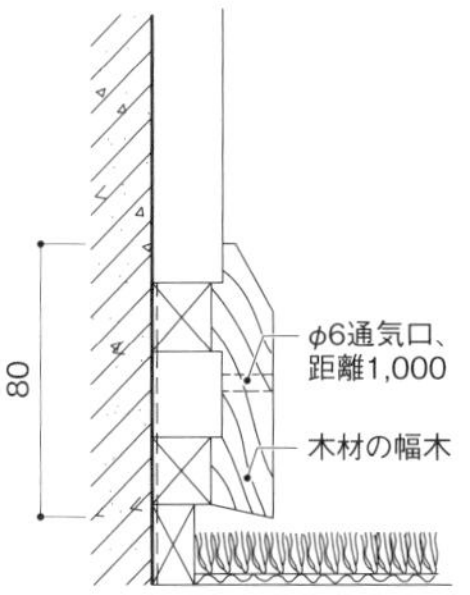
80
φ6通気口、
距離1,000
木材の幅木

絨毯と木材の幅木

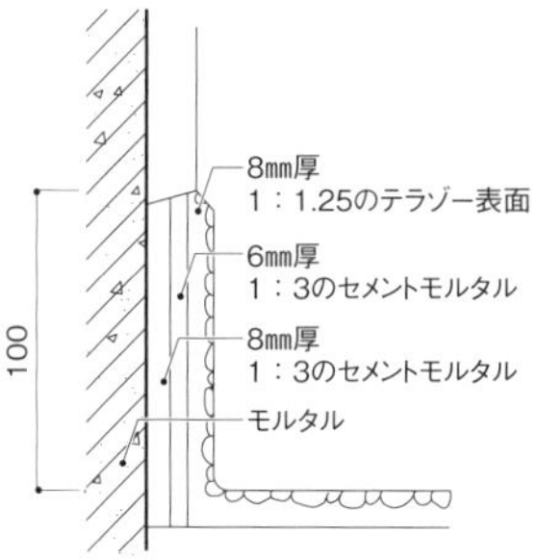
100
8㎜厚
1：1.25のテラゾー表面
6㎜厚
1：3のセメントモルタル
8㎜厚
1：3のセメントモルタル
モルタル

テラゾーの幅木

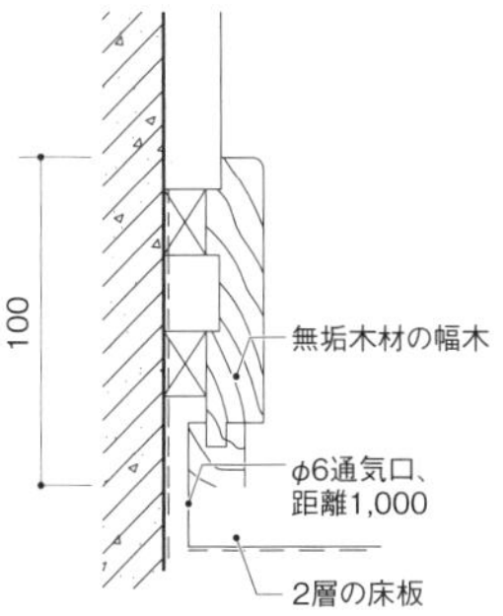
100
無垢木材の幅木
φ6通気口、
距離1,000
2層の床板

無垢木材の幅木

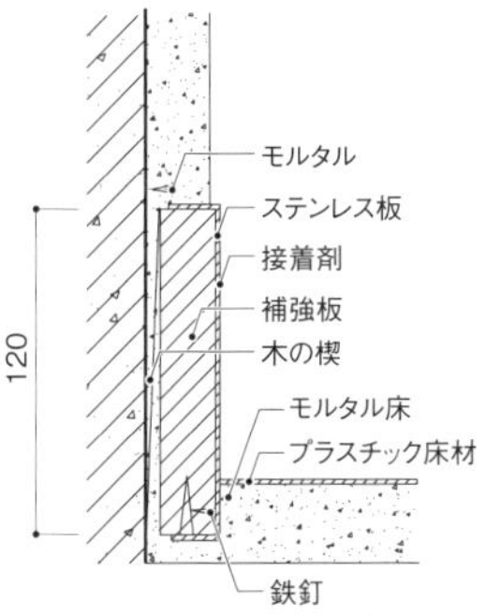
120
モルタル
ステンレス板
接着剤
補強板
木の楔
モルタル床
プラスチック床材
鉄釘

ステンレスの幅木

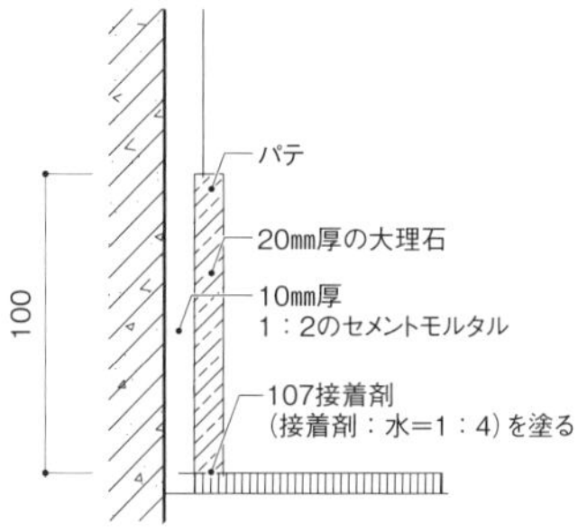
100
パテ
20㎜厚の大理石
10㎜厚
1：2のセメントモルタル
107接着剤
(接着剤：水=1：4)を塗る

大理石の幅木

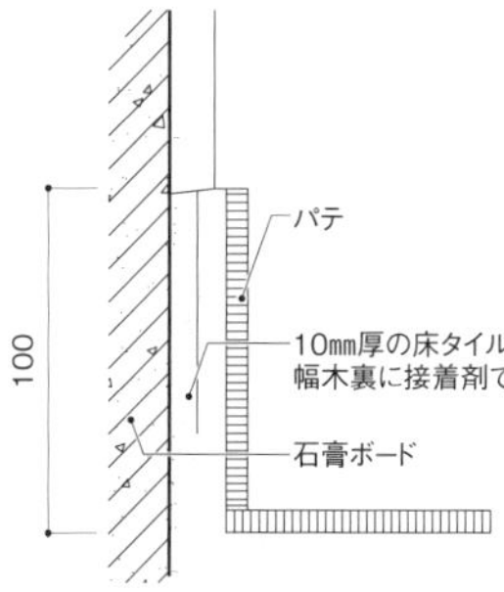
100
パテ
10㎜厚の床タイルを
幅木裏に接着剤で貼る
石膏ボード

床タイルの幅木

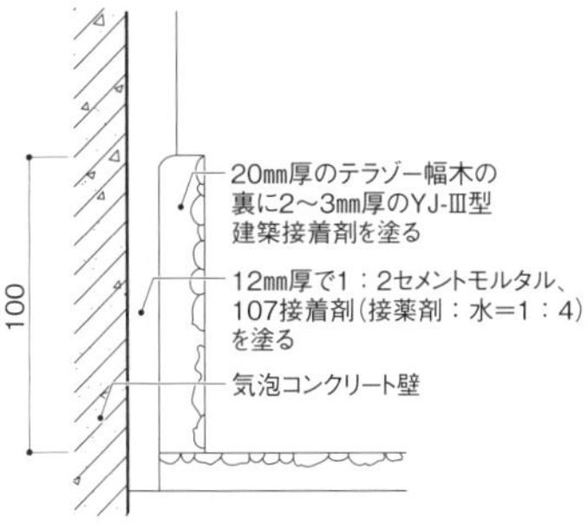
100
20㎜厚のテラゾー幅木の
裏に2～3㎜厚のYJ-Ⅲ型
建築接着剤を塗る
12㎜厚で1：2セメントモルタル、
107接着剤(接着剤：水=1：4)
を塗る
気泡コンクリート壁

テラゾーの幅木

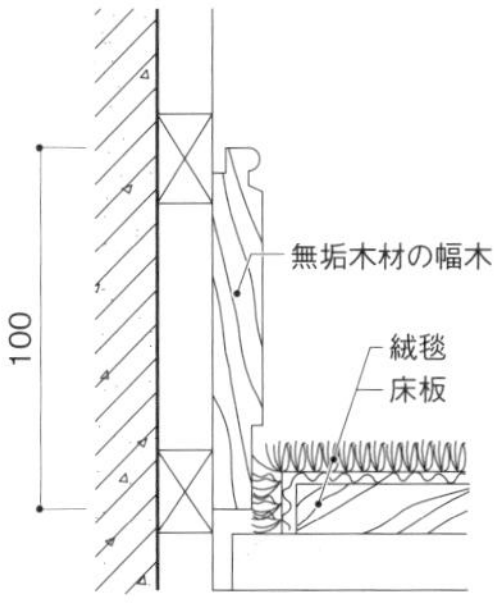
100
無垢木材の幅木
絨毯
床板

絨毯と無垢木材の幅木

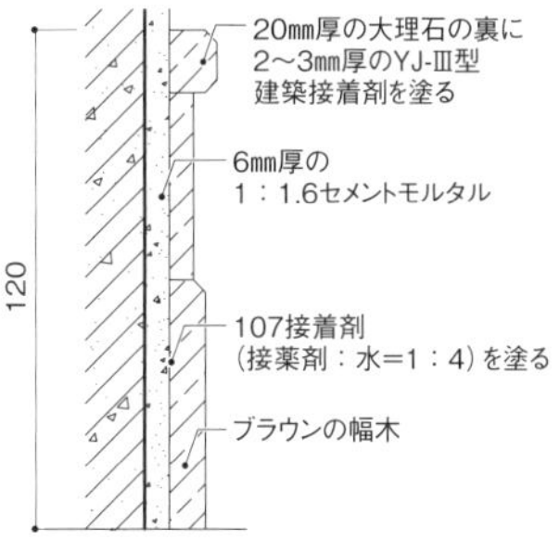
120
20㎜厚の大理石の裏に
2～3㎜厚のYJ-Ⅲ型
建築接着剤を塗る
6㎜厚の
1：1.6セメントモルタル
107接着剤
(接薬剤：水=1：4)を塗る
ブラウンの幅木

大理石の幅木

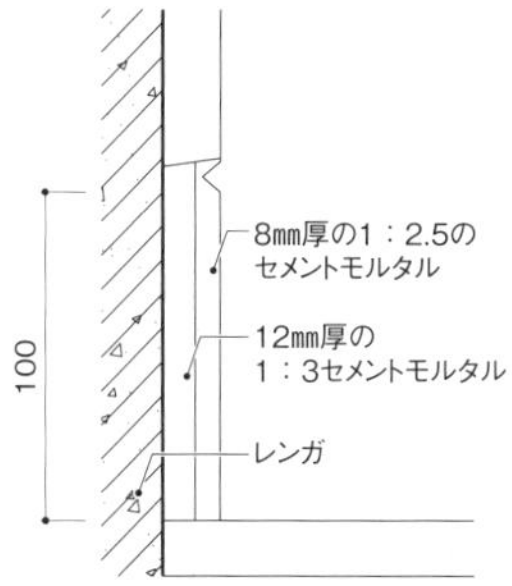
100
8㎜厚の1：2.5の
セメントモルタル
12㎜厚の
1：3セメントモルタル
レンガ

セメントモルタルの幅木

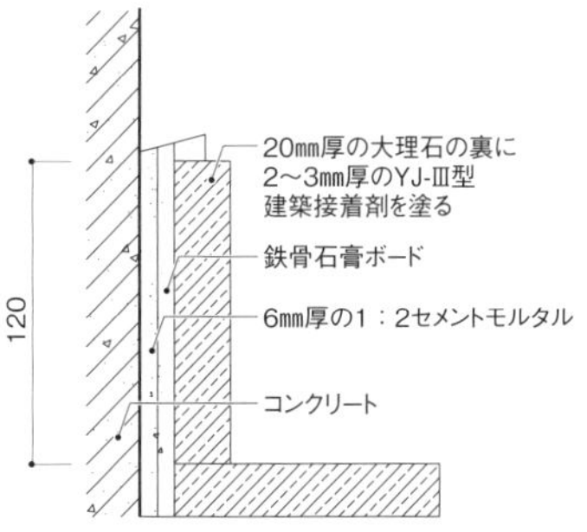
120
20㎜厚の大理石の裏に
2～3㎜厚のYJ-Ⅲ型
建築接着剤を塗る
鉄骨石膏ボード
6㎜厚の1：2セメントモルタル
コンクリート

大理石の幅木

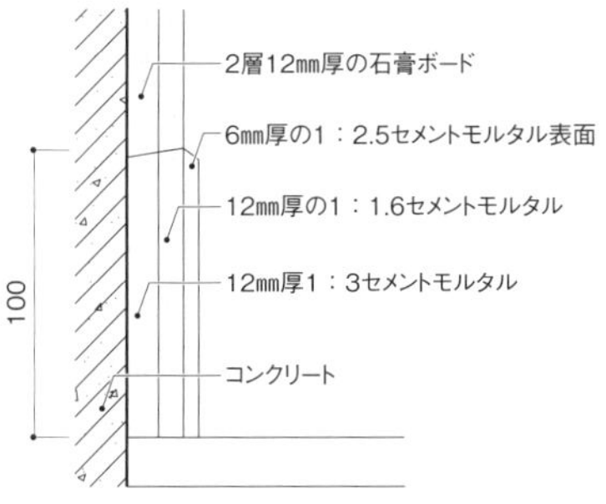
2層12㎜厚の石膏ボード
6㎜厚の1：2.5セメントモルタル表面
12㎜厚の1：1.6セメントモルタル
12㎜厚1：3セメントモルタル
100
コンクリート

セメントモルタルの幅木

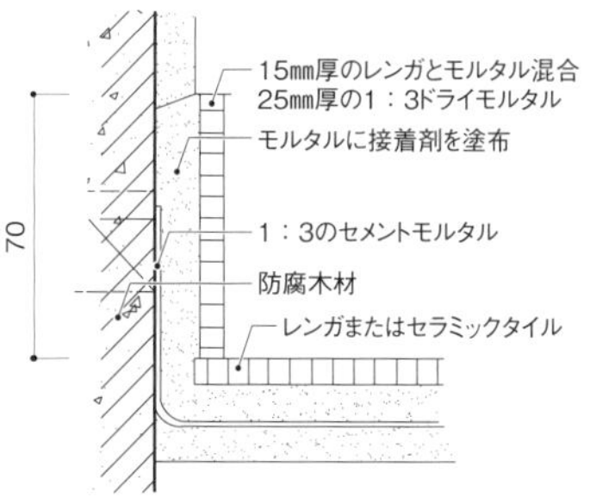
15㎜厚のレンガとモルタル混合
25㎜厚の1：3ドライモルタル
モルタルに接着剤を塗布
70
1：3のセメントモルタル
防腐木材
レンガまたはセラミックタイル

タイルの幅木

さまざまな床材料

装飾用床材料はどれも現場で直接設置することができ、ゴム、ロール、石材、タイル、木板などのほか、鉄製の静電気防止床板、輸入品模倣型の静電気防止床板、タイル静電気防止床板、アルミ静電気防止床板などがある。

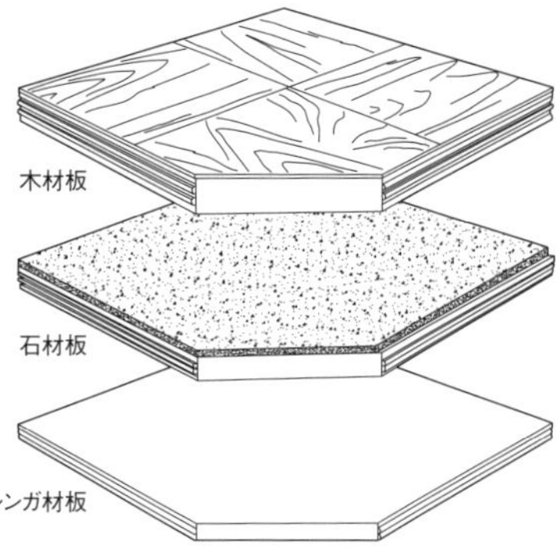
木材板
石材板
レンガ材板

上げ床板（静電気防止床板）

上げ床板にはさまざまな規格、型番、材質があり、鉄骨やゴムカバー、ゴムテープ、留め金などの組み合わせからなる。

上げ床板のベース部分と表層の間にある空間は、縦横に交差する電線や各種配線を敷くという意味があるだけでなく、適当な部分に通風孔を設けることもできる。上げ床板は軽量かつ強度があり、表面は平らで、サイズが安定しており、表面の質感も良い。装飾性もあり、防塵性や防虫性、防腐性などが高い。パソコンルームや実験室、制御室、放送室のほか、空調を必要とする会議室、高級ホテル、テレビ電波塔など、防塵や静電気を防止する必要のある施設に使用される。

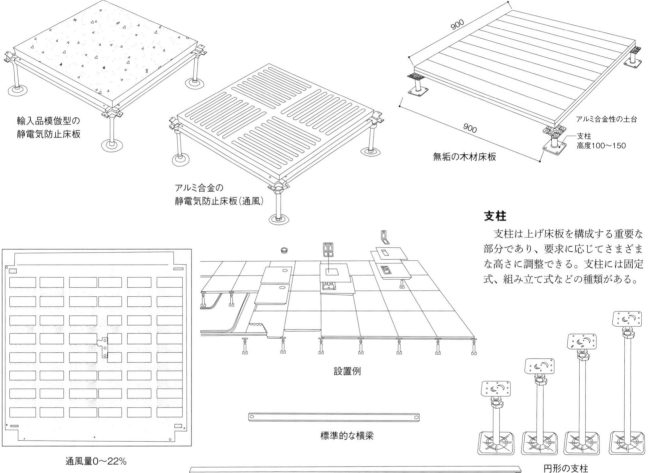

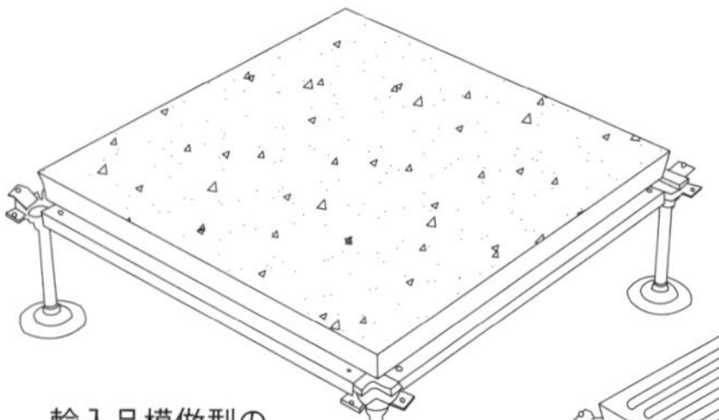

輸入品模倣型の静電気防止床板

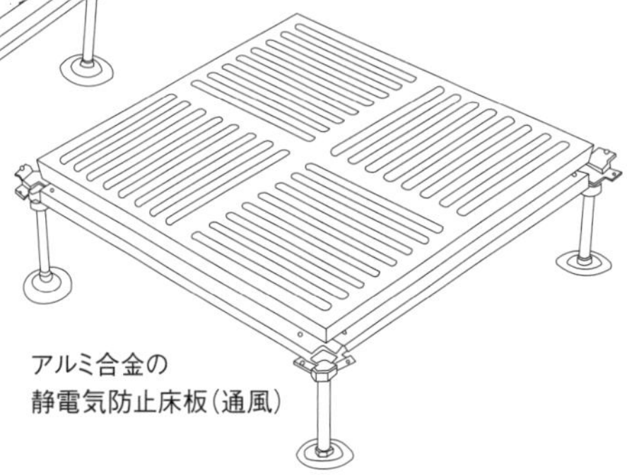

アルミ合金の静電気防止床板（通風）

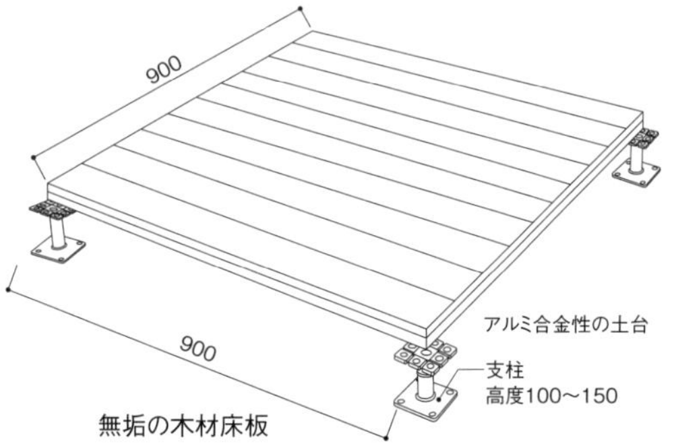
900
900
アルミ合金性の土台
支柱
高度100～150

無垢の木材床板

支柱

支柱は上げ床板を構成する重要な部分であり、要求に応じてさまざまな高さに調整できる。支柱には固定式、組み立て式などの種類がある。

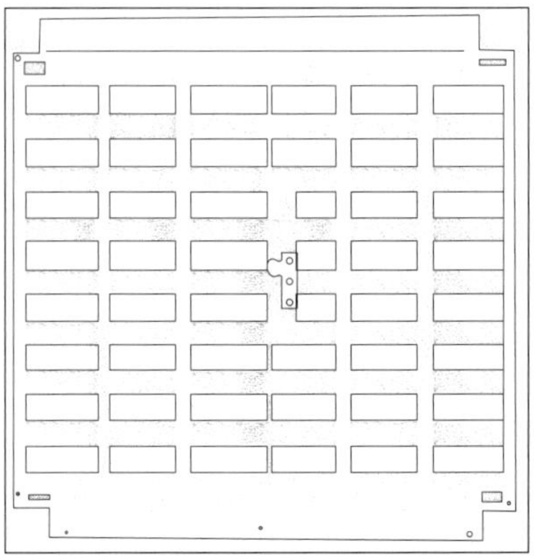

通風量0～22%

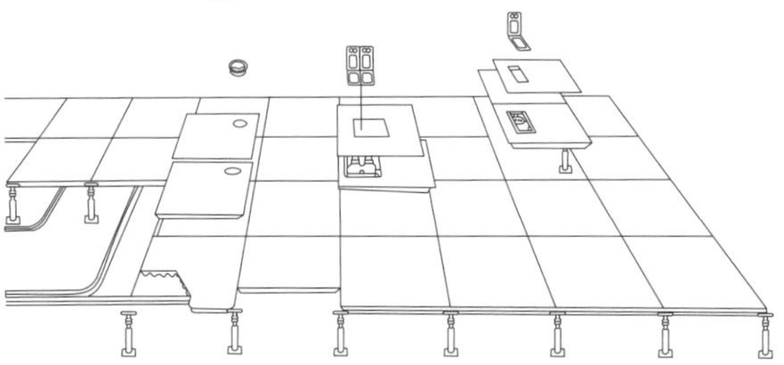

設置例

標準的な横梁

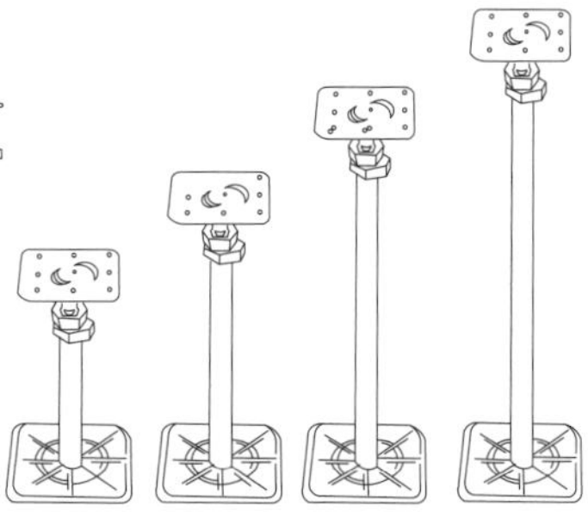

円形の支柱

長い横梁

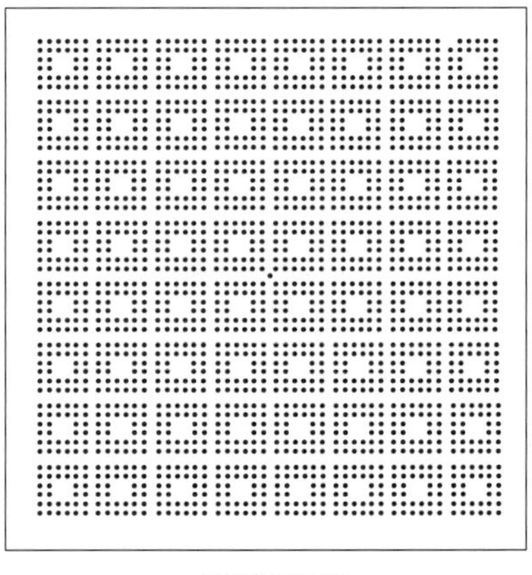

通風板の正面

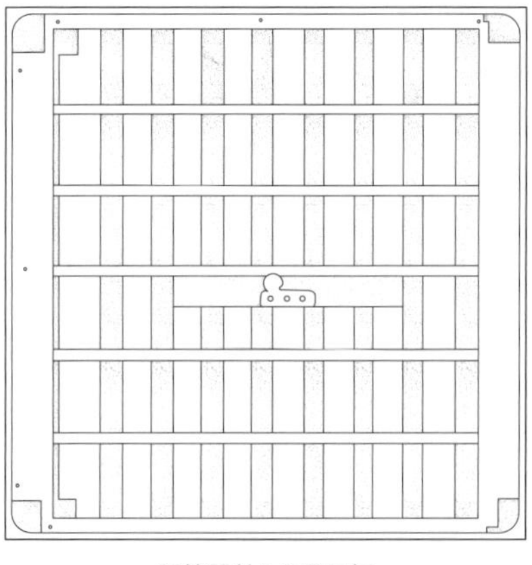

調節器付きの通風板

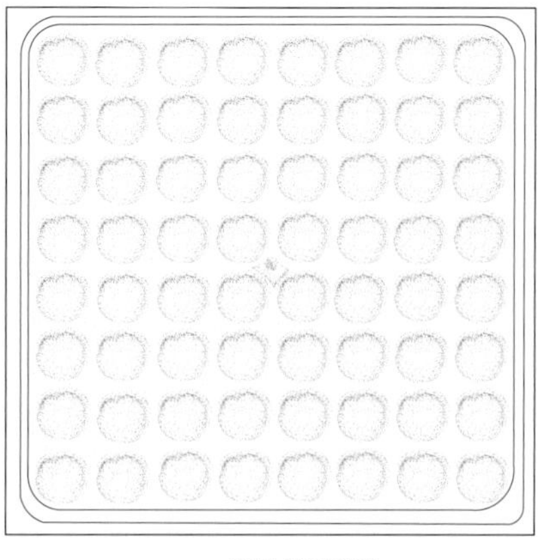

通風板の裏側

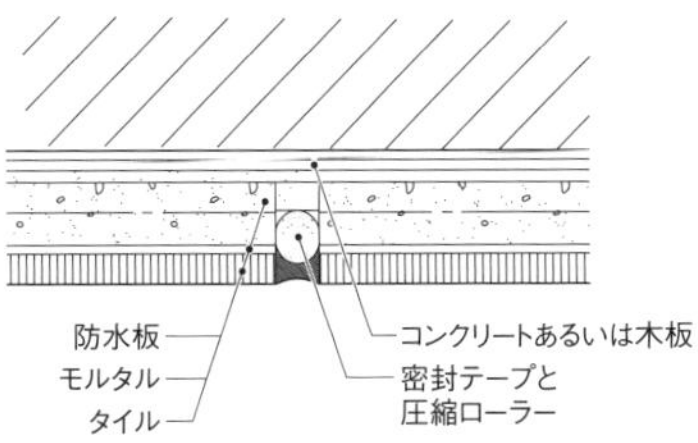
防水板
モルタル
タイル
コンクリートあるいは木板
密封テープと
圧縮ローラー

丸型

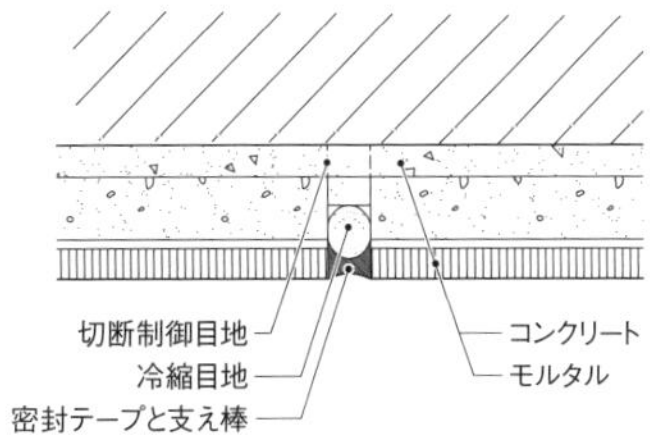
切断制御目地
冷縮目地
密封テープと支え棒
コンクリート
モルタル

丸型

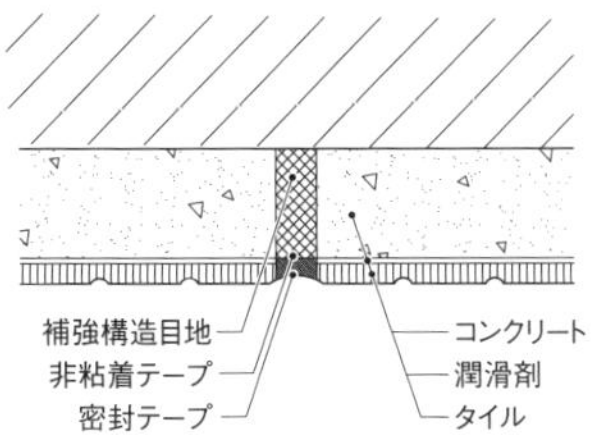
補強構造目地
非粘着テープ
密封テープ
コンクリート
潤滑剤
タイル

丸型

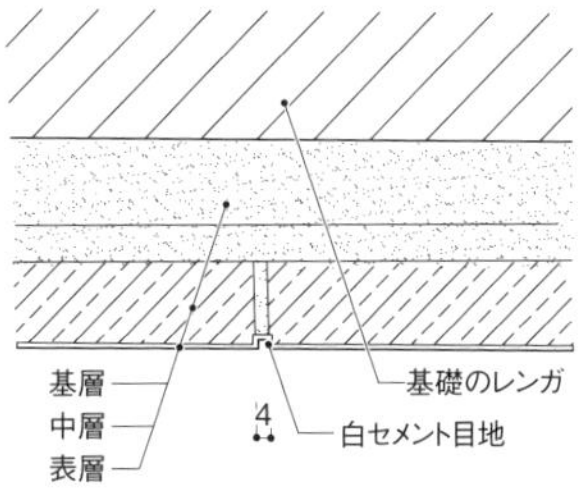
基層
中層
表層
4
基礎のレンガ
白セメント目地

平ら型

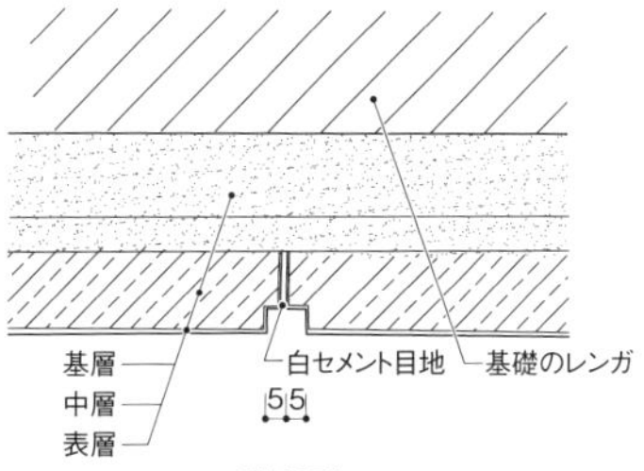
基層
中層
表層
白セメント目地
基礎のレンガ
5 5

階段型

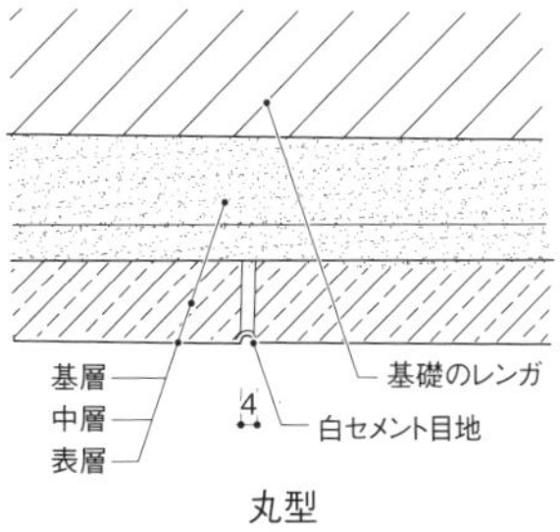
基礎のレンガ
基層
中層
表層
4
白セメント目地

丸型

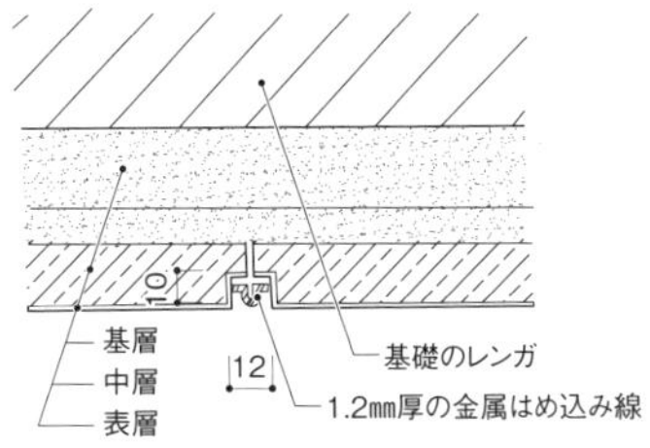
10
基層
中層
表層
12
基礎のレンガ
1.2㎜厚の金属はめ込み線

平ら型＋はめ込み式

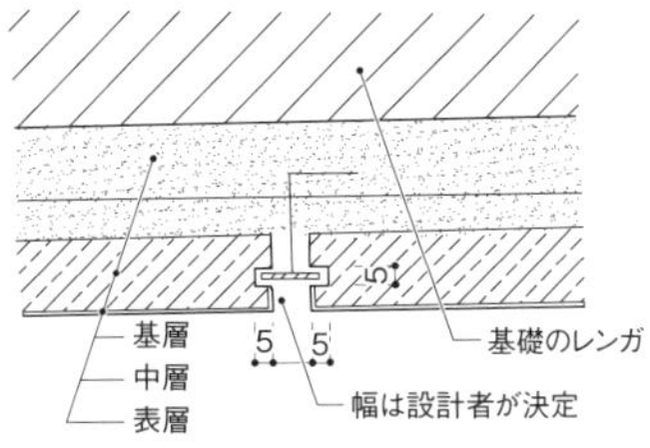
5
基層
中層
表層
5 5
基礎のレンガ
幅は設計者が決定

平ら型＋はめ込み式

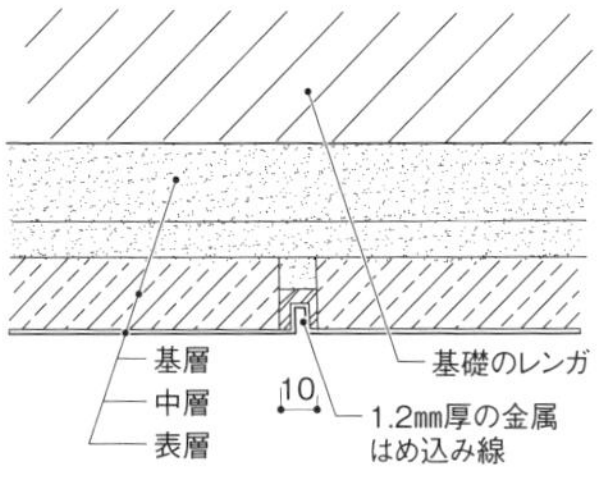
基層
中層
表層
10
基礎のレンガ
1.2㎜厚の金属
はめ込み線

平ら型＋はめ込み式

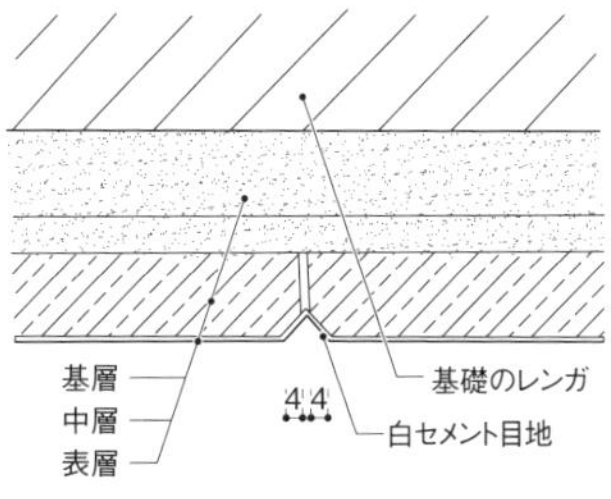
基層
中層
表層
4 4
基礎のレンガ
白セメント目地

平ら型＋はめ込み式

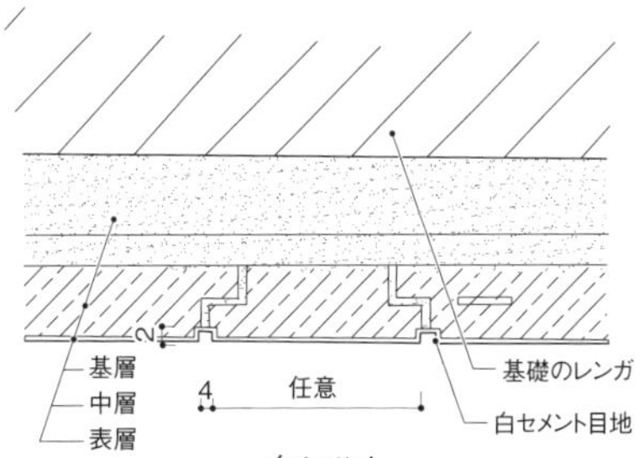
2
基層
中層
表層
4
任意
基礎のレンガ
白セメント目地

白セメント

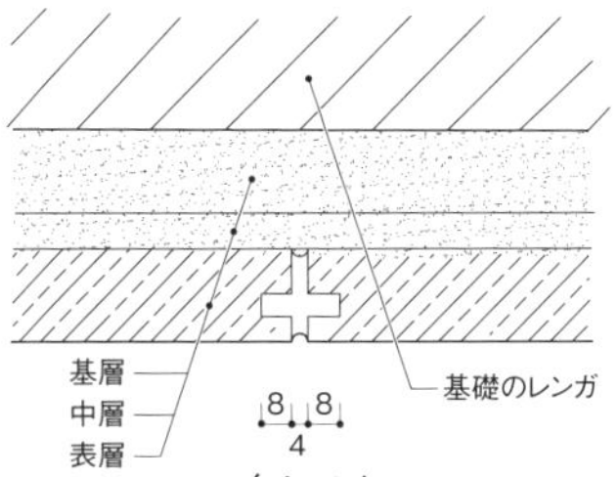
基層
中層
表層
8 8
4
基礎のレンガ

白セメント

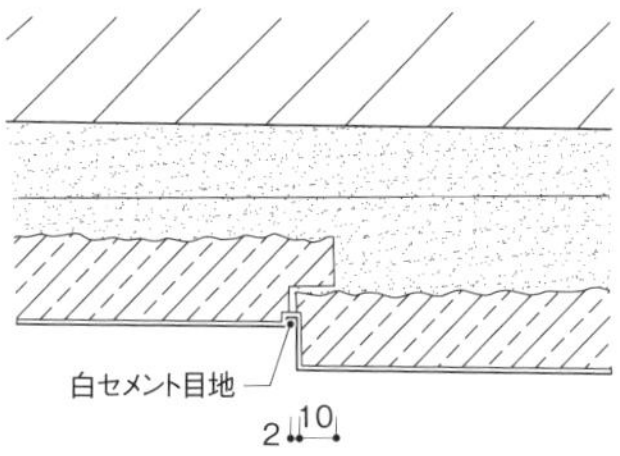
白セメント目地
2
10

凹凸を接続する際の目地

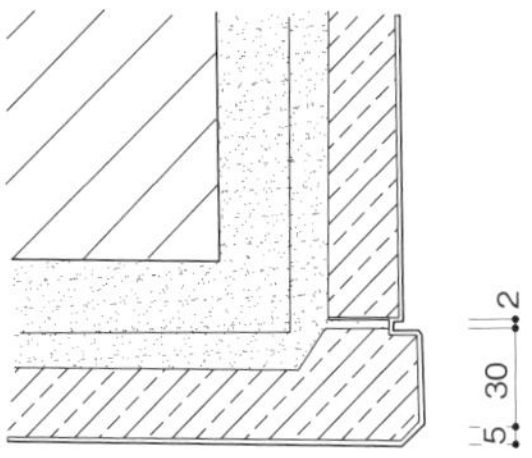
2
30
5

コーナーの目地

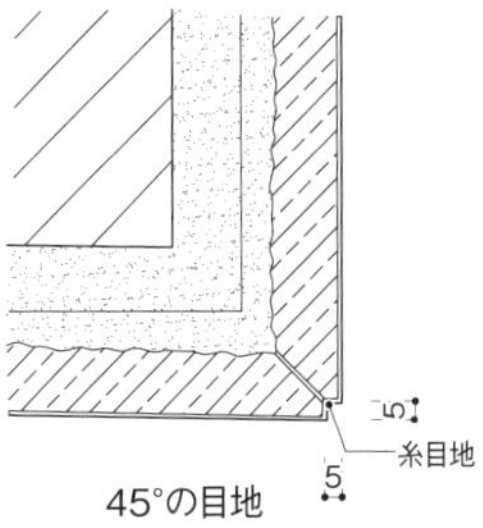
5
糸目地
5

45°の目地

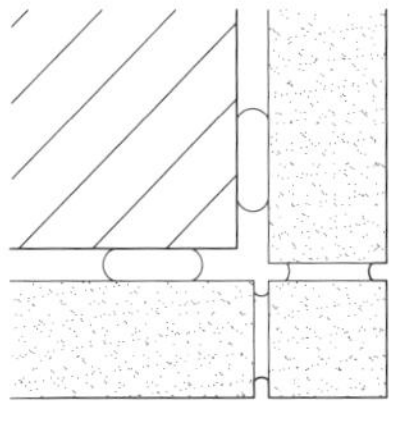

コーナー部に隙間を作る

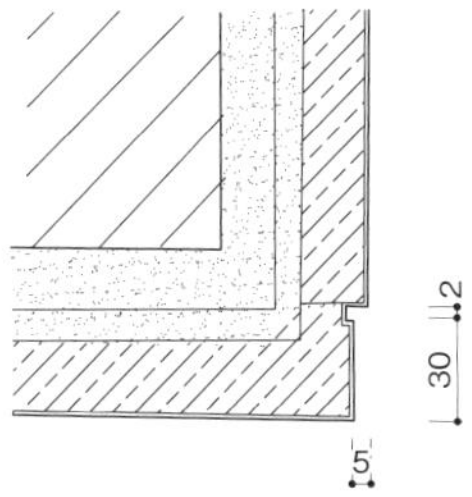
2
30
5

コーナーの目地

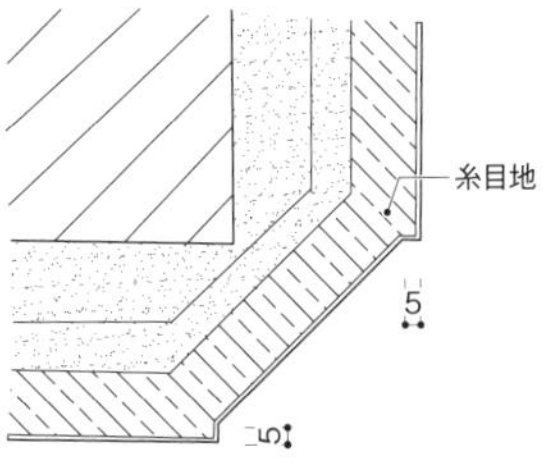
糸目地
5
5

斜辺コーナーの目地

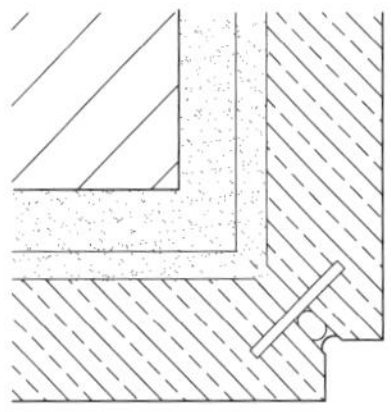

45°の目地

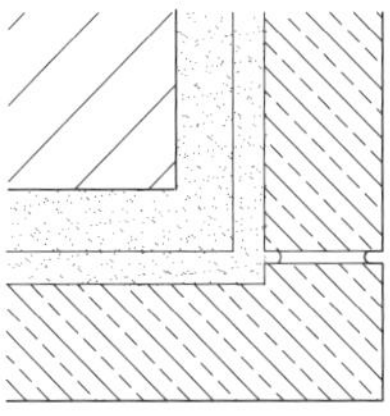

L形による処理

注：1. 壁面や柱面における目地は、金具などで掛ける方法と接着する方法がある
　　2. 金属はめ込み線はアルミ合金やステンレス、銅などが採用でき、設計者が決定する

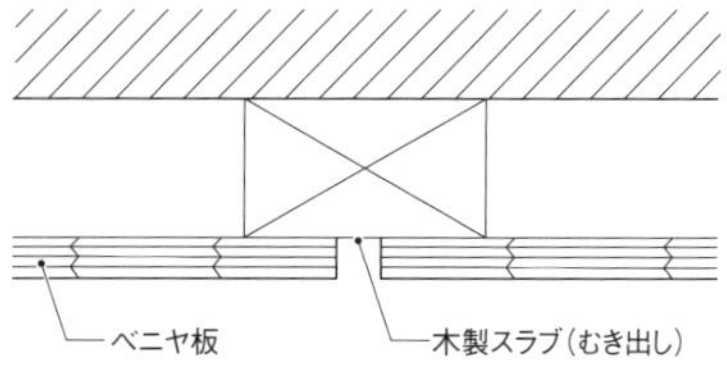
ベニヤ板
木製スラブ（むき出し）

四角い目地

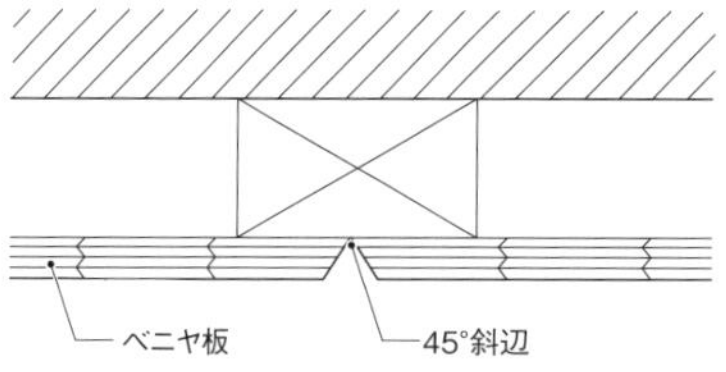
ベニヤ板
45°斜辺

斜辺の目地

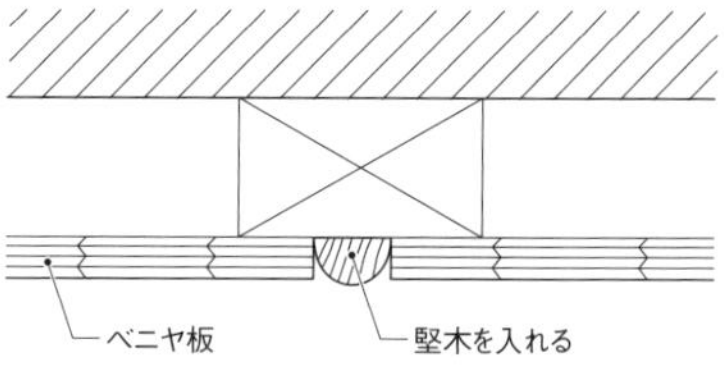
ベニヤ板
堅木を入れる

堅木の見切材

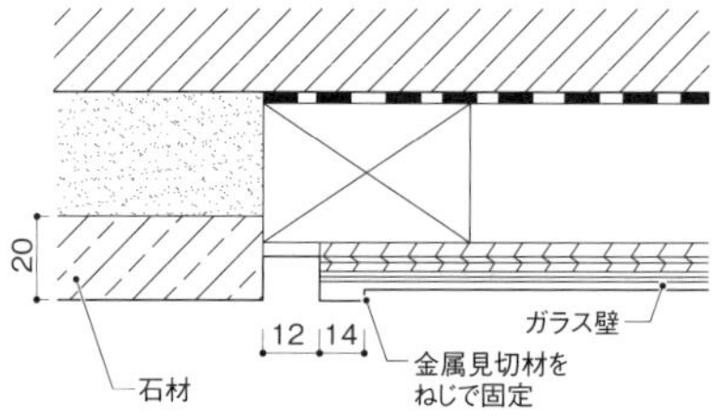
20
ガラス壁
12 14
金属見切材を
ねじで固定
石材

金属見切材

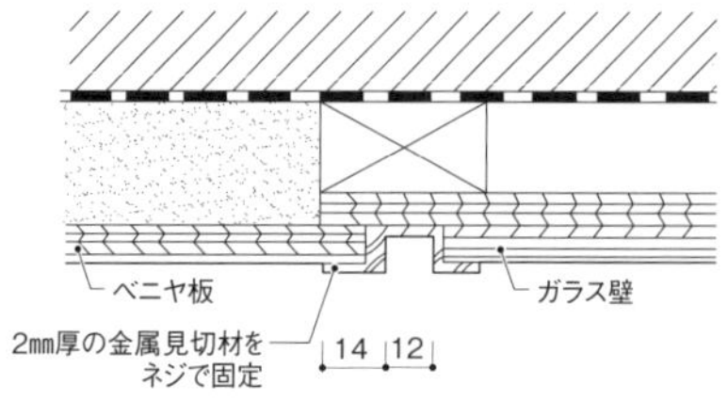
ベニヤ板
ガラス壁
2㎜厚の金属見切材を
ネジで固定
14 12

金属見切材

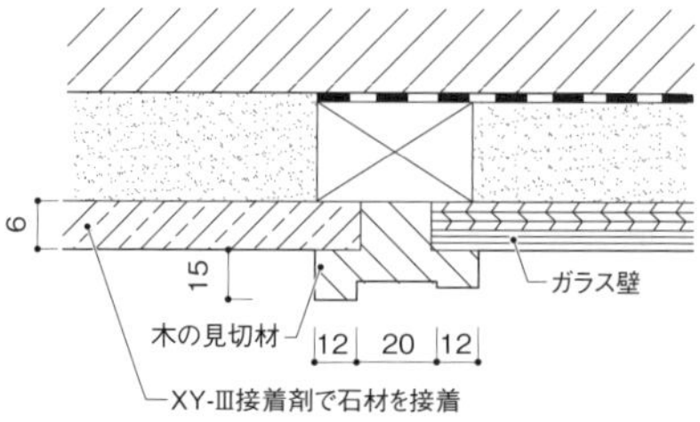
6
15
ガラス壁
木の見切材
12 20 12
XY-Ⅲ接着剤で石材を接着

堅木の見切材

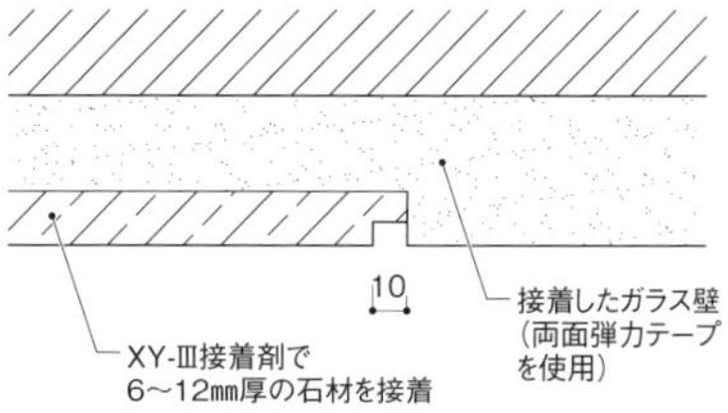
10
接着したガラス壁
（両面弾力テープ
を使用）
XY-Ⅲ接着剤で
6～12㎜厚の石材を接着

接着

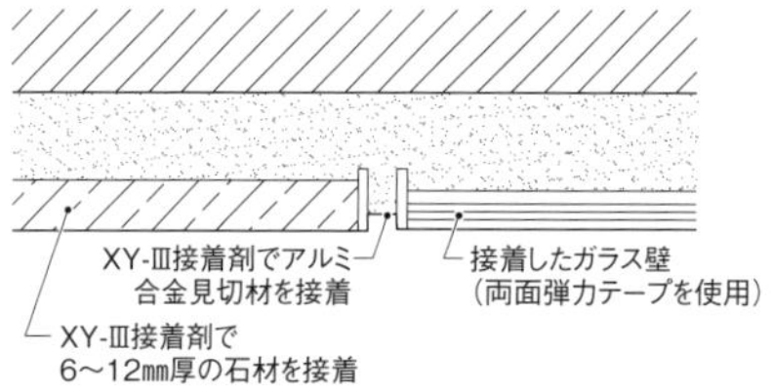
XY-Ⅲ接着剤でアルミ
合金見切材を接着
接着したガラス壁
（両面弾力テープを使用）
XY-Ⅲ接着剤で
6～12㎜厚の石材を接着

アルミ合金見切材

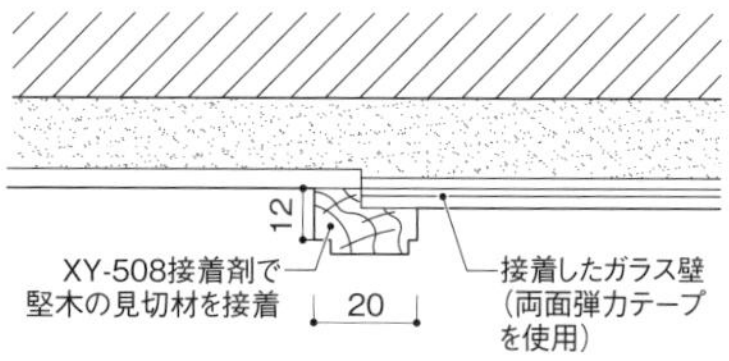
12
XY-508接着剤で
堅木の見切材を接着
20
接着したガラス壁
（両面弾力テープ
を使用）

堅木の見切材

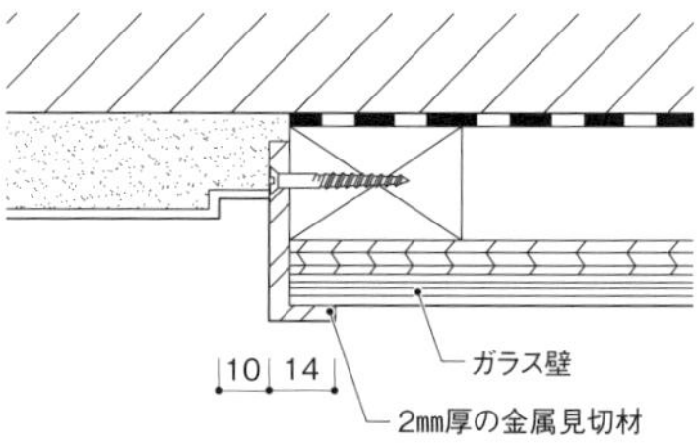
ガラス壁
10 14
2㎜厚の金属見切材

金属見切材

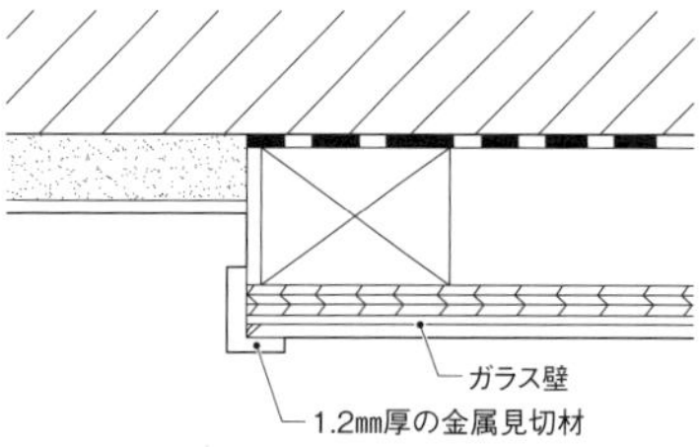
ガラス壁
1.2㎜厚の金属見切材

金属見切材

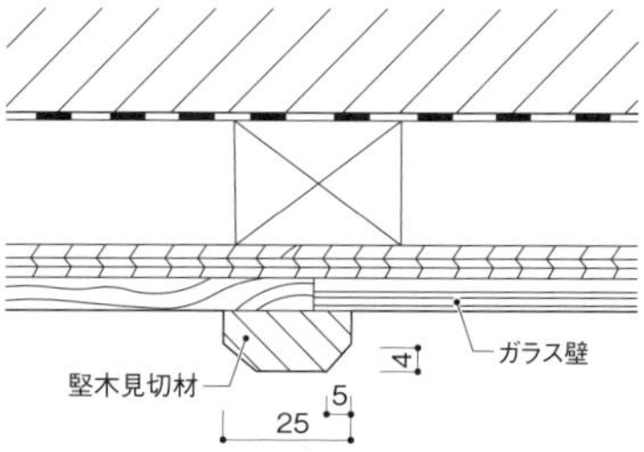
4
ガラス壁
堅木見切材
5
25

堅木の見切材

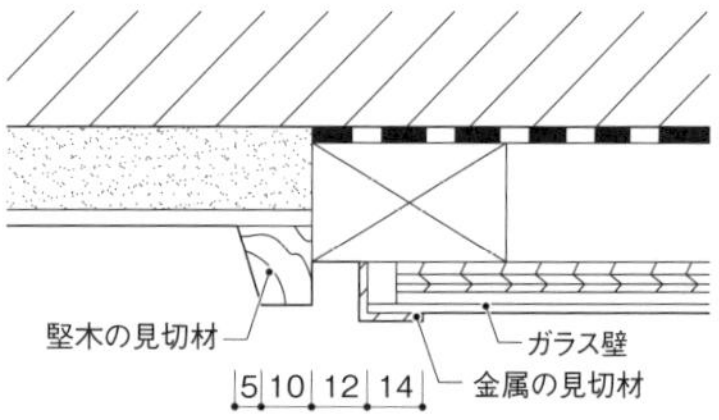
堅木の見切材
ガラス壁
5 10 12 14
金属の見切材

金属の見切材

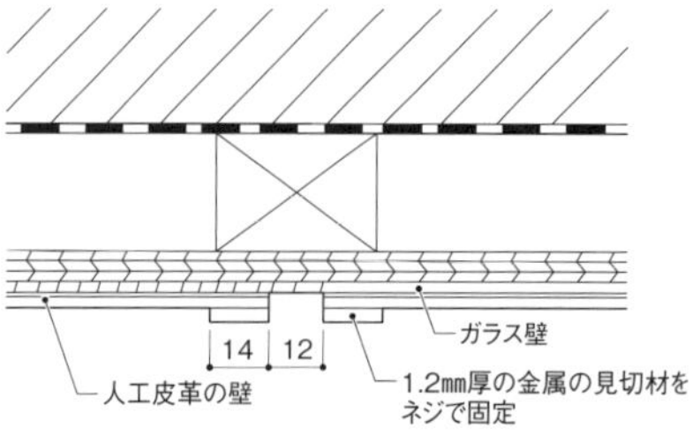
ガラス壁
14 12
人工皮革の壁
1.2㎜厚の金属の見切材を
ネジで固定

金属の見切材

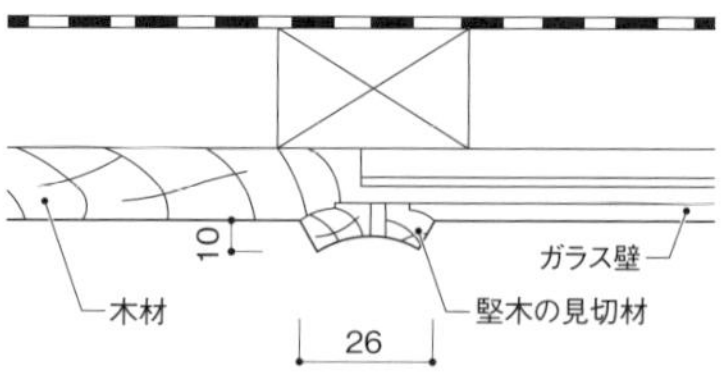
10
ガラス壁
木材
堅木の見切材
26

堅木の見切材

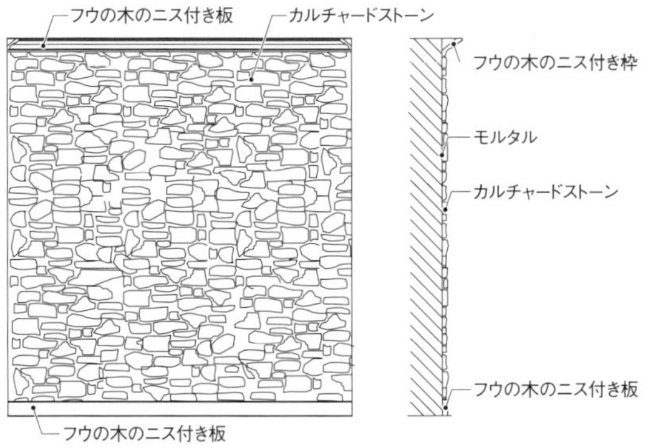
フウの木のニス付き板
カルチャードストーン
フウの木のニス付き枠
モルタル
カルチャードストーン
フウの木のニス付き板
フウの木のニス付き板

カルチャードストーンの壁面

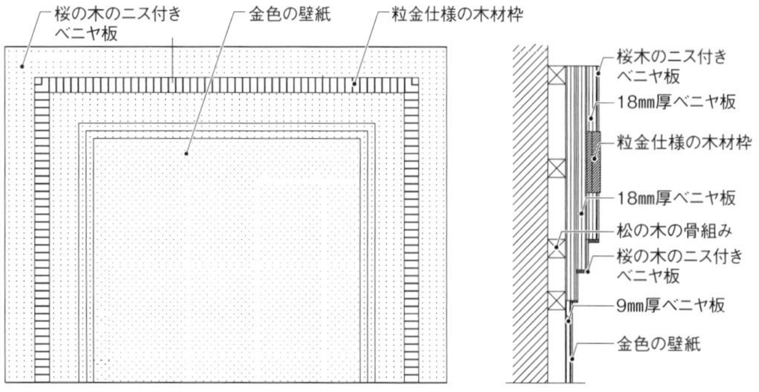
桜の木のニス付き
ベニヤ板
金色の壁紙
粒金仕様の木材枠
桜木のニス付き
ベニヤ板
18㎜厚ベニヤ板
粒金仕様の木材枠
18㎜厚ベニヤ板
松の木の骨組み
桜の木のニス付き
ベニヤ板
9㎜厚ベニヤ板
金色の壁紙

壁紙の壁面

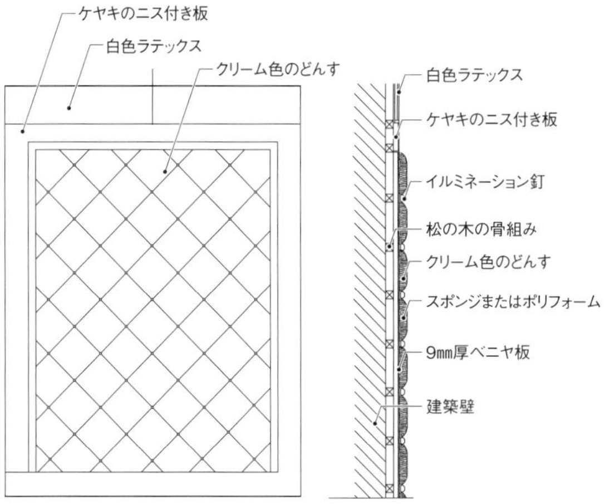
ケヤキのニス付き板
白色ラテックス
クリーム色のどんす
白色ラテックス
ケヤキのニス付き板
イルミネーション釘
松の木の骨組み
クリーム色のどんす
スポンジまたはポリフォーム
9㎜厚ベニヤ板
建築壁

どんす張りの壁面

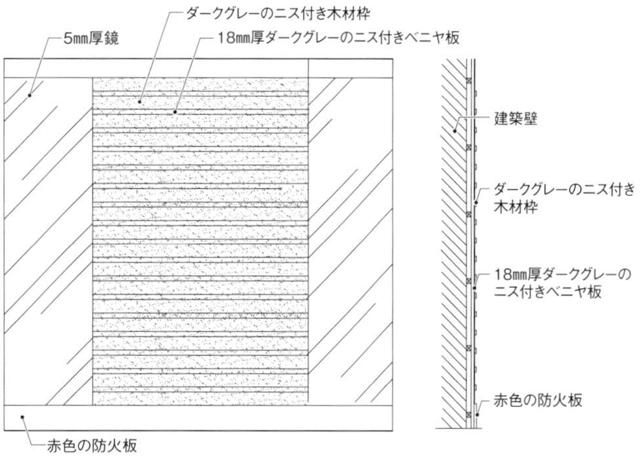
ダークグレーのニス付き木材枠
5㎜厚鏡
18㎜厚ダークグレーのニス付きベニヤ板
建築壁
ダークグレーのニス付き
木材枠
18㎜厚ダークグレーの
ニス付きベニヤ板
赤色の防火板
赤色の防火板

線状にした無垢木材の壁面

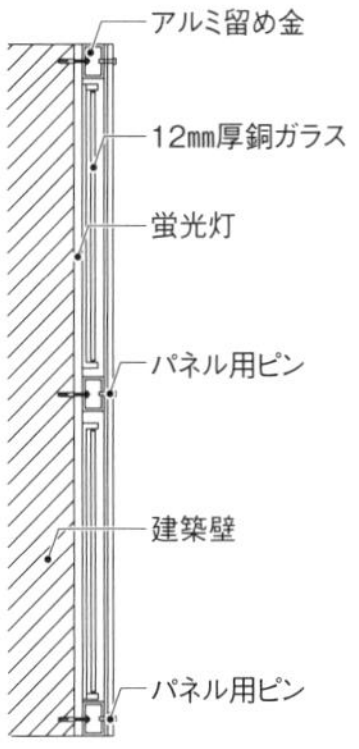
アルミ留め金
12㎜厚銅ガラス
蛍光灯
パネル用ピン
建築壁
パネル用ピン

ガラス面

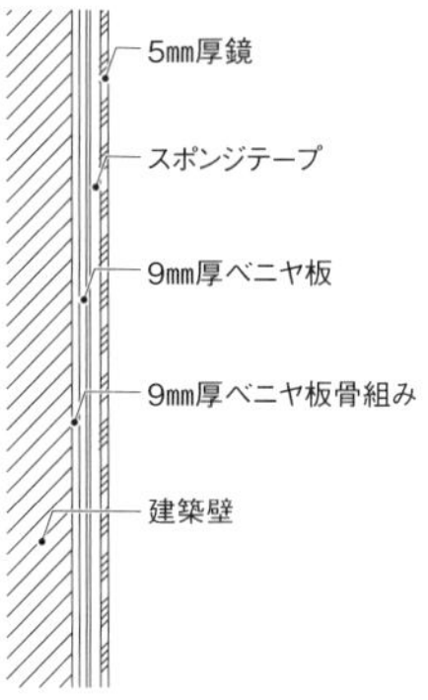
5㎜厚鏡
スポンジテープ
9㎜厚ベニヤ板
9㎜厚ベニヤ板骨組み
建築壁

鏡面

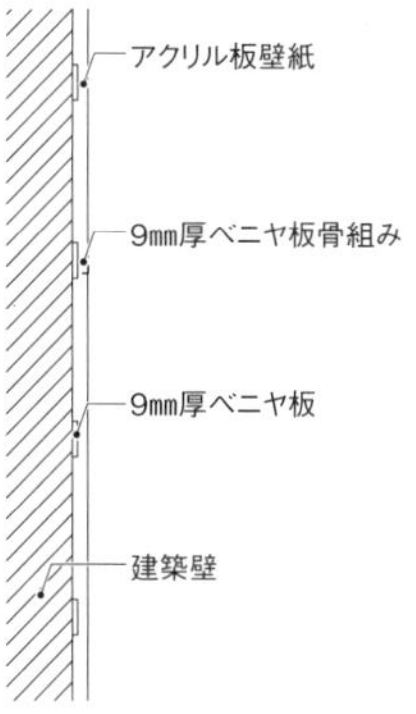
アクリル板壁紙
9㎜厚ベニヤ板骨組み
9㎜厚ベニヤ板
建築壁

壁紙面

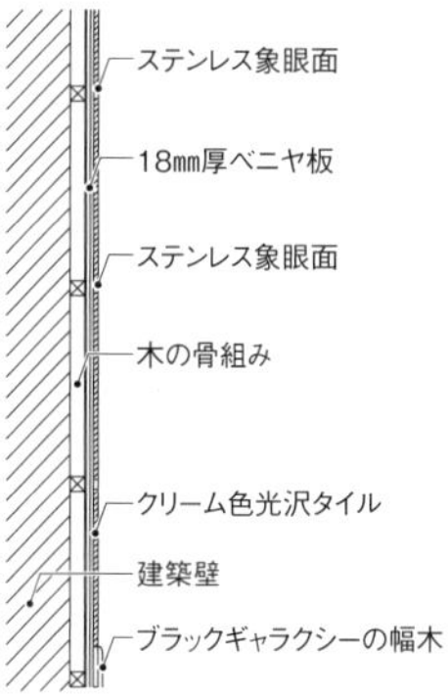
ステンレス象眼面
18㎜厚ベニヤ板
ステンレス象眼面
木の骨組み
クリーム色光沢タイル
建築壁
ブラックギャラクシーの幅木

ステンレス象眼面

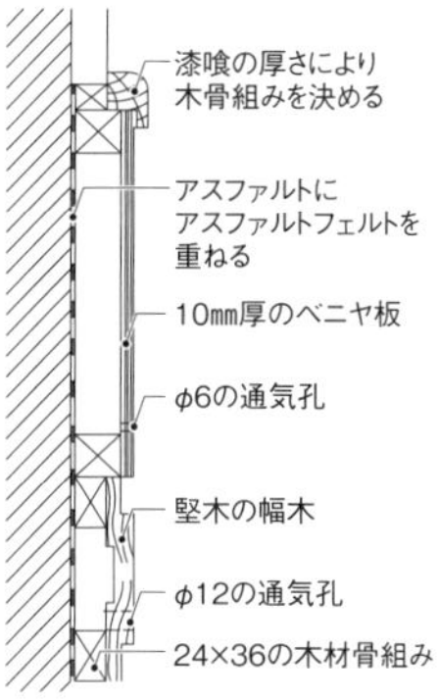
漆喰の厚さにより
木骨組みを決める
アスファルトに
アスファルトフェルトを
重ねる
10㎜厚のベニヤ板
φ6の通気孔
堅木の幅木
φ12の通気孔
24×36の木材骨組み

腰羽目ベニヤ板面

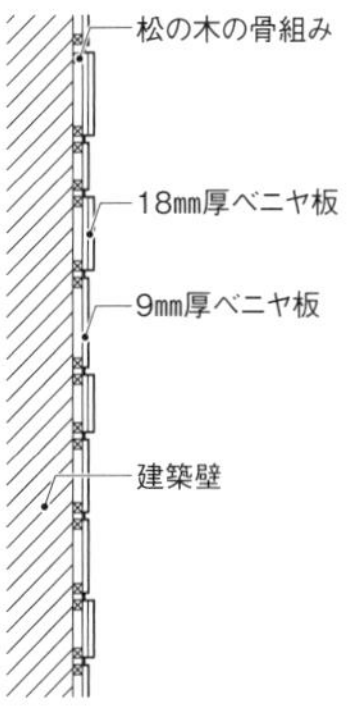
松の木の骨組み
18㎜厚ベニヤ板
9㎜厚ベニヤ板
建築壁

木材凹凸面

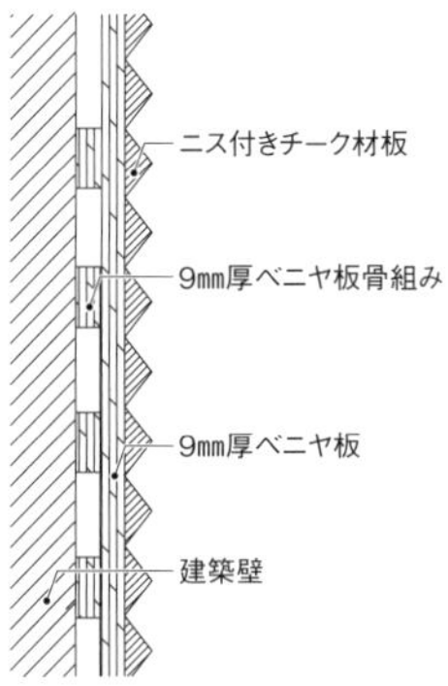
ニス付きチーク材板
9㎜厚ベニヤ板骨組み
9㎜厚ベニヤ板
建築壁

木材線状面

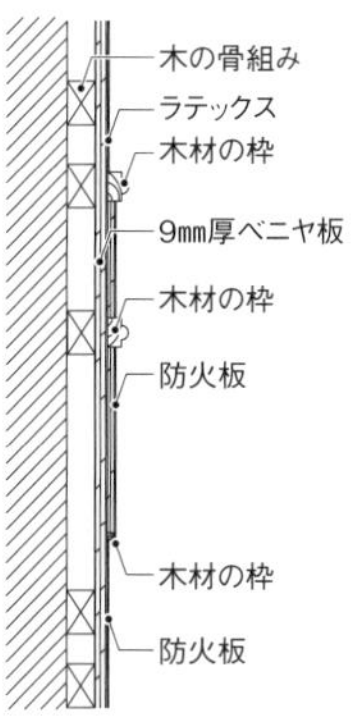
木の骨組み
ラテックス
木材の枠
9㎜厚ベニヤ板
木材の枠
防火板
木材の枠
防火板

ベニヤ板面

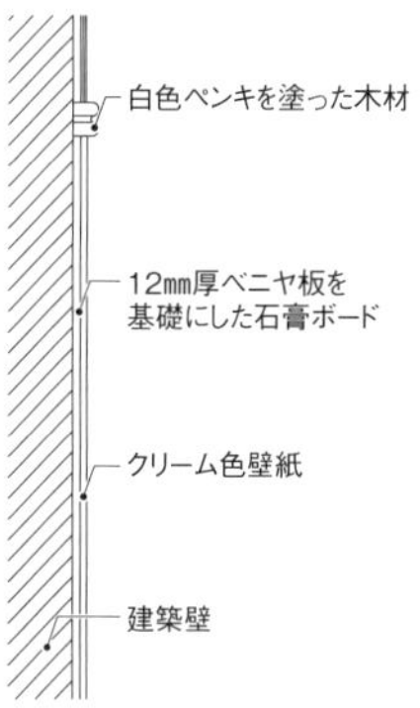
白色ペンキを塗った木材
12㎜厚ベニヤ板を
基礎にした石膏ボード
クリーム色壁紙
建築壁

石膏ボード面

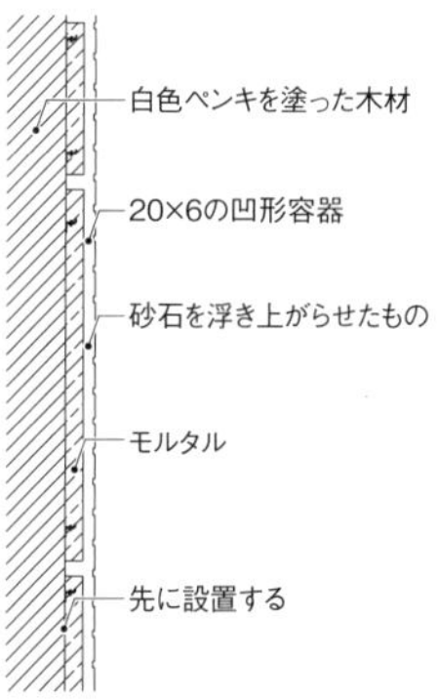
白色ペンキを塗った木材
20×6の凹形容器
砂石を浮き上がらせたもの
モルタル
先に設置する

砂石面

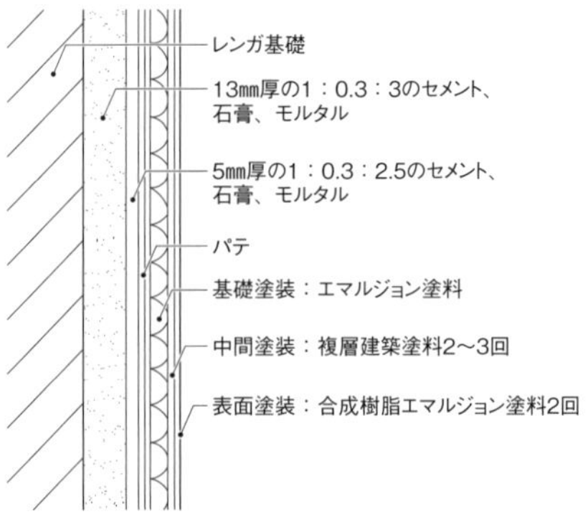
レンガ基礎
13mm厚の1：0.3：3のセメント、石膏、モルタル
5mm厚の1：0.3：2.5のセメント、石膏、モルタル
パテ
基礎塗装：エマルジョン塗料
中間塗装：複層建築塗料2～3回
表面塗装：合成樹脂エマルジョン塗料2回

複層建築塗料

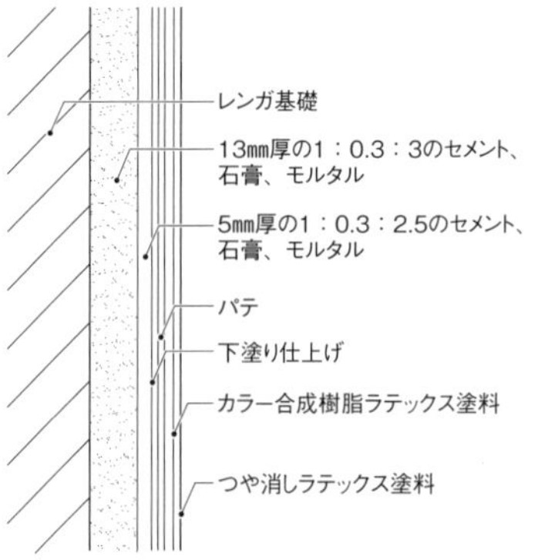
レンガ基礎
13mm厚の1：0.3：3のセメント、石膏、モルタル
5mm厚の1：0.3：2.5のセメント、石膏、モルタル
パテ
下塗り仕上げ
カラー合成樹脂ラテックス塗料
つや消しラテックス塗料

カラー合成樹脂ラテックス塗料

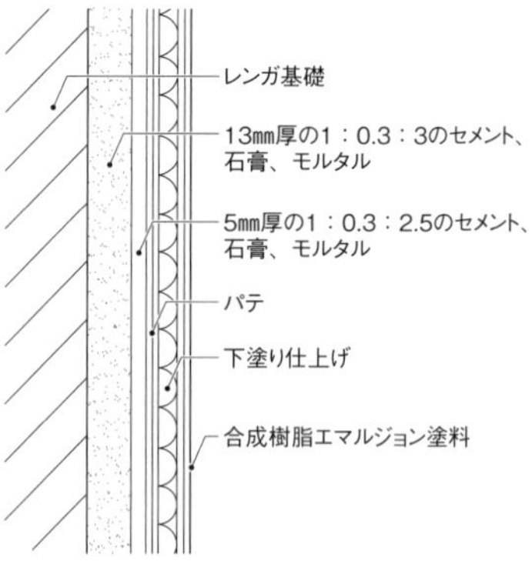
レンガ基礎
13mm厚の1：0.3：3のセメント、石膏、モルタル
5mm厚の1：0.3：2.5のセメント、石膏、モルタル
パテ
下塗り仕上げ
合成樹脂エマルジョン塗料

合成樹脂エマルジョン塗料

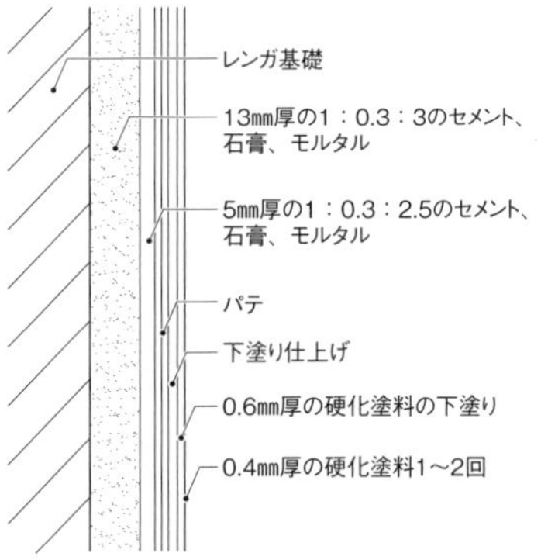
レンガ基礎
13mm厚の1：0.3：3のセメント、石膏、モルタル
5mm厚の1：0.3：2.5のセメント、石膏、モルタル
パテ
下塗り仕上げ
0.6mm厚の硬化塗料の下塗り
0.4mm厚の硬化塗料1～2回

硬化塗料

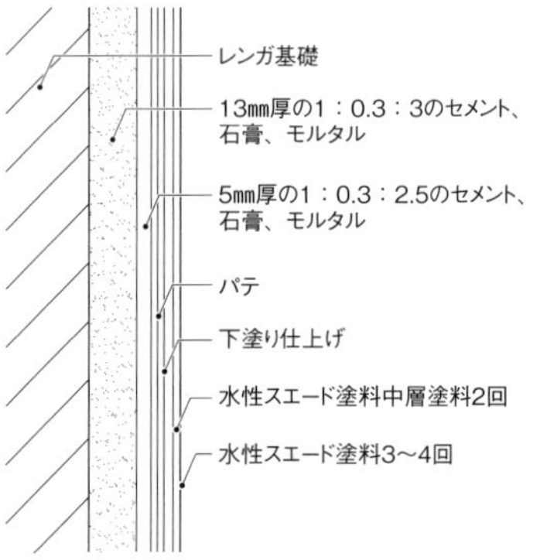
レンガ基礎
13mm厚の1：0.3：3のセメント、石膏、モルタル
5mm厚の1：0.3：2.5のセメント、石膏、モルタル
パテ
下塗り仕上げ
水性スエード塗料中層塗料2回
水性スエード塗料3～4回

水性スエード塗料

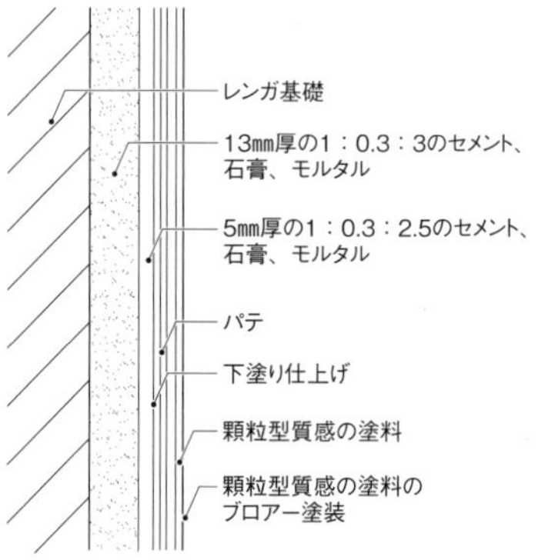
レンガ基礎
13mm厚の1：0.3：3のセメント、石膏、モルタル
5mm厚の1：0.3：2.5のセメント、石膏、モルタル
パテ
下塗り仕上げ
顆粒型質感の塗料
顆粒型質感の塗料のブロアー塗装

凹凸造形塗装

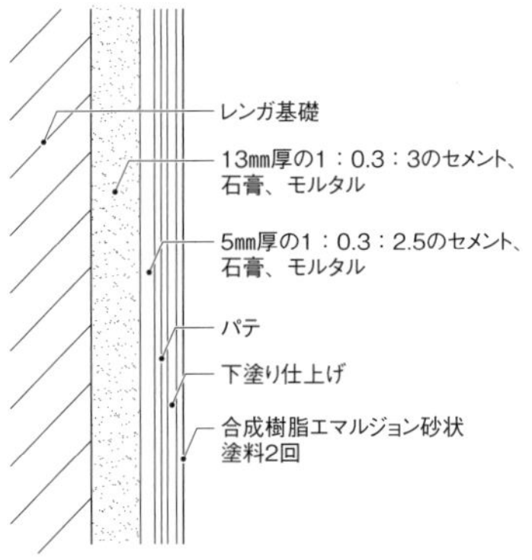
レンガ基礎
13mm厚の1：0.3：3のセメント、石膏、モルタル
5mm厚の1：0.3：2.5のセメント、石膏、モルタル
パテ
下塗り仕上げ
合成樹脂エマルジョン砂状塗料2回

合成樹脂エマルジョン塗料砂壁面

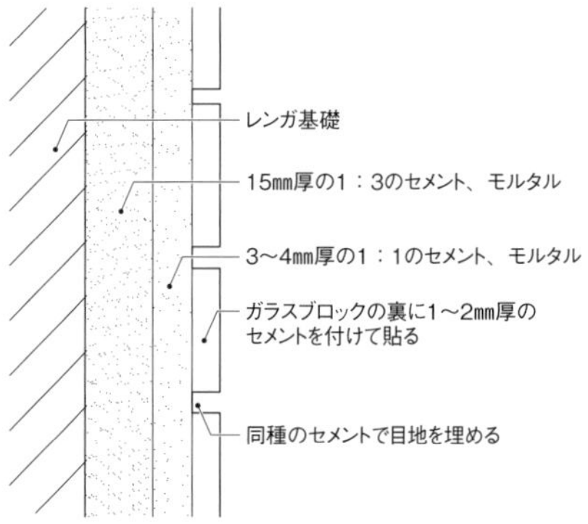
レンガ基礎
15mm厚の1：3のセメント、モルタル
3～4mm厚の1：1のセメント、モルタル
ガラスブロックの裏に1～2mm厚のセメントを付けて貼る
同種のセメントで目地を埋める

ガラスブロック壁の接着

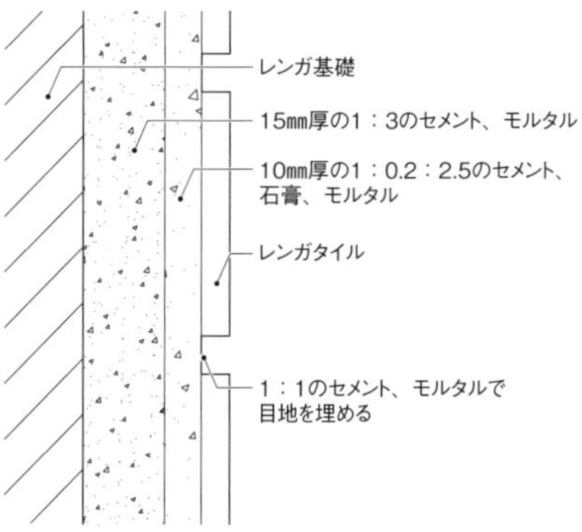
レンガ基礎
15mm厚の1：3のセメント、モルタル
10mm厚の1：0.2：2.5のセメント、石膏、モルタル
レンガタイル
1：1のセメント、モルタルで目地を埋める

レンガタイル

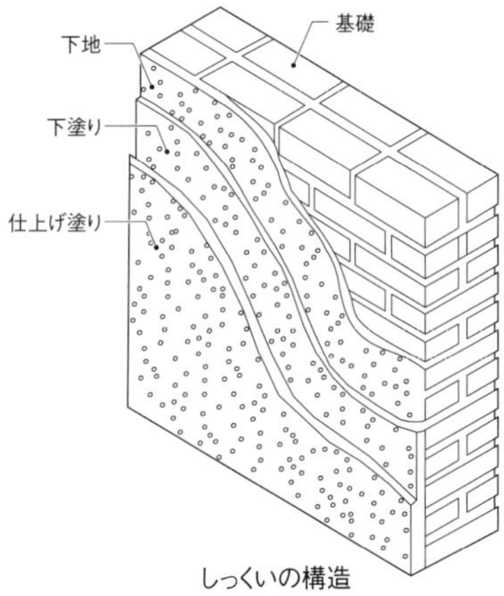
下地
基礎
下塗り
仕上げ塗り

しっくいの構造

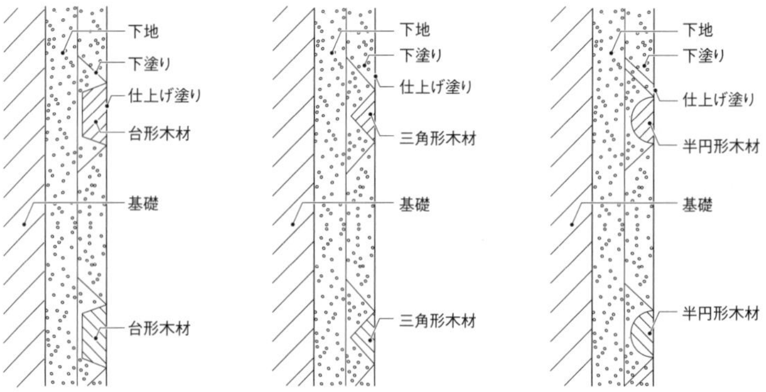
下地
下塗り
仕上げ塗り
台形木材
基礎
台形木材
下地
下塗り
仕上げ塗り
三角形木材
基礎
三角形木材
下地
下塗り
仕上げ塗り
半円形木材
基礎
半円形木材

しっくいと木材の関係

打ち込み式壁掛けボードの構造

1. 間に空間があるもの

間に空間がある打ち込み式壁掛けボードは、壁の特性やさまざまな建築構造、技術的条件、使用環境を踏まえて設計する。技術的にはT形、T形単層横骨組み、T形ステンレスLタイプの3つに大別される。

T形系統

T形系統は、骨組みが少なく施工が容易なため、施工効率が高い。ほかの系統と比較して施工費が安い。

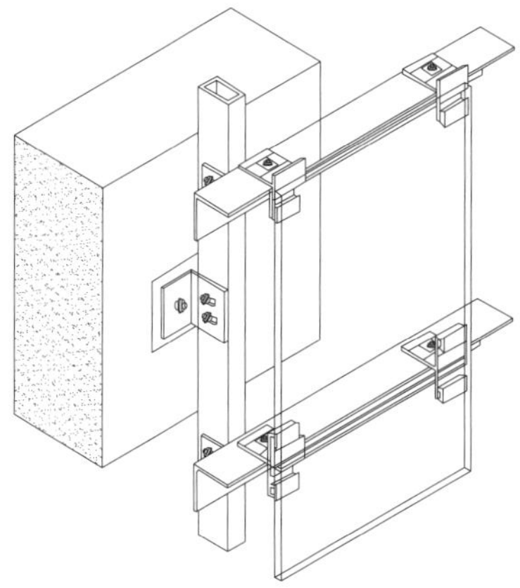

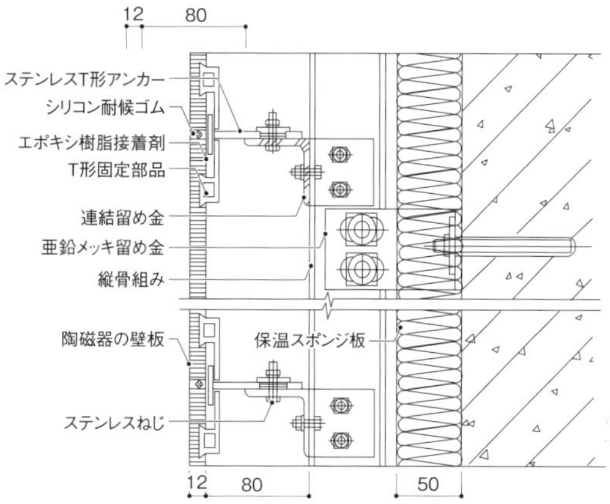
12
80
ステンレスT形アンカー
シリコン耐候ゴム
エポキシ樹脂接着剤
T形固定部品
連結留め金
亜鉛メッキ留め金
縦骨組み
陶磁器の壁板
保温スポンジ板
ステンレスねじ
12
80
50

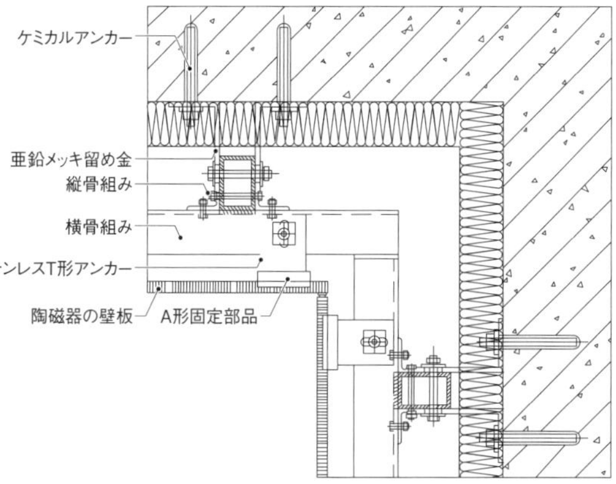
ケミカルアンカー
亜鉛メッキ留め金
縦骨組み
横骨組み
ステンレスT形アンカー
陶磁器の壁板
A形固定部品

T形系統　断面図

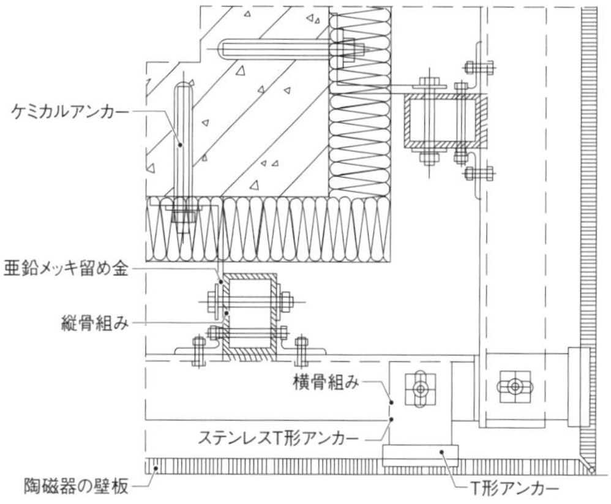
ケミカルアンカー
亜鉛メッキ留め金
縦骨組み
横骨組み
ステンレスT形アンカー
陶磁器の壁板
T形アンカー

T形系統　断面図

T形単層横骨組み系統

この系統は壁が垂直で表面が平らなものに適しており、壁に強度があれば施工が容易となる。それほど高い施工技術は求められない。

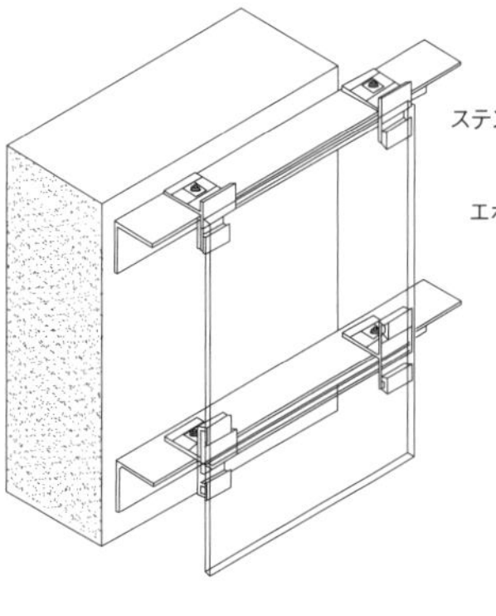

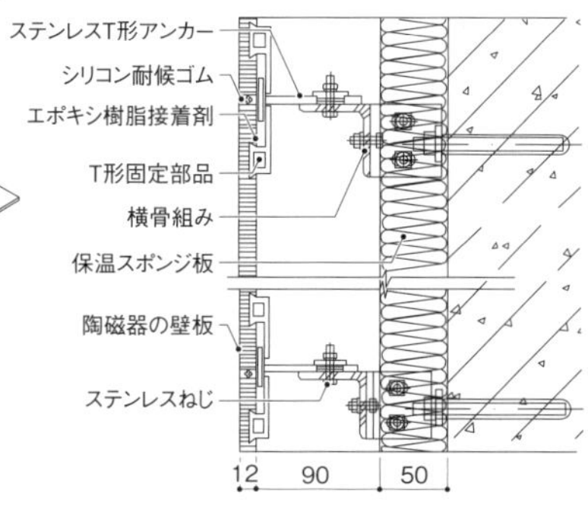
ステンレスT形アンカー
シリコン耐候ゴム
エポキシ樹脂接着剤
T形固定部品
横骨組み
保温スポンジ板
陶磁器の壁板
ステンレスねじ
12
90
50

T形ステンレスLタイプ系統

この系統は壁が垂直で表面が平らなものに適しており、壁に強度があれば施工が容易となる。それほど高い施工技術は求められない。

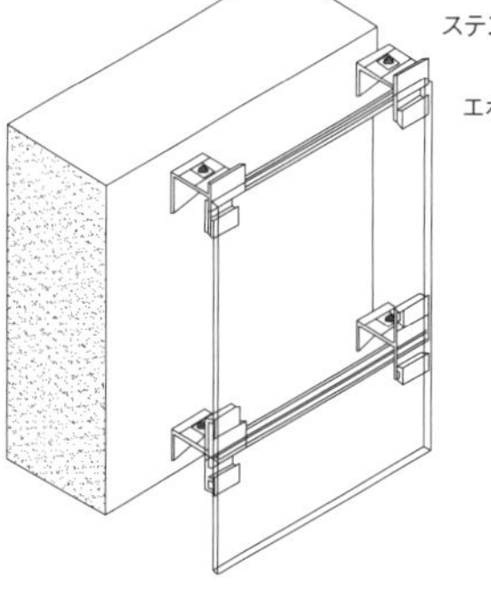

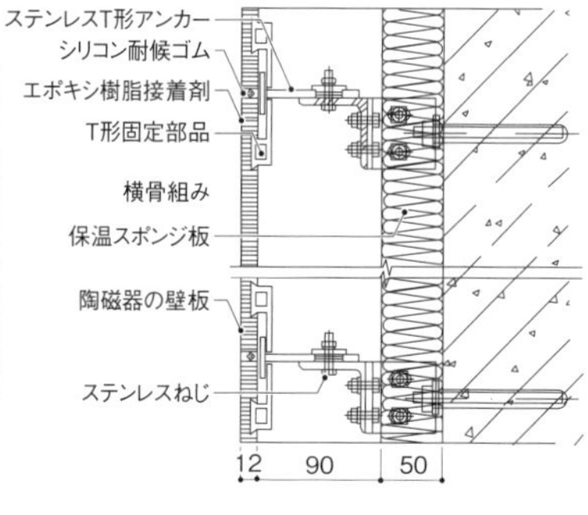
ステンレスT形アンカー
シリコン耐候ゴム
エポキシ樹脂接着剤
T形固定部品
横骨組み
保温スポンジ板
陶磁器の壁板
ステンレスねじ
12
90
50

2. 間に空間がないもの

(1) 間に空間のない固定の仕方

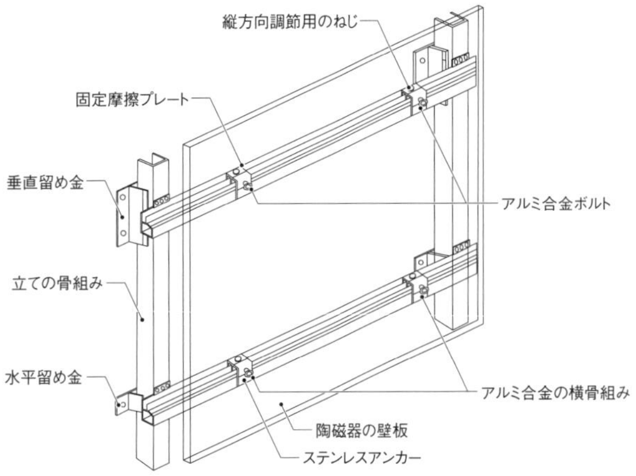
縦方向調節用のねじ
固定摩擦プレート
垂直留め金
アルミ合金ボルト
立ての骨組み
水平留め金
アルミ合金の横骨組み
陶磁器の壁板
ステンレスアンカー

(2) 間に空間のない固定方法

1) 穴あけ方法

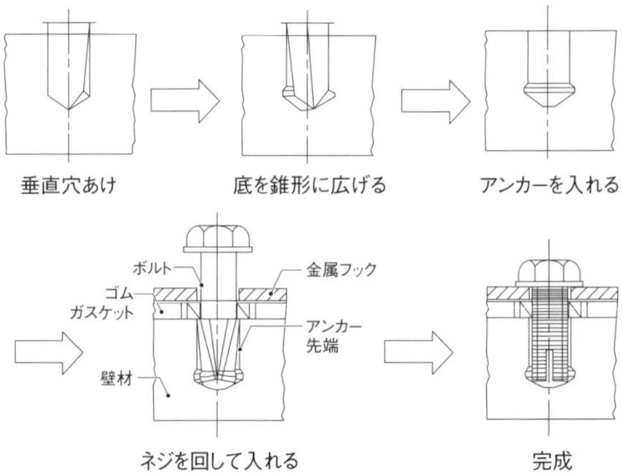
垂直穴あけ
底を錐形に広げる
アンカーを入れる
ボルト
金属フック
ゴム
ガスケット
アンカー
先端
壁材
ネジを回して入れる
完成

2) 陶磁器壁板、骨組み、ボードの連結

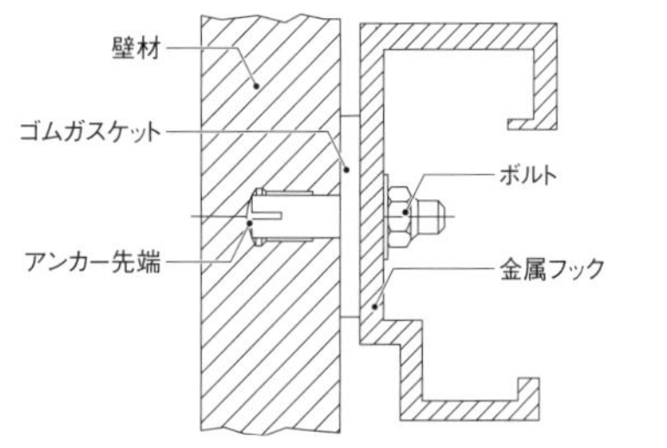
壁材
ゴムガスケット
ボルト
アンカー先端
金属フック

3. 特殊な方式

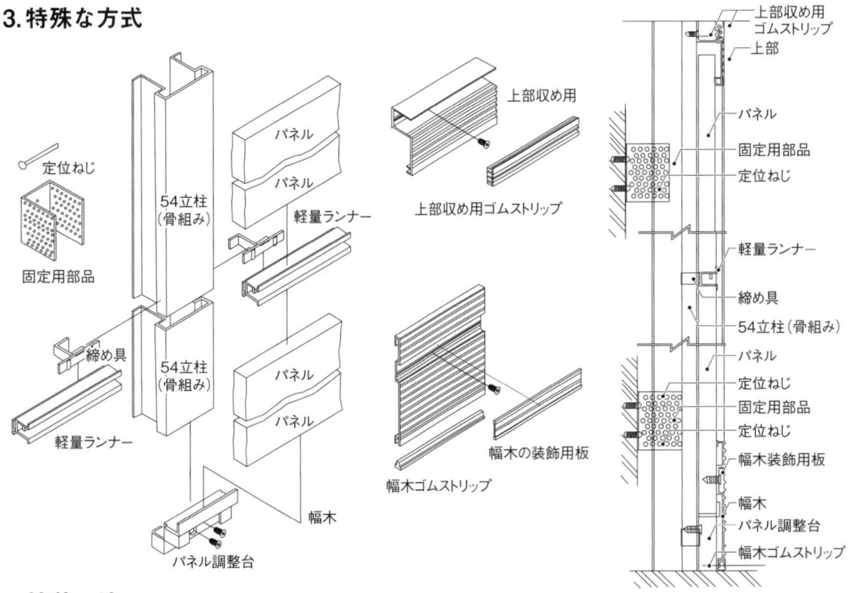
定位ねじ
固定用部品
54立柱
(骨組み)
パネル
パネル
軽量ランナー
締め具
54立柱
(骨組み)
パネル
パネル
軽量ランナー
幅木
パネル調整台
上部収め用
上部収め用ゴムストリップ
幅木の装飾用板
幅木ゴムストリップ
上部収め用
ゴムストリップ
上部
パネル
固定用部品
定位ねじ
軽量ランナー
締め具
54立柱(骨組み)
パネル
定位ねじ
固定用部品
定位ねじ
幅木装飾用板
幅木
パネル調整台
幅木ゴムストリップ

この系統の特徴

タイルへの加工が不要である。施工する壁上にタイル専用の金属部品を使って水平・垂直の骨組みを構築し、下から上へと壁板を固定していく。

技術系統ごとに異なる部品で構成される。

4. 接着工法

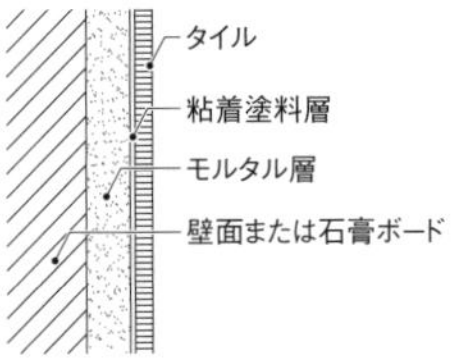
タイル
粘着塗料層
モルタル層
壁面または石膏ボード

セメントモルタル法

条件の良い木材や金属の骨組みが必要で、浴室内の施工でよく使用される

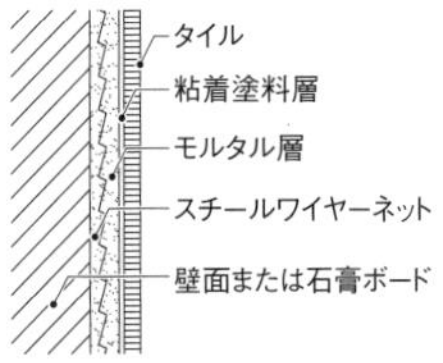
タイル
粘着塗料層
モルタル層
スチールワイヤーネット
壁面または石膏ボード

単層法

改装する際や、表面にすき間の問題が生じたときに用いる

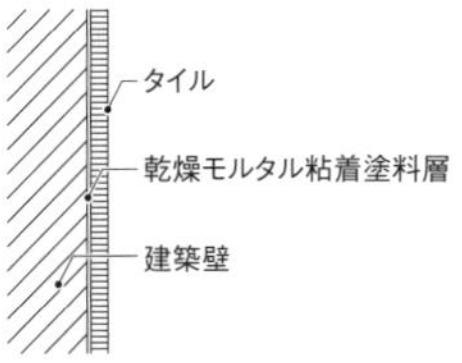
タイル
乾燥モルタル粘着塗料層
建築壁

乾燥モルタル法

石膏ボードやしっくいなどの堅固な表面に使われる

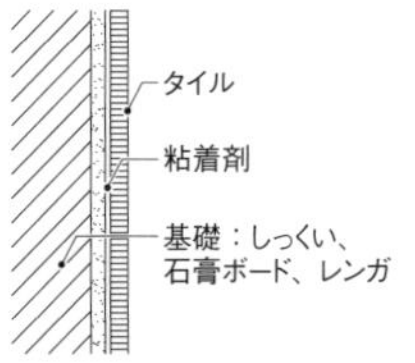
タイル
粘着剤
基礎：しっくい、
石膏ボード、レンガ

有機接着剤法

石膏ボードやしっくいなどの堅固な表面に使われる。湿度の高い場所では防水石膏ボードが使用される

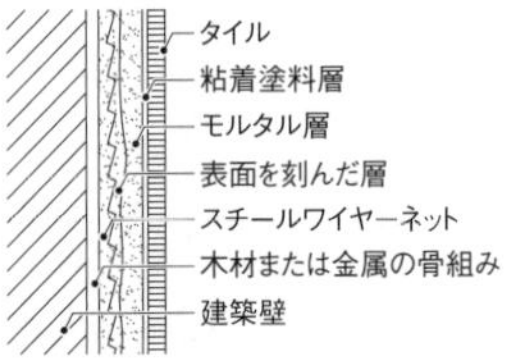
タイル
粘着塗料層
モルタル層
表面を刻んだ層
スチールワイヤーネット
木材または金属の骨組み
建築壁

セメントモルタル法

条件の良い木材や金属の骨組みが必要で、浴室内の施工でよく使用される

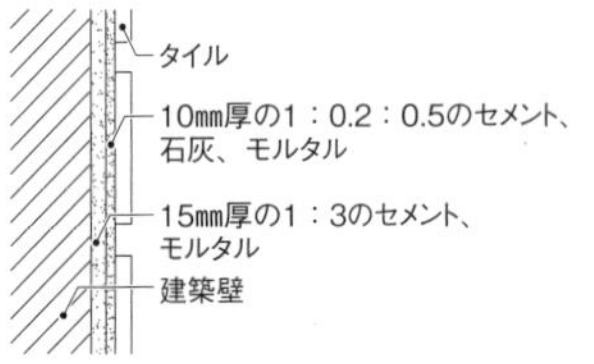
タイル
10mm厚の1：0.2：0.5のセメント、
石灰、モルタル
15mm厚の1：3のセメント、
モルタル
建築壁

セメントモルタル法

学校、公共施設、商業施設の室内部分で使われる

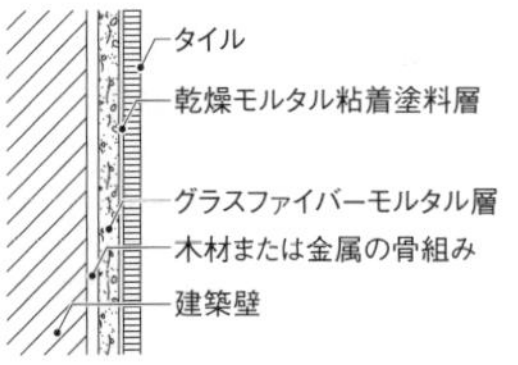
タイル
乾燥モルタル粘着塗料層
グラスファイバーモルタル層
木材または金属の骨組み
建築壁

乾燥モルタル法

湿度の高い地域の、硬い木材または金属の骨組みに使われる

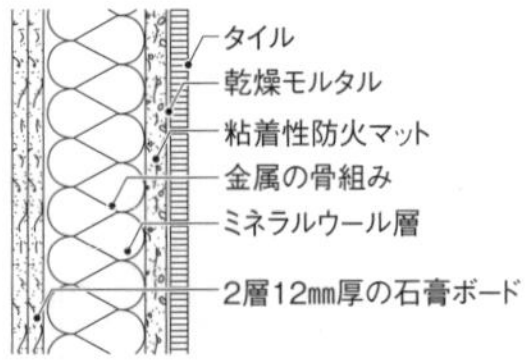
タイル
乾燥モルタル
粘着性防火マット
金属の骨組み
ミネラルウール層
2層12mm厚の石膏ボード

乾燥モルタル法(防火壁)

2時間以上の耐火性の要求があり、壁面が火の近くにある際に使われる

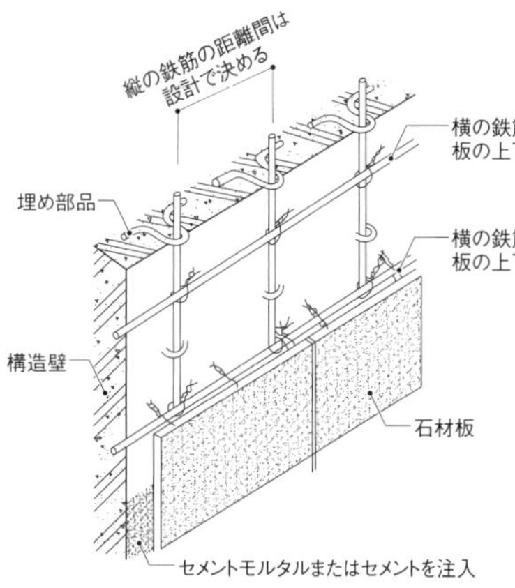
縦の鉄筋の距離間は
設計で決める
横の鉄筋の距離間は
板の上下孔に合わせる
埋め部品
横の鉄筋の距離間は
板の上下孔に合わせる
構造壁
石材板
セメントモルタルまたはセメントを注入

鉄筋網固定による接着方法

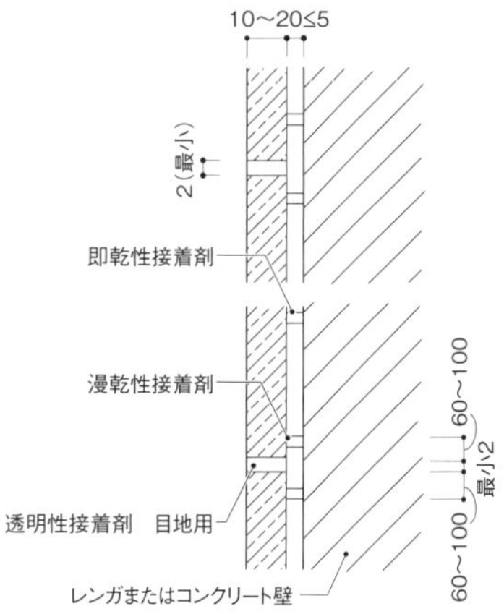
10~20≦5
2(最小)
即乾性接着剤
漫乾性接着剤
60~100
最小2
60~100
透明性接着剤　目地用
レンガまたはコンクリート壁

樹脂接着剤による接着方法

具体的な施工方法として、まず接着剤を石材裏面のしかるべき場所にたっぷりと塗る。その後、接着剤を塗った石材を平らに、まっすぐ、ぴったりと壁に貼る。そして固定させるため、すぐに締めつける。あふれてきた接着剤は、きれいに拭い取る。接着剤が固まり、石材が完全に固定したら、固定用の支えを取り外す。

まず石材に寸法を合わせた直径6㎜の鉄筋網をくくりつけるか溶接する。その位置は必ず石材の連結孔と一致させるようにしなければならない。鉄筋網は埋め込まれた部品に通して溶接する。施工の要求に基づいて石材の側面を削ぎ落す際は、加工成形した石材を、鉄筋網にくくりつけるか、ステンレスのフックで鉄筋網に固定させる。石材と壁面の距離は一般的に30～50㎜である。壁面と石材の間には、1：2.5の割合でセメントモルタルを注入する。

銅線を石材にくくりつける際は、きつく締めすぎないように注意する。銅線が切れたり、石材に亀裂が入ったりするのを防ぐためである。石材を設置する際は、下部から上部に向かって行う。くくりつけた後は、調整用の木槌で石材の位置などを微調整する。

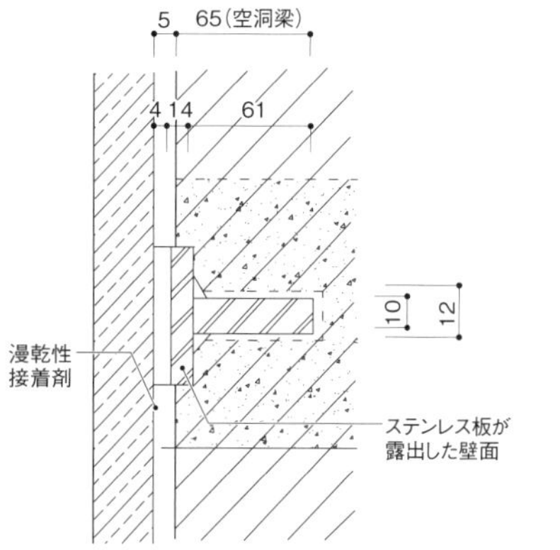
5　65(空洞梁)
4 14　61
10
12
漫乾性
接着剤
ステンレス板が
露出した壁面

粘着アンカーによる方法

空洞式の石材固定方法は、新しい施工法である。ハンガー部品を使って、石材を直接壁または鉄骨に固定する方法で、モルタルを注入する必要がない。この手法により、セメントによる化学作用から石材の表面が変色するといった問題が解決される上、重量も軽量化される。さらに、うまく接着できなかったことから生じるひびや脱落などの問題も解決できる。

構造面のポイントとして、設計に応じて壁面に電動ドリルで穴を開け、ステンレスの膨張アンカーで固定する。そして、ステンレスのハンガー部品をステンレスの膨張アンカー上に設置し、石材を取り付けると同時に微調整する。

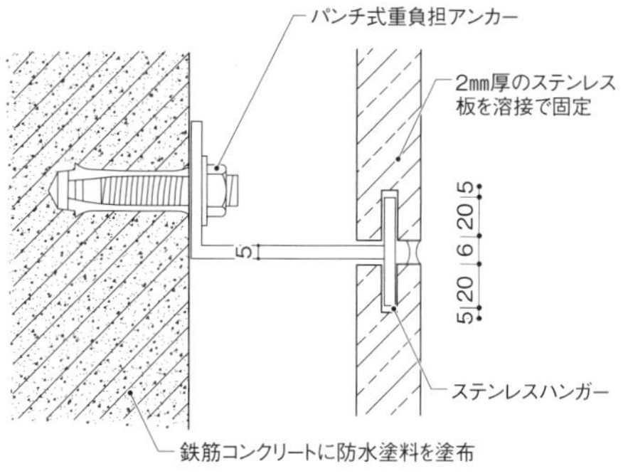
パンチ式重負担アンカー
2㎜厚のステンレス
板を溶接で固定
5
5 20
6
20 5
ステンレスハンガー
鉄筋コンクリートに防水塗料を塗布

空洞式の石材固定方法

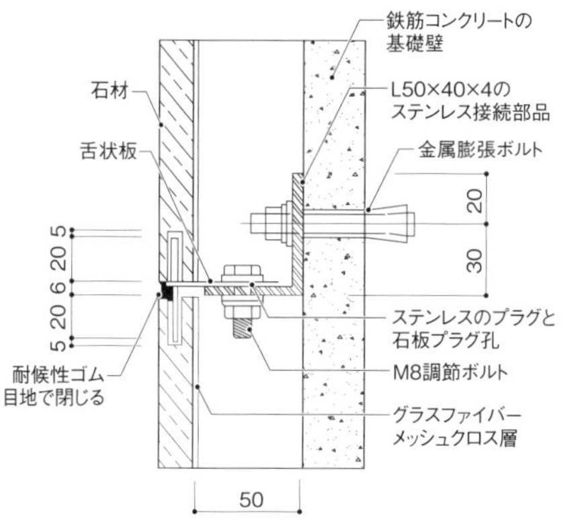
鉄筋コンクリートの
基礎壁
石材
L50×40×4の
ステンレス接続部品
舌状板
金属膨張ボルト
5
20
6
20
5
20
30
ステンレスのプラグと
石板プラグ孔
M8調節ボルト
耐候性ゴム
目地で閉じる
グラスファイバー
メッシュクロス層
50

プラグ式の石材固定方法

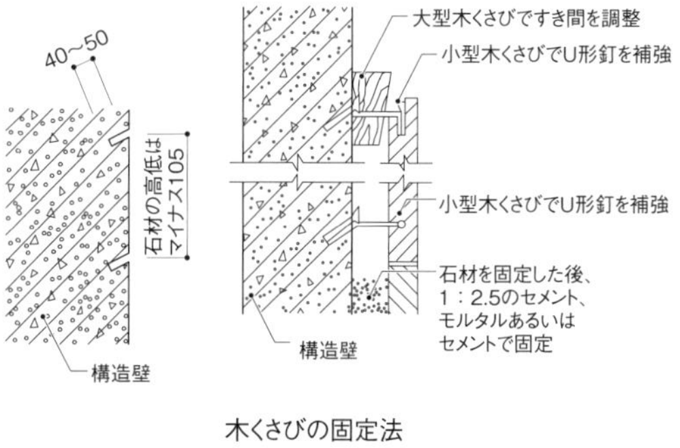
40~50
石材の高低は
マイナス105
構造壁
大型木くさびですき間を調整
小型木くさびでU形釘を補強
小型木くさびでU形釘を補強
石材を固定した後、
1：2.5のセメント、
モルタルあるいは
セメントで固定
構造壁

木くさびの固定法

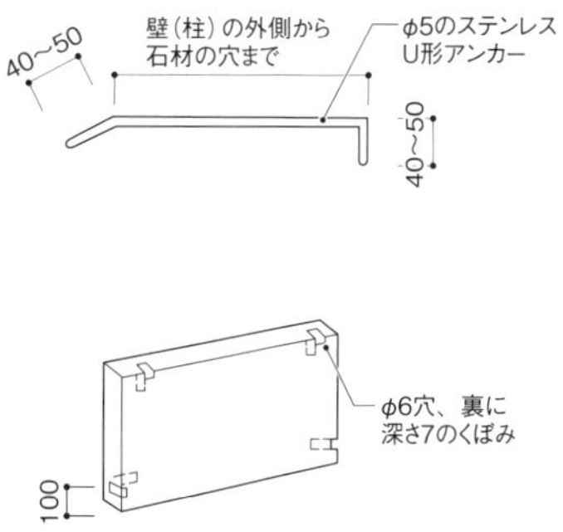
40~50
壁(柱)の外側から
石材の穴まで
φ5のステンレス
U形アンカー
40~50
φ6穴、裏に
深さ7のくぼみ
100

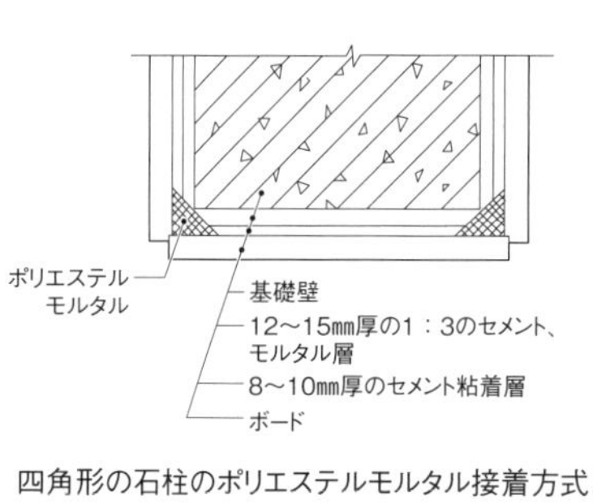
ポリエステル
モルタル
基礎壁
12~15㎜厚の1：3のセメント、
モルタル層
8~10㎜厚のセメント粘着層
ボード

四角形の石柱のポリエステルモルタル接着方式

クロス壁はコンクリートやレンガなどの壁面に石膏ボードを貼ることができる。施工が早く、質も良いほか、防火性や防熱性などに優れる。水平クロス、吸音クロス、保温クロスなどの種類がある。

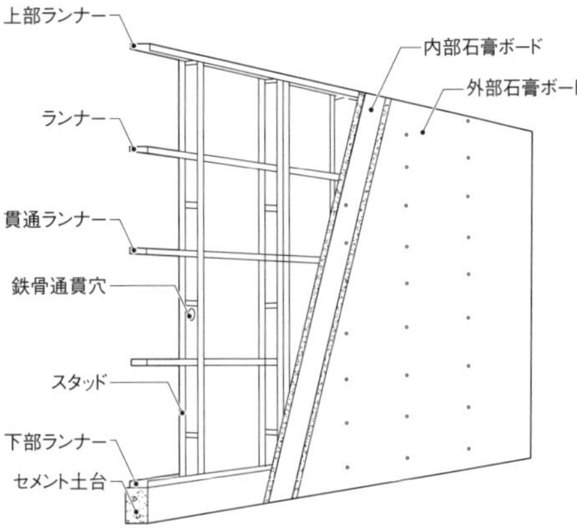
上部ランナー
内部石膏ボード
外部石膏ボード
ランナー
貫通ランナー
鉄骨通貫穴
スタッド
下部ランナー
セメント土台

軽量鉄骨の間仕切り壁

防音壁には2種類ある。1つは通常の間仕切り構造で、低振動鉄骨と複数層と複数の厚さの石膏版とミネラルウールを使用したもの。もう1つは、特殊な鉄骨構造とし、Z型の低振動鉄骨に異なる系列の石膏ボードを設置、中間にミネラルウールを入れる。オフィスや住宅、ホテル、病院などに適する

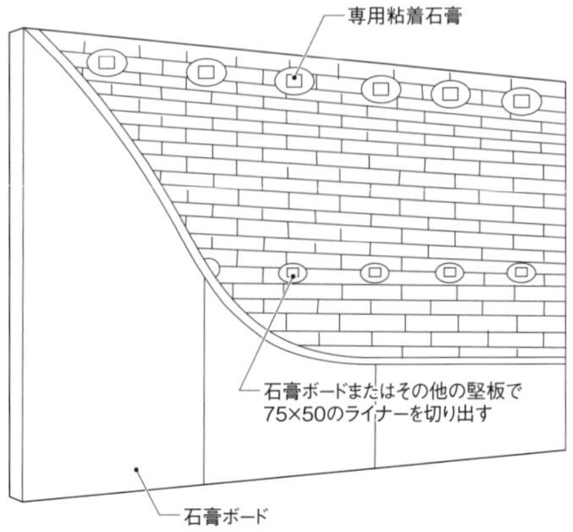
専用粘着石膏
石膏ボードまたはその他の堅板で
75×50のライナーを切り出す
石膏ボード

石膏ボードクロス壁は、壁自体の高さが均一でないような特殊な状況下に用いる。石膏ボードを貼りつけるためには、壁の上部にパッドをつける必要がある。貼りつけた後に表面を整えると、装飾が容易になる

石膏ボードクロス間仕切り壁

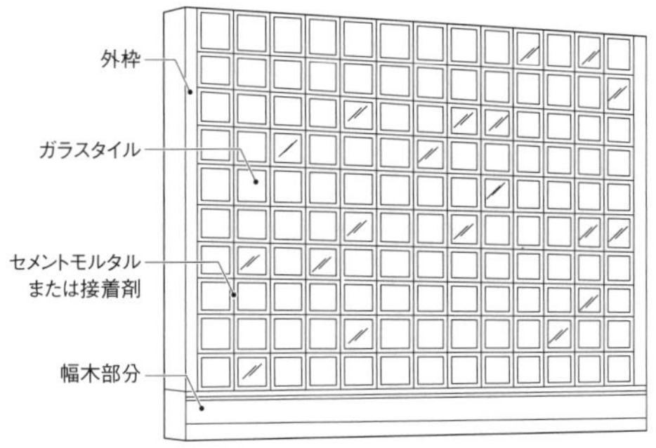
外枠
ガラスタイル
セメントモルタル
または接着剤
幅木部分

ガラスタイル間仕切り壁

ガラスタイル間仕切り壁を作る際は、壁面の安定性に注意する。構造面でいえば、ガラスタイルの受け皿に長い鉄筋や鉄板を設置する。さらに鉄筋を周囲の柱と連結してグリッドにする。さらに白セメントまたはガラスセメントを入れ込むことで壁面の堅牢性を確保する

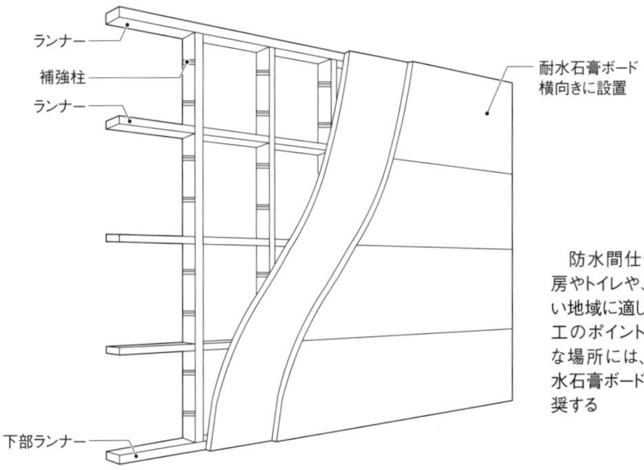
ランナー
補強柱
ランナー
耐水石膏ボード
横向きに設置
下部ランナー

防水間仕切り壁

防水間仕切り壁は厨房やトイレや、湿気の多い地域に適している。施工のポイントとなる重要な場所には、高級な耐水石膏ボードの使用を推奨する

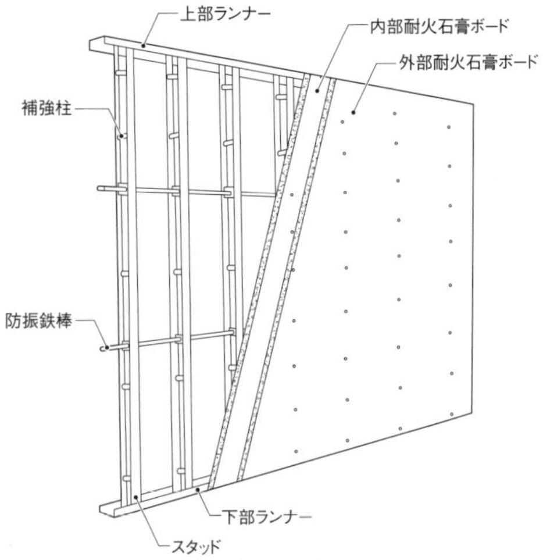
上部ランナー
内部耐火石膏ボード
外部耐火石膏ボード
補強柱
防振鉄棒
下部ランナー
スタッド

防火間仕切り壁

防火間仕切り壁は、耐火性のある石膏ボードを使用する。内部にミネラルウールを入れれば、さらに耐火性が高まる。設計により1～4時間という耐火性の幅がある。防火の要求が高い場所には特級の耐火石膏ボードの使用を推奨する

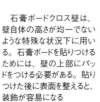

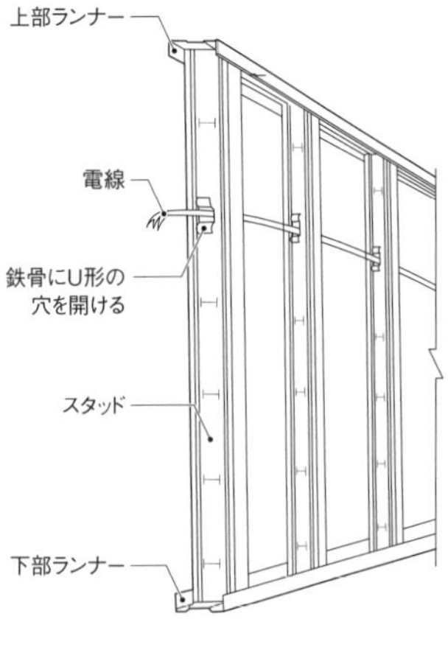
上部ランナー
電線
鉄骨にU形の
穴を開ける
スタッド
下部ランナー

仕切り壁内の配線配置

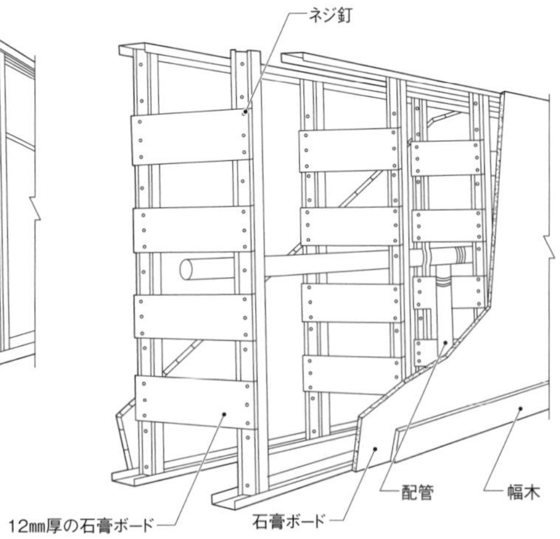
ネジ釘
12㎜厚の石膏ボード
石膏ボード
配管
幅木

仕切り壁内の配線配置

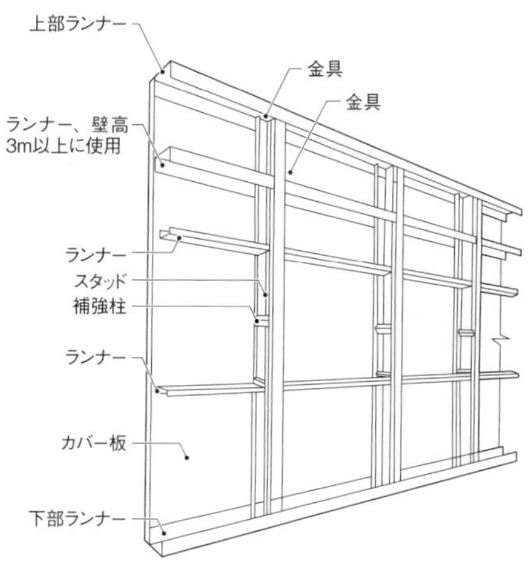

上部ランナー
金具
金具
ランナー、壁高
3m以上に使用
ランナー
スタッド
補強柱
ランナー
カバー板
下部ランナー

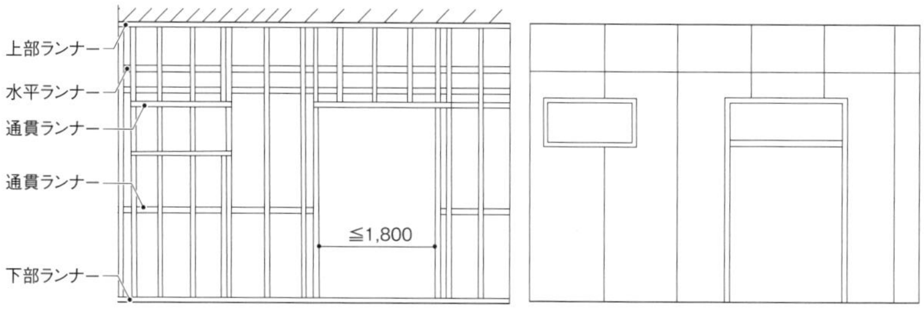

上部ランナー
水平ランナー
通貫ランナー
通貫ランナー
≦1,800
下部ランナー

間仕切り壁の部品付き骨組み設置構造

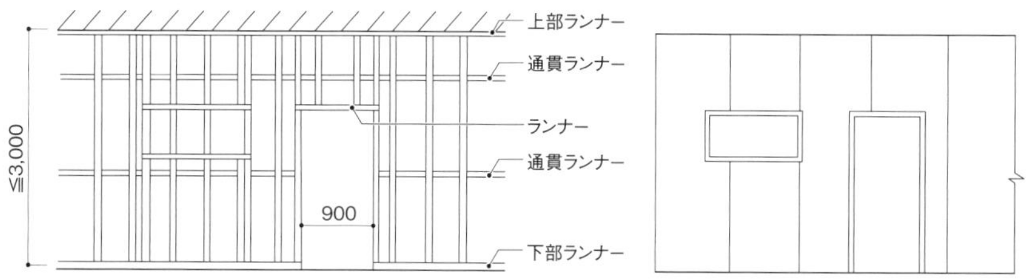

上部ランナー
通貫ランナー
ランナー
≦3,000
通貫ランナー
900
下部ランナー

間仕切り壁の部品付き骨組み及び板材表面

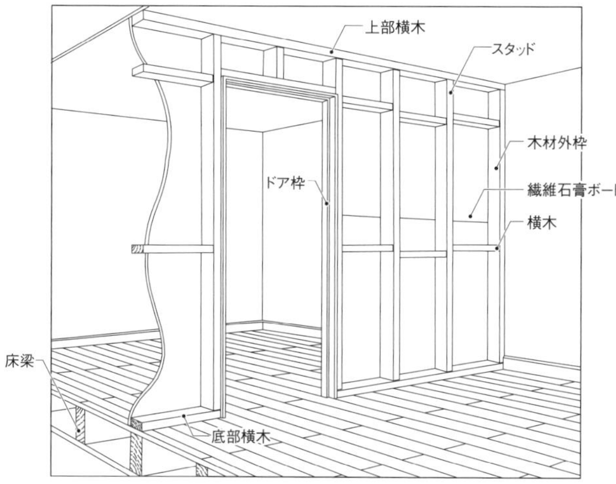

上部横木
スタッド
木材外枠
ドア枠
繊維石膏ボード
横木
床梁
底部横木

木材の間仕切り壁の構造

木材の間仕切り壁の下部には床梁がある。間仕切り壁は板材と方向を一致させ、梁に沿って一列にかける

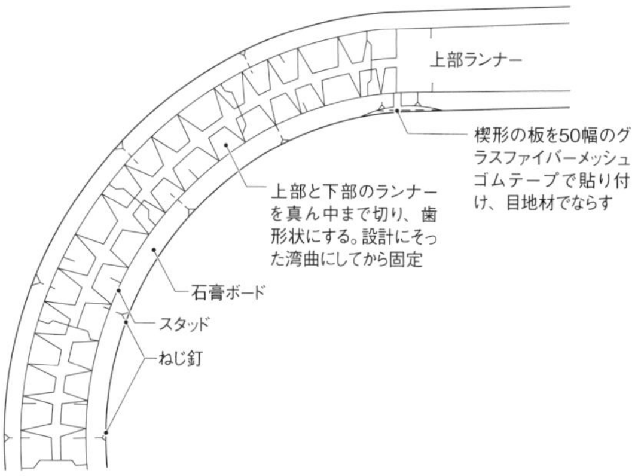

上部ランナー
楔形の板を50幅のグラスファイバーメッシュゴムテープで貼り付け、目地材でならす
上部と下部のランナーを真ん中まで切り、歯形状にする。設計にそった湾曲にしてから固定
石膏ボード
スタッド
ねじ釘

湾曲型の間仕切り壁の骨組みと石膏ボード表面の設置

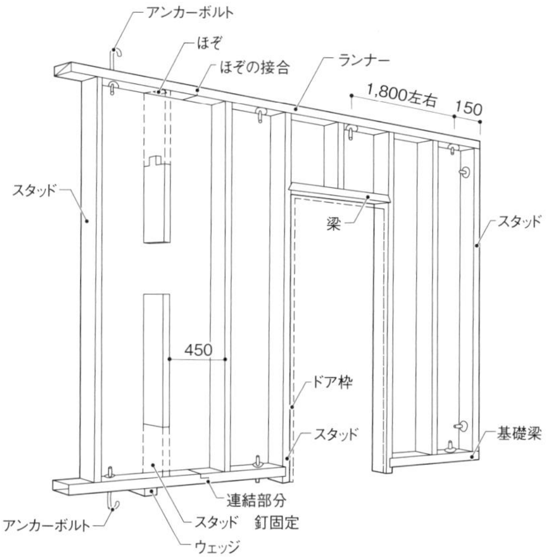

アンカーボルト
ほぞ
ほぞの接合
ランナー
1,800左右
150
スタッド
梁
スタッド
450
ドア枠
スタッド
基礎梁
連結部分
アンカーボルト
スタッド　釘固定
ウェッジ

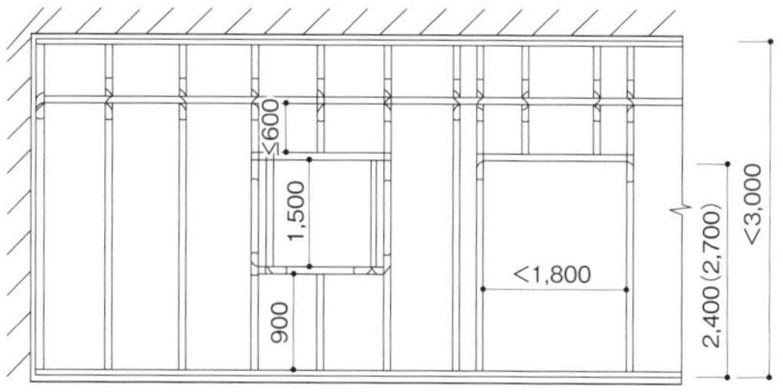

≦600
1,500
900
<1,800
2,400(2,700)
<3,000

軽量鉄骨で製作

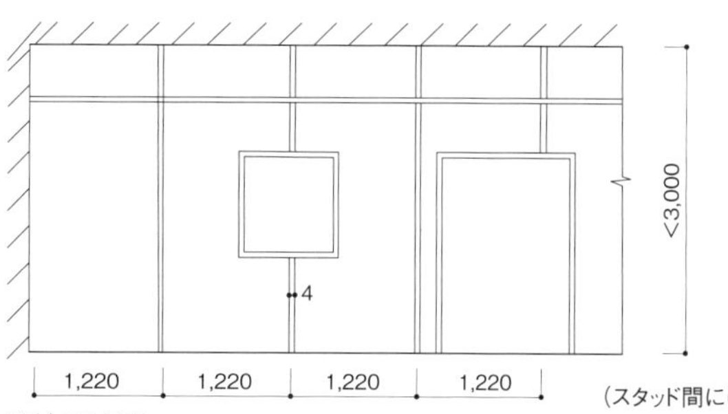

<3,000
4
1,220
1,220
1,220
1,220

壁材での舗装

3m以上の高さの骨組みの設置と板材の表面

(スタッド間にはファイバーセメント板を、それ以外では石膏ボードを使う)

空間を区切るためには、さまざまな間仕切り壁を作る必要がある。間仕切り壁は構造壁ではないため、体積も小さく、軽量である。施工も容易で、かつ防音、防湿、防火などの要求に応えることができる。一般的に木材または軽量鋼の骨組みが使われる。

室内デザインの要求を満たすため、間仕切り壁はカーブしていたり特殊な形状になることが多い。この場合、軽量鋼の骨組みでは造形しにくいため、木材で作られることになる。

一般的には、木材を骨組みとし、ベニヤ板やファイバーボードを基礎板にする。基礎板の表面に塗料や壁紙、化粧合板などを付けて装飾するケースが多い。壁に空間を作って壁越しから見通せるようにする場合は、アルミ合金またはステンレス、カラースチールの骨組みにしてガラスをはめ込む。

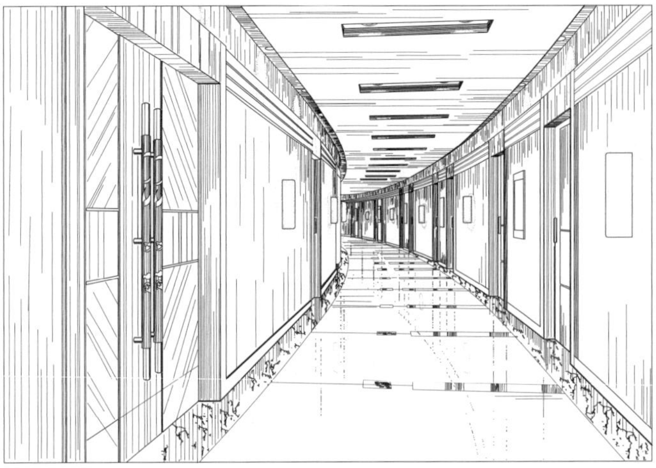

ベニヤ板を使った間仕切り

石膏ボードによる間仕切り

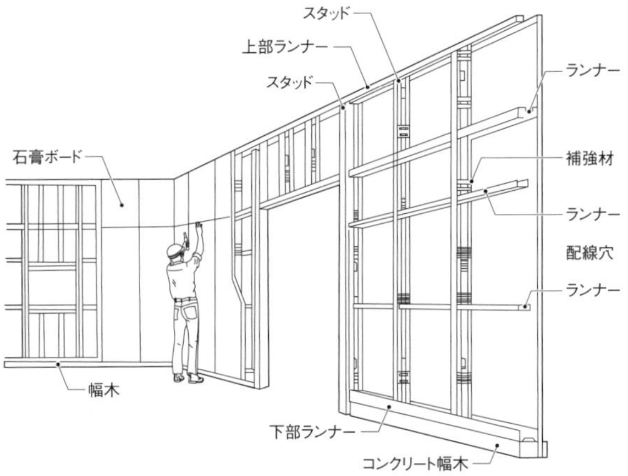
スタッド
上部ランナー
スタッド
ランナー
石膏ボード
補強材
ランナー
配線穴
ランナー
幅木
下部ランナー
コンクリート幅木

間仕切り壁の骨組み施工図
骨組み間の距離は板材の規格に基づき調整する

アルミ合金の骨組みによるガラス間仕切り

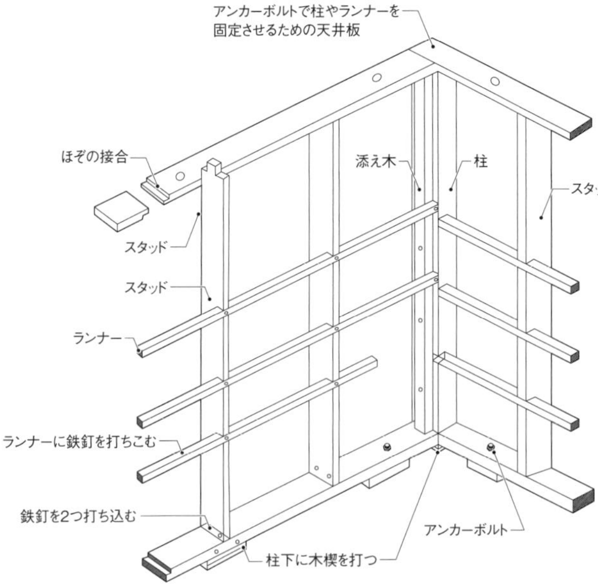
アンカーボルトで柱やランナーを
固定させるための天井板
ほぞの接合
添え木
柱
スタッド
スタッド
スタッド
ランナー
ランナーに鉄釘を打ちこむ
鉄釘を2つ打ち込む
アンカーボルト
柱下に木楔を打つ

木材骨組みの間仕切り壁

木製ドアは、部屋の内側あるいは内・外側双方のドアを木材で包んで作る。角材の幅は50～240mmで、ドアと一体化させる。外観は美しく汚れにも強い。ドアには2種類あり、1つは完成したドアである。もう1つは、ラミネートしたベニヤ板かファイバーボードでベースを作り、表層に各種の化粧板を張って、細部はラインで装飾を施したものである。

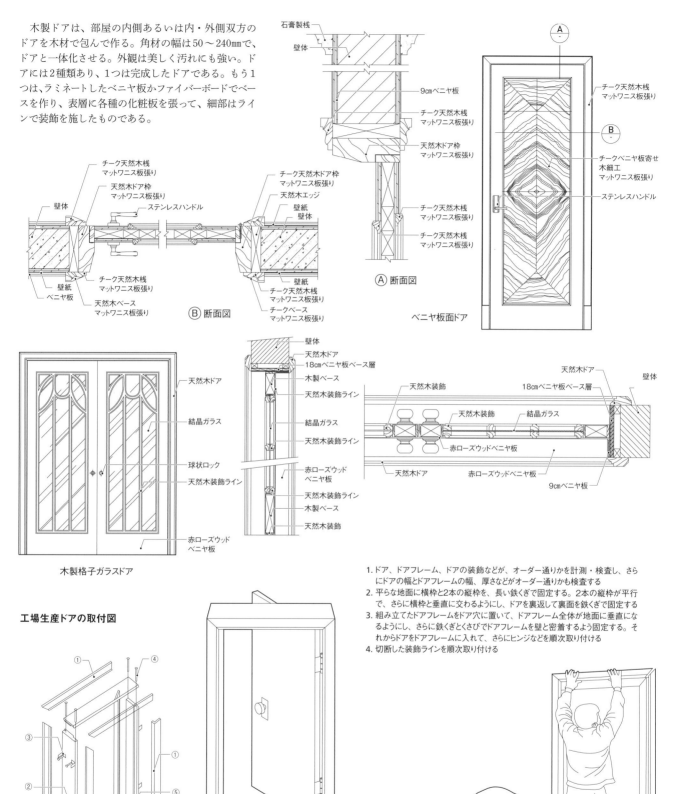

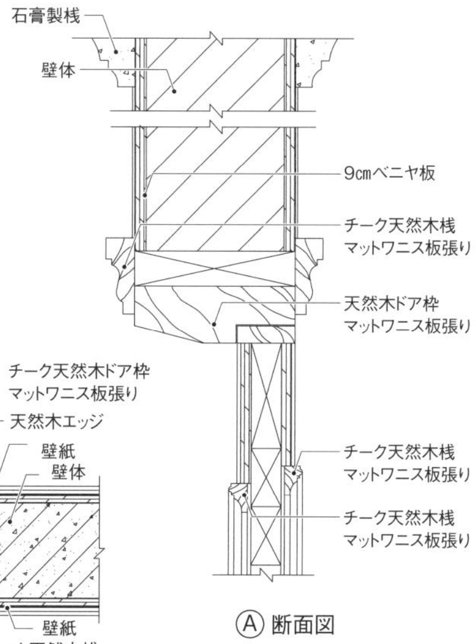
石膏製桟
壁体
9cmベニヤ板
チーク天然木桟
マットワニス板張り
天然木ドア枠
マットワニス板張り
チーク天然木桟
マットワニス板張り
チーク天然木桟
マットワニス板張り

Ⓐ 断面図

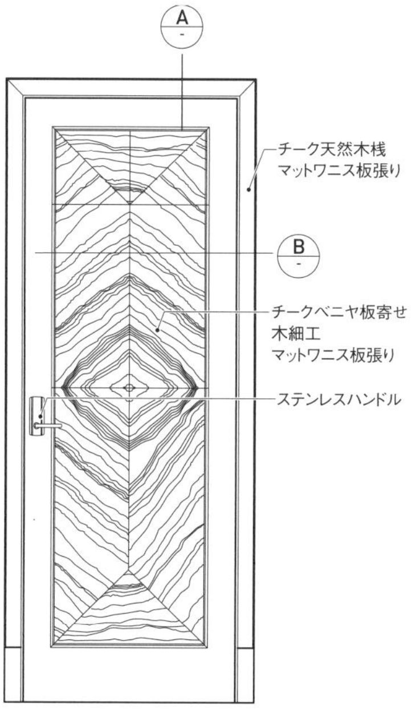
A
B
チーク天然木桟
マットワニス板張り
チークベニヤ板寄せ
木細工
マットワニス板張り
ステンレスハンドル

ベニヤ板面ドア

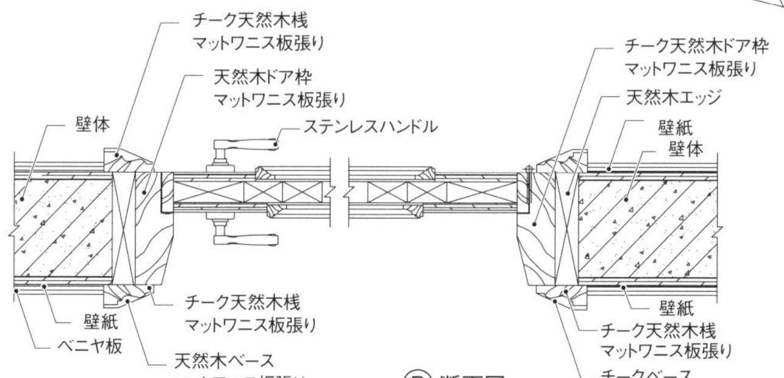
チーク天然木桟
マットワニス板張り
天然木ドア枠
マットワニス板張り
壁体
ステンレスハンドル
壁紙
ベニヤ板
チーク天然木桟
マットワニス板張り
天然木ベース
マットワニス板張り
チーク天然木ドア枠
マットワニス板張り
天然木エッジ
壁紙
壁体
壁紙
チーク天然木桟
マットワニス板張り
チークベース
マットワニス板張り

Ⓑ 断面図

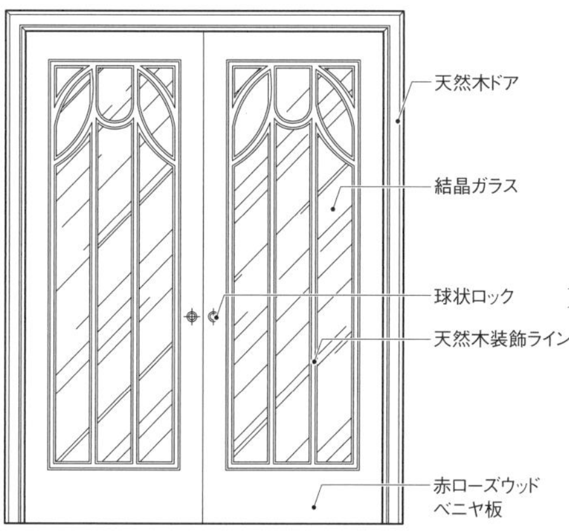
天然木ドア
結晶ガラス
球状ロック
天然木装飾ライン
赤ローズウッド
ベニヤ板

木製格子ガラスドア

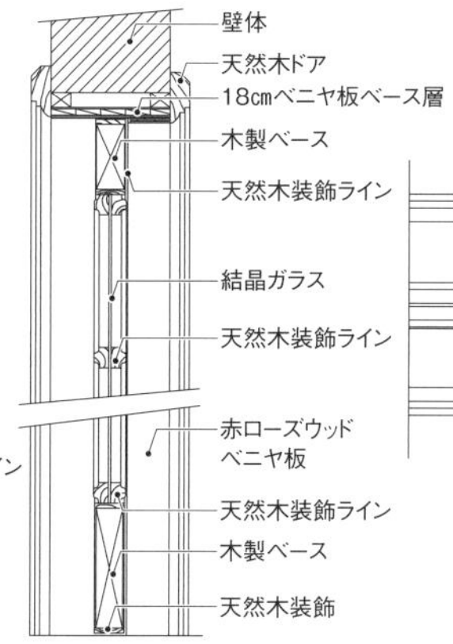
壁体
天然木ドア
18cmベニヤ板ベース層
木製ベース
天然木装飾ライン
結晶ガラス
天然木装飾ライン
赤ローズウッド
ベニヤ板
天然木装飾ライン
木製ベース
天然木装飾

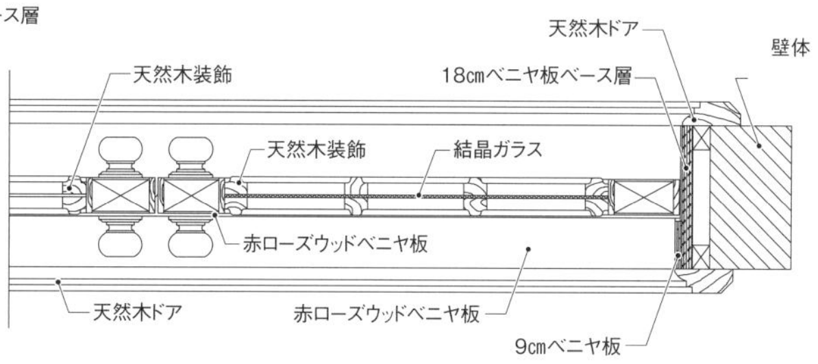
天然木ドア
壁体
天然木装飾
18cmベニヤ板ベース層
天然木装飾
結晶ガラス
赤ローズウッドベニヤ板
天然木ドア
赤ローズウッドベニヤ板
9cmベニヤ板

1. ドア、ドアフレーム、ドアの装飾などが、オーダー通りかを計測・検査し、さらにドアの幅とドアフレームの幅、厚さなどがオーダー通りかも検査する
2. 平らな地面に横枠と2本の縦枠を、長い鉄くぎで固定する。2本の縦枠が平行で、さらに横枠と垂直に交わるようにし、ドアを裏返して裏面を鉄くぎで固定する
3. 組み立てたドアフレームをドア穴に置いて、ドアフレーム全体が地面に垂直になるようにし、さらに鉄くぎとくさびでドアフレームを壁と密着するよう固定する。それからドアをドアフレームに入れて、さらにヒンジなどを順次取り付ける
4. 切断した装飾ラインを順次取り付ける

工場生産ドアの取付図

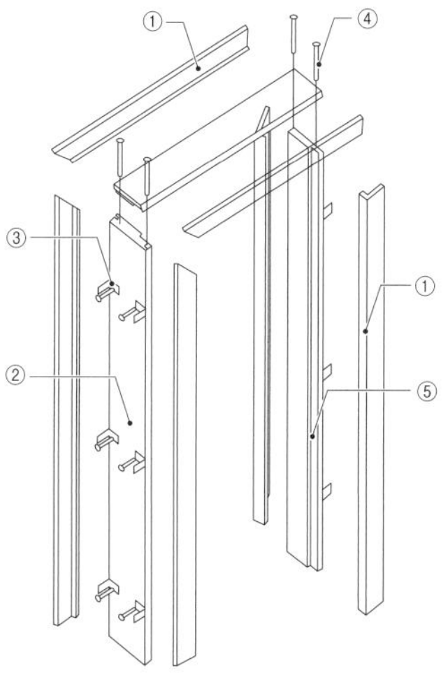
①
④
③
①
②
⑤

組み立て式木製ドア分解図

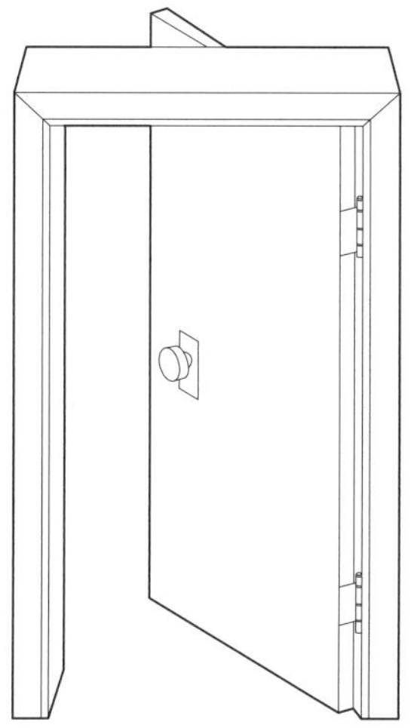

ドアとドア枠

①ドア枠
②ドア大枠
③木製ねじ4×15、固定鉄板
④木製ねじ4×60
⑤密封防音ライン

天然木ドア構造

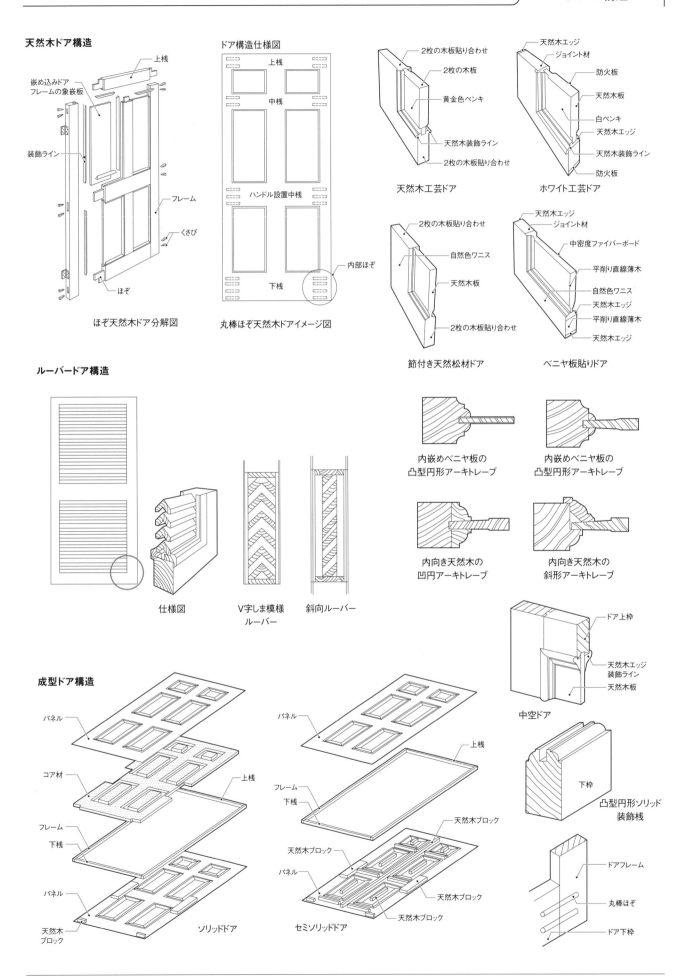

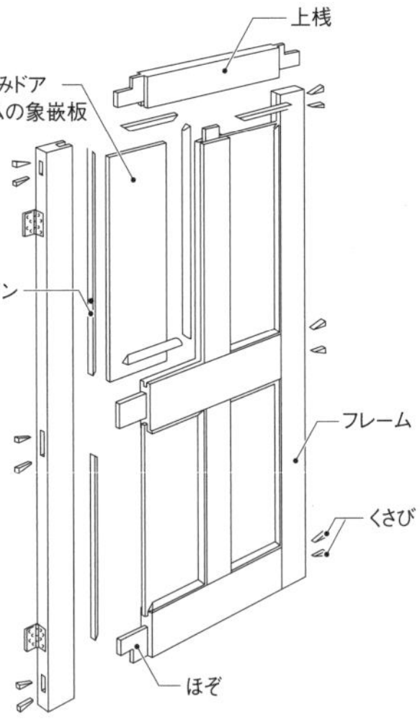
上桟
嵌め込みドア
フレームの象嵌板
装飾ライン
フレーム
くさび
ほぞ

ほぞ天然木ドア分解図

ドア構造仕様図

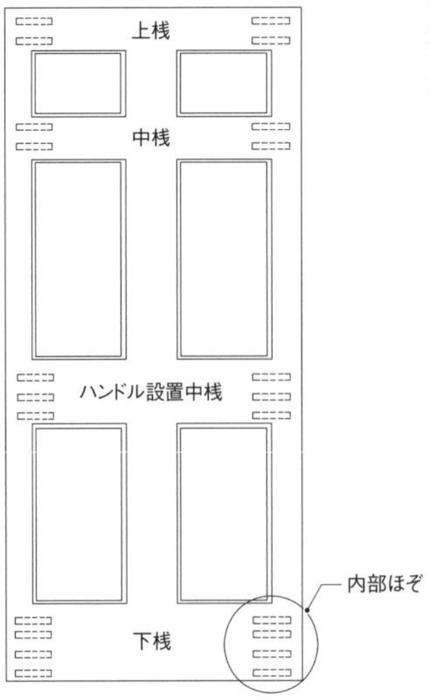
上桟
中桟
ハンドル設置中桟
下桟
内部ほぞ

丸棒ほぞ天然木ドアイメージ図

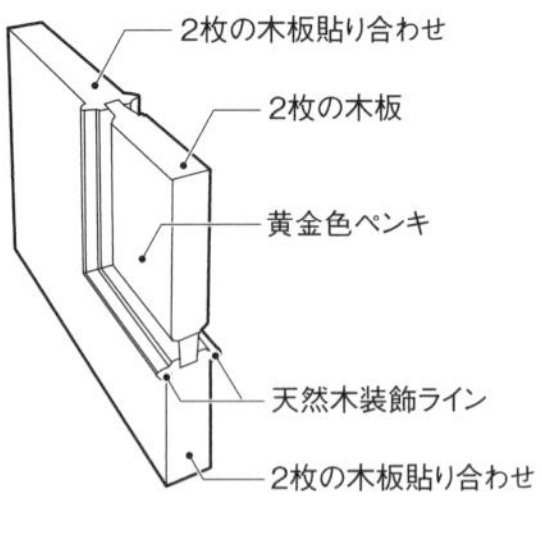
2枚の木板貼り合わせ
2枚の木板
黄金色ペンキ
天然木装飾ライン
2枚の木板貼り合わせ

天然木工芸ドア

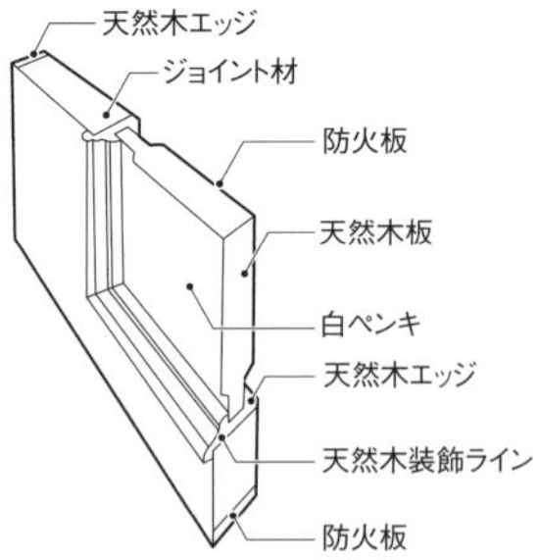
天然木エッジ
ジョイント材
防火板
天然木板
白ペンキ
天然木エッジ
天然木装飾ライン
防火板

ホワイト工芸ドア

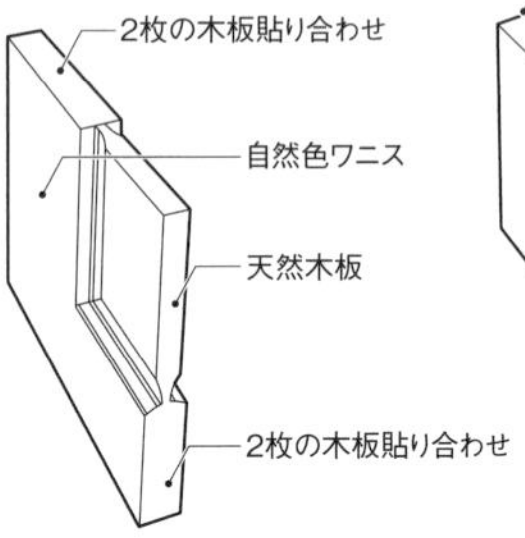
2枚の木板貼り合わせ
自然色ワニス
天然木板
2枚の木板貼り合わせ

節付き天然松材ドア

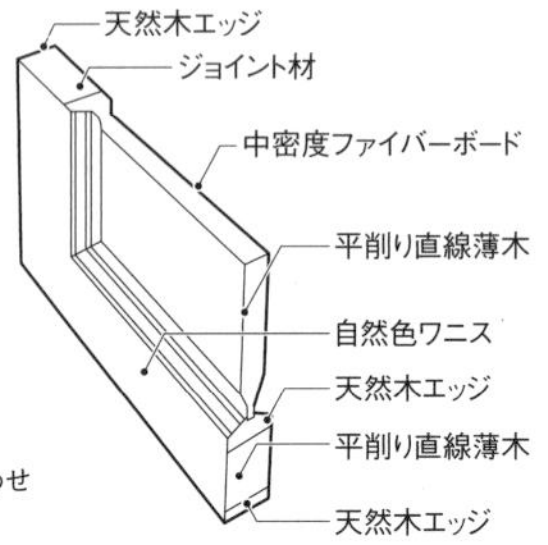
天然木エッジ
ジョイント材
中密度ファイバーボード
平削り直線薄木
自然色ワニス
天然木エッジ
平削り直線薄木
天然木エッジ

ベニヤ板貼りドア

ルーバードア構造

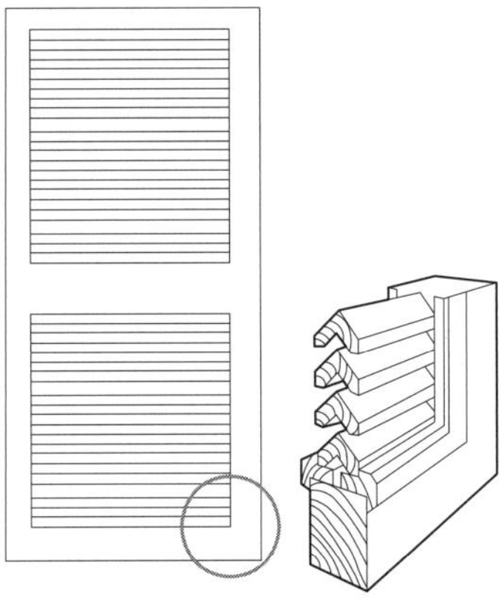

仕様図

V字しま模様
ルーバー

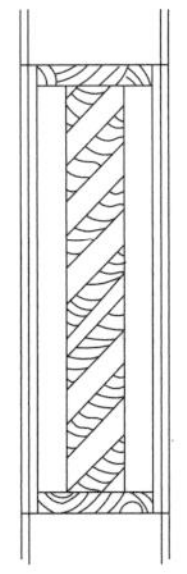

斜向ルーバー

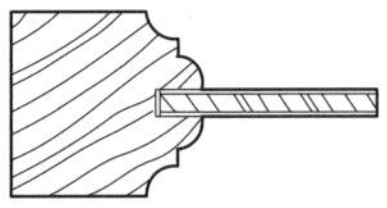

内嵌めベニヤ板の
凸型円形アーキトレーブ

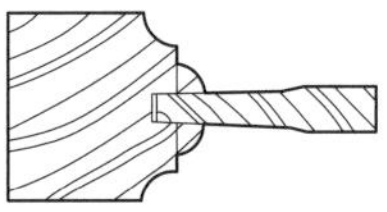

内嵌めベニヤ板の
凸型円形アーキトレーブ

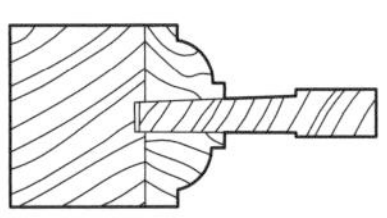

内向き天然木の
凹円アーキトレーブ

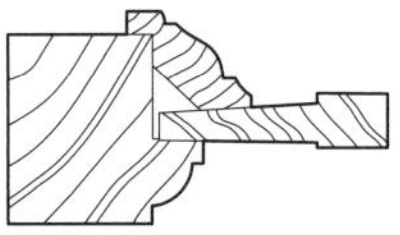

内向き天然木の
斜形アーキトレーブ

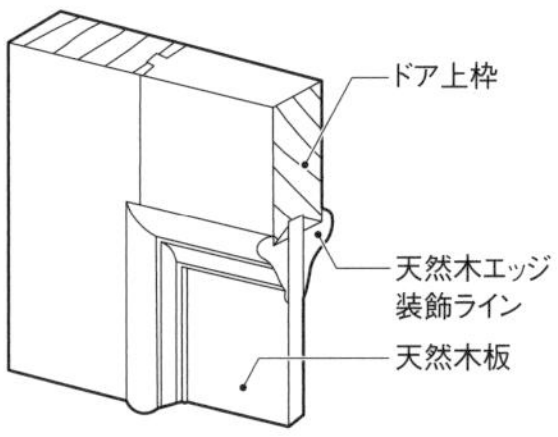
ドア上枠
天然木エッジ
装飾ライン
天然木板

中空ドア

成型ドア構造

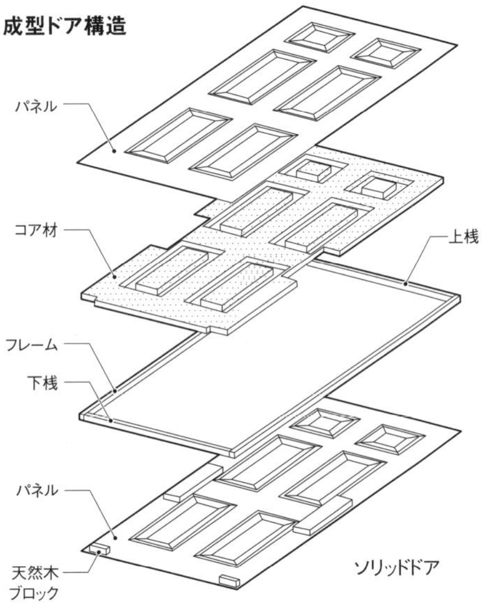
パネル
コア材
上桟
フレーム
下桟
パネル
天然木
ブロック

ソリッドドア

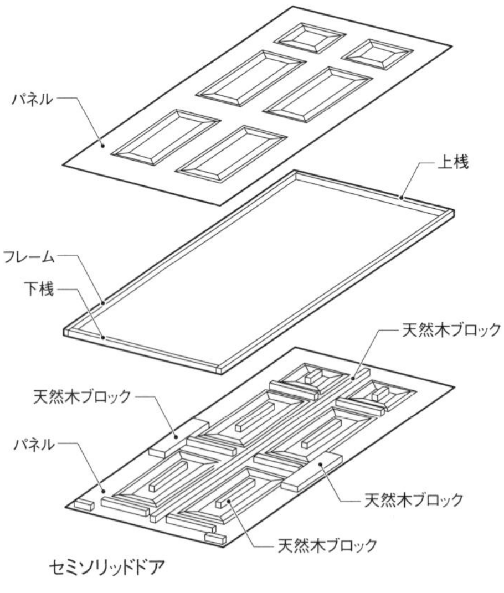
パネル
上桟
フレーム
下桟
天然木ブロック
天然木ブロック
パネル
天然木ブロック
天然木ブロック

セミソリッドドア

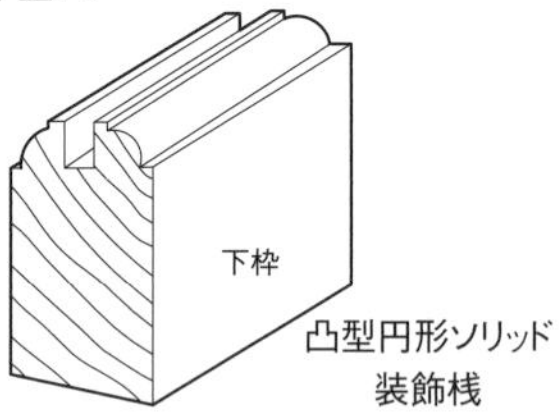
下枠

凸型円形ソリッド
装飾桟

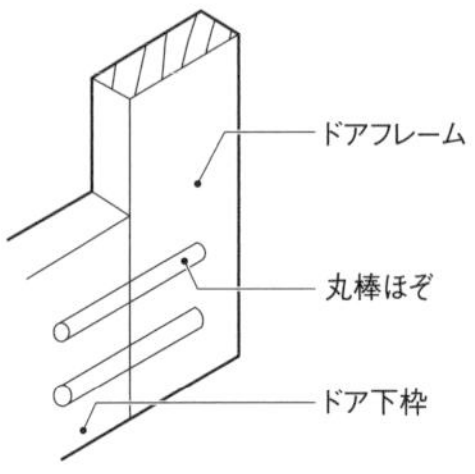
ドアフレーム
丸棒ほぞ
ドア下枠

防音ドアは、建物内への外部騒音の流入と建物内の騒音の外部への流出を防止する騒音低減装置である。防音性能はドア自体の防音能力とドア枠の気密性によって決まる。重量が軽いドアの防音性能を向上させるためには、多層材料や複合構造を採用し、さらにドアの気密性を強化する。

防音ドアは主にテレビ、ラジオ、映画、音響製品などを備えた音響ルーム、放送室、スタジオ、視聴室、公共施設のミュージック・ホール、映画館、多機能ホール、会議室、また工業用建築の中高騒音作業場の制御室、機械室、などに用いられる。

50㎜厚の2層ファイバーボードドア

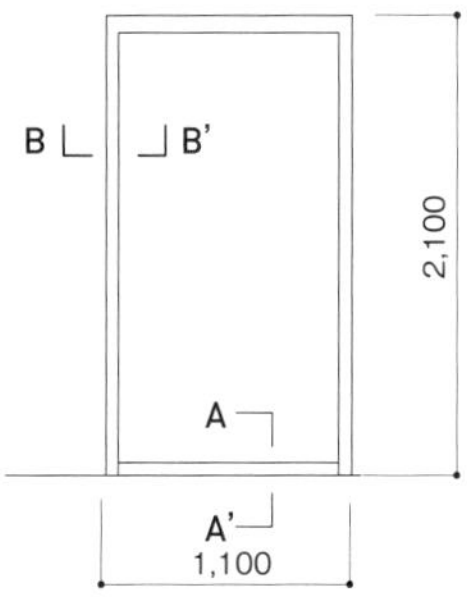
B
B'
A
A'
2,100
1,100
防音ドア正面図

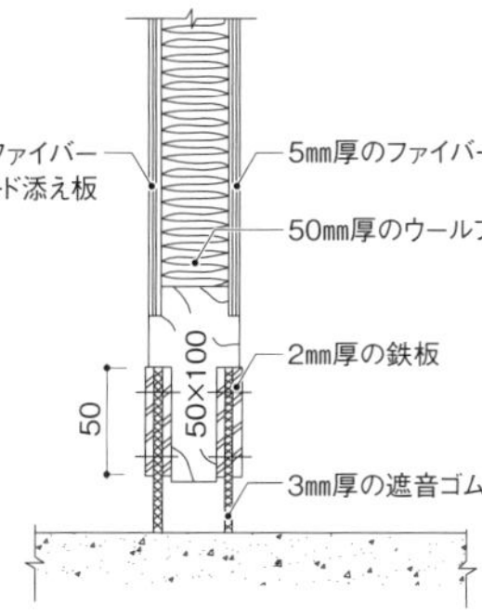
5㎜厚のファイバーボード添え板
5㎜厚のファイバーボード添え板
50㎜厚のウールフェルト
50×100
2㎜厚の鉄板
50
3㎜厚の遮音ゴム
A-A' 断面図

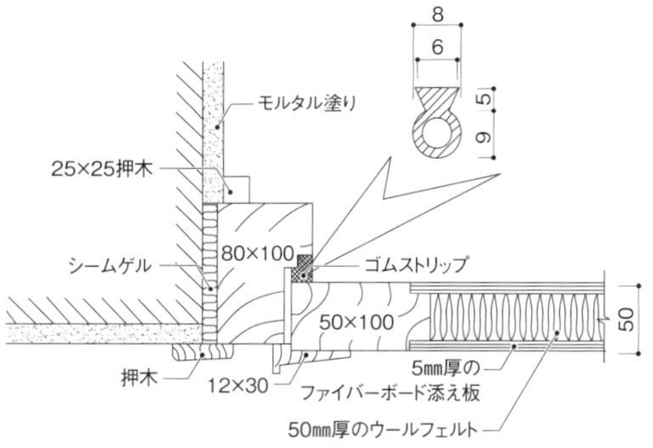
8
6
5
9
モルタル塗り
25×25押木
80×100
シームゲル
ゴムストリップ
50×100
50
押木
12×30
5㎜厚のファイバーボード添え板
50㎜厚のウールフェルト
B-B' 断面図

60㎜厚の双層ベニヤ板ドア

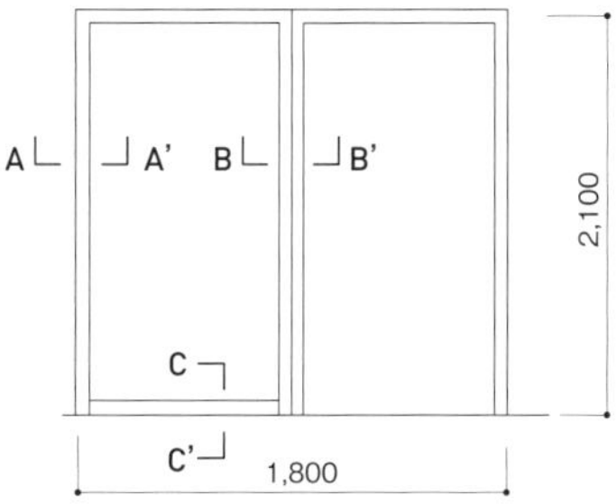
A
A'
B
B'
2,100
C
C'
1,800
防音ドア正面図

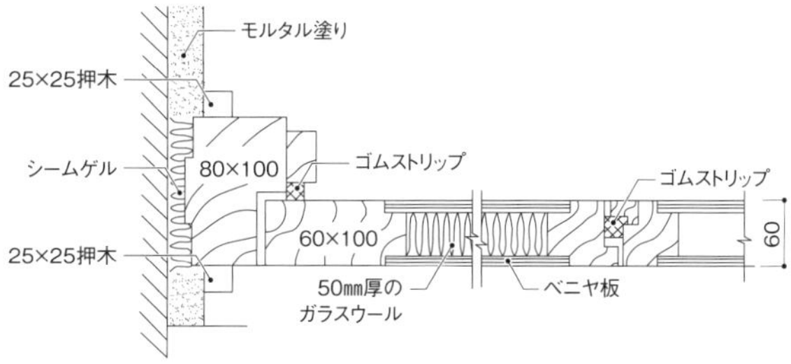
モルタル塗り
25×25押木
シームゲル
80×100
ゴムストリップ
ゴムストリップ
60×100
60
25×25押木
50㎜厚のガラスウール
ベニヤ板
A-A'、B-B' 断面図

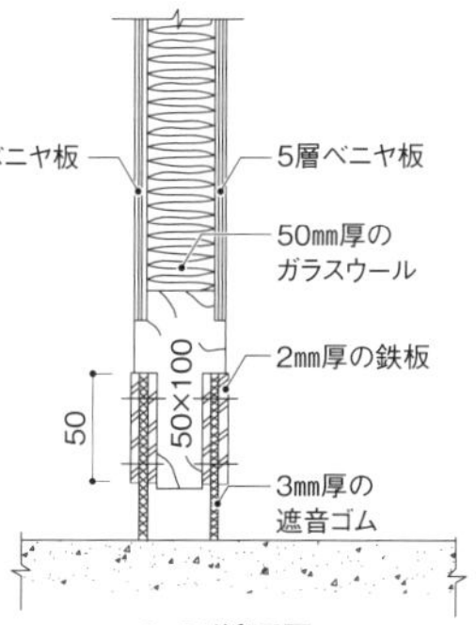
5層ベニヤ板
5層ベニヤ板
50㎜厚のガラスウール
2㎜厚の鉄板
50×100
50
3㎜厚の遮音ゴム
C-C' 断面図

3㎜厚の遮音ゴム

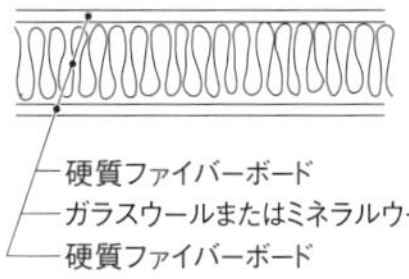
硬質ファイバーボード
ガラスウールまたはミネラルウール
硬質ファイバーボード

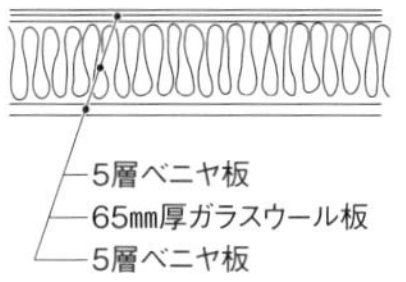
5層ベニヤ板
65㎜厚ガラスウール板
5層ベニヤ板

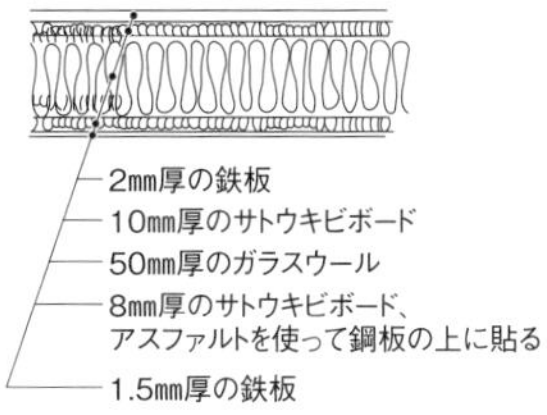
2㎜厚の鉄板
10㎜厚のサトウキビボード
50㎜厚のガラスウール
8㎜厚のサトウキビボード、アスファルトを使って鋼板の上に貼る
1.5㎜厚の鉄板

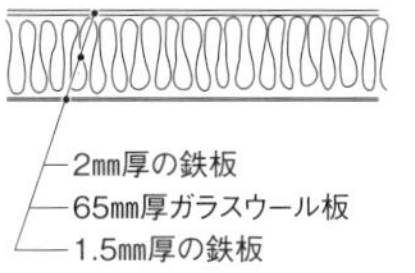
2㎜厚の鉄板
65㎜厚ガラスウール板
1.5㎜厚の鉄板

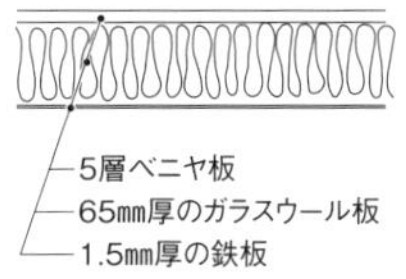
5層ベニヤ板
65㎜厚のガラスウール板
1.5㎜厚の鉄板

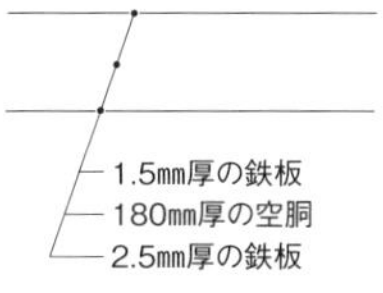
1.5㎜厚の鉄板
180㎜厚の空胴
2.5㎜厚の鉄板

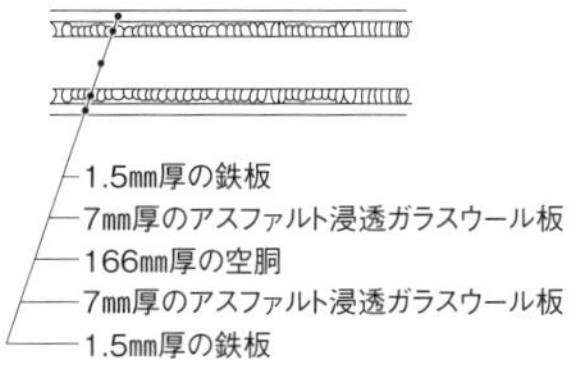
1.5㎜厚の鉄板
7㎜厚のアスファルト浸透ガラスウール板
166㎜厚の空胴
7㎜厚のアスファルト浸透ガラスウール板
1.5㎜厚の鉄板

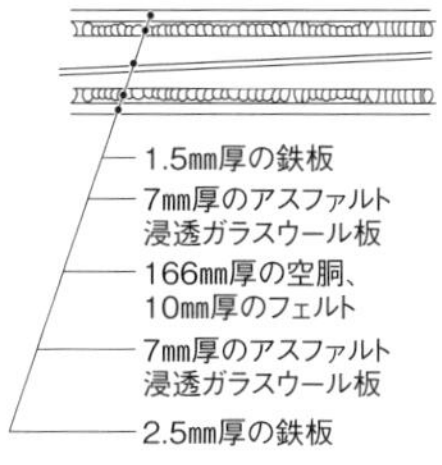
1.5㎜厚の鉄板
7㎜厚のアスファルト浸透ガラスウール板
166㎜厚の空胴、10㎜厚のフェルト
7㎜厚のアスファルト浸透ガラスウール板
2.5㎜厚の鉄板

ドアシーム防音処理1

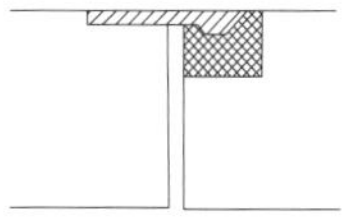
スポンジゴムはドアの上に固定し、偏平鋼でしっかり押さえつける

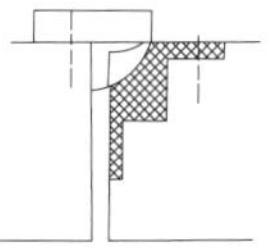
20×30スポンジゴム化学繊維布は、20×2のサイズで両側にしっかり押さえつける

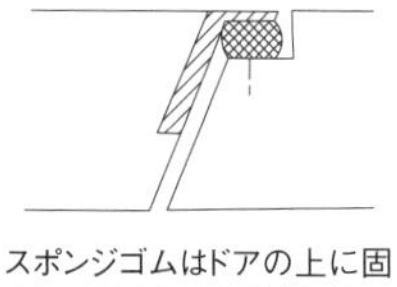
スポンジゴムはドアの上に固定し、厚さ2㎜の鉄板でシームを押し、板面を平らにしなければならない

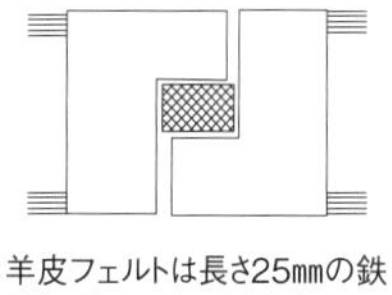
羊皮フェルトは長さ25㎜の鉄くぎでドアの上に固定する

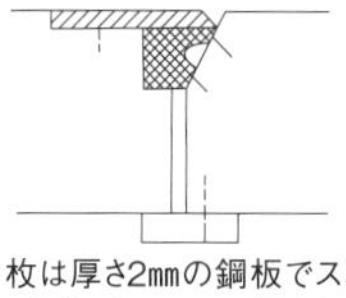
1枚は厚さ2㎜の鋼板でスポンジゴムをしっかり押さえつけ、もう1枚は亜鉛メッキ板で整える

ドアシーム防音処理2

敷居
フェルトやスポンジゴムはドアの底部に打つ

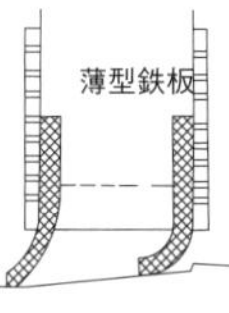
薄型鉄板
ゴムや厚いズック地は、薄型鉄板でしっかり押さえつける

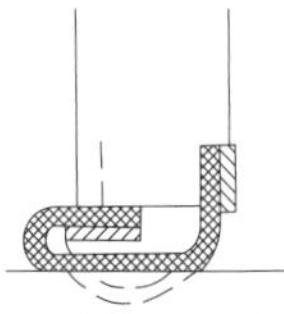
ゴムは偏平鋼で固定。先に底部を固定する

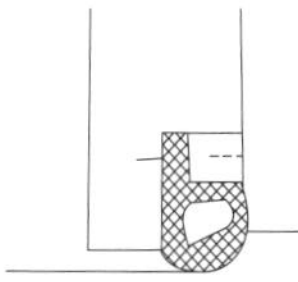
定型ゴムパイプは角材でしっかり押さえつける

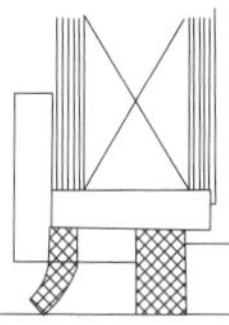
シーム補填は普通ゴム、コーキング用スポンジゴムを使う

カーテンボックスは窓の上部に設置される。壁面に平行にし、壁より200㎜ほど離し、高さは200㎜程度で、窓の幅より少し広い。柱間と同じ幅にしても良い。カーテンレールなどを隠し、装飾の役割も果たす。

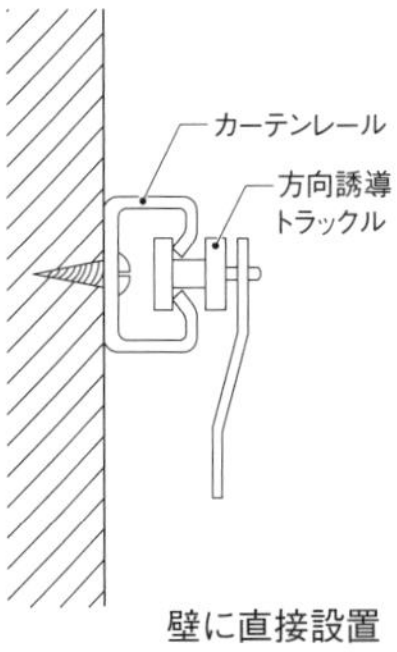
カーテンレール
方向誘導
トラックル

壁に直接設置

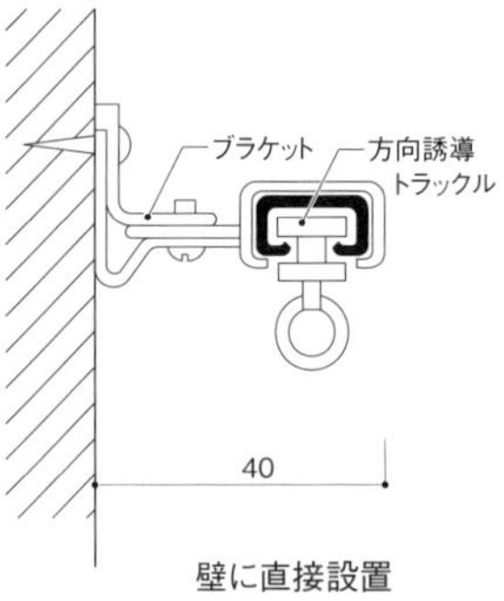
ブラケット
方向誘導
トラックル
40

壁に直接設置

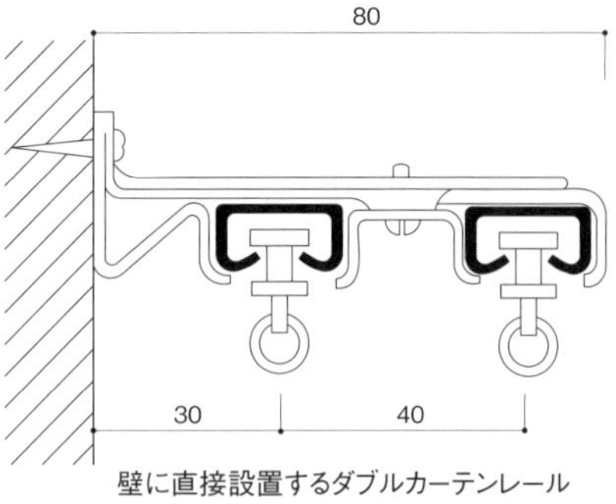
80
30
40

壁に直接設置するダブルカーテンレール

カーテンレール

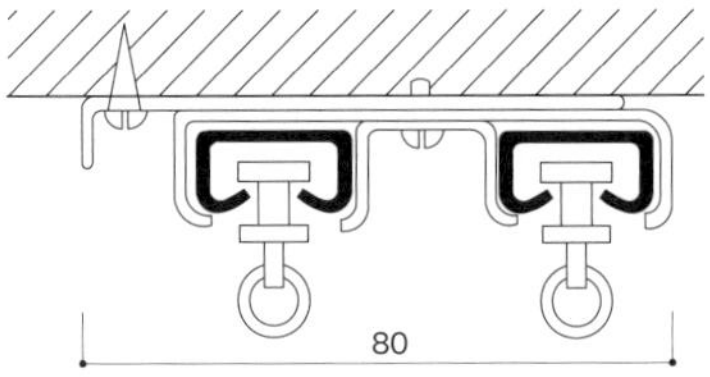
80

天井に直接設置するダブルカーテンレール

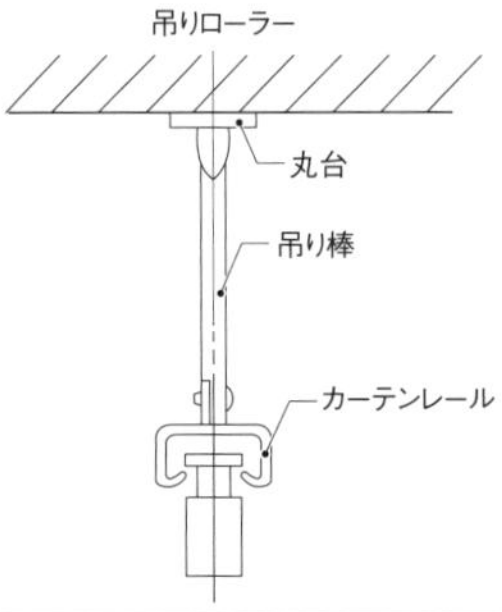
吊りローラー
丸台
吊り棒
カーテンレール

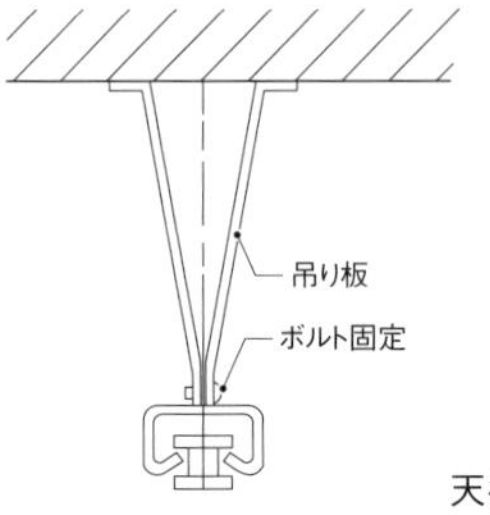
吊り板
ボルト固定

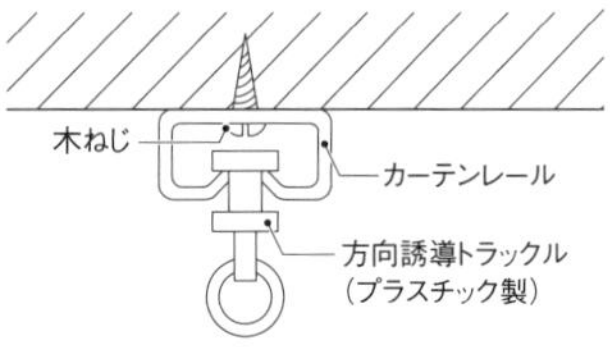
木ねじ
カーテンレール
方向誘導トラックル
（プラスチック製）

天井に直接設置

カーテンボックス

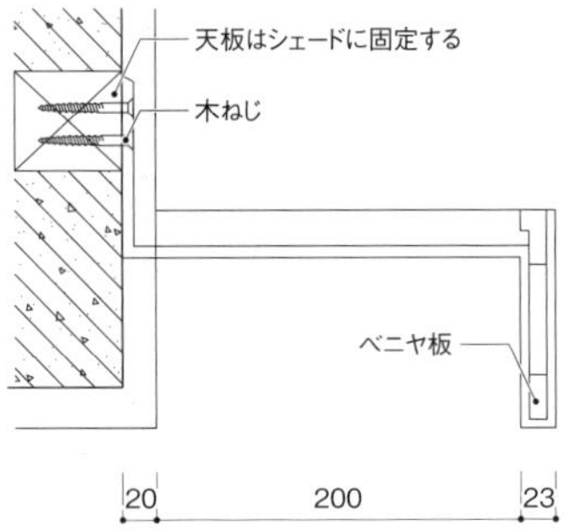
天板はシェードに固定する
木ねじ
ベニヤ板
20
100
20
200
23

露出型カーテンボックス

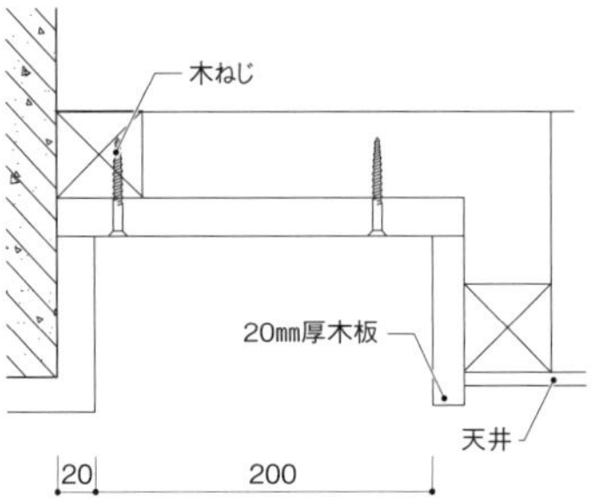
木ねじ
20㎜厚木板
天井
20
100
20
200

隠蔽型カーテンボックス

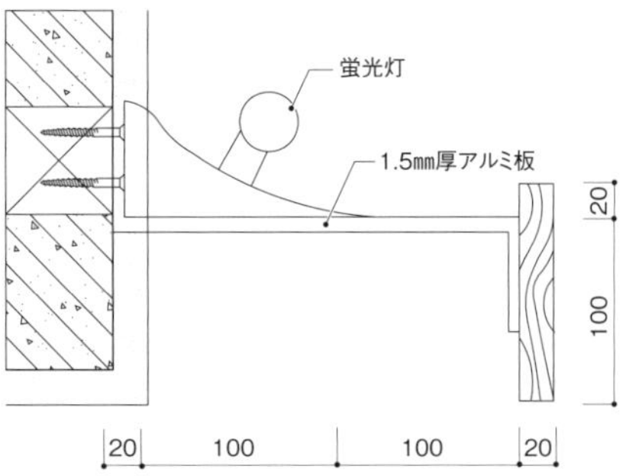
蛍光灯
1.5㎜厚アルミ板
20
100
20
100
100
20

電灯つきカーテンボックス

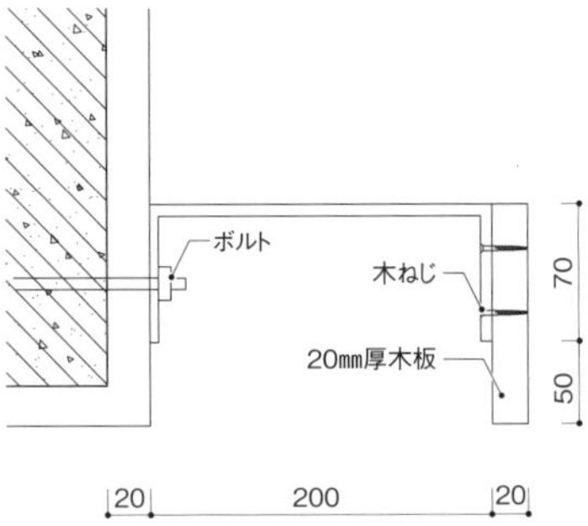
ボルト
木ねじ
20㎜厚木板
70
50
20
200
20

露出型カーテンボックス

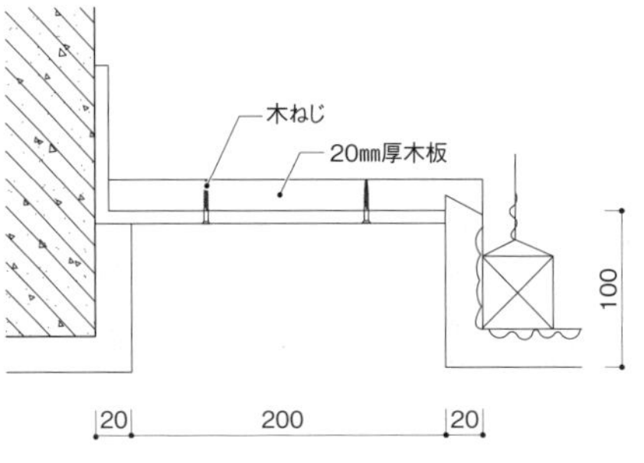
木ねじ
20㎜厚木板
100
20
200
20

隠蔽型カーテンボックス

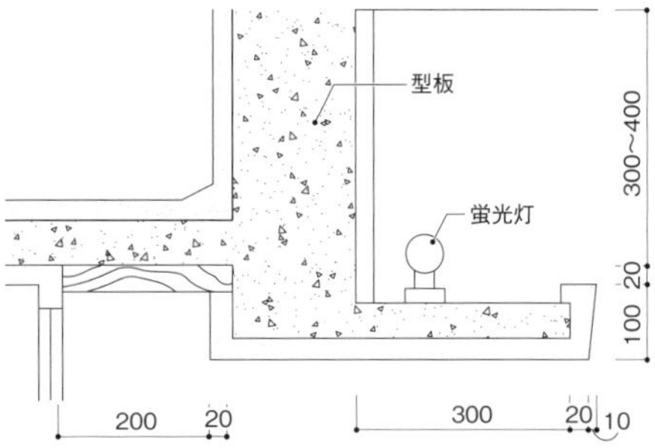
型板
蛍光灯
300~400
20
100
200
20
300
20
10

電灯つきカーテンボックス

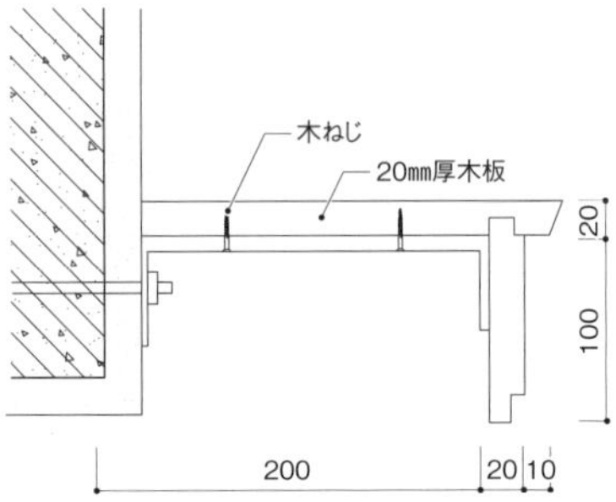
木ねじ
20㎜厚木板
20
100
200
20
10

露出型カーテンボックス

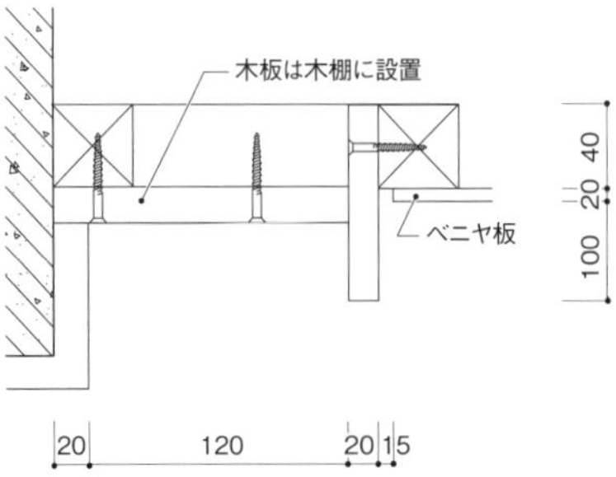
木板は木棚に設置
ベニヤ板
40
20
100
20
120
20
15

隠蔽型カーテンボックス

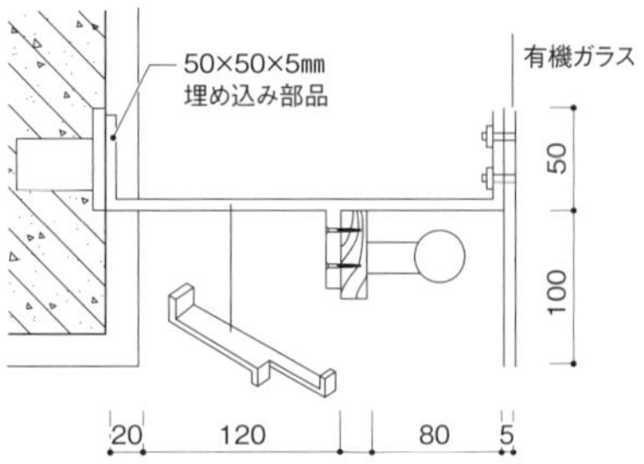
50×50×5㎜
埋め込み部品
有機ガラス
50
100
20
120
80
5

電灯つきカーテンボックス

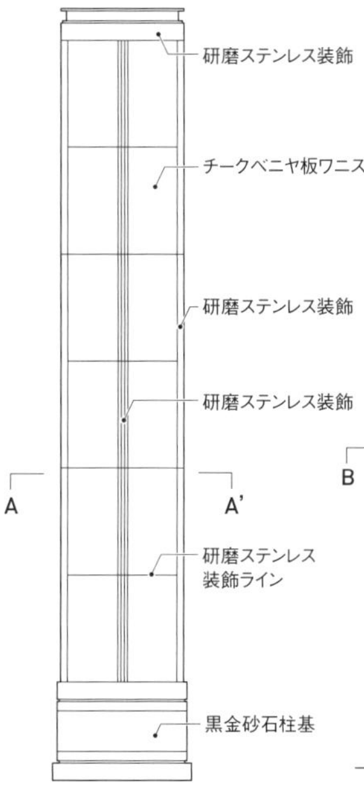
研磨ステンレス装飾
チークベニヤ板ワニス
研磨ステンレス装飾
研磨ステンレス装飾
A
A'
研磨ステンレス
装飾ライン
黒金砂石柱基

角柱A

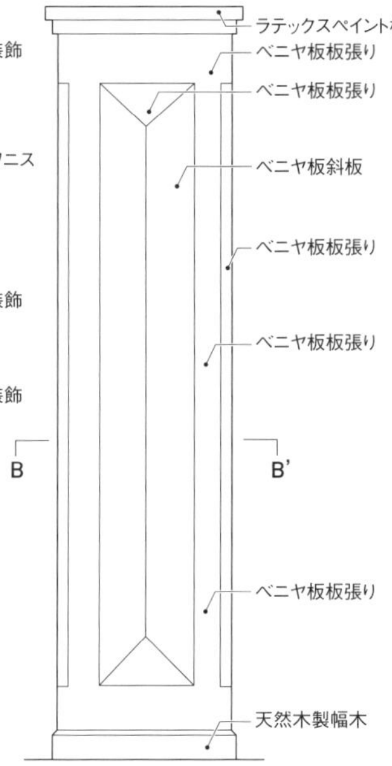
ラテックスペイント板張り
ベニヤ板板張り
ベニヤ板板張り
ベニヤ板斜板
ベニヤ板板張り
ベニヤ板板張り
B
B'
ベニヤ板板張り
天然木製幅木

角柱B

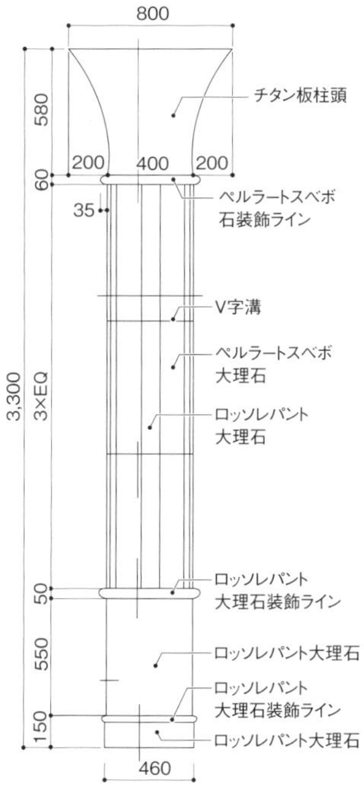
800
チタン板柱頭
580
200
400
200
60
35
ペルラートスベボ
石装飾ライン
V字溝
ペルラートスベボ
大理石
3,300
3×EQ
ロッソレバント
大理石
50
ロッソレバント
大理石装飾ライン
550
ロッソレバント大理石
ロッソレバント
大理石装飾ライン
150
ロッソレバント大理石
460

柱A立面図

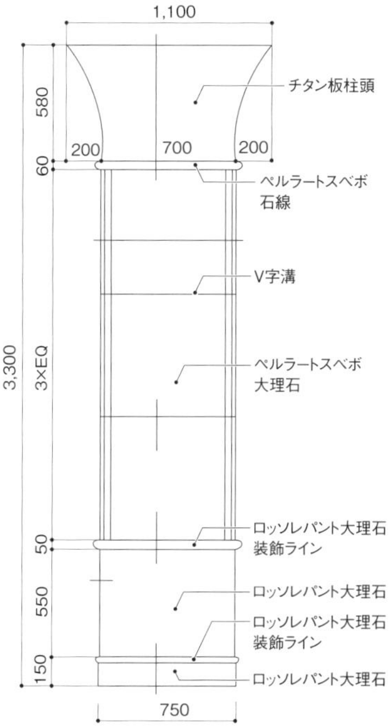
1,100
チタン板柱頭
580
200
700
200
60
ペルラートスベボ
石線
V字溝
3,300
3×EQ
ペルラートスベボ
大理石
50
ロッソレバント大理石
装飾ライン
550
ロッソレバント大理石
ロッソレバント大理石
装飾ライン
150
ロッソレバント大理石
750

柱B立面図

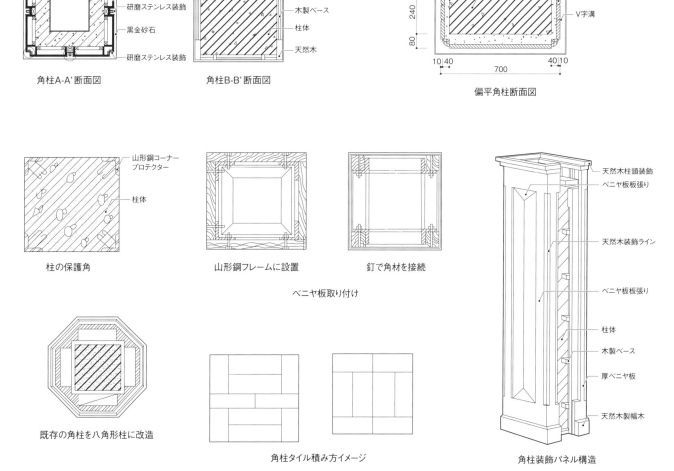

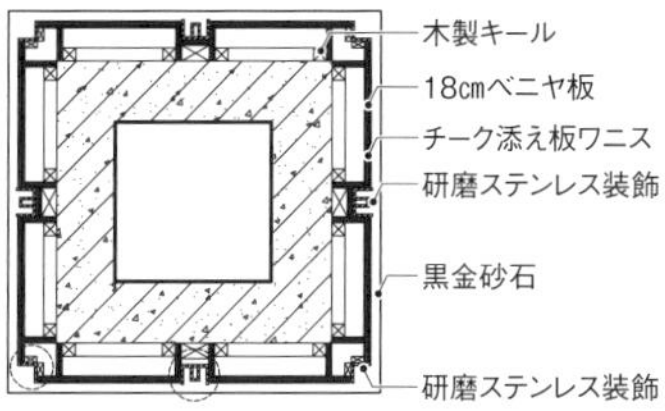
木製キール
18cmベニヤ板
チーク添え板ワニス
研磨ステンレス装飾
黒金砂石
研磨ステンレス装飾

角柱A-A'断面図

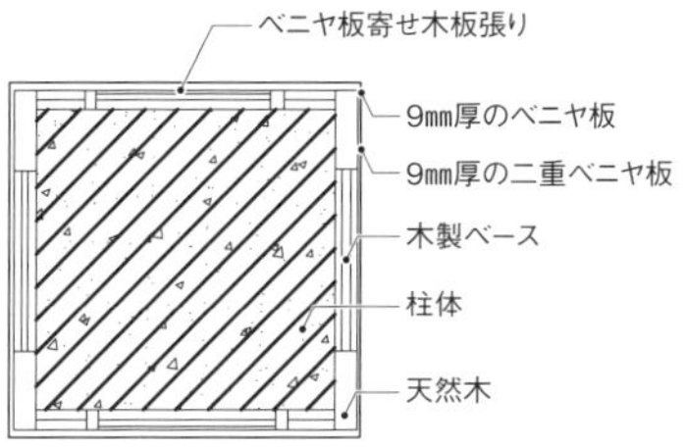
ベニヤ板寄せ木板張り
9mm厚のベニヤ板
9mm厚の二重ベニヤ板
木製ベース
柱体
天然木

角柱B-B'断面図

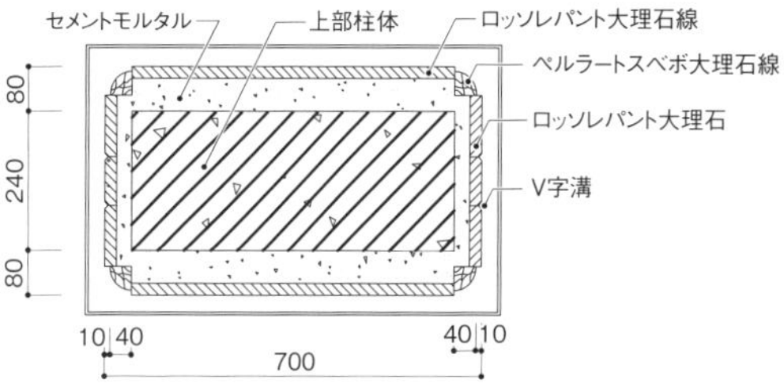
セメントモルタル
上部柱体
ロッソレバント大理石線
ペルラートスベボ大理石線
ロッソレバント大理石
V字溝
80
240
80
10
40
700
40
10

偏平角柱断面図

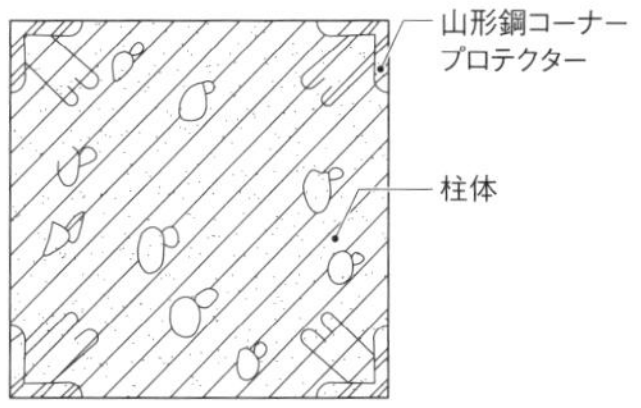
山形鋼コーナー
プロテクター
柱体

柱の保護角

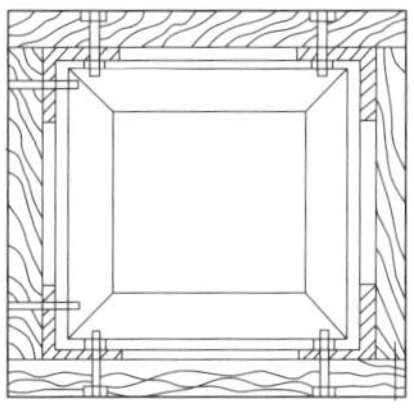

山形鋼フレームに設置

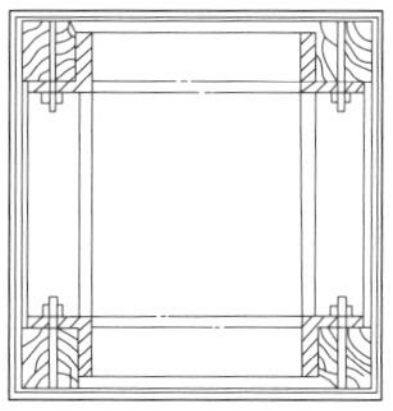

釘で角材を接続

ベニヤ板取り付け

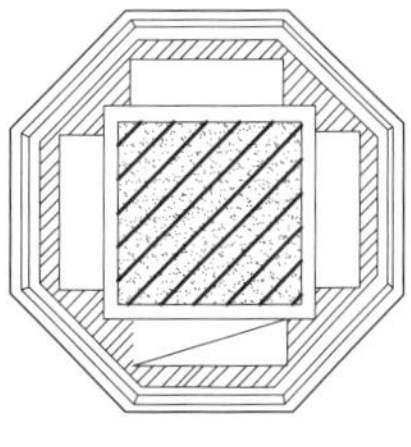

既存の角柱を八角形柱に改造

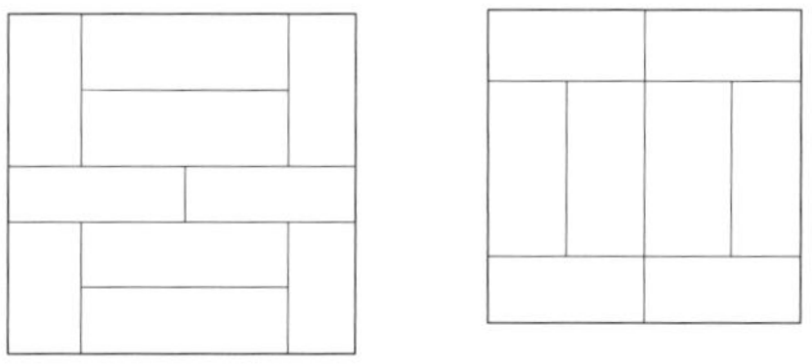

角柱タイル積み方イメージ

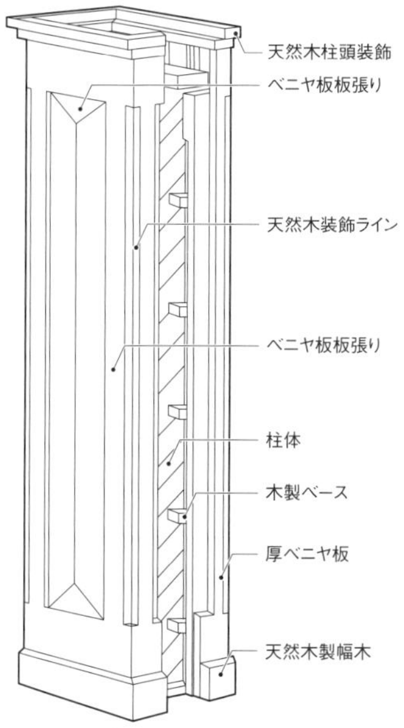
天然木柱頭装飾
ベニヤ板板張り
天然木装飾ライン
ベニヤ板板張り
柱体
木製ベース
厚ベニヤ板
天然木製幅木

角柱装飾パネル構造

柱の装飾は、柱本体、柱頭、柱基の3つに分けられる。柱本体には、ベニヤ板や石材、ステンレス板、アルミプラスチック板、銅合金板、チタン合金板などの材料が使われる。

柱の造形は、空間全体の雰囲気に合ったものにしなければならない。環境美化に配慮すること以外にも、空間にどれほどの重量感を与えることになるのかを配慮する必要がある。空間に占める壁の比率はなるべく下げる必要がある。壁材に反射材を使用することで柱の存在感を薄めるのもよいし、棚と一体化させるのもよいだろう。柱に照明ボックスを配置して、照明の色で雰囲気を変えるのもよい。天井の高さを強調したい際は、柱上部に縦のラインを入れるとよい。逆に高度感を弱めたい場合は、横のラインを入れればよい。

ベニヤ板を使うのが、柱の装飾の最も典型的な方法である。模様が美しく、色も柔和で、天然の雰囲気があるため、人間と空間の融合を促進させ、良好な室内環境を作り出せる。ベニヤ板は施工が簡易でかつ安価なため、広く使用されている。

鏡面ガラスを使った柱の装飾は、シンプルであるとともに広々とした空間の印象を与えることができる。また､反射した像が何層にも重なって見えることで､装飾効果が高まる。この柱は店舗やショッピングセンターなどによく使用される。

御影石や大理石は、室内の柱に用いられる高級材料である。種類が多く、材料によってその基本構造も異なる。

金属板を使った装飾は、現在流行している装飾の1つである。表面が汚れにくく、風や太陽にも強い。また光沢があり、軽量、堅固、施工がしやすいなど、そのメリットは多く、さまざまな場所で使用されている。

擬似的な柱も広く採用されている。通路を美しく見せるため、配線を隠すため、純粋に装飾用として、あるいは全体の芸術性を高めるためなどの理由から採用されている。

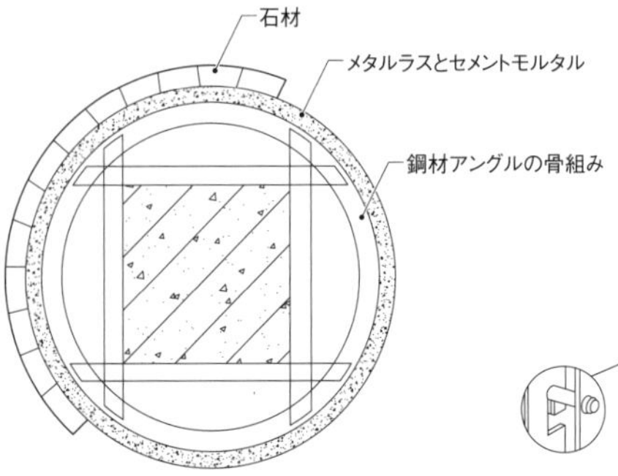
石材
メタルラスとセメントモルタル
鋼材アングルの骨組み
石材を貼り込んだ円柱の構造

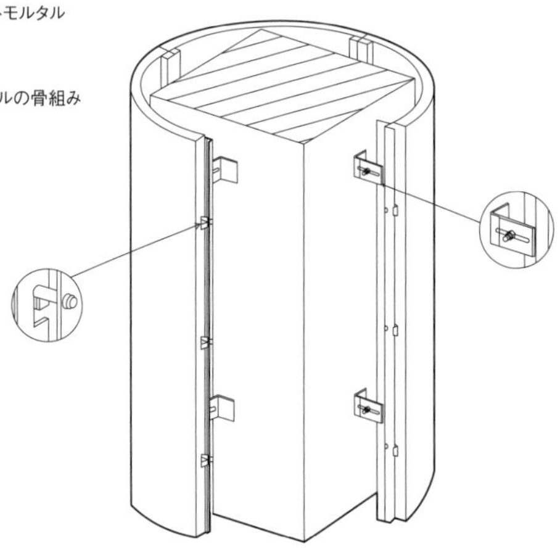
隠し柱のボード設置

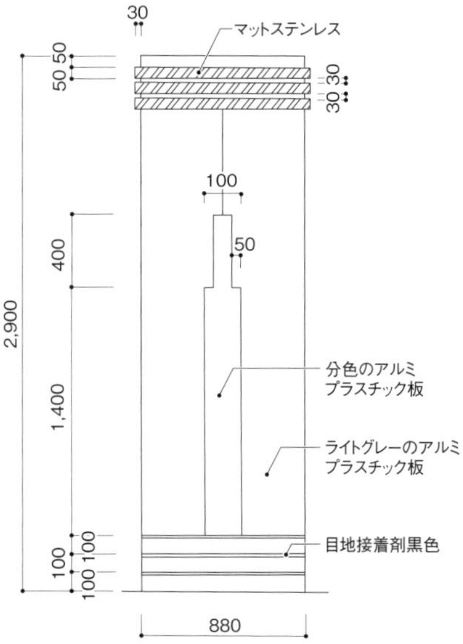
30
マットステンレス
50
50
30
30
100
50
400
2,900
1,400
分色のアルミプラスチック板
ライトグレーのアルミプラスチック板
100
100
100
100
目地接着剤黒色
880
柱の立面図

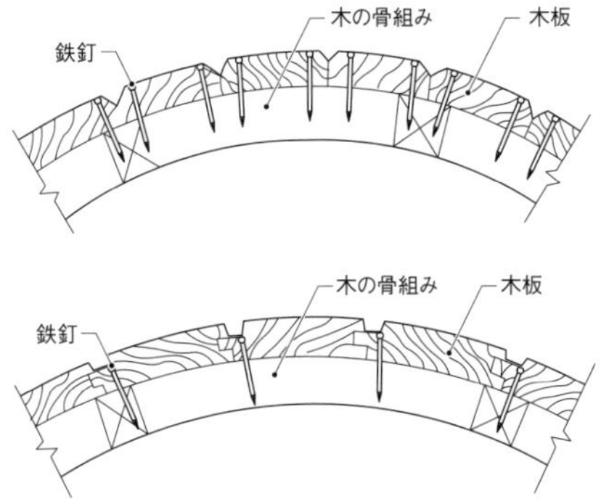
鉄釘
木の骨組み
木板
鉄釘
木の骨組み
木板
木板の設置

円形柱のタイル貼り付け方法

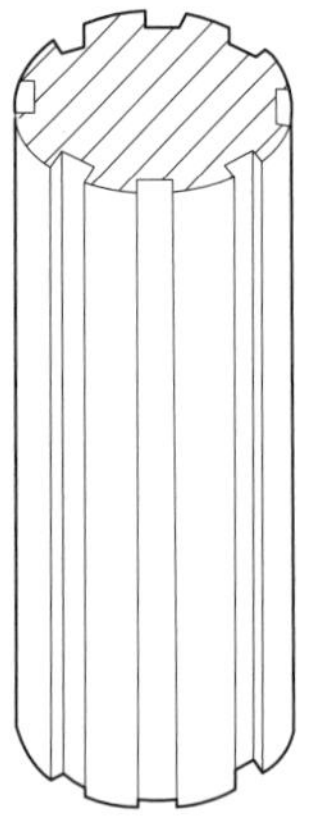
筋付き円柱の構造

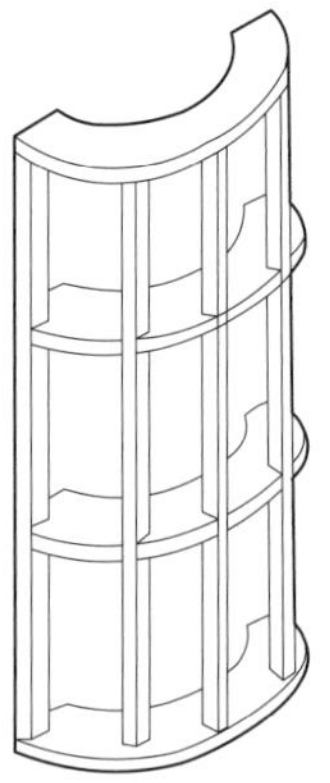
半円柱の骨組み

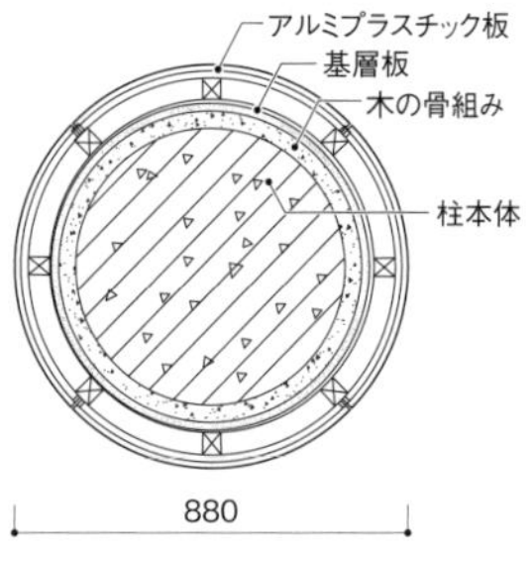
アルミプラスチック板
基層板
木の骨組み
柱本体
880
断面図

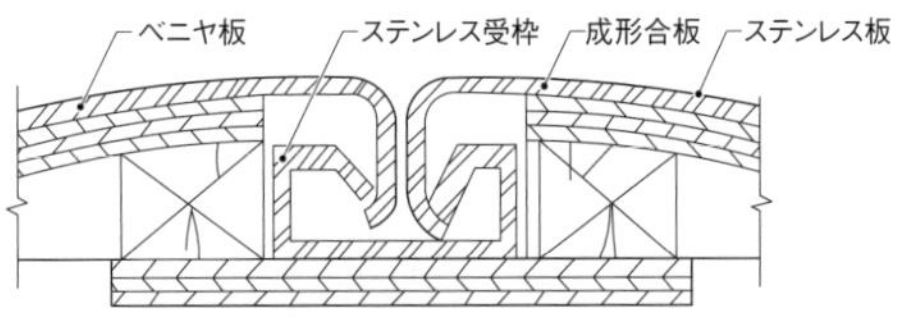
ベニヤ板
ステンレス受枠
成形合板
ステンレス板
直接留め具式設置

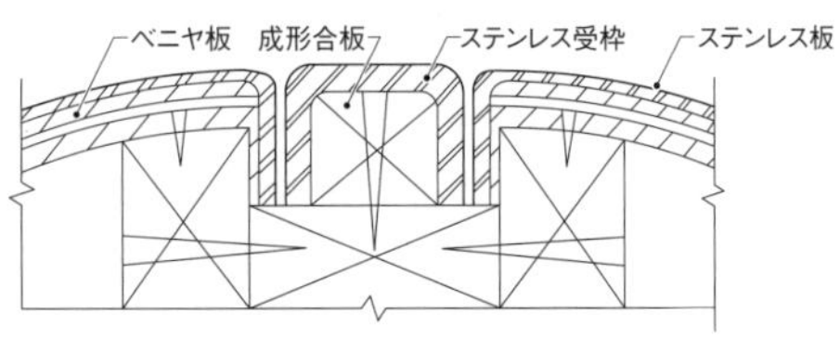
ベニヤ板
成形合板
ステンレス受枠
ステンレス板
ステンレスで装飾する円柱の構造

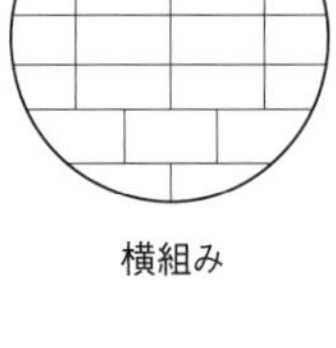
横組み

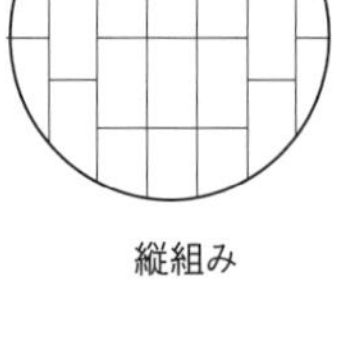
縦組み

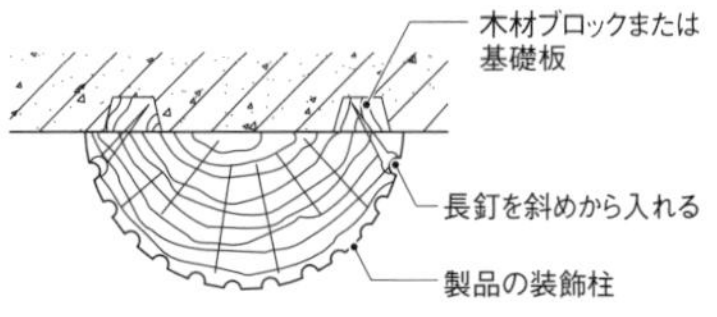
木材ブロックまたは基礎板
長釘を斜めから入れる
製品の装飾柱
木製の半円柱を柱に設置した場合の例

木製の階段手すりは、その多くが堅木で作られる。古い建築に比較的多く、近年でも高級施設に使われている。ビニール製の手すりは金属や木材の代替として使用される。よく使われる材料としては、ポリ塩化ビニールがある。ポリ塩化ビニール製の手すりは加工しやすく、設置が容易だからである。

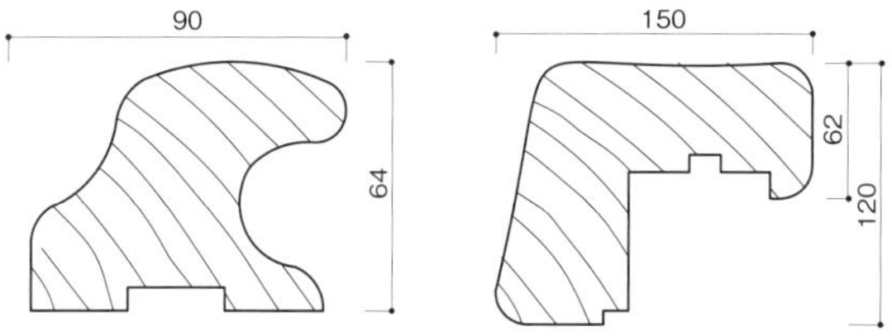
90
64
150
62
120

木製の手すり

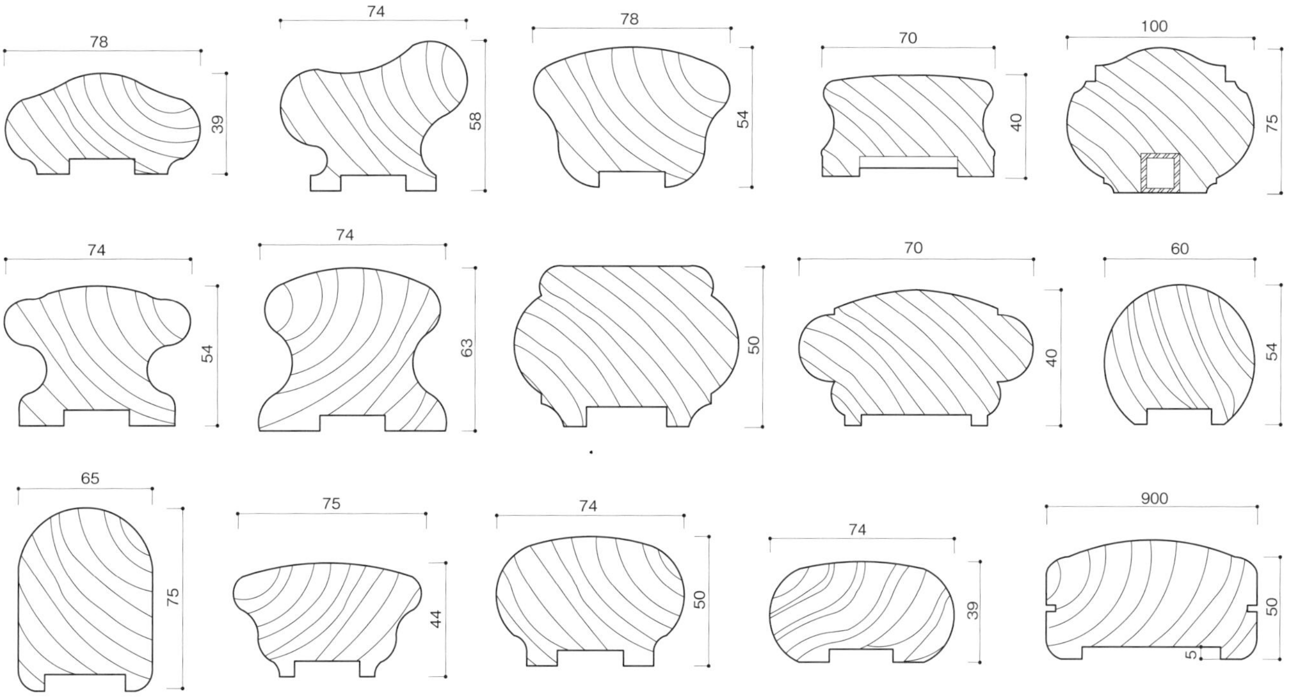
78
39
74
58
78
54
70
40
100
75
74
54
74
63
50
70
40
60
54
65
75
75
44
74
50
74
39
900
50
5

金属製の手すり

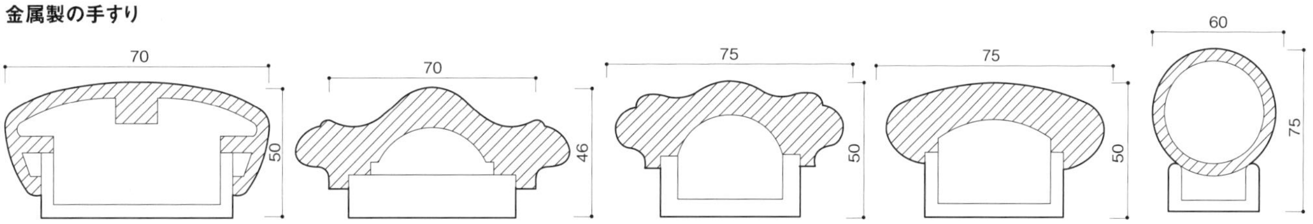
70
50
70
46
75
50
75
50
60
75

アルミ　　スチール　　スチール　　アルミと青銅　　典型的な
スチールの手すり

ビニール製の手すり

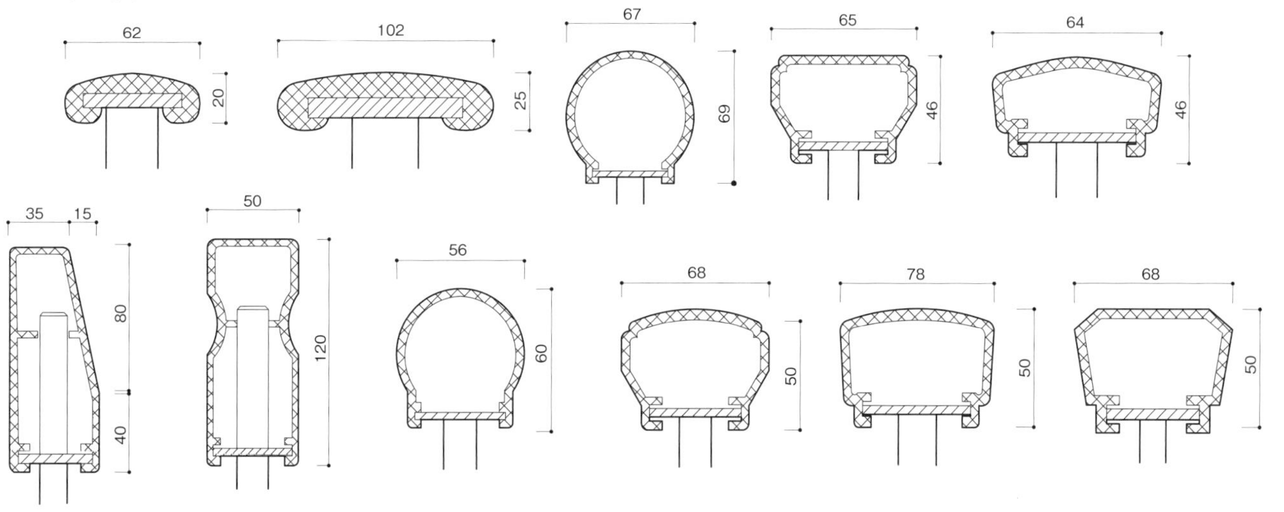
62
20
102
25
67
69
65
46
64
46
35
15
80
40
50
120
56
60
68
50
78
50
68
50

壁付け型手すりブラケット

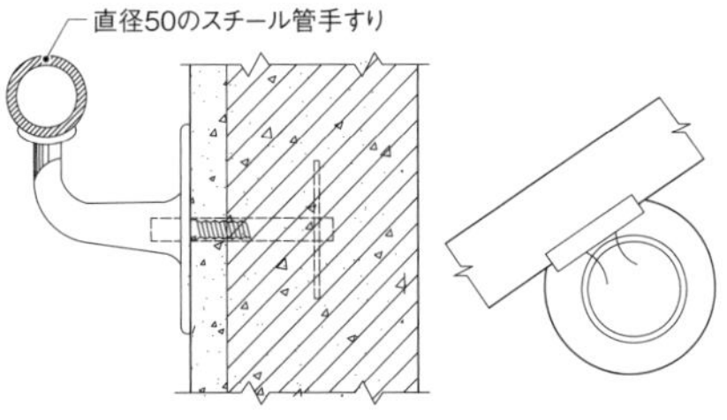
直径50のスチール管手すり

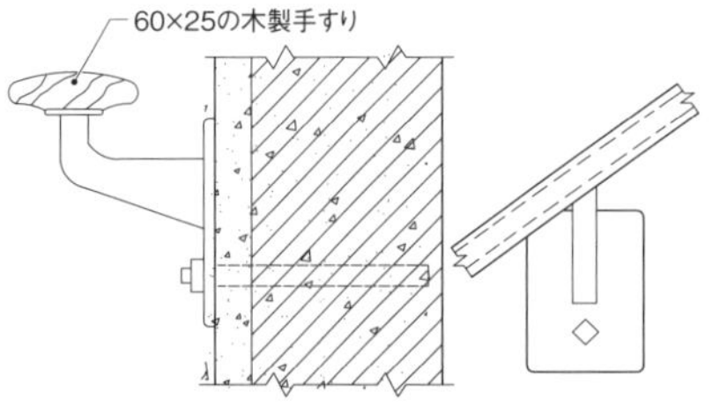
60×25の木製手すり

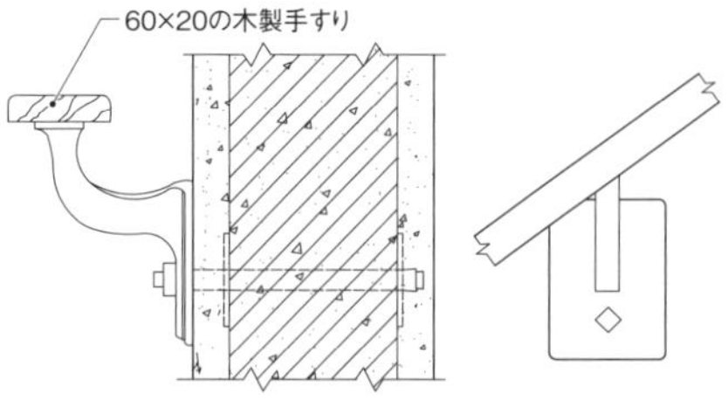
60×20の木製手すり

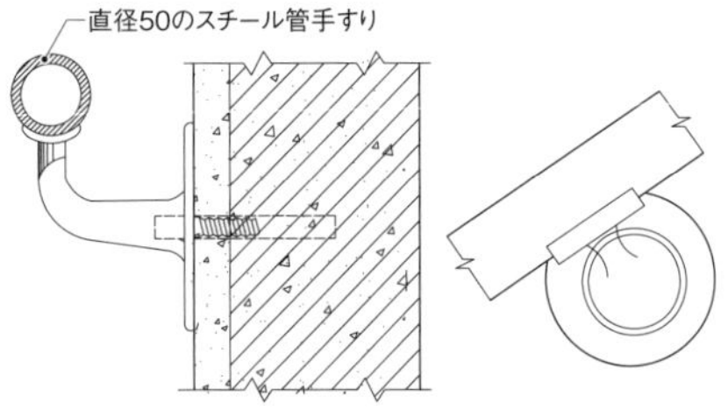
直径50のスチール管手すり

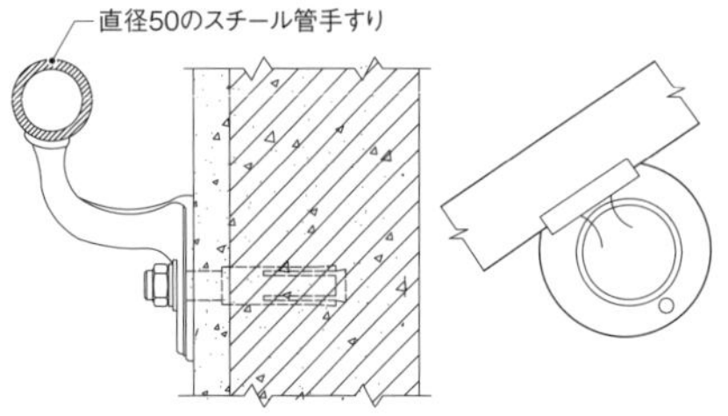
直径50のスチール管手すり

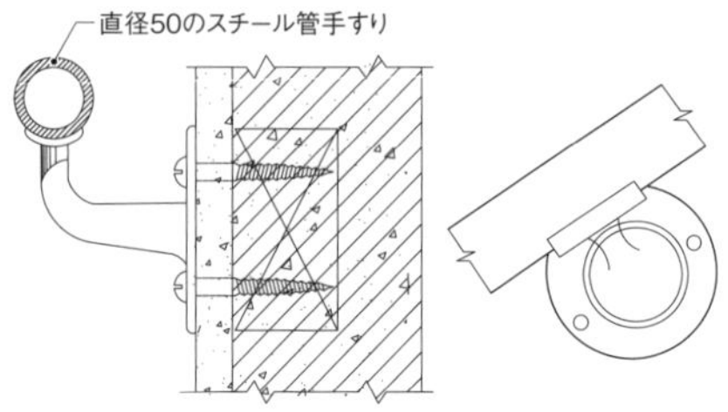
直径50のスチール管手すり

手すりと手すり柱の接合

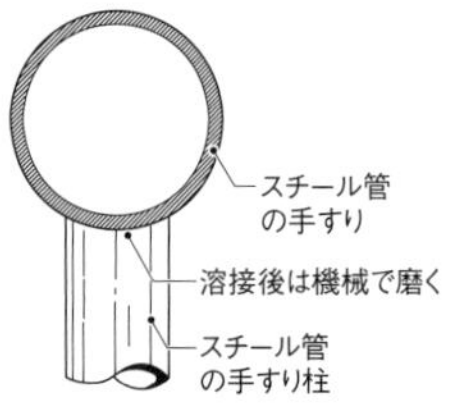
スチール管
の手すり
溶接後は機械で磨く
スチール管
の手すり柱

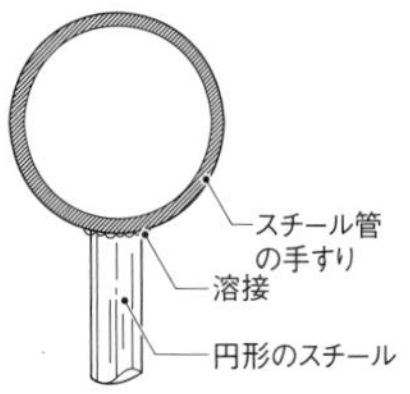
スチール管
の手すり
溶接
円形のスチール

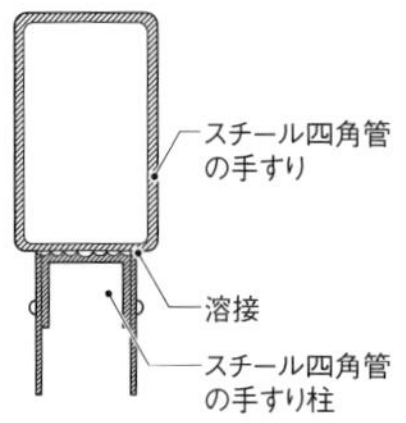
スチール四角管
の手すり
溶接
スチール四角管
の手すり柱

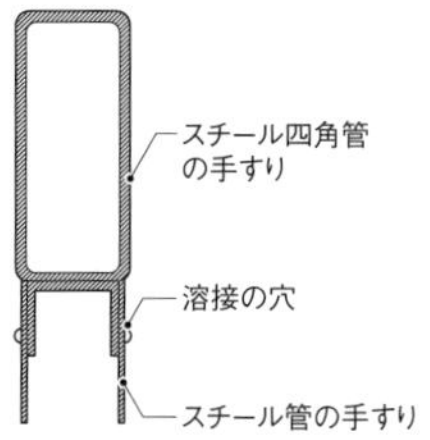
スチール四角管
の手すり
溶接の穴
スチール管の手すり

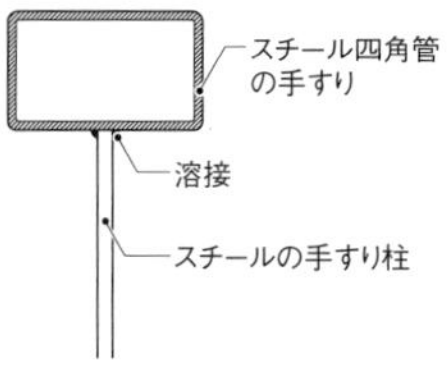
スチール四角管
の手すり
溶接
スチールの手すり柱

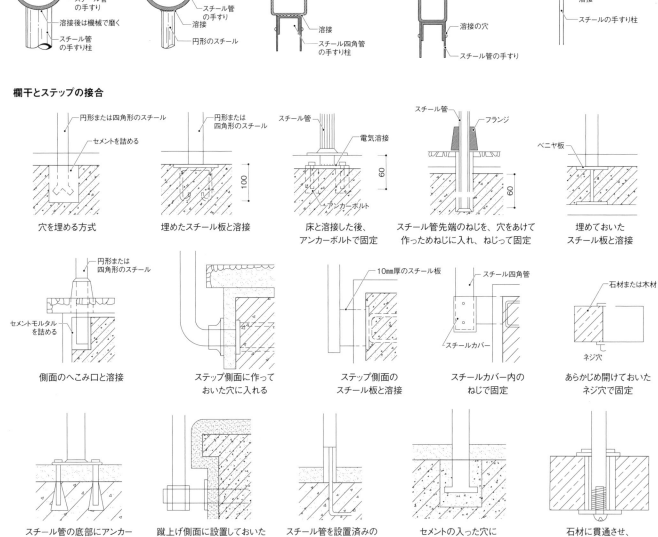

欄干とステップの接合

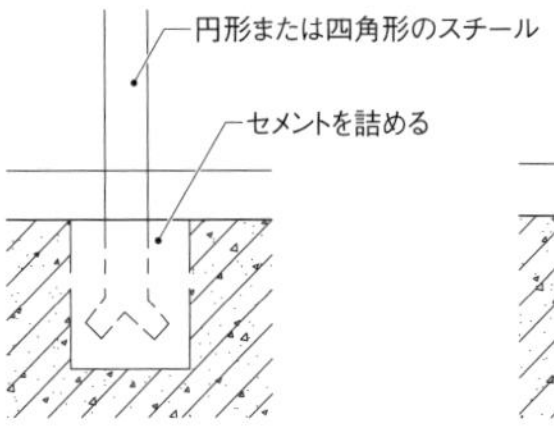
円形または四角形のスチール
セメントを詰める

穴を埋める方式

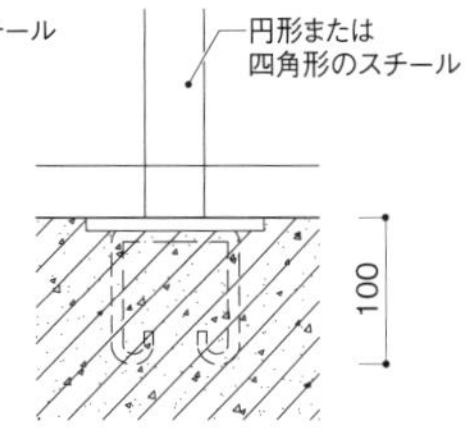
円形または
四角形のスチール
100

埋めたスチール板と溶接

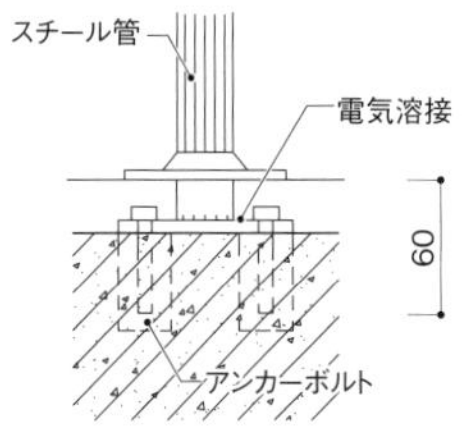
スチール管
電気溶接
60
アンカーボルト

床と溶接した後、
アンカーボルトで固定

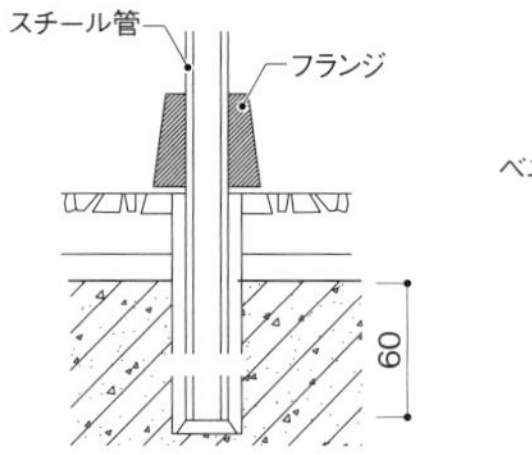
スチール管
フランジ
60

スチール管先端のねじを、穴をあけて
作っためねじに入れ、ねじって固定

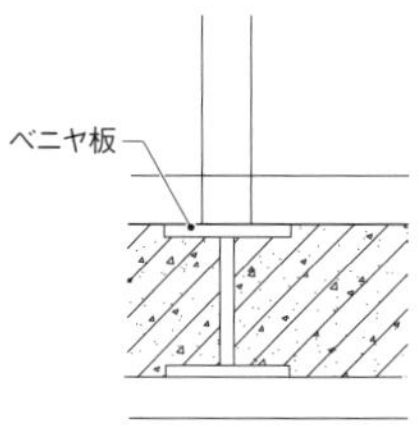
ベニヤ板

埋めておいた
スチール板と溶接

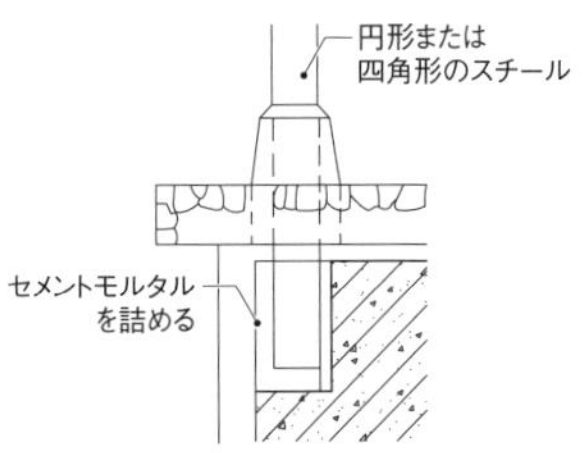
円形または
四角形のスチール
セメントモルタル
を詰める

側面のへこみ口と溶接

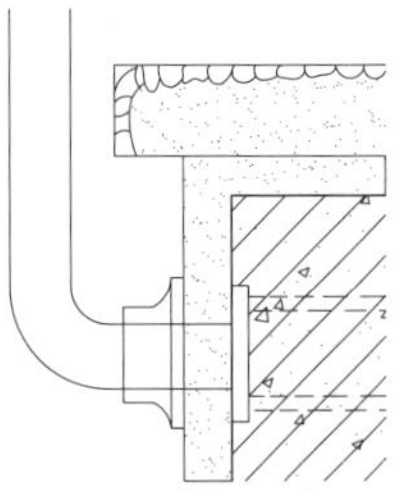

ステップ側面に作って
おいた穴に入れる

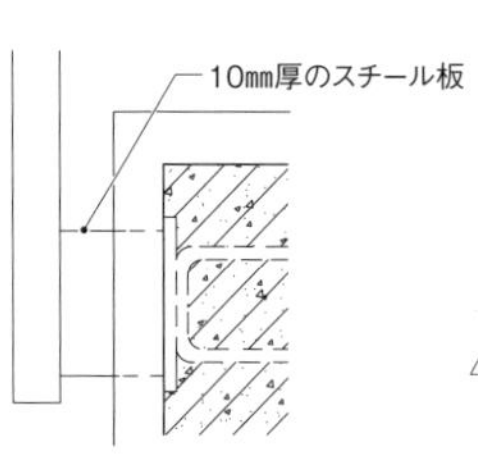
10mm厚のスチール板

ステップ側面の
スチール板と溶接

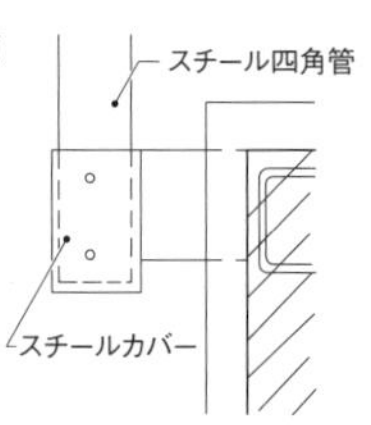
スチール四角管
スチールカバー

スチールカバー内の
ねじで固定

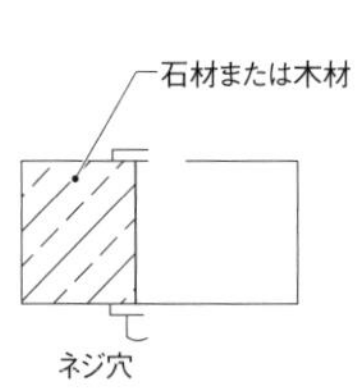
石材または木材
ネジ穴

あらかじめ開けておいた
ネジ穴で固定

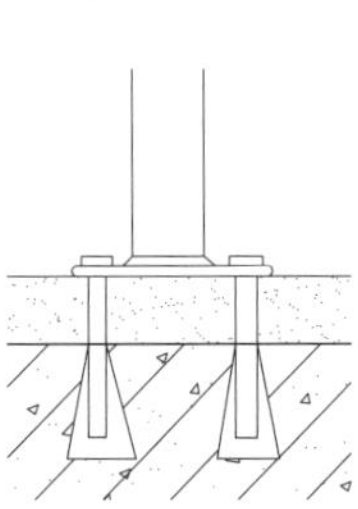

スチール管の底部にアンカー
ボルトを配置、ねじって固定

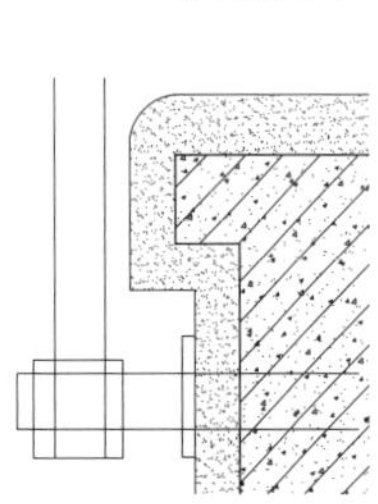

蹴上げ側面に設置しておいた
シャフトと接続、ねじって固定

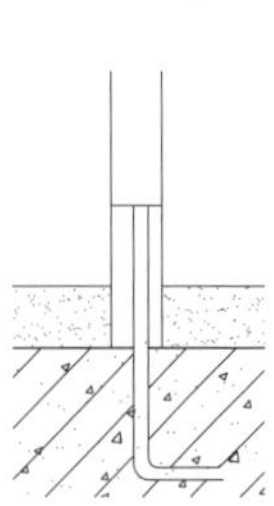

スチール管を設置済みの
銅シャフトに入れる

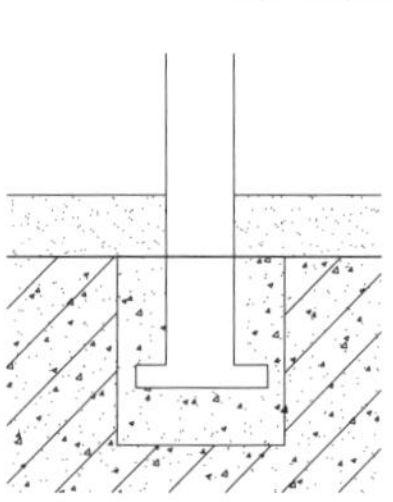

セメントの入った穴に
スチール管を入れて固定

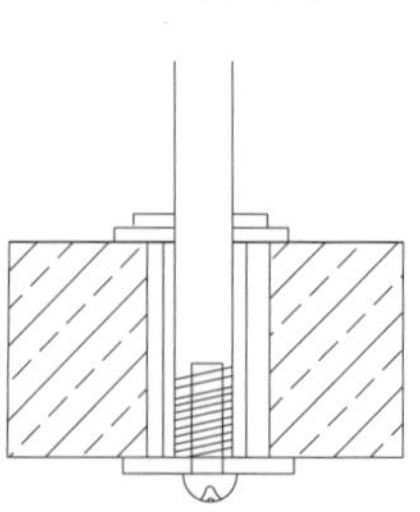

石材に貫通させ、
ネジ釘で固定

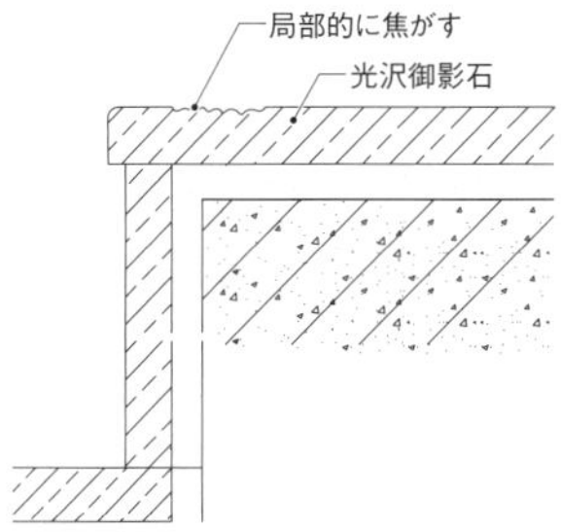
局部的に焦がす
光沢御影石

御影石の表面を焦がして滑り止めを作る

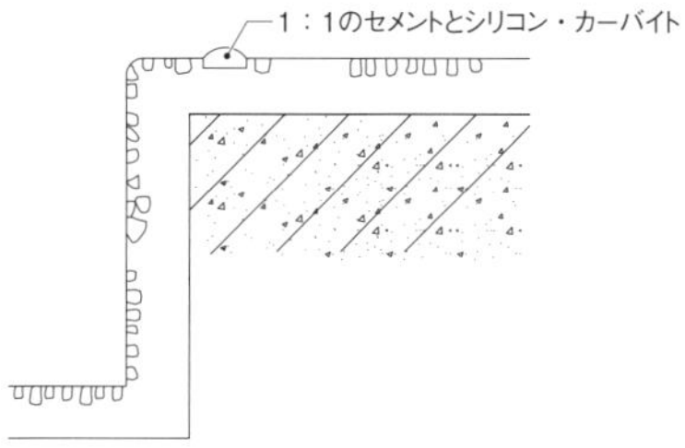
1：1のセメントとシリコン・カーバイト

シリコン・カーバイトの滑り止め

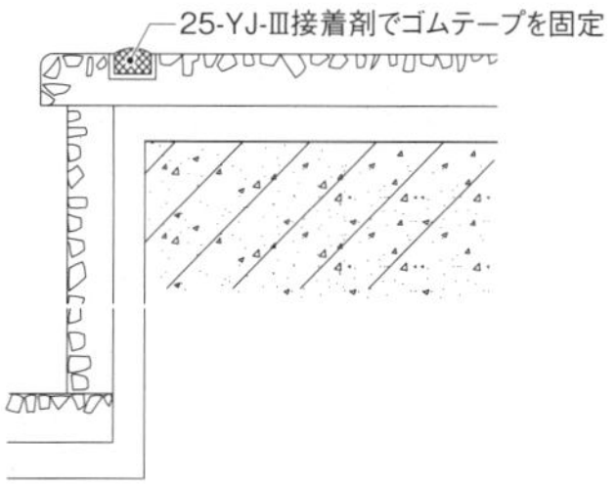
25-YJ-Ⅲ接着剤でゴムテープを固定

テラゾー石に滑り止めゴムシール

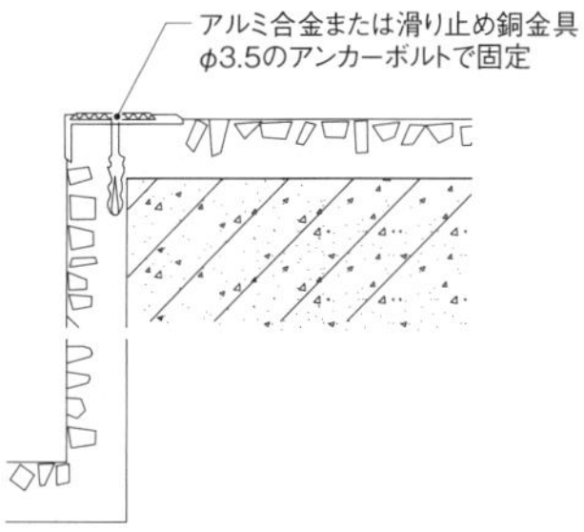
アルミ合金または滑り止め銅金具
φ3.5のアンカーボルトで固定

テラゾー石に金属の滑り止め

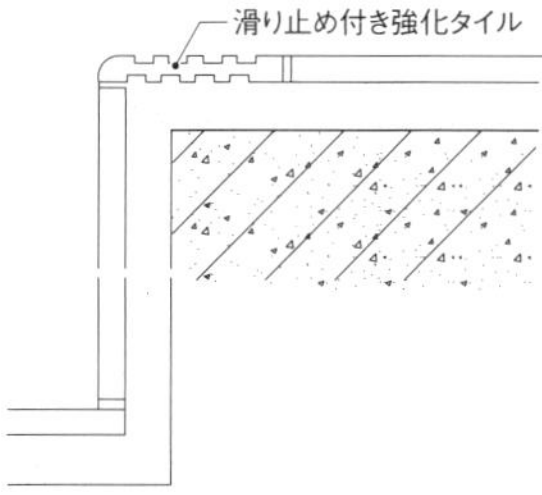
滑り止め付き強化タイル

強化タイルの滑り止め

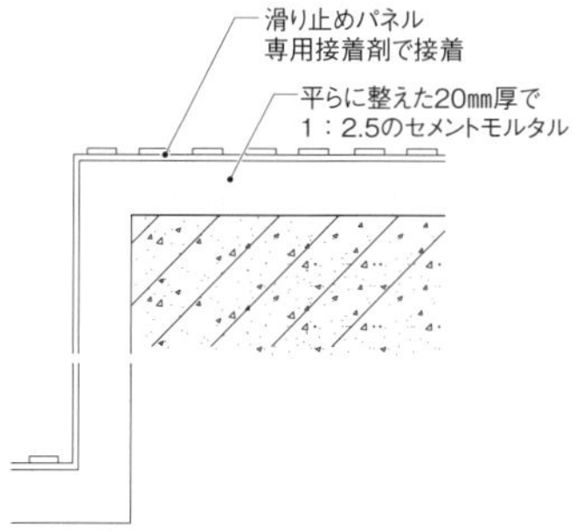
滑り止めパネル
専用接着剤で接着
平らに整えた20㎜厚で
1：2.5のセメントモルタル

滑り止めパネルを貼る

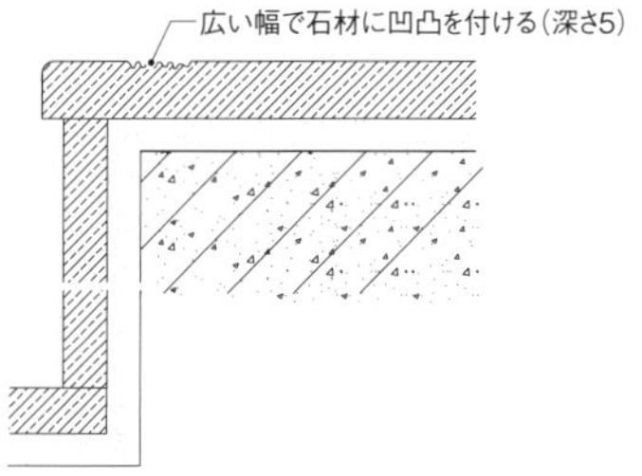
広い幅で石材に凹凸を付ける（深さ5）

石材に凹凸を付けて滑り止めにする

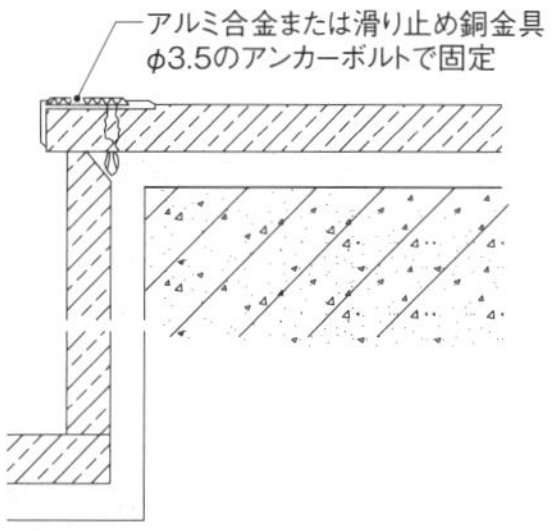
アルミ合金または滑り止め銅金具
φ3.5のアンカーボルトで固定

石材に金属の滑り止めを付ける

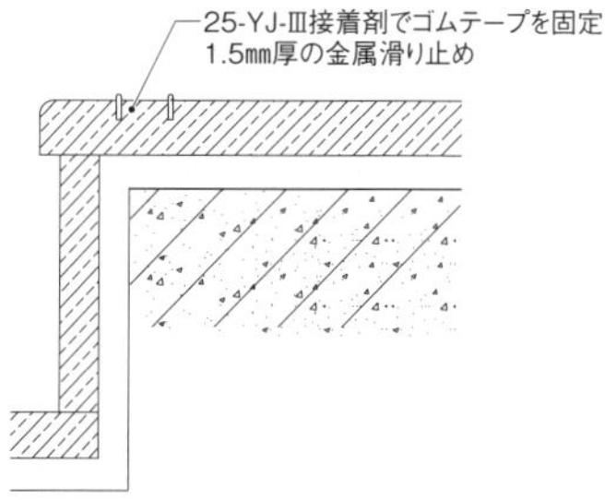
25-YJ-Ⅲ接着剤でゴムテープを固定
1.5㎜厚の金属滑り止め

石材に金属滑り止めを埋め込む

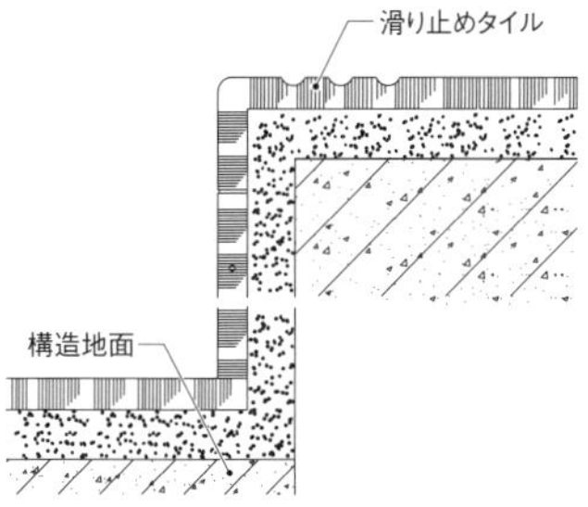
滑り止めタイル
構造地面

滑り止めタイルを貼る

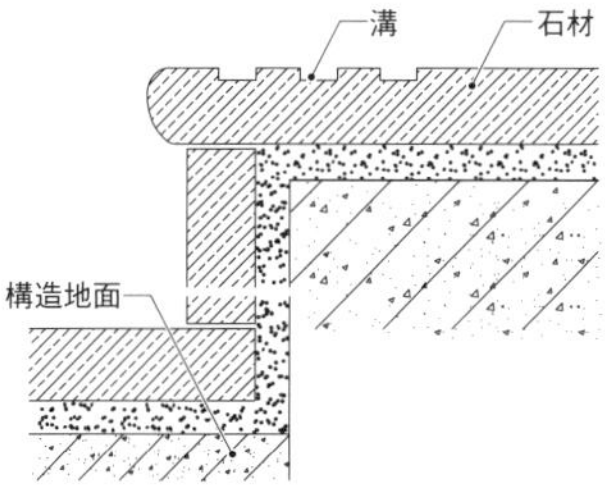
溝
石材
構造地面

石材に滑り止めの溝を作る

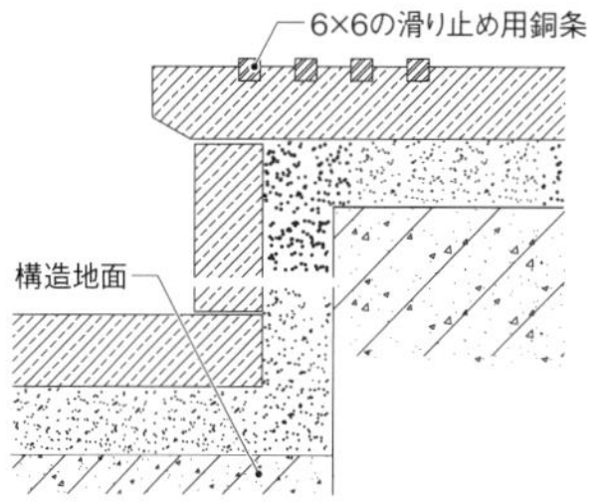
6×6の滑り止め用銅条
構造地面

石材に銅条の滑り止め

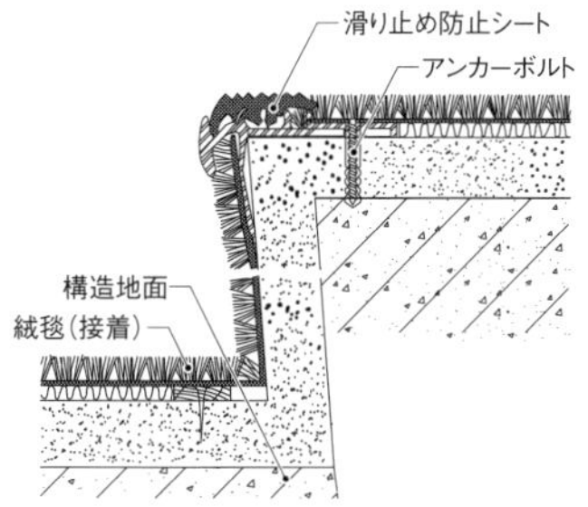
滑り止め防止シート
アンカーボルト
構造地面
絨毯（接着）

絨毯の滑り止めを敷く

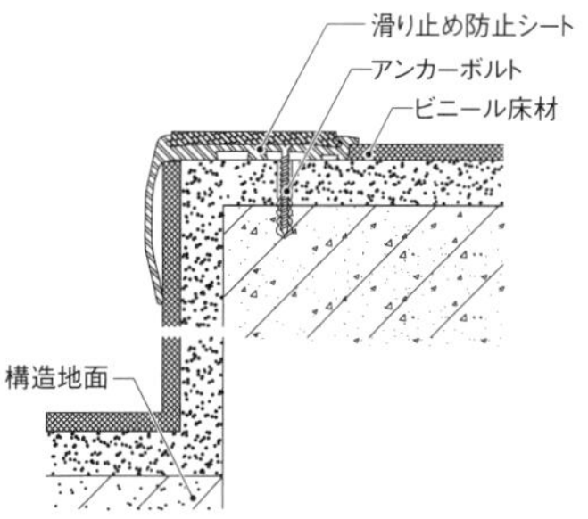
滑り止め防止シート
アンカーボルト
ビニール床材
構造地面

C型アルミ合金複合滑り止め

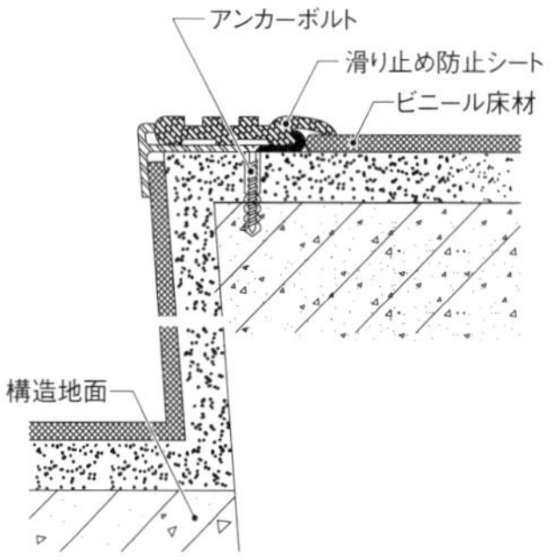
アンカーボルト
滑り止め防止シート
ビニール床材
構造地面

B型アルミ合金複合滑り止め

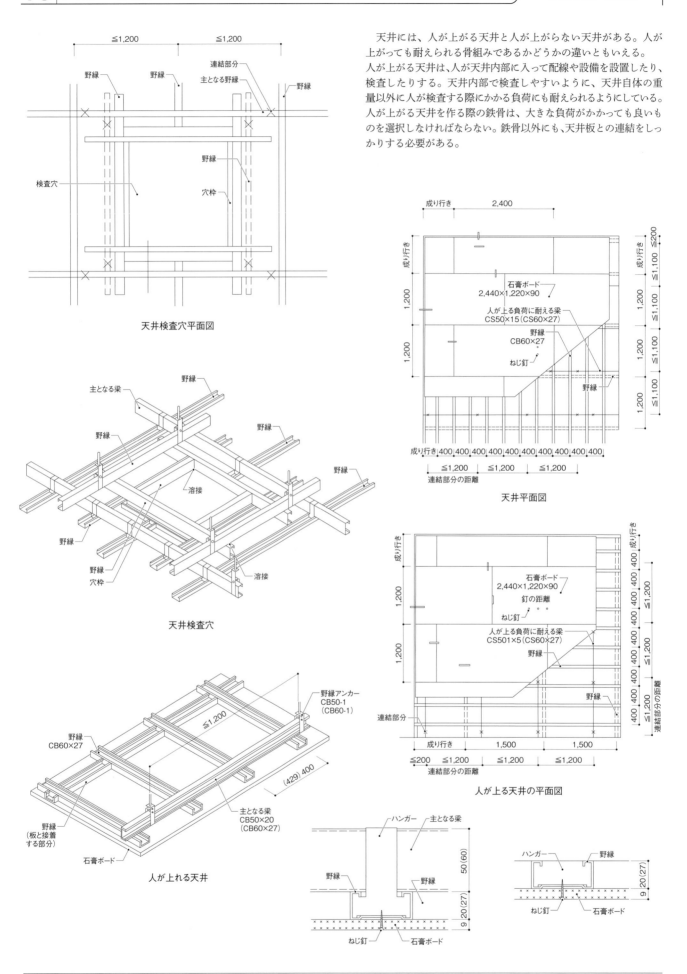

天井には、人が上がる天井と人が上がらない天井がある。人が上がっても耐えられる骨組みであるかどうかの違いともいえる。
人が上がる天井は、人が天井内部に入って配線や設備を設置したり、検査したりする。天井内部で検査しやすいように、天井自体の重量以外に人が検査する際にかかる負荷にも耐えられるようにしている。
人が上がる天井を作る際の鉄骨は、大きな負荷がかかっても良いものを選択しなければならない。鉄骨以外にも、天井板との連結をしっかりする必要がある。

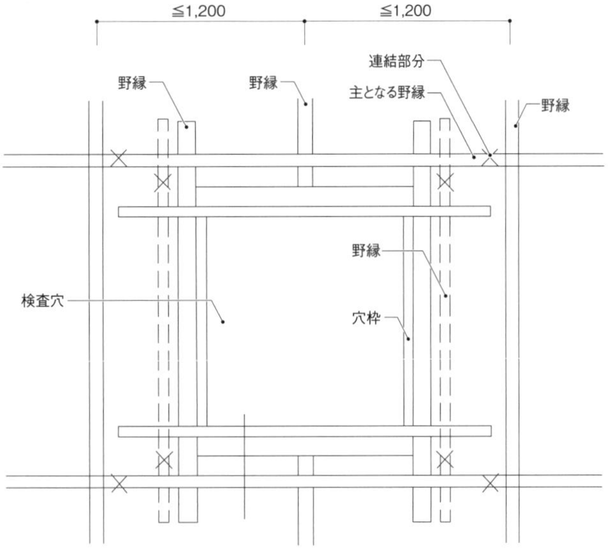
≦1,200
≦1,200
連結部分
主となる野縁
野縁
野縁
野縁
検査穴
野縁
穴枠

天井検査穴平面図

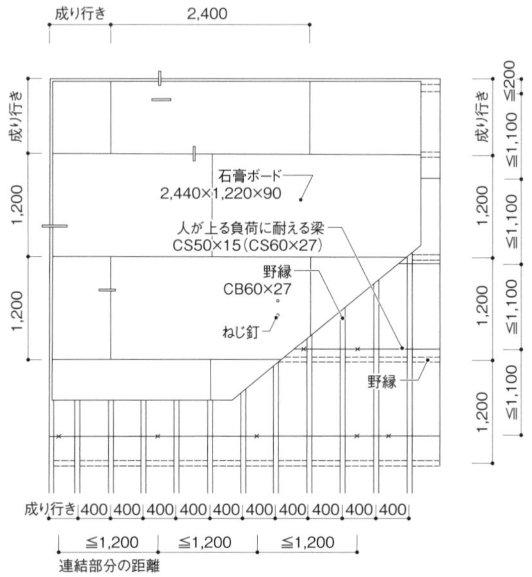
成り行き
2,400
成り行き
1,200
1,200
石膏ボード
2,440×1,220×90
人が上る負荷に耐える梁
CS50×15（CS60×27）
野縁
CB60×27
ねじ釘
野縁
≦200
成り行き
≦1,100
1,200
≦1,100
1,200
≦1,100
1,200
≦1,100
1,200
成り行き 400 400 400 400 400 400 400 400 400 400
≦1,200
≦1,200
≦1,200
連結部分の距離

天井平面図

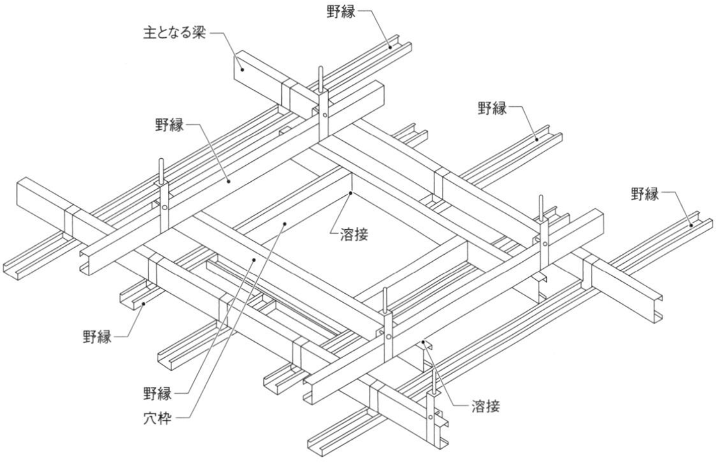
野縁
主となる梁
野縁
野縁
野縁
溶接
野縁
野縁
穴枠
溶接

天井検査穴

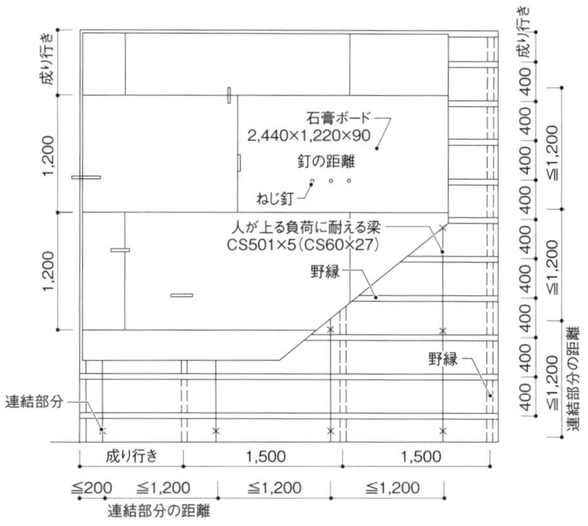
成り行き
1,200
1,200
石膏ボード
2,440×1,220×90
釘の距離
ねじ釘
人が上る負荷に耐える梁
CS501×5（CS60×27）
野縁
野縁
連結部分
成り行き
400
400
400
400
400
400
400
400
400
400
≦1,200
≦1,200
≦1,200
連結部分の距離
成り行き
1,500
1,500
≦200
≦1,200
≦1,200
≦1,200
連結部分の距離

人が上る天井の平面図

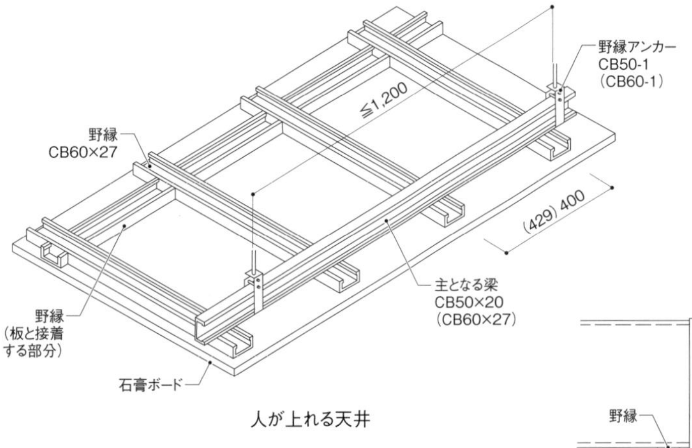
野縁アンカー
CB50-1
（CB60-1）
≦1,200
野縁
CB60×27
(429) 400
主となる梁
CB50×20
（CB60×27）
野縁
（板と接着
する部分）
石膏ボード

人が上れる天井

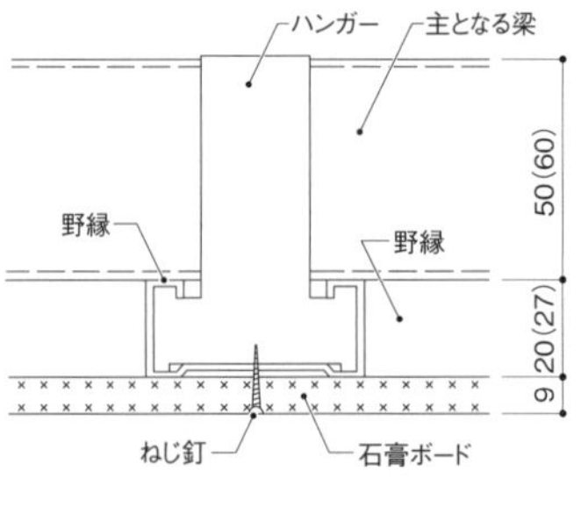
ハンガー
主となる梁
50(60)
野縁
野縁
20(27)
9
ねじ釘
石膏ボード

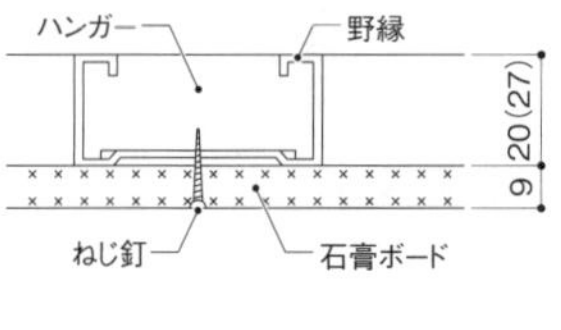
ハンガー
野縁
20(27)
9
ねじ釘
石膏ボード

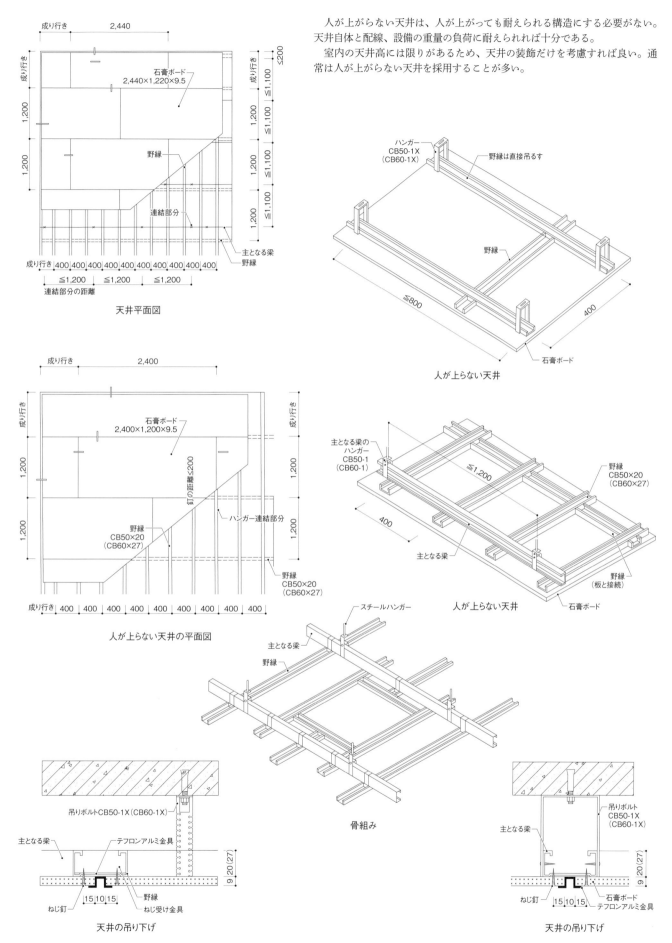

人が上がらない天井は、人が上がっても耐えられる構造にする必要がない。天井自体と配線、設備の重量の負荷に耐えられれば十分である。

室内の天井高には限りがあるため、天井の装飾だけを考慮すれば良い。通常は人が上がらない天井を採用することが多い。

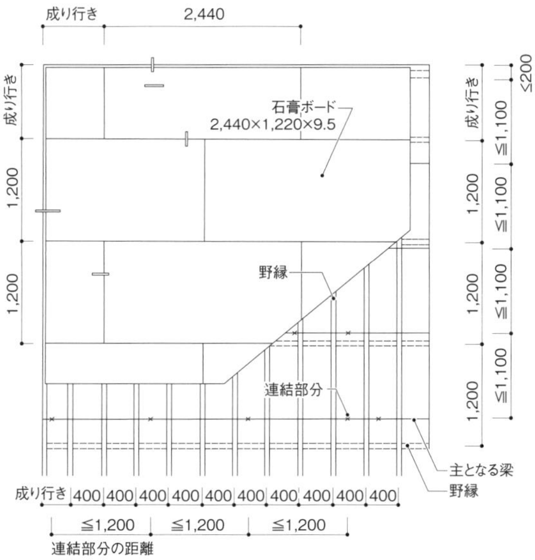
成り行き
2,440
石膏ボード
2,440×1,220×9.5
野縁
連結部分
主となる梁
野縁
成り行き
1,200
1,200
成り行き
1,200
1,200
1,200
1,200
≦200
≦1,100
≦1,100
≦1,100
≦1,100
成り行き 400 400 400 400 400 400 400 400 400 400
≦1,200 ≦1,200 ≦1,200
連結部分の距離

天井平面図

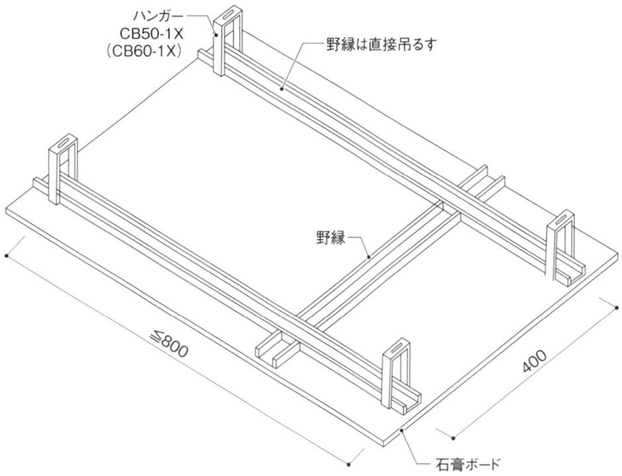
ハンガー
CB50-1X
(CB60-1X)
野縁は直接吊るす
野縁
≦800
400
石膏ボード

人が上らない天井

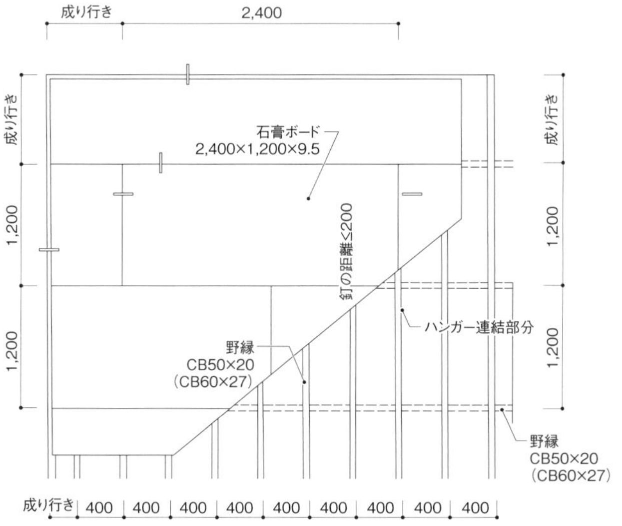
成り行き
2,400
石膏ボード
2,400×1,200×9.5
釘の距離≦200
ハンガー連結部分
野縁
CB50×20
(CB60×27)
野縁
CB50×20
(CB60×27)
成り行き
1,200
1,200
成り行き
1,200
1,200
成り行き 400 400 400 400 400 400 400 400 400

人が上らない天井の平面図

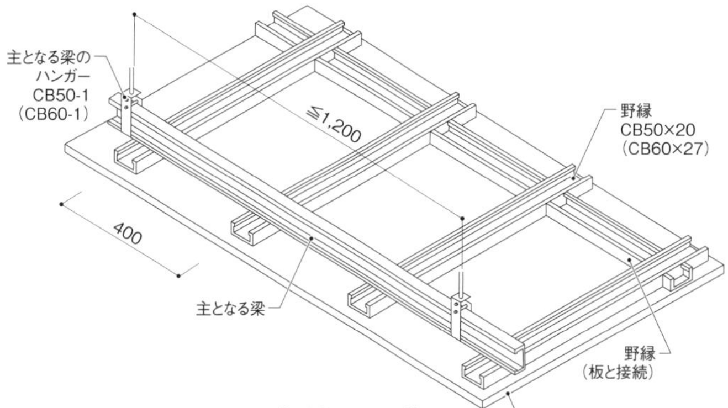
主となる梁の
ハンガー
CB50-1
(CB60-1)
≦1,200
400
野縁
CB50×20
(CB60×27)
主となる梁
野縁
(板と接続)
石膏ボード

人が上らない天井

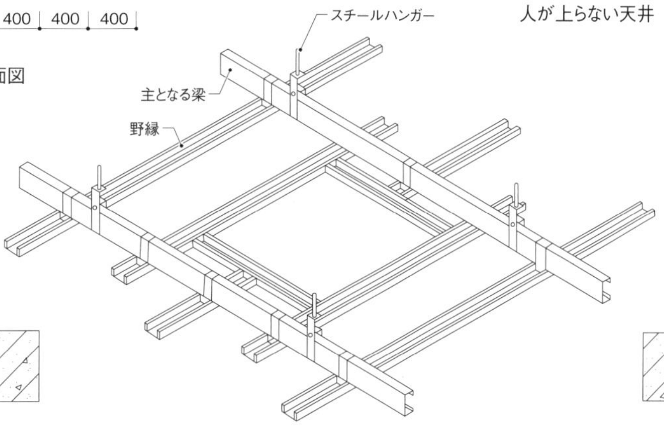
スチールハンガー
主となる梁
野縁

骨組み

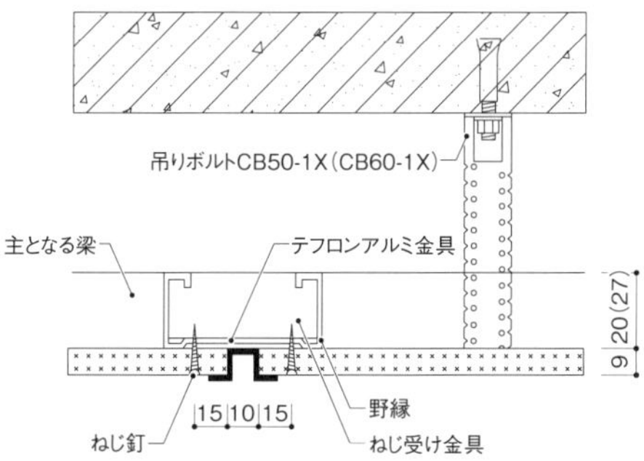
吊りボルトCB50-1X(CB60-1X)
主となる梁
テフロンアルミ金具
野縁
ねじ受け金具
ねじ釘
15 10 15
9
20(27)

天井の吊り下げ

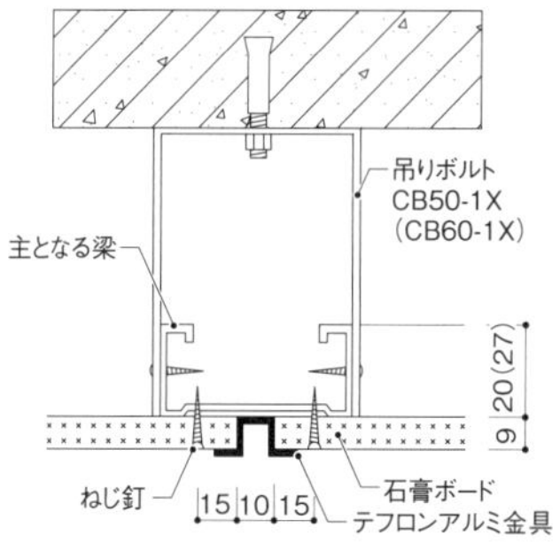
吊りボルト
CB50-1X
(CB60-1X)
主となる梁
ねじ釘
石膏ボード
テフロンアルミ金具
15 10 15
9
20(27)

天井の吊り下げ

ベニヤ板の天井は、伝統的な施工法で、施工しやすく、制作費用も安い。さらに各種の塗装ができ、金属、ガラス等の装飾板も自由に貼れる。造作も容易で、さまざまな形の天井を作ることができる上、照明器具を埋め込むことも可能である。そのため広く採用されている。

表面用として高級なベニヤ板を採用すれば、高い装飾効果を得ることができる。特に原材料が貴重な樹木ならば、ニスを塗布することでより豪華な装飾効果が得られる。ベニヤ板は面が広い割には薄いものが多く、素早く良好に施工することが可能である。湾曲したり、折れたり、つなぎ合わせにくかったりなどのトラブルは少ない上、釘を打ったり、のこぎりで切ったり、かんなで削ったり、きりで穴をあけたり、接着したりとさまざまな加工ができる。このような特徴から、ベニヤ板は室内、特に中高級の室内で広く使用されている。ただし木材であることから可燃性があり、防火の必要のある場所では一定の制限が必要となる。しかし、厳格な防火、防腐処理のされたベニヤ板であれば使用は可能である。

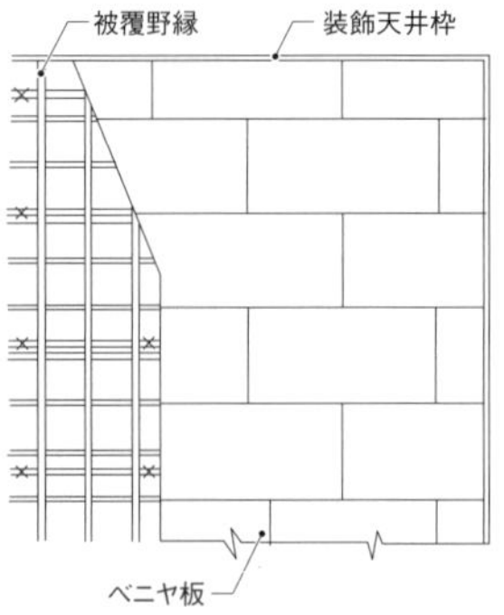
被覆野縁
装飾天井枠
ベニヤ板

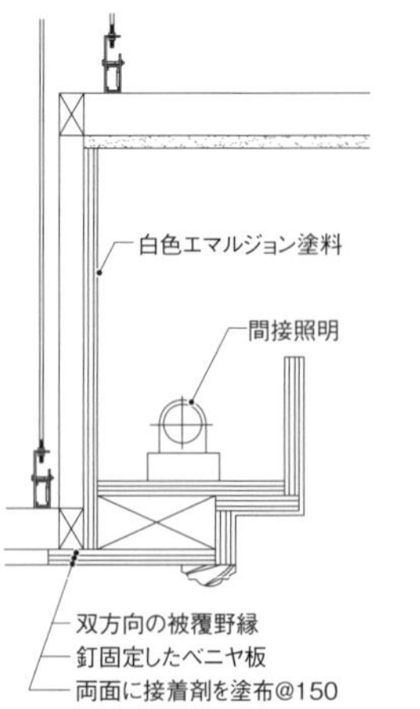
白色エマルジョン塗料
間接照明
双方向の被覆野縁
釘固定したベニヤ板
両面に接着剤を塗布@150

木の骨組みとベニヤ板天井

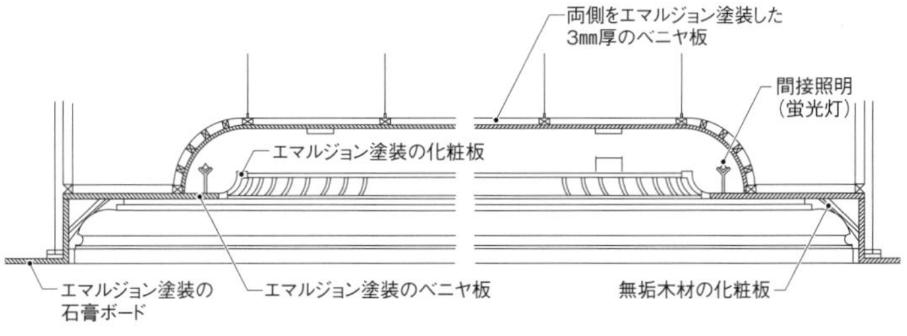
両側をエマルジョン塗装した
3mm厚のベニヤ板
間接照明
（蛍光灯）
エマルジョン塗装の化粧板
エマルジョン塗装の
石膏ボード
エマルジョン塗装のベニヤ板
無垢木材の化粧板

凹形天井の照明構造

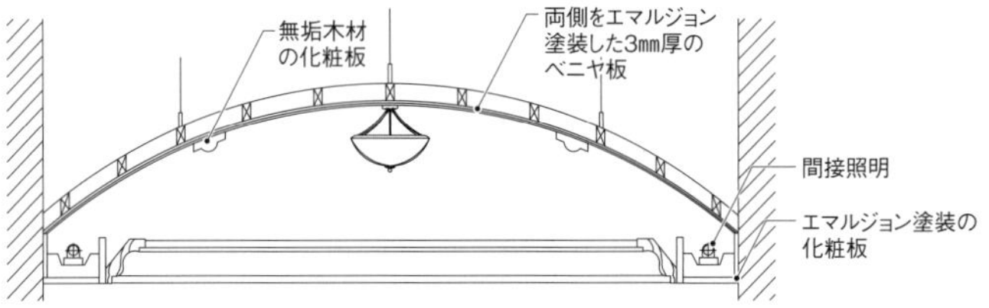
無垢木材
の化粧板
両側をエマルジョン
塗装した3mm厚の
ベニヤ板
間接照明
エマルジョン塗装の
化粧板

弓形の天井と照明の構造

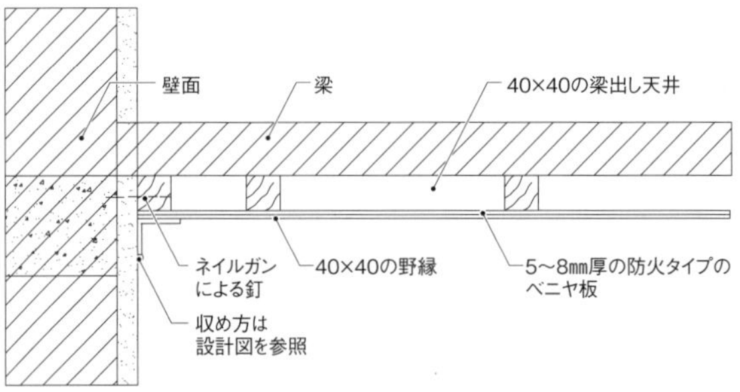
壁面
梁
40×40の梁出し天井
ネイルガン
による釘
40×40の野縁
5～8mm厚の防火タイプの
ベニヤ板
収め方は
設計図を参照

タイレストランにおけるクルミの木のベニヤ板天井

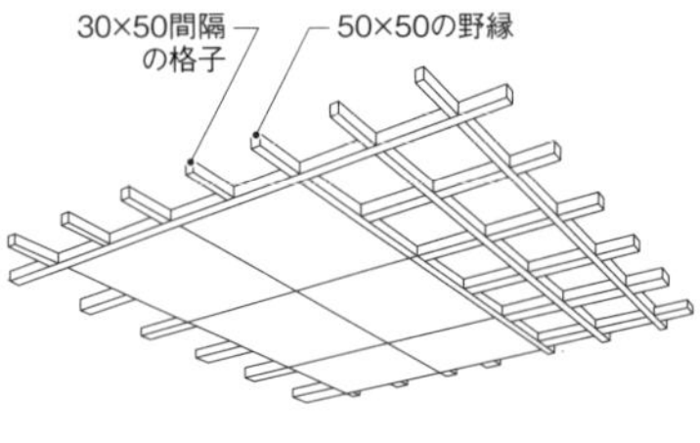
30×50間隔
の格子
50×50の野縁

ベニヤ板の天井構造

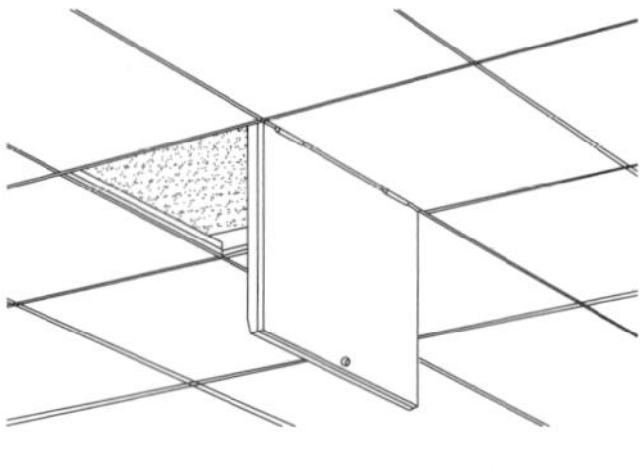

天井の木製検査口

石膏ボードは、室内における荷重のかからない壁や天井に使用される。石膏ボードの吊り天井には木の骨組みと鉄の骨組みがある。しかし厨房やトイレ、浴室など、湿度が70％以上になる環境では防水加工の石膏ボードが必要となる。

石膏ボードの天井は、ホテルや体育館、駅、病院、研究室、会議室、図書館、博物館、クラブなどに適している。

石膏ボード天井の具体例

石膏ボードの吊り天井　軽量鉄骨との構造

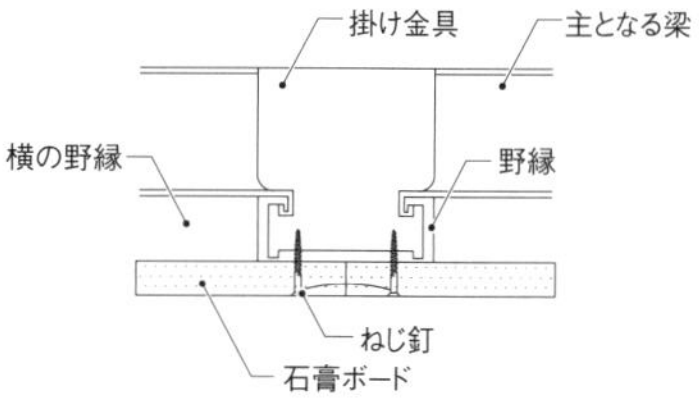
掛け金具
主となる梁
横の野縁
野縁
ねじ釘
石膏ボード

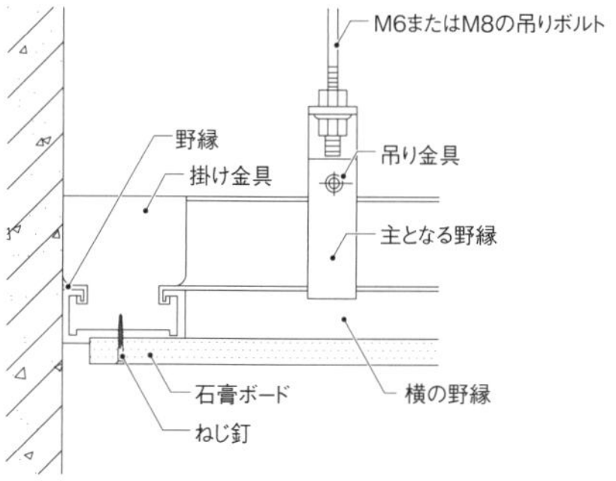
M6またはM8の吊りボルト
野縁
吊り金具
掛け金具
主となる野縁
石膏ボード
横の野縁
ねじ釘

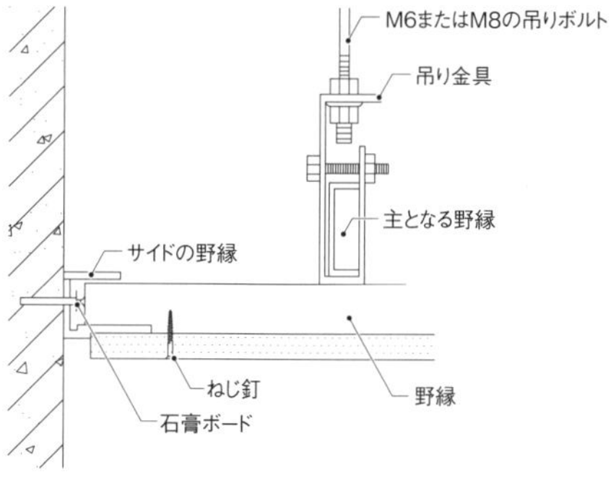
M6またはM8の吊りボルト
吊り金具
主となる野縁
サイドの野縁
ねじ釘
野縁
石膏ボード

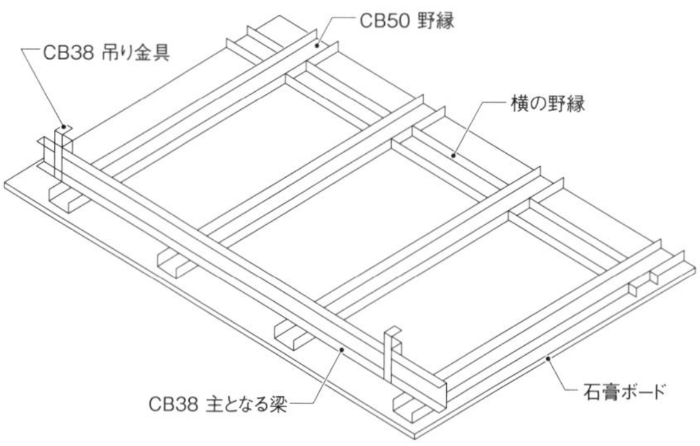
CB50 野縁
CB38 吊り金具
横の野縁
CB38 主となる梁
石膏ボード

石膏ボードの天井の透視図

石膏ボードと木の骨組みの構造

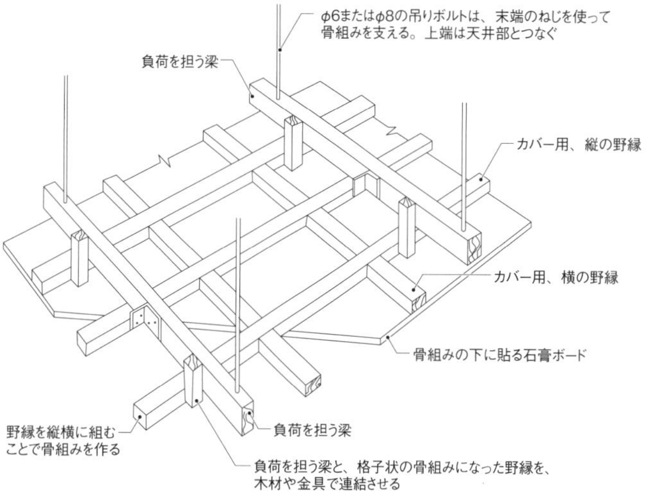
φ6またはφ8の吊りボルトは、末端のねじを使って
骨組みを支える。上端は天井部とつなぐ
負荷を担う梁
カバー用、縦の野縁
カバー用、横の野縁
骨組みの下に貼る石膏ボード
野縁を縦横に組む
ことで骨組みを作る
負荷を担う梁
負荷を担う梁と、格子状の骨組みになった野縁を、
木材や金具で連結させる

木の野縁と石膏ボードによる天井の構造

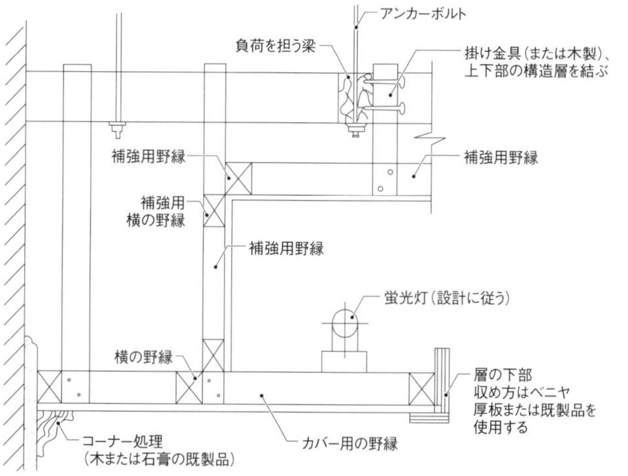
アンカーボルト
負荷を担う梁
掛け金具（または木製）、
上下部の構造層を結ぶ
補強用野縁
補強用野縁
補強用
横の野縁
補強用野縁
蛍光灯（設計に従う）
横の野縁
層の下部
収め方はベニヤ
厚板または既製品を
使用する
コーナー処理
（木または石膏の既製品）
カバー用の野縁

木材骨組みと石膏ボードを使った2層式の天井

ミネラルウールは、製鋼工場から出る良質な鉱滓を精製して製造される。主要成分には石綿が含まれない。粉塵が呼吸器官に入ると人体に害が生じるからである。

水分が侵入しにくいため、接着剤が水ではがれることが少ない。湿気の多い環境でも接着剤の粘着力が弱まりにくく、ホルムアルデヒドも含まれない。

ミネラルウールは、有機繊維と無機繊維を組み合わせて使用する。有機繊維は、弾力性は高いが強度が弱く、劣化しやすい。高温状態だと酸化しやすい。一方の無機繊維は、強度がある上に劣化しにくいが、弾力性に欠ける。そのため両者を組み合わせることで、相互の弱点を補うことができる。

板材の強度を上げるためには、有機繊維の比率を下げ、無機繊維の比率を上げる必要がある。それにより防カビ効果が高まり、湾曲しにくく、へこみにくくなる。

ナノテクノロジーを採用して作られた超微粒抗菌剤をミネラルウールの隅々まで注入することで、防カビ、防菌効果が得られる。

山椒の辛い成分やヨモギのエッセンスをミネラルウール板に注入する方法もある。これらは虫の嫌う成分であり、虫食いを避けられる。

ミネラルウール板の表面は活性化しやすく、施工過程に生じるホルムアルデヒドなどの有毒物質を吸引し、分解する。イオン交換などの機能も持っており、室内のマイナスイオン濃度を上げることから、ミネラルウールは「天井の森」のような役割を果たしている。

「宝鋼」製のミネラルウールの設置図

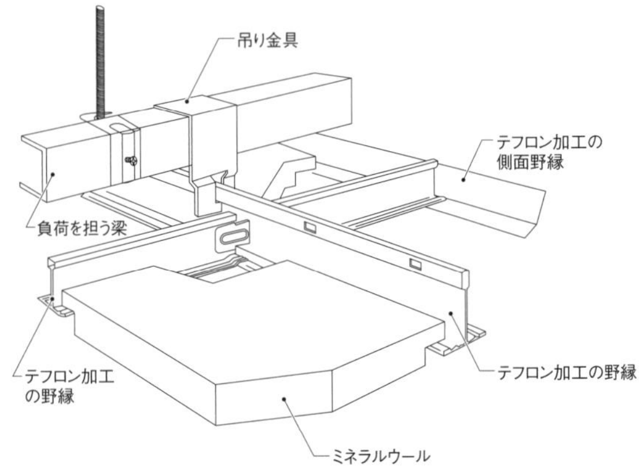
吊り金具
テフロン加工の
側面野縁
負荷を担う梁
テフロン加工
の野縁
テフロン加工の野縁
ミネラルウール

一般的な設置方法

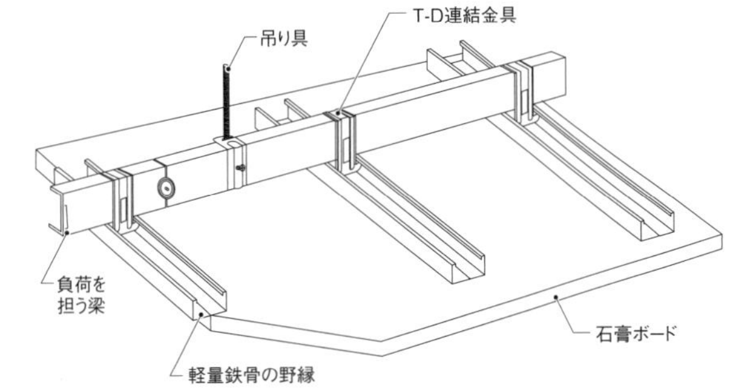
T-D連結金具
吊り具
負荷を
担う梁
石膏ボード
軽量鉄骨の野縁

平貼りの設置図

メリット：表面がすっきりしており、装飾効果が高い。陥没の心配がなく、使用できる期間も長い。吹き付けをすれば、雰囲気を一変できる。デメリット：コストが比較的高い。ただし使用できる期間を考えれば、コスト高ともいえない

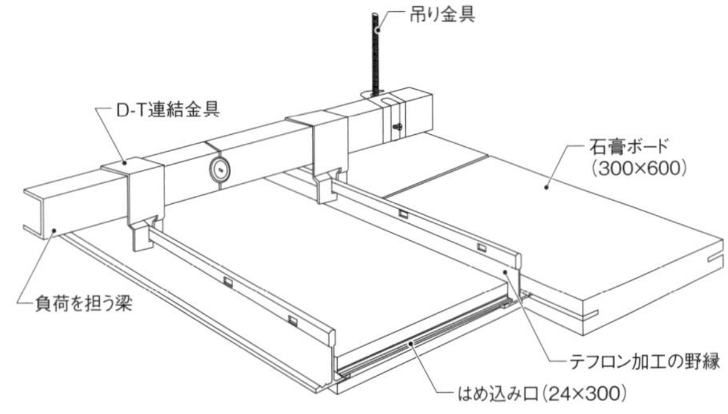
吊り金具
D-T連結金具
石膏ボード
(300×600)
負荷を担う梁
テフロン加工の野縁
はめ込み口(24×300)

装着式の設置方法

メリット：表面がすっきりしており、装飾的効果が大

「龍牌」製のミネラルウール設置図

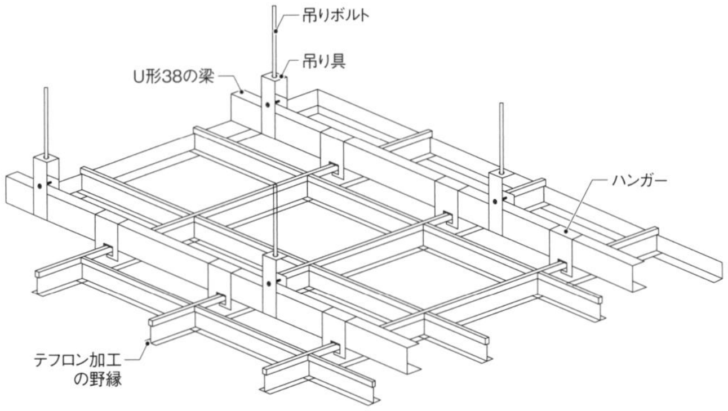
吊りボルト
吊り具
U形38の梁
ハンガー
テフロン加工
の野縁

設置手順

1. 設計の要求に基づき、室内の吊り位置を確定し、下地線を引く（距離間は1,200㎜以下）
2. 孔を開け、膨張アンカーボルトを天井に固定し、天井部に必要な埋め込み部品を設置
3. Z型の固定用スチールを設置する。天井の高さに応じて吊り棒の長さを確定し、吊りボルトと吊り具を設置する
4. 吊りボルトと吊り具を利用して野縁（Cチャン）を設置（人が上らない天井ではCB38の野縁を採用、人が上がる天井ではCS50またはCS60の野縁を採用。構造の安定性を保障するため、野縁の距離は900〜1,200㎜とする）
5. 骨組みの高度と位置を水平にしながら確定させ、側面の骨組みを壁に固定する
6. ハンガーを利用し、T形テフロン加工の野縁を吊るす。野縁の規格によって配置場所を分ける
7. ミネラルウールの吸音板をテフロン加工の野縁に設置する。成り行きで全体の壁まで広げる

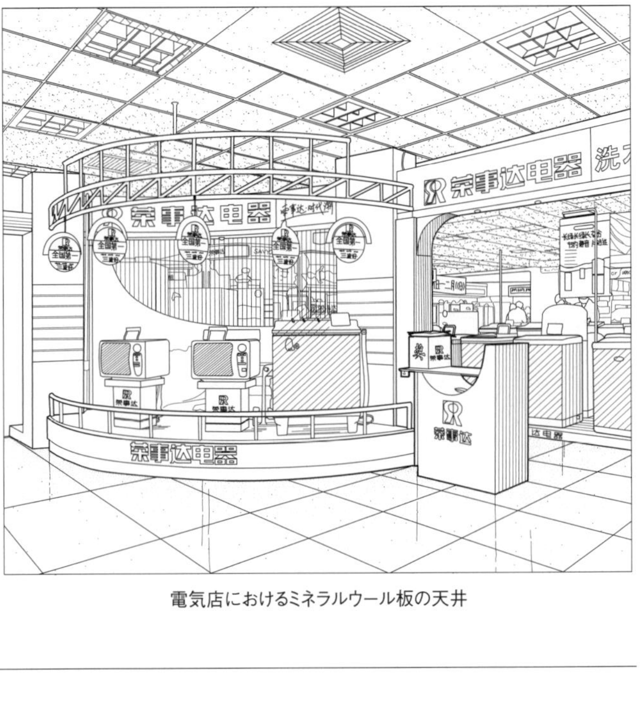

電気店におけるミネラルウール板の天井

細長い鋼板で作った天井は、軽量で湿度に強く、防火性があるほか、さまざまな色を選択できるなどの利点がある。また、規格として長さが3,000～6,000㎜、幅が100～300㎜となっており、素早く施工ができ、簡便である。

細長い鋼板で作った天井は通常、彩色亜鉛メッキ鋼板かアルミ板が使用される。彩色亜鉛メッキ鋼板はアルミ板より重いが、価格はアルミ板より安い。そのため、大型体育館や駅、スーパー、通路、廊下、室内庭園などで採用される。アルミ板の場合は、大会議場や宴会場、ホテルロビー、空港の搭乗ロビーといった、高い施工レベルが求められる大型施設で採用される。

細長い鋼板を使用した天井板の応用

番号	横の形状	応用形式	寸法(㎜) a	寸法(㎜) b
1	a	a b a	84	16
2	a	a b a	90 106 136 186 286	10 14 14 14 10
3	a	a b a	84 104 134 184	16 16 16 16
4	a	a b a	84 104 134 184	16 16 16 16

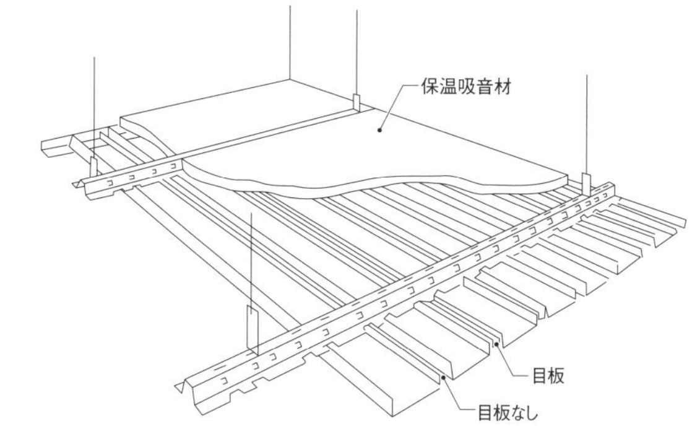

保温吸音材
目板
目板なし

細長い鋼板を使用した天井板の図

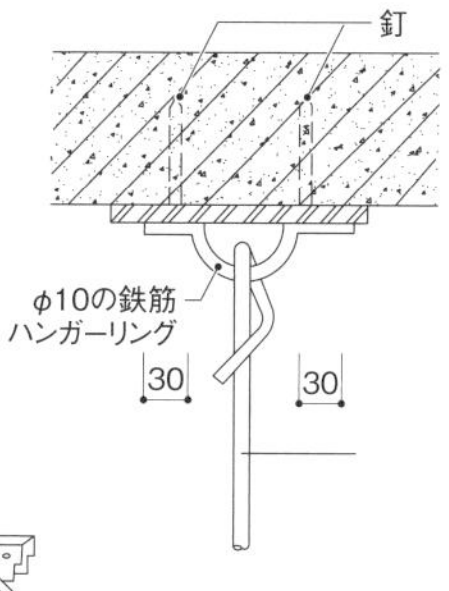

釘
φ10の鉄筋
ハンガーリング
30
30

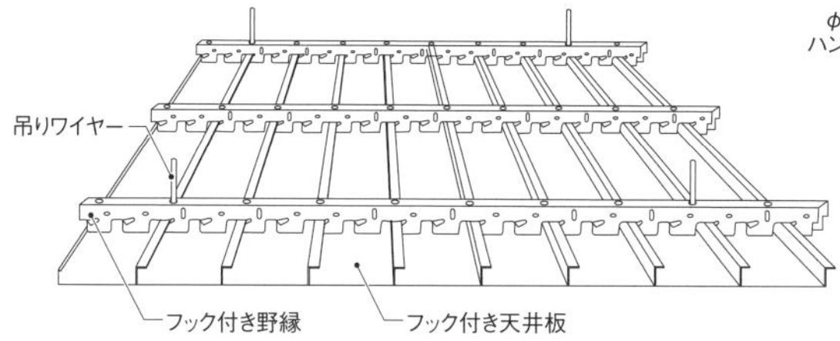

吊りワイヤー
フック付き野縁
フック付き天井板

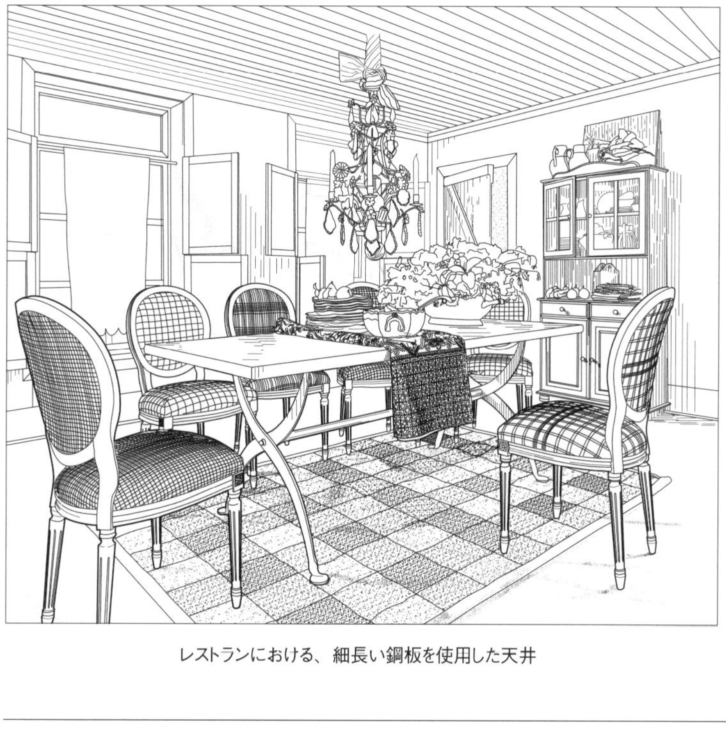

レストランにおける、細長い鋼板を使用した天井

細長い鋼板を使用した天井の平面図

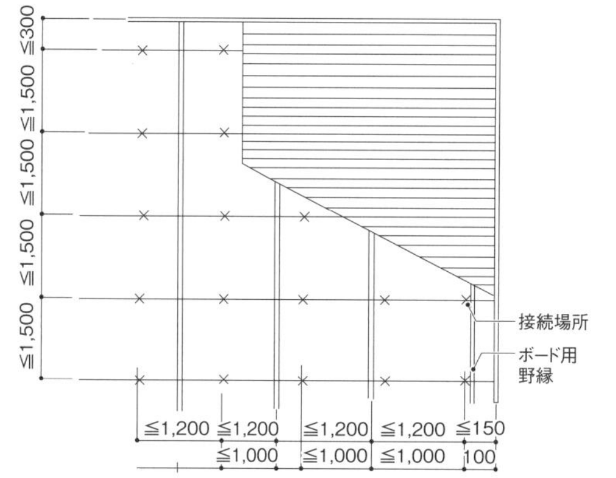

≦300
≦1,500
≦1,500
≦1,500
≦1,500
接続場所
ボード用
野縁
≦1,200 ≦1,200 ≦1,200 ≦1,200 ≦150
≦1,000 ≦1,000 ≦1,000 100

耐高負荷鋼板を使用した場合

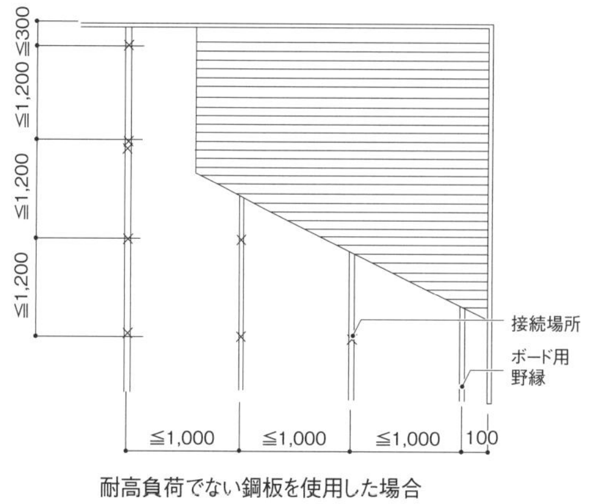

≦300
≦1,200
≦1,200
≦1,200
接続場所
ボード用
野縁
≦1,000 ≦1,000 ≦1,000 100

耐高負荷でない鋼板を使用した場合

金属板天井は軽く、防湿性、防火性に優れ、種類が豊富で、設置が簡単かつ迅速に可能、点検が簡単などの長所があるため、広く取り入れられている。特に体育館、駅、食堂、通路や、湿度の高い厨房、トイレ、あるいはコンピュータールーム、客間などに用いられる。

金属板天井の材質はアルミ合金と色彩鋼板で、表面に換気口があるものとないもの、凹凸があるものとないものがある。形は正方形のものと長方形のものがある。さらに、梁を露出させることも隠すこともできる。

室内プールの金属板天井

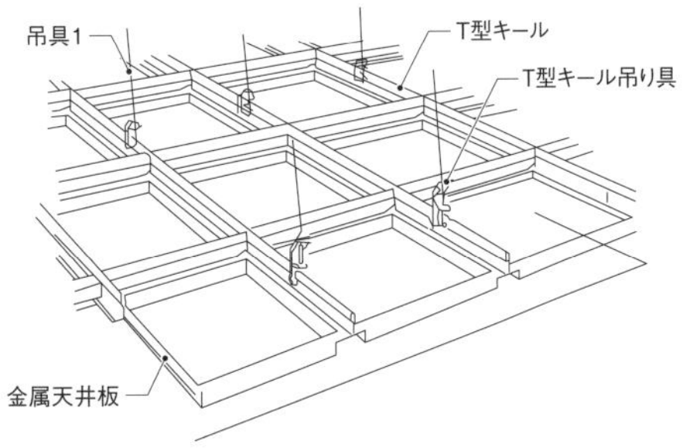
吊具1
T型キール
T型キール吊り具
金属天井板

キール露出金属板天井

金属天井版

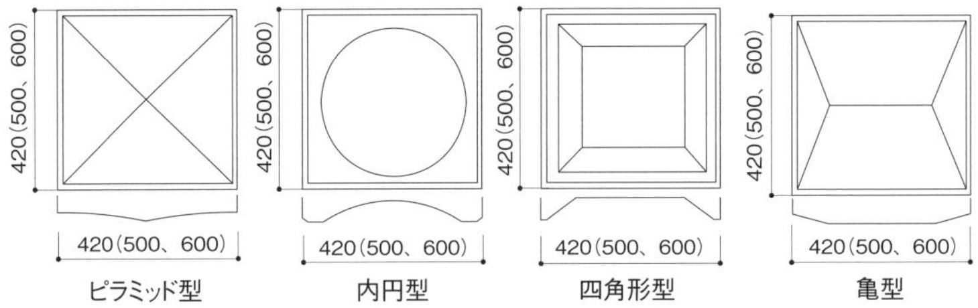
420(500、600)
420(500、600)
ピラミッド型
420(500、600)
420(500、600)
内円型
420(500、600)
420(500、600)
四角形型
420(500、600)
420(500、600)
亀型

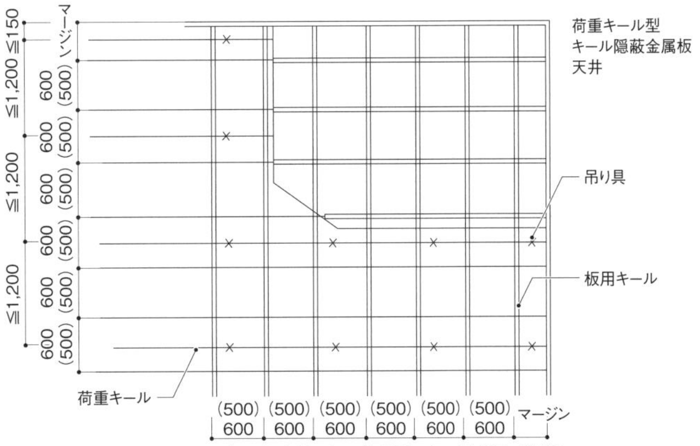
マージン ≦150
≦1,200
600 (500)
600 (500)
≦1,200
600 (500)
600 (500)
≦1,200
600 (500)
600 (500)
荷重キール型
キール隠蔽金属板
天井
吊り具
板用キール
荷重キール
(500) (500) (500) (500) (500) (500) マージン
600 600 600 600 600 600
≦1,200 ≦1,200 ≦1,200 ≦150

キール隠蔽金属板天井

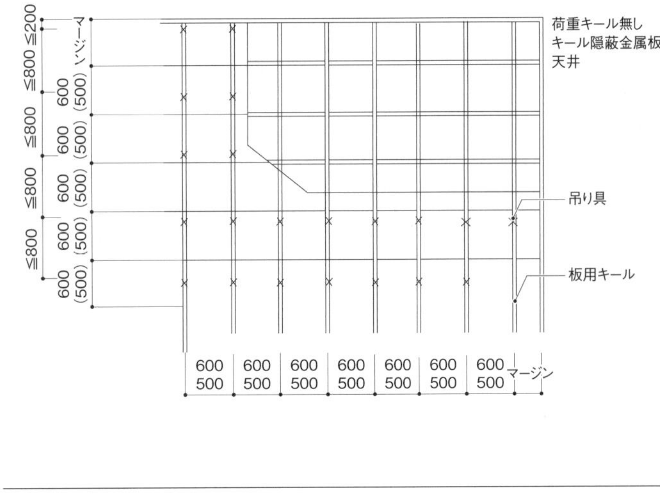
マージン ≦200
≦800
600 (500)
≦800
600 (500)
≦800
600 (500)
≦800
600 (500)
600 (500)
荷重キール無し
キール隠蔽金属板
天井
吊り具
板用キール
600 600 600 600 600 600 600 マージン
500 500 500 500 500 500 500

亀型金属板天井を用いたダイニング空間

金属格子の吊天井は、金属板天井と似たところがある。吊り板の平面は地面に対して垂直であるが、表面が井型の格子になっており、表面をより美しく見せられる。

金属格子天井は開放式吊天井に属すため、天井の上部を隠さなければならない。金属格子天井の材質は、アルミ合金板と鋼板の2種類である。金属格子天井は正方形で、規格は決まっている。

ショールームの金属格子天井

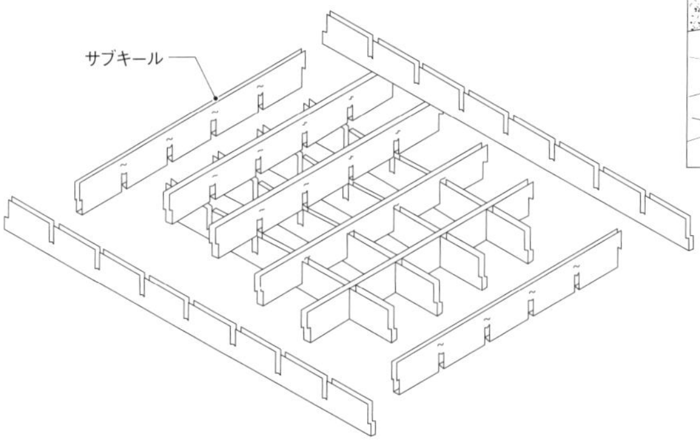
サブキール

アルミ合金格子天井

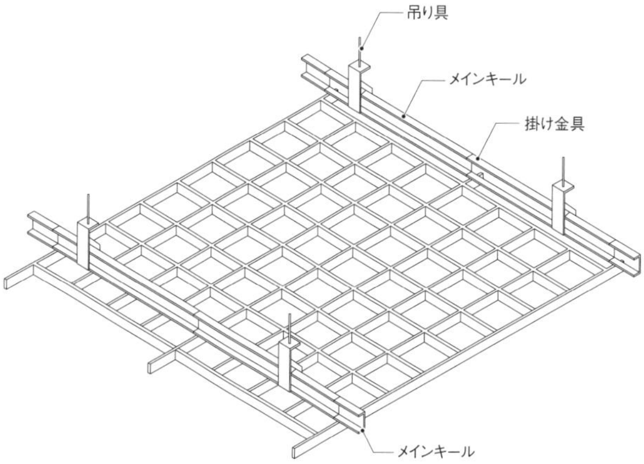
吊り具
メインキール
掛け金具
メインキール

アルミ合金格子天井の構造

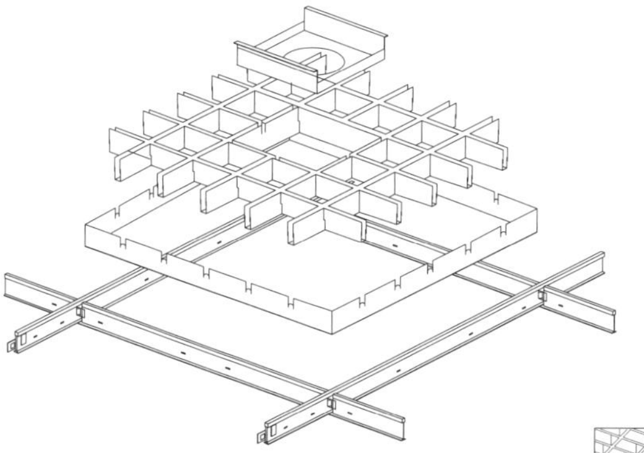

格子型天井照明組み立て図

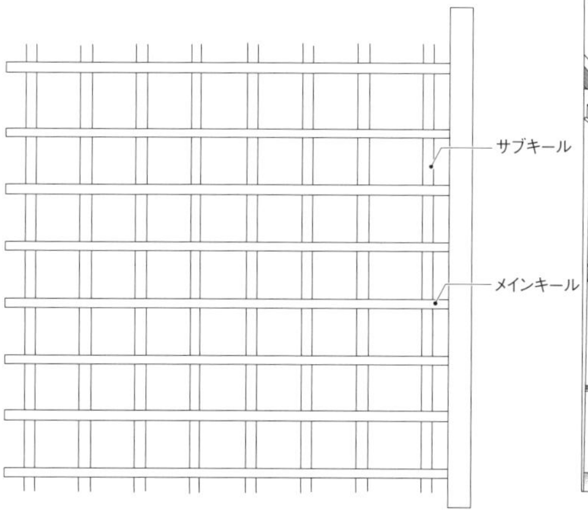
サブキール
メインキール

アルミ合金格子天井平面図

オフィスビル通路のアルミ合金格子天井

金属パーツ吊天井は大型建築施設でよく見る金属製吊天井であり、空港、地下鉄などの大型公共施設に用いられることが多い。吊天井を組み立てるとき、金属板の表面は地面に対して平行ではなく垂直にするので、天井上部から自然光か人工照明で照らし、柔らかな光と独特な雰囲気を演出できる。防火性、防湿性に優れ、簡単に点検、洗浄できることが特徴である。

高さは100mm、150mmと200mmの3種類があり、50mm、100mm、150mm、200mm間隔でキールに固定する。

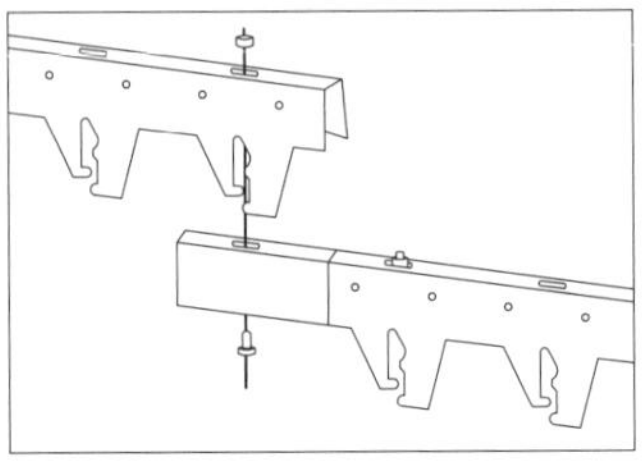

金属パーツ吊りキール

鉄道駅の金属パーツ吊天井

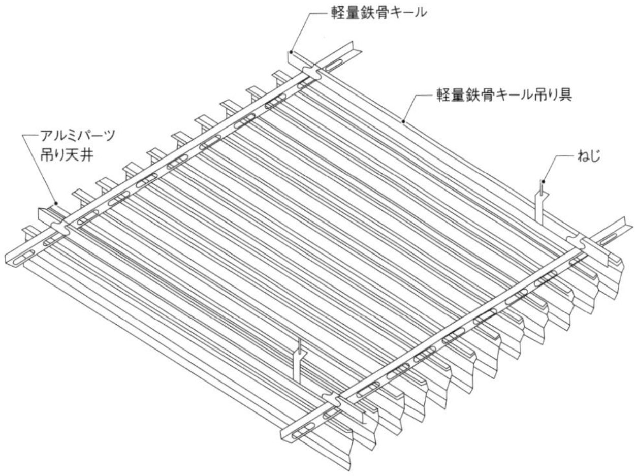
軽量鉄骨キール
軽量鉄骨キール吊り具
アルミパーツ
吊り天井
ねじ

金属パーツ

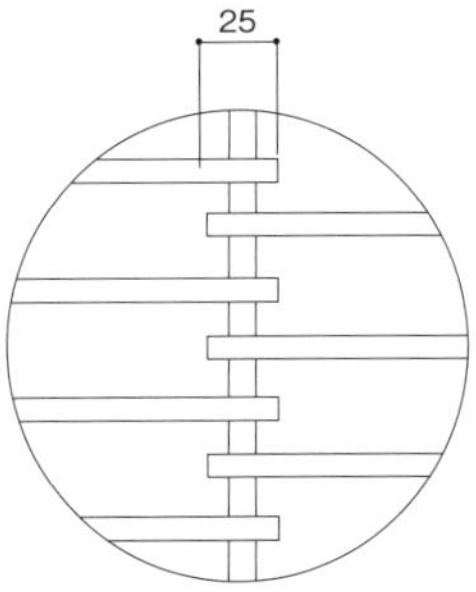
25

交差式設置法

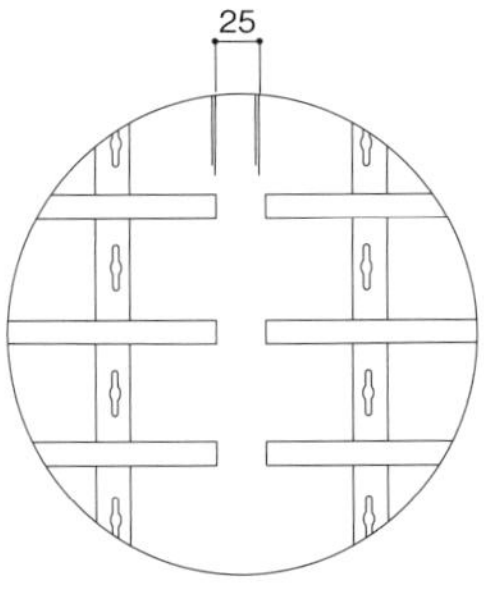
25

間隔式設置法

地下鉄駅の金属パーツ吊天井

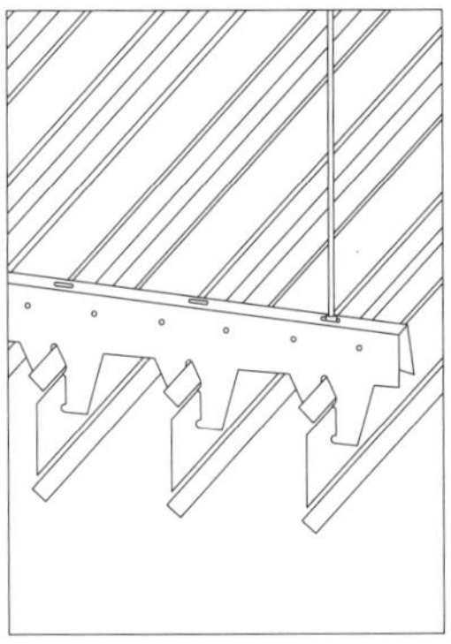

節点図1

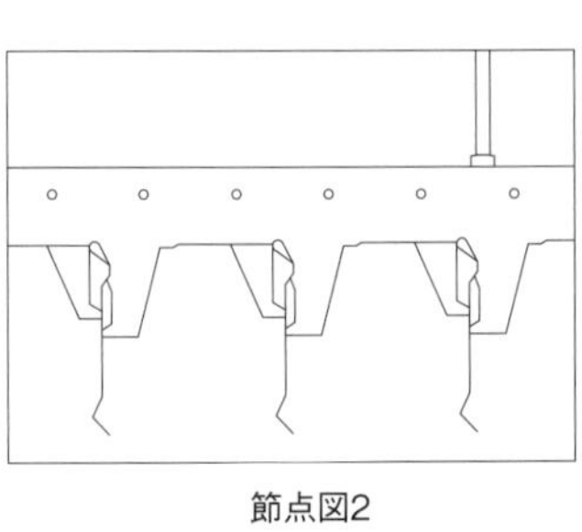

節点図2

生活水準や生活の質が高まるにしたがい、消毒器は、現代住宅における健康生活に欠かせないものになってきている。

高温消毒は伝統的な消毒方法であり、広く知られる消毒方式である。高温消毒器以外にも、オゾン消毒器や紫外線消毒器、遠赤外線消毒器など、化学や光学を利用した消毒器がある。これらは消毒時の温度が低く、70℃を超えることはない。消毒後の食器をすぐに取り出しても壊れる心配がない。

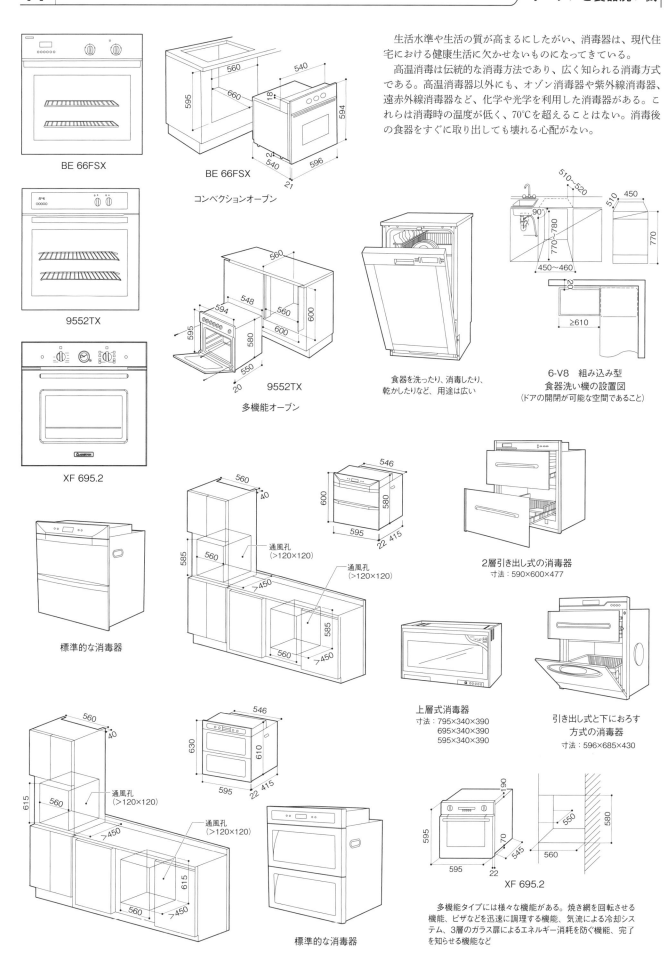

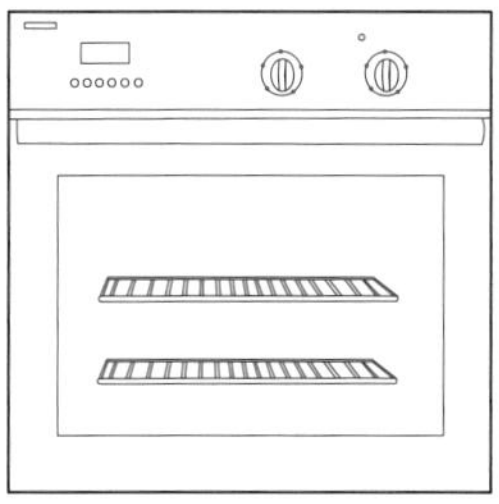

BE 66FSX

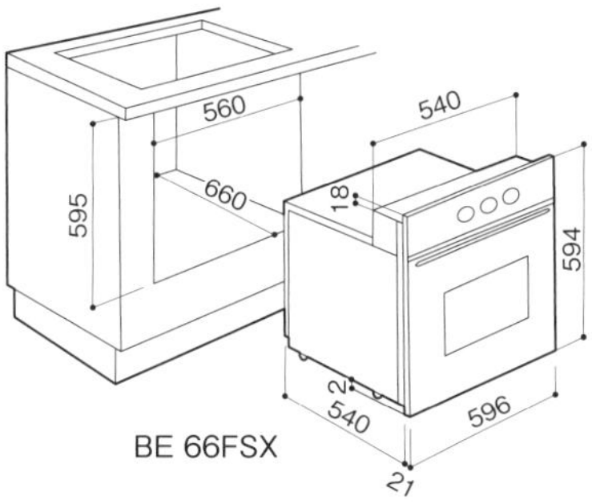
560
540
595
660
18
594
2
540
596
21

BE 66FSX

コンベクションオーブン

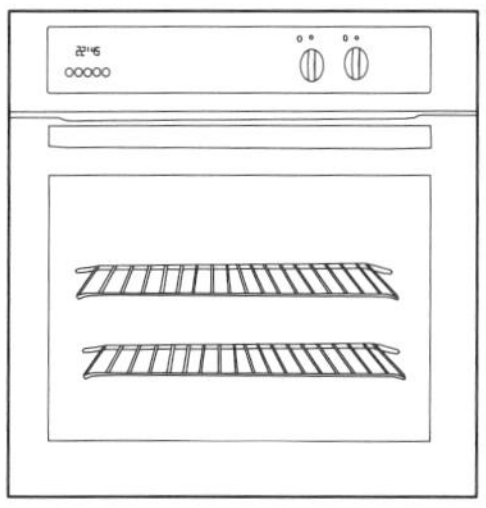

9552TX

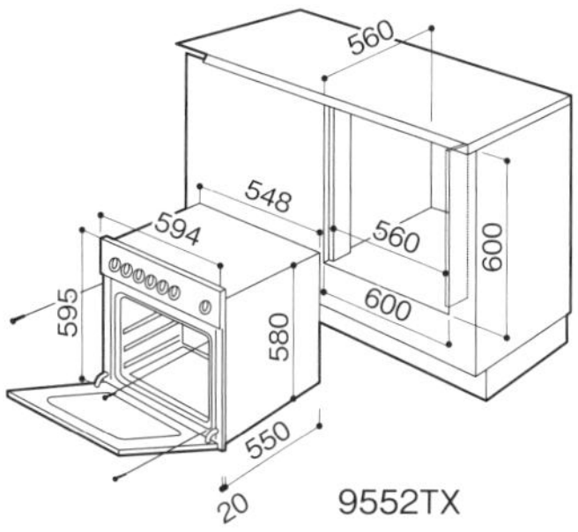
560
548
594
560
600
595
580
600
550
20

9552TX

多機能オーブン

XF 695.2

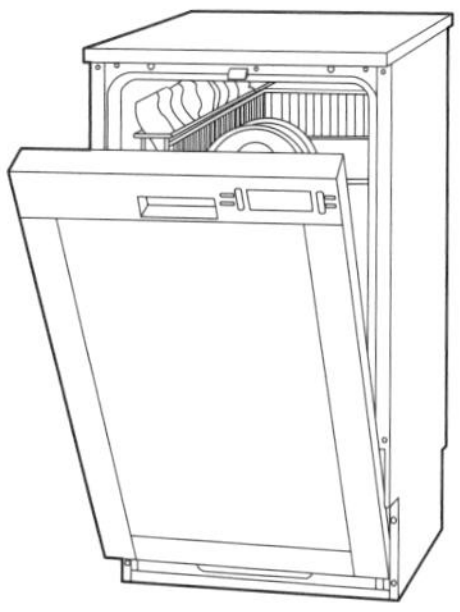

食器を洗ったり、消毒したり、乾かしたりなど、用途は広い

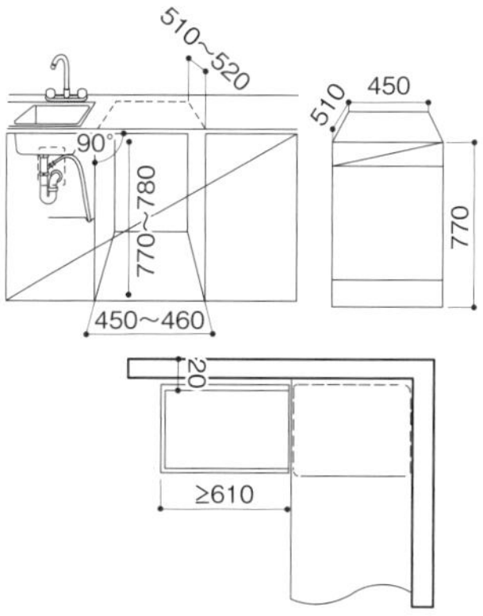
510~520
450
510
90°
770~780
770
450~460
20
≥610

6-V8　組み込み型
食器洗い機の設置図
（ドアの開閉が可能な空間であること）

標準的な消毒器

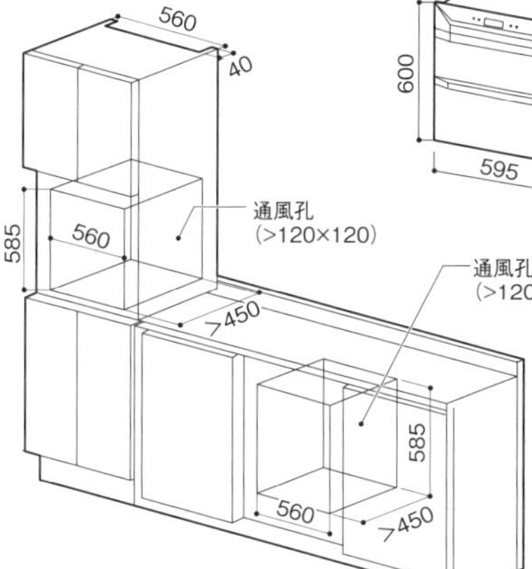
560
40
585
560
通風孔
(>120×120)
通風孔
(>120×120)
>450
585
560
>450

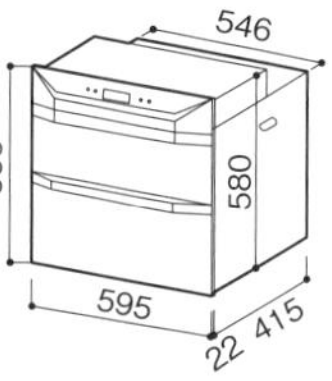
546
600
580
595
22
415

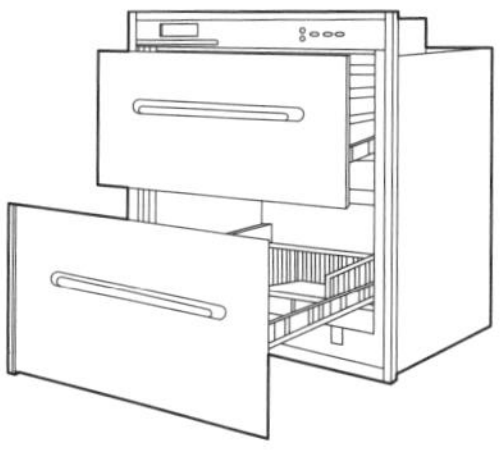

2層引き出し式の消毒器
寸法：590×600×477

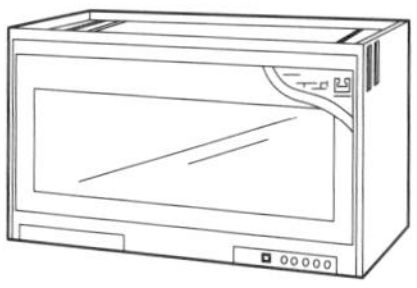

上層式消毒器
寸法：795×340×390
695×340×390
595×340×390

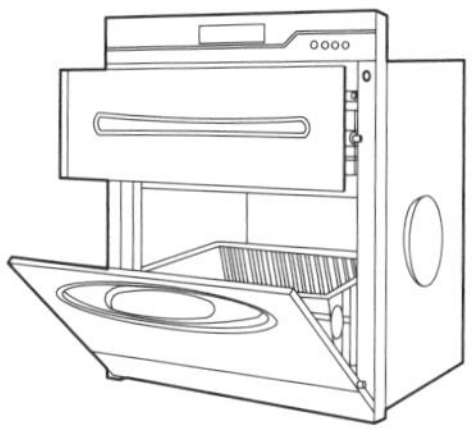

引き出し式と下におろす方式の消毒器
寸法：596×685×430

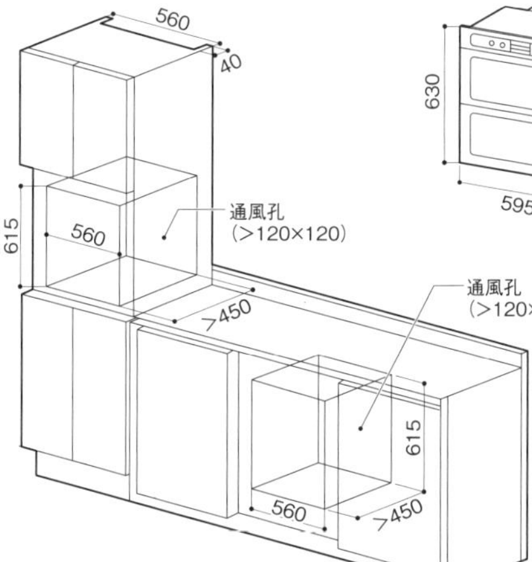
560
40
615
560
通風孔
(>120×120)
>450
通風孔
(>120×120)
615
560
>450

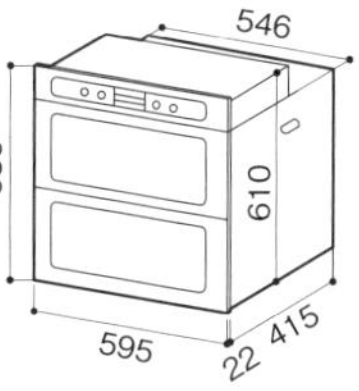
546
630
610
595
22
415

標準的な消毒器

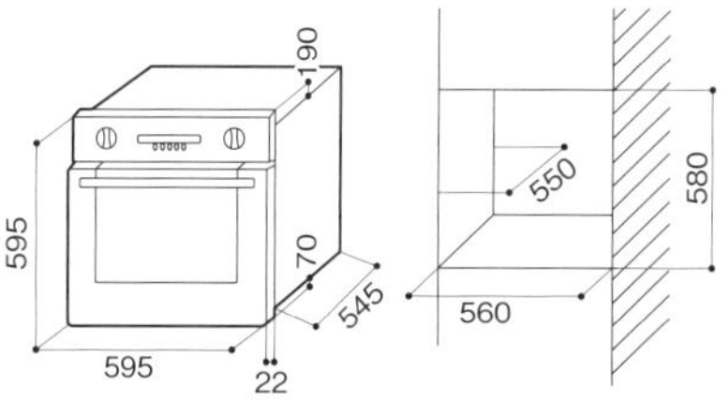
190
595
70
545
595
22
550
580
560

XF 695.2

多機能タイプには様々な機能がある。焼き網を回転させる機能、ピザなどを迅速に調理する機能、気流による冷却システム、3層のガラス扉によるエネルギー消耗を防ぐ機能、完了を知らせる機能など

蛇口は室内装飾の必須品である。多く使われているのは冷水と温水が両方出るもの、洗面器用の蛇口、浴槽用の蛇口、シャワー蛇口の4種類がある。

普通の蛇口の構造は、レバーの昇降によって栓を開閉する方式のものが多い。洗面器の蛇口は冷水か熱水、またはその混合水を出す。これはレバー昇降式か金属の栓を回す方式か、セラミックのスプールを操作する方式である。浴槽用蛇口でこのところ多いのは、レバーが1つのものである。その方式は1本のレバーで簡単に温度調節ができ、水漏れも起こりにくい。シャワー蛇口にはレバー昇降式が使われている。

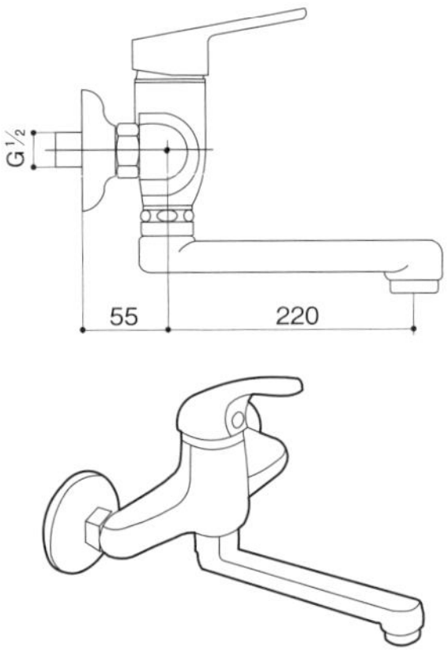
G½
55
220
M03204 横型浴槽蛇口

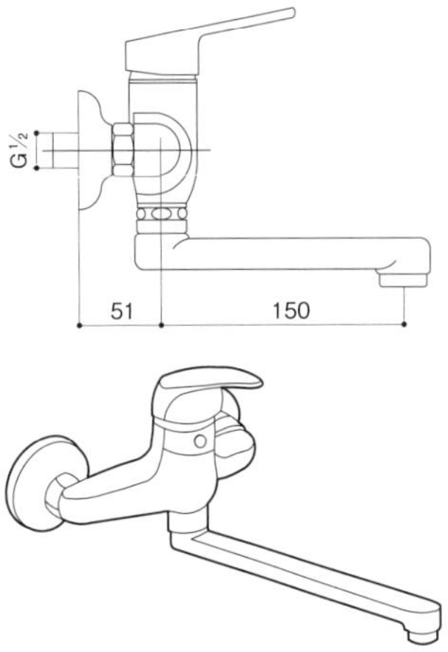
G½
51
150
M03004 横型浴槽蛇口

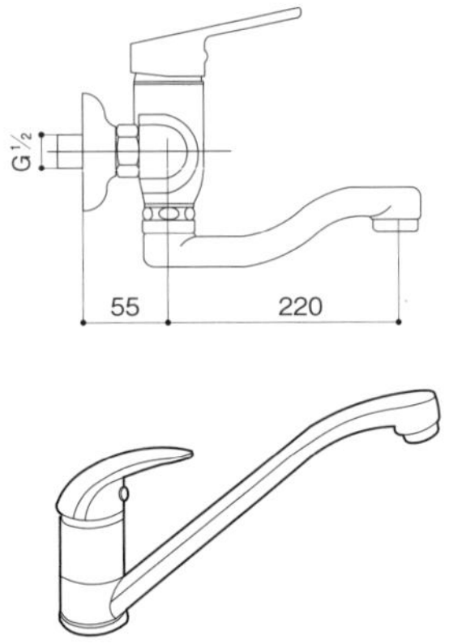
G½
55
220
M00406 縦型浴槽蛇口

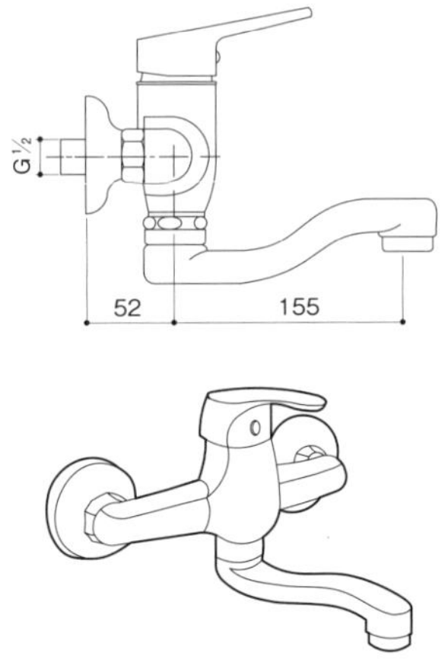
G½
52
155
M02504 横型浴槽蛇口

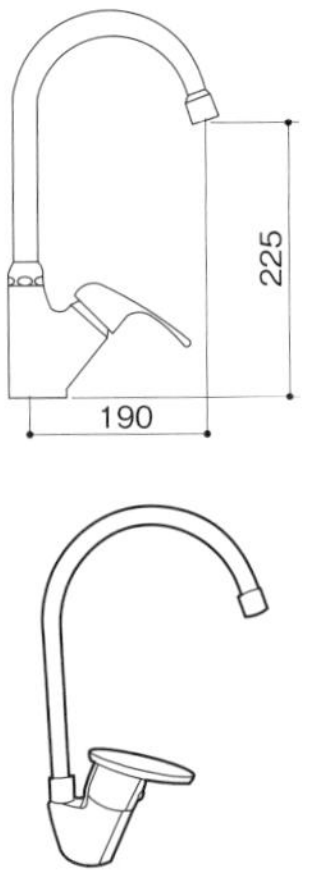
225
190
M04008 縦型厨房蛇口

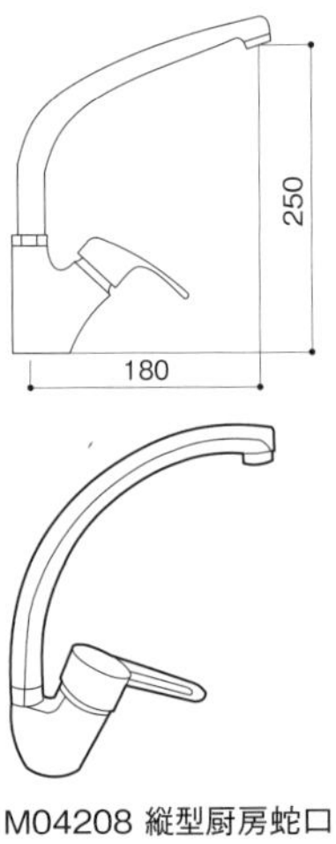
250
180
M04208 縦型厨房蛇口

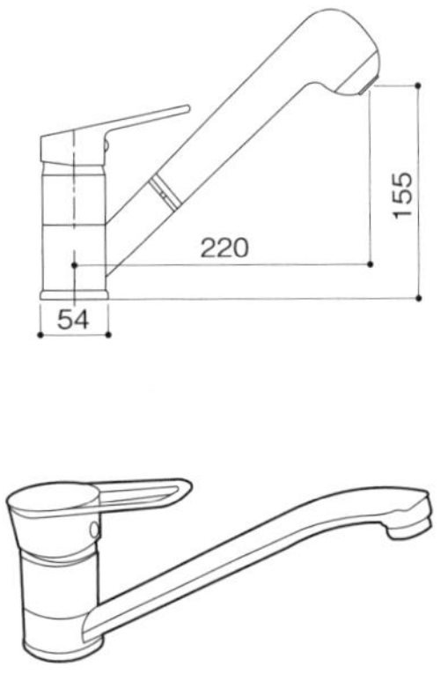
155
220
54
M04106 縦型厨房蛇口

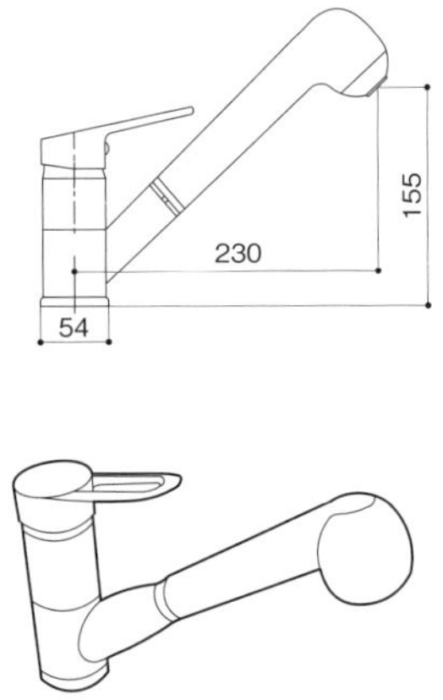
155
230
54
M04107 引き出し式厨房蛇口

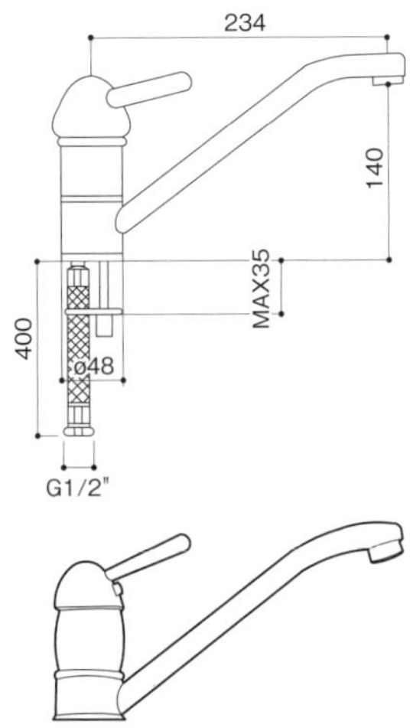
234
140
MAX35
400
ø48
G1/2"
F85690C 厨房蛇口

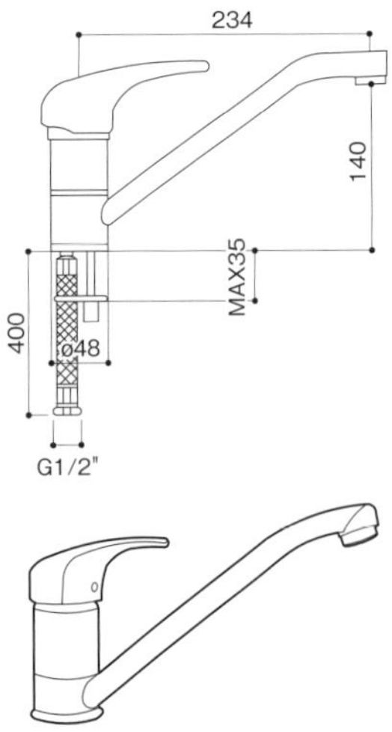
234
140
MAX35
400
ø48
G1/2"
F2112C 厨房蛇口

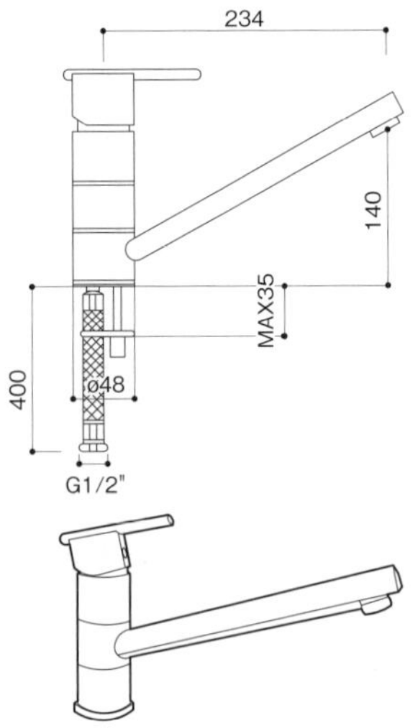
234
140
MAX35
400
ø48
G1/2"
F85602C 厨房蛇口

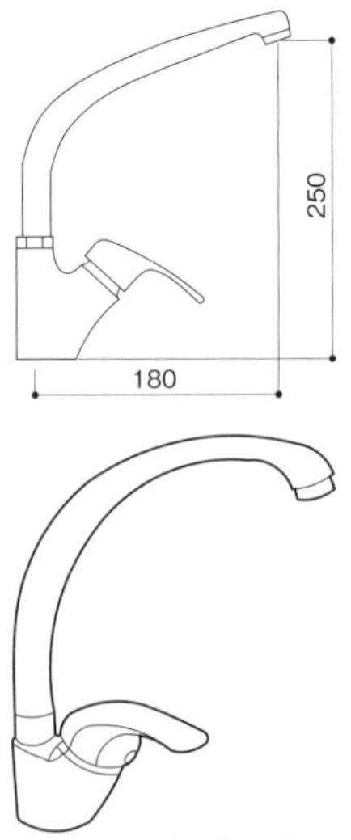
250
180
M01301 縦型厨房蛇口

シンクは厨房の中で必要不可欠な道具であり、一般的に台所の収納庫の上に設置される。伝統的な陶製の物はすでになくなり、現在はステンレスのシンクが主流である。

ステンレスシンクには単槽、双槽などがある。ステンレスシンクは傷つきにくく、光沢があり、高い人気がある。

人造結晶石シンクは結晶石あるいは石英と樹脂を混合して作ったものである。このような材料はシンクに高い耐腐性を与える。

ステンレスシンク

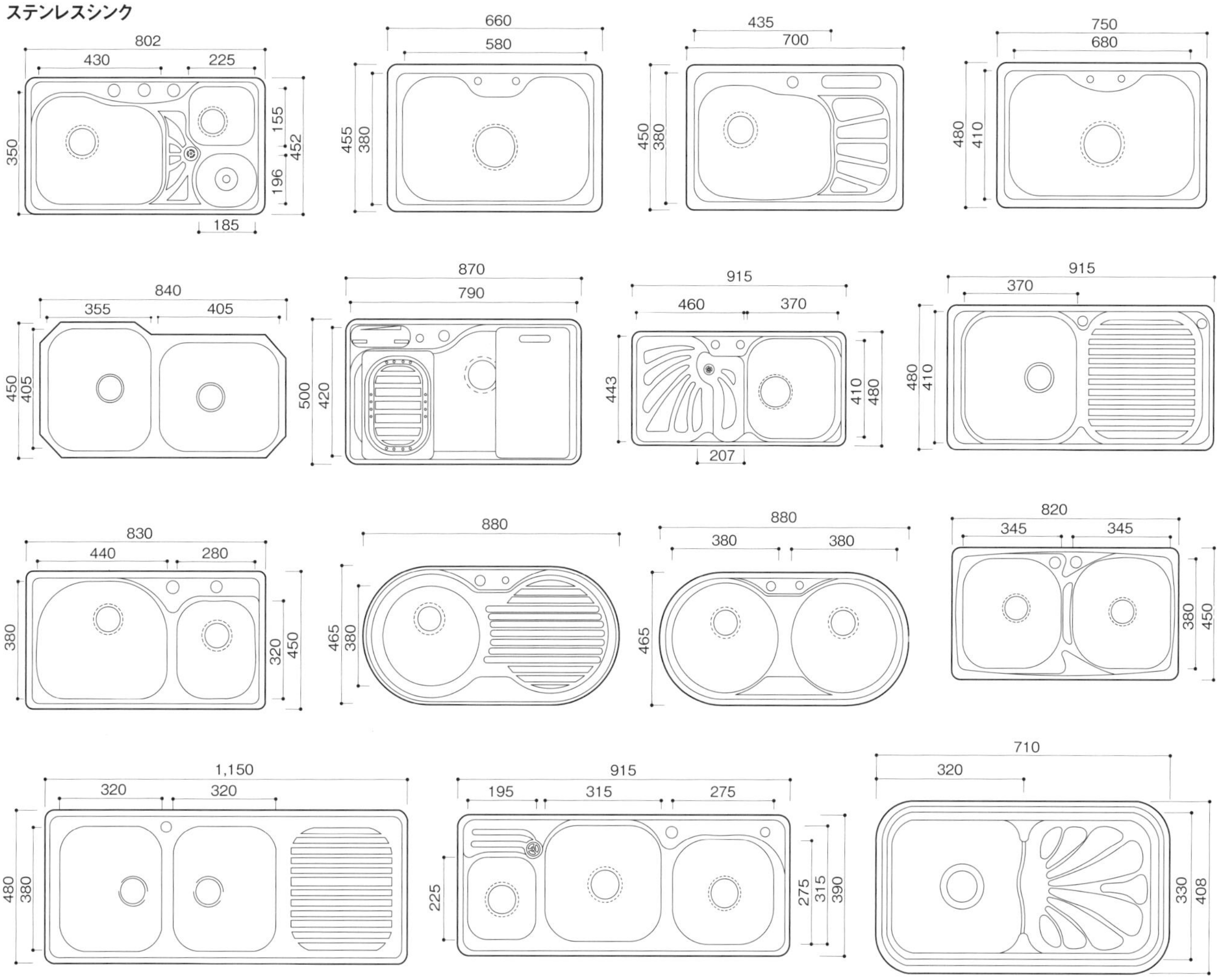
802
430
225
350
155
452
196
185
660
580
455
380
435
700
450
380
750
680
480
410
840
355
405
450
405
870
790
500
420
915
460
370
443
410
480
207
915
370
480
410
830
440
280
380
320
450
880
465
380
880
380
380
465
820
345
345
380
450
1,150
320
320
480
380
915
195
315
275
225
275
315
390
710
320
330
408

シンク部品

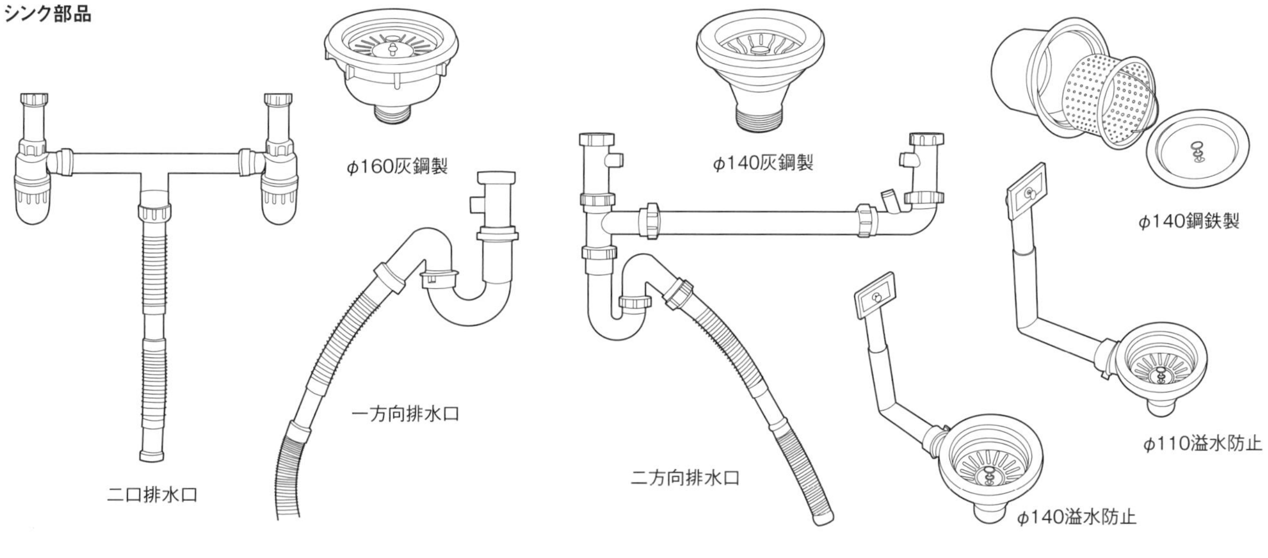
φ160灰鋼製
φ140灰鋼製
φ140鋼鉄製
一方向排水口
二口排水口
二方向排水口
φ110溢水防止
φ140溢水防止

1. 天然木戸板

天然木をつなぎ合わせて加工されたものである。よくある材木の種類にはクヌギ、ウォルナット、ブナ、ハンノキ、ペアーウッド、チェリー材、カエデ材などがある。天然木の色と天然の木目の自然な美感を生かし、上品さ、貴重さを示すことができるが、天然材木は乾燥した後は変形しやすい。

2.PVC シート被覆ドア

中密度板をCNCフライス盤で切削して成型させる。シミュレーションプリント薄膜をコーティング機でフライス切削した中密度ドア板を被覆させる。戸板の背面を除いて、残りの5つの面はすべてPVC膜で被覆する。PVC薄膜は擬木紋様、擬石紋様、擬革紋様、擬織物などをプリントすることができる。5つの面にPVCを被覆するため、比較的高い耐湿性がある。その品質はPVC薄膜の品質によって決められる。

3. ラッカー塗装ドア

中密度板をCNCフライス盤で切削して成型し、さらに高級なピアノ塗料を塗装し、表面は色彩鮮やかで美しく、光沢度は非常に高く、なめらかで掃除しやすい。表面の硬度は2Hのため、硬い物や鋭い器具で擦ってはならない。一度傷あとが残ると、修繕は不可能である。

4. アクリル戸板

処理を経たアクリル(有機ガラス)薄板をカラー塗装のブロック・ボードで加工した戸板に張り合わせて製作する。表面はつるつるして明るく、水晶の表面に似ている。アクリル材料の硬度は比較的低く、硬い物、鋭い道具によって擦れやすく、表面輝度の永続性に影響することがある。

5. 薄木壁板の複合ドア

貴重な木材で加工した薄板を利用し、さらに高温・高圧で基材の上に戸板を加工する。天然木の自然な美感を有し、現在欧州で最も流行しているデザインで、掃除しやすい。成型・塗装後は変形せず、天然木ドアと同じく長く使える。

6. 防火合板製戸板

防火合板にゲルを施した後に基材(ブロック・ボードまたはプラスターボード)にプレスし張り合わせて、戸板の周辺にPVCエッジテープを封入する。防火合板は色彩鮮やかで美しく、多彩であるため、選択肢が多く、また掃除しやすい。防湿性に優れ、耐高温で、摩擦に強く、現在多用される材料としては価格が比較的低い。

7. 防火合板製壁板ドアの四辺に天然木枠を嵌める

防火合板のドア芯材の四辺に天然木のドアフレームを嵌め、枠材は良質な木材(ブナ、クヌギ、カエデなど)を採用し、防火合板の多彩な色と模様を天然木材のドアフレームと結び付けて、食器棚の扉を古典的でもあり、近代的でもあるようにする。天然木製ドアと比較すると、掃除が容易で、現在の欧州で流行している製品である。

戸棚各部分の名称

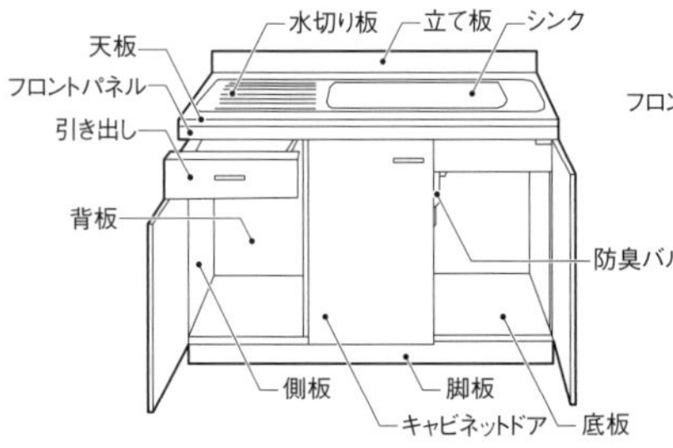
天板
フロントパネル
引き出し
背板
水切り板
立て板
シンク
防臭バルブ
側板
脚板
キャビネットドア
底板

シンク台(1シンク)

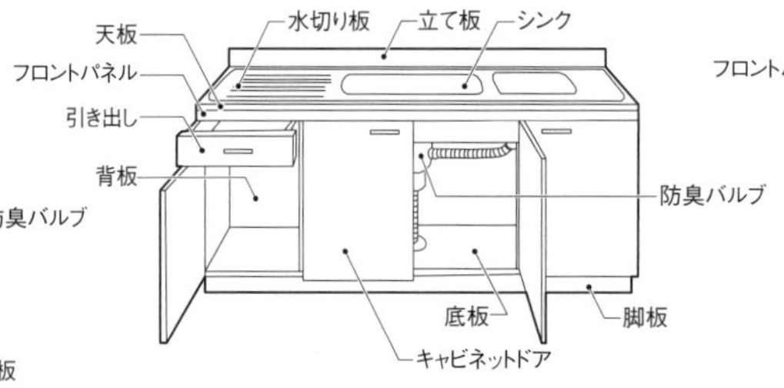
天板
フロントパネル
引き出し
背板
水切り板
立て板
シンク
防臭バルブ
底板
脚板
キャビネットドア

シンク台(2シンク)

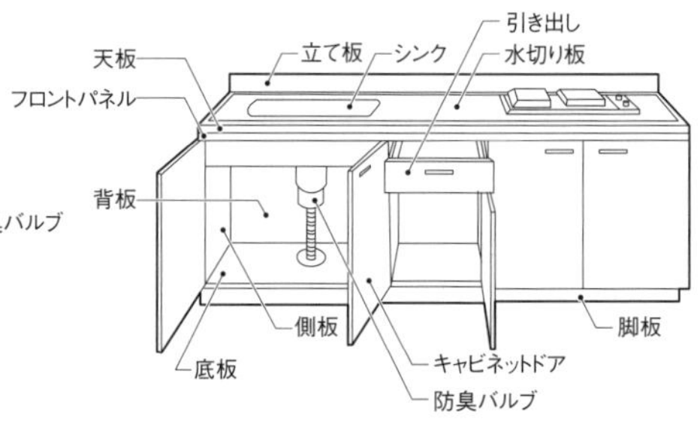
天板
フロントパネル
背板
立て板
シンク
引き出し
水切り板
側板
脚板
キャビネットドア
防臭バルブ
底板

シンク台(複合型)

天然木ドア

キャビネットドア板及び部品

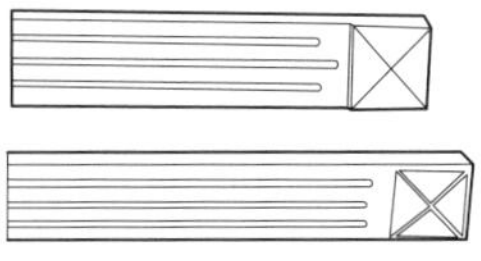

マーブル柱

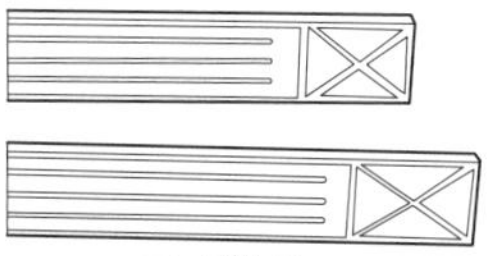

マーブル柱

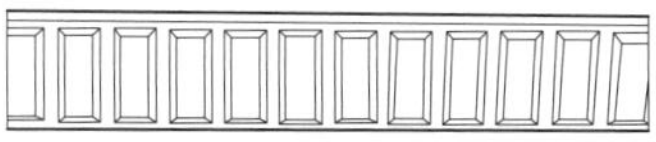

CNCランプライン（ボトムライン）

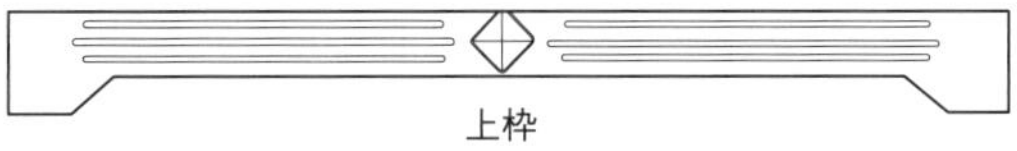

上枠

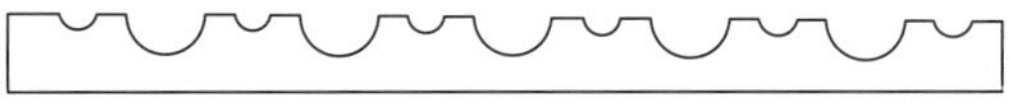

酒棚

プレスライン

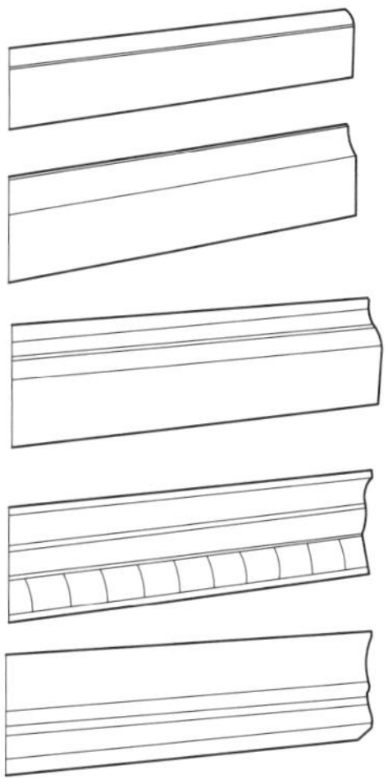

プレスライン

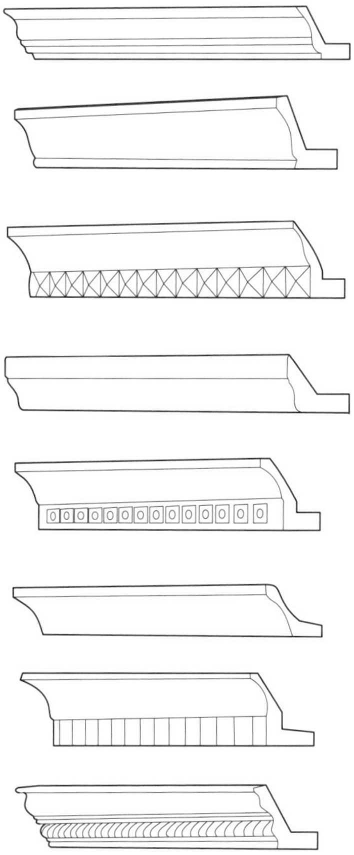

装飾桟

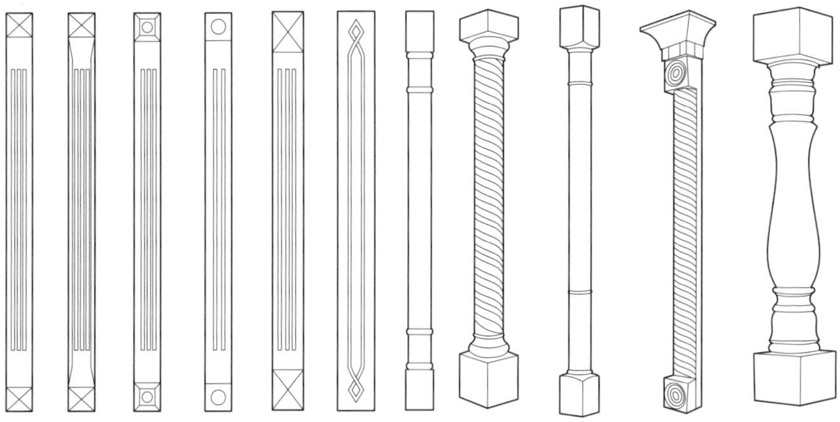

天然木頂部桟

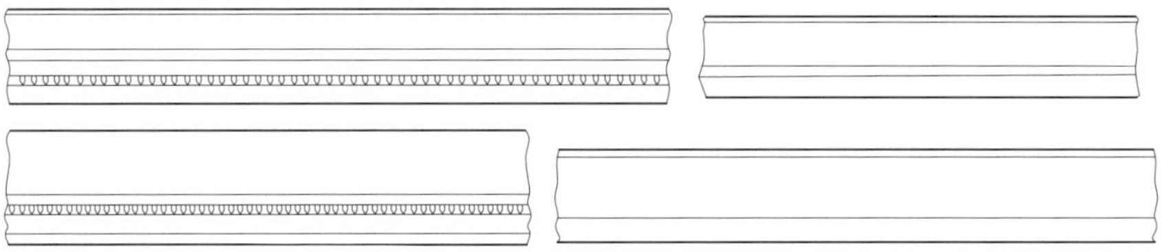

下部桟

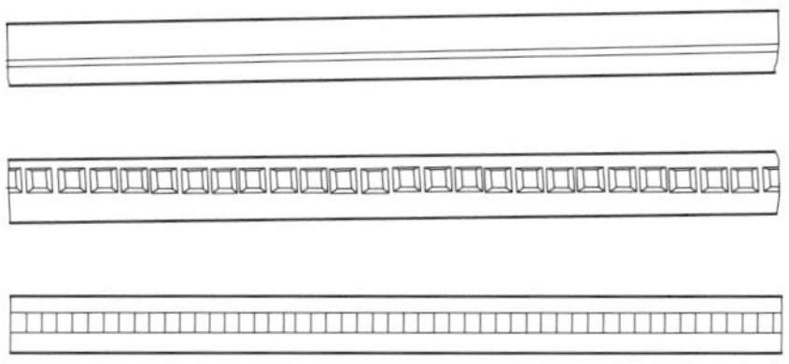

天然木ドア

上部桟

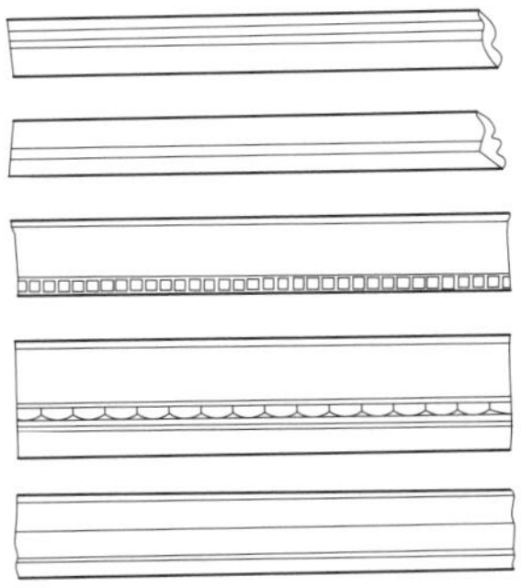

天然木ガードフレーム

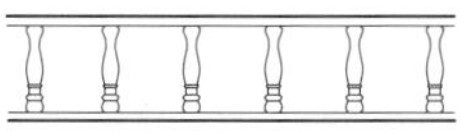

天然木桟

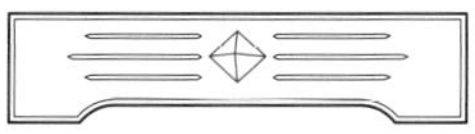

システム調理台一覧

1,200
9ドロワー・ガラス換気フード

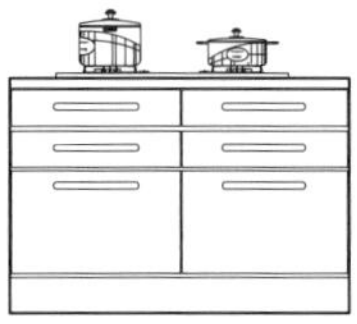
1,200
6ドロワー・ガラス換気フード

1,200
3ドロワー 2ワイヤーバスケット
換気フード

1,200
1ドロワー 2ワイヤーバスケット
換気フード

1,100
1ドロワー 2ワイヤーバスケット
換気フード

1,100
8ドロワー換気フード

1,100
11ドロワー換気フード

1,100
2ドロワー換気フード

900
1ドロワー換気フード

1,000
両開き換気フード

900
2ワイヤーバスケット換気フード

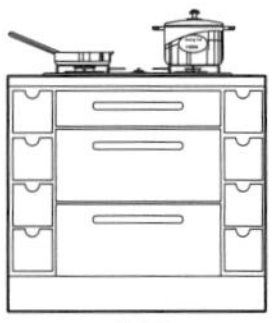
900
11ドロワー換気フード

900
3ドロワー換気フード

1,000
6ドロワー換気フード

1,000
3ドロワー 2ワイヤーバスケット
換気フード

単体戸棚一覧

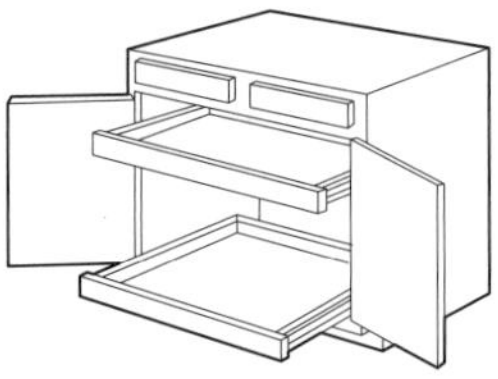
900×550
両開き2層引き出しボックス

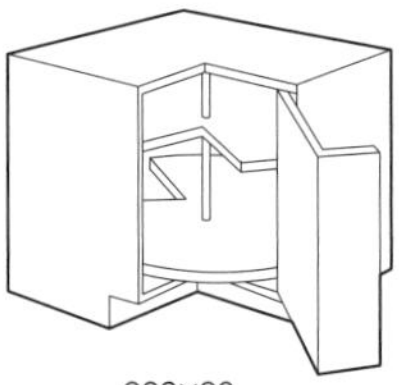
900×90
コーナー折り戸棚

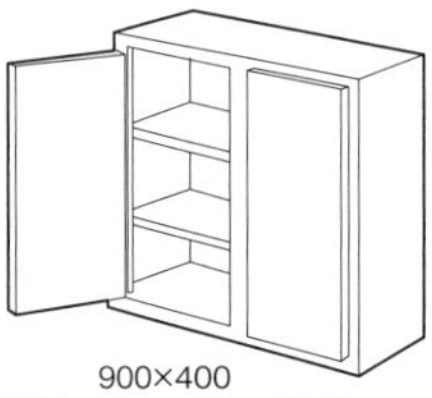
900×400
両開きシェルフボード壁棚

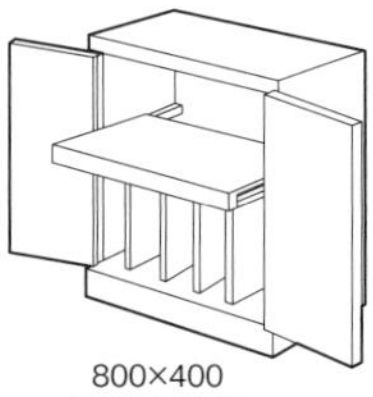
800×400
両開き壁棚

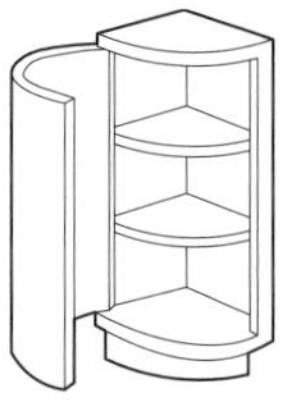
400×400
コーナー扇形壁棚

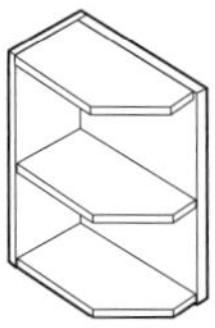
536×330/344×344
外角開放式底棚

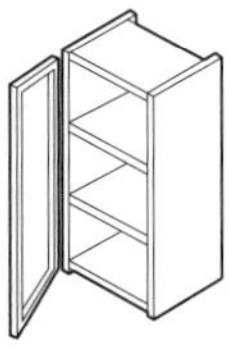
400/450/500/550/600/650
片開きまたは両開きの
ガラスアルミニウム枠壁棚

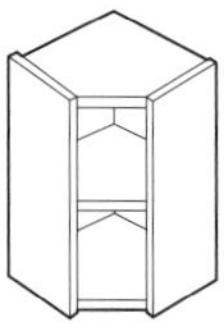
600×600
コーナー片開き
吊り棚

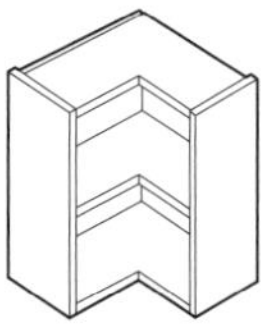
650×650
コーナー両開き付き
吊り棚

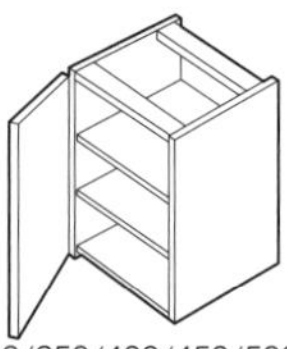
300/350/400/450/500/550
片開きシェルフボード底棚

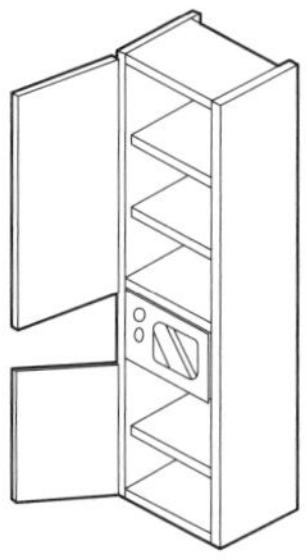
500/550/600
両開き電子レンジ
ボックス

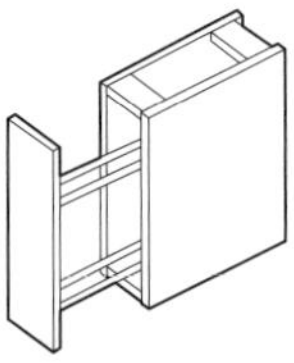
150/200/250/300/350
片開きワイヤー
バスケット底棚

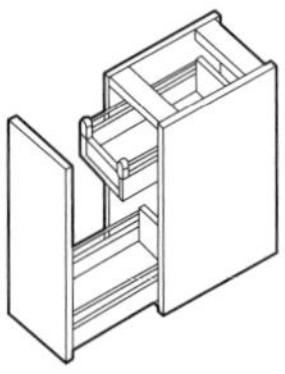
350/400/450/500/550
片開き2層引き出し底棚

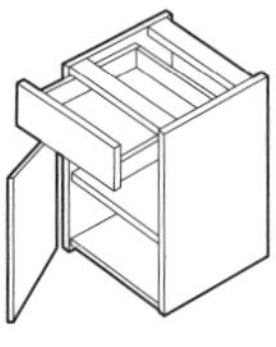
300/350/400/450/500/550
片開き1ドロワー底棚

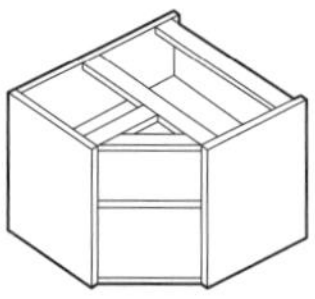
900×900
コーナー片開き底棚

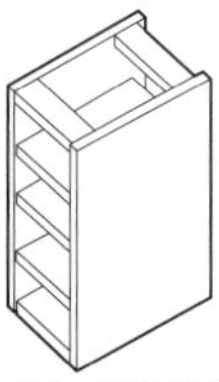
400/450/500/550/600/650
開放式底棚

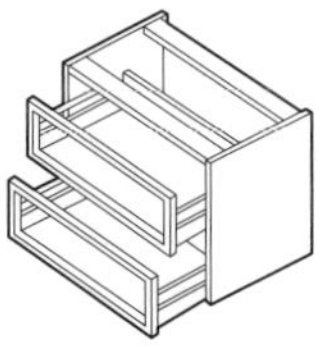
800×800/900×900
2ドロワーガラス
アルミニウム枠底棚

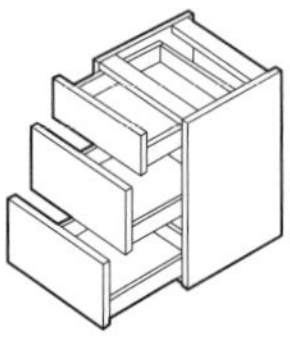
400/450/500/550/600/650
1浅2深3ドロワー底棚

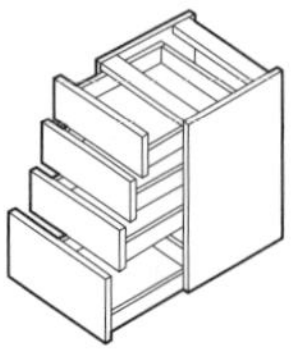
400/450/500/550/600/650
3浅1深4ドロワー底棚

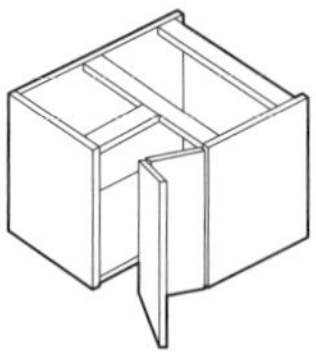
800×800/900×900
コーナー片開き底棚

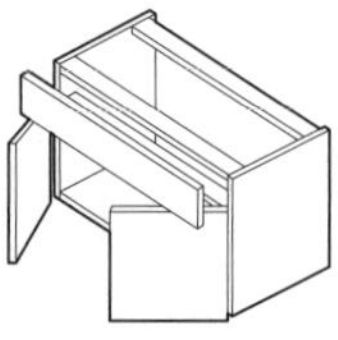
600/650/700/800/900
両開き流し台底柜

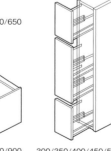

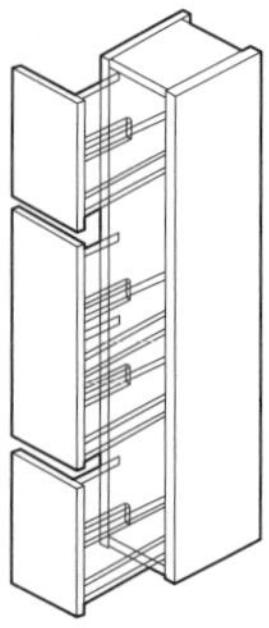
300/350/400/450/500
3開きワイヤーバスケット
キャビネット

システムキッチン

システムキッチンは食器棚と家電が有機的に結び付けられ、全体の空間を形成する。これはシステムキャビネットとは本質的な違いがあり、決して棚の重ね合わせではなく、家電の簡単な積み重ねでもなく、異なる設計理念とサービス品質を提供する。

キッチンにおける電化製品には統一感が求められる。たとえば、ブランドが統一された嵌め込み式冷蔵庫、嵌め込み式電子レンジ、嵌め込み式オーブン、嵌め込み式食器洗い機、嵌め込み式乾燥消毒機、嵌め込み式油煙排出機などの専用電器を採用するとよい。また、電源分配と電源のソケットに対して合理的な配置を行わなければならず、さらに騒音処理、放熱処理、共振処理、ガス源、水源、電源接続をシステムキッチンの設計に盛り込まれなければならない。

キッチンの造形と動線は利用者の調理フローを考慮する必要がある。さらに、面積の大きさや空間構造もキッチンの配置にあたり考慮しなければならない要素である。

オープンキッチン

オープンキッチンは現代的なキッチンの新たな形である。このキッチンの設計にあたってはダイニング、客間、ひいては寝室との調和が必要になる。そのため、キッチンの様式と色はほかの部屋と一致させなければならず、これまでよく使われたホワイトは、今では浅い色ややさしくて温かみのある色に取って代わっている。家具はプロ向け設備を流用し、高さが異なるテーブルや階段状の棚を用意し、シンクや調理設備の横には、はねを防止する板を設け、ステンレスを使用する。ものを見つけやすく取り出しやすいように、戸棚は一般的にオープン式のものを設置する。ほかの食器棚にはガラス扉、金網扉またはキャビネットドアを取り付ける。

キッチンの設計においては流行の要素を考慮し、適した色調を選び、シンプルなスタイルを採用し、更にそのほかの空間との調和を重視する。キッチンはもはや独立した空間ではなく、生活のそれぞれの空間と有機的に結びつけるものとなっている。

L形キッチンイメージ図

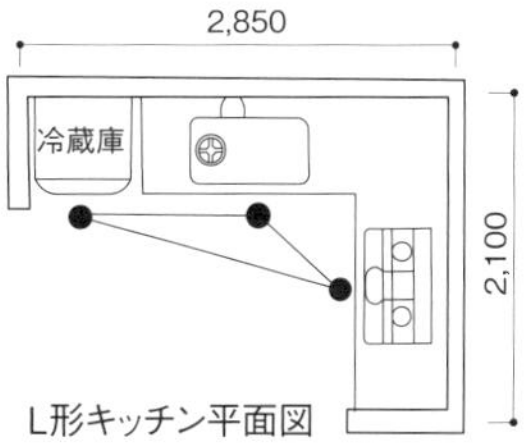
2,850
冷蔵庫
2,100

L形キッチン平面図

L形キッチン

適用対象：面積が比較的狭い四角形の空間。レストランのオープンキッチン、または独立したキッチン空間にも適用できる

動線配置：流し台とガスコンロを同一プラットフォームに置いてはならず、キッチンは空間に応じて大きさを調整する

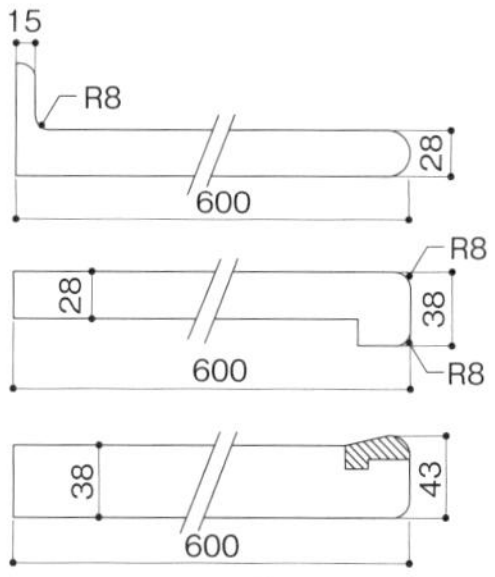
15
R8
28
600
28
R8
38
600
R8
38
43
600

キッチンテーブルのサイズ

26

丸い末端

28

四角の末端

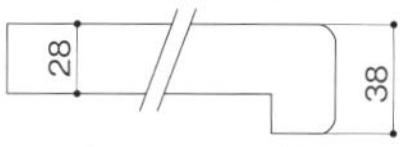
28
38

垂れ下がった末端

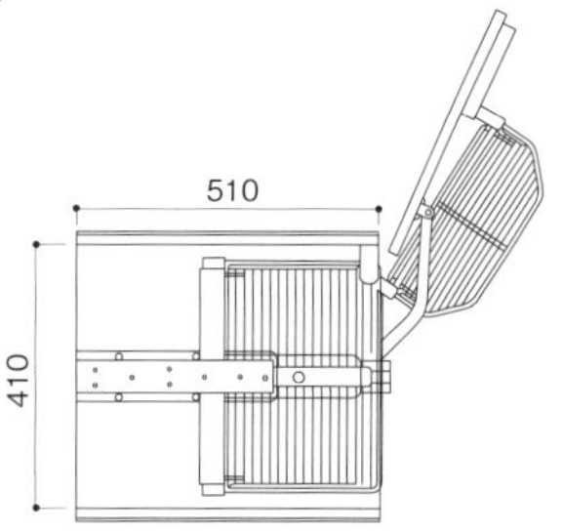
510
410

キッチン150°引延棚の取り付け

型式	幅×奥×高
SL5300	380×510×1,225~1,515
SL5300-1	380×510×1,765~2,065

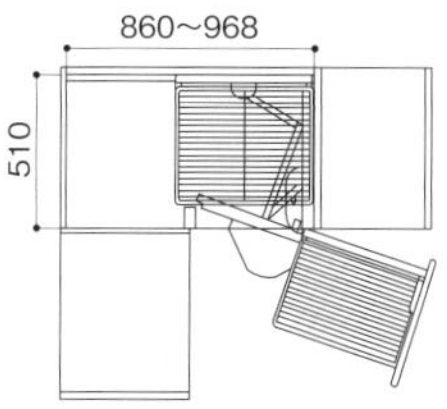
860~968
510

回転ワイヤーバスケット

型式	幅×奥×高	棚体寸法
SL5200	860~960×500	900~1,000

アイランドキッチンイメージ図

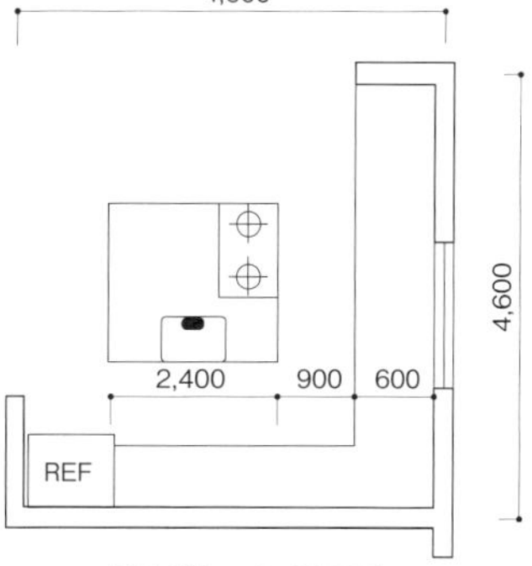
4,600
4,600
2,400
900
600
REF

アイランドキッチン平面図

アイランドキッチン

適用対象：面積が比較的大きなキッチン空間。動線配置：既存のL形棚体の外に、別途中央に作業台を設置する。作業台ではまな板とガスコンロとの位置は45㎜以上の距離を維持すると安全である。調理台、バーカウンター、食卓、机等を備えることができる。ガスコンロの位置は調理の習慣を考慮し、ゆっくりと弱火で煮込む調理が多い場合は、ガスコンロを中央の作業台に設置することができる。強火で素早く炒める中国式調理方法が多ければ、ガスコンロを窓に近いプラットフォームに設置するほうが良い

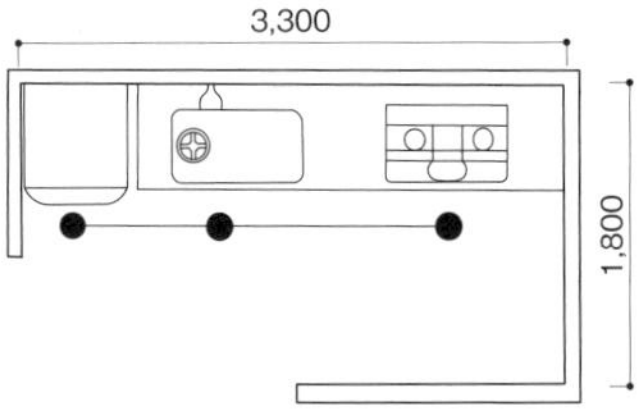
3,300
1,800

I形キッチン平面図

I形キッチン

適用対象：長狭型キッチン空間

動線配置：左から右へ：冷蔵庫→調理場→流し台→調理場→加熱調理場→配膳場

右から左へ：配膳場→加熱調理場→調理場→流し台→調理場→冷蔵庫

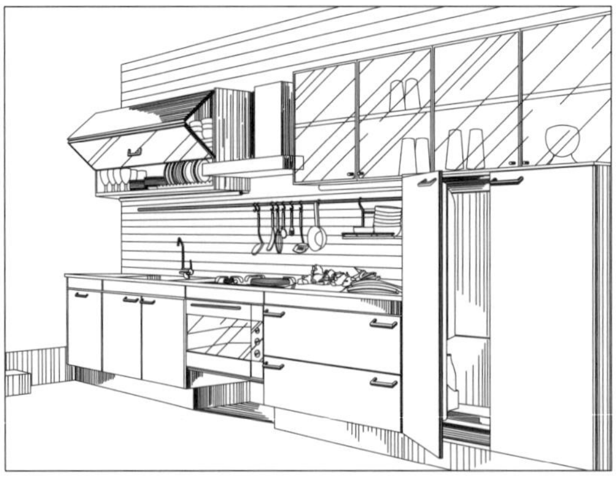

I形キッチンイメージ図

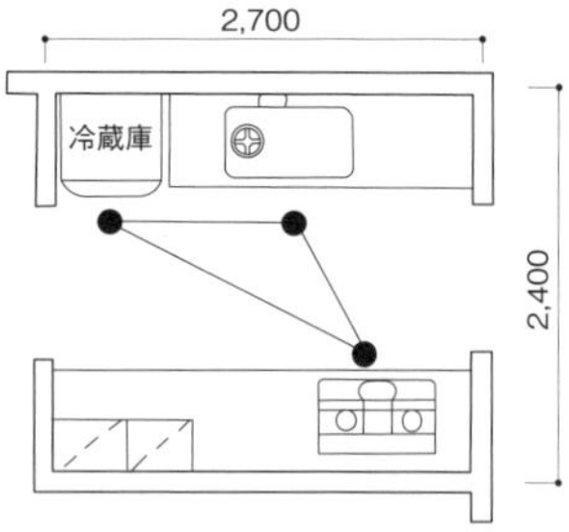
2,700
冷蔵庫
2,400

並列形キッチン平面図

並列形キッチン

適用対象：中規模のキッチンまたは構造が整っているキッチン、レストラン空間

動線配置：ガスコンロと流し台は異なるプラットフォームに設置するほうが良い

U形キッチンイメージ図

並列形キッチンイメージ図

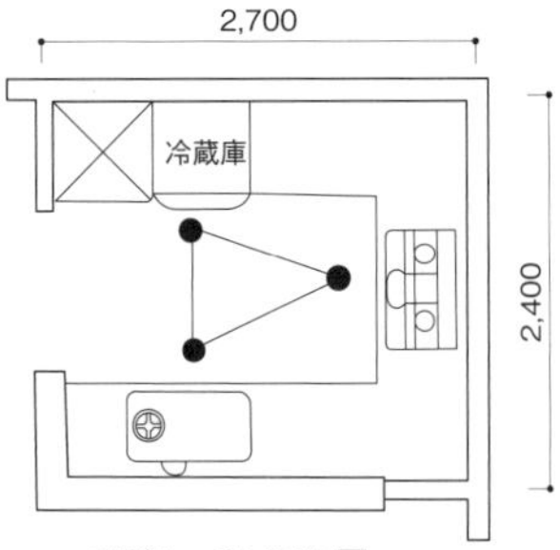
2,700
冷蔵庫
2,400

U形キッチン平面図

U形キッチン

適用対象：広いキッチン空間、オープン式レストラン・キッチンまたは独立空間

動線配置：食卓を中央に置き、食事場と台所の空間を一体にすることができる。オープン式T型キッチンの外に戸棚や軽食台を追加設置してU形キッチンにする

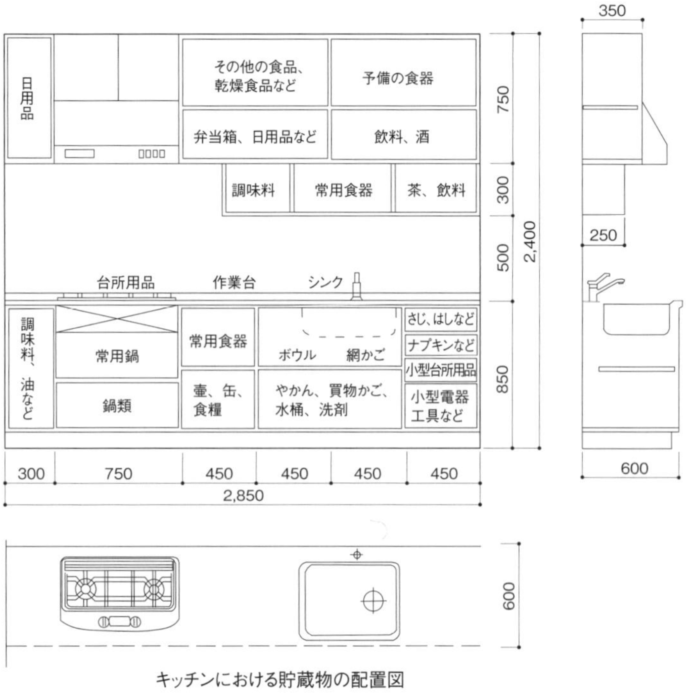
日用品
その他の食品、
乾燥食品など
予備の食器
弁当箱、日用品など
飲料、酒
調味料
常用食器
茶、飲料
台所用品
作業台
シンク
調味料、油など
常用鍋
鍋類
常用食器
壷、缶、
食糧
ボウル
網かご
やかん、買物かご、
水桶、洗剤
さじ、はしなど
ナプキンなど
小型台所用品
小型電器
工具など
750
300
500
850
2,400
350
250
600
300
750
450
450
450
450
2,850
600

キッチンにおける貯蔵物の配置図

浴槽は高温で鋳鉄を溶かした後に白地に流し込み、それから裏面に上薬を塗り、焼成して製造する。鋳鉄エナメルびき浴槽には横式、座式がある。表面釉にはホワイトと彩色の2種類がある。鋳鉄エナメルびき浴槽は人間性のある造形設計を備え、耐衝撃性、耐腐食性、耐酸・塩基性に優れ、取り付けやすく、使用寿命が長いというメリットを有する。古典スタイルの鋳鉄エナメルびき浴槽はヨーロッパの伝統の貴族的な雰囲気を醸し出すため、根強い愛好家がいる。

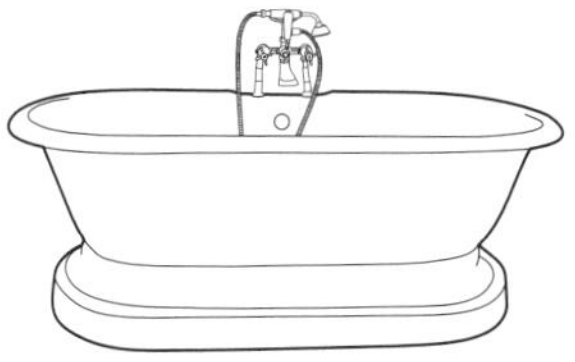

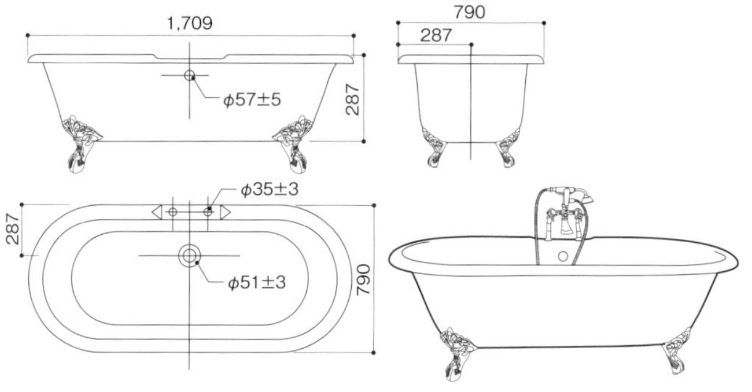
1,709
φ57±5
287
790
287
φ35±3
287
φ51±3
790

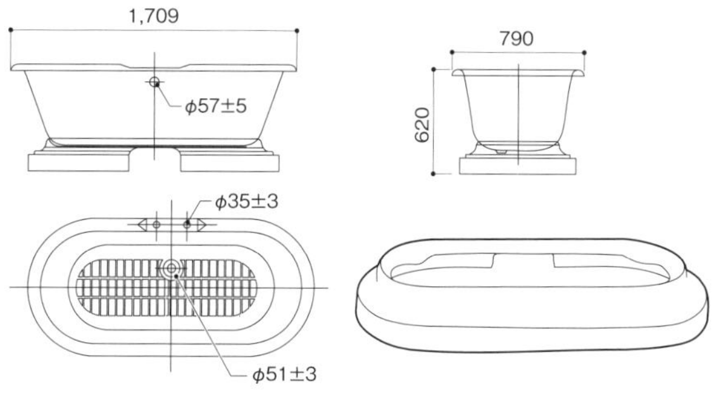
1,709
φ57±5
790
620
φ35±3
φ51±3

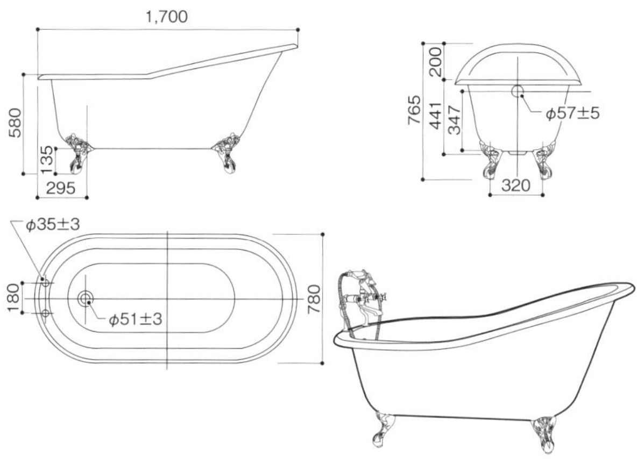
1,700
580
135
295
200
765
441
347
φ57±5
320
φ35±3
180
φ51±3
780

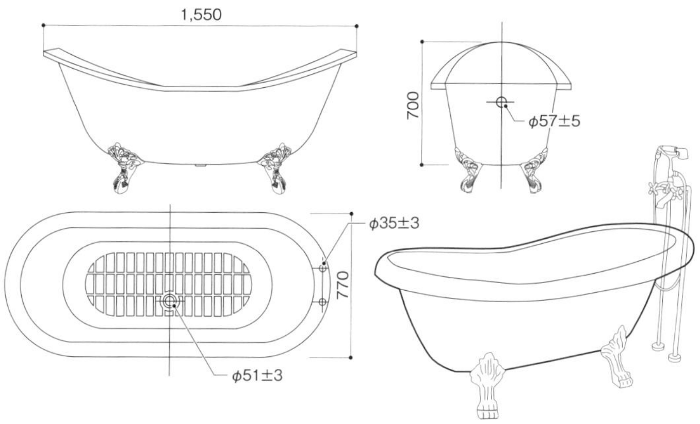
1,550
700
φ57±5
φ35±3
770
φ51±3

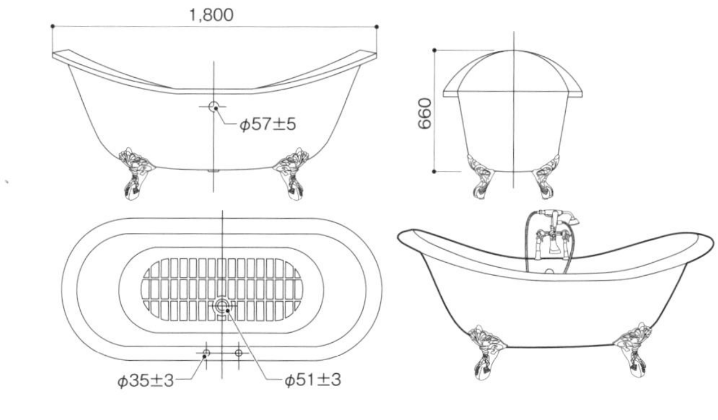
1,800
φ57±5
660
φ35±3
φ51±3

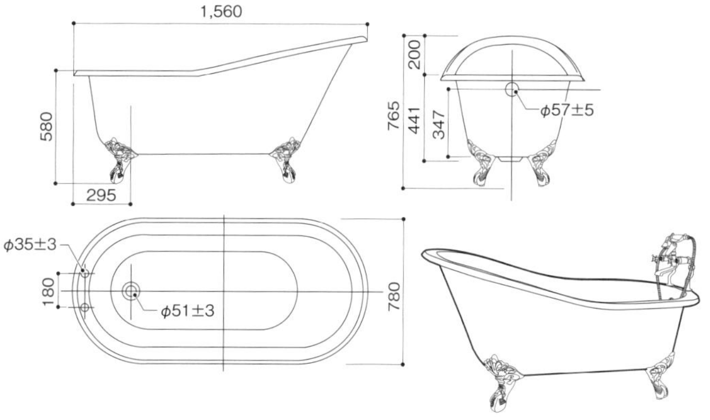
1,560
580
295
200
765
441
347
φ57±5
φ35±3
180
φ51±3
780

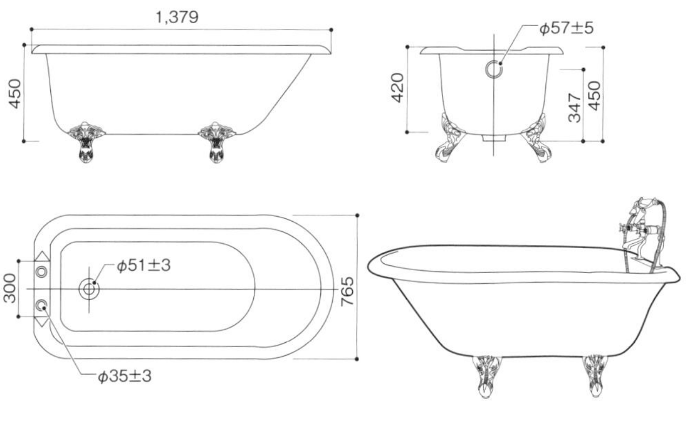
1,379
450
φ57±5
420
347
450
φ51±3
300
765
φ35±3

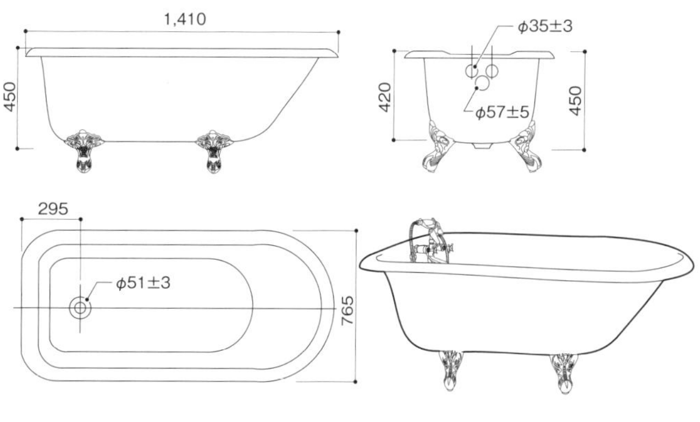
1,410
450
φ35±3
420
φ57±5
450
295
φ51±3
765

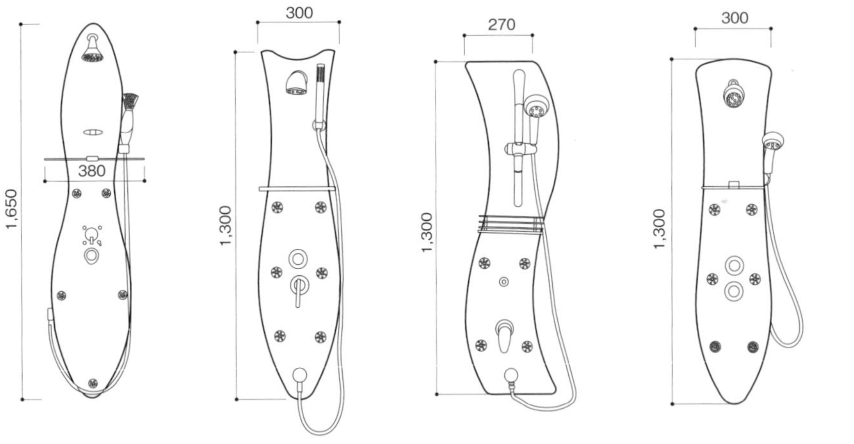
1,650
380
300
1,300
270
1,300
300
1,300

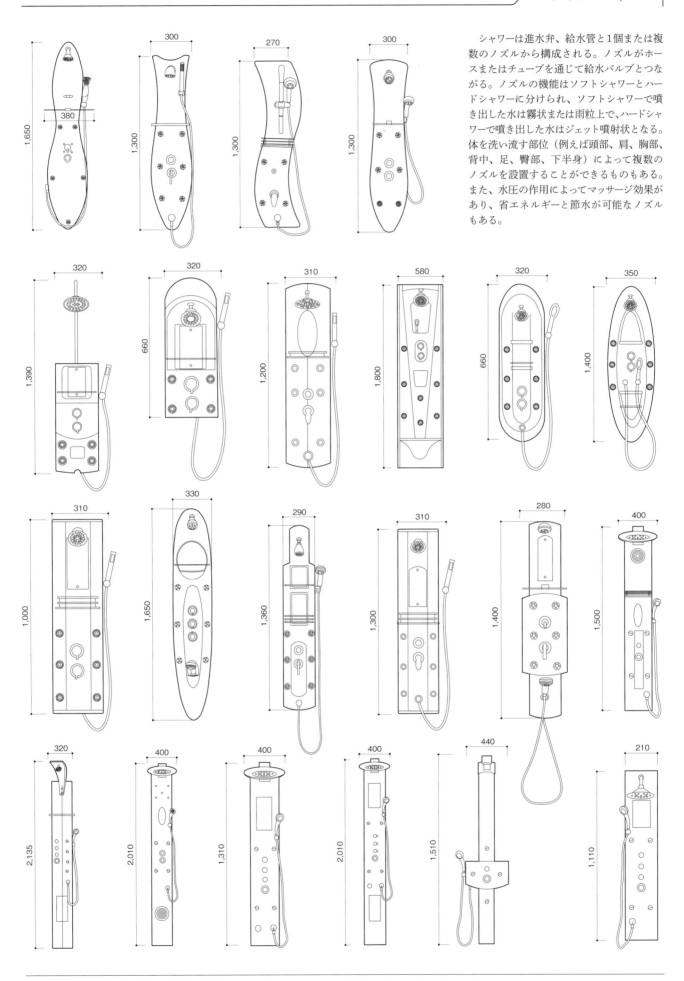

シャワーは進水弁、給水管と1個または複数のノズルから構成される。ノズルがホースまたはチューブを通じて給水バルブとつながる。ノズルの機能はソフトシャワーとハードシャワーに分けられ、ソフトシャワーで噴き出した水は霧状または雨粒上で、ハードシャワーで噴き出した水はジェット噴射状となる。体を洗い流す部位（例えば頭部、肩、胸部、背中、足、臀部、下半身）によって複数のノズルを設置することができるものもある。また、水圧の作用によってマッサージ効果があり、省エネルギーと節水が可能なノズルもある。

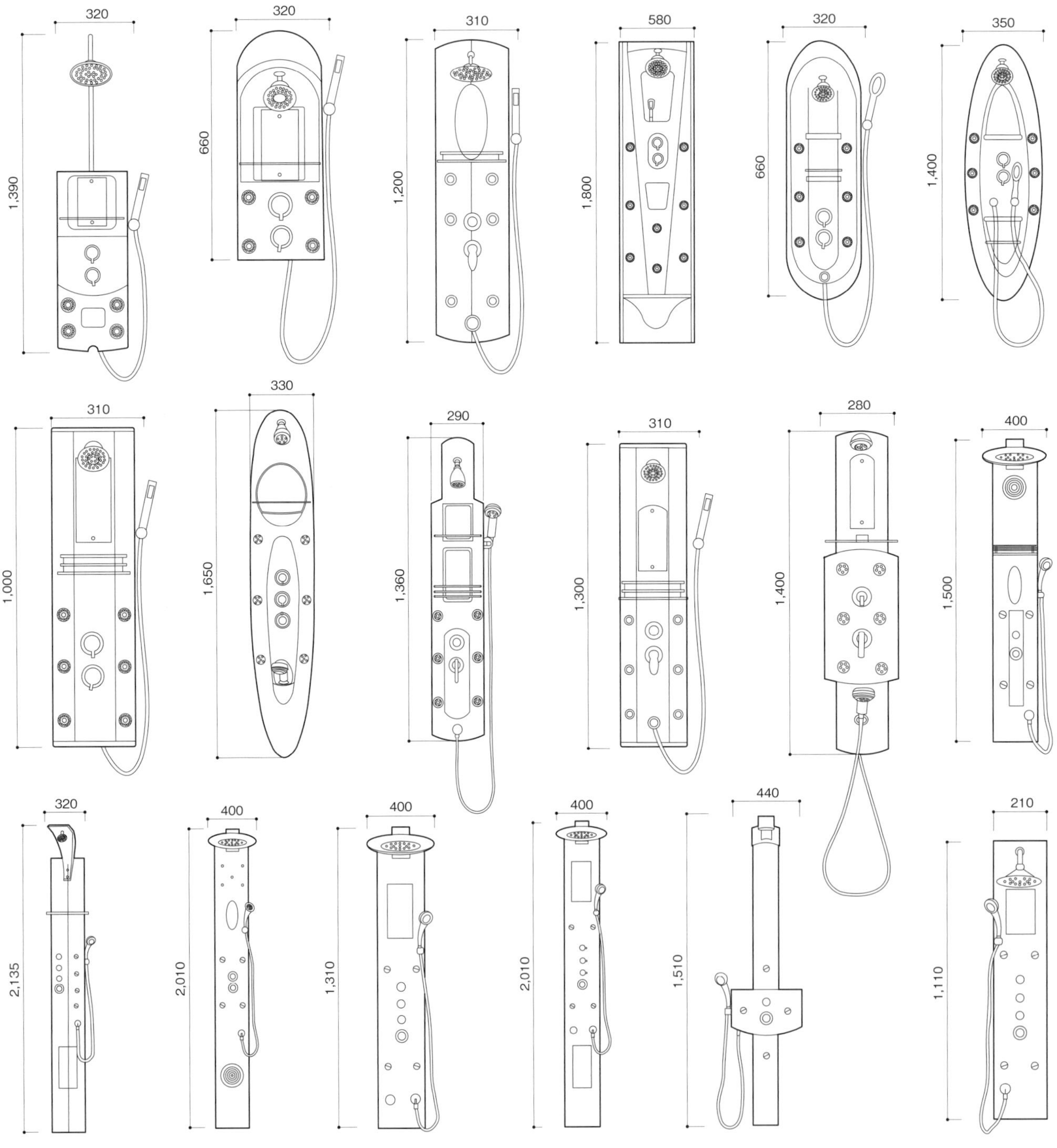
320
1,390
320
660
310
1,200
580
1,800
320
660
350
1,400
310
1,000
330
1,650
290
1,360
310
1,300
280
1,400
400
1,500
320
2,135
400
2,010
400
1,310
400
2,010
440
1,510
210
1,110

普通の鏡ガラスには3層の構造があり、表層はガラス、中間層はアルミメッキ膜または銀メッキ膜、底層はバックミラーペイントである。室内装飾は鏡の反射、屈折によって、空間感と距離感を増加させたり、光周性の効果を変えるために使用される。

浴室の鏡には彫刻ミラー、電子防霧ミラー、ホットメルトミラー、レースミラー、ダブルサイドミラーなどのシリーズがある。鏡は日常生活における必需品で、手洗い、洗濯、整髪、スキンケア、ひげ剃り、着服などの場合に欠かせない。

金属レースミラー

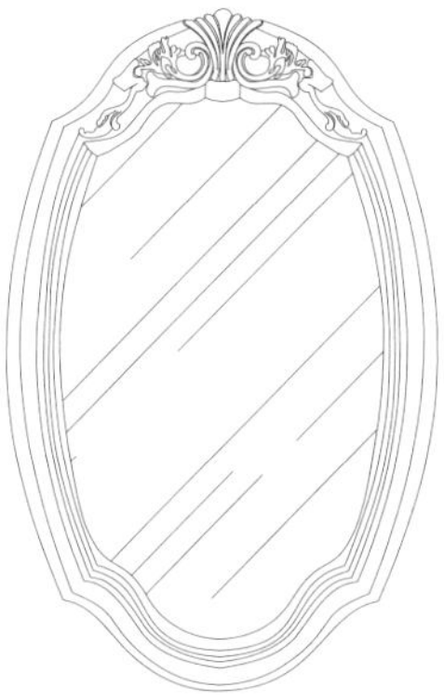

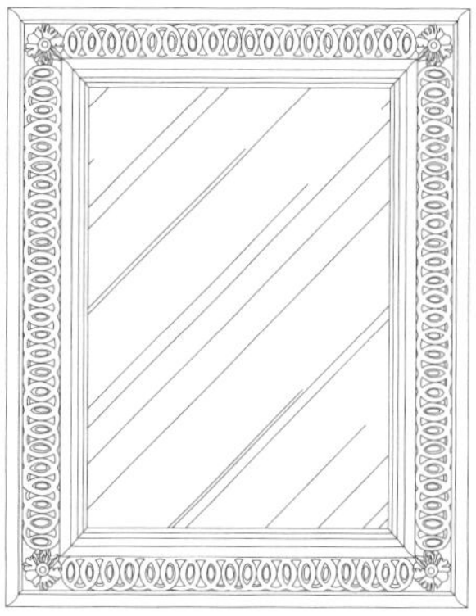

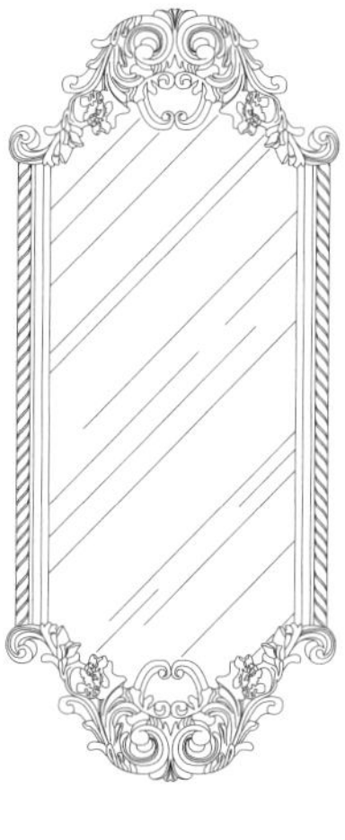

洗面所の鏡の前で作業する場合、その照明には特殊な要求がある。まず、顔がはっきり見えるように、十分な照明輝度の確保が必要である。また、皮膚の色も正しく確認できるライトが必要である。鏡のヘッドライトに求められるのは、顔を洗う時に顔の細部がはっきりと見えるようにすることで、鏡の上方の壁面にフレームランプを取り付ければそれが可能になる。一般的に20Wの短管直管蛍光灯をライトとして採用する。このように、洗面所全体の環境照明はフレームランプのライトを通じて天井から反射され、光はやさしく心地よい。

洗面ボウルの前の照明はコーニス照明を通じて実現でき、照明装置内に20Wの直管蛍光灯を採用する。身仕度用の照明は寝室の照明方法と同じで、ランプは鏡の上部、視野60°に設置する。照明は直接人の顔を照らすことが多く、まぶしさを感じさせないよう鏡を照らしてはならない。鏡のヘッドライトは常に乳白色のガラスで覆われた乱反射型電灯を採用し、通常60W白熱電球または36W蛍光灯を採用する。洗面所の照明はできるだけランプの防水性を考慮しなければならず、鏡の上方か片側に密閉式カバーつきの防水照明器具を設置する。

洗面ボウルには壁掛け式、コラム式、キャビネット式と卓上式の4種類があり、コラム式と卓上式は柱足式と組込み式とも呼ばれる。壁掛式ボウルは比較的新しく、現代的で占める空間が最も小さい。卓上式洗面ボウルはボウルを石材テーブルまたはフロアキャビネットに嵌め込み、使用者が日常用品を置けることが利点で、ホテルの洗面所によく使われる。住宅空間の洗面所にもよく採用される。コラム式ボウルの支持力は壁掛け式より強く、洗面ボウルが下に落ち変形することが少ない。キャビネット式は洗面ボウルの最前線部分を棚に嵌め、洗面ボウルが比較的大きく、さらに洗面ボウルと棚を一体化するため、外観がシックである。

洗面ボウルの材質はセラミックが多く、色が多様で、構造が細かく、表面がきめ細かくなめらかである。また気孔率が小さく、強度が比較的大きく、吸水率が小さく、腐食に耐え、熱安定性が優れ、掃除しやすいという特徴を持つ。人造大理石、人造メノウ、ガラス鋼、プラスチック、アクリル（アクリル酸板とガラス鋼複合材料）、ステンレス等の材料が用いられ、とても優れた性能と装飾効果を持つ。

コラム式ボウル

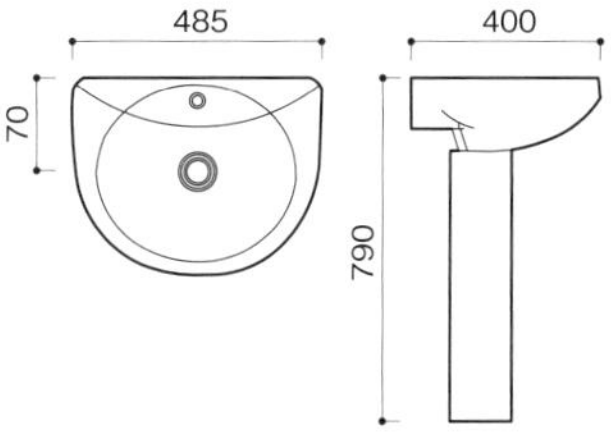
485
400
70
790

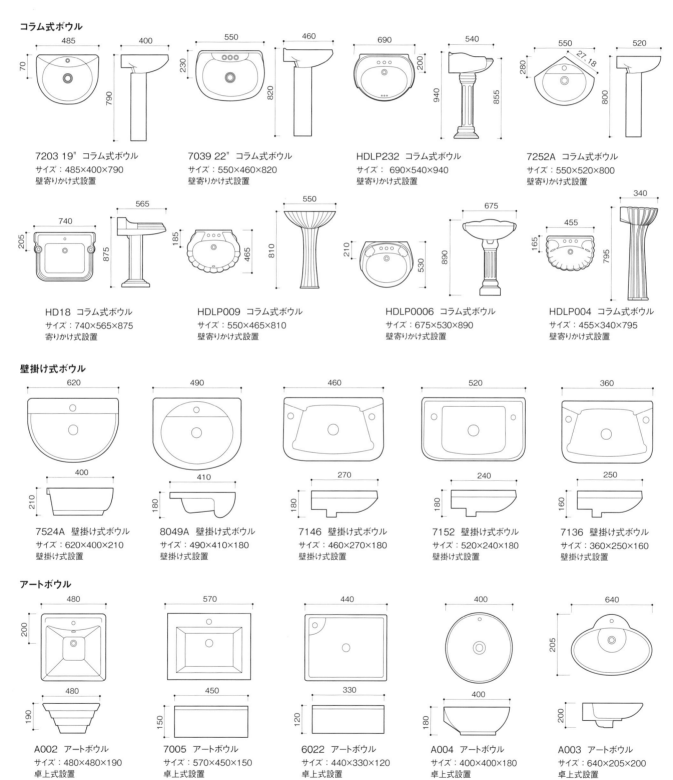

7203 19" コラム式ボウル
サイズ：485×400×790
壁寄りかけ式設置

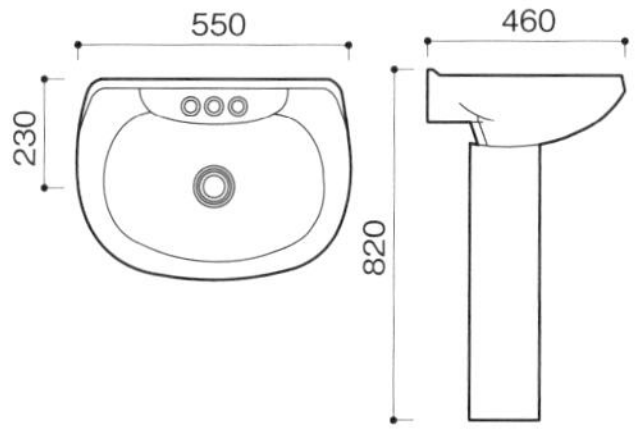
550
460
230
820

7039 22" コラム式ボウル
サイズ：550×460×820
壁寄りかけ式設置

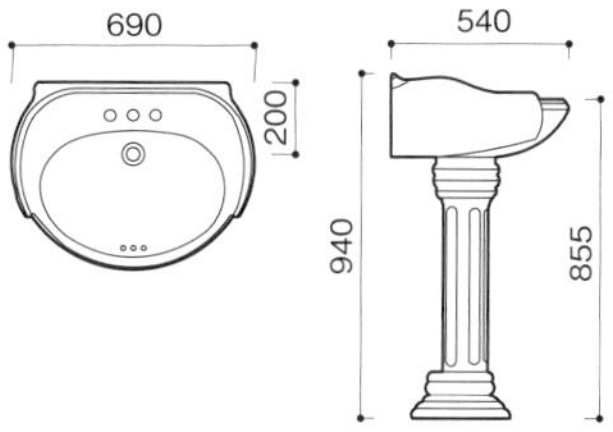
690
540
200
940
855

HDLP232 コラム式ボウル
サイズ： 690×540×940
壁寄りかけ式設置

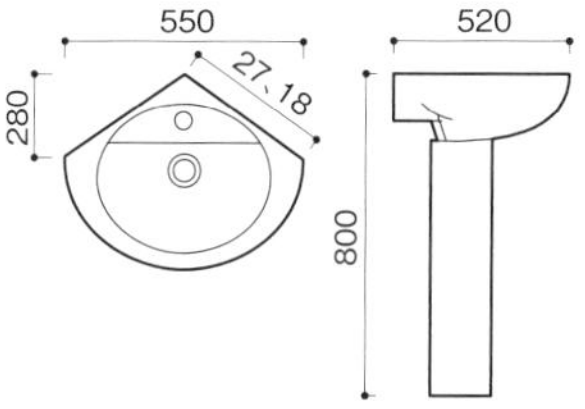
550
520
27,18
280
800

7252A コラム式ボウル
サイズ：550×520×800
壁寄りかけ式設置

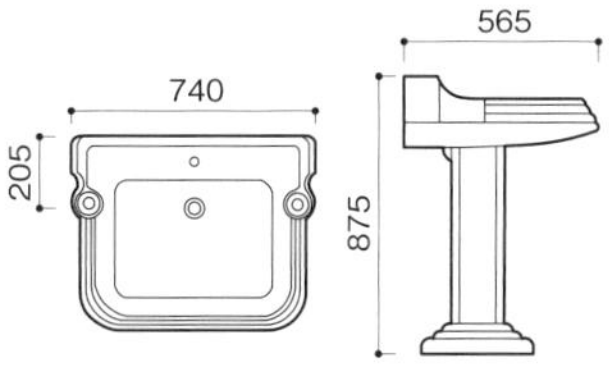
740
565
205
875

HD18 コラム式ボウル
サイズ：740×565×875
寄りかけ式設置

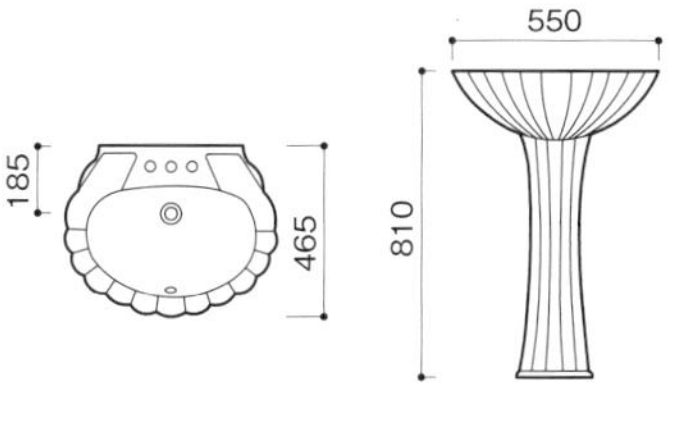
550
185
465
810

HDLP009 コラム式ボウル
サイズ：550×465×810
壁寄りかけ式設置

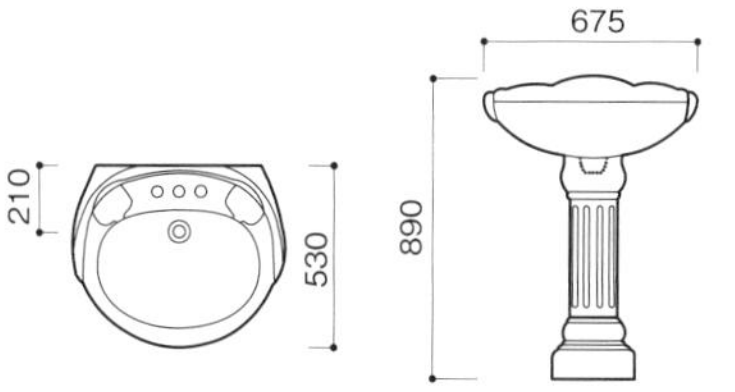
675
210
530
890

HDLP0006 コラム式ボウル
サイズ：675×530×890
壁寄りかけ式設置

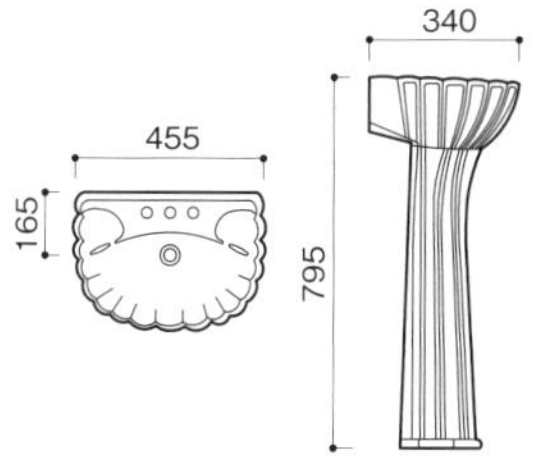
340
455
165
795

HDLP004 コラム式ボウル
サイズ：455×340×795
壁寄りかけ式設置

壁掛け式ボウル

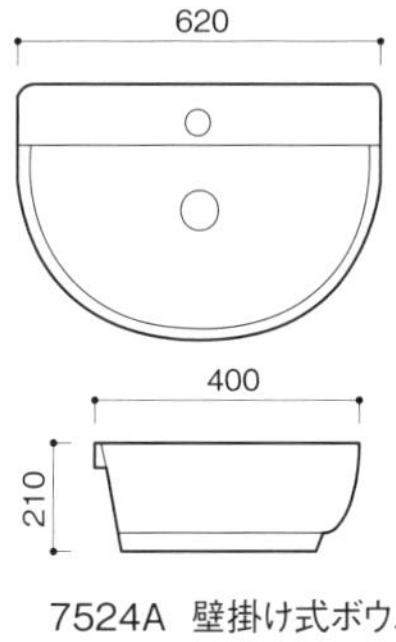
620
400
210

7524A 壁掛け式ボウル
サイズ：620×400×210
壁掛け式設置

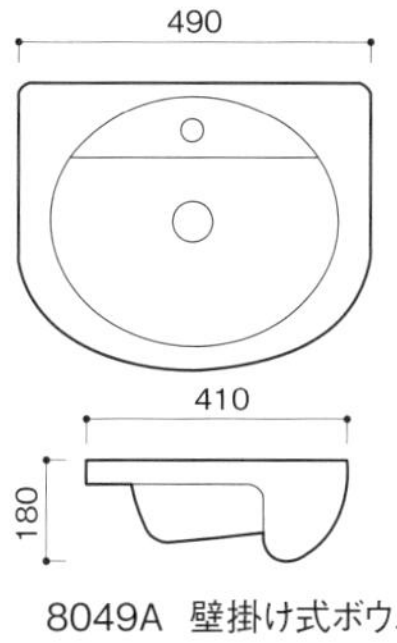
490
410
180

8049A 壁掛け式ボウル
サイズ：490×410×180
壁掛け式設置

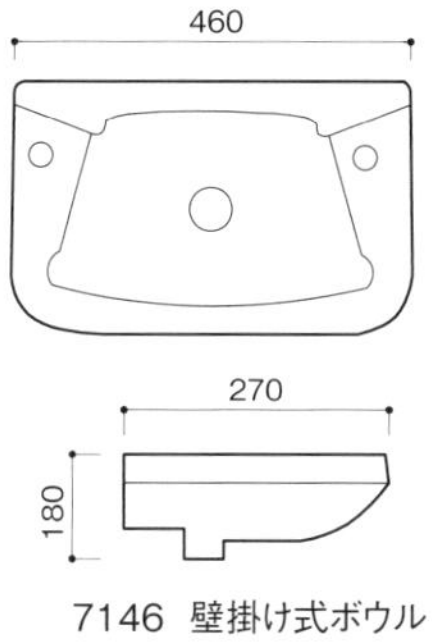
460
270
180

7146 壁掛け式ボウル
サイズ：460×270×180
壁掛け式設置

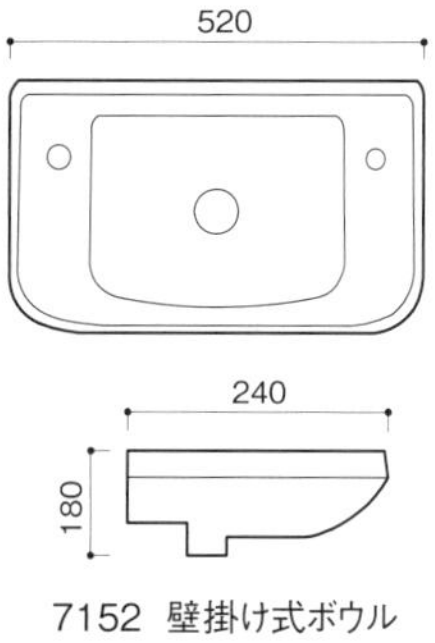
520
240
180

7152 壁掛け式ボウル
サイズ：520×240×180
壁掛け式設置

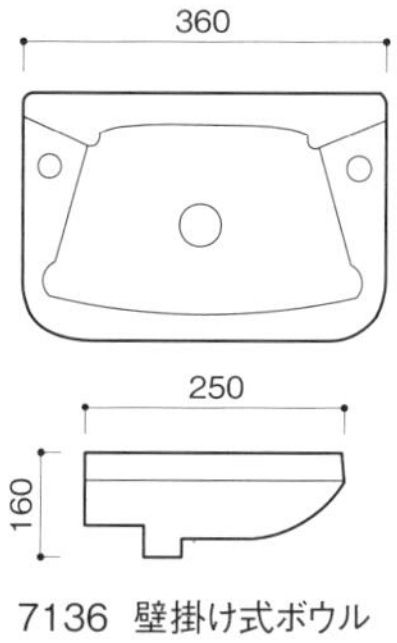
360
250
160

7136 壁掛け式ボウル
サイズ：360×250×160
壁掛け式設置

アートボウル

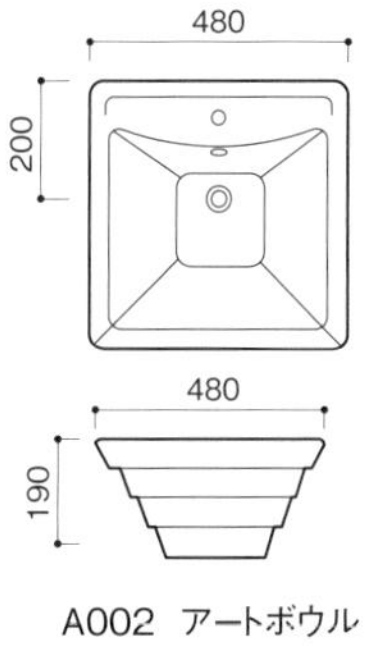
480
200
480
190

A002 アートボウル
サイズ：480×480×190
卓上式設置

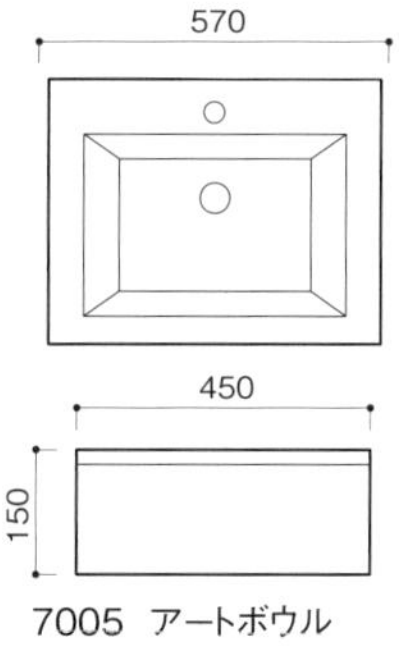
570
450
150

7005 アートボウル
サイズ：570×450×150
卓上式設置

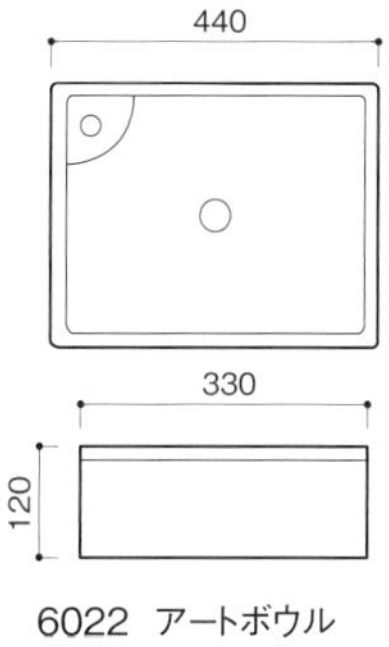
440
330
120

6022 アートボウル
サイズ：440×330×120
卓上式設置

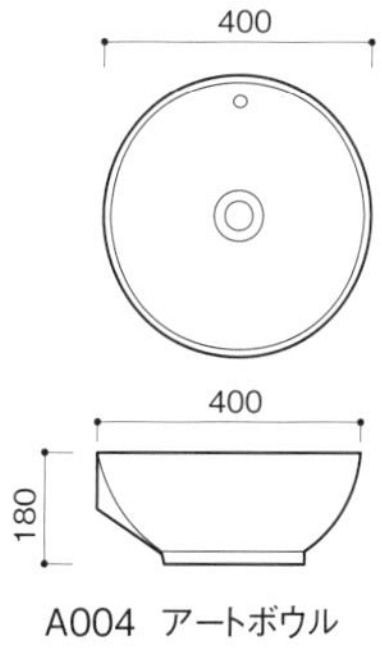
400
400
180

A004 アートボウル
サイズ：400×400×180
卓上式設置

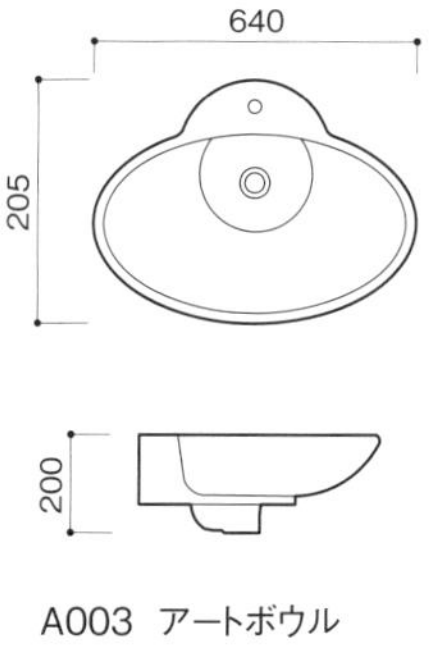
640
205
200

A003 アートボウル
サイズ：640×205×200
卓上式設置

卓上式ボウル

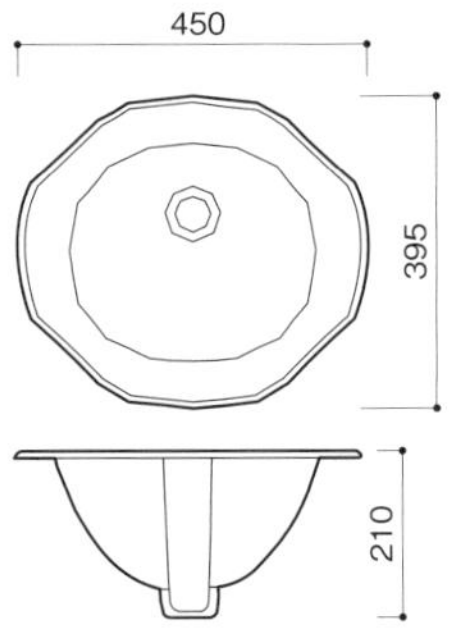
450
395
210

GP-8641　卓上式ボウル
サイズ：450×395×210
卓上式設置

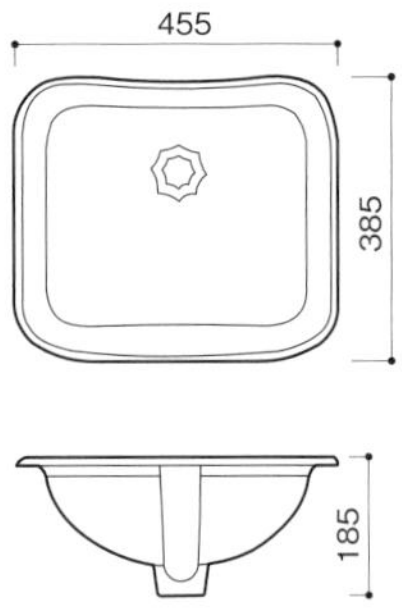
455
385
185

GP-9141　卓上式ボウル
サイズ：455×385×185
卓上式設置

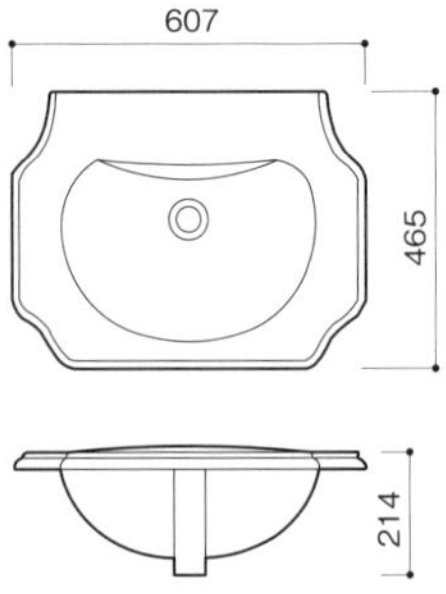
607
465
214

GP-1239　古典卓上式ボウル
サイズ：607×465×214
卓上式設置

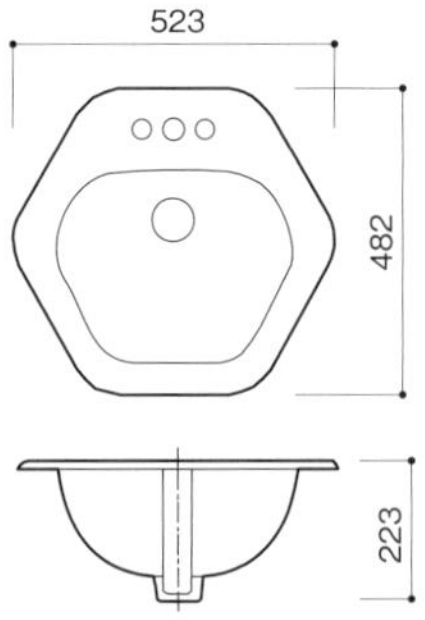
523
482
223

GP-1142　六角形卓上式ボウル
サイズ：523×482×223
卓上式設置

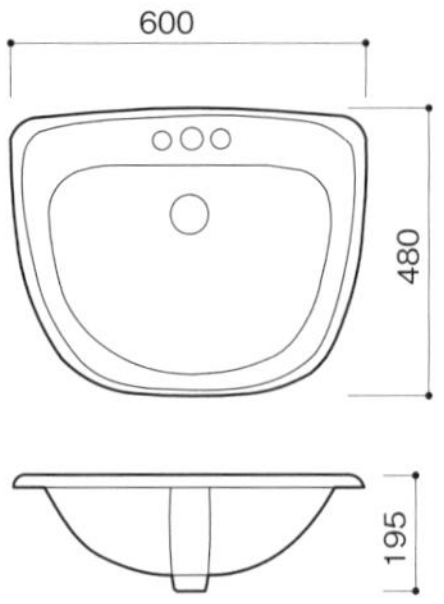
600
480
195

GP-1141　卓上式ボウル
サイズ：600×480×195
卓上式設置

卓下式ボウル

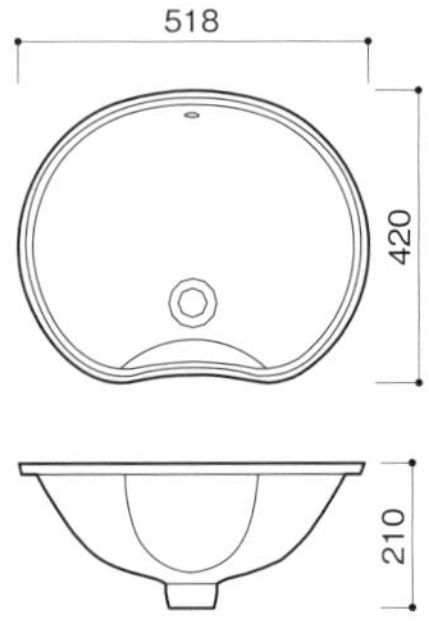
518
420
210

GP-9343　卓下式ボウル
サイズ：518×420×210
卓下式設置

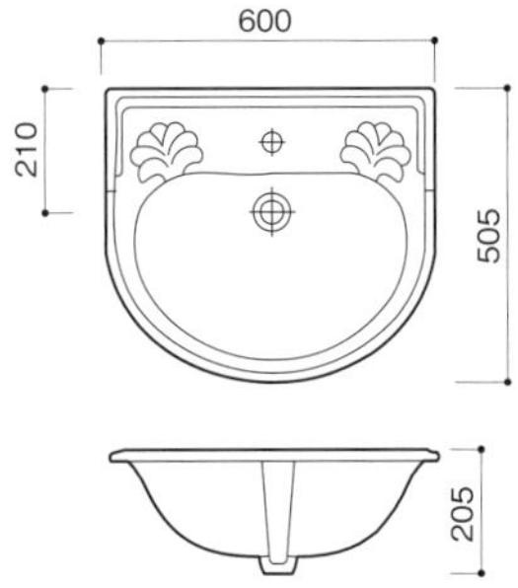
600
210
505
205

6086　卓下式ボウル
サイズ：600×505×205
卓下式設置

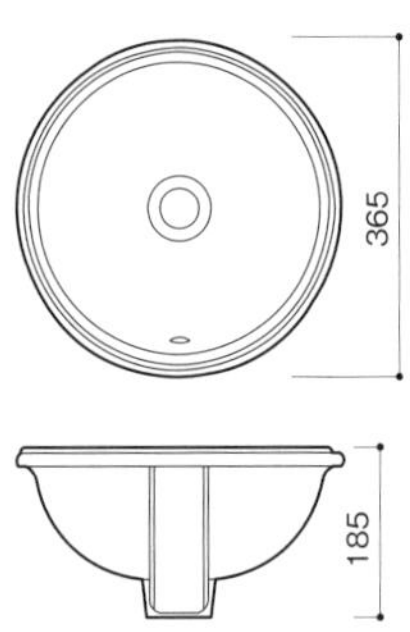
365
185

GP-1343　卓下式ボウル
サイズ：365×185
卓下式設置

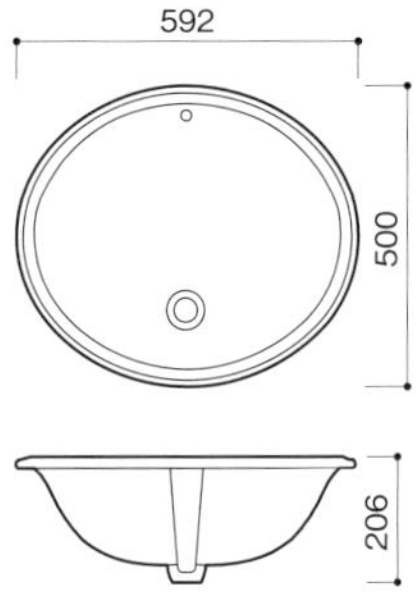
592
500
206

GP-1244　卓下式ボウル
サイズ：592×500×206
卓下式設置

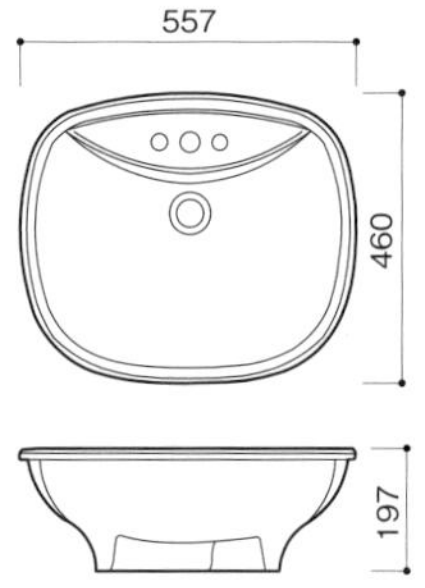
557
460
197

GP-1243　豪華卓下式ボウル
サイズ：557×460×197
卓下式設置

キャビネット式ボウル

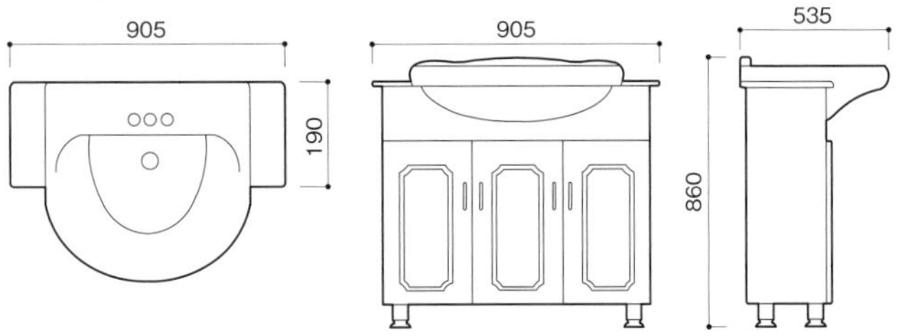
905
190
905
860
535

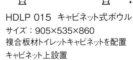

HDLP 014　キャビネット式ボウル
サイズ：905×535×860
複合板材トイレットキャビネットを配置
キャビネット上設置

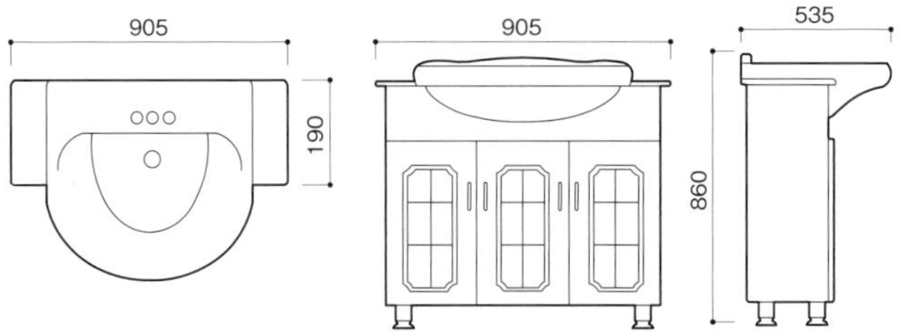
905
190
905
860
535

HDLP 015　キャビネット式ボウル
サイズ：905×535×860
複合板材トイレットキャビネットを配置
キャビネット上設置

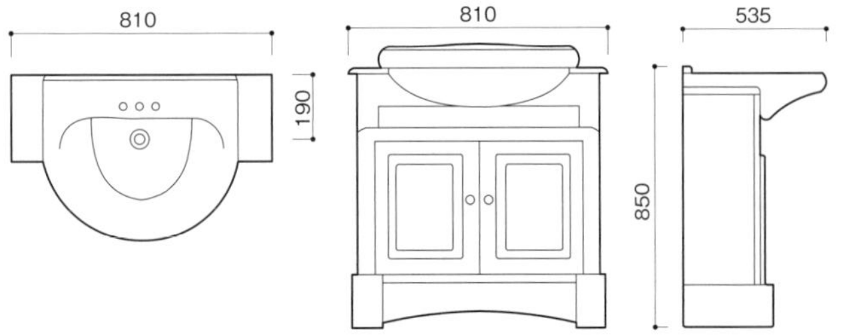
810
190
810
850
535

HDLP 015　キャビネット式ボウル
サイズ：810×535×850
天然木トイレットキャビネットを配置
キャビネット上設置

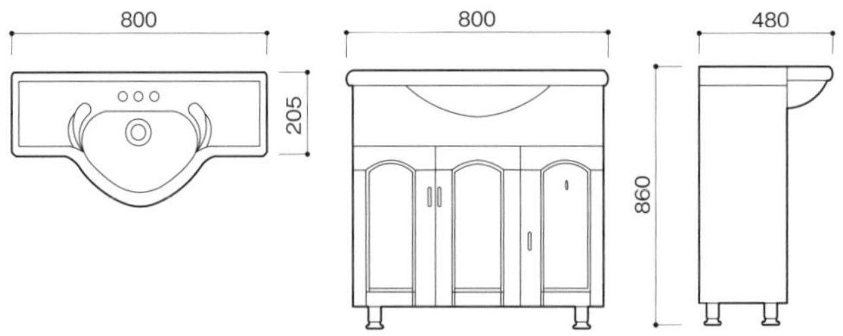
800
205
800
860
480

HDLP 016　キャビネット式ボウル
サイズ：800×480×860
複合板材トイレットキャビネットを配置
キャビネット上設置

洋式便器はホテルや公衆トイレによく使われる衛生器具である。その水洗・汚染物質排出方式によって、洋式便器はサイフォン式と洗い落とし式の2種類に分けられる。サイフォン式には渦巻きサイフォン式と噴流サイフォン式の2種類がある。洗い落とし式便器は洗い流しの時に騒音が大きく、水面が浅く、十分に汚染物を排出できず、臭気を生むが、構造が比較的単純で、価格が低いのがメリットで、一般的に要求がそれほど高くない場所に用いられる。

洋式便器はその構造によってタンクの有無の2種類に分けられる。タンク付き便器には分離式とリンク式の2種類がある。分離式便器は水タンクが壁に掛けられ室内スペースを占めるうえに装飾効果が低い。リンク式便器は外形が簡素で、造型は美しいが、洗浄力は壁掛式タンクよりも劣る。現在、流行し始めているのは壁掛け式の便器であり、それは水タンクが壁に埋められ、壁面にはスイッチしかなく、非常に簡素で、さらに洗浄力がかなり高く、比較的理想的な新製品である。

一体型便器は水タンクと一体化した洋式便器で、外観は豪華で、高級洗面所に不可欠な設備となっている。従来の渦巻きサイフォン式一体型便器は洗浄機能に優れ、洗い流しの騒音は小さいが、形状が大きく、構造が複雑で、価格が高く、さらに洗い流しの用水量が多く11～15ℓに達するものもある。洗い落とし式一体型便器は構造が比較的単純で、節水性能に優れる。

床置き型便器は床に固定する洋式便器である。便器は重量が重く、洋式便器で最もよく利用されている取り付け方式であり、一体型便器などの大型便器の唯一の取り付け方式でもある。

洗い落とし式便器は洗い流しの力で直接汚染物を排出させる洋式便器で、平行洗い落とし式と水流れ式の2種類がある。製品の構造が単純で、洗浄騒音は比較的大きいが節水にはメリットがある。現在、6ℓ節水型便器においては、洗い落とし式洋式便器を採用することが多い。3.5ℓの水で汚染物を便器から洗い落とし、2.5ℓの継続洗い流しの水で汚染物が長さ5mの横パイプを通過して沈殿しないようにする。

平行洗い落とし式便器は排泄物を後ろの平台から洗い落とす洗い落とし式便器で、その平台は汚染物が付着しやすく、この便器はほとんど使用されていない。

洋式便器はセラミック製が多く、腰掛板の材質にはプラスチック、木材、ガラス繊維などがあり、外形と色が比較的多く、現在子供向けに漫画のキャラクターを用いた腰掛板が出ており、さらに電子センサーや電動リモコンを利用して腰掛板のアンロックとオートマチック洗浄を制御することができる。

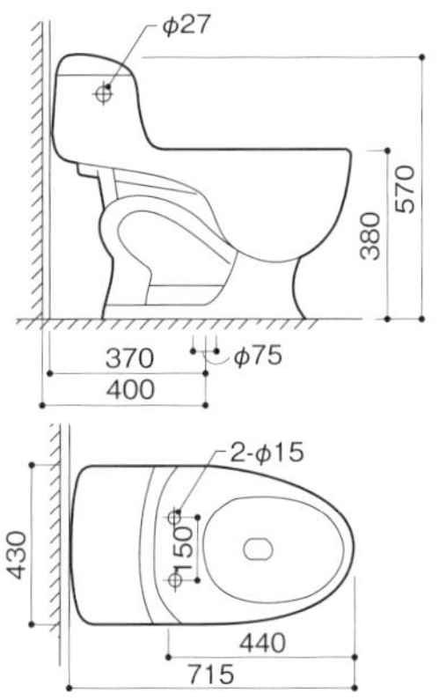
φ27
570
380
370
400
φ75
2-φ15
430
150
440
715

AB-1202
噴流サイフォン式一体型便器
サイズ：715×430×595 ／セラミック／下水経由の排出、排水口中心から壁まで305または400、排水口外径75

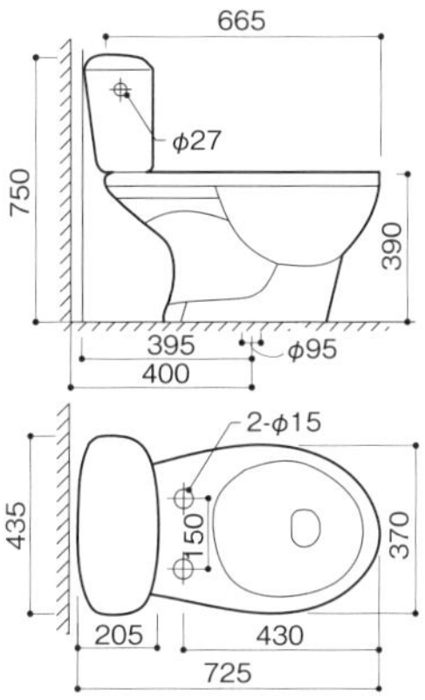
665
φ27
750
390
395
400
φ95
2-φ15
435
150
370
205
430
725

AB-2106 洗い落とし式便器
AS-8106 水タンク配置
水洗トイレサイズ：665×370×390 ／ AS-8106水タンク／水タンクサイズ：435×205×355 ／セラミック／下水経由の排出、排水口中心から壁まで400、排水口外径95

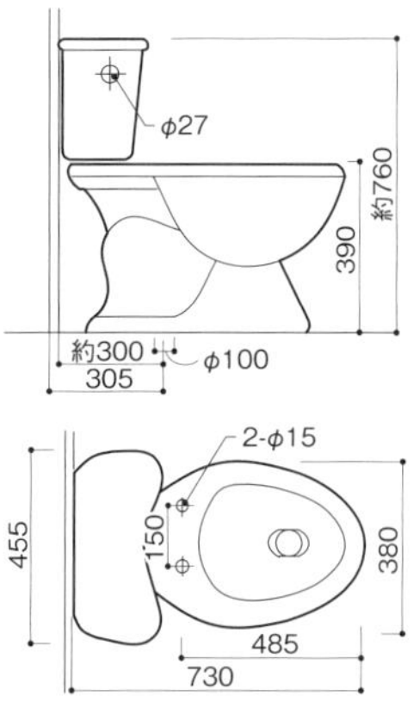
φ27
約760
390
約300
305
φ100
2-φ15
455
150
380
485
730

AB-2105 洗い落とし式便器
AS-8103 水タンク配置
水洗トイレサイズ：680×380×395 ／ AS-8103 水タンク／水タンクサイズ：455×220×360 ／セラミック／下水経由の排出、排水口中心から壁まで305、排水口外径100

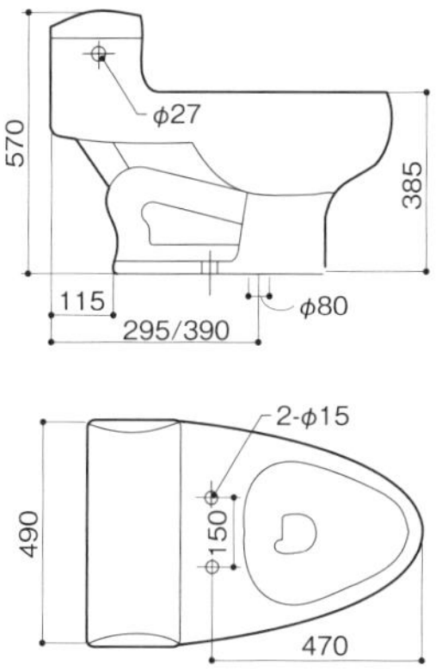
φ27
570
385
115
295/390
φ80
2-φ15
490
150
470

AB-1204
渦巻きサイフォン式一体型便器
サイズ：725×490×570 ／セラミック／下水経由の排出、排水口中心から壁まで295または390、排水口外径80

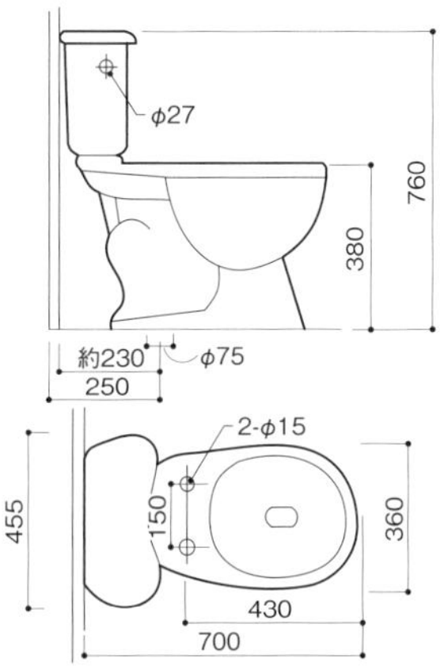
φ27
760
380
約230
250
φ75
2-φ15
455
150
360
430
700

AB-2104 噴流サイフォン式便器
AS-8104 水タンク配置
水洗トイレサイズ：670×360×400 ／ AS-8103 水タンク／水タンクサイズ：455×220×360 ／セラミック／下水経由の排出、排水口中心から壁まで250、排水口外径75

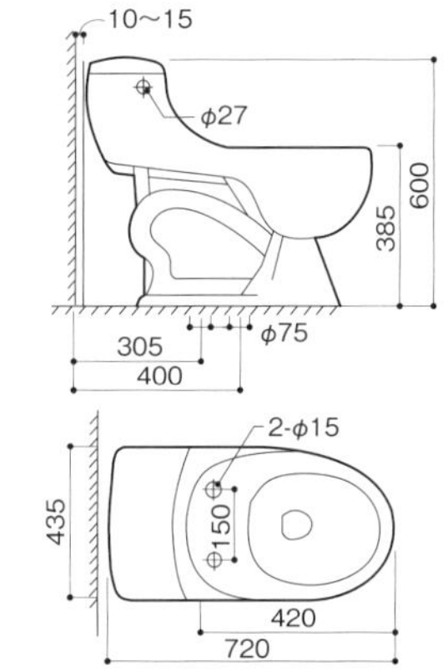
10～15
φ27
600
385
305
400
φ75
2-φ15
435
150
420
720

AB-1201 噴流サイフォン式一体型便器
サイズ：720×435×600 ／セラミック／下水経由の排出 排水口中心から壁まで305または400、排水口外径75

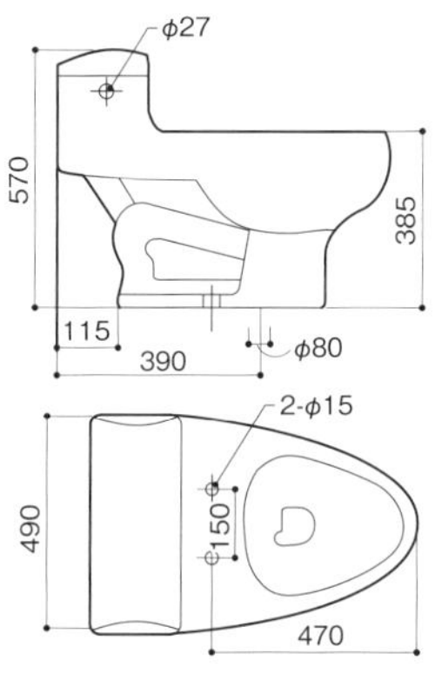
φ27
570
385
115
390
φ80
2-φ15
490
150
470

AB-1204
渦巻サイフォン式一体型便器
サイズ：735×490×570 ／セラミック／下水経由の排出 排水口中心から壁まで390、排水口外径80

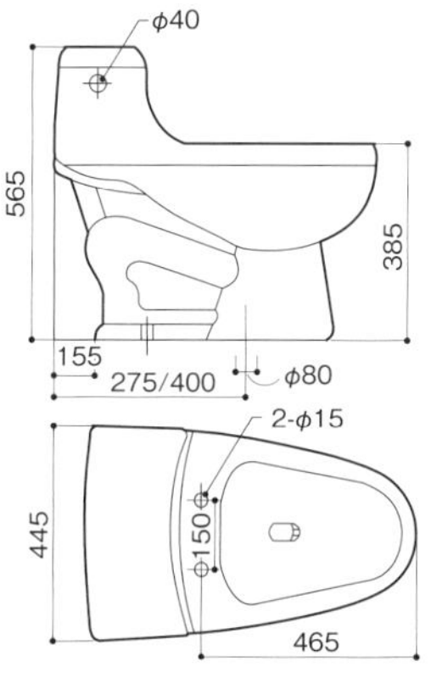
φ40
565
385
155
275/400
φ80
2-φ15
445
150
465

AB-1203
噴流サイフォン式一体型便器
サイズ：710×445×565 ／セラミック／下水経由の排出 排水口中心から壁まで275または400、排水口外径80

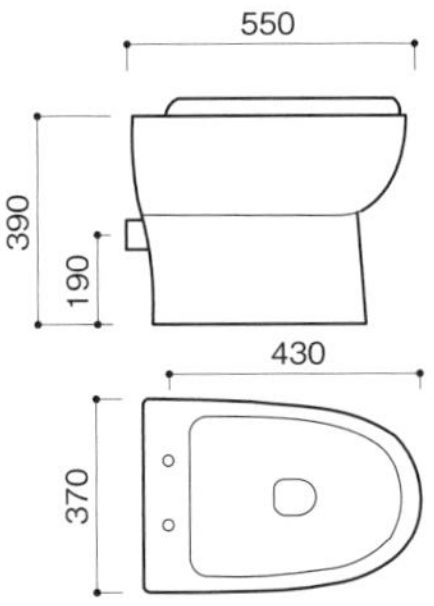
550
390
190
430
370

6524　コンポーネント型便器
寸法：550×370×390
下水口経由の排出
下水排出口中心から床まで190

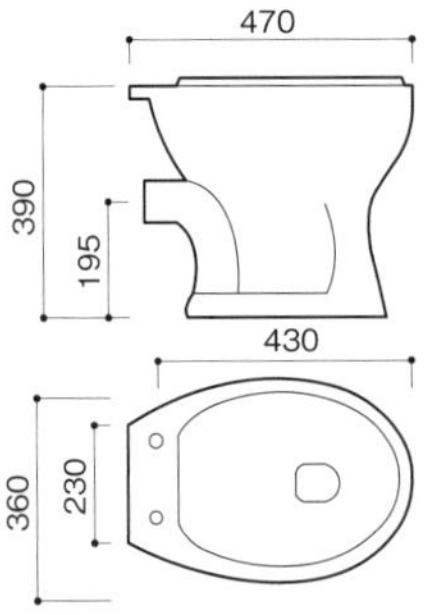
470
390
195
430
360
230

6501　コンポーネント型便器
寸法：470×360×390
下水口経由の排出
下水排出口中心から床まで195

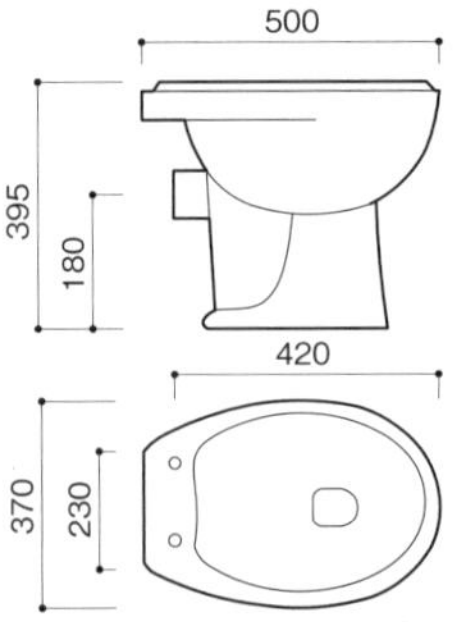
500
395
180
420
370
230

6105　コンポーネント型便器
寸法：500×370×395
下水口経由の排出
下水排出口中心から床まで180

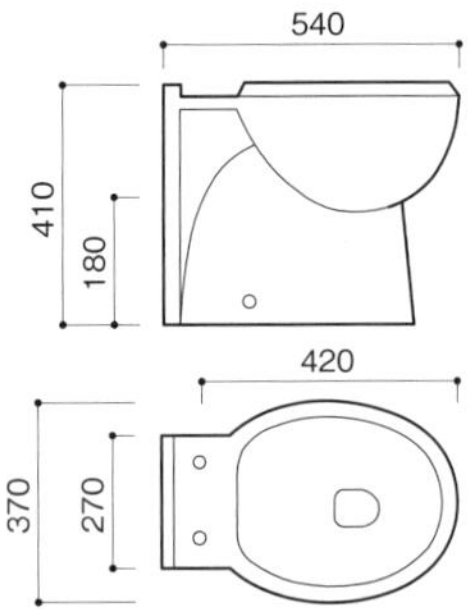
540
410
180
420
370
270

6108　コンポーネント型便器
寸法：540×370×410
下水口経由の排出
下水排出口中心から床まで180

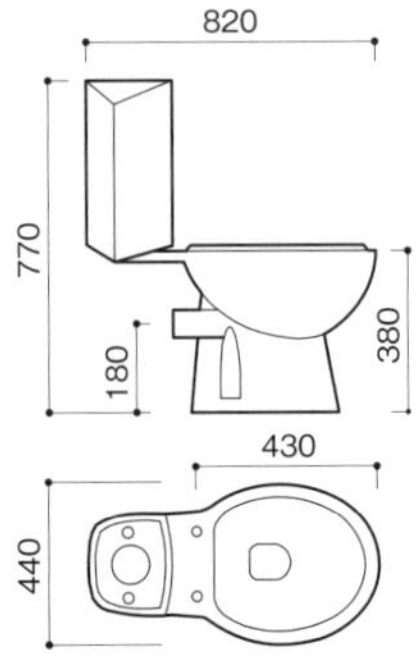
820
770
180
380
430
440

6101A　横組み式コンポーネント型便器
寸法：820×440×770
下水口経由の排出
下水排出口中心から床まで180

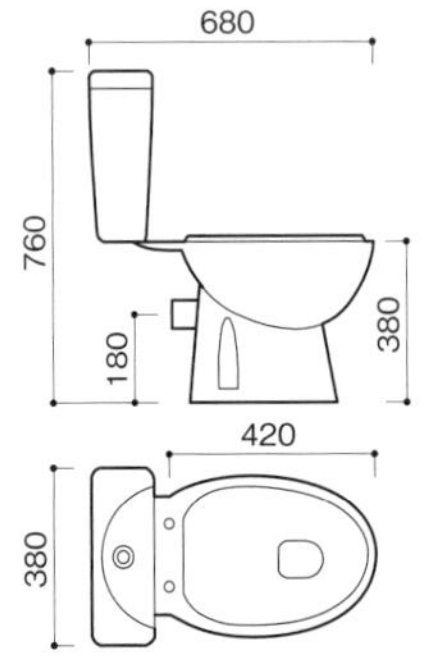
680
760
180
380
420
380

6109　横組み式コンポーネント型便器
寸法：680×380×760
下水口経由の排出
下水排出口中心から床まで180

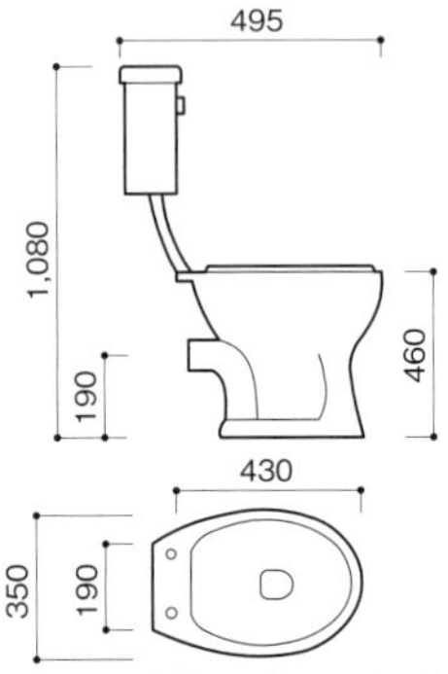
495
1,080
190
460
430
350
190

6546　横組み式コンポーネント型便器
寸法：495×350×1080
下水口経由の排出
下水排出口中心から床まで190

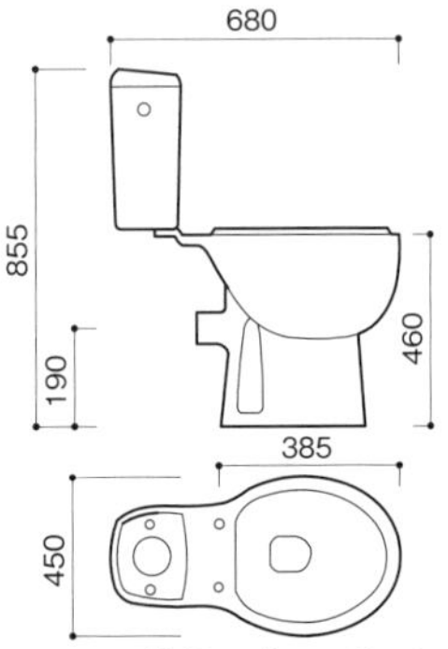
680
855
190
460
385
450

6146　横組み式コンポーネント型便器
寸法：680×450×855
下水口経由の排出
下水排出口中心から床まで190

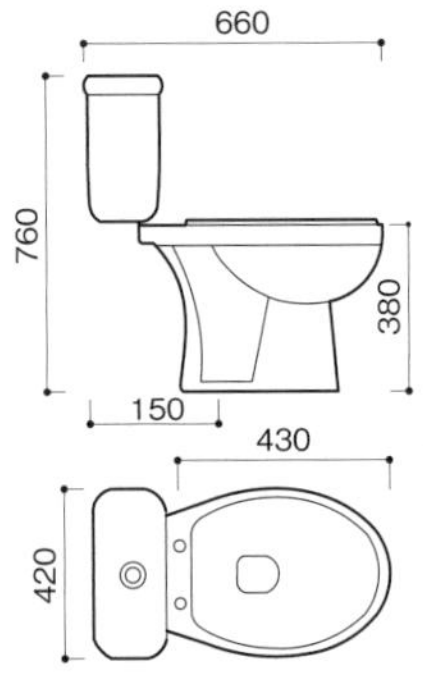
660
760
380
150
430
420

6124　サイフォン式コンポーネント型便器
寸法：660×420×760
下水口経由の排出
下水排出口中心から壁まで150

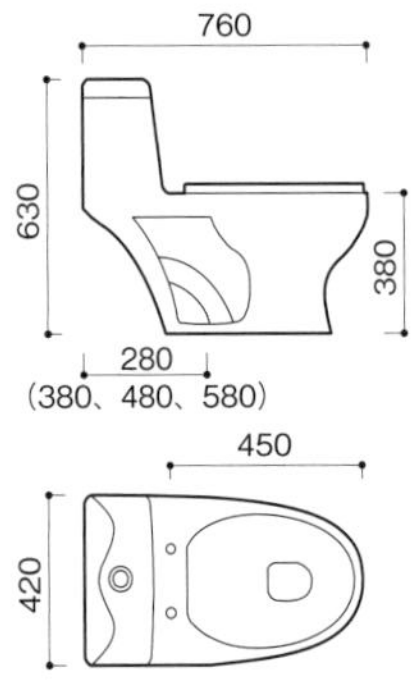
760
630
380
280
(380、480、580)
450
420

2822　サイフォン式一体型便器
寸法：760×420×630
下水口経由の排出
下水排出口中心から壁まで280、380、580

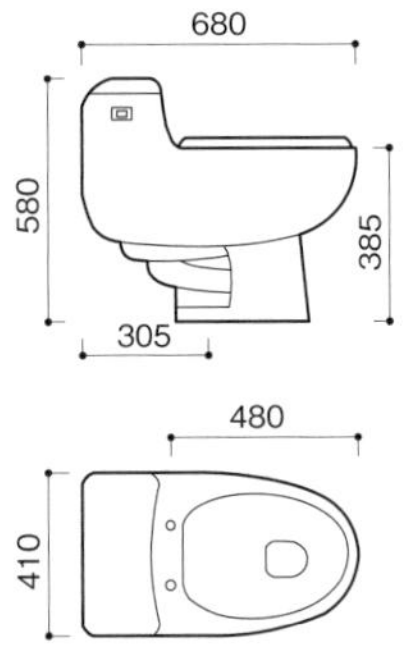
680
580
385
305
480
410

2838　サイフォン式一体型便器
寸法：680×410×580
下水口経由の排出
下水排出口中心から壁まで305

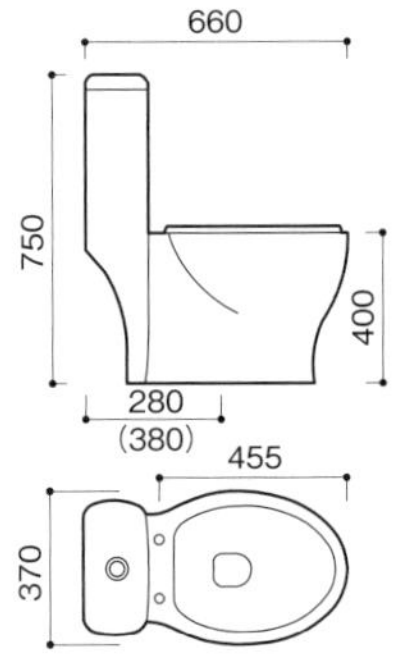
660
750
400
280
(380)
455
370

2889　サイフォン式一体型便器
寸法：660×370×750
下水口経由の排出
下水排出口中心から壁まで280、380

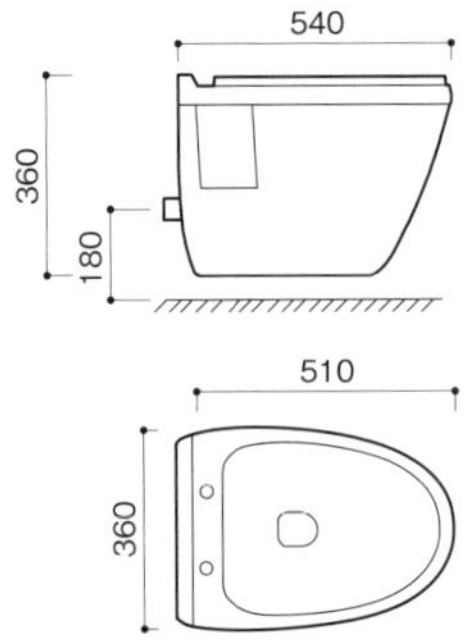
540
360
180
510
360

6511A　壁掛け型便器
寸法：540×360×360
下水口経由の排出
下水排出口中心から床まで180

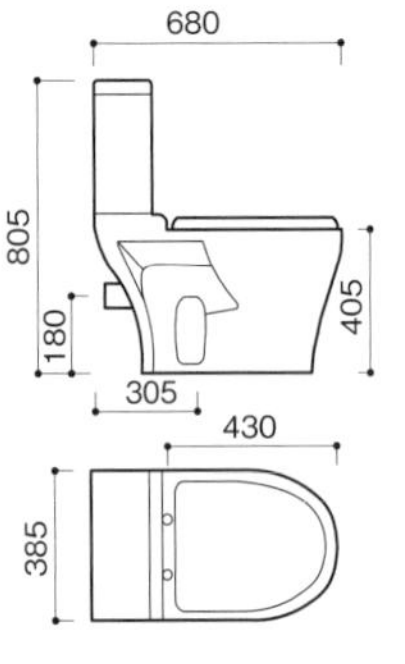
680
805
180
405
305
430
385

6522　洗い落とし式コンポーネント型便器
寸法：680×385×805
下水口経由の排出
下水排出口中心から壁まで305、床まで180

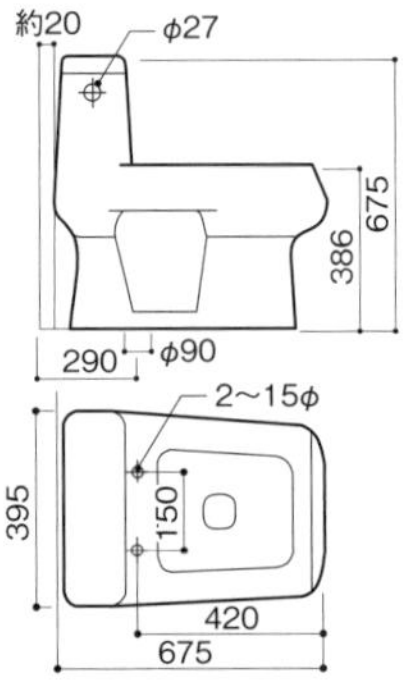
約20
φ27
675
386
290
φ90
2～15φ
395
150
420
675

AB-1205　噴流サイフォン式一体型便器
寸法：675×395×675
下水口経由の排出から壁まで290、下水排出口の外径90

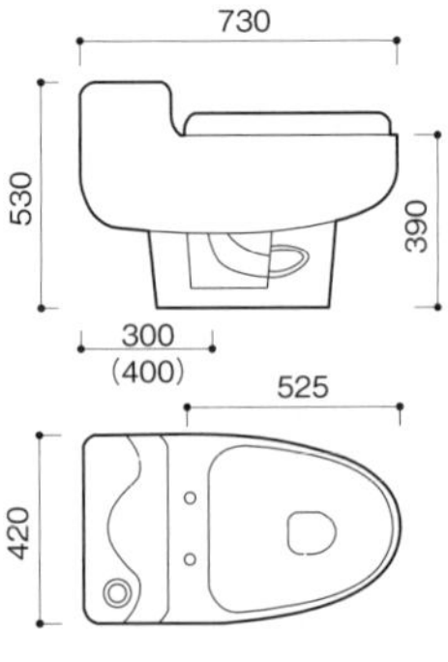
730
530
390
300
(400)
525
420

2095　静音渦巻き式一体型便器
寸法：730×420×530
下水口経由の排出
下水排出口中心から壁まで300、400

製品特徴

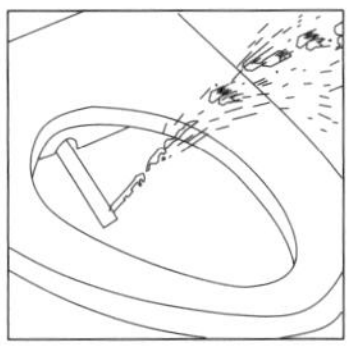

1. 洗浄時、水流を1秒間に70回以上のリズムで噴出し、強弱のあるマッサージ効果を作り、洗浄力をさらに優れたものにする

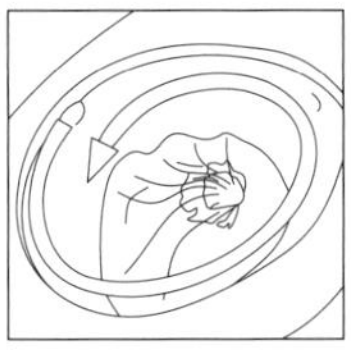

2. コンピューターによって制御された新しい洗い流し方で、水流は内壁に沿って1つの渦巻きになって流れる。6ℓの水でも力強い洗浄力を実現させる

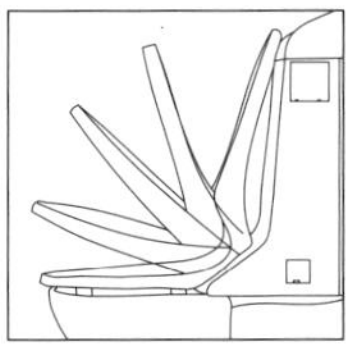

3. 洗浄、開閉、消臭、加熱などの自動感知機能を備える

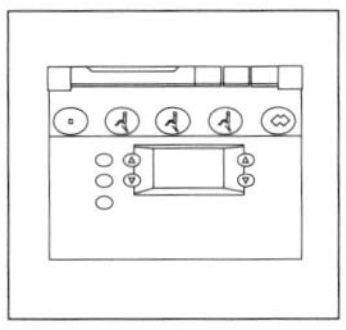

4. 全操作が可能なリモコンを配備し、多くの機能を思いのままに設定できる

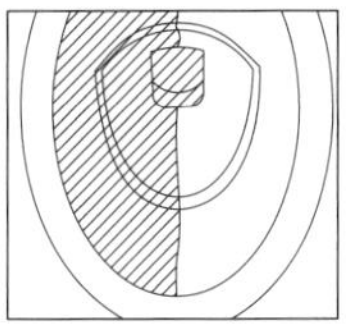

5. ナノレベルまで磨き上げたセラミックの表面で、器具の表面を保護するだけでなく、優れた使用体験をあたえる

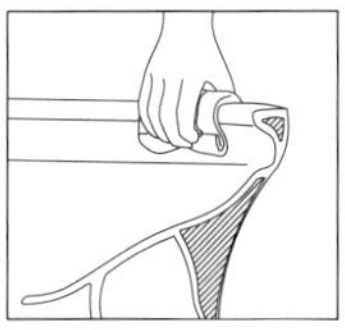

6. 革新的な凹凸のない形状で、汚れの付着防止と清掃の容易さを実現している

TOTOが開発した温水洗浄洋式便座で、水温や水流の強さを調節でき、防臭、温風乾燥、便座保温、ノズル洗浄などの機能があり、生活水準の飛躍を物語る。都市の発展とともに人々の生活水準が高くなると、必然的に生活の細部への注目が高まる。この便座の登場により、消費者の考え方と習慣が変わり、人々にその便利さが浸透するだろう。

本体
便座、便座カバー
減圧バルブ
便座カバー
温水タンク
ねじ締め
腰掛式便器
子供用便座リング
保温便座リング
電源プラグ
電源コード

子供用便座リングを配置。子供が利用しない時は45°の所で子供用リングを取ることができる

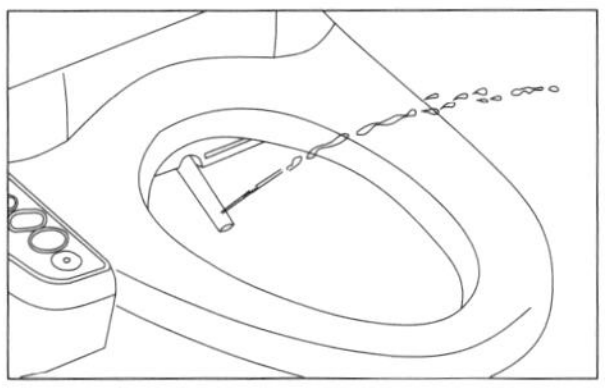

臀部はきれいに洗浄される

水温の選択が可能な温水洗浄システムで、臀部は完全に清潔になり、さわやかな感覚をあたえる

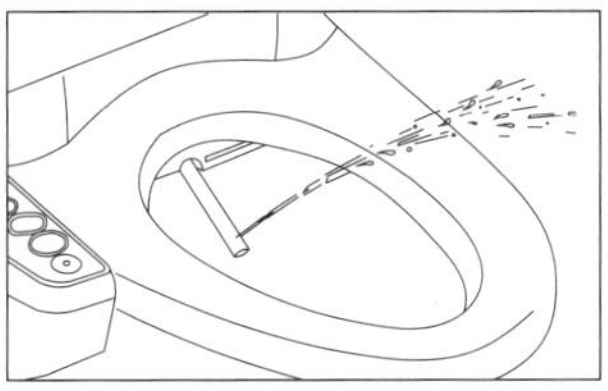

下半身はきれいに洗浄される

専用ノズルから温水を噴き出し、クリーニングが丁寧で、月経期も心身共に心地よさが維持できる

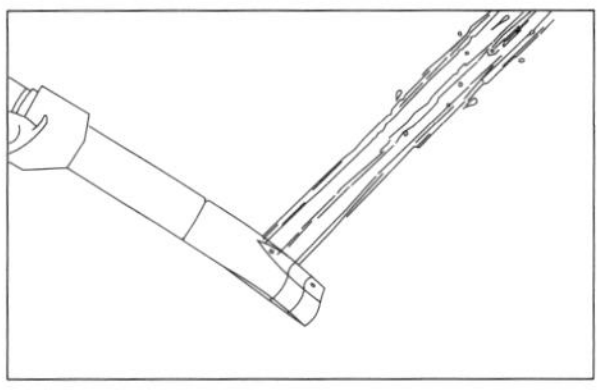

前後に動いて洗浄する

洗浄時に、ノズルを前後に動かすことができ、更に洗浄効果を向上させることができる

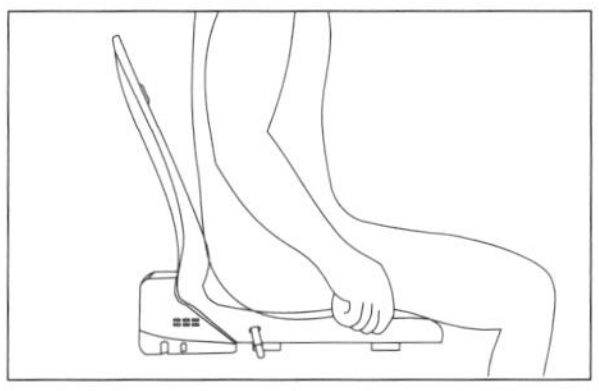

安定した温度

電子制御で、便座を一定の温度に保ち、冬でも臀部が暖かい

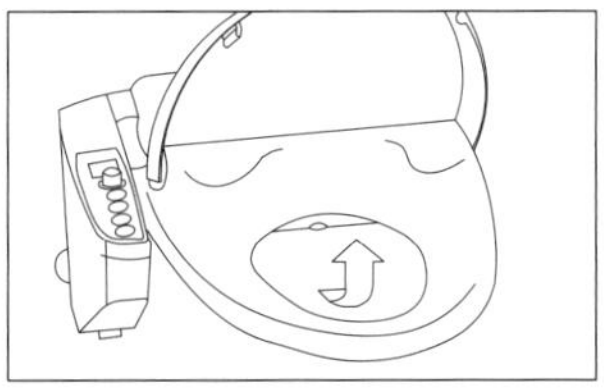

温風乾燥で心地よい

心地よい温風で使用後の臀部を気持ちよく乾燥させる。必要に応じて温度を調節できる

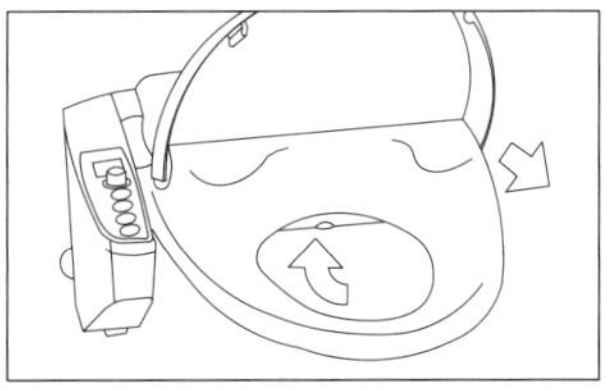

自動的に消臭し、更に快適に

完全に消臭し、使用者にも次の使用者にも不快を与えない

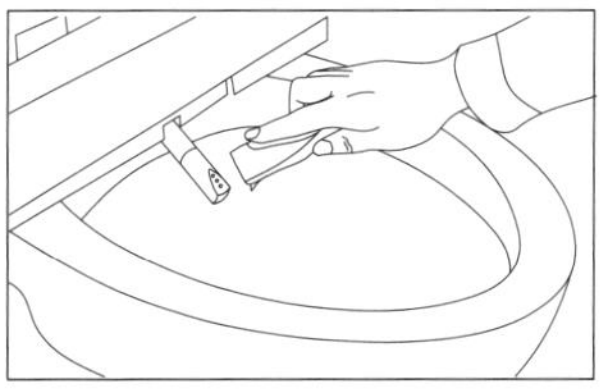

掃除がしやすい

ノズル洗浄スイッチを押すとノズルを清掃することができる。自動洗浄プロセスは毎回の噴水前後に自動洗浄する

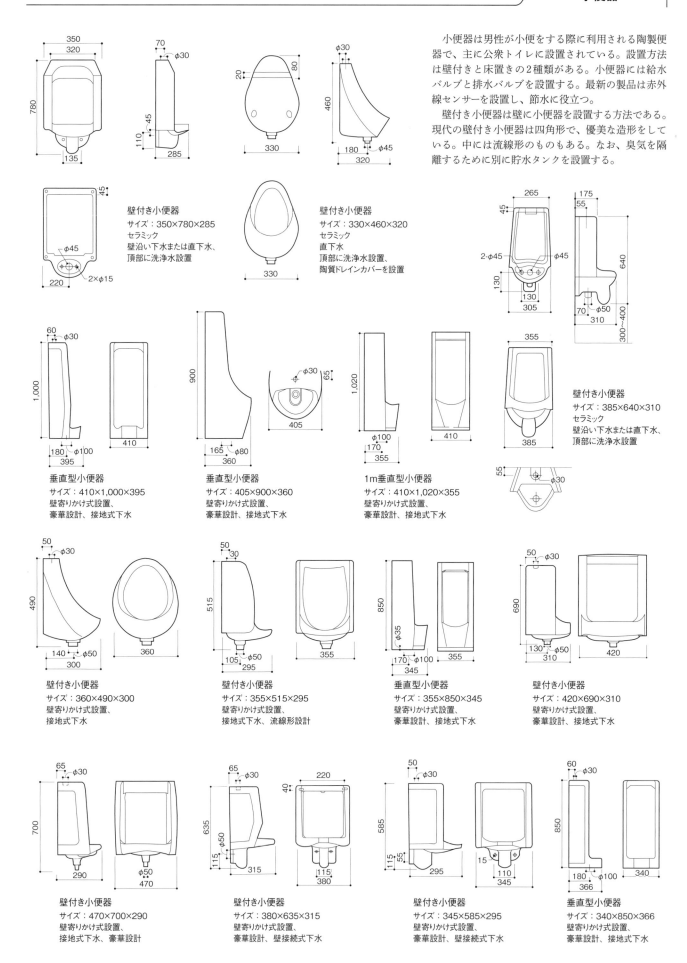

小便器は男性が小便をする際に利用される陶製便器で、主に公衆トイレに設置されている。設置方法は壁付きと床置きの2種類がある。小便器には給水バルブと排水バルブを設置する。最新の製品は赤外線センサーを設置し、節水に役立つ。

壁付き小便器は壁に小便器を設置する方法である。現代の壁付き小便器は四角形で、優美な造形をしている。中には流線形のものもある。なお、臭気を隔離するために別に貯水タンクを設置する。

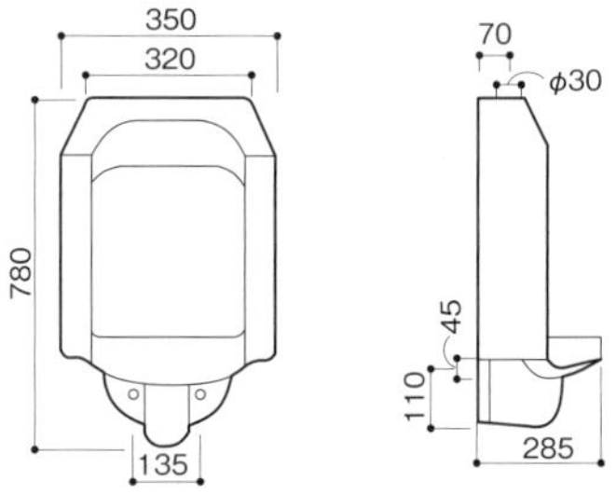
350
320
780
135
70
ϕ30
45
110
285

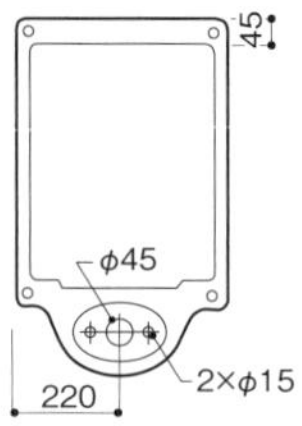
45
ϕ45
2×ϕ15
220

壁付き小便器
サイズ：350×780×285
セラミック
壁沿い下水または直下水、
頂部に洗浄水設置

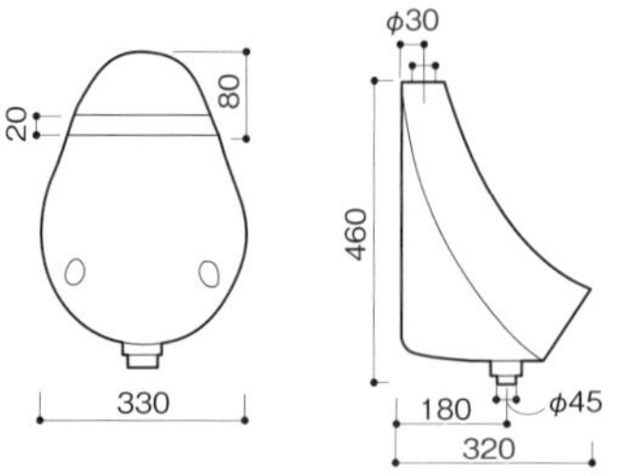
20
80
330
ϕ30
460
180
ϕ45
320

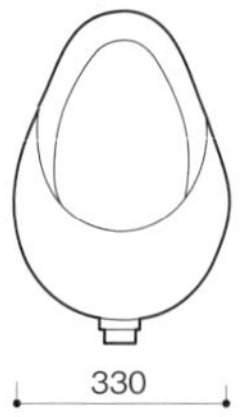
330

壁付き小便器
サイズ：330×460×320
セラミック
直下水
頂部に洗浄水設置、
陶質ドレインカバーを設置

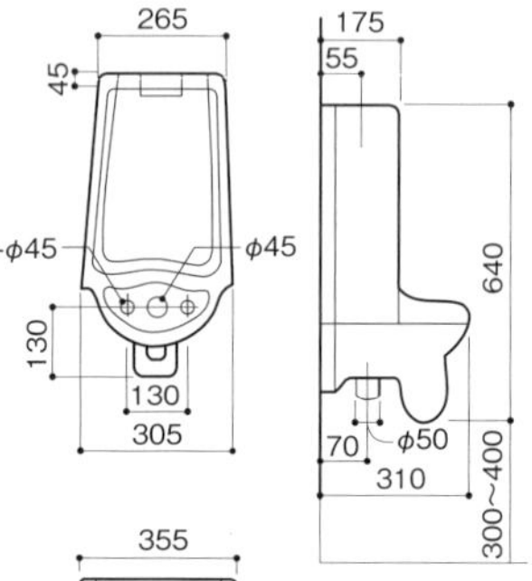
265
45
2-ϕ45
ϕ45
130
130
305
175
55
640
70
ϕ50
310
300~400

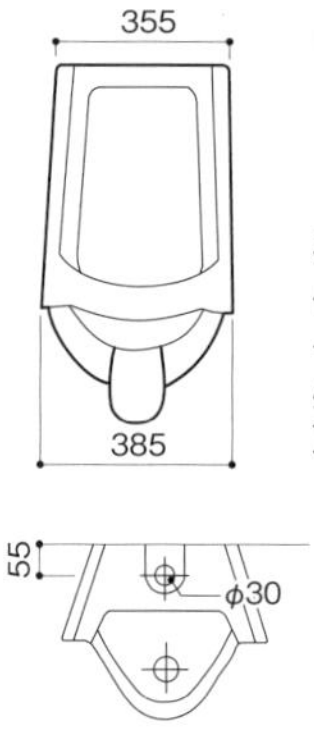
355
385
55
ϕ30

壁付き小便器
サイズ：385×640×310
セラミック
壁沿い下水または直下水、
頂部に洗浄水設置

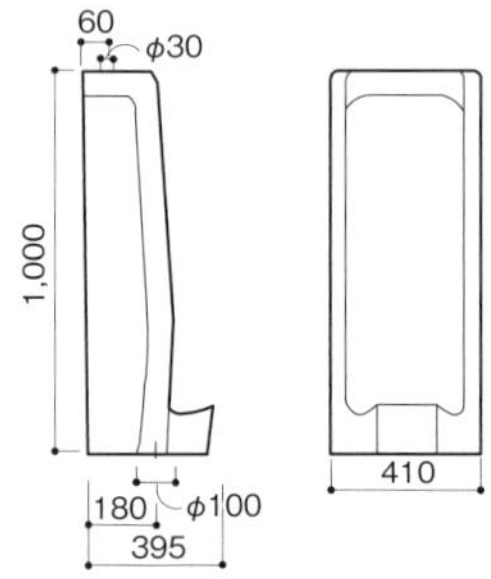
60
ϕ30
1,000
180
ϕ100
395
410

垂直型小便器
サイズ：410×1,000×395
壁寄りかけ式設置、
豪華設計、接地式下水

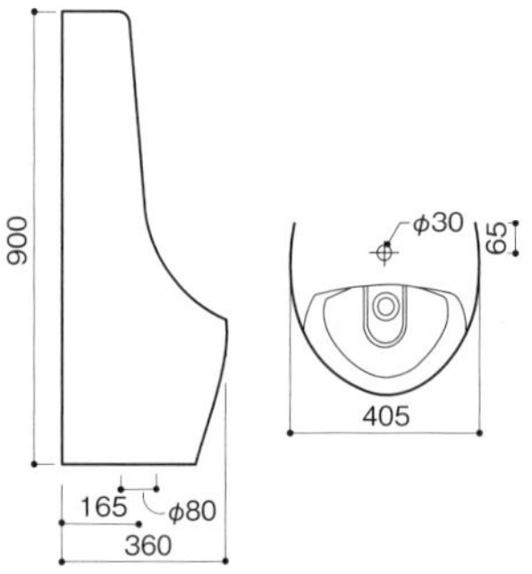
900
165
ϕ80
360
ϕ30
65
405

垂直型小便器
サイズ：405×900×360
壁寄りかけ式設置、
豪華設計、接地式下水

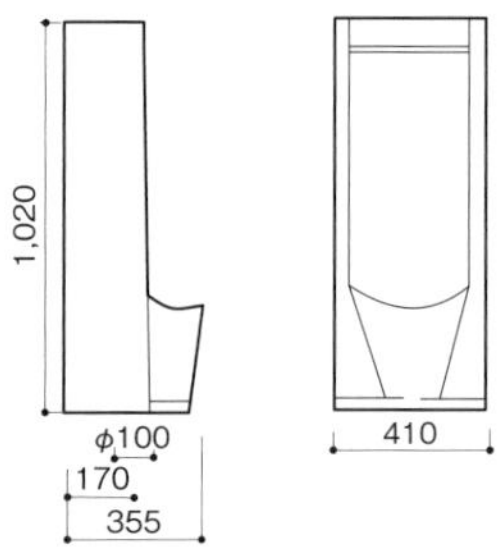
1,020
ϕ100
170
355
410

1m垂直型小便器
サイズ：410×1,020×355
壁寄りかけ式設置、
豪華設計、接地式下水

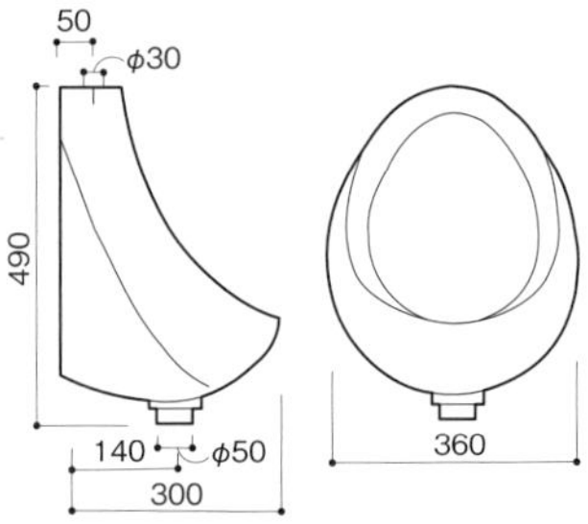
50
ϕ30
490
140
ϕ50
300
360

壁付き小便器
サイズ：360×490×300
壁寄りかけ式設置、
接地式下水

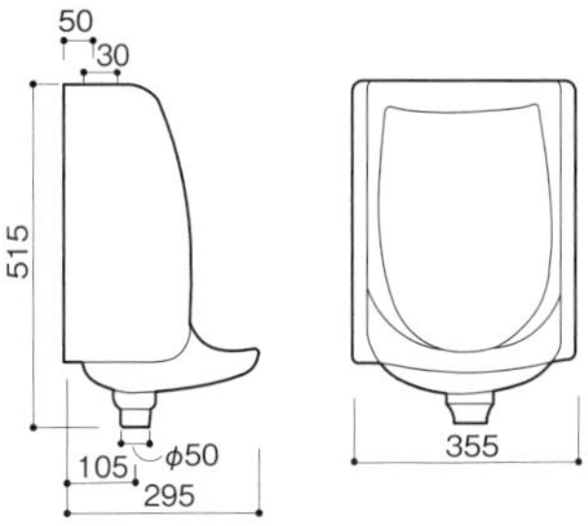
50
30
515
105
ϕ50
295
355

壁付き小便器
サイズ：355×515×295
壁寄りかけ式設置、
接地式下水、流線形設計

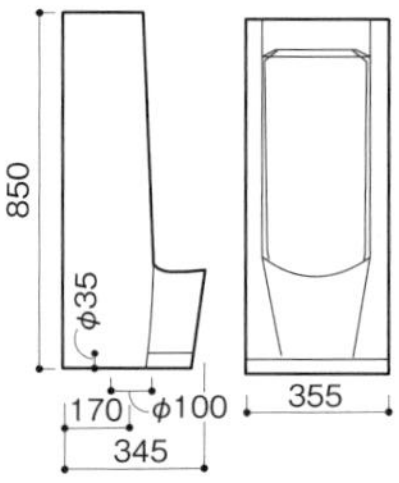
850
ϕ35
170
ϕ100
345
355

垂直型小便器
サイズ：355×850×345
壁寄りかけ式設置、
豪華設計、接地式下水

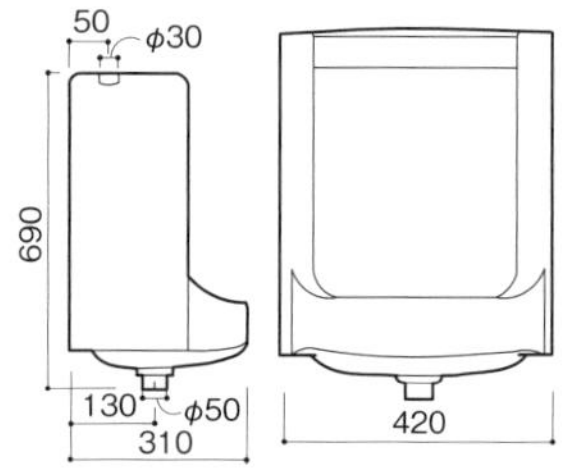
50
ϕ30
690
130
ϕ50
310
420

壁付き小便器
サイズ：420×690×310
壁寄りかけ式設置、
豪華設計、接地式下水

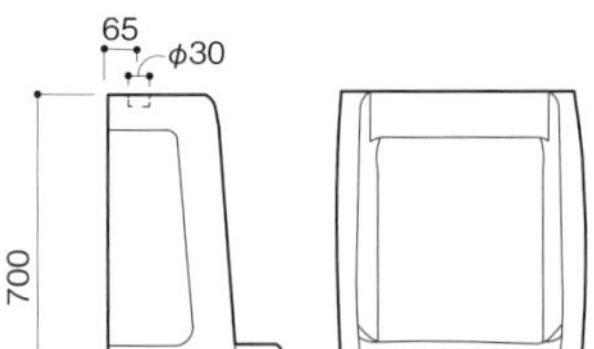
65
ϕ30
700
290
ϕ50
470

壁付き小便器
サイズ：470×700×290
壁寄りかけ式設置、
接地式下水、豪華設計

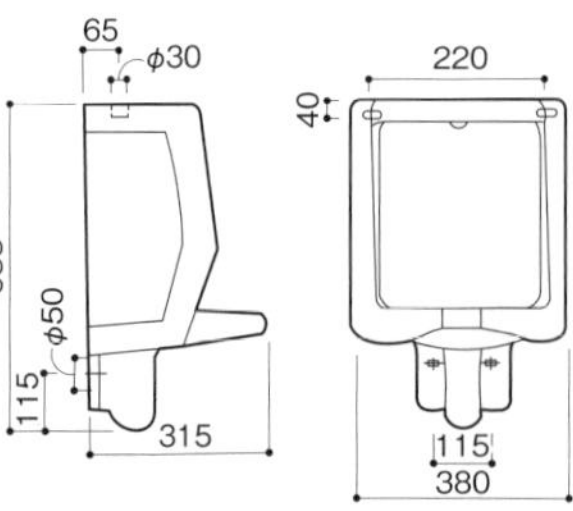
65
ϕ30
635
ϕ50
115
315
220
40
115
380

壁付き小便器
サイズ：380×635×315
壁寄りかけ式設置、
豪華設計、壁接続式下水

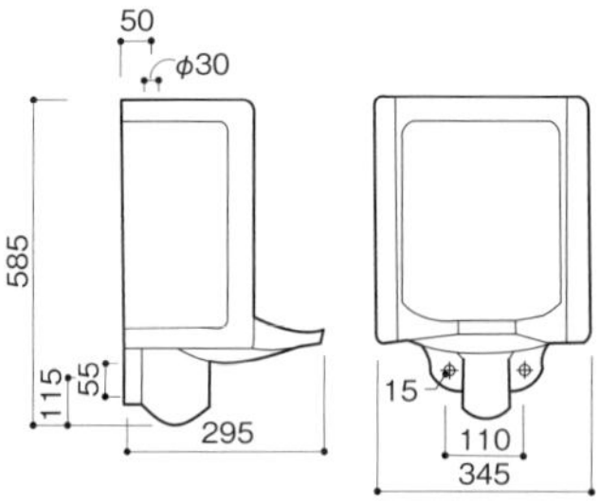
50
ϕ30
585
115
55
295
15
110
345

壁付き小便器
サイズ：345×585×295
壁寄りかけ式設置、
豪華設計、壁接続式下水

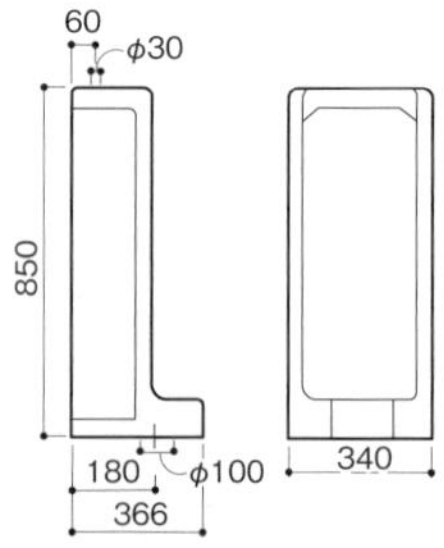
60
ϕ30
850
180
ϕ100
366
340

垂直型小便器
サイズ：340×850×366
壁寄りかけ式設置、
豪華設計、接地式下水

洗面所に合わせて使用する金属部品にはポール式タオル掛け、バスタオルホルダー、ポール式シャワーカーテン掛け、カップホルダー、トイレペーパーホルダー、石鹸ホルダー、ブラシホルダー、身仕度ホルダーなどが含まれる。材質には銅質、亜鉛合金、ステンレスの3種類がある。銅質部品は銅パイプの曲げ加工と銅板プレスによって製造され、その表面にメッキ処理を行い、構造が簡素で外形が美しい。利便性に優れ、中高級洗面所に適する。亜鉛合金部品は亜鉛合金の鋳造によって製造され、その表面にメッキ、クロムメッキ、銅メッキと各種類の樹脂コーキングの表面処理が可能で、利便性に優れ、造型が美しく価格が低く、中級洗面所に適する。ステンレス部品はステンレスによって製造され、表面にハブ仕上げを行い、高級洗面所に使われる。現在この種の材質は利用される機会が少ない。

浴室の金属部品は種類がさまざまである。衛生器具用金属部品を選ぶ場合は、材質、造型、色などが衛生器具に合うように注意しなければならない。

衛生器具用金属部品の取付位置

金属部品名称	取付位置	地面までの高さmm
バスタオルホルダー 1	浴槽の壁の上	1,700~1,800
バスタオルホルダー 2	壁の上	1,700~1,800
シャワーカーテンフック	浴槽前部の上	1,900~2,000
物干し綱	浴槽前部の上	1,900~2,000
浴衣フック1	浴室扉の裏	1,750~1,850
浴衣フック2	壁の上	1,750~1,850
カップホルダー	ボウルのそばの壁の上	1,050~1,250
便器ブラシホルダー	便器のそばの壁の上	350~450
ペーパーボックス	便器のそばの壁の上	700~900
巻紙ボックス	便器のそばの壁の上	750~900
乾燥機	洗面所スペース壁の上	1,200~1,400
ペーパー出し装置	洗面所スペース壁の上	1,100~1,250

金属部品名称	取付位置	地面までの高さmm
手すり	浴槽の壁	500~680
石鹸ボックス1	浴槽の壁	550~680
石鹸ボックス2	浴槽側の壁	550~680
リンク式タオル掛け	浴槽前部の壁	900~1,200
化粧鏡	ボウルの対面の壁	1,400~1,600
ペーパーボックス	ボウルの側の壁	1,100~1,250
電話ボックス	便器に近い壁	1,100~1,300
角台	壁の上	1,100~1,300
平台	化粧鏡の下の壁	1,100~1,300
洗濯剤収納器	ボウルのそばの壁	1,000~1,200
髪乾燥器	化粧鏡のそばの壁	1,400~1,600
美髪器	化粧鏡のそばの壁	1,400~1,600

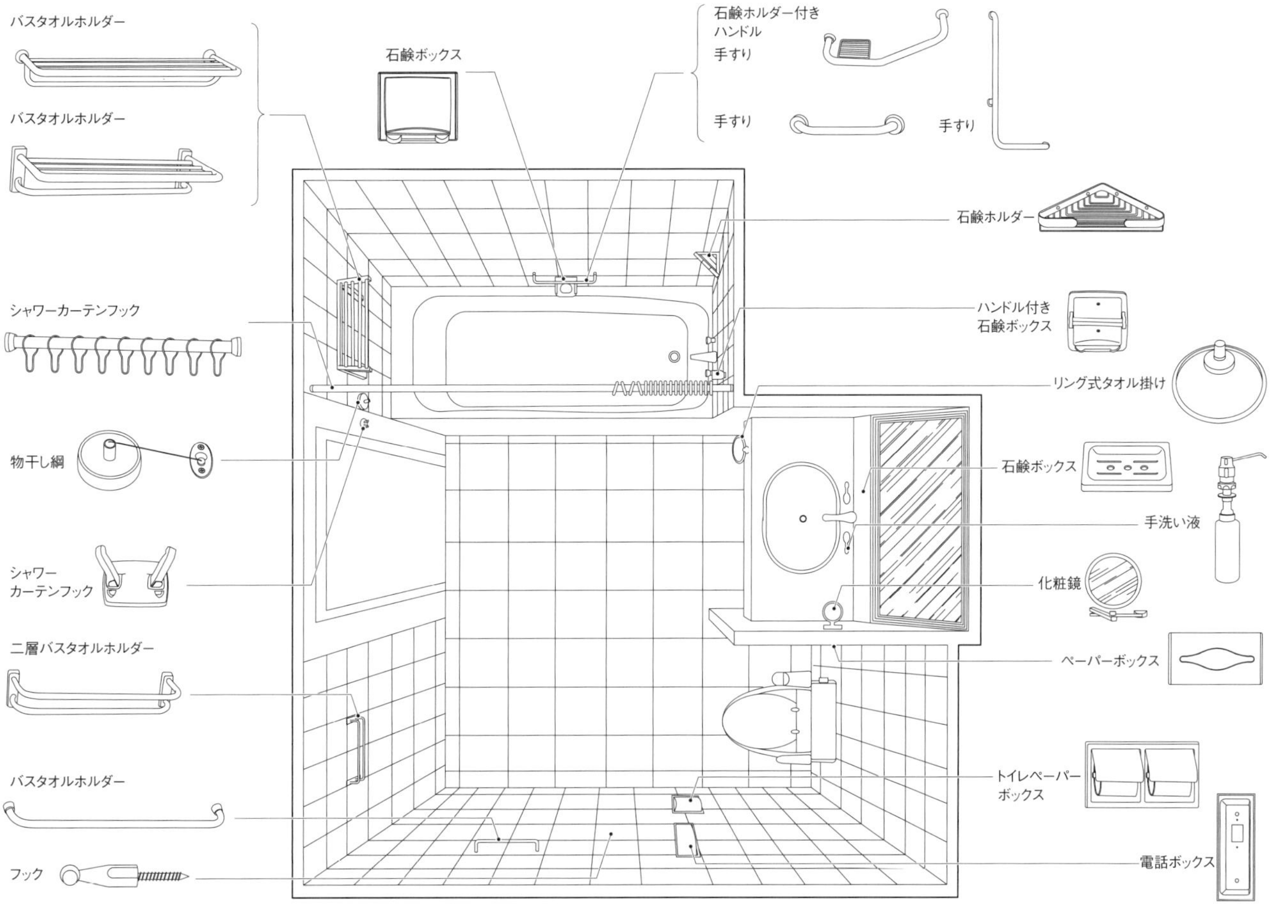
バスタオルホルダー
バスタオルホルダー
石鹸ボックス
石鹸ホルダー付き
ハンドル
手すり
手すり
手すり
石鹸ホルダー
シャワーカーテンフック
ハンドル付き
石鹸ボックス
リング式タオル掛け
物干し綱
石鹸ボックス
手洗い液
シャワー
カーテンフック
化粧鏡
二層バスタオルホルダー
ペーパーボックス
トイレペーパー
ボックス
バスタオルホルダー
フック
電話ボックス

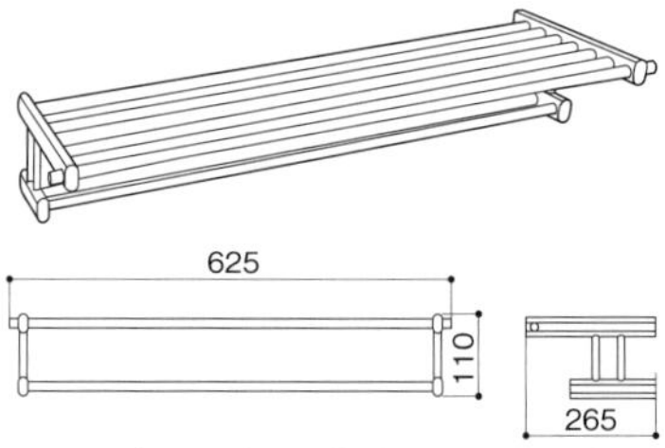
625
110
265

7本パイプ二層式バスタオルホルダー

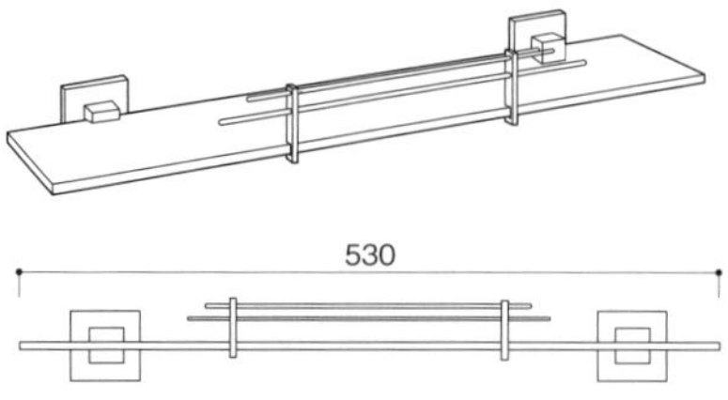
530

ガラススタンド

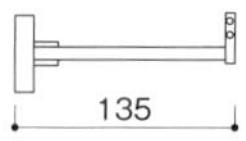
135

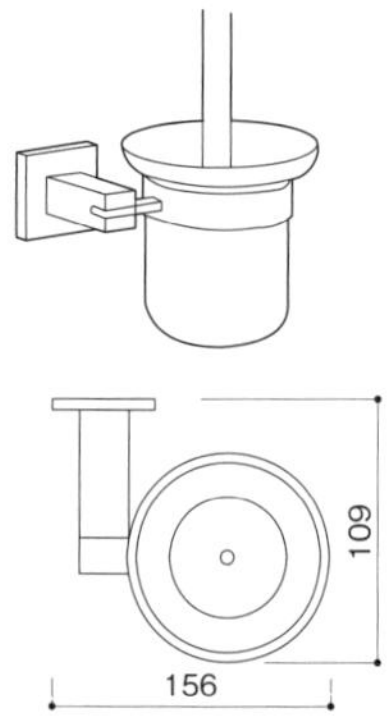
109
156

便器ブラシホルダー

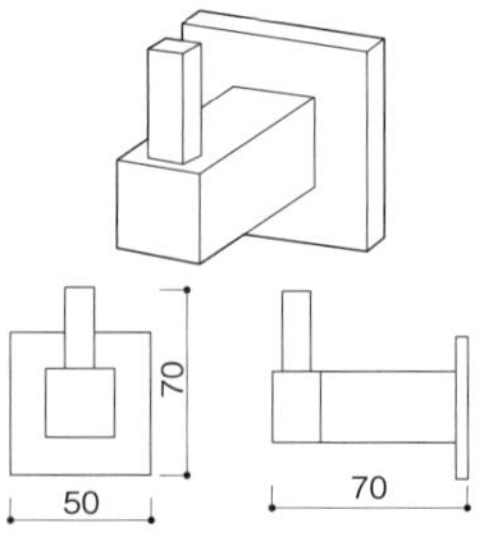
70
50
70

衣服用フック

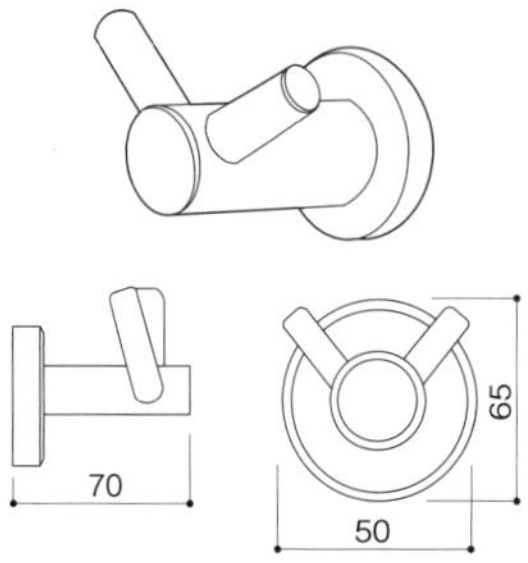
70
65
50

衣服用フック

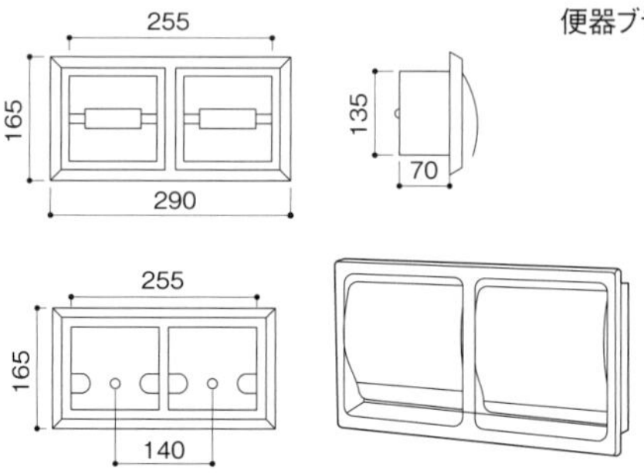
255
165
290
135
70
255
165
140

壁面埋め込み式紙ボックス

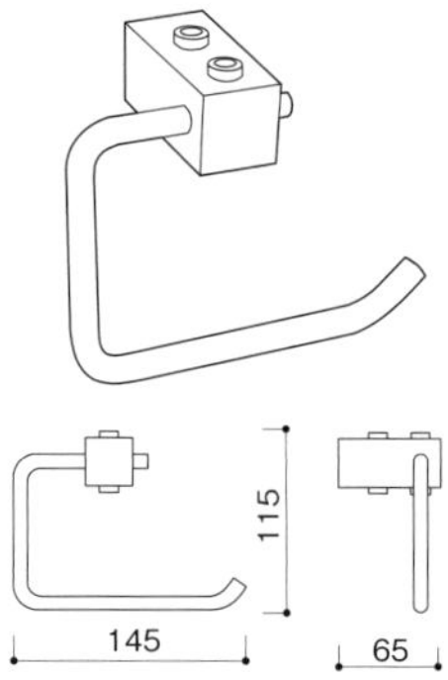
115
145
65

タオル掛け

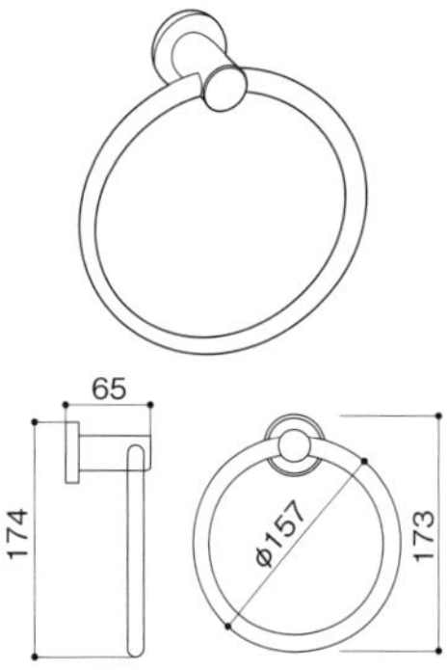
65
174
ø157
173

タオル掛け

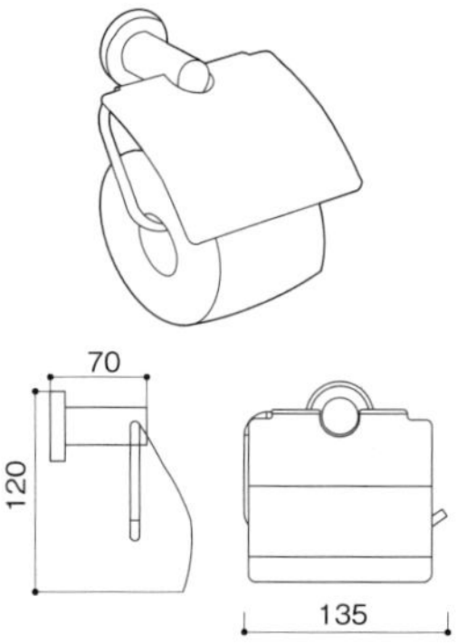
70
120
135

トイレペーパーホルダー

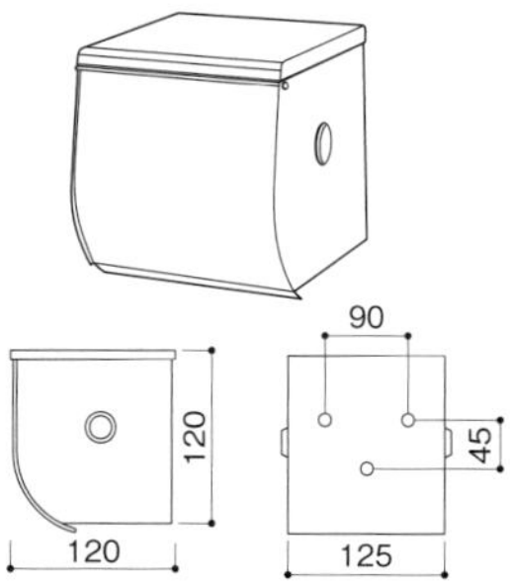
90
120
45
120
125

閉鎖型ペーパーボックス

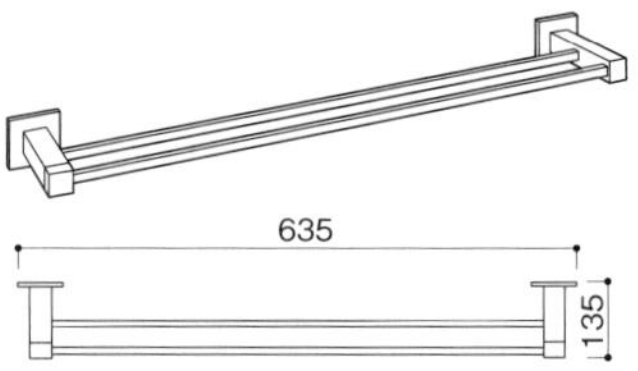
635
135

2本パイプタオル掛け

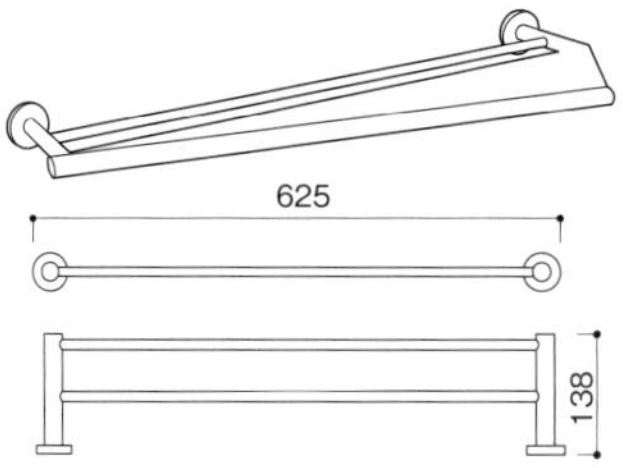
625
138

2本パイプタオル掛け

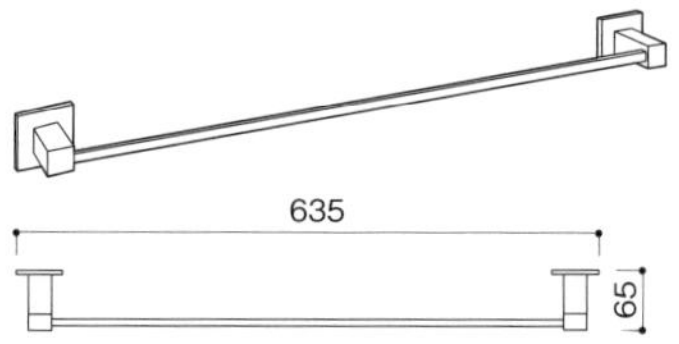
635
65

タオル掛け

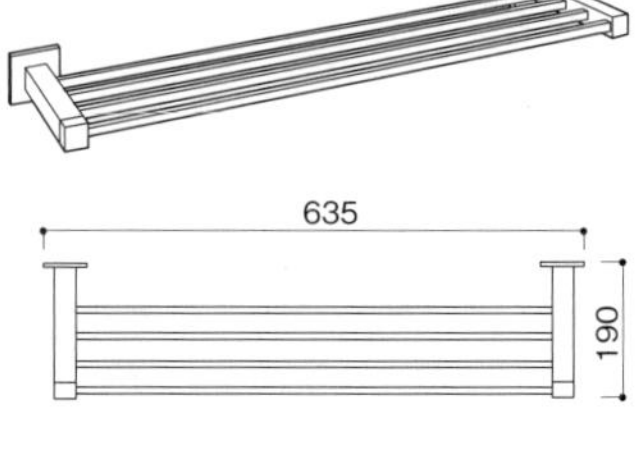
635
190

4本パイプタオル掛け

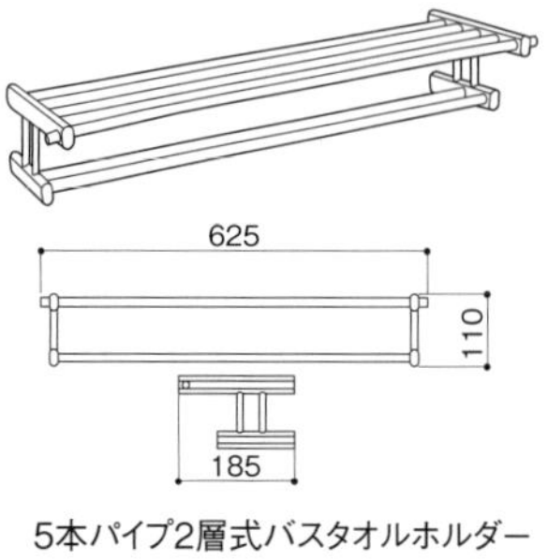
625
110
185

5本パイプ2層式バスタオルホルダー

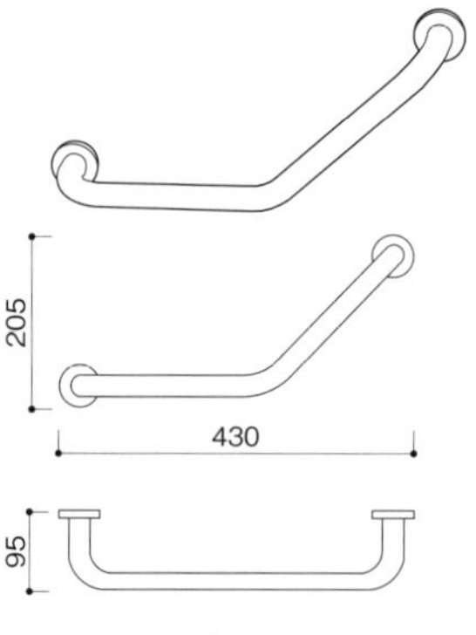
205
430
95

手すり

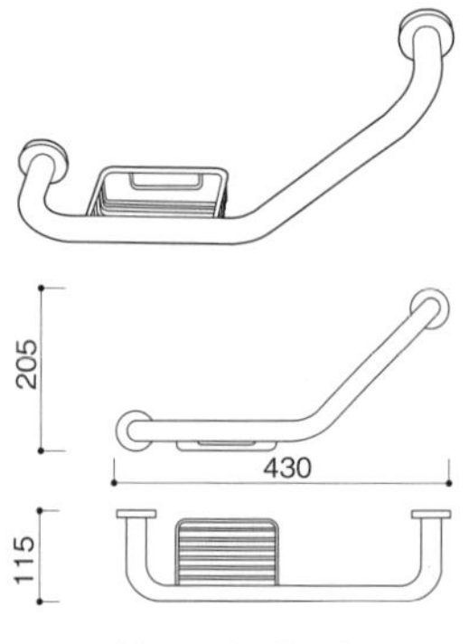
205
430
115

石鹸ホルダー付き手すり

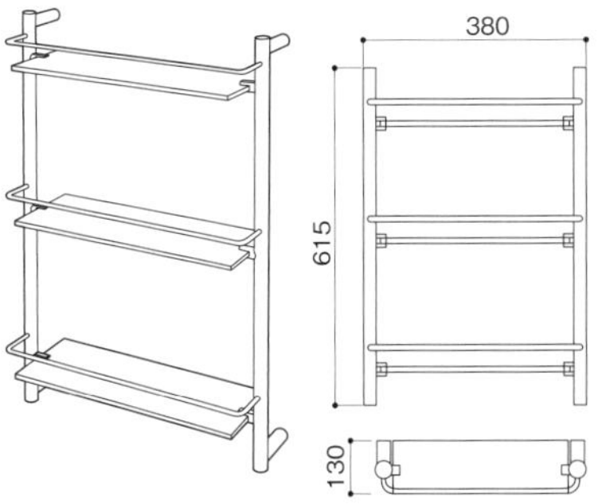
380
615
130
3層ガラス平台

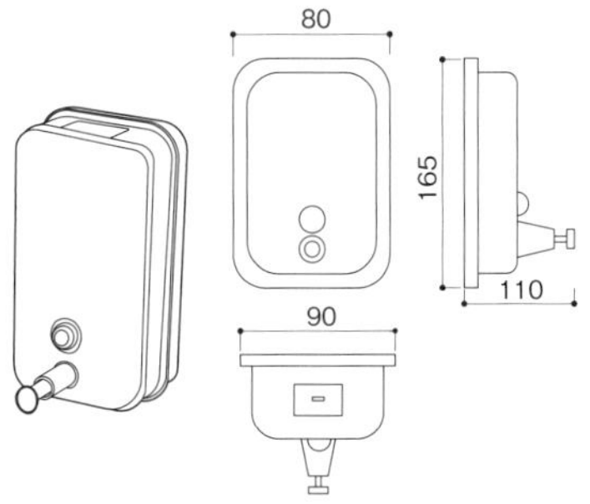
80
165
110
90
小型液体石鹸入れ 500mℓ

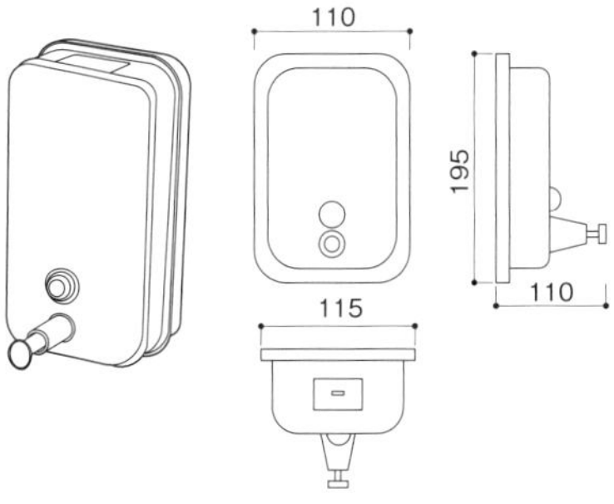
110
195
110
115
中型液体石鹸入れ 800mℓ

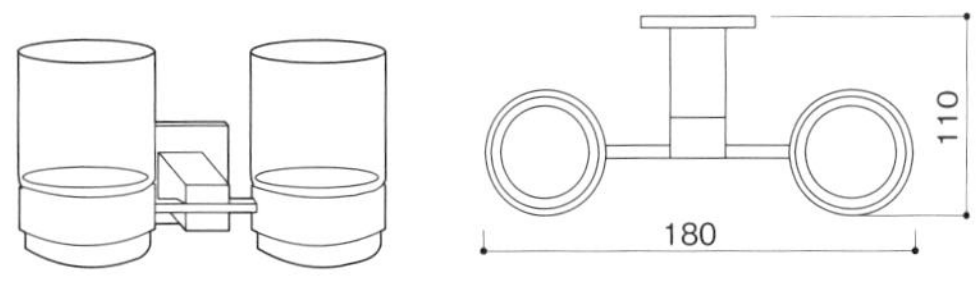
110
180
ダブルカップホルダー

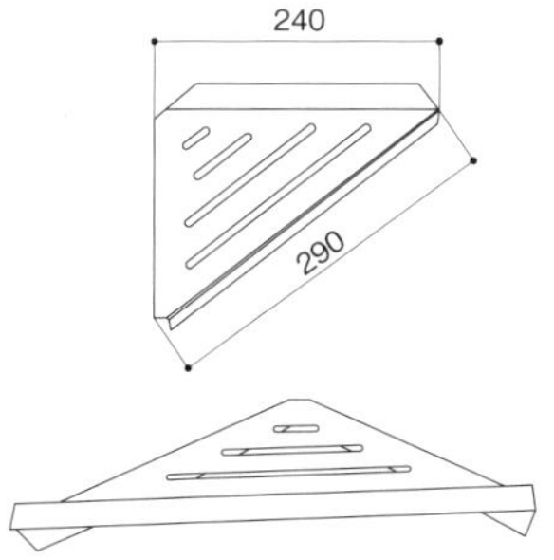
240
290
角台

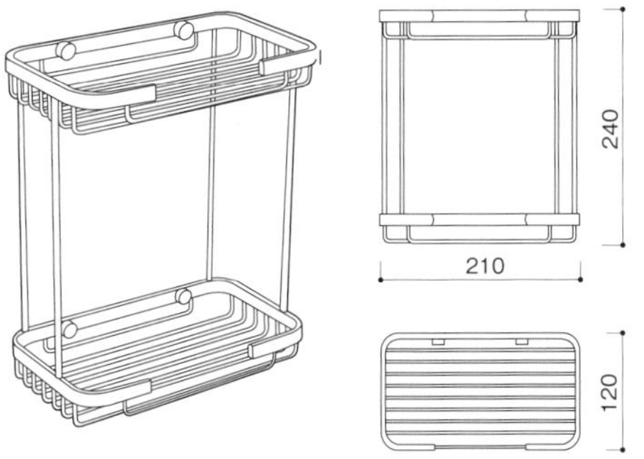
240
210
120
四角形かご

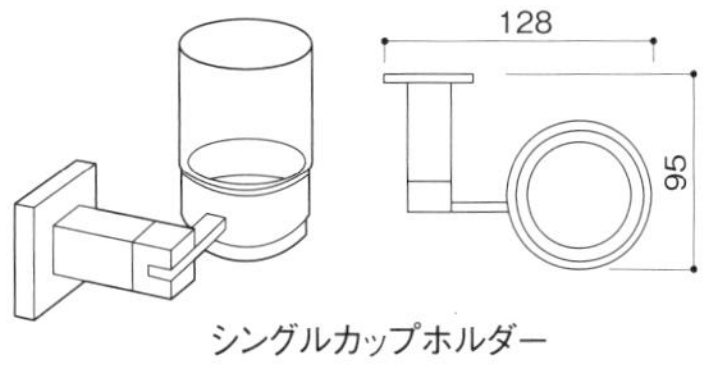
128
95
シングルカップホルダー

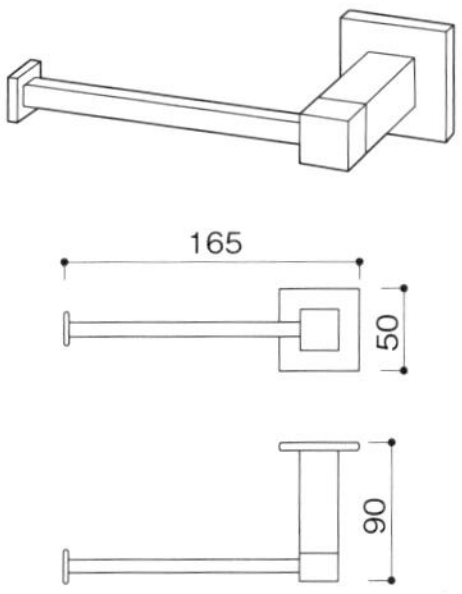
165
50
90
トイレペーパーホルダー

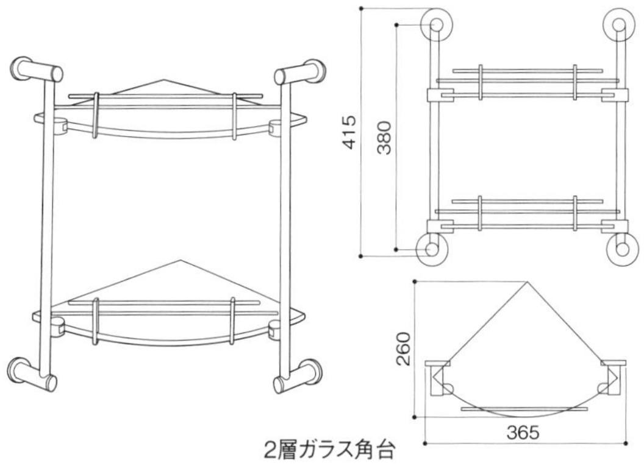
415
380
260
365
2層ガラス角台

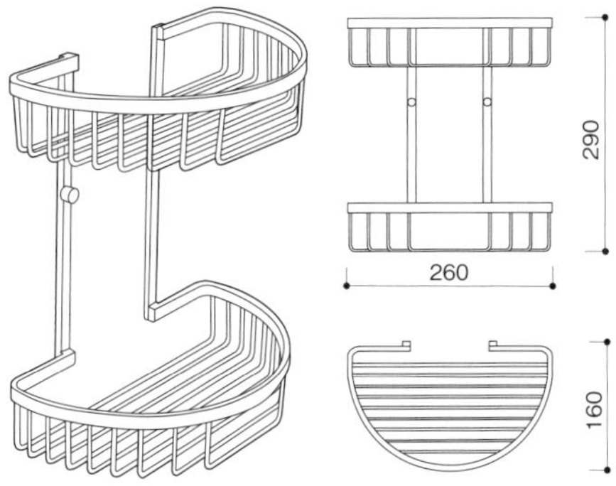
290
260
160
半円形かご

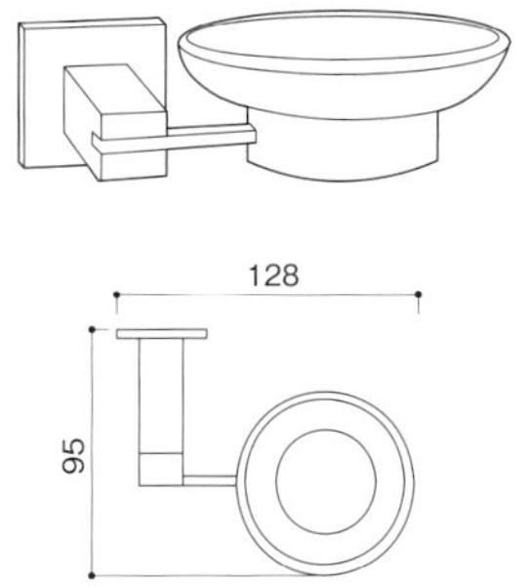
128
95
ソープディッシュ

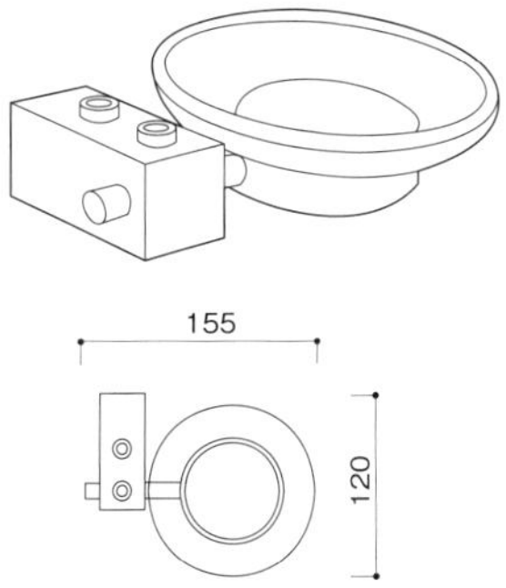
155
120
ソープディッシュ

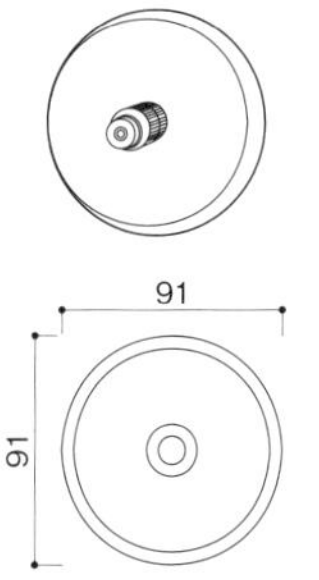
91
91
物干し綱

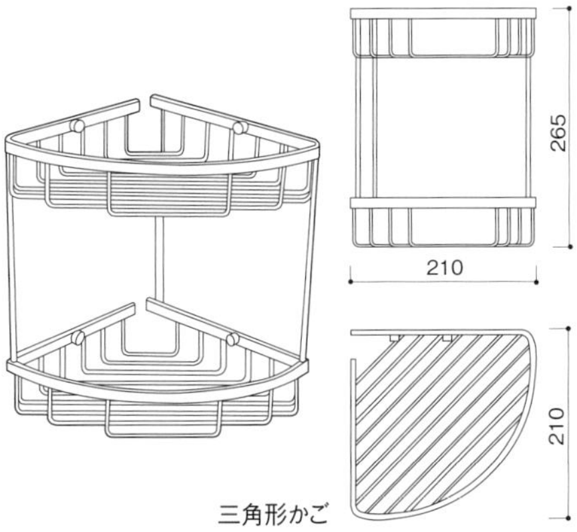
265
210
210
三角形かご

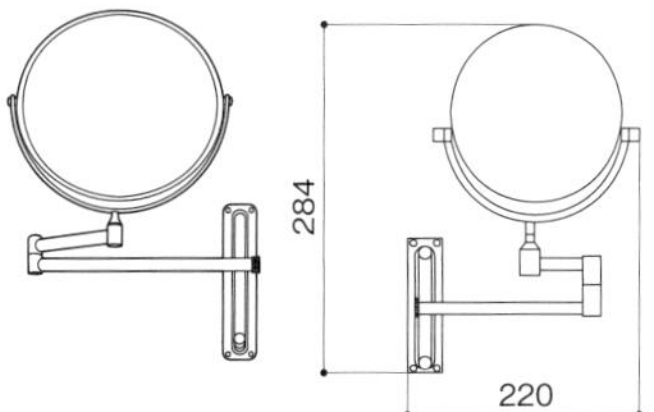
284
220
化粧鏡

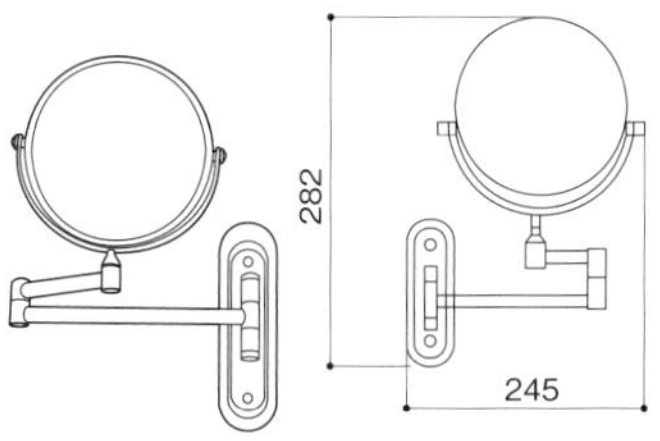
282
245
化粧鏡

抗菌製品：シャワーハンドル、浴槽ハンドル、腰掛式便器ハンドル、小便器ハンドル、洗面ボウルハンドル等すべての製品の設計は、いずれも衛生面、利便性、美しさに注意して構想し、お年寄り、身体障害者、妊婦などの便宜を考えて設計する。

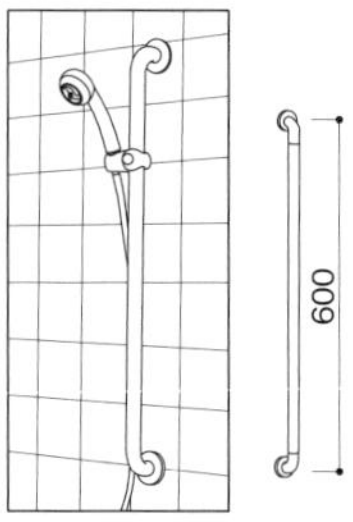
600
ノズル昇降レバー

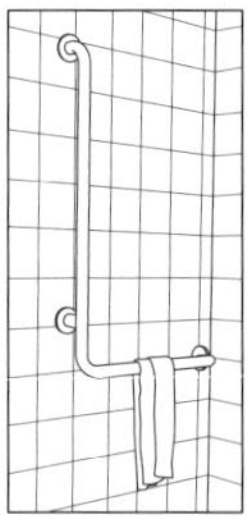

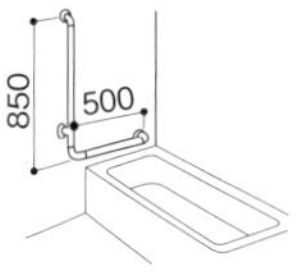
850
500

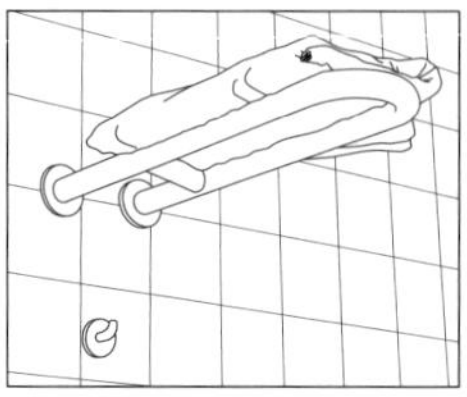

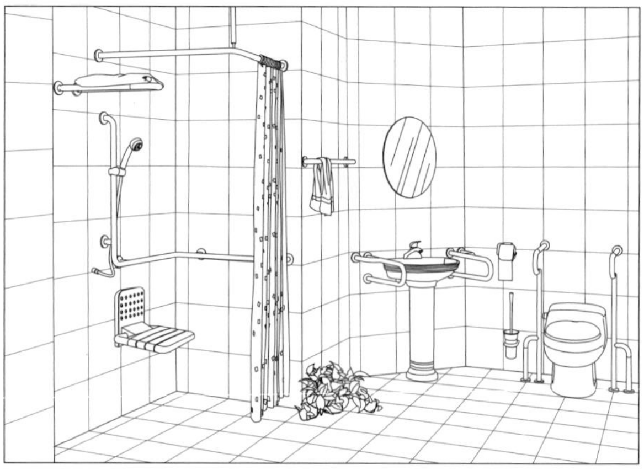

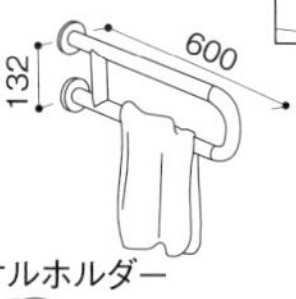
132
600
タオルホルダー

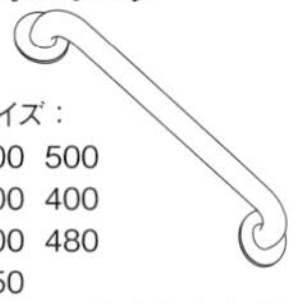
サイズ：
300 500
600 400
700 480
850
タオルホルダー

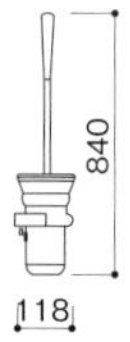
840
118
便器ブラシホルダー

600 600
132
洋式便器ハンドル

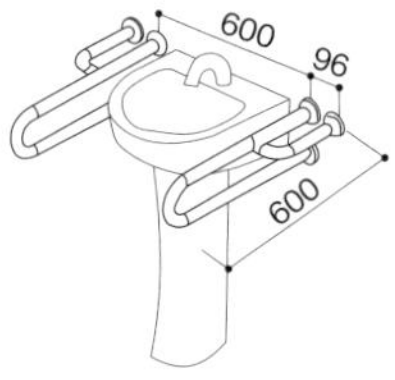
600
96
600
洗面ボウルハンドル

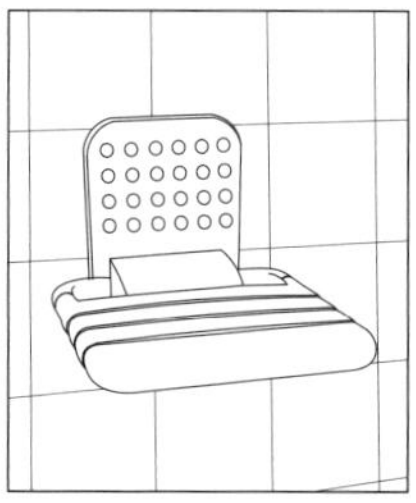

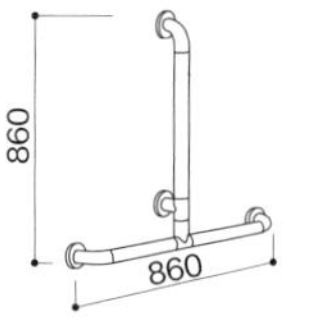
860
860
ノズル昇降レバー

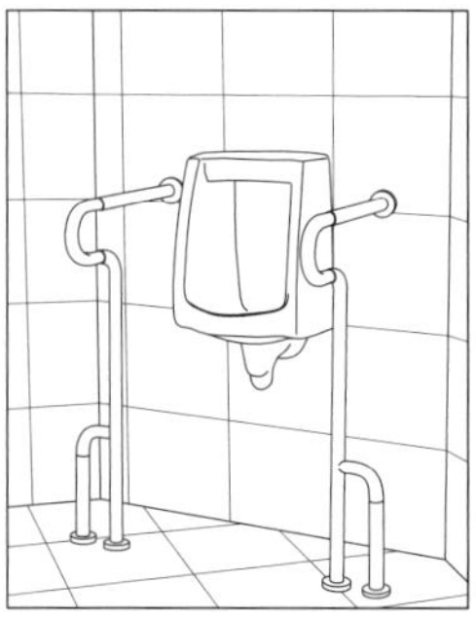

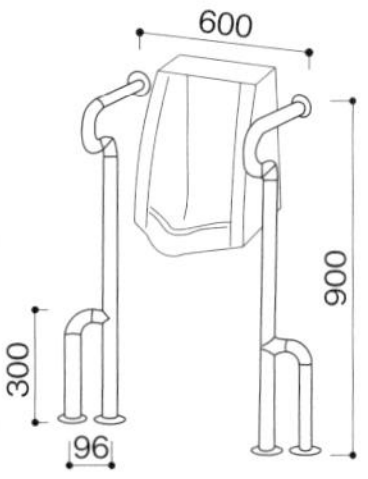
600
900
300
96
小便器ハンドル

タオルホルダー

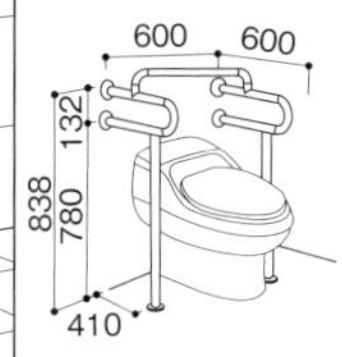
600 600
132
838
780
410
洋式便器ハンドル

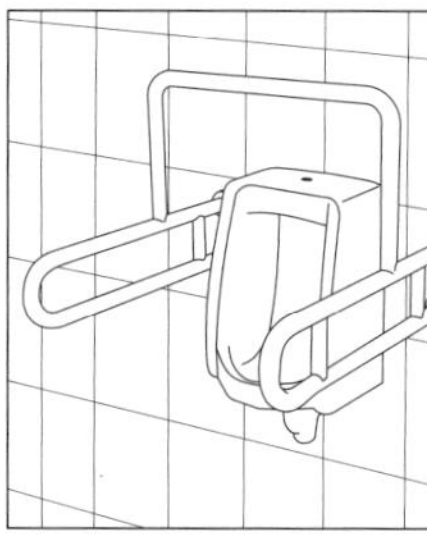

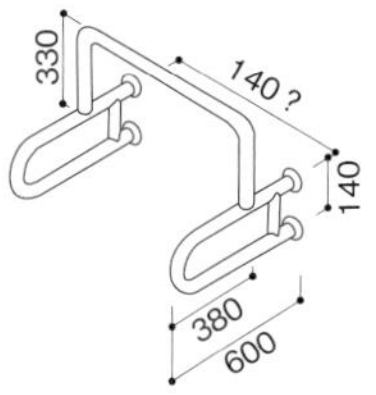
330
140 ?
140
380
600
小便器ハンドル

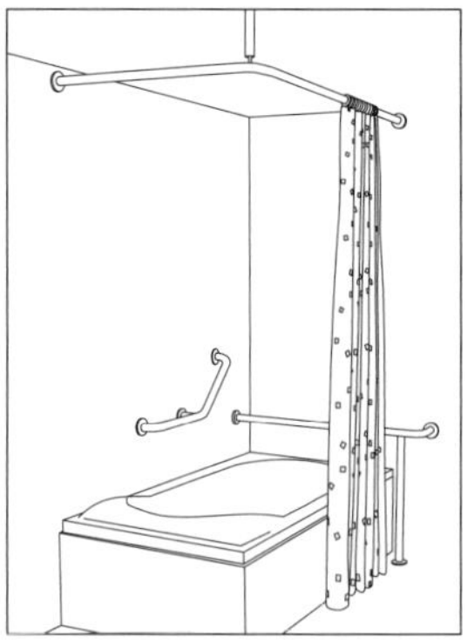

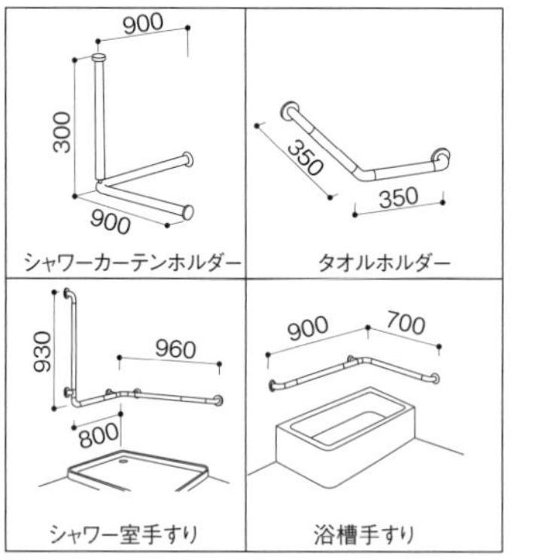
900
300
900
350
350
930
960
800
900 700
シャワーカーテンホルダー
タオルホルダー
シャワー室手すり
浴槽手すり

洋式便器ハンドル

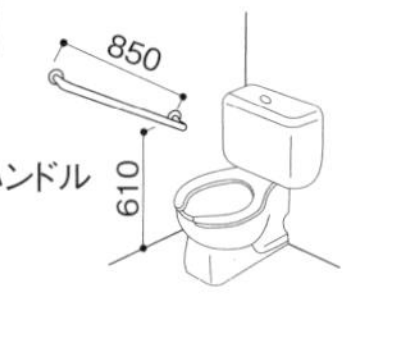
850
610

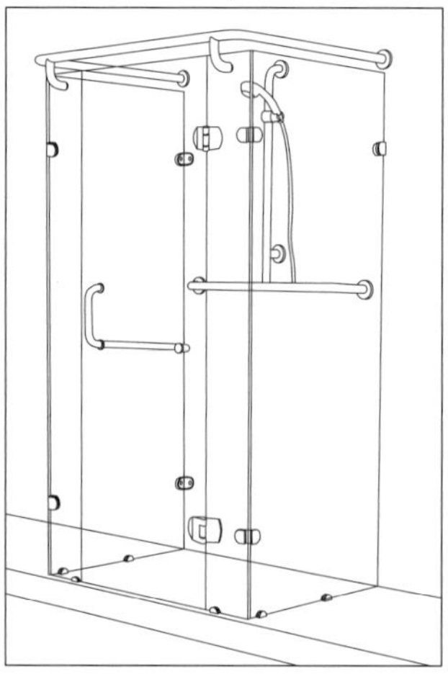

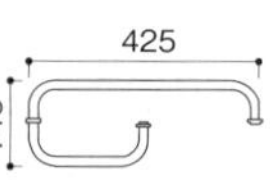
425
140
シャワー室ハンドル

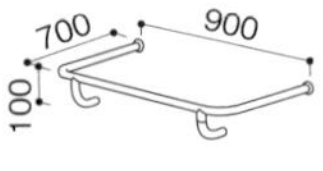
700
900
100
シャワー室天井ホルダー

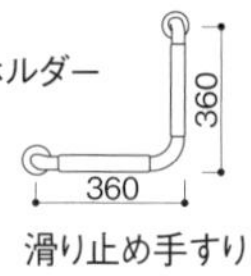
360
360
滑り止め手すり

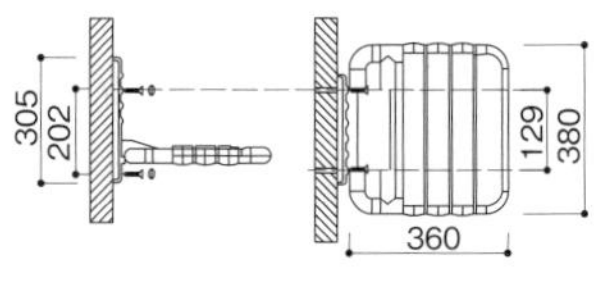
305
202
129
380
360

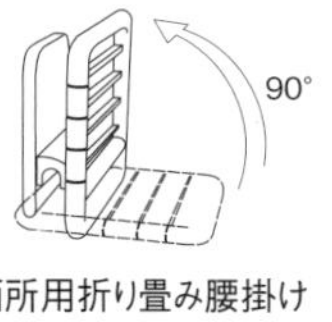
90°
洗面所用折り畳み腰掛け

洗面ボウル用蛇口（ノズル）は冷水、熱水または冷熱混合水の給水に用いられる。その構造にはスクリュー昇降式、金属ボールバルブ式、セラミックバルブコア式などがある。

セラミック洗面器の給水スイッチは洗面器の部品で、その種類は浴槽と同じく、主にバルブ体、シール材、冷熱水混合部分と開閉部分、進水管、排水ノズルから構成される。近年、公共施設などでは、非接触式自動スイッチ（赤外線感知）構造が採用されているケースも多い。洗面器のノズルの材質には銅の合金が使われることが多い。開閉時の手触りは穏やかで軽いこと、冷熱水の区別を明記すること（冷水は青色またはCの文字、熱水は赤色またはHの文字を付ける）が注意点である。

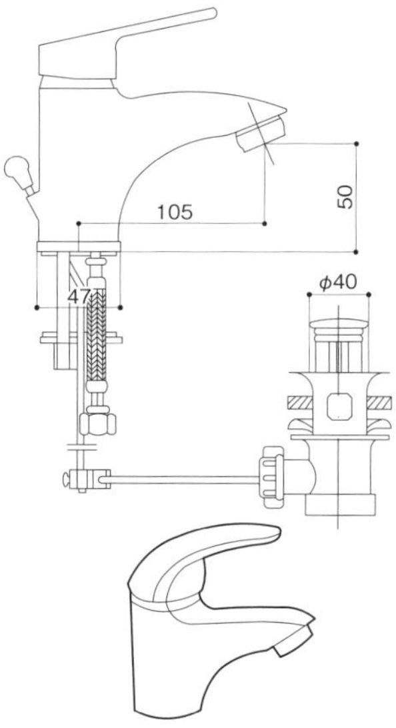
105
50
47
ϕ40
洗面ボウル蛇口

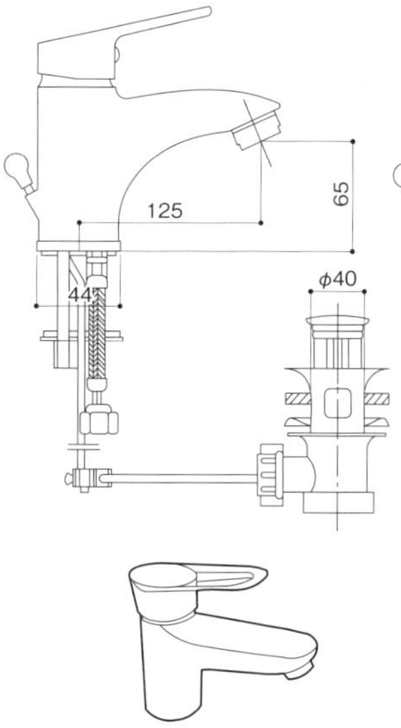
125
65
44
ϕ40
洗面ボウル蛇口

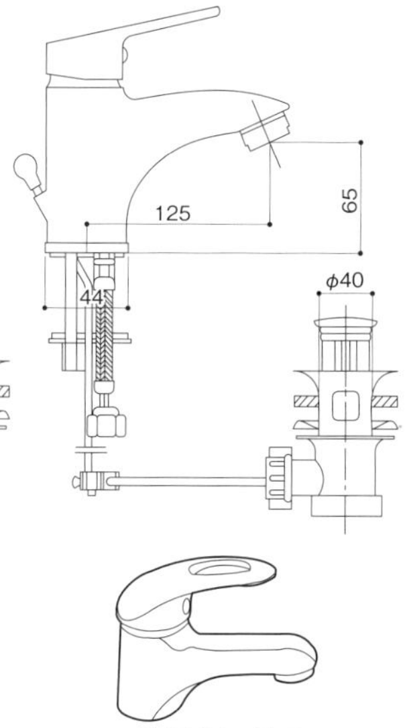
125
65
44
ϕ40
洗面ボウル蛇口

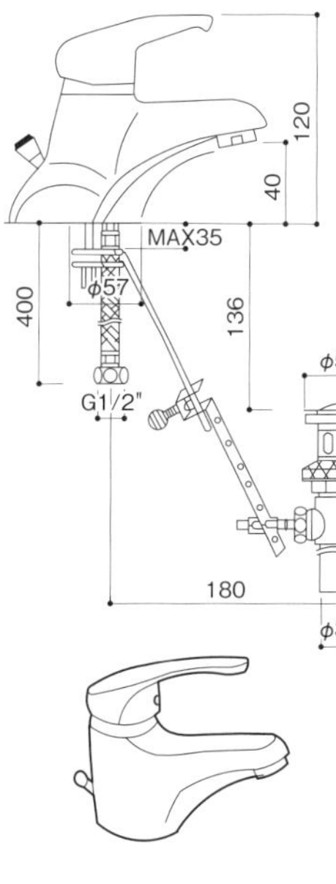
120
40
MAX35
400
ϕ57
136
G1/2"
ϕ59
MAX52
MIN32
MAX150
MIN135
180
ϕ32
シングルレバー式洗面ボウル蛇口

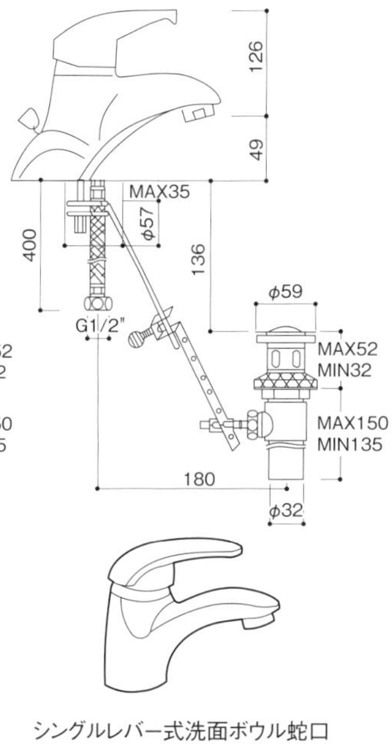
126
49
MAX35
400
ϕ57
136
G1/2"
ϕ59
MAX52
MIN32
MAX150
MIN135
180
ϕ32
シングルレバー式洗面ボウル蛇口

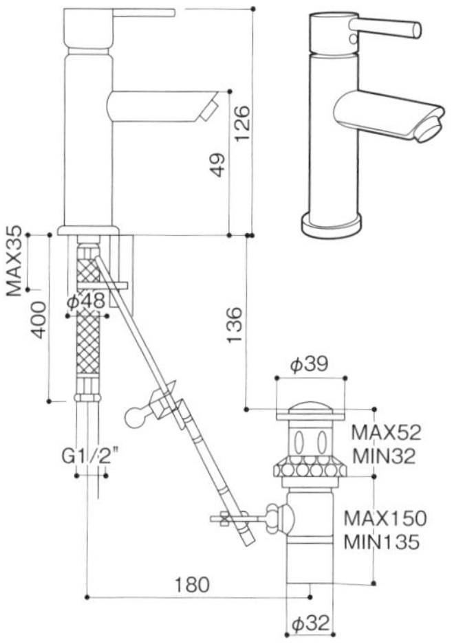
126
49
MAX35
400
ϕ48
136
ϕ39
MAX52
MIN32
G1/2"
MAX150
MIN135
180
ϕ32
単穴洗面ボウル蛇口用
セラミックバルブコア

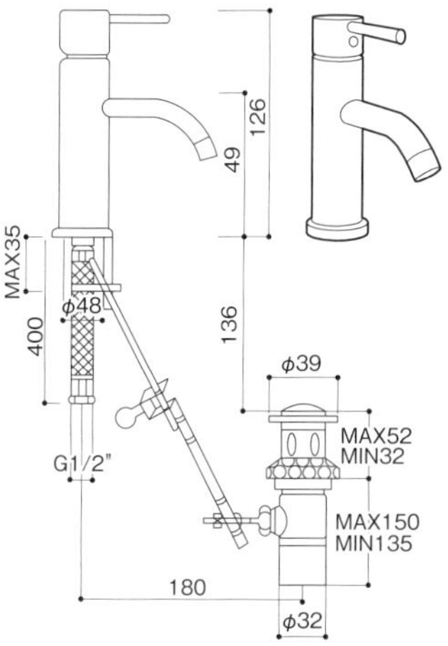
126
49
MAX35
400
ϕ48
136
ϕ39
MAX52
MIN32
G1/2"
MAX150
MIN135
180
ϕ32
単穴洗面ボウル蛇口用
セラミックバルブコア

洗濯機用蛇口

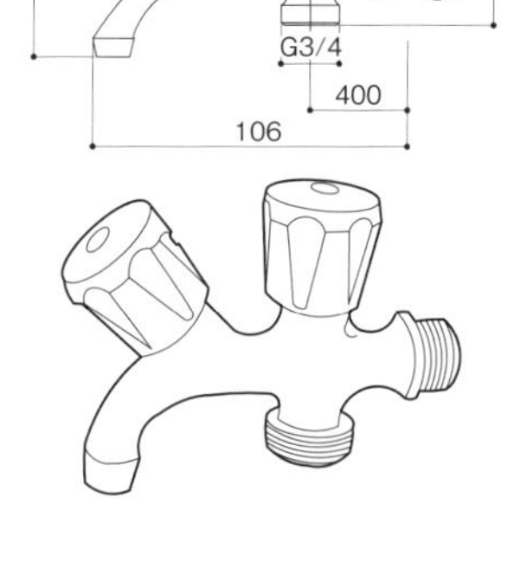
800
720
G1/2
G3/4
400
106
洗濯機ノズル

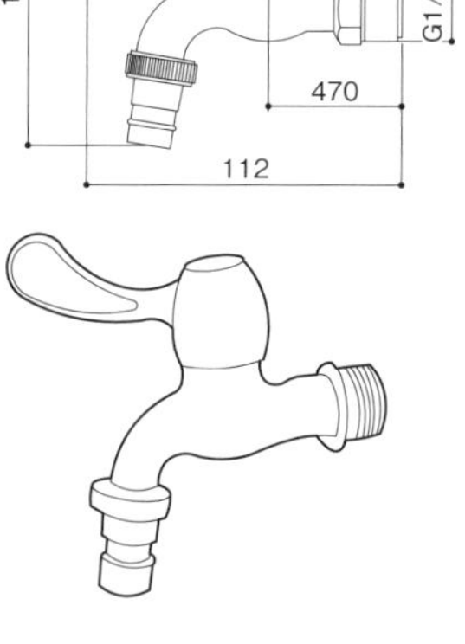
113
G1/2
470
112
シングルノズル（亜鉛合金）

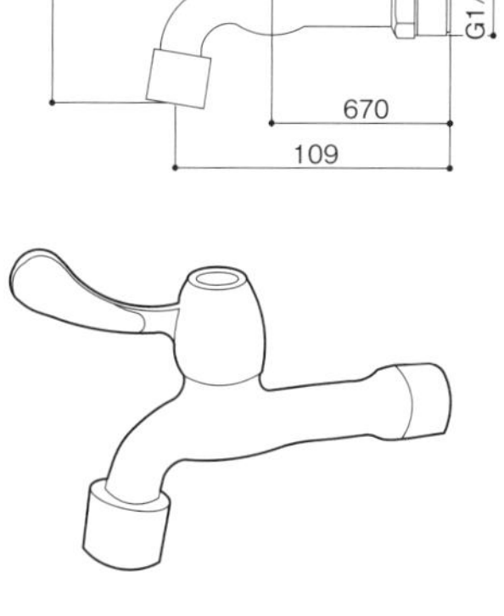
960
G1/2
670
109
シングルノズル（亜鉛合金）

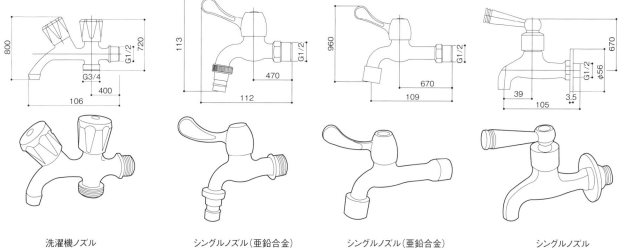

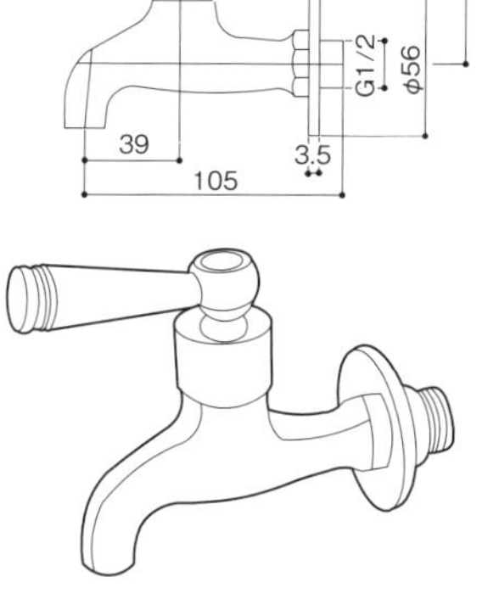
670
G1/2
ϕ56
39
3.5
105
シングルノズル

近年、浴槽用蛇口（ノズル）はセラミックバルブコア式シングルレバー蛇口が最もよく用いられる。シングルレバー式は水温の調節が可能で、使用に便利で、セラミックバルブコアは丈夫で水が漏れにくい。

浴槽の給水部品は一般的に銅材が使われる。製品内部の構造にはスクリュー昇降式とセラミック密封式がある。用途では単式ノズル（冷水・熱水）と冷熱水混合ノズルがある。外部構造ではシングルレバーとダブルレバーの2種類がある。また取り付け方式により外部取り付けと内部取り付けの2種類に分けられる。浴槽混合水ノズルは、主にバルブ、シール材、冷熱水誘導部分と開閉部分、混合水分配部と給水ノズルから構成される。

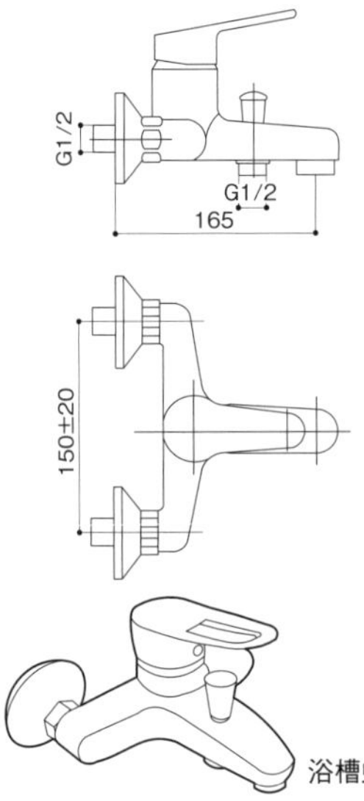
G1/2
G1/2
165
150±20
浴槽蛇口

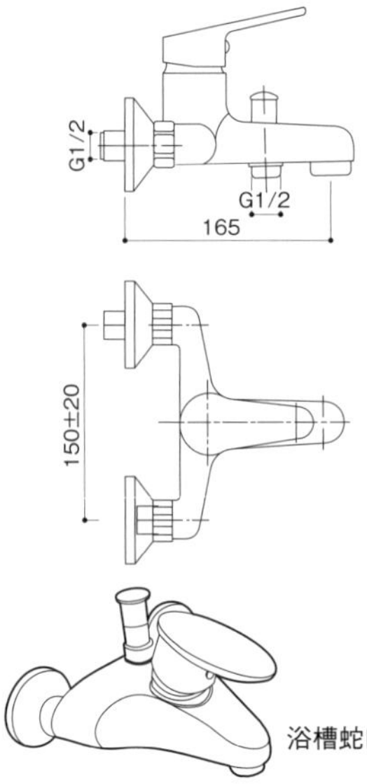
G1/2
G1/2
165
150±20
浴槽蛇口

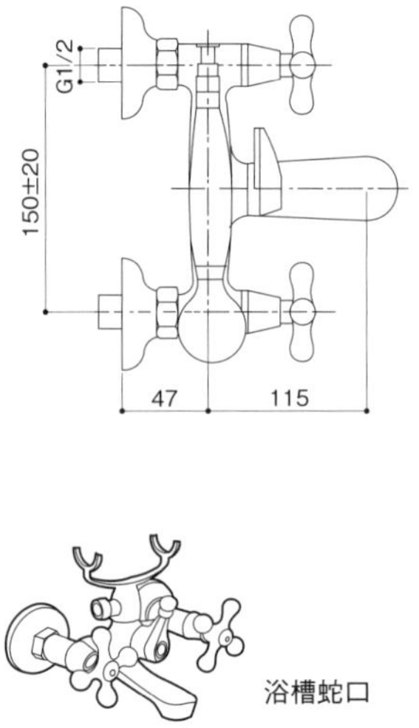
G1/2
150±20
47
115
浴槽蛇口

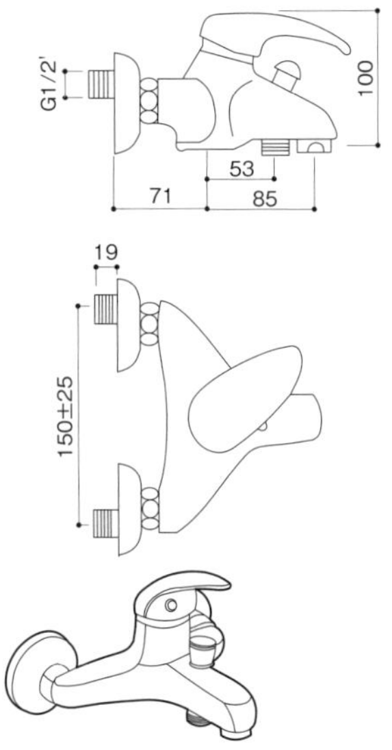
G1/2'
100
53
71
85
19
150±25
シングルレバー式
壁付き型浴槽蛇口

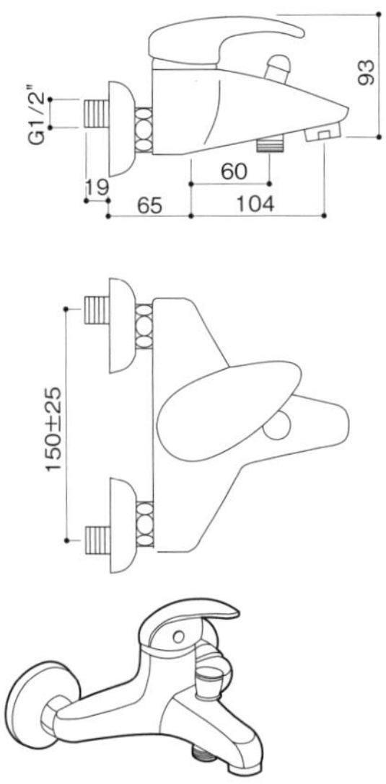
G1/2"
93
60
19
65
104
150±25
シングルレバー式
壁付き型浴槽蛇口

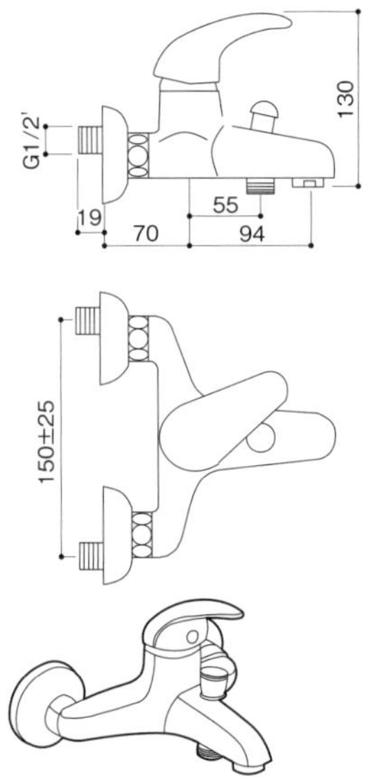
G1/2'
130
55
19
70
94
150±25
シングルレバー式
壁付き型浴槽蛇口

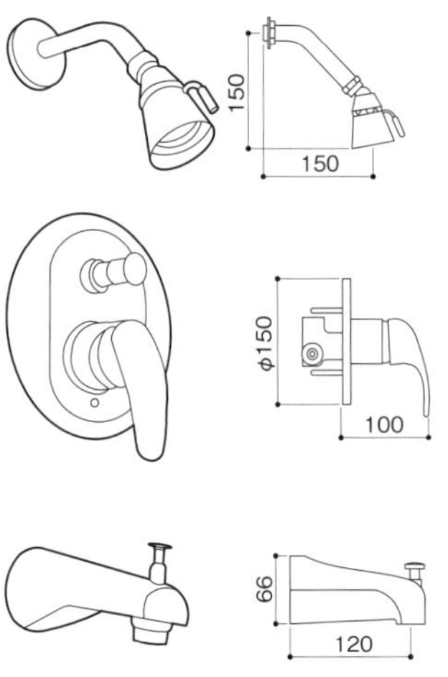
150
150
φ150
100
66
120
M01702
埋め込み式浴槽蛇口

ビデ用蛇口

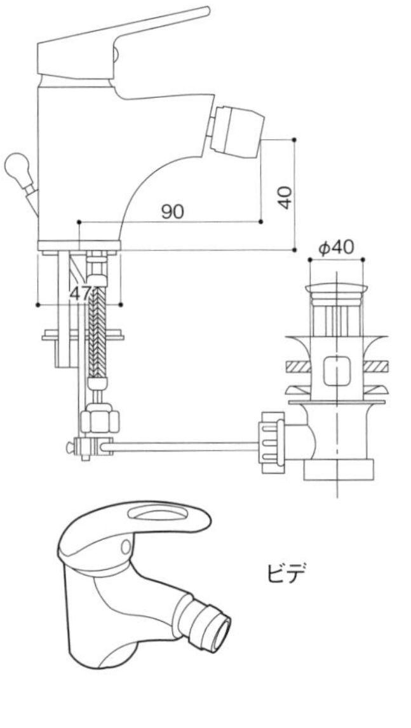
90
40
φ40
47
ビデ

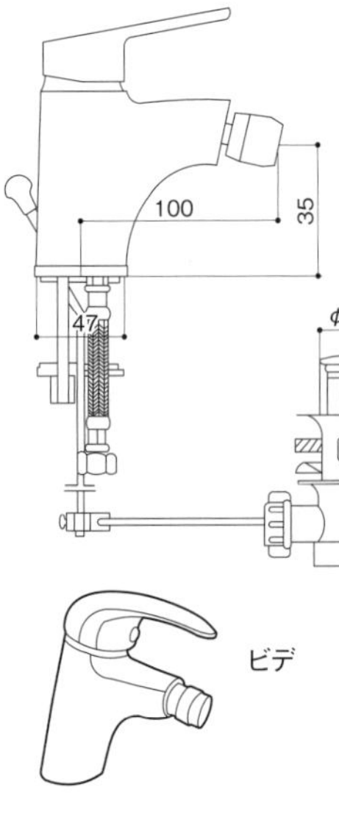
100
35
φ40
47
ビデ

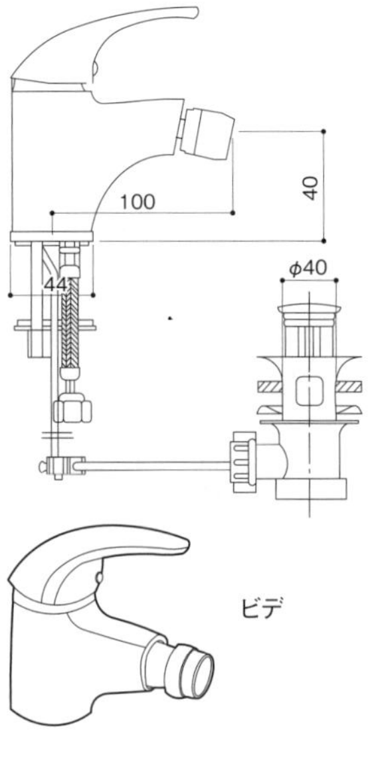
100
40
φ40
44
ビデ

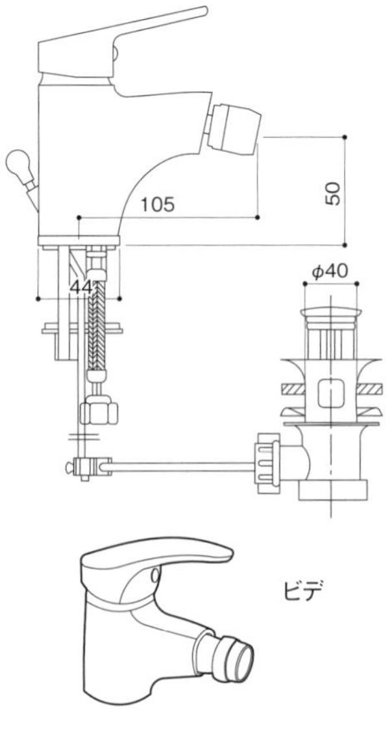
105
50
φ40
44
ビデ

シャワー用蛇口

シャワー用蛇口（ノズル）のバルブは真鍮で製造することが多く、表面はクロムまたは金でメッキを施す。蛇口の開閉にはスクリュー昇降式、スクリュー昇降式、セラミックバルブコア式などがあり、冷熱混合水の開閉に用いる。ハンドルで水量を調節し、ハンドルが90°回転することで開閉できる。新型のハンドル式蛇口はセラミックのバルブで漏水を防ぐ。ハンドル式蛇口は冷水蛇口、熱水蛇口または温水調節蛇口でも良い。シングルハンドル式温水調節蛇口は、各種の構造を持つ蛇口の中で最も高級なものの1つである。

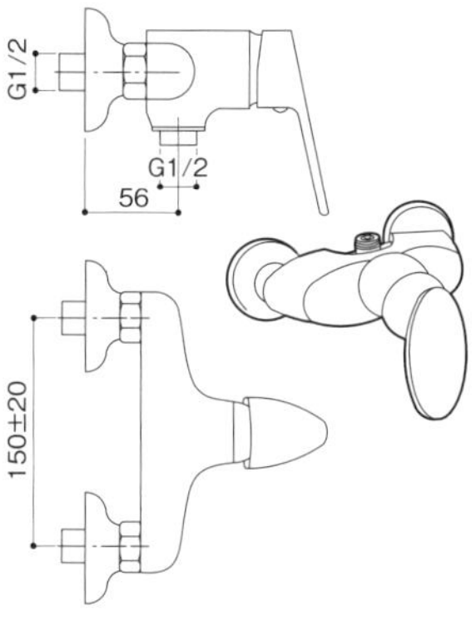
G1/2
G1/2
56
150±20
シャワー蛇口

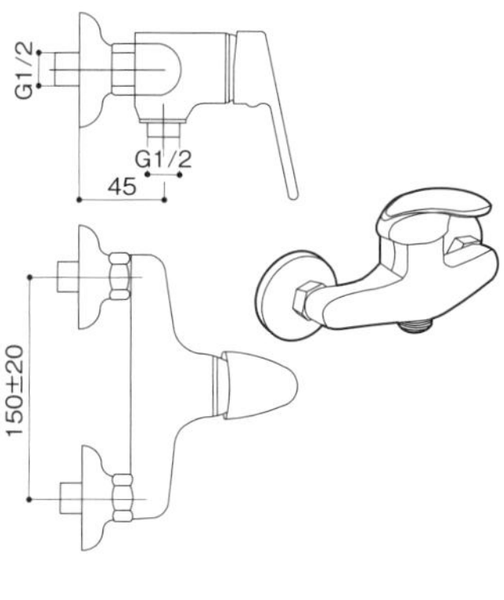
G1/2
G1/2
45
150±20
シャワー蛇口

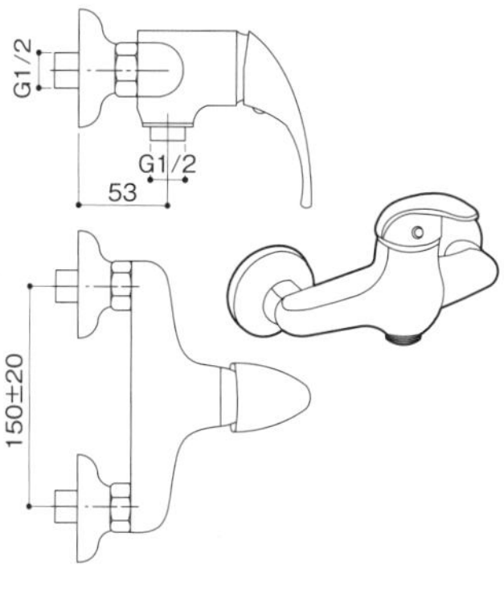
G1/2
G1/2
53
150±20
シャワー蛇口

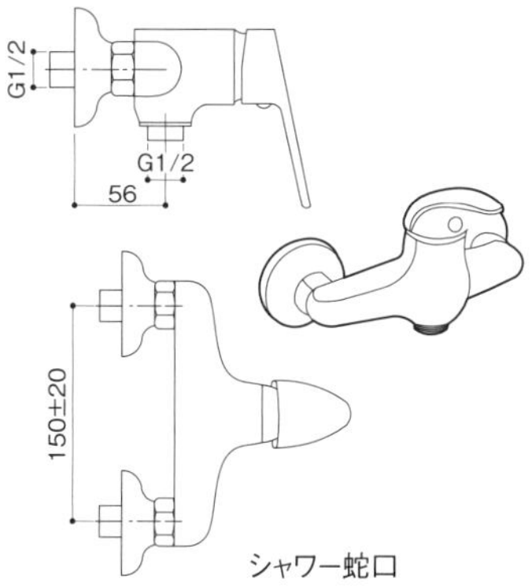
G1/2
G1/2
56
150±20
シャワー蛇口

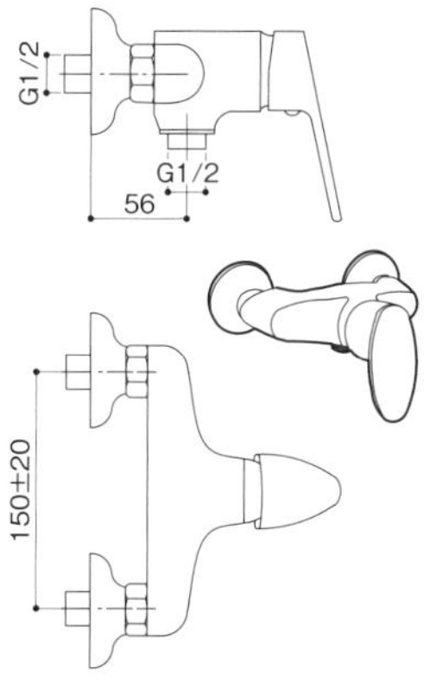
G1/2
G1/2
56
150±20
シャワー蛇口

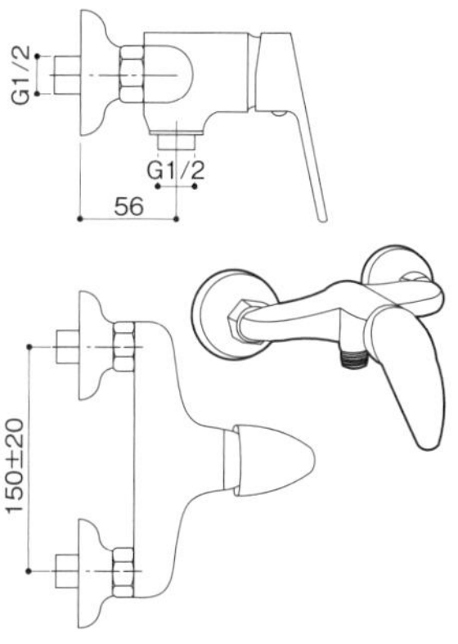
G1/2
G1/2
56
150±20
シャワー蛇口

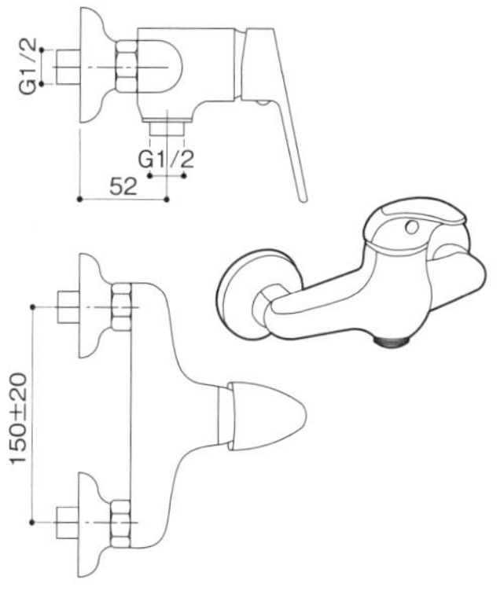
G1/2
G1/2
52
150±20
シャワー蛇口

固定式蛇口

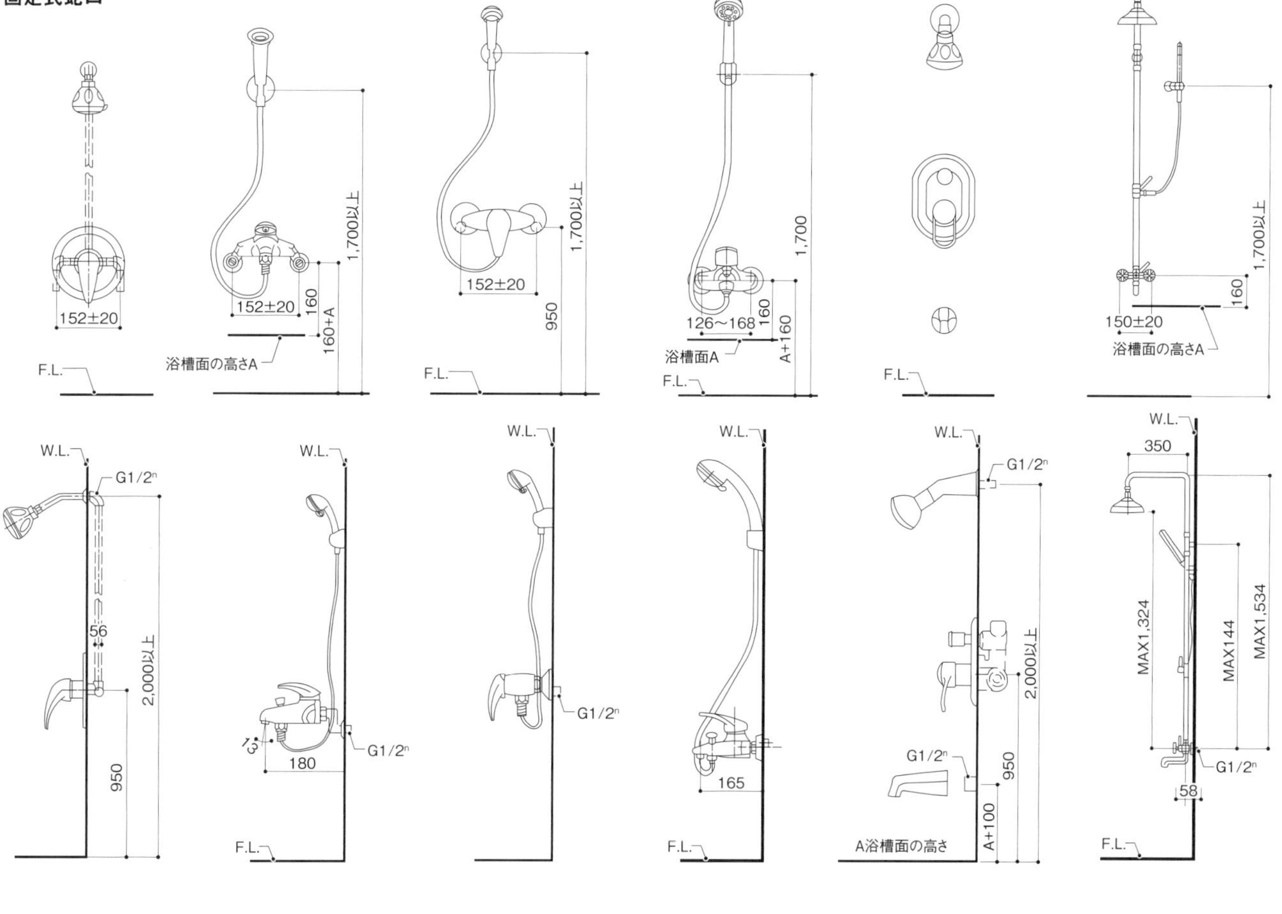
152±20
F.L.
1,700以上
152±20
160
160+A
浴槽面の高さA
1,700以上
152±20
950
1,700
126〜168
160
A+160
浴槽面A
1,700以上
160
150±20
浴槽面の高さA
W.L.
G1/2n
56
2,000以上
950
180
350
MAX1,324
MAX144
MAX1,534
58
165
A浴槽面の高さ
A+100
2,000以上

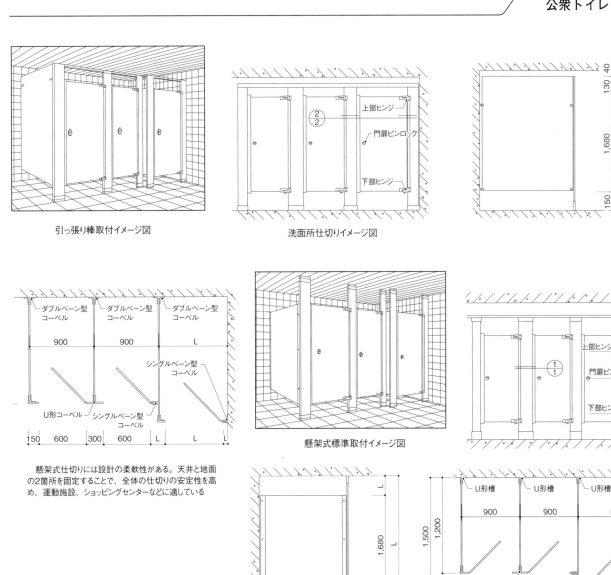

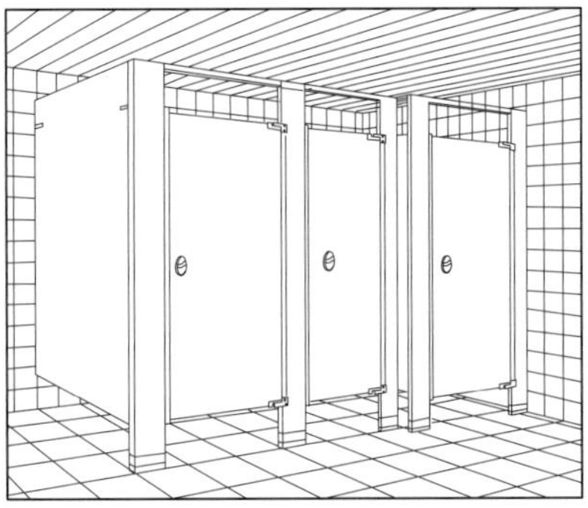
引っ張り棒取付イメージ図

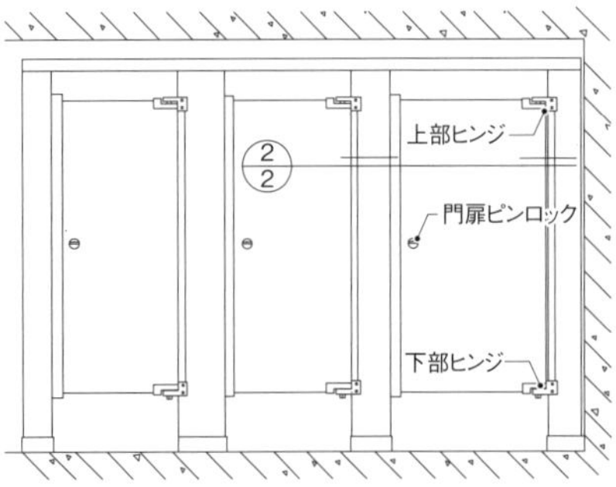
2
2
上部ヒンジ
門扉ピンロック
下部ヒンジ
洗面所仕切りイメージ図

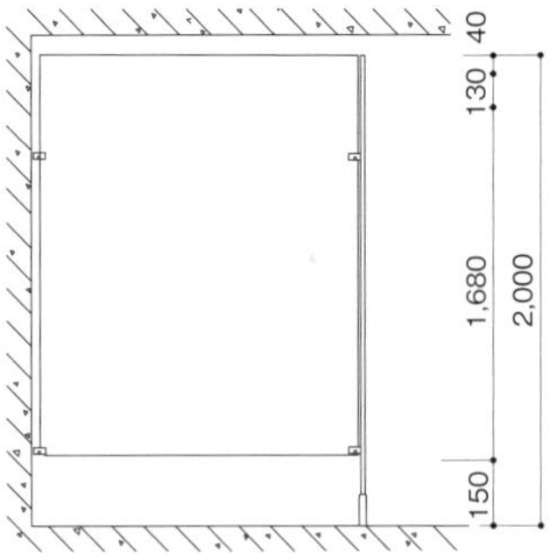
40
130
1,680
2,000
150

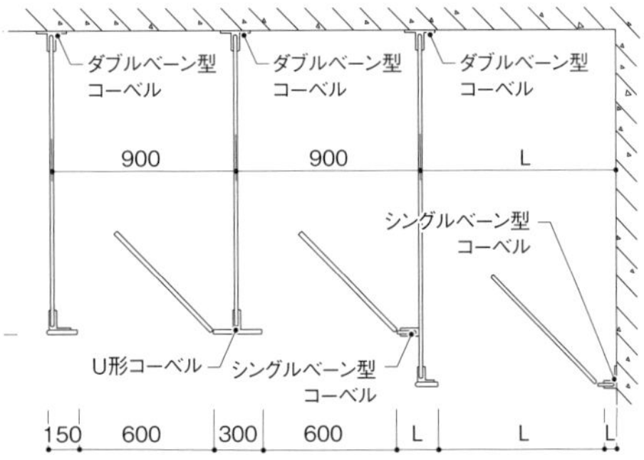
ダブルベーン型
コーベル
ダブルベーン型
コーベル
ダブルベーン型
コーベル
900
900
L
シングルベーン型
コーベル
U形コーベル
シングルベーン型
コーベル
150
600
300
600
L
L
L

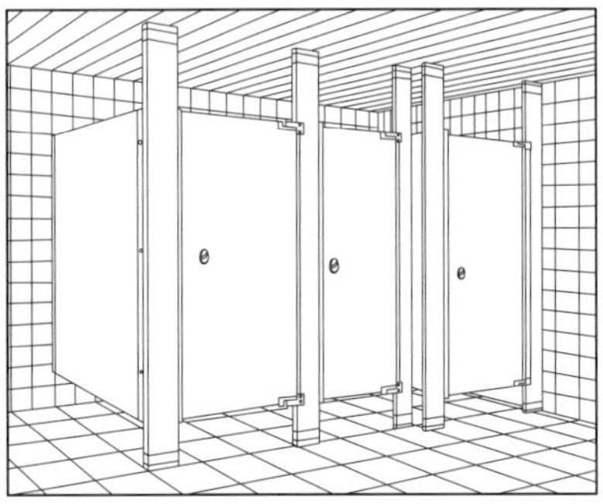
懸架式標準取付イメージ図

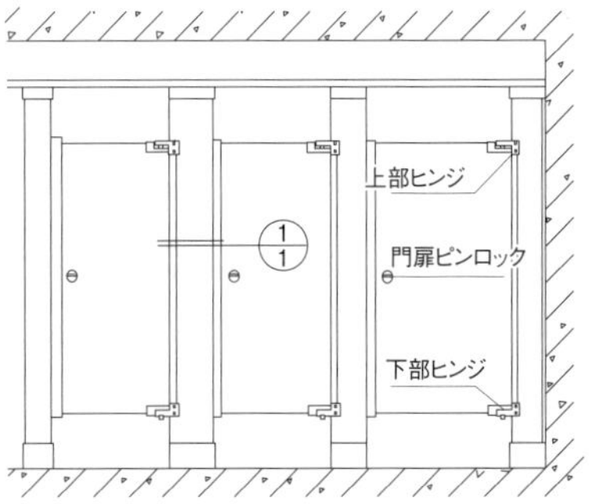
1
1
上部ヒンジ
門扉ピンロック
下部ヒンジ

懸架式仕切りには設計の柔軟性がある。天井と地面の2箇所を固定することで、全体の仕切りの安定性を高め、運動施設、ショッピングセンターなどに適している

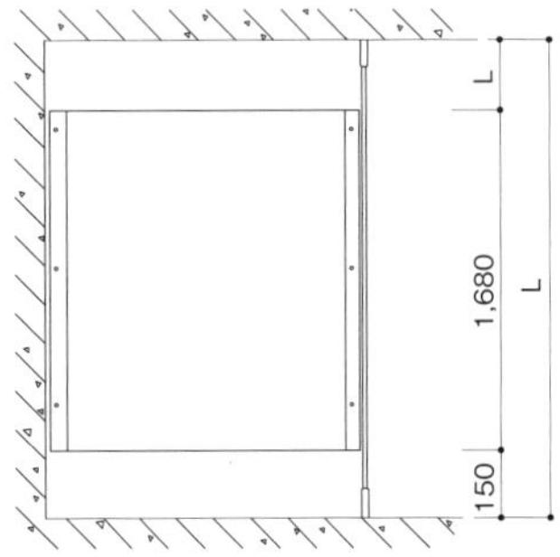
L
1,680
L
150

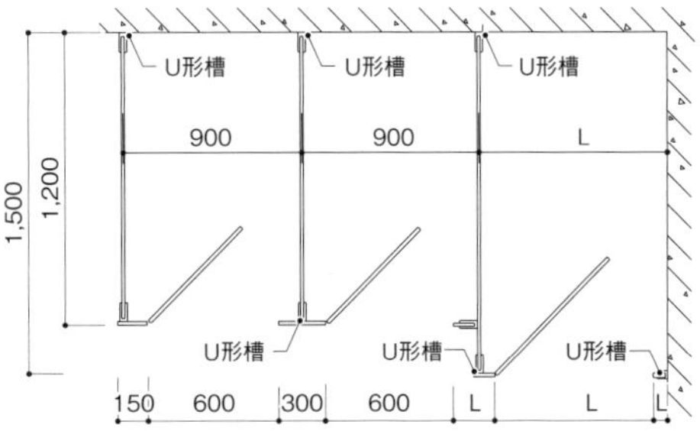
U形槽
U形槽
U形槽
900
900
L
1,500
1,200
U形槽
U形槽
U形槽
150
600
300
600
L
L
L

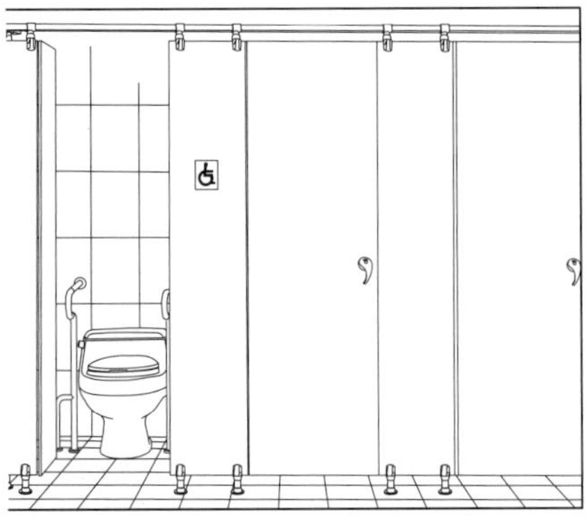

標準部品セット

1.台座2個　2.自動リセットヒンジ1組　3.ドアロック1個
4.コートフック1個　5.サブブラケット12個　6.ねじ

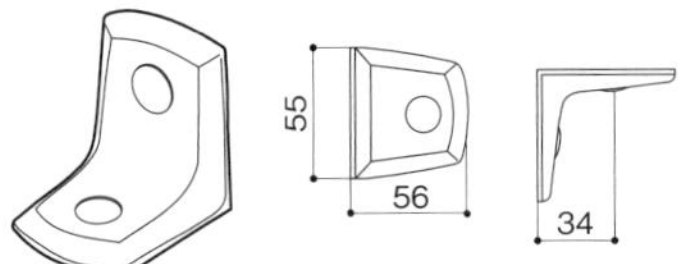
55
56
34
サブブラケット

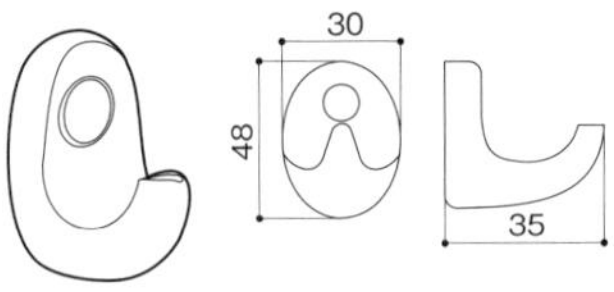
30
48
35
コートフック

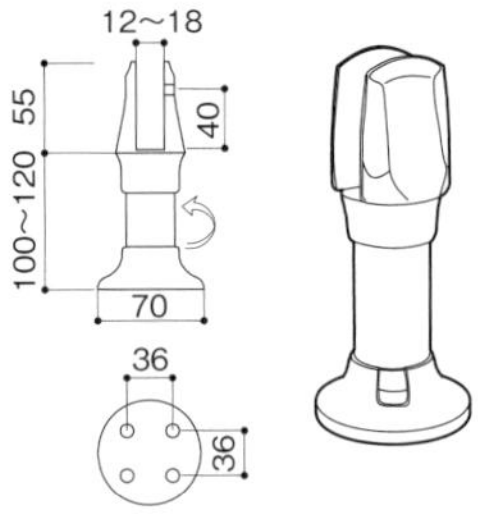
12～18
55
40
100～120
70
36
36
調節可能な台座

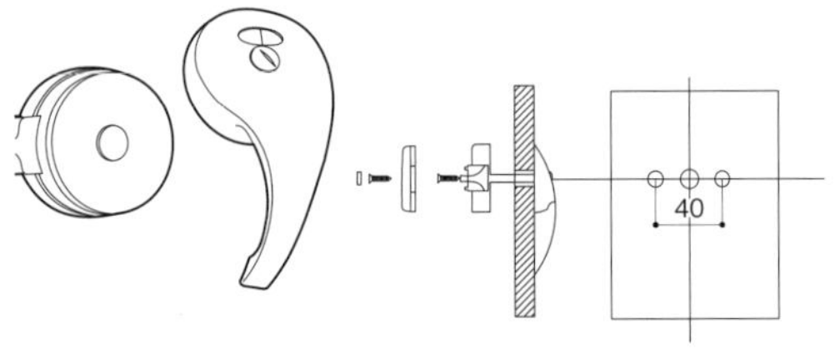
40
ドアロック　折り戸ロック

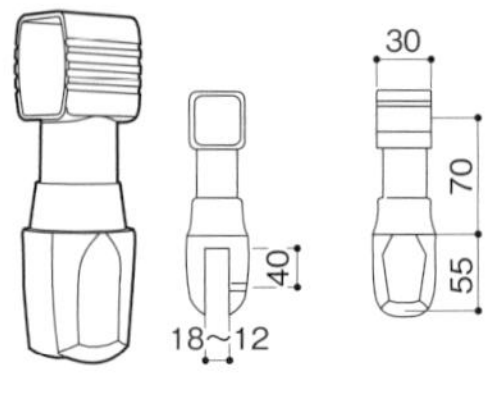
40
18～12
30
70
55
吊りバランサー

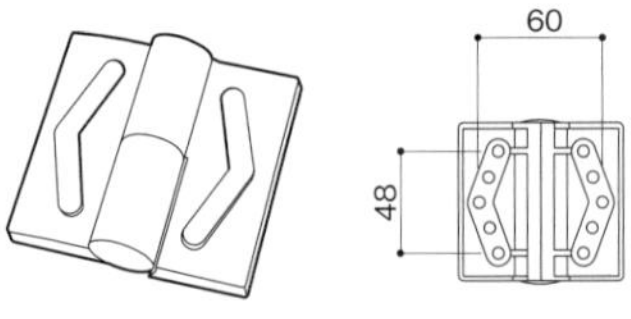
60
48
自動リセットヒンジ

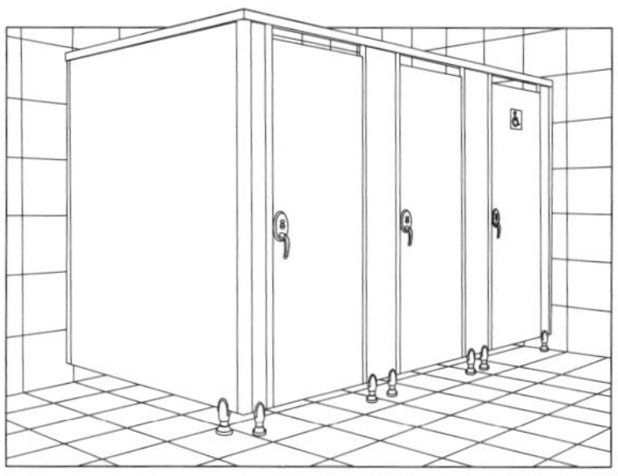

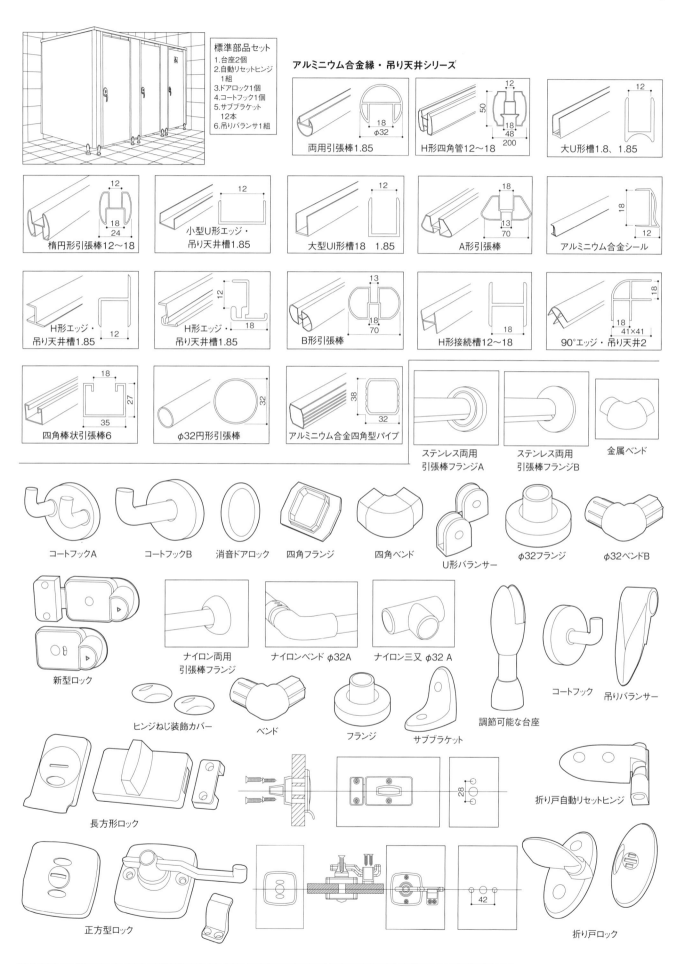

標準部品セット
1.台座2個
2.自動リセットヒンジ1組
3.ドアロック1個
4.コートフック1個
5.サブブラケット12本
6.吊りバランサ1組

アルミニウム合金縁・吊り天井シリーズ

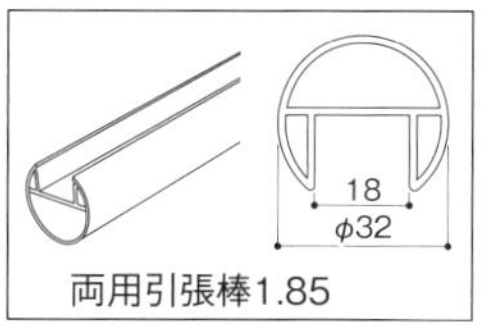

18
φ32

両用引張棒1.85

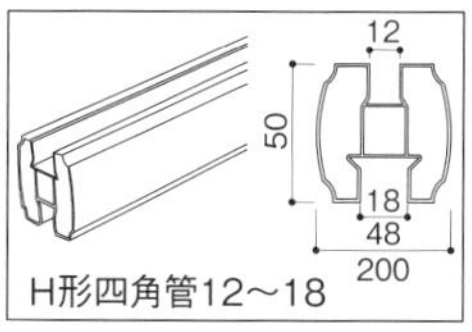

12
50
18
48
200

H形四角管12〜18

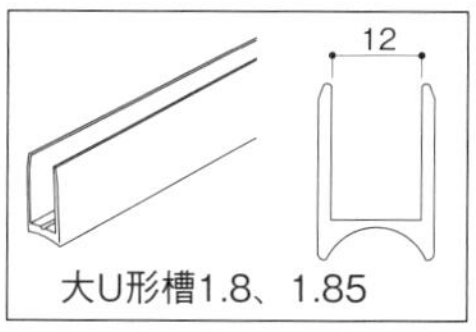

12

大U形槽1.8、1.85

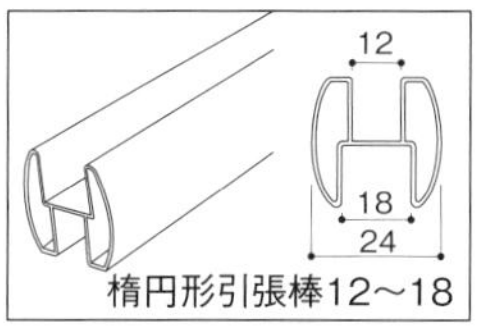

12
18
24

楕円形引張棒12〜18

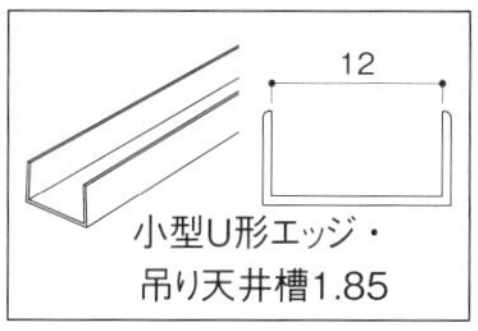

12

小型U形エッジ・吊り天井槽1.85

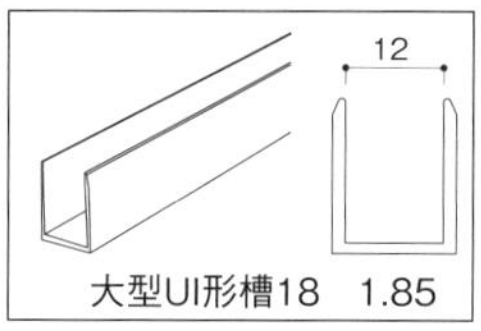

12

大型UI形槽18　1.85

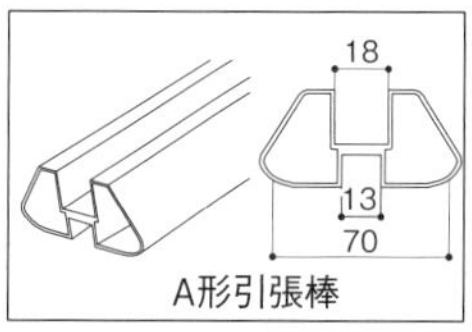

18
13
70

A形引張棒

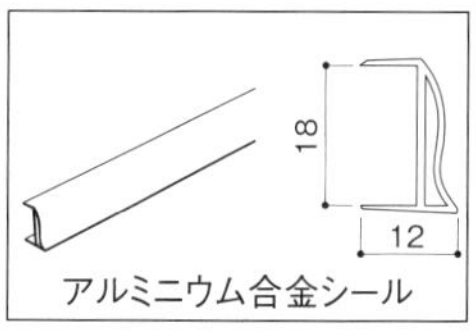

18
12

アルミニウム合金シール

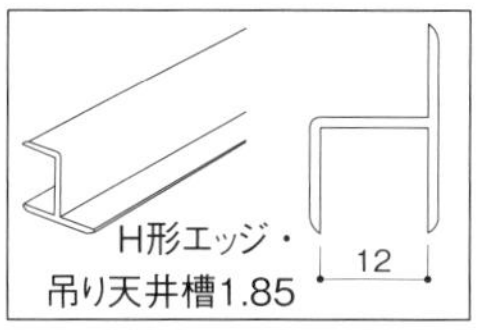

12

H形エッジ・吊り天井槽1.85

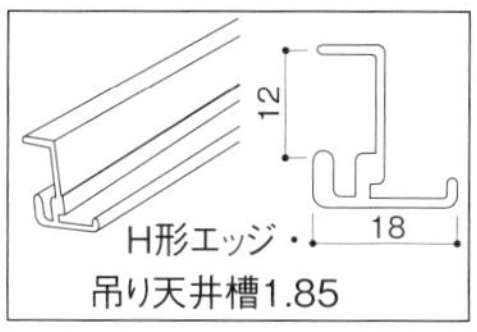

12
18

H形エッジ・吊り天井槽1.85

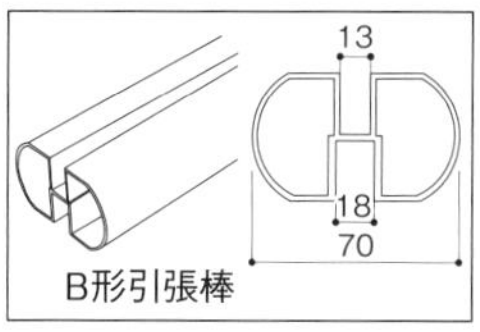

13
18
70

B形引張棒

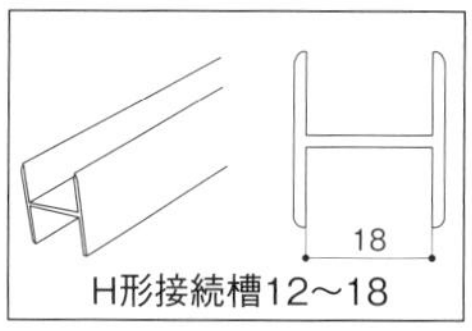

18

H形接続槽12〜18

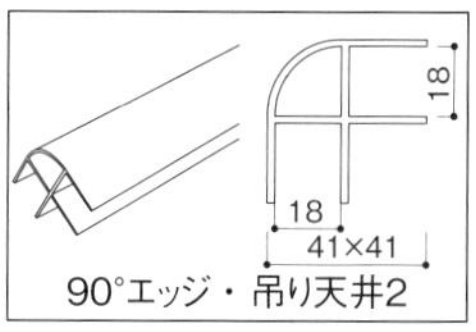

18
18
41×41

90°エッジ・吊り天井2

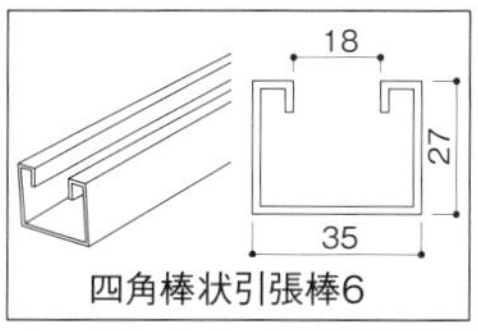

18
27
35

四角棒状引張棒6

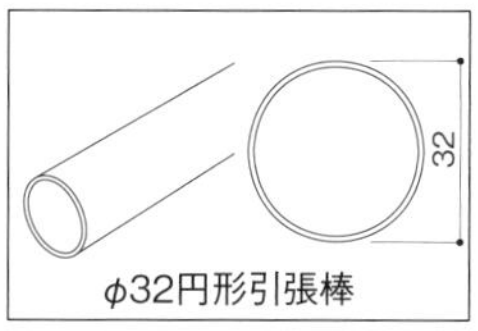

32

φ32円形引張棒

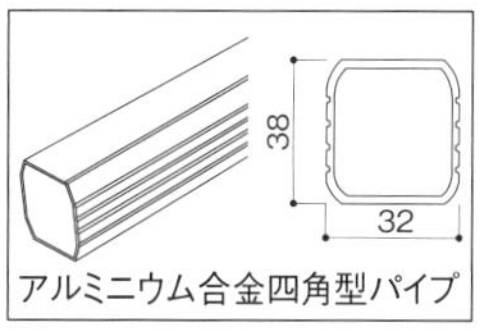

38
32

アルミニウム合金四角型パイプ

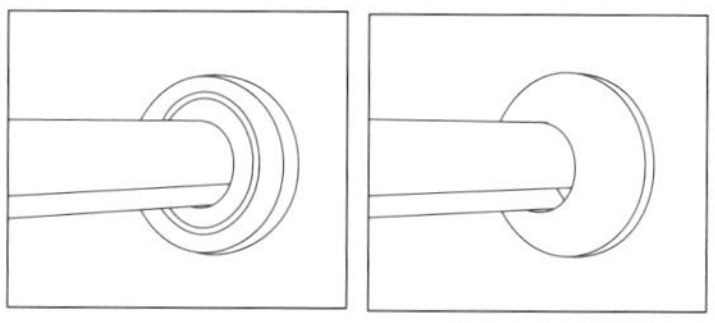

ステンレス両用引張棒フランジA

ステンレス両用引張棒フランジB

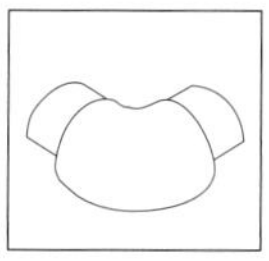

金属ベンド

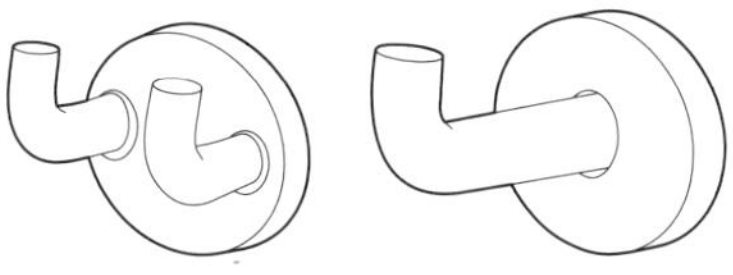

コートフックA

コートフックB

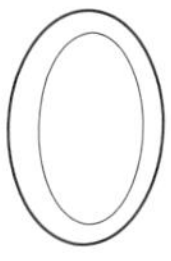

消音ドアロック

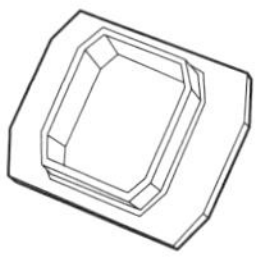

四角フランジ

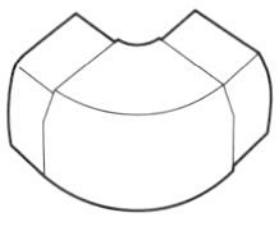

四角ベンド

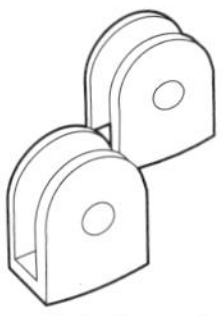

U形バランサー

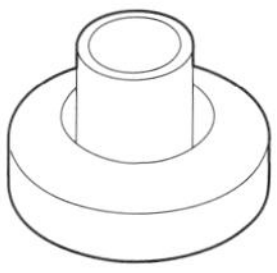

φ32フランジ

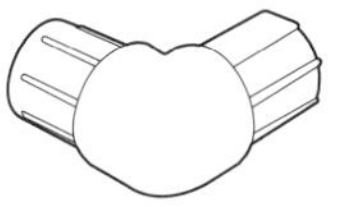

φ32ベンドB

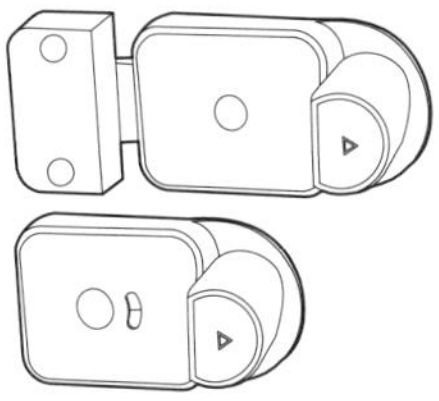

新型ロック

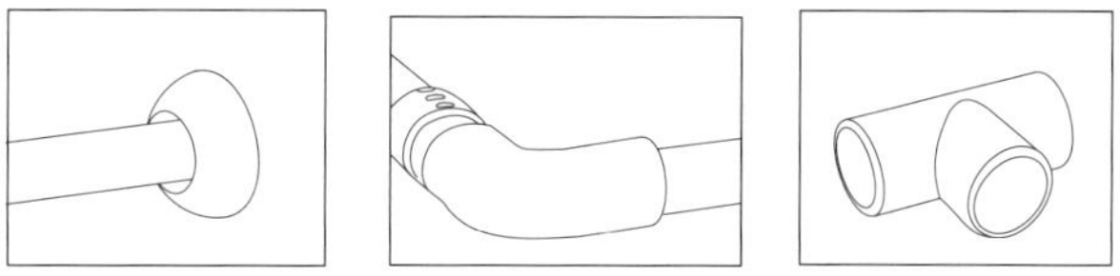

ナイロン両用引張棒フランジ

ナイロンベンド φ32A

ナイロン三叉 φ32 A

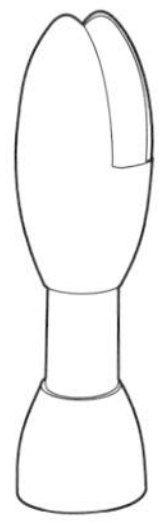

調節可能な台座

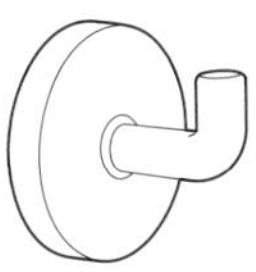

コートフック

吊りバランサー

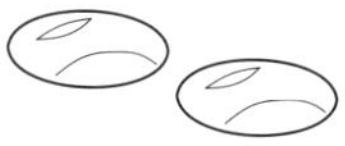

ヒンジねじ装飾カバー

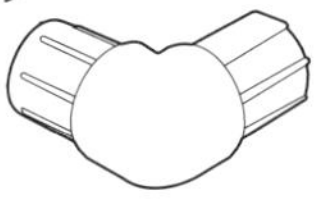

ベンド

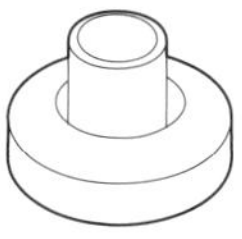

フランジ

サブブラケット

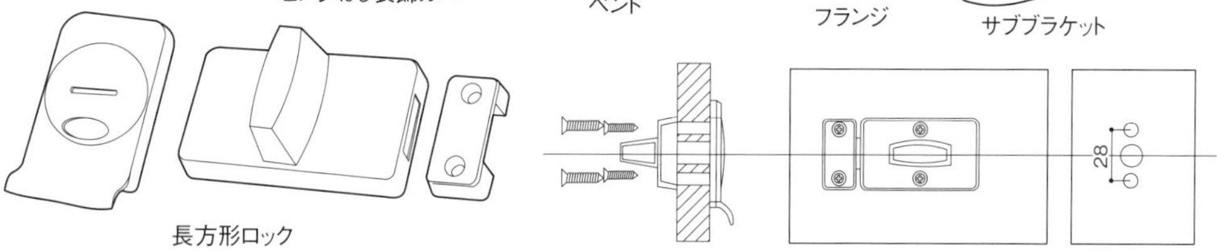

28

長方形ロック

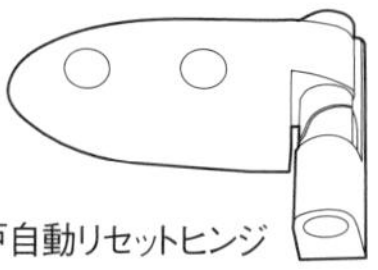

折り戸自動リセットヒンジ

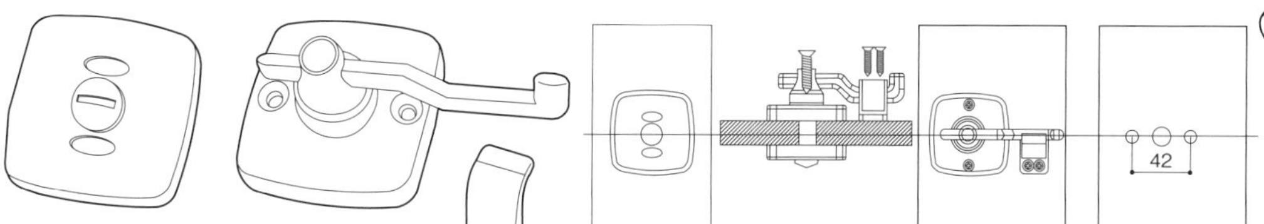

42

正方型ロック

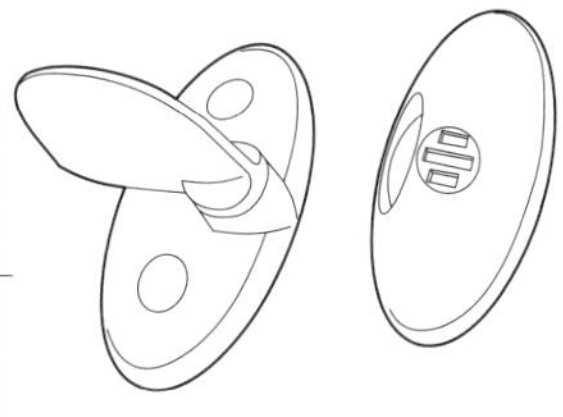

折り戸ロック

18 バスルームとトイレ

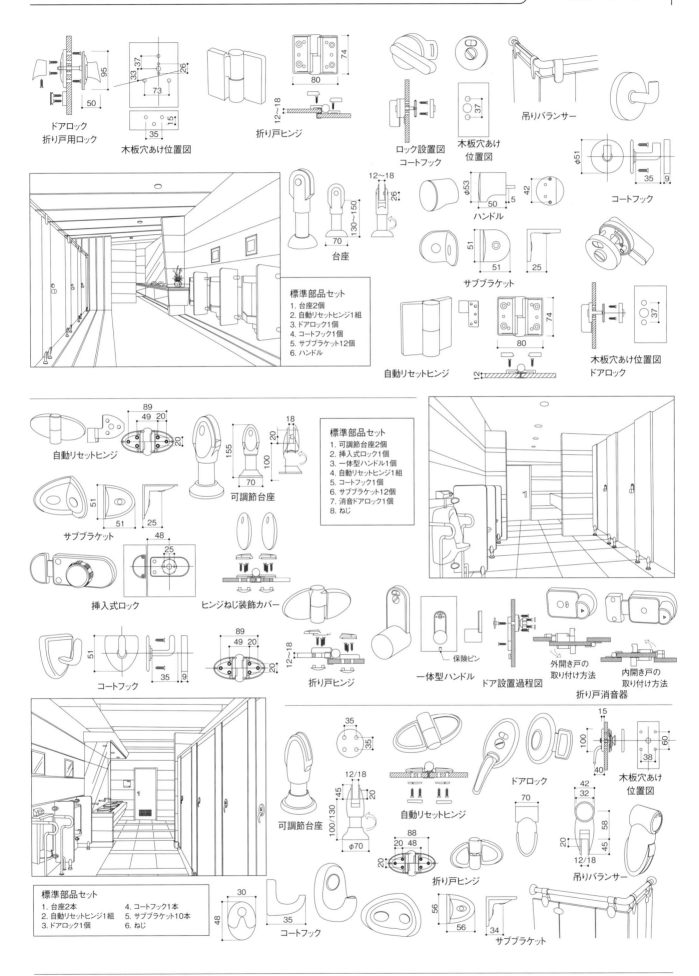

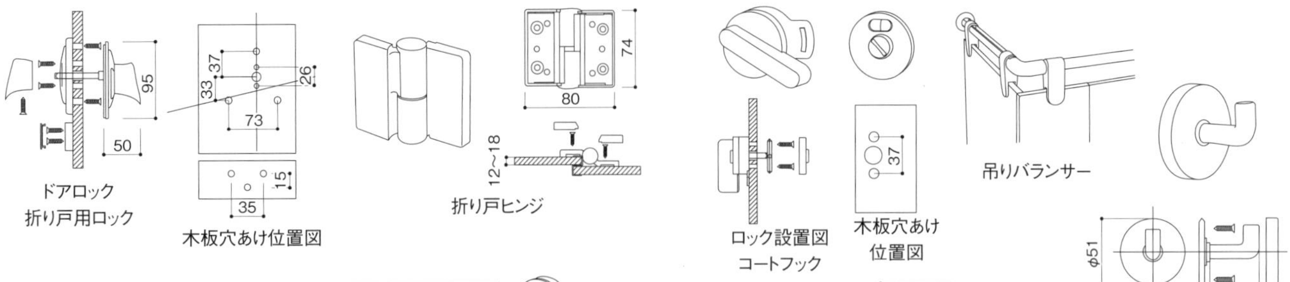
95
50
ドアロック
折り戸用ロック
37
33
26
73
15
35
木板穴あけ位置図
折り戸ヒンジ
74
80
12〜18
ロック設置図
コートフック
木板穴あけ
位置図
37
吊りバランサー

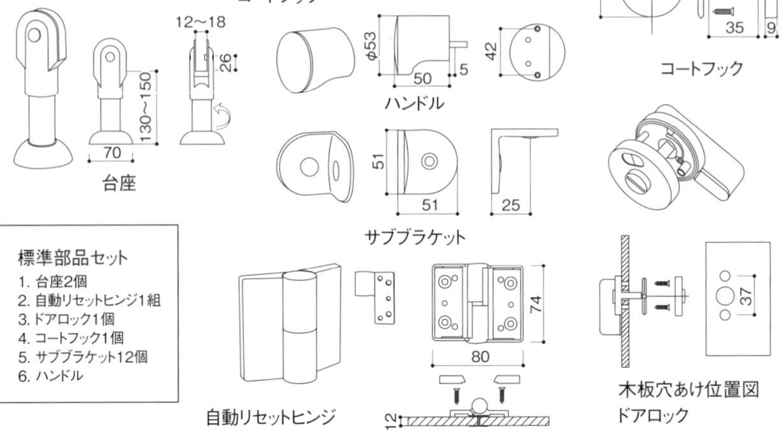
12〜18
26
130〜150
70
台座
φ53
50
5
42
ハンドル
φ51
35
9
コートフック
51
51
25
サブブラケット
74
80
12
自動リセットヒンジ
37
木板穴あけ位置図
ドアロック

標準部品セット
1. 台座2個
2. 自動リセットヒンジ1組
3. ドアロック1個
4. コートフック1個
5. サブブラケット12個
6. ハンドル

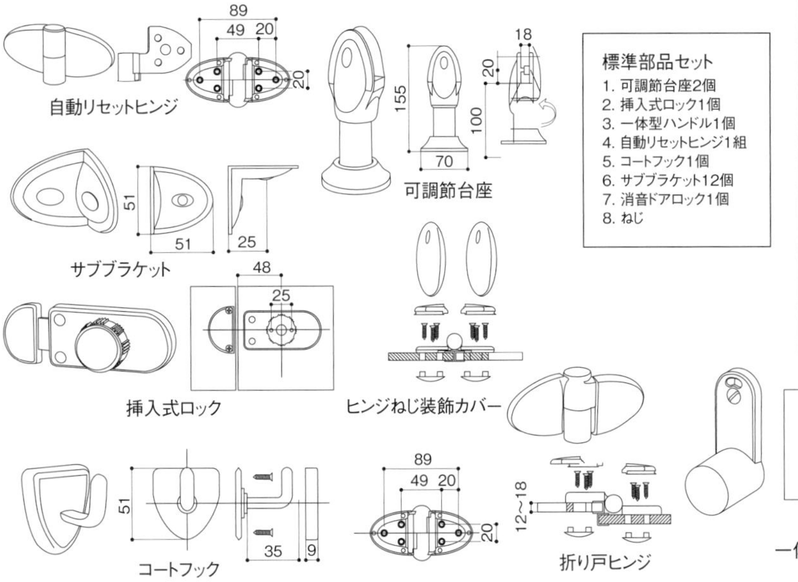
89
49
20
20
自動リセットヒンジ
155
70
18
20
100
可調節台座
51
51
25
サブブラケット
48
25
挿入式ロック
ヒンジねじ装飾カバー
51
35
9
コートフック
89
49
20
20
12〜18
折り戸ヒンジ

標準部品セット
1. 可調節台座2個
2. 挿入式ロック1個
3. 一体型ハンドル1個
4. 自動リセットヒンジ1組
5. コートフック1個
6. サブブラケット12個
7. 消音ドアロック1個
8. ねじ

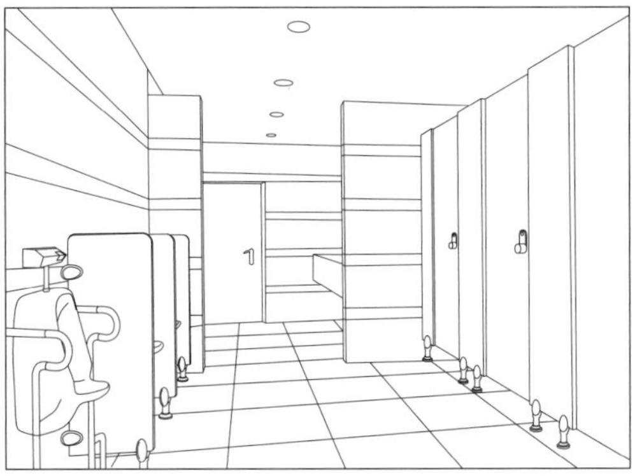

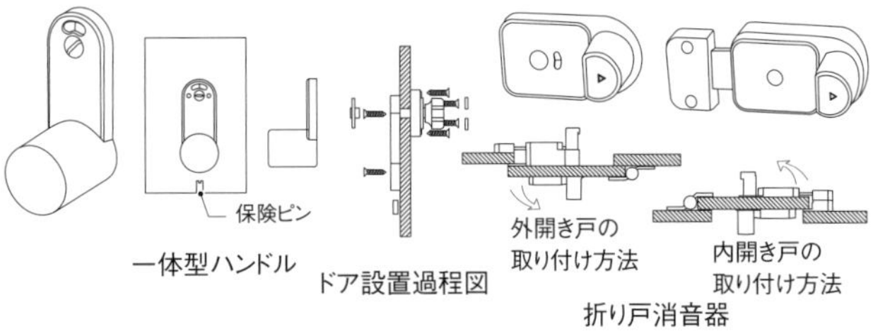
保険ピン
一体型ハンドル
ドア設置過程図
外開き戸の
取り付け方法
内開き戸の
取り付け方法
折り戸消音器

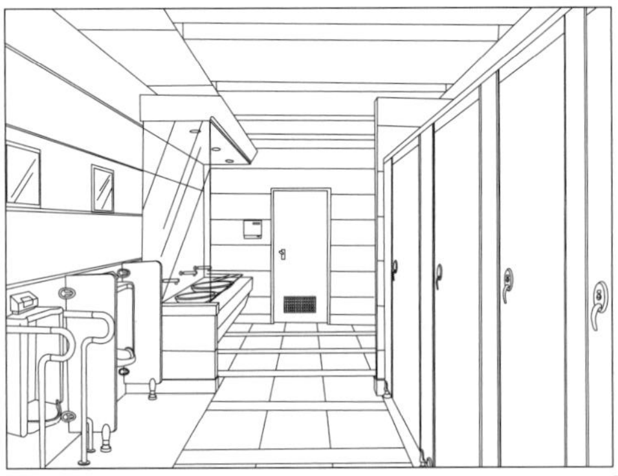

標準部品セット
1. 台座2本
2. 自動リセットヒンジ1組
3. ドアロック1個
4. コートフック1本
5. サブブラケット10本
6. ねじ

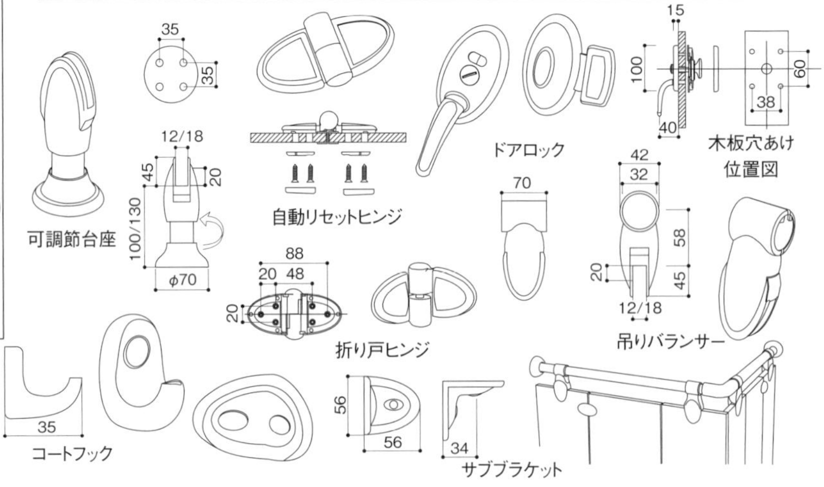
35
35
可調節台座
12/18
45
20
100/130
φ70
自動リセットヒンジ
88
20
48
20
折り戸ヒンジ
ドアロック
15
100
40
60
38
木板穴あけ
位置図
70
42
32
58
20
45
12/18
吊りバランサー
30
48
35
コートフック
56
56
34
サブブラケット

多通路式排水ドレーンは、本体に3～4個の進水口があり、洗面ボウル、浴槽、洗濯機などからの排水に用いられる。1つで多くの用途を満たすのがメリットだが、その構造が排水量に影響する点がデメリットである。そのため、多通路式排水ドレーンの進水口は増やしすぎないようにし、浴槽や洗濯機などの機器1つずつに1つの排水ドレーンをそれぞれ接続するほうが適している。

逆流防止ドレーンは、新型の逆流防止、防臭、防虫効果を持つ詰まりにくい排水ドレーンである。水圧式の原理に基づいて製造されており、排水がドレーンに流れて一定量たまるとドレーンのバルブが瞬時に全開し、たまった排水が下水道へ排出される。この新しい排水ドレーンは髪の毛やその他のごみを滞りなく下水道に押し流すことができ、さらにその流水の勢いは下水管の掃除にも役立つ。この新しい排水ドレーンは強い逆流防止機能を有し、臭気と虫が屋内に入らない効果を持つ。

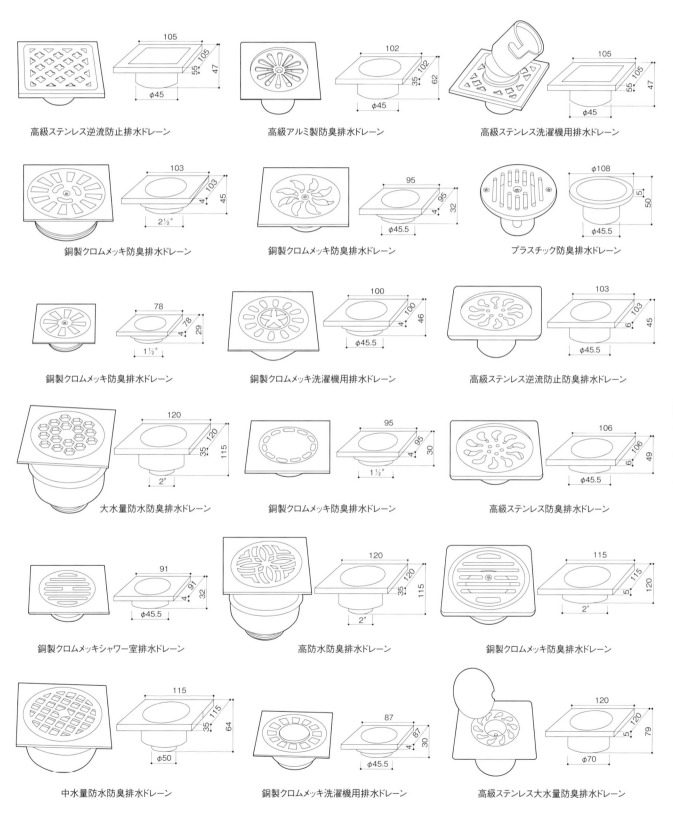

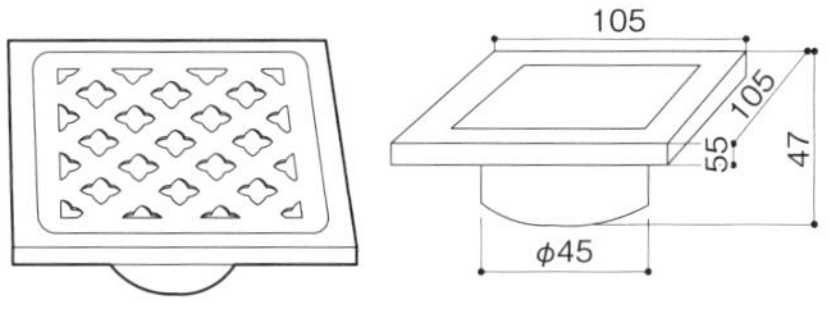
105
105
55
47
φ45
高級ステンレス逆流防止排水ドレーン

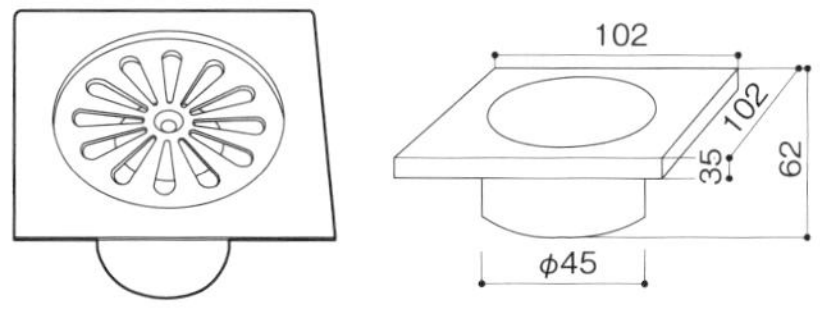
102
102
35
62
φ45
高級アルミ製防臭排水ドレーン

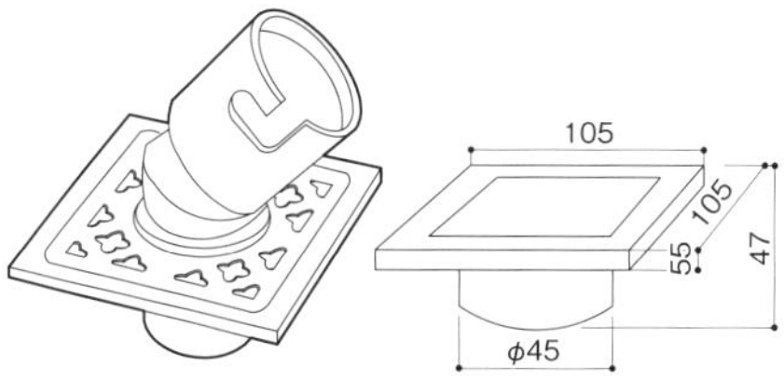
105
105
55
47
φ45
高級ステンレス洗濯機用排水ドレーン

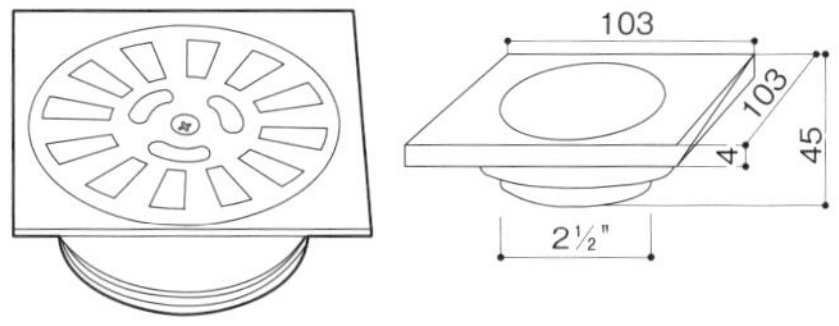
103
103
4
45
2½"
銅製クロムメッキ防臭排水ドレーン

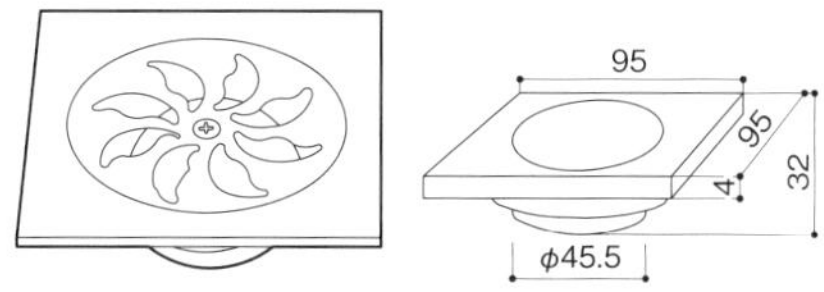
95
95
4
32
φ45.5
銅製クロムメッキ防臭排水ドレーン

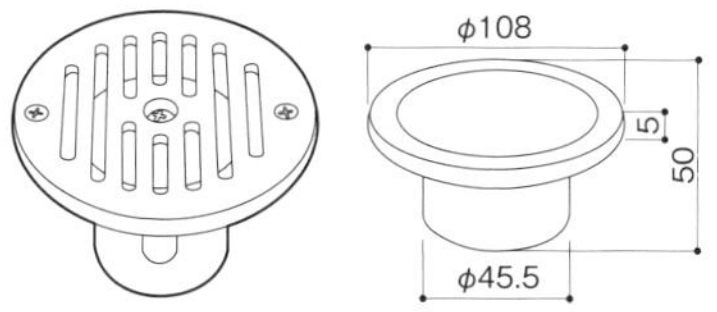
φ108
5
50
φ45.5
プラスチック防臭排水ドレーン

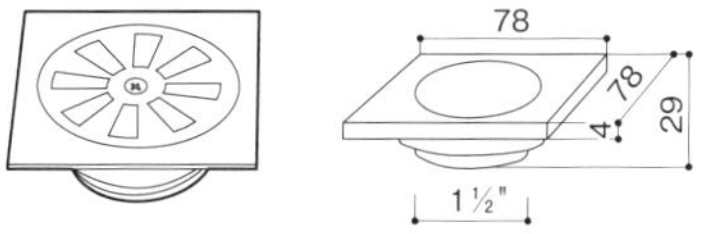
78
78
4
29
1½"
銅製クロムメッキ防臭排水ドレーン

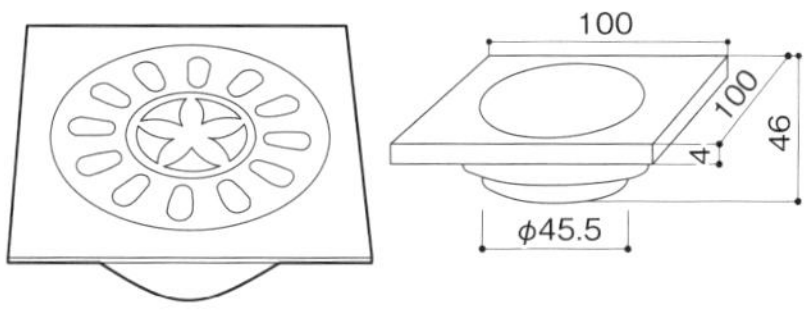
100
100
4
46
φ45.5
銅製クロムメッキ洗濯機用排水ドレーン

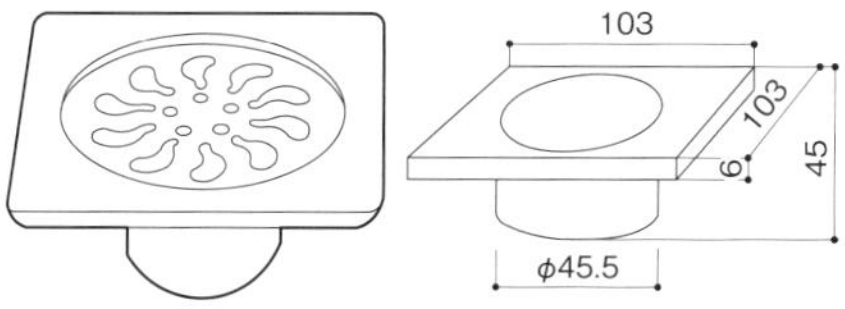
103
103
6
45
φ45.5
高級ステンレス逆流防止防臭排水ドレーン

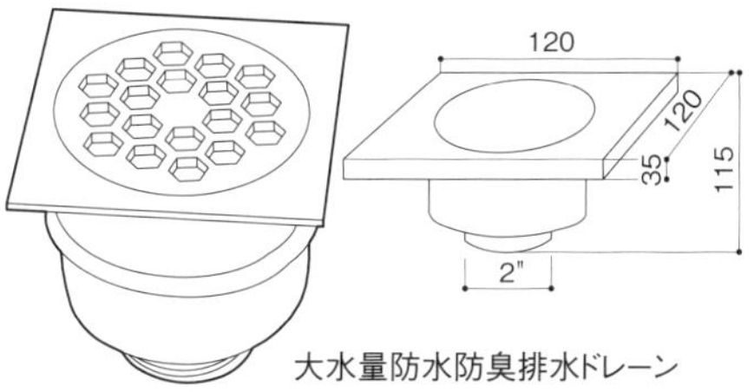
120
120
35
115
2"
大水量防水防臭排水ドレーン

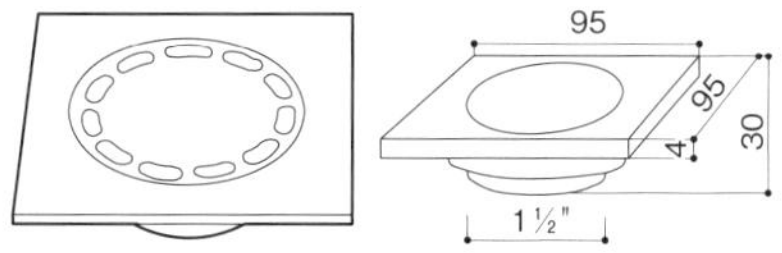
95
95
4
30
1½"
銅製クロムメッキ防臭排水ドレーン

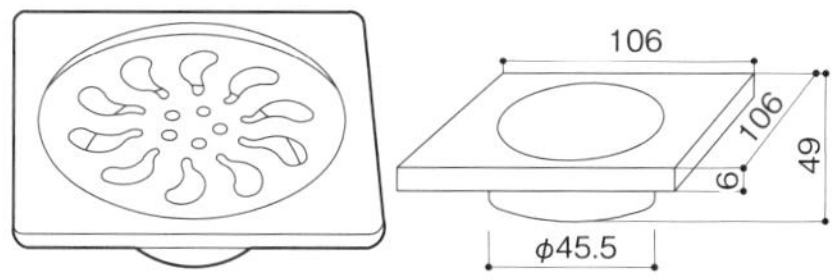
106
106
6
49
φ45.5
高級ステンレス防臭排水ドレーン

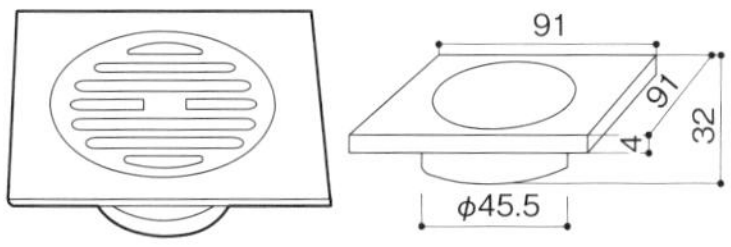
91
91
4
32
φ45.5
銅製クロムメッキシャワー室排水ドレーン

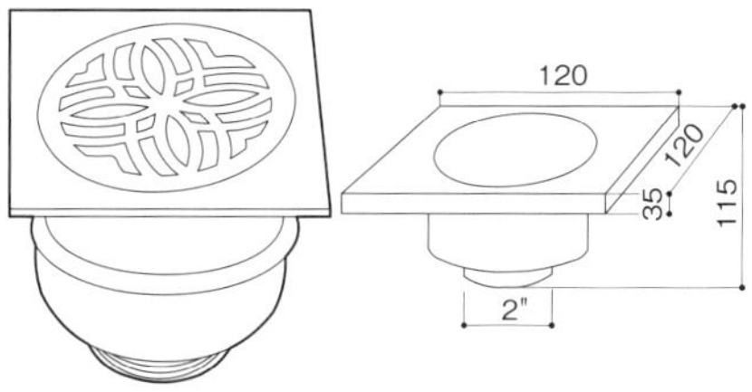
120
120
35
115
2"
高防水防臭排水ドレーン

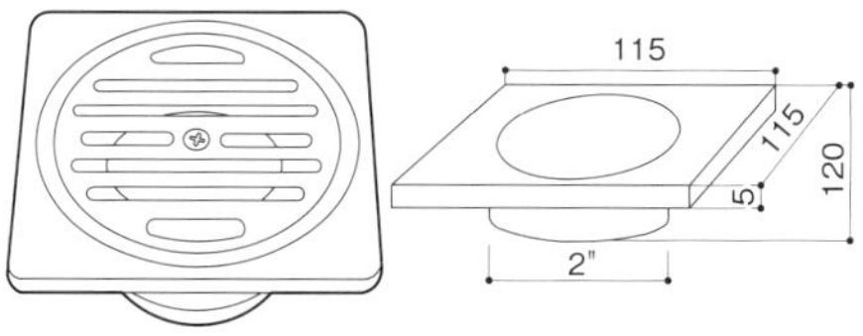
115
115
5
120
2"
銅製クロムメッキ防臭排水ドレーン

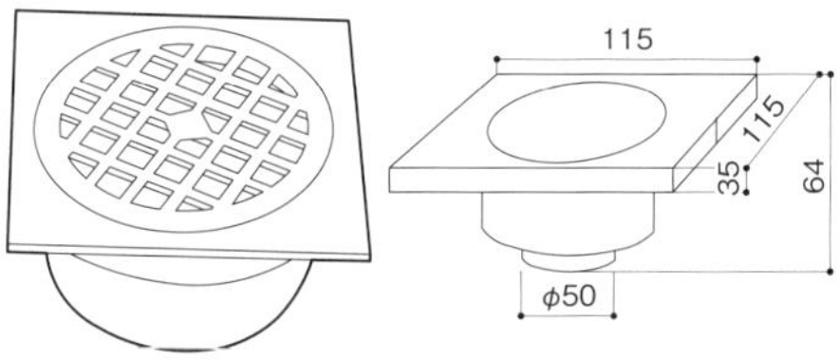
115
115
35
64
φ50
中水量防水防臭排水ドレーン

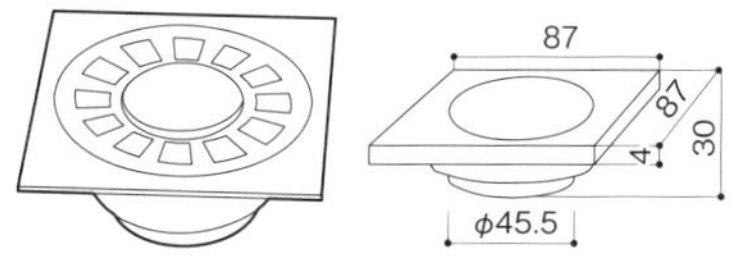
87
87
4
30
φ45.5
銅製クロムメッキ洗濯機用排水ドレーン

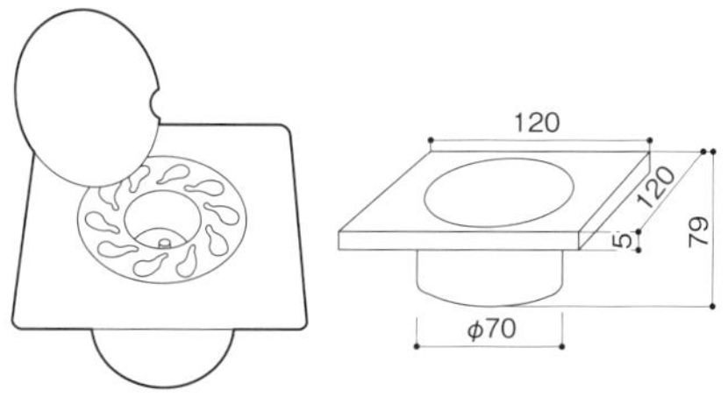
120
120
5
79
φ70
高級ステンレス大水量防臭排水ドレーン

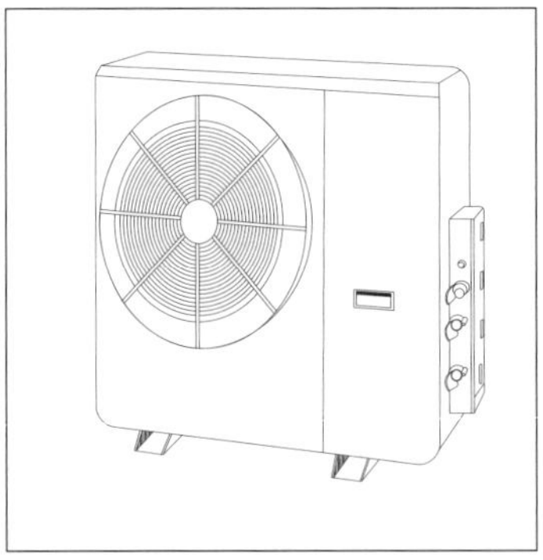

①室外ホスト

②壁掛け型

空間に合わせて設計し、省電力が可能

③天井嵌め込み型（4方向吹き出し）

空間に張り出さず、広い客間に適している

④天井埋め込み型

室内の装飾物に合わせた吹き出し口で、設計の全体性を損なわない

⑤天井埋め込み型

冷房効果が均等で、(軽量鉄骨) 天井板に適している

⑥天吊埋め込み型

線形吹き出し口で、室内装飾に合わせることができる

セントラル・エアコンは、1台のホストからエアダクトまたは冷熱水パイプを通って複数の末端につながり、冷暖気を異なる区域に送り、複数空間の温度調節を実現する。小型の独立エアコンシステムで、100㎡以上の面積の空間に適している。当該システムはホストと端末から構成され、ホストと複数の端末を分離して取り付けられる。

部屋の広さに合わせてエアコンを選ぶことができる。一般的に次の公式によって部屋に必要な冷房、暖房の量を計算することができる。冷房：部屋の面積×140W～180W、暖房：部屋の面積×180W～240W。また、部屋の方向、階層の高低及び密閉度によって適切に増減させる必要がある。さらに、部屋の設計状況によって、柔軟に導入する必要もある。

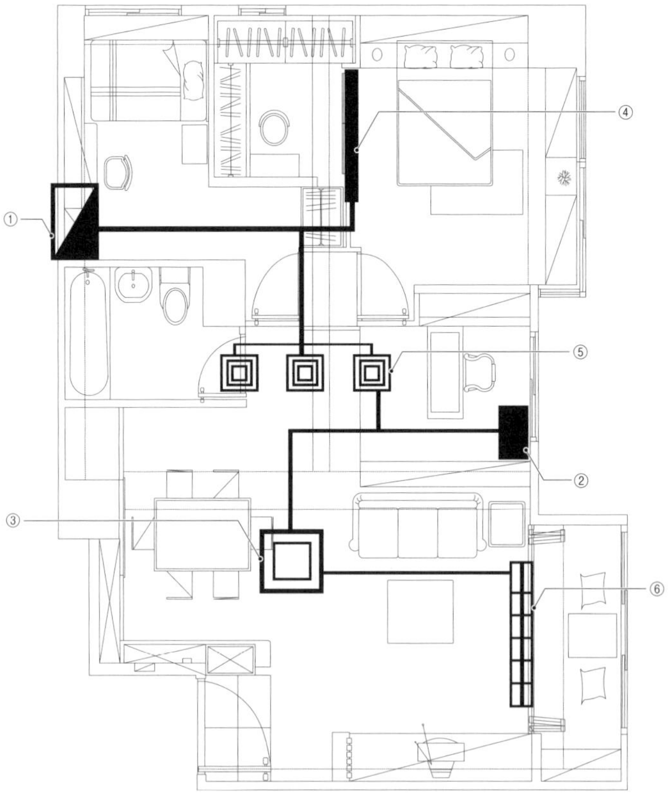
④
①
⑤
②
③
⑥

住宅エアコンレイアウトイメージ図

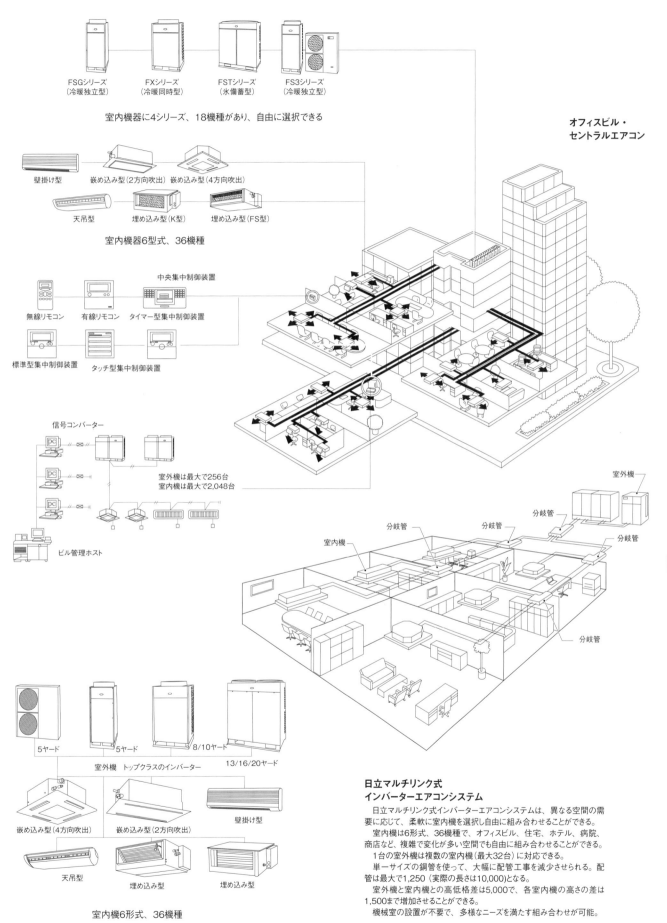

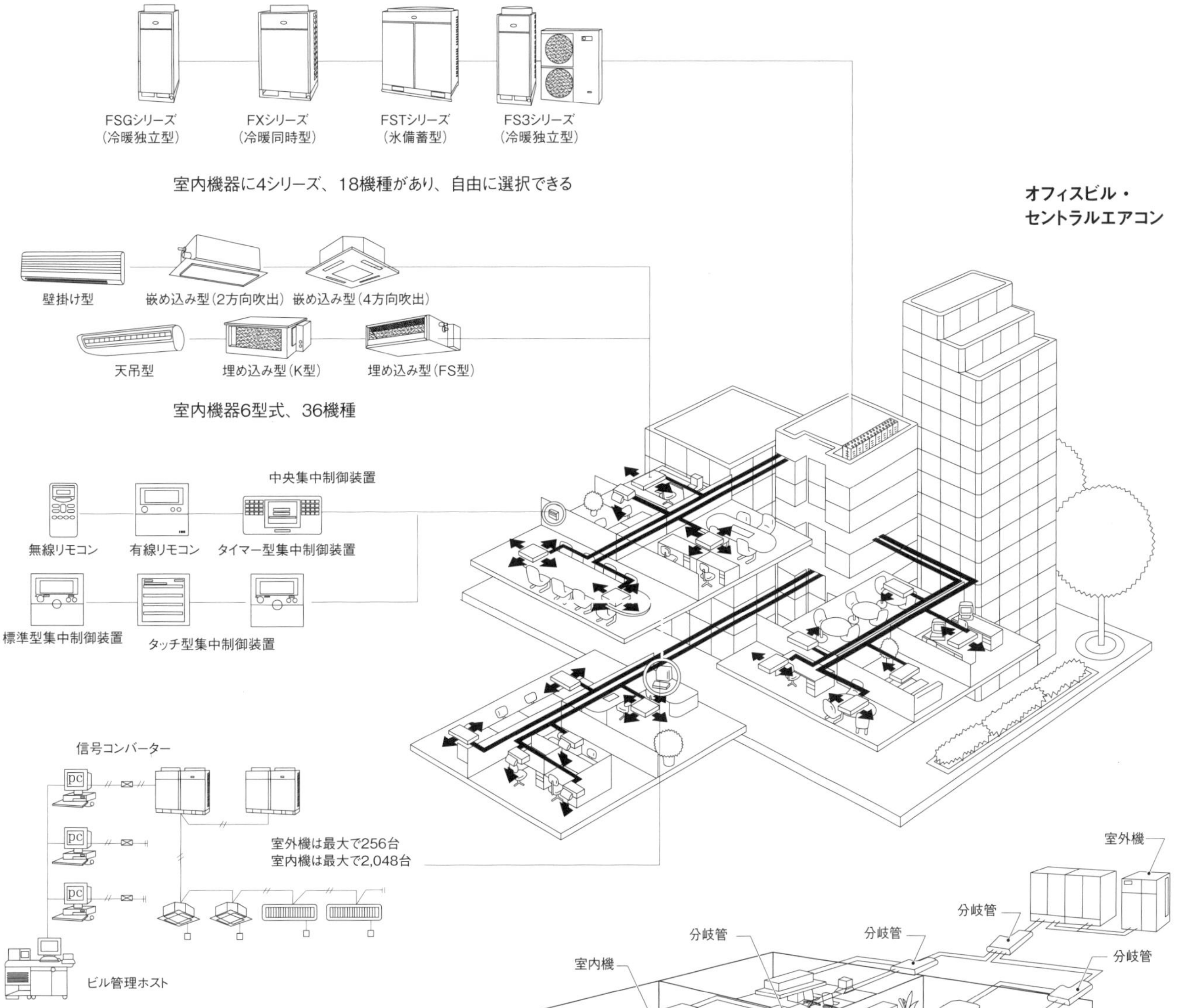
FSGシリーズ
（冷暖独立型）
FXシリーズ
（冷暖同時型）
FSTシリーズ
（氷備蓄型）
FS3シリーズ
（冷暖独立型）
室内機器に4シリーズ、18機種があり、自由に選択できる
オフィスビル・
セントラルエアコン
壁掛け型
嵌め込み型（2方向吹出）
嵌め込み型（4方向吹出）
天吊型
埋め込み型（K型）
埋め込み型（FS型）
室内機器6型式、36機種
中央集中制御装置
無線リモコン
有線リモコン
タイマー型集中制御装置
標準型集中制御装置
タッチ型集中制御装置
信号コンバーター
室外機は最大で256台
室内機は最大で2,048台
ビル管理ホスト

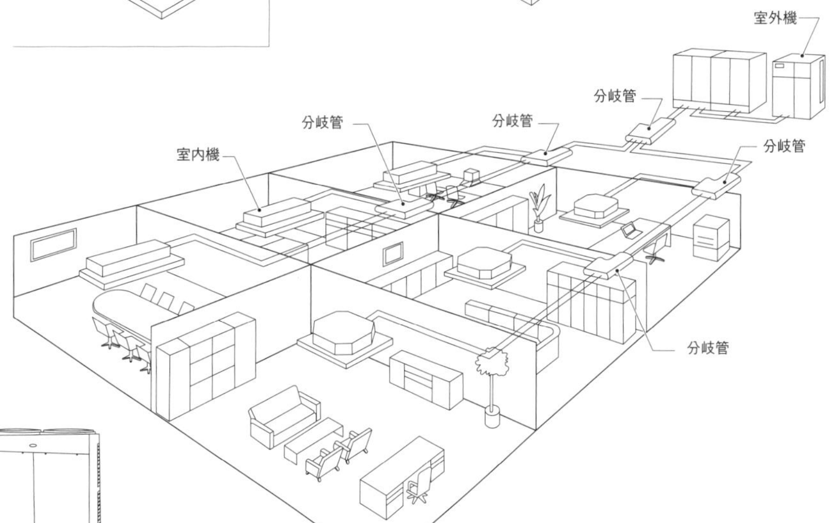
室外機
分岐管
分岐管
分岐管
分岐管
室内機
分岐管

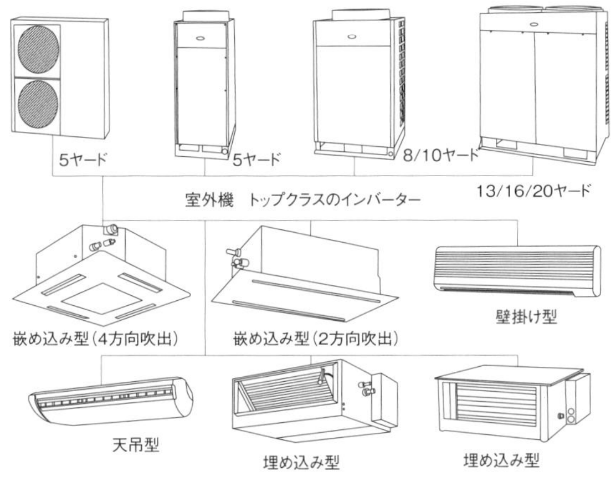
5ヤード
5ヤード
8/10ヤード
13/16/20ヤード
室外機　トップクラスのインバーター
嵌め込み型（4方向吹出）
嵌め込み型（2方向吹出）
壁掛け型
天吊型
埋め込み型
埋め込み型

室内機6形式、36機種

日立マルチリンク式インバーターエアコンシステム

日立マルチリンク式インバーターエアコンシステムは、異なる空間の需要に応じて、柔軟に室内機を選択し自由に組み合わせることができる。

室内機は6形式、36機種で、オフィスビル、住宅、ホテル、病院、商店など、複雑で変化が多い空間でも自由に組み合わせることができる。

1台の室外機は複数の室内機（最大32台）に対応できる。

単一サイズの銅管を使って、大幅に配管工事を減少させられる。配管は最大で1,250（実際の長さは10,000）となる。

室外機と室内機との高低格差は5,000で、各室内機の高さの差は1,500まで増加させることができる。

機械室の設置が不要で、多様なニーズを満たす組み合わせが可能。

従来の可動式集塵器の濾過布は小さな塵を除去することができず、これらのほこりの粒子は再び部屋の中に戻っていた。中央集塵システムは2層の濾過布を通じて吸い込んだすべてのごみと塵粒を除去し、さらに清潔な室内空間を作り出すことができる。

集塵と換気機能を一体化したシステムは、中央集塵システムに換気システムを追加したものである。換気は二次濾過を採用し、ほこりをきれいに濾過し、新鮮な空気を部屋に取り入れることができる。徹底的に汚物とほこりの微粒子を除去し、室内の空気を浄化して、特に子供とお年寄りの健康増進には効果がある。また、本物の旋風式清浄機能を有し、室内の浄化作業の効率を引き上げ、効果的に室内空気のほこりと汚物の再循環を防止することができる。このシステムには以下の3種類がある。①単一の世帯を単位とするシステムで、通常、集塵ホストをパイプ経由で10個以内の吸込口につなげ、複数の部屋のある住宅の需要を満たす。②1軒のマンションまたは公共建築を単位とするシステムで、集塵ホストを地下室などの設備室に設置し、パイプを通じて各階層の集塵区域に到達させる。③集塵とクリーニング機能を一体化したシステムで､同システムはほこりを吸い込むだけでなく､カーペット、タイル、ソファーのクリーニングにも対応し、さらに下水タンクの流れも改善する。ホストが下水道につながり、ごみなどの汚物は直接下水管に排出されるため、ごみを捨てる必要はない。

中央集塵システムは別荘やマンションだけでなく、ホテル、レストラン、学校、図書館、病院、オフィスビルなどの多様な建物に導入される。さらに工業施設にも応用される。このシステムは、ホストが地下室、車庫、貯蔵室などの生活区域以外に設置されるため、作業時の騒音を防ぐことができる。

中央集塵システムは、排気口が室外に直接つながるため、室内でのほこりの循環汚染を解決し、いくつかの細かいほこりに付着した細菌を消滅できる。これによって室内の空気を徹底的に清潔にすることが可能である。

一般的に集塵口は壁に設置され、電源ソケットと似ている。ホストはパイプネットワークとそれぞれの吸込口につながる。集塵ホースを1つの吸込口に挿入し、ハンドルのスイッチをオンにすると、システムが自動的に作動する。

中央集塵システムの集塵能力は一般的な集塵器の5倍で、さらにすべての吸い込んだ粉塵をパイプ経由で完全に集塵缶に吸い込み、排気ガスを室外に排出するため、二次汚染がない。

ホースを壁の集塵口に挿入するとすぐに集塵ができ、集塵機を運搬したり、電気プラグを挿したり抜いたりする必要もない。また、地面に吸込口があるため、ほこりを掃くと自動的に吸入口に吸い込まれていく。

一般家庭用

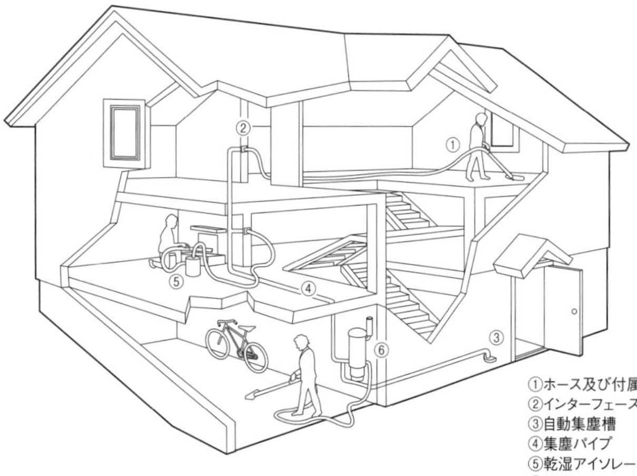
①
②
③
④
⑤
⑥

①ホース及び付属品
②インターフェースバルブ
③自動集塵槽
④集塵パイプ
⑤乾湿アイソレーター
⑥集塵ホスト

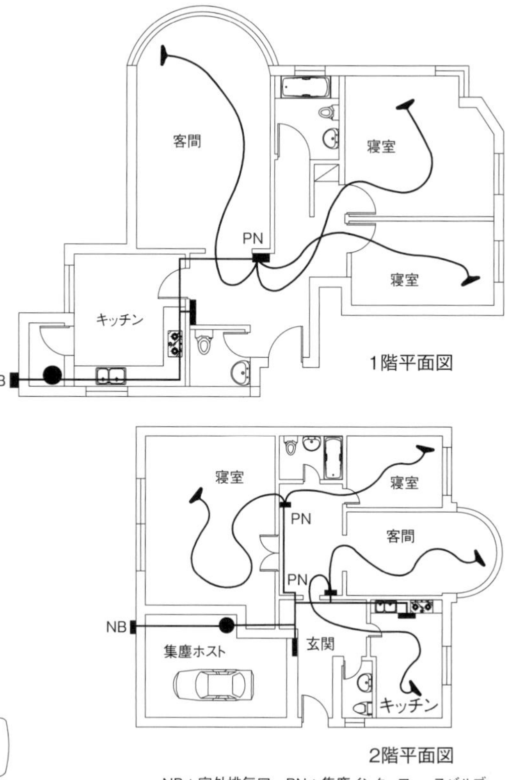
客間
寝室
PN
寝室
キッチン
NB
1階平面図
寝室
寝室
PN
客間
PN
NB
集塵ホスト
玄関
キッチン
2階平面図

NB：室外排気口　PN：集塵インターフェースバルブ

商業施設用

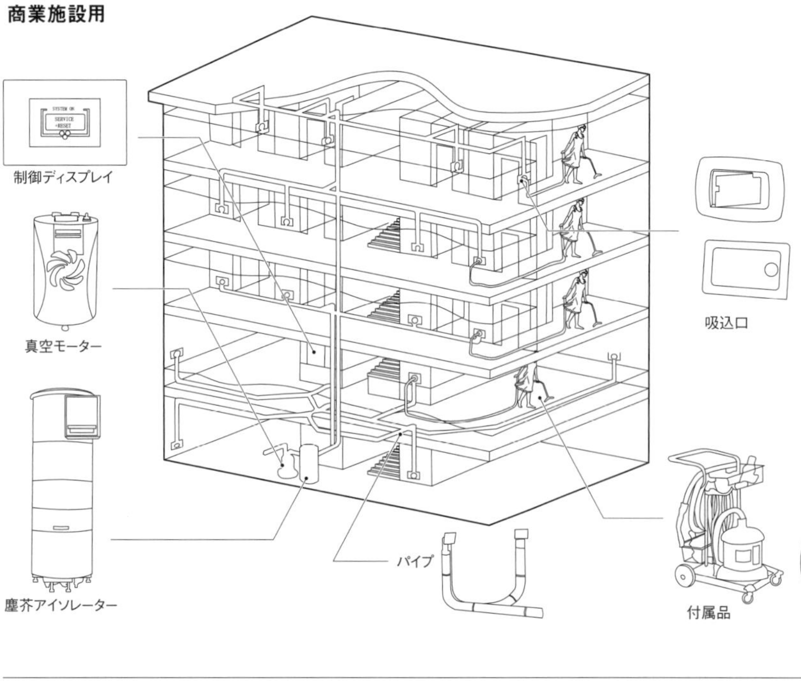
制御ディスプレイ
真空モーター
塵芥アイソレーター
パイプ
吸込口
付属品

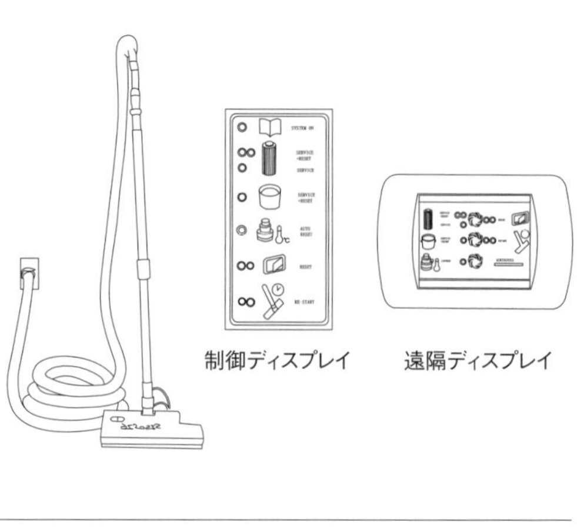
制御ディスプレイ
遠隔ディスプレイ

換気システムは室内の汚れた空気を室外に排出し、外のきれいな空気を室内に取り入れる仕組みである。単一方向流と双方向流の2種類があり、単一方向流システムは室内の汚れた空気を大量に排出したのち、外の新鮮な空気を取り入れる仕組みであるが、双方向流システムは汚れた空気を排出しつつ外の新鮮な空気を室内に取り組む仕組みである。

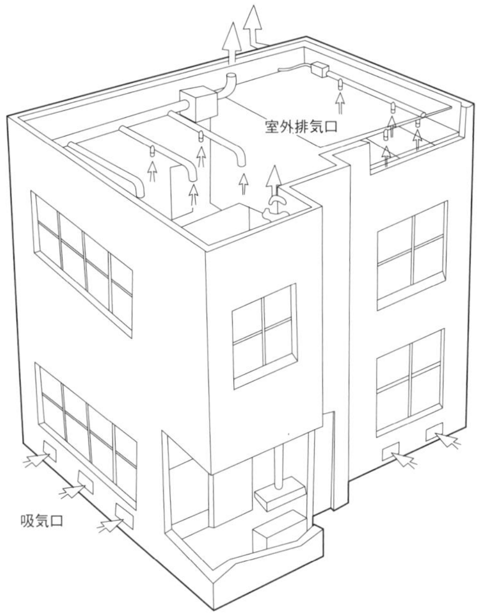
室外排気口
吸気口
商用中央換気システムイメージ図

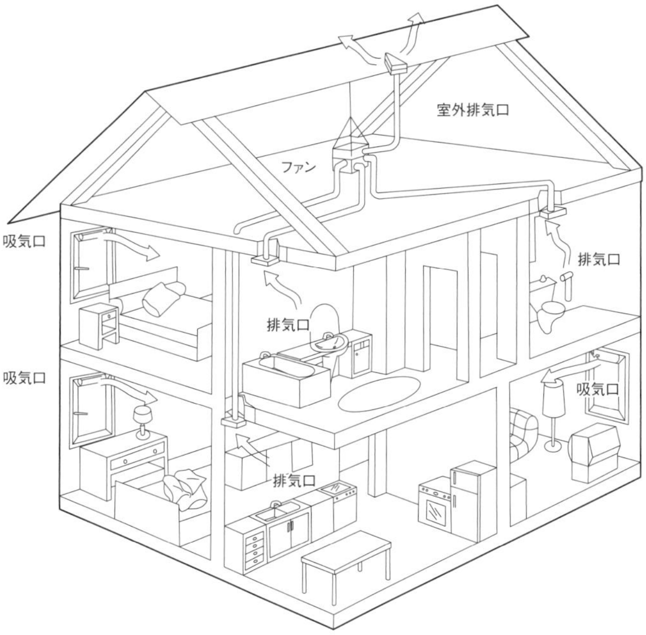
室外排気口
ファン
吸気口
排気口
排気口
吸気口
吸気口
排気口
家庭用多機能換気システム

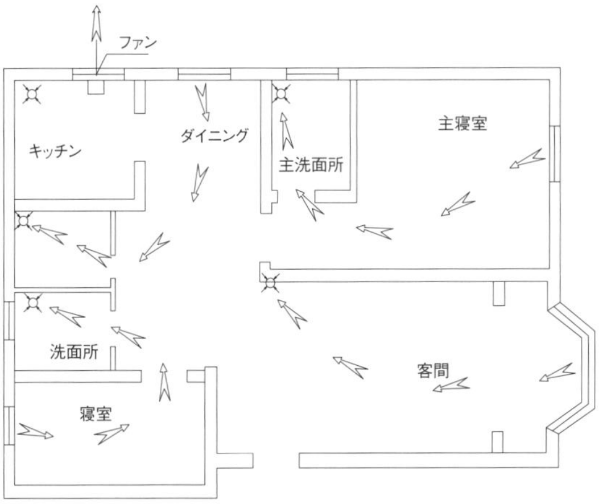
ファン
キッチン
ダイニング
主洗面所
主寝室
洗面所
客間
寝室

TSHD
屋根上ファン
2段階の送風レベル
送風量：200～2,000㎥/h

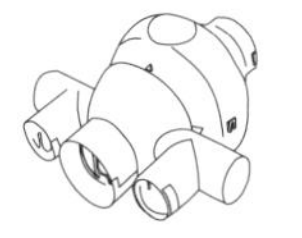
BOOSTAIR
プラスチック製
マルチポイント式平衡ファン
送風量：135～225㎥/h
口径：125×1個、80×4個
設置サイズ：256
超静音仕様：30dB
省エネルギーモデル：低レベル30W、高レベル68W

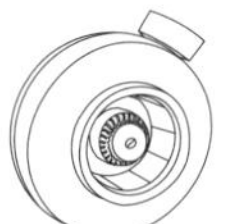
CK
パイプ式ファン
2段階の送風レベル
送風量：300～1200㎥/h
口径：125～315

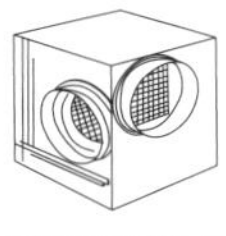
VMCM400-700
亜鉛メッキ構造の
キャビネット式ファン
2段階の送風レベル
送風量：400～700㎥/h
口径：160～250
欧州防火規格適合

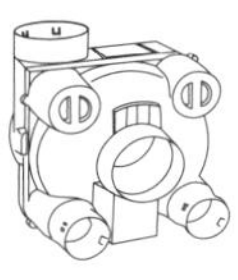
Modulo
プラスチック製マルチポイント式
湿度制御平衡ファン
前傾斜式モーター
送風量：135～225㎥/h
口径：125×1個、80×4個

TSVD
屋根上ファン
前傾斜式モーター
2段階の送風レベル
送風量：1,000～20,000㎥/h

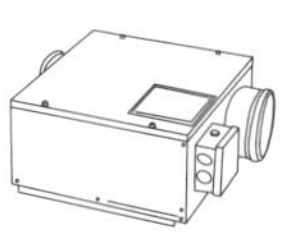
VMCT2020-1020
亜鉛メッキ超薄型吸排気ファン
送風量：220～1020㎥/h
口径：125～250
設置高度：低
超静音仕様

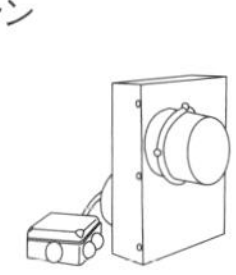
A×250
金属扁平型ファン
送風量：250㎥/h
口径：125

住宅用中央換気システム

換気システムは住宅全体の通風・換気を担うが、室内温度への影響は小さい。窓を開けない前提下では、室内の空気清浄をもたらす最良の方法である。部屋全体を2～3個のエリアに区別し、各エリアに3～5個の負圧エリアを作り、窓の上の換気口と合理的な気流ルートを形成して対流を生み、室内の濁った空気を室外に排出し、室外の新鮮な空気を室内に取り入れる

商用中央換気システム

システムはファン、吸気口、排気口とパイプなどの部品から構成される。ファンは建物の屋根に、パイプと排気口を各階層に設置し、キッチン、洗面所などの空気が濁った区域に置いて持続的に負圧を発生させ、濁った空気をパイプ経由で室外に排出する。負圧の作用で、新鮮な空気が壁の上の排気口を通じて絶えず屋内に入る。汚れた空気の排出と新鮮な空気の補充が組み合わされ、完全な空気循環が成立する

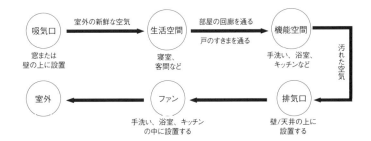

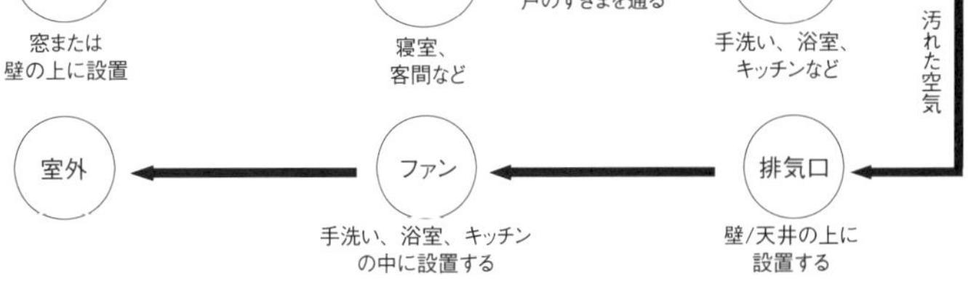
吸気口
室外の新鮮な空気
生活空間
部屋の回廊を通る
戸のすきまを通る
機能空間
窓または
壁の上に設置
寝室、
客間など
手洗い、浴室、
キッチンなど
汚れた空気
室外
ファン
排気口
手洗い、浴室、キッチン
の中に設置する
壁/天井の上に
設置する

Graphic Collection of Interior Design

First published in China in 2008
by China Architecture & Building Press.
Japanese translation rights arranged with
China Architecture & Building Press.
through Tohan Corporation, Tokyo.

装丁：新村洋平（トトト）

組版：有朋社

編集協力：ティー・オーエンタテインメント

翻訳協力：榎本雄二

新装版 図解ですべてわかる
世界の装飾デザイン見本帳

2022年5月2日 初版第1刷発行
2022年6月16日 第4刷発行

編著者 康海飛

発行者 澤井聖一

発行所 株式会社エクスナレッジ
〒106-0032
東京都港区六本木7-2-26
https://www.xknowledge.co.jp/

編　集 Tel：03-3403-1381／Fax：03-3403-1345
mail：info@xknowledge.co.jp
販　売 Tel：03-3403-1321／Fax：03-3403-1829